G. LANSON

HISTOIRE
DE LA
LITTÉRATURE
FRANÇAISE

remaniée et complétée
pour la période
1850-1950
par Paul TUFFRAU

LIBRAIRIE
HACHETTE

NOTE COMPLÉMENTAIRE
POUR L'ÉDITION REFONDUE

Il y aura bientôt soixante ans que G. Lanson a publié le présent ouvrage, dont le succès n'a pas faibli; au fur et à mesure des rééditions successives, il le retouchait avec un scrupule infini et y consignait les nouveaux développements de la littérature contemporaine; en 1920 encore, il saluait la « montée » de Claudel et de Valéry. Il dut s'arrêter là; mais il n'est pas douteux que si les charges, la fatigue et finalement la maladie n'avaient pas tenu en échec son courage, il eût continué à déceler et à définir les nouveaux modes de pensée, de sensibilité et d'expression qui se manifestaient de toute part dans un monde renouvelé par des événements d'une inimaginable ampleur; lui seul aurait pu le bien faire, avec sa pénétration et sa lucidité exceptionnelles. A défaut de ce maître incomparable il a bien fallu, pour que son œuvre gardât le contact avec l'actualité, qu'un autre s'en chargeât.

Toutefois il n'a pas paru suffisant, à l'examen, d'ajouter les quelques chapitres qui manquaient. Il a fallu reprendre l'ouvrage d'assez loin pour qu'une plus large place pût être faite à des écrivains dont l'importance s'est accrue avec les années (ainsi Baudelaire, Huysmans, Laforgue, Mallarmé, Rimbaud, J. Renard, L. Bloy...) ou dont la signification ne s'est pleinement dégagée qu'avec le recul du temps (Barrès, R. Rolland, par ex.). L'ouvrage a donc été remanié *à partir du naturalisme inclus* (exactement à partir de la page 1029) avec le souci de conserver le plus possible le texte de G. Lanson. La partie antérieure n'a subi que des modifications insignifiantes et de pure forme, toutes les fois qu'il a été nécessaire de resserrer légèrement les « hauts de page » pour permettre en bas de page l'insertion d'une bibliographie plus fournie. Cependant je dois signaler que la part faite à Béranger — qui n'est plus qu'un nom — a été considérablement réduite afin d'accroître celles de Nerval et de Maurice de Guérin, et d'en ménager une à Marceline Desbordes-Valmore.

La bibliographie, par contre, a été *entièrement revisée depuis les origines et mise à jour jusqu'en 1951* avec l'aide de M. Gilbert Cambon, qui voudra bien trouver ici l'expression de mes vifs remerciements. Les principes qui ont présidé à cette refonte sont ceux-mêmes qui avaient guidé G. Lanson quand il avait établi le premier état (voir pp. XIII et XIV de son Avant-propos) : élimination des ouvrages trop anciens ou trop connus; insertion des titres les plus récents, ou tout au moins de beaucoup d'entre eux. Mais les travaux d'histoire littéraire se sont multipliés d'une façon telle qu'une bibliographie réduite aux proportions d'une note ne saurait être exhaustive. Tout au plus, peut-elle orienter les premières recherches.

Décembre 1951.
P. TUFFRAU.

AVANT-PROPOS

Je ne me dissimule pas les imperfections de l'ouvrage qui s'offre au public aujourd'hui : et s'il reçoit un bon accueil, je m'efforcerai de les corriger. Toute rectification, toute critique me seront des secours ou des guides précieux.

Une *Histoire de la Littérature française* devrait être le couronnement et le résultat d'une vie tout entière. Mais encore une vie suffirait-elle? Et si l'on attendait d'avoir fini d'étudier pour écrire cette histoire, l'écrirait-on jamais? Il faut se résoudre à faire de son mieux, selon ses forces, sans illusion.

J'offre ce livre « à qui lit », comme disaient les honnêtes préfaces du vieux temps, à quiconque lit nos écrivains français. J'espère qu'il sera utile aux jeunes gens qui font de cette lecture une étude, aux élèves des deux sexes de nos lycées, aux étudiants de nos Facultés : d'autant plus utile qu'il n'est point fait exclusivement pour leur usage, à la mesure d'un examen, livre pour la mémoire, et livre d'entraînement. Je crois ne pouvoir leur rendre un plus grand service, que de leur présenter une Histoire de la littérature française qui s'adresse à tous les esprits cultivés ou désireux de se cultiver, et qui élargisse leur étude en la désintéressant. Ils n'en seront que mieux préparés, et

plus au-dessus de tout examen, s'ils ont pu, en se préparant, oublier qu'ils étaient candidats, et pratiquer la littérature pour elle même.

Il appartient à d'autres de juger ce que j'ai pu faire : je
rends compte de ce que j'ai voulu faire, de l'idée qui m'a
guidé dans mon travail.

On a faussé en ces derniers temps l'enseignement et
l'étude de la littérature. On l'a prise pour matière de programme, qu'il faut avoir parcourue, effleurée, dévorée,
tant bien que mal, le plus vite possible, pour n'être pas
« collé » : quitte ensuite, comme pour tout le reste, à n'y
songer de la vie. Ainsi, voulant tout enseigner et tout
apprendre, absolument tout, n'admettant aucune ignorance
partielle, on aboutit à un savoir littéral sans vertu littéraire. La littérature se réduit à une sèche collection de faits
et de formules, propres à dégoûter les jeunes esprits des
œuvres qu'elles expriment.

Cette erreur pédagogique dépend d'une autre, plus profonde et plus générale. Par une funeste superstition, dont
la science elle-même et les savants ne sont pas responsables,
on a voulu imposer la forme scientifique à la littérature :
on est venu à n'y estimer que le savoir positif. Il me fâche
d'avoir à nommer ici Renan comme un des maîtres de
l'erreur que je constate : il a écrit dans l'*Avenir de la science*
cette phrase où j'aimerais à ne voir qu'un enthousiasme
irréfléchi de jeune homme, tout fraîchement initié aux
recherches scientifiques : « L'étude de l'Histoire littéraire
est destinée à remplacer en grande partie la lecture directe
des œuvres de l'esprit humain. » Cette phrase est la négation
même de la littérature. Elle ne la laisse subsister que comme
une branche de l'histoire, histoire des mœurs, ou histoire
des idées.

Mais pourtant, même alors, c'est aux œuvres mêmes, directement et immédiatement, qu'il faudrait se reporter, plutôt
qu'aux résumés et aux manuels. On ne comprendrait pas
que l'histoire de l'art dispensât de regarder les tableaux et

les statues. Pour la littérature comme pour l'art, on ne peut éliminer l'œuvre, dépositaire et révélatrice de l'individualité. Si la lecture des textes originaux n'est pas l'illustration perpétuelle et le but dernier de l'histoire littéraire, celle-ci ne procure plus qu'une connaissance stérile et sans valeur. Sous prétexte de progrès, l'on nous ramène aux pires insuffisances de la science du moyen âge, quand on ne connaissait plus que les sommes et les manuels. Aller au texte, rejeter la glose et le commentaire, voilà, ne l'oublions pas, par où la Renaissance fut excellente et efficace.

L'étude de la littérature ne saurait se passer aujourd'hui d'érudition : un certain nombre de connaissances exactes, positives, sont nécessaires pour asseoir et guider nos jugements. D'autre part, rien n'est plus légitime que toutes les tentatives qui ont pour objet, par l'application des méthodes scientifiques, de lier nos idées, nos impressions particulières, et de représenter synthétiquement la marche, les accroissements, les transformations de la littérature. Mais il ne faut pas perdre de vue deux choses : l'histoire littéraire a pour objet la description des individualités [1] ; elle a pour base des intuitions individuelles. Il s'agit d'atteindre non pas une espèce, mais Corneille, mais Hugo : et on les atteint, non pas par des expériences ou des procédés que

---

1. Je ne veux point dire par là, comme quelques lecteurs l'ont cru, qu'il faut revenir à la méthode de Sainte-Beuve et constituer une galerie de *portraits* ; mais que, tous les moyens de déterminer l'œuvre étant épuisés, une fois qu'on a rendu à la *race*, au *milieu*, au *moment*, ce qui leur appartient, une fois qu'on a considéré la continuité de l'évolution du genre, il reste souvent quelque chose que nulle de ces explications n'atteint, que nulle de ces causes ne détermine : et c'est précisément dans ce résidu indéterminé, inexpliqué, qu'est l'originalité supérieure de l'œuvre ; c'est ce résidu qui est l'apport personnel de Corneille et de Hugo, et qui constitue leur individualité littéraire. Et voilà pourquoi il faut commencer par appliquer rigoureusement toutes les méthodes de détermination ; les grandes œuvres sont celles que la doctrine de Taine ne dissout pas tout entières ; la méthode délicate de M. Brunetière y fait apparaître une plus ou moins forte perturbation de l'évolution du genre ; il y a eu addition d'éléments imprévus ou réorganisation des éléments connus, élévation soudaine d'intensité ou création spontanée de beauté, et dans tous ces phénomènes s'est révélée l'originalité individuelle, que l'on atteint alors par leur exacte description. Pour le développement de ces idées, je ne puis que renvoyer à l'*Avant-Propos* du recueil d'études morales et littéraires que j'ai récemment publié sous le titre *Hommes et Livres* (Lecène et Oudin, in-18).

chacun peut répéter et qui fournissent à tous des résultats invariables, mais par l'application de facultés qui, variables d'homme à homme, fournissent des résultats nécessairement relatifs et incertains. Ni l'objet, ni les moyens de la connaissance littéraire ne sont, dans la rigueur du mot, scientifiques.

En littérature, comme en art, on ne peut perdre de vue les œuvres, infiniment et indéfiniment réceptives et dont jamais personne ne peut affirmer avoir épuisé le contenu ni fixé la formule. C'est dire que la littérature n'est pas objet de savoir : elle est exercice, goût, plaisir. On ne la *sait* pas, on ne l'*apprend* pas : on la pratique, on la cultive, on l'aime. Le mot le plus vrai qu'on ait dit sur elle, est celui de Descartes : la lecture des bons livres est comme une conversation qu'on aurait avec les plus honnêtes gens des siècles passés, et une conversation où ils ne nous livreraient que le meilleur de leurs pensées.

Les mathématiciens, comme j'en connais, que les lettres amusent, et qui vont au théâtre ou prennent un livre pour se récréer, sont plus dans le vrai que ces littérateurs, comme j'en connais aussi, qui ne *lisent* pas, mais *dépouillent*, et croient faire assez de convertir en *fiches* tout l'imprimé dont ils s'emparent. La littérature est destinée à nous fournir un plaisir, mais un plaisir intellectuel, attaché au jeu de nos facultés intellectuelles, et dont ces facultés sortent fortifiées, assouplies, enrichies. Et ainsi la littérature est un instrument de culture intérieure : voilà son véritable office.

Elle a cette excellence supérieure, qu'elle habitue à prendre plaisir aux idées. Elle fait que l'homme trouve dans un exercice de sa pensée, à la fois sa joie, son repos, son renouvellement. Elle délasse des besognes professionnelles, et elle élève l'esprit au-dessus des savoirs, des intérêts, des préjugés professionnels; elle « humanise » les spécialistes. Plus que jamais, en ce temps-ci, la trempe philosophique est nécessaire aux esprits : mais les études techniques de philosophie ne sont pas accessibles à tous. La littérature est, dans le plus noble sens du mot, une vulgarisation de la philosophie : c'est par elle que passent à travers nos sociétés tous les grands courants philosophiques, qui déterminent les progrès ou du moins les changements sociaux ; c'est elle qui entretient dans les âmes, autrement déprimées par la nécessité de vivre et submergées par les préoccupations matérielles, l'inquiétude des hautes questions qui dominent la vie et lui donnent sens ou fin. Pour beaucoup de nos contemporains, la religion est évanouie, la science est lointaine ; par la littérature seule leur arrivent les sollicitations qui les arrachent à l'égoïsme étroit ou au métier abrutissant.

Je ne comprends donc pas qu'on étudie la littérature autrement que pour se cultiver, et pour une autre raison que parce qu'on y prend plaisir. Sans doute ceux qui se préparent à l'enseignement doivent systématiser leur connaissance, soumettre leur étude à des méthodes, et la diriger vers des notions plus précises, plus exactes, je dirai, si l'on veut, plus scientifiques que les simples amateurs de lettres. Mais il ne faut jamais perdre de vue deux choses : l'une, que celui-là sera un mauvais maître de littérature qui ne travaillera point surtout à développer chez les élèves le goût de la littérature, l'inclination à y chercher toute leur vie un énergique stimulant de la pensée en même temps qu'un délicat délassement de l'application technique ; c'est là qu'il nous faut viser, et non à les fournir de réponses pour un jour d'examen ; l'autre, que personne ne saura donner à son enseignement cette efficacité, si, avant d'être un savant, on n'est soi-même un amateur, si l'on n'a commencé par se cultiver soi-même par cette littérature dont on doit faire un instrument de culture pour les autres, si enfin, tout ce qu'on a fait de recherches ou ramassé de savoir sur les œuvres littéraires, on ne l'a fait ou ramassé pour se mettre en état d'y plus comprendre, et d'y plus jouir en comprenant.

Je voudrais donc que cet ouvrage ne fournît pas une dispense de lire les œuvres originales, mais une raison de les lire, qu'il éveillât les curiosités au lieu de les éteindre. J'ai voulu tout subordonner à ce dessein.

J'ai profité de tous les travaux qui pouvaient apporter des notions positives sur les écrivains et sur les écrits : faits biographiques ou bibliographiques, sources, emprunts, imitations, chronologie, etc. ; ce sont là des éléments d'informations qui font comprendre plus et mieux. Mais, pour représenter le caractère des écrits et la physionomie des écrivains, je me suis interdit de résumer les jugements des maîtres que j'admire, de Taine et de Sainte-Beuve, comme de M. Gaston Paris et de M. Brunetière : j'ai estimé plus utile, en une matière où il n'y a point de vérité dogmatique ni rationnelle, d'apporter les opinions, les impressions, les formes personnelles de pensée et de sentiment que le contact immédiat et perpétuel des œuvres a déterminées en moi. Ce n'est que par là qu'une étude du genre de celle-ci peut être sincère et vivante ; et l'on ne peut espérer d'intéresser les autres aux choses dont on parle que par le goût qu'on marque soi-même y prendre.

Au reste, je ne me suis point inquiété d'être neuf, ni de faire des découvertes ; et je ne désirerais rien plus vivement au contraire, que d'avoir en général rencontré les idées que la plupart de mes contemporains auraient à la lecture des mêmes ouvrages.

On verra, en lisant cette histoire, que j'y ai fait une grande place au moyen âge, une grande aussi au XIXᵉ siècle. Le XIXᵉ siècle littéraire est actuellement fini : il est très vraisemblable que les œuvres considérables de la fin du siècle, s'il s'en produit, seront le commencement d'une nouvelle période de notre littérature. On peut donc essayer de représenter aujourd'hui dans son ensemble l'effort d'un siècle qui n'a point été indigne de ses aînés. L'entreprise est délicate, surtout pour l'époque contemporaine. Cependant j'espère, dans cette partie de mon travail comme dans les autres, n'avoir rien aimé ou blâmé que pour des raisons d'ordre littéraire. Je n'ai pas cru impossible d'écarter toutes les passions du pré sent, et de goûter en chaque œuvre la puissance individuelle du talent, quelle que fût l'orthodoxie politique, religieuse, métaphysique, et même esthétique, qui s'y révélât. En littérature plus qu'ailleurs, les doctrines ne valent tout justement que ce que valent les esprits qui les appliquent.

Après quelques-uns de mes devanciers, je me suis longuement arrêté au moyen âge. Le temps est venu de faire rentrer le moyen âge dans l'unité totale de notre littérature française : et ce serait mal reconnaître les efforts de tant d'érudits spécialistes, que de leur en laisser indéfiniment la jouissance. Assez de textes ont été publiés, assez d'éclaircissements fournis, pour qu'il ne soit plus permis au simple lettré d'arrêter sa curiosité au seuil de la Renaissance. Qu'il y ait toujours des curieux et des savants qui s'enferment dans le moyen âge, comme il y en a qui se cantonnent dans le xviiie siècle ou dans le xviie, rien de plus légitime, et rien de plus utile : mais il est temps que tombe le préjugé par lequel le professeur, le critique, qui prétend embrasser dans son étude et son goût toute notre littérature nationale, est autorisé à en ignorer, à en mépriser quatre ou cinq siècles.

Il va sans dire qu'il ne s'agit pas de conserver, de lire et de faire lire toutes les œuvres du moyen âge qui ont été publiées. Un travail est à faire : dans la vaste production que les spécialistes nous ont révélée, il faut séparer le monument littéraire du document historique ou philologique. Un petit nombre d'œuvres capitales viendront ainsi enrichir définitivement le trésor public de notre littérature : le reste demeurera la propriété et la curiosité des érudits. C'est cette sélection que je me suis appliqué à faire ici, selon ma connaissance et mon jugement.

Je suis porté à croire que si l'on donnait des éditions, je ne dis pas scolaires, mais simplement communes et populaires des chefs-d'œuvre de la vieille langue, si quelques spécialistes mettaient leurs soins à établir pour ces éditions une orthographe moyenne et partiellement conventionnelle, qui fixât les mots dans une forme unique d'un bout à l'autre de chaque œuvre et pour certains groupes assez larges d'écrivains, et qui facilitât la lecture des textes originaux, on ferait aisément entrer le meilleur de notre moyen âge dans le domaine commun de la littérature. On y apprivoiserait sans peine nos intelligences, inaccoutumées à s'y diriger : d'autant qu'on aurait là pour les plus jeunes élèves de nos lycées une inépuisable et inestimable matière de lectures faciles, attrayantes, sollicitant de mille côtés l'attention des enfants, et tout juste à leur mesure. Cette enfance de notre littérature, comment nos pédagogues n'ont-ils pas encore vu que c'était vraiment la littérature de l'enfance?

Le développement que j'ai attribué au moyen âge et au XIXe siècle, la largeur que j'ai cru nécessaire de donner à l'étude des puissantes individualités qui sont l'objet propre de l'histoire littéraire et l'instrument efficace de la culture littéraire, ont grossi ce livre au delà des dimensions ordinaires. Il m'aurait été même impossible de réduire mon sujet ainsi compris en un seul volume, si je n'avais très rigoureusement défini ma matière. J'ai été conduit ainsi à éliminer tout ce que souvent on a mêlé dans une *Histoire de la Littérature française*, et qui pourtant n'y appartient pas réellement. Je n'ai pas voulu faire l'Histoire de la civilisation, ni l'Histoire des idées; et j'ai laissé de côté des écrits qui pour l'un ou l'autre de ces sujets seraient de premier ordre. Je n'ai pas prononcé des noms à qui l'histoire politique fera honneur : il y a d'excellents hommes d'État, et de grands patriotes, dont les discours ne sauraient être comptés dans la littérature. Je me suis retranché bien des développements qu'un historien ou un philosophe ne croirait pas pouvoir éviter. J'ai éliminé l'histoire de la littérature de langue d'*oc* : elle n'avait pas plus de raison d'entrer dans un ouvrage que l'histoire de la littérature celtique, ou l'histoire des œuvres écrites en latin par des Gaulois ou des Français

Je n'ai même pas voulu faire l'histoire de la langue : c'est tout un livre qu'il faudrait écrire ; entre la Grammaire historique et l'Histoire de la littérature, il y a place pour ce que j'appellerais l'Histoire littéraire de la langue, l'étude des aptitudes, ressources et propriétés littéraires de la langue générale dans les divers états qu'elle a traversés. On pouvait autrefois se permettre bien des excursions, quand les XVIe, XVIIe et XVIIIe siècles constituaient seuls à peu près toute la littérature dont on parlait ; on étoffait le peu qu'on savait du moyen âge français, par le peu qu'on savait du moyen âge provençal. Mais aujourd'hui la matière est plus abondante dans tous les sujets : j'aurais étouffé le mien en effleurant à peine les autres. Je n'y ai donc pris que ce qui était indispensable à l'explication de la littérature française, aux endroits où il y a coïncidence, influence et liaison nécessaire.

On trouvera ici trois catégories de notes : des notes biographiques, d'abord, dont il est inutile de défendre l'utilité. Je n'ai admis dans le texte que les faits biographiques qui éclairaient les œuvres : les notes offriront très succinctement les biographies qui, sans expliquer les talents, rendent un peu de vie aux hommes en les localisant dans le temps et l'espace.

Après quelques-uns de ceux qui se sont récemment appliqués à l'Histoire littéraire, et notamment après M. Lintilhac, j'ai cru nécessaire de fournir une bibliographie sommaire. Elle donne en effet au lecteur le moyen d'aller au delà des jugements et des idées qu'on lui offre, de connaître plus amplement, ou plus particulièrement, les choses sur lesquelles on a tâché d'exciter sa curiosité.

J'ai essayé de faire cette modeste bibliographie aussi utile et pratique que possible. J'ai donc indiqué sur chaque écrivain de quelque importance les principaux ouvrages à consulter, m'attachant de préférence à signaler les recherches qui fournissent des renseignements positifs auxquels nulle finesse d'intelligence ne peut suppléer, et parmi les

études des critiques, indiquant surtout les contemporains
dont le jugement littéraire se trouve en relation avec toutes
les idées et les besoins du temps présent. J'ai, en général,
fait un choix plus sévère parmi les ouvrages déjà anciens,
dont les uns sont « déclassés », les autres sont suffisamment connus et faciles à trouver. Il était inutile de charger
mes notes de l'indication de tous les articles de Sainte-
Beuve : on saura toujours y recourir. On saura aussi aller
trouver Nisard au besoin. Au contraire, j'ai fait une large
place aux ouvrages très récents, qui, en dépit de toutes
les annonces de librairie et comptes rendus critiques,
échappent souvent pendant longtemps à la foule des lecteurs.

Mais il m'a semblé que ce n'était là que la moitié de la
bibliographie nécessaire. Aussi ai-je joint à l'indication des
ouvrages à consulter une autre catégorie de notes, où l'on
trouvera marquées les principales *éditions* de chaque auteur.
Je ne pouvais, en aucune partie de ce travail, perdre de
vue ni laisser oublier que tous les secours de l'érudition et
de la critique, toute l'écriture amassée autour des textes,
celle des autres comme la mienne, ont pour fin dernière
la lecture personnelle des textes. J'ai fait connaître, lorsqu'il y avait un intérêt quelconque, les éditions originales :
mais, à l'ordinaire, je me suis contenté d'indiquer les
meilleures, les plus modernes (quand elles sont les meilleures), et, en certains cas, les plus accessibles à tout le
monde.

Dans le plan de cette Histoire, on verra aisément que je
me suis attaché à respecter la succession chronologique des
hommes et des œuvres : c'est-à-dire, en somme, à représenter
le plus possible le mouvement de la vie. Au moins ai-je logé
toutes les œuvres considérables à la place que leur date leur
assigne : pour les écrits secondaires que la nécessité d'éviter
la confusion m'a fait déplacer et grouper auprès des chefs-
d'œuvre de même genre, on les remettra facilement à leur
date. Dans l'observation de l'ordre chronologique, j'ai cherché

le moyen d'éviter ces chapitres-tiroirs où l'on déverse tout le résidu d'un siècle, ces défilés de noms, d'œuvres et de talents incompatibles auxquels on est ordinairement condamné, lorsqu'on a étudié les genres fixes et définis. Les prosateurs qui ne sont point de purs artistes ou qui n'ont point écrit pour faire œuvre d'art, sont souvent embarrassants à placer : on fait passer les poètes, et on pousse ensuite, comme on peut, le tas de traînards des prosateurs. Mais comment se représentera-t-on le xvie siècle, si Rabelais y vient en compagnie de Montaigne, après Ronsard et Desportes? ou si Montaigne défile avant Marot, avant Rabelais? Verra-t-on bien le dessin du xviie siècle, si on y loge ensemble Pascal, La Rochefoucauld et La Bruyère, ou le mouvement du xviiie, si Montesquieu se présente à côté de Buffon, à la suite de Jean-Jacques. Partout où il n'y a pas à suivre le développement d'un genre, d'une précise forme d'art et même alors le plus souvent, il faut s'attacher à la chronologie. C'est le fil directeur qu'il faut rompre le moins possible.

Au reste, j'ai essayé de simplifier l'exposition des progrès de la Littérature française. Je me suis arrêté longuement aux grands noms; j'ai plutôt diminué qu'accru le nombre des écrivains de second ou troisième ordre A quoi bon décrire des œuvres qui ne valent pas la peine d'être lues? Exception faite seulement de celles qui expliquent les œuvres qu'on doit lire : mais, en ce cas, elles reprennent une valeur et méritent la lecture

Je ne puis terminer sans adresser mes remerciements à M. Brunetière qui, depuis trois ans, a bien voulu s'intéresser à ce travail. Il a mis à ma disposition, avec une délicate complaisance, sa riche bibliothèque et sa vaste érudition. Il m'a communiqué les notes manuscrites d'un cours qu'il a professé à l'École Normale sur le xvie siècle : la personnalité originale dont il a empreint cette étude, comme toutes les autres, m'a seule imposé la discrétion dans l'usage que j'ai fait de ces notes suggestives et de ces plans lumineux. C'est un devoir pour moi, dont je m'acquitte ici volontiers, d'assurer M. Brunetière de ma vive gratitude.

Je remercie aussi M. Poiret, mon ancien collègue au lycée Charlemagne, qui s'est chargé de dresser un *index* alphabétique, dont tous les lecteurs de cet ouvrage apprécieront l'utilité.

GUSTAVE LANSON.

Saint-Cloud, le 23 juillet 1894.

AVERTISSEMENT

Voici bientôt vingt ans que la première édition de cet ouvrage a paru.

Pendant ce temps, mes recherches, mon enseignement ne m'ont pas apporté seulement des connaissances nouvelles : j'ai dû, connaissant plus et mieux ma matière, abandonner quelques-uns de mes premiers jugements.

Des corrections et des additions importantes ont été faites dans toutes les éditions; la bibliographie notamment a été tenue au courant. Toutefois il me devient de plus en plus difficile, ce volume ne pouvant se dilater à l'infini, de signaler toutes les publications nouvelles qu'il est utile de connaître. Je prie le lecteur de compléter les notes de ce livre à l'aide de mon *Manuel Bibliographique de la Littérature française moderne* (1500-1909), qui ne tardera pas à être achevé.

Dans la septième édition, en 1902, j'ai cru devoir donner quelque chose de plus. J'ai remplacé le dernier chapitre par une étude en grande partie nouvelle.

Depuis 1894, la situation littéraire s'était éclaircie. Le sens du mouvement s'était précisé; des œuvres étaient venues donner clarté et garantie aux théories. Il était donc possible de substituer aux indications flottantes et aux points d'interrogation auxquels j'avais dû me résigner d'abord, des vues d'ensemble plus nettes et des jugements plus fermes.

J'ai corrigé, dans ces deux éditions nouvelles comme dans les précédentes, les inexactitudes ou les erreurs de faits. Lorsque de récents travaux ou mes propres études m'ont amené à faire des modifications ou des additions importantes, j'ai placé entre crochets le texte nouveau ou refait. Mais, dans les matières de sentiment et d'opinion, il m'a paru qu'il serait dangereux de me borner à substituer un jugement à un autre ; il y aurait de quoi dérouter les jeunes gens qui rencontreraient des affirmations différentes, selon qu'ils prendraient une édition ancienne ou récente. Il m'a paru meilleur pour leur éducation littéraire de leur montrer moi-même en quoi j'ai varié : j'ai donc laissé subsister en général mon premier texte, et j'y ai joint une note indiquant brièvement dans quelle mesure et pourquoi j'ai changé d'avis [1].

Je serais disposé actuellement — est-ce l'effet de l'âge ? est-ce parce que je me prête plus souplement à toutes les œuvres ? — à détendre certaines sévérités. J'ai peut-être exagéré autrefois l'importance de « l'intelligence » (entendez la capacité d'analyse et d'élaboration des idées abstraites), dans la littérature, et j'ai été peut-être trop dur à certains artistes dont l'esprit, inhabile à l'abstraction, n'opérait jamais que sur des images et des symboles sensibles. Je puis rendre aujourd'hui plus de justice à cette forme de pensée, impropre aux démonstrations, mais fortement suggestive.

J'ai peut-être aussi trop aimé la métaphysique, et trop estimé les écrivains acharnés à sonder l'inconnaissable aux dépens de ceux qui se renfermaient dans le monde de l'expérience. Je comprends mieux et je goûte davantage aujourd'hui les esprits positifs, réalistes, et pratiques, qui n'attachent de prix aux idées qu'en raison des faits qu'elles expriment et de la prise qu'elles donnent sur les faits.

Ainsi l'*intelligence* d'un Hugo et l'*intelligence* d'un Voltaire me sont toutes les deux devenues plus sensibles, et je les vois avec plus de sympathie.

30 Juillet 1909 — 14 Juin 1912.

---

1. Ces notes de repentir ou de conversion seront signalées par l'indication : *11e* ou *12e éd.* Elles ne signalent que les variations importantes. Je ne me suis pas interdit les menues retouches qu'il eût été fastidieux de souligner toujours.

HISTOIRE

DE LA

LITTÉRATURE FRANÇAISE

PREMIÈRE PARTIE

LE MOYEN AGE

INTRODUCTION

ORIGINES DE LA LITTÉRATURE FRANÇAISE

Le xᵉ siècle. Premiers textes littéraires [1]. — 1. Celtes, Romains, Germains : éléments et formation de la langue et de la race. Caractère de l'ancien français : dialectes. Vue générale du développement de la langue. — 2. Caractère de la race. — 3. Causes générales qui diversifient les œuvres littéraires. Séparation de la société laïque et de la société cléricale au moyen âge. Différences provinciales. Inégalités sociales. Enrichissements successifs de l'esprit français. — 4. La France du xᵉ siècle. Physionomie générale du moyen âge.

L'humble *Séquence de sainte Eulalie*, décalque d'un chant d'église latin, n'offre malgré l'emploi du vers assonancé, guère plus de valeur ni d'intention littéraires que les fameux *Serments de Stras-*

---

1. Chrestomathies : L. Constans; Ch. Aubertin; L. Clédat; G. Paris et E. Langlois, 1912; A.-M. Pauphilet, 1939; G. Cohen, 1947. — **A consulter :** la collection de la *Romania* et l'*Histoire littéraire de la France* commencée par les bénédictins et continuée par l'Académie des Inscriptions. Ces deux publications sont capitales. Voir aussi : Aubertin, *Hist. de la langue et de la litt. fr. au M. A.*, 1878; K. Bartsch et A. Horning, *Langue et littér. fr. du IXᵉ au XIVᵉ s.*, 1887; G. Paris, *Litt. fr. au M. A.*, 1890; *Poésie au M. A.*, 1887-95; *Esquisse histor. de la litt. au M. A.*, 1906; G. Cohen, *Litt. fr. médiévale*, 1950. — F. Brunot, *Hist. de la langue fr.*, I, 1905; J. Anglade, *Gramm. de l'anc. français*, 1918.

bourg, et n'intéresse aussi que l'histoire de la langue française
(fin du IXe siècle). Mais dans la seconde moitié du Xe siècle, en
même temps que s'établit la dynastie capétienne à qui il appartiendra de faire l'unité française, au moment où la terre féodale
commence à se hérisser de châteaux forts, où les architectes
romans vont dresser au milieu des villes les masses des grandes
églises voûtées, avec la vie nationale s'éveille la littérature nationale : un court poème *sur la Passion*, une *Vie de saint Léger*, un
peu plus de trois cents vers, voilà les plus anciens monuments de
notre poésie, qui, chez nous comme partout, a précédé la prose.
Ce n'est rien ou c'est peu de chose, que cette *Vie de saint Léger* [1] :
un mince filet de narration, naïve, limpide, presque plate et
presque gracieuse en sa précision sèche. Mais c'est le premier
essai de cette intense invention littéraire que dix siècles n'ont pas
sans doute encore épuisée : et surtout, il n'y a pas à s'y tromper,
c'est quelque chose déjà de bien français.

1. ÉLÉMENTS ET DÉVELOPPEMENT DE LA LANGUE.

Qu'est-ce donc que cette âme française, cette chose nouvelle
qui se révèle dans cette littérature naissante? c'est l'affaire des
historiens de nous l'expliquer en détail : deux mots suffisent ici.
Il a fallu, pour produire cette pauvre forme d'embryon, il a fallu
que la population gallo-celtique de la Gaule fût réduite sous la loi
de Rome, qu'elle prît les mœurs, la culture, la langue de ses
vainqueurs, que l'empire romain et la culture latine, formes
vénérables et vermoulues, tombassent en poussière au contact,
non hostile, mais brutal, des barbares, et que les Francs, fondus
dans la masse gallo-romaine, y déterminasent cet obscur travail,
d'où sortirent ces deux choses, une race, une langue française.

La langue, on la connaît. Nous n'avons ici qu'à nous représenter
les principaux moments d'une évolution qui dura neuf siècles. Les
trois facteurs de notre race ont mis leur empreinte, bien inégalement, sur la langue. Rome, après la conquête, importe chez nous
ses lois, sa langue, ou plutôt ses langues : elle installe dans les
prospères écoles, elle déploie dans l'abondante littérature de la
Gaule romaine sa sévère langue classique, ennoblie d'hellénisme,

L. Foulet, *Syntaxe de l'anc. français*; F. Godefroy, *Dict. de l'anc. langue
française*, 1879-1902; H. Van Daele, *Dict. de l'anc. français*, 1940; R. Gran-
saignes d'Hauterive, *Dict. de l'anc. français*, 1948 — M. Bloch, *la Société féodale*,
1939-40; L. Réau et G. Cohen, *l'Art au M. A.*, 1935; E. Gilson, *Esprit de la philos.
médiévale*, 1932; E. Bréhier, *Philosophie au M. A.*, 1937; G. Cohen, *Grande clarté
du M. A.*, 1945; R. Pernoud, *Lumière du M. A.*, 1946.

solidement liée par les rigoureuses lois de sa syntaxe et de sa pro
sodie; elle livre à la masse populaire le rude, instable, usuel
parler de ses soldats, de ses marchands et de ses esclaves, ce latin
que, dès le temps d'Ennius, la force de l'accent et de vagues tendances analytiques commençaient à décomposer. Le celtique est
supplanté, repoussé au fond des campagnes, où il végète de plus
en plus obscurément, perdant du terrain chaque jour, jusqu'à ce
qu'il disparaisse enfin sans bruit aux environs du vi^e siècle. On
n'aperçoit pas où en était le latin populaire quand la Gaule le
reçut, ni ce qu'en firent ces bouches et ces esprits de Celtes pendant les siècles de la domination romaine : on ne peut mesurer à
quel point les habitudes intimes et comme l'âme de la langue
celtique s'insinuèrent dans le latin gallo-romain.

Viennent les barbares, et cette brillante façade de la civilisation
impériale est jetée à bas : tout ce qui fermentait et évoluait sous
l'immobilité stagnante de la langue artificielle des lettrés est mis
à découvert. Dès lors le travail de la formation du français se fait
au grand jour. Un jour vient où dans le latin décomposé, désor-
ganisé, se dessine un commencement d'organisation sur un nouveau plan; un jour vient où les hommes qui le parlent s'aperçoivent qu'ils ne parlent plus latin : le *roman* est né; c'est-à-dire en
France, le français. Les terminaisons latines sont tombées; les
mots se sont ramassés autour de la syllabe accentuée; le sens des
flexions s'est oblitéré, réduisant la déclinaison à deux cas. Dans sa
forme indigente de langue synthétique dégénérée, l'ancien français
enveloppe et manifeste déjà un génie analytique : organisme mixte
qui relie les formes extrêmes, et nous aide à passer du latin, si
riche des six cas de sa déclinaison, au français moderne qui n'en
a pas.

L'apport des Francs est représenté par quelques centaines de
mots, qu'ils ont jetés dans la langue gallo-romaine. Car, à peine
maîtres du pays, ils se sont mis à parler le latin, comme l'Église,
qui les baptisait. S'ils en ont précipité la décomposition, ils ne
l'ont sensiblement modifiée ni dans sa marche, ni dans ses résultats.

Dans la barbarie croissante des chroniques et des chartes méro-
vingiennes, on voit le latin se défaire. Au viiie siècle le roman
apparaît : trois mots répétés par le peuple du diocèse de Soissons
pendant que les clercs prient en latin pour le pape et l'empereur.
Puis c'est la liste de mots du glossaire de Reichenau, ce sont
les *Serments de Strasbourg* (842), la *Séquence de sainte Eulalie*
(vers 880). La langue est faite, et apte à porter la littérature.
Création spontanée du peuple, elle est à son image et pour
son besoin : langue de la vie quotidienne, de l'usage pratique et

de la sensation physique, langue de rudes soldats, de forts paysans, qui ont peu d'idées et ne raisonnent guère. A mesure que la pensée et la science élargissent ces étroits cerveaux et en éveillent l'activité, à mesure aussi que les lettrés prennent l'habitude d'user de la langue vulgaire, la première provision de mots préparée par le peuple ne suffira plus. On ira reprendre dans le riche fond de la latinité ce que l'on y avait d'abord laissé; et les mots *savants* viendront presque dès le premier jour s'ajouter aux mots *populaires* : de ces deux classes de mots, formés ceux-ci sous l'influence et ceux-là hors de l'influence de l'accent latin, ceux-ci par la bouche et l'oreille du peuple, et ceux-là par l'œil des scribes, de ces deux classes se fera une langue plus riche, plus souple, plus fine, plus intellectuelle. Mais celle qui vient de naître au xe siècle, rude et raide, toute concrète, impuissante à abstraire, a déjà la netteté, la clarté, la rapidité, et cette singulière transparence qui, la condamnant à tirer toute sa beauté des choses qu'elle exprime, lui confère le mérite de l'absolue probité.

Dans l'âge moderne, les frontières de l'État sont à peu près les limites de la langue, et l'instrument littéraire est le même pour les Français du Nord et du Midi. Cette langue nationale unique se superpose aux patois locaux, plus ou moins distincts, dégradés, ou vivaces, auxquels parfois le caprice individuel ou le patriotisme provincial rendent artificiellement une existence littéraire. Il n'en était pas ainsi au moyen âge.

Comme à travers les diverses régions de l'empire romain, le latin, dans la bouche de populations très diverses, se corrompit diversement, et comme il se ramifia en tout un groupe de langues de plus en plus divergentes, en France aussi ce ne fut pas une langue qui sortit du latin : mais, des Pyrénées à l'Escaut et des Alpes à l'Océan, s'échelonna une incroyable variété de dialectes, qui s'entretenaient et se dégradaient insensiblement, chacun d'eux ayant quelques particularités communes avec ses voisins et les reliant.

Ces dialectes se groupent en deux langues, langue d'*oc* et langue d'*oïl*, provençal et français, dont les domaines seraient séparés à peu près par une ligne qu'on tirerait de l'embouchure de la Gironde aux Alpes en la faisant passer par Limoges, Clermont-Ferrand et Grenoble. Donc la primitive province romaine et tout ce vaste bassin de la Garonne où le premier élément de la race est fourni par un fond indigène de population non celtique mais ibère, d'autres régions encore, comme l'Auvergne et le Limousin, presque la moitié de la France ne parlait pas français, et ne produisit pas au moyen âge une littérature française. Nous n'aurons pas à étudier la littérature de langue d'*oc*, bien qu'elle

ait vécu surtout sur le territoire français : non plus que nous
n'étudions la littérature gallo-romaine ou les écrits latins de notre
moyen âge. La poésie provençale ne devra nous arrêter, comme
toutes les littératures de langue étrangère, qu'autant qu'elle aura
exercé quelque influence capable de modifier le cours de la véritable littérature française.

Au nord de la ligne idéale dont on vient de parler, toute la
Gaule romaine à peu près appartient au français, un peu diminuée pourtant au Nord-Est, où les invasions barbares ont fait
avancer le tudesque au delà du Rhin jusque vers la Meuse et les
Vosges, et à l'Ouest, où les Bretons chassés de Grande-Bretagne
par la conquête anglo-saxonne ont rendu au celtique une partie
de l'Armorique. Les nombreux dialectes étroitement apparentés
qui se distribuent sur ce territoire constituent ce qu'on appelle le
français : ils se répartissent en cinq groupes, dont les frontières
ne sont pas nettement marquées : le dialecte du Nord-Est, ou
picard; celui de l'Ouest, ou normand, celui du Centre-Nord, ou
poitevin, celui de l'Est, ou bourguignon, enfin, au milieu, le dialecte
du duché de France, le français proprement dit. Tous ces dialectes
sont d'abord égaux, et souverains chacun en son domaine : ils
s'équivalent comme instruments littéraires, et l'emploi de l'un par
préférence aux autres dans un ouvrage révèle seulement l'origine
de l'écrivain. Mais ils eurent des fortunes inégales et diverses
selon la grandeur du rôle politique qui échut aux pays où ils
étaient parlés. Le français, langue du domaine royal, s'étendit
avec lui, et suivit le progrès de la monarchie capétienne : dès la
fin du XIIᵉ siècle, les beaux seigneurs de France se moquaient
de l'accent picard de Conon de Béthune. Insensiblement l'unité
politique devenant plus étroite et plus réelle, la littérature d'autre
part se faisant de moins en moins populaire, Paris dut à ses rois
et à son université d'être le centre intellectuel du royaume. Les
dialectes frères du français furent peu à peu délaissés, et, ne servant plus à la littérature, descendirent au rang de patois, tellement avilis et dégradés, que souvent on les a pris pour du français corrompu : leur déchéance fut très insuffisamment compensée
par la cession qu'ils firent au français d'un certain nombre de
formes qui leur étaient propres.

La terrible croisade des Albigeois fut un grand événement littéraire autant que politique et religieux : elle porta d'un coup la
langue française jusqu'aux Pyrénées et jusqu'à la Méditerranée.
Le provençal resta le parler du peuple : mais la littérature provençale périt, pour ne ressusciter qu'après plusieurs siècles, et
sans jamais reprendre son ancienne vigueur. Puis de tous les côtés,
sur toutes les frontières, à mesure que les rois rattachaient de

nouveaux territoires à leur couronne, la langue française faisait, elle
aussi, des conquêtes, disputant leur domaine avec plus ou moins
de succès tantôt au celtique, tantôt à l'allemand, tantôt à l'italien,
et tantôt au basque : de langue officielle et administrative, tendant
partout à être langue de la littérature et des classes cultivées.

Il faut noter aussi son expansion hors des limites de l'ancienne
Gaule, et ses conquêtes, parfois temporaires, en lointain pays. Pendant un temps, l'Angleterre, l'Italie méridionale et la Sicile appartiennent à la langue d'oïl : une riche littérature de langue
française s'épanouit des deux côtés de la Manche dans les posses-
sions des successeurs de Guillaume le Conquérant, et le *Jeu de Robin
et Marion* fut écrit au XIIIe siècle pour divertir la cour française
de Naples. Même en Terre-Sainte, à Chypre, en Grèce, le français
eut un règne éphémère : et notre langue s'enrichissait en terre
byzantine ou sarrasine de monuments tels que la *Chronique de
Villehardouin* et les *Assises de Jérusalem*.

Encore aujourd'hui, la langue française déborde les frontières
françaises. Elle occupe, depuis les origines, certaines régions de la
Belgique et de la Suisse : et ces deux états ont développé, à côté
de notre littérature nationale, des littératures de langue française
aussi, robustes et modestes, qui, dans leur longue durée, ont eu
parfois des heures brillantes [1].

Dans l'époque moderne, la Révocation de l'Édit de Nantes a jeté
en Hollande un petit monde de théologiens érudits et militants,
qui firent pour un temps de ce pays étranger un grand producteur
de livres et de journaux français. Les entreprises coloniales portèrent notre langue plus loin encore. Elle s'établit au Canada et
poussa de si profondes racines, qu'après un siècle et plus de domination anglaise, elle s'est maintenue dans sa pureté et dans sa
dignité, apte même à la production littéraire. Elle s'est implantée
dans nos colonies d'Afrique et d'Amérique, dont la contribution à
la littérature n'est pas insignifiante, si, de là, sont venus Parny et
M. Leconte de Lisle, sans compter Alexandre Dumas, fils d'un
mulâtre de Saint-Domingue.

Je ne parle point d'une expansion d'un autre genre : celle où
la littérature porte la langue avec elle au lieu de la suivre, celle
qui résulte de l'éclat de la civilisation française et de l'influence
intellectuelle exercée à l'étranger par nos écrivains. Dès le moyen
âge, la séduction de nos idées et de nos écrits fait délaisser à des
étrangers leur langue nationale pour la nôtre; le Florentin Brunetto Latino, au XIIIe siècle, se fera une place parmi les prosateurs
français comme au XVIIIe le Napolitain Galiani et le Prussien Frédéric.

1. V. Rossel, *Hist. de la litt. française hors de France*, 1894; P. Halflants, R. de
Weck, E. Chartier, *Litt. française à l'étranger*, 1923.

Enfin, pour achever de caractériser le développement de la langue française, elle fera incessamment, en France même, une lente conquête, celle des provinces, non plus du territoire mais de la pensée, conquête intérieure, et non la moindre, car c'est celle-là surtout qui l'enrichira et l'élèvera. Elle disputera au latin les matières de science haute et ardue ; elle prétendra au privilège de traduire les plus graves et les plus nobles idées : histoire, morale, philosophie, théologie, science, tous les genres lui appartiendront un jour, et son extension coïncidera avec l'étendue de l'esprit français. Mais il faudra des siècles pour mener à bien cette conquête qui ne sera vraiment achevée qu'au siècle de Louis XIV.

2. CARACTÈRE DE LA RACE.

Il ne nous appartient pas — et il serait sans doute infructueux — de rechercher ce qui nous est parvenu du sang ou de l'humeur de nos aïeux celtes et gaulois, dans quelle mesure précise, de quelle façon la conquête romaine et l'immigration franque ont modifié le tempérament de la race, où s'étaient déjà mêlés plusieurs éléments. César et Strabon nous font un portrait des Gaulois de leur temps, où certains traits nous permettent de nous reconnaître : le courage bouillant et inconsidéré, le manque de patience et de ténacité, la soudaineté et la mobilité des résolutions, l'amour de la nouveauté, un certain sens pratique, et la pente à se mêler des affaires d'autrui pour la justice, le goût de la parure et de l'ostentation, celui de la parole et de l'éloquence, tout cela est français, si l'on veut, autant que gaulois. Mais au delà des ressemblances d'humeur, si l'on veut saisir la filiation intellectuelle, on se trouve singulièrement embarrassé. Ou les Gallo-Celtes qui habitaient notre pays ne ressemblaient guère aux Celtes de Grande-Bretagne et d'Irlande, ou leurs descendants de France ne leur ressemblent guère. Car un abîme sépare aujourd'hui le génie celtique [1] de l'esprit français.

Il serait aussi téméraire de rechercher dans l'éloquence et dans la poésie gallo-romaines une première ébauche du goût français. Car il s'en faut que, dans la latinité de l'époque impériale, les écrivains gaulois fassent un groupe aussi tranché, aussi caractérisé que les Espagnols et surtout les Africains ; et l'on ne trouverait rien chez eux qui ne se rencontre fréquemment chez des Italiens ou chez des Grecs : tout ce qu'il est permis d'inférer de

---

1. Renan, *Essai sur la Poésie des races celtiques*, F. Lot, *La Gaule*, 1947 ; A. Grenier, *Gaule celtique*, 1945, *La Gaule, province romaine*, 1946.

la littérature gallo-romaine, c'est l'aptitude et le goût de la race pour l'exercice littéraire.

Quant aux Francs, ce n'est pas par ce qu'ils ont mis en nous de l'esprit germanique que leur action se marque. Ils ont moins déformé qu'excité le tempérament gallo-romain. Ils agirent comme un puissant réactif, ajoutant sans doute aux éléments celtique et latin, mais surtout les forçant à se combiner, à s'organiser en une forme nouvelle : en leur présence, et à leur contact, se forma, se fixa ce composé qui sera la nation française, composé merveilleux, où l'on ne distingue plus rien de gaulois, de romain, ni de tudesque, et dont on affirmerait l'absolue simplicité, si l'histoire ne nous faisait assister à l'opération qui l'a produit.

Notre nation, ce me semble[1], est moins sensible que sensuelle et moins sensuelle qu'intellectuelle : plus capable d'enthousiasme que de passion, peu rêveuse, peu poétique, médiocrement artiste, et, selon le degré d'abstraction et de précision que comportent les arts, plus douée pour l'architecture que pour la musique[2], curieuse surtout de notions intelligibles, logicienne, constructive et généralisatrice, peu métaphysicienne ni mystique, mais positive et réaliste jusque dans les plus vifs élans de la foi et dans les plus aventureuses courses de la pensée. Elle poursuit la précision jusqu'à la sécheresse, et préfère la clarté à la profondeur. Parce que le *moi* est la réalité la plus immédiatement saisissable, la plus nettement déterminée (en apparence du moins), non par vanité seulement, elle s'y attache, elle s'y replie, et dans ce qui frappe ses sens, comme dans ce qu'atteint sa pensée, elle tend naturellement à chercher surtout les relations et les manifestations du *moi* : n'excédant guère la portée des sens ou du raisonnement, cherchant une évidence pour avoir une certitude absolue, dogmatique et pratique à la fois, objectivant ses conceptions, et les érigeant en lois pour les traduire en faits : sans imagination que celle qui convient à ce caractère, celle qui forme des enchaînements possibles ou nécessaires, l'imagination du dessin abstrait de la vie, et des vérités universelles de la science Race de bon sens, parce que l'intelligence, les idées la mènent, elle

---

1. Il entre naturellement de la conjecture et de l'impression incontrôlable dans ce portrait, quoique j'aie essayé de le tirer des faits. J'y modifierais volontiers aujourd'hui quelques nuances. Notre nation, comme sa littérature, n'est-elle pas plus sensible encore que sensuelle? Mais surtout je retirerais l'expression « médiocrement artiste ». Nos peintres et nos sculpteurs la démentent ; le génie artistique de la France apparaît encore mieux peut-être dans nos arts industriels, dans la grâce, l'élégance et le fini délicats des produits qui sortent de nos ateliers. Aptitude de la race, ou culture séculaire, je l'ignore : mais l'ouvrier et l'ouvrière sont très souvent en France des artistes (*11ᵉ éd.*).

2. Selon M. Romain Rolland, la médiocrité musicale du Français ne daterait que de l'époque classique, et n'aurait tenu qu'à l'abandon de la culture musicale (*11ᵉ éd.*).

est inconstante et légère, parce qu'elle n'a guère de passions dont le hasard de ses raisonnements ne change l'orientation, elle paraît aventureuse et folle, quand ses déductions et ses généralisations la heurtent à l'implacable réalité des intérêts et des circonstances. Race plus raisonnable que morale, parce qu'elle est gouvernée par la notion du vrai plutôt que du bien, plus facile à persuader par la justice que par la charité ; indocile, même quand elle est gouvernable, tenant plus à la liberté de parler qu'au droit d'agir, et encline à railler toujours l'autorité pour manifester l'indépendance de son esprit : elle a le plus vif sentiment de l'unité, d'où vient que la tolérance intellectuelle lui est peu familière, et qu'elle est moutonnière, esclave de la mode et de l'opinion, mais tyrannique aussi, pour imposer à autrui la mode et l'opinion, chacun voulant ou penser avec tout le monde ou faire penser tout le monde avec soi. Race enfin discoureuse, conteuse, sociable, tempérant par la vanité le goût des idées générales et par le désir de plaire l'âpreté du dogmatisme.

La forme dégradée du type français, c'est l'esprit gaulois, fait de basse jalousie, d'insouciante polissonnerie et d'une inintelligence absolue de tous les intérêts supérieurs de la vie ; ou le bon sens bourgeois, terre à terre, indifférent à tout, hors les intérêts matériels, plus jouisseur que sensuel, et plus attaché au gain qu'au plaisir. Sa forme frivole, c'est l'esprit mondain, creux et brillant, mousse légère d'idées qui ne nourrit ni ne grise. Sa forme exquise, c'est cet esprit sans épithète, fine expression de rapports difficiles à démêler, qui surprend, charme, et parfois confond par l'absolue justesse, où l'expression d'abord fait goûter l'idée, où l'idée ensuite entretient la fraicheur de l'expression. Enfin, la forme grave et supérieure de notre intelligence, c'est l'esprit d'analyse, subtil et fort, et la logique aiguë et serrée : le don de représenter par une simplification lumineuse les éléments essentiels de la réalité, et celui de suivre à l'infini sans l'embrouiller ni le rompre jamais le fil des raisonnements abstraits ; c'est le génie de l'invention psychologique et de la construction mathématique. Voilà les ressources et les dispositions principales que l'esprit français apporte pour faire sa littérature, sans parler des autres caractères qui se rapportent moins directement à cet objet : voilà les traits principaux et permanents qu'il a dégagés pendant dix siècles d'intense production littéraire. Nous les verrons apparaître successivement groupés de diverses façons, plus ou moins distincts ou engagés dans la complexité des formes individuelles. (App. I.)

3. CAUSES GÉNÉRALES DE DIVERSITÉ LITTÉRAIRE.

Négligeons la variété des tempéraments personnels : nous aurons à définir les principaux dans le cours de cette étude. Trois principales influences diversifient le fond commun de l'esprit français dans les œuvres de notre littérature : la classe sociale, l'origine provinciale, le moment historique.

Quand naît la littérature française, la société déjà n'est plus homogène : une première séparation y a créé deux mondes distincts, celui des clercs et celui des laïcs. L'importance du premier dans la vie nationale est mal représentée par la place qu'il occupe dans la littérature française, quoiqu'il lui ait fourni plusieurs de ses chefs-d'œuvre les plus considérables et certains genres même, qui n'ont pas d'analogie dans les littératures anciennes, comme l'éloquence religieuse. Mais on conçoit sans peine que la société cléricale, en vertu du principe qui régit son activité et lui fixe son objet, ne fasse œuvre de littérature que par exception, ou par accident; elle a autre chose à faire en général, que de réaliser la beauté pour le plaisir de l'esprit.

Mais de plus, au moyen âge, l'Église a sa langue qui n'est pas la langue française : elle parle, elle écrit le latin; du moins ne confie-t-elle au français que les moindres manifestations de sa pensée, les plus vulgaires ou qui avaient le plus besoin d'être vulgarisées. Souvent aussi, elle écrit en latin ce qu'elle a dit en français : aussi notre littérature ne porte-t-elle qu'un témoignage indirect de la puissance de l'Église et de la direction qu'elle imprime à la pensée humaine. La philosophie et la théologie restent ainsi hors de notre prise; et pendant trois siècles, les plus féconds du moyen âge, l'histoire de la littérature française ne représente que très insuffisamment le mouvement des idées. Elle ne nous fait connaître véritablement que leur diffusion dans les esprits du vulgaire ignorant, leur dégradation pour ainsi dire, et la force d'impulsion qu'elles ont manifestée : mais la genèse et l'évolution de ces idées mêmes dans l'élite qui pense, les formes supérieures de la vie intellectuelle, ne se sont pas déposées alors, sinon par hasard, dans les œuvres de langue française.

La société laïque elle-même se distribue en étages divers. Il se fait d'abord une division des seigneurs et des vilains : l'aristocratie féodale, guerrière et brutale d'abord, se raffinant peu à peu, et se faisant un idéal plus délicat, sinon plus moral, a sa littérature qui l'exprime fidèlement. Les vilains ont une pauvre existence et des joies vulgaires comme leurs misères. Mais, au-dessus du peuple innombrable des vilains qui cultivent la terre féodale, apparaît de bonne heure, entre les murs de sa bonne ville, le bourgeois, laborieux et économe, gobeur et gausseur. Le vilain n'écrit guère, et l'on n'écrit guère pour lui : deux voix en somme font à travers les siècles le grand concert de la littérature française, celle de la bourgeoisie et celle de l'aristocratie, se répondant, se mêlant, se recouvrant en mille façons, toujours distinctes et reconnaissables à leur timbre singulier, qui ne s'efface même pas dans l'uniformité ecclésiastique.

Comme d'un étage à l'autre de la société se perçoivent certaines différences d'esprit, il en éclate d'autres, et les mêmes dans tous les étages, quand on passe d'une région à l'autre. De long en large comme de haut en bas, la variété apparaît. Cet esprit français dont j'ai essayé de marquer les principaux traits, est né comme la patrie, comme la langue, entre Loire et Meuse, dans ce que Michelet appelle les « plaines décolorées du centre [1] » : presque aucune particularité n'en modifie la définition générale dans cet ancien duché de France, qui en donne comme l'exacte moyenne, dans ce Paris surtout, qui, comme la première des bonnes villes, doit à ses marchands, ses étudiants, et bientôt ses gens de palais, de paraître la propre et naturelle patrie de l'esprit bourgeois. La maligne, fine et conteuse Champagne, l'Orléanais avec le rire âpre de ses « guêpins », et le simple, un peu pesant mais solide Berry se caractérisent davantage. Le long de ces provinces s'échelonnent, apportant une note plus originale, à mesure qu'elles sont plus excentriques, la Picardie ardente et subtile, l'ambitieuse et positive Normandie, hardie du bras et de la langue, le Poitou tenace précis et délié, pays de gens qui voient et qui veulent, la molle et rieuse Touraine, enfin la terre des orateurs et des poètes, des imaginations fortes ou séductrices, l' « aimable et vineuse Bourgogne », d'où sont parties, à diverses époques, « les voix les plus retentissantes » de la France.

Chacune de ces régions fournit sa part dans la littérature du moyen âge. La Normandie et la France propre s'appliquent à la rédaction des chansons de geste, comme la Bourgogne, qui vit longtemps à part, et se fait une épopée à elle. En Champagne fleurissent l'idéalisme romanesque et lyrique, et les mémoires personnels. Les bruyantes communes picardes se donnent la joie de la poésie dramatique. Paris fait tout, produit tout, profite de tout ; bientôt tout y afflue. Rutebeuf, Jean de Meung quittent l'un sa Champagne et l'autre son Orléanais, et écrivent à Paris. Puis pendant des siècles, une à une, les provinces qui entreront dans l'unité nationale recevront la langue de France, et mêleront à son

---

1. Michelet, *Histoire de France*, t. II.

esprit leur génie original : ce sera la rude et rêveuse Bretagne,
réinfusant dans notre littérature, la mélancolie celtique, ce sera
l'inflexible et raisonneuse Auvergne, Lyon, la cité mystique et passionnée sous la superficielle agitation des intérêts positifs ; ce sera
tout ce Midi, si varié et si riche, ici plus romain, là marqué encore
du passage des Arabes ou des Maures, là conservant sous toutes
les alluvions dont l'histoire l'a successivement recouvert, sa couche
primitive de population ibérique, la Provence chaude et vibrante,
toute grâce ou toute flamme, la Gascogne pétillante de vivacité,
légère et fine, et, moins séducteur entre ces deux terres aimables,
le Languedoc violent et fort, le pays de France pourtant où peut-
être les sons et les formes sont le mieux sentis en leur spéciale
beauté.

Au moyen âge l'inégalité sociale prime la diversité géographique. La civilisation est internationale ; la division des populations chretiennes se fait pour ainsi dire horizontalement, et non
verticalement, selon les classes, et non selon les nationalités. Un
même esprit règne, par-dessus les frontières, chez les hommes de
même condition, et la même littérature les enchante. Puis les littératures occidentales se feront plus nationales, en même temps
que les œuvres deviendront plus individuelles, et bourgeois, nobles
et clercs seront avant tout éminemment Français en France,
Anglais en Angleterre et Allemands en Allemagne : souvent même
la marque provinciale sera plus forte que l'empreinte de la condition sociale, et elle sera visible surtout chez les écrivains qui n'appartiennent pas aux pays de l'ancienne France et de langue d'oïl.

Enfin l'esprit français, de siècle en siècle, revêt des formes ou
reçoit des éléments nouveaux. Tout ce qu'il a été lui est, à chaque
moment, attaché comme un poids qui l'entraîne : mais, à chaque
moment aussi, des forces nouvelles surgissent qui accélèrent ou
dévient son mouvement en mille façons. Le mouvement des idées,
l'évolution de l'organisme social, le contact des races étrangères,
et le spectacle de leurs idées, de leur organisation, de leurs arts
aussi et de leur littérature, modifient sans cesse le génie national.
et l'expression qu'il donne de lui-même dans les œuvres de ses
écrivains. La littérature reflète, sinon toujours complètement, du
moins assez fidèlement, la marche de la civilisation, et en dessine
la courbe par son histoire. Ses formes même apparaissent, se
développent, se dessèchent, et se dissolvent, selon leur rapport à
l'état intime de la société ou du groupe de la société qu'il s'agit
de manifester : en sorte que, par les genres mêmes qui prévalent,
la littérature exprime toutes les modifications de l'esprit français.

Aux primitives et brutales ardeurs de la société féodale correspond l'épopée guerrière et chrétienne, à la délicatesse de ses

mœurs adoucies une poésie romanesque ou lyrique. La décadence des principes qui avaient fait la force et la grandeur de l'âme féodale, les victoires de l'intérêt sur l'honneur, de la ruse sur la force, de la sagesse pratique sur la folie idéaliste, l'infiltration de la science cléricale dans le monde laïque, moins sévèrement enfermé dans l'abstraction, moins étroitement contenu par l'orthodoxie théologique, l'essor du bon sens bourgeois et de la logique disputeuse, l'éveil de la curiosité, de la critique, du doute, et la diffusion d'un esprit grossièrement négatif et matérialiste, tout cela, dans ce XIVe et ce XVe siècle qui sont moins le moyen âge que la décomposition du moyen âge, fait naitre et fleurir toute sorte de genres, narratifs, didactiques, satiriques, prose ou vers, contes, farces, allégories.

Le grand lien qui unit, le fort principe qui soutient malgré tout la société, jusqu'à l'âge moderne, la foi religieuse, provoque du XIIe au XVIe siècle le riche épanouissement des compositions dramatiques. Au XVIe siècle, affranchi par l'antiquité retrouvée sinon matériellement dans ses œuvres, du moins dans son véritable esprit, éveillé au sens de l'art par la vision radieuse que lui offre l'Italie, le génie français crée ou emprunte les formes littéraires capables de satisfaire ses besoins nouveaux de science et de beauté. Il se fait au XVIIe siècle comme une conciliation ou plutôt un juste équilibre de la science et de la foi d'un côté, de l'autre de la science et de l'art : révélation et rationalisme, vérité et beauté, l'un ou l'autre de ces deux couples est la formule de presque tous les chefs-d'œuvre. Le rationalisme triomphe pendant le XVIIIe siècle aux dépens de la foi et de l'art, et, de la substance ou de la forme des œuvres littéraires, élimine tout ce qui n'est pas nécessairement facteur ou signe de la vérité dont il analyse les éléments ou poursuit la démonstration. Enfin au XIXe siècle, après la reprise du sentiment religieux et du sens artistique qui produit l'explosion romantique, voici que jusqu'à une date très rapprochée de nous, l'esprit critique et expérimental devient le principal ressort de l'âme française, et se traduit littérairement par l'abondante floraison du roman et du théâtre réalistes, par l'étonnant développement de l'histoire et de la critique, par un effort enfin universel et sensible pour soumettre l'inspiration de l'écrivain aux lois de la méthode scientifique.

Je n'ai marqué que les grands traits : mais comme le passage est continu de l'âme française du Xe siècle à celle du XIXe, il l'est aussi de la *Chanson de Roland* à *Francillon* ou *Bel Ami*, et les deux mouvements inséparablement liés se poursuivent avec pareille vitesse, dans des directions parallèles.

4. PHYSIONOMIE GÉNÉRALE DU MOYEN AGE.

Mais il nous faut maintenant revenir au point de départ, à la première époque de la littérature française, et embrasser d'un regard
les principaux caractères du monde qui s'y exprime et s'y réjouit.

Pauvre et triste temps que cette fin du xe siècle où se fait entendre
à nous la voix grêle qui dit la vie et la mort de saint Léger. Si
la dramatique angoisse de la chrétienté aux approches de l'an 1000
a été reléguée par la critique contemporaine au nombre des
légendes, la réalité n'est guère moins sombre. En France comme
ailleurs, il semble que l'esprit humain subisse une éclipse. Ne
nous attachons pas à la société cléricale, qui d'abord fournit si
peu à la littérature française. Elle n'a pas encore ses grands docteurs qui combattent l'hérésie, définissent le dogme et scrutent
les grands problèmes de la philosophie. Elle est envahie par les
misères du siècle, par la brutalité, l'ignorance, la superstition, et
son peuple de moines appelle sans cesse la colère et le zèle des
réformateurs. Elle a pourtant de florissantes écoles, qui depuis
Charlemagne ont vaincu la difficulté des temps. Elle a cette école
de Reims, que dirigea Gerbert ; elle a l'école de Paris où commenceront à retentir au siècle suivant les grandes disputes.

Hors d'elle, il n'y a qu'ignorance et faiblesse d esprit. Nobles,
bourgeois, ou vilains, il n'y a guère de différence entre les
classes; l'égalité intellectuelle est aussi réelle que l'inégalité sociale;
savoir le latin, savoir écrire, savoir lire, sont choses rares, et qui
trahissent quelque relation ou caractère clérical. La vision du monde
matériel ou moral est la même dans les châteaux, les villes et le
plat pays [1]. Sous la voûte tournante et constellée du ciel, par delà
laquelle résident la Trinité, la Vierge, les anges et les saints, au-
dessus de l'horrible et ténébreux enfer d'où sortent incessamment
les diables tentateurs, au centre du monde est la terre immobile,
« où se livre le combat de la vie, où l'homme déchu mais racheté,
libre de choisir entre le bien et le mal, est perpétuellement en
butte aux pièges du diable, mais est soutenu, s'il sait les obtenir,
par la grâce de Dieu, la protection de la Vierge et des saints [2] » :
lutte tragique, où la victoire assure à l'homme une éternité de
joie, la défaite une éternité de supplices. « Le grand événement de
la vie, dans cette conception, c'est le péché, il s'agit de l'éviter
ou de l'expier. » La religion l'enseigne : mais de son enseigne-

---

1. Cf. Gebhart, *l'État d'âme d'un moine de l'an 1000 : le Chroniqueur R. Glaber
R. des Deux Mondes*, 1ᵉʳ oct. 1891).

2. G. Paris. *la Litt. fr. au moyen âge*, p. 15.

ment, trop haut, trop spirituel pour ces rudes âmes, on ne saisit que l'extérieur, les pratiques, tout ce qui est observance matérielle, acte physique. Jeûner, aller en pèlerinage ou à la croisade, donner de l'argent ou frapper de l'épée pour le service de Dieu, fonder des messes ou des couvents, tout ce que le corps peut souffrir ou la main faire, on le souffre ou on le fait : mais la profonde philosophie, la pure moralité du christianisme, ne sont pas à la portée de ces natures ignorantes et brutales. Cependant, si elle ne peut encore éveiller les âmes à la vie spirituelle, à la pacifique poursuite de la perfection intérieure, la religion agit puissamment, salutairement, comme un frein. La peur du diable qui guette, la crainte de Dieu qui punit, la vision hallucinante de l'enfer qui s'ouvre, il ne fallait pas moins que cela pour brider la violence des passions, et mettre un peu de bonté dans les actes, sinon encore dans les cœurs. D'autant que le régime social, par l'indépendance, par le droit souverain qu'il reconnaît à l'individu, exalte les énergies, et rend plus nécessaire l'action d'un irrésistible frein. Sans l'Église, la seule mesure du droit risquait d'être la force.

« Le monde d'alors est étroit, factice, conventionnel », la vie est triste, mesquine, limitée et comme emmurée de tous côtés. Si grandes que soient les misères dans les provinces ravagées par la peste, désolées par la guerre, l'âme reste engourdie, repliée sur elle-même. L'éternelle explication satisfait sa curiosité, si elle ne console pas sa souffrance : c'est la vengeance de Dieu pour les péchés des hommes. Et si dure que soit aux hommes l'organisation sociale, ils n'en rêvent pas d'autre. Le monde qu'ils voient est, a été, sera toujours ainsi : ceux qu'il écrase le plus dans son état présent ne travaillent pas à le changer : ils n'en rêvent pas un autre qui serait mieux construit; ils se persuadent que tout sera bien, s'ils l'amènent à réaliser plus complètement ce qui est contenu dans son principe. Une lourde conviction de l'immutabilité des choses opprime la pensée, coupe les ailes à l'espérance, et la sensation du mal présent mène à la torpeur stupide, non au désir actif du progrès. « Ces convictions, dit M. G. Paris [1], enlèvent à la poésie du moyen âge beaucoup de ce qui fait le charme et la profondeur de celle d'autres époques : l'inquiétude de l'homme sur sa destinée, le sentiment douloureux de grands problèmes moraux, le doute sur les bases mêmes du bonheur et de la vertu, les conflits tragiques entre l'aspiration individuelle et la règle sociale. » Elles tarissent en un mot les profondes sources du lyrisme. Elles rendent impossible la saine conception de l'histoire : et il est notable que dans l'âge moderne l'esprit français, substituant une concep-

1. G. Paris, *la Litt. fr. au moyen âge*, p. 31.

tion philosophique à la conception théologique de l'univers, n'arrivera pas encore sans grande peine à l'intelligence historique, comme si sa nature répugnait secrètement à la considération du contingent, du relatif, de ce qui passe dans les choses qui passent.

Telle est la physionomie caractéristique des trois siècles du moyen âge (environ 1000-1327). Sans doute ce monde n'est pas immobile, ni inerte, puisqu'il vit : les historiens ont de grandes entreprises politiques et religieuses à raconter, une évolution des formes sociales et des institutions à représenter. La pensée n'est pas inerte non plus, mais elle se meut dans l'abstrait, et comme elle ne sort guère des écoles, elle ne pense guère non plus à régler la pratique ni à imposer aux faits sa forme. Quand les laïcs diront en français ce que disputent les clercs en latin, et quand ils commenceront à se demander pourquoi le réel n'est pas conforme à l'idée, c'en sera fait du moyen âge.

Avec toutes ses misères en somme, sa dureté, sa pauvreté intellectuelle, le moyen âge est grand, surtout il est fécond. Il portait et préparait l'avenir : quoi que l'esprit français ait reçu plus tard du dehors, il fallait qu'il pût le recevoir sans se dissoudre et périr, et ce qu'il fut alors détermine plus qu'on ne pense ce qu'il a été depuis. La grandeur du moyen âge est dans son double principe : par ce libre contrat féodal qui assure les relations en maintenant l'Indépendance des individus, il crée un sentiment nouveau, celui de l'honneur, et en fait la base même de l'organisation sociale. La foi « complète, absolue, sans restriction et sans doute » lui donne son autre caractère. Ainsi les ressorts qui meuvent tout, c'est l'honneur et la foi, deux principes de désintéressement et de dévouement, qui imposent à la volonté l'effort infatigable contre les intérêts et contre les appétits, au nom d'un bien idéal. Si grossières et pauvres que soient les formes où se réalise actuellement cette conception morale, il suffit qu'elle existe pour en faire émaner une noblesse et une beauté.

Même tout l'art dont est capable ce moyen âge qui lut les chefs-d'œuvre de la poésie antique sans y remarquer la fine splendeur des formes, cet art sortira de là : il manifestera l'énergie de son individualisme par ses châteaux, et la vivacité de sa foi par ses églises. Dès le x⁰ siècle, les masses formidables des châteaux, leurs doubles ou triples enceintes au-dessus desquelles se profile l'imprenable donjon, hérissent toutes les hauteurs, commandent les plaines et les rivières, menaçants symboles d'indépendance et d'énergie individuelles, qui donnent avec la conscience de la force la tentation de prendre l'égoïsme pour loi. Plus pur est le sentiment qui dresse les églises, et plus belle la forme par où il se réalise en elles. Selon le mot tant de fois cité d'un des plus ignorants

moines qui aient fait le métier de chroniqueur, « le monde se pare
d'une blanche robe d'églises neuves ». Saint-Front de Périgueux,
l'abbaye du Mont-Saint-Michel, les églises d'Auvergne, tout cet art
roman qui s'épanouit au xi⁰ siècle, l'art gothique qui le continue,
voilà par où le moyen âge participa au désir de créer, à la faculté
de sentir le beau. Il était nécessaire de le dire, car la littérature
ici ne reflète pas avec le même éclat le génie national : si le Parthénon et une tragédie de Sophocle, une oraison funèbre de Bossuet et les jardins de Versailles sont des manifestations également
et diversement belles du même génie, les créations littéraires du
moyen âge français ne se sont pas réalisées dans une forme esthétique qui les rende comparables aux grands monuments de l'art
roman ou gothique[1].

1. Les études de M. Bédier, dont je parlerai au chapitre suivant, invitent à atténuer
cette conclusion. Ses fines analyses font apparaître chez nos trouvères plus de génie
épique et de grand goût qu'on n'était disposé à leur en accorder. Sa séduisante
hypothèse fait du xi⁰ siècle une époque d'activité créatrice et de magnifique épanouissement comparable aux plus fécondes périodes de notre histoire littéraire
(12⁰ éd.).

LIVRE I

LITTÉRATURE HÉROÏQUE ET CHEVALERESQUE

CHAPITRE I

LES CHANSONS DE GESTE

1. Origines de l'épopée française. Formation des chants épiques. — 2. Fin de l'inspiration épique. La *Chanson de Roland*. *Raoul de Cambrai*. Les *Lorrains*. — 3. Transformation de l'épopée en roman : trouvailles et erreurs du goût individuel. Remaniements et manipulations diverses des sujets épiques. Les *cycles*. Le comique. Avilissement progressif de l'épopée.

Les premiers monuments de notre littérature sont, comme on l'a vu, d'inspiration cléricale : il ne faut pas s'en étonner, les clercs seuls écrivaient. Mais la société laïque, l'aristocratie féodale avait pourtant déjà ses poèmes qui l'enchantaient, des chansons, et surtout des récits de caractère épique : seulement on ne les écrivait pas. La floraison de la poésie lyrique fut plus tardive : l'épopée se développe la première dans notre littérature [1].

ORIGINES DE L'ÉPOPÉE FRANÇAISE

[Voici comment jusqu'à hier les médiévistes s'accordaient à peu près pour imaginer ce développement.]

La *Chanson de Roland*, qui, dans la forme où nous la présente le

---

1. A consulter : G. Paris, *Hist. poétique de Charlemagne*, 1865 ; L. Gautier, *Épopées françaises*, 1878-97 ; P. Meyer, *Épopée française*, 1867 ; J. Bédier, *Légendes épiques*, 1926-29 ; F. Lot, *Légendes épiques fr.* (Romania, 1926-27) ; M. Wilmotte, *Épopée française*, 1939, *Évolution du Sentiment romanesque*, 1942 ; Dickman, *Rôle du Surnaturel dans les Chansons de geste*, 1926 ; Gautier, *Bibliogr. des chansons de geste*, 1897 ; M. Wilmotte, *l'épopée franç., orig. et élaboration*, 1939.

manuscrit d'Oxford, est antérieure à l'année 1080[1], est à peu près
la plus ancienne de nos chansons de geste, comme elle en est la plus
belle. Si l'on ne regardait que l'apparence, on aurait là le spectacle
unique d'un genre débutant par son chef-d'œuvre. Mais en réalité
la Chanson de Roland est un terme, plutôt qu'un commencement.
Il y avait des siècles que l'épopée française était née, lorsque
l'écriture sauva ce chef-d'œuvre. Quand avait-elle donc commencé?
Dès la ruine de la civilisation romaine, après que les Francs
eurent pris possession de la Gaule. L'histoire de Clovis, de ses
ancêtres et de ses descendants, dans Grégoire de Tours et dans
Frédégaire, est en grande partie poétique[2], et l'on y reconnaît les
débris d'une épopée mérovingienne. Une vie de saint[3] nous a conservé quelques débris d'un poème populaire qui célébrait une victoire peut-être fabuleuse de Clotaire II et de Dagobert sur les
Saxons. Autour de ce Dagobert, qui fut le plus puissant des successeurs de Clovis, la fermentation épique fut intense, comme
l'atteste encore une chanson de geste du XII° siècle dont il est le héros[4].

Puis l'imagination populaire, puissamment excitée par les événements dont les Carolingiens furent les acteurs plus ou moins
glorieux, transforma leur histoire à sa mode en un vaste corps de
traditions poétiques. Depuis Charles Martel, le vainqueur des Sarrasins, jusqu'à Louis III, le vainqueur des Normands[5], tous les
Pépins, les Charles et les Louis, selon le mot du poète saxon[6], ont
été chantés concurremment avec les Clotaires et les Thierrys de
l'âge précédent.

---

1. Le seul poème complet antérieur sans doute à cette forme du *Roland* est le *Pèlerinage de Charlemagne à Jérusalem* (vers 1060), poème d'un caractère assez spécial.
Je m'en rapporterai pour toute la littérature du moyen âge au tableau chronologique
dressé par M. G. Paris (*op. cit.*, 2° édit., p. 245-255).

2. Chants épiques, bien entendu, non poème unique et suivi : naissance de Mérovée; exil de Childéric; mariage, baptême, guerres de Clovis; la biche qui lui découvre
un gué; les murs croulant au son des trompettes; meurtres des chefs francs, etc.

3. *La Vie de saint Faron*, par Hildegaire, évêque de Meaux (mort en 875). Hildegaire tire tout ce qu'il dit du poème populaire, d'une vie perdue de saint Chilien,
rédigée au VIII° siècle. Voici les premiers vers du poème :

> De Chlotario est canere rege Francorum,
> Qui ivit pugnare in gente Saxorum.

(Cf. cependant F. Lot, *Romania*, t. XXIII.)

4. M. Darmesteter (*De Floovante vetustiore gallico poemate*, Paris, 1877) a démontré
que *Floovent* dérivait de *Flodovinc, Chlodovinc*, et signifiait le descendant de Clovis
comme Mérovingien, descendant de Mérovée. Ce descendant est Dagobert. M. P. Rajna
prend le nom en un sens plus étroit, *le fils de Clovis*, probablement Clotaire.

5. La victoire remportée par Louis III à Saucourt sur le pirate Hastings est le
sujet du poème de *Gormont et Isembart*, dont un fragment de 600 vers a été
retrouvé en 1876.

6. Anonyme, qui mit en vers la vie de Charlemagne par Eginhard (fin du
IX° siècle).

Charlemagne, comme il était naturel, par son long règne, ses grandes guerres, son vaste génie, et la restauration prodigieuse de la puissance impériale, devint le héros favori et comme le centre de l'épopée. Outre qu'il donna lieu à une abondante création de poésie, il attira à lui nombre de légendes préexistantes : presque toute la matière épique cristallisa autour de lui. D'abord il absorba tous les Charles, Charles Martel et Charles le Chauve, tandis que les Pépins et les Louis se fondaient en deux personnages, l'un père et l'autre fils de l'empereur Charles : cette triade légendaire représenta toute la dynastie carolingienne. Les Mérovingiens furent absorbés aussi : leurs noms s'effacèrent, leurs personnalités furent dissoutes, et leurs actions allèrent s'attacher aux noms carolingiens. Sur quelques points l'absorption fut incomplète, et le rattachement mal fait : comme dans *Floovent* survit un descendant de Clovis, ainsi parfois apparaissent Charles Martel et Charles le Chauve, non déguisés ou mal déguisés en Charlemagne.

Mais tout ne gravitait pas encore autour des rois. Les provinces avaient leur vie distincte et intense : comme elles eurent leurs chefs et leur histoire, leurs souvenirs glorieux ou douloureux, elles eurent leur épopée. On chanta les quatre fils Aymon en Ardenne, Raoul de Cambrai en Vermandois. La Lorraine eut Garin et Bégue; la Bourgogne eut Girart de Roussillon, et sans doute Roland fut d'abord le héros local des marches de Bretagne avant d'entrer comme neveu de Charlemagne dans la tradition nationale.

Il y eut ainsi cinq siècles environ pendant lesquels notre race, quoi qu'on ait dit, eut bien « la tête épique ». Cette spontanéité créatrice tendait incessamment à s'exercer : la légende suivait de près les événements. On n'oubliait pas l'histoire, on la *voyait*, en quelque sorte, tout ordonnée en légende. Charlemagne n'était pas mort, que l'un de ses vieux soldats faisait déjà en toute naïveté au moine de Saint-Gall le tableau merveilleux des exploits et de la sagesse du grand empereur : la poésie était alors la forme des intelligences.

Mais une question se pose sur laquelle ont bataillé les érudits : puisque évidemment ce n'est pas de la tradition latine qu'est sortie l'épopée française, d'où vient-elle? Des Celtes, ou des Francs, qui sont avec Rome les facteurs de notre nation? Un savant italien, M. P. Rajna, a mis hors de doute les origines germaniques de l'épopée française. Comme tous les Germains, les Francs avaient une poésie narrative, tantôt mythique, et tantôt historique, célébrant les dieux ou les anciens rois de la race : le Siegfrid des *Nibelungen* n'est autre que Sigofred, héros national des Francs, qui primitivement fut peut-être un dieu. Ils avaient leurs *scôpas* qui s'accompagnaient de la harpe, et leurs guerriers aussi parfois

composaient et chantaient. Maîtres de la Gaule, et devenus chrétiens, les Francs oublièrent ou réduisirent en faits humains leurs
mythes religieux : ils gardèrent leurs poèmes historiques et leur
goût pour les récits épiques qui exaltent le courage et enchantent
l'imagination. Même, tandis que leur histoire, sur cette terre de
Gaule qui leur appartenait, faisait germer de nouveaux chants,
les anciens, avec ce dédain de la chronologie qui est le propre des
temps épiques et des légendes populaires, continuaient d'évoluer,
et se chargeaient de faits récents ou se rajeunissaient pour s'y adapter. Ainsi dans cette histoire poétique des Mérovingiens, dont on
parlait tout à l'heure, se laissent entrevoir des vestiges de vieux
poèmes francs; dans les chansons de geste, certains récits, certains personnages, des traits de mœurs, des usages de la vie
guerrière et civile sont des résidus manifestes de la plus ancienne
poésie et de la plus ancienne civilisation des Francs. Le nain
Obéron, l'Auberon de nos chansons de geste, l'Alberic des *Nibe-*
lungen, est entré certainement chez nous avec les compagnons de
Clovis.

Cependant il faut bien savoir ce qu'on entend quand on dit que
l'épopée française est d'origine germanique. Tout ce qu'il y eut de
chants tudesques, avant et après l'invasion franque, tout ce que
Charlemagne en fit recueillir, n'intéresse pas directement notre littérature. On l'a dit avec raison, une épopée française ne peut sortir
que de chants en langue française, ou en langue latine, puisque le
français est du latin qui a évolué. Dès que les Francs se furent
mêlés aux Gallo-Romains, eurent pris la langue latine, dès le
milieu du vi^e siècle, il y eut assurément des chants épiques en
latin, « en langue romaine rustique », comme il en continua
d'éclore en tudesque pour les Francs non romanisés de l'Austrasie.
Le fameux poème en l'honneur de Clotaire II dont l'auteur de la
Vie de saint Chilien transmit quelques vers à l'auteur de la Vie de
saint Faron, était assurément en latin vulgaire : les femmes de la
Brie qui le chantaient n'ont jamais parlé tudesque.

Les Francs agirent donc comme un ferment sur la masse gallo-
romaine. Par eux, les aptitudes poétiques de la race celtique,
engourdies sous la domination romaine par l'élégant rationalisme
de la littérature savante, comme par la pression monotone de la
protection administrative, furent réveillées : les âmes, préparées
déjà par le christianisme, violemment secouées par l'instabilité
du nouvel état social, recouvrèrent le sens et le don des symboles
merveilleux; et dans la famine intellectuelle que produisit la ruine
des écoles, l'aristocratie gallo-romaine, sujette des rois francs et
compagne de leurs leudes, associée aux fêtes comme aux affaires,
quitta sa délicatesse et ses procédés raffinés de pensée et de lan-

gage : elle retourna à l'ignorance, au peuple; elle se refit peuple, avec toute la rudesse, mais avec toute la spontanéité du génie populaire. Il y eut assez d'unité morale, d'homogénéité sociale, pour que l'épopée, cette expression synthétique des époques primitives, se développât puissamment.

M. Rajna a constaté que son terrain de culture a sensiblement les mêmes limites que l'occupation franque. Mais elle n'est pas franque pour cela : elle est française, œuvre de cette race complexe qui se constitue du mélange des Gallo-Romains et des Francs; produit des forêts germaniques, mais acclimaté sur le sol des Gaules, et germant spontanément dans toutes les âmes, sans distinction de race, non échappées encore ou retournées, peu importe, à la barbarie féconde.

Ce furent même les Gallo-Romains qui donnèrent à l'épopée sa forme : la langue, cela va sans dire, mais aussi le mètre. Ce vers de dix syllabes [1], assonancé [2], distribué en *laisses* ou couplets monorimes d'inégale étendue, que l'on retrouve dans toutes les anciennes chansons de geste, est d'origine très probablement latine comme tout notre système de versification.

Comment se fit l'élaboration de la matière épique, et sa mise en œuvre? Nouvelle question, et nouveaux combats. Parfois l'épopée fut contemporaine ou à peu près des faits qu'elle rappelait. Souvent aussi la tradition orale conserva les légendes non versifiées, jusqu'à ce qu'un poète s'en emparât. Mais ce poète, plus ou moins éloigné des événements, qui le premier les chanta, quelle forme leur donna-t-il? On a supposé — et non pour la France seulement — que des cantilènes lyrico-épiques plus brèves et de rythme plus rapide avaient précédé les vastes narrations épiques, et par une application du système de Wolff qui longtemps a été en faveur pour les poèmes homériques, on a soutenu que les chansons de geste n'étaient que des cantilènes cousues ensemble. Il faut décidément abandonner cette hypothèse, que les faits ne confirment

1. On a beaucoup discuté sur l'origine de ce vers, et en général sur celle de notre versification toute fondée sur le nombre des syllabes et la rime. Il est à peu près certain que ceux qui la rattachent à la poésie latine rythmique ont raison. Les défenseurs de l'origine celtique, comme MM. Bartsch et Rajna, ne donnent guère de bonnes raisons positives, et M. Rajna ne fait guère que montrer les difficultés du système adverse. Il arriva sans doute ici la même chose que pour la langue : le vers français, c'est le vers latin transformé, mais transformé par des Celtes.

2. L'*assonance* consiste dans la répétition de la dernière *voyelle* accentuée, tandis que la *consonance* (notre rime moderne) porte sur la *voyelle* accentuée *et sur les consonnes et voyelles qui la suivent*. — Je ne parle pas du vers octosyllabique qui se rencontre dans la seule chanson de *Gormont*, et dans le poème d'Albéric sur Alexandre : l'emploi de ce vers est très exceptionnel dans l'épopée française; c'est le mètre ordinaire des romans bretons.

pas et dont, après M Mila y Fontanals [1], M. Rajna a fait justice. Les clercs qui écrivent en latin nomment du nom de *cantilène* indifféremment les chants prétendus lyrico-épiques que nous n'avons pas et les chansons de geste qui nous sont parvenues : *cantilène* est le mot, légèrement méprisant, dont ils désignent toute poésie qui n'est pas savante et latine. Il va sans dire qu'on ne nie pas l'existence de chants lyriques : épopée et lyrisme répondent à deux besoins de l'âme humaine : mais l'épopée vient des narrations épiques. Que les poèmes primitifs furent plus courts, cela va sans dire aussi : mais ils se sont développés par « intussusception » si je puis dire, comme des organismes, et non par « juxtaposition ». Chaque état de la matière épique est le résultat d'un intime renouvellement, d'une refonte intégrale. Ce qui s'est passé depuis qu'on eut commencé à rédiger les chansons de geste nous garantit ce qui arriva quand elles n'étaient pas écrites. Du VIᵉ au Xᵉ siècle, comme du XIᵉ au XIVᵉ, le procédé constamment mis en usage a été l'extension par remaniement total; c'est par étirement, non par suture, que peu à peu ce qui pouvait avoir quelques centaines de vers au IXᵉ siècle, s'est trouvé être, quatre siècles plus tard, un poème de dix mille ou vingt mille vers.

A la fin du Xᵉ siècle, la fécondité épique de notre race est épuisée. Sauf les interpolations que la flatterie et l'intérêt peuvent introduire dans la rédaction des poèmes, les derniers événements dont le souvenir y soit élaboré en récits légendaires sont de cette époque. Alors vécut le comte de Montreuil-sur-Mer dont on reconnaît la personnalité fondue dans l'unité nominale de Guillaume d'Orange. La bataille où mourut Raoul de Cambrai est de 943. Dès lors la période de création spontanée est close.

La matière aussi a reçu sa forme : elle est distribuée déjà en amples compositions, en récits détaillés. Bertolai, le premier auteur du poème de *Raoul de Cambrai* (s'il n'est pas supposé par un trouvère plus récent pour donner de l'autorité à ses inventions), ce Bertolai avait combattu à côté de son héros.

M. G. Paris a reconnu, dans un curieux fragment de chronique latine qu'il date du Xᵉ siècle [2], la traduction d'un morceau d'une chanson du cycle de Guillaume : trois fils et un petit-fils d'Aimeri de Narbonne y paraissent autour de l'empereur Charles. La narration lente et détaillée atteste que ce court fragment est le débris

---

1. Dans sa remarquable étude sur la *Poesia heroico-popular castellana*, Barcelone, 1874 (p. 453-462).

2. C'est le *fragment de la Haye*, publié par Pertz qui n'en avait pas reconnu le caractère, réédité et expliqué par G. Paris (*Hist. poét de Charlemagne*, p. 50 et 466). — Mais ce fragment est en réalité du XIᵉ siècle, et le poème qu'il traduit n'est peut être pas antérieur au *Roland* d'Oxford ou à la *Chanson de Guillaume* (11ᵉ éd.).

d'un vaste poème. Ainsi les chansons de geste[1] étaient déjà telles
à peu près qu'elles nous apparaitront un siècle et demi plus tard
dans les rédactions conservées.

Mais, sauf le fragment de la Haye, dont la valeur littéraire est
nulle, rien ne nous représente la période primitive d'invention
spontanée, et nous n'atteignons pas directement la forme première
et vraiment populaire de notre épopée française. Nous n'avons
rien que des remaniements : la *Chanson de Roland* même en est au
moins au second état. Nous sommes donc réduits à ressaisir, par
une divination délicate, l'âme et les membres épars de l'épopée
perdue au milieu de toutes les inventions dont la fantaisie romanesque de l'âge suivant l'a surchargée et dénaturée. C'est là
même le grand problème qui donne de l'intérêt à l'immense
fatras qu'on appelle à tort l'épopée française.

Cependant il y a quelques poèmes où apparaissent plus distinctement les linéaments de l'antique épopée, où la matière primitive, dans une forme qui n'est pas primitive, n'est pas trop mêlée
d'éléments hétérogènes et adventices. Plus ils sont anciens, moins
la forme naturellement déguise ou trahit la matière. Et l'on
s'explique maintenant pourquoi le plus ancien est aussi le plus
beau. La *Chanson de Roland* est le chef-d'œuvre de notre poésie
narrative, parce qu'elle est, dans sa forme existante, le poème le
plus voisin des temps épiques. Elle a été fixée par l'écriture quand
la société avait encore une âme adaptée à l'esprit originel de
l'épopée : elle n'avait plus de force active pour en créer, mais elle
gardait sa sensibilité intacte pour en jouir.

[Voilà ce que l'on enseignait hier sans hésitation[2]. Voilà la synthèse
qui se formait comme d'elle-même des travaux des érudits. L'édifice paraissait solide. M. Bédier en a fait apparaitre la fragilité. Sa
démonstration n'est pas achevée ; il n'en a pas tiré toutes les conséquences ; mais déjà il est certain que la synthèse d'hier est à bas.
Une revision et une réorganisation totales de nos idées sur l'épopée
française sont nécessaires. M. Bédier et d'autres médiévistes y
procéderont sans doute dans les années qui vont venir. Ils nous
diront quel lien il faut concevoir, s'il faut concevoir un lien, entre
le génie épique des Francs et l'épopée du XIIe siècle, entre cette
épopée et les chants historiques de l'époque mérovingienne. Ils

1. *Geste* (du latin *gesta*, pluriel neutre qui devint un substantif féminin) prit le
sens d'*Histoire* : une *Chanson de Geste* est donc proprement une chanson qui a
pour sujet des faits historiques (ou donnés pour tels). On dit plus tard, mais rarement
en français propre, une *geste* tout court pour un poème épique On appela aussi
geste un certain groupe de traditions épiques, à peu près ce que nous nommons un
cycle. (G. Paris, *op. cit.*, p 38.)

2 Tout ce qui, dans ce chapitre, est placé entre crochets (i-i, jusqu'au milieu de
la p. 28), a été ajouté dans la 11e édition.

nous diront ce que l'épopée du XIIᵉ siècle a recueilli de thèmes, de
contes, de clichés, de procédés d'une tradition lointaine, si elle en
a recueilli ; d'où elle a pris sa forme, si elle l'a reçue d'une poésie
narrative antérieure, ou si elle l'a créée. Aussi, bien des questions
doivent être réservées et tenues provisoirement en suspens. Voici
les résultats principaux qui dès aujourd'hui se dégagent des
recherches de M. Bédier.

D'abord une partie de critique négative, très forte. On n'a
aucune raison de croire à l'existence de cette épopée primitive,
spontanée, populaire, admirable, dont rien n'aurait subsisté. La
continuité d'invention légendaire qui, des temps mérovingiens et
carolingiens, aurait transmis aux jongleurs du XIᵉ et du XIIᵉ siècle
la matière des chansons de geste, est une hypothèse arbitraire ,
aucun document ne l'affirme sérieusement. Les éléments historiques qu'on retrouve dans ces poèmes sont en réalité très peu de
chose : on en a grossi la masse par une méthode arbitraire et
puérile. M. Bédier s'égaye des seize Guillaume, y compris le comte
de Montreuil-sur-Mer, qu'on veut reconnaître fondus dans le type
épique de Guillaume d'Orange. « Il n'y a nulle preuve que
Vivien, Aymeri, Ernaut de Beaulande et les autres aient été à l'origine
des personnages réels, les héros de petites gestes indépendantes
qui auraient été peu à peu attirées et absorbées dans l'orbite du
cycle de Guillaume d'Orange... Outre les personnages de Charlemagne et de son fils Louis, il n'y a dans le cycle d'autres personnages historiques que Guillaume, comte de Toulouse et moine à
Cellone, et Guibourc sa femme [1]. »

Bertolai, auquel je ne croyais pas trop malgré les érudits, n'a
jamais écrit le poème de la mort de Raoul de Cambrai dont,
n'existant pas, il n'a pas été le témoin.

Il faut renoncer à la manie d'identifier tous les héros des chansons de geste avec leurs homonymes historiques, et de retrouver
à tout prix tous les faits poétiques dans l'histoire, en invoquant
la déformation légendaire pour écarter toutes les difficultés.

Mais M. Bédier ne s'en tient pas à la critique négative. Il reconstruit.

Les chansons de geste que nous avons sont nées tardivement, au
XIᵉ, au XIIᵉ siècle, autour des abbayes et des églises. Des jongleurs les
ont chantées à la foule qui affluait aux foires et visitait les reliques.
Autour des sanctuaires fréquentés, le long des routes de pèlerins,
l'épopée germe et s'épanouit. D'où les jongleurs en tirent-ils la
matière ? Non pas d'une tradition populaire dont rien ne prouve
l'existence, mais des chroniques latines, des vies de saints latines,

---

1. Bédier, I, 330 et 334.

et surtout, des récits des moines et des clercs qui leur en trans-
mettent la substance. Ils reçoivent ainsi pêle-mêle des faits historiques et des mensonges que l'erreur ou le calcul des clercs et des
moines ont brodés sur l'histoire pour expliquer un nom, une inscription, une tombe, pour illustrer une abbaye, pour étayer les
prétentions d'une église, pour achalander des reliques. Sur ces
données le jongleur travaille dans des conditions très analogues à
celles du romancier moderne, il les féconde par son invention, selon
son génie ou sa mémoire.

L'abbaye de Saint-Guillaume du Désert fournit le noyau de la
légende de Guillaume d'Orange : les principaux épisodes sont en
relation avec les principales étapes de la *via Tolosana* qui conduisait les pèlerins, de Paris, par Brioude, Le Puy, Nimes, Arles et
les Aliscans, Saint-Gilles, Narbonne, Martres-Tolosane, vers Saint-
Jacques de Compostelle.

La légende de Raoul de Cambrai se forme autour de Saint-Geri
de Cambrai et de quelques abbayes du Nord; celle de Girard de
Roussillon, en Bourgogne, autour des abbayes de Vézelay et de
Pothières. La légende d'Ogier de Danemark est née d'un tombeau
de l'abbaye de Saint-Faron près de Meaux et s'est enrichie de récits
ramassés en Italie sur la route du pèlerinage de Rome.

La *Chanson d'Aquin* n'est qu'une fiction sortie du conflit de
l'archevêché de Dol avec l'archevêché de Tours : les clercs de Dol
ont inventé une expédition de Charlemagne comme d'autres fabri-
quaient des chants ou des reliques.

On sait depuis longtemps que le *Pèlerinage de Charlemagne*
avait sa raison d'être dans l'abbaye et la foire de Saint-Denis : ce
fait prend maintenant toute sa signification.

Ainsi, au lieu d'imaginer les événements historiques se déposant
immédiatement dans l'imagination populaire pour y vivre et s'y
transformer épiquement jusqu'à ce que les jongleurs s'emparent
de cette belle matière et la gâtent, nous nous représenterons le
peuple ignorant tout de ce passé qui n'est merveilleux pour lui
que parce qu'il l'ignore, les clercs qui seuls savent quelque chose
et content plus qu'ils ne savent, les jongleurs ramassant, étoffant,
embellissant de leur mieux les récits des clercs pour amuser la
foule et la rendre libérale. L'épopée française naît du concours de
ces trois éléments, les clercs, les jongleurs et la foule : elle naît
partout où grouille une foule curieuse, crédule, avide d'émotions,
et qui demande qu'on lui conte de beaux contes sur les empereurs
et les barons dont elle voit les images ou les sépultures, et dont
quelque monument, quelque localité conserve les noms.

C'est donc sous la troisième race, dans les XIᵉ et XIIᵉ siècles qu'il
faut maintenant placer le bel âge, l'âge d'invention énergique et

fraîche de l'épopée française. *Épique* ne signifiera plus *primitif* et *spontané* : nous appellerons ainsi ce qui sera beau, grand et simple, et *romanesque*, le curieux, l'extravagant, le compliqué, l'outré. Certainement l'épique sera en général plus ancien que le romanesque, mais pas beaucoup plus ancien, et pas du tout plus populaire.

Il demeure vrai que nous ne connaissons guère que des remaniements, mais des siècles ne les séparent plus de l'élaboration des légendes qu'ils développent : les premières rédactions ne sont plus d'un autre âge, elles ont été fabriquées dans le même monde, par les mêmes espèces d'hommes, que les remaniements.

M Bédier pense et nous donne des raisons de penser que les premières rédactions, plus frustes, plus grossières, ont plusieurs fois été perfectionnées dans les remaniements. Il nous fait remarquer de l'intelligence, du talent, un sens juste de la vérité humaine et de la beauté pathétique, dans certaines inventions des remanieurs. Si les remaniements tardifs ont gâté la matière des chansons de geste, les premiers remaniements l'ont souvent embellie.

Regardons donc maintenant les chefs-d'œuvre de notre poésie narrative médiévale en eux-mêmes, pour eux-mêmes, sans souci d'y distinguer l'épopée naturelle du peuple de l'invention artificielle des remanieurs.]

2. PRINCIPALES ŒUVRES ÉPIQUES.

Le *Pèlerinage de Charlemagne à Jérusalem*, la *Chanson de Guillaume* récemment découverte, dont *la chevalerie Vivien* et *Aliscans* sont le développement, et la *Chanson de Roland*, voilà les plus anciennes chansons qui nous soient parvenues. La plus belle est la *Chanson de Roland*.

Celle que nous avons n'est pas celle, certainement, que, à la bataille d'Hastings, Taillefer « qui moult bien chantait », chanta devant le duc Guillaume et devant l'armée normande en allant contre les Saxons. Elle date de la fin du XIe siècle. Mais, telle qu'elle se présente à nous dans le texte d'Oxford, c'est vraiment une belle chose [1]. Une grande conception poétique s'est développée

---

1. Auteur inconnu. Manuscrit d'Oxford (Bodléienne, 1624, ms. Digly 23) écrit à la fin du XIIe siècle, donc postérieur d'un siècle à peu près à la rédaction. **Éditions :** F. Michel, 1837; Th. Müller, 1851-63-78; L. Gautier, à partir de 1872; L. Clédat, 1886]; G. Paris, 1887 (extraits); J. Bédier, 1922; A. de Laborde et Ch. Samaran, 1933 (reprod. phototypique); R. Mortier, 1939. **Traductions :** [H. Chamard, 1919], J. Bédier, 1922. — **A consulter :** Monin, *Dissertat. sur le Roman de Roncevaux*, 1832; G. Paris, *Poésie au M. A.*, I, 1899; J. Bédier, *Légendes épiques*, III, 1926-29; P. Boissonnade, *Du nouveau sur la Ch. de R.* 1923; J. Bédier, *Ch. de R., Comment. et Gloss.*, 1927; R. Fawtier, *Ch. de R., Étude*

autour du mince noyau historique, autour de ce combat d'arrière-garde où périrent trois hommes de marque seulement, Roland, Anselme et Eggihard, le 15 août 778. Nous sommes loin de l'histoire, avec ces Sarrasins qui ont pris la place des Basques montagnards, et ces Sarrasins païens, idolâtres, du reste vaillants et accomplis « barons », s'ils étaient chrétiens : avec ce Charlemagne à la barbe blanche, âgé de deux cents ans, majestueux symbole de la royauté chrétienne : avec ces douze pairs qui combattent et périssent aux côtés de Roland : avec ce traître Ganelon, dont la trahison, plus inutile encore qu'inexpliquée, n'est sans doute qu'une naïve satisfaction que se donne le sentiment national, incapable de concevoir le désastre sans un traître au moins qui soit présent : avec ce Turpin, authentique archevêque de Reims, transporté dans ces récits de guerre par on ne sait quelle influence cléricale et transfiguré en un type légendaire du prélat guerrier[1].

Mais si nous regardons la France du XIe siècle, tout est vrai, les armes, les costumes, les mœurs, les sentiments. Ces hommes sont barbares, violents, brutaux, sans délicatesse, de pauvres et étroits cerveaux peu garnis d'idées : où est la souplesse merveilleuse, la richesse épanouie de l'âme grecque, même aux rudes temps des guerres homériques?

Pourtant, dans sa grossièreté, notre France féodale et chrétienne a un principe de grandeur morale que la Grèce artiste et mythologue n'a pas connu. Une haute idée de l'honneur commande le sacrifice désintéressé de la vie, pour le service de l'Empereur, pour le service de Dieu : deux sentiments qui compriment l'égoïsme, la foi au suzerain féodal, la foi au maître du ciel, sont les ressorts des actions. A l'accent dont Turpin exhorte, bénit et absout les soldats martyrs qui meurent avec Roland, on sent que les temps sont proches où l'Occident lancera ses barons contre les infidèles gardiens des lieux saints. Nul esprit d'aventures, nulle folie de l'honneur, nul calcul de l'intérêt, ne dégradent encore la brute grandeur des âmes : nulle galanterie non plus, ni fadeur ou grossièreté d'amour. La femme est absente de l'œuvre, sauf en un coin, une fiancée à peine entrevue, qui pleure et qui meurt. Enfin

hist., 1933; E. Faral, *Ch. de R., Étude et Analyse*, 1933; R. Mortier, *la Chanson de Roland : essai d'interprétation du problème des origines*, 1939; E. Mireaux, *Ch. de R. et Hist. de Fr.*, 1943.

1. J. Bédier a consacré une partie de son troisième volume à démontrer que la légende de Roland s'était développée sur la route de Blaye et Bordeaux à Roncevaux et Saint-Jacques de Compostelle. Il a d'autre part fait apparaître l'unité organique de la *Chanson*, qui est bien l'œuvre d'un seul poète.

le héros, blâmé dans son orgueil, est grand dans la défaite et
dans la mort : haute intuition d'avoir exalté le vaincu, et doublé
la puissance de l'admiration de toute la tendresse de la pitié ! Car
cette « triomphante défaite », c'est bien tout le poème, et je ne
puis que me ranger à l'avis de ceux qui pensent que la revanche
de Charlemagne sur l'émir Baligant et sur Marsile est une mesquine addition destinée à satisfair' la vanité nationale aux dépens
de la poésie.

La forme est sèche et rude, la langue raide et pauvre. Le trouvère
qui a mis la légende en forme n'est pas un Dante ou un Virgile. Ce
n'est pas un habile artiste : il ne sait ce que c'est que plasticité du
style, rythme expressif des vers. Il ne compose pas subtilement :
il suit simplement l'ordre naturel des faits qu'il raconte. Il n'a pas
la sensibilité délicate et diverse de l'aède homérique, ni cette
expansion d'une jeune imagination et d'une fraîche sympathie qui
se répandent sur toutes choses. Il ne regarde pas la nature : de ce
merveilleux décor pyrénéen, qu'il n'a peut-être pas vu du reste,
quelles vagues et maigres phrases tire-t-il pour encadrer la mort
de Roland ! Notre Français, bien français et comme tel classique
d'instinct, ne s'intéresse qu'à l'homme.

Il n'est pas curieux de psychologie assurément, et ne fait pas
d'anatomie du cœur humain.

> Roland est preux, mais Olivier est sage.

Voilà qui lui suffit pour définir ses caractères. Mais s'il ne fouille
pas, il dessine : son trait est sec, mince, mais juste. Ses personnages ne sont pas analysés, ils *sont*, ce qui vaut mieux. Ils se meuvent, ils ont l'intérieure mobilité des vivants. Je ne sais trop pourquoi Ganelon trahit; par orgueil, je suppose : mais je lui sais gré
de *devenir* traître, et de ne pas l'être par destination première,
par emploi, comme tant de traîtres des chansons de geste,
ancêtres de ceux des mélodrames. Roland, aussi, n'est pas à la
fin du poème ce qu'il était au début : l'orgueilleux et colérique
baron s'apaise aux approches de la mort; il se dépouille insensiblement de sa basse humanité, et, par une ascension merveilleuse
et vraisemblable, il atteint au sommet de l'héroïsme chrétien : son
agonie est d'un saint.

[Le poète est rude; mais c'est un poète. L'art est fruste; mais il y
a un art dans cette fruste et puissante beauté. Ce jongleur a
réalisé ce qu'il pouvait concevoir : il est grand par là. Il procède
par grands partis pris et larges effets][1]. Nulle intention littéraire,

---

1. M. Bédier m'a fait revenir du préjugé de l'inconscience et de l'inintelligence des
auteurs des chansons de geste. Pourquoi supposer, en effet, qu'ils n'ont pas
voulu ou compris ce qu'ils ont fait ? (*11ᵉ éd.*).

nul souci de l'effet ne gâtent l'absolue simplicité du récit. Le style, tel quel, purement déclaratif, ne s'interpose pas entre l'action et les vers : nulle invention verbale, nulle subjectivité personnelle n'adhère aux faits. Détachés à l'instant des mots qui nous les apportent, leur image réelle subsiste seule en nous : ils s'ordonnent d'eux-mêmes en une vision étrangement nette et objective : on ne *lit* pas, on *voit*. Et nulle âme que l'âme même des faits ne nous parle et ne nous émeut. Ils surgissent l'un après l'autre, évoqués par l'expression simple et directe, depuis la préparation de la trahison, à travers la symétrie un peu gauche de la bataille, jusqu'à la riche, ample et lente narration de la mort du héros ; les adieux de Roland et d'Olivier, la dernière bénédiction de Turpin, Roland essayant de briser son épée, battant sa coulpe, tendant son gant à Dieu son Seigneur, et rendant enfin son âme aux mains de saint Gabriel : toute cette partie est d'un pathétique naturel, élevé, sobre, vraiment puissant. Je ne fais pas de comparaison : cela est simplement beau. Il n'est pas jusqu'à la forme que le mouvement et la grandeur du récit n'emportent et n'élèvent. Et surtout le rythme grossier est expressif : ce n'est pas le déroulement magnifiquement égal de l'alexandrin homérique : distribuée à travers ces couplets qui la laissent tomber et la reprennent, rétrogradant et redoublant sans cesse pour se continuer et se compléter, la narration s'avance inégalement et, de *laisse* en *laisse*, d'arrêt en arrêt, monte comme par étages ; et cette discontinuité même devait, semble-t-il, communiquer une dramatique intensité à la déclamation du jongleur.

La *Chanson de Roland* exalte les deux plus purs sentiments qui fussent dans les cœurs, en leur proposant les plus hauts objets où ils pouvaient s'adresser : Charlemagne à servir, l'infidèle à combattre. Et dans cette exaltation arrive à se dégager spontanément comme une âme nationale, un profond et encore inconscient patriotisme, qui devance la réalité même d'une patrie. Par là ce poème est unique parmi nos *chansons de geste* : rien n'y ressemble et rien n'en approche.

Raoul de Cambrai [1] nous ramène à la vulgaire humanité, nous jette en pleine vie féodale. Ils ont vécu, ce Raoul qui, se faisant adjuger par le roi Louis l'héritage de Herbert de Vermandois, envahit le pays qu'il veut posséder, saccage et brûle, un vendredi saint, la ville d'Origny, avec son monastère et ses nonnes, qu'il promet-

---

1. **Édition :** P. Meyer et Longnon, Société des anciens textes français, 1882, in-8. — Le poème est un remaniement du XIIᵉ siècle (vers 1180), dont la dernière partie est de date plus récente que le reste, sauf les dernières pages (mort de Bernier et disparition de Géri). (11ᵉ *éd.*). — Adaptation par P. Tuffrau, Paris, 1924.

tait tout à l'heure d'épargner, qui, tout échauffé de cette atroce
exécution, tout joyeux et de grand appétit, n'ose manger de la
viande, quand son sénéchal en se signant lui remémore qu' « il
est carême » ; ce Bernier, écuyer de Raoul, fils d'un des quatre fils
de Herbert, qui, fidèle à la loi féodale, suit son maître contre son
père et ses oncles, voit sa mère brûlée sous ses yeux dans le
monastère où elle s'est retirée, et renonce seulement son hommage
quand Raoul, échauffé par le vin, l'a à demi assommé pour avoir
trop haut regretté l'incendie de son pays et la mort de sa mère.

Ils ont vécu, mais en dépit de quelques noms attachés à certains
lieux, et auxquels s'associent quelques faits décharnés, ne les
cherchons pas dans l'histoire : ils ont vécu en cent lieux, sous
cent noms ; ce sont des types ; ils symbolisent des aspects de la vie
féodale. Et jamais la force de l'honneur et du serment n'a plus
fortement apparu qu'en ce Bernier : quand, sa mère morte, blessé
lui-même, il a renoncé l'hommage, si, dans le premier moment de
colère, il refuse la réparation que Raoul offre une fois revenu à lui,
jamais cependant il n'aura le cœur en paix : il combattra Raoul
de tout son courage, il le tuera, mais toujours l'idée de son
serment violé le tourmentera : toujours il rappellera ses griefs, sa
mère « arse », sa tête cassée ; il maintiendra « son droit », mais il
sera inquiet. A peine vainqueur, il songera à aller servir au
« Temple » à Saint-Jean d'Acre ; et le médiocre continuateur du
vieux poème a dégagé l'idée mère du sujet, quand il montre
Bernier usant sa vie sur les chemins, en pèlerinages lointains,
pour expier, jusqu'au jour où le roux Geri, oncle de Raoul, lui
casse la tête d'un coup de son lourd étrier sur le lieu même où
jadis il a tué son seigneur.

A travers la diffusion banale et molle du style, qui du moins ne
tire pas l'œil et se laisse oublier, une réelle puissance poétique
transparaît, le poète a l'instinct du développement épique, au
meilleur sens du mot : il sait faire rendre à une situation ce qu'elle
contenait d'émotion et d'intérêt. Je n'en veux pour preuve que le
morceau si souvent cité et avec raison, de la mort de Raoul ; cet
Ernaut de Douai qui fuit devant Raoul, la main coupée, demandant
grâce à son impitoyable ennemi, secours à tous les amis qu'il
rencontre, reprenant haleine chaque fois qu'un baron de son parti
arrête Raoul, piquant son cheval avec désespoir dès qu'il voit son
défenseur abattu, cette poursuite sans cesse interrompue et reprise,
acharnée, haletante, puis Bernier enfin s'interposant, le combat de
Bernier contre Raoul, et la mort de Raoul, combat et mort décom-
posés en chacun de leurs moments avec une vigoureuse précision,
la tristesse du vainqueur, et la rage féroce d'Ernaut qui, se
voyant sauvé, se venge de ses terreurs récentes sur son ennemi

abattu, voilà, à coup sûr, une scène neuve, rare, émouvante.
Batailles générales ou combats singuliers ne portent guère bonheur
à nos trouvères, même dans le *Roland* : ils ont peine à sortir
d'une monotone banalité, parce que peut-être la réalité était
monotone et banale. Mais ici tout est original.

Raoul de Cambrai est un épisode des luttes féodales : la geste
des *Lorrains*[1] est un monde. Ces trois poèmes de *Garin, Girbert* et
Anséis, qui sont, le premier surtout, la partie ancienne, épique, et
comme le cœur de la geste, ont le caractère de réalité le plus
saisissant, bien qu'on n'ait pu encore leur trouver aucun fondement dans l'histoire. Ce ne sont que rixes et meurtres, chevauchées,
combats, sièges, massacres, pillages, fausse paix et traîtresses
attaques : toute la France, des Landes jusqu'en Lorraine et de
Lyon à Cambrai, est remuée, divisée, dévastée par la rivalité qui
anime les familles de Hardré le Bordelais et Hervis le Lorrain. De
génération en génération, comme de province en province, la
haine et la guerre s'étendront, faisant ruisseler le sang, jetant
cadavre sur cadavre : depuis le vieil Hardré, depuis Bégue et Garin,
fils de Hervis, jusqu'aux petits-enfants de Hervis et de Hardré,
qu'une paix plâtrée fait naître d'un funeste mariage en mêlant le
sang des deux familles, et qui périront sous les coups les uns de
leur oncle maternel et les autres de leur propre père.

Toutes ces horreurs sont racontées, dans *Garin* surtout, d'un style
étrangement bref et sec, où pourtant le trait caractéristique est
appuyé de façon à prendre une intense énergie d'expression :
ainsi le monotone refrain des villes détruites ou incendiées par
Bégue dans sa course en Bourgogne, finit par évoquer, avec une
netteté singulière, je ne sais quelle image simplifiée et comme le
symbole horrible de la guerre, de la guerre absolue, d'une contrée imprécise où tout est ruine ou flammes. Les discours sont
courts, durs, d'un relief parfois bien vigoureux dans leur sécheresse enflammée ou brutale.

Les mœurs sont féroces; non pas de cette férocité de décadence,
par laquelle les héros deviendront des ogres et des fous furieux;
mais d'une saine et fière férocité, qui reste humaine, et se mêle
encore de loyauté et de bonté naturelles. Garin, et son frère Bégue,
surtout, sont les caractères sympathiques du poème, mais Fromont

---

1. Jehan de Flagy, rédacteur de *Garin le Loherain*, xiie siècle. — **Éditions :** *le
Roman de Garin le Loherain, publié pour la première fois,* par P. Paris, 2 vol. Paris,
1833-36; 3e vol., 1846; *Hervis de Mes,* éd. Stengel, 1903; *Yon,* éd. S. R. Mitchneck,
1935; *Anséis de Mes,* éd. H. J. Green, 1939. — **A consulter** (sur la geste des Lorrains); *Histoire littéraire de la France* t. XXII, p. 587-681, par P. Paris. F. Lot,
l'Elément historique de Garin de Loherain, dans les *Études d'histoire du Moyen âge*
dédiées à G. Monod, Paris, 1896, in-8.

n'est pas odieux : orgueilleux, emporté, ambitieux, rusé au besoin, il n'est pas insensé ni scélérat, il a le respect du lien féodal et de la foi jurée ; il est entraîné plutôt qu'il ne se jette de gaieté de cœur dans l'inexpiable guerre : souvent il voudrait faire la paix ; il la voudrait maintenir ; il blâme les trahisons des siens, et les défend parce qu'il est leur chef ; il ne se réjouit pas de la mort de Bégue son ennemi. Bégue, de son côté, n'est pas une idéale figure ; loyal, ayant la justice dans le cœur, prêt à vivre en paix, dès que lui-même ou un des siens est attaqué, le voilà fou de combats, forcené, téméraire, féroce, et je ne sais si, dans cette sanglante geste ni dans aucune autre, acte plus cruel se rencontre que celui de ce bon et brave baron : quand il a vaincu en duel Isoré, irrité qu'il est de je ne sais quelle outrageante raillerie d'un Bordelais, il arrache le cœur du vaincu et en fouette le visage de l'insulteur.

Le traître même n'est pas le traître légendaire et consacré que l'on connaît, monotone et raide réplique de Ganelon : ce félon Bernard de Naisil, dévoué à sa façon à sa race ou plutôt à la haine de sa race, toujours occupé à réveiller ou attiser la discorde, à rompre les accords ou à les prévenir, à machiner des ruses, des perfidies, des parjures, pour lancer ou retenir ses parents dans les affaires où ils perdront leurs fiefs, leur sang et leur vie ; souple du reste lui-même et se tirant alertement de tous les mauvais pas où il se voit engagé, c'est lui qui donne le plus de fil à retordre à Bégue et à Garin. Ce n'est pas un traître d'occasion, par emportement ou orgueil blessé, comme Ganelon : la ruse est son caractère naturel ; avec lui nous atteignons le temps où le mensonge et l'intrigue, c'est-à-dire l'intelligence, entrent en lutte contre la franche brutalité et la force physique, puis vont prendre insensiblement le dessus sur elles, et du même coup sur l'honneur et sur la loyauté.

La femme tient dans le poème la place qu'elle peut tenir : la beauté de Blanchefleur, que Garin, Fromont et le roi veulent épouser, compte moins que son héritage, ou n'inspire que des désirs brutaux. Cependant l'amour apparaît : un amour simple, intime, domestique, l'amour de Bégue et de sa femme, tendresse mêlée de protection chez l'un, de tremblement et d'admiration chez l'autre. Il s'explique à travers des scènes familières qui sont en vérité curieuses et captivantes : est-ce roman ? est-ce épopée ? Je ne sais trop : mais la vie domestique n'est-elle pas épique dans l'*Odyssée* ? et tout ici est simple et vrai, sans cesser d'être grand. L'embuscade dressée aux nouveaux mariés, le combat dans la lande tandis qu'il y a fête au château, Bégue laissé pour mort, sa jeune femme couchée sur son corps et se lamentant, la triste arrivée du cortège où le maître est porté sur une civière, le conseil des médecins, dont le plus vieux commande d'abord qu'on éloigne la jeune femme qui troublerait le malade : ce sont des scènes qui ont vie et mouvement.

Mais la mort de Bégue est un récit d'un grand effet dans sa couleur grise, avec cette accumulation rapide de petits détails pressés d'une si exacte et précise notation : la vie paisible de Bégue dans son château de Belin, entre sa femme et ses enfants, l'ennui qui prend à la fin ce grand batailleur, sourde inquiétude, désir de voir son frère Garin, qu'il n'a pas vu depuis longtemps, et son neveu Girbert, qu'il n'a jamais vu, désir aussi de chasser un fort sanglier, fameux dans la contrée du Nord; la tristesse et la soumission douce de la femme; le départ, le voyage, la chasse si *réelle* avec toutes ses circonstances, l'aboi des chiens, le son des cors, la fuite de la bête, l'éparpillement des chasseurs, qui renoncent; Bégue seul âpre à la poursuite, dévorant les lieues, traversant plaines et forêts et marais, prenant ses chiens par moments sur ses bras pour les reposer, jusqu'à ce qu'il se trouve seul, à côté de la bête morte, ses chiens éventrés, en une forêt inconnue, sous la pluie froide de la nuit tombante : il s'abrite sous un tremble, allume un grand feu, prend son cor et en sonne trois fois, pour appeler les siens. C'est là que les forestiers de Fromont le tuent, six contre un; encore ne viendraient-ils pas à bout du grand baron, debout, adossé à son arbre, sans un archer qui de loin lâchement le frappe : et le corps dépouillé reste là, les trois chiens hurlant auprès de lui dans la nuit. Il n'y a pas de scène de roman moderne qui ait une vérité plus simple et plus forte. Le poète qui a fait cela n'était pas un coloriste, mais jamais dessin ne donna plus l'illusion de la vie par la sûre netteté des lignes.

On pourrait poursuivre l'énumération, et retrouver d'autres inspirations épiques de belle venue dans la diversité inégale et confuse des inventions dont sont composées et gonflées nos chansons de geste. Aimeri promettant Narbonne à Charlemagne [1], le duel d'Olivier et de Roland, sont deux épisodes que Victor Hugo a rendus populaires. Il faut seulement noter que le grand poète, en jetant sur ces vieilles légendes l'artistique perfection de sa forme, les a, si je puis dire, « sublimées » aux dépens du simple bon sens. Le duel surtout de Roland et d'Olivier est loin d'avoir dans *Girard de Viane* l'étrangeté fantastique que la *Légende*

---

1. *Aimeri de Narbonne*, éd. Demaison (Soc. des Anc. textes), 1887, 2 vol. in-8. — *Les Narbonnais*, éd. Suchier (Anc. textes), 1898. — *Le Couronnement de Louis*, éd. Langlois (Anc. textes), 1888. — *Aliscans*, éd. Guessard (Anc. textes), 1870. — *La Chanson de Guillaume*, 1903. — *Le moniage Guillaume*, éd. W. Cloetta (Anc textes), 1908. — Les beautés de cette geste ressortent bien dans l'analyse d'un goût si sûr qu'a donnée M. Bédier aux ch. II et III de son premier volume (*II⁰ éd.*).

des siècles lui a prêtée. Le couronnement de Louis le Débonnaire, et la noble tristesse de Charles devant la puérilité lâche de son héritier, le début du poème d'*Aliscans* et la fière obstination de Guibourc qui, refusant de reconnaître son mari dans un fuyard, tient la porte d'Orange fermée et laisse Guillaume au pied des murs, exposé à tous les coups des Sarrasins, d'autres morceaux encore, méritent d'être loués et lus. Mais, en somme, on ne retrouve nulle part, à mon sens, un ensemble pareil à celui que présente chacune des trois chansons dont j'ai parlé; on a plutôt des fragments à recueillir, que des œuvres à étudier.

3. REMANIEMENTS DE LA MATIÈRE ÉPIQUE.

Les chansons de geste ont pu animer parfois les guerriers au combat, comme à Hastings, ou dans certaines guerres locales que conte une chronique bourguignonne. Mais, en général, l'épopée a dû être l'amusement des loisirs et l'ornement des fêtes : en temps de paix, aux noces, aux festins, après boire, c'est alors, pour s'amuser, qu'on appelle le « jongleur » : il chante les poèmes qu'il a achetés au « trouvère » ou appris de quelque façon que ce soit, ceux qu'il a composés, développés, altérés, embellis ou gâtés, il surgit partout où la foule assemblée lui promet audience et recette, aux foires, aux pèlerinages, autour des sanctuaires aux saisons où les fidèles les visitent, dans les hôtelleries où s'arrêtent les pèlerins.

Il colporte aussi son répertoire de château en château, plus tard aussi, et de plus en plus, de ville en ville et de village en village : il se fait entendre dans la grande salle féodale, aux barons assemblés, ou sur la place publique, aux bourgeois, aux vilains. Il espère, souvent il obtient de beaux cadeaux, argent, chevaux, fourrures, bijoux : et c'est lui, avec le trouvère, qui a décidé et fait croire que la vertu distinctive du chevalier était la libéralité.

Mais pour que le métier soit productif, il faut plaire à l'auditoire : son goût fera la loi. Or cet auditoire est insatiable : d'intelligence fruste et étroite, d'imagination forte mais grossière, il veut sans cesse du nouveau. Et le nouveau, c'est la nouveauté extérieure, c'est la sensation nouvelle, l'apparence encore non rencontrée : ce public ne creuse pas, ne prolonge pas ses impressions par ses pensées : il ne voit pas au delà de la forme particulière et sensible. Pour le retenir et l'assouvir, stimulés par la concurrence, les trouvères, quittant la simplicité épique, se jettent dans la fantaisie : dès la fin du XIIe siècle, ils fabriquent des romans d'aventures, gauches contrefaçons de l'épopée qui, insensiblement, sans que personne y pense, deviendront de ridicules parodies : et de jour en jour la poésie héroïque s'altère, se dissout et se noie davantage dans l'immense fatras de l'invention banale et facile.

Cependant les poètes sont fiers de leur œuvre : tandis que la plupart des anciens poèmes, tandis que l'œuvre maîtresse même, le *Roland*, sont anonymes, un certain nombre de remaniements plus modernes sont signés. Adenet, Jean Bodel, Jendeus de Brie, Bertrand de Bar-sur-Aube ne veulent pas perdre le bénéfice de leur travail; s'ils tiennent au profit, ils aiment aussi la gloire, dont la recherche est un des symptômes caractéristiques de l'individualisme. A vrai dire, on ne saurait nier que quelques-uns aient eu du talent. Ne leur demandez pas l'intimité de l'émotion, ni l'expansive ardeur de la sympathie, ni la composition harmonieuse, ni le style pittoresque : richesse intérieure ou beauté formelle, cela fait défaut à leurs œuvres. Ils n'ont pas fait une phrase d'artiste et peu de vers de poète. C'est par accident que Jean Bodel trouve un vers d'une sensibilité délicate, faisant parler une mère qui donne son fils à l'empereur Charles pour la guerre saxonne :

> Il sera en pleurant de sa mère attendu[1].

Ils ont surtout — et en cela ils semblent révéler l'aptitude éminente de la race — ils ont le sens du drame et du roman : sans poésie, sans style, leur art est là, dans le dessin des actions et l'imitation de la remuante humanité. Il est si bien là que leurs dialogues ou discours sont supérieurs souvent à leurs récits : la logique d'un rôle, la nécessité d'une situation, l'instinct d'un effet les guident et les élèvent. Dans un poème du XIIIᵉ siècle, une mère, forcée de donner son fils pour sauver son mari, prononce une plainte d'un accent juste et pénétrant[2].

Leur expression, telle quelle, diffuse ou sèche, plate éminemment, est un chiffre qui n'a pas de beauté par lui-même. Moins sobre, moins plein, moins sûr, c'est le même style que dans le *Roland*. Et, si l'on fait la différence des siècles, c'est le style de Dumas père ou de Scribe : le style enfin du dramaturge ou du romancier qui n'est que cela.

De là vient que souvent les meilleures inventions des trouvères sont plus belles à imaginer qu'à relire. Rarement on a besoin et souvent on aurait tort de retenir l'expression du poète; quiconque

---

1. *Chanson des Saxons.*
2. Heutace dans *les Enfances Vivien*, L. Gautier, IV, 119. Cf., *ibid.*, III, 209, une autre scène d'amour maternel; Renaud est reconnu par sa mère à une cicatrice qu'il porte au front; la scène est plus sèche, plus fruste, d'un beau sentiment encore et sans verbiage; elle a bien l'air de remonter aux beaux temps de l'invention épique.

voit les scènes dramatiques par lesquelles s'ouvrent *Girart de Viane*
ou le *Charroi de Nimes*[1], refaisant en langage quelconque les dialogues nécessaires, peut être assuré d'avoir extrait des ouvrages
originaux toute la beauté qu'ils contenaient.

Mais le talent est rare : et pour quelques heureuses trouvailles
qu'on peut porter au compte des remanieurs, passé la fin du
XIIe siècle, la somme de leurs méfaits est prodigieuse. Le pis est
que tous, et les plus ineptes, ont une intrépidité que rien ne
déconcerte pour déranger et refaire l'ouvrage d'autrui. Une fois
fixés par l'écriture, les poèmes homériques étaient sauvés : on a
pu les rajeunir discrètement, mais qui eût osé en détruire la
forme consacrée pour les amplifier à son goût? Nos chansons
de geste n'eurent pas même fortune, et parce que leur forme
insuffisamment belle n'imposait pas le respect, et parce que
public et rédacteurs n'étaient aptes à voir que la matière : il ne
leur paraissait pas importer que les mots fussent changés, si les
choses subsistaient et même s'enrichissaient. Aussi n'y a-t-il pas
de poème qui se soit maintenu à travers le moyen âge dans une
forme fixe.

Il n'est point de tortures que ces pauvres textes n'aient subies. Écrits
en vers *assonancés*, ils sont rimés en *consonances*; leurs dix syllabes
sont étirées en douze, à grand renfort de chevilles, quand (vers
1200) l'alexandrin[2] est à la mode. On revient un moment, par un
goût archaïque, aux décasyllabes primitifs. Au XIVe siècle, on supprime les *laisses* et couplets, pour rimer les vers deux par deux.
Cependant, de chantées avec accompagnement de *vielle*, ou violon,
les chansons d'abord furent récitées, puis lues à haute voix; et,
comme il était naturel, plus on s'éloignait du chant, plus la
versification devenait compliquée et curieuse. Puis l'instruction se
répandit, on sut lire, ou l'on se fit lire : on eut chez soi des manuscrits. On n'avait plus affaire des jongleurs et de leurs séances : n
du vers, puisqu'il n'était pas en effet un instrument esthétique
Le XVe siècle mit donc en prose les narrations versifiées, et le
passage fut achevé de la forme épique du XIe siècle à la forme du
roman moderne.

Il se faisait parallèlement, pour le fond, toute sorte d'étrange
manipulations. La plus apparente fut la constitution des *cycles* qu
fut la grande affaire des jongleurs au XIIIe et au XIVe siècle.

---

1. Le début du *Charroi de Nimes*, tel que nous l'avons, est une belle amplification littéraire; le procédé appliqué au développement de l'idée est sensiblemen
analogue à celui de la fameuse scène des portraits d'*Hernani*; c'est la traductior
grandiose d'une idée *grande*.

2. Ainsi nommé, dit-on, du poème d'*Alexandre le Grand*, par Alexandre de Bernay
et Lambert le Tors qui mit ce vers à la mode.

Un *cycle* est l'histoire d'une famille épique, la suite des poèmes qui en présentent les générations successives et les fortunes variées. Cette organisation des cycles répond, en son principe, à un besoin de l'esprit. Nous tendons à lier nos perceptions, nos idées : nous ne pensons connaître et nous ne croyons réel ou vrai que ce dont nous apercevons les relations. Une figure légendaire aura plus de consistance, plus d'être, si en elle nous apparaît le fils ou le père d'un héros, qui nous est connu.

[Sans doute aussi il y avait entre certains poèmes des relations naturelles qui tendaient à les grouper autour d'un héros ou d'un événement principal. Les cinq ou six chansons qui, du *Couronnement de Louis* au *Moniage Guillaume*, forment la biographie poétique du vainqueur des Sarrasins, sont enchaînées, selon M. Bédier, par une logique profonde. Il ne veut pourtant pas faire l'hypothèse inacceptable d'un plan général qu'un poète unique aurait dressé une fois pour toutes, et imposé à ses successeurs. Mais une invention en appelait une autre, et la légende se développait par une évolution naturelle, imprévue et logique[1]. Il se formait ainsi des *gestes* composées de plusieurs poèmes.

J'imagine que les jongleurs durent remarquer de bonne heure qu'un auditoire qu'on avait captivé avec les exploits d'un héros, ne demandait qu'à retrouver le même héros dans d'autres aventures. De cette remarque ou de cette expérience, sortit sans doute l'idée de grouper dans les récitations et dans les manuscrits les poèmes qui se reliaient les uns aux autres par leur matière. Ces *cycles* sont l'exagération artificielle de cette idée très simple.]

De plus, à mesure que se multipliaient les chansons, on sentait l'utilité de mettre un ordre dans cette abondance : or quoi de plus simple que de grouper les récits selon les rapports de parenté qui en unissaient les acteurs? Enfin la méthode de classification pouvait facilement tourner en méthode d'invention : trouvères et jongleurs le comprirent bien vite. Le public voulait du nouveau : quoi de plus simple, pour exciter son intérêt, et pour utiliser encore une part de ses émotions antérieures, que de lui présenter les pères ou les fils des héros qu'il aimait? Les pères surtout : car, par une mystérieuse divination des lois de l'hérédité ou, plutôt tout niaisement, parce que, si l'on n'est pas toujours le père, on est forcément le fils de quelqu'un, la curiosité des auditeurs remontait plus volontiers aux ascendants des personnages favoris. De là ce facile bourgeonnement des légendes, ces développements généalogiques qui vont en sens inverse de la nature : car ici les fils engendrent les pères, et les aïeux naissent après les pères.

[Si l'on ne peut plus invoquer aujourd'hui en exemple la geste de Guillaume, si les seize Guillaume incorporés dans le héros *au court*

---

1. C'est cette continuité que j'ai tenté de dégager dans la *Légende de Guillaume d'Orange*, Paris, 1920. (P. Tuʾʾrau.)

ou plutôt *au courb nez*, ne sont plus qu'une vision d'érudits, si
Vivien, Aymeri, Ernaut de Beaulande ne sont pas des héros d'épopées régionales rattachés artificiellement à la figure principale par
une parenté tardive, et si dès la *Chanson de Guill ume*, la famille
épique est constituée avec Ernaut, ses trois frères, son fils Aymeri
et les sept fils d'Aymeri, du moins l'aïeul, Garin de Monglane, n'a-t-
il pris réellement vie que longtemps après sa postérité : les trois
poèmes qui lui donnent une ombre d'existence poétique datent
de la fin du XIII⁰ et du début du XIV⁰ siècle, et ne sont qu'une
banale copie des exploits et des aventures de sa race.]

La plus grande partie de la matière épique ou romanesque se
trouva répartie à la fin du moyen âge en trois *cycles* principaux :
la *geste royale*, consacrée à la triade carolingienne, Pépin, Charles
et Louis; la *geste de Guillaume*, que remplissaient surtout les
luttes contre les Sarrasins en Languedoc et en Provence; *la geste*
enfin *de Doon de Mayence*, ou *des traîtres*, qui rassemble, preux ou
lâches, parjures ou généreux, tous les vassaux rebelles et les ennemis implacables de la royauté. Un certain nombre de poèmes résis-
tèrent à l'attraction des grands cycles et ne s'y laissèrent pas
agréger : tels sont les poèmes des *Lorrains*, tel le poème de *Raoul
de Cambrai*, et les débris de l'épopée bourguignonne conservés en
plusieurs chansons. Je ne parle pas du *Cycle de la Croisade*, dont
il faudra dire un mot ailleurs.

Dans le remaniement incessant de la matière poétique, le
délayage était le moindre péché de nos trouvères : ils excellaient,
comme les modernes feuilletonistes, à inventer une profusion de
détails inutiles. La mort d'Aude, qui tient une trentaine de vers
dans notre *Roland*, en fournit huit cents à un arrangeur du
XII⁰ siècle; tant de ce chef que par la version nouvelle du supplice
de Ganelon, et autres additions industrieuses, la chanson gagne
deux mille vers en longueur, et la poésie perd à proportion. En
général, le commencement de nos poèmes vaut mieux que la fin :
c'est que le trouvère emploie d'abord autant qu'il peut le texte qu'il
remanie par économie d'invention, et c'est pour allonger, pour
éviter la cruelle nécessité de finir son histoire, qu'il fouille dans
son sac, et met toutes ses rubriques en œuvre. Un des procédés
les plus commodes consiste à intercaler dans un poème tout ou
partie d'un autre : l'histoire de Raoul de Cambrai pénètre ainsi
dans la *geste des Lorrains*. Ou bien l'on démarque des traditions
étrangères pour les coudre au sujet que l'on traite : ainsi le chien
de Montargis, vieux conte qu'on trouve déjà dans Plutarque et
dans saint Ambroise, vient se mêler aux aventures de la reine
Sibille, une des incarnations de l'épouse innocente et calomniée.
Comme les faits, les caractères se dénaturent, se transportent et

se transposent : les traîtres sont stéréotypés d'après Ganelon; Vivien est une seconde épreuve de Roland.

L'invention abondante et pauvre des trouvères fait songer à la basse littérature de nos jours, à cette masse de romans et drames manufacturés en hâte pour la consommation bourgeoise et pour l'exportation. Depuis les formules du langage jusqu'au dessin général de l'action, toutes les pièces d'une chanson de geste sont jetées dans les mêmes moules. Le défi du vassal rebelle, ou la colère du vassal fidèle contre l'empereur ingrat, la princesse infidèle qui s'éprend d'un baron français, le combat de deux barons, ou d'un baron contre un géant païen, voilà des thèmes qui sont repris cent fois. Pour les caractères, on a le brave, le violent, le traître, le lâche, et tout le contenu de chacun est épuisé par l'épithète, qui crée comme une nécessité permanente d'actes uniformes, dont la répétition a quelque chose de mécanique. Un type banal de héros s'établit : sans fatigue et sans peur, bravache, impatient, il a toujours le poing levé, il écrase des nez, fracasse des cervelles, traîne les femmes par les cheveux dès qu'on le contredit : tenons compte des mœurs, c'est le beau gentilhomme, héroïque, impertinent, fine lame, qui passe, la moustache en croc, le poing sur la hanche, à travers nos mélodrames : c'est le d'Artagnan du XIIIᵉ siècle. En somme nos chansons de geste, selon M. P. Rajna, sont « aussi pauvres de types que riches d'individus », et M. Léon Gautier a dû écrire qu'elles « sont composées pour les dix-neuf vingtièmes d'une série de lieux communs ».

Encore si l'on s'en était tenu à la banalité : mais on y ajoutait l'extravagance. Esclaves de la mode, les trouvères jetèrent au milieu de la matière épique les aventures incroyables des romans bretons et le fantastique insensé du roman d'Alexandre. Ce ne furent plus que voyages lointains, pays fabuleux, une Asie de niaise féerie, avec ses « soudans » et ses « amiraux » cocassement naïfs ou formidables, avec son histoire et sa géographie folles; il n'est pas jusqu'à Roland, le vaillant homme occis à Roncevaux, qui n'aille un beau jour se faire le chimérique gouverneur d'une vague « Persie » [1]. Ce ne furent plus que géants hideux à plaisir, nègres cornus, et même cornus « derrière et devant ». enchanteurs et magiciennes, Maugis [2], Orable [3], auprès de qui pâlissent et sont délaissés Renaud et Guillaume : mais surtout Auberon le petit homme, fils de Jules César, neveu d'Arthur et frère jumeau de saint Georges [4]. Et quelle cascade de prodiges, tandis que Huon

---

1 *Entrée en Espagne.*
2 *Renaud de Montauban*, etc.
3 *Enfance de Guillaume* et *Prise d'Orange.*
4 *Auberon* et *Huon de Bordeaux*

de Bordeaux, chargé de talismans, s'en va, pour mériter le pardon
de l'empereur, arracher quatre dents et la barbe à l'amiral de
Babylone! Choses et bêtes s'en mêlent; voici le cor d'Auberon qui
est fée, et voici le bon cheval Bayard, qui est fée aussi. Mais le
meilleur, le plus complaisant des enchanteurs, c'est Dieu : il a
toujours un miracle au service du preux en danger, ou du poète
dans l'embarras. Il fait tomber les murs des villes, et les passions
dans les cœurs : il arrête le soleil dans le ciel, l'épée dans la main
du guerrier. Il est le grand machiniste de l'épopée : il empêche
Ogier de tuer Charlot, fils de l'empereur, parce que le poète qui
l'a fait trop obstinément féroce a laissé passer l'occasion de le
fléchir; il arrête le duel d'Olivier et de Roland, parce que le poète
ne saurait pas faire un vaincu sans l'amoindrir [1]. Dès que l'auteur
est à bout d'art ou de psychologie, la main de Dieu paraît. Dans
cet emploi de Dieu et du miracle, comme dans celui des magiciens et des enchantements, je n'aperçois guère la fraîche naïveté
des âmes primitives : ce sont presque toujours des ficelles de
littérateurs sans conscience et sans génie.

., Les chansons de geste perdent de plus en plus leur caractère de
vision héroïque du passé pour n'être que l'expression vulgaire du
présent. Si extravagantes qu'elles soient, elles sont platement réalistes en un sens : elles sont inconsciemment le véridique roman
d'une société qui manque de science et de sens. Elles en expriment
les rêves avec la vie, l'idéal avec la réalité, comme la fiction du
théâtre de Scribe est le plus fidèle portrait qu'on puisse trouver de la
bourgeoisie française aux environs de 1840. Ce qu. en fait la vérité,
c'est l'absolue égalité, l'identité plutôt, de l'auteur et du public,
l'impossibilité où est celui-là de penser hors et au-dessus de la
sphère où celui-ci enferme ses pensées.

Toutes les transformations des mœurs et du goût se sont inscrites
au jour le jour dans nos chansons de geste : chaque génération
y souffle son esprit moyen. Au lieu de la rude et sincère foi, de la
barbarie saine et virile de l'ancienne épopée (entendez celle du
XIe siècle), s'étalent la courtoisie, l'amour : et quel amour! A
mesure que les dames tiennent plus de place dans les chansons,
une galanterie plus polie, plus verbeuse surtout, enveloppe un
amour de plus en plus cynique. Il n'y a point de milieu : ou la
femme est l'ange de pureté, l'idéale et rarement vivante Geneviève
de Brabant, stéréotypée dans sa douloureuse fidélité, banale
réplique d'une des plus anciennes traditions; ou bien, et plus
souvent, plus vivante aussi parfois, c'est l'impudente, la sensuelle,
fille ou femme, qui d'un regard s'enflamme, et qui donnera pour

1. *Chevalerie Ogier de Danemarche.* — *Girart de Viane.*

être aimée, s'il le faut, la tête d'un père [1]. La première perfection,
le signe éminent du héros, c'est de se faire rechercher par une
princesse sarrasine, ou par l'impératrice, ou par la femme ou la
fille de son hôte, qui s'est dit : « Car il est très bel homme ».

Mais le Français aime à rire : parallèlement au romanesque, le
comique s'insinue dans les chansons de geste, et y fait aussi
tache d'huile. Les premières épopées avaient leur comique, simple
comme elles, et savoureux par là dans sa grossièreté : le succès
sans doute de ces épisodes lança les trouvères dans la recherche
des effets plaisants : dénués de finesse comme ils étaient, ils avilirent la matière épique par la lourde et vulgaire outrance du comique
sans observation qu'ils y jetèrent à profusion : comique de foire,
dont les « bonnes farces », les têtes cassées et les larges ripailles
sont les principaux moyens. Un roi qui déguise deux mille de ses
soldats en diables noirs et cornus pour donner l'assaut à une ville
assiégée [2], un baron au contraire qui garnit les murs de son château
assiégé de mannequins bien armés pour simuler une forte garnison [3], un marmiton gigantesque, sot et colère, qui fait grotesquement d'héroïques exploits, et qui, voulant monter à cheval, se
tourne tête en queue, comme nos clowns de cirque [4] : voilà ce qui
amusait infiniment nos bons aïeux. Ou bien on conte comment
le petit Roland s'échappe avec quatre camarades, et comment
ces gamins montent sur cinq grands chevaux, volés à des chevaliers bretons, pour s'en aller à la guerre avec l'empereur et
ses pairs : toute une armée se met à la poursuite des cinq ban-
dits [5]. Il y avait là une jolie idée, comique et romanesque à la fois :
aussi retrouve-t-on plus d'une fois le brave enfant qui veut se
battre et refuse d'étudier. Vivien a son petit frère qui demande à
le venger et l'enfant Guibelin, au siège de Narbonne, assomme
son maitre pour aller se jeter dans la mêlée, où il est tué par les
Sarrasins [6]. Ce lieu commun vivace regermera chez nous à chaque
époque, et, dans un siècle comme le nôtre, idolâtre de l'enfance,
deviendra d'une culture très facile et rémunératrice.

Naturellement les scènes grotesques ou familières eurent plus
de succès à mesure que le public devint plus populaire. Dès le
XIᵉ siècle, le goût des bourgeois de Paris qui visitaient la foire de
l'Endit et les reliques de l'abbaye Saint-Denis, imposait le ton
du *Pélerinage de Charlemagne à Jérusalem* et ces étranges « gabs »

---

1. *Aiol* (éd. Soc. des anc. textes, 1877), in-8. — *Huon de Bordeaux.*
2. *Enfances Garin de Monglane.*
3. *Chevalerie Ogier.*
4. *Aliscans* (éd Guessard et Montaiglon, *Anc. poët. fr.*, t. X, 1870).
5. *Aspremont.*
6. *Siège de Narbonne.*

qui, au temps même où s'organisait la grandeur sévère du *Roland*,
faisaient déjà du poème la parodie inconsciente et bouffonne de
l'épopée. Il arriva, à la longue, que la noblesse se détacha de cette
poésie nationale, créée à son image, qu'elle préféra d'autres
poèmes, d'autres genres, d'autres amusements. Elle se mit à lire
et n'ayant plus besoin des jongleurs, elle donna leur place auprès
d'elle aux hérauts, détenteurs de la science du blason, rédacteurs
de chroniques, ordonnateurs de jeux et de pompes. L'art des
jongleurs ne s'exerça que pour l'amusement des petites gens.

On vit alors, pour cette clientèle nouvelle, les barons accablés
protégés, éclipsés surtout par de petits nobles de campagne, par de
bons bourgeois, par des vilains même : ridicules d'aspect par tradition, membrus, velus, trapus, larges d'épaules, courts de jambes,
ayant sourcils broussailleux et mains énormes, les paysans son
vaillants, généreux, sublimes, et leur vertu caresse l'orgueil de
foules que leur extérieur a gagnées. C'est le vavasseur Gautier
coiffé de son vieux chapeau, armé de sa lourde massue, mont
sur sa jument à tous crins, qui, avec ses sept fils chevauchan
des chevaux de charrue, s'en va défendre son seigneur Gaydon [1]
C'est le paysan Varocher [2], garde du corps et champion de la
reine BlancheFleur ; c'est Simon le voyer, qui recueille la rein
Berthe dans sa chaumière [3]. Si le vilain est le cavalier servan
des reines calomniées, au bourgeois appartient la paternit
putative ou réelle des preux. L'auditoire rit de bon cœur quan
d'honnêtes marchands enseignent le commerce à un Vivien, à u
Hervis [4], les mettent à la vente, les envoient aux foires, étonnés d
leurs répugnances, scandalisés de leurs bévues, comme d'honnête
poules qui voudraient instruire de jeunes faucons à picorer sur u
pailler. Il rit quand les jeunes apprentis, sentant bouillir leur
instincts de largesse et de bataille, rentrent à la maison san
marchandises, sans argent, montés sur quelque destrier fourbu
une vieille cuirasse au dos, un noble épervier sur le poing.

Dans tout cela les types épiques deviennent ce qu'ils peuvent
Ils perdent toute dignité, toute grandeur, toute réalité, toute con
sistance aussi.

Chaque type se résout en plusieurs figures de fantaisie, graves o
ridicules, outrées de sublimité ou de bassesse, selon l'utilité parti
culière de chaque sujet. Ici Charlemagne, le grand empereur à l
barbe fleurie, idéal exemplaire de la royauté chrétienne, à qu

---

1. *Gaydon* (éd. Guessard, *Anc. p fr.*).
2. *Macaire* (id.).
3. *Berte aux grands pieds*.
4. *Enfances Vivien — Hervis de Metz.*

Dieu envoie son esprit et ses anges, Charlemagne s'associe à un voleur, et s'en va couper les bourses avec lui; ailleurs le sage empereur devient un « vieillard qui est tout assoté [1] ». Et « l'autre soleil » de ce monde, le pape, n'est pas mieux traité : ne le voit-on pas, pour engager Guillaume d'Orange à son service, lui promettre, entre autres dons, de lui laisser épouser autant de femmes qu'il voudra [2]? Le type du héros s'abaissera encore plus bas qu'on ne saurait dire : après les deux types vraiment épiques, après le preux défenseur de la France ou de la foi, après le violent batailleur qui garde ou gagne des fiefs, on aura les types romanesques, le féroce baron, l'extravagant chevalier, tous les deux aimés des dames, et l'on aboutira au soudard; le mauvais sujet, casseur de cœurs, bâtard et semeur de bâtards, vulgaire, jovial, et surtout fort comme Hercule ou Porthos, délices du populaire par le sans-façon de ses manières et parce qu'il dit son fait à la noblesse, c'est Baudoin de Sebourc [3], dernier et indigne rejeton de la lignée de Roland.

Mais à quoi bon insister? Quelle idée prendrait-on de notre tragédie, si, mettant toutes les œuvres sur le même plan, on rassemblait l'*Iphigénie en Aulide* de Racine, l'*Iphigénie en Tauride* de Guimond de la Touche, l'*Atrée* de Crébillon et les *Erinnyes* de M. Leconte de Lisle, dans un *cycle* des Atrides, ou si l'on flanquait dans une *geste* de Rome le *Cinna* de Corneille d'une *Mort de César* de Scudéry ou d'un *Triumvirat* de Voltaire? Les *cycles* sont en grande partie factices : la critique littéraire doit briser ces cadres, où la médiocrité pullulante cache les chefs-d'œuvre. Quand tout était à exhumer, tout devait être examiné : mais aujourd'hui le but doit être de laisser doucement redescendre les neuf dixièmes des chansons de geste dans le bienfaisant oubli qui a reçu les neuf dixièmes des tragédies. Tout l'ennuyeux et tout l'extravagant doit périr à nouveau : ce qui mérite de vivre en sera plus au large, et la *Chanson de Roland*, deux ou trois autres poèmes, une douzaine d'épisodes discrètement détachés d'une centaine de poèmes [4] n'ont qu'à gagner à représenter seuls l'épopée française, qui y gagnera encore plus.

---

1. *Renaud de Montauban*; *Guy de Bourgogne*.
2. *Le Couronnement de Louis* (Soc. des anc. textes, 1888), in-8.
3. *Cycle de la Croisade*.
4. Je ferais meilleure mesure aujourd'hui, sans fermer davantage les yeux sur les inégalités et le fatras. Il serait utile qu'on fit pour les meilleures œuvres, ce que M. Bédier a fait avec tant de délicatesse et de sûreté pour *Tristan*, qu'on en donnât es versions modernes simplement allégées des chevilles et des clichés de versification (*11ᵉ éd*).

CHAPITRE II

LES ROMANS BRETONS

Abondance de littérature narrative. 1. Cycles de la croisade et de l'antiquité. — 2. Cycle breton. Caractère des traditions celtiques. Leur passage dans la littérature française, par des voies incertaines. *Lais* et *romans*. Esprit de ces poèmes. Les *lais* de Marie de France. Les poèmes de *Tristan*. — 3. Les poèmes de la *Table Ronde*. Chrétien de Troyes : esprit net, positif, inintelligent du mystère. *L'aventure* et l'amour chevaleresque. Perceval et le Saint Graal : chevalerie mystique. — 4. Vogue de notre poésie épique et romanesque à l'étranger.

Nos aïeux faisaient une prodigieuse consommation de littérature romanesque. Ces bonnes gens, vrais enfants, qui ne savaient rien et ne pensaient guère, n'aimaient rien tant que de se faire conter des histoires. Ils en voulaient et toujours plus et toujours d'autres. Au reste ils ne tenaient pas plus aux sujets nationaux qu'à d'autres, maintenant qu'ils n'y prenaient plus qu'un intérêt de curiosité. On estimait seulement les *chansons de geste* plus vraies : mais on accueillait tout ce qui amusait : en sorte que, du XIIe siècle au XIVe, une intense fabrication jeta dans la circulation une masse énorme de récits de toute nature et de toute provenance.

1. CYCLES DE LA CROISADE ET DE L'ANTIQUITÉ.

Ce furent d'abord les poèmes sur la croisade. Au temps où les croisés venaient de prendre Jérusalem, quand tout l'Occident frémissait au bruit des merveilles qui s'étaient accomplies en Terre Sainte, quand on écoutait avidement toutes les rumeurs des combats d'outre-mer, un trouvère lettré, et tout brûlant lui-même des passions de son temps, s'avisa que ce serait une belle chanson à réciter devant les nobles et les bourgeois, que celle où tous les exploits de Godefroy de Bouillon seraient relatés au vrai : il compila dans les chroniques latines la *Chanson d'Antioche*, quelque vingt-cinq ans après les événements. Un autre la continua, et fit la chanson de *Jérusalem*, d'après la tradition orale qui s'était établie dans l'armée même des croisés. Le succès de ces émouvantes histoires en fit le noyau d'un *cycle* qui se développa selon les procédés qu'on a indiqués plus haut : le récit de la croisade se prolongea à travers toute sorte d'inventions romanesques, du plus vulgaire et souvent du plus grossier caractère, tandis que le héros central de la geste, le grand Godefroy de Bouillon, était doté d'une généalogie fabuleuse où s'insérait la merveilleuse légende du chevalier au Cygne [1].

Puis apparut ce qu'on a appelé le *cycle de l'antiquité* [2] : des poètes savants, qui lisaient les livres latins, y remarquèrent mille choses merveilleuses qui pouvaient se mettre en clair français à la grande joie du public illettré. L'un fit une *chanson de geste* de la vie d'Alexandre, telle que le faux Callisthène l'avait racontée, et la chevauchée du roi macédonien à travers l'immense Asie et l'Inde prodigieuse, le caractère du héros, type accompli de vaillance et de largesse chevaleresques, eurent le succès le plus populaire. Un autre mit en roman le siège de Troie, non d'après Homère sans doute, ce témoin mal informé : mais il lisait les mémoires du Crétois Dictys, un des assiégeants, ceux surtout du Phrygien Darès, qui fut dans la ville assiégée; et c'était là de bons témoins, qui n'ignoraient rien et ne laissaient rien ignorer. Virgile y passa ensuite, puis Stace, puis Lucain, puis Ovide : Enée, Œdipe, César, tous les personnages des *Métamorphoses* défilèrent sous les yeux de nos Français émerveillés.

Cependant d'autres poètes avaient écouté les harpeurs bretons et gallois, et tout le monde celtique, Tristan et Yseult, Arthur et Genièvre, Lancelot, Yvain, Perceval, faisaient leur apparition, héros plus étranges, plus captivants que tous les héros anciens par l'imprévu des aventures et la nouveauté des sentiments.

Ce n'était pas tout encore : selon le hasard qui présidait à la vie des écrivains, selon le livre qui leur tombait entre les mains, le voyageur ou le croisé qu'ils avaient entendu, selon enfin qu'eux-mêmes avaient été promener leur curiosité en telle province ou en

1. Cf. A. Hatem, *Poèmes épiques des Croisades*, 1932.
2. **Éditions** : *Roman de Troie*, in-4, éd. Constans, 1904-1908; *Roman de Thèbes*, d. Constans, 1890; *Roman d'Alexandre*, éd. E. C. Armstrong, 1937. *Roman d'Eneas*, d. J. J. Salverda de Grave, 1925-29. — **A consulter :** P. Meyer, *Alexandre le Grand dans la litt. fr. au m. âg*, 2 vol., 1886; Joly, *Benoît de Sainte-More et le Roman de Troie*, 1870; L. Constans, *Œdipe dans le Roman de Thèbes*, 1881.

tel pays, une incroyable diversité de récits réclamait tour à tour
l'attention du public : romans grecs et byzantins, contes orientaux,
traditions anglo-saxonnes, légendes locales de Normandie ou du
Poitou, fables incroyables, anecdotes vraies ou vraisemblables, sujets
pathétiques, comiques, féeriques, historiques, et même réalistes.
On passe de Mahomet à Mélusine, de l'empereur Constant au roi
Richard Cœur de Lion ; à côté du merveilleux *Partenopeus de Blois*
de Denis Pyramus, qui nous conte en son style enjolivé les amours
d'un beau chevalier et d'une fée inconnue (c'est *Psyché*, où les rôles
seraient renversés), on rencontre la très simple et dramatique
histoire de la châtelaine de Vergy, qui n'est que le récit d'une
très humaine passion située en pleine réalité contemporaine, ou
l'aimable *chante-fable* d'*Aucassin et Nicolette*, récit, en prose coupée
de *laisses* chantées, des amours de deux enfants qui finissent par
se rejoindre et s'épouser.

L'inégalité des talents répond à la bigarrure des sujets : parmi
les plus désespérantes platitudes, parmi les plus insipides extravagances, on peut recueillir de courts poèmes, ou des épisodes de
longs poèmes, qui sont d'agréable lecture. Mais rien d'éminent, en
somme, et qui dépasse les qualités moyennes d'une narration vive
et limpide : le génie manque et cette forme impérieuse qui
détermine une littérature pour longtemps. Le mérite essentiel
enfin de tous ces romans, c'est de conserver une riche matière à
la disposition de l'avenir.

Dans cette matière, les hommes du moyen âge mettaient à part
deux groupes : les poèmes tirés de l'antiquité, qu'ils vénéraient
pour leur origine, comme dépositaires d'une profonde sagesse, et
les poèmes celtiques, dont la brillante « vanité » les amusait. Il
en firent deux *cycles* qui prirent place aux côtés du *cycle* national,
et Jean Bodel énonça cet axiome qu'il ne fallait compter que trois
matières : celles « de France, de Bretagne, et de Rome la grant ».

Il n'y en a vraiment que deux à retenir. On peut passer vite sur
le *cycle* de l'antiquité. Les érudits peuvent louer la vivacité dau-
phinoise d'Albéric de Besançon ou Briançon (commencement du
XII° siècle) et les grâces tourangelles de Benoît de Sainte-Mor
(2° moitié du XII° siècle). Mais tous ces romans dont les héros se
nomment Alexandre, ou Hector, ou Enée, ne peuvent être pour
nous que des parodies ridicules. On pourra s'amuser un moment
à voir le prince Alexandre étudier les sept arts et se faire *adouber*
chevalier par sa mère, inaugurant la brillante carrière qui le
mènera à figurer sur nos jeux de cartes entre Arthur et Charlemagne sous les traits d'un empereur à la barbe fleurie. On peut
rire d'abord de cette Troie féodale avec son donjon et ses tours
crénelées, toute pleine de chevaliers et de dames courtoises, et de

cette non moins féodale armée des Grecs qu'accompagne comme à
la croisade l'évêque Calchas. Les singulières broderies qui enjo-
livent toute l'*aventure* d'Enéas, comme la description du « serpent
marage », que l'on nomme « crocodile », et qui dort gueule bée
pour donner aux oiseaux la facilité de venir becqueter dans son
estomac les résidus de sa digestion, ou la déclaration d'amour en
écho, entretiennent peut-être la curiosité pendant une ou deux
pages. Mais cela nous lasse vite. Tout nous froisse et nous rebute
dans ces inconscientes mascarades, où toute la beauté de l'art
antique comme toute la vérité de la nature antique sont si cruellement détruites. Tout cela est un poids mort dans la littérature,
comme *Cyrus* ou *Clélie*, et pour les mêmes raisons. Puis, malgré
la vogue immense de quelques-uns de ces poèmes, ils sont pour
nous insignifiants. Les poèmes sur Alexandre ne sont que des
chansons de geste : les romans d'*Enéas* et de *Troie* ont l'esprit,
le style, le mètre des romans bretons; et si Benoît de Sainte-
Maure a précédé Chrétien de Troyes de quelques années, il n'a
rien mis dans son œuvre, qu'on ne retrouve plus expressif, mieux
dégagé, plus complet dans les poèmes de son jeune contemporain.

C'est donc à la matière de Bretagne qu'il faut nous arrêter un
moment.

2. LE CYCLE BRETON.

Les romans bretons sont la rentrée en scène et comme la
revanche de la race celtique : c'est, au moins en apparence, la
prise de possession de l'Occident romanisé, germanisé, christia-
nisé, féodal, par l'imagination des Celtes de Bretagne, qui avaient
pu échapper, sinon tout à fait à la domination, du moins à la civilisation romaine.

Cette race rêveuse, passionnée, capable de fougueuse exaltation
et d'infinie désespérance, avait produit très anciennement une très
abondante poésie : elle était la poésie même, par l'intensité de la
vie intérieure, par sa puissance d'absorption passive si prodigieusement supérieure à sa capacité d'action expansive. Elle recevait
tout l'univers en son âme et le renvoyait en formes idéales : vraie
antithèse du génie dur et pratique de Rome, dont le rôle est de
façonner la réalité par l'épée et par la loi.

Dans les traditions religieuses, ethniques, historiques qui sont
la matière de la poésie celtique, ce ne sont que voyages au pays
des morts, étranges combats et plus étranges fraternités des
hommes et des animaux, visions fantastiques de l'invisible ou de

l'avenir, hommes doués d'une science ou d'une puissance surnatu-
relles, qui commandent aux éléments et savent tous les mystères,
animaux plus savants et plus puissants que les hommes, chau-
drons, lances, arbres, fontaines magiques, et longs écheveaux
d'aventures et d'entreprises impossibles à quiconque n'est pas pré-
destiné pour les accomplir, servi par les êtres ou maître des objets
prédestinés à en assurer l'accomplissement. Le miracle est en
permanence dans l'incessant écoulement d'une fantasmagorique
phénoménalité, où l'individualité, la personnalité se fondent : partout, et en nous, à notre insu, opèrent des forces cachées, qui
nous font sentir et vouloir ; les âmes se promènent à travers les
formes multiples et hétérogènes du monde apparent. Un sens profond du mystère et de la vie universelle, une large sympathie qui
attache l'homme à tout ce qui est, et qui fait dégager des animaux, des arbres, de toute la nature l'intime frémissement d'une
sensibilité humaine, l'inquiétude irréparable de l'au-delà, l'âpre
curiosité du monde inconnu, effrayant et attirant, qui reçoit les
fugitifs du monde des vivants, imprègnent toute cette poésie, et lui
prêtent un inoubliable accent [1].

Le christianisme a passé là-dessus sans atteindre le principe de
ce mysticisme naturaliste : il dut s'y adapter en adoptant les
mythes qui en étaient sortis. Etrangère à la conception juridique
et politique du christianisme romain, l'Eglise celtique laissa l'âme
de la race façonner une religion nationale à son image. Tout le
matériel et tout le personnel des vieilles légendes subsista, dûment
consacré et baptisé au nom de Jésus-Christ : le pays des morts fut
le purgatoire de saint Patrice ; mais l'esprit chrétien ne pénétra
pas profondément : tout ce monde merveilleux garda l'intégrité de
son âme celtique.

Les désastres et les misères qui assaillirent les Bretons, l'invasion étrangère, les guerres séculaires, qui lentement les dépos-
sédaient de leur antique héritage, avaient plutôt excité que brisé
l'activité poétique de la race. Cantonnés les uns dans un coin
de la grande île, les autres réfugiés dans la presqu'île armori-
caine, ils s'attachaient à leurs traditions comme au plus saint titre
de leur imprescriptible droit, comme au plus sûr gage de leur inévitable triomphe. Ils aimaient à écouter leurs conteurs qui en conservaient et accroissaient le précieux dépôt. Un charme puissant
une efficace consolation émanaient pour eux de ces récits, où la
prose parlée alternait avec les vers chantés, qu'accompagnait l

---

1. Cf. Renan, *Essai sur la poésie des races celtiques*. D'Arbois de Jubainville
Litt. celt., t. I-IX, 1883-1900. (Cf. Lot, *Romania*, t. XXIV et XXV.). E. Faral
Légende arthurienne, 1929.

son d'une petite harpe, appelé *rote*. Et les étrangers même, ennemis
comme les Anglo-Saxons, indifférents comme les Normands, éprou-
vaient la pénétrante originalité de ces airs et de ces mythes.

On a disputé, on dispute encore sur le mode de diffusion des
traditions celtiques : voici le plus probable. Encouragés, attirés
par l'admiration qu'excitait leur habileté, les harpeurs bretons
commencèrent à promener par les provinces anglo-normandes et
françaises les fictions où s'étaient déposés les antiques croyances
et les chers souvenirs de leur race : de notre Bretagne, du pays
de Galles, des deux pays plutôt que de l'un des deux, ils venaient
plus nombreux chaque jour dire aux barons et aux dames des
lais d'Arthur ou de Tristan, de Merlin ou de saint Brandan,
chantant peut-être les paroles originales de leurs mélodies, mais
sans doute contant en français, dans leur français celtique, qui
parfois était un étrange jargon, les parties de simple prose. Ce fut
ainsi, selon toute vraisemblance, que le peuple breton répandit sa
poésie à travers l'Occident féodal : sourde infiltration d'abord, qui
devint une large inondation.

Avant le milieu du XIIe siècle, la curiosité, l'intérêt du public,
en Angleterre, en France et jusqu'en Italie, se portait de ce côté-là.
Gaufrey Arthur, de Monmouth, avait mis en émoi le monde des
clercs par sa fabuleuse *Historia regum Britanniæ*, dont quatre traductions françaises avaient presque aussitôt rendu Arthur et Merlin
universellement populaires. Prompts à saisir le vent, des poètes
anglo-normands et français firent concurrence aux harpeurs
bretons. Ils dirent aussi des « lais », substituant à la prose
épique des Celtes leurs suites de petits vers octosyllabiques, légers,
grêles et limpides. D'autres les étendirent, les amalgamèrent en
longs poèmes; d'autres y mêlèrent des traditions, des inventions
qui n'avaient rien de celtique. On fabriqua des romans celtiques
comme on avait fait des chansons de geste, d'après un modèle
fixé, par des procédés convenus. On mêla le mysticisme chrétien
au fantastique breton. Des romans en prose accompagnèrent,
précédèrent peut-être parfois, et plus probablement suivirent les
romans en vers. *Lais* brefs et sans lien, romans de Tristan, romans
de la Table ronde, romans du Saint Graal, tout cela fit en un peu
moins d'un siècle une masse vraiment prodigieuse de littérature,
à peu près achevée vers 1250 [1].

Toutes ces productions sont destinées à être lues : elles ne passent
pas par la bouche des jongleurs. Ce sont vraiment des nouvelles et
des romans, au sens moderne du mot. C'est leur première et extérieure nouveauté.

1. G. Paris, *Hist. litt. de la France*, t. XXX, 1888; *Romania*, t. X, XII, XV
(Cf. aussi t. XXIII). M. Wilmotte, *Origines du Roman en France*, 1942.

Mais c'est la moindre qu'on y trouve. Elles répondent à un besoin
nouveau, à un état d'esprit que l'évolution sociale et politique
développe de jour en jour davantage chez des générations que
transporte moins la rudesse vigoureuse des chansons de geste.
Elles trouvent faveur d'abord auprès de la partie de l'aristocratie anglo-normande et française, qui commençait à subir l'influence de ce Midi où la vie était plus facile, tout égayée de luxe
éclatant et d'amour raffiné, en qui la poésie aux formes riches, les
sentiments noblement subtils des *troubadours* insinuaient des
mœurs plus douces, et le désir inconnu des commerces aimables
et du bien-être raffiné. Tout cela avait pénétré dans la brutale
féodalité du Nord à la suite d'Aliénor d'Aquitaine, qui fut successivement reine de France et d'Angleterre. Ces Poitevins, ces Gas-
cons, ces Toulousains, ce poète Bernard de Ventadour, qui la suivaient, avaient encore plus dans leur esprit que dans leur costume
de quoi étonner les barons du Nord : ils les instruisirent, et firent
éclore le courtisan dans le vassal.

Les romans bretons vinrent à point nommé traduire la transformation de la société : on les voit dans les terrains que quelque
rayon du Midi a échauffés : c'est au second mari d'Aliénor, c'est à
Henri II d'Angleterre, que le plus ample recueil de *lais* qu'on possède, œuvre d'une femme, Marie de France, est dédié : c'est de la
fille d'Aliénor et de son premier mari, Louis VII de France, c'est
de la comtesse Marie de Champagne que le plus brillant versificateur de romans bretons, Chrétien de Troyes, a reçu le sujet de
Lancelot. Ce n'est pas un pur hasard, si la protection qui soutient,
l'inspiration qui anime les deux plus intéressants narrateurs des
légendes celtiques ramènent toujours notre regard vers la princesse à qui Bernard de Ventadour donna la musique amoureuse
de ses vers.

Il faut, je crois, si l'on veut en comprendre le caractère et l'influence, faire trois parts de l'énorme amas des romans bretons.
En premier lieu viendront les *lais* divers et les poèmes sur Tristan ;
puis la Table ronde, et les *aventures* de ses chevaliers ; enfin le
Saint Graal, et sa troupe mystique de gardiens et de *quêteurs*.

Le premier groupe, ce sont les poèmes d'amour. Les *aventures*,
les exploits, la chevalerie, les tournois, la religion, n'y tiennent
que peu ou point de place, encore que l'on y trouve des évêques et
des couvents, et que les mœurs extérieures soient celles de l'Angleterre et de la France du XIIᵉ siècle. Mais ces évêques démarient le
lendemain ceux qu'il ont mariés la veille ; ces chevaliers épousent
des fées, se transforment en autours ou en loups-garous. Ils blessent
des biches à voix humaine, suivent des sangliers magiques, se
couchent dans des barques qui les portent au pays fatal où s'ac-

complira leur destinée de joie ou de misère. Au fond, toujours ou presque toujours, l'amour, non pas l'appétit brutal des chansons de geste, ni la fine rhétorique du lyrisme méridional, mais le sentiment profond, ardent, qui emplit une âme et une vie, qui y verse seul le bonheur ou le malheur. Voici bien du nouveau pour notre public : voici la passion intime, éternelle, qui souffre, et qui se sacrifie : Fresne préparant le lit de la nouvelle épouse pour laquelle son seigneur la répudie; la femme d'Eliduc ranimant la fiancée que son mari avait ramenée d'outre-mer, et se faisant nonne pour lui céder la place. Voici les séparations qui n'abattent pas l'amour et ne lassent pas la fidélité : Guigemar et sa bien-aimée qui retrouvent intacts après des années les nœuds qu'ils se sont liés mutuellement autour de leurs corps; Milon épousant en cheveux gris celle qu'il a choisie dès l'enfance. Voici l'exaltation amoureuse, dont les effets ne sont pas de vulgaires coups de lance, mais d'étranges défis à la nature : l'amant qui, pour mériter sa maîtresse, la porte dans ses bras jusqu'au sommet d'une montagne, et qui expire en arrivant.

Tout cet amour sans doute n'est pas platonique, ni toujours délicat. Mais le sentiment pénètre et enveloppe tout. Il fait vraiment de l'amour la chose du cœur, et toutes les satisfactions qu'il poursuit ne sont rien auprès de la ravissante douceur qu'éprouvent les âmes à s'unir, à se pénétrer intimement. L'exquise chose, que ce *lai* où il ne se passe rien! Un chevalier toutes les nuits vient regarder la dame accoudée à sa fenêtre : elle a un vieux mari qui s'inquiète, et lui demande ce qu'elle fait ainsi; elle répond qu'elle vient entendre le chant du rossignol, et le brutal fait tuer le doux chanteur : la dame envoie le petit corps de l'oiseau à son ami, qui le garde dans une boîte d'or : et c'est tout. Ou bien cet autre : Tristan, banni de la cour du roi March, apprend qu'Yseult doit traverser la forêt où il s'est retiré : il jette sur le passage de la reine une branche de coudrier autour de laquelle est roulé un brin de chèvrefeuille; et sur l'écorce il a gravé ces mots :

> Belle amie, ainsi va de nous :
> Ni vous sans moi, ni moi sans **vous**.

La reine voit, comprend, entre sous bois. Elle trouve Tristan : ils causent, joyeux; ils se séparent, pleurant. Et c'est tout encore. Ce sont là quelques-uns des *lais* que nous dit Marie de France [1], de sa voix grêle, si simplement, si placidement, qu'on peut se demander si elle se doutait de l'originale impression qu'elle nous fait ressentir.

---

1. **Édition:** E. Hœpffner, 1921. — **A consulter:** Bédier, *les Lais de Marie de France* (*Rev. des D. M.*, 15 oct. 1891); E. Hoepffner, 1935. Adapt.: P. Tuffrau, 1923.

L'amour aussi, la passion qui consume et dont on meurt, c'est toute la légende de Tristan [1]. Dans un cadre d'étranges fictions, la réalité humaine est fournie par sa mutuelle possession de deux âmes. Les géants ou le dragon que Tristan combat, le bateau sans voile et sans rames dans lequel il se couche, blessé, pour aborder en Irlande où vit la reine, qui seule peut le guérir, cette fantastique broderie ne distrait pas le regard de la passion des deux amants : passion fatale que rien n'explique, qui n'est pas née d'une qualité de l'objet où elle s'adresse, qui ne va pas à la valeur de Tristan, à la beauté d'Yseult, mais à Tristan, mais à Yseult : passion si irraisonnée, si mystérieuse en ses causes, que seul un philtre magique en provoque et figure le foudroyant éclat. Tristan était venu demander la main d'Yseult pour son oncle le roi March, et ramenait la blonde fiancée, quand une funeste erreur leur fait boire à tous deux le philtre que la prudente mère d'Yseult avait préparé pour attacher à jamais le roi March à sa fille. C'en est fait dès lors . plus fort que leurs volontés, plus fort que le devoir, plus fort que la religion, l'amour souverain les lie jusqu'à la mort. Délicieuses sont leurs joies, délicieuses leurs tristesses; leurs inquiétudes cruelles, leurs amers remords, leur sont des voluptés, quand ils luttent de ruse contre les soupçons du roi ou l'espionnage des curieux, et quand, chassés ensemble, ils vivent dans la forêt, où le roi March les trouve dormant côte à côte, l'épée entre eux. Mais le roi reprend sa femme, et Tristan s'en va errant aux pays lointains . les années passent, il aime encore, mais il doute, il se croit dupe et trahi, il se laisse persuader d'épouser une autre femme : le cœur tout navré de doux souvenirs, il prend comme une image de la bien-aimée une Yseult comme elle, et blonde comme elle. Faible remède d'un mal qui n'en a point : près de l'Yseult Bretonne, il songe à l'autre Yseult, qui est outre-mer en Cornouailles. Blessé, se sentant mourir, il envoie un ami la chercher : si elle veut venir, l'ami dressera une voile blanche sur son vaisseau; sinon, il le garnira de voiles noires. Mais comme Tristan s'agite, impatient, sur son lit et demande si l'on aperçoit le vaisseau qu'il attend, sa femme, torturée de jalousie, lui annonce un navire aux noires voiles : et il meurt, au moment où débarque la seule, la toujours aimée Yseult, qui se précipite et prie pour lui :

1. **Éditions :** *Le roman de Tristan* par Thomas, p. p. J. Bédier, 2 vol., 1902-1905 *Le roman de Tristan*, par Béroul, p. p. E. Muret, 1928; *Les deux poèmes de la Folie Tristan*, p. p. J. Bédier, 1 vol., 1907; E. Hœpffner, 1934-38; — **A consulter :** J. Bédier, intr. à l'édit. de Thomas; J. Loth, *Romans de la Table ronde*, 1912; E. Vinaver, *Tristan en prose*, 1926. — **Adaptation :** J. Bédier, A. Mary, P. Champion.

> « Ami Tristan, quand vous vois mort
> Je n'ai droit ni pouvoir de vivre;
> Vous êtes mort pour mon amour,
> Et je meurs, ami, de tristesse,
> De n'avoir pu venir à temps. »
> Auprès de lui se va coucher;
> Elle l'embrasse, et puis s'étend :
> Et aussitôt rendit l'esprit.

Ainsi vers 1170, un poète anglo-normand, du nom de Thomas, dans une œuvre dont une grande partie est perdue, contait la pathétique aventure de Tristan et d'Yseult, et ses petits vers fins et secs notaient pourtant avec une pénétrante justesse l'histoire intime de ces deux âmes pitoyables.

Mais ces grandes amours n'étaient pas faites pour nos Français : ils les content sans s'exalter, sans s'émouvoir, ou bien rarement. Avec leur esprit positif, ils aperçoivent tout de suite les actes, l'adultère, ses profits, ses tracas, son comique : ils esquissent volontiers des silhouettes comiques de maris. Le bon roi March tourne au George Dandin : ce malheureux, si intimement, si tendrement épris, qui ne peut que souffrir sans haïr, qui aime comme Tristan, mieux peut-être, et qui pourtant n'a pas bu le philtre, pourquoi en vérité le faire ridicule? J'ai bien peur que l'idée de l'avilir et de s'en gaudir ne soit une invention française.

Déjà surtout la chevalerie dénature la poésie celtique pour l'accommoder au goût de l'aristocratie féodale. L'*aventure*, dans *Tristan*, les tournois, le luxe, les habitudes confortables ou délicates, dans les *lais*, sont des ornements qui tendent évidemment à devenir le principal. Ces ornements font presque tout l'intérêt des romans de la Table Ronde.

3. CHRÉTIEN DE TROYES.

Tous ces poèmes tournent autour d'Arthur, le roi toujours pleuré, et toujours espéré, dont les Bretons, dans l'énergique persistance de leur sentiment national, ont fait le symbolique représentant de la fortune de leur race. Mais Arthur n'a plus rien du chef celtique que les fées ont emporté dans l'île d'Avallon : c'est un roi brillant, digne de prendre place entre Alexandre et Charlemagne, et dont la cour est le centre de toute politesse, un idéal séjour de fêtes somptueuses et de fines manières. Il fait asseoir ses chevaliers à la table ronde, où il n'y a ni premier ni dernier : et retenu, comme un autre grand et galant roi, par sa grandeur, il les laisse remplir tous les poèmes de leur vaillance et de leurs faits merveilleux. De sa cour partent d'abord, à sa cour reviennent enfin les chercheurs d'aventures : il est là pour leur donner congé, pour leur souhaiter la bienvenue, majestueux, gracieux, inerte.

Le plus fameux auteur, en ce genre, est Chrétien de Troyes [1]. qui écrivait, comme je l'ai dit, à la cour de Champagne, dans la seconde moitié du xiie siècle. Il versait, disait-on, « le beau français à pleines mains ». Au reste, c'était un adroit faiseur sans conviction, sans gravité, qui ne se faisait pas scrupule, au besoin, de fabriquer des contrefaçons de légendes arthuriennes, pourvues de noms de fantaisie vaguement celtiques et de la plus invraisemblable géographie. Il mit même en roman breton un conte oriental, dont la femme de Salomon était l'héroïne. Par lui, la matière bretonne prit un étrange tour. Ce Champenois avisé et content de vivre était l'homme le moins fait pour comprendre ce qu'il contait. Jamais esprit ne fut moins lyrique et moins épique, n'eut moins le don de sympathie et l'amour de la nature : mais surtout jamais esprit n'eut moins le sens du mythe et du mystère. Rien ne l'embarrasse : il clarifie tout, ne comprend rien, et rend tout inintelligible. Son positivisme lucide vide les merveilleux symboles du génie celtique de leur contenu, de leur sens profond extra-rationnel, et les réduit à de sèches réalités d'un net et capricieux dessin. Si bien que du mystérieux il fait de l'extravagant, et que sous sa plume le merveilleux devient purement formel, insignifiant, partant absurde. Ne lui demandez pas ce que c'est que ces pays d'où l'on ne revient pas, ces ponts tranchants comme l'épée, ces chevaliers qui emmènent les femmes ou les filles, et retiennent tous ceux qui entrent en leurs châteaux, cette loi de ces étranges lieux, que si l'un une fois en sort, tout le monde en sort; ce sont terres féodales et coutumes singulières; s'il ne croit pas à leur réalité — comme il se peut faire, — ce sont fictions pures, dont il s'amuse et nous veut amuser. Il ne songe pas un moment que derrière l'extérieure bizarrerie des faits il y ait une pensée vraie, un sentiment sérieux : il serait bien étonné si on lui disait qu'il nous a parlé de l'empire des morts, et de héros qui, comme Hercule et comme Orphée, ont été

Illuc unde negant redire quemquam,

et forcé l'avare roi des morts à lâcher sa proie.

Pareillement, notre homme de Champagne ne croit pas un instant aux bêtes qui parlent, ni aux services et société commune

1. **Édition :** A Hilka, 1932. — **A consulter :** Borodine, *La Femme et l'Amour au XIIIe s.*, 1909; G. Cohen, *Ch. de T.*, 1931. — **Adaptation :** A. Mary, *Le Chevalier au Lion*, 1923.

des bêtes et des hommes Il dira pourtant, sans sourciller, mais
d'un ton qui ôte toute envie d'y croire, l'aventure d'Yvain et du
lion reconnaissant : comment, délivré du serpent qui lui mordait
la queue, le brave animal s'attache au chevalier, l'assiste dans
tous ses combats, et comment une fois le croyant mort, tout pleurant, il prend entre ses grosses pattes l'épée de son bienfaiteur, et
fait tous les préparatifs du suicide. Et tous les enchantements, lit
défendu, fontaine merveilleuse, géants, etc., tout cela fait l'effet de
la plus insipide féerie.

Il n'en pouvait guère être autrement. Ce bourgeois de Troyes
avait du talent : mais son talent était contraire à son sujet; il le
dissolvait en le maniant. Il a le sens des réalités prochaines et
visibles : il note d'un trait juste tout ce qui est dans son expérience
ou conforme à son expérience. La plus fantastique et idéale légende,
il la rapetisse, l'aplatit, y pique de petits détails communs et
vrais, il la conte comme il ferait un fait divers de la vie champenoise, si bien qu'il en fait une prosaïque absurdité par le contraste
criard de son impossibilité radicale et de ses circonstances minutieusement vulgaires.

Il triomphe, au contraire, partout où il s'agit de rendre quelque
accident, quelque sentiment de la vie ordinaire. Il aura l'art de
ménager l'intérêt, dans un court épisode, d'engager, de conduire,
de conclure le récit d'une aventure vraisemblable : il dira à merveille
les émotions d'une demoiselle qui erre la nuit, sous la pluie, par
les mauvais chemins, ne voyant pas les oreilles de son cheval, et
invoquant tous les saints et saintes du paradis. Il ne lui arrive
rien, que d'avoir froid et peur : et cette aventure si vraie en son
insignifiance est finement détaillée ; un romancier de nos jours ne
ferait pas mieux. Il excellera aussi à noter des sentiments communs : il fera plaindre une veuve en quelques mots simples et
touchants. Mais je ne sais rien de plus curieux que la lamentation
des trois cents demoiselles enfermées au château de Male Aventure.
Ces Captives du roi des morts deviennent de pauvres ouvrières
qu'un patron avare exploite :

> Toujours tisserons draps de soie,
> Jamais n'en serons mieux vêtues :
> Toujours serons pauvres et nues,
> Et toujours aurons faim et soif...
> Nous avons du pain à grand'peine,
> Peu le matin et le soir moins...
> Mais notre travail enrichit
> Celui pour qui nous travaillons !
> Des nuits veillons grande partie,
> Veillons tout le jour, pour gagner !

Cette triste mélopée ne sort-elle pas d'un vaste atelier de quelque industrieuse cité, plutôt que de la région mystérieuse « d'où nul n'échappe » ?

Rien de plus positif aussi et de plus naïvement saisi dans la réalité contemporaine que l'entrevue nocturne de Lancelot et de Genièvre. Conclusion singulièrement réaliste du plus romanesque et fantaisiste amour! Le poète n'omet rien : qu' « il ne luisait lune ni étoile », et qu' « en la maison n'avait lampe ni chandelle allumée », que Lancelot entre au verger par une brèche de mur, vient sous la fenêtre de la reine, et là se tient « si bien qu'il ne tousse ni éternue », que la reine vient en « molt blanche chemise » sans cotte ni robe dessus, mais un court manteau sur ses épaules; qu'ils se saluent, etc. On dirait d'un fabliau qui conterait une aventure de la veille.

En même temps, notre auteur aime à moraliser; il raisonne volontiers sur ce qu'il conte, analyse, épilogue, marivaude, débite une sentence, lâche parfois une épigramme contre les dames : mais à l'ordinaire il les cajole, il les respecte. C'est pour elles qu'il écrit.

C'est pour leur plaire, et à tout le beau monde, qu'il prodigue les détails de mœurs délicates, les peintures de la vie aristocratique. Entrées pompeuses de seigneurs par des rues jonchées et tendues comme pour des processions de Fête-Dieu, indications de mobiliers, de tentures, mentions de larges et plantureux soupers, mais surtout bien ordonnés, courtoisement servis, avec eau pour laver les mains avant et après, mentions répétées des bains que prennent les chevaliers délicats ou amoureux, description de riches costumes, surtout de toilettes féminines, qui parfois prennent le pas sur la figure : tout ceci nous représente un romancier du grand monde, un Bourget du xiie siècle, très au courant des habitudes du *high life*, et qui flatte par là son public.

Comme c'était le temps où, sous l'influence de la poésie des troubadours, la vie féodale s'égayait dans les pays du Nord, où l'idéal chevaleresque s'ébauchait dans les grossiers esprits de nos belliqueux barons et de leurs épouses en proie au lourd ennui, Chrétien de Troyes mit à la mode du jour la matière de Bretagne.

Il donna des *aventures*, insoucieux de l'incohérence et de l'extravagance, menant les Yvain, les Erec et les Lancelot de péril en péril, les jetant sans raison dans d'impossibles entreprises dont ils sortaient vainqueurs contre la raison. Enfin il réalisa dans sa plus précise et révoltante forme le type du parfait chevalier, qui laisse pays et femme pour courir le monde, et par folle vaillance s'acquérir un fol honneur : le ressort, au fond, qui le meut, c'est la vanité. Il veut du bruit, et fait du bruit.

Cependant il ne serait pas parfait, s'il n'était amoureux : mais ne songeons plus à Tristan, ni même aux tendres amoureux des lais de Marie de France Cet amour-là était trop fort, trop sérieux, trop profond. Le doux Chrétien ne comprend pas ces orages intimes. Très au fait des maximes ingénieuses et de la procédure raffinée des troubadours, il réglemente, lui aussi, l'amour : il soumet la passion celtique à la courtoisie, et, n'y laissant point de désordre, il fixe les traits, les effets, les marques, les procédés de l'amour *comme il faut*. L'idéal de la galanterie chevaleresque, c'est Lancelot, et le roman de la Charrette en explique le code, mis en action et en exemples. L'amour dispense de toute raison, donne toute vertu, et peut tout l'impossible. Lancelot, amoureux de Genièvre, s'expose à l'infamie sur une charrette, défie trente-six ennemis, prend le chemin le plus périlleux et le plus court pour rejoindre sa dame, fait le lâche dans un tournoi parce qu'il plaît à sa dame. S'il a hésité une fois, c'est un crime, qui mérite la rigueur de la dame. Des cheveux de la bien-aimée, trouvés sur un peigne au bord d'une fontaine merveilleuse, le ravissent délicieusement : il les serre dévotement « entre sa chemise et sa chair ». Tant qu'il n'a pas rejoint Genièvre, il va pensif, égaré, assoté,

> Ne sait s'il est ou s'il n'est mie,
> Ne sait où va, ne sait d'où vient,

si sourd, si aveugle, qu'il faut qu'on l'assomme presque pour qu'il revienne à lui et comprenne qu'il y a bataille. L'amant ne vit pas hors de la présence de sa dame.

De là à être fou, si elle est fâchée, il n'y a qu'un pas : et de fait, un amant courtois doit perdre le sens quand la dame courroucée ne le veut plus souffrir. Ainsi fait Yvain, qui s'en va vivre au fond d'une forêt, nu, comme « un homme sauvage », n'ayant gardé qu'un instinct tout animal qui lui fait chercher sa nourriture.

Voilà le type idéal et convenu de l'amant : ce sont là les modèles sur lesquels il doit se régler. Toutefois notre Champenois est trop sensé, trop pratique, pour se payer seulement de cette monnaie. Tandis qu'il dresse ses figures d'amants selon les principes d'une galante et creuse rhétorique, le malin qu'il est y met plus d'âme qu'il ne semble : de l'âme, non, mais de la chair et de l'esprit. De la passion celtique l'amour courtois garde ce caractère. qu'il tend au positif et ne se paie pas de lointaine adoration : si bien que, de la combinaison des deux éléments, va se dégager moins un galant chevalier qu'un gentilhomme galant. Et la dame, elle, n'est pas une Iris en l'air, un vaporeux fantôme orné d'idéales perfections : c'est un être faible, rusé, malin, vain surtout, enfin c'est

une femme, et c'est une Française. Sans y vouloir mettre malice,
Chrétien de Troyes a esquissé parfois la charmante comédie de
l'amour aux prises avec la vanité, et s'il n'entend rien à la passion,
il sait envelopper délicatement le sentiment sincère de naturelle
coquetterie. C'est une scène exquise, dans le *Chevalier au lion*, que
l'éveil de l'amour dans l'âme d'une veuve éplorée; curiosité,
egoïsme, désir de plaire, fierté, sentiment des convenances, semblant de résistance et manège adroit pour se faire forcer la main,
il se fait là dans un cœur de femme tout un petit remue-ménage
que le bon Chrétien a su noter : il y a un grain de Marivaux
dans ce Champenois. Aussi lui sera-t-il beaucoup pardonné pour
avoir écrit çà et là quelques vives pages, où le conteur de choses
folles a montré quelque sens de la vie réelle et quelque intuition
de ce qui se passe dans les âmes moyennes.

Il faut lui tenir compte aussi d'avoir enchanté son siècle, dont
réalisait toutes les aspirations et caressait tous les goûts. En
même temps que l'image de cette vie plus « confortable », plus
raffinée, plus luxueuse, dont ils sentaient le besoin, les hommes de
la fin du xiie siècle trouvaient dans les romans de Chrétien les
deux principes qui, selon l'idée au moins de leurs esprits et selon
leur rêve intime, devaient être les principes directeurs de. la vie
aristocratique, l'honneur et l'amour : l'honneur, qui fait que l'individu consacre toutes ses énergies à décorer l'image qu'il offre
de lui-même au public, l'amour qui, dépouillé de sa sauvage et
anti-sociale exaltation, sera dominé, dirigé, employé par l'honneur
de l'homme et la vanité de la femme.

Par là, la vie n'était qu'éclat et joie, fêtes pompeuses et doux
commerces : quel contraste c'était, et quel charme, pour des
hommes qui sortaient à peine du morne isolement de leurs don-
jons, où ils vivaient dans de mortelles inquiétudes, ou dans un
ennui plus mortel encore! Mais pour la femme surtout, quel enivrement : servante plutôt qu'égale et compagne de son seigneur,
elle se voyait brutalisée, traînée par les cheveux, dans les chansons
de geste, et le mépris de la femme était comme un article de la
perfection du héros féodal. Et maintenant elle était placée au-
dessus, non à côté de l'homme, elle était adorée, servie, obéie :
pour elle, pour la mériter ou pour lui plaire, les chevaliers entre-
prenaient leurs plus téméraires aventures. Le règne de la femme
commençait. C'était le ciel qui s'ouvrait. Aussi de quelle passion
les femmes devaient-elles lire ces romans de la Table Ronde!
quelles splendides et ravissantes visions devaient-ils faire passer
dans ces faibles cervelles troublées, et combien de pauvres Bovary
purent ils faire!

Mais il y eut des esprits sévères que blessa cet idéal de vie trop

mondaine et facile : de graves chrétiens qui protestèrent et trouvèrent dans la matière celtique même le moyen de protester contre
la frivolité des romans de la Table Ronde. Chrétien de Troyes avait
commencé de raconter l'histoire de Perceval, qui est bien la plus
étrange, invraisemblable, incohérente collection d'aventures qu'on
puisse voir : tout y arrive sans raison ou contre raison. Or, un jour,
Perceval voyait dans un château un roi blessé, une épée sanglante,
et un plat, ou *Graal* : s'il avait demandé ce qu'étaient l'épée et le
plat, le roi blessé était guéri — et nous saurions si Chrétien attachait un sens aux fantastiques images qu'il nous présente. Par
malheur, il ne termina pas son *Perceval*, qui changea de caractère
entre les mains des continuateurs.

Le bon Chrétien n'avait pas l'âme mystique, et n'était nullement symboliste. Après lui, au contraire, le sujet prit un caractère mystique et symbolique, qui alla toujours s'accentuant. Est-ce
Chrétien qui ne comprenait pas la légende celtique? Sont-ce les
écrivains postérieurs qui y mirent comme une âme chrétienne?
Les éléments du symbole mystique, le roi Pêcheur, le roi blessé,
la lance, l'épée, le plat, tout cela est certainement celtique : mais
quand et par qui ces débris de mythes païens prirent-ils un sens
chrétien? quand se fit la concentration qui les fixa autour de Perceval? Il est difficile de le savoir, et c'est grande matière à disputes
pour les érudits. Toujours est-il que chez les continuateurs de
Chrétien l'incompréhensible *Graal* devient le vaisseau où fut
recueilli le sang de Jésus-Christ. Le *Graal* a été aux mains de Joseph
d'Arimathie, qui l'a apporté en Occident. Le roi Pêcheur, qui le
garde, est de la race de Joseph, et, comme à Joseph jadis, le *Graal*
apporte la nourriture au roi et à tous ceux qui sont avec lui.

Mais ce monstrueux *Perceval* auquel quatre ou cinq auteurs ont
travaillé, est tout plein, dans ses 63 000 vers, de disparates et de
contradictions. Un poëte du commencement du xiiie siècle, Robert
de Boron, coordonna toute la matière et la réduisit à peu près à
l'unité, tout en y mêlant l'histoire de Merlin, fils du diable et serviteur de Dieu; mais surtout il en développa le sens religieux. Le
Graal devenait le plat de la Cène, que Jésus Christ lui-même avait
apporté à Joseph d'Arimathie dans la prison où les Juifs le tenaient :
commémoratif de l'institution de l'Eucharistie, il était doué de propriétés merveilleuses, comme celles de distinguer les pêcheurs :
ce *Graal*, porté en Angleterre, ne pouvait être trouvé que par un
chevalier pur de tout péché, et qui accomplirait certaines actions
impossibles à tout autre. Ce sera Perceval qui en deviendra le
gardien : après sa mort, le *Graal* remontera au ciel.

Dans l'œuvre de Robert de Boron, dont on possède une partie,
et dont l'autre est connue par des remaniements en prose,

l'amour ne joue plus de rôle : le « péché luxurieux » devient l'ineffaçable souillure qui disqualifie un à un les poursuivants du *Graal*. Un autre narrateur, qui vers le même temps que Robert de Boron, et sans doute sans le connaître, traitait la même matière, montrait l'adultère Lancelot et le léger Gauvain s'épuisant en vains efforts, malgré leurs chevaleresques vertus, pour conquérir le précieux plat : cet honneur était réservé à l'impeccable Perceval.

Plus austère encore et plus raidement ascétique était une *Quête du saint Graal* rédigée au xiiie siècle : Perceval, trop humain, cède ici la place à un certain Galaad qu'on donne pour fils à Lancelot. Galaad, c'est le chevalier-vierge, idéale et abstraite figure d'immaculée perfection, pareille à une claire et sèche image de missel. Jamais plus hautaine conception de monastique chasteté n'a délié la faiblesse humaine. La femme, idole de la chevalerie mondaine, la femme qui donne et reçoit l'amour, est maudite et redoutée comme le moyen par où le péché est entré dans le monde : il ne lui sera pardonné qu'en faveur de la Vierge, mère de Dieu, si elle se garde pure comme elle. Plus sévère que Dieu et que l'Église, notre auteur n'absout même pas le mariage : et quand la quête du *Graal* commence, quand tous les chevaliers de la Table ronde se mettent en route pour le chercher, un ermite défend à leurs femmes de les accompagner. La chasteté est le sceau, c'est l'essence même de la perfection chevaleresque [1].

Ces romans de Graal inspirés du même esprit qui animait les grands ascètes et les ardents mystiques du xiie et du xiiie siècle, étaient trop en contradiction avec les goûts, les désirs et les nécessités même de la société laïque, pour représenter autre chose que l'idéal exceptionnellement conçu par quelques âmes tourmentées. Peut-être amusèrent-ils le public plus qu'ils ne l'édifièrent, et y regarda-t-on les aventures plutôt que la morale : cette proscription de l'amour n'avait aucune chance de succès, et il faut peut-être venir à notre siècle incrédule et curieux pour que cette conception mystique soit pleinement comprise en son étrange et déraisonnable beauté. Je m'assure que pour les seigneurs, pour les dames du xiiie et du xive siècle, le type accompli de chevalier demeura toujours Yvain ou Lancelot, plutôt que Perceval ou Galaad.

1. **Éditions :** H. O. Sommer, 1909-13, W. Nitze-A. Jenkins, 1932-37; *Queste del Saint Graal*, éd. A. Pauphilet, 1923; *Mort le Roi Artu*, éd. J. Frapier, 1936. — **A consulter :** F. Lot, *Lancelot en Prose*, 1918; A. Pauphilet, *Études sur la Queste del Saint Graal*, 1921; E. Faral, *Légende arthurienne*, 1929; M. Wilmotte, *Poème du Graal et ses auteurs*, 1931; J. Frapier, *Étude sur la Mort le Roi Artu*, 1937; R. R. Bezzola, *Sens de l'Aventure et de l'Amour*, 1947.

4. SUCCÈS DE NOTRE LITTÉRATURE NARRATIVE.

Telle est, en son ensemble, la littérature narrative que notre moyen âge créa pour la société aristocratique. Si, trop sensibles à la forme, trop épris de bon sens et de bon goût, nous sommes tentés de la juger bien sévèrement, il faut adoucir pourtant un peu notre justice, et songer que la prolixe médiocrité de nos trouvères et de nos conteurs a conquis le monde. L'Italie, l'Allemagne, les pays scandinaves, nous empruntèrent la matière de nos poèmes : jusqu'en Islande, on chanta Charlemagne et les exploits de ses pairs, et c'était en lisant le roman de *Lancelot* que les amants italiens immortalisés par Dante, que Paolo et Francesca échangeaient leurs âmes dans un baiser et apprenaient à pécher. La fière Espagne, qui avait le Cid, ne se résigna pas longtemps à chanter Roland, mais, pour le vaincre, elle créa à son image son fantastique Bernaldo del Carpio. Par toute la chrétienté enfin, pendant le moyen âge, régnèrent les romans de France : et peut-être cette universelle popularité de notre littérature est-elle due en partie à quelques-uns des défauts que j'ai signalés plus haut. Peut-être plus profonds, plus passionnés, moins attachés aux faits sensibles et aux sentiments superficiels, nos écrivains eussent-ils été moins universellement compris, moins constamment goûtés. Moins médiocres, ils n'étaient plus aussi « moyens », aussi adaptés à la taille de tous les esprits. Qualités et défauts, tout en eux était « sociable », fait pour l'usage et le plaisir du plus grand nombre : tout destinait leurs œuvres à réussir, dans le monde autant qu'en France.

Une autre raison nous rend l'étude de cette littérature intéressante. Si les chefs-d'œuvre y sont bien rares, si la beauté presque toujours y manque, il faut songer à tout ce qui en est sorti. Les chansons de geste et les romans bretons sont, si j'ose dire, les deux souches jumelles qui ont porté quelques-uns des rameaux les plus féconds de notre littérature. De la narration épique, conçue encore comme la commémoration fidèle d'un passé héroïque, s'est détachée l'*histoire*, et la matière de France ou de Bretagne, conçue comme une représentation agréable d'événements imaginaires, est devenue le *roman*.

Plus particulièrement les récits du cycle breton ont produit le roman *idéaliste*, qui nous construit un monde conforme aux secrets sentiments de notre cœur, pour nous consoler de l'injurieuse et blessante réalité.

Enfin, plus immédiatement, trois chefs-d'œuvre de ce qu'on

peut appeler la littérature internationale ou européenne sont en
relation directe avec la matière de nos épopées et de nos romans
du moyen âge. Rabelais, certainement, l'a connue, au moins par
les derniers remaniements en prose; son *Gargantua* et son *Pantagruel* sont tout pleins de comiques réminiscences. L'Arioste,
comme le titre même de son *Roland furieux* l'indique, n'a fait
qu'une étincelante parodie, où l'involontaire extravagance de nos
trouvères se transforme en bouffonnerie consciente; et Cervantès
écrit son *Don Quichotte* pour combattre les ravages que faisait dans
de chaudes cervelles d'*hidalgos* la contagieuse chevalerie des
Amadis, légitimes fils des Yvain et des Lancelot, plus fous que
leurs pères, ainsi que le voulait la loi d'hérédité.

CHAPITRE III

L'HISTOIRE

Origine de l'histoire en langue vulgaire. — 1. Villehardouin : chevalier et chrétien, mais positif et politique. Le goût de l'*aventure*,
et le *pittoresque* dans sa chronique. Intentions apologétiques. —
2. Joinville : relation de son œuvre aux vies de saints. — 3. Caractère de Joinville. Comment il a vu saint Louis. L'imagination de
Joinville ; le don de *sympathie*.

L'histoire ne fut d'abord qu'un rameau détaché des chansons de
geste. Le respect même et la foi sans réserve qu'on prêtait aux
anciennes légendes de Charlemagne ou de Guillaume au Court Nez
suscitèrent de nouveaux poèmes d'un caractère plus strictement
historique : non qu'on se fît une idée plus scientifique de la vérité,
ou qu'on la cherchât par une méthode plus sévère, mais simplement parce que les faits, soit extraits de chroniques latines, soit
fixés tout frais et encore intacts dans une rédaction littéraire,
n'avaient point subi la préparation par laquelle l'imagination populaire forme l'épopée.

C'est pour les croisades d'abord qu'on eut l'idée d'appliquer la
forme des chansons de geste à des faits contemporains, assez
extraordinaires et lointains pour exciter une vive curiosité. La
Chanson d'Antioche et la *Chanson de Jérusalem* (1re moitié du xiie siècle) donnent l'histoire peu scientifique et nullement critique, mais
rien que l'histoire de la première croisade. Par malheur ces
poèmes se continuent par des récits de plus en plus romanesques,
extravagants et grossiers ; et quand ce n'est pas la fantaisie des
auteurs qui falsifie l'histoire, c'est leur cupidité : il leur arrive de
prendre de l'argent des barons qui veulent être nommés dans
leurs prétendues chroniques [1].

1. **Éditions :** *Antioche*, P. Paris, 1848 ; *Jérusalem*. E. Hippeau, 1868. **A consulter :** A. Hatem, *Poèmes épiques des Croisades*, 1932.

L'idée d'appliquer la poésie française au récit des faits historiques germa de divers côtés : surtout en Angleterre, où la présence d'une langue vaincue, vile et méprisée, comme le peuple qui
la parlait, conférait au français un peu de cette noblesse qui chez
nous appartenait seulement au latin. Le goût des compositions
historiques semble avoir été très vif chez les rois anglo-normands
et dans leur entourage : du xii⁰ au xvi⁰ siècle. on les voit éclore en
grande abondance. Ce sont tantôt de vastes chroniques, des sortes de
poèmes cycliqu⁰s, comme ce *Roman de Brut*, ou *Geste des Bretons*,
et ce *Roman de Rou*, ou *Geste des Normands*, que rédigea non sans
verve un chanoine de Bayeux, Wace (vers 1100-1175), et tantôt
des histoires particulières ou des biographies, dont la plus remarquable est une vie anonyme de *Guillaume le Maréchal*, comte de
Pembroke, qu'on a récemment retrouvée ¹.

Mais cette œuvre nous conduit vers la fin du premier tiers du
xiii⁰ siècle; à cette date, l'histoire en prose était née : le genre avait
trouvé sa forme. Désormais toute œuvre qui appliquera le vers
épique aux faits historiques sera un accident et comme un phénomène de rétrogradation dans l'évolution du genre. Des poèmes
du xiv⁰ siècle, comme le *Combat des Trente* et la *Vie de Bertrand
Du Guesclin*, sont des faits stériles dans l'histoire littéraire, et des
faits insignifiants, dès lors qu'ils ne sont pas des œuvres de génie.

L'histoire² trouva sa forme, semble-t-il, dans le nord de la
France, en Picardie, en Flandre, à la veille ou aux premiers jours
du xiii⁰ siècle : des traductions de la chronique du faux Turpin,
deux notamment où l'emploi de la prose est signalé par les auteurs
comme une excellente nouveauté, et une compilation de l'histoire
universelle faite pour ce même comte de Flandre, Baudouin VI, que
Villehardouin va nous montrer élevé au trône de Constantinople,
en sont les premiers monuments. Villehardouin profite de tout le
travail qui s'est fait avant lui. Très proche encore des chansons de
geste, il en a le ton, les formules, la couleur : mais, à l'exemple
des traducteurs du faux Turpin, il allège le genre du poids inutile
des rimes, simple embarras quand elles ne sont pas moyen d'art
et forme de poésie; d'autre part, suivant les premiers narrateurs
des croisades, et plus rigoureux qu'eux encore, il saisit les événements avant toute déformation, tels que ses yeux, et non son imagination, les lui donnent : enfin, de la même épopée qui achevait
en ce temps-là de dégénérer en roman, il dégage définitivement
l'histoire.

---

1. **Éditions :** *Brut*, éd. I. Arnold, 1938-40; *Rou*, éd. H. Andresen, 1877-79;
Guillaume le Maréchal, éd. P. Meyer, 1891-1901.

2. *Extraits des Chroniqueurs* par G. Paris et A. Jeanroy, 1893, Debidour et
Etienne, 1895, A. Pauphilet, 1938.

Même on peut penser que ce genre issu des chansons de geste réagit
en se constituant sur le genre dont il se séparait. Rien ne livrera
plus sans doute la poésie narrative aux inventions déréglées, aux
romanesques absurdités, que l'existence d'œuvres historiques de
plus en plus répandues et nombreuses : elle en perdit ce qui pouvait
lui rester encore de sérieux et de gravité, et fut rejetée tout à fait
vers la fantaisie folle, comme si elle était déchargée de tout autre
soin que d'amuser. Un autre genre avait le dépôt de la vérité. Et
les chansons de geste furent reléguées peu à peu à l'usage des
classes inférieures, qui continuèrent d'y prendre plaisir, parce
qu'elles continuaient d'y avoir foi, et ne lisaient pas les histoires.

1. VILLEHARDOUIN.

Geoffroy de Villehardouin [1], Champenois, dont le nom se rencontre dans deux chartes de la comtesse Marie, la fine et noble
dame qui inspirait *Lancelot*, nous met sous les yeux, en sa personne et par son récit, le monde réel en face du fantastique idéal
que décrivait son compatriote Chrétien de Troyes. Ce n'est pas
un Roland, ni un Parceval. De foi intacte et fraîche encore, mais
mondaine, assez enthousiaste pour se croiser, il ne saurait *se désin-
téresser* longtemps : il a des pensées positives dans le cœur, tandis
que le service de Dieu est sur ses lèvres. Il honore l'Église, ses
cardinaux, et le pape même, tant qu'ils ne traversent pas ses
intérêts ; et, au prix de son respect, de ses dons, ce qu'il leur
demande surtout, ce sont des pardons, des absolutions : de quoi
se mettre la conscience en repos, avant de faire ou après avoir
fait ses affaires. Rien du martyr, rien du mystique.

Ce n'est pas un Lancelot, non plus, ni un Yvain : la *courtoisie*,
l'amour, lui semblent bien étrangers. La femme n'a pas de place

---

1. **Biographie**. Né à Villehardouin (arrond. de Troyes), entre 1150 et 1164, maréchal
de Champagne, il fut en faveur, semble-t-il, auprès du comte Thibaut III. Il prit la
croix au tournoi d'Écry-sur-Aisne (1199). Envoyé à Venise avec cinq autres barons
pour traiter du passage des croisés, c'est lui qui, après la mort du comte Thibaut
de Champagne, ouvre l'avis d'offrir le commandement de l'expédition à Boniface,
marquis de Montferrat. Après la prise de Constantinople, il reçoit les fiefs de Traja-
nople et Macra, et devient maréchal de Romanie. Il s'entremet pour réconcilier le
marquis de Montferrat et l'empereur Baudouin, qui tous les deux l'estiment fort.
Boniface lui donne le fief de Messinople. Il a toute la confiance de l'empereur Henri
Il vivait en 1212 ; il était mort en 1213. Il a *dicté* ses Mémoires dans les dernières
années de sa vie, entre 1207 sans doute et 1212.

Éditions : *Conquête de Constantinople*, éd. Bl. de Vigenère, 1585 ; éd. et trad.
E. Faral, 1938-39.

A consulter : Sainte-Beuve, *Lundis*, IX ; Debidour, *Chroniqueurs*, 1, 1888 ;
G. Paris et A. Jeanroy, *Chroniqueurs fr.* 1893 ; J. Longnon, *Vie de V.*, 1939 ;
Hanotaux, *Revue Historique*, IV, p. 74-100.

en son histoire : les pâles figures d'impératrices ou de princesses, qu'il nous fait entrevoir un moment, ne viennent que pour servir aux trafics de la politique; leurs personnes sont des moyens qui procurent des alliances ou des fiefs. Elles sont toutes, en vertu de la valeur qu'elles représentent, « et bonnes et belles ».

La folie chevaleresque n'a pas touché Villehardouin : d'autres, dans l'armée, sont des héros de roman par la témérité. Lui, d'un courage égal, sans fantaisie comme sans défaillance, il met l'honneur à vaincre, non pas à se faire tuer, et il aime mieux être en force pour combattre l'ennemi. Il ne s'expose pas sans besoin, comme il ne se ménage pas au besoin : car, comme il ne s'emballe pas, il ne s'effare jamais. C'est l'homme des circonstances critiques, qu'on met à l'avant-garde ou à l'arrière-garde, et qui fera toujours tout son devoir. Un désastre, une **retraite**, le mettent en valeur : il sauve les débris de l'armée chrétienne après la fatale journée d'Andrinople. Quand il faut agir de la tête autant que des bras, c'est son affaire. Avisé, bien « emparlé », il vaut dans le conseil plus encore que pour l'action : ambassadeur et orateur des croisés, conseiller intime des grands chefs et des empereurs, c'est un diplomate, un politique.

Et ce politique est un réaliste, qui ne se paie pas de chimères. Malgré son vœu, malgré la résistance d'une partie des croisés, malgré les menaces du pape Innocent III, il fut des premiers qui conçurent le projet de détourner l'expédition de la Terre-Sainte sur l'empire grec : il fut de ceux qui travaillèrent le plus obstinément, le plus adroitement à employer contre des chrétiens les armes prises contre les infidèles. Il avait vu ce qu'il y avait à gagner : un ample butin, de riches soldes, de bons fiefs. Ces considérations toutes-puissantes le mènent, et il ne conçoit pas qu'on ne s'y rende pas. Il ne se lasse pas d'énumérer dans son livre le gain, le rapport de chaque succès : chevaux, harnais, or ou argent, troupeaux, villes ou provinces; il mentionne aussi scrupuleusement le produit d'une escarmouche que celui du sac de Constantinople. « Et moult fut grand le gain : et lors furent moult à l'aise et riches. » Voilà ce qui le touche, et qui légitime assez la conduite inattendue de la croisade.

Si peu chimérique et romanesque qu'il soit, Villehardouin est contemporain de Chrétien de Troyes : aussi a-t-il son grain d'imagination. Aucune grande pensée ne le mène, lui ni ceux qui vont à Constantinople : il n'y a pas trace en eux d'une conception universelle et désintéressée, le rétablissement de l'unité chrétienne par la soumission de l'empire grec à l'autorité du pape n'est qu'un prétexte pour fermer la bouche aux malveillants. Mais avec la cupidité, l'attrait de l'inconnu, du merveilleux, les emporte :

« l'aventure » les tente. Calme et avisé comme il est, Villehardouin n'est pas plus insensible que les autres. Le gain probable met sa prudence en repos; pour sa conscience, il l'apaise avec des sophismes : après quoi, il se laisse aller à la joie de l' « aventure ».

Et de là dans la sécheresse de son récit, ces brèves impressions qui y sont comme des points lumineux : c'est Gaza, « la cité fermée de hauts murs et de hautes tours ; et vainement eussiez-vous demandé une plus belle, plus forte ni plus riche » : nette et claire silhouette qui se détache comme du fond d'un tableau de primitif. C'est le départ du port de Corfou. « la veille de la Pentecôte, qui fut mil deux cent trois ans après l'incarnation de Notre-Seigneur Jésus-Christ. Et là furent toutes les nefs ensemble, et tous les huissiers, et toutes les galères de l'armée, et beaucoup d'autres nefs de marchands qui faisaient route avec eux. Et le jour fut clair et beau : et le vent doux et bon. Et ils laissèrent aller les voiles au vent. — Et bien témoigne Geoffroi le maréchal de Champagne qui cette œuvre dicta, que jamais si belle chose ne fut vue. Et bien semblait flotte qui dût conquérir le monde : car autant que l'œil pouvait voir, on ne voyait que voiles de nefs et de vaisseaux, en sorte que les cœurs des hommes s'en réjouissaient fort. »

C'est, enfin et surtout, l'éblouissement des yeux et de toute l'âme, quand, le 23 juin 1203, veille de saint Jean-Baptiste, nos barons français, de leurs vaisseaux ancrés à San Stefano, « virent tout à plein Constantinople ».

« Or pouvez vous savoir que ceux-là regardèrent fort Constantinople, qui jamais ne l'avaient vue : car ils ne pouvaient croire que si riche ville pût être en tout le monde, quand ils virent ces hauts murs et ces riches tours dont elle était close tout autour à la ronde, et ces riches palais et ces hautes églises, dont il y avait tant que nul ne l'aurait pu croire, s'il ne l'eût de ses yeux vu, et la longueur et la largeur de la ville qui sur toutes les autres était souveraine. Et sachez qu'il n'y eût si hardi à qui la chair ne frémît ; et ce ne fut une merveille ; car jamais si grande affaire ne fut entreprise de nulles gens, depuis que le monde fut créé. »

Ne sent-on pas ici la joie de l'imagination que l' « aventure » ravit, avec cette excitation particulière qu'y ajoute la vanité d'avoir vu et fait ce qui n'a été vu ni fait de personne? Il y a ici un accent, une note que ne donnent ni l'intérêt politique, ni la conviction personnelle, ni le simple esprit guerrier : il y a ici du sentiment qui mène Yvain à la fontaine merveilleuse. Et il faut voir, dans tout le récit, de quel intérêt le sage maréchal de Champagne et Romanie suit, avec quel plaisir il relate les « aventures » de quelques-uns de ses compagnons : non les imprudences du champ de bataille, qu'il blâme, mais les pointes hardies en terre étrangère, les sauts dans l'inconnu, si l'on peut dire, comme les étranges chevauchées de son neveu Geoffroy qui lia partie avec quelques barons de conquérir la Morée et s'en alla faire souche de prince.

Un trait manque encore à la physionomie de Villehardouin, et c'est peut-être le principal. Il y a en lui un sentiment, principe et limite à la fois de l'individualisme, qui le légitime et le contient; ce sentiment, tout-puissant sur lui, et qui lui sert de règle à juger toutes les actions d'autrui, c'est l'honneur féodal, le respect du pacte et du lien social, qui tient unis le vassal et le suzerain. Par là, les vrais contemporains de Villehardouin, les représentants littéraires de l'état d'âme qu'il exprime dans l'histoire, c'est Garin, ou Bernier. Toute la morale se réduit au principe de l'honneur : tous les devoirs se ramènent aux devoirs réciproques du suzerain et du vassal. Cela sauf, tout est sauf : nul devoir inférieur, nulle obligation de conscience, rien n'autorise à rompre ce lien. Mais que le suzerain manque à son vassal, rien aussi n'oblige le vassal à garder une loi que le suzerain n'a pas gardée : patriotisme, salut public, aucune raison ne compte, et la guerre civile éclate, même devant l'ennemi, à moins que l'intérêt réciproque des deux adversaires n'amène, ou que l'intérêt commun des autres barons n'impose un accommodement.

Cet honneur, à l'occasion, peut faire broncher, comme, d'autres fois, relever ou retenir l'homme. Il apparaît, à lire Villehardouin, qu'un des puissants motifs qui lui font appuyer la politique de Boniface et du doge, c'est qu'il a engagé sa foi aux Vénitiens : ceux-ci, qui s'accommodaient fort pour leur commerce de la présence des Musulmans en Égypte, ne tenaient pas à y conduire des chrétiens. Ils mirent à tel prix leur concours, que l'armée des chrétiens, insolvable, fut à leur discrétion. Villehardouin, négociateur, avec quelques autres, de ce contrat léonin, s'apercevant trop tard du piège, mit son honneur à n'être pas démenti : dût-on ne pas aller en Égypte, dût la croisade avorter, il avait donné sa parole, il fallait que l'armée la dégageât, en payant les Vénitiens.

La chronique de Villehardouin n'est pas une histoire, ce sont des *Mémoires* : l'homme s'y peint, mais aussi, en regardant l'homme, on connaît le livre. Il nous a raconté clairement, sobrement, fortement les faits auxquels il a pris part depuis qu'on prit la croix, jusqu'à la mort du marquis de Montferrat en 1207. Il ne s'étend pas : il retranche les détails. Il est bref et va à l'essentiel. S'agit-il d'une bataille, d'un assaut, il dit les forces des deux partis, les ordres de bataille, les dispositions principales, les incidents décisifs. S'agit-il d'un conseil, rarement expose-t-il les discussions qui eurent lieu. Il lui suffit à l'ordinaire de marquer qu'on a parlé beaucoup dans un sens et dans l'autre : et il vient aux résolutions prises. Je ne sais s'il y a une anecdote dans son livre : il faut qu'il s'agisse du marquis de Montferrat, pour qu'il nous détaille les circonstances de sa mort. Pour les autres, une ligne lui suffit. Cette brièveté n'est pas la sécheresse d'un narrateur encore gauche qui ne sait pas faire sortir et distribuer sa provision intime d'images et de sentiments : c'est la précision d'un homme d'action qui coupe court, hait la digression, l'anecdote, et ne veut donner que l'utile et solide substance des événements. Mais c'est aussi, et surtout, la réserve d'un politique qui ne veut pas dire tout ce qu'il sait.

Ni naïf, ni cynique, Villehardouin ne se fait pas illusion sur le caractère de l'étrange croisade dont il fut un des chefs. Aussi ce soldat « qui ne mentit jamais », est-il souvent à demi sincère : il sait l'art de ne pas faire connaître la vérité sans rien articuler de faux. Il lui plaît qu'on prenne la conquête de l'empire grec pour un accident singulier amené par une suite de circonstances fortuites et fatales : il n'a garde de confesser que du jour où Boniface devint le chef de la croisade, c'était fait de la défense des lieux saints et du service de Dieu ; il n'a garde de laisser entendre que les Vénitiens ne sont pas des fils dévoués de l'Eglise, et peuvent entretenir des rapports quelconques avec Abd el-Melek, le sultan d'Egypte. Il ne lui plaît pas qu'on sache aussi de quelle façon le pape vit cet accomplissement du vœu fait en prenant la croix : et il ne souffle pas mot des remontrances, des menaces d'Innocent III, des négociations par lesquelles Boniface essaye de le ramener. Il ne faut pas qu'on sache que cet abbé des Vaux de Cernay qui ne veut pas aller ailleurs qu'en Terre Sainte ou en Egypte, parle au nom du pape, et avoué par lui : il faut qu'on croie que Rome n'a eu que des pardons et de la joie pour ses enfants qui lui ont rendu l'empire grec.

Après tout, cet abbé des Vaux de Cernay et tous ceux qui pensaient comme lui n'avaient pas si tort, ce nous semble : Villehardouin a trouvé le biais qui les condamne. Ils voulaient « dépecer l'armée », la dissoudre ; ils refusaient l'obéissance aux chefs ; ils avaient peur de l' « aventure ». Déserteurs, traîtres, lâches, voilà ce qu'ils sont : des gens sans honneur enfin. Il le dit, et il le croit. L'adresse est de ne montrer que cette face des choses : mais cette adresse, il ne l'aurait pas, si lui-même ne les voyait déjà ainsi. Sa force est dans ce qui se mêle de sincérité à son habileté.

Eclairé ainsi par ses propres sentiments, Villehardouin a touché juste. Dans une œuvre si sèche, ce politique met comme un germe de psychologie. Il a connu l'homme, et son temps, et sa race, le jour où il a mis en avant cette grande raison, l'honneur, la

fidélité au parti, la solidarité des compagnons d'armes. Par là, il
a convaincu tout le monde, et légitimé l'expédition : les croisés
qui aimaient mieux aller à la croisade contre les Infidèles, ont fini
par suivre; les lecteurs, avant ces méticuleux critiques de nos
jours, n'ont pas raisonné. Assurément il s'entendait à manier les
âmes, ce bon maréchal de Champagne et Romanie, qui savait que,
là où échouent tous les arguments, quand il s'agit de persuader ce
que le devoir, la conscience et parfois l'intérêt réprouvent, le mot
magique qui perce les cœurs et fait tout faire, c'est l'*honneur*, l'*honneur* qu'on définit : « rester avec les autres, ne pas *dépecer* l'armée » :
en langage moderne, ne pas lâcher les camarades.

Comme on voit, l'historien n'est pas seul à faire son profit de
notre première chronique française. Le moraliste aussi, sans dessein assurément de l'auteur, s'y peut plaire. Après tout, ces rudes
et simples âmes de barons sont des âmes humaines, et comme
telles, en dépit de l'apparence, souples, et riches, et complexes.
La foi servant à la politique, les actes égoïstes sortant d'une volonté
de sacrifice, la cruauté et l'intérêt se faisant ministres de la justice
et vengeurs du crime, on voit apparaître ici, quand on lit bien,
quelques-uns des éternels sophismes, des incessantes contradictions
de la faible humanité qui ne peut renoncer ni à rêver le bien ni à
suivre son bien.

2. CHRONIQUES ET VIES DE SAINTS DU XIIIᵉ SIÈCLE.

Le XIIIᵉ siècle voit de toutes parts éclore les histoires. Les curiosités sont éveillées : on ne se résigne plus à « ignorer le genre
humain ». Faits passés, depuis le commencement du monde, faits
contemporains. jusqu'aux extrémités de la terre alors connue, on
veut tout savoir, il se rencontre des gens pour tout écrire.

Nous n'avons pas à nous arrêter aux vastes compilations qui
sont formées en France, en Angleterre ou en Flandre. Le jugement, la critique, la recherche des documents et le contrôle de
témoignages y font trop défaut : ce ne sont pas des œuvres de
science. D'autre part, on n'y trouve ni style, ni goût, ni composition, ni sens de la vie : ce ne sont pas des œuvres d'art.

Mais à défaut d' « histoires » dignes de ce nom, les *Mémoires*
abondent : la voie ouverte par Villehardouin ne sera plus désertée
et l'aptitude de nos Français à ce genre d'ouvrage, dont les raisons
au reste ne sont pas difficiles à trouver, commence à se marquer
avec éclat. Même après les diplomatiques confidences du maréchal
de Champagne et de Romanie, on peut lire avec intérêt les sou-

venirs d'un soldat obscur de la quatrième croisade : Robert de
Clari, petit gentilhomme de Picardie, nous représente l'état de
l'opinion publique dans l'armée, approuvant la direction générale,
a déviation de la croisade, critiquant et maugréant sur les détails
les opérations, tout émerveillé de ce qu'il voit, et nous mettant au
fait de toutes ses remarques avec une vivacité d'enfant. Il faut
retenir aussi la chronique que vers 1260 rédigea un ménestrel de
Reims : ce recueil confus et sans chronologie de tout ce qui se
disait parmi le peuple sur les hommes et les choses de Terre
Sainte, de France, d'Angleterre, entre 1080 et 1260, nous rend la
couleur et le mouvement de la vie du temps.

Ces deux œuvres sont les principales qui remplissent l'intervalle
de Villehardouin à Joinville. Celui-ci naît quelques années seulement après la mort de son devancier : mais un siècle à peu près
sépare les deux œuvres, et l'*Histoire de saint Louis* nous conduit
aux premières années du XIVe siècle, presque à la fin du véritable
moyen âge.

Villehardouin était un politique : Joinville est un hagiographe.
L'Histoire de saint Louis est une vie de saint. Elle se rattache, par
ce caractère, à toute une littérature, dont je n'ai pas parlé encore,
et dont elle résume et ramasse les meilleures qualités : je veux
dire la littérature narrative d'inspiration cléricale. Quoique le
latin fût la langue des clercs, la nécessité cependant d'instruire le
peuple les obligea souvent d'écrire en français, et la nécessité de
captiver l'attention de ces esprits dévots, mais enfantins, leur fit
parfois choisir pour édifier les sujets les plus amusants et qui parlaient le plus à l'imagination. Une littérature religieuse ainsi se
forma, en partie traduite, en partie originale, correspondant à la
littérature profane, moins riche, mais aussi variée, et couvrant en
quelque sorte la même étendue, de l'épopée au fabliau, et du
roman à la chronique : récits bibliques ou évangéliques, vies de
saints et de saintes, miracles de la Vierge, légendes et traditions
de toute sorte et de toute forme, toute une littérature enfin qui,
se développant comme la poésie laïque, eut ainsi son âge romanesque, où s'épanouissent à profusion les plus fantastiques miracles, où le merveilleux continu se joue des lois de la nature et
parfois des lois de la morale.

La belle, sobre et grave *Vie de saint Alexis*, un peu antérieure
au *Roland* qui nous est parvenu, nous représente comme la
période épique de ces narrations religieuses. Puis le romanesque
l'emporta. Les évangiles apocryphes furent préférés à la Bible et à
l'Évangile; les saints romains, gallo-romains, ou français, avec
leurs maigres légendes et leurs figures presque réelles, ne soutinrent pas la concurrence des saints grecs, orientaux, celtiques,

saints fantastiques, prestigieux, qui souvent n'avaient pas vécu, ou
qui n'avaient jamais reçu le baptême que de l'affection populaire.
L'Irlande fournit saint Brandan et les merveilles du Purgatoire
de saint Patrice; saint Eustache, saint Jean le Poilu, et cet étrange
saint Grégoire qui commence comme Œdipe pour finir dans la
chaire en saint Pierre, viennent de Grèce; saint Josaphat vient de
plus loin, et c'est le Bouddha même qui, sous ce nom orthodoxe,
se fait révérer de nos dévots aïeux.

Mais surtout la foi du moyen âge fit de la Vierge et de son crédit
auprès de son fils une inépuisable source de merveilleux naïvement absurde [1]. La Vierge soutient pendant trois jours sur le gibet
un voleur qui lui avait toujours marqué une dévotion particulière.
La Vierge vient remplacer la sacristine d'un couvent, qui s'est
enfuie pour vivre dans la débauche, en sorte qu'on n'a pas remarqué
son absence lorsqu'après bien des années le repentir la ramène.
La Vierge descend du ciel pour essuyer le front mouillé de sueur
d'un baladin qui s'est fait moine, et qui ne sachant rien dont il
puisse servir Notre Dame, fait devant son image ses plus beaux
tours et ses plus brillantes culbutes. On ne se lassait pas d'entendre
comme la bonne Vierge prenait soin de ses dévots.

L'histoire, enfin, sortit aussi de la littérature narrative des
clercs. Si les *Macchabées* devinrent une chanson de geste, les
livres des *Rois*, mis en français au XIIe siècle, sont vraiment un
morceau d'histoire religieuse, et la Bible tout entière fut traduite à
Paris vers 1235, sans doute par des clercs de l'Université. Mais ce
furent surtout les faits contemporains, les grandes crises ou les
grands hommes de l'Église qui firent le passage de la légende
poétique à la biographie historique. En l'an 1170, le jour de Noël,
l'archevêque de Cantorbéry, primat d'Angleterre, fut assassiné dans
sa cathédrale par quatre chevaliers du roi Henri II. Ce meurtre
en un tel jour, en un tel lieu, cette audacieuse entreprise de la
force brutale contre la sainteté du caractère ecclésiastique, firent
sur les esprits une impression profonde. Un immense mouvement
d'opinion, en Angleterre et par toute la chrétienté, obligea le roi
assassin à s'humilier, et à faire pénitence sur le tombeau du
martyr. Les vies du martyr se répandirent en grand nombre : il
en est une qui est remarquable. Garnier de Pont-Sainte-Maxence,
ayant recueilli les témoignages des amis, des parents, de la sœur
du saint, la composa dans les deux ou trois années qui suivirent
le meurtre, en strophes de cinq alexandrins monorimes, et la

---

1. Le principal recueil de *Miracles de Notre-Dame* est celui de Gautier de Coinci.
— **Édition** : par l'abbé Poquet, Paris, 1857. Cf. A. P. Ducrot-Granderie, 1932.
Adaptation : J. et J. Tharaud, *Contes de la Vierge*, 1902.

récita plus d'une fois aux pèlerins venus pour visiter le tombeau [1] Très exactement informé, religieusement attaché à la vérité et aux documents qui la montrent, bon écrivain dont le style a de la solidité et du relief, ce clerc errant, de vie assez libre, est intraitable sur les privilèges et la mission du clergé; c'est un de ces enfants perdus, de ces polémistes que rien n'effraie, qui, de leur autorité privée, se font défenseurs et régents de l'Église, aussi prompts à en invectiver la corruption qu'à réclamer pour elle toute la puissance : l'Église, de tout temps, a eu de ces serviteurs zélés, brutaux, indociles, qui la gênent, la compromettent autant qu'ils la servent, et, somme toute, lui font payer cher leurs services.

Pour d'autres raisons, et particulièrement pour la nouveauté d'un tel caractère dans une telle condition, saint Louis trouva de nombreux biographes. En moins de quarante ans, Geoffroy de Beaulieu, confesseur du roi, Guillaume de Nangis, Guillaume de Chartres, et le confesseur de la reine Marguerite écrivirent la vie, les enseignements et les miracles du saint roi : Joinville, qui les efface tous, mit à profit les travaux des deux premiers pour compléter ses souvenirs personnels.

3. JOINVILLE.

Jean, Sire de Joinville [2], Champenois comme Villehardouin, n'est ni un capitaine ni un homme d'État. Il n'a pas les talents de son devancier : mais c'est un charmant esprit, franc, ouvert, primesautier, un esprit de la famille de La Fontaine et de Montaigne. Il se raconte en racontant saint Louis; il se peint, avec ses goûts,

---

1. A consulter : *la Vie de saint Thomas le Martyr*, étude historique, littéraire et philologique, par Étienne, Paris, 1883. — Édition : E. Walberg, 1936.

2. Biographie. Jean, sire de Joinville, né en 1224 au château de Joinville (Haute-Marne), orphelin de bonne heure, fut élevé dans la cour du comte de Champagne, Thibault IV, son suzerain et son tuteur selon la coutume féodale. Majeur et investi de l'office de sénéchal de Champagne, héréditaire dans sa famille, il se maria Il avait deux enfants quand il partit pour la croisade (avril 1248). En septembre, il rencontra saint Louis à Chypre. Il resta en Égypte, en Syrie jusqu'en 1254. Il refusa de se croiser avec saint Louis en 1267. Philippe III lui confia vers 1283 l'administration du comté de Champagne pendant la minorité de Jeanne de Navarre. En 1315, à quatre-vingt-onze ans, il écrit à Louis X une lettre qu'on a conservée; il promet de rejoindre bientôt avec ses gens le roi qui marche contre les Flamands. Il mourut en 1319. Joinville écrivit son histoire à la requête de Jeanne de Navarre, comtesse de Champagne et reine de France : comme elle mourut en 1305, le livre de Joinville fut offert, en 1309, à son fils Louis (plus tard Louis X).

Édition : F. Michel, 1859; Natalis de Wailly, 1865, 1881 (éd. class.); Longnon, 1928. — A consulter : Sainte-Beuve, *Lundis*, VIII; Debidour, *Chroniqueurs*, 1, 1888; G. Paris et A. Jeanroy, *Chroniqueurs*, 1893; H. F. Delaborde, *J. et les Seigneurs de J.*, 1894; G. Paris, dans l'*Histoire littéraire de la France*, XXXII, 1896.

son humeur, ses vertus, ses faiblesses, ses saillies : mais en se peignant, il a peint l'homme, ou du moins l'homme du xiiie siècle, en un de ses plus aimables exemplaires.

S'étant croisé en 1248, il avait rencontré saint Louis à Chypre : la droiture, la vivacité, la gaieté de ce chevalier de vingt-quatre ans avaient séduit le roi, aux côtés de qui il resta pendant les six années de cette croisade de misère. De retour en France, il était venu fréquemment à Paris, toujours bien accueilli de Louis IX, qui lui montrait une amicale confiance. La commission ecclésiastique qui fit l'enquête avant la canonisation l'entendit pendant deux jours : et quand la reine Jeanne de Navarre, femme de Philippe IV, voulut connaître par un récit fidèle la vie du saint roi, elle s'adressa à son sénéchal de Champagne, qui rechercha dans sa mémoire d'octogénaire des souvenirs tout frais encore, bien que les plus anciens remontassent à plus de cinquante années[1]. Le temps avait un peu brouillé dans son esprit la chronologie : et le dessin des opérations militaires lui apparaît un peu confusément. Mais on peut douter qu'il les ait jamais bien conçues, et ce ne sont pas les secrets de la stratégie ni des conseils qui font l'intérêt de son livre.

Tel qu'il est, dans ses deux parties mal équilibrées et fort inégales, l'une consacrée aux vertus, et l'autre aux « chevaleries » de saint Louis, dans son abondance désordonnée, avec son incohérence, ses redites et ses digressions, ce livre de bonne foi tire sa force de séduction des deux figures qui l'emplissent et s'y opposent : celle du roi et celle du sénéchal de Champagne.

Saint Louis a trop souvent dans les histoires, et même chez Voltaire, l'angélique et fade pureté d'une image de piété : chez Joinville, il est saint, autant et plus qu'ailleurs : mais il est homme, et vivant. Le voilà, avec ces vertus qui, en ce temps-là même, et jusque chez les infidèles, le firent plus fort que tous les talents et toutes les victoires : la piété d'un moine, le courage d'un soldat, mais surtout l'abnégation, la perpétuelle immolation du « moi », la charité fervente et la justice sévère. Toutes ces vertus, Joinville nous les fait voir et toucher, il nous les montre en action, dans les faits particuliers : saint Louis jugeant à Vincennes ou dans son jardin du palais, ou bien punissant six bourgeois de Paris qui, pour s'être arrêtés à manger des fruits dans une île, avaient retardé et mis en péril toute la flotte; saint Louis prisonnier des Sarrasins, qu'il domine par sa sérénité; saint Louis refusant de quitter sa nef à demi brisée, pour partager le sort de ses gens; saint Louis portant les cadavres de ses soldats, « sans se boucher

1. Selon M. G. Paris, Joinville utilisa, en 1305, des mémoires personnels qu'il avait rédigés peu après 1272 ; voilà pourquoi il parle tant de lui dans une vie du saint roi.

le nez, et les autres le bouchaient », autant de tableaux expressifs, saisissants de réalité familière, et que Joinville a rendus populaires. Mais il dit aussi certains petits effets de grandes vertus, des excès et des défauts, marques d'humanité, qui rapprochent de nous le saint, et l'animent sans l'amoindrir : nous voyons le roi, vêtu de grossier camelin, « tremper son vin avec mesure », et manger ce que son cuisinier lui prépare, sans condescendre jamais à commander le menu de son repas ; nous le voyons, modeste en sa parole comme pur en ses actes, n'ayant onques nommé le diable en ses propos, toujours timide et petit enfant devant sa mère, froid à l'excès et comme indifférent à l'égard de sa femme et de ses enfants, l'humeur vive avec son angélique bonté, assez jaloux de son autorité, rabrouant prélats ou Templiers, quand ils semblent entreprendre dessus, et, pour tout dire, un peu colère : Joinville ne fait-il pas un pacte avec lui, pour que ni l'un ni l'autre à l'avenir ne se fâchent, le roi de ses demandes, et lui des refus du roi ?

Les entretiens de saint Louis et de Joinville sont exquis : c'est la plus fraîche et délicieuse partie du livre. La pieuse gravité, l'affectueuse et paternelle sollicitude du roi font un contraste avec les sentiments ou trop mondains ou tout humains du sénéchal, avec le vif et plaisant naturel de ses réponses, quand il proteste de ne jamais laver les pieds des pauvres, « ces vilains ! » au saint jeudi, ou d'aimer mieux avoir fait cent péchés mortels que d'être lépreux. Mais rien n'est charmant comme le geste affectueux du roi, venant appuyer les deux mains sur les épaules du sénéchal, auquel il n'a pas parlé de tout le dîner, et qui, tristement retiré près d'une fenêtre grillée, se croit en disgrâce pour avoir parlé selon l'honneur et selon la vérité. Ce récit nous fait surgir devant les yeux un saint Louis intime, familier, souriant, plus aimable et plus « humain » encore que le roi justicier du bois de Vincennes, et que le roi chevalier, qui faisait si fière contenance aux jours de bataille sous son heaume doré.

L'excellent sénéchal admire, aime de tout son cœur la grande perfection qu'il voit en Louis IX. Elle le dépasse : mais il faut dire à son honneur que, s'il ne prétend pas l'égaler, elle ne le gêne pas du moins. Il a assez de bien en lui, pour être à l'aise avec ce saint, et ne pas se sentir condamné par tant de vertu. Mais Joinville est homme ; la nature est forte en lui, et se fait jour sans contrainte. Très brave, il fait son devoir brillamment : à la Mansourah, en Syrie, il est de ceux qui donnent l'exemple et font le sacrifice de leur vie. Ce n'est pas qu'il n'y tienne : le martyre n'a pas d'attrait pour lui, et il n'écoute pas son cellérier qui lui conseille, et aux autres de sa compagnie, de se faire égorger pour

aller dans le ciel, au lieu de subir la prison du Sarrasin. En plus
d'une occasion, il a peur, et grand'peur : il sue et tremble, et le
dit sans vergogne, d'autant qu'il n'en fait pas moins ce qu'il faut.
Son humanité, aimable et faible, éclate à chaque page de son
récit, comme lorsque, au départ, il n'ose se retourner vers son
beau château de Joinville où il laisse ses deux enfants, de peur
que le cœur ne lui fende.

Il est très pieux : étant à Acre, il occupe son loisir à paraphraser
le *Credo*. Il a des dévotions particulières, à saint Jacques, à saint
Nicolas de Varangeville, à Notre Dame surtout Il est de ces âmes
qui font les miracles, à force de croire et d'espérer. L'article essentiel de sa foi, c'est que Dieu peut prolonger la vie des hommes qui
le prient. Aussi, en toute circonstance critique, quand sa nef est en
danger, ou quand l'armée est inquiète du sort du comte de Poitiers, Joinville a le remède : trois processions feront l'affaire, et
avant la troisième, la nef sera au port, le comte aura rejoint
l'armée. Il nous donne des *Miracles de Notre Dame*, qui valent les
meilleurs de Gautier de Coinci : comment Notre Dame soutint
par les épaules un homme qui était tombé à la mer, sans qu'il
fît même un mouvement pour nager, et comment elle vint couvrir
la poitrine de l'abbé de Cheminon, de peur que le saint homme
ne s'enrhumât en dormant.

Voilà une foi intacte, pure, naïve, et, qui plus est, une foi qui
règle les actes. Dans le château de Joinville, tout jureur et blas-
phémateur reçoit un bon soufflet. En Egypte, il tance six de ses
chevaliers qui bavardent à la messe. Il part à la croisade, pieds
nus, avec l'écharpe et le bourdon du pèlerin. Il prend au sérieux
la croisade et son vœu : d'abord comme un engagement de vie
pure et chrétienne. Le libertinage de l'armée l'indigne. Par un
effort plus méritoire, cet aimable homme, qui regrette si tendrement la France et les siens, refuse de quitter la Terre Sainte : il
y fait rester le roi, il y resterait sans lui. Il ne veut pas revenir, et
qu'on puisse lui reprocher de n'avoir pas bien fait le service de
Dieu.

Au reste, comme saint Louis même, il est assez sûr de sa foi
pour ne pas être esclave de l'Eglise : le saint roi prenait un jour
le parti des excommuniés, le sénéchal est une fois excommunié,
et porte légèrement la chose, sans crainte et sans émotion. Mais
surtout l'homme, et l'homme féodal ne sont pas morts en lui : la
religion n'a étouffé en lui ni l'intérêt ni l'orgueil. A la croisade, en
homme avisé, il se fait bien payer du roi : il ne veut pas renoncer, ni servir gratis. Ayant une fois tâté de la croisade, il en a
assez, et quand saint Louis reprend la croix et l'engage à faire
de même, il répond, avec plus de sens que de zèle, que le meil-

ur moyen de servir Dieu, pour un seigneur, c'est de rester
ur ses terres, et de protéger ses gens. Il a l'indépendance, la
ignité, l'amour de paraître de la noblesse féodale : pour un
ince grief, il menace de quitter saint Louis. Il aime le bon vin,
t s'est fait défendre par les « physiciens » d'y mettre de l'eau;
aime la bonne chère et tient presque table ouverte en Syrie.
nous conte comment il remplit ses étables et ses celliers : il
épense magnifiquement l'argent du roi. Il aime les riches habits,
t saura bien répliquer à maître Robert de Sorbon, s'il l'attaque
-dessus. Ce très honnête et délicat chevalier n'entend rien à la
robité commerciale : c'est vertu de bourgeois. En vain les Tem-
liers essaient-ils de lui faire comprendre qu'ils ne peuvent tou-
her aux dépôts qu'on leur confie : il force leur caisse, pour payer
rançon du roi. Il trouve tout naturel aussi de tricher sur le
aiement, et de frustrer les Sarrasins de dix mille livres qu'on
ur doit : est-ce péché de tromper les mécréants?

Ces deux hommes excellents, le roi avec le sénéchal, en face de
erceval et de Galaad, c'est le possible et le réel en face de la chi-
ère et du rêve. Avec plus de singulière perfection, en saint Louis,
vec plus de commune humanité, chez Joinville, voilà l'esprit qui
créé le monde mystique du *Graal*, voilà, réalisée en des actes
raisemblables, accessibles, en pleine réalité historique et vivante,
chevalerie du Christ. Mais de plus, il y a en ces deux hommes,
ans la libre intimité de leur commerce, dans la naturelle effusion
e leurs natures, à travers leurs dialogues, il y a comme un rayon
e cette grâce aimable et puissante, qui illumina parfois le chris-
anisme au moyen âge, avant les schismes et les révoltes; ce roi
t ce baron sont de la communion de saint François d'Assise.
Autour d'eux, on voit poindre une aurore de vie mondaine : c'est
ancelot, et non le *Graal*, qui donne le ton; et le mot du comte
e Soissons à Mansourah : « Nous parlerons de cette journée dans
s *chambres des dames* », enregistre une orientation définitive du
mpérament français. Ce jour-là, une des forces morales qui pro-
uiront le xvııe siècle, entre en jeu.

Joinville est une riche nature, dont les actes et relations de la
e chrétienne et féodale n'épuisent point l'abondance. Son origi-
alité, sa caractéristique, c'est une curiosité toujours éveillée, tou-
urs active, d'autant qu'à son esprit vierge de toute science solide
positive, tout est nouveau. Deux ou trois impressions, sèches,
on faibles, ou réprimées rapidement, piquent à peine quelques
aits pittoresques sur la grave démonstration de la conduite de la
uatrième croisade : Joinville regarde tout, s'émerveille de tout, et
t tout. Il semble que l'univers ait été créé pour lui, et que ce soit
premier regard de l'humanité sur le monde des formes, des

couleurs et du mouvement. Le Nil, qui sort « de Paradis Ter
restre », le miracle de ses crues périodiques, les *alcarazas*, où l'ea
se tient si fraîche en plein soleil, les Bédouins, « laide et hideus
gent », à barbe et cheveux noirs, les Tartares, et les commence
ments merveilleux de leur puissance, la Norvège et la longueur de
jours polaires, trois ménétriers qui jouent du cor et font la cul
bute, les petites choses comme les grandes, ont frappé Joinville
et viennent après cinquante ans prendre place un peu à l'aven
ture au milieu des « chevaleries » du roi Louis. Peu de chos
l'amuse, le mot d'une bonne femme, la plaisanterie du comt
d'Eu, qui consiste à casser la vaisselle de Joinville avec un
baliste, pendant qu'il dîne.

Il a l'imagination vive et les sens éveillés : tout ce qu'on lu
dit, il le voit et le fait voir. Mais surtout il a des yeux : et tou
ce qui a passé devant ses yeux y laisse une ineffaçable et précis
image. Après cinquante ans, il voit encore la toile peinte en bleu
qui revêtait le pavillon du soudan d'Égypte, la cotte vermeill
à raies jaunes d'un garçon qui est venu en Syrie lui offrir se
services ; quand il s'attendait à avoir la tête coupée, il entend l
confession de son compagnon sans qu'il lui en reste un mot dar
la mémoire, mais il voit le caleçon de toile écrue d'un Sarrasin, d
ce caleçon toute sa vie lui restera devant les yeux.

C'est cette puissance naturelle de vision et d'imagination qu
fait le charme de Joinville. Par là, si inférieur qu'il soit à Hérodot
en intelligence, en réflexion, en sens esthétique, ce chevali
inhabile à penser a dans son récit enfantin des impressions d'un
fraîcheur, d'une vivacité qui font penser au premier des historier
grecs. Il est de la même famille, il a le sens de la vie, et il rer
d'un trait léger et juste, avec une grâce inoubliable. J'ai déjà parl
de ses dialogues : ses tableaux ne valent pas moins. Le départ d
la flotte chrétienne, aux accents du *Veni, creator Spiritus*, évoqu
par sa simplicité puissante le souvenir du départ de la flotte ath
nienne pour la Sicile, et je ne sais si le récit de Thucydide est d'u
pathétique plus sobre et plus saisissant.

C'est qu'à ce don de l'imagination, Joinville joint celui de
sympathie : il sent comme il voit, et avec les images amassé
dans son souvenir se réveillent en foule les émotions qu'il a re
senties. Après un demi-siècle, il retrouve les sentiments complex
du jour du départ, l'allégresse, l'anxiété, le regret, tout ce qu
le connu que l'on quitte, et l'inconnu où l'on va, peuvent mêl
d'agitations morales aux impressions physiques de l'œil et d
l'oreille. Point de sentimentalité du reste, ni de mélancolie :
joie domine et dans l'âme et dans la parole de Joinville ; mais
a dans l'occasion, sur les misères de ses amis ou de ses comp

gnons, des expressions de tendresse et de piété, fines comme le
sentiment qui un moment attrista sa belle humeur. Il n'y a rien
de plus délicat et de plus pénétrant que cette scène de la
dernière messe du prêtre de Joinville, qui soutenu, dans les bras
de son seigneur, acheva à grand'peine de chanter l'office du jour,
et « onques puis ne chanta ».

Nul art ne vaut mieux que ce naturel, et c'est de pareilles sensations qu'un autre Champenois, quatre siècles plus tard, fera
l'étoffe de sa poésie : Joinville a ce qui manque aux auteurs de
fabliaux, pour annoncer La Fontaine.

CHAPITRE IV

POÉSIE LYRIQUE

Médiocre aptitude de l'esprit français au lyrisme. — 1. Ancien lyrisme français. Chansons de femmes; *romances*; *pastourelles*. — 2. Influence du lyrisme provençal au XIIᵉ siècle. La théorie de l'amour courtois. La cour de Champagne et ses poètes. Médiocrité de l'inspiration.

Le Français n'est pas lyrique. Trois ou quatre fois dans les dix siècles que compte son histoire littéraire, il a fait effort pour se créer une poésie lyrique : ce n'est que de nos jours qu'il a vraiment réussi. Cette impuissance prolongée était le revers et la rançon de nos qualités.

Cet homme de Schopenhauer, « qui n'aurait été conduit ni par son expérience personnelle, ni par des réflexions suffisamment profondes, jusqu'à reconnaître que la perpétuité des souffrances est l'essence même de la vie; qui au contraire se plairait à vivre, qui dans la vie trouverait tout à souhait; qui de sens rassis consentirait à voir durer sa vie telle qu'il l'a vue se dérouler, sans terme, ou à la voir se répéter toujours; un homme chez qui le goût de la vie serait assez fort pour lui faire trouver le marché bon, d'en payer les jouissances au prix de tant de fatigues et de peines dont elle est inséparable », cet homme-là ne se répandrait guère en chants lyriques; et cet homme-là, c'est nous. Ce fut nous du moins pendant des siècles: nous avions arrangé nos affaires pour ne regarder que la terre et l'existence présente, et pour être débarrassés de tout ce qui gênerait l'action ; nous avions donné procuration à l'Église de régler pour nous la question de la destinée, de la mort et de l'éternité, de façon à n'y plus penser que dans les courts moments où elle nous établit notre compte. Nous avions soigneusement enclos dans un coin de notre âme les inquiétudes métaphysiques et les tristesses religieuses, de peur de les mêler à notre vie et qu'elle n'en fût troublée : nous les

avions, pour plus de sûreté, résolues en idées et en actes d'accord
avec l'Église. Le monde extérieur n'était pour nous qu'un objet
intelligible : et quand notre intelligence trop faible encore ne s'y
appliquait pas pour en tirer des concepts, notre volonté en faisait
le champ de son action : nous ne voyions dans la nature que
nous-mêmes, l'objet qu'elle présentait et l'obstacle qu'elle opposait à nos ambitions. Tant qu'il en a été ainsi, une grande poésie
lyrique ne pouvait sortir chez nous des éléments ni des circonstances qui ailleurs la produisaient.

1. ANCIEN LYRISME FRANÇAIS

Il était naturel que la femme, à qui, surtout en ce temps-là,
l'action était interdite, vécût un peu plus de rêves et d'émotions et
les épanchât en poésie. A la femme, en effet, se rapportent les
origines de notre littérature lyrique : pour elle, et peut-être par
elle, aux temps de la création vraiment spontanée et populaire,
furent composées les *chansons à danser* et les *chansons de toile* [1].

Les chansons dont, aux xe ou xie siècles, les femmes et les jeunes
filles de nos villages accompagnaient leurs « caroles », l'une d'elles
chantant le thème fondamental en *solo* et les autres reprenant en
chœur les refrains à intervalles plus ou moins rapprochés, ne nous
sont point parvenues. Mais par quelques refrains d'un caractère
ancien et populaire, qui leur ont sans doute appartenu, par les
traces qu'elles ont laissées dans les refrains, les *motets*, les *ballettes*
du xiiie et du xive siècle, par les poésies déjà littéraires qu'elles ont
suscitées en Sicile, en Allemagne, en Portugal, l'érudition contemporaine a pu nous en donner une idée.

> Aalis tôt se leva :
> — *Bonjour ait qui mon cœur a —*
> Beau se vêtit et para,
> Dessous l'aulnoie.
> — *Bonjour ait qui mon cœur a,*
> N'est avec moi.

Toutes ces chansons ne parlent que d'amour; c'est la jeune fille,
joyeuse de sa jeunesse et d'être jolie, qui se vante d'avoir un
ami, ou se plaint de ne pas en avoir; qui veut épouser celui que

1. A consulter : A. Jeanroy, *Origines de la Poésie lyrique en France*, 1925;
G. Paris, *Mélanges de Litt. fr.*, 1912; E. Faral, *Jongleurs en Fr. au M. A.*, 1910;
J. Beck, *Chansonniers des Troubadours et des Trouvères*, 1927; R. Pernoud, *Poésie
médiévale fr.*, 1947; Th. Gérold, *Musique au M. A.*, 1932; J. Chailley, *Musique
médiévale*, 1951.

ses parents lui refusent, ou refuse celui qu'ils lui donnent, et
nous dit leur dureté. C'est la mal mariée, se lamentant de son
vilain jaloux et brutal. Les rencontres, les rendez-vous, les départs,
les absences, les abandons, les dangers, les surprises, les craintes
et les ruses font la matière des émotions et des chansons. Mais
la chanson n'est pas devenue une ode : ni le sentiment de la
nature et la communication sympathique avec la vie universelle,
ni la profonde et frémissante intuition des conditions éternelles
de l'humaine souffrance, ni enfin l'intime intensité de la passion,
et l'absorption de tout l'être en une affection, ne venaient élargir
le couplet de danse en strophe lyrique. Cela restait grêle, léger
et joli : un rythme vif, sautillant, aimable, merveilleusement
apte à recevoir cette mousse de sentiments qui débordent de
l'âme sans l'emplir. Rien ici de fougueux, rien de l'ardente aliénation de tout le moi : c'est d'« amourettes » qu'il s'agit. L'amour
contrarié souffre : c'est la révolte de la volonté, qui s'irrite de
l'obstacle, plutôt que le cri de l'âme possédée et privée de son
bien. La tendance positive et pratique de la race s'affirme ; la
grande affaire est le plaisir. Les chanteurs nous font surtout
l'histoire extérieure de leur amour : la situation prime tout, et
ainsi la chanson prend un caractère dramatique et narratif. Il y
en avait qui mettaient en scène les deux amants, ou bien la fille
avec sa mère, la femme avec son mari ; d'autres, comme celles
d'Aalis ou de Robin, qui furent très populaires, étaient des histoires en couplets, des contes chantés, des *romances*.

C'étaient des romances aussi qui consolaient les femmes assises
à filer dans l'écrasant ennui des jours monotones : belle Églantine
« devant sa mère cousait une chemise » ; belle Amelot « seule en
chambre filait ». Belle Amelot en chantant nomme son ami, et sa
mère l'entend ; belle Églantine ne nomme pas le sien, mais à voir
son « gent corps », sa mère ne peut douter qu'elle en ait un. Après
plus ou moins de paroles, belle Églantine a son Henri, et belle
Amelot son Garin. Belle Erembour à sa fenêtre voit passer le comte
Renaud, qui l'a abandonnée. Elle l'appelle, se justifie de l'infidélité
dont le soupçon l'avait éloigné. Voilà de quoi les *chansons de toile*
entretenaient nos rudes aïeules : voilà ce qui enfiévrait leurs imaginations oublieuses de la pauvre et froide réalité. Ces vieilles
romances anonymes [1], contemporaines des anciennes chansons de
geste, nous offrent le même sentiment violent, grossier, sans
nuances ni raffinement.

La chanson à danser, comme aussi la chanson *de toile*, se com-

---

1. Je ne m'occupe pas des imitations plus que médiocres qui furent composées au
xiiie siècle par Audefroi le Bâtard.

posait essentiellement de couplets et de refrains : selon l'agencement de ces deux parties, la reprise plus ou moins fréquente du
refrain, et la distribution des vers qu'il enferme, il se forma différents genres, *rondets, ballettes, virelis* [1], d'où sortiront à la fin les
poèmes à forme fixe du xive siècle, *rondeaux, ballades* et *virelais*.
Il se forma d'autres genres selon la forme choisie, et selon la
nature des accessoires employés pour particulariser le thème
général : la séparation des amants, avertis du lever du jour par
l'alouette, et plus tard par le veilleur, constitua l'*aube*, la rencontre
d'un chevalier et d'une bergère, qui souvent le refuse et parfois
l'accepte, forma la *pastourelle*, dont les rythmes furent particulièrement vifs et gracieux. Il n'est pas sûr que ces deux derniers
genres n'aient pas été importés du Midi au Nord : cependant la
réalité a pu en fournir les thèmes, comme ceux des chansons à
danser et des romances.

Il y eut aussi des chansons qui s'adressaient aux hommes et en
traduisaient les sentiments : une chanson de croisade présente le
plus ancien exemple qu'on ait des rimes enlacées [2]. Elle fut composée avant 1147, pour la seconde croisade. La pièce est curieuse,
plus oratoire que lyrique, avec plus de raisonnement que de passion, et un emploi significatif du lieu commun moral :

> Comtes ni ducs ni les rois couronnés
> Ne se pourront à la mort dérober :
> Car, quand ils ont grands trésors amassés,
> Plus il leur faut partir à grand regret.
> Mieux leur valût les employer à bien :
> Car quand ils sont en terre ensevelis,
> Ne leur sert plus ni château ni cité.

Avec cette strophe et la pièce qui la contient ce sont les idées
générales qui font leur entrée dans notre littérature : nous mettons le pied dans la voie qui mène à Malherbe.

Que serait-il sorti de ces premiers essais de notre poésie lyrique?

---

1. Voici les formules principales de tous ces genres : les majuscules désignent les
refrains; les minuscules correspondantes aux majuscules indiquent des vers construits
sur les mêmes rimes que les refrains. CHANSONS DE TOILE : aaaB, aaaBB; moins
anciennement, aaabB, aaabAB; etc. — CHANSONS A DANSER : aaabCB, aaabAB, etc.
« La forme la plus habituelle était un couplet monorime suivi d'un refrain qui y
était rattaché d'une façon quelconque : le nombre des couplets était indéterminé. »
— RONDETS : aAabAB (cf. la chanson citée p. 79). Le refrain était chanté au début
de la pièce; le nombre des couplets est indéterminé. — BALLETTES : 3 couplets, suivis
de refrains; refrains chantés au début de la pièce : ababbcCC; ababababACA; etc.
L'entrelacement des rimes est emprunté aux chansons savantes. — VIRELIS : tient du
rondet et de la ballette : ABccabAB.

2. On la trouvera dans Crépet t. 1: p. 38

Peu de chose peut-être, car il ne paraît pas qu'on les ait fort
estimés : on ne songea même pas à les recueillir. L'influence provençale vint, aux environs de 1150, interrompre le courant du
lyrisme original de la France, et susciter chez nous une poésie
artificielle et savante : mais en même temps, mettant les vers lyriques en honneur, elle contribua à sauver quelques débris de la production populaire des siècles antérieurs; elle éveilla sur eux la
curiosité qui les fit écrire et nous les a transmis.

2. INFLUENCE DU LYRISME PROVENÇAL

Les femmes ont eu aussi une part considérable dans la création
de la poésie provençale : bien plus encore que dans le Nord, elle fut
leur œuvre, et reçut d'elles sa matière et son objet. Elle y eut cet
avantage de rencontrer un état social qui leur donnait plus d'empire, et fit une loi de leur goût. Toutes les circonstances, au reste,
en préparaient la riche et facile floraison : tandis que le baron du
Nord, entre les murs épais de sa maussade forteresse, menacé et
menaçant, ne rêvait que la guerre, les nobles du Midi, en paix et
pacifiques sous deux ou trois grands comtes, riches, hantant les
villes, épris de fêtes, la joie dans l'âme et dans les yeux, l'esprit
déjà sensible au jeu des idées, et l'oreille éprise de la grâce des
rythmes, se faisaient une littérature en harmonie avec les conditions physiques et sociales de leur vie. Dans leur loisir, l'amour
devenait une grande affaire, et pour plaire aux femmes, ils se polis-
saient, s'humanisaient, dépouillaient l'ignorance et la brutalité
féodales. Ayant à compter plus d'émotions que d'actions dans leur
vie, ils n'avaient pas tant besoin d'une épopée, mais ils créèrent
naturellement une poésie lyrique.

A la fin du XIe siècle se forma l'art des troubadours [1] : art subtil
et savant, plus charmant que fort, plus personnel et plus passionné
au début, plus large aussi et embrassant dans la variété de ses
genres la diversité des objets de l'activité et des passions humaines,
puis de plus en plus restreint au culte de la femme, à l'expression
de l'amour, et dans l'amour, de plus en plus affranchi des particularités du tempérament individuel, soustrait aux violences de la
passion, aux inégalités du cœur, de plus en plus soumis à l'intelligence fine et raisonneuse, et encadrant dans des rythmes tou-

---

1. **Anthologies** : A. Jeanroy, J. Anglade, 1927; A. Berry, 1930; — **A Consulter** : A. Jeanroy, *Poésie lyrique des Troubadours*, 1934; J. Anglade, *Poésie des
Troubadours, vie, œuvres, influence*, 1908; Briffault, *Troubadours et Sentiment
romanesque*, 1945; P. Belperron, *Troubadours et Amour courtois*, 1947.

jours divers des lieux communs toujours les mêmes. Telle qu'elle devint trop vite, avec sa technique compliquée et sa froide insincérité, avec l'insuffisance esthétique de son élégance abstraite et de sa banale distinction, que réparait la nature d'une langue chaude et sonore, la poésie provençale n'en avait pas moins un grand prix : c'était la première fois, depuis les Romains, que la poésie était un art, que le poète concevait un idéal de perfection formelle, et se faisait une loi de la réaliser en son œuvre.

Une autre nouveauté, et non moins considérable, c'était l'amour courtois. Don libre et gratuit, irréductible comme tel à la forme d'un devoir, l'amour est le bien souverain, principe, effet et signe de toute noblesse et de toute valeur. Il ne veut se donner qu'à la perfection, et il donne la perfection. Il ne peut naître que pour un objet excellent et dans un sujet excellent. Toute vertu y est enclose. L'amant à genoux, humble, dévot, ardent, reçoit la vie ou la mort de sa dame : il désire l'honneur et le bien de sa dame plus que sa vie propre : il a assez de bonheur, s'il aime : il est joyeux de souffrir, et accroît son mérite en souffrant. Il espère et désire, mais comme le chrétien espère ou désire le ciel, sans en faire le motif de sa dévotion.

Si on analyse le contenu de cette forme originale de l'amour dont les Provençaux ont enrichi la littérature, elle repose sur l'idée de la perfection conçue comme s'imposant à la fois à l'intelligence et à la volonté, devenant fin en même temps que connaissance, et sur la préférence désintéressée qui fait que le moi subordonne son bien au bien de l'objet aimé, selon l'ordre des degrés de perfection qu'il découvre en soi et dans l'objet. Ainsi les éléments intellectuels et moraux dominent dans l'amour courtois. Il n'est pas difficile de supposer que, l'identité des mots aidant, l'amour chrétien, aspiration éperdue vers le Dieu infini et parfait, désir affiné et subtilisé par le sentiment du néant de l'âme amoureuse devant l'incompréhensible objet de l'amour, ce sentiment de tendresse mystique a fourni le type de la dévotion galante de l'amant à sa dame.

« L'amour est une grande chose, un grand bien, qui rend tout fardeau léger.... L'amour pousse aux grandes actions, et excite à désirer toujours une perfection plus haute.... Rien n'est plus doux que l'amour, rien n'est plus fort, ni plus haut, ni plus large, ni plus suave, ni plus plein, ni meilleur au ciel ni sur la terre.... L'amour vole, court, il a la joie. Il est libre et ne peut être retenu.... L'amour surtout n'a pas de mesure, et s'exalte dans une ardeur sans mesure.... L'amour ne sent point le poids ni la peine, il veut plus que sa force, et n'allègue jamais l'impossibilité, et se croit tout possible et tout permis.... L'amour veille ; en dormant même il veille.... Celui qui aime sait la force de ce mot.... On ne vit point sans douleur dans l'amour. Celui qui n'est pas fait à tout souffrir et à faire la volonté de l'objet aimé, n'est pas digne du nom d'amant. »

Il n'y a pas un de ces mots par où l'*Imitation* peint l'amour de Dieu, qui ne réponde à une des lois de l'amour courtois : tant les deux amours ne sont qu'une même essence ! Tandis que la poésie antique ne connaissait que la passion physique, et, pour rendre raison de la force de l'amour, regardait le désir allumé par Vénus dans la nature entière à la saison nouvelle, la poésie moderne, par une orientation toute contraire, assimilera l'amour humain à l'amour divin et en fondera la puissance sur l'infinie disproportion du mérite au désir Même quand le terme réel de l'amour appartiendra à l'ordre le plus matériel et terrestre, la pensée et la parole s'en détourneront, et c'est à peine si, comme indice de ses antiques et traditionnelles attaches au monde de la sensation physique, il gardera ces descriptions du printemps, saison du réveil de la vie universelle ; encore ces descriptions seront-elles de moins en moins sincères et vivantes, et ne subsisteront-elles chez la plupart des poètes que comme une forme vide de sens, un organe inutile et atrophié. Quel rapport en effet ont-elles avec la qualité du sentiment dont elles introduisent l'expression ?

Mais il est à noter que si l'Infini, réalisé en l'image d'un Dieu personnel, et pourtant conçu en son incompréhensible et inimaginable essence, peut contenter l'âme qui s'y élance et s'y absorbe, il n'en va pas tout à fait de même de l'amour humain. Comme l'amour parfait des mystiques ne saurait être l'état du commun des fidèles, et les dégraderait plus qu'il ne les élèverait, s'ils essayaient d'y atteindre, ainsi le pur amour des Provençaux ne saurait être à la portée que d'une rare élite. Quel est l'objet qui paraîtra digne, le sujet qui sera capable d'une telle dévotion ? Aussi, à l'ordinaire, nos amants resteront bien loin des ardeurs qui échauffent chaque ligne de l'*Imitation* : leur dame ne sera que l'idée de la dame, leur passion ne sera que l'idée de la passion ; tout se passera dans leur tête, en constructions abstraites, non dans leurs cœurs en vivantes émotions. Et tout sera dans leurs vers artificieuse rhétorique et invention verbale.

Néanmoins il fallait insister sur cette création de poètes provençaux. Car leur amour courtois, c'est l'amour romanesque, et l'amour romanesque, c'est ce qui a rempli notre littérature pendant quatre ou cinq siècles : hors de là, il n'y a que l'amour gaulois, positif, vaniteux et jovial. A travers les romans chevaleresques et pastoraux, les élégies et les tragédies, la conception des troubadours s'étalera, s'épanouira, jusqu'à ce qu'elle rencontre ses formules définitives, philosophique dans Descartes et poétique dans Corneille, qui en feront saillir un élément de vérité. Elle ne sera délogée et reléguée entre les conventions surannées que par Racine, qui retrouvera l'amour douloureux, l'antique désir, enveloppé et compliqué de tout ce que quinze ou vingt siècles ont ajouté au fond naturel de l'homme.

Nos hommes du Nord, quand ils connurent la poésie provençale, furent étonnés, éblouis, charmés : fond et forme, tout était pour eux une révélation. La communication ne se fit pas d'abord, comme on pouvait s'y attendre, par les provinces du centre. Elle se fit par l'Orient ; ce fut en Terre Sainte, à la croisade, que la Flandre et la Provence, la Lorraine et le Languedoc se rencontrèrent. Ainsi s'explique que les premiers protecteurs et les premiers imitateurs que la poésie méridionale obtint en deçà de la Loire, soient du Nord et de l'Est. Avec Aliénor d'Aquitaine, qui fut mariée successivement aux rois de France et d'Angleterre, les troubadours et leur art envahirent les provinces de langue française : quand les deux filles d'Aliénor et de Louis VII eurent épousé les comtes de Champagne et de Blois, Reims et Blois, avec Paris, devinrent des centres de poésie courtoise. Dans les dernières années du XIIe siècle, et le commencement du XIIIe, l'imitation des Provençaux fleurit : c'est le temps de Conon de Béthune, de Blondel de Nesles, de Gace Brûlé, du Châtelain de Coucy, de Thibaut de Navarre [1]. Cependant, après un siècle de vogue à peu près, le lyrisme savant décline ; nos barons se refroidissent et le délaissent ; mais, comme il était arrivé pour l'épopée, les bourgeois

---

1. **Biographie** : Conon de Béthune prit part à deux croisades, en 1189 et en 1199. Dans cette dernière, il fut un des diplomates et des orateurs de l'armée, avec Villehardouin, qui en parle avec estime. Il mourut en 1224. — Blondel de Nesles vécut dans la fin du XIIe siècle : on ne sait rien de sa vie. — Gace Brûlé, chevalier champenois, commença à écrire dans les vingt dernières du XIIe siècle. Il alla dans sa jeunesse (avant 1186), en Bretagne : c'est là qu'il fit la jolie chanson : *les Oisillons de mon pays — ai ois en Bretagne*. Il mourut **vers** 1220. — Le Châtelain de Coucy paraît avoir été Gui II, mort en 1201, qui prit part aussi à la quatrième croisade. L'histoire de ses amours avec la dame de Fayel est toute romanesque. — Thibaut IV, comte de Champagne et roi de Navarre (1201-1253), prit part à la croisade contre les Albigeois et à la révolte des grands vassaux contre la régente Blanche de Castille. La tradition qui le fait amoureux de cette reine ne repose sur aucune donnée sérieuse. — **Éditions** d'ensemble : J. Brakelmann, *Les plus anciens Chansonniers fr.*, 1891-96 ; A. Dinaux, *Trouvères, Jongleurs et Ménestrels du nord de la Fr.*, 1843 ; A. Jeanroy et H. Guy, *Chansons et Dits artésiens du XIIIe s.*, 1898 ; — séparées : *Conon de Béthune*, par A. Wallenskold, 1921 ; *Blondel de Nesles*, par L. Wiese, 1904 ; *Gace Brulé*, par G. Huet, 1902 ; *Châtelain de Coucy*, par F. Fath, 1883 ; *Thibaut de Champagne*, par A. Wallenskold, 1925 ; *Adam de la Halle*, par De Coussemaker, 1872. — **A consulter** : G. Paris, *Mélanges de Litt. fr.*, 1912 ; H. Guy, *Adam de la Halle*, 1908 ; A. Cuesnon, *Satire litt. à Arras au XIIIe s.* ; E. Faral, *Arts poétiques des XIIe et XIIIe s.*, 1924 ; Anglade, *les Troubadours, leur vie, leurs œuvres, leur influence*, 1908.

avaient recueilli l'art qui perdait la faveur des nobles, et lui assurent une prolongation de vie : dans les communes picardes, à Arras, Bodel, Moniot, Adam de la Halle font durer la poésie courtoise jusqu'aux dernières années du xɪɪɪᵉ siècle.

Elle n'avait guère vécu que d'une vie factice, n'ayant pas eu la bonne fortune de rencontrer un de ces esprits en qui elle se fût transformée, de façon à devenir une forme nécessaire du génie national. Elle ne fut chez nos trouvères qu'une doctrine apprise, science, comme dit Montaigne, *logée au bout de leurs lèvres*, vaine et froide idéalité, aristocratique dessin d'une vie élégante, dont l'élégance consiste à exclure les sentiments naturels et à s'abstraire des conditions réelles de la vie. Car, dans le riche et délicat Midi, cette doctrine répondait encore à quelque réalité, à un certain ordre de relations établi entre les hommes et les femmes : mais, dans notre Nord, si rude et si brutal, loin d'avoir son fondement dans la vie, elle restait absolument irréelle, idéale et didactique. Si l'on pouvait faire ici un examen détaillé des œuvres, on aurait à signaler quelque sincérité chez nos plus anciens poètes, et l'on distinguerait, avec M. Jeanroy, dans les vers d'Hugues de Berzé ou de Conon de Béthune quelques nuances de leur tempérament. Mais ces empreintes de la personnalité sont bien légères, et cessent vite : et, au contraire, le trait le plus sensible de notre lyrisme savant, c'est combien du premier au dernier jour il n'a été que fade convention, monotone recommencement et méthodique exploitation de thèmes communs. Il semble reposer tout entier sur cette gageure, de ne donner à la poésie aucun point d'appui ni dans la réalité extérieure ni dans la conscience intime. On fit d'abord quelques chansons de croisade, ou des chansons politiques : mais bientôt nos trouvères se réduisirent à l'amour, entendons à l'idée de l'amour et aux délicates déductions de cette idée. Toutes leurs dames sont pareilles : ou plutôt c'est la même dame qu'ils célèbrent, « la bien faite au vis clair », la définition de la dame parfaite en beauté, sens et vertu. Toutes leurs passions sont pareilles : ou plutôt ils se servent tous sans passion de la même formule de la passion.

Ils ont beaucoup d'art, et n'ont même que de l'art : on n'oserait dire que ce sont vraiment des artistes. Ils ont une notion insuffisante, erronée même, de l'art et de la beauté. Ils font consister l'art et la beauté dans la difficulté et dans la rareté : ils font de la poésie un exercice intellectuel. Leurs *chansons*, *saluts d'amour*, *tensons* et *jeux-partis* [1], qui sont les genres qu'ils empruntent aux

---

1. Les *chansons* sont composées de 5, 6 ou 7 strophes *triparties* (2 + 2 + 1, 2 + 2 + 2, 2 + 2 + 3) ; cette tripartition étant marquée souvent par la répétition des rimes

Provençaux, sont des formes compliquées qu'il faut analyser pour
es admirer : leurs rythmes subtils, toujours différents, laborieusement renouvelés dans chaque pièce [1], sont parfois expressifs,
mais le plus souvent ils sollicitent la réflexion à les décomposer,
plus intelligibles que sensibles, ils appellent le jugement de
l'homme de métier, échappant au sens populaire ou le déconcertant. On ne saurait faire abstraction de l'opération intellectuelle,
qui les a formés : c'est à elle que va l'estime ou l'admiration.

Nul sentiment aussi et nul amour de la nature : point de vision
ni d'expression pittoresque des formes sensibles. Au début, des
variations souvent banales, parfois gracieuses sur le joli mois de
mai et les oisillons qui s'égaient au renouveau : quelques métaphores ou comparaisons peu neuves, point personnelles, et qui
servent à tout le monde. C'est tout, et ce tout ne dure guère. A
partir de Gace Brûlé, l'image est comme pourchassée, exclue,
excommuniée : le concept intellectuel, abstrait, règne seul et souverain. L'invention subtile, l'agencement ingénieux, le raisonnement serré, l'esprit fin ou piquant, voilà ce qu'on estime et ce
dont se piquent nos trouvères. Dès Conon de Béthune, le tour dialectique et oratoire est sensible [2]. Gace Brûlé, le Châtelain de Coucy,
Thibaut de Navarre, dissertent, analysent; ils font des discours
ou des causeries. Ils sont remarquables de netteté sèche et spirituelle. Évidemment, ils ne sont pas poètes, ils n'ont pas l'âme
lyrique, et les facultés discursives prédominent en eux. Leur
affaire est de jouer avec des idées : jeu bien français.

dans deux ou trois strophes successives. La tripartition existe aussi dans la strophe :
les vers se répartissent en trois groupes dont les deux premiers se font pendants. —
Le *Salut d'amour* est « une épître dont la forme est variable et qui se présente même
souvent en vers octosyllabiques rimant deux à deux » (G. Paris). — La *tenson*, peu
employée par les trouvères, est un débat où deux poètes composent alternativement
chacun une strophe. Parfois le poète se donne pour adversaire un personnage fictif et
allégorique. — Le *jeu-parti* est un débat aussi, où le premier poète offre à son confrère deux opinions contradictoires à choisir, et soutient celle dont l'autre n'a pas
voulu : la décision est laissée à un ou deux arbitres nommés dans l'envoi. Cf. A.
Langfors, A. Jeanroy et L. Brandin, *Recueil général des Jeux-Partis fr.*, 1926.

1. Ils ne doivent même pas se répéter eux-mêmes.

2. Je n'en veux pour preuve que la fameuse Chanson de croisade : « Ah! amour,
bien dure départie — Me conviendra faire de la meilleure — Qui onques fut aimée ni
servie! » M. Jeanroy trouve la pièce brûlante. Le début a du sentiment, j'en conviens
mais la suite est un discours moral, à la mode de nos *odes* classiques. Qu'on en juge :

> Pour lui m'en vais soupirant en Syrie,
> Car je ne dois trahir mon Créateur :
> Qui lui faudra en si pressant besoin,
> Sachez que Dieu lui faudra en plus grand
> Et sachent bien les grands et les petits,
> Que là doit-on faire chevalerie,
> Où l'on conquiert honneur et paradis,
> Et prix et los, et l'amour de s'amie.

Aussi trouvent-ils sans peine — à la suite, du reste, de leurs maîtres — ce qu'on appellera par la suite pétrarquisme ou préciosité. Cela résulte naturellement de l'application de leur réflexion à leur conception de l'amour. De là aussi l'emploi qu'ils font de l'allégorie : ayant éliminé toutes les réalités de leur poésie, ils font de leurs concepts des réalités, et leur attribuent toutes les formes, qualités et propriétés des choses concrètes. Ils résolvent ainsi à leur façon, par leur rhétorique, le grand problème que la philosophie scolastique avait posé : entre les réalistes et les nominalistes, dont ils ignoraient sans doute les débats, ils se déclaraient spontanément réalistes. La nécessité à laquelle la poésie ne peut se soustraire d'être forme et mouvement, projette dans le désert de cette poésie où ni la nature ni la vie ne pénètrent, tout un peuple d'abstractions qui ont charge d'imiter les formes de la nature et le mouvement de la vie : Prix, Soulas, Franchise, Merci, Doux Semblant, Orgueil, viennent s'ébattre et combattre sur le terrain où jadis les Catulle et les Properce se montraient eux-mêmes, jetant les cris de leurs âmes blessées, et montraient leurs Lesbia et leurs Cintia, non des idées de femmes, mais de vrais cœurs et de vrais tempéraments de femmes.

Dans le lyrisme savant, en résumé, rien n'est populaire, ni fond ni forme; par le raffinement des pensées, par l'artifice des vers, ces œuvres procèdent d'une essentielle aversion pour le vulgaire naturel; au bon sens, elles substituent l'esprit, et se proposent le plaisir d'une élite d'initiés, non l'universelle intelligibilité.

LIVRE II

LITTÉRATURE BOURGEOISE

CHAPITRE I

ROMAN DE RENART ET FABLIAUX

Ancienneté de la littérature bourgeoise. — 1. Les poèmes de *Renart*; leurs origines possibles et leur formation. Délicatesse de certaines branches, plus expressives que satiriques. La satire et la parodie dans les romans de *Renart*. La ruse, ou l'esprit, en face de la force. — 2. Les *Fabliaux*. Leur origine; leur date. Esprit des fabliaux : intention comique. Naissance de la littérature psychologique : les fabliaux de Gautier le Long. Décadence et disparition du genre.

Tout ce que nous avons étudié jusqu'ici, les chansons de geste, les romans gréco-romains, byzantins ou bretons, la poésie lyrique, l'histoire même, est au moins par essence et par destination une littérature aristocratique : c'est aux mœurs, aux sentiments, aux aspirations des hautes parties de la société féodale que répondent les œuvres maîtresses et caractéristiques de ces divers genres. Voici que maintenant paraît une littérature bourgeoise : non moins ancienne en sa matière, et parfois plus ancienne, que la littérature aristocratique; elle prend forme plus tardivement, parce qu'il fallait que la bourgeoisie prît de l'importance et s'enrichît, pour que les trouvères trouvassent honneur et profit à rimer les contes qui la divertissaient. Il fallait aussi que l'esprit héroïque s'affaiblît dans la classe aristocratique, pour que, en se proposant de plaire à ceux-ci, on ne fût pas obligé de renoncer expressément à réussir auprès de ceux-là. D'autant que, par un effet de la nature même des choses, les sentiments et l'idéal bourgeois ne pouvaient qu'être et paraître une perpétuelle dérision de l'es-

prit aristocratique. Au reste, comme les bourgeois se faisaient
dire aussi par les jongleurs des chansons de geste, la noblesse,
les hommes du moins, se divertissait des triviales ou burlesques
aventures qui avaient été rédigées pour l'amusement des bourgeois.
De là vient que les mêmes poètes n'étaient point embarrassés
pour rimer de la même plume les défaites des infidèles et les
accidents des ménages : le Picard Jean Bodel, dont on a la *Chanson des Saxons*, est (selon une hypothèse fort plausible) l'auteur
d'une dizaine de contes vulgaires ou obscènes qui nous sont
parvenus ; toute proportion gardée, c'est comme si Corneille s'était
délassé du *Cid* par les *Rémois* ou le *Berceau*.

   La littérature bourgeoise, en sa forme narrative, se présente à
nous sous deux espèces : le *Roman de Renart*, et les *Fabliaux*.

   Il faut d'abord en établir la situation chronologique, autant du
moins qu'on le peut faire dans un exposé si sommaire, et dans ce
moyen âge qui, ne laissant jamais reposer aucune œuvre dans la
forme imposée par le poète, les reprend toutes et les remanie
incessamment pendant trois siècles ou quatre. Mais à prendre les
choses en gros, je dirai que le xie siècle appartient à l'épopée. Dès
le xiie, la poésie aristocratique devient une chose de plaisir et de
luxe : c'est l'âge des romans antiques et bretons. Cependant l'esprit bourgeois, qu'on voyait poindre dès les temps épiques dans les
gabs du *Pèlerinage de Charlemagne*, commence à se faire sentir par
des contes ironiques ou plaisants, par des fabliaux, et par quelques branches de *Renart* : il s'épanouit au xiiie par la prodigieuse
fécondité de ces deux genres, tandis que se déploie la noble et
fine galanterie de la poésie lyrique de cour. Mais combien maigre,
combien artificiel est ce lyrisme, auprès de la robuste et copieuse
spontanéité du prosaïsme bourgeois ! On le sent vraiment : le
premier n'est qu'une littérature d'exception, tandis que le second
(faut-il s'en féliciter ?) sort du plus intime fond de la race, et en
représente les plus générales qualités.

1. LE ROMAN DE RENART.

   Ce qu'on appelle le roman de *Renart* [1] est une collection assez
disparate de narrations versifiées qui, sans suite ni lien, se rapportent à un principal héros, Renart le *goupil*, dont l'identité personnelle fait la seule unité du poème. Autour de Renart appa-

   1. **Éditions :** E. Martin, 1882-87 ; *Première Branche*, par M. Roques, 1948. — A
consulter : Sainte-Beuve, *Lundis*, VIII ; Lénient, *Satire en Fr. au M. A.* 1866 ;
Sudre, *Les Sources du Roman de Renart*, 1887 ; *Roman de Renart*, 1914.

raissent Noble le lion, Ysengrin le loup, Brun l'ours, Tibert le chat,
Tiercelin le corbeau, et combien d'autres, jusqu'à Tardif le limaçon
et Frobert le grillon! C'est tout un monde, organisé sur le modèle
de la société humaine. La famille y est constituée aussi fortement
que chez nous : tous ces barons sont mariés canoniquement; Ysengrin a pour femme Hersent, Renart Ermeline; Madame Fière la
lionne figure aux côtés de Noble le lion, roi, comme il est juste,
de la féodalité animale. Ainsi chaque espèce est fortement individualisée; à l'abstraite et vague idée qu'évoque le nom commun
de l'espèce, le nom propre, personnel, substitue l'image précise
d'une physionomie et d'un tempérament uniques. Ce n'est plus le
lion, ni le loup, ni le *goupil*, l'*animal en soi*, résidu incolore de
multiples sensations qui se sont compensées et neutralisées en se
superposant : c'est Noble, c'est Ysengrin, c'est Renart, des individus, des héros d'épopée, aussi réels, aussi vivants que les Roland
et les Guillaume. D'un seul côté, ils sont moins vivants : car ils ne
meurent pas, et rien n'est vraiment vivant que ce qui meurt. Par
ce bénéfice d'immortalité qui les distingue de leurs congénères
anonymes dont le poème a besoin quelquefois, tous les animaux
que leurs noms individualisent redeviennent des types, et figurent
la permanence indéfinie de l'espèce.

De quels éléments s'est formé le roman de *Renart*? d'où en vient
la matière? et qui d'abord lui donna forme? Ce sont questions
fort disputées; mais pour nous en tenir aux faits principaux et
acquis, il suffira de dire que le roman de *Renart* est d'origine
essentiellement traditionnelle : et les traditions dont il est sorti
sont tantôt savantes et tantôt, le plus souvent, populaires. On conçoit, par le titre même de l'ouvrage, quel rapport en unit le sujet
à celui des *Fables* qui de l'antiquité gréco-latine furent transmises
en si grand nombre au moyen âge. Ces *Fables*, conservées dans
des recueils latins qu'on traduisit ensuite en français (comme fit
Marie de France dans son *Ysopet*), furent très goûtées des clercs à
qui elles inspirèrent toute une littérature, allégorique, satirique
et morale. Une seule branche de *Renart* est provenue directement
de ce fonds classique et clérical, qui pourtant n'a pas laissé
d'exercer une réelle influence sur la formation de certaines parties du roman. Car nombre de ces apologues, émanant des écoles,
finirent par former une sorte de tradition savante, où puisaient
librement les conteurs sans faire à proprement parler œuvre de
traducteurs. Mais ils prenaient surtout leur matière à la tradition
orale du peuple, et c'est de là que vient la meilleure partie
des poèmes de Renart. C'étaient des contes, sans prétention et
sans intention autre que d'amuser, qui racontaient les actions,
les luttes, les méfaits et les malheurs des animaux : de ces contes.

dont les premiers éléments remontaient aux plus lointaines origines des peuples européens, les uns venaient de l'Orient, comme ceux où figure le lion; d'autres venaient du Nord, comme ceux dont l'ours était (avant le loup) le primitif héros. Depuis des siècles, ils vivaient dans la mémoire du peuple, et comme ils préexistaient aux formes littéraires qui en ont fixé ou transformé un certain nombre dans les poèmes de *Renart*, ils se sont transmis jusqu'à nos jours par la même tradition orale dans beaucoup de pays. Les folkloristes ont retrouvé chez les Finnois et dans la Petite-Russie de ces aventures comiques du loup et du renard, qui divertissaient nos vilains du XIIe siècle.

Quand eut-on, et qui eut l'idée géniale, épique, d'ajouter au nom de l'espèce un nom propre qui fît surgir l'individu du type? Il faut se résoudre à l'ignorer. Toujours est-il que, dans la France du Nord, en pays champenois, picard et vallon, vers le milieu du XIIe siècle, les *gestes* de *Renart le goupil* étaient devenus assez populaires pour qu'un clerc flamand fît une compilation de ces récits en vers latins, l'*Ysengrimus*. Puis, vers 1180, un poète allemand, Henri le Glichezare, faisait de l'histoire de *Renart* un poème suivi, qui semble attester que les récits français tendaient déjà à se grouper dans un certain ordre. Pendant la fin du XIIe siècle, et une partie du XIIIe, l'épopée de *Renart* fut remaniée, amplifiée, améliorée, gâtée par une foule de poètes, dont beaucoup étaient des clercs. Les « branches » s'ajoutèrent aux « branches », sans que jamais une refonte générale en fît un tout bien lié, un poème unique et d'une sensible unité : ce qu'on ne saurait au reste regretter. Si la branche II, *Renart et Chantecler*, est peut-être le plus ancien morceau de la collection qui nous est parvenue, le *Jugement de Renart* en est le principal et le plus fameux épisode : il eut un immense succès, et fournit le thème essentiel des imitations étrangères du roman, depuis le *Reineke Vos* flamand jusqu'au poème bien connu de Gœthe.

Rien de plus hétérogène et de plus inégal que les vingt-sept branches de *Renart* que nous possédons. On y trouve tous les dialectes, depuis le pur picard jusqu'à je ne sais quel jargon italianisé, toutes les sortes de tons et d'esprits comme tous les degrés du talent.

Cette inégalité apparaît d'abord dans le maniement de ce qu'on pourrait appeler l'*intrinsèque irréalité* du sujet. La société d'animaux qu'on nous présente est, par hypothèse, tout idéale et toute fantaisiste : elle combine des actions et des formes propres à l'homme avec des actions et des formes propres aux bêtes. C'est ainsi qu'à la cour du roi Noble, toutes les espèces vivent en paix : je veux dire qu'entre les animaux titrés de noms propres qui y

sont assemblés, ne peuvent exister que des luttes féodales. Ce
sont des motifs humains, non leurs instincts d'animaux, qui les
rapprochent ou les brouillent. Ainsi Ysengrin le loup ne songe
nulle part à manger Belin le mouton, mais il se nourrit de tous
les congénères de dom Belin qu'il peut saisir dans les champs et
dans les parcs. Ainsi Bruyant le taureau et Brichemer le cerf
jouissent de toute la confiance de Noble le lion, qui jamais ne
jettera sur eux sa royale griffe. Renart seul fait exception, l'impudent personnage, et c'est bien son appétit glouton qui en fait
l'éternel ennemi de Chantecler le coq, de Pinte la poule, et de toute
leur noble parenté, comme de la gent vulgaire qui picore sur le
fumier des vilains.

Quelle que soit la fantaisie qui se joue dans l'invention de cette
société d'animaux, et quand elle n'aurait été créée que pour fournir
un divertissement sans fatigue et sans amertume par le spectacle
d'une agitation sans conséquence et sans gravité, il n'en serait pas
moins vrai que le monde où luttent Renart et Ysengrin s'est organisé à la ressemblance de celui que connaissaient narrateurs et
auditeurs. Et le charme de ces romans de *Renart*, comme celui
des *Fables* de La Fontaine, consiste dans l'application aisée que
l'esprit fait constamment à la vie humaine de ce qui se passe
chez les bêtes. Mais on conçoit quelle délicatesse de goût, quelle
légèreté de touche il faudrait pour ne point dépasser la mesure
sous prétexte de rendre la peinture plus comique ou plus maligne
par la précision des ressemblances.

Cette connaissance du juste point où il faut aller, c'est la moitié
du génie de La Fontaine, et c'est ce qui fait de certaines « branches » de *Renart* des choses exquises. Rien surtout ne saurait
donner du poème une idée plus favorable que le morceau qui se
trouve, du reste très illogiquement, l'ouvrir : le *Jugement de Renart*
est vraiment un chef-d'œuvre, à quelques grossièretés près, et
telle de ses parties, comme l'arrivée de dame Pinte demandant
justice de Renart pour la mort de Copée, donne la sensation de
quelque chose d'achevé, d'absolu, d'une œuvre où la puissance,
l'idée de l'écrivain se sont réalisées en perfection. Ce ne sont guère
que deux cents vers : mais, comme dira Boileau, cela vaut de longs
poèmes, et l'on donnerait pour ces deux cents vers-là bien des
Enfances Garin et des *Huon de Bordeaux*. C'est plaisir d'entendre
si justement noter la plainte de dame Pinte la poule, dont cinq
frères et quatre sœurs ont passé sous la dent de Renart : même
pour cette fois il émane de l'expression tout objective comme une
tiède sympathie qui enveloppe, adoucit, allège l'ironie. Puis le
récit court, léger, malicieux, aimable, jetant sur chaque objet une
vive lueur, sans jamais s'arrêter ni insister : la pâmoison de dame

Pinte, le rugissement du roi justicier, dont messire Couart le lièvre
prend la lièvre, le service funèbre de dame Copée, et les miracles
qui se font sur sa tombe, la guérison de messire Couart, Ysengrin
faisant mine de se coucher sur la pierre du sépulcre, et se disant
guéri d'un prétendu mal d'oreille, pour empirer l'affaire de Renart,
meurtrier de la sainte miraculeuse. Voici dans tout ce petit drame
une grande chose qui apparaît et qui sera l'une des qualités émi-
nentes, peut-être la plus incontestable supériorité de notre génie et
de notre littérature. Je veux dire *la mesure* : la délicatesse et la
sobriété dans la plaisanterie, l'art de conter, et de faire avec rien
une œuvre exquise.

Il s'en faut que les autres « branches » du roman aient la valeur
de ces deux cents vers : cependant on en pourrait citer encore
d'agréables et d'amusantes. Comment Tibert le chat mangea l'andouille à la barbe de Renart, sans lui en faire part, et comment
deux prêtres se disputèrent la fourrure de Tibert qui ne se laissa
pas prendre ; comment Renart prit Chantecler le coq, et comment
Chantecler échappa des dents qui le tenaient ; comment Renart
eut le fromage que Tiecelin le corbeau avait dérobé à une bonne
femme, et voulut avoir Tiecelin lui-même, etc. : toutes ces
aventures, et d'autres encore, méritent d'être lues. C'est toujours
la même absence, si complète qu'elle en devient étrange, du sentiment de la nature, en faisant de toute la nature, des bois, des prés,
des eaux, la scène multiple et changeante du drame. Mais c'est
aussi la même vivacité de récit, la même aisance de dialogue, le
même art de railler, et la même ironie qui circule à travers le
roman, pétille et déborde comme une mousse légère.

Les défauts cependant s'accroissent ; et sans parler des obscénités,
je ne retrouve plus, dans les morceaux que j'ai cités, ni dans le
reste du roman, l'exquise mesure qui fait la valeur de l'épisode de
Pinte et de Copée. Toute la vivacité de la narration ne l'empêche
point d'être prolixe : chaque chose est rapidement, légèrement
dite, mais il y a trop de choses, et trop d'inutiles ou d'insignifiantes. De même le dialogue est juste, facile, vivant : il se poursuit trop sans autre but que lui-même, et tourne au jacassement
vide.

Mais surtout la mesure manque dans l'assimilation des animaux
aux hommes. Bien peu de récits échappent à l'incohérence et à
l'absurdité. Jusque dans le *Jugement*, nous voyons *chevaucher* les
messagers de Noble, l'ours, le chat, le blaireau, et Renart fortifier
son donjon : c'est bien pis dans les autres branches. Ici Renart et
Ysengrin s'*arment* pour le duel féodal ; là Brichemer le cerf revêt
le haubert et porte l'écu au bras : ce qui ne l'empêche pas d'être
chassé par les chiens comme un simple cerf, et pour surcroît

'étrangeté, il échappe aux chiens par la vitesse de son cheval
qu'il éperonne. Ailleurs Ysengrin joue aux échecs avec Renart : et
s jouent de l'argent! Ailleurs messire Couart le lièvre porte un
dain dans ses bras, et l'amène à la cour du roi. De telles absurdités, évidemment, détruisent le sujet, et supposent une absolue
méconnaissance des conditions esthétiques selon lesquelles, par
la constitution même, il peut être traité.

Elles nous avertissent aussi que, de bonne heure, plus ou moins
consciemment, la parodie a pris le dessus dans le roman de
Renart. Et de fait, assez insignifiant, quoi qu'on en ait dit, comme
peinture des mœurs du xiiie siècle, et, sauf sur un point qui sera
indiqué plus loin, ne nous révélant rien qui ne soit plus fortement
ou plus exactement exprimé ailleurs, le *Roman de Renart* est d'un
bout à l'autre la plus folle des mascarades et la plus irrévérencieuse
des parodies. Œuvre bourgeoise, on devine ce que lui fournira la
matière de la parodie : la noblesse et l'Église. Tout ce qui est par
essence ou par accident aristocratique ou ecclésiastique, sera travesti sans scrupule et bafoué sans réserve. La littérature des hauts
barons, d'abord : voici tous les thèmes et tous les lieux communs
de l'épopée; nous les reconnaissons au passage : voici la cour du
roi, la guerre féodale naissant d'une partie d'échecs, où quelque
preux se querelle avec le fils de l'empereur, le baron pauvre et
mourant de faim dans son château, et tenant conseil avec ses fils;
voici les messagers qui vont et viennent entre les adversaires, au
grand péril de leurs membres et de leur vie; voici les formalités
des procès en cour du roi, et du duel judiciaire. Voici le *moniage*
de Renart, dont les pacifiques hommes de Dieu ne tireront guère
plus de satisfaction que de Rainoart *au tinel*. Voici les sentiments
d'orgueil féodal, la confiance du baron en ses fortes murailles,
derrière lesquelles il défie, pourvu qu'il ait des vivres, le roi et le
royaume entier, assuré de tenir jusqu'au jour du jugement. Qui
n'a lu tout cela vingt fois dans les chansons de geste?

Et n'est-ce pas aussi une parodie perpétuelle de la littérature
chevaleresque, que ces *aventures* multiples, d'où Renart sort le
plus souvent repu et glorieux, où les autres laissent à l'ordinaire
une patte, un bout de leur queue, ou la peau de leur mufle? C'est
la faim, je le sais, la gloutonnerie qui les poussent hors de chez
eux : il y a pourtant aussi, au moins chez quelques-uns, chez
Renart, chez Ysengrin, chez Tibert, une inquiétude d'humeur, un
besoin de courir fortune, de chercher le péril, qui est en quelque
façon une transposition de l'idéal chevaleresque. Il n'y a rien non
plus dans les mœurs réelles de l'aristocratie féodale, dans ses
habitudes extérieures, dans ses façons de penser et d'agir, qui
ne soit livré à la dérision. Voici notamment les seigneurs qui vont

à la croisade : l'enthousiasme qui animait les compagnons d
Godefroy de Bouillon s'est bien amorti ; que de chevaliers, comm
Renart avec Belin le mouton et Bernart l'âne, prennent la croi
pour faire pénitence ! Et lorsqu'ils ont à peine perdu de vue le
créneaux de leur donjon ou le clocher de leur ville, pour pe
qu'ils aient exterminé les provisions de quelques bonnes gens qu
parfois en font la grimace, ils s'en reviennent comme s'ils avaien
fait grand exploit et sauvé la chrétienté, criant *outrée* de tou
leurs poumons !

L'Église n'est pas plus ménagée, ni la religion : Bernart l'ân
est archiprêtre ; Primaut le loup, ivre du vin que Renart lui a fai
boire, revêt l'étole, *sonne les saints,* et chante l'office à tue-têt
devant l'autel ; Rosnel le mâtin *joue* le corps saint sur lequel o
doit jurer, et machine un miracle, en promettant de ressuscite
au bon moment pour happer le parjure. Et voici tout le servic
funèbre de Renart (qui du reste n'est pas mort) : d'abord o
chante auprès du corps les leçons, répons et versets des vigile
des morts ; puis le lendemain on *sonne les sains,* on porte le corp
à l'église, on le dépose devant l'autel, et l'office commence
Bernart l'archiprêtre, « un peu avant l'évangile », fait l'oraiso
funèbre de Renart, qui commence, ainsi qu'il sied, par une grav
méditation de la mort, et se termine en ordurière polissonnerie
Après quoi, l'épître, l'évangile « secundum le goupil Renart », e
sire Bernart achève de chanter la messe. Ailleurs, dans un conse
que tient le roi Noble, sur la façon de conduire le procès d
Renart, Musart le chameau, légat du pape, prend la parole :
faut entendre cette éloquence de canoniste et de lettré, cet in
croyable jargon fait d'italien, de latin, de français burlesquemen
amalgamés, et dont le sens fort impudent est qu'il faudra mettr
Renart hors de cour s'il sait donner à temps « universe sa pé
cune ».

Mais à qui les rédacteurs de *Renart* n'ont-ils pas donné so
compte ? Il n'est pas jusqu'au harpeur breton, dont le baragoui
demi-anglais demi-français ne soit plaisamment contrefait.

Au reste, jongleur ou légat, prêtre ou baron, notre roman n'e
veut à personne, s'il se moque de tout le monde. La gaieté seul
une inoffensive gaieté inspire cette satire universelle : on n'y sen
ni âpreté ni révolte, ni surtout rien qui ressemble à l'espr
démocratique. Même s'il est une classe qui soit plus duremen
raillée, et méprisée du plus profond de l'âme, ce sont les vilains
une marque encore du caractère bourgeois de l'œuvre.

Évidemment la satire est l'âme du roman de *Renart* : trè
anciennement, puisque la plus ancienne branche, le *Pèlerinage d
Renart,* est sans valeur et sans signification même à tout autr

gard, très anciennement l'histoire des animaux n'a apparu aux narrateurs et aux auditeurs que comme un moyen de dauber le prochain, le baron, le curé, le vilain, la femme : mais c'est un caractère vraiment remarquable que la bonne humeur de cette inextinguible malice. Le railleur n'en veut pas aux raillés, et ce n'est pas si fréquent qu'on pourrait croire. Il ne veut que rire et faire rire. Il n'a pas le sens du respect, il voit trop au naturel les hommes en qui se réalisent les idées respectables.

D'intention, il n'en a pas, outre celle de prendre et de donner un plaisir. Si pourtant il en avait une, ou plutôt si, de la façon dont il conte les choses, on voulait induire ce qu'il y considère avec le plus de complaisance, on trouverait que la joie de voir et de faire triompher l'esprit anime toutes les parties de l'ouvrage. L'esprit sous toutes ses formes, dans tous ses emplois, industrie, adresse, ruse, mensonge, charlatanisme. hypocrisie, sophisme, que sais-je encore? l'esprit des grandes intrigues et l'esprit des sottes *brimades*, l'esprit du *Prince* de Machiavel et celui des clercs de Balzac, l'esprit plus fort que la force, voilà le spectacle qui se déploie dans le *Roman de Renart* : voilà sur quoi l'on arrête et l'on ramène toujours nos regards. Voilà ce qui obtient toute la sympathie des conteurs, et qui prétend obtenir la nôtre.

Renart, le héros de toute l'œuvre, ce génie malfaisant, est glorifié en somme parce qu'il sait éluder les conséquences de ses méfaits. Le personnage ne nous est pas inconnu : sous sa rousse fourrure, nous n'avons pas de peine à ressaisir une physionomie que la geste des *Lorrains* nous a rendue familière : ce Bernart de Naisil toujours acharné à semer la discorde, et prêt à pêcher en eau trouble, perfide, subtil, insaisissable, et retombant sur ses pieds où tout autre se fût rompu les reins, c'est Renart ou son frère jumeau. Mais dans l'épopée, l'admiration, la sympathie vont à la force loyale, à Garin, à Bégue. Ici, au contraire, on maudit le traître du bout des lèvres, comme de faibles parents cachent mal sous des mots sévères le ravissement où le jette la précoce malignité d'un garnement d'enfant.

La marque sensible de la sympathie qu'inspire Renart à ses biographes, c'est qu'ils n'ont pas su donner de véritable et profonde indignation aux victimes mêmes de ses méfaits. On se plaint, parce qu'on a pâti : c'est un moyen de reprendre l'avantage. Au fond, on ne s'étonne pas des méchants tours de Renart : il est naturel qu'il se serve de l'esprit que la nature lui a fait. Aussi voyez les rapports de Renart et d'Ysengrin ou de Primaut (les deux frères, ou plutôt le même type sous deux noms) : avant de se nuire l'un à l'autre, ils s'accordent pour nuire à autrui. Quand les deux compères, maintes fois, se mettent en route ensemble

pour chercher fortune, c'est-à-dire une dupe et une proie, il me
semble voir Robert Macaire avec Bertrand : le bandit rusé s'amuse
aux dépens du bandit naïf, et c'est une tentation trop forte pour
lui que celle de mal faire, fût-ce à son associé, surtout à lui : car
la confiance légitime de la dupe, la trahison de l'amitié ou de la
foi jurée, ce sont ragoûts délicats pour un raffiné trompeur.

Renart au reste n'est pas le seul trompeur : il n'est que le plus
fort. Mais tous les autres, ses victimes et ses ennemis, tous sont
trompeurs, au moins d'intention. Ce lourdaud d'Ysengrin fait ce
qu'il peut, et ce n'est pas sa faute s'il est réduit à la colère brutale
et à la force ouverte. Plus habile et plus heureux est Tibert le chat
le vif et leste compagnon qu'on nous peint si joliment, quand il

> Se va jouant avec sa queue
> Et faisant grands sauts autour d'elle.

Ce dégoûté, qui ne pourrait manger d'une andouille mâchonnée
par Renart, est un maître fourbe : avec sa mine doucereuse et sa
pateline éloquence, c'est le seul qui soit de force à lutter contre
Renart, et rien n'est plus drôle que de le voir manger tout seul
l'andouille sur la branche de la croix où il a grimpé, en adressant
à son compère qui le regarde d'en bas le plus impertinent per
siflage. Mais ils ne s'en veulent pas : ils jouent un jeu, où l'un
perd et l'autre gagne, et celui qui perd, honteux ou furieux
songe à prendre sa revanche plutôt qu'à venger la morale.

Il n'est pas jusqu'à Chantecler le coq qui ne lutte à l'occasion de
renardie avec Renart : que l'épisode presque pathétique de dame
Copée ne nous fasse pas illusion. Et la petite mésange elle-même
se donne le malin plaisir de « faire la barbe » à maître Renart, en
jouant au plus fin avec lui. L'applaudissement va toujours au
« trompeur et demi » qui trompe le trompeur : et quand Renart
cuidant engeigner autrui est lui-même *engeigné*, il ne garde que le
prestige de sa vieille réputation et l'honneur d'avoir eu la première
idée d'une fourberie.

Il y a ainsi dans la conception première du *Roman de Renart*
dans celle de l'action et des personnages, une immoralité foncière
qui n'a fait que s'épanouir et s'aggraver à mesure que les branches
s'ajoutaient aux branches. L'ouvrage est devenu ainsi de jour en
jour davantage quelque chose de plus que l'épopée de Renart
l'apothéose de *renardie* : et *renardie*, c'est l'esprit au service de
l'égoïsme, c'est pis encore, c'est l'esprit faisant de la « malfai-
sance » un art, et se faisant gloire de n'être jamais court
d'invention pour procurer le mal d'autrui. *Renart* annonce et pré
pare *Patelin*.

Est-il besoin de dire que, selon cette conception, la seule excuse ∍ la victime est d'être aussi peu honnête que le vainqueur? On t de la dupe, à moins qu'elle ne soit bien digne d'être fripon. honnêteté, la loyauté, la candeur : sottises. Aussi devine-t-on ∍mbien, en sa substance, l'œuvre sera dure; combien il y aura ⊇u de tendresse, de sympathie, d'humanité, dans cette ironie, et uelle brutalité fera le fond de cette gaieté si légèrement aimable. st-ce donc une nécessité de notre tempérament, que nous riions ⊇s faibles et méprisions les humbles? Mais cette question, qu'on ⊃urrait poser chez nous presque à chaque siècle et pour chaque ⊇riode du développement de la littérature d'imagination, va se ∍présenter à nous plus impérieusement encore à l'occasion des ⊐abliaux.

2. LES FABLIAUX.

Les *Fabliaux* [1] sont des contes plaisants en vers dont les sujets ⊃nt en général tirés de la vie commune et *physiquement*, sinon *⍵oralement* et *psychologiquement*, vraisemblables.

D'où venaient ces contes? La question a été fort discutée. Il arrive ⊃uvent que le *costume* y est seul moderne, et que l'aventure vient ∍ loin, de bien loin dans l'espace et la durée. Un premier fond st fourni par la tradition orale qui s'est perpétuée depuis la plus ⍳aute antiquité, vivant et circulant sous la littérature artiste des ⍼recs et des Romains, y pénétrant parfois et y laissant quelque ⍳épôt : comme certains sujets de la Comédie nouvelle, ou ce conte cabreux, qui bien des siècles avant de se fixer chez nous dans un ⊐abliau, fournit à Pétrone sa *Matrone d'Ephèse*. Mais on a soutenu — théorie à laquelle M. G. Paris a donné l'appui de son autorité — on a soutenu que nombre de récits dont s'égayaient nos pères ⍺vaient une origine plus lointaine et plus singulière : ils seraient ∍enus de l'Inde, et par toute sorte d'intermédiaires, portés de leur ⊃atrie bouddhique dans le monde musulman, de là dans l'Occident ⍳hrétien, ils se seraient infiltrés jusque dans nos communes picardes ∍t françaises, déversant dans le large courant de la tradition popu-aire un torrent d'obscénités et de gravelures. Car, en passant des ⊃ords du Gange aux rives de la Marne ou de la Somme, ils per-⍼aient leur sens religieux, leur haute et ascétique moralité; les

1. Édition : *Recueil général et complet des Fabliaux des* xiiiᵉ *et* xivᵉ *s.*, par A. de Montaiglon et G. Raynaud, 6 vol. Paris, 1872-1890. — **A consulter :** G. Paris, *Les Contes orientaux dans la littérature française du moyen âge*, Paris 1877; J. Bédier, *les Fabliaux*, Paris, 1893; Brunetière, *Et. crit.*, VI, 1898.

peintures vengeresses et salutaires des tours malicieux de l'éternelle ennemie, de la femme, piège attrayant de perdition, devinrent dans la bouche de nos très positifs bourgeois une licencieuse
dérision de leurs joyeuses commères et de la vie conjugale. À
peine quelque trace de l'instruction primitive aurait-elle subsisté
parfois, comme dans ce *Lai d'Aristote*, où le maître de toute
science, à quatre pattes, selle au dos, bride aux dents, porte la
belle Indienne qu'il avait blâmé Alexandre de trop aimer, et donne
l'ironique leçon de la sagesse vaincue par une blonde tresse, un
sourire et une chanson.

Il faut restreindre le système de l'origine orientale des *fabliaux*
jusqu'à lui enlever forme de système. Il résulte des études récentes
de M. Bédier que les auteurs de *fabliaux* n'ont point mis à contribution les recueils de contes d'origine certainement orientale
tels que la *Discipline de Clergie* ou le *Directorium humanæ vitæ*; que
dans les sujets communs à l'Occident et à l'Orient il n'est pas
toujours certain que la rédaction orientale — la plus anciennement
écrite — soit la source réelle et primitive des versions occidentales,
que la tradition orale où puisaient nos conteurs renfermait des
contes de toute provenance, où l'Inde a pu apporter son contingent, mais autant et pas plus que n'importe quel autre pays [1]
enfin que la plupart des sujets de fabliaux ont pu naître n'importe
où, étant formés d'éléments humains et généraux, et ne portant
aucune marque d'origine. Il y en eut même certainement qui naquirent en France, et n'ont pu naître que là, utilisant tantôt des
aventures réelles, tantôt et surtout des particularités locales de
mœurs et de langue.

Ce fut au XIIe siècle que de la tradition orale toutes ces histoires commencèrent à passer dans la littérature : elles furent
rimées en petits vers de huit syllabes, pour être récitées par les jongleurs. Pendant deux siècles à peu près, le genre fut à la mode, et
cent cinquante fabliaux environ qui nous sont parvenus se distribuent, autant qu'on peut les dater, à travers tout le XIIIe siècle et
le premier tiers du XIVe siècle (1159-1340).

Bon nombre sont anonymes; des auteurs qu'on connaît, sauf
Rutebeuf, on ne sait rien que le nom, et souvent le pays d'origine :
ils sont Français, Champenois ou Picards, par aventure Anglo-
Normands ou Flamands. La géographie des *Fabliaux* nous enferme
dans les mêmes régions. Les points extrêmes où nous conduisent
toutes ces aventures de bourgeois et de vilains sont à peu près

---

1. Sur 147 fabliaux qu'il reconnaît, M. Bédier en compte 8 qui se racontaient en
Occident avant les croisades (sur lesquels 6 remontent à l'antiquité gréco-romaine)
et 11 seulement comme ayant eu une existence certaine en Orient.

ecize, Avranches, Anvers et Cologne : mais la scène le plus souvent
t située quelque part entre Orléans, Rouen, Arras et Troyes, en
eine terre française, champenoise et picarde, dans toutes ces
nnes villes et villages où l'homme ne peut ni se passer de la
ciété de son voisin, ni s'abstenir d'en médire, où, tout aux
ucis et aux joies de la vie matérielle, pourvu qu'il ait de bons
us dans sa bourse et de bon vin dans sa cave, l'esprit libre et
langue alerte, il se moque allègrement du reste, qu'il ignore.
est là la terre classique du *Fabliau*, et c'est là qu'en tout temps
urissent les contes salés, propos grivois, impertinentes satires,
ir les maris, les femmes et les curés.

Voilà essentiellement, en effet, le *trio* d'acteurs qui occupe la
ène dans les *fabliaux* : parfois isolés, parfois groupés deux à
ux, le plus souvent réunis dans une intrigue qui les heurte l'un
l'autre. Ici l'on verra le prêtre seul, dans une posture ridicule, où
a mis sa gourmandise quand il a voulu *manger les mûres*; là le
rêtre, avec le vilain ou avec le chevalier, toujours dupé ou volé,
erdant sa vache ou son mouton. Ailleurs prêtre contre prêtre,
qui dupera l'autre : plus avare sera le moine, ou l'évêque, plus
usé le simple curé, investi pour les circonstances du caractère
mpathique. Ailleurs le vilain et sa femme, parfois le chevalier
sa femme : entre eux c'est l'éternelle question, qui portera la
ilotte? et ce sont les poings qui décident. Dans les querelles du mé-
age, le bec ne combat pas seul, et, du reste, ne combat pas moins.
Mais l'histoire typique qui fonde la moitié des *fabliaux*, réunit
s trois acteurs, le vilain, bourgeois ou (rarement) chevalier, le
erc, écolier, sacristain ou curé, la femme, toujours alliée de qui
flatte contre qui lui commande. L'histoire ne serait pas comète, en général, si les coups ne s'en mêlaient. Une fois il arrivera
ie le mari et la femme seront d'accord : l'une se charge de
ler, et l'autre de rosser.

Quelques thèmes plus rares et moins grossiers, au moins exté-
eurement, sont des histoires d'amour, mêlées ou non de mer-
illeux, qui font comme la transition entre les *lais* de Marie de
ance et les *fabliaux* bourgeois. Plus fréquentes sont les farces
provinciaux goguenards, toute espèce de bons tours et d'aven-
res comiques, toute sorte de bons mots, de calembours et de
parties qui ont paru drôles.

A part quelques contes assez décents, comme le *Vilain Mire*, qui
t purement comique, ou la *Housse partie*, qui donne à la fai-
esse des parents une sage instruction, la même qu'on dégagerait
u roi *Lear* ou du *Père Goriot*; à part encore certain exemple de
rtu féminine qui nous est offert dans *la Bourse pleine de sens*,
moralité ou, si ce mot paraît impropre ici, la conception de la

vie qu'impliquent les fabliaux est ce qu'on peut imaginer de plu
grossier, de plus brutal et de plus triste. Il n'y á point de femme
une entre mille peut-être, qui résiste à l'argent, à l'adresse o
à l'occasion : qui se fie à la femme est un niais; qui en est dup
est ridicule; qui la dupe est fort. Fort aussi qui la bat : lise
comment un chevalier mit à la raison sa femme et sa belle-mèr
la comédie de Shakespeare n'est que fadeur auprès [1]. En c
monde, il ne s'agit que d'avoir un esprit subtil — avec de bor
poings, si l'on peut — mais l'esprit, l' « engin », est le principa
Ici, comme dans *Renart*, le monde est aux rusés. De là la com
plaisance avec laquelle on nous détaille les dits et faits des fir
compères, qui vivent d'industrie, et dont l'esprit est le seul capital
jongleurs, arracheurs de dents, voleurs sont toujours ici des per
sonnages sympathiques.

Ainsi, immoralité et fourberie, voilà pour le fond : ajoutez-y l
malpropreté comme forme extérieure, et la cruauté comme resso
de l'action. Le comique est tantôt à faire lever le cœur, et tant
d'une révoltante brutalité. Ce qu'on trouve dans les fabliaux d
membres rompus ou tranchés, de gens noyés ou assommés, n
saurait se compter : un cadavre est une chose joviale; s'il y en
trois ou quatre, c'est irrésistible [2].

On a parfois trop insisté sur la vérité des fabliaux, on y a v
la vivante image de la réalité familière, le miroir de la vie d
peuple au XIIIᵉ siècle. Sans doute, il y a là une certaine véri
extérieure et superficielle; mais quel en est le prix et la saveur
Nous apprenons comment se jouait une partie de dés au XIIIᵉ siècl
de quels cris de joie ou de colère les joueurs saluaient le poi
qu'ils amenaient, et que le perdant jurait par le corps de Dieu c
des saints. Nous y apprenons qu'un marchand qui s'en alla
aux foires chargeait ses marchandises sur des chariots et ava
des garçons pour les conduire. Nous y apprenons que les vilai
suspendaient aux poutres de leurs toits des jambons qu'ils comp
taient manger. Un économiste y verra le prix d'un mouton et
qu'on pouvait avoir au cabaret pour un écu. Mais tout cela e
d'un intérêt ou bien mince, ou bien spécial.

Il y aura pourtant quelque chose pour le moraliste : nous liso
en effet qu'en France au XIIIᵉ siècle il y avait des hommes, d
femmes, des prêtres qui vivaient mal. Mais ce qui nous met e
défiance, précisément, c'est qu'il y en a trop. Il en est des ma
vaises mœurs comme des cadavres : cela ne signifie plus rien,
force d'être commun.

---

1. *Recueil général*, t. VI, p. 95.
2. *Ibid.*, t. I, p. 12.

Vraiment, toutes ces histoires ne sont que fantaisie, et ne représentent exactement qu'une chose : la jovialité française, le tour d'imagination frivole et grossier qui était apte à produire et à goûter ces histoires La vérité des fabliaux est une vérité surtout idéale, comme celle des chansons de geste et des romans bretons : les unes nous montrent le rêve héroïque, les autres le rêve amoureux de nos aïeux, et dans les fabliaux c'est un autre rêve encore, un rêve de vie drolatique et libre, tel que peut le faire un joyeux esprit qui, par convention, élimine pour un moment toute notion de moralité, d'autorité et d'utilité sociale.

Les auteurs de *Fabliaux* n'ont pas songé à peindre les mœurs de leur temps, et leurs œuvres étaient pour nos pères ce qu'ont été pour nous la *Boule* ou le *Chapeau de paille d'Italie*. Mais, comme à nos faiseurs de vaudevilles, il leur est arrivé, en ne visant qu'à faire rire, de crayonner certaines charges assez ressemblantes, et qui amusent par la netteté saisissante du trait. Ils ont su esquisser un vilain, faire parler une commère : surtout, et c'est par là qu'ils ont donné l'illusion de la vérité, ils ont eu le sens des mœurs d'exception et des mœurs ignobles. L'un d'eux nous conte, avec une décision crue de style, la « ribote » de trois commères parisiennes qui, après une longue séance au cabaret, sont ramassées dans le ruisseau, ivres, noires de boue : on les croit mortes, et on les jette au charnier des Innocents où elles se réveillent le lendemain, la face couverte de terre, des vers dans les cheveux [1]. Ce goût pour les mœurs basses et les aventures triviales, avec l'absence ou la vulgarité de l'idéal moral, constitue en majeure partie le *réalisme* des *Fabliaux*.

Ajoutez encore ce trait bien caractéristique : le manque de sympathie, la dureté méprisante à l'égard des faibles et des victimes, qui éclate là plus crûment encore que dans le *Roman de Renart*. Pas une émotion n'altère l'ironique sérénité des conteurs, tandis qu'ils nous défilent cet interminable chapelet de ruses souvent brutales, et même meurtrières : ils n'ont d'applaudissement que pour la force, force du corps ou force de l'esprit : de réelle sympathie, ils n'en ont pour personne. Ils n'ont même pas pour les trompeurs, les coupables, les vicieux, cette pitié attristée qui naît du sentiment de l'humaine fragilité. D'où cela vient il, sinon de cette vanité française qui fait qu'on se sépare des autres, qu'on se met au-dessus d'eux, et qu'on se regarde comme n'ayant part ni à leurs misères ni à leurs vices; sinon aussi, peut-être, d'un sentiment plus ou moins distinct que toutes ces vilenies, ces ordures, sont un jeu d'esprit, une construction fantaisiste de l'imagination.

---

1. *Recueil général*, t. III, p. 145.

et que ce n'est pas là le vrai monde dont on est. La sympathie pourrait bien être, dans la littérature réaliste, la marque décisive, impossible à contrefaire, de la sincérité.

On n'aura pas de peine à concevoir qu'il n'y a guère de psychologie dans les *Fabliaux*. Comme on n'y saisit pas d'intention de faire vrai, on n'y trouve guère aussi trace d'observation : quand le trait est juste, c'est d'instinct, par une bonne fortune de l'œil et de la main. Aussi n'y a-t-il rien de creusé, qui mette à nu les sentiments intimes et le mécanisme secret des âmes : ou, si l'on veut, on n'y rencontre pas de types généraux, ni d'analyses exactes. Cependant une exception doit être faite pour deux *fabliaux* d'un certain Gautier le Long : *le Valet qui d'aise à mésaise se met*, et *la Veuve*. Dans l'un, c'est le *type* du garçon qui, vivant largement de son salaire, se met dans la misère en se mariant à une fille pauvre comme lui ; le dessin est juste : garçon, fille, parents, hésitations, accord, résolutions, regrets, discorde, tous les caractères et tous les sentiments sont marqués d'expressions précises à la fois et générales. Dans l'autre est détaillée la peinture que La Fontaine a ramassée dans l'admirable *fable* qu'il a donnée sous le même titre : le désespoir de la veuve qui ne veut pas survivre à un époux chéri, l'indignation au premier mot qu'on lui dit d'un second mariage, l'insensible adoucissement du deuil, la renaissance du sourire, de la coquetterie, l'impatience enfin du veuvage, sont nettement, spirituellement indiqués par le conteur ; son récit, un peu prolixe et languissant dans la seconde partie, est dans tout le début d'une vivacité singulièrement expressive. Il faut se souvenir de ces fabliaux et du nom de Gautier le Long : ces deux contes nous représentent l'introduction de la psychologie dans notre littérature, et l'éveil chez nos écrivains d'un sens qui fera la moitié de leurs chefs-d'œuvre.

Hors des deux singuliers *fabliaux* de Gautier le Long, il ne faut chercher dans le reste du recueil que les qualités qui apparaissaient dans le *Roman de Renart*, et qui se retrouvent ici à travers les mêmes défauts. Dans la prolixité et la gaucherie de la plupart des *fabliaux* se fait sentir parfois une légèreté aisée, et les dialogues sont souvent remarquables de vivacité, d'énergie pittoresque et de fine convenance. S'il y avait plus de rapidité ou de sobriété (ce qui par endroits se rencontrait dans *Renart*), on ne voit pas ce qui manquerait au *Vilain Mire* ou au *Vilain qui conquit paradis par plait*, au conte *de Saint Pierre et du Jongleur*, à quelques autres encore. L'idéal exquis du genre pourrait être représenté par le *Curé et le Mort* de La Fontaine. Mais à l'ordinaire on est loin de cet idéal. En ce genre encore, notre moyen âge français a eu la malechance de ne produire aucun génie supérieur.

Comme il nous a manqué un Dante, nous n'avons pas eu de Chaucer.

Après avoir eu vogue et fécondité au XIIIe siècle et au commencement du XIVe, le genre du *fabliau* disparut. Il fut remplacé, après un intervalle, par les nouvelles en prose : l'inutilité des vers, du moment qu'on lisait, et l'influence des nouvellistes italiens décidèrent au XVe siècle l'emploi de la prose dans les contes de ce genre. Mais le fabliau reparut plus tard, sous une forme artistique, dans le conte en vers de notre littérature classique. Il avait trouvé aussi au XVe siècle un héritier dans la farce : héritier de l'esprit plutôt que des sujets, car dans les œuvres qui nous sont parvenues on voit rarement qu'un fabliau ait été repris en farce, comme le *Vilain Mire* se retrouve dans *le Médecin malgré lui*. Ce qui a duré, c'est l'esprit du genre qui est une forme de l'esprit de la race, et ainsi reparaissent de temps à autre dans nos farces du Palais-Royal des moyens et des effets dont usaient les auteurs des fabliaux : nos armoires ont remplacé les buffets de nos pères, nos pantalons leurs braies. Ainsi les charges d'une certaine espèce de vaudeville moderne, substitut de la farce, qui elle-même a remplacé le *fabliau*, peuvent nous aider à comprendre la nature de ce genre et du plaisir qu'il donnait.

CHAPITRE II

LE LYRISME BOURGEOIS

1. Comment la réalité et la nature s'introduisent dans la poésie lyrique. La poésie bourgeoise: mélange d'éléments du lyrisme et de la satire. Naissance de la poésie personnelle. — 2. Rutebeuf : son caractère, son inspiration. Originalité pittoresque; vigueur oratoire; sentiments lyriques.

La poésie courtoise fut pour nos trouvères un utile exercice, où leur esprit s'affina, développa certaines facultés de raisonnement et d'abstraction, qui n'avaient guère pu s'éveiller dans la grossière matérialité des chansons de geste et des fabliaux, et prit enfin certain goût des formes curieusement achevées. Mais les sentiments et idées qu'elle produisait n'étaient pas une atmosphère où pussent vivre constamment des gens tels que nos Français, pourvus d'instincts très positifs, chez qui rien ne parvenait à oblitérer tout à fait le sens commun et la fine intuition des réalités. Aussi, pendant la plus grande vogue de la poésie courtoise, voit-on se maintenir ou apparaître des genres plus vulgaires, dont l'avantage est de raffermir au contact de la terre et de la vie les esprits étourdis de leur ascension dans les régions éthérées de la dévotion sentimentale.

1. CARACTÈRES DU LYRISME BOURGEOIS

Nous rencontrons d'abord la pastourelle, qui fait contraste avec la chanson : elle ragaillardissait nos aïeux de sa naturelle et saine grossièreté; la simple franchise des amours champêtres les délassait de tant de pâles et respectueux amants qui n'osaient dire leur désir, ni même désirer. Avec les bergères, au moins, point n'était besoin, comme avec les dames, d'allégorie ni de métaphysique. Les sentiments étaient si naturels, que les personnages finirent par être vivants : bergers et bergères devinrent de vrais paysans. Il y eut des poètes qui, des conventions traditionnelles du genre, repassèrent aux réalités correspondantes et prochaines. Certaines pastourelles qui parfois ne gardent même pas le thème fondamental de la rencontre d'un chevalier et d'une bergère, sont de charmants tableaux de genre avec leurs rythmes alertes et leurs refrains joyeux ou goguenards; elles nous montrent tout un côté de la vie rurale : les jeux, les danses, la gaieté bruyante du village, les coquetteries et les jalousies, les cadeaux idylliques de gâteaux et de fromages, la séduction des souliers à la mode et des fines cottes neuves, les gros rires et les lourds ébats terminés en rixes, coups de poing, musettes crevées, dents cassées. Toutes ces scènes si vivement esquissées, surtout dans des pastourelles picardes, nous révèlent des esprits à qui la vulgaire réalité a fait sentir son charme, et qui ont essayé de la rendre [1].

Volontiers aussi les faiseurs de chansons se regardaient eux-mêmes et disaient leur vie, ses joies et ses misères; les pauvres diables qui attendaient leur subsistance de la libéralité des nobles patrons ou des auditeurs populaires, étaient amenés à se prendre pour sujets de leurs chansons comme de leurs fabliaux. De bonne heure, dès que la société se fut constituée dans une forme régulière ils y apparurent comme des irréguliers, des déclassés, et, comme tels, ils excitèrent la curiosité du public honorable et rangé, sur qui la vie de bohème a toujours exercé une fascination singulière. Ils surent exploiter ce sentiment, ils se peignirent à leurs contemporains avec un mélange curieux de servile bouffonnerie et de touchante sincérité, qui était fait pour exciter un peu de pitié parmi beaucoup de mépris, et délier les cordons de la bourse des gens qui avaient ri. Il y a dans ce genre une exquise pièce d'un jongleur champenois, Colin Muset, le plus gentil quémandeur que nous connaissions avant Marot : il fait une peinture spirituellement naïve de son ménage à certain comte devant qui il avait « viellé » sans en rien recevoir [2].

C'était le goût des nobles qui maintenait surtout à la poésie lyrique son caractère d'irréalité convenue. La classe bourgeoise, en l'adoptant, la fit servir à des usages pour ainsi dire domestiques et lui procura ainsi, notamment dans les villes du Nord, une plus robuste vitalité. Ainsi, les thèmes consacrés de l'amour courtois continuaient d'être traités, et, à l'imitation des concours institués d'abord au Puy-en-Velay en l'honneur de la Vierge, il

1. Cf. A. Jeanroy, *Origines de la Poésie lyrique en Fr.*, 1904.
2. E. Faral, *Jongleurs en Fr. au M. A.*, 1910 ; *Chansons de Colin Muset*, éd. J. Bédier, 1938.

s'établissait un peu partout, sous le nom de *puis*, en Picardie, Normandie, Flandre, des concours de poésie par lesquels l'art provençal du xiie siècle se transmit en se dégradant aux chambres de rhétorique du xve. Mais au-dessous des compositions subtiles et savantes, en partie par réaction contre leur essentielle inanité, en partie par leur influence qui fit reconnaître la dignité des vers, et à l'aide de leurs procédés de facture, on vit se développer une poésie plus matérielle, qui donnait satisfaction à l'esprit bourgeois des auteurs et du public. A vrai dire, il n'est pas sûr que ce soit une poésie lyrique : elle se mêle de toutes sortes d'éléments et revêt mille formes. Elle tient au lyrisme par des rythmes et un mouvement de chansons ; elle s'imprègne fortement de satire, tantôt personnelle comme dans les ïambes des anciens Grecs, tantôt sociale ou politique, comme dans les comédies d'Aristophane, et tantôt purement morale, comme dans les satires d'Horace ou de Juvénal.

Entre les œuvres nettement caractérisées qui se classent dans les genres définis, entre les fabliaux, les poèmes didactiques et le lyrisme courtois, s'étale une masse confuse de pièces, *chansons, complaintes, dits, disputes, congés*, qu'on est souvent embarrassé de classer, où ne domine aucun caractère exclusivement narratif, moral ou lyrique. Mais ces pièces ont en général ceci de commun, qu'elles sont d'actualité, nées des circonstances et d'une particulière émotion des esprits. Il en est qui sont anonymes et impersonnelles, et qui reflètent les sentiments d'un siècle et d'une classe, parfois avec une singulière intensité : comme cette virulente complainte de Jérusalem (vers 1214), qui n'est qu'un cri de haine contre la richesse du clergé et la corruption de Rome. On croirait à la lire être à la veille des événements qui se firent attendre les uns plus de trois siècles, et les autres près de six, surtout si l'on songe que de toutes parts, dès le xiiie siècle, la même clameur s'élève. Avec ses inégalités et ses petits effets de rimes, cette complainte est un assez beau morceau de satire lyrique[1].

Malgré cette pièce et d'autres de même ordre, on pourrait désigner toute cette poésie d'origine bourgeoise sous un nom qui, en la distinguant de la poésie lyrique, marquerait bien le rapport qui les unit l'une à l'autre : on pourrait l'appeler poésie *personnelle*. Car ce sont leurs sentiments, leurs affections, leurs haines, leurs prospérités et plus souvent leurs malheurs, dont les poètes bourgeois font la matière de leurs vers : et ainsi leur œuvre est lyrique, par accident, peu ou prou, juste dans la mesure où leur tempérament est capable d'émotion lyrique.

---

1. *Chansons satir. et bacch. du XIIIe s.*, éd. A. Jeanroy et A. Langorfs, 1921. Cf. A. Guesnon, *Satire litt. à Arras au XIIIe s.*; Lénient, *Satire en Fr. au M. A.*, 1866.

Colin Muset parlait une fois de son ménage : dans ces remuantes communes picardes, où les têtes sont chaudes, rien ne passionne plus les poètes du cru que les affaires locales, la vie de la cité, du quartier, du foyer, ils nous parlent d'eux, de leurs femmes, de leurs compères, raillant, invectivant, aimant, regrettant selon l'événement qui les inspire ou selon le vent qui souffle. Un d'eux, Jean Bodel, un talent universel, épique, lyrique, dramatique, fut atteint de la lèpre, et obligé, selon le règlement de police qui était en vigueur, d'aller s'enfermer dans une léproserie ; avant de partir, il fit ses adieux au monde, à sa ville d'Arras, à tous ses amis et voisins, en quarante et une strophes de douze vers, triste et le cœur dolent, comme on peut penser, mais trouvant encore la force de sourire, et faisant en somme belle contenance. Ce *Congé* eut du succès, et par suite des imitateurs. Maître Adam de la Halle n'était pas lépreux, et des querelles locales le contraignaient à partir : aussi prend-il congé avec plus de colère que de tristesse, et lançant contre Arras quelques invectives qui — de fort loin — font songer aux amères salutations que Dante exilé envoyait à sa patrie.

2. RUTEBEUF.

Hors du groupe picard, le xiiie siècle nous offre presque un grand poète. Je veux parler de Rutebeuf, le poète parisien [1]. Il a touché à tous les genres, hormis les chansons de geste et les romans : il a fait un miracle dramatique, un monologue bouffon, deux vies de saints, des fabliaux, des complaintes dévotes, funèbres, satiriques, des chansons, des dits satiriques ou didactiques, des descriptions allégoriques : son œuvre pourrait se distribuer dans trois chapitres et plus de cette histoire. Mais c'est ici le lieu de parler de lui : pour la première fois, nous rencontrons dans l'histoire de notre littérature une individualité fortement caractérisée, qui se retrouve dans les ouvrages les plus divers.

Rutebeuf est un contemporain de saint Louis et de Philippe le Hardi. Si l'on pouvait, en évitant la confusion, suivre la chronologie sans distinguer les genres, il faudrait introduire Rutebeuf entre les deux parties du *Roman de la Rose* : car il écrit après Guillaume de Lorris, dont les allégories visiblement l'enchantent et l'inspirent. Mais il écrit avant Jean de Meung, qui n'est pas

1. **Éditions :** A. Jubinal, *Bibl. Elzév.*, 3 vol. in-16, 2e éd., 1874 ; A. Kressner, 1885 ; *Poésies personnelles*, par H. Lucas, 1938 ; *Poèmes sur la Croisade*, Bastin et Faral, 1946. — **A consulter :** Clédat, *Rutebeuf*, 1891.

aussi sans l'avoir lu. On ne sait où il naquit. L'important, c'est
qu'il vécut à Paris : la grande ville lui donna son esprit et son
âme. L'incessante fermentation de cette population immense et
hétérogène, barons hantant la cour du roi, bourgeois dévots et
caustiques, écoliers batailleurs et disputeurs, prompts de la langue
et de la main, et tout ce qui s'y remuait d'idées et de passions
dans le conflit des esprits et des intérêts, étaient éminemment
propres à susciter une poésie sinon très haute, du moins très
vivante : le poète, cette fois, ne manqua pas.

C'était un pauvre diable de ménestrel, que la malechance poursuivit toute la vie, beaucoup de légèreté aidant, et un peu de vice.
Il prit deux fois femme; et la deuxième au moins, laide, vieille et
pauvre — mais pourquoi l'épousait-il ? par quelle fantasque
humeur, ou quelle fâcheuse nécessité? — la deuxième donc ne lui
apporta que misère et chagrin. Sans pain, sans feu, de la paille
pour lit, entre une femme qui gémit, une nourrice qui veut ses
gages, et un propriétaire qui réclame son loyer, voilà en quel état
se présente à nous le triste Rutebeuf, qui trouve pourtant moyen
de rire. A la nourrice près, c'est l'image de toute sa vie. Il eut
quelques bienfaiteurs et beaucoup de créanciers : l'argent de ses
bienfaiteurs n'allait pas à ses créanciers; les dés en faisaient rafle.
Il quémandait auprès des grands, il hantait la domesticité, jongleurs, maîtres d'hôtel, panetiers, race joviale, impudente, tumultueuse. Il hantait surtout l'innombrable armée des joueurs, hâves,
pelés, « deschaux », un peu ivrognes.

Il aimait beaucoup les écoliers : il ne le fut peut-être jamais. Sa
science n'est pas cléricale : il sait le *Roman de Renart* et l'œuvre
de G. de Lorris [1]. Tout au plus, étant dévot, a-t-il attrapé les lieux
communs et les procédés de développement des sermons qu'il a
entendu prêcher : il en étoffe sa poésie. C'est un ouvrier avisé, qui
sait son métier, et qui le fait comme un métier : il est difficile de
ne pas voir dans son *Miracle de Théophile*, dans ses deux *vies de
Saints*, dans ses *Complaintes funèbres* des travaux de commande
faits pour des communautés pieuses ou pour d'illustres familles.
Il s'est fait un art, des procédés : il a ses figures, ses allusions,
ses comparaisons, ses allégories favorites, qui sont comme sa
marque et sa signature dans ses œuvres. Il a renoncé à la puérile
et laborieuse variété de rythmes du lyrisme courtois : il a ses
mètres, peu nombreux, mais bien choisis, expressifs, qu'il répète
sans scrupule, mais manie en perfection, une petite strophe de trois

---

1. Je n'ajoute pas les chansons de geste; il n'y fait que des allusions fort vagues
qui peuvent s'expliquer par la popularité des types tels que Roland, Olivier, Alexandre,
Eaumont même et Agolant. Il n'est pas besoin d'avoir lu La Calprenède pour dire de
quelqu'un qu'il est fier comme Artaban.

vers, dont le dernier, plus court, rime avec les deux premiers de la strophe suivante (*aab, bbc, ccd,* etc.), une strophe de douze octosyllabes (*aabaabbbabba*), deux strophes de huit octosyllabes (*abababab* et *ababaaab*), une strophe de quatre alexandrins mono-rimes; il emploie aussi volontiers les octosyllabes continus rimant par paires. Il prend à la poésie savante quelques-uns de ses jeux de rimes : mais de cet exercice fastidieux et froid, sa gaminerie parisienne fait une sorte de jonglerie cocasse, un jaillissement drolatique de calembours. Il s'y complaît au reste, et il n'y a sujet si grave où il ne suive librement sa fantaisie : voyez par quelle cascade d'homonymes, *Marie, mari, marri, Marion, marié,* se clôt la dévote narration et la pénitence de Marie l'Égyptienne.

Avec tous ses procédés et parfois ses artifices, Rutebeuf a fait une œuvre sincère. Il fut en son temps une sorte de journaliste, pas toujours indépendant, mais toujours original, toujours convaincu, soit qu'il travaillât sur commande, ou qu'il fût l'écho des passions populaires. Qui veut connaître l'opinion de la bourgeoisie parisienne sur le règne de saint Louis, n'a qu'à le consulter : c'est un témoin qui dépose sans crainte et sans flatterie. Au gré de notre poète, tout n'est pas au mieux sous le plus saint des rois : il paraît que le monde est déjà corrompu. Le clergé est avare; les chevaliers,

> Je n'y vois Rollant n'Olivier,

ni surtout cet Alexandre, qui savait donner aux ménestrels. Les baillis et prévôts pillent le pauvre monde; les marchands vendent cher de mauvaises denrées; et pour les ouvriers,

> Ils veulent être bien payés
> Et petit de besogne faire.

Il n'y a que les écoliers qui valent quelque chose. Le roi n'est pas à l'abri de la censure. Ce n'est pas Rutebeuf qui admirerait avec Joinville comme saint Louis a « enluminé » son royaume de belles abbayes. Il n'est pas ami des moines et des nonnes, et il faut l'entendre dénombrer, avec une indignation qui s'échappe en mordantes épigrammes, tous les ordres que la protection royale a installés dans la bonne ville de Paris, dotés de privilèges et de riches revenus : Barrés, Béguines, Frères du sac, Quinze-Vingts, Filles-Dieu, la Trinité, le Val des Écoliers, Chartreux, Frères prêcheurs, Frères mineurs, Frères Guillemins, moines blancs, moines noirs, chaussés et deschaux, avec ou sans

chemise, dont les uns assiègent les mourants, pour leur arrache
des testaments, et les autres s'en vont criant par les rues :

> Donnez, pour Dieu, du pain aux frères!

Ce qui fâche le plus notre poète, c'est la pensée de tout l'argent
qui s'en va là alimenter la paresse et la gourmandise! C'est sur
tout la pensée de tout ce que donne le roi, et il faut le voir
annoncer que tout cela n'aura qu'un temps, il faut l'entendre
gronder à mots fort peu couverts : « Attendez, attendez! quand le
roi ne sera plus là...! »

Le roi aussi a tort de laisser au pape trop de pouvoir en France.
Rutebeuf est un « gallican » convaincu : il invoque toutes les lois
et us du royaume, quand, à la prière ou avec la permission de
saint Louis, le pape Alexandre IV se permet d'exiler Guillaume de
Saint-Amour, qui enseignait dans l'Université de Paris. Cette affaire
mettait en jeu toutes les passions du poète : l'Université et son
champion Guillaume de Saint-Amour luttaient désespérément
pour interdire aux religieux des ordres mendiants, aux dominicains surtout, l'accès des chaires publiques, et pour défendre
les maîtres séculiers d'une concurrence redoutable. C'est la querelle qui se renouvellera au xvie siècle, quand un nouvel ordre
paraîtra, celui des jésuites; c'est l'éternelle querelle de l'enseignement : tout ce qui ne profite pas du monopole réclame la
liberté. Rutebeuf fut, dans cette chaude dispute, aux côtés de Guillaume de Saint-Amour : le théologien dans ses sermons et ses écrits,
le poète dans ses vers firent des charges également vigoureuses et
inutiles contre les jacobins envahisseurs : et quand on songe que
parmi ceux qu'ils voulaient renfermer dans leurs couvents, il y
avait un saint Thomas, on ne peut qu'applaudir à leur défaite.

Il ne faudrait pas prendre cependant Rutebeuf pour un furieux
« anticlérical », une sorte de journaliste radical du xiiie siècle. Ce
mécontent du règne de saint Louis, ce « mangeur » de moines,
qui n'a laissé à inventer aux pamphlétaires de l'avenir ni une sup-
position outrageante ni une plaisanterie grivoise, était un homme
dévot, craignant Dieu, qui humblement s'accuse, en sa vie pécheresse, d'avoir « fait au corps sa volonté », qui, tout contrit,
recommande à Notre-Dame « sa lasse d'âme chrétienne », qui
trouve d'étrangement tendres, ardentes, pénétrantes paroles pour
dire les louanges de la Mère de Dieu :

> Tu hais orgueil et félonie
>   Sur toute chose.
> Tu es le lis où Dieu repose :
> Tu es rosier qui porte rose

> Blanche et vermeille....
> Ha! Dame Vierge nette et pure!
> Toutes femmes, pour ta figure,
>   Doit-on aimer.

Il aime et révère l'Église, il hait les vices qui l'obscurcissent. Il aime les pauvres curés qui vivent de peu dans les villages en prêchant l'Évangile. Il hait les moines oisifs, orgueilleux, luxurieux. Il hait les mendiants, aux mains de qui vont toutes les richesses; mais il rappelle les débuts des jacobins et des cordeliers, la sainte, évangélique pauvreté, qui est l'esprit de leur institution.

Il s'indigne que l'enthousiasme des croisades se refroidisse. La célèbre dispute du *Croisé* et du *Décroisé*, si gauche dans son ordonnance, est parfaitement nette dans son intention : le poète veut écraser les résistances de l'esprit mondain par les arguments impérieux de la foi. Il ne va pas à la croisade, il est vrai : ce n'est pas son affaire, n'étant pas chevalier. Mais il y pousse les chevaliers; plus ardent que Joinville, sans doute parce que tout s'arrête pour lui à la parole, il ne comprend pas que toute la chevalerie de France ne suive pas le roi à Tunis. La prédication de la croisade, sur un ton tour à tour passionné et satirique, est une notable partie de l'inspiration et de l'œuvre de Rutebeuf.

Au service de ces idées et de ces sentiments, le poète met un talent original. D'abord il a le sens du pittoresque : il voit, et fait voir. En tout sujet, quelque idée qu'il manie, il aperçoit une réalité concrète : c'est un ancêtre de Régnier. La satire et la morale tournent naturellement en images et en tableaux. Prêche-t-il la croisade, il nous montre les gens qui se croisent :

> Quand la tête est bien avinée,
> Au feu, devant la cheminée,
> Vous vous croisez sans sermonner.
> Donc vous allez grands coups donner
> Sur le soudan et sur sa gent :
> Fortement les endommagez :
> Quand vous vous levez au matin,
> Avez changé votre latin :
> Car guéris sont tous les blessés,
> Et les abattus redressés.

Nulle idée d'une beauté noble, d'une forme pure et élégante ne vient réprimer l'instinct tout réaliste de son imagination. Regardons comment ce poète voit Marie l'Égyptienne au désert, toute nue, la chair noire, la poitrine moussue :

> Cheveux épars sur ses épaules.
> De ses dents ses ongles rognait;

> Ne semble point qu'elle ait de ventre....
> Les pieds avait crevés dessus,
> Dessous navrés que plus ne put.

Qu'il y a loin de cette sainte hirsute et crasseuse aux belles péni-
tentes de la Renaissance, aux corps exquis des Madeleines !

Un trait de Rutebeuf que j'ai déjà signalé, c'est qu'il aime les
idées générales : ce sont lieux communs aujourd'hui, ce ne l'étaien
pas alors. Vivantes pour le chrétien, nouvelles pour l'écrivain, à
ce double titre les lieux communs de la morale chrétienne sur la
pauvreté, la charité, et surtout sur la mort, pouvaient le séduire.
C'est du fond de son cœur qu'il nous dit et répète :

> La chose qui soit plus certaine,
> C'est que la mort nous courra sus :
> La plus incertaine, c'est l'heure.

Mais surtout il développe ces idées avec un remarquable talent
oratoire. Et en général, quelque sujet qu'il touche, lieu commun
de morale, hypocrisie ou vice des moines, exhortation à la croisade, on ne saurait manquer d'admirer l'ampleur, le mouvement,
la vigueur de sa poésie. Qu'on prenne sa *Complainte du comte de
Nevers*, ou sa *Complainte d'outre-mer*, qu'on prenne le *Dit des Jacobins* ou le *Dit de la Vie du monde*, la phrase se détache, s'étale,
c'est le ton d'un orateur, et le plus incontestable mérite de cette
poésie est l'éloquence.

> Sainte Église se plaint, et ce n'est point merveille,
> Chacun à guerroyer contre elle se prépare.
> Ses fils sont endormis, pour elle nul ne veille :
> Elle est en grand péril, si Dieu ne la conseille.
>
> Puisque Justice cloche, et Droit penche et s'incline,
> Et Loyauté chancelle, et Vérité décline,
> Et Charité froidit, et Foi se perd et manque,
> Je dis que n'a le monde fondement ni raison, etc.

Et il continue ainsi, incriminant tout le monde, et Rome surtout
et les moines : mais ne sent-on pas ce que le rythme même,
cette strophe de quatre vers, avec son allure régulière, sa forte
vibration, sa solidité large, a de favorable à l'expression oratoire
de la pensée ?

Il y a pourtant aussi un lyrique dans Rutebeuf : un chansonnier d'abord, constructeur de rythmes, de couplets, de refrains
légers et piquants qui feront rire le monde aux dépens des « pape-
larts et béguines » ; mais il y a plus et mieux. Il a trouvé le

yrisme à sa vraie source : l'émotion personnelle et profonde. De
sa tendresse enfantine et mystique pour « la douce Vierge » ont
jailli de beaux cantiques, des *dits* aux strophes ardentes ou suaves.
Et les tristesses de sa misérable existence lui ont fait rencontrer
parfois une poésie intime, attendrie et souriante à la fois, dont la
simplicité touche puissamment. Pour dire son triste mariage, le
manque d'argent, le froid, la faim, les amis « que le vent emporte,
et il ventait devant ma porte », il a des mots pénétrants, de
mélancoliques ironies qui vont au cœur. Voilà le bon et le vrai
lyrisme : et c'est pourquoi il ne fallait pas oublier le pauvre diable
qui, le premier chez nous, dans la laide et vulgaire réalité de cette
vie, a recueilli un peu de pure émotion poétique.

CHAPITRE III

LITTÉRATURE DIDACTIQUE ET MORALE

1. Commencement de la littérature didactique. Science et morale. Influence de la culture cléricale sur la littérature en langue vulgaire. — 2. Le *Roman de la Rose* : origines de l'allégorie. Guillaume de Lorris fait un *Art d'aimer*, selon la doctrine de l'amour courtois. — 3. Continuation du poème par Jean de Meung. Caractère encyclopédique et philosophique de cette continuation. Esprit universitaire et bourgeois. Hardiesse de pensée : réhabilitation de la nature. La poésie de Jean de Meung.

1. INFLUENCE DE LA CULTURE CLÉRICALE.

Comme on ne sait trop où arrêter la poésie lyrique du moyen âge, les frontières de la poésie narrative sont de même assez indécises. Sont-ce des fabliaux, sont-ce des morceaux didactiques que ces *dits* où l'on énumère toutes les diverses sortes de marchandises que vendent les diverses catégories de marchands, ou bien toutes les choses que l'on peut acheter pour une maille ? Le *dit* de l'*outillement au vilain* [1] nous fait défiler sous les yeux tout ce qui compose un ménage rustique, jusqu'à la vache dont le lait empêchera le marmot de crier la nuit. Le fondement du plaisir que procurent ces pièces, c'est qu'elles évoquent pour l'auditeur l'image des choses familières : elles utilisent la vie réelle en jouissances d'art, et portent vilains ou bourgeois à la contemplation désintéressée du monde vulgaire où leur existence de désirs et de peines est enclose.

Au même principe se ramènent bien des pièces qu'on serait d'abord tenté de ranger parmi les poèmes moraux ou satiriques,

1. *Rec. gén. des Fabliaux*, t. I, p. 148.

des *dits*, des *débats*, des *États du siècle* ou *du monde*. Mais, en effet, la satire ou la moralité ne sont qu'un assaisonnement, et l'auteur ne prêche ou ne raille que pour introduire la mention des objets familiers ou des actions quotidiennes de la vie populaire. Ne prenons pas le change sur le cadre ou sur le ton : tant d'énumérations moralisées ou satiriques que nous rencontrons, ne sont qu'une forme originale de littérature réaliste, dont le caractère essentiel est de réveiller chez l'auditeur la sensation des réalités qui lui sont prochaines : et comme cette littérature s'adresse à des imaginations vierges, non blasées encore, ni réfractaires par un trop long usage à l'action suggestive des mots, les noms seuls des choses, sans descriptions, sans épithètes, sans tout le mécanisme compliqué du style intense, les noms tout secs sont puissants : le poète se contente d'*appeler*, pour ainsi dire, chaque objet, aussi le voilà présent, en sa concrète et naturelle image, aux esprits de ceux qui l'entendent. Si bien que toutes ces énumérations chères aux écrivains du xIII⁰ siècle, où défilent sur le même plan, en monotone et interminable procession, toutes sortes d'objets, nous représentent comme un effort pour évoquer une partie de la vie réelle sans le mélange d'une fiction romanesque, sans le lien d'une action inventée.

Cependant d'autres *dits*, d'autres *débats*, d'autres *États du siècle* ou *du monde*, ont un caractère vraiment moral, et forment entre la poésie lyrique et la poésie narrative un corps considérable de poésie didactique. Il était impossible qu'à la longue il n'en fût pas ainsi. La littérature de langue française ne pouvait rester indéfiniment sevrée de réflexion sérieuse et de pensée philosophique, indéfiniment livrée aux hasards de la sensation et aux caprices de la fantaisie. L'esprit des laïcs ne pouvait rester indéfiniment fermé à la science des clercs.

Les laïcs étaient demeurés d'abord étrangers à ce puissant mouvement d'idées, qui du xI⁰ au xIV⁰ siècle se produit dans les écoles et les couvents, et dont les résultats principaux s'enregistrent dans les grandes œuvres latines et scolastiques du xIII⁰ siècle, le *Speculum majus* de Vincent de Beauvais, la *Summa theologica* de saint Thomas d'Aquin, l'*Opus majus* de Roger Bacon. Les auditeurs de *Roland* et des *Lorrains*, ceux du *Jugement de Renart* ou de *Richeult* ne s'inquiétaient guère du problème des *universaux* ni de savoir quel est le *principe d'individuation*. Leur religion les faisait jeûner et ouvrir leur bourse à l'Église ou aux pauvres, elle ne leur inspirait pas de réfléchir sur la Trinité ou sur le mode l'union de l'âme au corps. C'étaient des enfants, et qui n'aimaient qu'à entendre des *histoires*.

Cependant peu à peu la curiosité de ces enfants s'éveilla : des

rois, des princesses, des seigneurs, ayant reçu une instruction
supérieure pour le temps, aperçurent l'intérêt de ces études
cléricales: des clercs ne désespérèrent pas d'être utiles à leur
prochain, ou à eux-mêmes, en communiquant quelque chose de la
science que jusque-là la langue latine avait dérobée à la connaissance du vulgaire. Des infiltrations, en quelque sorte, se produisi-
rent de la littérature savante dans la littérature populaire, et l'on
commença de mettre en français dès le xiie siècle toute sorte
d'ouvrages didactiques, ouvrages d'histoire naturelle, de physique,
de médecine, de philosophie, de morale, livres de cuisine ou de
simple civilité.

Parmi les plus anciens écrits scientifiques en langue vulgaire
se rencontrent un *lapidaire*, un *bestiaire*, compilations de récits
merveilleux et puérils sur les pierres précieuses et sur les animaux :
science plus fantastique, plus stupéfiante que toutes les aventures des chevaliers de la Table Ronde. D'au'res *lapidaires*, d'autres
bestiaires suivront, attestant et le succès du genre et l'ineptie scientifique des lecteurs, d'autant plus extravagants que la description
des choses naturelles s'y mêlera davantage de moralisations allégoriques.

Dès le xiie siècle aussi, le laïc ignorant pourra lire en anglo-
normand la *Consolation* de Boèce, un des ouvrages fondamentaux,
comme on sait, de la science scolastique, un de ces *classiques* que
l'on expliquera, commentera dans les écoles jusqu'à la Renaissance [1]. On traduira plus tard l'*Ethique* d'Aristote.

Dès le xiie siècle encore, et même avant (car le *Poème de la
Passion* est du xe), on fit passer en langue vulgaire tantôt par des
traductions, tantôt par des imitations, tantôt, et d'abord, en vers,
tantôt, et de bonne heure, en prose, les principaux récits de la
Bible et de l'Évangile : au point que l'Église s'inquiéta parfois de
voir les sources du dogme trop libéralement ouvertes à l'ignorance
téméraire des laïcs. Elle condamnera aussi les ouvrages de théologie que David de Dinant, disciple d'Amaury de Bène, écrivit en
langue vulgaire.

Il faudrait signaler encore comme une émanation de l'esprit clérical, et comme un des moyens d'action par où les clercs modi-
fièrent l'esprit de la société laïque, les sermons prononcés dès le
ixe et le xe siècle en langue vulgaire, et dont nous aurons occasion
de parler ailleurs. En dehors de ces sermons qui sont des actes
du sacerdoce, nombre de clercs avec ou sans mission, de laïcs
même frottés de science et chauds de zèle, prêchèrent, endoctri-
nèrent, exhortèrent, gourmandèrent le peuple en langue vulgaire,

---

1. Elle figurera jusqu'en 1366 sur le programme de la licence.

par des écrits de toute dimension et de toute forme. Un des lieux
communs de cette morale chrétienne, c'est le *Débat du corps et de
l'âme*, qu'on trouve en latin et en français dès le premier tiers du
xiie siècle : on peut y rattacher une belle *Apostrophe au Corps* [1],
qui est comme un réquisitoire vigoureux et souvent éloquent contre
le corps, instrument de l'avilissement et de la damnation de l'âme;
cette pièce peut donner une idée du genre. La morale souvent,
comme on peut aisément le comprendre, tournera en satire, et la
description parfois fort vive du monde réel, des occupations et
inclinations ordinaires des hommes, viendra donner une saveur
toute particulière aux enseignements moraux.

D'autres fois les préceptes de courtoisie et de belle morale se
grefferont sur les commandements de la morale chrétienne, comme
dans ce curieux *Châtiement des dames* de Robert de Blois, que je
ne nommerais pas, si l'on n'y voyait comment peu à peu, dans la
comparaison inévitable du fait et de la règle, le moyen âge a fait à
la longue son éducation psychologique, comment aussi, dans ce
temps d'abstractions et de formules, l'observation précise de la vie
s'inscrit en préceptes généraux.

Dans la langue vulgaire, comme dans la langue latine, le
xiiie siècle est le siècle des *Sommes* et des *Encyclopédies* : les unes
plus *scientifiques* (entendez le mot des sujets, non de la méthode),
comme l'*Image du monde* de Gautier de Metz, ou le fameux *Trésor*
de Brunetto Latino (1265), d'autres purement morales et religieuses, comme la *Somme des vertus et des vices*, dédiée à Philippe
le Hardi en 1279 par le frère Lorens, d'autres où la description
satirique de la vie se mêle à la morale, et prend même le dessus
sur elle, comme la *Bible*, peu religieuse, et parfois impudente, de
Guyot de Provins. Le xiiie siècle aussi est le siècle des *allégories* :
en ce genre se distingua Raoul de Houdan, avec sa *Voie de Paradis*
et son étrange *Songe d'Enfer*, où, à la table de Lucifer, il mange
de bel appétit les gras usuriers et les vieilles pécheresses à toute
sorte de sauces symboliques [2]. C'est le tour d'esprit, ce sont les
procédés intellectuels et les habitudes de raisonnement qui produisent aussi *la Divine Comédie* : il n'y manque que l'âme et l'art de
Dante. Il n'y a chez notre Français, comme chez tous ses émules,
que bizarrerie travaillée et ineffaçable platitude.

C'étaient les clercs qui avaient introduit l'allégorie dans les
écrits en langue française. Elle avait eu de tout temps leur faveur,
comme un procédé éminemment propre à la fois à éluder les plus
insolubles difficultés et à faire saillir la subtilité de l'esprit indi-

---

1. Bartsch et Horning, p. 547. Cf. Ch.-V. Langlois, *La Vie en Fr. au M. A.*,
d'après les moralistes, II, 1925; *La Vie spirituelle*. IV. 1928.

viduel. Appliquée dans les écoles de philosophie ancienne à sauver
les chefs-d'œuvre de la poésie et les mythes de la vieille religion
de la condamnation inévitable que la conscience morale de l'humanité, chaque jour plus éclairée, eût portée contre leur primitive
grossièreté, l'allégorie fut reprise par les chrétiens, d'abord pour
autoriser l'étude de la littérature païenne, puis pour justifier
aux yeux des fidèles maints passages des saintes Écritures, dont
leur simple honnêteté se fût scandalisée, enfin pour exposer
sous une forme plus attrayante et plus vive les vérités dogmatiques de la religion et de la morale. De saint Basile, à qui
Ulysse abordant à l'île des Phéaciens représentait la vertu toute
nue, auguste et vénérable dans cette nudité même, de Fulgentius
Planciades, à qui l'*Enéide* racontait les voyages de l'âme chrétienne, de Prudence, qui faisait battre les vertus et les vices
dans sa *Psychomachie*, de Martianus Capella, qui mariait en justes
noces Mercure et la Philologie, l'allégorie passa aux clercs scolastiques qui en firent leur instrument favori d'interprétation et
de recherche. L'explication allégorique d'un texte fut légitime et
nécessaire ainsi que l'explication littérale, et même au-dessus
d'elle. Ainsi, dès que les clercs écrivent en langue vulgaire, dès
le *Poème de la Passion*, ils y transportent l'allégorie : de leurs
physiologues, où l'histoire naturelle est tournée en allégories,
sortent les *bestiaires*. Ce sont eux qui inondent la littérature de
songes, de voyages, de batailles où éclate un symbolisme laborieux
et parfois puéril : c'est leur esprit qui inocule la fureur allégorique
aux romans bretons d'intention mystique, comme au lyrisme
savant et galant.

   La part des clercs et de l'esprit clérical dans la littérature française devient de plus en plus grande, à mesure que la bourgeoisie
prend de l'importance, réfléchit, s'éclaire, à mesure aussi que les
écoles, et l'Université de Paris surtout, définitivement organisée
au commencement du xiii° siècle, jettent dans le monde et comme
sur le pavé une foule de clercs qui ne sont plus ou sont à peine
d'Église : ces clercs sans mission ni fonction répandront hors des
écoles et des couvents, hors de la langue latine aussi, les idées,
les connaissances, les habitudes intellectuelles, les procédés logiques du monde qui les a formés.

   Tout ce travail aboutit au *Roman de la Rose* et s'y résume.

2. ROMAN DE LA ROSE. GUILLAUME DE LORRIS.

Malgré la continuité de la fiction, le *Roman de la Rose*[1] forme, à vrai dire, deux ouvrages distincts, qui ne sont ni du même temps, ni du même auteur, ni du même esprit. Des 22 817 vers qui le composent dans l'édition de Fr. Michel, les 4 669 premiers ont été composés dans le premier tiers du XIIIe siècle par Guillaume de Lorris; le reste a été écrit environ quarante ans plus tard par Jean de Meung (vers 1277). Il faut traiter chacune de ces parties comme une œuvre indépendante.

Quel qu'ait pu être Guillaume de Lorris, noble, bourgeois ou vilain, il avait étudié, et il adressait son poème à la société aristocratique, à celle qu'avait ravie Chrétien de Troyes et pour qui chantait précisément en ce temps-là le comte Thibaut de Champagne. Le *Roman de la Rose*, dans l'intention de son premier auteur, devait être un *Art d'aimer*, et le code de l'amour courtois. Mais ce sujet fait pour plaire aux fins seigneurs et aux dames délicates, Guillaume de Lorris le traita avec la méthode et l'esprit des clercs.

Les exemples à suivre ne lui manquaient pas. Les clercs, en effet, aussitôt que la conception de l'amour courtois avait été apportée dans la France du Nord, s'étaient piqués de s'y connaître, et bien mieux que les barons et les poètes : c'est ce qu'attestent une foule de pièces latines et françaises, véritables *débats* où la préférence est donnée à l'amour des clercs sur l'amour des chevaliers. Et comment les clercs ne se fussent-ils pas regardés comme supérieurs? Ils avaient l'esprit et la faconde, une mémoire bien garnie qui les faisait disposer de l'esprit et de la faconde des autres : et ils lisaient le livre, qui donne la science, ils lisaient l'*Art d'aimer*. Par une de ces méprises dont le moyen âge est coutumier, le libertin Ovide devint le maître de l'amour courtois.

Les clercs portèrent naturellement dans la matière de l'amour toutes leurs habitudes d'esprit. Ce furent eux surtout qui contribuèrent à constituer en face de la théologie chrétienne une véritable théologie galante, assignant au Dieu d'amour la place de Jésus-Christ, formant son séjour délicieux à l'image de l'Éden, édictant en son nom un Décalogue, organisant enfin tout un dogme et tout un culte, et comme une Église des amants, qui avait ses fidèles et ses hérétiques, ses saints et ses pécheurs. Ils appliquè-

1. **Éditions :** E. Langlois, 1914-23; M. Gorce, 1933. — **A consulter:** E. Langlois, *Origines et Sources du R. de la Rose*, 1890; G. Gros, *L'Amour dans le R. de la R.* 1925; L. Thuasne, *Le R. de la R.*, 1929.

rent aussi à l'amour courtois, que son caractère idéal et factice y
prédisposait d'avance, leur manie d'abstraction et leur tendance
didactique, et sous leur influence les *arts* prirent la place des chansons et des romans. Au commencement du XIII° siècle parut le sec
et pédantesque traité d'André le Chapelain, *De arte honeste amandi*,
véritable encyclopédie systématique de l'amour. Ce précieux
manuel fut traduit en français par un clerc libéral. On ne refusa
point non plus aux dames et aux barons la connaissance du livre
précieux d'Ovide. Pour la direction des consciences du monde poli,
l'*Art d'aimer* fut mis souvent en français : Chrétien de Troyes
même s'y était essayé [1].

Le goût des abstractions et des formules didactiques ne laissait
d'issue à l'imagination que du côté de l'allégorie : et ce fut là en
effet qu'aboutirent tous les clercs qui, en latin ou en français, cherchèrent dans l'amour une matière de poésie. Ce procédé seul
permit d'éluder la sécheresse de la codification et de colorer la
maigreur des abstractions.

Guillaume de Lorris ne se fit pas scrupule de mettre à profit
l'œuvre de ses devanciers. Voulant traduire en faits les préceptes
de l'*Art d'aimer*, et faire un roman didactique, il se souvint d'un
poème latin du siècle précédent, le *Pamphilus*, où le poème d'Ovide
est mis en action par quatre personnages, Vénus, le jeune homme,
la jeune fille et la vieille : il prit à un *Fabliau du dieu d'Amours*
le cadre du songe qui transporte l'amant dans le jardin du Dieu ;
et, forcé par la tradition de donner un nom de convention à sa
belle, il trouva, dans l'usage de donner poétiquement des noms de
fleurs aux dames, plus précisément encore dans un *Carmen de Rosa*
et dans un *Dit de la Rose*, l'idée de représenter l'amante sous la
figure de la Rose, c'est-à-dire l'allégorie fondamentale de l'œuvre,
qui entraînait nécessairement toutes les autres allégories et personnifications. Il avait ainsi la forme générale de son poème :
Macrobe, Ovide, Chrétien de Troyes, l'aidèrent à en développer
toute la matière.

Et voici l'histoire qu'il avait entrepris de conter, tournée en langage moderne : l'amant, en son jeune âge, suivant la pente de sa
vie oisive et libre, rencontre la dame jeune et belle, dont il
s'éprend. Elle l'accueille courtoisement d'un visage gracieux : encouragé, il se hasarde à dire son désir. Mais cette hardiesse prématurée éveille chez la belle l'orgueil, le souci de sa réputation, la
honte, la peur ; son visage ne rit plus, et elle bannit l'amant de sa
présence. Bientôt cependant elle s'adoucit, avant le cœur généreux

1. A consulter : G. Paris, *les Anc. Versions fr. de l'Art d'aimer* (dans *la
Litté fr. moyen âge*).

et pitoyable ; de nouveau elle fait bonne mine au jeune homme, et, par une compensation logique, efface d'un baiser qu'elle se laisse prendre le souvenir de sa dureté. Mais tout se sait : on médit de leur accord ; les parents ou un mari gourmandent la trop facile dame, excitent son orgueil, lui font honte ou peur ; pour plus de sûreté, on la flanque d'une duègne : plus de gracieux abord ; l'amant est banni plus sévèrement et plus loin que jamais. Il se désole et.... Et maître Guillaume de Lorris n'eut pas le temps d'en écrire davantage.

On voit d'abord le caractère de cette fiction : c'est en quelque sorte la figure schématique des formes, phases, accidents et progrès de l'amour. Tout élément individuel est soigneusement éliminé : il ne reste que l'*amant* et l'*amante*, types irréels : mais, la dame étant identifiée à la rose, il faut projeter hors d'elle tous les sentiments qui appartiennent à son personnage. Ainsi se dressent entre l'amant et l'amante deux groupes contraires, les alliés, Courtoisie, Bel-Accueil, les ennemis, Danger (l'orgueil de la pureté féminine), Honte, Peur. Hors de l'amant, pareillement, se réalise dame Oiseuse, conseillère d'amour. Et tout le monde extérieur, ennemi naturel de la joie des amants, se ramasse en deux groupes symboliques, la curiosité maligne et bavarde des indifférents, Malebouche, et l'hostilité soupçonneuse de ceux qui ont puissance sur la femme, Jalousie. Au-dessus de ces simulacres d'humanité planent les dieux, Amour, Vénus, qui semble émanée de l'âme de la dame comme Amour de l'âme du galant, enfin Raison, autre dédoublement de la personne morale du héros, qui lui déconseille la douloureuse carrière de l'amour.

Au fil de cette action ainsi distribuée par personnages se rattachent aisément tous les préceptes de l'amour courtois, tantôt traduits en faits, tantôt promulgués dogmatiquement par un des acteurs, surtout par Amour qui, comme suzerain, dicte ses lois à l'amant. On méconnaîtrait le caractère de la courtoisie du XIIIe siècle, si l'on ne se rappelait que les commandements d'amour comprennent même la *civilité*. « Lave tes mains et tes dents cure », dit Amour à son vassal : point de parfait amant avec des ongles en deuil. De beaux habits, des manières libérales, des talents d'agrément sont choses également requises : l'amour est un sentiment aristocratique. Il n'est pas à la portée des vilains. Aussi faut-il voir avec quelle méprisante dureté le dieu parle du vilain :

> Vilain est félon, sans pitié,
> Sans service et sans amitié.

On a peut-être exagéré la valeur psychologique de l'œuvre de Guillaume de Lorris. Il a en somme peu d'originalité : tous les

sentiments qu'il décrit avaient été avant lui étudiés dans leur
nature et leurs progrès, définis, étiquetés, classés, décrits : il nous
fait plutôt l'effet d'un vulgarisateur que d'un inventeur. Cependant
ses abstractions, personnifications, commandements et définitions
ne semblent être réellement pour lui qu'un procédé d'exposition.
Je crois que derrière les allégories scolastiques qu'il fait mouvoir,
il aperçoit et s'efforce d'atteindre la réalité concrète de la vie.
Parfois cette vérité éprouvée et sentie éclate dans son œuvre d'une
façon charmante; et tant pis, ou plutôt tant mieux, si elle bouscule et dérange les symboles laborieusement combinés. Comme
lorsque Amour expose le devoir d'un amant, qui est de ne pas
dormir en son lit la nuit, et d'aller rêver à la porte de sa belle,

> Soit par nuit ou par gelée,

maître Guillaume, emporté par la situation, met une parenthèse
humoristique et réaliste, qui tranche avec le caractère abstrait et
idéal du morceau. A la place de la dame irréelle, il voit une vraie
femme, qui remplira sa nuit bourgeoisement, prosaïquement, qui,
dit-il,

> ... Sera peut être endormie
> Et à toi ne pensera guère.

Il n'y a pas grande merveille non plus dans les descriptions des
dix images peintes en dehors sur les murs du verger d'Amour;
mais une chose frappe dans ces portraits : c'est la simplification
hardie et juste des éléments moraux, et la précision minutieuse, nette, pittoresque des apparences physiques qui les revêtent et les expriment. Ce talent éclate dans les peintures de la
frileuse Vieillesse et de la Pauvreté honteuse, mieux encore dans
celle de la doucereuse Papelardie. Il y a là un art d'individualiser
par l'extérieur les caractères généraux, qui est au fond identique
à l'art de La Bruyère. Il faut ajouter, à l'honneur du poète, que sa
continuelle allégorie n'est jamais tout à fait sèche, languissante,
ennuyeuse, que dans les endroits où nulle réalité ne peut le soutenir et le guider, comme lorsqu'il décrit les souffrances conventionnelles de l'amour courtois.

Guillaume de Lorris est un lettré, et à certains traits de son
œuvre on reconnaît comme une première impression de l'éloquence
latine sur la façon encore informe de notre langue. L'auteur s'essaye parfois à conduire une période, à étendre un lieu commun :
on en trouvera un exemple dans le portrait de la vieillesse, cette
longue tirade sur le temps, avec ses six reprises du sujet de la
phrase, à intervalles de plus en plus rapprochés.

Malgré tout, Guillaume de Lorris est plus poète qu'orateur, et plus peintre que moraliste. Deux hommes ont certainement eu grande influence sur lui, Ovide et Chrétien de Troyes : de cette double influence s'est dégagée son originalité. Il y a, dans ses descriptions du jardin d'Amour, dans ce mélange d'abstraction morales de mythologie païenne, et de mièvres paysages, il y a je ne sais quelle sincérité de joie physique, une allègre et fine volupté. A travers beaucoup de prolixité et de fadeurs, à travers ses interminables énumérations d'arbres et de plantes, et le monotone défilé de ses dames toutes si parfaitement belles et blondes et généreuses qu'on ne saurait les distinguer, il y a dans Guillaume de Lorris quelque chose de plus que dans Chrétien de Troyes. Celui-là a aimé la lumière, les eaux, les fleurs, les ombrages; il a noté quelque part, sans ombre de libertinage, les blancheurs de « la chair lisse ». Quelque chose de païen s'éveille en lui. L'œuvre est d'un art bien insuffisant : mais dans l'âme de l'homme point comme une obscure lueur, aube de la Renaissance encore lointaine.

A certaines comparaisons, du reste, toutes fraîches et prises en pleine nature, on devine que les sens de ce maître ès arts de l'amour conventionnel se sont ouverts aux impressions du monde extérieur. Aussi renouvelle-t-il par sa sensation directe certaines des plus banales et traditionnelles métaphores Ainsi, quand il peint dame Oiseuse, dont la gorge est blanche,

> Comme est la neige sur la branche
> Quand il a fraîchement neigé,

n'est-ce pas une sensation personnelle et toute frissonnante encore qu'il fixe dans cette jolie image? Et c'est pareillement un coin d'idylle qui fleurit en pleine aridité de la métaphysique amoureuse, quand le poète fait dire à son amant :

> Je ressemble le paysan
> Qui jette en terre sa semence,
> Et il a joie à regarder
> Comme elle est belle et drue en herbe :
> Mais avant qu'il en cueille gerbe,
> Par malheur l'empire et la grève
> Une male nue, qui crève
> Quand les épis doivent fleurir :
> Et fait le grain dedans mourir,
> Et ravit l'espoir du vilain.

3. ROMAN DE LA ROSE. JEAN DE MEUNG.

Jean Clopinel, de Meung-sur-Loire, était aux environs de
l'an 1300 un grave et sage homme, des plus considérés, riche, possédant une maison dans la rue Saint-Jacques et le jardin de la Tour-
nelle, estimé des plus nobles et meilleurs seigneurs; il avait traduit de savants ouvrages, la *Chevalerie* (*De re militari*) de Végèce, la
Consolation de Boèce; il avait fait un *Testament* en vers français,
très pieux, où le prud'homme réprimandait fortement les femmes
et les moines. Il était mort, semble-t-il, avant la fin de l'an 1305.
Il serait tout à fait oublié aujourd'hui, lui et son œuvre, si, vers
1277, âgé de vingt-cinq ans ou environ, au sortir des écoles, il
n'avait donné une fin au poème de Guillaume de Lorris, qui depuis
tantôt un demi-siècle restait inachevé.

Il ajouta un peu plus de 18 000 vers aux 4 669 de son devancier.
Je n'exposerai point par quels enchaînements d'incidents, par quelle
suite de péripéties l'amant arrive à cueillir le tant aimé, tant désiré
bouton de rose dans le verger d'Amour. Aussi bien n'importe-t-il
guère, et l'auteur à chaque moment oublie, suspend et nous fait
perdre de vue sa fiction. L'action allégorique que Guillaume de
Lorris avait entrepris de déduire, devient, entre les mains de Jean
de Meung, une sorte de roman à tiroirs, roman philosophique,
mythologique, scientifique, universitaire, ou, pour parler plus justement, roman encyclopédique : car cette seconde partie du *Roman
de la Rose* est en effet une *encyclopédie*, une *somme*, comme on
disait alors, des connaissances et des idées de l'auteur sur l'univers, la vie, la religion et la morale.

C'est une compilation, tout d'abord. Notre écolier dégorge sa
science avec complaisance et même avec coquetterie. Il cite
traduit ou imite Platon [1], Aristote, Ptolémée [2], Cicéron, Salluste
Virgile, Horace, Tite-Live, Lucain, Juvénal, Solin, saint Augustin
Claudien, Macrobe, Geber, Roger Bacon, Abailart, Jean de Salis
bury, André le Chapelain, Guillaume de Saint-Amour : se
livres de chevet, où il puise sans cesse des idées, des sujets e
des cadres de développement, sont la *Consolation* de Boèce, le *D
planctu naturæ* du scolastique Alain de Lille, l'*Art d'aimer* et le
Métamorphoses d'Ovide. Sur 18 000 vers qu'il a écrits, on en a p
rendre 12 000 à ses auteurs, dont 2 000 au seul Ovide. Il est pédan
avec délices, et tous les artifices de la pédanterie lui sont fami

---

1. C'est-à-dire la traduction du *Timée* par Chalcidius.
2. Dont l'*Almageste*, traduit au XIIᵉ siècle par Gérard de Crémone, servait de tex
dans les écoles pour les lectures astronomiques.

liers : ici il traduit sans citer, dérobant sans scrupule l'honneur
de quelque doctorale argumentation; ailleurs il cite avec une
minutieuse gravité, en vantant pesamment son auteur; ailleurs il
cite Homère, ou quelque autre, pour faire croire qu'il l'a lu, quand
il a trouvé simplement sa citation dans un auteur du moyen âge.

Ce pédant est d'ailleurs un savant, d'une science étendue et
solide : il n'est pas nourri de fariboles, de romans et chansons.
Sa science, c'est toute la science cléricale du xiiie siècle, l'antiquité latine, à peu près telle [1] (sauf quelques auteurs et surtout
Tacite) que nous la connaissons aujourd'hui, et puis tous les travaux de la pensée moderne, en physique, en philosophie, en théologie. Rien ne lui a échappé : et il a jeté tout cela, abondamment,
confusément dans son poème, laïcisant, c'est-à-dire vulgarisant la
science des écoles, initiant les seigneurs et les bourgeois aux plus
graves problèmes, aux plus hardies solutions, aux plus téméraires
inquiétudes, sollicitant le vulgaire à savoir, à penser, par conséquent à s'affranchir, et faisant ainsi une œuvre qu'on a pu comparer à celle de Voltaire. On ne saurait imaginer en effet de
combien de choses Jean de Meung trouve moyen de parler, tandis
que son Amant poursuit la conquête de la Rose. Le paupérisme,
et l'inégalité des biens, la nature du pouvoir royal, l'origine de l'État
et des pouvoirs publics, la justice, l'instinct, la nature du mal, l'origine de la société, de la propriété, du mariage, le conflit du clergé
séculier et du clergé régulier, des mendiants et de l'Université,
l'œuvre de création et de destruction incessantes de la nature, les
rapports de la nature et de l'art, la notion de la liberté et son conflit avec le dogme et la prescience divine, l'origine du mal et du
péché, l'homme dans la nature, et son désordre dans l'ordre universel, toutes sortes d'observations, de discussions, de démonstrations sur l'arc-en-ciel, les miroirs, les erreurs des sens, les visions,
les hallucinations, la sorcellerie et jusque sur certain phénomène
de dédoublement de la personnalité, voilà un sommaire aperçu des
questions que traite Jean de Meung, outre tous les développements
de morale et de satire qui tiennent plus directement à l'action du
roman, et je ne sais combien de contes mythologiques extraits
d'Ovide ou de Virgile, tels que les amours de Didon et l'histoire
de Pygmalion. Toutes ces choses s'amalgament, s'enchevêtrent, se
lient comme elles peuvent : c'est un incroyable fouillis, et l'on serait
tenté de prime abord de dire un épouvantable fatras.

De ce fatras se dégage immédiatement avec évidence un esprit
général qui est tout contraire à l'aristocratique délicatesse de
Guillaume de Lorris : et ce n'est pas la moindre singularité de

---

1. Il n'est pas sûr qu'il ait connu Lucrèce, auquel il fait si souvent penser.

l'ouvrage que cette absolue incompatibilité des deux intelligences qui l'ont faite.

Jean Clopinel est un vrai bourgeois, qui n'entend rien aux raffinements de l'amour courtois, ou qui n'y voit que ridicule fadaise : aussi, dès les premiers vers qu'il écrit, imprime-t-il à sa matière un tout autre caractère, un caractère tout pratique et positif. Et même lorsqu'il traduit les courtoises leçons d'André le Chapelain, notre bourgeois, qui n'a pas un grain de chimère dans l'esprit, les interprète dans le sens des plus matérialistes *fabliaux*.

En bon bourgeois aussi, le collaborateur indigne de Guillaume de Lorris méprise les femmes : et de ce mépris brutal et profond naît pour lui l'impossibilité de comprendre l'amour courtois : comment peut on perdre temps en propos ingénieux, en grimaces dévotes, avec cet être fragile, vicieux, bavard, menteur, et qui ne sert pour un prud'homme qu'à tenir le ménage et donner des enfants? Une des plus authentiques marques de bourgeoisie dans une œuvre littéraire, c'est l'effacement ou l'abaissement de la femme : Jean de Meung donne à la règle une éclatante confirmation. Jamais verve plus robuste n'a diffamé et dégradé la femme : Arnolphe n'est que son descendant dégénéré et poli.

Un manque essentiel de respect, l'instinct de défiance et de médisance contre les puissants, contre les gens en place, contre ceux surtout qui détiennent une part de la richesse publique ou qui ont mission d'administrer la justice, contre ceux aussi, baillis ou prévôts, dont le menu peuple souffre plus parce qu'ils sont plus près de lui, voilà un autre trait de l'humeur bourgeoise; et par là encore la seconde partie du *Roman de la Rose* est d'inspiration bourgeoise.

Enfin, de tout temps, le bourgeois a détesté l'hypocrisie et médit des « cagots » : et il définit hypocrisie ou cagotisme tout ce qui n'est pas la religion telle qu'il l'entend et la pratique, accommodée à son usage, intérêts et préjugés. Hier c'était au jésuite qu'il en avait : au xiiie siècle, c'était aux jacobins, aux cordeliers, en un mot aux ordres mendiants. Jean de Meung qui admet le Temple et l'Hôpital, les chanoines de Saint-Augustin et l'ordre de Saint-Benoît, est un des plus terribles ennemis que les moines mendiants aient rencontrés. Guillaume de Lorris avait esquissé la figure hypocrite de *Papelardie*, sans désigner personne : Jean de Meung, avec emportement, brosse l'image horrifique de Faux-Semblant, richement enluminée de tons crus et violents; et de peur qu'on ne s'y trompe, il ajoute à l'image une légende qui nomme les originaux. Ce bourgeois rangé, prudent, pieux, en veut aux mendiants de leur vie quémandeuse et fainéante, de leurs richesses acquises sans travail; il leur en veut de se substituer aux séculiers, de prêcher, de

confesser et d'absoudre dans les paroisses, au nez des curés déser-
tés et affamés; et ses rancunes d'écolier irritant ses haines de
bourgeois, il leur en veut de leur intrusion dans les chaires de
l'Université, de la défaite et de l'exil de Guillaume de Saint-Amour
il prend à celui-ci, qui peut-être avait été son maître, des chapitres
entiers, notamment du livre des *Périls des derniers temps*, et les
tourne en vers français à la confusion de l'ordre de Saint-Dominique
et de tous ces nouveaux frères dont l'oisiveté et l'hypocrisie menacent de perdre la sainte Église. Il ne faut pas se faire illusion sur
la valeur de ces attaques : elles n'étaient pas nouvelles, ni en
France ni dans la chrétienté; et il n'y avait pas longtemps que
Rutebeuf, précisément pour les mêmes motifs, avait dit les mêmes
choses. Jean de Meung ne fait pas plus que ses devanciers la psychologie de l'hypocrisie : il n'ajoute à leurs satires que quelques
degrés de virulence et de passion, et ses rares et fortes qualités
d'écrivain.

Mais Jean de Meung est autre chose qu'un bourgeois et qu'un
écolier : il y a autre chose dans son œuvre que des vivacités gauloises et des rancunes universitaires. Ce serait le rapetisser infiniment, de n'y voir qu'un continuateur plus pédant de *Renart* ou des
Fabliaux, et même de Rutebeuf. Jean de Meung est un original
et hardi penseur, qui s'est servi de la science de l'école avec indépendance : son *Roman de la Rose* enferme un système complet de
philosophie, et cette philosophie est tout émancipée déjà de la
théologie; ce n'est pas la langue seulement, c'est la pensée qui est
laïque dans ce poème.

Il est aisé de suivre l'enchaînement des idées de Jean de Meung
et de voir comment tout son système a pu s'attacher à la fiction du
Jeune Homme amoureux de la Rose. Renversant la doctrine de son
prédécesseur, il se moque de l'amour courtois. Mais il n'est pas
de ces épicuriens qui poursuivent le plaisir, et bénissent toutes les
sources dont il sort. Notre philosophe méprise la volupté, il en
connaît l'illusion, et sait qu'elle n'est qu'un voile sous lequel la
nature déguise ses fins, une amorce par où elle nous y attire. Avec
une netteté et une puissance d'expression singulières, il voit la
fuite incessante des phénomènes, l'écoulement universel de tout
ce qui a reçu être et vie. La mort chasse tous les individus, et finit
par les prendre. Rien ne reste, et l'humanité, le monde disparaîtraient bientôt, si les espèces ne demeuraient : dans cette grande
querelle des universaux qui a si longtemps partagé les scolastiques, Jean de Meung, avec Alain de Lille, est réaliste, mais d'un
réalisme à la fois très élevé et très sensé. Les phénomènes passent, les individus meurent : l'espèce seule a de la réalité, seule
elle *est*, parce que seule elle *reste*. A la mort qui tend sans cesse

à l'éteindre, elle oppose la génération qui tend sans cesse à l'accroître, et sa perpétuité se fonde sur l'équilibre des deux forces en conflit. Ainsi l'amour est, selon l'intention de la nature, le vainqueur de la mort, c'est la source, le fondement, le pivot de la vie universelle. Honni soit qui s'y dérobe! il est en révolte contre la nature, ennemi de Dieu, dont il aspire à détruire pour sa part la création.

Que plus sage et plus vertueux est celui qui, en simplicité de cœur, suit l'instinct de la nature! Toutes les institutions, tous les usages qui, réglant les rapports sociaux de l'homme et de la femme, vont contre la nature, sont condamnés par la raison. Au reste quiconque, en toute chose, ramènerait sa pensée et conformerait ses actes aux commandements de cette toute bonne et puissante nature, celui-là serait assuré de tenir et le vrai et le bien. Le *criterium* universel et infaillible, c'est la nature : la raison n'en connaît pas d'autre.

La Nature n'a pas fait les rois : le roi est un homme comme les autres, ni plus grand ni plus fort; bien au contraire,

> Car sa force ne vaut deux pommes
> Contre la force d'un ribaut.

Selon la nature, il n'a pas de droit sur ses semblables. Quel est donc le fondement du pouvoir royal? C'est l'intérêt public. Fatigués de la barbarie primitive, où la lutte de tous contre tous est l'état naturel, où chacun ne prend et ne garde que selon sa force actuelle, les hommes ont constitué l'État, le pouvoir civil, gardien de la propriété et de la justice; le roi n'est leur maître que pour leur service et leur sûreté : c'est le *gendarme* de Taine :

> Un grand vilain entre eux élurent
> Le plus ossu de tant qu'ils furent,
> Le plus corsu et le plus grand :
> Si le firent prince et seigneur.

Les impôts ne sont qu'une contribution destinée à fournir au prince les moyens de faire sa fonction. Voilà le principe selon lequel on peut juger les puissances : n'en voit-on pas les conséquences?

La nature n'a pas fait davantage une hiérarchie sociale : selon la nature, la noblesse n'existe pas. Ou plutôt elle existe, elle est personnelle. La noblesse, dit Jean de Meung après Juvénal, la seule noblesse, c'est la vertu, c'est le mérite. La raison ne distingue les individus que selon l'inégalité naturelle : la force physique, que notre penseur est loin de mépriser, mais surtout l'intelligence et la science, voilà ce qui élève les hommes et leur confère une dignité supérieure. Il n'a que mépris pour le baron « qui court aux cerfs ramages »; mais, avec une hauteur remarquable de pensée, il ajoute que le vice est plus condamnable chez les clercs que chez « les gens laïcs, simples et nices ».

Suivre la nature, c'est la raison, et c'est la vertu. La nature prescrit à l'homme ses besoins, et par là lui prescrit aussi ses désirs : toute passion qui va au delà du besoin naturel est factice et mauvaise. De là vient que Jean de Meung s'emporte si âprement contre l'ambition et l'avarice : faut-il tant de tracas, d'efforts, de misères, et surtout de misères infligées à autrui, pour vivre? Que demande donc la nature? La bonne vie naturelle et, partant, le bonheur ne sont-ils pas à la portée de tous? Il faut voir notre poète peindre largement, gravement, avec une sympathie chaude et joyeuse, la vie des ribauds qui « portent sacs de charbon en Grève » :

> Ils travaillent en patience,
> Et ballent, et dansent, et sautent,
> Et vont à Saint-Marcel aux tripes,
> Ni ne prisent trésor deux pipes :
> Mais dépensent à la taverne
> Tout leur gain, toute leur épargne,
> Puis revont porter les fardeaux
> Joyeusement, non pas par deuil,
> Et leur pain loyalement gagnent,
> Puis revont au tonneau, et boivent,
> Et vivent si comme on doit vivre.

Jean de Meung est un des rares écrivains de notre littérature qui ne s'enferment pas dans la vie bourgeoise et l'idéal bourgeois; il est peuple, il aime le peuple, sa vie dure, insouciante, toute à l'effort et au bien-être physiques : et c'est sans doute en grande partie par là que ce contemplateur de l'universel écoulement des apparences s'est préservé du pessimisme, où tant d'autres avant et après lui ont sombré.

Enfin la nature même, comme de toute raison, de tout droit, de tout bien, est l'unique principe de toute beauté : Jean de Meung n'est pas grand esthéticien, n'entre pas en long propos sur le beau. Cependant d'un mot il a indiqué la nature comme « la fontaine »

> Toujours courante et toujours pleine
> De qui toute beauté dérive.

C'est ce franc naturalisme qui élargit les invectives que notre bourgeois lance contre les moines. Les moines mendient : le travail est la loi de nature. Les moines font vœu de célibat : la loi

de nature, c'est l'amour. Mais l'institution monastique est l'âme
de l'Église : l'idéal chrétien ne se réalise à peu près que par l'ascétisme des couvents, où s'épanouissent les saintes fleurs de pauvreté
et de pureté. L'Église (et non pas seulement les moines) est ennemie de la Nature : et Jean de Meung, qui ne s'attaque qu'aux
moines, le voit bien obscurément. Quand il déclare la Nature
« ministre de la cité mondaine », ou « vicaire et connétable de
l'empereur éternel », pourquoi donc lui donne-t-il les titres sur
lesquels le chef même de l'Église fonde son autorité? Ne semble-
t-il pas ainsi instituer en face du vicaire de Jésus-Christ, qui siège
à Rome, un autre vicaire divin qui réside en chacun de nous, et
dont les commandements intérieurs pourront faire échec aux commandements de l'Église romaine? Cependant Jean de Meung se
contente de consacrer la Nature au nom de Dieu : il laisse à un
autre, qui viendra à son heure, à Rabelais, la charge d'excommu-
nier l'Église, Antiphysie, au nom de la Nature.

En effet, il ne peut sortir de son temps, et le temps n'est pas
venu de n'être pas chrétien. Jean de Meung n'aperçoit pas que sa
pensée le met hors de l'Église, et en ruine les fondements. Il est
croyant et pieux, comme Rutebeuf : si l'on ne regardait que l'élan
du cœur, je dirais presque qu'il l'est comme Joinville. L'Évangile
est sa règle, il s'y tient, il le défend : il dispute contre ceux qui lui
semblent s'en éloigner, il se fait le champion de l'ancienne foi
contre les nouveautés de l'Évangile éternel, et c'est pour purifier
la religion, qu'il fait une si rude guerre à la corruption de l'Église,
aux vices des ordres monastiques. Sa situation est celle des premiers réformateurs du XVIe siècle, de ces humanistes chrétiens qui
croient servir Jésus-Christ en se servant de leur raison, et qui
très sincèrement, très pieusement, espèrent la réforme de l'Église du
progrès de la philosophie. Volontiers, comme ils feront souvent, il
met toute l'orthodoxie dans la foi, et toute la foi dans la charité,
la bonne volonté, la vertu. Aimer le prochain, l'aimer activement,
c'est être bon chrétien, et Dieu ne demande pas autre chose.
Aussi, au formalisme compliqué des pratiques, aux exigences
contre nature de la vie monastique, oppose-t-il, dans des vers
d'une expression originale et forte, la sainteté laïque qui gagne le
ciel, l'idéal de la vie chrétienne dans le monde, qui satisfait à la
fois à l'Évangile et à la raison :

> Bien peut en robes de couleur
> Sainte religion fleurir :
> Plus d'un saint a-t-on vu mourir,
> Et maintes saintes glorieuses,
> Dévotes et religieuses

Qui draps communs toujours vêtirent,
Et jamais n'en furent moins saintes :
Et je vous en nommerais maintes.
Mais presque toutes les saintes
Qui aux églises sont priées,
Vierges chastes, et mariées
Qui maints beaux enfants enfantèrent,
Les habits du siècle portèrent;
Et en ceux-là même moururent,
Qui saints sont, seront et furent.

Et notre poète a le droit en vérité d'ouvrir le ciel à ceux qui
vécurent en ce monde selon son commandement : malgré le
cynisme de son langage et parfois de ses idées, il prêche une
haute et sévère morale; il a su tirer toutes les vertus de son naturalisme. L'instinct, de soi, n'est moralement ni bon ni mauvais : il
n'est pas mauvais, car l'acte qui en sort est bon; il n'est pas bon,
car l'acte qui en sort n'est pas volontaire. Mais l'usage de l'instinct
crée le mérite et le démérite : l'homme est libre, et, selon sa
science, choisit entre les actes que son instinct lui suggère; s'il
suit la nature et l'Évangile, qui en termes différents lui font le
même commandement, la nature l'avertissant de travailler pour
l'espèce, l'Évangile lui enjoignant de se dévouer au prochain, il
se désintéressera; il éloignera l'ambition, l'avarice, la volupté,
l'égoïsme : il sera doux, humble, charitable, et s'efforcera de
vaincre par l'amour les misères sociales.

Par malheur, Jean de Meung n'a pas, comme Dante, créé une
forme qui assurât à sa pensée l'éternité des belles choses : il lui
a manqué d'être un grand artiste. Les plus apparentes et vulgaires
beautés de l'art font défaut à son œuvre : il n'a ni souci ni science
de la composition, des proportions, des convenances. Ce *Roman
de la Rose* est un fatras, un chaos, un étrange tissu des matières
les plus hétérogènes : les digressions, les parenthèses de cinq
cents vers ne coûtent rien à l'auteur. L'ouvrage est une suite de
morceaux, qui s'accrochent comme ils peuvent, et se poursuivent
parfois sans se rejoindre.

Il y a de ces morceaux qui sont admirables : mais, en dépit
même de son incohérence, l'ensemble du poème donne l'impression
de quelque chose de vigoureux et de puissant. Ce bouillonnement
d'idées et de raisonnements qui se dégorgent incessamment pendant dix-huit mille vers, sans un arrêt, sans un repos, cette
verve et cet éclat de style, net, incisif, efficace, souvent définitif,
cette précision des démonstrations, des expositions les plus compliquées et subtiles, cette allégresse robuste avec laquelle le poète
porte un énorme fardeau de faits et d'arguments, le mouvement

qui, malgré d'inévitables langueurs, précipite en somme la masse
confuse et féconde des éruditions scolastiques et des inventions
hardiment originales, tout cela donne à l'œuvre un caractère de
force un peu vulgaire, qui n'est pas sans beauté.

Puis, si l'artiste est médiocre, il y a certainement dans Jean de
Meung un poète. Il n'a qu'un trait de commun avec Guillaume de
Lorris, et c'est précisément le sentiment poétique d'une certaine
antiquité, d'une antiquité raffinée, voluptueuse, un peu
mièvre, d'une sorte de xviiie siècle gréco-romain, mythologique,
ingénieux, *rococo*, que le galant Ovide lui a révélée. Même à la
Renaissance et même au xviiie siècle, ce sera toujours cette antiquité qui sera la plus accessible à nos Français.

Mais de plus, Jean de Meung a le sens de la vie, surtout, il faut
le dire, de la vie basse et ignoble : il peint grassement les mœurs
de la canaille. D'une certaine vieille, que Guillaume de Lorris
avait à peine présentée, Jean de Meung, détaillant avec énergie
le caractère du personnage, a fait la digne aïeule des Célestine et
des Macette, une figure hideusement pittoresque. Et à d'autres
moments, par le regret ému de sa belle jeunesse, dépassant la
belle heaumière de Villon, la vieille du *Roman de la Rose* atteint
presque à la mélancolie de certains vers de Ronsard.

Élevons-nous au-dessus de cette poésie triviale et populaire :
voici de quoi nous satisfaire. Au milieu des déductions arides et
de la scolastique subtile, soudain l'analyse tourne en synthèse,
et les idées se dressent sous nos yeux, réalisées, incarnées, individuelles. Jean de Meung nous démontre

> Qu'onques amour et seigneurie
> Ne s'entrefirent compagnie,

et que le pouvoir du mari fait naitre au lieu de l'amour l'indocilité
chez la femme. La démonstration devient une scène de comédie,
une longue, puissante et comique apostrophe du jaloux à la
femme qu'il a par folie épousée : le caractère dramatique se
dégage du type abstrait et allégorique **par** l'abondance des
nuances, des traits particuliers, finement inventés et vigoureusement expressifs. Ailleurs, veut-il se plaindre de l'indiscrétion des
femmes, autre scène de comédie : dans un tableau très réaliste,
un dialogue vif et fort de la femme et du mari, l'une par ruse,
caresse, menace, dépit extorquant le secret qu'elle publiera,
l'autre, pauvre niais! résistant, mollissant, et cédant enfin pour
son dam. Ces deux scènes sont de remarquables morceaux de
psychologie dramatique. C'est le geste, le mot, l'accent, qui caractérisent un caractère, un état d'esprit : c'est l'expression indivi-

uelle de l'universelle humanité, ou d'un des larges groupes
ui la composent, d'une des éternelles situations dont est faite son
istoire morale. Le principe de la comédie classique est là.

Enfin on ne saurait méconnaitre que Jean de Meung a été poète
ar la puissance de la vision symbolique. La grossièreté cynique de
es images ne doit pas nous arrêter : il y a de la grandeur dans la
açon dont il a traduit,par le lourd martèlement et l'insistance rude
e son style, l'effort de la nature réparant incessamment la mort
ar la naissance. De même, quoi qu'il doive à Alain de Lille, il a
ertainement vu d'une vision de poète, et rendu avec une fan-
aisie vigoureuse cette grande allégorie de la Nature travaillant en
a forge, tandis que l'Art,à ses genoux,s'efforce de lui dérober ses
ecrets et d'imiter son œuvre. Jean de Meung ne s'est pas toujours
ontenté de mettre en vers la philosophie : il lui est arrivé de faire
raiment de sa philosophie une poésie.

La conclusion de tout ce qui précède, c'est que Jean de Meung est
n des plus grands noms du moyen âge, même de notre littéra-
ure : on ne lui a peut-être pas encore fait sa place assez grande.
on œuvre a subi de durs assauts : mais il semble que les pieux
sprits qu'il a scandalisés, Christine de Pisan, Gerson, aient été
appés de certains détails apparents et extérieurs, propos cyni-
ues, épisodes immoraux, plutôt que du sens hardi et profond de
ensemble. Et ce n'est pas celui-ci non plus que les apologistes
e Jean de Meung, les premiers représentants de l'humanisme,
omme Jean de Montreuil, ont défendu. Cependant on ne saurait
xagérer la gravité essentielle de l'ouvrage. Par sa philosophie qui
onsiste essentiellement dans l'identité, la souveraineté de Nature
, de Raison, il est le premier anneau de la chaîne qui relie Rabe-
is, Montaigne, Molière, à laquelle Voltaire aussi se rattache, et
ême à certains égards Boileau. Il ressemble surtout à Rabelais :
est la même érudition encyclopédique, la même prédominance
e la faculté de connaître sur le sens artistique, la même joie des
ns largement ouverts à la vie, le même cynisme de propos, le
ême fatras, la même indifférence aux qualités d'ordre, d'har-
onie, de mesure. Tous les deux nés aux bords de Loire, fils du
ême pays, génies populaires, vulgaires et forts, il y a entre eux
différence des temps : mais c'est au fond la même œuvre, à
quelle ils ont travaillé, presque par les mêmes moyens. Rabelais
t plus puissant, plus passionné, plus pittoresque : mais en
mme ce qu'il a été au xvie siècle, Jean de Meung le fut au xiiie.
clôt dignement le moyen âge par une œuvre maîtresse, qui le
sume et le détruit.

Reportons, avant de terminer, notre pensée vers le bon sénéchal
e Champagne, qui bientôt allait recueillir ses souvenirs du saint

roi Louis IX : Joinville et Jean de Meung, tout le xiii° siècle tient e×
ces deux noms. avec l'opposition de deux classes, le contraste d
deux esprits. Leurs deux œuvres nous font voir les deux faces de l
civilisation du moyen âge. Mais l'œuvre délicate de Joinvill
exprime surtout ce qui va périr, elle est déjà le passé ; l'œuvr
grossière de Jean de Meung exprime ce qui va germer et grandir
elle contient l'avenir

SECONDE PARTIE

DU MOYEN AGE
A LA RENAISSANCE

LIVRE

DÉCOMPOSITION DU MOYEN AGE

CHAPITRE I

LE QUATORZIÈME SIÈCLE
(1328-1420)

. Décadence de la féodalité et de l'Église : desséchement des formes
poétiques du moyen âge. Faiblesse et artifice de la poésie. —
2. Froissart. Indifférence morale. Intelligence médiocre. Peintre
d'éclatantes mascarades et d'aventures singulières. — 3. Écrivains
bourgeois et clercs : Eustache Deschamps. Renaissance avortée :
les traducteurs sous Jean II et Charles V. — 4. L'éloquence : son
caractère ecclésiastique. La prédication en langue vulgaire. Gerson.

1. CARACTÈRES GÉNÉRAUX DES XIVe ET XVe SIÈCLES.

L'avènement des Valois (1328) marque véritablement la fin du
moyen âge. Le XIVe et le XVe siècle forment entre le moyen âge et
la Renaissance une longue époque de transition, pendant laquelle
tout l'édifice intellectuel et social du moyen âge tombe lentement,
tristement en ruines, mais pendant laquelle aussi pointent, de ci

de là, les germes épars encore et chétifs de ce renouvellement universel qui sera la Renaissance. Plus on va, plus la décomposition
s'avance et s'étale aux yeux les moins clairvoyants; la façade, qui
longtemps se maintient, ne cache plus l'effondrement interne;
mais plus aussi l'avenir mêle ses lueurs aux reflets du passé : et
cependant rien ne se fonde, et le xv⁰ siècle se clôt, en laissant
l'impression d'un monde qui finit, d'un avortement irrémédiable
et désastreux [1].

L'âme du monde féodal se dissout : les principes qui faisaient
sa force, se dessèchent ou se corrompent. Il semble que leur fécondité soit épuisée, sauf pour le mal. La noblesse féodale fournira des
mérites, des dévouements individuels : mais, à la prendre en corps,
son rôle bienfaisant est fini; elle fait décidément banqueroute à
l'intérêt public; elle devient l'obstacle, l'ennemie, et réunit contre
elle la bourgeoisie et le roi, rendant dès lors inévitables ces deux
étapes du développement national : la monarchie absolue et la
Révolution. Elle n'a plus de Rolands ni même de Lancelots : à
force d'élever, de raffiner l'idéal chevaleresque, elle l'a résolu en
un héroïsme de parade, pompeux et vide. Sous prétexte d'épurer le
sentiment de l'honneur, on l'a séparé de tous ses effets pratiques ;
on a exclu la considération grossière et avilissante de l'utilité. Mais,
le service du roi, de la France, n'étant plus la fin de la bravoure,
la prouesse n'ayant d'autre objet qu'elle-même, d'abord toutes
les folies de Crécy, de Poitiers, de Nicopolis, d'Azincourt, en ont
résulté, et la chevalerie s'est révélée, non plus seulement inutile,
mais funeste.

Puis comme cet héroïsme à vide n'est pas compatible avec la
réelle humanité, voici comment le roman s'est transcrit dans la
vie : derrière la façade théâtrale des vertus chevaleresques, toute
la brutalité de l'égoïsme individuel se donne cours. Belles paroles,
riches habits, fêtes somptueuses, effrénées largesses, folles aventures, grandes démonstrations d'honneur, de générosité, de
loyauté : voilà le dehors, le masque. Le dedans, c'est vanité,
cupidité, sensualité, scepticisme moral et absolu égoïsme. La
guerre est pour les seigneurs un moyen de gagner, et le seul :
de là cette fureur de combats, ces éclatantes prouesses, mais aussi
cet âpre rançonnement des prisonniers, ce dur pillage des provinces. Et de là, quand manque l'ennemi national, la fièvre de
lointaines aventures, ou les ligues contre le roi, pour le bien
public : entendez, comme on l'a dit, que le bien public est le prétexte et la proie. Le lien féodal, bien relâché, n'oblige ni n'em-

---

1. **A consulter :** J. Huizinga, *Déclin du M. A.*, 1933; J. Nordström, *M. A. e*
Renaissance, 1933; R. Schneider et G. Cohen, *Formation du Génie moderne*, 1936

èche plus guère : la loyauté subtile du chevalier sait se dérober
èrement, avec de belles attitudes et une noble piaffe. Au fond,
armi tous ces chevaliers, il n'y a guère que des routiers; il n'y
que les paroles et les manières qui fassent une différence. Voila
omment la féodalité se présente dans Froissart. Voilà comment,
andis que de plus en plus les rois se feront bourgeois, elle
étalera dans les dernières grandes cours provinciales, notam-
ent chez ces ducs de Bourgogne, où elle sera, plus que nulle
art ailleurs, extravagante de vanité, d'insolence, de faste, et
ésolante d'intime et essentielle grossièreté.

L'autre principe vital du moyen âge, la foi, ne subit pas de
oindres atteintes. Sans doute le christianisme, si actif et si
cond même de nos jours, n'est pas épuisé au xiv° siècle : la foi
st aussi ardente que jamais Mais l'Église, avec ses institutions et
a hiérarchie, semble prendre à tâche de tromper, de désespérer
es croyants. Les désordres scandaleux du schisme, les indignes
uerelles des antipapes, les ambitions, les passions, les mœurs, le
uxe des cardinaux et des évêques, le marchandage effréné des
ignités ecclésiastiques, la politique et les intérêts personnels se
uant de la religion, la déviation du grand mouvement chrétien
ui avait créé les ordres mendiants, les richesses insolentes,
esprit dominateur et intrigant de ces humbles moines, tout cela
'empêchait pas de croire, mais tout cela détachait de la forme
ctuelle de l'Église, tout cela rendait la simple obéissance, la doci-
té confiante à l'Église de plus en plus impossibles : et la foi des
euples se tournait en explosions indisciplinées de zèle individuel,
n sombres exaltations où peu à peu se précisait l'idée que l'Église
erdait la religion du Christ, et que les gens d'Église perdaient
Église. On s'habituait à suivre la pensée de son esprit, le sentiment de son cœur, sans attendre une règle, une direction de
autorité ecclésiastique, haïe, méprisée ou suspecte en ses repré-
entants.

La royauté recueille la puissance qui échappe des mains de la féo-
alité et de l'Église. Elle transforme insensiblement sa suzeraineté
n souveraineté; elle se fortifie et contre les entreprises des sei-
neurs et contre l'ingérence des papes : elle prétend être la maîtresse
hez elle, et commander seule à tous, laïcs ou clercs. L'Église de
rance est son Église, qui ne devra obéir au chef spirituel de
ome qu'autorisée et contrôlée par le chef temporel de Paris.
a force du roi, c'est d'incarner pour le peuple l'unité de la con-
cience nationale, de représenter pour les lettrés la doctrine
omaine de l'État souverain. On le sent protecteur et on le veut
aître. Et la royauté, sauf d'intermittents accès de frénésie chevale-
esque, voit où elle va, ce qu'elle peut, par qui elle dure et

ragne : elle devient bourgeoise et savante; elle utilise les force
encore neuves que contiennent et l'âme du tiers état et la scienc
des docteurs. De là ces petites gens qui entourent Philippe le Bel
Charles V et, tant qu'il a sens et vouloir, Charles VI : de là ce
légistes, ces secrétaires, ces conseillers, ces « marmousets »
petites gens aux noms vulgaires, qui travaillent de l'esprit, non d
bras, et mettent au service de la royauté, du public, de l'État, l
droiture du sens populaire ou les ressources de la culture scolas
tique.

C'était déjà quelqu'un au temps de saint Louis qu'un bourgeoi
de Paris : et jusque sur la flotte des croisés, en Égypte, en Syrie
ce titre se faisait respecter. La bourgeoisie, à travers les malheur
et les désordres du xive siècle, ne cessera de croître : et même déchu
des espérances qu'elle aura pu concevoir un moment de dominer l
royauté ou de s'en passer, elle restera puissante et considérée dan
sa docilité soumise. Deux ouvrages d'éducation, écrits à vingt an
de distance, le livre que le chevalier de la Tour Landry adressai
à ses filles (1372) et le *Ménagier de Paris*, qu'un bourgeois déj
mûr dédiait à sa jeune femme (1392), nous font mesurer la diffé
rence des deux classes, la frivolité, l'ignorance, l'amoindrissemer
du sens moral chez l'excellent et bien intentionné seigneur : chez l
bourgeois, le sérieux de l'esprit, la dignité des mœurs, la réflexio
déjà mûre, la culture déjà développée, enfin la gravité tendre de
affections domestiques, l'élargissement de l'âme au delà de l'égoïsm
personnel et familial par la justice et la pitié.

La science est encore le dépôt et le privilège de l'Université : e
l'Université est encore ecclésiastique. La théologie est encore l
maîtresse science, et la logique la maîtresse forme de la science
Mais cette armée innombrable et tumultueuse des écoliers, 30 00(
dit-on, au xive siècle pour Paris seulement, cette armée se recrut
en majeure partie dans la bourgeoisie, dans les couches profonde
du peuple. L'Église ne peut consommer, placer, régir tout c
qu'elle a formé. Des écoles essaime chaque année un plus gran
nombre d'intelligences fortes, hardies, disposées à se mouvoi
librement, à user spontanément, sans contrôle de l'Église, d
ce savoir et de cette méthode dont elles sont armées. De l'abu
même de l'instrument logique, une certaine liberté de pensé
naîtra, et les opinions individuelles livreront leurs première
batailles sous l'épaisse armure du syllogisme. Dans le triomphe d
la théologie, le droit a survécu et grandit sans cesse : en face de
théologiens de Paris, les décrétistes d'Orléans s'élèvent, serviteur
zélés et redoutables du pouvoir royal. Sous la scolastique écrasante
l'humanisme va se réveiller, précisément au xive siècle. Enfin le
passions populaires pénétreront ce corps où circule le sang d

peuple, et contribueront à donner aux études une orientation, à la pensée une forme que l'Église n'a pas souhaitées. Si bien qu'en cet âge de trouble et de misère, l'Université, sous son vêtement ecclésiastique, sous les privilèges de ses clercs et de ses docteurs, abritera la raison indépendante, pour lui permettre d'atteindre le temps où elle pourra jeter bas la défroque scolastique et se risquer hors de la rue du Fouarre ou du Clos-Bruneau.

Le xiv⁰ et le xv⁰ siècle sont tristes. Les ruines apparaissent, et les germes sont cachés, surtout pour les contemporains. L'abandon, les défaillances des classes d'où l'on était habitué de recevoir une direction, le spectacle et les exemples de leur dégradation, répandent partout un matérialisme cynique, un scepticisme désolant, le culte de la force, de la ruse plus que de la force, du succès plus que de tout. Il semble que la moralité sombre, et si l'honnêteté bourgeoise, si la philosophie chrétienne ou antique la maintiennent encore dans quelques parties du xiv⁰ siècle, le siècle suivant touchera le fond du nihilisme moral.

Pour hâter la décomposition de la société et de l'âme féodales, la peste noire, qui en 1348 enlève au monde connu le tiers de ses habitants, la guerre de Cent Ans, guerre étrangère, guerre civile, crises aiguës des invasions, ravages endémiques des routiers : tous les fléaux, toutes les souffrances oppressent les âmes, mais en somme les délivrent avec douleur, les arrachent à leurs respects, à leurs habitudes, à leur forme d'autrefois, remettent tout violemment dans l'indétermination, qui seule rendra possible une détermination nouvelle.

La littérature suit la destinée de la nation et l'évolution des idées. Elle se dissout ou se dessèche; l'âme et la sève s'en retirent. Ce n'est que bois mort ou végétation stérile. En dépit de quelques noms éclatants, de quelques curieuses ou grandes œuvres, le xiv⁰ siècle et le xv⁰ font un trou entre les richesses du moyen âge et les splendeurs de la Renaissance. Ni les hommes ni les œuvres ne manquent : mais, si la matière est riche pour l'historien ou pour le philologue, elle est pauvre pour le critique, qui s'arrête seulement aux œuvres littéraires, c'est-à-dire aux idées, sentiments, expériences, rêves que l'art a revêtus d'éternité. Rien n'est moins éternel que la littérature du xiv⁰ siècle, tantôt expression de sentiments épuisés ou factices, tantôt forme vide et laborieux assemblage de signes sans signification, où rien n'est réel, solide et viable, pas même la langue : car ce n'est pas encore la langue moderne, et ce n'est plus la langue du moyen âge.

Le siècle, évidemment, n'est pas poétique. L'âge de l'inspiration épique, et même chevaleresque est passé. Le triste produit du

temps, ce sont les *Enfances Garin de Monglane*, dernier terme de
l'extravagance et de la platitude où puisse atteindre la pure chanson de geste, coulée dans le moule traditionnel. On ne délaisse
pas les ouvrages anciens, mais on ne les goûte que dans des rédactions remaniées, mises à la mode du jour et imprégnées d'actualité
sans respect du caractère original et de la convenance esthétique.
Le seigneur qui a sa « librairie » et ses lecteurs, le bourgeois,
dernier client du jongleur, veulent qu'on exprime leurs passions,
leurs opinions; le présent les possède, et, que l'œuvre soit vieille
ou neuve, ils n'en ont cure, pourvu qu'ils y retrouvent le présent.
Tandis que le poème héroïque s'évanouit pour plaire aux nobles
dans la chevalerie carnavalesque des *Vœux du Paon*, il aboutit,
quand on s'adresse à la roture, à la chevalerie joviale de *Baudouin de Sebourc*, cette sorte de Du Guesclin vert-galant, à qui
sa bravoure enragée contre la féodalité et la maltôte tient lieu de
toutes vertus.

Partout, dans les suites, refaçons et contrefaçons de *Renart* [1],
dans les *Fabliaux*, dans tous les genres de poésie narrative, avec
l'ordure croît la violence : l'âpreté des haines tient lieu de talent.
Cependant, à travers la raideur gothique de leurs *laisses* mono-
rimes, un sentiment plus noble anime le trouvère inconnu qui
rime le *Combat des Trente*, et « le pauvre homme Cuvelier » qui dit
la *Vie de Bertrand Du Guesclin* : âmes sans fiel et sans haine, où
commence à s'éveiller la conscience de la patrie. C'est dommage
que le génie manque même à ces braves gens.

La poésie artistique cependant n'a pas disparu : mais par une
étrange corruption se réalise un type paradoxal de forme poétique
sans poésie; le néant de l'âme féodale crée pour s'exprimer un
art très savant et très insignifiant. Ce qu'on n'ose appeler le
lyrisme du xive siècle est le prolongement du lyrisme savant des
chansonniers aristocratiques du xiiie siècle, et c'en est la décadence : on peut deviner à quels résultats on arrive, quand la
pédantesque subtilité de la dialectique scolastique se superpose à
la subtilité élégante de l'amour courtois. Pour ne rien laisser à
l'invention de ce qu'on peut donner à la science, aux libres et
personnelles combinaisons de rythmes dont les troubadours avaient
donné l'exemple à la poésie du Nord, on substitue des formes fixes
dont les types dérivent des anciennes chansons à danser, le *rondeau*, le *virelai*, la *ballade*, le *chant royal* [2]; on s'ingénie à multiplier,

---

1. *Le Couronnement de Renart*, éd. L. Foulet, 1929; *Renart le Nouvel*, par
Jacquemart Gelée; *Renart le Contrefait*, éd. G. Raynaud et H. Lemaître, 1914.
2. Voici les principales formules : les lettres majuscules marquent les refrains.
Rondeau simple : $AVaAabAB$. (Ce sera le triolet.) $ABba.abAB.abbaB$. Au
xve siècle paraît la forme : $ABbaabA'.abbaA'$ (A' étant le premier mot de A).

à compliquer les règles de ces genres, pour en rendre la pratique
plus difficile, et la perfection, à ce qu'on croit, plus admirable. On
met tout enfin dans la technique, et toute la technique dans la
difficulté. Eustache Deschamps, qui est pourtant un homme de
sens, prend la peine d'écrire en 1392 un « Art de dictier et de
faire ballades et chants royaux », qui résume la poétique du siècle.
Le mal n'est pas qu'il aime les formes curieuses et parfaites; mais
il les estime seulement selon l'effort et contorsion d'esprit qu'elles
nécessitent. Par-dessus les rondeaux simples ou doubles, par-dessus
les virelais et chants royaux, il admire la ballade « équivoque et
rétrograde », où la dernière syllabe de chaque vers donne le premier mot du vers suivant : vrai tour de force en effet, et acrobatie
poétique.

Comme on complique le rythme, on complique le style : et là
aussi, la beauté consiste à prendre le contre-pied de la nature, et
à chercher en tout la difficulté. Rendre l'idée par l'expression la
plus éloignée de l'idée, la moins nécessaire et la moins attendue,
voilà le résumé de toutes les règles, et c'est pour cela que l'allégorie triomphe et s'étale insolemment, ennuyeusement, dans les
écrits du xive siècle : elle est devenue surtout classique et obligatoire depuis le *Roman de la Rose*. On ne sait plus dire simplement,
directement ce qu'on a à dire : il faut passer par le labyrinthe
interminable de l'allégorie, où l'art répand à profusion tous les
ornements de la mythologie, de l'astrologie, de la physique et de
toutes les belles éruditions. De là ces titres bizarres, qui dénoncent la fantaisie laborieuse des auteurs : le seul Froissart écrit l'*Hor-
loge amoureuse*, le *Traité de l'Epinette amoureuse*, le *Joli Buisson de
Jeunesse*, que sais-je encore? un *Paradis*, puis un *Temple d'Amour*.
Et ce qu'il appelle l'*Epinette amoureuse*, c'est ce que nous intitule-
rions *Souvenirs de jeunesse*. Prose ou vers, galanterie ou doctrine, toute forme et tout sujet s'accommode en allégorie. Un traité
de politique devient un *Songe du Vergier*; un livre de tactique
s'intitule l'*Arbre des batailles* [1]; et qui se douterait que ce pédan-
esque titre, *le roi Modus et la reine Racio*, cache un manuel de
vénerie?

Virelai : *AB.ccabAB — AABBAAB.bbabba.aabbaab.AABBABB. —
BB.abAB.abbABB.AB.baabA.abbaA.* Le refrain a deux vers à l'origine,
puis jusqu'à 7, souvent 3. Trois couplets, puis 2, et souvent un seul. — **Ballade** : 3 couplets. L'envoi fut ajouté plus tard; Machault et Froissart l'ignorent; Deschamps en use:
(ababbcbC)+bcbC.--3(ababbccddcdC) + ccddcdC. — **Chant royal** : cinq
couplets:5(*ababbcddedE*)+*ddedE.* — A consulter : Jeanroy, ouv. cité, p. 387-349.
1. Du prieur de Salon, Honoré Bonet (vers 1340-1405). Son plus célèbre ouvrage,
Apparition de Jean de Meung, œuvre d'un admirateur du *Roman de la Rose*, le met
à côté des Gerson, des Oresme, des Jean de Montreuil, de tous ces premiers *patriotes*
qui élevèrent la voix pour le peuple à la fin du xive siècle.

Les choses désormais ne changeront plus qu'à la Renaissance.
Pendant près de deux siècles, les mêmes genres seront cultivés :
entre tous, la ballade sera la forme maîtresse de la poésie, chérie
des gens du métier (Eustache Deschamps en compose 1374),
pratiquée des amateurs (le livre des *Cent Ballades* est l'œuvre collective des princes et seigneurs de la cour de Charles VI) : la ballade sera ce que fut dans la décadence de la Renaissance, avant la
maturité du génie classique, le sonnet. Pour deux siècles aussi, le
style, le goût sont fixés : la littérature, adaptée à ses milieux,
milieu galant et frivole des cours féodales, milieu pédant et lourd
des Puys et Chambres de Rhétorique, s'immobilise, en dépit de
tant de singularités apparentes, dans la répétition mécanique de
quelques procédés. Le nom qui désormais va désigner la poésie, le
nom qui peint merveilleusement celle de ces deux siècles, depuis
Machault et Deschamps jusqu'à Cretin et Molinet, c'est le xive siècle qui l'adopte et le consacre : et ce nom est *rhétorique*.

L'instituteur de cette *rhétorique* fut Guillaume de Machault [1]
Champenois, secrétaire du roi de Bohême Jean de Luxembourg :
à lui l'honneur d'avoir révélé le secret des rimes *serpentines*, *équivoques*, *léonines*, *croisées* ou *rétrogrades*, *sonnantes* ou *consonantes*
Et qu'eût-il pu faire? Il n'avait rien à dire. Cet adroit tisseur de
rimes et enlumineur de mots fit de son mieux : il joua très doucement son rôle d'amoureux avec la belle Péronnelle d'Armentières
allant vers la soixantaine, borgne, goutteux, il fila sa passion
patiemment, délicatement, sans oublier une attitude, une formule
une espérance, une inquiétude, jusqu'à ce que la jeune demoiselle
fournît à toute cette fantaisie banale la banalité d'une conclusion
réelle : elle se maria; et Machault, désespéré dans les formes, s'accommoda spirituellement d'une bonne amitié. N'ayant à amplifier que
les thèmes plusieurs fois séculaires de l'amour courtois, est-il étonnant qu'il ait détourné du fond vers la forme l'attention de son
public, et l'ait occupée toute à suivre ses allégories cherchées ou
ses mètres compliqués?

Je ne prétends pas qu'en ses 80 000 vers il n'y ait rien qui vaille
Il y a de l'esprit, et tel rondeau, telle ballade est d'une excellente
facture : ce sont des bijoux faits de rien, et précieux. Mais dans
tout cet esprit, tout cet art, il n'y a pas un grain de poésie : ni
intimité, ni personnalité : pas un mot qui sorte de l'âme ou la
révèle. C'est comme dans les lais, virelais, ballades et pastourelles
de Froissart : les jolies nièces abondent; c'est quelque chose de

1. Né vers 1290-95, mort en 1377; chanoine de Reims. Musicien autant que poète
il notait lui-même ses *lais*, fit des *motets*, et une messe pour le sacre de Charles V
— **Éditions**: *Poésies lyriques*, par V. Chichmaref, 1906; *Dits et Poèmes allégoriques*, par E. Hœpffner, 1908-23.

fin, de vif, du charmant, une fantaisie discrète, une forme sobre; mais une ingénuité d'opéra-comique dans les paysanneries, et partout une fausse naïveté, une adroite contrefaçon du sentiment, une grâce qui inquiète comme expression d'une incurable puérilité d'esprit. Cependant Froissart, plus souvent que Machault, donne la sensation du fini, du parfait accord de la forme et du fond.

2. LES CHRONIQUES DE FROISSART.

Mais le xivᵉ siècle est un âge prosaïque : la prose est dans les âmes, et voilà pourquoi la littérature en prose est la plus riche et la plus expressive.

L'homme en qui se résument les règnes des deux premiers Valois, avec leur violent réveil de vaine chevalerie, le spectateur enivré de toutes les folies aristocratiques du siècle, c'est Froissart : non pas le poète, mais l'historien [1]. Sa vie et son œuvre ne sont qu'une continuation, un agrandissement de la vie et de l'œuvre de Jean Lebel, chanoine de Liège, chroniqueur curieux et divertissant au service de son seigneur Jean de Hainaut [2] : jamais Froissart

[1]. **Biographie** : Né à Valenciennes en 1337, Froissart va à Londres en 1361. Il entre dans l'Église, et s'attache à la reine Philippe de Hainaut, femme d'Edouard III. Il vient en France en 1364, visite l'Ecosse en 1365. Il suit le prince Noir à Bordeaux (1366), le duc de Clarence à Milan (1368) : il voit la Savoie, Bologne, Ferrare, Rome. près la mort de la reine Philippe (1369), il se retire à Valenciennes, rédige un premier livre, gagne la protection du duc de Brabant, Wenceslas de Luxembourg, et celle du comte de Blois, obtient la cure des Estinnes-au-Mont, près Mons (1373), revise et complète son premier livre, devient chanoine de Chimay et chapelain du comte de Blois, qu'il suit en France en 1384, 85 et 86. En 1386, on le voit à l'Écluse en Flandre, puis à Riom, en Auvergne. En 1387, rédaction du 2ᵉ livre. Vers la fin de 1388, il va visiter Gaston Phébus, comte de Foix et de Béarn, qui le retient trois mois à Orthez. Il revient par Avignon. En 1389-90, on le trouve à Riom, Paris, Valenciennes, en Hollande, de nouveau à Paris (août 1389), en Languedoc, à Bourges et en Zélande. Entre 1390 et 1392, rédaction du 3ᵉ livre. En 1392, il est à Paris; en 1393, à Abbeville; en 1394-95, en Angleterre; en 1395, à Chimay et Valenciennes. Dans ses dernières années, il complète son ouvrage, et écrit son 4ᵉ livre. Il meurt vers 1410. Dans le premier livre primitif, il suivait pour les années 1325-1356 la chronique de Jean Lebel, jusqu'à transcrire mot pour mot. Pour les guerres du prince Noir, il a utilisé la chronique rimée du héraut Chandos.

Éditions : *Chroniques*, éd. Antoine Vérard, vers 1945; Kervyn de Lettenhove, 1867-77; S. Luce, G. Raynaud et L. Mirot, 1869-1931; choix par H. Longnon, 1925. *Poésies*, éd. Scheler, 1870-72. *Méliador*, éd. A. Longnon, 1895-99. — A consulter : Sainte-Beuve, *Lundis*, IX; G. Paris et A. Jeanroy, *Extraits des Chroniqueurs fr.*; Boissier, *Froissart restitué d'après les ms.*, *Revue des Deux Mondes*, 1er Février 1875; A. Debidour, *Chroniqueurs*, II, 1893; M. Darmesteter, 1894, M. Wilmotte, 1942; J. Bastin, *F. chroniqueur, romancier et poète*, 1942.

[2]. Jean Lebel, né avant 1290, mort en 1370. Ses *Vrayes Chroniques* vont de 1306 à 1361. — **Édition** : J. Viard et E. Déprez, 1904-5.

n'ajouta rien à l'idée que son compatriote et maître lui donna de
la manière de composer sa vie et son histoire. Comme lui, il ne
fut d'Église que pour avoir part aux revenus de l'Église, du reste
'esprit le plus laïque qu'on puisse voir : comme lui, il recueillait
de toutes bouches l'exact détail des événements, à grands frais et
fatigue de corps, aujourd'hui à Londres, demain en Écosse, cette
année à Paris ou en Auvergne, l'autre en Avignon, en Béarn, en
Hollande, toujours interrogeant et notant, et de loin en loin se
reposant dans son Hainaut pour classer et rédiger ses notes : indifférent du reste aux intérêts vitaux des peuples et des temps dont
il fait l'histoire, ni Anglais, ni Français, ni même Flamand de cœur
et de sentiment national, clerc aujourd'hui de Madame Philippe
reine d'Angleterre, demain chapelain de Mgr le comte de Blois, à
l'aise dans tous les partis, sans amour et sans haine, parce qu'il
est sans patrie, curieux seulement de savoir et de conter. Son indifférence nous assure de sa véracité. Il est Anglais chez les Anglais,
Français chez les Français, parce que son récit reflète les passions
des acteurs ou des témoins qui l'ont renseigné; mais il ne con-
cède rien sciemment à la passion de ceux qui l'entretiennent. Il se
met en garde contre elle. Il refera trois fois son premier livre,
deux fois le second et le troisième, pour corriger, étendre, compléter : il effacera de plus en plus du premier, primitivement tout
anglais, l'air de nation et de parti. Il est vraiment impartial. Il
ne voit, il ne cherche que la vérité. En seize ans, il dépensera
700 livres, 40 000 francs d'aujourd'hui, pour se bien informer. Il
est dévoué à sa tâche; il n'a point de bassesse, ni de vice : en
somme, un honnête homme.

La foncière immoralité du siècle n'en ressort que mieux dans
l'incroyable inconscience de son récit. Ce bourgeois de Valenciennes, pour se mettre au ton de ses nobles patrons, renie ses
origines, et la source même de son génie. Il méprise le peuple,
les bourgeois, les petites gens; il fait pis, il les ignore. Leurs
besoins, leurs souffrances, leurs aspirations, leur âme, cela ne
l'occupe pas : il ne s'en doute pas. N'étant pas un méchant homme,
il trouve excessif de passer au fil de l'épée toute une population
désarmée, les enfants et les femmes : mais il ne faut pas lu
demander plus. Tandis que le bon prêtre de Rouen qui fait la
Chronique des quatre premiers Valois, un pauvre écrivain, montre
les petites gens faisant déjà le succès d'une bataille, tandis que le
carme Jean de Venette, en son mauvais latin, ose excuser la Jacquerie par l'oppression féodale, Froissart rit des bourgeois qui prétendent s'armer pour défendre leur ville et leur vie; ce n'est pour
lui qu'une « garde nationale » fanfaronne et poltronne; et sereinement, sans une inquiétude de justice, ni un tressaillemen

d'humanité, il crie : Mort aux Jacques! à ces vilains qui n'ont pas trouvé que tout fût bien dans ce temps de brillants faits d'armes et de fêtes splendides.

Il ne s'intéresse qu'aux nobles existences. Elles seules ont le bruit, l'éclat : elles seules valent la peine d'être contées. Il adopte l'idéal de la chevalerie dégénérée; et la suprême règle de sa morale, par laquelle il loue, blâme, absout, condamne, c'est l'honneur. Il n'a pas vu le vide, la fausseté, l'immoralité de cet honneur, ce que cet étalage pompeux d'héroïsme et de loyauté recouvre de subterfuges, de mensonges, de trahisons, de crimes, ni que, dans ces vies d'où tout mobile de dévouement, toute idée de service public sont exclus, rien ne tempère la vanité délirante et l'égoïsme brutal. On s'aperçoit que cette impartialité, dont on lui sait gré malgré tout, lui était facile : il écrit pour des gens qui ne reconnaissent que la chevalerie, et qui sentent leur cœur plus près de l'ennemi qu'ils combattent que du peuple dont ils se disent les défenseurs. Au fond, la guerre est un tournoi : vainqueur ou vaincu, on se console si l'on est déclaré preux. Avec l'honneur, le prix auquel on pense, c'est le gain; dans un tournoi, les armes, les chevaux des vaincus; en guerre, la rançon des prisonniers, qu'on taxe sans ménagements, et qui s'engagent sans marchander : le bourgeois, le vilain sont les payeurs. En guerre, enfin, on a le pillage.

Je ne sais si rien marque plus nettement le niveau de la moralité de Froissart et de celle du siècle, que l'égalité qu'il établit inconsciemment entre les malandrins et les chevaliers. Il distribue très libéralement son admiration à ceux-là comme à ceux-ci : et qu'on ne croie pas qu'il ne sache pas de qui il parle : « Combien étions-nous réjouis, lui disait un vieux capitaine des Grandes Compagnies, quand nous pouvions trouver sur les champs un riche abbé, ou un riche prieur, ou un riche marchand, ou une route de mulets de Montpellier, de Narbonne!... Tout était nôtre.... Nous étions étoffés comme rois. » Mais quelle est la différence de cet Aymerigot Marcel (ou Marchés) au sire d'Albret, un noble seigneur et le beau-frère du roi de France? Écoutez celui-ci : ce sont les mêmes idées, le même langage : « Dieu merci, je me porte assez bien, disait le brave Gascon : mais j'avais plus d'argent, aussi avaient mes gens, quand je faisais guerre pour le roi d'Angleterre, que je n'ai maintenant; car, quand nous chevauchions à l'aventure, ils nous saillaient en la main aucuns riches marchands ou de Toulouse ou de Condom ou de la Réole ou de Bergerac. Tous les jours nous ne faillions point que nous n'eussions quelque bonne prise, dont nous étions frisques et jolis, et maintenant tout nous est mort. » Ce seigneur n'est qu'un brigand. Faut-il nous étonner après cela de la sympathie du chroniqueur pour « les pauvres brigands » qui gagnent à « dérober et piller les villes et les châteaux » : ils font métier de chevaliers. L'esprit positif du siècle apparaît ici, dans l'honneur que rend Froissart à tous ceux qui savent gagner ; c'est le règne de l'argent qui commence. A son insu, l'historien rend un culte à la richesse, croyant le rendre à la prouesse : Gaston Phébus, coutumier des sanglantes trahisons, meurtrier de son fils, lui fait l'effet du plus parfait **seigneur** qui soit, par la splendeur de sa cour et de ses fêtes.

D'où vient cependant que Froissart, si étranger aux haines de race, ne puisse souffrir les Allemands? Ce sont des *convoiteux*, dit-il, qui ne font rien, si ce n'est pour les deniers. Mais que font donc brigands et chevaliers en France? Voici la différence. Pour le Français, routier ou prince, depuis Talebard Talebardon jusqu'au roi Jean, les *deniers* ne sont pas méprisables, sans doute, mais ils viennent après autre chose : et cette autre chose, c'est l'*aventure*, la recherche du hasard périlleux qui met en jeu toutes les énergies du corps et de l'esprit. C'est l'*aventure* qui fait les preux, et met les « pauvres brigands » de pair avec les chevaliers : sentiment bizarre, mais bien français, et bien humain, puisqu'il donne la clef de l'universelle popularité des Mandrin, des Cartouche et des José Maria, puisqu'il explique le prestige littéraire des contrebandiers et flibustiers. C'est l'*aventure* que Froissart aime, admire dans les héros dont il nous entretient : et voilà pourquoi il pense autant de bien d'Aymerigot Marcel qui se fit pendre, que du Bascot de Mauléon, qui se retira à Orthez sur ses vieux jours, après fortune faite.

Ceci nous donne à la fois la mesure de la conscience morale et de l'intelligence historique de Froissart. Persuadé que tout héroïsme, toute vertu consistent à chercher *aventure*, il ne demande que des *aventures* aux trois quarts de siècle qu'il conte; il n'y voit pas autre chose. Dès les premiers mots de son prologue, nous sommes avertis : « Vraiment se pourront et devront bien tous ceux qui ce livre liront et verront, émerveiller des *grandes aventures* qu'ils y trouveront ». Il ne s'arrête aux choses que selon qu'elles ont ou pourront prendre couleur d'aventure : ce n'est que par là qu'Artevelde, un bourgeois, l'arrête. Il prend tout juste sa matière — et c'est la guerre de Cent Ans — comme Chrétien de Troyes a pris l'histoire de la Table Ronde. Sa chronique procède directement de *Lancelot* et du *Chevalier au Lion* : c'est un roman, par la frivolité d'esprit. De là cet incurable optimisme, cette belle humeur interne chez l'historien de tant de hontes, de crimes et de douleurs : jamais homme n'a été plus satisfait de la fête offerte à ses yeux par ce pauvre monde. On l'a comparé à Hérodote   mais qu'il en est loin, avec son enfantine conception de l'histoire, sa philosophie vaine, et sa moralité creuse. Même il est vrai que Villehardouin était plus près de la véritable histoire : pour toutes les qualités solides et essentielles, la Chronique de Froissart est un recul plutôt qu'un progrès.

Cette insuffisance de conception entraîne pour Froissart le vice de la méthode. Ne cherchant que l'*aventure*, c'est-à-dire le dehors de l'acte humain, il n'a que faire des documents écrits, ni de fouiller les archives. D'autres savaient déjà le faire : il s'en dispense, par insouciance. Il n'y a rien là pour lui. Son affaire, c'est d'écouter les preux raconter leurs prouesses; sa méthode, c'est d'amener les gens à lui faire voir les choses et de les faire voir comme il les a vues. On conçoit tout ce que cette méthode d'investigation, réduite à ce que le jargon contemporain appelle *interviews* et *reportage*, entraîne d'erreurs de chronologie, de topographie, de confusions et d'altérations de noms : ce n'est pas la peine de s'y arrêter.

Que reste-t-il donc à Froissart? Il lui reste d'être le plus merveilleux des *chroniqueurs*. Né en Hainaut, dans une contrée où s'était éveillé de bonne heure le goût des vastes compositions historiques, il se ressent du voisinage de la région flamande : le génie de cette Flandre opulente, matérielle, sensuelle, pays des cortèges somptueux et bizarres, des tapisseries immenses et splendides, de l'éclatante et grasse peinture, où, sous les ducs de Bourgogne, la féodalité mourante étala ses plus riches et plus étourdissantes mascarades, ce génie est bien le même qui s'exprime dans le talent de Jean Froissart, l'incomparable *imagier*. Tout ce qui est vie physique et sensation, apparences et mouvement des choses et des hommes, joie des yeux, caresse des sens, trouve en lui un peintre sans rival. Il a le plus inépuisable vocabulaire pour traduire tous les aspects des réalités concrètes : mais son invention verbale s'arrête, comme sa capacité de penser, à la frontière de l'abstraction. Ne lui demandons ni idées, ni sentiments, ni personnalité intellectuelle et morale d'aucune sorte : mais s'il s'agit de montrer un chevalier en armes, une armée en bataille, le travail sanglant d'une mêlée, ou bien une entrée de reine, l'éclat des tournois, noces et *caroles*, c'est notre homme. Il a une précision, une netteté, une verve qui saisissent ; avec cela, la plus aisée et naturelle spontanéité. C'est un *voyant* : il ne fait qu'appeler les images qui passent en lui. Il n'est pas seulement pittoresque, il est dramatique : il a le don de nous intéresser aux actions, toute tendresse et sympathie mises à part, par cette anxiété et suspension d'attente que nous cause toujours la vue d'une action qui *se fait* sous nos yeux. En un mot, Froissart ne raconte pas la chevalerie du XVIᵉ siè-

cle : il la voit et la fait vivre; et s'il ne s'élève pas au-dessus d'elle,
s'il ne la juge pas, s'il en adopte toute la médiocrité morale, son
œuvre y gagne en fidélité expressive.

3. UNE RENAISSANCE AVORTÉE

Sous les yeux et à l'insu de Froissart, derrière le rideau où il
prenait tant de plaisir à considérer le magnifique néant de la chevalerie, les petites gens faisaient de bonne besogne, et pour la littérature comme pour la politique, d'utiles essais, d'importants commencements se produisaient. La royauté même, dans la seconde
partie du siècle, se mit avec ces petites gens. C'est l'honneur des
Valois, même les plus fous et les plus vains, d'avoir aimé toujours
les lettres et les livres; le roi Jean, le duc de Berry son fils, donnaient des commandes aux écrivains, recherchaient ou faisaient
faire les beaux manuscrits. Charles V n'eut guère que ce goût de
commun avec son père et son frère. Il réunit dans sa *librairie* près
de mille volumes : et il les y prenait pour les lire. Charles VI aussi
les lisait dans ses moments de calme raison.

Charles V était un clerc : il avait étudié les sept arts, la théologie; il s'entourait d'astrologues, de docteurs, de savants. Il
aimait leur entretien, tandis que par des bourgeois il administrait
le royaume, que par Clisson et Du Guesclin, ces soldats si avisés et
si peu féodaux, il chassait les Anglais et écartait les Compagnies
de ses provinces. Ce règne de sagesse et d'étude n'était pas pour
réveiller la poésie : aussi n'en trouve-t-on guère dans les innombrables vers d'Eustache Deschamps [1], le messager et huissier
d'armes de Charles V, le poète bourgeois de cette cour bourgeoise.

Le personnage est intéressant : il aime les larges *buveries*, il est de
toutes les sociétés joyeuses du Valois, des Fréquentants de Crépy,
des Bons Enfants de Vertus, et s'intitule avec orgueil *Empereur des
fumeux*; il a une brusquerie joviale, la parole rude et salée, le
rire sonore : la galanterie chevaleresque n'est pas son fait. Les
dames le gênent, et il méprise la femme. Je ne sais comment en

---

1. **Biographie** : Eustache, dit **Deschamps,** d'un bien qu'il possédait, et Morel,
pour son teint noir, né entre 1338 et 1349, mort avant le 1ᵉʳ sept. 1415 : étudiant en
droit à Orléans (depuis 1360), messager de Charles V (1367-1372), huissier d'armes
(1372), bailli de Valois, maître des eaux et forêts de Villers-Cotterets, marié vers
1373, châtelain de Fismes sous Charles VI (1389), bailli de Senlis (1389); il perd sa place
d'huissier d'armes en 1395, et est remplacé dans son balliage en 1404.

Édition : Marquis de Queux de Saint-Hilaire (Soc. des Anc. textes), 11 vol.,
1878-1903. — A consulter : A. Sarradin, *Eustache Deschamps, sa vie et ses œuvres,*
1879; G. Paris, *Poésie au M. A.,* II, 1903; Picot, dans les *Mélanges J. Hurt,*
p. 500-513.

lui arriva de se marier; et il eut deux enfants : c'est, en vers au moins, le mari le plus grognon, le père le plus maussade qu'on puisse voir. Son *Miroir de Mariage*, c'est la satire X de Boileau, en style du xɪvᵉ sièle. Avec les femmes, les enfants, le ménage, il a en aversion les jolis courtisans, peut-être un peu parce que leur élégance mortifie sa vulgarité, mais surtout, à coup sûr, parce que cette jeunesse vole aux vieux conseillers bourgeois du précédent règne, dont il est, la faveur de Charles VI et des princes, et les marques solides de cette faveur. Il a en aversion encore les gens de finance, pour leur avarice oppressive, un peu aussi parce qu'il a peine à leur arracher ses gages.

Je ne sais combien de choses, du reste, et de gens il a en aversion : grogner est la disposition habituelle de son âme. Il aimait la liberté, et il aimait l'argent : il louait ceux qui mangent chez eux « du potage et des choux », et il restait à la cour, en maugréant, pour attraper quelque bon morceau : et il maugréait d'autant plus qu'il n'attrapait rien, qu'il se voyait en sa vieillesse moqué, dépouillé, cassé aux gages. Il avait pris par bonheur ses précautions, ayant toujours su compter et ménager; ni le roi ni les princes ne pouvaient faire qu'il ne fût un bourgeois cossu, nanti de bonnes terres et de bonnes rentes, ainsi qu'il le donnait à entendre en chantonnant demi-dépité, demi-marquois :

> C'est le plus sain que d'être bien renté.

Le mot résume toute sa morale et cet épicurisme bourgeois plus matériel et moins souriant que celui d'Horace. Quelque chose pourtant relève ce caractère d'une honnêteté un peu vulgaire. Dans l'horreur de Deschamps pour la noblesse et la finance entre un sincère amour du peuple; la pitié des pauvres gens, qu'on vexe, qu'on tond, et qu'on méprise, est peut-être le plus profond senti-ment que Deschamps ait ressenti. Et se tournant vers le peuple, pensant et sentant avec lui, il a eu conscience de la patrie, un des premiers de notre nation. Il a aimé la France et le peuple dans le roi Charles V : et c'est un sentiment national qui lui faisait réclamer Calais ou pleurer Du Guesclin.

Eustache Deschamps passe pour un élève de Machault. Cela est vrai de la forme de ses vers : du reste il lui ressemble aussi peu que possible. Sa poésie est toute réelle et personnelle, toute de cir-constance; il rime au jour le jour tous les événements de sa vie, et tous ceux de son temps. Il ne lui manque que d'être poète : ses vers sont les réflexions et les boutades d'un bourgeois de bon sens, qui a de l'humeur. Deschamps tient son journal en vers, comme d'autres le tiennent en prose. On peut mesurer la distance

qui le sépare des vrais lyriques : avant Ronsard, il développe le
thème :

> Cueillez dès à présent les roses de la vie·

avant Villon, le thème :

> Mais où sont les neiges d'antan?

Mais il ne tire rien de ces thèmes si riches, du moins il n'en
extrait pas d'émotion ni de poésie. Ainsi au lieu du mélancolique
et poignant refrain de Villon, que trouve-t-il? une froide réflexion

> Ils sont tous morts : le monde est chose vaine.

Et voilà la différence d'un poète à un raisonneur.

Que du reste Deschamps, avec son rude langage, dans ses vers
martelés et pénibles, ait souvent de la force, de l'éclat, de l'originalité, une sorte de mâle et brusque fierté qui rappelle, par
moments, l'accent de Malherbe, il n'y a pas à le contester. Il y a en
lui, sinon un poète, du moins un écrivain; et si l'on considère
certain goût pour les lieux communs, certaine pente à procéder
par idées générales et par raisonnements liés, on dirait peut-être
qu'il y a en lui un commencement d'orateur. Malgré sa culture
superficielle et ses étranges bévues, il a étudié; sa langue est fortement imprégnée de mots latins. Si bien que ce disciple éclectique de Jean de Meung et de Machault se rattache aussi d'une
certaine façon au grand mouvement qui, sous les règnes de
Charles V et de Charles VI, met comme une aube, trompeuse
encore, de renaissance.

Il se produit alors, en effet, une sorte de réveil de l'humanisme.
L'étude de l'antiquité, restaurée sous Charlemagne, renouvelée
par les grands et actifs esprits du xiie siècle, avait été déplorablement négligée au xiiie. Les résumés, les manuels, les encyclopédies
avaient pris la place des textes; et les sept arts vaincus avaient
cédé la place à la théologie. Mais au xive siècle ils prennent leur
revanche : on se met à rechercher, à copier les manuscrits latins.
On étudie les textes pour eux-mêmes, pour leur sens, pour leur
beauté, non pour en tirer des autorités et des arguments. Pétrarque
vient en France en 1361, comme ambassadeur de Galéas Visconti :
il harangue en son latin le roi et le dauphin, qui furent très
étonnés d'entendre parler en belles périodes d'une certaine déesse
Fortune, dont ils n'avaient rien su jusque-là. Cette déesse Fortune,
c'est l'avant-garde de toute l'antiquité païenne, idées et formes,
qui fait son entrée dans les cerveaux des barbares du Nord.

Pétrarque [1], qui en ce voyage nota la désolation du royaume, la solitude des écoles, trouva pourtant à qui parler, de savants hommes qui partageaient son goût pour les ouvrages des anciens. Il resta lié avec Bersuire. D'autres le virent à Avignon, la ville du schisme, qui, sous ses papes d'abord, puis ses légats, demeure du xive au xvie siècle une porte ouverte à la civilisation italienne sur la France encore brute et grossière : au xive surtout, pendant le schisme, Avignon mit en contact et mêla Français du Nord et du Midi, Florentins, Romains, venus les uns pour en arracher le pape, d'autres pour l'y maintenir, d'autres pour toutes les sollicitations, intrigues ou marchandages publics et privés : nos Français, pour peu qu'ils fussent lettrés, ne firent jamais le voyage pour rien, quand même ils se laissaient jouer ou battre.

On voit à la fin du xive et au commencement du xve siècle tout un groupe de lettrés, curieux et enthousiastes de l'antiquité latine, Oresme, Gerson, Pierre d'Ailly, Nicolas de Clamenges, Gonthier Col, Guillaume Fillastre, d'autres encore. La plupart sans doute sont encore des scolastiques, théologiens, docteurs, engagés dans les études et les emplois de l'Église. Mais voici une femme, Christine de Pisan, que nous retrouverons bientôt, et voici un homme qui est comme la première ébauche de l'humaniste en France, un homme qui a étudié seulement *ès arts*, qui n'a pas touché à la théologie, qui n'a aucun grade : c'est Jean de Montreuil [2], secrétaire de Charles VI et prévôt de Lille. Il écrit encore en latin scolastique, et cite abondamment Ovide : mais déjà le trio de ses auteurs favoris, de ses idoles, c'est Cicéron, Virgile et Térence : déjà sa culture est toute païenne, et jusque dans une lettre au pape sur les maux de l'Église, il ne trouve à citer que Térence, au grand scandale du pieux Gerson.

Chose à noter, à leur gloire, ces humanistes, bourgeois d'origine et de cœur, se font en général remarquer par la vivacité de leur patriotisme. Les plus grands cris pour la paix, en faveur du peuple et de la France, partent de leur groupe. Gerson et Christine de Pisan sont connus; Jean de Montreuil, que les Bourguignons égorgent en 1418, avait écrit en latin et en français des traités contre les Anglais; il y a de l'ampleur et de la passion oratoire dans ses libelles en langue vulgaire.

Le profit que la littérature française reçoit de cet essai de renaissance des lettres anciennes est manifeste. Encouragés déjà par Jean II, mais surtout par Charles V, de studieux esprits s'appliquent à mettre en langue vulgaire les œuvres latines.

---

1. A consulter : De Nolhac, *Pétrarque et l'Humanisme*, Paris, 1892, in-8.
2. A consulter : A. Thomas, *De Joannis de Monsterolio vita et operibus*, 1883; A. Coville, *Gontier et Pierre Col et l'humanisme en Fr. sous Charles VI*, 1934.

Bersuire traduit Tive-Live; Bauchant, Senèque; un autre, Valère-
Maxime; un autre, les *Remèdes de l'une et de l'autre fortune* de Pétrarque. Laurent de Premier Fait s'attaque à Cicéron[1] et à Boccace.
Tout cela est un peu confus, et déjà, comme on voit, les Italiens
sont traités sur le pied des classiques latins. Mais le premier des
traducteurs du temps, c'est Nicole Oresme[2], qui fut grand maître
de Navarre, chapelain et conseiller de Charles V. Du commandement du roi, Oresme traduisit (sur le latin, car il n'y a presque
personne encore qui sache le grec[3]), l'*Éthique*, la *Politique*, les
Traités du Ciel et *du Monde*, d'Aristote.

Ces travaux ont deux bons effets. Ils émancipent, éclairent la
raison humaine. Ils lui donnent confiance en elle, et la forcent
de marcher dans sa voie. la portée d'une œuvre comme celle
de Bersuire est incalculable : Tite-Live apparaissant en français, c'est la révélation de l'antiquité authentique sans fables, du
moins sans autres fables que celles dont son propre génie l'a
parée : c'est la confusion de tous les « romans de Rome la grant »,
et, à plus ou moins bref délai, la substitution du héros au chevalier
dans l'idéal des intelligences cultivées.

Et si l'on veut savoir ce que les esprits de nos Français gagnent
dès lors au commerce des anciens, on n'a qu'à considérer les ouvrages
d'Oresme qui ne sont pas des traductions. Dans l'un, il condamne
l'astrologie; c'est bien, mais ce qui est mieux, c'est qu'il ne la combat
pas par autorité théologique, mais par le bon sens et le raisonnement. Ce qui est mieux aussi, il en sépare nettement l'astronomie.
Un autre écrit, sur la *sphère*, est un traité de cosmographie, une
simple exposition scientifique, sans mélange de fables, ni de moralisations : voilà, je crois, la première fois que la science s'exprime
en français, en son langage et selon son esprit. Oresme a fait
encore un *Traité des monnaies*, où sans déclamation, par bonnes et
solides raisons, appuyées sur l'amour du bien public, il condamne
fortement les rois et princes qui les altèrent : il pose très nettement
à ce propos la limite des droits du roi, mettant au-dessus de sa

---

1. Il traduit le *De amicitia* et le *De senectute*, et, de Boccace, le *De casibus nobilium
virorum et feminarum*, puls le *Décaméron.*

2. **Biographie** : Nicole Oresme, Normand, étudiant à Navarre et maître de théologie
(1348-1356), grand maître de Navarre et professeur en théologie (1356-1361), doyen de
l'église de Rouen (1361-1377), évêque de Lisieux (1377), meurt en 1382. Ses trois
traductions d'Aristote sont de 1370, 1371 et 1377.
   Éditions : *Traité des Monnaies*, éd. Wolowski, 1864; *Livre des Éthiques d'Aristote*, éd. A.-D. Menut, 1940. **A consulter** : E. Bridrey, *Oresme*, 1906.

3. Le dominicain Guillaume de Meerbeke traduisit Aristote en latin sur le texte
grec. Les traductions d'Oresme sont faites en partie d'après le latin de ce moine
helléniste. Les Dominicains étaient tenus par leur règle d'avoir quelques collèges
pour l'étude des langues grecque, hébraïque, arabe. — **A consulter** : C. Douais.
De l'organisation des études chez les Frères Prêcheurs, Paris, 1884, in-8.

volonté l'intérêt de la communauté, qu'il a charge de procurer. La politique propre d'Oresme tient en ce seul mot : *le roi serviteur de l'État*; et cela suffit à prouver, en dépit de tous les contresens qu'il a pu faire dans ses traductions, que pour l'essentiel il a bien lu Aristote.

Le second avantage que les traductions nous apportent n'est pas moins apparent. Elles élargissent, assouplissent, affermissent à la fois le style et la langue. La phrase s'étoffe, prend du poids, s'essaie à l'ampleur, aux allures soutenues, au juste équilibre des parties : une forme oratoire se crée. Cela, sans doute, est encore bien mêlé et bien confus : les constructions légères, familières, *à la française*, les tours plus graves, compassés, à la manière des orateurs romains, se coudoient, se mêlent, se choquent chez nos novices écrivains. Mais on remarque, même et presque surtout dans leurs œuvres originales, chez Oresme, chez Gerson, chez Jean de Montreuil, un accent, une sonorité, une hauteur de ton, qui sont vraiment les commencements d'un art nouveau, et comme les premiers bégaiements de la prose éloquente.

Pareils effets se constatent dans la langue. Souvent l'écrivain hésite entre un gallicisme et un latinisme de syntaxe; il renforce le mot populaire d'un mot savant, transcription fidèle du terme latin. L'œuvre d'Oresme est un témoin curieux de la crise que traverse la langue à cette époque. Elle perd ses flexions. Il n'y a plus de cas sujet, ni de cas régime : l's est le signe exclusif et constant du pluriel. Cependant on rencontre encore des traces du cas régime, des génitifs par juxtaposition, « c'est l'opinion Aristote; le fils Priamus ». Les adjectifs qui n'ont pas de forme spéciale pour le féminin sont en train d'en acquérir une : mais l'ancien usage subsiste à côté du nouveau, et Oresme dit avec assez d'incohérence : « science moral » et « vertus morales ». Mais le caractère le plus saillant de sa langue, et il en est de même chez tous les savants et lettrés du temps, c'est l'abondance des mots que l'écrivain dérive ou décalque du latin. Oresme dit *abstinence, affinité, arbitrage, aristocratie, bénéfacteur, bénévole, combinaison, condensation, conditionnel, contingent, corrumpance* et *corruption, diffamable* et *diffamer*, etc. Tous ces mots n'ont pas été consacrés par l'usage : nos érudits, dès lors, comme plus tard au xvie siècle, les jetaient dans la langue avec une facilité un peu téméraire, effrayés et comme étourdis qu'ils étaient de la disproportion qu'ils apercevaient entre la pensée antique, si riche, si complexe, si élevée, et notre pauvre vulgaire, bornée jusque-là aux usages de la vie physique et des intérêts matériels.

4. ÉLOQUENCE RELIGIEUSE.

Pétrarque, volontiers dédaigneux des barbares, disait que hors
de l'Italie il n'y avait ni orateurs ni poètes. Pour les poètes, il
avait peut-être raison; pour les orateurs, il avait tort. La France
eut au xive siècle des voix éloquentes, et jamais à vrai dire elle
n'en avait manqué depuis le xie. Mais Pétrarque appelait orateur
le lettré qui s'essayait à l'éloquence cicéronienne : et l'éloquence
en France ne s'était pas encore laïcisée ni dépouillée des formes
scolastiques.

Le fait caractéristique, et du reste tout naturel, dans l'histoire
des origines de l'éloquence française, c'est la prédominance du
genre religieux sur le genre politique et judiciaire. Même au
xive siècle, quand les discordes civiles, les assemblées des États
généraux, les soulèvements et les prétentions de la bourgeoisie
parisienne et de l'Université font apparaître une ébauche d'éloquence politique, quand vers le même temps l'ordre de la procédure et des débats devant les tribunaux de légistes suscite le
développement d'une éloquence judiciaire et la constitution d'un
corps d'avocats, le sermon reste encore la forme type du discours
oratoire. Les harangues, les plaidoyers, sont des sermons, avec
texte et divisions, tout à fait selon l'usage des prédicateurs. Ce
n'est pas ici le lieu de rechercher ce que pouvait être l'éloquence
du roi de Navarre Charles le Mauvais, ou celle de l'avocat Jean
Desmarets [1]; tous les deux furent célèbres en leur temps. Nous
pouvons nous en tenir à la prédication chrétienne, d'autant que
le grand sermonnaire du xive siècle, Gerson, nous donne aussi
par ses *Propositions* et par son *Plaidoyer pour l'Université contre le
sire de Savoisy* l'idée de ce que pouvaient être alors les discours
politiques et judiciaires.

La prédication en français remonte aux origines mêmes de notre
langue [2]. Le latin était la langue de l'Église : aussi prêchait-on
en latin, en un latin qui a pu parfois s'émailler de roman, aux
clercs, aux moines, même aux religieuses. Mais on prêchait aux
laïcs en français. Dès le ixe siècle, les conciles de Tours et de
Reims ordonnent aux prêtres d'instruire le peuple dans la langue

---

1. Il fut avocat du Roi. Il s'entremit souvent entre la cour et le peuple, qui applaudissait à ses harangues. Il fut mis à mort en 1383. — Cf. Munier Jolain, *la Défense
de Jean sans Peur par Jean Petit*, Rev. bl., 3 mars 1894.

2. A consulter : l'abbé L. Bourgain, *la Chaire française au xiie siècle*, Paris, 1879.
Lecoy de la Marche, *la Chaire française au moyen âge*. 2e éd., Paris, 1886. Ch.-V.
Langlois, *l'Éloquence sacrée au moyen âge*, Revue des Deux Mondes, 1er janvier 1893.

du peuple. Il le fallait bien pour être compris. Il y eut certainement au XIIe siècle une prédication en langue vulgaire, active, vivante, puissante, qui entrainait grands et petits à la croisade, peuplait les cloîtres, jetait des villes entières à genoux, et dans tous les excès de la pénitence. Du haut de leurs chaires, sur les places, par les champs, les prédicateurs étaient les directeurs publics de la conscience des individus et des foules : tout et tous passaient sous leur âpre censure, et depuis les coiffures effrontées des femmes, nulle partie secrète ou visible de la corruption du siècle ne déconcertait l'audace de leur pensée ou de leur langue. Au XIIIe siècle encore, avec l'expansion des deux grands ordres mendiants, dont l'un est voué par son nom même à la prédication, l'éloquence chrétienne a encore de beaux jours. Cependant il n'est presque point resté dans notre langue de monuments qui en représentent l'éclat pendant ces deux grands siècles de foi : c'est affaire aux érudits d'en ressusciter l'image à grand'peine.

On préchait en français devant le peuple, mais on mettait en latin les sermons que l'on voulait confier à l'écriture. C'était en latin qu'on les préparait, en latin qu'on les conservait, le latin étant la langue naturelle des auteurs, et celle aussi du public par lequel ils pouvaient songer à se faire lire. De là vient que tous les sermons qu'on a d'Hildebert ou de Raoul Ardent, de Pierre de Blois ou de Hugues de Saint-Victor, de saint Thomas ou de saint Bonaventure, qu'ils aient été préchés dans les couvents ou devant le peuple illettré, sont en latin. Quand la vulgarité pittoresque du français résistait à la gravité de la langue savante, le rédacteur ou traducteur insérait au milieu de son latin l'idiotisme, le proverbe, la métaphore populaire : de là les sermons appelés *macaroniques*. (App. II.) Même encore au XVe siècle, l'éditeur de Gerson tournait en latin, pour l'utilité du lecteur, les discours dont il avait le texte français.

En somme, outre quelques sermons du XIIIe siècle, la prédication en langue vulgaire n'est représentée que par deux recueils qu'on a sous les noms de Maurice de Sully [1], évêque de Paris, et de saint Bernard. Encore ne sont-ce que des traductions du latin. Les 84 sermons de saint Bernard [2] ont été préchés devant des clercs, et mis en français sans doute à l'usage des frères lais qui n'entendaient pas le latin. Quant à Maurice de Sully, son recueil était un manuel pour suppléer à l'incapacité oratoire des prêtres de son diocèse : ils n'avaient qu'à réciter en langue vulgaire les homélies dont il leur fournissait le modèle. Et c'est ce qui fait que les nombreux manuscrits de la traduction offrent tant de dif-

---

1. Mort en 1196. — **Édition :** *le Dialecte poitevin au XIIIe siècle*, par A. Boucherie, Paris et Montpellier, 1873.

2. **Édition :** Foerster, 1885. — **A consulter :** Goyau, *Saint Bernard*, 1927.

férences : chaque traducteur brodait à sa fantaisie sur le thème
offert par le manuel, et ces rédactions dans leur diversité peuvent nous donner une idée des formes dans lesquelles l'éloquence
latine du bon évêque de Paris parvint au peuple.

Il est donc impossible de faire l'histoire de la prédication chrétienne au moyen âge, sans réunir les textes latins aux textes
français, quelle qu'en ait été la forme première : et c'est ce qui
nous dispense d'y insister, dans un ouvrage tel que celui-ci.
Plus libre, plus personnelle au XIIᵉ siècle, et gardant l'empreinte
plus visible de la fougue ou de l'onction du sermonnaire, plus subtile
et plus sèche au XIIIᵉ, et plus asservie aux formes et aux procédés
de la dialectique scolastique, l'éloquence religieuse reproduit dans
son développement toutes les phases du goût, tous les caractères
de la culture du moyen âge. La grande règle de la rhétorique
naturelle, c'est de plaire et de toucher : pour cela les prédicateurs ramassent de tous côtés ce qu'ils croient de nature à intéresser, même à amuser l'auditeur. Ils n'ont souci que du
résultat, aussi passent-ils par-dessus toutes les convenances, tous
les scrupules de goût. Ils débitent des contes, expliquent des allégories; leur sermon est tantôt un *miracle de Notre-Dame*, tantôt
un *fabliau*, tantôt un chapitre de *Physiologus* et tantôt un *débat* ou
une *bataille*.

Mais peu à peu il se forme un art de prêcher; les recettes mécaniques se substituent à l'inspiration personnelle. Les manuels,
les recueils de modèles, de matériaux préparés et classés, se multiplient. Maurice de Sully et Alain de Lille, dès le XIIᵉ siècle, ont
donné l'exemple : leurs successeurs sont légion au XIVᵉ siècle.
L'éloquence est mise à la portée de tout le monde. Voici les *Gesta
Romanorum*, ou bien l'*Échelle du Ciel* (*Scala Cœli*), à l'usage de ceux
qui aiment les contes Voici l'*Universum prædicabile*, pour les
curieux d'histoire naturelle, de physique, d'astrologie. Ou bien
prenez la *Somme des Prédicateurs*, où Jean Bromyard a enfermé
toutes matières prêchables. Si vous voulez des interprétations
morales de l'Écriture, les voici toutes, par ordre alphabétique,
dans le *Répertoire des deux Testaments*, de Pierre Bersuire.
Aimez-vous mieux la poésie profane, le galant Ovide et ses *Métamorphoses*, prenez *Ovide moralisé* à l'usage de la chaire. Puis
viennent les traités techniques, qui mettent en main la méthode :
Ars dividendi themata, Ars dilatandi sermones. Diviser et dilater
tout est là, et les deux procédés qui s'unissent et se complètent
sont l'allégorie et le syllogisme; ce dernier même finit par tout
comprendre : *Ars faciendi sermones secundum formam syllogisticam ad quam omnes alii modi sunt reducendi*. Mais c'est encore
bien du mal pour un pauvre curé, un simple moine, que de

diviser et dilater lui-même son sermon, même *secundum formam
syllogisticam*. On viendra à son secours : vers 1395 parait le fameux
Dormi secure, recueil de sermons tout rédigés, bons à prêcher.
Dors en paix, prédicateur : *ton sermon est fait*. Comme on voit, l'idée
de Maurice de Sully a fait son chemin.

Cependant à la fin du xive siècle les maux de l'Église et du
royaume ranimèrent l'éloquence religieuse : plus d'une fois les
émotions et les haines amassées dans les cœurs firent craquer les
mailles serrées du raisonnement scolastique. « Grande chose était
de Paris, nous dit-on vers 1400, quand maître Eustache de Pavilly,
maître Jean Gerson, frère Jacques le Grand, le ministre des Mathurins et autres docteurs et clercs voulaient prêcher tant d'excellents
sermons [1]. » Des quatre prédicateurs ici nommés, le plus illustre et
le seul dont nous puissions juger l'éloquence est Jean Gerson [2]
Ce grand docteur, la plus grande gloire de Navarre avant Bossuet,
théologien et lettré, en qui s'unissait la rude subtilité du scolastique aux tendresses ardentes du mystique, âme pure et loyale
parmi les corruptions et les intrigues du siècle, passa sa vie à se
dévouer pour l'Université, pour l'Eglise, pour la France, pour le
peuple, sans une pensée pour lui-même, sans autre souci que de la
foi, de la justice et de la charité. Il eût voulu l'Eglise une et sainte,
en ce temps de schisme et de scandale : en ce temps de discordes
et d'oppression, le royaume paisible et prospère. Il ne s'enferma
pas dans sa théologie et dans sa science latine : il crut de son
devoir d'instruire tous les Français en français, de dire à tous la
vérité et leur devoir dans la langue de tous. Il écrivit ; surtout il
« sermonna ». Une soixantaine de ses discours nous sont parvenus
dans leur forme française, sermons prononcés devant la cour
entre 1389 et 1397, ou prêchés à Saint-Jean en Grève, entre 1401
et 1414, harangues ou *propositions* adressées au roi ou au peuple,
le plus souvent au nom de l'Université, et qui ont un caractère de
circonstance, une couleur politique : il faut y joindre le plaidoyer
pour l'Université, véritable **sermon** développé en Parlement sur le
texte : *Estote misericordes*.

1. Guillebert de Metz, *Description de Paris*, cité par V. Le Clerc, t. I, p. 413.
2. **Biographie** : Jean Charlier, de Gerson (près Rethel), né en 1363, mort en 1429,
boursier, puis docteur, puis chancelier de Navarre, protégé du duc de Bourgogne,
enseigne et prêche jusqu'en 1397, se retire à Bruges pendant trois ans, est nommé
curé de Saint-Jean en Grève à son retour vers 1401, va représenter le roi, l'église de
Sens et l'Université de Paris au concile de Constance (1414) ; il vécut quelques
années au couvent des Célestins de Lyon (1419-1423), et mourut le 12 juillet 1429
Il n'y a plus lieu de s'arrêter à la conjecture qui le fait auteur de l'*Imitation de
J.-C.* — **Édition** : Ellies Dupin, Anvers [Amsterdam], 1706, 5 vol. in-fol. Il y a des
sermons français aux tomes III et IV. — **A consulter** : Abbé Bouret, *Sermons fr.
de Gerson*, 1858 ; Masson, *Gerson, vie, temps, œuvres*, 1894 ; H. Dacremont, *Gerson*,
1929.

Gerson conserve toutes les formes traditionnelles de l'éloquence de la chaire. Cependant il simplifie certainement l'appareil scolastique, il ménage les divisions, les citations, retenant seulement les procédés et figures qui émeuvent l'imagination. La mise en scène de son argumentation vise à être expressive et touchante. Un sermon sur l'Immaculée Conception est un *débat* entre Nature et Grâce, et un *débat* judiciaire avec plaidoiries et arrêt en forme. Un sermon sur les Péchés Capitaux tourne en *Bataille des vertus et des vices*, à la mode des peintres primitifs. Ailleurs il use de l'allégorie : il arme les apôtres en chevaliers, avec « l'' u de ferme créance », et « l'épée de vraie sapience » : ou bien il construit le *temple* interne de l'homme. Tel autre sermon est une vision, tel autre un conte dévot : ailleurs, et plus heureusement, les arguments prennent vie, et le sermon se développe en un dialogue dramatique.

Dans ces cadres convenus, que le siècle mettait à sa disposition, Gerson a su faire entendre des accents personnels. Il a la foi et la charité : vraies sources de toute éloquence, dès que les lumières ne sont pas trop courtes. Aussi a-t-il prêché simplement, pathétiquement, les grands thèmes que la morale et le dogme chrétiens offrent aux prédicateurs. Mais jamais il n'approche plus de la grande éloquence et de son irrésistible naturel que lorsque son propos l'amène aux misères du temps. Ses plus belles pages — et cette seule remarque l'honore — sont sur le schisme et sur les souffrances du peuple. *Vivat rex, vivat pax*, ces deux textes de deux discours qu'il adressa au roi Charles VI et qui firent une impression profonde, résument toute la pensée politique de Gerson. Elle le suit partout, et dans ses sermons jette à l'improviste de douloureux et pathétiques mouvements : prêchant un jour de Noël, il pose que Jésus est venu apporter la paix aux hommes, et ce mot de *paix* évoquant en son esprit l'ardente et toujours vaine aspiration des peuples, il adresse au roi et aux princes une exhortation singulièrement émue et touchante : il n'y a pas beaucoup de pareils morceaux dans l'éloquence religieuse avant Bossuet.

Au reste l'actualité ne l'emporte pas, et dans ses propositions comme dans ses sermons, si passionné qu'il soit, si exact et si abondant sur les faits et circonstances, il reste toujours le chrétien qui enseigne la parole de Dieu : grave, austère, il en revient toujours à prêcher la pénitence, seul remède aux maux de la chrétienté. De là cette doctrine à la fois sombre et consolante, cette dureté qui se fond en espérance et tendresse.

Pour le style et la langue, Gerson est un contemporain des Oresme et des Jean de Montreuil. Il appartient au groupe des humanistes. Ses œuvres françaises s'en ressentent plus que son latin, tout sco-

astique encore. Ce qu'il a déjà parfois d'harmonie et d'ampleur,
es larges développements où s'étalent le pathétique et l'onction,
iennent d'un commerce habituel avec les chefs-d'œuvre romains.
l y a encore de la gaucherie, de l'inégalité dans sa démarche :
nais il suffit de lire dans son unique plaidoyer la vive et drama-
ique narration de la procession des écoliers bousculés par les gens
lu sire de Savoisy, pour reconnaître qu'en nommant Cicéron, il
ndique son maître et son modèle.

CHAPITRE II

LE QUINZIÈME SIÈCLE

(1420-1515)

1. L'antiquité et l'Italie. Décadence générale de la littérature fran
çaise; exceptions individuelles. Charles d'Orléans : esprit et grâce
— 2. Brutalité et grossièreté de l'esprit du temps. Le sentimen
national et l'idée de la mort. — 3. Villon; sa vie; sa poési
Sincérité de l'impression et du sentiment. Inspiration lyrique
personnelle et humaine. — 4. Commynes : sa vie; son caractère, so
intelligence; les idées directrices de Commynes; sa philosophi
— 5. Fin de la poésie féodale: les grands rhétoriqueurs.

Le xv° siècle continue et développe les caractères du xive
épuisement, dissolution, ou monstrueuse déviation des principe
vitaux du moyen âge, intermittente et comme inquiète éclosion d
quelques bourgeons nouveaux, effort incomplet et encore entrav
des formes futures vers la vie.

1. CHARLES D'ORLÉANS.

Les premières années du règne de Charles VII appartiennent su
tout au groupe des humanistes qui commencent à épeler avec u
accent nouveau les auteurs tant de fois compilés et cités par le pédan
tisme des siècles précédents. Ne nous arrêtons pas à l'excellent
Christine Pisan [1], bonne fille, bonne épouse, bonne mère, du rest

---

1. **Biographie** : Née à Venise vers 1363, fille de Thomas Pisani, astrologue d
Charles V, elle fut amenée en France par son père en 1368. Elle épousa un Picar
Étienne Castel, qui la laissa veuve de bonne heure avec plusieurs enfants. Elle con
nut la misère sous Charles VI. Cependant elle refusa d'aller à la cour du roi angla
Henri IV, et chez le duc de Milan, Galéas Visconti. Elle mourut après 1429. Ell
écrivit contre le *Roman de la Rose*.

Édition : *le Livre des faits et bonnes mœurs du roi Charles V*, éd. S. Solent

n des plus authentiques *bas-bleus* qu'il y ait dans notre littérature,
a première de cette insupportable lignée de femmes auteurs, à qui
ul ouvrage sur aucun sujet ne coûte, et qui pendant toute la vie
que Dieu leur prête, n'ont affaire que de multiplier les preuves de
eur infatigable facilité, égale à leur universelle médiocrité. Il faut
'estimer, étant Italienne, d'avoir eu le cœur français, et d'avoir
endu un dévouement sincère et désintéressé aux rois et au pays
lont longtemps les bienfaits l'avaient nourrie; le cas n'est pas si
réquent. Elle y a gagné du reste d'avoir écrit dans de beaux élans
l'affection émue cinq ou six strophes ou pages qui méritent de
ivre [1]. Cette Italienne qui sait le latin a quelque souci de la phrase,
t quelque sentiment des beaux développements largement étoffés.

L'effort est plus marqué et parfois plus heureux dans les œuvres
l'Alain Chartier [2] dont le nom surnageant presque seul au XVIe siècle
lans le naufrage de tout ce passé, a usurpé longtemps une estime
rop glorieuse : il n'est pas si au-dessus de son temps qu'on l'i.na-
jinait jadis. Rien [3] ne subsiste de ses vers sans âme, prosaïque pro-
uit de la frivolité chevaleresque, où le fond est vain sous la forme
ausse. Mais sa prose française est d'un homme qui a vécu avec les
nciens : dans ces cadres [4] qu'il emprunte encore un peu trop volon-
iers au goût du moyen âge, dans ces visions pédantesquement
llégoriques où ratiocinent interminablement de sèches abstrac-
ions, le détail du style, le moule de la phrase viennent de Cicéron
t de Suétone : surtout Chartier imite Sénèque, et s'essaie, parfois
vec bonheur, à en retrouver la brièveté nerveuse et le trait [5]. Ce
hoix de Sénèque comme modèle de style est un des signes avant-
oureurs de la Renaissance où l'on peut le moins se tromper.

936; *Dittié de Jeanne d'Arc*, éd. J. Quicherat, *Procès de Jeanne d'Arc*, V;
hemin de Long Étude, éd. Püschel, 1881; *Œuvres poétiques*, éd. M. Roy, 1886-95;
Œuvres en Prose, 1928. — **A consulter** : P. Campbell, *Sources de Chr. de P.*, 1924;
I. J. Pinet, *Chr. de P.*, 1928; R. Rigaud, *Idées féministes de Chr. de P.*, 1911;
M. Laigle, *Le Livre des Trois Vertus de C. de P.*, 1912; E. Nys, *C. de P. et ses prin-
pales œuvres*, 1914.

1. Notamment dans le *Dittié de Jeanne d'Arc* et dans le *Livre de la Vision*.

2. **Biographie** : Né vers 1394, fils d'un bourgeois de Bayeux, frère cadet de Guil-
aume qui devint évêque de Paris, il servit Charles VI et Charles VII. Il fut chargé
'une mission en Bohême, auprès de l'empereur Sigismond, en 1423 et 1424. Il
nourut après 1439.

   Éditions : *La Belle Dame sans Mercy et les Poésies lyriques*, éd. A. Piaget, 1945;
uadrilogue invectif, éd. E. Droz, 1923. — **A consulter** : Delaunay, *Étude sur Alain
hartier*, Paris, 1876, in-8.

3. Ou presque rien : notez quelques beaux morceaux oratoires, dans le *Livre des quatre
ames*, écrit après Azincourt (1415).

4. Voyez le *Quadrilogue invectif* et le *Livre de l'Espérance*.

5. « Ils vivent de moy, et je meurs pour eux. » (Le peuple, dans le *Quadrilogue
nvectif*). « Nous achetons autruy, et autruy nous, par flatterie et corruption. » (*Le
urial*.)

Puis, avec une exagération qui marque mieux la nouveauté de
dessein, Chartier élimine de son discours les faits, les circonstances
de temps et de personnes pour se tenir dans les idées générales : il
pousse l'amour du lieu commun jusqu'à la plus vague amplification. C'est une sorte de Balzac du xve siècle, mais ce Balzac, comme
l'autre, fait faire à notre prose sa première rhétorique, et par se
exercices l'assouplit et l'élève. Qu'il rencontre un sentiment vra
(et il l'a eu, le même que chez tous les grands lettrés du temps
le patriotisme et la pitié du peuple), alors il écrira les plus ferme
et les plus nobles pages de prose qu'on ait avant La Boétie e
L'Hôpital : des pages qui n'ont guère plus vieilli que les meilleure
du xvie siècle.

Il était impossible que l'influence de l'Italie ne se liât pas à cell
de l'antiquité : c'était à vrai dire, on l'a vu, par l'Italie que s'étai
éveillée chez nous une intelligence nouvelle des anciens, et que d
nos scolastiques se dégageaient péniblement encore des huma
nistes. De toutes parts, depuis le xive siècle, l'Italie pénètre che
nous. Christine de Pisan est toute Italienne de sang : une Italienn
vient épouser Louis d'Orléans, et nous donne un poëte. Dans ce va
et-vient de Français qui vont au delà des monts, d'Italiens qui vien
nent par deçà, il se produit une incessante infiltration des mœur
et de l'esprit d'une race plus raffinée, et même un renversemen
des rapports littéraires qui jusque-là avaient existé entre les deu
pays. L'Italie commence à nous rendre ce qu'elle a reçu de nous
ses auteurs sont mis sur le pied des anciens, traduits et goûté
comme tels, Boccace après Pétrarque, et plus que lui, d'autant qu'i
a de quoi charmer les courtisans avec les érudits. Dès les pre
mières années du siècle, et peut-être plus tôt, un chevalier français attaché aux rois de Naples de la maison d'Anjou donne à s
dame en sa langue le roman de Troïlus, qu'il a tiré d'un poème d
Boccace[1]. Le *Décaméron*, plusieurs fois traduit, devient le bréviair
des gens de **cour** : et Boccace, le Pogge fournissent une partie d
leur matière aux conteurs des *Cent Nouvelles nouvelles*, inspiren
le reste.

Il n'est pas jusqu'au grand Commynes sur qui n'agisse le charm
de l'Italie : il n'a pas besoin de la subtilité d'outre-monts pour savoi
traiter une affaire, mais, à voir de quel ton, combien longuemen
il décrit Venise, lui qui est si peu descriptif de nature, on peu
juger de l'impression qu'il en a reçue. Il ne serait pas témérair
d'affirmer que c'est à Venise, voyant en quelle vénération la répu
blique conserve à Padoue un os de Tite-Live, qu'il a lu quelqu

---

1. *Nouvelles françaises du* xive *siècle*, publié par Moland et d'Héricault (*Bib
elzév.*), Paris, in-16, 1858

traduction française ou italienne de l'historien romain : car on ne saurait trouver dans la *Chronique de Louis XI* une trace de la lecture de Tite-Live, au lieu que dans la *Chronique de Charles VIII*, beaucoup plus courte, la pensée de l'historien se reporte complaisamment vers les Romains et vers le peintre de leur grandeur. Mais alors nous sommes sortis décidément du moyen âge : le contact décisif s'est produit.

Jusqu'à ce moment fécond, tous les germes semblaient sécher et les efforts échouer. La littérature suit sa courbe descendante, à peine de loin en loin relevée par l'accident heureux de quelque talent individuel. Tandis que la poésie chevaleresque devient chaque jour plus froide, ou plus extravagante un homme lui donne sur son déclin une perfection fugitive et la grâce exquise des choses frêles : c'est le prince Charles d'Orléans [1], le fils de Valentine de Milan, demi-Italien de naissance, et qui, du privilège de sa race plus que par une studieuse assimilation, posséda l'art des formes sobres et charmantes. Toute sa valeur est là : il sait mesurer la phrase à l'idée, le poème au sujet. Pas de grandes machines, ni de vastes compositions : quand il s'y essaie, il ennuie, mais il n'essaie pas souvent. Il a de petits fragments d'idées, de fines pointes de sentiments, une mousse légère d'esprit : avec goût — mot nouveau, chose nouvelle — il détermine les dimensions du cadre où une telle inspiration aura toute sa valeur : rondeaux, ballades, virelais, c'est l'affaire de quelques vers, et pas plus. Ses sujets sont peu de chose : la banalité de l'amour courtois, la banalité du *renouveau* qui chasse l'hiver. Mais il a le don du style : il renouvelle ces thèmes usés, à force de grâce imprévue, d'images fraîches; ce que tout le monde a dit depuis trois siècles, il le dit, mais comme personne. Son imagination, où fleurissent tous les lieux communs, est d'autant plus heureuse et sereine en son expansion spontanée, que le jeu n'est pas troublé chez lui par d'inquiétantes dépenses du cœur ou de l'intelligence. Quelques observations morales qu'il démêle à l'aide de personnifications discrètes marquent la puissance de son esprit. Sur toutes les hautes pensées, il est muet, l'esprit immobile dans son horizon fermé : le cœur est vide de sentiment profond. Dans le soupir du prisonnier qui se voudrait chez lui, en sa douce France, bien à l'aise, je ne puis reconnaître

---

1. **Biographie :** Né en 1391, fils de Louis d'Orléans et de Valentine Visconti il épousa Isabelle de France, veuve de Richard II, qu'il perdit en 1409, puis Bonne d'Armagnac, qui mourut en 1415. Prisonnier à Azincourt, il ne fut mis en liberté qu'en 1440, et prit une 3e femme, Marie de Clèves. Il mourut en 1465.
Éditions : Ch. d'Héricault, 1874; P. Champion, 1924. — **A consulter :** C. Beaufils, *Étude sur la vie et les poésies de Ch. d'Orléans. in*-8. *Paris*, 1861; P. Champion, *Vie de Ch. d'Orléans*, 1911; P. Champion, *Histoire poétique du XVe s.*, 1923.

un accent de patriotisme. Il n'a pas plus de sentiment national
que de véritable amour.

Charles d'Orléans passa la première moitié de sa vie à chanter
sa dame, et la seconde à se moquer des dames. Je l'aime mieux
dans ce second rôle : il est plus sincère. Quand il eut cinquante ans
et qu'il eut passé l'âge d'être décemment amoureux, il jeta le
masque, et s'en donna de persifler les amoureux. Il s'établit —
vers la cinquantaine, alors que délivré de sa longue prison, sans
grand souci des affaires publiques ni même de ses prétentions princières, il vivait grassement, oiseusement, aux bords de la Loire, dans
son aimable Blois, au milieu de sa petite cour de gentilshommes
lettrés et de poètes quémandeurs, — il s'établit pour le reste de
ses jours dans son personnage d'homme du monde aimable et désabusé : raillant l'amour et les dames, et les jeunes gens qui s'y
donnent sérieusement, chansonnant amis et indifférents, avec une
malice qui n'appuie pas, et pique sans blesser, jouissant de la vie
sans illusion, et prêt à la mort, ne souhaitant plus qu'en « hiver
du feu, du feu, et en été boire, boire », avec cela bonne compagnie et gais propos, de tout le reste du monde ne s'en souciant
pas, et ne lui demandant pas plus qu'il ne lui donne : enfin
le plus gracieux des égoïstes et des épicuriens, qui même devança
peut-être les hardiesses païennes du siècle suivant, si l'on s'arrête
à cette inquiétante forme de serment qui lui échappe :

> Par mon âme, s'il en fut en moi.

Ce dernier trait, à peine indiqué, achève la figure.

2. SENTIMENT NATIONAL ET IDÉE DE LA MORT.

Tel qu'il est, Charles d'Orléans est d'un type si complet et
si pur, qu'il est unique en son temps. Partout ailleurs, l'art est
plus indécis, l'esprit plus lourd, l'immoralité plus épaisse. L'esprit
chevaleresque et l'esprit bourgeois, si opposés en leurs formes,
se réconcilient dans l'obscénité, et dans la brutalité cynique du
scepticisme moral. On peut en juger par les *Cent Nouvelles nouvelles*, faites pour la cour de Bourgogne [1].

L'humeur individuelle diversifie les tons : Antoine de la Salle,
dans son *Jehan de Saintré*, bafoue la chevalerie, sous ombre de
l'exalter, avec une délicieuse et impitoyable légèreté d'ironie. Ses

---

1. Et très probablement pour Philippe le Bon, non pour le dauphin Louis

Quinze Joies de mariage dérobent la dérision cynique de la famille sous le même ton d'innocente malice. La touche est plus forte, la précision plus sèche et plus brutale dans les *Cent Nouvelles nouvelles,* dont il fut le principal et peut-être l'unique rédacteur [1].

Coquillart, prêtre et juriste, plus lourd, bien que Champenois, moins aisé et moins net, se donne le double plaisir de dauber la justice par la forme, et les femmes par le fond de ses impudentes satires. Henri Baude est parfois étonnant d'audace naturaliste, dans sa manière sobre et mordante, où il détache d'un mot sec et saisissant la réalité qu'il veut montrer : et Dieu sait sur quelles réalités tombe son œil implacable d'observateur et de peintre ! Autre accent dans le cynisme assaisonné de franche gaieté et de fantaisie délirante de *Patelin,* à qui nous reviendrons.

On a des chansons du xve siècle, populaires au moins par leur vogue : qu'y trouve-t-on ? la fade sentimentalité qui encore aujourd'hui partage les applaudissements avec la grosse ordure dans nos cafés-concerts, d'innocentes mièvreries émanées de la haute littérature allégorique, et qui une fois sur vingt échappent à la puérilité, une fois sur cent atteignent l'exquise délicatesse : avec cette poésie de rêve, la réalité sans voiles, dans toute sa brutalité, dérision du mariage et de la famille, âpre désir des jouissances grossières, filles qui partent avec les gens d'armes, soudards avides de pillage, accourant comme des bêtes de proie aux provinces où il y a guerre : en somme, le plus complet nihilisme moral adouci par les tons chauds d'une verve robuste.

Il n'est pas jusqu'à l'éloquence de la chaire que n'envahisse l'esprit de raillerie brutale ou bouffonne. La foi ne manquait pas aux Maillard, aux Menot, à ces fougueux va-nu-pieds de cordeliers, qui disaient leurs vérités à tout le monde, durement, impudemment, ne ménageaient personne, ni la coquette bourgeoise, ni le prince luxurieux ; mais c'était une étrange éloquence que la leur, tandis qu'ils livraient leurs auditeurs, âme et corps, à Satan, et qu'à la chair joyeuse, éclatante de vie, ils donnaient le frisson de la mort soudainement découverte, le dégoût apeuré de la pourriture inévitable et prochaine. Jovialités facétieuses, et brusques indigna-

---

1. **Éditions :** *Le Petit Jehan de Saintré,* éd. P. Champion et F. Desonay, 1926 ; *Les Quinze Joyes de Mariage,* éd. F. Fleuret, 1936 ; les *Cent Nouvelles Nouvelles,* éd. P. Champion, 1928 ; *La Salade* et *La Salle,* éd. F. Desonay, 1935 et 1941 ; *Œuvres* de G. Coquillart, éd. d'Héricault, 1857 et de *H. Baude,* éd. Piaget et E. Picot, 1896-1908 ; G. Paris et A. Gevaert, *Chansons du XVe s.,* 1875 ; Th. Gérold, *Le Manuscrit de Bayeux,* 1921. — A consulter : *Romania* (oct. 1900), sur Coquillart ; Quicherat, *H. Baude,* 1856 ; W. Soederhjelm, *La Nouvelle fr. au M. A.,* 1910 ; G. Paris, *Mélanges de Litt. fr. au M. A.,* 1912 ; F. Desonay, *A. de la Salle,* 1940 ; *Le Petit Jehan de Saintré,* 1928 ; M. Cressot, *Vocabulaire des Quinze Joyes de Mariage,* 1939 ; Abbé Samouillan, *O. Maillard,* 1892.

tions, apostrophes brutales, apologues satiriques, dialogues comi
ques ou dramatiques, quolibets des halles et pédantisme de l'école
descriptions saisissantes de vérité vécue, et parfois à l'aventure
d'étonnantes images de mélancolie profonde, des jets hardis de
poésie pittoresque, tout se mêlait, se heurtait dans cette verve
puissante dont ils enlevaient les foules, grands et peuple. Ils fai
saient ainsi de la religion une chose vivante et populaire : tant pi
si elle y perdait sa pureté, sa fière et divine idéalité.

Ainsi, de l'honneur, de la foi féodale, il ne faut plus parler, e
voici que la foi religieuse elle-même n'est plus de force à enleve
l'homme, à créer de nobles formes d'âme et d existence. Pou
subsister, pour avoir une action encore efficace, il faut qu'elle s
mette au ton du siècle, et, dans sa voix au moins et ses gestes
marque prendre sa part de la dégradation universelle. N'est-il don
point au xvᵉ siècle de ces sentiments généraux, qui font courir
travers une société, du haut en bas, une commune aspiration
quelque idéale et hautaine manière d'être ou d'agir? Ces senti
ments, dans l'ordre littéraire, sont comme une source publiqu
d'inspiration qui répare parfois les insuffisances de l'originalit
personnelle, mais aussi comme un lien qui rassemble les diver
gences infinies des tendances individuelles : ce sont eux qui fot
l'homogénéité et l'unité des grands siècles artistiques. Le xvᵉ siècl
n'a point été dépourvu de ces principes; il en a connu **deux** qu
ont fait contrepoids aux forces dissolvantes et dégradantes.

L'un, issu des profondeurs de la nation, est le sentiment nationa
inséparable de la pitié du pauvre peuple. On peut dire que l
moitié des pages éloquentes ou des émotions poétiques du xvᵉ sièc
(comme déjà du xivᵉ) est un produit du patriotisme, l'expressio
d'un amour nouveau de la France, et de la tendresse ou de l'ind
gnation que les misères des humbles et des laborieux exciten
Christine, Chartier, Maillard ou Menot sont là pour l'attester : «
il n'est pas jusqu'à cet honnête procureur au Parlement qu
versifie en ses bizarres *Vigiles* la chronique du roi Charles VI
il n'est pas jusqu'à Martial d'Auvergne dont ce sentiment ne relè
la plate facilité. Telle chanson anonyme, en son âpre gaieté, nou
serre le cœur autant que la plus pitoyable déploration de la v
douloureuse des pauvres gens.

L'autre, le plus vivant rameau du tronc de la foi chrétienne, «
toute la sève se porte quand le reste se dessèche, c'est l'idée de
mort qui, sous le poids écrasant des misères, dans l'anarch
morale et religieuse, s'exaspère en un sentiment aigu de l'anéa
tissement de la chair. La mort, idée centrale du dogme chrétie
se détache de plus en plus de toutes les croyances qui lui donne
sa haute moralité et sa vertu consolante, pour devenir une horre

matérialiste de la fin fatalement assignée aux voluptés égoïstes : terreur des grands, des riches, de tous ceux qui ont et qui jouissent, revanche des petits, des meurt-de-faim, de ceux qui manquent et qui souffrent, dont elle adoucit le désespoir par la satisfaction qu'elle donne à leur férocité égalitaire, la mort inexorable, universelle est un thème que tous les écrivains représentent à leur tour : lieu commun, sans doute, mais lieu commun non banal, où déborde la pensée intime, obsédante de chaque âme. C'est le temps de la Danse Macabre (ou Macabré) ; et dans toutes les œuvres de vers ou de prose, sous une forme ou sous une autre, l'idée génératrice de la Danse Macabre apparaît. Chaque âme, avec le ton de son tempérament, avec une légèreté railleuse, avec un désespoir accablé ou grimaçant, avec une philosophique résignation, avec une joie insultante et pourtant angoissée, chaque âme a dit l'universelle nécessité, le mot qui donne pitié des morts, et fait frissonner les vivants. Charles d'Orléans après Deschamps, Chartier après Gerson, Menot avec Maillard, poètes, orateurs, prédicateurs, nul n'y a manqué.

On les retrouve encore, ces deux sentiments généraux, **dans les** deux œuvres capitales sur lesquelles s'achève l'indécise époque par où le moyen âge rejoint la Renaissance : dans les œuvres de Villon et de Commynes. Mais ici, la puissance originale de l'individualité les absorbe, et s'y ajoute, soit pour les transformer, soit pour les agrandir.

3. FRANÇOIS VILLON.

François de Moncorbier [1], né en 1431, fut élevé par maître Guillaume de Villon, chapelain de Saint-Benoît-le-Bétourné, dont il prit le nom. Bachelier en 1449, il devint vers août 1452 licencié et maître ès arts. Il habitait chez son père adoptif, où il trouvait une honnête et point trop grave société de gens d'église et gens de loi. Il fréquenta aussi la maison du prévôt de Paris, Robert l'Estouteville, dont la femme, Ambroise de Loré, « moult sage, noble et honneste dame », faisait bon accueil aux poètes. Voilà un

1. **Éditions :** P. Levet, 1489 ; Cl. Marot, 1533 ; A. Longnon et L. Foulet, 1932 ; L. Thuasne, 1923 ; A. Jeanroy, 1934 ; — **A consulter :** A. Longnon, *Étude biographique sur Fr. Villon,* 1877 ; G. Paris, 1901 ; M. Schwob, 1912 ; P. Champion, *V. et son temps,* 1933 ; Ch. Maurras, *Dict. politique et critique,* 1934 ; I. Siciliano, *V. et les Thèmes poétiques du M. A.,* 1934 ; L. Cons, *État présent des Études sur V.,* 1936 ; J. M. Bernard, 1926 ; F. Desonay, 1933 ; L. et F. Saisset, *Le Grand Testament de V.,* 1937.

commencement de sage et bonne vie : mais l'instinct déjà poussait notre Villon dans une autre voie.

Il jouissait des farces grossières et brutales, des rixes, des soulèvements de la tumultueuse population qui réclamait les privilèges
de l'Université : il ne se compromettait pas, se contentant de
« romancer » et rimer quelque amusant ou scandaleux incident.
Mais il hantait la pire société, fils de famille endettés, clercs
débauchés; de la *Pomme de Pin* à l'hôtel de *la Grosse Margot*, il
n'était cabaret, et pire, qu'il ne connût. Il devint maître en l'art
d'escroquer, par subtil ou effronté larcin, poisson, vin, viande,
pain, tripes, de quoi faire une « franche repue »; c'etaient jeux
innocents par où il préludait à de plus sérieux exploits.

En 1455, le 5 juin au soir, prenant le frais après souper, il fut
attaqué, blessé par un prêtre, tira sa dague et le tua : une femme
était la cause de la querelle. Il ne resta pas à Paris après cet
« accident ». Quelles routes le virent, on l'ignore : mais à voir
comment il acheva de se gâter, on est tenté d'accorder à M. Schwob
qu'il alla vivre avec ces « coquillards » bourguignons parmi lesquels
on rencontre plusieurs de ses bons amis. Il obtint en janvier 1456
sous deux noms différents, deux lettres de rémission pour le
meurtre du prêtre, et les tripots de Paris le revirent. En
décembre, avec cinq compagnons il escalada les murs du collège de Navarre, crochta serrures et coffres, et vola un sac de
cinq cents écus d'or. Puis prudemment, il se donna de l'air et
partit pour Angers : il fit à l'occasion de ce départ son Petit Testament, où il met sur le compte de certaines mésaventures
d'amour son subit départ. Que sa maîtresse l'eût fait battre, il se
peut; mais il n'ajoute pas deux autres motifs qu'il a de voyager :
la peur de la justice, et la mission qu'il avait reçue de sa bande
d'étudier un coup à faire à Angers sur un vieux moine fourni
d'argent comptant.

La découverte des auteurs du vol de Navarre, la prise et les
aveux de l'un d'eux, fermèrent à Villon les portes de Paris. Il erra
en Poitou, fut un moment aux gages de Charles d'Orléans, et pri
part aux concours que le prince poète instituait : trop connu du
duc, et estimé comme il convenait, il passa chez Jean de Bourbon.
Là on le perd de vue. On le retrouve en 1461 : il a passé tout l'été
dans la prison de Meung-sur-Loire, enferré, au pain et à l'eau
par ordre de l'évêque d'Orléans : peut-être pour la même affaire
où son ami Colin de Cayeux « perdit sa peau », vol et meurtre
commis à Montpipeau près Meung. Les choses prenaient un vilain
tour : l'évêque n'était pas disposé à lâcher le mauvais garçon,
quand Louis XI, récemment sacré, passa près de Meung, donnan
des lettres de rémission aux prisonniers dans toutes les villes où il

arrêtait. Villon eut soin de se faire remettre le vol de Navarre. Il
evint à Paris, ayant en poche son Grand Testament. Était-il tout
fait amendé? En novembre 1463, après souper, trois compa-
nons et lui raillent, insultent, provoquent les clercs de maître
errebouc, par la fenêtre de leur étude. Ceux-ci sortent : bagarre.
illon disparaît dès qu'on se bat. Cependant il fut poursuivi, mis
 la question, et condamné par le prévôt de Paris à être pendu.
'est alors qu'il appela au Parlement, qui commua la peine en
annissement. On n'entend plus ensuite parler de lui : sans doute
 ne vécut pas longtemps. Corrigé, il eût écrit d'autres œuvres :
esté le même, la justice aurait mis son nom dans ses archives.
 On voit quel fut François Villon : voleur, assassin, et pis s'il se
eut. Voilà pourtant l'homme à qui il faut demander tout ce que le
ve siècle a produit, ou peu s'en faut, de haute et profondément
énétrante poésie : il n'y a pas à en douter, ce malfaiteur fut un grand
oète, pour quelque deux cents vers parmi tous ceux qu'il a faits.
 Même sans eux, il aurait de quoi attirer notre attention. Poète
arisien, ayant roulé dans tous les bas-fonds, connu toute
armée de la débauche et du crime, il a dépeint l'ignominie de
 monde qui toujours intéresse les honnêtes gens, avec l'es-
rit qu'il fallait : un esprit parisien, narquois, bouffon, salé,
ittoresque. Il a le mot qui emporte pièce, la couleur crue, intense,
 trait net, ferme, qui détache vigoureusement l'image. A travers
ne grêle de bouffonneries, de crudités, de goguenarderies, de
alembours, de doctes réminiscences (car enfin il a ses grades et
centiam docendi), le joyeux compagnon lance l'inoubliable for-
aule, où l'imagination entrevoit toute une vie, tout un monde. Ses
frains ramassent nerveusement tout le sentiment d'une pièce.
à et là, de tous côtés, surgissent de louches physionomies de
relandiers et d'escrocs : une étrange sympathie se mêle à l'ironie
ordante, et dans le témoin trahit un confrère.
 Mais Villon est autre chose qu'un gueux peintre des gueux : ce
eurtrier, ce filou, cet ami de je ne sais quelle Margot, qu'on
stimerait gâté jusqu'aux moelles, et qui l'est, a d'étonnantes
aîcheurs d'imagination; il pousse sur la pourriture de cette âme
exquises fleurs de sentiment. On sait les strophes pénétrantes où,
ortant des prisons de Meung, il confesse sa vie folle et dit son
epentir. Ici se pose un grave problème : quelle est la sincérité de
illon? Est-ce invention verbale, toute-puissante illusion du talent
ttéraire? est-ce duplicité, fausses larmes, hypocrisie? J'incline
 croire à l'absolue sincérité du poète. Engagé dans la voie
onteuse, le tumulte des jouissances et des périls, les pensées
ressantes de l'action quotidienne n'ont pas éteint en lui la vie
térieure : il s'abandonne, mais il se voit, et il se juge. En de

longs mois de prison, il fait le compte de son existence : ri
d'étonnant s'il conclut qu'il a fait fausse route. Combien serait
plus heureux s'il avait suivi sa droite carrière dans l'Université «
l'Église. Et que dit-il en somme? Il plaint sa misère, issue de s(
vice; s'il n'eût fait le mauvais garçon, il aurait « maison et couch
molle ». La profondeur de son regret ne doit pas nous tromp
sur l'élévation de sa morale : mais ce matérialisme même, da
son plus vif repentir, nous en garantit l'absolue vérité.

S'est-il donc corrigé? J'avoue que je n'en crois rien : mais ce n'e
pas la première fois que les habitudes mènent l'homme par d
chemins opposés à ceux qu'indique l'aspiration momentanée «
l'âme. On désire, on promet, et l'on fait le contraire. On est dégoût
désespéré, par instants : « autant en emporte le vent ». Hier
tout le passé sont plus forts qu'aujourd'hui, pour donner sa forn
à demain. Plus faible encore est une âme de poète que nos âm
à nous. Pour nous, l'action seule réalise nos intimes pensées :
poète leur donne réalité, et mieux, éternité, par son œuvre. Qu
d'étonnant si ses plus vifs, ses plus impérieux mouvements, aussit
exprimés, passent? Ne doit-il pas lui sembler qu'il a agi?

Hors de son repentir, on ne voit rien en Villon qui soit, mên
d'apparence, incompatible avec sa vie de malfaiteur professionne
Il a d'adorables mots pour sa bonne femme de mère : et n'est-«
pas le lieu commun de notre art réaliste, que la sensibilité fam
liale des clients de la cour d'assises? Il a des accents délicieux «
foi ingénue : c'est plus rare aujourd'hui chez nous, mais là où
peuple n'a pas encore rejeté la foi, en Espagne, en Russie, j'im
gine dans des âmes d'assassins des coins parfumés de dévo
candeur. Il a pleuré « Jeanne la bonne Lorraine », et il a hon
par un refrain énergique « qui mal voudrait au royaume «
France ». Le sentiment patriotique, nous le savons, n'est pas
privilège de l'innocence, et plus d'un mauvais gars a bien donn
sa peau pour la patrie. Enfin, frôlant la mort à chaque pas de s(
aventureuse existence, faut-il s'étonner qu'il l'ait vue, qu'elle l'a
obsédée, en ce siècle où elle était présente à toutes les âmes?

Nous touchons ici à ce qui fait de Villon un grand poète : il e
le poète de la mort. Voilà le sentiment général qu'il a rendu av
une très extraordinaire et douloureuse vibration de tout son êtr
un frémissement de tous ses nerfs. Il voit sur la chair florissante
chair pourrie de demain, le squelette d'après-demain. La vieilless
cette hideuse flétrissure d'une forme savoureuse et belle, le navr
le dégoûte, l'effraie. Et sa pensée prolonge le spectacle, jusqu'a
torsions de l'agonie, à l'effondrement écœurant de tant de chos
douces et charmantes. Ce sensuel qu'il avait été est secoué par
vision la plus nette et la plus angoissante de la décompositi«

hysique. Vieillesse du corps, mort du corps, l'ami de « la belle
caumière » et de la « gente saucissière » ne regarde que cela dans
a vieillesse et dans la mort.

Rutebeuf n'eût pas demandé : où sont les preux des anciens
emps? Des corps, il n'en aurait cure : les âmes, il les aurait vues
u ciel, devant la face de Dieu. Cette retraite de l'idée chré-
enne donne un accent plus profondément angoissé à la médita-
on où s'élève Villon, de l'universelle nécessité de la mort. Elle
'aboutit qu'à une ignorance dans la fameuse ballade : « Mais où
ont les neiges d'antan? » Ce mystère est plus douloureux au cœur
ue la sécurité de la foi : mais quelle douce et exquise douleur!
t dans l'incompréhensible fatalité à laquelle nul ne se dérobe, ce
auvre diable qui a vécu dans les sales dessous de la société,
aisit une grande et pathétique leçon d'égalité : mais c'est le
orps encore qui la lui donne, l'entassement indiscernable des
quelettes et des crânes dans les charniers; ce sont les ossements
nonymes, également nus, décharnés, dégoûtants. Et par cette
ision, il devance Shakespeare.

Villon est encore du moyen âge par ces cadres factices, où
on inspiration se déverse confusément, où son insouciance des
armonieuses proportions assemble des pièces disparates, de date,
e ton, de sujet très différents. Il en est par la profusion relative
e son érudition scolastique, quoique déjà son imagination de
oète fasse de vives sensations des lambeaux d'antiquité dérobés
u pédantisme de la mémoire. Il en est, enfin, par le manque de
oût, surtout parce qu'il ne sent pas le besoin du goût : il en
urait, s'il voulait; mais il laisse aller sa verve, comme sa vie. Le
étail de son style est d'un artiste : il a le sentiment de la puis-
ance de la sobriété : il serre l'idée dans l'image, courte, franche,
aisissante : c'est un maître de l'expression nerveuse et chaude.
ais l'ensemble va comme il peut : rien ne se tient.

Par le fond de sa poésie, Villon n'est plus du moyen âge : il est
out moderne, le premier qui soit franchement, complètement
oderne. Il porte en lui tout le lyrisme. Je ne parle pas de la qua-
té des idées, mais du rapport des idées à l'esprit. Ces vers et les
oses qu'ils contiennent, sortent du fond de l'expérience et de la
nsation d'un homme : ils répandent la plus intime sensibilité
e son cœur. Voilà une poésie qui est la résonance d'une pauvre
me, battue d'outrageuses misères, et qui n'est que cela : et dans
tte voix bouffonne ou plaintive, qui crie son vice ou son mal,
asse parfois le cri de l'éternelle humanité : nous, honnêtes gens,
aisibles bourgeois, ce louche rôdeur du xve siècle parle de
ous, parle pour nous, nous le sentons, et c'est ce qui le fait
rand.

4. PHILIPPE DE COMMYNES.

Monseigneur Philippe de Commynes [1], chambellan et conseiller
d'un duc de Bourgogne et de trois rois de France, prince de Talmont, baron d'Argenton, riche, grave et sage homme, nous transporte bien loin de François Villon, fol écolier, larron et meurtrier :
ils sont aux deux bouts de la société, l'un en bas, l'autre en haut.
Mais l'étrange chose, et faite pour plonger nos consciences d'honnêtes gens, respectueuses des catégories sociales, dans des abîmes
de scrupule, l'étrange chose qu'on puisse se demander laquelle en
somme valut le mieux de ces deux âmes, et si ce n'est pas dans
les profondeurs troubles de celle du ribaud qu'on aurait chance
de rencontrer le plus de noblesse morale !

Commynes, né serviteur et devenu favori du duc Charles, reçoit
une pension de Louis XI : la position lui plaît ; il continuerait
volontiers ce service en partie double, avec doubles honoraires, si
le roi de France, qui a besoin d'un tel esprit, ne lui mettait le
marché à la main. Il se décide donc, s'affranchit délibérément de la
foi féodale et le voilà Français. Louis XI lui rend bien plus qu'il
n'a perdu : grandes pensions, grands domaines, grand mariage,

1. **Biographie:** Né vers 1447, fils d'un grand bailli de Flandre, attaché à Charles
le Téméraire de 1464 à 1472, conseiller et chambellan (1468), Commynes est chargé
de missions à Calais en 1470, à Londres en 1471. Dès 1471, il est pensionné par
Louis XI, à qui il passe en 1472. Il devient conseiller et chambellan du roi, avec
une pension de 6000 livres ; il reçoit la principauté de Talmont (1472), acquiert la
baronnie d'Argenton par son mariage avec Hélène de Chambes (1473), reçoit une
part des dépouilles de Nemours. Louis XI l'envoie en 1478 à Florence. Il suit le
parti du duc d'Orléans contre la régente Anne de Beaujeu, est emprisonné, exilé,
puis rentre à la cour (1490) et au conseil. Il négocie le traité de Senlis (1493), et
pendant l'expédition d'Italie est envoyé à Venise. Il négocie le traité de Verceil avec
Ludovic le More. Il s'éloigne de la cour en 1498, est rappelé par Louis XII en 1505
et suit le roi en Italie. Il se retire chez lui en 1510 et meurt en 1511. Sa veuve
fut dépossédée d'Argenton en 1515. Les procès très embrouillés auxquels Argenton
donna lieu étaient antérieurs au mariage de Commynes ; il y en avait qui remontaient jusqu'au règne de Charles V, et celui de la propriété de la seigneurie ne fut
tout à fait terminé qu'en 1560. Trois affaires principales se distinguent : l'une
contre le suzerain, l'autre contre des voisins, la troisième, et principale, pour la possession de l'héritage d'Antoine d'Argenton entre les Chambes-Commynes et les Chabot-
Châtillon. Ajoutez le procès contre les La Trémouille pour la principauté de Talmont.

Éditions : *Chronique de Louis XI* (l. I-VI), Galiot du Pré, in-4, 1524 ; avec la
Chronique de Charles VIII (l. VII et VIII), Enguilbert de Marnef, 1528 ; Gode-
froy, in-fol., 1649. Mlle Dupont, 3 vol., 1840 ; Chantelauze, in-8, 1881 ; B. de
Mandrot, 1901-3, J. Calmette et G. Durville, 1924. — **A consulter:** Kervyn de
Lettenhove, *Lettres et Négociations* de C., 3 vol., 1867-74 ; Fierville, *Documents
inédits sur C.*, 1881.

épouilles des disgraciés, titres honorables, faveur déclarée, et ce
u'un esprit de sa trempe estime singulièrement, un maître digne
u serviteur, et l'emploi de ses rares facultés tel qu'il le pouvait
êver. Commynes est, sinon le premier ministre, du moins le pre-
ier agent du roi, et l'un des plus riches seigneurs de France. Il
rofite de sa fortune, et la pousse de son mieux : il sait que les
hoses de ce monde n'ont qu'un temps, et il l'emploie. Par de
ons arrêts, par des contrats avantageux, il élargit ses domaines,
rossit ses revenus.

Louis XI meurt, le vent change : il avait été trop puissant
our rester en crédit et même en repos. Menacé, il croit se
auver par la cabale, dans le parti d'Orléans : cela donne lieu de
écraser. Six mois de cage de fer, à Loches, vingt mois de prison
la Conciergerie, dix ans d'exil, un quart de ses biens confisqué,
oilà pour satisfaire les opprimés du règne précédent. Ceux que
a faveur politique avait courbés ou accablés dans les affaires
rivées, relèvent la tête : marchands alléguant des contrats léo-
ins ou frauduleux, nobles appelant d'arrêts injustes, travail-
ent à lui faire rendre gorge. Les procès l'assaillent en foule ; on en
eut à ses terres, à son argent. Il perd Talmont, retient à grand'
eine Argenton, paie d'énormes amendes. Le bon droit de ses
dversaires n'est pas toujours plus clair que le sien : mais ils
rofitent à leur tour du temps. Commynes rentre à la cour : aus-
itôt ses procès prennent un meilleur tour. En bon diplomate, il
ait des sacrifices : il prête six mille ducats *sans intérêt*; il donne
ne grosse galéasse avec son artillerie, pour l'expédition d'Italie
ui tient tant au cœur du jeune roi. Il n'a pas de faveur, mais il a
e l'emploi. Il se soutient. Commynes eut de l'ordre, de l'éco-
omie, de l'application à ses affaires : il faisait des aumônes
égulières ; sans passion, sans vice, il n'eut dans la vie privée que
e souci de sa fortune : il travailla à l'augmenter par toutes voies
gales. Ce fut donc ce que le monde appelle un honnête homme.

Ce qu'il eut de supérieur, ce fut l'esprit : ses *Mémoires* en font
i. Je devrais dire son *Histoire*, car Commynes n'écrit pas pour se
aconter. Au contraire, il s'efface, se dérobe : à peine laisse-t-il
ntrevoir le rôle que la confiance de Louis XI lui avait donné. A
eux ou trois moments décisifs, il ne nomme pas l'auteur du con-
eil qui a tout sauvé : et ce conseiller anonyme, on a tout lieu de
roire que c'est lui. Les ambassadeurs d'Italie disaient de lui qu'il
ait tout *in omnibus et per omnia*. Une marchande de Tours qui
laida contre lui, disant avoir été égorgée dans un contrat passé
ous Louis XI, écrivait dans un mémoire : *le sieur d'Argenton qui
our lors était roy*. On n'en soupçonne rien à lire Commynes : il
enfonce parmi les serviteurs du roi, tous donnés comme instru

ments passifs et dociles. Cette modestie est unique. Elle perd de
son prix si l'on songe que la chronique de Louis XI fut écrite dans
les premières années de Charles VIII : il n'eût pas fait bon pour
Commynes mettre trop en lumière son importance. Nous avons
gagné à cette prudence d'avoir, au lieu de *mémoires* personnels,
une histoire générale de la politique de Louis XI.

Commynes n'est pas un artiste : il écrit convenablement, rien de
plus. Il dit ce qu'il veut dire, à peu près comme vous et moi le
dirions si nous pouvions le penser. Sa forme, terne, embarrassée,
parfois baveuse, n'est pas belle. De temps à autre, la pensée
emporte un trait vigoureux, une formule saisissante; c'est une
bonne fortune d'éloquence ou d'ironie, comme en ont les hommes
remarquables qui ne sont point écrivains. D'ordinaire, la pensée
seule fixe l'attention. Cette pensée est d'une rare valeur : on ne
tarda pas à s'en apercevoir, et la chronique de Commynes fut traduite en latin, en italien, en anglais, en allemand, en espagnol, en
portugais, en danois, non pour l'amusement des lettrés, mais pour
l'instruction des hommes d'État. Mélanchthon, un humaniste, dressant un plan d'études pour un prince, inscrivait Commynes à côté
de Salluste et de César.

Avec lui nous sommes bien loin de Froissart, si éclatant et
si frivole, même de Joinville, si naïf et si enfant. Villehardouin, avec sa fine prudence, est encore, parmi nos chroniqueurs, le plus proche parent de Commynes : mais Commynes
est un Villehardouin mûri, ouvert, allégé de bien des croyances
anciennes, et lesté de bien des idées nouvelles Moins encore que
son devancier, Commynes s'amuse à peindre : il ne demande rien
à ses sens, ni à son imagination. Deux lignes lui suffisent à indiquer une bataille : ce qui importe, c'est le résultat, c'est le procédé diplomatique qui en extrait ou en répare les conséquences.
S'il s'arrête à conter Fornoue et Montlhéry [1], il faut voir avec quel
mépris de la force brutale, quelle dérision des aventures prétendues chevaleresques, et comme son récit jette une lumière crue
sur la petitesse des hommes, et le rôle tout-puissant du hasard.
Les faits ne sont rien pour lui par leurs formes extérieures et sensibles : ils lui apparaissent abstraitement, causes, effets, éléments
de prévision, et pièces de raisonnement. Commynes est un intellectuel, espèce rare alors, et c'est bien la première fois que nous
rencontrons ce type pur.

C'est un politique, et de quelle force, nous le devinons par le
prix dont Louis XI le paya, par l'usage qu'il en fit. Commynes eut
pour département les affaires de Bourgogne, de Suisse, des Alle-

1. L. VI, ch. ix-xii; l. I, ch. iii-v; cf. l. V, ch. i.

magnes, et celles de Madame de Savoie : en somme, tout ce dont son premier état lui avait donné une expérience particulière. Louis XI ne s'y guidait que par lui. Cette force du diplomate s'étale dans la chronique : Commynes observe et généralise. Il démonte, pour ainsi dire, les événements, pèse les forces et les influences, sonde les conséquences. Il évalue la pression des réalités brutes, des faits, sur les hommes, la réaction des volontés et des intérêts humains, et le poids qu'ils jettent dans la balance à un moment donné. Il n'a pas son pareil pour connaître les milieux où se meuvent les caractères, et les facilités ou les obstacles que leur jeu y rencontre : il est plus étonnant encore de perspicacité quand il sonde les âmes, mesure les esprits, et déduit les prolongements extérieurs de leur intime originalité qui viennent neutraliser ou fortifier la brutale action des choses. Il met à nu, avec une aisance, une lucidité merveilleuses l'âme violente et peu sûre d'un Charles le Téméraire [1], l'âme voluptueuse et vaine d'un Édouard [2], l'âme infiniment plus compliquée et tortueuse d'un Louis XI [3]. Sa psychologie est un élément considérable de sa diplomatie. Il s'instruit en vivant : chaque fait, chaque acte est classé dans son esprit, et fournit une leçon, une règle pour l'avenir.

Je ne puis même résumer ici, mais il faut voir avec quelle incomparable maîtrise Commynes décompose tous les éléments, toutes les étapes de la ruine de son ancien maître, toutes les occasions de salut gâchées ou refusées et, d'autre part, le jeu de son nouveau maître, les commodités qu'il offre à son ennemi pour aller « où le conduisait son malheur [4] », les multiples assurances qu'il prend pour ne rien perdre, et pour gagner à tout événement, la fiévreuse activité dont il recueille, après la mort de Charles, les résultats de son apparente indolence, l'échafaudage de motifs, le balancement de pour et contre, qui précèdent chaque démarche, chaque parole décisive : si on lit cette partie de la chronique, on comprendra du même coup et Louis XI et Commynes. Et qui veut savoir la spéciale et délicieuse volupté qui est attachée à ce degré de perspicacité devra lire comment Louis XI se débarrasse d'une invasion anglaise en faisant boire gratis dans les tavernes d'Amiens toute l'armée d'Édouard [5]. Le narrateur s'égaie de ces « beuveries » pantagruéliques, de la grossière ivrognerie de ces grands Anglo-Saxons, de cette précieuse paix gagnée sans coup férir, par quel-

---

1. L. V, ch. IX; l. III, ch. III.
2. L. III, ch. V; l. IV, ch. X; l. VI, ch. I.
3. L. I, ch. X; l. II, ch. V (fin); l. III, ch. III (p. 169); l. IV, ch. X (p. 278); l. V, ch. I (fin); l. V, ch. X; l. V, ch. XIII; l. VI, ch. VI-XII.
4. L. V, ch. I.
5. L. IV, ch. IX.

ques centaines de tonneaux de vin de France : un imperceptible
sourire illumine son récit, mais il reste discret et grave. Il sait
triompher en dedans : il n'a pas de vanité bruyante, et ce fut
peut-être sa plus grande force.

Cet homme-là ne devait pas avoir de scrupules : son service contenta Louis XI, c'est tout dire; et il fut content de Louis XI, ce
qui est plus. Il l'admire profondément, il le vénère : il nous dit
qu'il n'y eut jamais de *meilleur* prince, il le loue de *ses vertus.*
Après tout, il eut peut-être raison : la meilleure réhabilitation de
Louis XI, c'est de le comparer aux autres souverains de son temps.
Au moins, lui, il est ce qu'il est : l'esprit règne en lui, et si les
autres entravent par faiblesse ou brutalité leurs calculs intéressés,
ce n'est pas vertu plus grande, mais moindre mérite. Commynes,
au reste, marque vigoureusement les fautes de son maître, fautes
d'impatience et d'emballement : mais ces fautes n'étaient pas communes. Ce fut une joie pour lui de servir un homme avec qui la
politique était une science, avec qui nulle intervention de sentimentalité, d'honneur, de passion même mauvaise, toutes choses
gênantes pour un bon joueur, ne venait brouiller l'échiquier avant
les beaux coups longuement médités. Il prêta certes les mains
à beaucoup de besognes malhonnêtes : et il s'en doute, car il ne
les explique pas et glisse, comme sur la mort du duc de Guyenne.

Encore ne sais-je pas s'il se tait par conscience du mal ou par
crainte de gens actuellement puissants, dont son habileté trop
grande avait contrarié les vues. La morale lui semble être chose
différente de la politique : et il ne prétend que faire de la politique. Il y a des intérêts généraux et des sentiments publics, des
intérêts privés et des passions personnelles : voilà les réalités qu'il
aimait et sur lesquelles il opère. Il a des mots délicieux, non pas de
cynisme — ce n'est pas sa manière; — mais de scepticisme désabusé. Il nous conte comment Louis XI gorgeait d'argent Édouard IV
et ses conseillers, leurrait de vaines promesses d'alliance et de
mariage les hommes d'État anglais, sauf, dit-il, « plusieurs sages
personnages et qui voyaient de loin, *et n'avaient point de pension
comme les autres* [1] ». Tout Commynes est là.

Mais il faut bien entendre que le machiavélisme de Commynes a
ses limites, et que son indifférence morale, sa liberté sceptique de
jugement sont bornées par trois ou quatre affirmations positives
et très fermes.

On sait assez qu'il n'a pas l'âme féodale, et avec quel intime
mépris il s'amuse des gesticulations grandioses de l'honneur chevaleresque. Il ne manque pas une occasion de lui opposer bruta-

1. L. VI, ch.

ement sa maxime favorite : *où est le profit, là est l'honneur* [1]. Mais
on a vu en lui un aristocrate, parce qu'il se moque bien fort des
haussetiers et autres bourgeois de Gand, qui veulent se mêler
de diriger la politique de la jeune duchesse Marie de Bourgogne.
Rien n'est plus loin de l'esprit de Commynes que le préjugé nobiliaire : s'il apprécie en homme pratique les avantages matériels de
la noblesse, pas plus que Louis XI, ce bon compère n'estime les
hommes par leurs quartiers. Le préjugé qu'il a, et que n'avait
pas Louis XI — dont Commynes se dépitait parfois, — c'est la
jalousie, le préjugé du diplomate de carrière, du professionnel
contre les aventuriers intrigants, bourgeois, et autres négociateurs
d'occasion qui ont la prétention de traiter des intérêts des États.
Commynes est le premier exemple de la foi du diplomate en sa
spécialité : c'est quelque chose déjà de positif.

Ensuite il n'est pas vrai qu'il se passe de toute moralité. Il est
trop fin, et il sait trop la valeur pratique de la bonne foi : sans
elle, tout est confusion, conflit, instabilité : rien n'a d'assiette que
par la force brutale. La ruse, la négociation, l'esprit enfin n'ont
pas toute leur valeur, si la force n'abdique devant certains droits.
Point de *marché*, de *marchandage* (les mots favoris de Commynes),
sans respect des contrats. La chicane suppose la loi souveraine.

Ce diplomate croit aux instruments diplomatiques, aux droits
créés par les conventions de chancellerie, à la validité des titres
poudreux et archaïques : terre d'Empire n'est pas terre de
France, et il s'arrête, avec son maître Louis XI, devant cette distinction. En outre, il sait le pouvoir de l'opinion ; il ne vaut rien
d'avoir la conscience publique contre soi. L'art est déjà d'engager
l'adversaire à se charger des apparences fâcheuses : c'est une
coûteuse fanfaronnade que de se mettre au-dessus de la morale,
quand, avec un peu de précaution, on peut la mettre de son côté.
Le manque de foi excessif, habituel, notoire, est une sottise et
une faiblesse : on ne trouve plus qui veuille traiter avec vous.
La politique est l'art de rouler les autres : pour les bien rouler, il
faut s'en défier toujours, mais il faut qu'ils se confient. Et une certaine dose de bonne foi, une certaine réputation surtout d'en avoir,
attirent seules la confiance. Pour tous ces motifs, Commynes
pratique et recommande un certain tempérament entre le pur
machiavélisme et la franche honnêteté. Il triche juste assez pour
gagner, sans autoriser les autres à tricher. Une apparence et
présomption de bonne foi, voilà tout ce qu'il désire : mais il
ne peut y avoir longtemps apparence et présomption, si parfois

---

1. L. IV, ch. IV, (p. 248) ; l. V, ch. IX (p. 346).

il n'y a réalité. Il faut savoir être honnête à propos, surtout quand
on pourrait faire autrement, et que tout le monde en juge ainsi
Voilà encore quelque chose de positif.

En troisième lieu, Commynes se fait une haute idée du pouvoir
royal, procurant la force et la prospérité de l'État. Le sentiment
patriotique, en son âme froide et pratique, devient l'idée du bien
public, qui en contient trois autres : extension dans les justes
limites, unité sous le pouvoir central, et bon gouvernement du
royaume. Il a la forme administrative du patriotisme. Sans un
mouvement de charité, par esprit d'ordre et respect de la richesse
publique, il condamne les cruautés de la guerre, pillages, incen-
dies, massacres [1] : il réclame qu'on ménage le peuple, qu'on ne le
foule pas. Il prescrit des réformes, comme sur le fait de la justice
et de la procédure [2]. Sur un point, il est remarquablement net et
formel : il veut que le peuple consente aux impôts qu'il paie. Il ne
parle pas autrement que l'honnête Oresme. Il affirme que la
royauté sera d'autant plus puissante en France qu'elle sera moins
despotique [3].

Enfin, il est religieux. Sa femme était dévote, en sorte que
l'Église dut lui interdire de faire aucun vœu sans l'autorisation de
son confesseur : tant elle avait voué de pèlerinages impossibles
dont elle était obligée ensuite de se faire délier. Commynes fit
lui-même une fois le pèlerinage de Saint-Jacques de Compostelle
Sa foi donc est sincère : mais, comme il arrive toujours, elle se
plie aux caractères du temps et de l'homme. Elle ne souffre pas de
tous les bons *marchés* qu'il fait, pour son maître, et pour lui-même
Positif comme il l'est, s'il garde la religion, c'est qu'elle est d'un
usage pratique. Il a bien vu, avant Bossuet, au moment même où
le monde féodal s'écroule et où naît la royauté absolue, il a eu le
grand mérite de voir que l'unique frein et contrepoids de cet
absolu pouvoir, l'unique garantie contre les accidents de l'individualité dans la personne royale, était le sentiment religieux, amour
de Dieu, ou peur de l'enfer [4].

Puis cet homme très intelligent s'est détaché des œuvres où il
consuma sa vie : il en a considéré la fragilité, la brièveté, à la
lumière de ce fait universel et nécessaire : la mort [5]. Et ainsi
se retrouve chez lui le second des sentiments généraux du
siècle.

Puis il s'est élevé plus haut : et sa vaste expérience concourant

1. L. III, ch. IX (p. 204).
2. L. VI, ch. V (p. 449).
3. L. V, ch. XIX; l. VI, ch. VI.(p. 457-58).
4. L. V, ch. XIX (p. 402-407)
5. L. III, ch. IX (p. 204).

avec sa chrétienne persuasion l'a conduit à une grande généralisation, qui est à vrai dire toute une philosophie de l'histoire. C'est
justement celle de Bossuet. Commynes a trop d'esprit pour n'avoir
pas observé que ce n'est pas toujours l'esprit qui fait le succès, ni
le manque d'esprit le malheur. Toutes les circonstances évaluées,
et addition faite de la prudence humaine à leur total, une force
survient on ne sait d'où, qui dérange l'opération, et fait sortir le
résultat le moins prévu, le moins *possible*. Cette force est celle de
Dieu : presque à chaque page, Commynes la prend sur le fait, et
la signale avec une sincérité d'accent qui touche souvent à l'éloquence [1]. Il faut ajouter, pour être juste, que cette haute théorie
sert à Commynes pour légitimer le succès, et engager les battus
à se trouver contents : dans le jeu des empires, Dieu fait sortir
les coups qu'il lui plaît ; réclamer serait sacrilège. Commynes s'étant
placé du côté du plus fort, cette conséquence pratique lui était
fort commode à tirer.

Commynes est donc un grand esprit : goût pour les idées, goût
pour les considérations abstraites et générales, psychologie pénétrante, essai d'une philosophie de l'histoire, voilà bien des caractères qui le recommandent à notre estime. Et ne voit-on pas combien cet esprit-là est voisin de l'esprit du xviie siècle? Une des
formes du génie de la race se dégage en lui avec une singulière
netteté. Mais le sentiment de l'art lui fait encore défaut : c'est ce
que la Renaissance va apporter.

5. LES GRANDS RHÉTORIQUEURS.

On peut dire que Villon et Commynes sortent du moyen âge.
Leur œuvre, qui tient à leur temps essentiellement, tire sa valeur
littéraire de la qualité individuelle de leur nature, et de cette
qualité seule : on y cherche l'expression personnelle d'une âme
chez Villon, d'une intelligence chez Commynes. Mais remarquer
cela, c'est dire qu'ils sont tout modernes, et qu'ils ont trouvé,
chacun de son côté, et pour son compte, le principe d'excellence
de la littérature de l'avenir.

Autour d'eux, après eux, la défroque du moyen âge s'étale
lamentablement chez tous les faiseurs de prose et de vers. Jamais
décadence littéraire n'a produit de plus misérables, de plus baroques
pauvretés. La « rhétorique » des Machault et des Chartier, trans-

---

1. L. V, ch. ix, xviii et xx; l. VIII, ch. xxiv (fin); et *passim*. p. 22, 25, 34, 47, 48,
83, 236, 249, 294-6, 229 522. de l'éd Chantelauze

portée à la cour flamande et chevaleresque des ducs de Bourgogne, s'était développée avec une étonnante puissance dans cette
atmosphère de lourde fantaisie et de frivolité puérile : elle avait
donné en telle abondance toute sorte de fruits monstrueux et grotesques, le plus étonnant fouillis de poésie niaise, aristocratique,
pédantesque, amphigourique, allégorique, mythologique, métaphysique, un laborieux et prétentieux fatras où les subtilités
creuses et les ineptes jeux de mots tenaient lieu d'inspiration et
d'idées. Le grand homme de l'école était Jean Molinet, bibliothécaire de Marguerite d'Autriche, et chanoine de Valenciennes, avec
ses titres bizarres, son inépuisable platitude relevée d'inintelligi-
bles recherches de mots et de rimes.

Les « grands rhétoriqueurs » de la cour de Bourgogne avaient
une indiscutable supériorité d'extravagance : aussi donnèrent-ils
le ton aux rimailleurs des autres cours féodales. La Bretagne eut
Meschinot de Nantes (1420 ou 22-1491), qui égala Molinet, avec ses
Lunettes des Princes, avec l'absurdité de ses allitérations et de ses
rimes, avec ses vers qui peuvent se lire en commençant par la
fin, ou par le milieu, ou autrement; une de ses oraisons se peut
lire par huit ou seize vers « en 32 manières différentes, et il y aura
toujours sens et rime », Le duc de Bourbon, autre puissant prince,
eut l'honneur d'avoir à ses gages un M. de Montferrand qui fit *les
XII Dames de rhétorique* pour présenter un jeune secrétaire de
son maître à un des fameux poètes bourguignons, Georges Chastelain.

Louis XI était trop bourgeois, trop sensé, trop positif pour
donner dans ces sottises. Mais après lui, la France, serrée entre
la Bourgogne, le Bourbonnais et la Bretagne, ne résista plus. La
jeune duchesse Anne, devenue notre reine, amena de Nantes,
attira de tous les coins du royaume tout ce qu'elle put trouver de
grands, moyens, petits et tout petits rhétoriqueurs. Ils infestè-
rent la cour de Charles VIII, puis celle de Louis XII, et dans tous les
états, de toutes les provinces, ils surgissent, tous plus vides de
sens, et plus extravagants de forme les uns que les autres. Les plus
supportables sont ceux qui ont moins de génie : leur platitude
les condamne à être intelligibles, ou à peu près. Tels sont Jean
Marot, ou Jean Le Maire de Belges; ils font du reste ce qu'ils
peuvent pour attraper la manière des grands maîtres. Guillaume
Cretin, Parisien, trésorier de la Sainte-Chapelle de Vincennes, y
réussit : il n'est pas sûr que Molinet ni Meschinot ne soient pas
dépassés; Cretin sauva l'honneur de la France. Aussi jouit-il d'une
extraordinaire réputation, et Marot — Clément, non Jean — l'appelle encore « souverain poète ». Il serait curieux de donner des
preuves de sa délirante insipidité, si la place dans cet ouvrage ne

evait être mesurée à l'action historique ou à l'intérêt intrinsèque
es œuvres [1].

Toute cette poésie se passait de spontanéité personnelle, et
'était que combinaisons artificielles, mécanisme laborieux. Les
ernières années du xve siècle, les premières du xvie, voient
araître au moins quatre grands *Arts de rhétorique* [2], où sont méti-
uleusement exposés tous les mystères et tous les effets des rimes
atelées, brisées, enchaînées, équivoquées, à double queue, des ron-
eaux simples, jumeaux, doubles, virelais simples et doubles, fatras
mples et doubles, des ballades communes, balladantes, fratrisées, et
utres telles épiceries, comme dit Du Bellay. **(App. III.)**

Avec les *grands rhétoriqueurs*, l'art du moyen âge fait ses der-
ières et plus démonstratives preuves d'impuissance. C'est là qu'il
boutit dans la poésie lyrique ; dans le genre épique, ou romanesque,
ux fades fictions, à la prose plate de la *Bibliothèque bleue*; dans
a poésie satirique et bourgeoise, à la grossièreté cynique. Une
mpartiale étude fait éclater à nos yeux que la Renaissance a tout
ecréé, tout sauvé, loin de rien étouffer ou empêcher de naître.
lle a balayé la poussière d'une littérature morte ; elle a relevé le
énie de la race qui semblait épuisé ou affaissé.

Et si l'on concevait encore des doutes sur l'œuvre qu'elle a fait,
suffirait, pour s'épargner des anathèmes naïfs et une déploration
uperflue, de se demander à qui l'oubli du vrai et du bon moyen
ge est imputable. Le xve siècle avait un moyen de le sauver : que
'a-t-il imprimé la *Chanson de Roland* comme le *Roman de la Rose*,
t plutôt que les romans en prose [3]. Mais il eût fallu qu'il la connût,

1. **Éditions :** Jean Molinet, *Faictz et Dictz,* éd. N. Dupire, 1936-39; *Chroniques,*
d. G. Doutrepont et O. Jodogne, 1935-37; Georges Chastellain, *Œuvres,* éd.
Kervyn de Lettenhove, 1863-66; Jean Lemaire de Belges, *Œuvres,* éd. J. Stecher,
882-91; *Concorde des deux Langages* et *Épîtres de l'Amant vert,* éd. J. Frapier,
947. Guillaume Crétin, *Œuvres poétiques,* éd. K. Chesney, 1932. Sur toute cette
cole et en général sur les poètes du XVe siècle, cf. A. de Montaiglon, *Recueil
e poésies françaises des XVe et XVIe siècles,* Bibl. elzévirienne, 13 vols in-16,
855-1878. — **A consulter :** G. Doutrepont, *Littérature fr. à la cour des Ducs de
Bourgogne,* 1909; H. Guy, *École des Rhétoriqueurs,* 1910; P. Champion, *Histoire
oétique du XVe s.,* 1923; H. Chamard, *Origines de la Poésie fr. de la Renaissance,*
920; N. Dupire, *J. Molinet, vie et œuvres,* 1932; K. Urvin, *G. Chastelain, vie
t œuvres,* 1937; G. Doutrepont, *J. Lemaire de Belges et la Renaissance,*
934.

2. *L'Art et Science de Rhétorique,* par J. Molinet, 1493; *Le Jardin de plaisance
t fleur de Rhétorique* (1499); *Le Grand et Vray Art de pleine Rhétorique,* par Pierre
efèvre, 1521; *l'Art et Science de Rhétorique,* par Gratien du Pont, 1539. —
A consulter : E. Langlois, *Recueil d'Arts de Seconde Rhétorique,* 1902.

3. Comme *Lancelot du Lac,* imprimé par A. Vérard, 1494, 3 vol. in-fol. — En
énéral ce sont les remaniements en prose, comme les plus récents, qui ont été
mprimés. Cf. les Notices bibliographiques dans Léon Gautier, *les Épopées fran-
aises,* et G. Brunet, *La France littéraire au XVe siècle,* Paris, 1865.

ne fût-ce que dans la forme déjà remaniée du manuscrit d'Oxfor
Près d'un siècle s'est écoulé entre l'établissement de l'impr
merie [1] dans le royaume et le triomphe de la Pléiade : si les de
niers héritiers de l'ancienne littérature nationale avaient mis
temps à profit, ni le xvie siècle, ni le xviie, ni le xviiie n'auraie
ignoré le moyen âge. L'ignorance et l'incurie de Boileau et d
Voltaire ne sont pas imputables à l'humanisme; elles n'ont fait qu
suivre nécessairement l'ignorance et l'incurie moins pardonnable
du dernier âge scolastique et féodal.

Il y a plus à dire : dès le xiiie siècle, la *Chanson de Roland* éta
condamnée à l'oubli, et les premiers coupables sont le remanieur qu
fit et le public qui préféra *Roncevaux*. Tout le secret du mépris o
les meilleures œuvres du moyen âge tombèrent injustement, es
là : le moyen âge lui-même ne les a pas respectées.

---

1. Aux ouvrages connus et multiples sur les origines de l'imprimerie, ajouter ce
récentes publications : l'abbé Requin, *l'Imprimerie à Avignon en 1444*, Avignon, 1890
L. Duhamel, *les Origines de l'imprimerie à Avignon*, in-12, Avignon, 1890 ; L. Degeorge
l'Imprimerie en Europe aux xve et xvie siècles. in-18, 1891 ; A. de la Bouralière, *le
Galiot du Pré*, 2 broch. in-8, 1893 ; Marais et Dufresne, *Catalogue des Incunables de
la Bibl. Mazarine*, gr. in-8, 1893 ; Claudin, *Histoire de l'imprimerie*, 1902-5.

LIVRE II

LITTÉRATURE DRAMATIQUE

CHAPITRE I

LE THÉATRE AVANT LE QUINZIÈME SIÈCLE

Origines religieuses du théâtre du moyen âge, Drames liturgiques.
Introduction de la langue vulgaire; drame plus populaire et moins
clérical. La *Représentation d'Adam*. Les *Prophètes du Christ*. Le
Jeu de Saint Nicolas de Jean Bodel (xɪɪᵉ siècle). Le *Miracle de
Théophile*, de Rutebeuf (xɪɪɪᵉ siècle). Les *Miracles de Notre Dame*
(xɪvᵉ siècle). — 2. Origines du théâtre comique. Adam de la Halle :
le *Jeu de Robin et de Marion* et le *Jeu de la Feuillée* (xɪɪɪᵉ siècle);
originalité d'Adam de la Halle.

La grande époque de notre ancien théâtre, au moins par l'éclat
des représentations, par le goût déclaré du peuple, par le nombre
ou le développement des pièces qui nous sont conservées, est le
xvᵉ siècle ou plutôt le siècle qui s'étend de la moitié du xvᵉ à la
moitié du xvɪᵉ : le genre dramatique, abstraction faite de la valeur
poétique et littéraire des œuvres, se développe le dernier, à l'extrême limite du moyen âge. Aussi avons-nous dû renvoyer jusqu'à
ce moment l'étude des origines et des premières œuvres, débris de
la production des xɪɪᵉ et xɪɪɪᵉ siècles.

1. LE THÉATRE RELIGIEUX.

On l'a dit souvent, le théâtre, chez nous comme en Grèce, est
sorti du culte. Au risque de détruire une loi générale, il faut restreindre cette proposition, et dire : le théâtre chrétien est sorti du

culte [1]. Il ne s'agit que du théâtre qui tire ses sujets de l'histoire
religieuse et des légendes dévotes. Ainsi réduite, la proposition
n'a plus rien d'étonnant.

Tout ce que le peuple pouvait goûter d'émotions esthétiques lui
venait par la religion : l'Église était la maison bénie où se dila-
tait son âme, opprimée par la dureté de la vie. Les pompes, les
cérémonies de l'Église étaient sa joie. Il ne se trouvait jamais
assez longtemps retenu par le service de Dieu. Et la messe était
une belle chose; mais surtout c'était déjà un drame : drame dans
sa forme, par les chants alternés avec la récitation, par le dialogue
de l'officiant et des clercs ou des fidèles : drame aussi dans son
fond, par la commémoration symbolique du sacrifice, de l'acte
essentiel qui fonda le dogme. Le prêtre devenait Dieu, et Dieu parlait : *Ceci est mon corps, ceci est mon sang.* Mais la source immédiate
du drame, c'était la variation de l'*office du jour*, les prières ou le
récit qui rappelaient l'acte divin, le saint, ou le martyr, dont l'office du jour consacrait particulièrement la mémoire; c'était l'Évangile, les Actes des apôtres, ces délicieux poèmes de la religion
naissante, que l'usage de l'Église découpait pour servir à l'édification du peuple selon l'ordre de l'année chrétienne. Le drame était
partout dans ces récits : il suffisait de distinguer les personnages
et de distribuer les rôles. Ne voit-on pas encore aujourd'hui l'Évangile de la Passion se lire **à trois voix**, le prêtre disant la partie de

---

1. Il paraît utile d'indiquer la provenance des manuscrits qui contiennent les
pièces principales dont le rapprochement fait apparaître nettement l'évolution de la
poésie dramatique depuis ses premières origines. *Tropes* : ms. de l'abbaye Saint
Martial de Limoges, *Bibl. nat., fonds latin, n° 1118.* — *Drames liturgiques* : ms. de
Saint-Martial de Limoges, *Bibl. nat., fonds latin, n° 1139* : il contient le drame des
Vierges folles et les *Prophètes du Christ.* Ms. de l'abbaye de Saint-Benoît à Fleury-
sur-Loire, *Bibl. d'Orléans, n° 178* : il contient dix drames liturgiques, quatre
*Miracles de saint Nicolas, l'Adoration des Mages, le Massacre des Innocents, les
Saintes Femmes au tombeau, l'Apparition à Emmaüs, la Conversion de saint Paul* et
la *Résurrection de Lazare.* Mss de Rouen, *n°ˢ 48 y et 50 y* : ancienne rédaction du
drame de la Crèche. Mss d'Origny Sainte-Benoîte, *Bibl. de Saint-Quentin, n° 75* : le
Drame des Trois Maries.

Éditions : Monmerqué et Fr. Michel, *Théâtre fr. au M. A.,* 1839; A. de Montaiglon, *Ancien Théâtre fr.,* 1854; E. Fournier, *Théâtre fr. avant la Renaissance,*
1872; *Jeu Adam* (2ᵉ moitié XIIᵉ s.), éd. K. Grass, 1928; *Résurrection du Sauveur*
(début XIIIᵉ s.), éd. J. G. Wright, 1931; *Jeu de Saint Nicolas,* par Jean Bodel
(fin XIIᵉ s.), éd. A. Jeanroy, 1925; *Miracle de Théophile,* par Rutebeuf (XIIIᵉ s.),
éd. Gr. Frank, 1925; *Miracles de Nostre Dame* (2ᵉ moitié XIVᵉ s.), (ms. Cangé),
éd. G. Paris et U. Robert, 1876-93; *Miracles de Sainte Geneviève,* éd. Cl. Senne-
waldt, 1937; A. Jeanroy, *Théâtre religieux en Fr. du XIᵉ au XIIIᵉ s.,* 1924.

A consulter : Petit de Julleville, *Mystères,* 2 vol. in-8. Paris, 1880, avec une
bibliographie détaillée; L. Clédat, *le Théâtre français au Moyen Age,* 1896;
E. Lintilhac., *Histoire générale du théâtre en France,* 2 vol, 1904-5; Petit
de Julleville, *le Théâtre en France,* 1889; G. Bapst, *Essai sur l'hist. du théâtre*
1893. M. Sepet, *Drame religieux au M. A.,* 1903; G. Cohen, *Histoire de la
mise en scène dans le Théâtre religieux fr. du M. A.,* 1906, *Théâtre en Fr. au M.
A.,* I, 1928; P. Charlot, *Miracles de Notre-Dame,* 1945.

Jésus-Christ, un sous-diacre parlant pour les autres personnages, un diacre débitant les morceaux de pure narration? Dans un temps où le peuple ne lisait pas, où le latin lui était devenu inintelligible, il était naturel que les clercs songeassent à dégager le sens du service divin par une figuration plus expressive, à instruire les esprits des fidèles, en saisissant leurs imaginations : ils réalisèrent par des interpolations de plus en plus considérables et dramatiques les actes dont l'office du jour était la commémoration.

Ce furent d'abord des *tropes* très courts. A Noël, on chante avant l'*Introit* : *Quem quaeritis in praesepe, pastores, dicite?* (Bergers, qui cherchez-vous dans l'étable?) — *Respondent : Salvatorem, Christum, Dominum* (Ils répondent : le Sauveur, le Christ, le Seigneur). Ce furent ensuite des *drames liturgiques* : une action plus développée, des personnages plus nombreux, une mise en scène plus riche. Voici comment les choses se passèrent à Rouen : une crèche derrière l'autel, avec l'image de la Vierge; un enfant, d'un lieu élevé, figurait un ange et annonçait la nativité; les pasteurs, vêtus de la tunique et de l'amict, traversaient le chœur, et l'ange leur disait un verset de saint Luc. D'autres enfants, aux voûtes de l'église, figurant des anges, entamaient le *Gloria*. Les bergers s'avançaient en chantant la prose *Pax in terris*. Ils adoraient en chantant : *Alleluia*. Puis l'office commençait.

A Noël aussi se jouait le drame des *Prophètes du Christ*. Il est sorti d'un sermon apocryphe de saint Augustin sur cette idée fondamentale que l'Ancien Testament est tout entier une figure et une préparation du Nouveau : l'auteur du sermon traduisit cette idée en évoquant treize témoins prophétiques, qu'il faisait déposer en faveur de la mission de Jésus-Christ. Ce sermon très fameux fut récité d'abord, puis joué après matines ou tierce. Le nombre et les noms des personnages ont varié. Dans le manuscrit de Saint-Martial de Limoges, le prêtre récitait le sermon : à son appel se levaient et répondaient Israël, Moïse, Daniel, Habacuc, David, Siméon, Élisabeth, Jean-Baptiste, Virgile, Nabuchodonosor, la Sibylle. Virgile et la Sibylle sont là pour la 4e églogue : ils usaient de l'hexamètre, tandis que les autres témoins parlaient en vers syllabiques et rimés. A Rouen, on a 27 personnages au lieu de 12, dont Balaam avec son ânesse : et la mise en scène se complique. Les soldats de Nabuchodonosor jettent dans la fournaise les trois jeunes Hébreux, qui sortent sains et saufs : et c'est après ce miracle en action que Nabuchodonosor témoigne pour le Christ. On verra ensuite ce drame trop chargé se scinder en petits drames distincts : chaque prophète deviendra centre et héros d'une pièce particulière; on a conservé deux drames latins de Daniel.

Les principales fêtes de l'année, les **Saints Innocents**, l'**Épiphanie**,

Pâques, les fêtes de saint Étienne, de saint Paul, de saint Nicolas, etc., donnèrent lieu à des compositions de même genre.

Mais, à mesure que ces drames se développent, ils se détachent aussi de l'office. Ils deviennent plus profanes. L'invention personnelle s'y donne carrière. On ne se contente plus des chants de l'Église ni du texte des livres saints. Les vers de toute mesure font leur apparition. On joue encore le drame dans l'église, mais on le déplace, selon les convenances locales : il tient moins étroitement au service divin, qu'il gênerait par ses longueurs.

Enfin la langue vulgaire fait son apparition : et dès ce moment nous n'avons plus à nous occuper des drames latins liturgiques, qui subsisteront à travers le moyen âge, et dont les traces seront signalées jusqu'à nos jours. Le plus ancien texte connu qui mêle au latin la langue du peuple est le drame de l'*Epoux* ou des *Vierges folles* (XIIe siècle, 2e tiers) : mais il est de la région poitevine, et cette langue du peuple est un dialecte de la langue d'oc. La langue d'oïl apparaît dans deux des trois pièces latines qu'a écrites un disciple d'**Abailart** nommé Hilaire : dans une *Résurrection de Lazare* et dans un *Jeu sur l'image de saint Nicolas*. Il y a aussi un drame pascal des *Trois Maries*, où la part du français est plus large : mais il est peut-être plus récent

Une fois introduite, la langue vulgaire ne tarda pas à être souveraine, et du même coup le drame cessa d'être une œuvre cléricale. Les clercs ont encore grande part dans la composition, dans la représentation de ces pièces, mais enfin elles n'appartiennent plus au culte, elles ne sont plus qu'un divertissement édifiant. Elles sortent de l'Église, où de toute façon elles ne sont plus à leur place : elles s'étalent sur le parvis, devant la foule assemblée. Ce sont déjà les mystères du XVe siècle : il n'y manque que le nom. Un fragment de la *Résurrection* (XIIe siècle), dans un curieux prologue, nomme treize « lieux et maisons », le ciel à un bout, l'enfer à l'autre, à travers lesquels se promènera l'action. Les rubriques latines d'un drame normand intitulé la *Représentation d'Adam* (XIIe siècle) trahissent une significative préoccupation de la mise en scène et du jeu des acteurs.

« Qu'on établisse le paradis dans un lieu plus élevé, qu'on dispose à l'entour des draperies et des tentures de soie, à telle hauteur que les personnes qui seront dans le paradis puissent être vues par le haut à partir des épaules. On y verra des fleurs odoriférantes et du feuillage : on y trouvera divers arbres, auxquels pendront des fruits, afin que le lieu paraisse fort agréable. Alors que le Sauveur arrive, vêtu d'une dalmatique; devant lui se placeront Adam et Ève; Adam vêtu d'une tunique rouge, Ève d'un vêtement de femme blanc, et d'un voile de soie blanc; tous deux

seront debout devant la Figure (Dieu); Adam plus rapproché, le
visage au repos; Eve un peu plus bas. Qu'Adam soit bien instruit
quand il devra répondre, pour qu'il ne soit pas trop prompt ou
trop lent à le faire. Que non seulement lui, mais que tous les personnages soient instruits à parler posément, et à faire les gestes
convenables pour les choses qu'ils disent; qu'ils n'ajoutent ni ne
retranchent aucune syllabe dans la mesure des vers, mais que
tous prononcent d'une façon ferme, et qu'on dise dans l'ordre tout
ce qui est à dire. »

Cela est d'un auteur ou d'un metteur en scène qui a le sens et
l'amour-propre de son art. Mais certaines attaches encore visibles
révèlent les origines liturgiques du drame. Dans le drame d'Adam,
l'église sert de coulisse, au moins à Dieu, qui y rentre quand il a
parlé. Le latin s'y maintient, extérieur au dialogue dramatique,
l'encadrant, le sanctifiant pour ainsi dire : des *leçons*, des *versets*,
où le texte de l'Écriture est exactement donné, rendent en
quelque sorte au poème sa destination première. Dans le fragment de la *Résurrection* qu'on citait tout à l'heure, la forme dramatique est encore engagée dans une narration continue qui relie
les scènes dialoguées, et qu'un *lecteur* ou *meneur du jeu* avait peut-
être charge de réciter. Ces deux particularités font le caractère
archaïque des deux compositions dont je parle.

Seule la *Représentation d'Adam* a une valeur littéraire. Le sujet
en est le vieux drame de Noël, le drame des *Prophètes du Christ* :
mais il s'est amplifié, il a tendance à absorber tous les épisodes
saillants de l'Ancien Testament, et par suite à se scinder en drames
épisodiques. Dans la composition qui nous occupe, le défilé des
prophètes est précédé d'un « Adam chassé du Paradis » et d'une
« Mort d'Abel » ; ce sont en réalité trois pièces juxtaposées, et
l'idée de la Rédemption fait seule l'unité du tout. Les deux premières parties surtout font honneur au clerc inconnu qui a rimé
les récits de la Genèse en son langage normand. Il y a de la
vigueur dans ce style simple, courant, direct, qui ne s'étale pas en
plats bavardages : on aime mieux cette sécheresse archaïque et
nerveuse que l'insipide et intarissable prolixité des Grébans. Même
de toute façon, pour la conduite de l'action, pour le sens dramatique ou poétique, ce vieux drame est supérieur à la *Passion du
xve siècle*, comme au *mystère* du *Vieux Testament*, partout où on
les peut comparer. Au moins le poète du xiiᵉ siècle sait-il choisir,
et retrancher, et abréger : au moins voit-il quelque chose par delà
les faits, il a aperçu la grandeur pathétique du premier péché et
du premier crime, et il a tâché de rendre quelque chose des sentiments intimes des acteurs. Sa tentation est une tentation, conduite vraiment avec délicatesse, et l'on a eu raison de louer la

caresse du couplet dont le démon enveloppe la pauvre et naïve
Ève : « Tu es faiblette et tendre chose — Et es plus fraîche que
n'est rose », etc. Et la suite de la scène offre encore une assez
fine notation des mouvements de l'âme. Cela est moins rude, plus
vivant que les « Tentations » du xve siècle.

Le caractère profane du genre dramatique s'accentue encore
dans le *Jeu de saint Nicolas*, que Jean Bodel fit jouer à Arras un
jour de la fête du saint, dans le dernier tiers du xiie siècle
(avant 1170?). La grande commune picarde, riche, populeuse,
remuante, toujours avide d'action et d'émotion, que nous avons
vue déjà dérober aux cours féodales les formes aristocratiques de
leur lyrisme, s'empara aussi de bonne heure du drame élevé à
l'ombre de l'église : elle l'amena sur ses places publiques, et y versa
tous les sentiments naïfs ou vulgaires qui bouillonnaient dans les
âmes de ses bourgeois. La piété en était un, à cette date, mais non
le seul ; et c'était une forme particulière de piété. L'élan non encore
lassé des croisades, la touchante confiance en la sollicitude divine,
la vulgarité passablement matérialiste, qui, pour n'être pas dupe,
réclame de Dieu, de son saint, un service temporel et des miracles
lucratifs, voilà les hauts et les bas de la foi du moyen âge : mais
dans la vie facile et bruyante de la province artésienne, que de
place prennent les tavernes, les « beuveries », les drôles insolents et amusants que la police bourgeoise pourchasse, mais qui
font les délices de la gaieté bourgeoise! Jean Bodel a mis tout cela
dans un drame bizarre, bien supérieur à son insipide et romanesque *Chanson des Saxons* : la nécessité d'aller au cœur de son
public, la nouveauté d'un genre encore dénué de traditions ont
maintenu le poète dans la simple sincérité, et comme dans le
plein courant de la vie.

Sur la vieille légende contée par Hilaire, qui fait de saint Nicolas
le garde du trésor d'un barbare, Bodel a jeté librement les sentiments, les habitudes de son temps et de sa ville. Il a logé le miracle
en terre infidèle, chez les mécréants qui adorent Mahomet et Tervagant, dans le grand cadre de la croisade. Après que le roi païen
a convoqué ses émirs et fait annoncer la guerre jusqu'aux bornes
fantastiques de son mystérieux empire, le poète nous montre les
chrétiens offrant leur vie à Dieu, qui par un de ses anges la reçoit
et leur promet sa récompense : après la bataille, où tous périssent
l'ange bénit leur sacrifice et confirme leur gloire. Ce sont quatre
ou cinq brefs couplets, deux ou trois figures à peine ébauchée
— les chrétiens en chœur — un chrétien — un jeune chrétien nou
veau chevalier — un ange idéalement impersonnel; et cette gau
cherie de primitif, toute sèche et raide, nous donne l'impression
du grand art par la hardiesse de la simplification. Nous collabo

rons avec l'auteur de tout le raffinement de nos imaginations, nous jouissons subtilement de cette simplicité non voulue : mais enfin pourquoi tant d'autres pages aussi sèches, d'un art aussi insuffisant, ne se laissent-elles point compléter de même?

Saint Nicolas nous est présenté sur le champ de bataille : une petite statue mitrée qu'un « prudhomme » adore, en demandant la vie. Il survit seul à l'armée chrétienne, et en remercie le saint. Le roi païen, surpris, veut vérifier le pouvoir de l'image. Il lui confie son trésor, et fait publier partout que nulle clef ni serrure désormais n'empêchent d'y parvenir : naturellement trois voleurs en profitent pour le dérober. Colère du roi, douleur du prudhomme qui va avoir la tête tranchée : mais le saint, apparaissant, sans se ménager, aux trois filous, au roi, à son sénéchal, oblige les uns à restituer, les autres à retrouver le trésor. Conversion générale du roi, des émirs, et confusion de Tervagant, qui exhale sans doute sa colère dans un jargon approchant du « langage turc » de Molière. Mais ce que notre analyse ne donne pas, c'est la verve, la couleur de cette seconde partie. Le tavernier, son valet qui crie le vin à la porte, trois voleurs aux noms pittoresques, Pincedés, Cliquet et Rasoir, voilà les personnages du premier plan, que le poète fait dialoguer avec une certaine aisance : ces propos de buveurs, ces parties de dés, cette épaisse joie populaire s'étalent largement. Plus de railleur ni de sécheresse : c'est une scène vivante de cabaret picard, une grasse peinture, réjouissante et « canaille ». Avec cela, le drame dévot devient une farce : la place que la religion garde dans l'ouvrage, c'est justement celle que lui fait l'âme bourgeoise dans la vie laïque.

Au reste, on peut dire que dès lors la période d'invention est finie pour le théâtre du moyen âge : il est en possession de tous les éléments, caractères, procédés, qui lui serviront jusqu'à la fin du xvie siècle. Miracles et farces, sujets et accessoires, je ne vois pas ce que les mystères auront de plus que le *Jeu de saint Nicolas*. Le bourreau truculent, le messager ivrogne, les filous facétieux appartiennent déjà à Bodel. Mais tout est plus court, plus vivant chez lui, rien n'est encore réduit en convention et en ficelle.

On passerait donc comme de plain-pied du xiie siècle au xve, d'*Adam* et de *Saint Nicolas* aux mystères. Peut-être est-ce un effet du hasard qui a si arbitrairement détruit ou conservé les œuvres anciennes, si la production dramatique du xiiie et du xive semble dévier le développement de la poésie dramatique. Le xiiie siècle nous offre le *Miracle de Théophile*, de Rutebeuf, le xive quarante-deux *miracles* opérés de même par la Sainte Vierge. On sait l'adoration, la tendresse dont le moyen âge a honoré Notre-Dame : une foule de confréries pieuses s'établissaient sous son

invocation. Les sociétés littéraires qui devinrent si nombreuses à
partir du XIIe siècle, les *puys*, la choisirent à l'ordinaire pou
patronne; un genre même de poème lyrique, le *serventois*, lui fu
consacré dans les concours. Il ne faut donc pas s'étonner si puy
et confréries pour honorer la Vierge firent composer et représente
des pièces sur les miracles obtenus par son intercession. Ces pièce
ne sont pas d'un art-nouveau : moins graves que les ancien
drames liturgiques, plus sérieuses que le *jeu de saint Nicolas* e
que les mystères, très familières et rarement comiques, elles on
un caractère à la fois populaire et dévot que leur destinatior
explique.

Le *Miracle de Théophile*, avec sa tenue édifiante et un pe
compassée, avec sa forme travaillée, et parfois trop littéraire, ave
l'artifice de ses développements et de ses rythmes qui marquen
la maigreur de la pensée, n'est pas une œuvre supérieure. Il y a l
un talent d'écrivain trop complaisamment étalé pour que le
attitudes rigides et le dessin sec de ces personnages de vitraux s
fassent goûter. Cependant nous connaissons la simplicité de la fc
du poète, et sa fervente confiance en Notre Dame : il en a tir
quelques assez belles inspirations, et un monologue demi-lyriqu
du clerc repentant, dont le mouvement est en vérité pathétique
En somme, cette pièce, qui n'a rien de rare, peut être prise comm
un type distingué des compositions dramatiques dont l'objet es
de glorifier Notre Dame.

Les quarante miracles joués on ne sait dans quel *puy*, dan
l'Ile-de-France sans doute ou en Champagne, dont un manuscr
nous a présenté le recueil, sont de moindre valeur littéraire, e
n'ajoutent pas grand'chose à l'idée qu'on se fait de l'évolution d
genre dramatique. Des scènes décousues qui défilent devant nou
comme une collection d'images sous les yeux d'un enfant, null
préoccupation des caractères, des sentiments et de la vie inté
rieure, une stricte déclaration des pensées précisément nécessaire
pour rendre les actes intelligibles dans leur suite, mais non pa
dans leur production, un courant facile et plat de style où so
semés des ilots de rondels, motets et chansons, certains raffine
ments d'art, et point de poésie : voilà ces *Miracles de Notre Dam*
Il vaut la peine de les étudier, quand on veut se représenter le
caractères de la dévotion du moyen âge : ces drames, comme le
narrations de Gautier de Coincy et autres de même nature, nou
font apercevoir dans leurs incroyables excès l'absurdité, la gro
sièreté, l'immoralité même des formes où se dégradait la nobless
essentielle du culte de la Vierge. On ne saurait imaginer que
péchés ni quels pécheurs la Vierge arrache à l'enfer, au supplic
au déshonneur, sur un mot de repentir, même sur un simple act

d'hommage et de foi. Et d'autre part, si l'on voulait savoir à quelle exaspération de folie mystique la confiance en l'intercession de la Vierge pouvait s'égarer, on n'aurait qu'à lire le *Miracle de la femme que Notre Dame garda d'être arse* : c'est l'un des plus intéressants de la série. On y verra Dieu, avec ses saints, célébrer la messe pour une pauvre femme qui a fait étrangler son gendre. Comme elle est dévote, et s'afflige de n'oser aller à l'Église, le jour de la Purification, Dieu s'empresse de venir en personne lui « donner réfection » d'une messe. Malheureusement le sentiment profond qui ferait la grandeur poétique d'une telle scène ne sort pas : Dieu a toutes les allures d'un bon curé de campagne, la parois sienne clabaude à propos de l'offrande et du cierge; et dans la plus saisissante fantaisie que la foi chrétienne pût créer, on croit assister simplement à une messe de village.

Au reste, ces drames pieux trahissent le désordre moral du temps où ils ont été composés : les papes, les cardinaux, les évêques sont maltraités, chargés de crimes et de péchés : les rois, les juges, sont faibles ou mauvais. Le pouvoir, spirituel ou temporel, n'inspire plus que défiance ou mépris. Là, comme dans les ouvrages du siècle, on sent que la féodalité catholique touche à sa fin.

Il est permis de croire que tandis que certains puys et certaines corporations multipliaient les *Miracles de Notre Dame*, leur patronne [1], d'autres confréries, des communes aussi mettaient sur la scène des sujets sacrés d'un autre caractère. C'est ce qu'indiquent les deux plus anciennes représentations de pièces saintes dont on connaisse la date : en 1290 et en 1302 fut joué à Limoges un *Jeu sur les miracles de saint Martial*. De même voit-on jouer pendant le XIVe siècle la *Nativité* à Toulon et à Bayeux, l'*Assomption* à Bayeux, la *Résurrection* à Cambrai et à Paris, un *Jeu de sainte Catherine* à Lille; on atteint ainsi les *Confrères de la Passion* et les *Mystères*. et l'intervalle se trouve comblé entre les productions du XIIe et celles du XVe siècle. (App. IV.)

---

1. De ces 42 miracles, 40 sont conservés par le même manuscrit. Il ne faut donc pas tirer une conséquence quelconque du grand nombre des *Miracles* que nous avons du XIVe siècle, et de l'absence totale de pièces sacrées d'un autre genre. — Je dis 42 miracles, et non 45, comme M. Petit de Julleville : les deux mystères provençaux qu'il cite ne rentrent pas dans le cadre de cet ouvrage. Quant au « mystère de Griselidis », que le ms. nomme simplement« histoire », cette pièce n'a rien à voir avec les miracles de la Vierge. Mais elle n'a pas davantage de rapport avec le théâtre sacré : il n'y a pas de raison pour ne pas voir dans cette pièce la première forme connue de la *moralité*. Quand on remarque comment des sujets de chansons de geste ou de romans ont été tournés en miracles de la Vierge, on se persuade que l'absence de tout élément religieux dans l' « histoire de G iselidis » la sépare absolument du théâtre que nous étudions ici. Cf. E. Gole-nistcheff-Koutouzoff, *L'Histoire de Griselidis en Fr. aux XIVe et XVe siècles*, 1933

2. LE THÉATRE COMIQUE.

Les origines du théâtre comique [1] (et par théâtre comique il
faut entendre tout ce qui n'est pas miracle ou mystère, de sujet
chrétien, d'inspiration grave ou pieuse) sont vraisemblablement
complexes : certaines farces, où les *lazzi* et la mimique bouffonne
ou indécente dominent, où le dialogue va au hasard, sans action
suivie, sans autre dessein que d'entasser quolibets et facéties pour
faire rire, se rattachent sans nul doute aux parades des jongleurs
de bas étage. Dans la ruine de la culture gréco-romaine, la partie
la moins littéraire, la plus populaire du théâtre ancien, dut sur-
nager : et toutes sortes d'histrions, farceurs et bateleurs maintinrent sans doute la tradition de certains spectacles grossiers, mimes,
scènes bouffonnes, jeux de clowns et de saltimbanques, où sont
enclos certains germes d'art dramatique.

En rapport aussi avec lui étaient les déclamations des jongleurs
un peu plus relevés ; nous n'avons qu'à interroger les mœurs contemporaines pour saisir le lien qui unit à la comédie des chansons, des contes ; en général toute pièce destinée à la récitation
publique tend vers la forme dramatique, par le surcroît sensible
d'effet qu'on obtient en caractérisant les personnages et en les
costumant. Un personnage que nous avons vu dans les pièces
sacrées, le *meneur de jeu*, expliquant, narrant, reliant, facilite la
transition du conte au drame. Un monologue, un dialogue même
n'est pas un « drame » : mais un conteur ou un chanteur qui revêt
le caractère et l'habit du personnage dont il conte ou chante
quoi que ce soit, devient un « acteur », et emprunte au théâtre
un des éléments essentiels de sa définition, celui même par lequel
il sort du domaine de la littérature, le « spectacle » (ὄψις, disait
Aristote). Des boniments de forains et de charlatans tiennent
aussi quelque chose de l'art théâtral : à plus forte raison, les imitations artistiques de tels boniments, comme ce fameux dit de
l'*Herberie*, où Rutebeuf a rendu tantôt en vers et tantôt en prose
le bagou facétieux et l'impudence drolatique des vendeurs de dro-

1. **Éditions :** Le Roux de Lincy et Fr. Michel, *Recueil de Farces*, 1837 ; P. L.
Jacob, *Recueil de Farces, Sotties et Moralités*, 1859 ; E. Fournier, *Théâtre fr. avant
la Renaissance*, 1872 ; E. Picot, *Recueil général des Sotties*, 1902-12 ; E. Faral,
Mimes fr. du XIIIᵉ s., 1910 ; *Courtois d'Arras*, éd. E. Faral, 1922 ; Adam de la
Halle, *Œuvres*, éd. Coussemaker, 1872, *Jeu de Robin et de Marion* et *Jeu de la
Feuillée*, éd. E. Langlois, 1924 et 1911, *Le Garçon et l'Aveugle*, éd. M. Roques, 1929 ;
E. Deschamps, *Œuvres*, éd. Marquis de Saint-Hilaire et G. Raynaud, VII, 1878-
1901. — **A consulter :** L. Petit de Julleville, *Répertoire du Théâtre comique en
Fr. au M. A.*, 1885, *Comédiens en Fr. au M. A.*, 1885, *Comédie et Mœurs en
Fr. au M. A.*, 1886 ; M. Wilmotte, *Tradition litt. en Fr.*, 1909 ; E. Faral, *Jon-
gleurs en Fr. au M. A.*, 1910 ; G. Cohen, *Théâtre fr. au M. A.*, II, 1931.

gues. Cela ne fait pas partie de la comédie : cela aide à en comprendre les origines. Simples chansons et fabliaux, chansons de caractère et monologues, tout cela, comme les parades des bateleurs, contenait de quelque façon en puissance la comédie : tout cela dut en influencer le développement.

Ajoutons maintenant la tradition littéraire de l'antiquité, puisqu'enfin les œuvres comiques du moyen âge sont d'un temps où l'exercice de la littérature était en grande partie aux mains des clercs des universités. Il y eut, et de bonne heure, dans les écoles des représentations de pièces latines dont les comédies de collège des xviie et xviiie siècles ont continué la tradition.

Enfin les jeux liturgiques et sacrés durent fournir la forme selon laquelle s'organisèrent les éléments partout épars du théâtre profane et comique, au moins la mise en scène et la distribution matérielle du sujet [1]. On en trouverait presque la preuve dans les premières œuvres comiques du moyen âge qui nous soient parvenues. C'est un trouvère d'Arras qui fit jouer au xiiie siècle ces deux pièces remarquables, et l'une à Arras même, au puy : or Arras est la ville qui, la première à notre connaissance, s'empara du drame religieux, et lui donna, avec Bodel surtout, le caractère d'un divertissement dévot, mais laïque. L'imagination éveillée des poètes picards, ou peut-être la fantaisie originale du seul Adam de la Halle [2], saisit la variété et la puissance des effets qui étaient contenus dans la forme de ces « jeux » sacrés. Appliquée au vieux thème des pastourelles, elle donna le *Jeu de Robin et de Marion*, la première de nos pastorales dramatiques, ou, comme on a dit, de nos opéras-comiques : en effet, de son origine lyrique, le sujet a gardé la musique. Appliquée à un autre thème, le thème satirique et badin qui s'était à Arras même cristallisé dans le *Congé*, remplie au moyen d'un mélange singulièrement hardi de toute sorte d'éléments narratifs, lyriques, littéraires et populaires, elle a donné le *Jeu de la Feuillée*.

Le *Jeu de Robin et de Marion*, qui fut représenté en 1283, à

---

1. Non seulement un modèle, mais souvent un cadre : la gaieté enfantine du peuple distingua de bonne heure et développa dans les drames liturgiques, sans penser à mal, des moments et des parties comiques. (Cf. Wilmotte.)

2. Biographie : Adam de la Halle, dit le Bossu, né à Arras vers 1240, étudia pour être clerc, se maria, le regretta, alla probablement à Paris reprendre ses études, et composa à cette occasion (1262) le *Jeu de la Feuillée* et sans doute le *Congé* qu'il adresse à sa ville natale. Il revint bientôt à Arras, prit part aux agitations de la vie communale, et se retira (vers 1269) à Douai avec son père. Il suivit en Italie le comte Robert II d'Artois, et resta au service du roi Charles d'Anjou. Il fit jouer à Naples, dans l'automne sans doute de 1283, le *Jeu de Robin et de Marion*. Il était mort en 1288. Le *Jeu de Robin et de Marion* fut rapporté et joué à Arras, et c'est pour cette représentation que fut composé le *Jeu du Pèlerin*, prologue dialogué.

Naples, environ dix-huit mois après les Vêpres Siciliennes, devant
la cour française de Charles d'Anjou, est un poème gracieux, parfois spirituel ou charmant, parfois d'une grossièreté voulue. Le
chevalier offre à Marion son amour : elle refuse. Robin est battu,
mais Marion est fidèle. Voilà le sujet, il est banal. Mais ce sujet
s'encadre dans une peinture de mœurs villageoises : déjà les pastourelles artésiennes dans leur forme lyrique y inclinaient. On voit
Marion, Robin, leurs amis et amies manger du fromage, des
pommes ou du lard, jouer aux petits jeux, pas toujours innocents,
chanter de joyeuses et vertes chansons, goguenarder, cabrioler,
danser, jusqu'à ce qu'une sorte de farandole les enlève de la scène.
Cette partie descriptive se prolonge comme si le goût de l'auteur
et du public en faisait le principal agrément de la pièce. Et il se
fait un curieux mélange de paysannerie convenue et de naturelle
rusticité. Marion et Robin sont des figures d'opéra-comique, dans
l'action traditionnelle qui les oppose au chevalier : dans la description, qui échappe à l'action tyrannique du lyrisme, ce même
couple, et surtout les paysans qui viennent se grouper autour de
lui, sont dessinés avec une verve énergique et une sensible recherche
de réalité. Mièvre ou grossier, le poète s'égaie, et souligne du
même sourire discret les jolies mignardises des poupées du
« pays bleu » et les vulgaires ébats des rustres du terroir artésien.

M. Bédier croit trouver un dessin moins sec, plus de substance
et de relief dans les personnages du *Jeu de Robin et de Marion*
que dans ceux du *Jeu de la Feuillée* : est-ce parce que cette pièce-ci
est antérieure de vingt ans à l'autre ? ne serait-ce pas que dans
l'une la longue tradition de la pastourelle fournissait au poète de
quoi étoffer ses personnages, et dans l'autre il avait tout à créer,
tout à marquer de traits tirés de son invention propre ? Toujours
est-il que ce *Jeu de la Feuillée* est autrement curieux, intéressant
que la gentille pastorale dont je viens de parler : c'est une œuvre
unique, complexe, satirique et bouffonne, réaliste et féerique, une
œuvre qui, malgré les sécheresses et les gaucheries de l'exécution,
oblige d'évoquer les noms d'Aristophane et de Shakespeare : cela
suffit à la classer.

Imaginez-vous une sorte de revue où défilent sous leur nom,
avec leur caractère, en propre personne ou par directe désignation,
dix ou vingt bourgeois connus de la ville, où le poète, à côté de
son père et de ses voisins, s'introduit, contant son mariage, comment il s'est défroqué pour épouser la belle qui l'a si délicieusement
ravi et si vite lassé, comment il veut se démarier, et s'en aller
Paris étudier : écoutez ces propos salés et mordants de compère
en belle humeur, qui en disent de dures sur les femmes, et voyez
dans un brouhaha de « kermesse », selon le mot si juste d

1. Bédier, voyez se succéder, s'agiter, tourbillonner, autour de ces bourgeois, un « fisicien », qui diagnostique les maux de l'âme et ceux du corps, un moine quêteur et porteur de reliques, un fou qu'on mène tour à tour au « fisicien » et au moine, le cortège diabolique d'Hellequin, et les trois fées Morgue, Arsile et Maglore ; voyez s'entremêler le banquet fantastique des fées, où l'on punit par une menace traditionnelle un oubli légendaire, et la très réelle « beuverie » où l'on amène le moine à mettre en gage chez le tavernier les reliques de son saint. Vous aurez une idée légère de l'inénarrable pièce où Adam le Bossu a jeté tout à la fois ses rancunes et ses observations, toute son individualité, et la vie de cette ardente commune picarde, et jusqu'aux superstitions légendaires qui, à côté de la religion, maintenaient une idée du surnaturel dans ces natures matérielles : outre le dessin de l'œuvre, outre la verve des scènes populaires, il y a des coins de vraie poésie, tendre ou fantaisiste, où l'on n'accède parfois qu'à travers d'étranges et plus que grossières trivialités.

Les deux pièces d'Adam de la Halle sont, avec une insignifiante parade [1], tout ce qu'on a conservé du répertoire comique du xiiie siècle : plus pauvre encore est le xive. M. Petit de Julleville signale sept représentations de moralités, farces, dialogues, données en diverses villes. On voit s'organiser en ce siècle et prospérer des sociétés et confréries, sur lesquelles en grande partie reposera le théâtre du siècle suivant, basoche, enfants sans souci, etc. On a quelque raison de croire que les écoliers jouaient dans leurs collèges des pièces comiques : du moins leur voit-on défendre les « jeux déshonnêtes » aux fêtes de saint Nicolas et de sainte Catherine. Enfin, auprès de certains princes apparaissent des acteurs de profession : en 1392 et 1393, Louis d'Orléans donne des gages à quatre « joueurs de personnage ». Mais les œuvres font défaut.

On trouve seulement dans Eustache Deschamps quelques pièces, qui nous montrent avec quelle lenteur la comédie se détache des autres genres où son origine l'engage. Voici un « Dit des quatre offices de l'Hôtel du roi, à jouer par personnages », et ce dit, où Saucerie, Panneterie, Echansonnerie et Cuisine dialoguent comme les maîtres de M. Jourdain, est une burlesque, triviale et insipide moralité : c'est un divertissement de cour. Egalement destinées à la récitation dramatique sont certaines pièces de forme narrative et lyrique du même écrivain : ici le fabliau se réduit presque en farce dialoguée, là une altercation bouffonne s'enferme dans le cadre d'une ballade, « à jouer de personnages [2] ».

1. *Du garçon et de l'aveugle*, farce jouée à Tournai vers 1270.
2. La première pièce est celle que M. de Queux de Saint-Hilaire intitule la *Farce de Trubert et d'Antroignart*. Des vers de récit sont mêlés au dialogue. Il semble que

Cependant cette pauvreté serait atténuée si l'on se décidait à ne plus compter parmi les mystères l' « histoire de Griselidis ». C'est un petit drame, purement moral, et tout à fait analogue aux moralités pathétiques et non allégoriques qui se joueront plus tard. Il a pu être construit sur le modèle des *miracles* : il appartient à un genre absolument différent. Au reste, il contient des parties touchantes, et la douce soumission de Griselidis s'exprime par des traits quelquefois bien délicats : ainsi, quand la pauvre femme demande à son mari de traiter mieux sa nouvelle épouse qu'il ne l'a traitée elle-même : Elle est, dit-elle, « plus délicieusement nourrie », plus jeune, plus tendre que moi, et ne pourrait souffrir « comme j'ai souffert ». N'est-ce pas tout à fait exquis? Pour cette rareté dans l'époque qui nous occupe, pour un peu de fine sensibilité, l' « histoire de Griselidis » est à lire.

Il ne faut pas finir cette étude des origines du théâtre comique, sans rappeler que certaines œuvres qui n'ont aucun rapport avec le théâtre, contiennent cependant des germes précieux. Je veux parler de l'imagination psychologique, du don de distinguer les formes générales des caractères et des vies humaines, et de composer les actes et paroles d'un personnage en parfait accord avec ses sentiments. Ces qualités que nous avons trouvées déjà dans les fabliaux de Gautier le Long, et dans certains développements dialogués de Jean de Meung, apparaissent aussi dans le satirique *Miroir de Mariage* d'Eustache Deschamps, où il ne serait pas difficile de signaler les esquisses d'une expression synthétique de certains états moraux, où, par exemple, le thème moral de *Georges Dandin* est indiqué, sans mélange d'action ou d'intrigue dramatique. Il en faudrait dire autant, pour le xve siècle, du livre des *Quinze joyes de mariage*, et en général des œuvres de nos conteurs satiriques où ils ont bien voulu regarder, au lieu de l'anecdote et des individus, les figures en quelque sorte schématiques des divers états de la vie et des divers tempéraments de l'homme. Tout cela, un jour, aidera la comédie, cette fidèle et suggestive image de l'humanité, à sortir de la farce vainement fantaisiste, ou réaliste sans portée.

l'auteur ait visé à la fois la lecture, la récitation par un jongleur unique, et la représentation par personnages. De légères suppressions font de la pièce une œuvre purement dramatique : et, d'autre part, pour un public encore peu habitué à la mobilité du dialogue scénique, la lecture et la simple récitation exigeaient certaines indications et parties de récit, sans lesquelles ces esprits peu alertes auraient eu peine à suivre et à comprendre le mouvement du morceau. La seconde pièce, que je n'ai vu encore relever par personne, est une très ordurière pièce, intitulée exactement *Sott Chanson de cinq vers à deux visages, à jouer de personnages* (n° 1218, t. VI, p. 211)

CHAPITRE II

LE THÉÂTRE DU QUINZIÈME SIÈCLE

(1450-1550)

1. Les *Mystères*. Le *Vieux Testament*; la *Passion*; les *Actes des Apôtres*. Caractère pieux des représentations. Leur organisation. Art à la fois réaliste et conventionnel. Scènes populaires et triviales. Valeur littéraire des mystères. Les *Confrères de la Passion*. — 2. Théâtre profane et comique. Basoche, Enfants sans souci. *Sotties, moralités, farces*. Grossièreté des farces, leur esprit. La *Farce de maître Patelin* : expression comique de types observés et vivants.

Entre la fin de la guerre de Cent Ans et le commencement des guerres de religion s'étend une période de paix intérieure, où, sous la domination protectrice d'une royauté qui se fait absolue, la bourgeoisie, moins opprimée, moins inquiète, plus riche, s'attache avec passion aux représentations dramatiques.

Par toute la France se dressent échafauds et tréteaux pour toutes sortes de jeux sérieux et comiques. Entre tous les plaisirs de l'esprit, celui du théâtre est le plus sensible et le plus intense pour un tel public, grossier et homogène, composé par conséquent d'individus en qui vibre plutôt l'âme commune des foules que les impressions uniques d'une âme personnelle.

1. LES MYSTÈRES.

Les pièces sacrées de l'âge précédent, *représentations. jeux, miracles*, deviennent au xvᵉ siècle des *mystères*. Ce mot désigne d'abord vers 1400 des représentations figurées, sans dialogue dramatique, des scènes muettes, pantomimes, tableaux vivants, dont les sujets étaient mythologiques, allégoriques ou chrétiens, et qu'on donnait aux fêtes, aux entrées de rois et de princes. Ainsi,

quand Charles VII fait son entrée solennelle à Paris en 1437, de la
porte de la ville, par la rue Saint-Denis, jusqu'au pont du Châtelet,
s'échelonnent de place en place diverses scènes de l'Évangile,
Passion, Résurrection, Annonciation, etc., sans parler de saint Denis
qui naturellement reçoit le roi à la porte Saint-Denis, entouré de
saint Louis, saint Thomas, saint Maurice et sainte Geneviève
C'était là des « jeux de mystère ».

Ce fut vers 1450 que ce nom passa aux représentations dramatiques. Ces *mystères*[1] sont la postérité lointaine du drame liturgique : ils retiennent de leur origine ce caractère, que les sujets
en sont toujours, ou à peu près religieux. Ils forment comme une
sorte d'illustration populaire où toute la suite de l'histoire religieuse est figurée et découpée en scènes. Toutes les sources sont
mises à contribution, sans critique, avec un égal respect, et un
non moins égal sans-gêne : Bible, Évangiles canoniques, Évangiles
apocryphes, actes de martyrs, vies de saints ; c'est un vaste et
confus ensemble qui va de la création jusqu'à saint Dominique et
saint Louis. Parmi tous les mystères indépendants où un évène-
ment particulier, une destinée individuelle sont exposés, trois
compositions d'un caractère plus général se détachent : le *Mystère
du Vieil Testament*, qui, en près de 50 000 vers, nous mène du
Paradis terrestre jusqu'au temps d'Auguste ; le *Mystère de la Passion*, qui, en près de 35 000 vers dans l'œuvre de Greban, embrasse
tous les récits des Évangiles, et le *Mystères des Actes des Apôtres*,
qui, en plus de 60 000 vers, expose la diffusion de la religion nouvelle et le martyre des premiers serviteurs du Christ.

La tendance cyclique de ces trois œuvres est manifeste. D'abord
ces trois mystères s'enchaînent et se font suite. La *Passion* sert de
centre : rédigée par Arnoul Gréban avant 1452, elle s'est complétée
par les *Actes des Apôtres*, que le même Gréban, avec l'aide de son
frère Simon, a mis au drame. Enfin, comme il est arrivé dans les
épopées cycliques, où l'on a remonté les temps en passant des
fils aux pères, le drame de la nouvelle loi a suscité le drame de
l'ancienne foi : on pense que le *Mystère du Vieil Testament* s'est
organisé sous l'influence de la *Passion* de Gréban. Au reste

1. **Éditions :** A. Jubinal, *Mystères inédits du XVᵉ s.*, 1837 ; *Mystère du Vieil
Testament*, éd. J. de Rothschild et E. Picot, 1878-91 ; *Mystère de la Passion* d'Arnoul Gréban, éd. G. Paris et G. Raynaud, 1878 ; *Mystère de la Passion d'Arras*,
éd. J.-M. Richard, 1893 ; *Mystère du Siège d'Orléans*, éd. F. Guessard et E. de
Certain, 1862 ; *Destruction de Troye la grant*, de Jacques Milet, éd. Stengel, 1883 ;
Pierre Gringore, *Œuvres complètes*, éd. Ch. d'Héricault et A. de Montaignol,
1858-77. — **A consulter :** L. Petit de Julleville, *Les Mystères*, 1880 ; E. Roy,
Le Mystère de la Passion en Fr. du XIVᵉ au XVIᵉ s., 1903 ; P. Champion, *Histoire
poétique du XVᵉ s.*, 1923 ; Ch. Oulmont, *P. Gringore*, 1910 ; Senneegans, *Le
théâtre édifiant en France aux XIV et XVᵉ siècles*, 1928.

d'autres rédactions antérieures et postérieures à l'œuvre de Gréban attestent la force de la tendance cyclique. Si l'on met à part les vies de saints, qui ne se prêtaient d'aucune façon à s'agglutiner en masse, le mouvement se dessine nettement : le drame liturgique des *Prophètes du Christ* s'est brisé en drames distincts, et ces drames distincts se sont réunis de nouveau et soudés dans le mystère du Vieil Testament, où les derniers apparaissent seulement juxtaposés. Pour la *Passion*, ou plutôt pour la *Vie du Christ*, il n'apparaît pas d'ensemble primitif : le poème cyclique succède aux *Nativités*, aux *Annonciations*, aux *Adorations des rois mages*, aux *Résurrections*, aux *Passions*, etc., qui existèrent d'abord séparément [1]. Quant aux *Actes des Apôtres*, ils ne sont qu'une œuvre artificielle, une sorte de découpage du *Livre sacré*, par lequel des auteurs avisés ont voulu compléter et exploiter un succès assuré.

Rarement, au xve siècle, les auteurs de mystères sont sortis de l'histoire religieuse. On en cite deux : le *Mystère du siège d'Orléans*, œuvre orléanaise, qui n'est pas de beaucoup postérieure à la délivrance de la ville, ou tout au moins ne l'est pas à la réhabilitation de Jeanne d'Arc : on s'explique suffisamment le sentiment de piété locale qui fit choisir ce sujet, d'autant que la fête anniversaire du 8 mai était devenue la vraie fète patronale de la ville d'Orléans. L'autre est le mystère de la *Destruction de Troye*, œuvre d'un écolier lettré, qui, pour intéresser le public à un sujet peu nouveau, lui a donné la forme alors la plus goûtée. Mais il n'est pas même sûr que ce découpage de Darès le Phrygien et de Benoit de Sainte-More ait jamais été joué, et qu'il y ait là autre chose qu'un roman dialogué destiné au divertissement des lettrés qui lisaient. Les *mystères* profanes n'apparaîtront vraiment que dans l'extrême décadence du genre, entre 1548 et 1598, quand l'interdiction du Parlement aura enlevé aux acteurs de *mystères* leur répertoire sacré.

En effet, quelque profane qu'apparaisse souvent l'esprit des mystères, ils n'en sont pas moins le produit d'une intention pieuse et destinés à l'édification. On les joue « en l'honneur de Dieu pour l'instruction du pauvre peuple » : en 1497, à Chalon-sur-Saône, pour obtenir la fin d'une peste ; en 1509, à Amiens, pour remercier Dieu des bonnes récoltes. Un chanoine de Langres fait jouer à Langres en 1482 une *Vie de Mgr saint Didier* : c'est le patron de la ville. Gringore compose une *Vie de saint Louis* pour la corporation des maçons et des charpentiers, qui possède la chapelle de saint Blaise et de saint Louis : le mystère se jouera le 25 août, pour honorer le patron des maçons et des charpentiers. Et ainsi

1. Cf. Jubinal *ouvr. cité*, t. II.

toute sorte de saints locaux auront leurs mystères, comme patrons
de villes et de confréries; ou bien une paroisse, un couvent vou-
dront accréditer des reliques, recommander un pèlerinage : cela
se fera par une représentation dramatique, comme trois siècles
plus tôt par une épopée. Maintes fois les actes de dévotion accompagnent la représentation : à Seurre, en 1496, la veille du jour
où devaient commencer les représentations d'un mystère de
saint Martin, les acteurs en costume vont assister à un salut
solennel dans l'église du saint, pour en obtenir du beau temps. Et
pendant tout le temps des représentations, à la fin de chaque
journée, ils se rendent à la même église pour chanter un *Salve,
Regina*.

C'était chose longue et coûteuse que la préparation d'un mystère : tantôt le clergé, tantôt un prince, tantôt la ville, et tantôt
des confréries ou des corporations en faisaient les frais; il se
formait des associations temporaires, à seule fin de jouer un
mystère, comme celle qui entreprit à Valenciennes de jouer la
Passion en 1547; les frais étaient communs et l'on partageait les
bénéfices.

Les acteurs se recrutaient dans toutes les classes de la société :
prêtres, avocats, bourgeois, artisans : les nobles jouaient rarement,
les femmes plus rarement, et à une époque très tardive. Le rôle
du Christ appartenait comme de droit à un prêtre : c'est en cette
qualité qu'à Metz (1437) le curé Nicole faillit mourir en l'arbre de
la croix, pour y être resté pendu plusieurs heures de suite, réci-
tant trois ou quatre cents vers dans son agonie. Il fallait beaucoup
de zèle, de patience et de discipline, pour monter un mystère
pour rassembler, instruire, dresser parfois plusieurs centaines
d'acteurs, pour arriver sans encombre du *cry* qui, plusieurs mois
à l'avance, annonçait l'entreprise et invitait les acteurs volontaires
à se présenter, à la *montre* solennelle, qui promenait par la ville
tout le personnel de la représentation, en costumes parfois somptueux, depuis Dieu le Père jusqu'au dernier valet de bourreau.

Les représentations duraient souvent plusieurs jours, parfois
plusieurs semaines. Le *Mystère des Actes des Apôtres*, à Bourges
en 1536, se poursuivit pendant quarante jours : il mit en action
cinq cents personnages. Il va sans dire que nulle ombre d'*unité*
au sens classique du mot, n'existait dans de telles pièces. Même
les plus courts *mystères* ceux qui ne demandent qu'un jour, usent
du temps et du lieu avec une extrême liberté. Le lieu change
d'une scène à l'autre sans difficulté; et sans difficulté aussi, le
drame embrasse dix ans, un siècle, ou quatre mille ans, comme
le *Mystère du Vieil Testament*.

Ce théâtre est à la fois minutieusement réaliste et hardiment

conventionnel. Il montre tout ce qui se peut montrer : mais il
supprime tout ce qui ne se peut montrer, et suppose tout ce qui
se peut imaginer. Sur la scène vaste, large de 30 à 50 mètres, tous
les lieux à travers lesquels se transportera successivement l'action
sont figurés simultanément : figurés en abrégé ou en raccourci,
bien entendu, et comme par échantillons ou symboles. Les distances intermédiaires, les lieux inutiles sont abolis. Une gouache
du manuscrit de la *Passion*, jou- e à Valenciennes en 1547, figure
**onze lieux juxtaposés : le Paradis, une salle, Nazareth, le Temple,
Jérusalem, un palais, la maison des Évêques, la Porte Dorée, la
mer, les Limbes, l'Enfer.** Une *Nativité*, jouée à Rouen en 1474,
exigeait, entre le Paradis et l'Enfer, vingt-deux lieux différents de
Nazareth, Jérusalem, Bethléem et Rome.

On ne négligeait rien pour parler aux yeux et aux sens. Dans
le Paradis très élevé, Dieu apparaît entouré de rayons d'or,
d'anges et de séraphins. L'Enfer est une large gueule de dragon,
béante, d'où les démons, effroyables et grotesques, sortent en hurlant et gesticulant : des flammes s'en échappent ; les damnés crient :
il se fait dans les profondeurs invisibles un tapage effroyable ; les
tambours et les tonnerres font rage, et l'on tire même le canon,
pour les grands effets. On use de trucs et de machines : diables
sortant par des trappes, vols d'anges, bêtes mécaniques, mannequins substitués aux acteurs pour les tortures. La descente du
Saint-Esprit se fait par « grand brandon de feu artificiellement
fait par eau-de-vie », cependant qu'un gros tonnerre d'orgues roule
au cénacle. Un réalisme naïf ou grossier évoque les âmes à côté
des corps, et de même sorte est le symbolisme qui revêt Jésus et le
bon larron de chemises blanches, tandis qu'une chemise noire
exprime l'irrémissible impénitence du mauvais larron.

Le peuple apporte une curiosité infatigable à ces représentations : il s'émerveille, il pleure, rit, s'apitoie ; son âme grossière, avide de sensations intenses, n'a jamais assez savouré la
Passion de son Christ ; **il n'y a jamais trop d'injures, de violences,
de supplices, pour assouvir sa** pitié et l'assurer de son rachat. Il a
besoin des souffrances de ses martyrs : plus il les aime, plus il
faut croître leurs mérites. Il écoute très décemment, très dévotement les sermons, les propos édifiants, il voit avec révérence les
hautes vertus, les faits admirables des saints personnages. Mais
ce peuple est peuple : vulgaire par essence, et d'un âge positif et
railleur. Avant tout, ce qui lui plaît, c'est la vie, et *sa* vie : dans
ces drames merveilleux, rien ne le touche tant que le réel, et parmi
ces acteurs surhumains, sa sympathie va à la simple, même à la
basse humanité, au peuple vulgaire comme lui comme lui bruyant,
gausseur et jouisseur. Il ne se détache pas du présent, et c'est le

présent qu'il cherche. Qu'on lui parle de lui, et contre ceux pa
qui il croit souffrir : il entend volontiers mépriser les nobles et le
prêtres, et tous ses maîtres. Mais surtout la place publique, la rue
la taverne, avec leur population pittoresque et leur vivante con
fusion, des chansons d'aveugles, des geigneries de mendiants, de
quolibets de buveurs, des jurements de joueurs, des insolences d
sergents, des boniments de marchands, voilà le spectacle dont i
ne se lasse jamais. La farce avec son réalisme trivial et sa cyniqu
bouffonnerie envahit le mystère, et le drame chrétien est étouff
sous l'excessive abondance des scènes populaires.

La brutalité dure des âmes goûte le comique jusque dans l'hor
reur : la souffrance physique est plaisante, si le patient est odieux
Une bouffonnerie féroce se joue du pauvre corps humain. Les bour
reaux, de mine truculente, aux noms pittoresques, Humebroue
ou Claquedent, sont de facétieux compères, évidemment sympa
thiques à l'assistance, même quand ils torturent les saints ou le
Christ : on ne trouve jamais leurs rôles trop longs. Les acteur
surnaturels eux-mêmes tournent au comique. Le diable fait peur, e
fait rire. L'homme tremble à voir l'ennemi : mais il voit Dieu, qu
sera le plus fort, et se rassure. Toujours nasardes, coups, tomben
sur ces pauvres diables : ils sont bernés; ils sont nigauds; ils
sont vulgaires. Ils cessent d'être sérieux : ils viennent enlever le
âmes des morts, après une bataille, dans des brouettes.

Ainsi s'avilit la grandeur essentielle des sujets par la complai
sance des poètes pour les bas instincts du pe ple. Le peuple
faisait la loi : car il ne voyait pas seulement, il c mmandait, et il
jouait les pièces. L'auteur servait de son mieux ceux qui le
payaient ; du reste, il était peuple lui-même, et s'amusait des mêmes
choses.

Cependant ce même peuple croyait, et les hautes parties du
drame chrétien l'eussent touché, s'il y avait eu des auteurs pour
les traiter dignement : elles touchaient telles quelles, dans leur
platitude et dans leurs diffusions. Le malheur fut que le génie
manqua aux faiseurs de mystères. Nulle époque ne met mieux en
lumière l'absolue différence qui sépare le théâtre de la littérature.
C'est au xve siècle certainement que le théâtre du moyen âge
s'épanouit dans tout son éclat : et littérairement, les œuvres dramatiques du xve siècle sont fort médiocres; je ne sais si, quand on
passe du xiie et du xiiie siècle au xve, il n'y a pas décadence : à
coup sûr il n'y a pas progrès. L'invention se perd dans la diffusion
et le bavardage. L'art ne se marque que par les raffinements pénibles ou baroques du rythme et de l'expression.

Ce n'est pas qu'il n'y ait de belles idées, et même d'heureuses
parties dans quelques-uns de ces mystères. Il sera facile de louer

ce débat de la Miséricorde et de la Justice, qui encadre le mystère de la Passion, en lie les scènes, et en précise le sens : ce drame symbolique, se jouant dans le ciel au-dessus du drame humain qui l'explique, est une haute invention. Mais quand on reprend le texte, quand on le lit dans sa plate pauvreté, on se rappelle que ce débat est un lieu commun des sermons du moyen âge déjà exploité du reste au théâtre, et l'invention de Gréban perd de son prix, par l'insuffisance de l'exécution. On citera aussi quelques scènes de grande poésie métaphysique et religieuse : la scène du *Roy Advenir*, où Josaphat, fils d'un roi, élevé dans les délices, rencontre un lépreux, un mendiant, un vieillard, et devant cette révélation soudaine de la maladie, de la pauvreté, de la mort, médite anxieusement sur la vie ; la scène encore où Marie, dans les *Passions* de Gréban et de Jean Michel, supplie Jésus d'écarter d'elle et de lui les horreurs de la Passion, et où Jésus lui révèle le mystère de la Rédemption, la nécessité, l'efficacité de chacune de ses souffrances. Mais ici l'émotion humaine se mêle au mystère incompréhensible, et nos vieux poètes ont senti dans la Vierge une mère qui aimait son fils comme toutes les mères. C'est un mérite : et de là vient que leur Christ si pâle, si froid, si peu vivant, n'a pas de caractère, tandis que Notre Dame les inspire mieux.

Croyant à l'absolue réalité des choses qu'ils montraient, ils ne se doutaient pas que souvent c'était les dégrader, les fausser, les vider de leur sens, que de les figurer uniquement comme des réalités : mais parfois, quand ils s'approchaient familièrement des objets de leur foi, avec un sens instinctif de la vie, ils ne rendaient pas sans bonheur le pathétique des situations ou le mouvement des passions que les livres sacrés indiquaient. Je laisse l'anachronisme perpétuel des costumes et des mœurs, qui n'éclate pas seulement dans les scènes comiques : si les ouvriers de la tour de Babel sont les maçons du xve siècle, Lazare partant pour la chasse, un faucon sur le poing, sur les lèvres un refrain de chanson nouvelle, est un galant seigneur du même temps. Mais c'est dans la peinture que ce travestissement a toute sa grâce : et nos bavards mystères ne nous offrent rien qui ne soit cent fois plus charmant dans les tableaux des vieux maîtres allemands ou hollandais.

Ce qui a plus de prix, c'est le naturel des sentiments, justement senti, curieusement développé par une intuition spontanée : à force de ne pas se guinder, à force de facilité à retrouver dans l'antiquité évangélique et biblique tout le détail de la vie contemporaine, nos découpeurs des Livres saints, sans art, sans goût, sans style, ont donné à quelques scènes un air de vérité aisée, qui est près de charmer. Il y a des coins de pastorale gracieuse dans le

Vieux Testament, dans la *Passion* : mais surtout il y a quelques commencements heureux d'expression dramatique des caractères. Dans le *Vieux Testament,* quelques touches du caractère de Caïn, une esquisse du pathétique moral auquel le sacrifice d'Abraham peut donner lieu dans les rôles du père et du fils, une notation un peu sèche, mais essentiellement juste des sentiments respectifs de Samson et de Dalila, une discrète et délicate peinture de la belle âme de Suzanne, d'heureux traits de foi timide dans Esther, et d'orgueil féroce dans Aman : voilà où l'esprit aime à se reposer dans la platitude aride de l'immense mystère. La *Passion* de Gréban nous offrirait quelques accents vrais et touchants dans le rôle de la Vierge, ou dans le couplet de la mère de l'enfant mort, de la vérité encore dans le reniement de saint Pierre et dans le suicide de Judas, un réquisitoire d'Anne contre Jésus qui amuse comme l'involontaire expression de l'effarement irrité du bourgeois devant le socialisme révolutionnaire du fils de Dieu. Jean Michel a fait une autre *Passion,* pour être jouée à Angers en 1486 : moins sec et moins juste que son devancier, moins respectueux du texte sacré, plus bavard, accueillant toutes les fantaisies des apocryphes et les légendes les plus extravagantes, il a parfois des saillies, des trouvailles heureuses d'imagination. Toute la partie de la « mondanité » de Madeleine nous présente une amusante et vive silhouette de coquette évaporée et vaniteuse : il a bien rendu aussi, avec une saisissante brièveté, le dialogue suprême du Christ et de sa mère.

Tout n'est donc pas à mépriser dans les *mystères* : il reste vrai pourtant qu'ils valent par leurs sujets, et moins que leurs sujets, moins aussi à l'ordinaire que les récits qu'ils traduisent. Ils les suivent servilement ou les altèrent sans raison. Jamais ils ne donnent la sensation d'un art qui s'efforce pour ne rien laisser du caractère ou de la beauté qu'il aperçoit dans la nature. En plus d'un siècle, on ne trouve ni un homme, ni une œuvre. Et il n'y a pas à dire que le genre ait gagné par cent ans de vogue et de fécondité : il serait plus vrai de dire qu'il s'est épuisé. Ici encore la Renaissance est venue déblayer, non détruire. (App. V.)

Il est très frappant que la Confrérie de la Passion n'ait servi de rien au progrès de la poésie dramatique. Ce n'était plus là, en effet, une société provisoirement instituée ou s'appliquant momentanément en vue d'une représentation unique, sans précédents directs et sans suite immédiate : lorsque la Confrérie de la Passion, qu'on aperçoit déjà à Paris en 1380, a obtenu la fameuse ordonnance royale de 1402 qui confirme et étend ses privilèges, un théâtre permanent est fondé, et une tradition artistique.

En possession du droit de jouer leurs mystères, d'interdire à

tous autres d'en jouer à Paris ou dans sa banlieue, établis à
l'Hôpital de l'Hôtel de la Trinité, plus tard à l'Hôtel de Flandre,
ils furent peut-être les premiers à représenter le drame de la
Passion : ils furent sans doute les promoteurs des vastes compositions cycliques, dont la permanence de leur théâtre leur rendait
facile, autant qu'avantageuse, la représentation. A eux sans doute
aussi revient l'idée de transporter acteurs et public dans une salle
fermée : et par là, resserrant en quelques toises carrées la scène
immense des places publiques, obligés de figurer insuffisamment
et de ramener à un moindre nombre les lieux multiples où s'épar-
pillait l'action dramatique, ils préparèrent, sans s'en douter, le
triomphe des unités.

Mais ces artisans, ces bourgeois, n'eurent jamais, en près de
deux siècles que vécut leur confrérie, une idée qui tendît à perfectionner l'art : tel ils le prirent dans le temps où ils s'associè-
rent, tel en somme, ou plus bas, ils le laissèrent quand ils renoncèrent à exploiter eux-mêmes leur privilège. La Réforme leur
porta un coup mortel : n'ayant pas su s'élever à l'art, ils excitèrent, par la plate familiarité ou le réalisme bouffon de leurs
drames, la raillerie scandalisée des protestants, la défiance et
l'hostilité des catholiques. Il était devenu nécessaire de marquer
extérieurement le respect et la foi qu'on donnait aux Écritures
et à la religion. D'autre part la Renaissance les condamnait :
acteurs, pièces, mise en scène, tout chez les Confrères était du
xve siècle : tout choque donc au xvie l'esprit nouveau, affiné par
l'humanisme et par l'art italien. Le Procureur général, en 1542, ne
les maltraitait pas moins comme mauvais acteurs de pièces mal
faites que comme offensant la morale et la religion.

Enfin, en 1548, au moment où les Confrères s'installaient à l'Hôtel
de Bourgogne, un arrêt du Parlement, en leur confirmant leur
monopole, leur interdisait de jouer des *mystères sacrés*. Mais leur
interdire les mystères sacrés, c'était leur défendre d'exister : leurs
sujets étaient tout dans leurs drames; ils n'avaient pas d'art dont
ils pussent appliquer ailleurs les principes et les formes. Ils mirent
près d'un demi-siècle encore à mourir, mais ils moururent.

2. SOTTIES, MORALITÉS, FARCES.

Le théâtre profane et comique [1] se développe au xve siècle avec
la même abondance, excite la même passion que les pièces sacrées:

1. Ms. La Vallière (xvi[o] s.), 74 pièces (72 farces) petit in-fol., Bibl. nat., 24 341.
Recueil du British Museum, découvert à Berlin vers 1840 : 64 pièces (61 farces), impri-

il est soumis aux mêmes conditions, et s'organise sur le même
modèle. Les comédiens de profession n'apparaissent guère avant
le xvi⁰ siècle, et mêlés aux comédiens amateurs et volontaires : il
faut venir au milieu du siècle pour trouver des troupes organisées
comme celle de ce « Jacques Laugerot, joueur d'histoires et de moralités », qui fait ses engagements, le 8 mars 1552, devant un notaire
de Draguignan. Au xv⁰ siècle, les représentations profanes sont
elles aussi, données par des bourgeois momentanément associés
et l'on voit par exemple cinq ou six artisans passer contrat par
devant notaire pour monter ensemble une moralité qui leur plait.
Mais surtout, par toute la France, il existe des sociétés, des corporations de toute sorte, sérieuses ou facétieuses, amies des exhibitions,
cortèges et spectacles où fleurissent à la fois la poésie et la médisance : les unes se vouent aux processions et aux mascarades,
d'autres cultivent la chanson, d'autres, plus ou moins accidentellement ou régulièrement, jouent des scènes dialoguées, et divers genres
de pièces. Il y en a deux à Paris, qui se sont fait une tradition et
comme un privilège de représenter des œuvres profanes et comiques. Ce sont les basochiens et les Enfants sans souci.

La Basoche était la corporation des clercs de procureurs au
parlement de Paris : les clercs de procureurs au Châtelet en formaient une autre, soumise à la première ; les clercs de procureurs
à la Cour des Comptes nommaient leur association l'Empire
de Galilée. Nombre de villes, Orléans, Lyon, Poitiers, Toulouse,
avaient leur basoche. La grande basoche de Paris, dès le début du
xvi⁰ siècle, était un corps considérable, ayant ses armes, son roi,
son chancelier, jugeant ses membres, frappant monnaie, tenant
ses réunions générales deux ou trois fois l'an, et surtout vers le
mois de juin ou juillet, faisant sa *montre* solennelle où elle défilait devant son roi, donnait aubades et sérénades aux présidents et conseillers du parlement, à grand fracas de tambours,
hautbois et timbales. La basoche donnait des mystères mimés.
Elle donnait des représentations dramatiques, non sans obstacle
toujours ni sans péril. Souvent la cour, souvent le Parlement
réprimèrent la verve insolente des basochiens : le poète Henri

mées séparement en format d'*agenda*. Les pièces datées sont de 1542 à 1548. L'éditeur, quand il est nommé, est en général B. Chaussard, à Lyon. Recueil de
Copenhague, Lyon, 1619. Recueil de U. Rousset, Paris, 1612. — **Éditions** : *Ancien
Théâtre français* (Bibl. elzév.), t. I-III : c'est le recueil du British Museum. *Recueil
de farces*, etc., par Le **Roux** de Lincy et F. Michel, Paris, Techener, 1837, 4 vol.
in-8. Recueil Picot et Nyrop, Paris, 1880, in-16 : c'est le recueil de Copenhague,
E. Fournier, *le Théâtre français avant la Renaissance*, Paris, gr. in-8, 1872.

A **consulter** : L. Petit de Julleville, les trois ouvr. cités p. 198 ; E. Picot, *La
Sottie en Fr.*, 1878 ; H. Guy, *Hist. de la Poésie fr. au XVI⁰ s.*, 1910 ; Abraham,
Baschet, etc... *La « Comédie » latine en France au XII⁰ siècle*, 1931.

Baude fut ainsi emprisonné pour une moralité trop satirique. Heureusement pour le théâtre de la basoche, le parlement, qui le censurait, le défendait contre la cour.

On ne sait trop d'où venaient les *Enfants sans souci*, les *Sots* habillés de jaune et de vert, et coiffés du chaperon orné d'oreilles d'âne et de grelots. Il se peut que, selon une hypothèse assez vraisemblable, ils représentent les célébrants de la *fête des fous*, quand cette joyeuse et insolente parodie des cérémonies religieuses fut bannie de l'Église. De la *fête des fous* laïcisée par force, il ne subsista que le principe, l'idée d'un monde renversé qui exprimerait en la grossissant la folie du monde réel : c'est ce que développèrent au gré de leur libre fantaisie nombre de sociétés joyeuses, comme *Mère folle* à Dijon, et les *Sots* de Paris. Ceux-ci étaient gouvernés par le Prince des Sots, au-dessous de qui venait Mère Sotte chargée d'organiser les représentations dramatiques. Il faut dire que la confrérie des sots n'existait réellement que quand ses membres en prenaient le costume, pour une cérémonie et une représentation solennelle : ailleurs elle n'avait qu'une existence virtuelle et nominale. La basoche au contraire représentait un état : elle reposait sur la profession habituelle de ses membres. De là la difficulté qu'on a éprouvée à déterminer qui étaient les *Sots*. Tout le monde pouvait être *Sot*. Il y eut parmi les *Sots* des basochiens; ainsi Clément Marot dans sa jeunesse était des deux sociétés; il y eut des *Sots* parmi les écoliers. Sans doute aussi des bourgeois, des artisans se firent affilier à la corporation : mais, comme il est naturel, vu la nature et l'objet de l'association, l'élément jeune, remuant, débauché et bohème dominait et donnait le ton.

Les *Sots* jouaient des *sotties* [1] : les basochiens, des *moralités* et des *farces*. Grâce sans doute aux membres communs qu'elles comptaient, les deux sociétés firent de bonne heure un accord pour mettre en commun leur répertoire. Les basochiens jouèrent des *sotties* sur la grande table de marbre du Palais. Les *Sots* dans leurs représentations du mardi gras, aux Halles, accompagnèrent leurs *sotties* de *moralités* et de *farces*. Une habitude s'établit de composer le spectacle des trois genres de pièces. Vers le milieu du xve siècle, les Confrères de la Passion, notant la vogue de ces sortes de représentations, appelèrent les basochiens et les sots à jouer dans leur hôtel : et c'est ainsi qu'au début du xviie siècle on rencontre encore le Prince des Sots, quand on fait l'histoire de l'Hôtel de Bourgogne.

---

1. Si, comme le dit M. Picot, la sottie est une *parade*, les *sots* pourraient avoir commencé par imiter plaisamment les bateleurs qui font les *niais*, les *queues rouges* et les *bobèches* du temps, les héritiers des *stulti* et des *derisores* de la société antique. Cette imitation se serait organisée et développée, en prenant le sens d'une parodie universelle et consciente des folies de ce pauvre monde.

La *moralité* remplit tout l'espace qui sépare le *mystère* de la *sottie* et de la *farce*. Thomas Sibilet a écrit dans son *Art poétique* : « Si le français s'était rangé à ce que la fin de la moralité fût toujours triste et douloureuse, la *moralité* serait tragédie ». En effet elle est souvent attendrissante, et parfois pathétique : c'est vraiment ce que nous appelons le drame, avec toute la variété de tons et de dénouements que ce mot comporte, avec la variété de sujets, qui tantôt sont historiques, tantôt légendaires, tantôt de pure imagination, et tantôt d'origine religieuse. Mais dans ce dernier cas, le caractère pieux disparaît devant l'intention morale. On a ainsi des moralités de l'*Enfant prodigue*, du *Mauvais Riche et du Ladre* : on a celle de l'*Enfant ingrat*, qui offre à son père un morceau de pain bis, lorsqu'il a lui-même pour son repas un succulent pâté ; il en sort un crapaud qui lui saute au visage, et ne se retire que par commandement du pape. Ou bien c'est la jeune fille qui nourrit sa mère de son lait dans une prison, c'est la villageoise qui aime mieux avoir la tête coupée par son père que de céder à l'amour de son seigneur : c'est l'empereur qui tue de sa main un scélérat de neveu dont il a fait son successeur. Il n'y a pas dans tout cela une œuvre qui ne soit médiocre. Ces moralités sérieuses devinrent surtout fréquentes quand l'arrêt de 1548 obligea les Confrères de la Passion et autres acteurs ordinaires de pièces sacrées à renouveler leur répertoire. La moralité fut de plus en plus un drame pathétique, qui usurpa parfois le nom de *tragédie* [1], et devint peut-être en quelque façon la tragi-comédie de Hardy.

Des *moralités* comiques se distinguèrent de la farce par un dessein avoué de donner une leçon édifiante : telle est la moralité qu'André de la Vigne mit en 1496 à la fin de son *Mystère de saint Martin*. Un boiteux et un aveugle, qui craignent de perdre avec leurs infirmités leur gagne-pain, fuient les reliques du saint dont on annonce les miraculeux effets. Par malheur ils rencontrent la châsse où elles sont portées, et, malgré eux, ils sont guéris, à leur grand dépit. Mais, par une bien fine distinction, tandis que le boiteux, à qui l'on n'a enlevé que la souffrance et l'incommodité, peste toujours d'avoir désormais à travailler, l'aveugle, qui voit la lumière, sent qu'il naît à une vie nouvelle et, sa paresse vaincue, entonne un hymne d'action de grâces. Cette idée est jolie.

Il ne vaut pas la peine d'insister sur la trop nombreuse catégorie des moralités allégoriques. On pourra, si l'on veut, lire dans les ouvrages spéciaux les analyses ou les textes de l'*Assomption*, de *Mundus*, *Caro*, *Daemonia*, de *Bien advisé et Mal advisé*, des *Enfants de maintenant*, de la *Condamnation de Banquet*, et autres

---

1. Comme l'*Amour d'un serviteur envers sa maîtresse*, tragédie de Jean Bretog (1571).

moralités mystiques, morales, pédagogiques, qui sont toutes également traitées en lourdes allégories. Ce fut le genre favori des *grands rhétoriqueurs* : et leur froide et laborieuse fantaisie s'y donne carrière jusqu'aux extrêmes limites de l'extravagance et de l'insipidité.

Non moins allégoriques, mais parfois plus vivantes, et du moins plus intéressantes par leurs sujets, animées par quelques éclats de sentiment sincère et de malice spirituelle, sont les moralités politiques : celles surtout où le sentiment patriotique et populaire s'exhale en vives satires. Ici la moralité confine à la *sottie* et à la *farce*, et il est difficile de savoir pourquoi *Mieux que devant* ou les *Gens nouveaux*, qui sont les plus agréables pièces du genre, sont qualifiées de *farce morale* ou *bergerie morale* : ce sont purement et simplement des moralités. Les querelles religieuses du xvie siècle, comme on peut penser, eurent leur écho au théâtre : sur 65 *moralités* que catalogue M. Petit de Julleville, 15 sont des œuvres de polémique, presque toutes enflammées des passions de la Réforme. Il y faut joindre diverses farces, dont la plus fameuse et la plus âpre, celle des *Théologastres*, a tous les caractères d'une moralité.

Le théâtre sous Charles VII, Louis XI et Charles VIII s'était risqué à dire son mot sur les affaires du temps : il en avait coûté parfois aux auteurs et aux acteurs. Sous François Ier, ils sentirent de nouveau la main du pouvoir. Louis XII leur donna toute licence : son règne fut le bon temps pour les basochiens et les sots; il leur abandonna ses courtisans, ses ministres, un peu même de sa personne. Il en fit ses alliés, les confidents de sa politique, chargés de guider et de préparer l'opinion publique. Le bon roi usa du théâtre comme de plus modernes ont usé de la presse.

Cette politique donna un moment d'éclat au genre, du reste assez obscur, de la *sottie*. En 1511, au mardi gras, Gringore, étant Mère Sotte, fit représenter aux Halles le *Jeu du prince des Sots*, suivi d'une moralité et d'une farce. Sottie et moralité étaient dirigées contre Jules II : la moralité l'introduisait sous le nom de *l'Homme obstiné* entre *Peuple italique* et *Peuple français*. La sottie soulevait l'opinion publique contre la fureur et l'ambition de l'Église romaine, sous les habits de qui se découvrait à la fin Mère Sotte. Ce fut là le meilleur jour de la sottie : et l'œuvre de Gringore est, des 26 sotties que compte M. Picot, la plus agréable à lire. La fameuse sottie, intitulée *le Monde, Abus, les Sots*, vaut surtout par sa liste de personnages : Sot Dissolu, habillé en homme d'Église, Sot Glorieux, habillé en gendarme, Sot Corrompu, habillé en marchand, Sot Ignorant, habillé en vilain, et Sotte Folle, en femme. Tout le comique de la pièce est dans ces attributions de caractères. Le principe générateur de la *sottie* pouvait être fécond : mais il eût fallu

plus que le génie dramatique, il eût fallu le génie de la poésie
symbolique et lyrique pour en tirer des chefs-d'œuvre. Il eût fallu
la puissante fantaisie qui a créé les *Oiseaux* d'Aristophane.

La *moralité* allégorique et la *sottie* sont des efforts pour dégager
les qualités générales, l'essence des caractères et des conditions.
La farce nous ramène au particulier, aux faits, aux individus, à
l'accident sans portée à qui l'on ne demande que de faire rire. Le
domaine de la *farce* est immense et confus : elle n'a de limites que
l'expérience et la sensation du peuple à qui elle doit procurer,
comme dit Sibilet, « un ris dissolu ». Car il n'appartient qu'aux
époques de réflexion raffinée de goûter l'imitation des mœurs étrangères ou inconnues : l'instinct spontané de la foule inculte ne
réclame que l'imitation des mœurs connues et familières. Ainsi,
selon les milieux, la farce se diversifie : la farce judiciaire, parodie
de la procédure et du jargon de la chicane, amusera les basochiens ;
les écoliers feront leurs délices du jargon latin et des calembours
ou drôleries pédantesques ; le paysan ne se lassera pas de se voir
en scène, lui, son ménage, femme, voisins, M. le curé, le frère
quêteur du couvent prochain, parfois le *magister* de son village, ou
le charlatan à qui il demande une drogue quand sa femme ou lui
sont bien malades, souvent le soldat, qui est son ennemi naturel.
La forme pareillement sera variable, d'autant que nulle idée d'art
ne restreint la liberté de l'imitation. Telle farce inclinera à la comédie ; telle autre se composera de deux ou trois scènes sans action ;
telle sera un monologue. Tout ce qui fait rire du « ris dissolu » est
farce : ainsi le *sermon joyeux*. Ce peut être à l'origine une farce de
gens d'Église, comme un plaidoyer ridicule sera une farce de gens
de Palais. Mais comme le paysan assiste réglément au prône, il
s'amusera sûrement d'une harangue grossière, où il retrouvera
les phrases, les citations, le ton de son curé : et plus le sujet sera
libre et ordurier, plus le contraste de la forme dévote lui paraîtra
piquant.

M. Petit de Julleville enregistre dans son catalogue environ
120 farces et une quarantaine de sermons joyeux et monologues,
dont six ou sept n'ont sans doute pas été faits pour la scène. Mais
ces 150 pièces ne représentent qu'une partie infiniment petite de
la production comique des XVᵉ et XVIᵉ siècles. Si l'on songe que
de ces 150 pièces, 61 nous sont connues par le recueil imprimé du
British Museum, et 72 par le manuscrit La Vallière, que les premières semblent s'être jouées dans la région lyonnaise, et les
autres en Normandie, qu'enfin la plupart de ces pièces ne sont
pas, dans leur forme conservée, antérieures au XVIᵉ siècle, on
concevra qu'il n'y a guère d'induction à tirer, de l'ensemble des
œuvres que nous avons, sur l'évolution du théâtre comique. On

sait qu'on jouait des farces dès le xiiiᵉ siècle, nous l'avons dit : on
en a joué plus que jamais aux xvᵉ et xviᵉ siècles. Il semble que la
farce a hérité du public des fabliaux. Quelques farces, une dizaine
peut-être, proviennent directement de fabliaux : mais trop de
farces sont perdues, et trop de fabliaux, pour qu'on puisse conclure sur le rapport qui unit les deux genres. La prudence ne
permet de rien dire de plus sur le développement de la farce.

Mais ce qui ne laisse aucun doute, c'est le caractère du genre.
Toutes les œuvres conservées, si diverses qu'elles soient d'origine
et de date, forment un ensemble homogène. La farce n'est pas
« de la littérature » : c'est un genre entièrement populaire, et que
l'esprit du peuple a créé à son image. La plupart de ces farces
sont d'une insoutenable grossièreté, d'une épaisseur de gaieté
dont on ne peut avoir idée. Elles ont parfois sur les curés et les
moines une violence âpre de plaisanterie qui étonnerait, si l'on
n'y sentait moins la haine intense que l'incapacité de sensations
fines : on a affaire à des gens pour qui les bourrades sont des
caresses. Évidemment cet auditoire-là — bourgeois aussi bien
que vilains — se délecte dans l'ordure : les servitudes physiques
de la nature humaine ont le privilège de l'égayer toujours sans
jamais le lasser.

Avec cela, il a trois parties sensibles : la peau, la bourse et la
femme : être rossé, volé, trompé, voilà les trois mésaventures qui
le font rire quand elles arrivent aux autres, parce qu'elles le
fâcheraient si elles lui arrivaient. Il est peu sensible, il a peu
d'idées : les peines morales et le tourment d'esprit n'ont guère de
prise sur lui. Mais il a peur du qu'en-dira-t-on : comme il aime à
se gausser d'autrui, il craint plus que le feu de donner prise aux
rieurs. On ne lui en fait guère accroire : il se connaît, et tels que
lui-même, il estime les autres : il soupçonne le mal volontiers, et
se défie de tout le monde. Il croit que le juge, l'avocat en ont à
sa bourse, que le curé, le moine en veulent à sa femme. Il ne croit
pas aux vertus qu'il n'a pas. Comme il est peu guerrier, il se
plaît à supposer la secrète poltronnerie du soldat : c'est un moyen
de se venger des airs fendants qui l'humilient et l'intimident. Mais
la fondamentale préoccupation de son esprit, c'est sa femme,
parce qu'en elle sont ramassées toutes les possibilités désagréa-
bles qu'il envisage. Donc il la craint, il la méprise, il s'en méfie :
il la sent plus fine, mais il se sent plus fort. Aussi, pour la mater,
ne croit-il qu'à « Martin bâton ». De là le thème éternel de
la farce, et son éternel trio, le mari, la femme, l'amoureux. La
femme est une rusée coquine : le spectateur reconnaît sa femme
et toutes les femmes. Le mari, en général, est un nigaud : la farce
représente toujours le ménage du voisin. L'amoureux est plutôt

un état qu'un caractère : sa séduction est d'être autre, et surtout de meilleure condition, que le mari. Ce trio devient un quatuor par le valet niais ou rusé, doublure du mari ou de la femme. Parfois l'amant reste à la cantonade : le couple alors se présente dans un tête-à-tête sans tendresse, ou bien s'annexe la belle-mère, ou un autre couple, pour aboutir toujours à la même morale.

Voilà, en somme, l'esprit des farces : un bon sens tout terre à terre, un manque essentiel de confiance, de charité, de tendresse, une moralité réduite à peu près à la honte d'être dupe, avec une instinctive sympathie pour les dupeurs en tout genre. C'est le type inférieur de l'esprit français dans sa pure vulgarité.

Les farces du XVᵉ et du XVIᵉ siècle sont, au point de vue de l'art, presque toutes médiocres ou mauvaises. Il y a bien quelques exceptions : parmi les pièces assez nombreuses qui font la satire des gens de guerre, tout le monde a lu ce délicieux *Franc Archer de Bagnolet*, qui figure toujours dans les œuvres de Villon, et que nul aujourd'hui ne lui attribue. Il y a de la gaieté aussi dans la farce des *Trois Galants et Phlipot* [1] : Phlipot est ce brave qui à *Qui vive?* répond : *Je me rends*, et qui crie à tour de rôle : « Vive France! vive Angleterre! vive Bourgogne », jusqu'à ce que, menacé de toutes parts, et ne sachant où se fourrer, il lâche ce mot grandiose : « Vivent les plus forts! »

Mais, comme je l'ai dit, le thème fondamental de la farce, c'est l'antagonisme du ménage : en ce genre, on a depuis longtemps cité, et on a eu raison de citer, *la Cornette* [2] et *le Cuvier* [3]. Là, en effet, il y a comme un rudiment d'art, une manifestation au moins d'un certain sens instinctif qui aurait pu transformer la farce en comédie. Car ces deux pièces nous présentent chacune une idée comique, développée, retournée, prolongée, de façon à en épuiser l'effet. Cette fois, les auteurs ne se sont pas contentés d'indiquer la situation : ils ont pris la peine de la traiter. Dans la *Cornette*, un vieux mari cajolé, berné, prévenu par sa femme, n'entend pas le mal que ses neveux viennent lui en dire, et, grâce à un stratagème de la rusée coquine, prend pour railleries sur sa cornette toutes les vérités qu'ils lui content de sa moitié ; dans le *Cuvier*, un faible mari, opprimé par sa femme et sa belle-mère, a accepté de faire le ménage, la lessive, balayer, cuire le pain, soigner le marmot, etc.; mais une bonne occasion s'offre de s'insurger sans péril, et de redevenir maître chez lui du consentement de sa femme. Dans l'une et l'autre farce, la fantaisie bouffonne de

---

1. Le Roux de Lincy, t. IV, nº 12.
2. 1545. L'auteur est Jehan d'Abondance, basochien et notaire royal de Pont-Saint-Esprit. Recueil Fournier, p. 438.
3. Anonyme. Recueils Fournier et Picot, et *Ancien Théâtre français*, t. I.

l'action et du dialogue enveloppe une certaine vérité d'observation, qui n'est pas même dénuée de finesse.

Malgré ces deux farces auxquelles il faut faire une place à part, le théâtre comique du xve et du xvie siècle ne pèserait pas lourd, si l'on n'avait *Patelin*[1]. Mais Patelin, malgré son titre, est une comédie. Il y a là, dans des proportions que la farce ne connaît pas, un développement des caractères et un maniement des situations qu'elle n'a pas connus davantage. Dans ce sujet si simple — un marchand fripon, dupé par un avocat fripon, que dupe à son tour un rustre fripon, auquel il avait donné secours pour duper encore le marchand — dans ce sujet si mince, il y a un tel jaillissement de gaieté, tant de finesse, tant d'exactitude dans l'expression des caractères, une si délicate et puissante intuition de la convenance dramatique et psychologique des sentiments, une vie si intense, et un style si dru, si vert, si mordant, ici une si exubérante fantaisie et là une si saisissante vérité, souvent un si délicieux mélange de la fantaisie au dehors et de la vérité au dedans, qu'en vérité la farce de maître *Pierre Patelin* est le chef-d'œuvre de notre ancien théâtre, et l'un des chefs-d'œuvre de l'ancienne littérature. Étant du xve siècle, et profondément bourgeoise, l'œuvre manque manifestement d'élévation morale : elle est plutôt prosaïquement insoucieuse de l'idéal moral, qu'effectivement immorale. C'est moins parce qu'on rit des dupes que par la façon dont on en rit, absolument de tout cœur et sans arrière-pensée, ni ombre de restriction, que l'insuffisance morale de la pièce éclate. Pour celui qui l'a écrite, pour ceux qui la voyaient, l'action de *Patelin* était une folie, et l'esprit de *Patelin* était la vérité même, la raison et la vie.

On ne sait par qui ni quand *Patelin* fut composé et joué : tous les noms, toutes les dates qu'on a donnés ne s'appuient sur aucun fondement sérieux[2]. Voici le peu qu'on peut affirmer : la première édition imprimée est antérieure à 1490. Les allusions à la comédie et au caractère de Patelin se suivent jusqu'à 1470 : avant, il n'y a rien. La nature du sujet fait conjecturer que l'auteur était basochien et voulait amuser les gens du Palais. Agnelet parle en paysan des environs de Paris et la pièce est sans doute parisienne.

Il est visible que dans l'esprit de l'auteur anonyme, cette veine d'observation exacte et d'expression des caractères que nous avons

---

1. **Édit. modernes :** Jacob, 1859; Fournier, 1872; Fr. Ed. Schneegans, 1908; surtout R. T. Holbrook, 1937. — **A consulter :** E. Renan, *Essais de Morale et de Critique*; Petit de Julleville, *Répertoire...*; R. T. Holbrook, *Étude sur Pathelin*, 1917; L. Cons, *L'Auteur de la farce de Pathelin*, 1926; M. Roques, *Références aux plus récents commentaires de Maistre Pierre Pathelin*, 1941; Fleuriot de Langle, *les sources du comique dans Maître Pathelin*, 1926.

signalée dans la poésie narrative ou didactique, s'est rencontrée
pour la première fois avec la tradition propre du théâtre comique.
Du moins *Patelin* me paraît-il plus proche de certains fabliaux, de
certaines nouvelles, et du *Roman de la Rose*, que de la farce, à
la prendre même dans ses meilleurs échantillons.

Mais, et précisément pour cette raison, il ne faut pas juger du
genre de la farce par *Patelin*, qui est resté unique, qui n'a rien
continué, rien commencé, que nous sachions, dans l'histoire de
notre théâtre, qui par conséquent est en dehors du cours normal
de son développement. *Patelin* écarté, il apparaît que la farce est
restée stationnaire, sans faire de progrès, sans s'étoffer, ni se remplir, ni se polir. Accidentellement elle a touché à la littérature, à
l'art; elle n'y est jamais entrée tout à fait. Plus heureuse pourtant
que la sottie, tuée par la royauté absolue et policière, que la moralité, absorbée ou étouffée par la tragédie, que les mystères, chassés
au nom de la Réforme et au nom de la Renaissance, la farce,
indestructible comme le peuple, a subsisté. Les provinces l'ont
conservée; à l'Hôtel de Bourgogne, les comédiens l'ont reçue des
Confrères, et Molière la trouvera pour fonder une comédie nationale.

TROISIEME PARTIE

LE SEIZIÈME SIÈCLE

LIVRE I

RENAISSANCE ET RÉFORME AVANT 1535

CHAPITRE I

VUE GÉNÉRALE DU SEIZIÈME SIÈCLE

1. La « découverte de l'Italie ». — 2. Tendances pratiques et positives
de la Renaissance française. Les divers *moments* du xvi⁰ siècle :
confusion, puis séparation et organisation. Résultats.

La fécondité du moyen âge semblait tout à fait épuisée à la fin
du xv⁰ siècle : le dogme limitait l'essor des esprits, et fermait de
tous côtés l'horizon. L'idée théologique de la vérité révélée condamnait la philosophie même à l'idolâtrie du *texte* perpétuellement
commenté et développé. L'intelligence, dans l'exercice logique,
sacrifiait le résultat à l'effort. Les âmes au fond desquelles vivait
encore une foi intense, avaient perdu l'enthousiasme : les nobles
avaient ruiné la féodalité, les gens d'Église étaient en train de
perdre l'Église et la religion : les grandes idées périssaient par les
hommes qui les représentaient. L'esprit bourgeois triomphait partout, tout positif, fait de bon sens et de raison pratique, mais
desséché, démoralisé par le spectacle de la forme qu'avaient donnée
au monde ces grandes puissances de l'Église et de la noblesse,
tourné vers la défiance railleuse, vers la négation hostile, tirant
du train des choses une leçon de ruse et d'égoïsme, le culte du fait

et du succès, voué enfin à la poursuite des jouissances matérielles. Il avait fait la littérature à son image : une littérature
pauvre d'idées, de sentiment vulgaire et cynique, de forme aisée
et légère sans grandeur, à laquelle les érudits des cours féodales
n'étaient arrivés qu'à opposer une littérature vide, de forme compliquée, capable seulement de donner le sentiment d'un immense
effort évanoui dans le néant des résultats, dans le néant même des
intentions.

Quelques tentatives s'étaient produites pour élargir la pensée,
ou renouveler la littérature : mystiques, hérétiques, philosophes
et curieux de toute sorte avaient, avec plus ou moins de succès
individuel, essayé de rompre le réseau du dogme. Certains tempéraments avaient trouvé en eux-mêmes des sources profondes de
réflexion ou de poésie : diverses influences avaient excité çà et là
des commencements de philosophie et d'art. Une grande idée
s'était levée, l'idée nationale, lien des âmes et principe d'unité
littéraire : elle pouvait prendre la place des idées centrales et communes, d'où l'inspiration du moyen âge était sortie.

Mais rien n'aboutissait : dans la littérature, qui seule doit nous
occuper, tous les efforts individuels se perdaient dans l'inerte masse
des débris du passé. Ni génie d'un homme, ni commun sentiment
n'avaient la force de rejeter le poids encombrant des choses mortes.
Tous les germes furent, non pas, comme on le croit trop souvent,
étouffés, mais excités, épanouis par la Renaissance. (**App. VI.**)

1. LA DÉCOUVERTE DE L'ITALIE.

On se représente communément la Renaissance comme un
réveil de l'antiquité. Cela n'est pas vrai de la France, ou du moins
n'est pas complet ni exact. Le xive et le xve siècle auraient fait la
Renaissance, si l'antiquité seule avait suffi pour donner au génie
français l'impulsion efficace et définitive. Nous avions les anciens,
nous les lisions, nous les admirions : nous ne savions pas ce qu'il
y fallait admirer et prendre, ce qui nous était utile et nécessaire
pour nous développer. Il nous fallait l'idée de l'*art*, idée que peut-
être la tendance pratique de notre tempérament national répugne
à introduire dans la littérature, qu'en cinq siècles il n'avait pas
acquise, que peut-être il ne pouvait absolument pas s'adapter
dans toute sa pureté, et qu'il lui fallut toutefois saisir le plus possible pour s'exprimer par elle dans une grande littérature. Le
xvie siècle, au point de vue strictement littéraire, n'est en somme
que l'histoire de l'introduction de l'idée d'art dans la littérature
française, et de son adaptation à l'esprit français.

Or cette idée nous vint non de l'antiquité, mais de l'Italie, qui en avait fait briller déjà une étincelle dans la poésie de ce demi-Italien, le prince Charles d'Orléans : l'Italie nous révéla l'art de l'antiquité. La Renaissance française est un prolongement et un effet de la Renaissance italienne : la chronologie seule suffirait à l'indiquer.

La rencontre de la France et de l'Italie se fit dans les dernières années du xvᵉ siècle : il ne s'agit plus de quelques individus qui portent ou rapportent chez nous quelques lueurs de civilisation ultramontaine. C'est l'armée de Charles VIII, toute la noblesse, toute la France, qui se jette sur l'Italie : après, c'est l'armée de Louis XII ; après, c'est l'armée de François Iᵉʳ. Cinq ou six fois en une trentaine d'années, le flot de l'invasion française s'étale sur la terre italienne, et se retire sur le sol français : vers 1525, la pénétration de l'esprit, de la civilisation d'Italie dans notre esprit, notre civilisation, est chose faite, et notre race a fécondé tous les germes qu'elle portait en elle [1].

Je ne puis faire ici le tableau de la Renaissance italienne : je dois me borner à rappeler brièvement ce qui explique le soudain agrandissement de notre littérature. L'Italie la première avait retrouvé les deux clefs de l'antiquité : elle avait compris la vérité, senti la beauté des œuvres anciennes. Le christianisme poussait toujours hors de la nature, ou contre la nature : l'antiquité ramenait à la nature, et faisait voir la puissance de la raison. Elle révéla aussi le prix de la forme et l'intime parenté de la littérature et des beaux-arts.

Aux Latins, toujours présents et vénérés, elle avait, dans le cours du xvᵉ siècle, ajouté les Grecs : si superficiellement que soit hellénisée la Renaissance, si clairsemés qu'aient toujours été les vrais hellénistes, en Italie et ailleurs, cependant l'action des Grecs fut immense et heureuse : de Platon découvert et d'Aristote mieux compris, d'Homère et de Sophocle, sont venues les plus hautes leçons de libre pensée et d'art créateur, et ils ont peut-être le principal mérite de l'heureuse évolution par laquelle la Renaissance, échappant aux creux pastiches et aux grâces bâtardes, atteignit l'invention originale et la sérieuse beauté.

Appuyée sur l'antiquité, l'Italie prenait confiance en la nature

1. A consulter : Michelet, *Histoire de France au XVIᵉ siècle, Renaissance* ; Burckhardt, *la Civilisation en Italie au temps de la Renaissance*, trad. Schmitt, 1885 ; Faguet, *XVIᵉ siècle*, 1894, *Avant-propos* ; E. Picot, *les Français italianisants du XVIᵉ siècle*, 1906-1907. J. Huizinga, *Déclin du M. A.*, 1932 ; G. Atkinson, *Nouveaux Horizons de la Renaiss. française*, 1935. — Il faut ici se garder des généralisations imprudentes. Ce que je dis de la littérature ne serait pas vrai de la peinture et de la sculpture, qui étaient loin d'être réduites à la même stérilité à la fin du xvᵉ siècle, et dans lesquelles l'élégance italienne du xviᵉ siècle donna parfois de funestes leçons à nos artistes, surtout en peinture, où les modèles anciens manquaient pour balancer et corriger cette influence.

humaine, confiance en la raison; écartant la contrainte du dogme,
la tristesse de l'ascétisme, elle faisait en tous sens l'expérience des
forces de l'esprit : forte de la première et saisissante victoire de la
raison sur la théologie dans la découverte de Colomb, elle affranchissait les sciences et la philosophie, et s'essayait librement, par
toute sorte de pointes hardies, à les constituer dans leur pleine
indépendance. Elle travaillait à réaliser en latin, mais déjà aussi
dans sa langue, les formes charmantes ou splendides qui la ravissaient dans l'éloquence et la poésie des anciens.

Elle se mettait à aimer la vie : elle rêvait la vie comme une fête
et comme une œuvre d'art, bonne et belle, elle y réintégrait la
bienfaisante douceur de ces biens naturels que l'antiquité avait
tant adorés, la lumière, l'espace, les ombrages, les eaux, les
fleurs; elle y jetait toutes les commodités, toutes les splendeurs
de la richesse et du luxe, tous les agréments de la société. Dans
ce cadre charmant, elle posait l'idéal de l'homme complet : le
corps souple, robuste, gracieux, amené à la perfection de sa force
et de sa forme, non plus instrument vil et méprisé, mais valant
par soi, ayant droit à l'entière réalisation de ses fins propres et
particulières, droit d'être et de jouir le plus possible; l'âme parfaite
aussi en son développement, enrichie de tous les modes d'existence qu'il lui est donné de posséder, s'épanouissant avec aisance
dans sa triple puissance d'agir, de comprendre et de sentir.

Rompant tous ses liens, rejetant la gêne de la loi morale, l'oppression des préjugés et des respects traditionnels, l'individu
tend à être le plus longtemps possible : il affirme que sa valeur
est en lui, et de lui; le mérite seul inégalise l'égalité naturelle des
hommes; l'idée de la gloire raffine l'égoïsme instinctif, et fournit
un principe d'action suffisamment revêtu de beauté; par elle, l'individu emploie sa vie à se créer une vie idéale après la mort, plus
prochaine et plus humaine en quelque sorte que l'éternité promise
au juste chrétien. La théorie de la *virtù*, d'où toute notion morale
est exclue, fait de l'individu même l'œuvre où l'individu travaille
à réaliser la plénitude de la force et de la beauté.

En un mot, l'Italie du xvᵉ siècle offrait un mélange infiniment
séduisant de curiosité érudite, de beauté artistique et de délicatesse
mondaine. Mais partout, dans l'aise élégante de la vie comme dans
l'élan hardi de la pensée, une sensation esthétique se dégageait :
dans la politique, l'amour, la philosophie, la science, le besoin s'enveloppait d'art, et l'activité humaine, s'affranchissant des fins particulières qu'elle poursuivait, les dépassant, se complaisait dans la
grâce de son libre jeu, ou se réalisait en formes d'une absolue beauté.
Deux choses couraient grand risque : le dogme avec l'Église qu'il
soutient; et la morale, la pratique aussi bien que la théorique.

Qu'on se représente la France de 1494 descendant pour la première fois de l'autre côté des Alpes, les fils des compères de
Louis XI, des compagnons du Téméraire découvrant soudain au
sortir de leurs bonnes villes et de leurs maussades plessis la
claire et délicieuse Italie : ce fut une stupeur, un éblouissement,
un enivrement. Ils furent pris par tous les sens et par tout l'esprit : une conception nouvelle de la vie s'éveilla en eux, et ils
commencèrent à transporter chez eux tout ce qui les avait ravis
là-bas : ils voulurent avoir des palais, des jardins, des tableaux,
des statues, des habits, des bijoux, des parfums, des livres, des
poètes, des savants, des animaux rares, de la science, de l'esprit,
comme en avaie.. les Médicis, les ducs d'Urbin ou de Ferrare;
quand ils revin .t en France, toute la Renaissance y entra avec
eux, un peu   -mêle, dans leurs cervelles comme dans leurs
fourgons.

2. VUE GÉNÉRALE DU XVIᵉ SIÈCLE.

La secousse décisive était donnée; tou. les germes qui dormaient
épars dans la décomposition de l'ancienne France commencèrent
d'évoluer. Il fallut une vingtaine d'années et, avec François Iᵉʳ,
l'avènement d'une génération nouvelle, pour que l'universelle transformation apparût. Mais il est curieux de voir comment, dans ce
contact d'une civilisation supérieure, qui la domina si puissamment, la France préserva, développa même son originalité littéraire : chaque élément de la Renaissance italienne fut adapté, transformé ou éliminé par ce génie français dont elle a tout à coup
éveillé la force. Moins artiste que le génie italien, il a des tendances pratiques et positives qui l'orienteront vers la recherche
de la vérité scientifique ou morale : il trouvera de ce côté un
appui dans les races septentrionales, en Angleterre, en Flandre,
en Allemagne surtout, où la Renaissance prend la forme de l'éru
dition philologique et de la réforme religieuse.

L'étude de l'antiquité et la vie de cour sont comme les deux
portes par où un air frais et vivifiant arrive à notre littérature.
Les studieux jeunes gens nés dans les dernières années de
Louis XI, que l'éducation scolastique avait laissés inquiets et
affamés, lisent avidement, avec un esprit nouveau, avec l'esprit des
Pogge, des Valla, des Guarini, les grandes œuvres latines dont le
moyen âge n'avait ni pénétré le sens profond ni senti l'admirable
forme : ils reçoivent la révélation de ce qu'avaient caché trop
longtemps les bibliothèques des couvents. Lucrèce, Tacite, Quintilien, une grande philosophie, une profonde psychologie, une fine

rhétorique. Déjà hommes, ils s'enferment dans un collège, ils échappent à l'inertie d'un couvent, comme Budé ou Rabelais, pour épeler ces langues si nouvelles et si anciennes, les langues fondamentales de la science et de la religion : l'hébreu, le grec. D'autre part, le roi, les princes ont leur cour, somptueuse et polie; il leur faut des poètes pour l'orner; mais, avec le luxe brutal et la lourde sensualité du moyen âge, ils ont rejeté aussi le pédantisme grimaçant de la « rhétorique ». Leur esprit plus ouvert veut qu'on l'amuse avec le jeu étincelant des idées, non plus avec le cliquetis baroque des mots; et ils demandent aux lettres la même sensation de nette et lumineuse élégance, que leurs nouveaux palais, leurs tableaux, leurs habits même et leurs armes leur donnent.

Dans la première époque de la Renaissance française, les divers courants ne se distinguent pas : tout se confond. Erudits et poètes s'assemblent autour de François Ier, autour surtout de sa sœur Marguerite. Le Fèvre d'Étaples est un helléniste et un théologien : il sert l'Humanisme et la Réforme. Despériers sert la Réforme, la libre pensée et la poésie. Marot, poète de cour, est un protestant de la première heure. Marguerite elle-même unit la poésie, le mysticisme, l'humanisme, le zèle de la morale; on sent dans cette période comme un effort pour réaliser l'idéal italien de l'homme complet, dont le libre développement physique et moral ne souffre point de restriction et de limites.

Puis le mouvement se précise : les éléments hétérogènes se séparent; les tendances divergentes s'accusent. Une première rupture, à laquelle aide l'exemple de Luther, dégage la Réforme de la Renaissance : Calvin se pose en face de Rabelais. La morale reparaît comme l'objet supérieur de la Réforme religieuse : Marot, trop protestant pour rester à la cour, est trop peu moral pour vivre à Genève. Même dans la libre philosophie, dans Rabelais, comme plus tard dans Montaigne, l'établissement d'un idéal de la vie pratique devient la fin principale que poursuit la raison. C'est l'élimination de la *virtù* ou, si l'on veut, de la notion de l'art pur appliqué à la forme de nos actes.

L'art s'élimine aussi, par la tendance essentielle de l'esprit français, des autres ouvrages de la pensée. L'humanisme, par les efforts de Budé, de Rabelais, de Turnèbe, de Lambin, de Cujas, de Ramus, des Estienne, abandonne chez nous l'imitation artistique pour l'examen critique : il devient la philologie ; Bembo est vaincu par Érasme. Toutes les sciences se détachent et se constituent : histoire, philosophie, politique, agronomie, sciences naturelles : les spécialités, les écrits techniques apparaissent en Paré et Palissy. Un grand élan de curiosité porte le raisonnement et l'expérience vers la conquête de la vérité scientifique, plus rigoureusement définie

qu'elle ne l'a jamais été chez les anciens, parce qu'elle emprunte
le caractère d'absolue rigueur de la vérité théologique à laquelle
elle s'oppose. Ces sciences et la philologie se séparent de la littérature : celle-ci garde l'homme moral, et le grand traducteur du
siècle, Amyot, offre Plutarque, non aux philosophes, ni aux grammairiens, mais à tous ceux qui veulent savoir ce que c'est que
l'homme et que la vie.

Cependant un grand effort se fait pour élever à la forme de l'art,
sinon toute la littérature, du moins celle de ses parties qui peut le
mieux s'y prêter, ou le moins s'en passer : la poésie. La poésie de
Marot avait déjà un certain caractère d'art : mais c'était un art
mondain, fait d'élégante netteté et de distinction aisée; car le premier effet de la Renaissance a été de ranimer chez nous la poésie
aristocratique. L'art, la grâce, la beauté sont reçus d'abord comme
choses souverainement nobles; et, pendant tout le siècle, les essais
de création artistique s'enveloppent d'aristocratique délicatesse.
Cela apparaît chez Ronsard, dont la poésie d'homme d'épée et
d'homme de collège implique à ce double titre le mépris du bourgeois et du populaire. Il essaie d'atteindre à la beauté de la
poésie grecque : par la combinaison du lieu commun et de l'image,
dans les moules rythmiques et poétiques des anciens, il essaie de
s'élever au grand art. Lui-même et son école remettent en usage
les formes littéraires des anciens, les *genres*, ode, épopée, satire,
élégie, tragédie. Impuissants à l'imiter, ou effrayés de son demi-
échec, ses disciples et ses serviteurs laissent le grand art antique,
se réduisent à l'alexandrin, au gréco-romain, enfin, avec Desportes, à l'art italien, retour qui met en lumière la vraie origine
et l'agent efficace de notre Renaissance. Ce goût mièvre et mondain est comme une banqueroute de notre poésie, qui semble
revenir à Charles d'Orléans, à Marot, si l'on veut, avec le naturel
en moins. De l'esprit et de la distinction, il semble que ce soit tout
l'art où nous puissions atteindre : un art charmant et petit, dont
la principale affaire sera d'orner les salons et d'amuser les cours,
et qui n'aura guère que la grâce d'un bibelot ou la beauté d'un
ajustement.

Pendant que la poésie reculait de l'hellénisme à l'italianisme, la
division des éléments de la Réforme et de la Renaissance s'était
achevée. De la détermination des tendances, et de la précision
des doctrines, avaient surgi des oppositions, des polémiques, des
guerres, où le XVIe siècle dépensait largement sa fougue passionnée
et sa robuste vitalité. Ce fut une cause, en un sens, d'abaissement,
en un autre, de renouvellement pour la littérature. Hommes,
œuvres, genres, tout ce qui était pratique ou actuel, tout ce qui
servait ou exprimait les intérêts ou les passions de circonstance,

prit le dessus. A travers toute sorte d'écrits éphémères ou vulgaires, injurieux, partiaux, mesquins, deux genres s'y éprouvèrent
et se formèrent : les *mémoires* et l'*éloquence*. La poésie, qui se per
dait dans l'imitation artificielle et les froides éruditions, se rapprocha de la réalité, elle apprit à puiser aux vraies sources des
sentiments profonds et généraux : la foi catholique de Ronsard, le
zèle protestant de d'Aubigné tira d'eux le meilleur et le plus pur
de leur poésie. Cette période se clôt par la *Satire Ménippée*,
œuvre de circonstance et de polémique, dont l'intérêt dépasse la
circonstance, et dont la polémique annonce l'apaisement.

Dès le temps des luttes, un grand esprit qui s'est tenu à l'écart
des luttes a marqué le but; éclairé par le *Plutarque* d'Amyot, Montaigne fixe à la littérature son domaine, la description de l'homme
moral; très positif sous son apparent scepticisme, il exclut à la fois
de son idéal l'érudition encyclopédique et l'indifférence morale,
et ramène le type italien de l'homme complet au type plus réduit
et plus solide de l'honnête homme.

Sur les fondements qu'il a posés s'élève la littérature du règne
de Henri IV : mais tandis que le rationalisme de Montaigne excluait
en réalité le christianisme, les Charron, les Duperron, les François
de Sales cherchent dans la religion à la fois le couronnement et la
condition préalable du rationalisme. Insensiblement le xviie siècle
se dégage du xvie : la fougue cède à la discipline, la sensibilité à
la raison, le lyrisme à l'éloquence.

Tout cela, c'était, au fond, le retour de l'esprit bourgeois : d'abord
comme submergé par l'aristocratique civilisation où avaient fleuri
l'élégance de Marot et la splendeur de Ronsard, il reparaissait,
mais affermi, étendu, ayant pris conscience de sa force et de sa
fonction, avide enfin et capable de toutes les vérités.

Restait qu'il acquit la notion et le sens de l'art : ce fut l'office
de Malherbe de les lui adapter. Malherbe sauva l'art du naufrage de
Ronsard, et, tandis qu'avec Desportes la poésie retournait aux grâces
étriquées de la mondanité spirituelle, Malherbe fit d'une ma'n
un peu brutale la soudure de l'art antique et de la raison moderne.
En proposant à l'art de manifester la raison, il trouva la formule
qui résolut le grand problème littéraire du siècle, et nous rendil
possible l'acquisition d'une grande poésie. Vers le même temps
Hardy, si peu artiste, organisait la plus haute forme d'art qu'ait
possédée notre littérature classique : il adaptait la tragédie au
public, et la transportait de la rhétorique lyrique à la psychologie
dramatique. Le xviie siècle commençait, et allait recueillir les
résultats de la grande agitation du xvie [1].

1. J'ai essayé de dessiner le plus exactement possible la courbe du développement
de la littérature au xvie siècle. Mais on conçoit que la vie ne s'ajuste point exacte-

On voit tout le chemin qui a été parcouru en un siècle. On pourrait dire en deux mots que, au contact de l'Italie, et sous l'influence de l'antiquité, le bon sens français a dégagé d'abord l'idée de vérité rationnelle, puis celle de beauté esthétique, et que, demandant à sa littérature une vérité belle et une beauté vraie, il en a circonscrit le domaine aux sujets dans lesquels la coïncidence ou bien l'identité de ces deux idées se trouve le plus naturellement réalisée.

ment à nos cadres : les périodes que j'ai indiquées ne sont pas séparées par une limite toujours précise; elles montent l'une sur l'autre, se pénètrent; il y a des prolongements, des enclaves. Il suffit que le mouvement général soit justement indiqué; on devra du reste se reporter aux tableaux chronologiques pour comprendre et la légitimité essentielle et les exceptions nécessaires de nos divisions. La première période irait de 1515 à 1535: la seconde, de 1535 à 1562; la troisième, de 1562 à 1593; et de celle-là se dégagerait Montaigne. La dernière irait enfin de 1593 à 1615 environ, où commencerait à peu près le vrai XVIIe siècle.

1. **A consulter :** F. Funck-Brentano, *Renaissance*, ; H. Hauser et A. Renaudet, *Débuts de l'Age moderne*, 1929; J. Giraudoux, *Portrait de la Renaissance*, 1946; Lévis-Mirepoix, *France de la Renaissance*, 1950; A. Lefranc, *Vie quotidienne au temps de la Renaissance*, 1938; A. Darmesteter et A. Hatzfeld, *XVIe s. en Fr.*, 1878; E. Faguet, *XVIe s.*, 1893; J. Plattard, *Renaissance des Lettres en Fr.*, 1925; R. Morçay, *Renaissance*, 1933; P. Kohler, *Renaissance et Lettres fr.*, 1943. — G. Chinard, *Exotisme américain dans la Litt. fr. du XVIe s.*, 1911; P. Villey, *Sources d'Idées au XVIe s.*, 1912; A. Lefranc, *Grands Ecrivains de la Renaissance*, 1914; J.-R. Charbonnel, *Pensée italienne au XVIe s., et courant libertin*, 1917; H. Busson, *Sources et Développement du Rationalisme (1533-1601)*, 1922; D. Murarasu, *Poésie néo-latine et Renaissance des Lettres antiques*, 1928; E. Gilson, *Idées et Lettres*, 1932; J. Huizinga, *Déclin du Moyen Age*, 1932; A.-M. Schmidt, *Poésie scientifique au XVIe s.*, 1939; L. Febvre, *Problème de l'Incroyance au XVIe s.*, 1942; E. de Moreau, P. Jourda et P. Janelle, *Crise religieuse du XVIe s.*, 1951.

CHAPITRE II

CLÉMENT MAROT

Les premières années du xvie siècle : les poètes d'Anne de Bretagne. — 1. Le roi François Ier. Humanisme, hellénisme ; libres études
et raison indépendante. Erudits et traducteurs. — 2. La reine de
Navarre : mélange en elle du moyen âge, de l'Italie et de l'antiquité, de la Renaissance érudite et de la Réforme religieuse. —
3. Clément Marot. Son protestantisme. Ses attaches au moyen âge,
à l'Italie, aux Latins. Son caractère et son talent. Sa place dans le
mouvement général de la littérature. — 4. Le pétrarquisme
Mellin de Saint-Gelais. La chevalerie : l'*Amadis*.

Pendant une vingtaine d'années, l'esprit de la Renaissance s'in-
filtre chez nous : mais le xve siècle reste pour ainsi dire toujours à
l'avant-scène. Charles VIII est un féodal, une épreuve affaiblie du
Téméraire ; Louis XII, un bourgeois, une épreuve affaiblie de
Louis XI. Avec sa bonhomie avisée, Louis XII estime les lettres
surtout par les services qu'elles rendent, comme moyen de publicité ou de polémique. Mais la reine Anne les aime pour elles-
mêmes ; elle s'entoure de poètes : et naturellement cette duchesse
de Bretagne fait fleurir à la cour de France la poésie tourmentée
et vide dont la féodalité princière du xve siècle avait été si éprise.
Elle emplit sa maison, celle du roi de *rhétoriqueurs*. L'*Epinette du
jeune prince conquérant le royaume de Bonne Renommée*, œuvre de
Simon Bougoing, donne une idée suffisante de cette poésie des
valets de chambre ou secrétaires du couple royal, et montre en
eux les héritiers directs des Meschinot et des Molinet. Hors de la
cour, d'autres rivalisent avec eux : d'autres continuent Coquillart
et, dans ses basses parties, Villon [1]. Pas de milieu entre le réalisme
grossier et l'idéalisme creux : ici la nature est triviale, là elle est
contrariée.

Cette « rhétorique » dont se réjouit la raide et pédante Anne,

1. Par exemple, Ch. de Bourdigné, auteur de la *Légende de maître Pierre Faifeu*,
Angers, 1526. Le fond est digne des *repues franches* : la forme se ressent du voisinage
de Jean Cretin et de Jean Lemaire.

marche contre la nature, et met son progrès à s'en éloigner.
Cependant elle ne peut tout à fait s'abriter contre les souffles
nouveaux : Jean Le Maire de Belges, qui fut historiographe de
Louis XII, écrit les *Illustrations des Gaules* [1], vaste compilation de
récits fabuleux, où se heurtent singulièrement l'érudition saugrenue
du moyen âge et l'enthousiasme poétique de la Renaissance.
Dans des périodes larges et nombreuses, illuminées de beaux mots,
un peu guindées encore, mais dont les lignes sont vraiment nobles,
il encadre de clairs paysages, il exprime la grâce plastique des
beaux corps et des groupes harmonieux. Ce littérateur interprète
les mythes antiques avec l'âme d'un peintre ou d'un sculpteur
italien ; mais le Flamand reparaît çà et là par certaines touches
grassement réalistes. Ce même homme qui fait souvent des vers
dignes de Molinet, est un ouvrier intelligent qui prépare l'instrument
de la poésie future ; il introduit chez nous la terza rima, et Clément
Marot tiendra de lui quelques excellents secrets de facture [2].

1. HUMANISME ET HELLÉNISME SOUS FRANÇOIS Ier.

En 1515, changement soudain de décor : dès que paraissent
François Ier et sa sœur Marguerite, à la vulgarité bourgeoise, à la
boursouflure bourguignonne succède toute la splendeur italienne
de la vie de cour.

François Ier est assez ignorant, léger, superficiel : il semble
qu'en fait d'art il ait eu surtout le sens du décor, surtout du décor
mondain et fastueux. Il a aimé les tableaux, les statues, mais
plus encore les bâtiments : l'architecture est son art favori. Sa passion est de se créer des demeures dignes de lui, où sa royauté
s'encadre et ressorte ; et s'il recherche les tableaux et les statues,
c'est un peu parce qu'il y voit un mobilier royal. Il a de l'intelligence au reste du goût : il aime la poésie, il fait des vers [3], comme
Marot, trop souvent comme Jean, mais par rencontre aussi comme
Clément. Il a l'imagination abstraite, subtile, spirituelle, des souplesses et des sourires nouveaux dans la sécheresse un peu triste
d'autrefois.

Saint-Gelais et Marot, des épîtres et des chansons, suffisaient à
la passion spontanée du roi : de lui-même, il n'avait pas besoin
d'une autre littérature. Mais un Frédéric d'Urbin, un Laurent de

---

1. **Éditions :** *Œuvres*, éd. J. Stecher, 1882-91 ; *Épîtres de l'Amant vert*, éd.
J. Frapier, 1948-49. —**A consulter :** P. Spaak, *Lemaire de B.*, 1927 ; G. Doutrepont, *L. de B. et Renaissance*, 1934.
2. Ainsi, de ne pas faire tomber la césure sur un *e* muet, d'alterner les rimes
masculines ou féminines ; cette dernière règle non encore obligatoire.

Médicis, et tant d'autres princes bien petits devant un roi de France,
lui avaient par leurs exemples inculqué cette croyance, qu'un souverain accompli se doit à lui-même de protéger toutes les formes
de l'esprit et de la science, d'orner son règne de philosophes et
d'hellénistes aussi bien que de peintres et de poètes. Il élargit sa
curiosité, il ouvrit sa cour, sa faveur, son esprit à Budé, aux
graves éruditions, à la grande antiquité. Sa protection facilita la
victoire de l'humanisme sur la discipline du moyen âge.

Le grec [1], nous l'avons vu déjà, est absent du moyen âge. Sauf
quelques moines irlandais qui en avaient un instant réveillé la tradition, les plus grands esprits eux-mêmes, tels que Gerbert, l'avaient
ignoré. Le seul auteur grec connu était le pseudo-Denys l'Aréopagite, identifié à saint Denis, en l'honneur de qui, le 16 octobre, on
célébra tous les ans jusqu'en 1789 une messe grecque à l'abbaye
de Saint-Denis. Les traductions de quelques ouvrages d'Aristote
n'impliquent aucune intelligence de la langue ni surtout ce la
pensée grecques : on lisait la *Poétique*, et nous voyons, dans un
traité de métrique du xive siècle, les poèmes de Lucain et de Stace
donnés comme exemples de *tragédies*. Les dominicains, pour l'intérêt des études théologiques et de leurs missions lointaines, semblent s'être préoccupés du grec, comme de l'hébreu : on a d'eux
quelques traductions faites sur les originaux. Mais, au début
du xve siècle, l'ignorance est encore si entière que Jean de Montreuil ne peut déchiffrer dans Juvénal et dans Boèce le fameux
γνῶθι σεαυτόν. Cependant le besoin de connaître les langues des
Évangiles et de la Bible devenait plus pressant : et peut-être, en
exécution de résolutions prises depuis assez longtemps, l'université de Paris donna-t-elle cent écus à Grégoire Tifernas en 1457
pour enseigner le grec avec la rhétorique. Dès 1455, même
dès 1417 selon une lettre de Jean de Montreuil, un maître d'hébreu
avait été rétribué. Ces essais, semble-t-il, ne se soutiennent pas;
et Tifernas, qui mourut quelques années après en Italie, ne fut
pas remplacé.

On continua d'étudier exclusivement le latin. Les études littéraires refleurissaient depuis la fin du xive siècle : les humanités
faisaient une concurrence, modeste encore, mais réelle, à la logique. Guillaume Fichet à la Sorbonne, Robert Gaguin aux Mathurins, d'autres aux Bernardins, à Navarre, enseignaient la rhéto-

---

1. **A consulter :** Egger, *l'Hellénisme en France*, Paris, 1869. A. Renaudet, *Préréforme et Humanisme*, 1916; F. Robert, *Humanisme*, 1946; L. Delaruelle, *Budé*,
1907; J. Plattard, *Budé*, 1923; A. Lefranc, *Hist. du Collège de Fr.*, 1894; St.
d'Yrsay, *Hist. des Universités*, I, 1933; M. Mann, *Érasme et Débuts de la Réforme
fr.*, 1934; A. Renaudet, *Études érasmiennes*, 1939; Ch. Moulin, *Érasme* (choix),
1948. Cf. en outre, Rabelais, livres I et II; et Bayle, *Dict. crit.*, art. *Andrelin,
Béda, Budé, Érasme, Castellan, Fèvre (le) d'Étaples*, etc.

rique, et la Faculté, en 1489, assigna une heure dans l'après-dîner
aux *poètes*, c'est-à-dire aux maîtres des humanités.

Le xvi⁰ siècle s'ouvrit et l'esprit du moyen âge dominait encore :
les logiciens méprisaient les grammairiens; la dispute fut en honneur jusqu'après 1531 : « on n'entendait parler, dit Ramus, que de
suppositions, d'ampliations, de restrictions, d'ascensions, d'expo-
nibles, d'insolubles, et autres chimères pareilles ». On lisait toujours le *Floretus*, Facetus, Tartaret, Buridan, Pierre d'Espagne
et le *Doctrinal* d'Alexandre de Villedieu (fin du xii⁰ s.) demeure
la base de l'étude de la langue latine jusque vers 1514, où l'ex-
pulse le *Rudiment* de Jean Despautère. Muret, Ramus, Lambin,
tous les érudits qui ont fréquenté les cours de l'Université dans la
première moitié du siècle, sont unanimes dans leurs doléances
attestent l'absolue vérité des satires de Rabelais Il n'est pas
jusqu'à Marot, si peu érudit, qui ne se plaigne de l'insuffisance
des études :

> En effet, c'étoient de grans bestes
> Que les régens du temps jadis :
> Jamais je n'entre en paradis,
> S'ils ne m'ont perdu ma jeunesse.

Mais vers l'époque de l'expédition de Charles VIII, l'humanisme
engagea vivement la lutte, et força peu à peu les portes des collèges, où depuis le siècle dernier étaient renfermés les étudiants.
Fauste Andrelin venait d'Italie enseigner les secrets de la versification antique. Des hommes studieux qui avaient achevé l'ancien
cycle d'études se remettaient à l'école. Budé avait vingt-quatre
ans, il avait terminé son droit, quand, vers 1491 ou 1492, il reprit
les auteurs latins, surtout les poètes, et commença de les comprendre; Erasme avait près de trente ans, en 1496, quand il s'enferma comme boursier au collège Montaigu. Par sa science, sa
maturité, sa fièvre d'enthousiasme. cet écolier valait un maître.
Il avait déjà écrit deux livres de ses *Anti-barbares*, titre éloquent
qui lui seul est un manifeste. Il a consigné plus tard dans un
colloque (Ἰχθυοφαγία) ses souvenirs de Montaigu : l'ascétisme imbécile et inélégant, la nourriture sordide, l'écœurante malpropreté,
les manières brutales; et de telles rancunes exprimées après vingt
ans attestent bien qu'avec l'étude des anciens se développe une
conception absolument nouvelle de l'ordre général de la vie.

Rares étaient encore les ressources : Érasme, Budé furent eux-
mêmes leurs propres maîtres : αὐτομαθής τε καὶ ὀψιμαθής, dit celui-ci,
« j'ai appris tout seul, et tard ». La ruine de l'empire grec avait
envoyé en Occident de savants hommes, mais aussi toute sorte de

gens, qui n'avaient de grec que le nom, et, s'ils savaient à peu
près leur langue nationale, étaient tout à fait incapables de l'enseigner. Budé s'adresse au Spartiate George Hermonyme; Érasme
rencontre un Grec affamé, Michel Pavius, qui le fait payer très cher :
tous les deux, après quelques leçons, renoncent à rien tirer de
leurs professeurs.

En 1500 paraissent à Paris les *Adages* d'Érasme; c'est toute la
lumière de l'antiquité qui se répand à flots sur le monde : dans
ce petit livre est ramassée la quintessence de la sagesse ancienne,
la fleur de la raison d'Athènes et de Rome, tout ce que la pensée
humaine suivant sa droite et naturelle voie peut trouver de meilleur et de plus substantiel, avec cette forme exquise et simple
qui s'était perdue depuis tant de siècles. A l'apparition des *Adages*,
tous les esprits qui cherchaient et attendaient se sentirent comme
inondés de la grâce de l'antiquité. Peu après 1500, Henri Estienne
commence à imprimer des livres latins. En 1502, Budé traduit en
latin un traité de Plutarque. En 1504 ou 1505, Le Fèvre d'Étaples
explique la grammaire grecque de Théodore Gaza au collège de
Coqueret. Jérôme Aléandre, Jean Lascaris arrivent d'Italie. En
1507, Tissard édite chez Gourmont le premier livre grec qui ait été
imprimé à Paris, cet informe et touchant *liber gnomagyricus,* où
éclate à la fois tant d'ignorance et de bonne volonté. Puis on publie
une grammaire, un dictionnaire, en 1523 deux chants de l'Iliade
en 1528 sept tragédies de Sophocle. Cependant, dès 1519, Homère
a paru en français, il est vrai d'après le latin, dans la version
parfois heureuse de Jehan Sanxon; Le Fèvre d'Etaples, qui a
édité et commenté en latin les Épîtres de saint Paul en 1512, traduit
en 1523 les Évangiles, en 1530 la Bible. Thucydide, traduit par
Claude de Seyssel, parait en 1527. Budé avait renouvelé le droit en
1508 par ses notes sur les Pandectes; son traité des *Monnaies et Mesures anciennes* (1514) tournait l'humanisme vers l'exacte érudition.

Il était naturel que ces gens qui s'étaient faits eux-mêmes
eussent foi en leur esprit, dans la raison humaine qui, en eux
soutenue par la volonté, réglée par la méthode, avait été à la
science à travers tous les obstacles. N'ayant pas eu de maîtres, que
devait compter pour eux l'autorité? Non moins naturellement
tous les Thubal Holophernes et les Janotus de Bragmardo des uni
versités enrageaient. La grande révolution pédagogique de l'hu
manisme, qui se résume dans la substitution de la composition
écrite à la dispute orale, mettait les logiciens au désespoir. Mais
surtout les théologiens écumaient. Toutes ces langues, l'hébreu, le
syriaque, le grec plus encore, leur étaient suspectes : dans les
recherches philologiques, dans la simple grammaire, ils flairaient
— non sans raison — une odeur d'hérésie, de raison indépendante

onc rebelle. De fait, les humanistes ne distinguaient pas entre antiquité sacrée et l'antiquité profane : ils expliquaient l'Écriture et les Pères avec la même simplicité hardie que Platon ou Justinien. Luther était en train de remuer l'Allemagne, de l'arracher à la domination du saint-siège ; ils n'étaient pas Luthériens, ils ne voulaient pas rompre l'unité chrétienne ; mais ils ne pensaient point avoir de raison d'exclure de leur étude les textes qui sont la base de la foi.

De là les colères des théologiens. La farce des *Théologastres* nous fait voir combien la lutte est violente entre 1523 et 1529 : et le nom encore fameux de Noël Béda résume les furieux efforts de la Sorbonne soutenue du Parlement pour supprimer la Réforme avec la Renaissance qui l'enveloppait. Ce Béda était un enragé Picard, que Bayle appelle « le plus grand clabaudeur » de son temps : prêchant, écrivant, dénonçant, calomniant, injuriant, déchaîné aujourd'hui contre Érasme, demain contre Le Fèvre d'Étaples, un autre jour contre Louis de Berquin, qu'il fit enfin brûler, il ne laissa point de répit aux libres esprits, jusqu'à ce que ses fureurs, atteignant la propre sœur du roi, le firent enfermer au Mont-Saint-Michel, où il mourut.

Heureusement, la royauté n'avait pas hésité à se ranger du parti de la raison et de la civilisation. Charles VIII, Louis XII avaient donné quelques marques de bonne volonté aux promoteurs des études antiques ; Louis XII avait fait de Lascaris un ambassadeur ; ce fut sous son règne que l'hellénisme entra à la cour avec Budé, devenu secrétaire du roi. Autour de François Ier les érudits furent aussi nombreux que les poètes : outre Budé, qu'il fait directeur de sa bibliothèque et maître des requêtes, il essaie d'attirer Érasme ; il reçoit dans sa familiarité Guillaume Cop, traducteur d'Hippocrate et rénovateur de la médecine ; il a pour lecteur Jacques Colin, puis Duchâtel, deux savants hommes, le dernier surtout érudit universel et infatigable liseur, après avoir été un intrépide voyageur.

Même François Ier voulait témoigner par des effets plus solides l'intérêt que, selon son idée du prince accompli, il estimait devoir rendre aux études : il rêva des établissements fastueux, dont le malheur du temps priva la France. En 1529 Budé dans une de ses *préfaces*, rappelait au roi qu'il avait à doter une fille pauvre, la philologie : qu'il avait promis d'orner sa capitale d'une sorte de musée où les deux langues grecque et latine seraient enseignées, à des savants en nombre illimité trouveraient « un entretien convenable et les loisirs nécessaires ». L'année suivante, satisfaction fut donnée à la philologie par la nomination de quelques *professeurs royaux* : c'est de là qu'est sorti le Collège de France.

2. LA REINE DE NAVARRE.

François Ier, pour l'histoire littéraire, s'efface derrière sa sœur
Marguerite [1], qui fut mariée au duc d'Alençon, puis au roi de Navarre
Dans celle-ci se relient et tous les mouvements, toutes les tendances de la Renaissance française, dont elle est à ce moment l
plus complète expression : plus complète sans nul doute que Maro
qui la surpasse en talent littéraire. Elle est la femme accomplie
comparable aux plus beaux exemplaires que l'Italie ait offerts
une Isabelle de Gonzague n'a pas eu un plus riche développement
A Alençon, à Bourges, à Nérac, à Pau, dans toutes ses résidences, e
voyage même, elle n'apparaît qu'entourée de poètes et de savants
qui sont ses valets de chambre, ses secrétaires, ses protégés e
comme ses nourrissons. Elle reçoit les vers de Marot; Despérier
lui traduit le *Lysis* de Platon; elle correspond avec Briçonnet e
avec Calvin. Elle recueille, écoute toute sorte de philosophes et d
théologiens, pourvu qu'ils ne soient pas scolastiques.

Née en 1492, en un temps où il fallait encore vouloir s'instruire
et le vouloir fortement, elle s'est instruite, et toute sa vie elle
continué de s'instruire; elle apprit l'italien, l'espagnol, l'allemand
le latin; Paradis lui donna des leçons d'hébreu, et à quarante an
elle poursuivait encore l'étude du grec avec Duchâtel. Dans s
litière, où cette infatigable voyageuse passa la moitié de son exis
tence, elle travaillait, conversait, dictait : vers ou prose, chant
drame ou récit, religion ou galanterie, mythologie ou réalité, tout
forme et tous sujets lui étaient bons. Sa science ne l'éloigne ni d
monde ni des affaires. Elle tient sa cour, et une place brillante
la cour de son frère. Le roi trouve en elle un conseiller fidèle, u
adroit et actif négociateur : pendant sa captivité, elle va jusqu'e
Espagne traiter de sa délivrance.

1. L'ographie : Née en 1492, mariée en 1509 au duc d'Alençon, veuve en 1525, rem
riée en 1527 avec Henri d'Albret, roi de Navarre, elle meurt en 1549. Elle recueill
après l'orage de 1523 les réformateurs jusque-là groupés autour de Briçonnet, qui s
rétracte. Elle place Le Fèvre à Blois, puis le reçoit en 1531 à Nérac. Elle fait prêch
à Paris, puis en Béarn, Gérard Roussel, qu'elle fait évêque d'Oloron Elle correspon
avec le chanoine de Strasbourg, Sigismond de Hohenlohe, et tâche d'amener Mélanc
thon à Paris pour conférer avec les théologiens. On brûle en 1529 Berquin son am
en 1539 Jean Michel son aumônier. On prêche contre elle à Issoudun; on joue un
comédie contre elle au collège de Navarre. — **Éditions** : *Poésies*, éd. F. Fran
1880; *Dernières Poésies*, éd. A. Lefranc, 1896; *Heptaméron*, éd. M. François
1943; *Théâtre Profane*, éd. V.-L. Saulnier, 1946. — **A consulter** : A. Lefran
Marguer. de Navarre et le Platonisme de la Renaissance, 1899; *Grands Écrivain
fr. de la Renaissance*, 1914; P. Jourda, *Marguerite d'Angoulême*, 1930 et 1932
E.-V. Telle, *Marg. d'Ang. et la Querelle des Femmes*, 1937; L. Febvre, *Autour d
l'Heptaméron*, 1944; P. Jourda, *Marguerite d'Angoulême, duchesse d'Alençon
reine de Navarre*, 1931; A. Lefranc, *les idées relig. de Marguerite de Navarr*
1898.

Mais le trait le plus original de sa nature, c'est la place qu'elle donne au sentiment. Le cœur en elle mène l'intelligence, elle ne vit que pour aimer et se dévouer. De là son mysticisme : elle aime Dieu passionnément, d'une libre et vive tendresse qui déborde hors de tous les cadres artificiels des idées. De là son amour fraternel : elle se donne au roi comme à Dieu, d'une pure ferveur, par un entier sacrifice. De là sa protection épandue si libéralement sur tous les suspects, toutes les victimes des théologiens, des moines et du Parlement. Auprès d'elle, dans ses apanages et ses États, Marot, Despériers, Farel, Sainte-Marthe, Le Fèvre d'Étaples, Roussel, Calvin, on pourrait dire toute la Renaissance et toute la Réforme, trouvent sécurité et liberté : les offices de sa maison, les charges de ses domaines abritent ceux à qui Béda ou Lizet rendent la France intenable. Deux fois elle arrache Louis de Berquin. Sa protection qui ne tombait pas de haut, et froidement, était une tendresse soucieuse où son cœur, non pas seulement sa puissance, apparaissait. Elle dispute François Iᵉʳ jusqu'en 1534 au catholicisme scolastique : et c'est à peine à la fin si le roi peut défendre cette sœur plus compromise encore par sa bonté que par ses opinions.

Elle n'était pas protestante : elle ne voulut ou n'osa pas rompre l'unité ; mais sa foi avait de trop vives sources pour s'accommoder de la sécheresse des scolastiques ; elle engageait dans sa religion de trop nobles aspirations intellectuelles et morales pour ne pas mépriser l'ignorance et la brutalité des moines. Elle ne voyait pas de mal à ce qu'un chrétien lût l'Écriture ou priât en sa langue, mais elle n'avait pas de doctrine ; elle s'accommodait de Calvin comme de Briçonnet. La religion en somme était pour elle affaire de sentiment profond et d'active spontanéité. Elle défendra cette large conception même contre Calvin, quand son dogmatisme accusera la tiédeur ou l'erreur de certains réformés.

Quelques vers au début d'une de ses meilleures pièces expriment très bien le vœu de son esprit et le vœu de son cœur [1] :

Fille. — Tout le plaisir et le contentement
　　　　Que peut avoir un gentil cœur honnête,
　　　　C'est liberté de corps, d'entendement,
　　　　Qui rend heureux tout homme, oiseau, ou bête !

Fille. — O qu'ils sont sots et vides de raison,
　　　　Ceux qui ont dit une amour vertueuse
　　　　Être à un cœur servitude et prison,
　　　　Et pour aimer la dame malheureuse !

---

1. Comédie : *Comédie à dix Personnages*, 1542 (éd. Saulnier). C'est un joli essai de psychologie sentimentale, à l'aide de caractères généraux.

Ainsi s'affranchir par l'entendement, se donner par l'amour, voilà l'idéal de cette noble femme. Plus caractéristique encore est la jolie *Comédie jouée à Mont-de-Marsan en 1547*. Ni la mondaine, ni la superstitieuse (catholique), ni même la sage (calviniste), ne la satisfont; seule, la *Bergère ravie de l'amour de Dieu* qui ne dogmatise pas, est selon son cœur. Mais le bon sens français la garantit des aventures du sentiment. Elle n'échappe pas au galimatias mystique; mais, avec un ferme jugement pratique et moral, elle fixe la limite au libre développement de l'individu. Elle restreint la *virtù* par la vertu. On ne l'a pas toujour. comprise. On l'a calomniée dans sa vie et dans son œuvre.

Cette œuvre nous révèle la complexité de sa nature. On y démêle très aisément comment le style moderne de l'esprit français se dégage du moyen âge sous l'influence de l'Italie et de l'antiquité. Au moyen âge appartiennent certains genres que cultive la reine Marguerite, les mystères, moralités, farces; certaines formes d'idées et de composition, les abstractions, les allégories, les constructions, si j'ose dire, massives et subtiles; certaines doctrines, la galanterie logique et chevaleresque; un certain extérieur enfin, une certaine attitude et démarche de l'œuvre, je ne sais quelle raideur encore gothique, une héraldique complication de lignes entortillées sans souplesse. On sent des souffles d'Italie dans l'*Heptaméron* issu du culte de Boccace, et les anciens sont de moitié avec l'Italie dans le platonisme, qui concourt, avec la théorie courtoise et la tendresse mystique, à former l'idéal amoureux de la reine, dans la mythologie qui ne séduit plus par l'absurdité merveilleuse des faits mais par son beau naturalisme et par sa vérité pathétique, dans une aisance enfin de la pensée, du sentiment, de tout l'être, qui soulève, anime, illumine la raideur rebelle des formes surannées. Mais à la Renaissance religieuse, à la Réforme, il faut rendre les inquiétudes morales, la revendication pour le fidèle du droit d'interpréter l'Écriture, et certain effort sensible pour ramener vers le doux Rédempteur et le Père incompréhensible le culte un peu trop détourné au moyen âge sur l'humanité plus prochaine de la Vierge.

L'apparente incohérence de l'œuvre de Marguerite se réduit facilement à quelques traits principaux :

1° Elle a ouvert la source du lyrisme, qui est dans l'émotion personnelle; quelques élans de foi ou d'amour fraternel nous la montrent [1].

2° Elle indique ce que la vie, la nature recèlent de poésie; elle trouve dans la spontanéité des impressions le principe de la noblesse et de la beauté [2].

---

1. **Cf.** *les Marguerites*, éd. F. Franck, t. I, p. 41 et 46; t. III, p. 88 et 92; t. IV, p. 12.
2. *Ibid.*, t. II, p. 4 et 23, et *passim*; t. III. p. 168.

3° Elle interrompt par l'*Heptaméron* la continuité de la nouvelle
française, railleuse et maligne des *fabliaux* à Voltaire : elle inaugure le sérieux, la pitié, le tragique.

4° Elle l'interrompt aussi quand du conte destiné à amuser,
elle fait un instrument d'observation, une méthode de description
des passions humaines. Il est visible que dans l'*Heptaméron* l'intérêt ne va pas surtout aux actions, mais aux mobiles, aux antécédents intérieurs des actions. Et, la première peut-être, la reine
de Navarre a noté, entre la passion physique, seule connue aux
conteurs bourgeois, et la passion intellectuelle, idée des lyriques
courtois, une autre passion, qui est la vraie, la pure passion de
l'âme, celle des tragédies de Racine [1].

5° Enfin elle a contribué par son idéalisme platonicien à la formation de ce que le XVIIᵉ siècle appellera l'honnête homme :
l'*Heptaméron* est un livre de haute civilité et d'enseignement
moral. Ce recueil de mésaventures conjugales, de tragédies galantes
et de drôleries antimonastiques n'est immoral que selon les convenances de notre siècle : mais on sait combien les convenances
sont chose relative et variable. La bonne reine a pris le ton du jour,
conté les récits qui plaisaient : de là non pas l'immoralité — c'est
trop dire, — mais plutôt l'impudeur hardie de l'*Heptaméron*, et
cette mixture qui nous surprend, de dévotion, de gaillardise et de
morale. Ce n'est au fond que le livre d'une honnête femme qui
veut civiliser les âmes et affiner les mœurs.

On conçoit que, de l'œuvre de Marguerite, l'*Heptaméron* seul
ait vraiment échappé à l'oubli : le XVIIᵉ siècle s'y retrouvait,
mondain, dramatique et moral. Les filets de sentiment, et de
poésie lyrique ou champêtre, qui jaillissent çà et là dans les vers
de la reine de Navarre, l'intéressaient moins. Puis c'était dans ses
vers que s'accusait surtout son défaut. Elle manque et de métier
et d'art. Son *écriture*, comme disent nos jeunes, ne serre pas sa
sensation. Elle a des morceaux exquis, qui restent engagés dans
une sorte de blocage rapidement appareillé. Dans sa diffusion
languissante et son abondance un peu sèche, on retrouve à la fois
l'inculture esthétique du moyen âge et la facture lâche de l'amateur. Il était naturel que sa prose fût de meilleure qualité que ses
vers : quand il s'agissait de conter et de causer, cette intelligente
femme n'avait pas besoin d'être écrivain pour écrire excellemment.

1. Cf. des traits de ce genre : « Un tout seul pour qui seul j'étais une — me fut
été », etc. (IV, 108).

3. CLÉMENT MAROT.

Marot[1], moins riche de son fonds, fut un écrivain supérieur
En lui comme en Marguerite, Renaissance et Réforme se con
fondent encore. Même Marot appartient plus que sa protectrice a
protestantisme. On peut ne pas tenir compte de la rude guerr
d'épigrammes qu'il fit aux « sorbonistes », aux moines, aux abu
de l'Église : c'était la tradition du moyen âge, et ce pourrait êtr
aussi liberté philosophique. Il ne faut pas s'arrêter non plus à c
qu'il fut arrêté en 1526, poursuivi en 1532, décrété et obligé d
fuir à la fin de 1534 : il y a des exemples de gens persécutés pou
des opinions qu'ils n'ont pas; et c'était peut-être la riposte de
théologiens aux épigrammes, des gens de justice à l'*Enfer*. Mais,
la fin du *Miroir de l'âme pécheresse* dans l'édition de Paris de 153
sous les auspices donc de la reine de Navarre, Marot fit imprime
un psaume, le *Pater*, le *Credo*, d'autres prières essentielles, tradui
en français : surtout il avait, avant 1534, dédié à François Ier u
Sermon du bon pasteur où l'on croirait entendre Calvin. Tandi
que Marguerite, toute mystique, indifférente aux dogmes et au
cérémonies, revenait pour sa sûreté aux pratiques et profession
du catholicisme, Marot, un intellectuel à qui il fallait des idée
claires, s'engagea à fond dans la Réforme. Il continua sa traductio
des *Psaumes*, même après qu'il fut entendu que ce travail étai
incompatible avec la fidélité d'un bon catholique. L'abjuratio
solennelle par laquelle il acheta son retour en France, sa punitio

1. Biographie : Né en 1496 ou 1497 à Cahors, il est page de Villeroy, puis pensio
naire de la duchesse d'Alençon, ensuite, en 1527, valet de chambre du roi. Il assiste
la bataille de Pavie. En 1526, il est mis au Châtelet, puis transféré à Chartres (*Épît
à Lyon Jamet*); en 1527, octobre, on l'arrête de nouveau pour avoir « rescous
un prisonnier : *Epître au Roy*, qui le fait relâcher. En 1532, il est poursuivi e
Parlement pour avoir mangé du lard en carême : la reine de Navarre arrête
procédure. En 1534 commence la querelle de Marot contre Sagon, La Huéterie
leurs adhérents : Fontaine, Despériers et autres défendent Marot. Au début d
1535, après l'affaire des placards, Marot est mis sur la liste des 73 suspects ajou
nés à comparaître; de la Touraine où il est, il fuit en Navarre, de là à Ferrar
près de la duchesse Renée de France, enfin à Venise. Il fait amende honorable
Lyon par-devant le cardinal de Tournon (1536), et rentre à la cour; en 1542, se
Psaumes l'obligent de fuir à Genève. Il attire sur lui la rigueur du consistoire;
se retire en Savoie et en Piémont fin (1543). Il meurt à Turin (1544).

Éditions : *Adolescence clémentine*, 1532; *Œuvres*, 1539; *Psaumes*, 1541-4
Œuvres, 1544; éd. G. Guiffrey-J. Plattard, 1876-1927-29. — **A consulter :** Saint
Beuve, *Tableau de la Poésie fr. au XVIe s.*; E. Faguet, *XVIe s.*; P. Villey, *Mar
et Rabelais*, 1923; H. Guy, *M. et son École*, 1926; J. Vianey, *Épîtres de M.*, 193
J. Plattard, *M., carrière poétique, œuvre*, 1938; Ch.-E. Kinck, *Poésie satiriqu
de M.*, 1941; A. Pauphilet, *M. et son Temps*, 1941; P. Jourda, *M., l'Homme
l'Œuvre*, 1950; W. de Lerber, *Influence de M.*, 1920.

Genève et sa fuite n'y changèrent rien. Diverses pièces trouvées
dans ses papiers, surtout l'allégorie inachevée du *Balladin*, démontrent que Marot est mort protestant.

Mais à quels motifs cédait cet aimable homme, quand il prenait
les opinions, je ne dis pas bien dangereuses, mais surtout bien
sévères pour sa gentille frivolité? Faut-il supposer chez ce Méridional une lointaine survivance du vieil esprit d'hérésie qui avait
causé trois siècles plus tôt la ruine du Midi? Ou plutôt n'est-ce pas
qu'à cet esprit fort médiocrement pourvu de puissance logique ou
d'invention métaphysique, la doctrine de Farel offrait ce qu'en
l'absence d'une philosophie constituée rien ne pouvait lui donner :
un ensemble assez net d'idées qui pour l'instant affranchissaient la
pensée. Les opinions de la Réforme ont été pour Marot une philosophie libérale et raisonnable.

Mais précisément, parce que ses idées seules étaient converties,
la Réforme ne voulut pas de lui. Il n'avait pas converti ses mœurs :
il resta jusqu'au bout homme de cour, homme de plaisir, un épicurien de la Renaissance. Sa religion était une spéculation comme
pour d'autres le platonisme ou le péripatétisme. De là vient que
pensant comme Genève, il ne put vivre à Genève. Sa croyance est
dans sa tête, dans sa raison : de là la faiblesse de son inspiration
religieuse. Si nous regardons seulement la valeur intrinsèque
et non l'influence, il n'y a à tenir compte que de l'œuvre profane
de Marot : c'est à elle surtout qu'il faut nous attacher.

Marot par toutes ses origines tient au moyen âge : il en est. Son
érudition est du moyen âge :

> J'ai lu des saints la légende dorée,
> J'ai lu Alain, le très noble orateur (*Alain Chartier*),
> Et Lancelot, le très plaisant menteur.
> J'ai lu aussi le Roman de la Rose,
> Maître en amours, et Valère et Orose
> Contant les faits des antiques Romains.

On sait qu'il édita le **Roman de la Rose** et les œuvres de Villon.
Mais ses maîtres immédiats, c'est Jean Marot son père, Jean Le
Maire de Belges, c'est Molinet aux vers fleuris, c'est le souverain
poète français, « Cretin qui tant savait »,

> Le bon Cretin au vers équivoqué,

en un mot les grands rhétoriqueurs. L'*Adolescence Clémentine* (1532)
est l'œuvre surtout d'un grand rhétoriqueur, qui ne se corrigera
jamais complètement. Allégories, depuis le *Temple de Cupido* jusqu'au *Balladin*, personnifications, abstractions, allitérations, rimes
batelées, fraternisées, vers équivoqués, acrostiches, toutes les
pédanteries, toutes les bizarreries, tous les tours de force se

rencontrent chez maître Clément, et trahissent ses origines. Heureusement, si son éducation le rattachait aux Molinet et aux
Cretin, son tempérament le tournait vers les Jean de Meung, les
Villon, les Coquillart : il porta dans la poésie aristocratique les
meilleurs dons de la poésie bourgeoise.

Mais il s'imprégna aussi d'une culture nouvelle et plus fine. Il
avait parmi les livres qu'on saisit en 1534 un Boccace, la Célestine
les Églogues de Virgile. A Boccace il faut joindre Pétrarque; à
Virgile, Ovide, Catulle, dont il fit quelques « translations ». A peine
italianisé, il était surtout latinisé. Cela ressort aussi de l'examen
de ses œuvres : on y trouve des ballades, des chants royaux, des
rondeaux, des chansons, des poèmes allégoriques, genres du
moyen âge; le coq-à-l'âne qu'il invente procède des *fatrasies*, qui
sont du moyen âge aussi. A l'Italie, Marot tient par quelques sonnets. L'élégie, l'églogue, l'épître, l'épigramme sont des genres
antiques.

Cependant Marot n'est point un homme d'étude et de cabinet. Ce
n'est point par la lecture et la méditation intime que la Renaissance
s'insinua en lui : elle l'enveloppa par le dehors, et l'imprégna. Nul
n'a plus subi l'influence de son milieu. Poète de cour, il reflét
l'esprit et les besoins de la cour, hors de laquelle il ne pouvai
vivre en joie. Il clarifia, affina, allégea le vieil esprit de *Renart* et de
Rutebeuf; il l'enrichit de finesse, de mesure, de grâce, pour le mettre
d'accord avec la forme nouvelle des âmes, et même avec l'aspec
des choses. Cette vie de cour essayée par Anne de Bretagne, splendidement développée par François Ier, cette perpétuelle conversatio
des hommes et des femmes les plus illustres dans les maisons d
roi, rendaient impossibles la lourdeur, le pédantisme, la prolixité
la platitude d'autrefois. Pour se faire lire de ces seigneurs et de
ces dames qu'entouraient toutes les élégances et que tous les plaisirs sollicitaient, il fallait être bref, pour ne pas ennuyer; clair
pour ne pas fatiguer; spirituel, pour divertir. Pour un public léger
égoïste, il ne fallait pas trop de sérieux ni de douleurs : railler e
rire, c'était le mieux. Tout cela, Marot le fit en perfection.

Sa nature ne le poussait pas à sortir des sujets et du ton qu
plaisaient à son public. Il n'était ni un sentimental, ni un pas
sionné. Sans doute l'on trouverait sans peine dans son œuvre de
saillies de sensibilité : elles ne prouvent rien. Il n'est pas étonnan
qu'un homme qui souffre et qui craint, crie, vibre sous la pressio
du fait présent. Littérairement, le sentiment n'est caractéri
tique qu'à condition d'être, d'abord, une disposition habituelle e
l'âme et comme le verre à travers lequel elle regarde les chose
en second lieu, un plaisir de l'âme, qui savoure l'amertume. Che
Marot, le sentiment est purement de circonstance; il n'a pla

dans son œuvre que par des pièces biographiques et d'actualité : il subit la tristesse, la crainte; il ne songe qu'à les évaporer au plus vite; jamais il ne s'en fait une inspiration. L'indignation est la seule passion où il aille de lui-même chercher une source de poésie : c'est le sentiment le plus accessible à la mollesse épicurienne et à la sécheresse intellectuelle; l'*Enfer* s'explique par la révolte d'une chair délicate, et d'un esprit juste, devant la souffrance physique injustement infligée.

Selon une excellente remarque de M. Brunetière, pour établir la valeur d'un poète, il suffit presque de l'interroger sur trois points : comment a-t-il parlé de la nature, de l'amour, de la mort? Marot n'a guère parlé de la nature, sauf quelques jolies réminiscences de sa rustique enfance, de son Quercy natal. Il crut de bonne foi qu'aimer, c'était jouir et dire d'agréables choses aux dames. Il n'a pensé à la mort que malgré lui, et pour préférer la vie. Il est tout à la vie, aux formes charmantes et superficielles de la vie. Il n'eût point si aisément réalisé l'idéal poétique d'une cour mondaine et galante, si déjà en lui-même il n'eût porté cet idéal. Demandez-lui son rêve de bonheur : il tient tout entier dans la facile existence d'un château des bords de Loire.

> ...Sous bel ombre, en chambre et galeries
> Nous pourmenans, livres et railleries,
> Dames et bains, seraient les passe-temps,
> Lieux et labeurs de nos esprits contents...
> Le chien, l'oiseau, l'épinette et le livre,
> Le deviser, l'amour (à un besoin),
> Et le masquer, serait tout notre soing.

Rien de profond en lui, rien d'intime : mais de là même vient la perfection du type qu'il réalise. Tout en lui tend à la joie, et à la joie de sa compagnie, sans laquelle la sienne ne saurait subsister. Pour une telle nature, le plus insupportable mal, c'est la solitude, et l'ennui : on le vit bien quand il vécut à Venise.

Cette âme légère a fait sa poésie avec ses idées et ses impressions, légères comme elle. Tourner un compliment ou une épigramme, quémander ou remercier, causer ou conter, voilà sa sphère : et dans tout cela il n'a pas son pareil. Deux épîtres au Roi, une épître au Dauphin, une autre à Lyon Jamet, la ballade de *frère Lubin*, le rondeau à un créancier, nombre d'épigrammes, sont de bien petits, mais d'absolus chefs-d'œuvre. Cela est fait de rien. Tout le monde connaît cette grâce malicieuse, cette très peu candide et très naturelle simplicité, ces jets imprévus d'imagination ou d'ironie, cet art de dire les choses en se jouant, sans appuyer, et d'enfoncer profondément le trait dont l'atteinte est si légère. Mais ce qu'il y a de plus original ou de plus excellent dans

Marot, c est la saine robustesse de cet esprit si fin : nulle mièvrerie italienne, nulle aristocratique préciosité n'ont altéré chez lui
le fonds d'esprit français dont il avait hérité. Il a gardé toute la
verdeur, la nette vivacité, le bon sens aigu de la poésie parisienne
ou champenoise. Il est bien français encore en ce que l'idée chez
lui, si peu de chose qu'elle soit, est la substance même et le tout
de sa poésie ; le rythme, le mot n'ont de valeur que par l'idée, et
relativement à l'idée

Ce gentil poète a eu autant de gloire et d'influence que s'il eût
été un grand poète. C'est que Ronsard, en tombant, le découvrit :
avant Malherbe, il ne resta que Marot pour représenter le xvie siècle,
et servir de modèle. Et voici ce qu'on y trouvait, et par où il
s'adaptait admirablement à l'esprit des deux siècles qui suivirent.
Il était tout français, imperceptiblement italianisé, et n'ayant pris
à l'antiquité latine que ce qui mettait en valeur les vieux dons de
sa race : par lui, La Fontaine et les autres reprenaient le contact
du pur génie de la France, se remettaient en communion avec
l'âme héréditaire de notre peuple. Car ce poète de cour — chose
si rare dans notre littérature — est, sous sa politesse, essentiellement populaire.

Puis il inaugure, avec Marguerite, mais dans une forme plus
parfaite, la poésie moderne, dont la loi est vérité et sincérité
cette œuvre toute de circonstance et d'actualité est éminemment
vraie et sincère. De plus, écrivant pour un public d'élite, asservissant son inspiration au goût de ses lecteurs, il ouvre l'ère de la littérature mondaine, il fait prédominer les qualités sociables sur
la puissance intime de la personnalité ; avec lui commence le règne
- - salutaire ou désastreux comme on voudra, ou mêlé de bien et
de mal — d'une société polie. Enfin il a fait des *Psaumes*, et l'on
notera que dans le classique il n'y a de lyrisme que par les
Psaumes : Malherbe, Rousseau, Racine, tous traitent les thèmes
de la poésie hébraïque. Nous en verrons la cause ailleurs : il suffit
que là encore Marot soit un précurseur. Faut-il ajouter qu'il est
tout esprit, et que, sauf de hautes exceptions, ce ne sera pas le
sentiment, mais l'intelligence qui créera notre littérature du
xviie et du xviiie siècle ? Ainsi s'explique que l'influence de Marot
ait dépassé, si j'ose dire, sa valeur.

Il ne faut pas omettre aussi de signaler qu'avec Marot l'unité et
comme la concentration littéraires de la France s'achèvent par le
réveil du Midi. Le voici qui fait sa rentrée ou plutôt son entrée
dans la littérature française. Privé depuis bientôt trois siècles de
sa langue, il vient enfin verser sa richesse et sa fécondité dans la
langue du Nord; et pour son début il lui donne Marot[1]. Monluc
et Montaigne.

I. Marot est fils d'un Normand, mais il est né, il a été élevé en Quercy.

4. RÉVEIL DE L'ESPRIT CHEVALERESQUE.

Marot séduisit les contemporains comme la postérité : en vain Sagon et quelques envieux l'attaquèrent. Il prit posture de chef d'école, et on le voit quelque part exposer gravement à ses disciples la règle des participes. Ce qui restait de rhétoriqueurs guindés ou de cyniques bourgeois dans les provinces se fondit peu à peu dans son école : quand il mourut, tout le reconnaissait pour maître. A la cour, son luthéranisme ne l'avait pas discrédité : mais là il était plus facile de l'admirer que de l'imiter. Mellin de Saint-Gelais [1], qui fut après lui le plus en vue des poètes de cour, était son aîné : mais homme du monde, plus qu'écrivain, il ne recherchait pas la gloire littéraire; il ne s'exposait pas volontiers au public. Il s'effaça devant Marot, par nonchalance plutôt que par modestie. L'exil, puis la mort de Marot le poussèrent au premier plan.

Plus savant que Marot, possédant parfaitement le grec comme le latin, traduisant, paraphrasant en français, ou imitant en leur langue les poètes de Rome, il représente mieux l'esprit de l'humanisme : mais il est surtout italien, et il unit la froideur maniérée du pétrarquisme à quelques restes de raide subtilité qu'il a hérités de son père Octovian. La grosse obscénité, à la gauloise, commence à tourner chez lui en mignardise polissonne. Sa galanterie, quand elle n'est pas cynique, se fait sentimentale avec préciosité. Sauf dans l'épigramme, qu'il décoche parfois vivement, il est entortillé, pincé. Même son délayage est alambiqué. La forme est sèche, plus voisine du xve siècle que celle de Marot; la pensée est aussi frivole, et moins sincère. Ce que la poésie de circonstance a de plus léger, voilà son genre : des étrennes, des vers de mascarade et de ballet, des inscriptions à mettre sur des luths, sur des boîtes, pour des cadeaux.

La vie de cour italienne, transportée chez nous, aboutit à une sorte de restauration féodale et chevaleresque [2]. La délicatesse ultramontaine aide nos seigneurs à dissiper la lourdeur du bon sens bourgeois dont leurs pères avaient subi la contagion : l'idéal romanesque de la féodalité française reparaît, réveillé au fond des

---

1. **Biographie :** Mellin de Saint-Gelais (1487-1558), fils du poète Octovian de Saint-Gelais, évêque d'Angoulême, fut très bien instruit en langues, sciences, armes, arts héraux, étudia le droit aux universités de Poitiers, Bologne, Padoue, entra dans les ordres en 1524, et devint aumônier du dauphin. Il était aussi, en 1544, gardien de la bibliothèque de Fontainebleau. **Éditions :** 1547 et 1574; éd. P. Blanchemain, 1873-80. — **A consulter :** Molinier, 1919; Ph.-A. Becker, 1924.

2. **A consulter :** Bourciez, *Mœurs polies et Litt. de cour sous Henri II*, 1886; A. Lefranc, *La Vie quotidienne au temps de la Renaissance*, 1939.

cœurs, ou renvoyé par des influences étrangères. Une fusion se fait
de l'honneur chevaleresque et du désir de la gloire, mobile des
individualités héroïques de l'antiquité et de l'Italie; et nous en
trouvons le témoignage dans la charmante biographie de Bayard
écrite par le *Loyal Serviteur* [1] : c'est comme un mélange de Chrétien
de Troyes et de Plutarque.

On se reprit aux tournois, à l'amour courtois, aux vieux romans,
à leurs transcriptions rajeunies, à leur plus ou moins authentique
postérité. L'expression littéraire de cette mode fut la traduction
d'*Amadis de Gaule* faite sur un original espagnol par d'Herberay
des Essarts [2]. *Amadis* ravit François Ier, le roi chevalier, et toute
cette brave noblesse des guerres d'Italie, qui se reconnaissait bien
lorsqu'elle lisait comment, les chefs discutant s'il fallait donner
bataille à un ennemi supérieur en nombre, « Agraies donna des
éperons à son cheval, criant à haute voix : *Maudit soit qui plus
tardera, voilà ceux contre qui il faut débattre, non pas entre nous*;
et ce disant piqua droit aux ennemis ». Il y a dans *Amadis* une
fantasmagorie d'héroïsme, des héros occis, des géants pourfendus,
des chevaliers vaincus par deux et par trois à la fois, des hommes
d'armes par huit ou dix, des soldats par milliers sur le champ
de bataille, un seul preux, tantôt Amadis, et tantôt Galaor, ou
un autre, pour toutes ces besognes : des enfants perdus et retrouvés,
des époux ou des amants séparés, des amours foudroyants ou
ineffablement profonds, des enchantements, des oracles, une géographie fabuleuse.

Mais à travers cette folie d'invention on rencontre sans cesse une
ferme réalité : des amours « exécutés » tels qu'ils le peuvent être
dans le train le plus commun du monde, et plus rapidement même,
de positives conclusions qui suivent, et parfois précèdent les vaporeuses adorations, une franchise d'accent, presque une brusquerie
délibérée d'humeur chez ces chimériques héros, qui leur donne
un peu de consistance et l'air de la vie. Amadis est sanguin,
ardent, colère, un vrai « gendarme » des guerres d'Italie; Monluc
l'avouerait, quand il retourne d'un coup de pied le lit où gît un
vieux coquin, en l'envoyant à tous les diables.

Ainsi s'explique qu'Amadis et son cycle aient éclipsé les preux
demeurés Français de France, Lancelot, Tristan, Perceforêt, dont

---

1. **Éditions :** Galiot du Pré, 1527; Soc. de l'Hist. de France, Paris, in-8, 1878.
2. **Éditions :** douze livres (1540-56), dont d'Herberay des Essarts a traduit les
huit premiers (1540-48) : Amadis de Gaule (I-IV), Esplandian (V), Perion et
Lisuard de Grèce (VI), Amadis de Grèce (VII-VIII). Aussi édition I-IV par H. Vaganay, 1918. — **A consulter :** Bourciez, *les Mœurs polies et la Littérature de cour
sous Henri II*, 1886; G. Reynier, *Roman sentimental avant l'Astrée*, 1908 et *Origines du Roman réaliste*, 1912.

les Vérard et les Galiot du Pré avaient imprimé les aventures; et que la tradition de la Table Ronde ait fait comme un crochet à travers la chevaleresque Espagne pour passer de notre XII° à notre XVI° siècle. Le fait est considérable, et ce premier apport de l'Espagne ne pouvait être passé sous silence : car *Amadis* ne fut pas seulement au temps de François Ier et de Henri II le code des belles manières et de l'honneur mondain, il ranima le roman idéaliste, et devint le point de **départ** d'une évolution qui nous conduit, par d'Urfé et Mlle de Scudéry, jusqu'à George Sand et à Feuillet.

LIVRE II

DISTINCTION DES PRINCIPAUX COURANTS

(1535-1550)

CHAPITRE I

FRANÇOIS RABELAIS

1. Les deux premiers livres de *Gargantua* et de *Pantagruel*. Commencements de la persécution religieuse. Despériers et le *Cymbalum mundi*. Le *Tiers* et le *Quart* livres de Rabelais : sa prudence. — 2. La doctrine de Rabelais : naturalisme, ni nouveau ni profond. L'amour de la vie, caractère dominant de son génie. Ses idées sur l'éducation. Esprit scientifique et puissance imaginative. — 3. Le réalisme de Rabelais. Indifférence à la beauté : sens de l'énergie. La bouffonnerie. La langue.

1. DÉVELOPPEMENT DE RABELAIS.

Le grand mouvement d'idées que la découverte de l'antiquité détermina chez nous pendant le premier tiers du XVIᵉ siècle ne s'était fait encore sentir qu'incidemment dans la littérature, quand soudain il éclata dans le premier livre de *Pantagruel* (fin de 1532), bientôt suivi de son père *Gargantua* [1]. Maître François Rabelais,

---

1. **Publication** : devant le succès des *Grandes et inestimables chroniques du grand et énorme géant de Gargantua*, Lyon, 1532, R. publie *Pantagruel*, Lyon, automne 1532; *Gargantua*, Lyon, 1534; les deux livres réunis, Lyon, 1542; *Tiers-Livre* Paris, 1546; *Quart-Livre*, Lyon, 1548 (incomplet), Paris, 1552 (complet); *Cinquième Livre*, 1562 (*Ile Sonnante*, 16 chap.), 1564 (complet). — **Éditions** : complètes : J. Plattard, 1929; J. Boulenger, 1934; A. Lefranc, 1912-31 (inachevée); — partielles : *Pantagruel*, éd. V.-L. Saulnier, 1946; *Quart-Livre*, éd. R. Marichal, 1947. — **A consulter** : E. Gebhardt R., *Renaissance e tRéforme*, 1877; P. Stapfer, 1889; L. Thuasne, *Études sur R.*, 1904; J. Plattard, *Vie et Œuvre de*

l'auteur, a quarante ans ou environ : c'est un de ces tard-instruits dont nous avons parlé; et même il lui a fallu plus d'ardeur plus de volonté qu'à personne pour étudier, puisqu'une erreur du sort l'avait fait moine, et moine mendiant. Il dévore toutes sortes de livres, il apprend le grec, malgré les cordeliers. Le cloître gêne son corps non moins que son esprit : il se défroque

Mais plus tard, à Lyon, quand pour vivre il ajoute à ses travaux d'humaniste, à sa médecine, à ses almanachs une bouffonne imitation des vieux romans, il y tire sa principale inspiration de profondeurs de son expérience; le souvenir de ses plus essentiels instincts comprimés et menacés pendant tant d'années me dans l'œuvre comme deux points lumineux : la lettre de Gargantua à Pantagruel, et l'abbaye de Thélème. Immense aspiration vers la science universelle; libre épanouissement de tout l'être physique e moral : voilà tout ce premier *Pantagruel*; et *Gargantua* ne fait que développer les mêmes thèmes : car la discipline de Ponocrates, e l'activité de frère Jean, voilà l'âme du livre. La satire n'est que la contrepartie de ces deux conceptions maîtresses, qui entraînen en effet la dérision de la scolastique et la haine des moines : sur quoi Rabelais se retient d'autant moins qu'il écrit dans le temp de l'indécision du pouvoir royal. Ajoutons à cela la parodie de expéditions lointaines et des folies chevaleresques, à laquelle pour tant il ne faut se laisser prendre qu'à demi : il les conte pour s'en moquer, et il pense bien en les contant allécher les lecteurs. Mai il obéit en s'en moquant à un fonds d'humeur populaire qu'il tien de ses origines; il a une défiance ironique des grandes chevauchées; avec son sens prudent positif, il rit des fous qui risquent leu peau pour faire du bruit. Et puis la gloire des armes représent surtout à ce fils de vigneron tourangeau des champs ravagés, de paysans ruinés. De là son rêve de royauté pacifique et paternelle l'éternel rêve des ruraux.

En somme, les deux livres expriment l'idéal d'un homme né dan le peuple, échappé du cloître, enivré de liberté et de science. Ils son imprégnés à la fois d'antiquité et de christianisme : Rabelais feuil lette tour à tour les beaux livres de Platon et la Sainte Écriture il associe dans sa révérence les grands païens philosophes et le « prêcheurs évangéliques ». Ardent à discréditer l'éducation sco

R., 1939; G. Lote, *Vie et Œuvre de R.*, 1938; A. Lefranc, *Navigations de Pantagruel* 1905; *Introd.* de l'éd. complète 1912-31; *Grands Écrivains de la Renaissance*, 1914 P. Villey, *Marot et R.*, 1923; J. Boulenger, *R. à travers les âges*, 1925; L. Sainéan *Problèmes litt. du XVIe s.*, 1927, *Influence et Réputation de R.*, 1930; E. Gilson *Idées et Lettres*, 1932; R. de Carvalho, *R. et le Rire de la Renaissance*, 1933. L. Feb vre, *Problème de l'Incroyance au XVIe s.* : *Religion de R.*, 1942; P. Jourda, *Gargantua de R.*, 1948; E. Huguet, *Syntaxe de R.*, 1894; L. Sainéan, *Langue de R.* 1922-23. — Sur E. Dolet, cf. R. Copley-Christie, 1886; M. Chassaigne. 1930

lastique, la logique creuse, il ne dépasse guère Marot dans ses boutades contre les sorbonistes et les moines.

On ne saurait trop dire que les cinq livres de Rabelais forment non pas un, mais cinq ouvrages, qui s'échelonnent pendant trente ans à des moments très divers de notre Renaissance, et qu'à vouloir les juger tous en bloc comme formant une seule œuvre, on risquerait de n'en pas apprécier exactement la valeur, et de s'égarer sur le caractère de l'auteur.

Voilà donc le premier Rabelais [1], l'ami de Budé, le contemporain intellectuel de Marguerite et de Marot, et qui achève avec eux d'éclairer la première période du xvie siècle français.

L'année 1535 est une date décisive. Jetant François Ier, après la procession du 29 janvier, dans le catholicisme étroit et persécuteur, elle opère par contre-coup, pour la France, la première séparation des éléments jusque-là confus. Le protestantisme qu'on punit se précise et se détermine : l'année suivante va paraître l'*Institution chrétienne*. Désormais le temps des vagues tendances, des complexes poursuites est passé. Il faut être catholique avec le roi, ou protestant avec Calvin. Marot s'en va à Ferrare, dans une cour réformée ; Marguerite se rattache à la messe latine, à la confession, à la Vierge. Ceux qui ne veulent être rigoureusement ni protestants ni catholiques, les libres esprits qui repoussent tous les jougs et se sentent à la gêne dans toutes les Églises, les doux amis de la tolérance, qui mettent l'essence du christianisme dans la charité, les fougueux partisans de la bonne vie instinctive et naturelle, qui ne veulent point resserrer leurs désirs ni leurs jouissances, tous ceux-là désormais seront malheureux, s'ils ne sont bien habiles. Ils seront pris entre les deux dogmes.

Despériers [2] en fit l'épreuve. Il s'efface comme poète dans l'ombre

---

1. **Biographie** : François Rabelais, né à Chinon à la fin du **xv** siècle, des cordeliers de Fontenay-le-Comte passe aux bénédictins de Maillezais : il étudie la médecine à Montpellier, est attaché en 1532 à l'Hôtel-Dieu de Lyon, fait imprimer divers ouvrages d'érudition et de médecine, des almanachs, et enfin *Pantagruel* et *Gargantua*. Il fut comme médecin dans la maison du cardinal Jean du Bellay, qu'il suit au moins trois fois à Rome (1533, 1535, 1538). Il sut se faire de puissants protecteurs, Budé, Geoffroy d'Estissac, les Du Bellay, les Châtillon, Diane de Poitiers ; il obtint ainsi de François Ier et de Henri II des privilèges pour son 3e et son 4e livre. Cependant, en 1546-1547, il est à Metz où il s'est enfui : il y vit assez misérable. Il fut, grâce aux Du Bellay, chanoine de Saint-Maur des Fossés, curé de Saint-Martin de Meudon (1550) et de Saint-Christophe de Jambet. Il résigna en 1552 ces deux cures, dont il se borna sans doute à toucher les revenus. Il mourut vers 1553. Sa légende avec toutes les anecdotes qui la composent s'est formée d'après son livre ; elle tend à faire l'auteur à la ressemblance de son œuvre, ou plutôt de la forme extérieure de cette œuvre.

2. **Biographie** : Né vers 1498 (Chenevière dit 1510) à Arnay-le-Duc, B. Despériers, très savant en grec et en latin, collabore avec Olivetan pour la Bible française (1535), avec Dolet pour les *Commentaires de la langue latine* (1536). Il résida longtemps à Lyon. Valet de chambre de la reine de Navarre (1536), poète et conteur, il fut lié avec Marot

de Marot comme conteur dans l'ombre de la reine de Navarre.
Mais il fit cet étrange *Cymbalum mundi*, la première œuvre française qui manifeste, entre les deux théologies également into-
lérantes, l'existence d'un tiers parti de libres philosophes. Se détachant du même groupe d'érudits, collaborateurs tous les deux
d'Olivetan dans la traduction de la Bible, Calvin s'en alla écrire
le livre de la Réforme française, et Despériers quatre petits dialogues, obscurs et railleurs, où l'on entrevoyait ces choses graves :
que la foi consiste à affirmer ce qu'on ne sait pas, et que nul ne
sait ; que les théologiens ressemblent à des enfants « sinon quand
ils viennent à se battre » ; que Luther ni Bucer ne changeront le
train du monde, et qu'après comme avant eux, mêmes misères
seront, et mêmes abus ; que toute la puissance de Dieu est dans *le
livre*, entendez que le livre, c est-à-dire l'homme, a fait Dieu ; que
les petits oiseaux montrent aux nonnes les leçons de Nature ; que
toutes les Églises et tous les dogmes ne sont qu'imposture et
charlatanisme ; que les réformateurs sont en crédit par la nouveauté ; que leur œuvre, quoi qu'ils en aient, rendra chacun juge
de sa foi. Il y a tout cela dans le *Cymbalum*, et d'autres choses
encore, toute sorte de lueurs, de formes inachevées, dont le soudain éclair et les vagues contours inquiètent dans le jour brouillé
de cette impudente fantaisie.

Rabelais suivit la voie de Despériers : mais Berquin et Caturce
brûlés comme le *Cymbalum* lui servirent de leçons ; il savait la vigoureuse joie de son Pantagruel odieuse à Genève autant qu'en Sorbonne, et il était averti qu'il ne ferait pas bon pour lui d'aller
trouver Calvin. Il voulait rester en France, et y rester en sûreté,
en paix. Prudemment il se fit des patrons, cardinaux, princes,
rois même. Il réimprima ses deux premiers livres, expurgés de
mots malsonnants, tels que *sorbonistes, sorbonagres, sorbonicoles* :
il biffa même le reproche de « choppiner » volontiers, qu'il adressait en quelques lieux aux théologiens. Sa colère contre Dolet, qui
réédita les deux livres sans changement, prouve combien il tenait
à calmer les défiances de la Sorbonne.

Bien assuré par un privilège du roi, il se découvre dans son troisième livre, merveilleux de verve, mais dont l'ample satire évite
lestement les actualités dangereuses : c'est, sur le thème gaulois

---

et connut Rabelais. Il publia à Paris en 1538 son *Cymbalum mundi*, qui faillit faire
brûler l'imprimeur Morin ; il le réimprima audacieusement à Lyon à la fin de la
même année. Il mourut en 1544. H. Estienne dit qu'il se tua.

Éditions : *Œuvres françaises*, éd. L. Lacour, 1856; *Cymbalum Mundi*, éd.
P. Plan, 1914. — Les *Récréations et Joyeux Devis*, 1558, soulèvent une question
d'authenticité. Par ex., fin de la *Nouvelle V*, le livre III de Pantagruel est ci `.
Or ce livre III parut deux ans après la mort de Despériers. — **A consulte. :**
A. Chenevière, 1886 ; L. Febvre, *Origène et Des P., ou l'Énigme du Cymbalum*, 1942.

du mariage, une débauche érudite d'idées, un jaillissement étrange de vie dans ce défilé de personnages et ce cliquetis de dialogue; et parmi tout cela, la traditionnelle raillerie des moines, une attaque enveloppée contre le célibat monastique, une longue parodie des lenteurs de la justice. Rien qui touche à la Sorbonne : le théologien Hippothadée parle gravement, simplement, clairement, selon le texte sacré. Il y a bien la fameuse coquille : « son asne s'en va à trente mille panerées de diables » : audacieuse facétie, si elle est volontaire (ce qui n'est pas du tout prouvé), mais en tout cas aisée à démentir.

Enfin il lâche le Quart Livre ; là seulement on retrouve l'écho du *Cymbalum* : il y a là Quaresme prenant avec la transparente Antiphysie, les Papimanes avec les Uranopètes Décrétales et le bon Homenaz. On s'explique que la Sorbonne et le Parlement aient arrêté le livre. Mais l'issue de cette affaire fait précisément éclater la prudence de Rabelais : il a un privilège du roi; il a derrière lui Du Bellay, Châtillon, les Guise; il répudie le *démoniacle Calvin imposteur de Genève*, satisfaisant ensemble à sa prudence et à ses rancunes. Et enfin M. Brunetière a fait remarquer que le plus hardi chapitre, sur l'or de France subtilement tiré par Rome, correspond à un incident précis de la politique religieuse de Henri II. Comme toujours, Rabelais ne provoquait pas de colères qu'il ne se sentît de force à braver : il ne jouait la partie qu'à coup sûr.

Il y a quelque chose de lui sans doute dans le cinquième livre, qui parut seulement en 1562, à l'époque des polémiques sans mesure, quand déjà les passions s'armaient : mais dans l'ensemble, cette satire âpre, directe, lourde, si peu riante, est d'un autre homme et d'un autre temps. On ne retrouve pas dans ce pamphlet huguenot le trait caractéristique de la physionomie de Rabelais : celui qu'on a souvent dépeint comme un emporté railleur, fut un homme avisé, réfléchi, maître de lui. Jouant avec un merveilleux sang-froid son double personnage de sage et de fol, il dosa très modérément la satire sociale et irréligieuse, ne toucha jamais le dogme, et dissémina adroitement sous la satire morale et la bouffonne fantaisie une doctrine positive : dans le cinquième livre seul, les proportions sont décidément renversées, et ce n'est pas une des moindres marques de l'inauthenticité du cinquième livre, que la vie et la philosophie y cèdent presque toute la place à la polémique agressive.

2. LA DOCTRINE DE RABELAIS.

La doctrine de Rabelais avait de quoi le mener plus loin que Marot, aussi loin que Dolet ou Servet, *jusques au feu, inclusivement*, s'il eût fait la moindre étourderie; le temps et l'intolérance des

sectes la pouvaient rendre mortelle pour l'auteur. Mais, en elle-
même, elle n'a rien de violent. Rabelais est de ces génies puissants
qui dirigent leur puissance : ils construisent patiemment une
œuvre fougueuse, qui souvent retouchée, calculée en toutes ses
parties, garde un air d'intempérante spontanéité. Mais, s'il voulait tout ce qu'il faisait, il était singulièrement plus modéré en
philosophie qu'en art : son style excessif, emporté, enveloppait une
pensée sûrement pondérée.

Dégageons cette pensée; allons à l'essentiel : que trouve-t-on? Un
christianisme platonicien, qui semble retenir « le souverain plas-
mateur Dieu » comme efficace surtout pour liquider d'un coup
tout l'embarras métaphysique, et qui, pour une raison analogue,
éloigne toute précision de dogme : solution moyenne qui fait une
religion d'honnêtes gens, pressés d'aviser à la pratique, et qui a
bien l'air d'être le fond du spiritualisme français. Elle avait pour
Rabelais l'avantage de déblayer le terrain aux sciences positives.
Rabelais en effet n'est pas seulement un helléniste, un médecin,
un curieux investigateur de l'antiquité et de la nature : il sait
beaucoup, mais surtout il y a en lui une âme, un esprit de savant;
il a eu le culte et la notion de la science, et son programme d'éducation, chimérique même pour ses géants, est le programme du
travail de la raison moderne. Avec le Dieu créateur, une vie
future, qui soit la compensation de celle-ci, et satisfasse à notre
appétit de justice et d'égalité par le renversement de tous les rôles.

Le Dieu tout bon et tout-puissant s'exprime dans la nature,
toute bonne aussi et toute-puissante. Plus de repentir du Créateur
devant une création mauvaise; plus de péché originel et d'humanité déchue : le monde est bon, l'homme est bon, les fins du
monde et de l'homme sont bonnes; et le monde et l'homme vont
spontanément par une intime impulsion de leur nature vers ces
fins qui sont bonnes. Donc ce qui est, ce qui tend à être ont droit
d'être : le mal est hors nature et contre nature. A Physis, la bonne
mère, s'oppose Antiphysie, source de tout vice et de toute misère :
et toute règle qui comprime ou mutile la nature est une invention
d'Antiphysie. Toute la métaphysique et toute la morale religieuses
l'ascétisme catholique et le rigorisme huguenot, tout le christianisme enfin, dans son essence originale, est détruit par cette doc
trine : elle est donc hardie, mais historiquement plutôt que phi
losophiquement. Elle n'est qu'une révolte du sens commun contre
les hypothèses qui le dépassent.

Rabelais n'est pas profond, il faut oser le dire[1]. Sa pensée a gagné
à s'envelopper de voiles, elle a grandi en se dérobant. Sa philosophie a été celle déjà de Jean de Meung, sera celle de Molière e

---

1. Jo n'oserais plus le dire aujourd'hui. Je ne suis pas très persuadé aujourd'hui

de Voltaire : celle, remarquons-le, des plus purs représentants de la race, et en effet elle exprime une des plus permanentes dispositions de la race, l'inaptitude métaphysique : une autre encore, la confiance en la vie, la joie invincible de vivre. Au fond, en effet, Rabelais ne philosophe que pour légitimer la souveraine exigence de son tempérament : cet optimisme rationaliste, naturaliste, ou de quelque nom qu'on veuille appeler cette assez superficielle doctrine, lui sert surtout à fonder en raison son amour immense et irrésistible de la vie.

Car voilà le trait dominant et comme la source profonde de tout son génie : il a aimé la vie, plus largement, plus souverainement qu'aucun de ses ancêtres ou descendants intellectuels, comme on pouvait l'aimer seulement en ce siècle, et à cette époque du siècle, dans la première et magnifique expansion de l'humanité débridée, qui veut tout à la fois, et tout sans mesure, savoir, sentir, et agir. Rabelais aime la vie, non par système et abstraitement, mais d'instinct, par tous ses sens et toute son âme, non une idée de la vie, non certaines formes de la vie, mais la vie concrète et sensible, la vie des vivants, la vie de la chair et la vie de l'esprit, toutes les formes, belles ou laides, tous les actes, nobles ou vulgaires, où s'exprime la vie. De là toute son œuvre découle.

Et, d'abord, pour n'en plus parler, l'obscénité énorme de son livre. Toute l'animalité s'y peint, dans ses fonctions les plus grossières, comme on y trouve les plus pures opérations de la vie intellectuelle. Il y manque, pourrait-on dire, la vie sentimentale : c'est vrai. Et par là Rabelais est en plein dans la pure tradition du génie français, qui jusqu'au milieu du xviie siècle ne connaît guère la femme et cette vie tout affective dont elle nous semble être essentiellement source et sujet. Il n'y a vraiment pour lui que deux modes d'existence : par la chair, et par l'esprit : d'un côté, la nutrition, et les séries multiples de phénomènes antécédents ou consécutifs; de l'autre, la pensée, et la poursuite du vrai par la raison, du bien par la volonté. Des deux côtés, la nature conduit l'être par l'appétit, et des deux côtés l'appétit se satisfait avec plaisir. Toutes les fonctions naturelles participent de la perfection de l'être, et forment une part de son bonheur. Rien n'est donc à cacher par soi-même, parce qu'il est comme il est. On voit que l'ordure de Rabelais est tout juste l'opposé de la gravelure du

qu'il faille plus de profondeur d'esprit pour imaginer une métaphysique que pour accepter la vie et se faire une philosophie qui y corresponde. Le refus d'édifier une métaphysique ne dénote pas nécessairement une pensée superficielle. Ni l'idéal ni la raison n'ont besoin de cet intermédiaire. Enfin l'optimisme courageux, clair et pratique, qui n'insulte pas la vie et s'applique à l'améliorer, a bien autant de valeur que les croyances pessimistes ou les spéculations subtiles (11ᵉ éd.).

xviii° siècle, qui a sa raison au contraire dans la notion d'une indé-
,ence positive des choses désignées.

Aux mêmes idées se rattache la pédagogie de Rabelais : et par
là s'explique qu'il ait si vigoureusement exprimé dans ses programmes encyclopédiques les plus profonds désirs et les plus
effrénées espérances de son temps. Une sympathie trop vive l'attachait à tout ce qui est, pour qu'il ne favorisât pas tout ce qui
voulait être. On n'aime pas la vie, si l'on n'aime pas le vouloir vivre,
la puissance qui tend à l'àcte, l'aspiration de l'être à plus d'être
encore : aussi Rabelais n'a-t-il qu'un principe. L'homme a le
droit, le devoir d'être le plus homme possible. Voyez la joie dont
Gargantua salue l'imprimerie inventée, l'antiquité restaurée,
« toutes disciplines restituées », et cette « manne céleste de bonne
doctrine », par laquelle pourra Pantagruel largement *profiter*.
Voyez de quel enthousiaste appel le bonhomme lance son fils à la
recherche de la science universelle. Et lui-même, en sa jeunesse,
il a vaillamment, sous la saine direction de Ponocrates, tenté d'être
un homme complet : lettres, sciences, arts, armes, toutes les connaissances du savant, tous les exercices du gentilhomme, il n'a
rien négligé; il a mis en culture toutes les puissances de son
esprit et de son corps. Le grand crime, ou la suprême « besterie »,
c'est « d'abâtardir les bons et nobles esprits », par une éducation
qui comprime au lieu de développer : comme Gargantua d'abord,
aux mains de maître Jobelin Bridé, était devenu gauche et lourd
de son corps, et quoiqu'il étudiât très bien et y mit tout son
temps, « toutefois en rien ne profitait ». A grand peine, dans son
indignation, Rabelais s'empêche-t-il d' « occire » le « vieux tous-
seux » de précepteur.

Au fond, la pédagogie de Rabelais se ramène à respecter la libre
croissance de l'être humain, et à lui fournir copieusement toutes
les nourritures que réclament pour son développement total ses
appétits physiques et moraux. On passe de là facilement à sa
morale. Elle se résume tout entière dans le précepte de Thélème :
fais ce que voudras. Car la nature est bonne, et veut ce qu'il faut,
quand elle n'est ni déviée ni comprimée : « parce que gens libères,
bien nés, bien instruits, conversans en compagnies honnêtes, ont
par nature un instinct et aiguillon qui toujours les pousse à faits
vertueux, et retire de vice : lequel ils nommaient honneur ».
Théorie superficielle, scabreuse[1] et qui renferme bien plus d'obscu-

[1]. Moins superficielle et moins scabreuse que je ne l'ai cru autrefois. Cette théorie
tient compte de la civilisation et de la culture; elle suppose chez l'homme moderne
un instinct moral; que cet instinct soit primitif ou acquis, il n'importe, et la question
est superflue; il suffit qu'il existe; et s'il n'existe pas, il n'y a pas de métaphysique
ni de théologie qui puisse y suppléer. Cette théorie a tout juste la valeur de la morale
positive, sans fondement métaphysique ou révélé (*11° éd.*).

rité qu'on ne croirait d'abord, mais qui pour Rabelais n'est que l'expression d'une irrésistible et universelle sympathie. Il lui a fallu croire et professer la nature toute bonne, parce qu'il aimait toutes les manifestations de cette nature; et son jugement moral s'est refusé à supprimer, même en désir et en pensée, aucune des formes de la vie.

Il n'a vu le mal que dans la contrainte et la mutilation de la nature : le jeûne catholique, la chasteté monacale, tous les engagements et toutes les habitudes qui limitent la jouissance ou l'action, voilà les choses qui excitent le mépris ou l'indignation de Rabelais. Les moines, selon le vœu et l'esprit de leur ordre, chantent au chœur, au lieu de courir à l'ennemi : sottise. Panurge, dans la tempête, geint, crie, prie, et ne fait rien : c'est bien, car il agit par naturelle poltronnerie. Le vice naturel s'évanouit : Rabelais débride les instincts, enlève les péchés.

L'égoïsme qu'il lâche en liberté est à peu près inoffensif, parce qu'il s'offre dans sa simplicité primitive, tout proche de la naturelle volonté d'être, parce qu'en un mot il reste égoïsme, et ne devient pas ambition ni intérêt. De plus, comme il arrive souvent aux constructeurs des morales les moins morales, l'auteur répare par la rectitude de sa nature l'insuffisance de son système : comme il sent en lui la bonne volonté, la chaude sympathie des formes affectueuses d'égoïsme, il érige son instinct en loi générale de l'humanité, et il se fait d'optimistes illusions sur le penchant inné des hommes à « faire tous ce qu'à un seul voyaient plaire ». Éminemment raisonnable, il compte que l'homme naturellement se conduira selon la raison, que la raison lui apprendra à être bon, à préférer les plaisirs nobles aux basses jouissances, à faire servir la science à l'action, et l'action au bien général.

Il faut ajouter, pour être juste, que de ce même culte de la vie, de cette même joie d'être sortira une égalité sereine de l'âme. Les maux particuliers s'évanouiront dans la sensation fondamentale d'être et d'agir; et du respect des formes de la vie hors de soi comme en soi découlera la douceur à l'égard des hommes et des choses, indulgente sociabilité ou résignation stoïque Ainsi se fondera le pantagruélisme, « vivre en paix, joie, santé, faisant toujours **grand** chère » : disposition qui s'épure d'un livre à l'autre, et s'élève jusqu'à être « certaine gaieté confite en mépris des choses fortuites ».

Mais le pantagruélisme est aussi un appétit de savoir qui ne se contient dans aucune borne. Et c'est toujours le même principe qui donne sa forme originale à la curiosité rabelaisienne. Elle a pour caractère de ne point séparer la sensation concrète de la con-

naissance abstraite : ce n'est point une science de cabinet qui
substitue en quelque sorte à l'univers sensible un univers intelligible, aussi rigoureusement équivalent qu'infiniment dissemblable
En même temps que Rabelais veut tout connaître, et demande
aux sciences encore balbutiantes de son temps l'explication de
« tous les faits de nature », il retient soigneusement les formes de
toutes choses et tous les accidents joyeux de l'individualité. Il
ne jouit pleinement des types que dans les réalités qui les
altèrent. Il lui faut de la substance, de la matière, de la chair
parce que là seulement est la vie. Et voilà pourquoi, plutôt que
mathématicien, ou astronome, plutôt même que grammairien ou
antiquaire, Rabelais est médecin : médecin à la façon de son
temps, c'est-à-dire physiologiste, anatomiste, et naturaliste à la
fois, médecin de l'école de son ami Rondibilis, dont l'œuvre fut
une *Histoire des poissons*. Par ce côté, le savant et l'artiste s'accordent en Rabelais.

3. L'ART DE RABELAIS.

Rabelais est un grand artiste, et sans lui faire injure, on peut
dire que toute sa philosophie vaut au fond par son art. Et d'abord,
il a en matière d'invention la souveraine indifférence des maîtres
en tous les genres : il n'a pas souci de créer sa matière. Il prend
partout et de toutes mains. Les vieux Romans, Geoffroy Tory, le
Pogge, Cælius Calcagninus, Merlin Coccaie, le juriste Tiraqueau, le
sermonnaire Raulin [1], à qui ne doit-il pas? Il est aussi délibéré
« plagiaire » que Molière, avec une fortune pareille. Car il invente
en semblant prendre. C'est qu'il traite les livres comme la nature :
il met sa forme à tout ce qu'il en tire. Souvenirs ou expériences,
il fait tout servir à exprimer tous les aspects de la vie.

Jamais réalisme plus pur, plus puissant, plus triomphant ne
s'est vu. Non pas ce méticuleux réalisme, cette petite doctrine
d'art qui prend les mesures de toutes choses, et croirait tout perdu
si elle avait allongé ou raccourci d'une ligne les dimensions des
choses. Non pas ce naturalisme rogue qui se fait l'exécuteur d'une
métaphysique négative, et emprisonne l'art dans la conception et

---

1. G. Tory, *le Champ fleury* (1529) : source de l'écolier Limousin. Le Pogge, *Facéties* : l'anneau de Hans Carvel. Merlin Coccaie, *Macaronées* : Dindenaut et ses moutons. Cælius Calcagninus, *Gigantes* : Physis et Antiphysie. Tiraqueau, *De legibus con-
nubialibus*, Raulin, *de Viduitate* : Comment Panurge se conseille à Pantagruel.
Chroniques Gargantuines, *Galien restoré*, etc. On pourrait ajouter Budé, Erasme,
l'Arétin, B. Castiglione, Agrippa et nombre d'autres. Cf. *Ménagiana*, t. I, 82, et
les commentaires de Le Duchat et de Marty-Laveaux.

le vocabulaire matérialistes. Non, mais Rabelais a conscience de la force infinie de la nature : telle qu'il la saisit en lui, puissante, active, *voulante*, telle il la sent partout; à quoi bon chiffres et mesures? il suffit qu'il crée des formes d'intenses *volontés*, qu'on les sente se déployer selon leur loi intime : si elles n'existent pas, qui oserait dire qu'elles ne seront pas? Il n'importe que Panurge ou Frère Jean ne soient, ni n'aient été ni ne doivent être hors du livre qui leur donne vie, si ce qui les fait être est ce qui fait que je suis, et si je les sens aussi possibles, eux qui ne sont pas, que moi qui suis et me sens être. Et quel bonhomme de cinq pieds et demi, dans nos romans et nos drames, est plus réel que ces géants? quel paysan « vrai » est plus « comme dans la vie » que « le vieil bonhomme Grandgousier, qui après souper se chauffe à un beau clair et grand feu, et, attendant griller des châtaignes, écrit au foyer avec un bâton brûlé d'un bout, dont on écharbotte le feu, faisant à sa femme et famille des beaux contes du temps jadis »[1]?

Si attaché à reproduire le mouvement, l'effort de la vie dans l'infinie divergence de ses directions, Rabelais se moque bien de nos systèmes. Spiritualiste? matérialiste? que lui importe? Ame, corps, esprit, matière, il y a là des mots, qui sont des procédés de transcription. Quelle que soit la cause interne, la nature essentielle, tous ces mots expriment des faits, et le vulgaire les comprend : Rabelais donc en use sans crainte, largement, allant avec tous les moyens du langage à toutes les apparences de la vie.

Mais ici il faut bien s'entendre : il n'est encore ni panthéiste ni symboliste ni relativiste ni rien de tel. Il croit au réel, à la substance sous les formes, à la solidité de l'individu, à l'unité du moi. La nature n'est pas pour lui l'inaccessible unité qui se joue à l'exprimer dans l'écoulement éternel de la trompeuse multiplicité. Ses figures, nettement arrêtées en leurs contours, ont un vigoureux relief : il a une manière de peindre, grasse et comme substantielle; ce ne sont pas les touches d'un homme qui croirait peindre les fluides apparences de l'universelle illusion. Comme il croit au moi, il a foi à la vie : elle vaut par ce qu'elle est. Il n'a pas de doute sur son but non plus que sur son prix : le but, c'est l'exercice des fonctions, la satisfaction des besoins, partant l'action, et le bonheur par l'action. L'action est la mesure de la vie.

Donc, peignant la vie, il peindra l'action, et les objets l'intéresseront à proportion qu'il y trouvera plus d'effort, plus de « vouloir être », plus d'action. Pour toutes ces raisons, il ne sera pas descriptif, il ne cueillera point dans la nature des impressions, il

1. M. Lefranc a montré sur quel fonds solide de réalité (le pays de Chinon dans la guerre de Gargantua, les relations des navigateurs dans le IVe livre) se développait l'invention fantaisiste de Rabelais.

ne·se fera point avec les choses des états d'âme. Il n'aura point de
subjectivité sentimentale et mélancolique : il sera joyeusement
objectif, tout au bonheur de voir devant lui tant d'êtres qui ne
sont pas lui, ni en lui, ni pour lui, mais qui, comme lui, veulent
vivre, aspirent à compléter, élargir, épanouir leurs intimes puissances. Il les posera nettement, vigoureusement; il les suivra avec
amour, d'un rire éclatant et serein, dans le tumultueux jaillissement de leurs énergies naturelles.

Rabelais a son esthétique, plus voisine assurément de Rubens et
de Jordaens que de Léonard et de Raphaël. Il n'a pas le sens de
l'art, si l'on entend par là l'adoration des formes harmonieuses et
fines : la grâce souveraine de l'être équilibré dans sa perfection,
la calme aisance dont il se possède en jouissant de soi, ne semblent pas l'avoir touché. On a pu dire qu'ayant fait trois ou quatre
séjours en Italie, il n'en a pas rapporté le souvenir d'une statue
ni d'un tableau. Et je le croirais : il a regardé la vie en mouvement, en travail. Plutôt qu'à la beauté, il s'intéresse à l'énergie
et l'effort, la lutte ne sont pas à ses yeux imperfection et souffrance;
il n'y a de joie que là, parce que là seulement il y a vie. De là sa
gaieté copieuse, sa bouffonnerie indulgente à l'égard des actes
naturels, et de là le pittoresque dramatique de son œuvre. D'un
bout à l'autre de ses quatre livres, ce ne sont que vigoureux portraits ou rapides croquis. Ou plutôt écartons les mots qui immo-
bilisent l'être, fût-ce pour un moment : d'un bout à l'autre de ses
quatre livres, grouillent des formes vivantes, agissantes, gesticu-
lantes, parlantes, chacune selon l'impulsion de son appétit intérieur : les unes fugitives, à peine entrevues dans la cohue qui les
presse, d'autres dominantes et débordantes à qui ni la durée ni
l'espace ne sont mesurés : toutes aussi sérieusement, profondément
objectivement vivantes et individuelles et qui ne sauraient s'effacer
ni se confondre, Janotus de Bragmardo, Bridoye, Dindenaut, ou
bien Pantagruel, Frère Jean des Entommeures, Panurge. Leurs
noms suffisent à les caractériser.

Rabelais varie ses procédés d'art à l'infini : non pas seulement
selon le modèle que lui fournit la nature, mais selon son intention
d'artiste, et l'effet à obtenir. Car je veux bien qu'il n'ait pas de goût
(et il ne pouvait en avoir sans se démentir lui-même), du moins il
a conscience et réflexion, et son sujet ne l'entraîne pas : il le règle
comme il veut. Qu'on suive Pantagruel dans son tour de France,
on verra comment Rabelais fait ressortir les choses d'un trait bref,
avec quelle vigueur il enlève en trois mots une esquisse : au contraire, dans les amples scènes du roman, dans les discours étalés
et les larges dialogues, dans la harangue de Janotus, dans les
propos des buveurs, dans le marché de Panurge et Dindenaut,

dans la défense du clos de l'abbaye ou dans cette étourdissante
tempête, on sera confondu de la patience et de la verve tout à la
fois avec lesquelles Rabelais suit le dessin de la réalité dans ses plus
légers accidents et ses plus baroques caprices. Ici il élimine à peu
près tout de la nature, là il ne supprime rien de la vie : et partout il donne la sensation de toute la nature et de toute la vie.

On concevra facilement quel instrument il lui a fallu pour
écrire une pareille œuvre, et l'on se demandera comment la
langue de Marot a pu suffire à une si prodigieuse tâche. Mais
Rabelais n'a pas été plus exclusif en fait de langue que systématique en philosophie : placé au croisement du moyen âge et de
l'antiquité, il a usé des facilités de son temps : s'il se moquait
après Geoffroy Tory des écoliers limousins qui *déambulent les com-
pites de l'urbe que l'on vocite Lutèce*, il a usé copieusement, hardiment du latinisme dans les mots, dans la syntaxe, dans la
structure des phrases : il a été savoureusement archaïque, utilisant la saine et grasse langue de Villon et de Coquillart : il a été
enfin Tourangeau, Poitevin, Lyonnais au besoin et Picard, appelant
tous patois et tous dialectes à servir sa pensée. Ce n'était pas trop
pour rendre une telle abondance et diversité d'invention, et la
sagesse antique devait mêler son vocabulaire à celui de la jovialité gauloise, pour que toute la vie intellectuelle et toute la vie
animale pussent se refléter dans la même œuvre.

Il est aisé de voir maintenant l'importance de Rabelais dans
notre littérature. Comme penseur, il fonde ce qui avait déjà paru
avec Jean de Meung, et qui ne pouvait recevoir toute sa force et
tout son sens que de l'humanisme seul : il fonde le culte antichrétien
de la nature, de l'humanité raisonnable et non corrompue. Comme
artiste, il résume et dépasse de bien loin ces essais que j'ai déjà
signalés, ces timides esquisses de la vie morale, des formes et du
jeu des âmes. Avec une prodigieuse puissance, il nous donne les
âmes et les corps, les actes avec les puissances : et, mieux que la
farce, il prépare l'éclosion de la comédie de Molière. Enfin, par son
impartiale représentation de la vie, dont nulle étroitesse de doctrine, nul scrupule de goût, nul parti pris d'art ne l'empêche de
fixer tous les multiples et inégaux aspects, il est et demeure la
source de tout réalisme, plus large à lui seul que tous les courants
qui se séparèrent après lui.

CHAPITRE II

JEAN CALVIN

1. Caractère de l'homme. L'*Institution chrétienne* : rapport de la Réforme et de la Renaissance. Défense de la morale contre les catholiques et contre les libertins. Calvin psychologue et moraliste. — **2.** Importance littéraire de l'*Institution*. Style et éloquence de Calvin. La prédication protestante.

1. CALVIN ET L' « INSTITUTION CHRÉTIENNE ».

L'humanisme avec Rabelais se fait scientifique et positiviste, avec Calvin, moral et piétiste. En face du robuste Tourangeau, l'âpre Picard, disputeur et irritable : un esprit sec, fort, précis, raidement rectiligne, un tempérament froid, de ceux où bouillonnent en dedans les terribles colères. Quand vous avez regardé cette bonne et ouverte face d'honnête savant que porte Rabelais, passez à Calvin : ce profil fin et dur, ces lèvres minces, cette jolie main effilée et nerveuse, qui se lève impérieusement pour enfoncer un argument, vous donnent la sensation de l'homme. Calvin [1] doit sans doute à sa ville natale, à sa propre famille les

---

1. **Biographie.** Né à Noyon en 1509, Jean Cauvin, fils du procureur fiscal de l'évêque, fut pourvu d'abord de deux bénéfices. Il étudia la théologie, puis le droit à Orléans avec Pierre de l'Étoile, à Bourges avec Alciat, le grec à Bourges aussi avec Wolmar. Il débuta par un commentaire latin du *de Clementia* de Sénèque. Après le discours de Nicolas Cop, obligé de fuir de Paris, il se réfugia, dit-on, à Angoulême. En 1534, il fut quelques mois emprisonné à Noyon. En 1535, après les premières rigueurs, il va à Bâle, où il étudie l'hébreu avec W. Capito. Il fit la Préface de la *Bible* d'Olivetan. En mars 1536, on achève d'imprimer son *Institutio christianæ religionis*, précédée de la fameuse lettre *ad Franciscum regem*, qui est datée du 23 août 1535. En 1536, il va à Ferrare, près de la duchesse Renée de France, revient secrètement en France, puis passe par Genève, où Farel le retient. En 1538, chassé de Genève, il s'établit à Strasbourg, où il se marie. On le rappelle, et il ne quitte plus Genève dont il fait vraiment le centre religieux de la Réforme française. Il meurt en 1564.

premiers germes de son indépendance religieuse; il semble qu'Olivetan surtout l'ait détaché de cette Église catholique, qui lui portait dès la première jeunesse ses dignités et ses revenus. Mais jusqu'en 1533, l'humaniste domine en lui : élève d'Alciat et de Wolmar, juriste, latiniste, helléniste, commentateur de Sénèque, il ne révèle sa vocation que par l'hérétique discours qu'il fit pour Nicolas Cop, recteur de l'Université parisienne, et qui les mit tous les deux en péril. L'année 1533, ici encore, fut décisive. Elle jeta Calvin hors du royaume, où la reine de Navarre ne pouvait plus le protéger. Mais surtout elle l'obligea, une fois retiré à Bâle, à mettre par écrit la confession de sa nouvelle foi, arrêtée dans cet esprit avide de clarté : il rédigea en latin l'*Institution chrétienne*. Comme la royauté mettait sa justice au service du dogmatisme catholique, et par politique dénonçait les victimes comme des factieux à ses alliés protestants, Calvin se crut obligé de protester dans la fameuse lettre à François I⁰ʳ. En 1541, lettre et livre furent donnés en français par l'auteur, pour l'édification du simple populaire : cette traduction est un des chefs-d'œuvre du xvɪᵉ siècle. Elle y fait époque.

On voit aisément dans l'*Institution* [1] et dans toute la suite de

ce fut un homme de vie pure, de grand esprit, d'une sincérité absolue, qui, s'unissant à sa logique, le fit dur. Je ne crois pas qu'il y ait eu chez lui d'amour-propre, ni d'ambition, au delà de ce qu'en retiennent tous les actes humains, jusque dans le plus entier devouement à l'idée. Il fit mourir Servet, Gruet : il persécuta Castellion. Pour être juste, il faut se souvenir du temps où vivait Calvin. Si on lui dénie l'excuse qu'on accorde au zèle des catholiques, et qu'on estime la cruauté d'un Réformateur plus condamnable comme démentant ses principes, on devra considérer que Calvin n'est pas venu apporter la liberté, mais la vérité. Il haïssait la tolérance comme les catholiques. Dans tous les partis, quelques âmes excellentes furent seules assez larges pour unir la foi avec la tolérance : Marguerite de Navarre chez les catholiques, chez les protestants Castellion à qui cette idée a inspiré quelques élans de charité éloquente (cf. F. Buisson, *Sébastien Castellion*, Hachette, 1892).

Éditions : *Christianae Religionis Institutio*, Bâle, 1535, [Strasbourg, 1539, Genève, 1559]; *Institution de la Religion chrétienne*, Strasbourg, 1541, [Genève, 1560]; *Opera omnia*, Amsterdam, 1667, éd. du *Corpus Reformatorum*, 59 vol., 1860-1900; *Œuvres* (choisies), éd. A.-M. Schmidt, 1935-36; *Inst. de la Rel. chrét.*, éd. A. Lefranc, 1911, J. Pannier, 1935-38; *Lettres fr.*, éd. J. Bonnet, 1854. — **A consulter :** Bayle, art. *Calvin*; F. Bungener, *Calvin, sa vie, son œuvre et ses écrits*, 1863; Baumgartner, *Calvin hébraïsant et interprète de l'Ancien Testament*, 1889; A. Lefranc, *Jeunesse de C.*, 1888, *C. et l'Éloquence fr.*, 1931, *Études sur C.*, 1935; E. Doumergue, *C. et son Temps*, 1899-1926; J. Pannier, *C. écrivain et Formation intellectuelle de C.*, 1930; P. Imbart de la Tour, *l'Instit. chrét. de C.*, 1935; A. M. Schmidt, *C. homme d'Église*, 1936; L. Wencelius, *Esthétique de C.*, 1937; E. de Moreau, P. Jourda et P. Janelle, *Crise religieuse du XVIᵉ s.*, 1951; Albert Autin, *l'Institution chrétienne de Calvin*, 1929; Jean Mours et Paul Louvet, *Calvin*, 1931; Imbart de la Tour, *les origines de la Réforme*, 1935.

1. Tout ce que je dis de l'*Institution* française se rapporte à la version de 1541 donnée par fragments au t. III des *Œuvres de Calvin*, dans le *Corpus Ref.*, non à celle de 1560, reproduite seule par les éditions de Paris et de Genève. Calvin est bien

l'œuvre de Calvin, comment cette réforme française qui semble
s'opposer à la Renaissance, qui du moins la contient, en sort
cependant, et en est le produit. Le livre latin est admirable de
correction classique et d'énergie personnelle : c'est le chef-d'œuvre
d'un grand humaniste, et l'on sait que Calvin n'était pas même
dénué d'érudition hébraïque. Mais surtout la méthode de l'*Institution* est l'expression même de l'esprit de la Renaissance, en tant
qu'il se caractérise par *la découverte de l'homme* et par le *culte de
l'antiquité*.

La théologie de Calvin repoussant le lourd appareil de la scolastique prend, pour la première fois [1], une base d'argumentation
dans la nature, dans les faits, dans l'expérience enfin : elle étudie
l'homme, elle lui applique le dogme, elle tire de son état, de
ses besoins la démonstration de la religion, qui rend compte de
cet état, et répond à ces besoins. Ici Calvin n'a personne devant
lui; il a ouvert la voie le premier, et ce qu'il y a de solide et
pénétrante psychologie dans la théologie de Pascal et de Bossuet
c'est lui qui le premier a enseigné à l'y mettre.

En second lieu, à cette recherche de la nature humaine, il unit
l'étude de l'Écriture : elle est le texte qu'il lit, explique, commente
rejetant toutes les *sommes* et toutes les *gloses* dont on l'a obscurci
surchargé, étouffé. Il fait reparaître Moïse et saint Paul, comme
d'autres au même temps ressaisissent Homère ou Tite-Live par
delà les abrégés et les romans. Il traite son texte en philologue ou
en historien. Il ne doute pas de la réalité des faits portés dans
l'Écriture, non plus qu'avant le xviiie siècle on ne doutera de la
réalité des faits racontés par Tite-Live : l'exégèse de Calvin représente exactement la même époque de la critique que les raisonnements de Machiavel, de Bossuet, et même de Montesquieu sur
Tite-Live. On va au pur texte antique, comme au roc solide, inébranlable sur lequel on peut fonder. Par cette méthode, Calvin
inaugure la controverse et l'apologétique modernes : et ainsi il y
a quelque chose de lui dans les *Pensées* et dans le *Discours sur*

l'auteur de la version de 1560 ; mais vingt ans de prédication improvisée ont donné
son style une fluidité molle et prolixe qui est bien inférieure à la rudesse de la traduction de 1541. C'est la traduction de 1541 qui fait époque, et non celle qui est donné
après les traductions d'Amyot, après tant d'écrits de Calvin lui-même, de Viret, d'Henri
Estienne et d'autres réformateurs. Sur cette question, cf. G. Lanson, *Revue Hist.*
janv.-févr. 1894.

1. Il y a avant Calvin, en latin, les *Loci theologici* de Mélanchthon, encore abstraits et
scolastiques, le *Commentarius de vera et falsa religione* de Zwingle, la *Sommaire
briefve declaration d'aucuns lieux fort nécessaires à un chrétien* de Farel : ces trois
ouvrages laissent entière l'originalité de Calvin qui garde le mérite d'avoir employé
une méthode rationnelle et morale. De même les traductions des divers écrits de Luther
faites depuis 1525 ne sauraient diminuer l'originalité ni l'importance de la traduction
de l'*Institution*.

l'Histoire Universelle et dans la *Politique tirée de l'Écriture sainte*.

Mais si l'*Institution* sort de l'humanisme, elle opère définitivement la séparation des deux courants qui jusque-là s'étaient confondus, et se confondaient encore dans les deux premiers livres de Rabelais. Elle oppose fortement la Réforme aux *libertins*. Le point de contact entre eux n'est pas difficile à voir : c'est la commune protestation, au nom de Dieu et de la raison qui le connaît, contre l'ascétisme catholique. « ...Celui grand bon piteux Dieu, écrivait Rabelais, lequel ne créa onques le Caresme : oui bien les salades, harengs, merlans, carpes, brochets, dars, umbrines, ablettes, rippes, etc. *Item* les bons vins. » Et Calvin aussi ne veut pas des jeûnes, célibat monacal, et autres contraintes de la règle catholique : pour lui, comme pour Rabelais, tout cela, c'est Antiphysie. Dieu a créé les instincts et les fonctions pour l'usage : c'est égal abus de faire ce qu'il défend, et de défendre ce qu'il permet, de pervertir et d'abolir ses dons. Mais Calvin se différencie aussitôt. Et il se différencie par le sens moral. Rabelais absout la nature par la vie. Calvin la condamme par le mal. Pessimiste, parce que ce qu'il veut ne se retrouve guère dans ce qu'il voit, la foi lui rend compte de la corruption humaine et du remède : elle est lumière et règle.

En même temps, Calvin prend position contre le catholicisme : il en dissèque le dogme, il en ruine les pratiques et la discipline, il en combat surtout la doctrine de la pénitence. Il établit la justification par la foi seule, avec le serf-arbitre et la prédestination.

Contre les libertins et contre les catholiques, c'est la même cause que Calvin défend : celle de la morale. Et par là sa réforme est bien française : le principe et la fin en sont la pratique, l'ordonnance de la vie, et non la spéculation, la poursuite de je ne sais quels résultats métaphysiques. Ce qu'il veut, c'est la bonne vie. Aux libertins il dit : l'homme est mauvais; il faut réprimer la nature, et non s'y abandonner. Aux catholiques : ne comptez pas sur les indulgences, ne comptez pas sur les pratiques et les œuvres, ne comptez pas sur votre volonté : humiliez-vous, tremblez, croyez. Il peut sembler qu'il y ait contradiction entre sa théologie et sa morale : n'est-ce pas la liberté qui fonde la bonne vie et rend la vertu possible? Ceux qui liront Calvin verront qu'il a opéré heureusement le passage de son dogme à sa morale. Au reste c'est l'éternelle antinomie : l'exercice de la vertu suppose l'homme libre, et les doctrines qui marquent le plus haut degré de l'effort moral dans la vie de l'humanité, stoïcisme, calvinisme, jansénisme sont celles qui théoriquement suppriment la liberté. C'est qu'en somme elles détachent et humilient l'homme : or supprimer la concupiscence, tuer l'amour-propre, toute la vertu est là. Le calvi-

nisme, bien pris, doit être une doctrine d'humilité : il met toute
l'espérance du chrétien anéanti dans la sincérité de sa foi qui, l'attachant à Dieu, l'oblige à vouloir toutes les volontés de Dieu, à
aimer le joug douloureux de son Évangile.

Pour régler la vie, comme pour saisir les rapports de l'homme
à Dieu, de la nature à la religion, il a fallu que Calvin se fît psychologue et moraliste. Il l'a été en effet avec puissance et avec
finesse. Depuis Cicéron et Sénèque, depuis Épictète et Sénèque on
n'avait jamais écrit sur l'homme avec autant d'ampleur et de précision : ce que l'esprit français enrichi par l'éducation classique
fera excellemment, la description des traits généraux de l'homme
moral, je le trouve dans Calvin, qui se place ainsi aux sources
mêmes du génie classique. La théologie mise à part, ce n'est plus
seulement avant Pascal, avant Bossuet **qu'on** le rencontre : mais
avant Montaigne, avant les *Morales* d'Amyot. Ici encore il ouvre la
voie, et non plus à la philosophie religieuse, à toute large et
humaine philosophie. Qui voudra s'en convaincre n'aura qu'à lire
les chapitres 15 et 17 du premier livre, et ces admirables chapitres 6 à 10 du livre III, sur la vie de l'homme chrétien [1]. J'y retrouve,
sous l'éminente autorité de l'Écriture, sans cesse alléguée et impérieusement dressée, j'y retrouve une pensée nourrie et comme
engraissée du meilleur de la sagesse antique, et un sens du réel,
une riche expérience qui donnent à tout ce savoir une efficacité
pénétrante.

2. LE STYLE ET L'ÉLOQUENCE DE CALVIN.

Je ne me serais pas arrêté si longtemps sur Calvin, si l'*Institution*
française n'était un chef-d'œuvre, le premier chef-d'œuvre de pure
philosophie religieuse et morale à quoi notre langue vulgaire ait
suffi. C'est une traduction : mais plus pourtant qu'une traduction,
puisque l'auteur se traduisait lui-même. Aussi a-t-elle la valeur
d'une œuvre moderne et originale. Personne, ni même Calvin,
n'aurait pu en 1540 écrire de ce style en français, sans s'assurer le
secours du latin. Dans cette langue dont il était plus maître que
de son parler natal, Calvin donna à sa pensée toute son ampleur
et toute sa force, et quand ensuite il la voulut forcer à revêtir la
forme de notre pauvre et sec idiome, elle y porta une partie des
qualités artistiques de la belle langue romaine. L'*Institution* fran-

---

1. Lire aussi l. I, ch. i-v : je cite les divisions du texte de 1560, seul praticable en
l'absence d'une édition du texte authentique de 1541. — Cf. aussi le curieux passage
(l, 11, 12) qui donne les principes d'un art protestant, réaliste et moral.

çaise est vraiment une forte et grande chose : il y a une gravité
soutenue de ton, un enchaînement sévère de raisonnements, une
véhémence de logique, une phrase déjà ample, des expressions
concises, vigoureuses et, si j'ose dire, entrantes, qui en plus d'un
endroit font penser à Bossuet : à Bossuet logicien, je le veux. et non
pas à Bossuet poète, mais enfin à Bossuet. Et quiconque est familier avec ces deux écrivains ne me démentira pas.

C'est pourtant Bossuet qui a dit : « Calvin a le style triste ». Et
littérairement Calvin est toujours sous le coup de cette condamnation. Je ne serai pas suspect si j'adoucis l'arrêt. Calvin n'est pas
poète : et l'on conçoit que le Bourguignon d'imagination chaude,
de sensibilité vibrante, n'aime guère ce Picard au parler froid et
précis, en qui la passion a plus de rigueur que de flamme. Mais
Calvin est moins « triste » que Bourdaloue. Son raisonnement
marche d'une allure plus aisée. Et surtout il a l'inestimable don du
xvi⁰ siècle, la jeunesse : cela étonne; j'entends par là la fraîcheur
d'une pensée toute proche encore de la vie et chargée de réalité.

La chose se voit moins dans l'*Institution*, où le style a retenu de
la hauteur et de la noblesse de la phrase latine. Les autres œuvres
françaises, d'un tour moins oratoire, représentent plus au naturel
peut-être le vrai génie de Calvin. Qu'on lise ses *Commentaires des
Épîtres de saint Paul*, on sera surpris, à travers tant de gravité
dogmatique, de rencontrer un parler si familier, tant de rappels
à la réalité commune, métaphores, comparaisons, apologues.
Nulle éloquence, nulle poésie dans tout cela, mais à chaque instant
apparaissent des signes du voisinage de la vie, et cela suffit à
dissiper la tristesse des déductions les plus tendues.

Dans l'histoire de l'éloquence de la chaire, Calvin [1] et ses premiers
collaborateurs, Viret, Bèze, ont un grand rôle. Outre que l'activité
de la prédication protestante (on possède plus de 2000 sermons de
Calvin pour une période de onze ans) a contribué sans nul doute
à assouplir la langue, cette prédication est un des anneaux qui
relient François de Sales et l'éloquence du xvii⁰ siècle aux sermon-
naires du xv⁰ siècle. Ces prédicateurs protestants, et non seulement Viret, mais Calvin même qu'on croit si austère, sont tout
près de Menot et de Raulin, ils y touchent non par le temps seulement, mais par le goût.

Calvin n'emploie-t-il pas quelque part 8 ou 9 pages [2] à comparer

---

1. Calvin improvise : la plupart de ses sermons ont été recueillis par des auditeurs. Un petit nombre ont été écrits et publiés par lui. Les explications dogmatiques et interprétations de l'Écriture tiennent une grande place chez lui, ainsi que
la controverse : mais la morale est toujours le but et la conséquence.
2. Dans ses *Commentaires sur l'Épître de saint Paul aux Éphésiens*. On peut
rendre aussi, parmi les sermons recueillis, au tome XLVI, les 65 sermons sur l'*Har-*

l'Église des fidèles au corps humain, à y chercher ce qui est
veines, nez, chair, mouvement, chaleur, main, pied, coude? Ne
conte-t-il pas la fable des Membres et de l'Estomac? Mais voici
où il se différencie : il reste grave, décent, il ne rit pas, et il reste
aussi raisonneur, savant, instructif. Il introduit le triple principe
par où la rénovation de l'éloquence sacrée se fera : le sérieux profond de la foi, la solide connaissance des Écritures, l'exacte connaissance de l'homme. Il parle en pasteur qui songe aux fruits
lointains et durables de sa parole. Et n'est-ce pas lui enfin qui,
avant Bossuet, prêchait le dogme plutôt que la morale, et faisait
sa principale affaire de l'enseignement de la religion, persuadé que
la bonne vie procéderait de la forte foi?

monie évangélique, et les 9 sermons sur la Passion, si on veut se faire une idée de la
manière de Calvin.

CHAPITRE III

LES TRADUCTEURS

. Travaux sur la langue et traductions. La Boétie. — 2. Amyot. Valeur de son *Plutarque* : enrichissement de l'esprit français, élargissement de la langue.

1. LES TRADUCTEURS. LA BOÉTIE.

Pendant que dans les régions supérieures de la pensée et de la foi se séparent les courants de la philosophie et de la réforme, une foule de provinces et de ressorts spéciaux se constituent dans le domaine d'abord indivis de la Renaissance. La multiplicité des connaissances acquises, des enquêtes à conduire rend les hommes universels de plus en plus rares. La violence des polémiques et les persécutions aide les esprits des savants à s'enclore dans leurs études innocentes : ils se détournent des questions brûlantes et actuelles, et achètent à ce prix la liberté de leurs recherches scientifiques, même la protection déclarée des grands.

Le type de l'homme de cabinet, savant ou lettré, à qui il est indifférent que l'Europe soit en feu, pourvu qu'il ait trois mille verbes bien conjugués dans ses tiroirs, tend à se constituer. L'un des maîtres de l'humanisme français, Budé, enfermé dans son grec et sa philologie, donne déjà des exemples de prudence et d'abstention, que tous ses successeurs ne suivront pas : pendant tout le siècle on rencontrera des natures réfractaires à la spécialisation, ou qui mêleront toutes les passions du temps dans leur activité scientifique; mais le mouvement se fait en sens contraire.

Dans cette division du travail à laquelle nous assistons, il faut faire une place à part à deux ordres de travaux érudits qui intéressent particulièrement la langue et la littérature. D'abord on commence à s'occuper de la langue elle-même, à la prendre comme objet de science, pour en découvrir les lois, ou lui en imposer. Chaque grammairien[1], Dubois, Meigret, Pelletier, Ramus, apporte sa théorie, plus ou moins influencée par l'image toujours présente du grec et du latin : surtout en matière d'orthographe, ils se livrent à leur fantaisie, selon que prédomine en eux le souci d'y exprimer l'étymologie ou la prononciation. Au milieu de toutes ces témérités, Robert Estienne, suivi plus tard par son fils Henri, énonce le principe à qui l'avenir appartient : la souveraineté de l'usage.

Plus utiles ouvriers de la langue sont les traducteurs, en même temps que par leur activité nos Français s'incorporent toute la meilleure substance des anciens. Leur effort surtout est fécond pour les auteurs grecs, dont la langue reste même alors accessible à peu de personnes : c'est par eux que Thucydide[2], Hérodote, Platon, Xénophon viennent élargir les idées, Homère, Sophocle renouveler le goût poétique du public qui lit. François Ier, comme s'il l'eût compris, encourage fort les traducteurs. Et de fait, les traductions de Salel et de Lazare de Baïf préparent les lecteurs de Ronsard et les auditeurs de Jodelle. Cependant une grande œuvre seule doit nous arrêter, hors de toute proportion avec les autres et par son mérite et par son influence : c'est le *Plutarque* d'Amyot.

Mais il faut auparavant donner un souvenir à un petit écrit qui n'est pas une traduction, et toutefois ne saurait être classé ailleurs que parmi les traductions : c'est le *Contr'un* de La Boétie l'ami de Montaigne, le bon et par endroits délicieux traducteur des *Économiques* de Xénophon[3].

---

1. **A consulter :** Thurot, *Hist. de la Prononciation*, 2 vol., 1881-1884; Darmesteter et Hatzfeld, *XVIe s en Fr.*, 1897; F. Brunot, *Hist. de la Langue fr.*, II, 1906 Ch. Beaulieux, *Hist. de l'orthogr. fr.*, 1927.

2. *Thucydide*, par Seyssel; *Hérodote*, par Saliat; *Platon*, par Despériers et par Le Roy; *Xénophon*, par Seyssel et par La Boétie, etc.; *Homère*, par Jehan Samson et par Salel; l'*Électre* de Sophocle et l'*Hécube* d'Euripide, par Lazare de Baïf, etc. Cf. J. Bellanger, *Hist. de la Traduction en Fr.*, 1903; P. Villey, *Sources d'Idée au XVIe s.*, 1912.

3. **Biographie :** Étienne de la Boétie, né en 1530 à Sarlat, mort en 1563, fut conseiller au parlement de Bordeaux. Il écrivit à 16 ou 18 ans, peut-être à 20 ou plus le *Contr'un*, dont Montaigne, son grand ami, a essayé d'atténuer le caractère. Cf *Essais*, l. I, chap. XXVII et XXVIII.

Éditions : Le *Contr'un* fut imprimé pour la première fois en 1576, dans les *Mémoires de l'État de la France* (t. III) de S. Goulard, recueil de pamphlets calvinistes *Œuvres complètes*, p. p. L. Feugère, in-16, Paris, 1846; par P. Bonnefon, Paris, 1892

A consulter : Dr Armaingaud. *Montaigne et la Boétie*, Revue Politique et Parlementaire, 1906 (Cf. Revue d'Histoire littéraire, 1906); H. Day, *La Boétie*, 1939 — On a beaucoup disputé en ces derniers temps sur le *Contr'un*. Je ne puis adhérer à la thèse du Dr Armaingaud qui veut faire de cet écrit un pamphlet dirigé contre Henri III et en attribue, sinon la rédaction intégrale, du moins la publication avec des modifications et des additions virulentes, à Montaigne, dont cette hypothèse

Le *Contr'un*, s'il n'est pas une traduction, est un écho : on y voit la passion antique de la liberté, l'esprit des démocraties grecques et de la république romaine, des tyrannicides et des rhéteurs, se mêler confusément dans une âme de jeune humaniste, la gonfler, et déborder en une âpre déclamation. Rien de plus innocent que ce pastiche, ou toutes les lectures d'un écolier enthousiaste se reflètent : mais rien de plus grave en un sens. Calvin, pour détourner de son Église les rigueurs du pouvoir temporel, se fait conservateur en politique, prêche aux fidèles la soumission et la fidélité, même envers le roi qui les persécute : c'est de l'humanisme, des écoles, des âmes imprégnées de sentiments antiques, que part le premier cri républicain, la première déclaration de haine aux tyrans. On mesure dans cette déclamation la valeur des idées que lentement, sourdement, **sous** le regard indulgent des puissances séculière et religieuse, par les soins des plus inoffensifs régents, la culture classique fera couler pendant deux siècles au fond des âmes, y préparant la forme que les circonstances historiques appelleront au jour. La force de ce naïf *Contr'un* se révéla quand les protestants se soulevèrent contre la royauté qui opprimait leur foi : ils le recueillirent, et s'en firent une arme, comme d'un manifeste de révolte et de sédition.

2. AMYOT

Amyot [1], catholique sans fougue, helléniste délicat, qui vécut

fait un prêcheur d'assassinat et un révolutionnaire enflammé en faveur des huguenots. Il est possible que le *Contr'un* soit une manière de réplique au *Prince*, comme le suppose M. Barrère (*Estienne de la Boétie contre N. Machiavel*, 1908). En tout cas, l'objet de La Boétie est bien de montrer la limite que la nature assigne à la tyrannie : cette limite est celle de la patience des peuples. Il ne songe pas encore à chercher des garanties constitutionnelles, mais il voit bien qu'il n'y a pas de pouvoir qui n'ait en fait besoin du consentement des sujets (11e *éd.*).

1 **Biographie :** Amyot, né à Melun en 1513, fils d'un boucher ou d'un mercier, étudia au collège du cardinal Lemoine, puis sous les *lecteurs royaux* Toussain et Danès. La reine de Navarre lui fit donner une chaire de latin et de grec à l'université de Bourges ; il l'occupa douze années. François Ier, qui le fit en 1546 abbé de Bellozane, lui commanda sa traduction de Plutarque. Il visite l'Italie, et s'arrête longtemps à Rome et à Venise, recherchant les manuscrits des auteurs grecs, et surtout de Plutarque. Après avoir rempli une courte mission au concile de Trente, il rentre en France. Il est nommé précepteur des fils de Henri II, grand aumônier à l'avènement de son élève Charles IX, évêque d'Auxerre en 1570. Après l'assassinat de Henri III, son diocèse fut fort troublé par les passions religieuses, et son clergé même se révolta contre lui : on l'accusait de trop de fidélité au roi. Il mourut en 1593.

Éditions : *Théagène et Chariclée* d'Héliodore, 1547 ; *Histoires* de Diodore de Sicile, 1554 ; *Daphnis et Chloé* de Longus, 1559 ; *Vies des Hommes illustres*, 1559 et *Œuvres morales*, 1572 de Plutarque. Réimpression (complète) : Didot, 1818-

pour les lettres, fît une des grandes œuvres du siècle en traduisant
Plutarque, les *Vies* et les *Œuvres morales*. La popularité de *son*
Plutarque ne prouve pas seulement son talent, mais révèle aussi
qu'il avait choisi un des auteurs les mieux adaptés au besoin de
ses lecteurs. Ce fut un de ces livres où une société prend conscience d'elle-même, qui l'aident à dégager son goût, à connaître et
satisfaire son besoin. L'éclosion, l'organisation de la littérature classique se firent sous son action prolongée à travers le
siècle.

Amyot avait bien rencontré en s'arrêtant à Plutarque : un bon
esprit plutôt qu'un grand esprit, un auteur qui laisse les questions
ardues ou dangereuses, ou du moins qui ne parle ni politique ni
religion ni métaphysique d'une façon offensive, un causeur en philosophie plutôt qu'un philosophe, moins attaché à bâtir un système d'une belle ordonnance, qu'à regarder l'homme, à chercher
les règles, les formes, les modes de son activité : en un mot, un
moraliste. Mais il ne présente point la morale *in abstracto* : il la
saisit dans la réalité qui la manifeste ou la contredit. Il ne l'explique point dogmatiquement : même dans ses dissertations, à
plus forte raison dans ses *Biographies*, il peint ; il montre les individus, les actes, les petits faits qui sont la vie, les traits singuliers qui font les caractères. En même temps que les *Vies* de
Plutarque enivrent les âmes imprégnées de l'amour de la gloire,
et à qui ces éloges des plus hautes manifestations de l'énergie
personnelle qui se soient produites dans la vie de l'humanité
montrent la voie où elles voudraient marcher, toute l'œuvre de
Plutarque séduit comme déterminant assez exactement le domaine
de ce que devra être la littérature : morale et dramatique.

Avec Plutarque, la vue de l'homme se rabat sur ce qui doit
l'intéresser le plus, sur l'homme : son œuvre aimable et diffuse
est au niveau des moyens esprits, et y jette une masse de notions
et d'observations ; c'est un magasin où l'on trouve tout ce que les
siècles de la grande antiquité ont produit de meilleur, de plus
substantiel, nettoyé, taillé, disposé pour la commodité de l'usage.
En acquérant Plutarque, notre public acquiert d'un coup un riche
fonds de philosophie pratique. Croyons-en la gratitude de Montaigne : « Surtout je lui sais bon gré, dit-il d'Amyot, d'avoir su
trier et choisir un livre si digne et si à propos, pour en faire
présent à son pays. Nous autres ignorants, étions perdus, si ce
livre ne nous eût relevés du bourbier : sa merci, nous osons à cette

1821, 25 vol.; *Vies de Démosthène et de Cicéron*, éd. J. Normand, 1929; *Vies de
Périclès et de Fabius Maximus*, éd. L. Clément, 1934. — **A consulter :** R. Sturel,
Amyot traducteur des Vies parallèles de Plutarque, 1909; Cioranescu, *Vie d'Amyot*,
1941

heure et parler et écrire; les dames en régentent les maîtres d'école; c'est notre bréviaire. » Ne s'y reliât-il que par Montaigne, Amyot serait encore un des facteurs essentiels du XVII° siècle classique : en lui se résume l'apport de l'humanisme dans la constitution de l' « honnête homme » et de la littérature morale

Mais de plus, avant le roman contemporain, avant le théâtre du XVII° siècle et les *Caractères* de La Bruyère, le Plutarque français fut le recueil des gestes, attitudes, et physionomies d'individus en qu l'humanité réalise la diversité de ses types : ainsi fut-il un répertoire de sujets dramatiques. On sait ce que lui doivent Shakespeare et Racine [1].

A un autre point de vue, Amyot, qui représente et résume l'effort de tous les traducteurs de son siècle, nous fait apercevoir comment se fondirent par une pénétration réciproque l'antiquité et l'esprit français. Homme d'une époque tardive et raffinée où s'amalgamaient en une civilisation hybride et Rome et la Grèce et l'Orient, moraliste plus attentif au fonds humain qu'à la particularité historique, et, quand il cherche la variation et la singularité, plus curieux de l'individu que des sociétés, Plutarque offrait déjà les temps anciens dans l'image la plus capable de ressembler aux temps modernes. Amyot, par sa traduction, achève de transformer la ressemblance en identité. Tant par le détail que par la couleur générale de sa traduction, il modernise le monde gréco-romain, et par ce travestissement involontaire il tend à prévenir l'éveil du sens des différences, c'est-à-dire du sens historique. Comme il invite Shakespeare à reconnaître le *mob* anglais dans la *plebs romana*, il autorise et Corneille et Racine et même Mlle de Scudéry à peindre sous des noms anciens ce qu'ils voient de l'homme en France.

Enfin, le service qu'Amyot a rendu à la langue est inestimable. Montaigne loue en lui « la naïveté et pureté du langage, en quoi il surpasse tous autres ». Il est vrai que le style d'Amyot est un des plus charmants styles du XVI° siècle, dans sa grâce un peu surabondante et son naturel aisé. Mais il suffit de songer que l'œuvre de Plutarque est une véritable encyclopédie, et l'on comprendra quel exercice cette traduction a été pour la langue, combien elle s'en est trouvée assouplie et enrichie. Il a fallu, pour exprimer une telle diversité de choses, faire appel à toutes les ressources du français : il a fallu en élargir les moules et les formes par toute sorte d'analogies et d'emprunts, italianismes, hellénismes, latinismes. Nombre d'idées et d'objets étaient pour

1. *Coriolan* ; *Jules César* ; *Antoine et Cléopâtre*. — *Mithridate*.

la première fois désignés ou définis en français : il a fallu trouver
et créer des mots. Par le Plutarque d'Amyot, des termes de politique, d'institutions, de philosophie, de sciences, de musique,
ou sont entrés ou bien ont été définitivement implantés dans la
langue française [1]. En somme, venant après le *Pantagruel* de Rabelais, après l'*Institution* de Calvin, le Plutarque d'Amyot est le plus
considérable effort fourni par la langue française dans sa tentative
d'égaler les langues anciennes : il rend Montaigne possible.
Mieux même encore que les *Essais*, il est le plus complet et
copieux répertoire des tours, locutions et mots que la langue
du xvie siècle a mis à la disposition de la pensée. Vaugelas et
Fénelon, dans le siècle suivant, lui ont bien rendu cette justice.

[Il y a même, chez Amyot, une tendance à l'harmonie de la
phrase et une recherche consciente des effets qui satisfont l'oreille :
ses corrections en ont fourni la preuve à M. Sturel. De ce côté
encore, la prose classique lui est redevable.]

---

1. Il semble avoir introduit *atome, enthousiasme, gangrène, horizon, panégyrique,
prosodie, pédagogue*; il dit *éphores, aréopage, mage, ostracisme, hiéroglyphes, iambe,
trimètre, tétramètre, dactyle, trochée*, etc. Il distingue *rythme* de *rime*. Il hasarde *misanthrope*. (De Blignières, *Essai sur Amyot*, 1851, pp. 416-417.)

LIVRE III

POÉSIE ÉRUDITE ET ARTISTIQUE

(Depuis 1550)

CHAPITRE I

LES THÉORIES DE LA PLÉIADE

Poètes mystiques et subtils : les Lyonnais. — 1. Ronsard et la Pléiade. Poésie aristocratique, érudite, grave, laborieuse. La *Défense et Illustration de la langue française.* — 2. Introduction des genres anciens. Restauration de l'alexandrin. — 3. Élargissement de la langue : procédés de Ronsard. — 4. Aspiration à la beauté. Manque une idée directrice : la connaissance nette du mérite essentiel par où valent les œuvres antiques.

Marot est plus exquis que large : il est loin de remplir notre idée de la poésie. Il ne remplissait pas même celle des hommes de son temps. Beaucoup cherchèrent alors à traduire dans des vers les hautes conceptions de leurs intelligences, les inquiétudes profondes de leurs âmes : à leur raffinement, à leur obscurité, à leur laborieuse aversion du vulgaire naturel, on serait tenté de ne voir en eux que la « queue » des grands rhétoriqueurs. Ils sont autre chose pourtant, car ils ont le sérieux et la sincérité. C'était le cas déjà de Marguerite : c'est celui d'Heroet, le subtil, mystique et platonicien poète de la *Parfaite Amye*, c'est celui de Pelletier, le chercheur de voies ignorées, le curieux ouvrier de formes et de rimes.

Mais la transition de Marot à Ronsard se fait surtout par l'école lyonnaise : Despériers s'y rattache, et par ses longs séjours à Lyon, et par ses vers dont la médiocre qualité laisse pourtant percevoir quelque profondeur sérieuse de sentiment et certain effort d'invention rythmique. Lyon, dans notre histoire littéraire, a eu des destinées particulières : l'Allemagne, l'Italie, la France y

mêlent leurs génies ; l'activité pratique, l'industrie, le commerce,
les intérêts et les richesses qu'ils créent n'y étouffent pas les ardeurs
mystiques, les exaltations âpres ou tendres, les vibrations profondes ou sonores de la sensibilité tumultueuse : c'est la ville de
Valdo et de Ballanche, de Laprade et de Jules Favre. Au xvie siècle,
Lyon avait de plus des imprimeries florissantes : des souffles
parvenaient qui mettaient bien du temps à atteindre Paris, et la
pensée s'y exprimait plus librement, loin des théologiens sorbo-
niques et des inquisiteurs toulousains. La vie de l'esprit y était
intense : dans ce monde inquiet et ardent, les poètes étaient nombreux, et les poétesses presque autant. Deux noms résument les
tendances du groupe : Maurice Scève, compliqué, savant, singulier,
obscur, avec une sorte d'ardeur intime qui soulève parfois le lourd
appareil des allusions érudites et de la forme laborieuse ; Louise
Labé, la fameuse cordière, qui fit le sonnet mignard aussi brûlant
qu'une ode de Sapho [1]. Dans l'école lyonnaise apparaît comme
une première ébauche de l'esprit de la Pléiade [2].

1. LA DEFENSE ET ILLUSTRATION DE LA LANGUE FRANÇAISE .

Un jeune gentilhomme vendômois, Pierre de Ronsard [4], obligé,
dit-on, par une surdité précoce, de renoncer à la cour, se rem-

1. **Éditions:** M. Scève, *Délie, objet de plus haute Vertu*, Lyon, 1544, éd. E. Par-
turier, 1916 ; *Œuvres poétiques complètes*, éd. P. Guégan, 1927. L. Labé, *Œuvres*,
Lyon, 1555, éd. M. Sekeur, 1927 ; *Sonnets*, éd. L. Pichon, 1920. — **A consulter:**
Valery Larbaud, *Domaine fr.*, 1941 ; V.-L. Saulnier, *M. Scève*, 1949 ; D. O'Connor,
L. Labé, sa Vie et son Œuvre, 1927 ; J. Larnac, *L. Labé*, 1934.

2. Cf. Sainte-Beuve, *Tableau de la Poésie lyrique au XVIe s.* ; J. Vianey, *Pétrarquisme en Fr. au XVIe s.*, 1909 ; H. Guy, *Hist. de la Poésie fr. au XVIe*
1910-26 ; H. Chamard, *Origines de la Poésie fr. de la Renaissance*, 1920 ; P.
Nolhac, *Tableau de la Poésie fr. au XVIe s.*, 1924 ; A.-M. Schmidt, *Poésie scientifique en Fr. au XVIe s.*, 1939 ; J. Festugière, *Philosophie de l'Amour de Marsile
Ficin et son influence sur la litt. fr. de la Renaissance*, 1943.

3. **Éditions:** Sébillet, *Art Poétique français*, éd. F. Gaiffe, 1932 ; Peletier,
Art poétique, éd. Boulanger, 1930 ; Du Bellay, *Défense et Illustration*, éd. H. Chamard, 1948. — **A consulter:** H. Chamard, *Histoire de la Pléiade*, 1939-40 ; H.
Noo, *Th. Sébillet et son Art poétique français rapprochés de la Défense et Illustration*, 1927 ; P. Villey, *Sources italiennes de la Deffence*, 1908 ; H. Franchet,
Poète et son Œuvre, d'après Ronsard, 1922 ; M. Raymond, *Influence de Ronsard*,
1927.

4. Ronsard, né en 1524, d'abord page du Dauphin puis du duc d'Orléans,
suivit Madeleine de France en Écosse, puis Lazare de Baïf à la diète de Spire,
enfin Guillaume du Bellay à Turin. La publication de ses *Odes* et de ses *Amours*
excita un enthousiasme universel et lui valut la protection de Marguerite de
Savoie, de Marie Stuart, de Charles IX surtout qui lui donna plusieurs abbayes
et bénéfices. Sa ferveur catholique le fit fort attaquer par les calvinistes. Il
mourut au comble de la gloire en 1585, dans son prieuré de Saint-Cosme, près
de Tours.

l'étude : pendant sept ans, avec un de ses amis, Antoine de Baïf,
il travaille le grec et pratique les écrivains anciens sous la direction
de l'helléniste Daurat ; il rêve de fabriquer à sa patrie une littérature
égale aux chefs-d'œuvre qu'il admire : il rencontre dans une hôtel-
erie Joachim Du Bellay, le doux Angevin, plein des mêmes ambitions et des mêmes espérances. D'autres se groupent autour de
ces trois, et Ronsard forme la *Brigade*, qui bientôt et plus superbement devint la *Pleiade* : champions d'abord, astres ensuite de la
nouvelle poésie française. Avec Ronsard, Baïf et Du Bellay, Belleau,
Pontus de Thyard, Jodelle et Daurat complétèrent la constellation.

La Pléiade est aristocratique et érudite : elle a pour chef un
courtisan, elle compte un helléniste, qui n'a pour ainsi dire rien
écrit en français. *Odi profanum vulgus* est sa devise et son principe : dans l'école de Marot, c'est la toute populaire facilité, le terre-
à-terre familier de la poésie frivole qu'elle poursuit. Elle méprise
ces poètes de cour, guidés, comme dit Du Bellay,

> Par le seul naturel, sans art et sans doctrine.

Elle apporte, elle, un art savant, une exquise doctrine : l'art et la
doctrine des Grecs et des Romains, des Italiens aussi, qui sont à
l'égard de nos Français, comme on l'a déjà vu, la troisième littérature classique. Elle apporte une haute et fière idée de la poésie,
qu'elle tire de la domesticité des grands, qu'elle interdit à la servilité intéressée des beaux esprits : la poésie devient une religion ; le
poète, un prêtre. On connaît les vers fameux de Charles IX à Ronsard :

> Tous deux également nous portons des couronnes :
> Mais, roi, je la reçus : poète, tu la donnes ...

Ces vers apocryphes ont leur verité. Le poète donne l'immortalité.
Dispensateur de la gloire, il ne doit chercher d'autre salaire pour
lui que la gloire. Il respectera son œuvre : il n'aura souci que de
la faire belle ; de cette beauté la gloire sera le prix. Donc il ne
formera pas sur le goût d'un public ignorant et léger : il bravera,
s'il le faut, le ridicule ; mais il écrira ce qu'il doit écrire, conformément aux grands modèles et au sentiment de son âme. Il sera
grave, comme qui fait œuvre éternelle et divine ; plus enthousiaste
que plaisant, et dédaigneux des saillies qui font rire. Voilà comment, dans quel esprit, sur les traces des anciens et des Italiens,
la Pléiade a jeté brusquement la poésie hors des voies anciennes et
populaires ; avec un mélange unique de noblesse aristocratique et
de superbe érudition, elle a tenté de prodigieuses nouveautés :
elle a voulu tout d'un coup renouveler les **thèmes poétiques**,
changer les genres, refaire la langue.

Nous apercevons déjà un caractère de cette révolution littéraire : la volonté y a autant de part que la spontanéité. Nous avons affaire à des hommes qui de parti pris ne veulent pas faire comme Marot et Saint-Gelais, de parti pris veulent faire comme Pindare, Horace ou Sannazar : hommes à principes, qui vont s'appliquer à n'être point vulgaires, à être bien savants. Dès le premier moment donc, quelque chose d'artificiel s'insinue dans l'excellente entreprise des novateurs : un vice primordial, tout au fond de leur esprit, menace la vitalité et, si je puis dire, la santé de leur œuvre. Il leur faudra bien de l'originalité, bien du bon sens, dans leur création de la beauté, pour ne pas se méprendre et poursuivre, au Ìieu du beau, le rare ou l'érudit.

Il est toujours fâcheux pour des poètes de travailler sur des théories arrêtées à l'avance, et de réduire leur génie à l'application méthodique d'un système : mieux vaut que les œuvres fassent naître les théories. Dans la réforme de Ronsard, la critique accompagna et même précéda l'inspiration : Du Bellay lança en 1549 sa *Défense et Illustration de la langue française,* qui est tout à la fois un pamphlet, un plaidoyer et un art poétique, œuvre brillante et facile, parfois même éloquente et chaleureuse, le premier ouvrage enfin de critique littéraire qui compte dans notre littérature, et le plus considérable jusqu'à Boileau. Ronsard, moins impatient que son ami, et plus artiste en ce sens qu'il s'efforça de réaliser, non de définir son idéal, a semé pourtant ses théories dans ses Préfaces des *Odes* et de la *Franciade,* ainsi que dans un *Abrégé d'art poétique* qu'il donna en 1565. En elles-mêmes ces théories n'ont rien d'aussi extravagant qu'on a dit quelquefois : dans l'ensemble et pour l'essentiel, elles représentent assez bien ce qui s'est fait même après Ronsard, ce qui lui a survécu pour être la substance et la forme de notre poésie moderne.

2. LES GENRES ET LES VERS.

Du Bellay et Ronsard ont à conquérir le terrain sur deux sortes d'ennemis : les ignorants et les humanistes. Contre ceux-ci, il soutiennent qu'on ne peut égaler les anciens en leurs langues : il faut voir de quelle verve ils invectivent ces « reblanchisseurs de murailles », ces « latineurs » et « grécaniseurs » qui ont appris « en l'école à coups de verges » les langues anciennes, et croient avoir fait merveille d' « avoir recousu et rabobiné je ne sais quelle vieilles rapetasseries de Virgile et de Cicéron » : comme s'ils pouvaient faire autre chose que des « bouquets fanés ». Avec de

.ccents tout nouveaux, ils font des ettres une partie de l'honneur
national et comme une province de la patrie.

Contre les ignorants, ils maintiennent la nécessité de l'étude, de
'art, du travail; que la nature toute seule ne fait pas des chefs-
l'œuvre, et que les anciens seuls nous enseignent la façon des
chefs-d'œuvre. Mais, non plus que Boileau, ils ne donnent pas
out à la science et au travail : ils exigeaient le don, le génie.
. Tous ceux, disait Ronsard, tous ceux qui écrivent en carmes,
ant doctes puissent-ils être, ne sont pas poètes », et il n'admettait
à l'œuvre divine de la poésie que les hommes « sacrés dès leur
naissance et dédiés à ce ministère ». A eux seulement s'adressent
es leçons, dont voici la substance.

« Laisse, dit Du Bellay, toutes ces vieilles poésies françoises aux
'eux Floraux de Toulouse et au puy de Rouen, comme Rondeaux,
Ballades, Virelais, Chants royaux, Chansons, et autres telles épice-
ies.... — Jette-toi à ces plaisants épigrammes,... à l'imitation d'un
Martial.... Distille... ces pitoyables élégies, à l'exemple d'un Ovide,
d'un Tibulle et d'un Properce.... — Chante-moi ces odes inconnues
ncore de la muse françoise, d'un luth bien accordé au son de la
yre grecque et romaine. » On pourra faire des épîtres, élégiaques
comme Ovide, ou morales comme Horace; des satires à la façon
d'Horace. On fera des sonnets selon « Pétrarque et quelques mo-
lernes Italiens »; de « plaisantes églogues, rustiques à l'exemple
le Théocrite et de Virgile, marines à l'exemple de Sannazar, gentilhomme napolitain »; de coulants et mignards hendécasyllabes,
à l'exemple d'un Catulle, d'un Pontan et d'un Second; des comé-
lies et tragédies, dont on sait bien où sont les « archétypes ». A
Ronsard, orné de toutes « grâces et perfections », appartiendra
l'imiter Homère, Virgile, Arioste, et de donner à la France une
épopée. Partout, on le voit, les Italiens sont mis sur le même pied
que les anciens : tant il est vrai, comme on ne le redira jamais trop,
que l'Italianisme a été le principe et la condition de notre Renaissance. Au reste, c'est une substitution générale des genres anciens
et italiens aux genres du xv⁰ siècle que la Pléiade a tentée et opérée
en effet. Mais cela, en soi, était excellent : à la place de formes
étroites, maigres et compliquées, telles que la Ballade et le Chant
royal, les formes antiques, larges, simples, réceptives, si je puis
dire, mettaient l'inspiration à l'aise, et se prêtaient à revêtir une
beauté bien supérieure. Même le sonnet était infiniment au-dessus du rondeau, dépouillé de la gentillesse puérile du refrain, tour
à tour ample, ou mâle, ou tendre, ou passionné, et. selon le mot
de Burckhardt, précieux condensateur de l'émotion lyrique.

Les anciens ne pouvaient donner à Ronsard les modèles de sa
versification : ici, bon gré mal gré, il devait suivre et continuer ses

devanciers, Clément Marot, Jean Le Maire, Villon. Il le fit san
hésiter. Il n'essaya jamais la chimère des vers métriques : un
seule fois, il tenta de faire des vers sans rime. Du Bellay, comm
lui, reconnut la rime comme un élément essentiel de la versifica
tion française : « fâcheux et rude geôlier, et inconnu des autres vu
gaires ». Mais les anciens leur apprirent du moins la valeur de l
technique, et leur inspirèrent la passion de perfectionner l'instru
ment que la langue et l'usage mettaient à leur disposition.

Du Bellay veut la rime *volontaire*, *propre*, *naturelle*, juste enfi
« comme une harmonieuse musique tombante en bon et parfa
accord ». Il la veut riche, exacte pour l'oreille, point curieuse, e
point facile : qu'on ne fasse pas rimer le simple avec le compose
Malherbe ne parlera pas autrement. Et ne croit-on pas entendr
encore Malherbe, et même Boileau, quand Ronsard défend d
sacrifier « la belle invention » et la justesse de l'expression, c'es
à-dire la *raison*, à la rime? Il proscrit l'inversion, l'hiatus, exige l
repos à l'hémistiche, et ne pardonne à l'enjambement qu'en faveu
des anciens qui usaient des rejets. Sur l'élision de l'*e* muet dan
l'intérieur du vers, sur l'alternance des rimes féminines et masc
lines, rien de plus classique que les enseignements de Ronsard.

Mais on le sent artiste dans l'attention qu'il donne à la sonorit
des vers, dans cette curieuse prière qu'il adresse à son lecteur d
ne point lire sa poésie « à la façon d'une missive ou de quelque
lettres royaux », dans des remarques telles que celle-ci sur l
valeur sensible des sons : « A, O, U, et les consonnes M, B, et le
SS finissant les mots, et, sur toutes, les RR qui sont les vraie
lettres héroïques, sont une grande sonnerie et batterie aux vers »

« Les alexandrins tiennent la place en notre langue, telle que le
vers héroïques entre les Grecs et les Latins. » Voilà la vraie trou
vaille de Ronsard en fait de rythme, et le grand service rend
par la Pléiade à la poésie : sous l'influence de l'hexamètre latir
l'alexandrin, création du moyen âge, et dont Rutebeuf ava
montré la force et la souplesse, l'alexandrin, délaissé au xive et a
xve siècle, ignoré ou à peu près de Marot, est retrouvé, relev
remis à sa vraie place, qui est la première : ce n'est pas tant
vers noble de notre poésie, que le vers ample; et c'est par l
qu'il vaut. Ronsard a pu se repentir, et revenir dans sa tris
Franciade au grêle décasyllabe : son œuvre était faite et a préva
contre lui-même. Il avait pour trois siècles au moins donné la hau
poésie à l'alexandrin.

3. LA LANGUE.

Pour la langue, les Romains se faisant d'après les Grecs un voca-
ulaire philosophique, scientifique et même poétique, indiquaient
la nouvelle école la méthode à suivre : et l'on voit tout de suite
e danger. Car la langue littéraire de Rome est une création arti-
cielle, et peut-être aurait-il été mieux ici d'essayer de ne point
épéter les procédés un peu factices des écrivains latins. Mais ce
récédent, autorisé par tant de chefs-d'œuvre, a fasciné nos poètes ;
'autant qu'une idée erronée les poussait encore dans le même
ens : c'est qu'une langue est d'autant plus parfaite qu'elle a
lus de mots. Tout le xviie siècle devait réagir, et même parfois
vec un peu d'excès, contre cette doctrine ; mais vers 1550, dans
état de la langue, l'erreur était et nécessaire et bienfaisante.

Bien des mots manquaient encore à la langue ; quand l'esprit se
onflait de tant d'idées, il fallait bien que le vocabulaire se rem-
lît : il était impossible de ne pas *innover* beaucoup dans l'expres-
on. Il fallait jeter bien des mots dans la langue ; les meilleurs
esteraient, élus par l'usage ; une sorte de concurrence et de sélec-
on naturelle déblaierait le vocabulaire peu à peu. Ce qu'on
eut demander alors, c'est que celui qui fait des mots nouveaux
es fasse par *bon jugement*. Je trouve, tout compte fait, six pro-
édés indiqués par Du Bellay et par Ronsard pour l'enrichisse-
nent de la langue :

1º On peut emprunter aux Latins ou aux Grecs leurs termes. Mais
onsard s'élève contre les Français qui « écorchent le latin » : il
erait le premier à se rire de l'écolier limousin. Et dans son œuvre
est bien loin d'avoir pris la même licence que Rabelais, Calvin ou
myot : Du Bellay fut prudent aussi, et heureux dans ses essais,
uisqu'il lança le mot de *patrie*.

2º « Tu composeras hardiment des mots à l'imitation des Grecs et
es Latins. » Ce conseil de Ronsard contient une demi-vérité : le
ode de composition qu'il indique est bien français ; mais s'il
'eût subi la fascination des langues anciennes, il se fût aperçu
ue notre langue ne compose ainsi que des substantifs : pourquoi
n *gosier mâche-laurier* est-il ridicule ? et pourquoi un *presse-papiers*,
n *essuie-main* ne le sont-ils pas ? Au moins Ronsard ne veut-il pas
ue ces composés soient « prodigieux », mais, comme tous « voca-
les » nouveaux « moulés et façonnés sur un patron déjà reçu du
euple ».

3º « Use de mots purement français », disait Du Bellay, et il
n permettait qu'un usage très modéré et habilement exceptionnel

de « vocables non vulgaires ». Ronsard, plus hardi, plus novateur,
compte surtout, lui aussi, sur les ressources propres du français
c'est de lui-même qu'il tirera les richesses qu'il lui apportera
D'abord il conseille de « remettre en usage les antiques vocables ».
Qui ferait « un lexicon des vieux mots d'Artus, Lancelot et Gau
vain », ferait œuvre de « bon bourgeois », œuvre patriotique et
utile. On choisirait de ces vieux mots les plus « prégnants et signi
ficatifs » pour servir à la poésie.

4° On ne craindrait pas de mêler au langage courtisan les meil
leurs mots de tous dialectes et patois français, « principalement
ceux du langage wallon et picard, lequel nous reste par tant de
siècles l'exemple naïf de la langue française ». Cela ne vaut-il pas
le *gascon* de Montaigne? Et l'histoire de la langue ne nous fait-
elle pas voir dans de nombreux cas cette pénétration de notre pur
français par les dialectes de langue d'oïl qu'il a supplantés et relé-
gués au fond des champs?

5° Légitime aussi est l'emploi des termes techniques et de
métiers : et de hanter « toutes sortes d'ouvriers et gens mécaniques », c'est pour le poète un excellent moyen d'élargir le vocabulaire littéraire.

6° Plus originale, plus audacieuse est la méthode si fort pré-
conisée par Ronsard : le *provignement* des mots : « Si les vieux
mots abolis par l'usage ont laissé quelque rejeton, tu le pourras
provigner, amender et cultiver, afin qu'il se repeuple de nouveau. » Ainsi de *lobbe*, on tirera *lobber*, de *verve*, *verver*, d'*essoine*
essoiner. On voit que le *provignement* de Ronsard n'est que l'imitation réfléchie de l'évolution spontanée du langage; si d'*impression* sont sortis *impressionner*, *impressionnable*, *impressionnabilité*
n'est-ce pas un provignement opéré par l'instinct naturel du
peuple? Et c'est là, avec nos procédés de composition, le principal moyen de développement du français moderne.

On le voit, le système de Ronsard n'a rien en soi de très dérai
sonnable, ni de très contraire au génie de la langue. Son grand
tort est d'être un système : mais, je le répète, ne le fallait-il pas
alors? Ronsard a très bien reconnu deux choses : 1° qu'il fallait
innover avec prudence et choix; 2° qu'à l'usage seul appartiendrait
d'autoriser les innovations, et d'en faire des acquisitions définitives de la langue. Il ne donne en somme au poète qu'un droit de
proposition. Ce n'est pas un brouillon, c'est un poète qui a l'idée
le sens de la *forme* : il a travaillé la langue, comme il a travaillé
le vers, et il travaillera la phrase. C'est qu'alors il n'y a pas seulement *faute de façon* en notre langue : quand il commence
d'écrire, dix ans avant les *Vies* d'Amyot, il y a vraiment encore un
peu *faute d'étoffe.*

4. L'ERREUR DE LA PLÉIADE.

Son but, c'est par les rythmes, par le choix et l'ordre des mots. de créer une forme belle. « Tu te dois travailler, dit-il, d'être copieux en vocables, et tirer les plus nobles et signifians pour servir de nerfs et de force à tes carmes, qui reluiront d'autant plus que les mots seront significatifs, propres et choisis. » Voilà qui est excellent. Mais, dans sa fuite de la platitude, Ronsard force la construction française : il dira « l'enflure des ballons », à la mode des vers latins, pour *les ballons enflés*. Le tort qu'il a eu, c'est d'essayer cela deux siècles et demi trop tôt : nos romantiques ont légué à nos naturalistes le goût des substantifs abstraits mis à la place des adjectifs classiques. Une erreur plus grave de Ronsard, c'est d'avoir méconnu la valeur poétique de ce que M. Taine appelle si bien les mots de tous les jours. Entraîné par son préjugé aristocratique, ce gentilhomme poète trouve plus de beauté, de grandeur dans les termes de guerre, et dans tous ceux qui désignent les occupations de la vie noble. C'est confondre fâcheusement la qualité sociale avec la dignité esthétique.

D'autre part, si curieux qu'ait été Ronsard de s'éloigner du vulgaire, il n'a jamais hésité à condamner les auteurs turbulents qui, « voulant éviter le langage commun, s'embarrassent de mots et manières de parler dures, fantastiques et insolentes ». Il veut que l'on soit clair, en n'étant pas commun ; et, qu'il s'agisse de l'élocution ou de la conception, il hait l'extravagant et l'inintelligible.

On a tort de lui jeter toujours à la tête le quatrain qui précède *la Franciade* : car il a posé nettement pour règle que les inventions du poète devront être « bien ordonnées et disposées, et bien qu'elles semblent passer celles du vulgaire, elles seront toutefois telles qu'elles pourront être facilement conçues et entendues d'un chacun ». Tout au moins d'*un chacun* qui soit honnête homme, de bon esprit et suffisamment cultivé.

On oppose généralement Ronsard aux classiques : il serait plus juste de noter combien déjà le jugement de Ronsard est classique. Ce qui lui échappe, et à tous encore, c'est le trait d'union de l'antiquité et de la vérité, le principe qui concilie, réunit l'imitation et l'originalité : ce sera la grande trouvaille du xviie siècle, et de Boileau, de fonder en raison le culte des anciens. Ronsard n'a pas vu nettement que les anciens sont les modèles, parce que la nature est fidèlement exprimée en leurs œuvres, et qu'ainsi de s'adresser à eux, ou à la nature, c'est la même chose : que du moins ils nous guident dans le choix des objets et des moyens d'imitation.

Faute de cette idée directrice, il hésite, il s'embrouille, il *patauge*, il s'égare. Il n'arrive pas plus que Du Bellay à définir nettement ce qu'est le renouvellement des thèmes d'inspiration qu'il tente : la Pléiade n'a fait rien moins que de placer dans le sentiment la source de la poésie, qui jusque-là était placée dans l'esprit. Ce que Villon seul avait fait en deux ou trois endroits, d'exprimer les plus intimes réactions de l'individualité au contact de la vie, de mettre par conséquent une sincérité sérieuse au fond de l'œuvre poétique, Ronsard et son école en firent la loi et comme l'essence de la poésie moderne. Par eux elle fut apte à devenir, selon la belle formule que M. Brunetière a donnée du lyrisme, la réfraction de l'univers à travers un tempérament.

Mais ici Ronsard n'a pas eu une nette conscience de l'œuvre à laquelle il travaillait. Toutes ses formules sont vagues ou fausses. Il demande « une naïve et naturelle poésie ». En bon classique, il préfère la *vraisemblance* à la *vérité*, c'est-à-dire la vérité générale à la vérité particulière, les êtres normaux aux monstres accidentels. Mais quand il veut s'expliquer, il ordonne au poète « d'imiter, inventer ou représenter les choses qui sont ou qui peuvent être » : voilà qui va bien, mais il ajoute : « ou que les anciens ont estimées comme véritables ». Et cela gâte tout. Car bien qu'il n'ajoute cela que pour justifier l'emploi de la mythologie, je sens là une erreur générale : Ronsard pose les anciens à côté de la nature, non comme offrant déjà la nature, mais comme égaux à la nature dans les choses même où nous n'y trouvons ni raison ni vérité, où leur *nature* enfin n'est pas la nôtre. Et du coup la sincérité de la poésie reçoit une grave atteinte.

De là vient cette stupéfiante Préface de *la Franciade*, où, précisant le retentissant appel de Du Bellay, il enseigne à faire le pillage méthodique des trésors de l'antiquité, à mettre les Grecs et les Romains en coupe réglée ; où l'imitation se fait un décalque servile, matériel, irraisonné ; où, sans plus regarder la nature, sans entrer non plus en contact avec l'âme des anciens, on leur arrache ce qu'ils ont d'extérieur, de relatif, de local. La poésie devient comme un magasin de *bric-à-brac* gréco-romain, où sont entassés pêle-mêle toute sorte d'oripeaux et d'accessoires : et il est étrange que Ronsard, qui avait le bon goût d'aimer « la naïve facilité d'Homère », n'ait pas vu que le meilleur moyen de ne pas ressembler à Homère était précisément, pour un homme du xvie siècle..., de s'habiller, de parler, de marcher comme le lointain aède des temps héroïques. Cependant, ici encore, il n'y a que demi-mal, si la force du tempérament est capable de soulever ou d'écarter la masse énorme des réminiscences. C'est ce qu'il nous faut maintenant demander aux œuvres de la Pléiade.

CHAPITRE II

LES TEMPÉRAMENTS

1. **Du Bellay** : un fin poète. — 2. Ronsard : sa gloire. Génie lyrique. Les *Odes*. Le tempérament étouffé par l'érudition. Ce qu'il y a de sincère et d'original dans Ronsard. Ronsard créateur de mètres et de rythmes. — 3. Décadence de la Pléiade : anacréontisme, italianisme. Desportes. — 4. Causes de l'oubli où tomba Ronsard.

1. JOACHIM DU BELLAY.

Du Bellay [1] précéda Ronsard : en même temps que sa *Défense* [2], il publia son *Olive* et son *Recueil*. Il offrait au public le sonnet et l'ode : il donnera aussi le premier modèle de la satire régulière, à la romaine.

C'est un doux et fin poète, fluide et facile, d'une grâce sérieuse et souvent mélancolique : aussi dissemblable que possible de Marot, et d'une inspiration toute lyrique et personnelle. Quand il songeait à Mellin de Saint-Gelais, il disait bien du mal du pétrarquisme : quand il mit son amour en sonnets, il pétrarquisa. Il

---

1. **Biographie** : Joachim du Bellay, cousin du cardinal et du sire de Langey ; le grand événement de sa vie est ce séjour de trois ans qu'il fit à Rome, comme intendant du cardinal. Il mourut à trente-huit ans, en 1560. Son petit *Liré* est à 48 kil. d'Angers, à un demi-kil. d'Ancenis, ville bretonne, que son patriotisme angevin n'a jamais consenti à nommer une fois. **Éditions** : *Défense, Olive, Recueil de Poésie*, 1549 ; *Antiquités, Regrets, Divers Jeux rustiques, Poemata*, 1558 ; éd. complète, 1568. *Œuvres complètes*, éd. Marty-Laveaux, 1866-67, H. Chamard, 1908-31 ; Courbet, 1919 ; *Deffence*, éd. H. Chamard, 1948 ; *Antiquités* et *Regrets*, éd. E. Droz, 1945, P. Grimal, 1949 ; *Jeux rustiques*, éd. V.-L. Saulnier, 1947 ; *Lettres*, éd. P. de Nolhac, 1883. — **A consulter** : H. Chamard, *Du Bellay*, 1900 ; J. Vianey, *Sources italiennes de l'Olive*, 1900 ; Villey, *les Sources italiennes de la Défense*, 1908 (Mais notez bien que, comme Montaigne, il emprunte et traduit « pour d'autant mieux se dire ») ; F. Ambrière ; *Joachim du Bellay*, 1934 ; Vianey, *les Regrets de Du Bellay*, 1930.

2. L'école de Marot répliqua à la *Défense* par le *Quintil Horatian*, attribué à Ch. Fontaine, qui donne le livre comme étant de Barthélemy Aneau (cf. éd. Chamard de la *Deffence*).

ne se piquait pas d'une inflexible raideur. Il eût pu dire qu'il ne
prenait pas Pétrarque tout fait du même côté que Saint-Gelais :
et malgré toutes les mièvreries et mignardises de l'*Olive*, il est
vrai que le côté tendre, ému, sincère de Pétrarque ne lui a pas
échappé, et qu'en l'imitant il a exprimé dans ses sonnets une
façon d'aimer sérieuse et ardente, un idéalisme sentimental, qui
ne ressemblent guère au pétrarquisme grivois de Saint-Gelais.
Pour l'ode, Du Bellay, comme toute l'école, s'efface et s'absorbe
dans Ronsard, et de lui comme de Ronsard il sera vrai de dire que
ses meilleures odes sont des chansons ou des élégies.

Il restera dans notre poésie, comme un des maîtres du sonnet :
non pas par son *Olive*, malgré des pièces exquises, mais par
ses *Regrets* et ses *Antiquités romaines*. Exilé à Rome dans son
poste d'intendant du cardinal Du Bellay, triste d'être si loin de
son « petit Lyré », et ne pouvant penser sans larmes à la « douceur angevine », son âme endolorie n'en était que plus sensible
aux impressions de ce monde étrange où elle languissait. Et
toutes ces impressions se fixaient dans de pénétrants sonnets :
sonnets satiriques, plus larges que des épigrammes, plus con-
densés que des satires, expressives images des intrigues de la
cour romaine et des corruptions de la vie italienne; sonnets pittoresques, où la mélancolique beauté des ruines est pour la première fois notée, en face des débris de Rome païenne; sonnets
élégiaques enfin, où s'échappent les plus profonds soupirs de cette
âme de poète, effusions douces et tristes, point *lamartiniennes*
pourtant : elles ont trop de concision et de netteté, et il y circule je ne sais quel air piquant qui prévient l'alanguissement.

Enfin, dans quelques pièces, Du Bellay se révèle comme un
excellent ouvrier de rythmes vifs et délicieux : tout le monde
connaît ces *Vœux d'un vanneur de blé au vent*, un petit chef-
d'œuvre d'invention classique, je veux dire de cette véritable
invention qui ne consiste pas à créer la matière, mais à lui donner
âme et forme.

Toutefois Du Bellay n'avait pas l'étoffe d'un chef d'école . il avait
trop de délicatesse, trop de facilités à suivre tous ses goûts; pas
assez d'orgueil, de force et, si j'ose dire, de volume. Il ne pouvait
que jeter quelques charmantes œuvres dans le cours de la poésie
française, non pas le détourner ou le rectifier. D'autant qu'il ne
faisait pas l'expérience complète et décisive : son imitation n'abordait pas de front la grande antiquité; il allait à Virgile plutôt
qu'à Homère, à Horace plutôt qu'à Pindare; il s'amusait aux Italiens, comme Pétrarque, aux modernes latinistes, comme Pon-
tanus ou Naugerius.

2. RONSARD : EFFORT VERS L'ODE ET L'ÉPOPÉE.

Par la force du talent, par la grandeur de l'effort, par l'éclat du succès, Ronsard est le maître de la poésie du xvie siècle. Il y fut adoré à peu près comme V. Hugo en notre siècle. Ce fut une gloire européenne : Élisabeth, Marie Stuart, le Tasse, souverains et poètes l'encensaient; l'Angleterre, l'Italie, l'Allemagne, jusqu'à la Pologne enviaient à la France le rival d'Homère et de Virgile. Et le président de Thou ne croyait pas faire une phrase quand il disait que la naissance de Ronsard avait réparé la perte de la France, vaincue ce même jour à Pavie. Cette renommée prodigieuse fut bâtie en dix ans, entre les *Odes* de 1550 et l'édition des *Œuvres* de 1560 [1]. A cette date, le Ronsard devant qui le siècle se prosterne, est complet. Les troubles civils tireront de lui une manifestation originale et considérable, les *Discours*, dont nous parlerons en leur lieu; auprès des contemporains, ils ont plus nui que servi à sa gloire, en lui aliénant les protestants.

Mais *la Franciade*? Elle ne paraît qu'en 1572 : je ne dis pas au milieu des pires tourmentes religieuses et politiques, mais, ce qui est plus grave, à la veille des *Premières Amours* de Desportes (1573), et le recueil de Desportes, c'est la fin des grandes ambitions, c'est la banqueroute en quelque sorte de la Pléiade. Quelque admirée que *la Franciade* ait été à son apparition, elle fut sans influence : ce qui compte, ce ne sont pas les chants imprimés en 1572, c'est le dessein annoncé bien des années auparavant par Ronsard de tenter l'épopée, c'est la confiance unanime des poètes et du public qui, avec Du Bellay, le désignaient pour le souverain effort du poème héroïque, c'était l'admiration grave, le respectueux enthousiasme dont pendant tant d'années on entoura celui qui marchait dans les voies d'Homère et de Virgile. La gloire épique de Ronsard réside dans l'opinion qui précéda, qui attendit son œuvre, et non dans l'œuvre même, qui, somme toute, fit un médiocre bruit.

Éditions : *Odes* (4 l.) et *Bocage*, 1550; *Amours* (de Cassandre), 1552; *Odes* (L. 5), *Folastreries*, 1553; *Meslanges*, 1554; *Continuation des Amours* (Marie), *Hymnes* (L. 1), 1555, (L. II), 1556; *Œuvres* (*Amours, Odes, Poèmes, Hymnes*), 1560; *Élégie sur le Tumulte d'Amboise, Églogues*, 1560; *Institution pour l'adolescence du Roi, Discours des Misères de ce Temps, Continuation*, 1562; *Remontrance au Peuple de France, Réponse aux Injures et Calomnies*; 1563; *Franciade* (4 l.), 1572; *Nouvelles Continuations des Amours* (Hélène), 1574; *Œuvres*, 1578, 1584, 1587. — Texte de 1584 : G. Cohen, 1938; texte de 1578 : éd. H. Vaganay, 1923-24; texte original : éd. P. Laumonnier, 1914-46 (inachevée); *Amours*, éd. H. Vaganay 1910; *Sonnets pour Hélène*, éd. Sorg, 1921, J. Lavaud, 1947; *Hymne des Daimons*, éd. A. M. Schmidt, 1939; *Discours des Misères de ce Temps*, éd. J. Baillou, 1950. — **A consulter :** P. Villey, 1914; P. de Nolhac, *R. et l'Humanisme*, 1921; Charbonnier, *Pamphlets protestants contre R.*, 1923; P. Laumonnier, *R. Poète lyrique*, 1924; P. Champion, *R. et son Temps*, 1925; M. Raymond *Influence de R.*, 1927; G. Cohen, 1933; R. Lebègue, 1951; J. Vianey, *Odes de R.*, 1932.

Cela me dispensera de m'attarder à *la Franciade*, qui est une erreur totale. Erreur de forme d'abord, chose grave en art : le choix du décasyllabe au lieu de l'alexandrin, où Ronsard trouva *trop de caquet*, tout en l'estimant aussi trop *énervé* et *flasque*, ce choix malheureux était un véritable recul, qui ramenait l'art au moyen âge.

Mais de plus Ronsard s'est trompé sur la définition du genre : il a pris l'épopée pour un roman. Il s'est trompé sur les conditions du genre : il a cru que l'épopée était une plante de tous climats et de toute saison. Il s'est trompé sur le choix d'un sujet : il a cru le prendre éloigné de la mémoire des hommes, et pourtant populaire; ce n'était qu'une légende de clercs et de lettrés, ancienne il est vrai, et qui s'était perpétuée de Frédégaire à Jean Lemaire et Jean Bouchet. Ce Francus fils d'Hector, et fondateur de la monarchie franque, était une pâle figure, un thème d'inspiration bien vide, où nul afflux de tradition populaire ne mettait la vie; le Tasse, et même le Père Lemoyne, même Chapelain ont bien mieux choisi. Cependant Ronsard pouvait encore faire quelque chose de son sujet, s'il y avait versé les sentiments généraux de cette nation qui depuis un siècle et demi commençait à prendre conscience d'elle-même, s'il avait su imiter la « curieuse diligence » de Virgile, et jeté toute la France, ses souvenirs, son âme en son génie dans ce mythe érudit.

Mais il se trompa sur les moyens : il ne fit pas une œuvre française; il ne fut occupé qu'à coudre des lambeaux d'Homère et de Virgile, et n'échappa aux laborieuses froideurs des réminiscences que par la froideur plus laborieuse encore de la poésie de commande, dans ses notices officielles et insipides sur les prédécesseurs de Charles IX.

On a regretté parfois les erreurs de Ronsard dans la conception et l'exécution de sa *Franciade* : on a pensé que s'il les avait évitées, il eût pu faire une belle œuvre, et l'on allègue des fragments épiques, tels que le *Discours de l'équité des vieux Gaulois*. Il serait plus juste de dire que Ronsard n'a pas pu éviter ces erreurs, parce qu'il n'avait à aucun degré le sens épique. Le *Discours de l'équité des vieux Gaulois* en est lui-même la preuve. Il m'est impossible d'y voir autre chose que de l'éloquence en vers, de l'éloquence cherchée sur un thème quelconque, c'est-à-dire de la forte rhétorique : du Lucain ou du Claudien en français.

Le génie de Ronsard est tout lyrique. Aussi est-ce par le lyrisme qu'il a conquis ses contemporains; et même devant la postérité, son échec n'a été que relatif, en dépit de l'absurde application qu'il a faite parfois de ses théories. Car si les principes généraux du système n'ont rien en eux-mêmes de trop choquant, Ronsard

'égare étrangement dans les procédés d'exécution, dans le passage du principe à l'œuvre. Il s'est trompé d'abord, ici encore,
sur la définition du genre : il n'en a pas saisi l'essence, il n'a su
que cataloguer les sujets traités par les anciens (notons que Boileau ne fera guère mieux). Ainsi il assigne à la poésie lyrique
« l'amour, le vin, les banquets dissolus, les danses, masques, chevaux victorieux, escrimes, joutes et tournois, et peu souvent
quelque argument de philosophie ». Sauf les « chevaux victorieux », il va de parti pris construire des odes sur tous ces
thèmes, les « patronnant » sur la magnificence de Pindare, dont
il tente de reproduire même les rythmes. De là ces *odes pindariques* avec leur monotone succession de strophes, d'antistrophes et
d'épodes : division qui ne répond à rien pour nous, puisque, même
chantées comme il le voulait, les odes de Ronsard ne règlent pas
leur mouvement sur les évolutions d'un chœur. Tous les vers de la
strophe et de l'antistrophe étant égaux, la correspondance rythmique n'est plus marquée que par la succession des rimes qui
ne la fait pas sentir suffisamment : la strophe et l'antistrophe se
fondent en une longue strophe, assez longue pour rendre insensible l'identité des épodes qu'elle sépare.

Puis la même diligence érudite que dans *la Franciade* a étouffé
l'inspiration sous les réminiscences, sous la mythologie indifférente; et pour reproduire la phrase brusque, magnifique et non
vulgaire de Pindare, l'ode française s'est chargée de formes
lourdes, dures et obscures. Cependant tout, ici, n'est pas à condamner : qu'on prenne la plus fameuse des odes pindariques,
l'*Ode à Michel de l'Hôpital*, énorme machine de vingt-quatre strophes, antistrophes et épodes, et de huit cent seize vers : on y trouve,
pour la première fois, un long poème d'une structure achevée,
un rude effort de composition; on y trouve du mouvement, et de
ce mouvement lyrique qui tient à l'organisation rythmique, de
l'éloquence aussi, une éloquence qui tient à la hauteur, au sérieux,
à la sincérité de la pensée. Malherbe est déjà là dedans.

On ne peut dire que l'immense effort des odes pindariques ait
été du tout perdu pour Ronsard : cette rude gymnastique le fit
maître de ses rythmes; il n'eut qu'à mettre de côté l'antistrophe
et l'épode, pour avoir à sa disposition une belle forme lyrique. Mais
dans les odes non pindariques, ainsi que dans les hymnes, élégies
et poèmes divers qui font partie des œuvres, une certaine incohérence, un manque d'équilibre et d'harmonie éclatent. L'œuvre
est inégale et mêlée, parce qu'une contradiction fâcheuse est au
fond du génie même qui la crée. Il y a conflit entre l'intelligence
et la sensibilité du poète. La perfection des classiques viendra de
ce qu'ils emploieront l'imitation de l'antiquité à la manifestation

de leur originalité. Ronsard, malheureusement, ne subordonne
pas son érudition à son tempérament : il la préférerait plutôt :
tout au moins, il suit indifféremment l'une et l'autre, comme
sources également fécondes et légitimes d'inspiration. En sorte
que l'érudition, n'étant pas mise au service du tempérament, le
gêne et le restreint.

Le tempérament était voluptueux, sensuel, mélancolique, de cette
mélancolie que la brièveté et la relativité des instables voluptés
imposent aux sensuels : il subissait fortement l'impression des
choses extérieures et la rendait en images, qui exprimaient la
concordance ou le contraste de la nature visible avec les dispositions intimes de la nature subjective. En un mot, il y avait en
Ronsard, pour peu que l'art et le métier s'y joignissent, un tempérament de lyrique élégiaque.

Ce qui lui manqua, ce fut une pensée originale, une pensée qui
ne fût occupée qu'à faire entrer le monde et la vie dans les formes
du tempérament, à projeter le tempérament sur l'univers et sur
l'humanité : qui par conséquent permît au tempérament de
dégager toute sa puissance, et de réaliser ses propriétés personnelles. Ronsard aurait-il eu assez de spontanéité pour absorber
ainsi toutes choses en son moi, et de son moi ainsi manifesté
remplir une grande œuvre? Je ne sais : en tout cas, il travaille
sans cesse à étouffer sous les acquisitions de sa mémoire les sollicitations de sa nature. Lamartine fait le *Lac*; V. Hugo, la *Tristesse d'Olympio*; Musset, le *Souvenir* : un seul thème, trois tempéraments de poète, trois façons de sentir, par suite de concevoir
la destinée de l'homme. Ronsard, s'il eût trouvé les trois pièces
chez des modèles, n'eût pas cherché à approprier le thème à sa
nature, en créant une quatrième œuvre, pareille et différente : il
eût successivement fait un *Lac*, une *Tristesse*, un *Souvenir*. Et
voilà l'irréparable vice de son œuvre.

Mais voici par où elle se relève. Ronsard est excellent, exquis
délicieux ou grand, chaque fois que par hasard son intention
d'érudit tombe d'accord avec son tempérament (et alors l'imitation
ne lui sert qu'à manifester dans une forme plus belle son sentiment personnel), ou bien chaque fois que son tempérament prend
le dessus et refoule les réminiscences de l'érudit. Relisons toutes
les pièces qu'on cite : ces sonnets, ces chansons, où le pétrarquisme
est traversé des élans fougueux d'une passion sensuelle, où se fond
une subtilité aiguë dans la douceur lasse d'une mélancolie pénétrante, ces élégies où le néant de l'homme, la fragilité de la vie
le sentiment de la fuite insaisissable des formes par lesquelles
l'être successivement se réalise, s'expriment en si vifs accents par
de si graves images, ces hymnes, comme l'hymne à Bacchus

qui a le mouvement et l'éclat des Bacchanales que peignaient les Italiens, ces odelettes, où la joie fine et profonde des sens aux caresses de la nature qui les enveloppe, se répand en charmantes peintures, en rythmes délicats : tout cela, c'est le tempérament de Ronsard, fortuitement favorisé par son érudition, ou bien en rompant l'entrave. Et là, ce sont bien des chefs-d'œuvre, les premiers du lyrisme moderne, qui s'épand en toutes formes, et, négligeant les factices distinctions de genres que seules la spécialisation rigoureuse des mètres maintenait chez les anciens, met la même essence, la même source d'émotions et de beauté dans l'ode et dans le sonnet, dans l'hymne et dans l'élégie : ces chefs-d'œuvre se constituent par l'ample universalité des thèmes, et par l'intime personnalité des sentiments : c'est de l'*amour*, de la *mort*, de la *nature* que parle le poète, mais il note l'impression, le frisson particulier que ces notions générales lui donnent, la forme et la couleur par lesquelles se détermine en lui leur éternelle identité.

Et déjà la technique assure à ces œuvres une perfection qui les fasse durer; je n'ai pas besoin de citer ce que tout le monde connaît : *Mignonne, allons voir si la rose*, ou *Nous vivons, mon Panjas*, ou *Quand vous serez bien vieille* ou l'*Élégie contre les bûcherons de la forêt de Gâtine* et mainte autre pièce. Car il y a dans Ronsard de quoi composer un volume où rien de médiocre n'entrerait.

Sa technique est celle d'un vrai artiste. Il a vu à quoi le métier devait servir, et il a bien compris, disons mieux, il a senti dans l'étude des anciens ce que la forme était en poésie. Il a essayé d'attraper cette forme-là, belle et parfaite. Il est loin d'y avoir réussi, et il nous est aisé d'être choqués de ses défaillances. Ici encore il a péché par érudition, toutes les fois que l'autorité des anciens lui a tenu lieu de raison. Il a péché aussi par impuissance ou insuffisance de génie, par négligence : il a souvent donné l'exemple d'une facture qu'il condamnait. Mais surtout il faut tenir compte de ce qu'il dégrossissait le premier la poésie moderne : s'il a ébauché la forme que ses successeurs devaient porter à la perfection, on peut lui passer beaucoup de défaillances nécessaires.

Il a eu deux grands mérites : d'abord, comme je l'ai dit déjà, il a restauré l'alexandrin. Puis, il a créé, mis en usage, laissé aux poètes futurs une grande variété de rythmes lyriques.

Sans doute il n'a pas tout inventé : la strophe de 6 vers (*a a b c c d*), qui est de beaucoup la plus fréquente dans les odes de Ronsard, était déjà très employée par Marot, qui même savait la diversifier en variant la longueur du vers; il connaissait notamment la forme gracieuse qui consiste à donner trois syllabes aux second et cinquième vers, et sept aux autres [1] la forme aussi destinée à un si bel avenir, qui consiste à faire le troisième et le sixième vers sensiblement plus courts que les autres [2]. Certains entrelacements de rimes dans les strophes de cinq vers ont été fournis aussi par Marot. Le huitain de Villon et de Charles d'Orléans, le dizain de M. Scève, très en vogue depuis Deschamps, se retrouvent aussi chez Ronsard : même le quatrain qu'il appelle *strophe saphique* est dans les *Psaumes* de Marot, et par le principe de la succession des (*a a a b — b b b c*, etc.) nous ramène en plein moyen âge, jusqu'à Rutebeuf.

Mais Ronsard a singulièrement enrichi l'art de ses prédécesseurs : chacune de ses quinze odes pindariques est construite sur un type particulier [3]; et dans le reste des odes, le nombre des vers dans la strophe, le nombre des syllabes dans le vers, le mélange des vers, et la succession des rimes forment plus de soixante combinaisons. Il a tenté les vers de 9 syllabes; il a fréquemment usé du vers de 7. Il a très heureusement indiqué l'alexandrin comme mètre lyrique, et non pas seulement narratif : il l'a essayé aussi dans des combinaisons destinées à survivre. Marot dans ses *Psaumes*, ne dépassait guère la strophe de 7 vers : celle de 5, et plus souvent celles de 4 et de 6, étaient les plus ordinaires chez lui : Ronsard y ajoute les strophes de 4, 10 et 12 vers dont il met en lumière la puissance expressive, en les dégageant des étroites contraintes où la ballade les tenait assujetties [4].

Il a manié toutes ces formes avec un réel instinct du rythme :

1. C'est le rythme de l'*Avril* de R. Belleau et celui de la pièce fameuse de Victor Hugo : *Sarah, belle d'indolence.*

2. Si l'on donne 6 syllabes aux petits vers et 12 aux grands, on a l'ode III, 17 de Ronsard : c'est la forme de la pièce de Victor Hugo : *Lorsque l'enfant paraît....*

3. Ronsard emploie dans ses odes pindariques le vers de 6 syllabes (1 fois), celui de 8 (4 fois dans les strophes et antistrophes seulement), partout ailleurs le vers de 7. Les strophes et antistrophes ont de 10 à 20 vers et les épodes de 8 à 19, les strophes de 12 vers et les épodes de 10 sont les plus nombreuses. Une seule pièce n'a ni antistrophe ni épode; la plupart ont de 1 à 5 strophes, antistrophes et épodes; une seule en a 10; une, 24. Les rimes masculines alternent avec les féminines dans l'intérieur de chaque strophe : les exceptions, assez nombreuses en apparence, sont voulues systématiquement.

4. Dans la strophe de 8 vers, la plus fréquente chez Ronsard, les rimes sont croisées; *a b a b c d c d.* Dans la strophe de 10 vers, il use de rimes plates, ou de rimes croisées terminées par un distique en rimes plates. Dans la strophe de 12 vers, voici l'ordre des rimes *a b a b c c d d e f e g.* Dans le quatrain, il fait quelquefois les vers impairs plus courts, ou le quatrième seulement court après trois plus longs; dans la strophe de 8 vers, il donne 6 syllabes au 4⁰ et au 8⁰ vers, 12 aux autres. J'ai dit les deux combinaisons de mètres les plus heureuses qu'offre la strophe de 6 vers. Il fait alterner la strophe de 6 vers avec celle de 4, ou, inversement, celle de 12 vers avec celle de 8 : parfois il fait alterner quatre longs vers avec six vers courts, etc. — Voir *Odes*, V, 33, un curieux artifice dans l'agencement des rimes, ou IV. 31; ou encore IV, 17.

s'il n'a pas semblé avoir une conscience nette du rôle des accents dans les vers, s'il n'en parle jamais, non plus que Du Bellay dans sa théorie, en fait il les distribue souvent avec un très juste sentiment. Libre à nous de trouver son vers rude et mal rythmé : que diraient nos compositeurs de la musique de Goudimel? Il a eu le tort de ne pas élider toujours dans l'intérieur du vers l'e muet final précédé d'une voyelle (*une vie sans vie*), d'admettre trop facilement des enjambements d'un hémistiche entier et, qui pis est, dans plusieurs vers successifs : si bien que son alexandrin, parfois boiteux, est d'autres fois indéterminé, traînant en queue de prose, amorphe. Mais enfin il a posé les principes de l'alexandrin classique (qui se coupe à l'hémistiche et se couple par distiques), et il en a donné d'excellents modèles. Il a même aussi créé de belles périodes dans lesquelles les alexandrins ne se détachent plus les uns des autres, et déploient, comme chez V. Hugo, un rythme souple et continu. Dans les vers lyriques, quiconque entendra les mêmes strophes dans les *Psaumes* de Marot et dans les *Odes* de Ronsard, comprendra ce que celui-ci a apporté : rythme, sonorité, mouvement, harmonie, tous les éléments qui font la valeur esthétique de la strophe. Il est aisé de remarquer comment chez Ronsard, abstraction faite de l'idée et du style, la simple pression du mètre, l'agencement tout mécanique du rythme enlèvent vigoureusement la strophe, et lui communiquent une sorte de rapidité impétueuse.

Nous avons donc affaire en Ronsard à un poète, déjà même à un grand, très grand poète. Son grand malheur est venu non pas tant des erreurs de son système que d'avoir eu un système, en vertu duquel il a agi sans et contre la nature. Il a mené trop loin la réaction nécessaire contre le naturel facile; au lieu de perfectionner le naturel, il l'a contraint, parfois exclu. Il a réussi, chaque fois que s'est fait un juste équilibre de son art et de son inspiration, et que la réflexion n'a point paralysé la spontanéité. Alors il a mis la poésie dans sa voie : il a indiqué le but, qui est d'exprimer la nature dans une forme parfaite. Il a indiqué les moyens, qui sont l'étude et l'imitation des anciens. Il a préparé le XVIIe siècle et l'art classique. Son génie est surtout lyrique : mais en maint endroit, dès qu'il s'agit des sujets graves et moraux, l'idée prend le dessus sur le sentiment, le raisonnement sur l'effusion, et le lyrisme tourne en mouvements oratoires. Tels hymnes de Ronsard sont des discours, analogues aux *Épîtres* de Boileau. Ce qui manque surtout à Ronsard, ce qui reste à acquérir, c'est l'indépendance intellectuelle, la nette conscience du sentiment personnel, le goût : en un seul mot, la raison. Et toute la justification de Malherbe est là.

3. RETOUR A L'ITALIANISME.

Autour de Ronsard pullulent les poètes : tout s'incline, même
Mellin de Saint-Gelais, qui un **moment** voulut lutter. Tout le
monde imite les procédés du maître. La Pléiade et ses alentours
fournissent des pièces charmantes aux anthologies : Baïf, Magny [1],
d'autres encore sont loin d'être sans mérite. Mais leur œuvre n'est
qu'un diminutif et qu'un écho de celle de Ronsard. Ils n'apportent rien qui ne soit en lui, à un degré supérieur. Ils sont peu « distincts », peu « nécessaires ». Il ne faut donc nous arrêter à l'école de
Ronsard que pour voir s'accuser les vices, les excès de la réforme,
et les hautes ambitions s'effondrer par une rapide dégradation.

Nous remarquons ainsi les témérités de Baïf, qui forge des com-
paratifs et des superlatifs à la manière latine, qui tente des vers
métriques sur le patron des vers latins : ainsi le génie propre de
la langue, le caractère original de la versification française sont
méconnus [2]. L'insuffisance du tempérament éclate dans Belleau [3],
avec qui la nouvelle école verse dans le descriptif, ressource ordinaire des inspirations épuisées.

Mais le plus grave, et qui marque le mieux l'échec final de Ronsard, même en ce qu'il a d'excellent, c'est qu'il se fait comme
un trou entre lui et Malherbe : la poésie ne poursuit pas son développement avec une égalité continue, à la hauteur où il l'a mise.
Elle retombe après lui, dès son vivant, et ce sont les plus hautes
parties, les plus utiles, qui devront être relevées et consolidées par
Malherbe. En effet, on laisse les grands modèles, Homère, Pindare : on saisit Virgile par le côté sentimental et alexandrin de
sa poésie. On redescend vers Saint-Gelais, en mouillant l'esprit de
molle mélancolie ou de tiède volupté.

Ronsard venait à peine de rivaliser avec Pindare que Henri

---

1. **Éditions :** *La Pléiade* fr. (Ronsard, Du Bellay, Jodelle, Dorat et Thyard,
Belleau, Baïf), Lemerre, 20 vol., 1866-1890. Baïf : éd. Marty-Laveaux, 1881-90 ;
cf. Augé-Chiquet, 1909. — Magny : éd. Courbet, 1871-81 ; cf. J.-E. Fabre, 1885.
— Belleau : éd. Gouverneur ; cf. A. Eckhardt, 1917. — **A consulter :** J. Vianey,
Pétrarquisme en Fr., 1909 ; M. Raymond, *Influence de Ronsard*, 1927 ; Augé-
Chiquet : *Vie, idées et œuvre de Baïf*, 1909.

2. Baïf fut un chercheur curieux, animé de hautes ambitions auxquelles son talent
ne fut pas égal. Il eut des parties de grand artiste : la richesse du vocabulaire, et un
goût réaliste des mots et tours populaires, colorés, gras, savoureux ; l'imagination
plastique, capable de modeler avec fermeté des formes, des attitudes et des groupes
gracieux. Il y a de l'originalité et une sobriété nette dans ses *Mimes*, qui le
classent à la fois parmi les précurseurs de La Fontaine et de la poésie morale du
XVIIᵉ siècle (*11ᵉ éd.*).

3. *Les Amours et Échanges des pierres précieuses*. in-4. Paris, 1576.

Estienne imprimait Anacréon (1554); Ronsard y applaudit sans
s'apercevoir que ces grâces alexandrines et gréco-romaines allaient
éclipser la naïve grandeur des purs classiques. Belleau traduisit
Anacréon, mais tout le monde voulut cueillir de ces jolies fleurs :
ce fut à qui imiterait ces mignardises. Puis de l'antiquité mièvre
on redescendit à la spirituelle Italie. Le pétrarquisme fleurit de
plus belle; l'Arioste fut le Virgile et l'Homère des poètes et des
courtisans du dernier Valois. Ce ne sont que pointes et bel esprit
chez Desportes [1], sécheresse de sentiment et grâces maniérées.
Mais la forme des vers contraste avec la poésie : rien de plus
parfait que certaines chansons de Desportes, par la vivacité légère
du rythme. Il a donné surtout aux alexandrins soit continus, soit
groupés en quatrains, en sizains, soit distribués en sonnets, une
mollesse, une fluidité harmonieuse qui enchantent. Par sa forme,
Desportes est encore tout lyrique. Par ses sujets, ses idées, son
inspiration, il indique une déviation aristocratique de la Pléiade
qui, sous l'influence italienne, et se vidant de plus en plus de sentiment pour faire prédominer l'esprit, aboutira à la délicatesse
tout intellectuelle des Précieux.

Cependant une veine d'esprit naturel, dérivée de **Marot, mais**
qui s'est teinte de fine émotion en traversant le domaine de Ronsard, circule encore dans la poésie : Passerat mêle la malice gauloise à la grâce sentimentale, et revêt le simple naturel des formes
achevées de la poésie érudite; dans son très petit domaine, il
montre ce que peut le bon sens bourgeois appuyé sur la culture
antique [2].

4. DISPARITION DE RONSARD.

Après 1573, on pourrait dire que Ronsard fut délaissé, ou plutôt
qu'il ne fut guère imité que dans ses erreurs et ses défauts; on
continua de l'adorer : mais son école s'adorait en lui; aussi ceux

---

1. Philippe Desportes, né en 1546, fut en grande faveur auprès de Henri III, qui
le fit son lecteur, et abbé de nombreuses abbayes, notamment celle de Tiron Il s'attacha sous la Ligue à Anne de Joyeuse, et fut le conseiller intime de M. de Villars. Il
ménagea bien ses intérêts dans toutes les négociations et marchandages qu'il traita
pour ses maîtres. Il sut se maintenir auprès de Henri IV. Il mourut en 1606. On l'attaqua fort sur l'exploitation qu'il faisait des poètes italiens, grands, moyens et petits
(cf. Flamini, *Studii d'istoria litteraria*, Livorno, 1895, in-8)
Éditions : *Premières Œuvres* 1573; *Psaumes*, 1603; éd. A. Michiels, 1858.
Cf. J. Lavaud, *Desportes*, 1936.
2. Jean Passerat, de Troyes (1534-1632), fut professeur au Collège Royal, et
l'un des auteurs de la *Ménippée*.
Éditions : *Œuvres poétiques*, 1616; éd. Blanchemain, 2 vol. in-12, Lemerre, 1880.

qui attaquèrent l'école purent-ils croire légitime de frapper sur
lui. Chacun se fit un Ronsard à sa mode : l'honnête Vauquelin de
la Fresnaye, l'ardent et facile Régnier, pour s'en réclamer;
Malherbe, pour le condamner. Mais Ronsard durait toujours, était
défendu, loué, imprimé. Chapelain, un des fondateurs à certains
égards du classicisme, l'estimait plus poète que Malherbe. La dernière édition de Ronsard est de 1630 : c'est vers ce moment,
entre 1630 et 1640, qu'il s'enfonce décidément dans l'oubli, où il
se perdra, quand seront morts les derniers représentants des
générations qui avaient assisté à sa gloire.

Les causes de l'étonnante disparition de Ronsard pendant deux
siècles sont multiples. D'abord, sa langue le discrédite : où elle est
de son invention, elle ne s'est pas imposée; où elle est de son temps,
elle a passé. Rien ne compensa suffisamment en lui la rudesse
de la langue : Amyot, Montaigne ont été sauvés par leurs sujets,
par l'objectivité, la généralité des choses dont ils parlaient. Ronsard, subjectif et lyrique, point moraliste, ni psychologue, n'a rien
qui engage les lecteurs du xviie siècle à vaincre l'obstacle et le
dégoût de sa forme surannée.

Puis il fut pris entre les deux ennemis qu'il avait combattus. La
première fièvre de la Renaissance une fois calmée, Ronsard fut
trop érudit, obscur et pédant pour le courtisan. Mais l'érudit
n'avait pas encore adopté la langue vulgaire. Les humanistes
avaient fondé un système d'éducation qui l'excluait. Les nouvelles
générations arrivaient, nourries dans leurs collèges de Virgile et
d'Horace, n'ayant parlé, écrit, étudié qu'en latin. Qui donc leur
eût révélé Ronsard? A ce moment précis, le *monde* n'existait pas
encore, et c'est le *monde* qui pendant longtemps complétera l'enseignement des collèges, indiquera les Français dont il faut se
souvenir, qu'il faut lire. Mais comme le monde n'a souci d'éruditions et suit son plaisir, il ne remonte point aux temps antérieurs;
une tradition mondaine, en fait de jugements littéraires, ne commence à se former que dans les dernières années de Malherbe, et
c'est à partir du xviie siècle seulement que se constitue et s'enrichit
peu à peu dans l'opinion de la société polie le dépôt des chefs-
d'œuvre de notre littérature classique. On songea enfin d'autant
moins à se retourner vers Ronsard qu'il était inutile : Malherbe,
puis Corneille réalisaient le meilleur des vues de Ronsard, et du
jour où ce qu'il avait de bon fut acquis et dépassé, les excès seuls
et les défauts de son œuvre comptaient pour le public.

De là l'oubli profond, l'étrange mépris où tomba Ronsard, dont
le nom devint représentatif de tout ce que le xviie siècle ne pouvait
accepter, ni goûter, ni comprendre dans l'héritage du xvie. Mais si
l'on veut être juste envers la Pléiade, on se souviendra qu'avant

le romantisme, Ronsard est en somme notre plus certain lyrique ; en second lieu, qu'il est à peu près notre unique lyrique qui ait cherché son inspiration hors de la religion, hors même des faits historiques et de l'héroïsme, le seul qui ait tâché de tirer son œuvre des sources intimes du tempérament ; enfin, que Ronsard, c'est vraiment la première ébauche et la période, si l'on peut dire, préhistorique du classicisme : qu'alors dans la langue, dans la poésie, apparaissent une multitude de formes dont quelques-unes survivront, et deviendront les types parfaits, et stables pour un temps, de la poésie.

LIVRE IV

GUERRES CIVILES
CONFLITS D'IDÉES ET DE PASSIONS

(1562-1594)

CHAPITRE I

LES MÉMOIRES

1. Constitution des spécialités scientifiques. La philosophie : Ramus. L'érudition : H. Estienne, E. Pasquier. Savants : Paré, Palissy. — 2. Les *Mémoires* : leur abondance. Monluc ; l'homme et l'écrivain. Brantôme.

Le progrès de la Réforme, dont le premier éclat avait surpris le catholicisme, l'obligea à se réformer et à se réorganiser. Il procéda à l'élimination des éléments trop décidément irréligieux que la Renaissance avait introduits dans l'Église ; il reconnut aussi sa corruption, et s'efforça d'y remédier par une énergique restauration de la foi, de la science et des mœurs. Il fit en sorte de donner moins de prise aux accusations que dirigeaient les protestants contre l' « idolâtrie papiste », et en même temps prit une offensive vigoureuse pour arracher à l'hérésie le terrain déjà conquis. L'Inquisition, les Jésuites et le Concile de Trente furent les trois instruments principaux de la Contre-Réformation catholique [1].

La France, où le protestantisme avait pris des forces sans parvenir à dominer, et qui déjà sentait assez son unité nationale pour

---

[1]. A consulter : Philipson, *la Contre-Révolution religieuse au XVIᵉ siècle*, Paris et Bruxelles, 1883. Dejob, *De l'Influence du concile de Trente sur la littérature et les beaux-arts*, Paris, 1884.

e pas y souffrir de rupture par la division religieuse, la France
ut un des grands champs de bataille que l'Église et la Réforme se
disputèrent. La lutte fut d'autant plus âpre, que les passions fanatiques furent aigries, enflammées, utilisées par les intérêts et les
goïsmes : la noblesse y prit l'occasion de jouer une dernière et
érieuse partie contre la royauté envahissante, et, sous les noms
e protestants ou de catholiques, abrita des rancunes et des ambitions féodales. Mais il faut tenir compte surtout des individus, qui,
prenant le déploiement de toutes leurs énergies pour règle et pour
in de leur activité, faisaient servir à eux-mêmes les causes qu'ils
ervaient, et ne cherchaient réellement dans le triomphe poursuivi
u calvinisme, ou du catholicisme, que les moyens d'étendre et
'enrichir leur personnalité.

1. CONSTITUTION DES SPÉCIALITÉS SCIENTIFIQUES.

Pendant cette trentaine d'années de luttes furieuses que je
'ai point à raconter, la littérature poursuivit son progrès. Ronsard
e compléta par la Franciade; le large torrent de la Pléiade se
éduisit à un mince filet; Desportes hérita de Ronsard, et Malherbe
même écrivit ses premiers vers

Dans les œuvres à qui une idée d'art ne donne pas naissance,
t qui usent de la prose, les conséquences du fait capital que j'ai
déjà signalé continuent de se développer : les gens se distinguent,
es esprits se spécialisent, et le domaine de la littérature se précise
n se restreignant. Les conteurs limitent leur ambition et leur
ffort : entre la bouffonnerie épique, l'universalité scientifique de
Rabelais, et la gauloiserie satirique sans portée des anciens con-
eurs français, ils déterminent une voie moyenne : Noël du Fail [1],
urtout, mêle le réalisme pittoresque de la description des mœurs
la satire particulière des divers caractères de l'homme et des
divers états de la vie.

La philosophie se sépare de la littérature : Ramus [2] ne nous

1. N. du Fail (vers 1520-1591) fut juge au présidial de Rennes, puis conseiller
u Parlement de Bretagne. **Éditions**: Propos rustiques et facétieux, 1547 (éd.
.-R. Lefèvre, 1929); Baliverneries et Contes nouveaux, 1548; Contes et Discours
'Eutrepel, 1585 (éd. Courbet, 1899). — **A consulter**: E. Philippot, Vie et Œuvre
e N. du F., Langue et Style de N. du F., 1914; G. Reynier, Roman sentimental
vant l'Astrée, 1908.

2. P. de la Ramée, né en 1515 dans un village du Vermandois, soutint avec suc-
ès, en 1536, pour être maître des arts, sa fameuse thèse contre Aristote; mais, ayant
edoublé ses attaques dans deux livres latins il fut condamné en 1543. Principal
u collège de Presles, puis en 1551 professeur royal, il fut en faveur à la cour sous
Henri II, mais il avait d'ardents ennemis dans l'Université, notamment Charpen-

appartient pas, parce qu'il écrit presque toujours en latin, mais pa
davantage lorsque par hasard il use du français. Le talent litté
raire lui a manqué : homme de lutte, protestant zélé, fougueu
adversaire de la scolastique, d'Aristote et de la routine universi
taire, humaniste, grammairien, mathématicien, philosophe, il fau
bien que le don essentiel lui ait manqué, pour que ses enthou
siasmes, ses colères, ses périls ne lui aient pas arraché quelque
pages capables de lui assurer une place dans la littérature de so
siècle, entre Paré et Palissy. Une idée seulement de Ramus se
rattache à notre sujet : sa *Dialectique*, opposée à la *Logique* d'Ari
tote, fonde le raisonnement oratoire, qui se forme moins pa
l'exacte application de règles rigoureuses, que par le commerc
et l'imitation des chefs-d'œuvre antiques, par le contact en quelqu
sorte des réalités concrètes où s'est manifestée la faculté discur
sive de l'esprit humain.

L'érudition, pareillement, et toutes les sciences se constituer
hors de la littérature, avec leur caractère technique, et cett
impersonnalité qui n'a rien de commun avec l'objectivité artis
tique. Cependant deux choses tendent à ramener les ouvrage
de science et d'érudition dans notre domaine : la langue fran
çaise, quand on l'emploie, toute concrète encore et chargée d
réalité, et dont les mots apportent, au milieu des abstraction
techniques, les formes, les couleurs et comme le parfum des chose
sensibles; ensuite, le tempérament individuel, mal plié encore
la méthode scientifique, et qui jette sans cesse à la traverse d
opérations de la pure intelligence l'agitation de ses émotions et l
accidents de sa fortune.

Le tempérament domine dans Estienne [1], le savant auteur (
l'incomparable *Thesaurus* de la langue grecque. Huguenot, hellé

tier; sa conversion au protestantisme redoubla les haines. Il dut s'éloigner, voyage
en Suisse, en Allemagne, et, à son retour (1570), se vit exclu de l'enseignement
Il fut assassiné le troisième jour du massacre de la Saint-Barthélemy. **Éditions**
Dialectique, in-4, Paris, 1555; *Gramere* (grammaire), Paris, 1562. — **A consulter**
Ch. Waddington, *Ramus*, Paris, 1856; Desmage, *Ramus*, 1864.

1. **Biographie**: Henri Estienne (1528-1598), fils de Robert, élève de Toussain et
Turnèbe, voyagea en Italie, en Angleterre, en Flandre, suivit son père à Genèv
quand il y transporta son imprimerie, fut censuré et même emprisonné par le Co
sistoire, à propos de ses *Dialogues*, et eut besoin de la protection du roi de Fran
pour n'être pas chassé de Genève, d'où son humeur vagabonde l'éloignait souvent.
Thesaurus parut en 1572. — **Éditions** : *Apologie pour Hérodote*, 1566; *Traité de
Conformité du langage françois avec le grec*, s. d. (avant 1566); *Deux Dialogues o
nouveau langage françois italianisé*, 1578; *Projet du livre intitulé : De la précellen
du langage françois*, 1579; *Conformité* et *Précellence*, éd. Feugère, Delalain, 1850
1853; *Précellence*, éd. Huguet, 1896; *Apologie*, éd. Ristelhuber, 1879; *Dialogue
Liseux*, 1883, Lemerre, 1885. — **A consulter** : Renouard, *Annales de l'Imprimerie de
Estienne*, 1843 Sayous, *ouvr. cité*, t, II. L. Clément, *H. Estienne et son œuvre fra
çaise*, 1899.

iste, gaulois et bourgeois, ami des bons contes, et passionné
pour la langue française, entre ses continuels voyages et ses travaux philologiques, il trouva le temps d'écrire de mordants et
spirituels traités, avec une verve et une verdeur de style fort
remarquables. Un singulier mélange de vénération pour Hérodote
et de haine du papisme lui fit écrire son *Apologie pour Hérodote.*
Le même enthousiasme d'helléniste se mêla dans son dévouement
au français vulgaire.

Ayant démontré copieusement la *conformité* du langage français
avec son cher grec, il n'eut pas de peine à se convaincre de la *pré-
ellence* de notre idiome sur le parler d'Italie, qui n'est que du latin :
et comme il le prouvait par exemples abondants la gravité, sonorité,
richesse et souplesse du français, il était naturel qu'il tâchât d'en
préserver la pureté des inutiles et plutôt dangereux apports de
l'italianisme. Par ses piquants et fort sensés *Dialogues du langage
françois italianisé*, Estienne se place parmi les ouvriers de la première heure, qui préparèrent la perfection de la langue classique.
Plus le langage courtisan devenait le type de l'usage littéraire,
plus il était nécessaire de le soustraire à la corruption de ce jargon
d'outre-monts qu'apportaient les reines et les aventuriers d'Italie
et que la servilité de nos raffinés s'empressait d'imposer à la mode.
Henri Estienne, dénonçant par la bouche de son Celtophile tous
ces vocables étrangers qui supplantaient les bons et natifs français, procéda à une épuration nécessaire : il fut de ceux qui préparèrent dans l'opinion le succès de Malherbe.

Etienne Pasquier [1], que nous retrouverons quand nous parlerons de l'éloquence judiciaire, prolongera sa vie jusqu'au début
du XVIIe siècle littéraire : mais il est bien de la génération et de la
période qui nous occupent. Latiniste et juriste très érudit et peu
artiste, profondément bourgeois et Français, honnête, laborieux, de
vie calme et de mœurs graves, d'esprit ardent et caustique tout à
la fois, il est par son aimable solidité un des plus parfaits exemplaires de cette classe parlementaire qui a fait tant d'honneur à
l'ancienne France. Ses *Recherches de la France* et ses *Lettres*, malgré
la différence des titres, sont bien des ouvrages de même nature :

---

1. **Biographie :** Étienne Pasquier, né en 1529, eut pour maîtres Hotman à Paris,
Cujas à Toulouse, Alciat et Socin en Italie, débuta au barreau en 1549, et plaida en
1565 pour l'Université contre les Jésuites. Avocat général à la Cour des comptes en
1585, il était à la fois attaché au roi Henri III et aux Guises, ennemi de la sédition
de la guerre civile : la Ligue emprisonna sa femme, et il ne put rentrer à Paris
qu'avec Henri IV. Il mourut en 1615.

Éditions : *Recherches de la France :* 1er livre, 1560; 2e l., 1565; 7 l., 1611; 10 l.,
1621. *Lettres*, 10 l., 1586; 22 l., 1619. *Catéchisme des Jésuites*, 1602. *Œuvres complètes*, 2 vol. in-fol., Amsterdam, 1723. *Œuvres choisies*, éd. Léon Feugère, 2 vol.
in-12, Paris, 1849. **A consulter :** M. Moore, 1934; P. Bouteiller, 1945.

des collections des dissertations sur tous sujets d'érudition. Histoire et archéologie historique, origines de la monarchie, des
institutions, de la langue, de la littérature, actualités historiques
et littéraires, tout cela, plus ou moins négligemment classé et
distribué, c'est la matière des *Recherches* et des *Lettres*.

Et c'est ce désordre même qui maintient l'érudition solide et
parfois heureusement novatrice de Pasquier dans la littérature :
car on s'y heurte à l'homme à chaque instant. Un certain
goût, une certaine humeur, enfin une nature d'homme apparaît
sans cesse, qui court à son plaisir, suit une curiosité personnelle dans la prise de telle matière, dans ce libre vagabondage à
travers tout l'inexploré des sciences historiques et philologiques.
Dans ces causeries d'un érudit, impossible de ne pas entendre
l'accent de son tempérament, et de détacher la vérité impersonnelle
d'une forme originale de l'esprit qui la présente. En un mot, ces
livres, dont la matière déjà nous échappe à proprement parler,
nous appartiennent au même titre que les *Mémoires* : pour l'homme
voué à l'activité intellectuelle, ses curiosités, sa quête de la vérité,
ses découvertes et ses inventions d'idées, ce sont ses ambitions,
ses campagnes, ses victoires et son butin; et quand il raconte,
comme Pasquier, ce qu'en soixante ans d'études il a appris, il fait
aussi réellement les *Mémoires* de sa vie que le soldat qui raconte
soixante années de guerres, comme Monluc.

Je dirais la même chose des savants dont les ouvrages sont
comptés encore dans l'inventaire de la littérature du xvie siècle.
C'est parce qu'ils fournissent la naïve expression d'un tempérament
personnel, et, en lui, de l'universelle humanité, que Paré [1] et Palissy [2]
peuvent encore avoir d'autres lecteurs que les historiens de la chi-
rurgie ou des sciences physiques et naturelles. Habitués longtemps
à ne chercher d'éminents exemplaires de notre humanité que
parmi les ouvriers bruyants de l'histoire politique, ou les brillants
héros de la vie mondaine, nous nous complaisons aujourd'hui à
saisir dans des vies plus modestes et plus obscures l'âme des
siècles lointains, si irréductible tout à la fois et si identique à la
nôtre.

---

1. **Ambroise Paré** (vers 1510-1590). — **Éditions** : *Œuvres*, édit. Malgaigne,
1840-1841. Cf. M. Broussais, 1900; P. Delaunay, 1929.

2. **Biographie** : Bernard Palissy (1510-1589), Agénois, vécut longtemps à Saintes
d'abord ouvrier en vitraux, arpenteur, peut-être employé dans des mines, il voyagea
selon M. Dupuy, moins qu'on ne l'a dit, et seulement en France. Il trouva au bout
de vingt ans d'essais le secret de son émail. Il fit à Paris, en 1575 et 1576, des
conférences scientifiques. Huguenot fervent, il mourut peut-être à la Bastille.

Éditions : *Recette véritable par laquelle tous les hommes de la France pourront
apprendre à multiplier et à augmenter leurs trésors*, la Rochelle, 1563; *Discours admirables de la nature des eaux et fontaines tant naturelles qu'artificielles, des métaux*

Palissy surtout mériterait d'être lu plutôt que bien des auteurs
e *Mémoires* politiques et militaires : quand il nous parle de
on jardin, ou des engrais, et des terres, et des sels, et des
aux, est-il moins près de nous que celui qui nous raconte les
émêlés du roi de France et de l'empereur, ou bien les amours et
es intrigues d'une cour? D'autant que la science de Palissy n'est
oint abstraite : ce curieux obstiné, qui vécut tant d'années pour
on idée, ce sévère huguenot, qui n'échappa à la Saint-Barthélemy
ue pour mourir à la Bastille, s'est mis tout entier dans tous ses
uvrages; il ne peut parler agriculture et chimie sans répandre
u dehors toute son originale et forte nature, sa large intel-
gence, sa haute moralité, son ample expérience de l'homme et de
. vie. Il y a dans cet inventeur des *rustiques figulines* un philo-
phe qui jette des vues profondes auxquelles nul ne fait attention,
 que la postérité s'étonnera de rencontrer chez lui, quand le
rogrès de la science y aura lentement ramené les hommes : ainsi
tte grande idée, liée à tout un système de la nature, en même
mps qu'elle est la base de l'agriculture scientifique, cette idée que,
s plantes empruntant au sol les aliments qui les accroissent
ur entretenir la fécondité de la terre, il faut lui rendre l'équi
lent de ce que les récoltes lui enlèvent.

Il y a aussi dans Palissy un observateur sans illusions comme
ns amertume, qui, par sa chimie morale, isole les éléments
mples des âmes, et ces principes constitutifs qui sont les passions
goïstes : il y a même en lui un poète sensible aux impressions
 la nature, aux formes des choses, et qui mêle aimablement
ns son amour de la campagne un profond sentiment d'intime
oralité et de paix domestique. Enfin, sans y penser, sans y pré-
ndre, Palissy est un écrivain : il y a dans son style si net et si
ontané, une force d'imagination qui fait jaillir l'expression non
ulement adéquate à l'idée, mais représentative de la vie. La
cette véritable et les *Discours admirables* n'ont pas encore dans
tre littérature du XVIe siècle la place qu'ils méritent, au-dessus
Olivier de Serres, au-dessus même d'Estienne et de Pasquier.

2. MÉMOIRES : BLAISE DE MONLUC.

Les guerres civiles n'interrompirent donc pas le mouvement
tellectuel et la marche de la littérature. Mais l'histoire politique

s *sels et salines, des pierres, des terres, du feu et des émaux*, etc , Paris, 1580. *Œu-
es*, éd. Cap, Paris, 1844; éd. France, 1880; éd. B. Fillon, 1888. — **A consulter :**
vier, *Éloge de B. Palissy*. Grandeau, *Revue agronomique*, dans le *Temps*, 14 juil-
1891. E. Dupuy, *B. Palissy*, 1894; D. Leroux, 1927.

et l'histoire littéraire ne se développèrent point comme deux série
parallèles, sans communication réciproque : une étroite connexité
de continuels échanges d'action et de réaction les lièrent. Sou
vent les œuvres littéraires furent des actes politiques, quelquefoi
des actes décisifs : mais surtout l'état politique créa des condi
tions qui permirent à certains genres de grandir, ou de se trans
former, ou d'éclore.

Au xvie siècle, les *Mémoires* commencent à pulluler, presqu
toujours agréables, parfois excellents. Les siècles précédent
n'avaient guère eu que des chroniques : mais quand l'individu s
prit lui-même pour objet et fin de son activité, quand il poursuiv
au delà de la durée de son être terrestre l'immortalité de la gloir
on conçoit aisément quels stimulants, dans une race sociable e
causeuse, excitèrent les hommes à écrire leurs mémoires. C'éta
une forte tentation et un vif plaisir, de poser soi-même et de des
siner le personnage idéal qu'on voulait être dans la postérité. E
même temps s'était formé un public curieux de tels récits, et qu
dans l'antiquité même ne goûtait rien tant que les *vies*, les por
traits d'âmes grandes et hautaines se dépeignant par leu
actions. Les grandes guerres de François Ier et de Henri II, don
nant occasion aux énergies individuelles de se déployer, fourn
rent un exercice aux auteurs des *Mémoires*. Puis les guerres civile
surexcitant toutes les passions, lâchant toutes les ambition
opposant des adversaires plus détestés et plus connus, leur offr
rent une matière familière et domestique, où les faits, moindre
peut-être, sont plus riches de sens et d'émotion.

Dans la foule des *Mémoires* du xvie siècle, les *Commentaires* c
Monluc [1] se détachent. C'est un Gascon, soldat de fortune, c
cette petite noblesse provinciale, qui s'attacha directement à l
royauté, et lui fournit tant de serviteurs dévoués et dociles, pou
détruire les restes de la grande féodalité, et empêcher les princ
du sang de la reconstituer. Vers quinze ans, il quitte le tris

---

1. Blaise de Monluc, né en 1502, près de Condom, contribue en 1544 à la victoi
de Cérisoles, et s'illustre en 1555 par la défense de Sienne. Il reçoit à l'assaut
Rabastens une blessure qui donne occasion à la cour de lui nommer un successeu
Il ne paraît plus qu'au siège de la Rochelle en 1573. Maréchal de France en 157
il se retire à son château d'Estillac, où il dicte ses *Mémoires*, et meurt en 157
   Éditions: *Commentaires*, éd. de Ruble, *Soc. de l'Hist. de France*, 5 vol.; da
les deux derniers, les lettres de Monluc.; éd. Courteault, 3 vol. 1911-1925.
   A consulter : Ch. Normand, *M.*, 1892; P. Courteault, *M. historien*, 1907; *Un Ca*
de Gascogne au XVIe s., 1909; J. Le Gras, *M.*, 1927.
   Autres Mémoires : Fleuranges; G. du Bellay, sieur de Langey; La No
(dans ses *Discours politiques et militaires*); Castelnau; Marguerite de Valois, et
Le *Journal de l'Estoile*, si curieux, n'a point de valeur littéraire. Ed. L. R. L
fèvre, 1943-49.

hâteau où son noble père vit avec ses sept enfants d'un revenu
e 800 à 1 000 livres. Page, archer, capitaine, mestre de camp,
ouverneur de Sienne, colonel général de l'infanterie, lieutenant
u roi en Guyenne, maréchal de France, au bout de près de cin-
uante ans de guerres, il fallut une terrible arquebusade qui lui
nleva la moitié du visage, pour le contraindre au repos.

C'est alors qu'il dicta ses *Commentaires*, avec une mémoire
nerveilleusement présente, pour se consoler dans son inaction,
our se faire honneur et à sa patrie gasconne, pour défendre
a vie et ses actes, enfin, dans la rédaction définitive, pour servir
'instruction aux capitaines. Il a conté sa rude existence, avec quel-
ue précaution aux endroits scabreux, très avisé dans son appa-
ente brusquerie, et bien maître de sa langue pour ne rien dire
son désavantage : du côté de l'ambition et de l'intrigue, il s'est
it un peu plus candide que de raison. Mais pour le reste
s'est peint au naturel : noir, sec, vif, sobre, brave, cela va sans
ire, mais d'une ardeur réglée par la finesse et la prudence, con-
aissant à fond le soldat, et sachant le prendre, très appliqué à
on métier, très au courant de toutes les questions techniques, très
attentif aux progrès de l'armement, un peu « Gascon » et vantard,
ondeur et souple, honnête en somme autant que la guerre d'alors
permettait, dur par nécessité, homme de consigne et de disci-
line, dont le service du roi fut l'unique loi.

Capitaine incomparable plutôt que bon général, il est le type
e ces officiers sur qui les chefs comptent pour les entreprises
npossibles : malade, presque mourant, on le charge de défendre
ienne; ce fut l'époque héroïque de sa vie, et sa plus pure gloire.

fit la guerre civile comme il avait fait les guerres d'Italie, avec
même dévouement sans réserve et sans scrupules. Sa cruauté
t restée légendaire, et il a raconté sans sourciller les terribles
xécutions qu'il a faites. Au fond il n'était ni protestant, ni catho-
que, ni cruel. Il servait le roi, voilà tout, et il estimait que dans
guerre civile l'extrême rigueur est commandée. Sur la fin de
n commandement, toutefois, après la Saint-Barthélemy, il se
écida à révéler au roi Charles IX les conclusions de son expé-
ence : à force de pendre et de tuer, il en était venu à penser
ie le roi, pour rétablir son autorité et la paix, devait accorder
liberté de leur culte aux protestants, en détacher peu à peu
noblesse ambitieuse en réservant la faveur et les emplois aux
atholiques, enfin user la turbulence de ses sujets dans la guerre
rangère : ce n'est pas là le discours d'un fanatique.

Voilà l'homme : il n'est pas étonnant qu'il ait fait un livre utile
ıx capitaines. Henri IV, comme on sait, appelait ces *Commen-
ires* « la Bible du soldat ».

Mais Monluc a fait plus et mieux qu'un livre d'enseignement technique, plus et mieux aussi qu'un document d'histoire. En parlant
de lui, ce Gascon nous peint l'homme, comme Montaigne, autre
Gascon : avec toute la différence qui doit séparer un magistrat
érudit d'un rude aventurier, il y a entre eux quelque parenté
d'imagination et de style. Inégal, prolixe, prétentieux même, quand
il veut se hausser à l'éloquence, Monluc est à l'ordinaire naturel,
original, pittoresque, avec une abondance de détails particuliers
qui font voir les choses, une vivacité de saillies et d'expressions
trouvées qui font voir l'homme. Et ce vieux capitaine a tant de
finesse native, tant d'expérience accumulée, il a tant fait pendant
soixante ans pour faire jouer les ressorts des âmes de ses soudards,
pour saisir ses supérieurs aussi par les propriétés de leur humeur
qu'en racontant sa vie, il dépasse sans y songer la couche superficielle des faits historiques; il plonge à chaque moment dans les
consciences, les découvre dans les actes, les gestes, les paroles;
se découvre lui-même à nous jusqu'au fond de son être intime.
Tout cela sans « psychologie », sans « analyse » : de tels mots
seraient ridicules. Mais je veux dire qu'il rend la vie, et que nous
ne voyons pas seulement dans son récit des enchaînements de faits
extérieurs, nous y saisissons par surcroît les réalités morales qui
leur servent de support.

Aux *Mémoires* personnels se rattachent toute sorte de *vies* et de
récits où le narrateur, quel qu'il soit, a pour objet de déployer la
richesse ou la beauté de quelque nature héroïque ou illustre.
Ainsi, dès le début du siècle, le *Loyal Serviteur* racontait avec sa
charmante simplicité les faits du chevalier Bayard ; ainsi le rédacteur des *Mémoires* du maréchal de Vieilleville [1] fit valoir le rôle
de ce sage et honnête homme dans les conseils de François Ier,
de Henri II et de Charles IX. Mais, en ce genre, ce qu'il faut placer
en face de Monluc, c'est Brantôme [2].

D'assez bonne maison pour ne pas s'inquiéter trop de sa fortune,
aventureux et aventurier, il n'a l'âme ni féodale ni moderne : sans
foi chevaleresque, et sans patriotique affection, il court le monde

1. L'attribution à Carloix est plus que douteuse : cf. *Revue Hist.*, mars-avril 189
2. **Biographie :** Pierre de Bourdeille (vers 1534-1614), né en Périgord; on le trouv
successivement en Italie, en Écosse, en Angleterre, dans l'armée du duc de Gui
pendant la 1re guerre civile, avec les Espagnols dans leur expédition contre les Ba-
baresques, en Espagne, en Portugal, en Italie, à Malte; il prend part à la 3e guerr
civile, devient chambellan de Henri III, est exilé de la cour en 1582, et songe
passer en Espagne, quand une chute de cheval le met pour quatre ans au lit, et pou
le reste de ses jours le condamne au repos. — **Éditions :** *princeps*, 1665 : ainsi
xvie s. a ignoré Brantôme. Ed. L. Lalanne, *Soc. de l'Hist. de France*, 1864-1882, 11 vo
Ed. P. Mérimée et Lacour, *Bibl. elzév.*, 1858-1892. — Cf. L. Lalanne, *Br.*, 189
F. Crucy, *Br.*, 1934; J. Secret, *Br. et sa Région*, 1948.

pour sa fortune, mais surtout pour voir, curieux admirateur de tous les égoïsmes qui se déploient avec force ou avec grâce. Le hasard d'une chute de cheval qui l'immobilise, en fait un écrivain : il raconte ce qu'il a vu, entendu, sans critique, sans probité d'historien, avec une sécurité d'indifférence morale qui garantit sa véracité. C'est le peintre de l'individualisme du siècle, étranger à toute grande idée, à tout sentiment universel, notant avec une égale sympathie, une égale chaleur de style les fortunes amoureuses des dames, et les hautaines entreprises des hommes de guerre ; rien ne le touche que la vie, l'intensité de l'expansion du moi ; et par là, cet immoral courtisan se trouve apte à saisir, à fixer les traits d'un L'Hôpital ou d'un don Juan d'Autriche.

CHAPITRE II

LA LITTÉRATURE MILITANTE

1. La poésie de combat. *Discours* de Ronsard. Les protestants : D'Aubigné et Du Bartas. — 2. Éloquence. Dégradation de l'éloquence
de la chaire par la passion politique ou religieuse. Naissance de
l'éloquence politique. L'Hôpital. Du Vair. Faiblesse de l'éloquence
judiciaire. — 3. Les pamphlets. L'*Apologie pour Hérodote*. Le
parti des politiques : Jean Bodin. La *Satire Ménippée*.

1. LES DISCOURS DE RONSARD; D'AUBIGNÉ ET DU BARTAS.

Si quelque partie de la littérature devait souffrir de l'ardeur des
discordes civiles, c'était, semble-t-il, la poésie, et pourtant il est vrai
qu'elle leur doit quelques-unes de ses meilleures œuvres. Car le défaut
de la Pléiade, c'était le pastiche, l'artificiel; et il ne fut pas mauvais que les poètes fussent rappelés à l'actualité, sollicités de vivre
de la vie de leur temps, de tirer de leurs âmes les communes émotions de toutes les âmes contemporaines. La grandeur des objets
qui mettaient les hommes aux prises — c'était la religion avec la
morale — faisait que l'actualité échauffait la poésie sans la rapetisser, la précisait sans la dessécher.

Jamais Ronsard ne fut mieux inspiré, plus simplement grand,
éloquent, passionné, tour à tour superbement lyrique ou âprement satirique que dans ses *Discours* : jamais sa langue n'a été
plus solidement et nettement française, son alexandrin plus ample
et mieux sonnant; jamais il n'a donné de meilleure expression de
ses théories poétiques, auxquelles il ne songeait plus guère alors.
Les *Discours sur les misères de France* ou *sur le tumulte d'Amboise*, la *Remontrance au peuple de France*, et la *Réponse aux
calomnies des prédicans*, l'*Institution pour l'adolescence du roi*

Charles IX, débordent tantôt d'indignation patriotique, tantôt de passion catholique, et tantôt de dignité blessée : quand Ronsard montre l'héritage de tant de générations, de tant de vaillants hommes et de grands rois, follement perdu par les furieuses discordes de ses contemporains, quand il oppose le néant de l'homme à l'énormité prodigieuse de ses passions, quand il donne aux peuples, aux huguenots, au roi des leçons de bonne vie, quand enfin il dépeint fièrement son humeur, ses goûts, ses actes, alors il est vraiment un grand poète. Il enseigne à la poésie que le monde et la vie lui appartiennent, et que des plus familières comme des attristantes réalités elle peut sortir en ses plus belles formes.

La leçon ne fut pas perdue. C'était un disciple de Ronsard que ce capitaine huguenot qui, dans les loisirs forcés d'une blessure lente à guérir[1], mettait au service de ses irréconciliables haines une science des vers formée par les exemples de la Pléiade et par la pratique de la poésie mignarde et galante. Les *Tragiques* de D'Aubigné ne verront le jour qu'au XVIIᵉ siècle, et nous les retrouverons au temps où le rude partisan se sera fait décidément homme de plume : mais il faut bien noter ici que ce chef-d'œuvre de la satire lyrique est né des guerres civiles, conçu dans le feu des combats, sous l'impression actuelle des vengeances réciproques ; même une partie du poème s'est fait « la botte en jambe », à cheval, ou dans les tranchées ; c'était un soulagement pour cette âme forcenée d'épancher dans ses vers le trop-plein de ses fureurs, qui ne s'épuisaient pas sur l'ennemi.

Tandis que D'Aubigné attendait maladroitement l'apaisement universel pour publier ses vers enragés, Du Bartas[2] se faisait reconnaître pour un grand poète protestant. Sa gloire inquiéta Ronsard, d'autant que l'esprit de parti se plut à exalter l'auteur des *Semaines* aux dépens de l'auteur des *Discours*. Oubliée en France et dans les pays catholiques, l'œuvre de Du Bartas resta populaire en pays protestant : de Milton à Byron, elle a laissé des traces dans la poésie anglaise, et Gœthe en a parlé en termes enthousiastes qui lui ont valu chez nous plus d'estime que de lecteurs.

1. Blessé en 1577 à Casteljaloux, D'Aubigné « traça comme pour testament cet ouvrage, lequel encore quelques années après il a pu polir et emplir ». *Préface des Tragiques.* — Sur l'œuvre et l'auteur, cf. p. 367-371.

2. Guillaume de Salluste, sieur du Bartas (1544-1590), était fils d'un marchand de Montfort en Fezenzaguet, nommé Salustre. Il remplit plusieurs missions pour le roi de Navarre en Angleterre, en Écosse et en Danemark. Il a tiré de Viret (*Instruction chrétienne*) une bonne partie de la science qui s'étale dans les *Semaines*.

Éditions : *La Première Semaine*, 1579. Une *Seconde Semaine*, commencée en 1584, est restée inachevée. *Œuvres*, 1611 ; *Œuvres*, éd. Holmes, 1935. — **A consulter :** G. Pellissier, *la Vie et les Œuvres de Du Bartas*, 1882 ; H. Ashton, *Du B. en Angleterre*, 1908 ; M. Braspart, *Du B., poète chrétien*, 1947.

Il y a de beaux morceaux dans Du Bartas : mais il n'y a que des
« morceaux ». De par la conception première de l'œuvre, la *Semaine*
n'est qu'une collection de « morceaux » rejoints et classés. Et tous
ces morceaux sont descriptifs. Au fond, Du Bartas, qui peint la
nature sortant des mains du Créateur, n'est qu'un Belleau protestant. Il a l'avantage de l'enthousiasme religieux; mêlant sa foi dans
tous les actes de sa pensée, il prend un sujet biblique, au lieu de je
ne sais quelle indifférente histoire naturelle. Mais ce sujet n'en est
pas moins tout descriptif, et je reconnais là l'esprit de la Pléiade dégé
nérée. Voilà pourquoi celui qui fut en son temps le rival de Ronsard
n'est pour nous que l'émule de Belleau. Ses vers à effet, sa vigueur
éloquente, sa phrase magnifiquement gonflée, ses passages éclatants n'y font rien : on pourra le faire admirer dans d'habiles
extraits, mais le faire lire d'un bout à l'autre, jamais.

Et puis, permis à Gœthe, un Allemand, de n'y point faire attention : mais enfin celui dont Ronsard expia les péchés, celui qui
méconnut le génie de la langue, qui l'enfla d'inventions fantastiques
jusqu'à « la faire crever », celui qui alla à l'encontre de tous les préceptes et de l'esprit du maître, ce fut Du Bartas ; on sait l'abus qu'il
fit des composés : « guide-navire, échelle-ciel, brise-guérets, aime-
lyre », et une infinité d'autres. Il a compromis ainsi une tentative
qui en elle-même était intéressante. Il a aussi très indiscrètement
exercé le *provignement* recommandé par Ronsard. Sa langue est
celle d'un provincial qui veut montrer aux Parisiens qu'on n'est
pas arriéré chez lui : il exagère leurs modes ou leur jargon, et
arrive à n'être que leur caricature. Il n'y a pas de réhabilitation à
tenter pour lui.

2. ÉLOQUENCE. L'HÔPITAL ET DU VAIR.

Nous arrivons maintenant à des produits plus directs des discordes et de l'anarchie du xvie siècle. Toute une littérature oratoire
et polémique en sortit.

L'éloquence, d'abord, en prit soudain un vigoureux essor. Non
pas l'éloquence religieuse : car il fallut que l'apaisement se fît pour
que la prédication catholique acquît cette solidité et cette gravité,
dont Calvin avait donné les premiers modèles. Dans l'exaspération
de la lutte, la parole chrétienne ne pouvait garder la décence de
son caractère, ni les esprits chrétiens la mansuétude de leur Évangile : les protestants glissèrent à la virulence injurieuse ; les catholiques qui ne s'étaient pas encore réformés, retenant la vulgarité facétieuse de Maillard et des Menot, se donnèrent pour rôle

d'exploiter et d'exprimer les passions de la populace[1]. L'éloquence
dégoûtante, triviale, bouffonne, sanguinaire des prédicateurs de
la Ligue n'appartient pas plus à la littérature que, sous la Révolution, les diatribes de *l'Ami du Peuple* ou les grossièretés du
Père Duchêne. En attendant que Henri IV ait remis la controverse
et la prédication au ton qui leur convient, les débuts de Du Perron
et de Du Plessis-Mornay[2] promettent dès lors de meilleurs jours.

Mais ce qui dégradait l'éloquence de la chaire fit naître l'éloquence politique. Il avait pu y avoir dans les siècles précédents
quelques harangues vigoureuses, quelques saillies de naturel éloquent, auxquelles les États généraux, les assemblées de l'Université, ou diverses occasions de troubles civils avaient pu donner
lieu. Il n'y avait pas eu d'orateur à qui l'on pût donner vraiment ce
titre; il n'y avait pas de tradition oratoire. Voici que pour la première fois l'éloquence politique semble se constituer chez nous,
par la coïncidence heureuse du retour à l'antiquité, qui offre les
grands modèles, et d'un demi-siècle de discordes, qui, affaiblissant le pouvoir central, ouvrent aux divers corps de l'État la liberté
de la parole[3]. Pendant les trente-cinq ans qui séparent la mort de
Henri II de l'entrée de Henri IV à Paris, deux hommes se tirent
le pair par le talent oratoire : L'Hôpital et Du Vair.

Il appartient à l'histoire d'estimer le rôle du grand homme de
bien qui fut L'Hôpital[4]. Mais il nous faut chercher l'inspiration qui
anima son éloquence. Confondant l'État et le roi, non comme le
courtisan pour livrer l'État au bon plaisir du roi, mais pour que le

1. **A consulter** : pour les protestants, Sayous, *ouvr. cité*, t. I, Bèze et Viret; pour
les catholiques, Labitte, *De la Démocratie chez les prédicateurs de la Ligue*, in-8, 1841.
2. **A consulter** : *Oraison funèbre* de Ronsard, par Du Perron (1586), au t. VIII des
Œuvres de Ronsard, édit. Blanchemain. Du Plessis-Mornay, *Traité de l'Église*, 1579;
Traité de la vérité de la religion chrétienne, 1581.
3. **A consulter** : Chabrier, *les Orateurs politiques de la France*, 1888; G. Weill,
Théories sur le Pouvoir royal pendant les Guerres de Religion, 1892; Lureau,
Doctrines démocratiques chez les Écrivains protestants, 1900; P. Mesnard, *Essor
de la Philosophie politique au XVIe s.*, 1936.
4. Michel de l'Hôpital, né en Auvergne vers 1505, fut emmené en Italie par son
père qui suivit le connétable de Bourbon, étudia à Padoue; et, revenu en France
devint conseiller au Parlement, président du conseil de la duchesse de Berri, président de la Chambre des comptes, enfin chancelier de France en 1560. Il lutta contre
Montmorency et contre les Guises, travailla à la réformation de la justice, au rejet
du concile de Trente, au maintien de la paix. Disgracié en 1568, il se retira à sa terre
de Vignay, où il mourut en 1573.
Éditions : *Œuvres*, édit. Dufey de l'Yonne, 5 vol. in-8, Paris, 1824. — **A consulter** : Amphoux, *M. de l'H. et la liberté de conscience au XVIe s.*, 1900; J. Héri-
er, 1943; F. Buisson, 1940. — Il y aurait lieu d'examiner dans quelle mesure
l'authencité du *Traité de la Réformation de la justice* doit être suspectée : j'y trouve
deux pages bien étonnantes de divination sur les conséquences que les abus
sociaux doivent nécessairement amener, et je doute qu'une créature des Séguier
ait pu écrire de telles choses au XVIIe siècle.

roi fît du bien public son bien, il voulut fortifier le roi pour assurer
la paix ; il se dévoua à combattre tous les fauteurs de sédition et
d'anarchie, les ambitieux déguisés en fanatiques, et les fanatiques en
qui le zèle faisait tous les effets de l'ambition. Il concevait la tolérance religieuse, en bon Français comme une nécessité politique, en
bon chrétien comme un commandement de l'Évangile : les événe
ments du siècle lui semblaient en donner la démonstration expéri
mentale, et il ne cessa de la prêcher, aux Rois, aux États, aux Parle
ments : c'était l'unique moyen de rétablir la paix sociale et de main
tenir l'unité du royaume, disait-il quarante ans presque avant l'édi
de Nantes. A travers ces hautes préoccupations, il n'oubliait pa
qu'il était magistrat et chef de la justice : en même temps que se
Ordonnances réformaient les vices de la législation et de la procé
dure, il visitait les Parlements ; à Paris, à Rouen, à Bordeaux, il
admonestait les juges, leur disait d'honnêtes et de fortes paroles
les rappelant à la probité, à l'exactitude, à la vigilance, avec un
profond amour du peuple à qui la justice doit être une protection
non une charge.

Cet homme inébranlable au milieu des factions, qui ne cherchait pas le nom de bonhomme, sachant être ferme à ses propre
risques, et que les grands soucis ne détournaient pas des petit
devoirs, eut le culte et la passion des lettres : il se consola de sa
disgrâce en faisant des vers latins. Aussi son éloquence est-ell
parfois encombrée d'érudition. L'Hôpital ne se fait pas faute d
citer à la file dans le même discours Philippe, Démétrius, Louis XII
Théopompe, Galba, et bien d'autres : cela passait pour gentilless
dans le monde lettré du Palais. Mais, heureusement, il avait un
éloquence de tous les jours, qui vaut mieux. Il a la phrase un
peu lente et pesante, mais traversée de brusques éclairs, et par
fois ramassée en fortes sentences. Dans ses visites aux Parlements
sa parole est familière, pittoresque, haussée par l'intérieure élé
vation de la pensée, échauffée soudain de passion spontanée
et redescendant sans heurt à l'aisance d'une grave causerie
Mais dans la Harangue aux États d'Orléans (1560) et dans l
Mémoire au Roi *sur le But de la guerre et de la paix* (1568), ses ordi
naires remontrances en faveur de la paix et de la tolérance on
revêtu une forme singulièrement forte ; vigueur de raisonnement
mouvement pathétique, expression saisissante, toutes les partie
d'un grand orateur se trouvent dans ces deux pièces.

Du Vair [1] n'a pas la brusquerie nerveuse ni le feu intérieur d

1. Guillaume du Vair (1556-1621), conseiller au Parlement de Paris en 1584, envoy
en Angleterre (1596), intendant de justice à Marseille, puis premier président au Par
lement de Provence, garde des sceaux (1616), évêque de Lisieux (1617), fut un de

L'Hôpital. Il n'en a pas non plus l'embarras. Il marche d'une allure plus aisée et plus égale. Il vise à la rondeur cicéronienne; il étale un peu plus complaisamment en phrases déjà polies des développements généraux et des expansions sentimentales. Mais il a de la vigueur, un enchaînement solide et efficace de raisons, et je ne sais pourquoi, quand on a ses discours du temps de la Ligue, notamment son *Exhortation à la paix*, ou sa *Suasion de l'arrêt rendu en Parlement pour la manutention de la loi salique*, on va chercher dans la Harangue de d'Aubray un modèle de l'éloquence politique du temps. Littérairement, le style de d'Aubray, c'est à-dire de Pithou, est plus piquant : mais, à part un ou deux mouvements pathétiques, la force oratoire est moindre. Puis on a la bonne fortune d'avoir dans les œuvres de Du Vair les monuments d'une éloquence plus réelle[1] qui pendant six années, des barricades à l'entrée du Roi, dans les plus critiques circonstances, fut une arme au service de l'ordre et du droit : on voit alors le genre oratoire vivre véritablement, adapté à son milieu, et faisant son office.

Cela ne dura pas. Du Vair, faisant un traité *de l'éloquence française, et des raisons pourquoi elle est demeurée si basse*, blâmait le goût de vaine érudition qui gâtait tous les discours; Pasquier s'en plaignait comme lui. Et les exemples de L'Hôpital, de Du Vair même, montrent combien l'amas des citations curieuses fut alors funeste au progrès de notre éloquence. Cependant les mêmes orateurs nous donnent la preuve que, hormis les discours d'apparat, ils savaient se décharger du fardeau de leur érudition. Il suffit qu'ils soient aux prises avec de rudes réalités, secoués de vraie passion, et dès lors ils ne s'amusent plus à faire montre de leur savoir d'humanistes. Qu'en pleine crise, L'Hôpital parle au roi, Du Vair au Parlement, et tous les deux parlent fortement, simplement, efficacement. Ce qui tua l'éloquence, ce fut le triomphe de la cause que ces deux hommes éloquents servaient : ce fut le triomphe de la royauté. Auguste avait supprimé l'éloquence romaine après qu'elle avait fourni glorieusement une longue carrière : Henri IV, en pacifiant le royaume, ferma la bouche aux orateurs, qu'à peine on avait eu le temps d'entendre. Les œuvres de Du Vair sont à cet égard significatives : après les sept discours du temps de la Ligue, d'une éloquence simple et vivante, elles n'enregistrent soudain, à

hefs du parti des politiques, un des plus adroits adversaires de la Ligue, un des plus nergiques restaurateurs de l'autorité royale et de la paix.

Éditions : *Œuvres*, Cologne, 1617, 1641; *De l'Éloquence française*, éd. Radouant .907; *Actions et Traités oratoires*, éd. Radouant, 1911. — **A consulter :** Radouant *G. du Vair*, 1907.

1. Six discours prononcés à Paris, un à Marseille. Du Vair les a d'ailleurs récrits our les publier. Il faut y joindre le vif et fort pamphlet que Du Vair fit courir au commencement de 1594, sous le titre de *Réponse d'un bourgeois de Paris à un écrit ublié sous le nom de M. le cardinal de Séga*.

partir de l'entrée du roi à Paris, que des harangues de cérémonie, des discours d'ouverture au Parlement de Provence ou aux Grands Jours de Marseille; la royauté absolue a tué l'orateur qui était en Du Vair; il ne reste qu'un magistrat ponctuel, grave et un peu pédant. Les troubles des minorités sembleront réveiller l'éloquence politique : ils seront trop vite apaisés pour qu'elle ait le temps de renouer sa tradition et de produire des chefs-d'œuvre; nous ne la retrouverons qu'au bout de deux siècles, quand la royauté absolue croulera.

Le même coup qui étouffa l'éloquence politique fut mortel à l'éloquence judiciaire, qui est liée naturellement à l'existence et au progrès de l'autre. D'abord l'expérience a montré partout ce que gagne le barreau au voisinage de la tribune, quand les relations sont journalières, le personnel à demi commun. Puis, il faut la liberté politique pour élever l'éloquence judiciaire au-dessus de l'argumentation strictement juridique et des gros effets de cour d'assises. Alors le discours d'affaires peut devenir une œuvre qui vaut et qui dure, même après que son utilité réelle et directe est épuisée. On le vit au xvie siècle. La gravité pédante du Palais n'avait rejeté le lourd appareil scolastique que pour imposer aux avocats l'accablante érudition de la Renaissance : on verra dans le *Traité* de Du Vair pourquoi nous n'avons pas même à citer ici la plupart des hommes qui de son temps représentaient l'éloquence judiciaire.

Mais il faut donner une mention à Estienne Pasquier, parce qu'il eut un jour à plaider une grande cause : en 1565, il soutint la requête de l'Université de Paris, qui contestait aux Jésuites le droit d'enseigner [1]. Pasquier donna cours à toute sa passion gallicane, et fit un plaidoyer vigoureux, mordant, parfois injurieux, qui, même pour nous, a de la chaleur et de l'intérêt : élargissant le débat, il traita de l'institution même des Jésuites, de leurs principes et de leur doctrine, de la question générale de l'enseignement laïque et de l'enseignement ecclésiastique, usant de la liberté du temps pour se lancer à fond dans des discussions qui sont encore actuelles et brûlantes. Ce procès de l'Université et des Jésuites est l'affaire capitale du siècle : trente ans après que Pasquier n'avait pu empêcher le Parlement d'*appointer* la cause et de laisser les Jésuites en possession indéfiniment provisoire, l'Université, au lendemain de l'entrée du roi à Paris (1594), tenta un nouvel effort : l'avocat Arnauld se fit l'interprète de ses revendications et de ses jalousies; il parla avec plus d'emportement, de grossièreté même, mais plus de lourdeur et d'emphase que Pasquier.

---

1. A consulter : Douarche, *l'Université de Paris et les Jésuites*, Hachette, in-8, 1888

Puis, comme l'éloquence politique, l'éloquence judiciaire, un instant soulevée au-dessus de la chicane journalière, eut les ailes coupées, et nous la verrons se traîner au XVIIᵉ siècle sans pouvoir jamais sortir du pédantisme, tandis que l'éloquence religieuse, aidée des circonstances qui étouffent les deux autres genres, s'acheminera rapidement à sa perfection.

3. LA SATIRE MÉNIPPÉE.

A l'éloquence se rattache un genre auquel la vivacité de la lutte donna soudain un développement considérable. Le pamphlet fut alors une des formes principales de la littérature. Les réformés y recoururent de bonne heure, pour légitimer aux yeux des peuples leurs nouveautés et la rupture de l'unité religieuse : Calvin, Viret écrivirent vigoureusement, injurieusement contre les superstitions et l'immoralité de l'Église romaine. Le chef-d'œuvre du genre est l'*Apologie pour Hérodote* que j'ai déjà nommée; Henri Estienne, pour défendre Hérodote dont la véracité était soupçonnée, imagina de démontrer que la sottise et la malice des hommes de son temps produisaient des effets aussi étonnants que les invraisemblables contes de l'historien grec; et mettant ses haines huguenotes au service de ses goûts littéraires, il se prit à conter tant de graveleux et scandaleux exemples de la corruption catholique, à dauber fidèles et clergé avec une verdeur si rabelaisienne, que l'austère Genève crut entendre un accent d'impiété dans la trop pétulante gaieté de son champion.

La guerre civile greffa les controverses politiques sur les discussions théologiques et morales. Les réformés, poussés à la guerre par la persécution et par l'ambition des chefs de deux partis, ne se contentèrent pas de discréditer leurs principaux ennemis par d'outrageux, mais parfois éloquents pamphlets[1]. La nécessité de justifier leurs prises d'armes contre l'autorité royale dont leurs adversaires se couvraient, leur donna occasion de discuter l'étendue et le fondement du pouvoir monarchique. Ils réimprimèrent le *Contr'un*, et leurs érudits, Hotman, Du Plessis-Mornay, mirent en avant des théories nouvelles : la royauté élective et la souveraineté des États, les droits de la conscience contre la loi, la légitimité de l'insurrection, et même du régicide[2]. Quand l'ordre

---

1. *Épitre envoyée au tigre de la France* (le card. de Lorraine), éd. Read, 1875.
2. Hotman, *Franco-Gallia*, 1573, trad. française, 1574. *Le Réveille-matin des Français*, anonyme (Bèze ou Hotman), 1574. Du Plessis-Mornay, *Vindiciæ contra tyrannos* (attr. faussement à Hubert Languet, cf. *Revue historique*, nov.-déc. 1892), 1578

de succession traditionnel appela Henri IV au trône, les protestants quittèrent leurs doctrines, qui furent recueillies par le catholiques, et le régicide devint pour un temps la propriété des théologiens de la Compagnie de Jésus.

Les catholiques ne demeuraient pas en reste d'injures et de pamphlets : mais leurs passions ne trouvèrent point d'interprète qui les fit vivre dans une forme littéraire. Entre les deux parti extrêmes, un parti de modérés, amis de la paix, de l'ordre et de l'union, sa forma et peu à peu éleva la voix. C'était en somme la bourgeoisie, éminemment représentée alors par les gens de robe, qui faisait entendre et finit par imposer les réclamation. de son honnêteté, de son sens pratique et de son patriotisme C'était elle qui allait faire la France de Henri IV et de l'ancien régime, catholique mais gallicane, la royauté absolue, mais servie et contenue par le tiers état. Dans les efforts de L'Hôpital pour obtenir la paix religieuse, dans la résistance de Pasquier à l'établissement des Jésuites, dans le rôle de Du Vair qui essaie de réconcilier le peuple catholique avec le roi légitime, le même esprit se montre et l'action de ce tiers parti, qu'on dit des *politiques* et qu'on devrai dire des *patriotes*, se fait sentir. Ce parti, qui n'avait ni les arme ni le nombre, avait les lumières et le talent : il lutta par sa parole et par toute sorte d'écrits, s'efforça de gagner le sentiment national de l'obliger à prendre conscience de soi-même et de ses pressant intérêts. L'Hôpital, Du Vair, si modérés, si graves, ne craigniren pas d'agiter l'opinion par d'éloquents et forts libelles.

A côté d'eux se range un des plus originaux et hardis esprits de ce temps, Jean Bodin [1], qui, député aux États de Blois de 1576, fi refuser par le tiers les subsides réclamés pour la guerre civile Bodin malheureusement ne nous appartient pas tout entier : i écrivit en latin cette *Méthode pour l'étude de l'histoire* où abonden les idées neuves et fécondes, et cet étrange *Heptaplomeres* inédit jusqu'à nos jours, où avec une force incroyable pour le temps i confronte toutes les religions et les renvoie dos à dos, sans raillerie impertinente, comme expressions diverses de la religion naturelle seule raisonnable, et comme également dignes de respect et de tolérance. Cette conclusion rattache le dialogue à la pensée maî tresse de Bodin.

Une idée analogue fait l'actualité des six livres de la *Républiqu* qu'il donne en 1576. C'est certainement une réplique à la *Franco Gallia* d'Hotman. Mais Bodin a su faire autre chose qu'un pamphlet

---

1. J. Bodin (1530-1596), Angevin, avait indiqué dès 1566 dans sa *Methodus a facilem historiarum cognitionem* l'influence des climats, l'idée du progrès, etc.

Éditions : *la République*, Paris, 1576, in-fol. — **A consulter :** Fournol, *B. précurseur de Montesquieu*, 1896; Chauviré, 1914; J. Moreau-Reibel, *B. et le Droit public comparé*, 1933.

Aux fantaisies historiques d'Hotman sur la royauté élective et la souveraineté des États, il opposa la théorie de la monarchie française, héréditaire, absolue, responsable envers Dieu du bonheur public; avec une nette vue de l'état réel des choses, il vit dans l'État la famille agrandie, et dans l'absolutisme royal l'image amplifiée de la puissance paternelle. Autour de ces idées fondamentales, il groupa une théorie générale des formes diverses du gouvernement, de fortes études sur les progrès et les révolutions des États, des réflexions curieuses sur l'adaptation des institutions politiques aux climats, enfin de très libérales doctrines sur l'impôt et l'égale répartition des charges publiques : si bien que ce livre, sans éloquence, sans passion, pesant, peu attrayant, fonda chez nous la science politique, et ouvrit les voies non seulement à Bossuet pour la théorie de la royauté française, mais à Montesquieu pour les principes d'une philosophie de l'histoire.

Bodin fixa pour le tiers état la notion des rapports du pouvoir royal et du peuple. Cette doctrine était impliquée déjà dans les harangues de L'Hôpital : Du Vair ne manquera pas une occasion de l'affirmer, et elle sera le fond solide et comme la substance de la *Satire Ménippée*. Cependant les mêmes idées commençaient à agir sur les protestants : de larges esprits s'élevaient parmi eux, qui, revenant aux vrais principes de la première réforme, ne demandaient qu'à mettre d'accord leur conscience religieuse et leur devoir de Français au moyen des conditions posées par L'Hôpital et par Bodin. Le plus pacifique de ces modérés calvinistes fut un des plus vaillants soldats de la guerre civile, La Noue [1], ce petit gentilhomme breton qui forçait à tel point l'estime des deux partis, qu'en même temps il pouvait être envoyé du roi auprès de ceux de la Rochelle, et défenseur de la Rochelle contre le roi, au su et par la volonté des uns et des autres.

Ce soldat que les loisirs d'une prison firent écrivain, trouva le style qui convenait à son âme douce et forte : un style familier et vigoureux, sans ombre de prétention ni d'effets. On put lire en 1587 ses *Discours politiques et militaires*, où il avait versé toute son expérience et tous ses souvenirs; Français autant que protestant, il réclamait énergiquement la paix et la tolérance, seuls moyens de rétablir le royaume et les mœurs : il s'adressait aux catholiques autant qu'aux protestants; car l'union dépendait des

---

1. François de la Noue (1531-1591), gagné au calvinisme par Dandelot, fit toutes les guerres civiles, et fut avec Coligny le meilleur capitaine des protestants. Faisant la guerre en Flandre contre les Espagnols, il fut pris en 1580, et ne fut échangé qu'en 1585. Il fut à Arques, à Ivry, au siège de Paris, et fut tué au siège de Lamballe. — Édition : *Discours politiques et militaires*, Bâle, 1587, in-4 ; coll. Michaud, t. IX. — A consulter · Sayous, *ouvr. cité*. Hauser, *F. de la Noue*, Hachette, in-8, 1892.

deux partis, mais surtout de celui qui avait la majorité du peuple
et la faveur du roi.

Quand on songe combien L'Hôpital, Du Vair, Bodin, La Noue
sont peu connus aujourd'hui, et combien la *Satire Ménippée* est
sinon lue, au moins connue, on ne peut s'empêcher de trouver un
peu d'injustice dans cette inégale répartition de la gloire. Car la
Ménippée eut tout l'honneur de l'œuvre dont les hommes que j'ai
énumérés avaient eu toute la peine. Cet immortel pamphlet n'eut
pas d'action réelle : la Ligue était vaincue quand il parut. Mais
il dut son succès précisément à ce qu'il vint à son heure, lorsque
tout le monde était disposé à le goûter : il plaidait une cause
gagnée, mais si récemment gagnée qu'un plaidoyer ne semblait
pas encore superflu. Les partisans du roi y retrouvaient avec
plaisir leurs sentiments : les ligueurs y trouvaient l'apologie de
leur conversion ou achetée ou forcée. Le livre profitait du mouvement qui entraîne toujours l'opinion vers le vainqueur au
lendemain de la victoire. En somme, il ne faut pas y voir une
des forces qui opérèrent la réunion des esprits sous la royauté
légitime, mais l'expression des volontés à l'instant de cette
réunion. Et de là vint que son mérite et son succès ne furent
pas de pure actualité : assez d'apaisement s'était déjà fait pour
que la satire ne pût se passer de grâce littéraire.

On sait comment la *Ménippée* fut composée, après l'avortement
des États de la Ligue, par quelques bourgeois, laïcs ou clercs,
catholiques de naissance ou protestants convertis, braves gens, sans
fanatisme et sans fanfaronnade, qui aimaient la France, le roi et leurs
aises [1]. Le corps de la satire est formé par la copieuse et bouffonne
description des États de la Ligue. Ce sont d'abord les deux charlatans, espagnol et lorrain, qui débitent le précieux *Catholicon* :
symbole expressif des ambitions qui entretenaient la guerre civile ;
puis le pittoresque tohu-bohu de la procession ligueuse, charge
plaisante de la réelle procession de 1590, mais en même temps
véridique peinture de toutes les mascarades révolutionnaires :

---

1. Chez J. Gillot, conseiller clerc au Parlement, demeurant quai des Orfèvres, se
réunissaient, dit-on, Jean Le Roy, prêtre, J. Passerat (cf. p. 295, n. 1), N. Rapin
(1535-1608), avocat, poète et soldat, P. Pithou (1539-1596) de Troyes, avocat, plus tard
procureur général au Parlement de Paris, grand érudit, Florent Chrestien (1540-1596),
ancien précepteur de Henri IV. La harangue de M. d'Aubray passe pour être de
Pithou ; l'idée première et le cadre des *États de la Ligue*, de Le Roy. Parmi les poésies
annexées aux *États de la Ligue*, il faut signaler le *Trépas de l'âne ligueur* de Gilles
Durant (1550-1615). Les éditeurs de la *Ménippée* l'ont ensuite grossie de diverses
pièces publiées vers le même temps, et inspirées du même esprit, comme l'*Histoire
des singeries de la Ligue* qu'on attribue à Jean de la Taille (1540-1608).

Éditions : Tours, 1593 (1594); Ratisbonne, 1752, 3 vol., éd. Read, 1876, éd.
Tricotel, 1877-81, 2 vol., éd. J. Frank, 1884; éd. Giroux, 1897. — A consulter :
Ch. Lénient, *La Satire en Fr. au XVIe s.*, 1866. G. Giroux, *La composition de la
Satire Ménippée*, 1904.

enfin les États, et cette fameuse suite de discours où, par un spirituel emploi de procédé satirique, chacun des meneurs vient se déshabiller lui-même devant le public, et livrer le secret de son égoïsme, jusqu'à ce que, dans la bouche de d'Aubray, la voix de la saine et honnête bourgeoisie française, tour à tour indignée, ironique ou piteuse, se fasse entendre.

Il ne faut pas surfaire la *Satire Ménippée*, même dans sa valeur littéraire. Si elle offre, dans sa partie principale, un plan arrêté et une claire composition, on y trouve aussi bien du désordre, des longueurs, peu de proportion et d'équilibre. Même la fameuse harangue de d'Aubray vaut par le détail et les morceaux, plutôt que par l'ensemble : le misérable état de Paris, ce pathétique début, qui sonne comme une péroraison cicéronienne, introduit une longue et diffuse relation, aussi peu oratoire que possible, des intrigues de la maison de Lorraine, qui nous ramène à la désolation de la ville. L'écrivain, à travers toutes les redites et les disparates, mêlant les personnalités injurieuses aux grandes généralités, la facétieuse causticité du bourgeois de Paris à la rhétorique savante de l'humaniste, finit par avoir dit tout ce qu'il faut. Là comme dans le reste de la satire, deux choses font leur effet, l'invention première et générale, cette idée de donner une représentation comique des États de la Ligue, puis le jaillissement de l'esprit, des saillies, des mots qui portent, qui peignent et qui piquent, les continuelles trouvailles de l'expression.

On a fait remarquer que, la *Satire Ménippée* étant de plusieurs mains, il était impossible de distinguer la part de chacun dans l'œuvre commune. A mon avis, c'est pour cela précisément que l'œuvre est littérairement d'ordre moyen : cette unité de ton résulte simplement de ce qu'aucun des collaborateurs n'a une personnalité tout à fait décidée. Bourgeois et érudits, ils écrivent en bourgeois et en érudits; ils ont l'esprit de leur classe et de leur temps : de là vient que leurs inspirations se fondent et se confondent si bien.

Mais il faut noter qu'ici encore la guerre civile et l'actualité ont aidé les esprits à secouer le joug de l'érudition, et fait passer en quelque sorte l'imitation de l'extérieur à l'intérieur de l'œuvre littéraire; la nécessité d'être lu, compris et goûté de tous a fait que les auteurs de la *Ménippée*, et parmi eux un lecteur royal, n'ont plus pris aux anciens que ce qu'ils ont senti être conforme à leur raison, ce qui pouvait rendre leur pensée ou plus forte, ou plus sensible, ou plus agréable aux simples Français. Et ainsi la *Ménippée* tient sa place dans l'histoire de la pénétration de l'esprit français par le génie ancien.

CHAPITRE III

MONTAIGNE

Un pacifique : Michel de Montaigne. — 1. Comment les *Essais* ont été
composés. Le décousu du livre. Langue et style de Montaigne. —
2. Montaigne vu dans son livre. Complexion, humeur, esprit.
L'homme et le monde vus dans Montaigne. — 3. Le scepticisme
de Montaigne : son caractère, remède au fanatisme. Ses limites :
affirmations positives. Optimisme épicurien et art de vivre : la
morale de Montaigne. Ses opinions politiques et religieuses : vivre
en paix. Affirmations complémentaires de la morale de Montaigne.
Théorie de l'éducation. — 4. Montaigne et l'esprit classique.

Pendant que les passions politiques et religieuses tournaient la
poésie, l'éloquence, la science même et la philosophie en armes
envenimées au service des partis, un homme anticipait la paix
future, et offrait à ses concitoyens trop forcenés encore pour le
suivre l'image de l'état moral où la force des choses devait finir
par les amener eux-mêmes.

1. LA FORME DES « ESSAIS ».

Michel de Montaigne [1], conseiller au parlement de Bordeaux,
ayant résigné sa charge en 1570, à l'âge de trente-sept ans, se
retira chez lui, dans son château de Montaigne en Périgord; et là,
au milieu de la guerre civile qui embrasait tout le Midi, il jouit
de sa douce oisiveté de gentilhomme campagnard. Il avait l'esprit
vif : dégagé des soucis pratiques et des affaires, il lut, et il eut

1. **Biographie** : Michel Eyquem de Montaigne, d'une famille de commerçants bordelais, fils de Pierre Eyquem qui fut conseiller à la Cour des aides de Périgueux,
prévôt de la ville, jurat et maire de Bordeaux, naquit à Montaigne en Périgord en
1533. Il sortit du collège de Guyenne en 1546, devint conseiller à la Cour des aides
de Périgueux dans le siège de son père, puis, cette cour étant supprimée en 1557,
conseiller au Parlement de Bordeaux où il connut La Boétie. Il épousa en 1565

l'idée de faire un recueil de ses lectures, un mélange d'exemples et de réflexions, comme avaient fait l'Espagnol Pierre Messie et divers autres. Mais, peu à peu, il s'éleva au-dessus de cette besogne : son entreprise lui fit développer son originalité. Il avait regardé les hommes, il se regarda lui-même, réfléchissant, conférant, ratiocinant, habile à extraire d'un fait une idée; il fit ainsi la revue de toutes ses opinions, préjugés, croyances, connaissances, et ce faisant, il fit le tour des idées de son siècle. Il mena une vaste enquête, qui aboutit à classer, à trier, parmi l'immense et confus apport de ces cent années qui avaient trouvé le nouveau monde et ressaisi l'ancien, ce qui pouvait être utile, à Montaigne sans doute d'abord, mais du même coup à ses concitoyens, et à tous les hommes qui auraient la tête faite comme lui : tout ce qu'il garda fut soigneusement expertisé, « contre-rôlé », ajusté, adapté, pour l'usage de l'intelligence.

Le résultat fut, au bout de dix ans, à peu près, de voluptueuse étude, deux livres d'*Essais* qui parurent à Bordeaux en 1580. Huit

Françoise de la Chassagne, d'une famille de robe bordelaise, et en eut six filles, dont une seule vécut. Il résigna son office de conseiller en 1570. Il voyagea en Allemagne et en Italie (1580 et 1581). En son absence, il fut élu maire de Bordeaux, et réélu en 1583. Sur la fin de sa seconde magistrature, la peste désola Bordeaux : Montaigne se tint à Libourne, en bon air. Il joua un certain rôle pendant les 'roubles, d'abord pour préserver la ville de Bordeaux pendant les quatre années de sa mairie, mais aussi dans la politique générale comme négociateur, intermédiaire et confident : les chefs des partis le recherchaient pour sa modération, sa sûreté et sa pénétration. Il fut royaliste sans fanatisme, servant Henri III, mais reconnaissant déjà dans le roi de Navarre le légitime héritier de la couronne. Il meurt en 1592.

Éditions : *Essais* : reprod. phototypique, 1912; éd. de la Ville de Bordeaux (F. Strowski, F. Gebelin, P. Villey), 1906-1933; P. Villey, 1923-25; A. Armaingaud, 1924-39; J. Plattard, 1931-33; M. Rat, 1941. *Apologie de Raymond Sebond*, éd. P. Porteau, 1937. *Voyage en Italie*, éd. E. Pilon, 1932; M. Rat, 1942; Ch. Dédeyan, 1946. *Livre de Raison*, éd. J. Marchand, 1948. *Pages Immortelles*, préf. A. Gide, 1939. — **A consulter :** P. Bonnefon, *M. et ses Amis*, 1898; J. Plattard, *M. et son Temps*, 1933; F. Strowski, *M.*, 1931, *M.*, *sa Vie publique et privée*, 1938; *A la gloire de M.*, 1938; Nicolaï, 1942; *M. et ses Amies, et Le Charme de M.*, 1950; A. Bailly, *M.*, 1950. — P. Villey, *Sources et Évolution des Essais de M.*, 1933; G. Lanson, *Essais de M.*, 1929; P. Villey, *Essais de M.*, 1932, *M.* 1933; P. Moreau, *M., l'Homme et l'Œuvre*, 1939. — M. Weiler, *Pour connaître la pensée de M.*, 1948; Sainte-Beuve, *Port-Royal*; H. Janssen, *M. fidéiste*, 1930; M. Dréano, *Pensée religieuse de M.*, 1937; M. Citoleux, *Le Vrai M.*, *Théologien et Soldat*, 1937; F. Tavera, *Idée d'Humanité dans M.*, 1932; E. Seillière, *Naturalisme de M.*, 1938; P. Porteau, *M. et la Vie pédagogique de son temps*, 1935; P. Courteault, *M. maire de Bordeaux*, 1933; Ch. Dédeyan, *Essai sur le Journal de Voyage de M.*, 1946. — G. Lanson, *Art de la Prose*, 1908; J. Coppin, *Grammaire et Vocabulaire de M.*, 1925. — P. Villey, *Influence de M. sur les idées pédagogiques de Locke et de Rousseau*, 1911; V. Bouillier, *Renommée de M*; *en Allemagne*, 1921 et *Fortune de M. en Italie et en Espagne*, 1922; L. Brunschvicg, *Progrès de la Conscience dans la Philosophie occidentale*, 1927 et *Descartes et Pascal, lecteurs de M.*, 1945; H. Busson, *Pensée religieuse fr., de Charron à Pascal*, 1933; R. Pintard, *Libertinage érudit dans la 1re moitié du XVIIe s.*, 1943; Ch. Dédeyan, *M. chez ses Amis anglo-saxons*, 1946.

ans après, les *Essais* reparurent à Paris dans une « cinquième
édition augmentée d'un troisième livre et de six cents additions
aux deux premiers ». Ces additions étaient souvent des citations ;
l'auteur faisait profiter, je veux dire engraissait son œuvre de ses
lectures. Elles étaient aussi des confidences : à mesure qu'il
avançait, il prenait plus de plaisir à parler de lui. Le troisième
livre, tout nouveau, montrait le progrès de l'âge de l'auteur : il est
plus grave (n'entendez pas plus réservé), plus posé, que les deux
premiers, les contes y tiennent moins de place, les idées s'y élancent moins en pointes, s'étalent davantage, semblent plus fermes,
plus arrêtées. Pendant quatre ans encore, Montaigne continua son
train de vie, inscrivant les acquisitions nouvelles de son esprit, des
citations, des gaillardises aussi, aux marges d'un exemplaire des
Essais, qui d'abord, avec d'autres notes manuscrites, servit à faire
en 1595 l'édition de Mlle de Gournay, « augmentée d'un tiers plus
qu'aux précédentes impressions » : plus tard, ces notes complémentaires ayant disparu, l'exemplaire annoté fut reproduit en
1802 par Naigeon comme un nouveau texte des *Essais* [1].

Montaigne a bourré plutôt qu'enrichi son livre de tant d'additions, qui parfois obscurcissent ou rompent l'enchaînement des
idées. Cependant ce gonflement maladroit a moins nui aux *Essais*
qu'il n'aurait fait à un ouvrage mieux composé. Il faut avoir lu
Montaigne pour savoir jusqu'à quel point le manque de composition lui est essentiel : Montesquieu même n'en approche pas.
Pourquoi cette division en trois livres ? Pourquoi chaque livre con-
tient-il plusieurs chapitres ? Pourquoi tel chapitre a-t-il une page,
tel autre cinquante ? Pourquoi des titres aux chapitres ? Le titre se
rapporte souvent à ce qu'il y a de plus insignifiant dans un chapitre : parfois à rien du tout. Le fameux passage des « pertes
triomphantes à l'envi des victoires », des « quatre victoires sœurs,
les plus belles que le soleil aye vu de ses yeux », est au chapitre
des Cannibales : et les six ou sept pages les plus exquises que
Montaigne ait écrites sur les anciens et sur la langue française,
s'accrochent, Dieu sait comme, à une citation de Lucrèce, dans un

1. Précisons, Montaigne s'est proposé de faire une collection d'exemples commentés.
Les premiers chapitres sont secs. Peu à peu, sa pensée s'affermit, s'approfondit. Peu
à peu aussi, il se livre et aime à se peindre. Et il aperçoit à travers lui-même, l'humanité. Il a commencé par croire à la philosophie : il a répété, avec un esprit épicurien,
les leçons stoïciennes de Sénèque, sur la douleur et la mort (vers 1572-74). Puis il s'est
placé quelque temps au point de vue sceptique, et de ce point de vue, il a fait la
critique de la science et de la vie (vers 1576-79). Enfin dans le 3ᵉ livre, désabusé de
la philosophie doctrinale, Montaigne se fait une philosophie personnelle, la philosophie de l'expérience, de son expérience, bonne pour lui-même, modèle et conseil pour
le lecteur d'autonomie morale et d'activité créatrice dans l'interprétation de la vie et
l'élaboration d'un art de vivre (*11ᵉ éd.*).

chapitre intitulé *Sur des Vers de Virgile*, tout juste au milieu des plus scabreuses réflexions qu'il ait jamais défilées. Nulle part il n'y a plus d'unité, une idée générale mieux suivie que dans les trois cents pages qui s'intitulent *Apologie de Raimond Sebond* : mais justement le sens de tous ces beaux discours est une absolue condamnation du dessein de ce théologien, et dans le détail le singulier défenseur donne à chaque moment des démentis à son client.

Montaigne a fui le travail de la composition; il n'a pas voulu se donner de mal. (App. VII.) Mais il connaissait aussi bien que nous ce « fagotage de tant de diverses pièces » qu'étaient ses *Essais*. « Cette farcissure est un peu hors de mon thème. disait-il joliment un jour qu'il avait fait un écart un peu fort : je m'égare, mais plutôt par licence que par mégarde; mes fantaisies se suivent, mais parfois c'est de loin, et se regardent, mais d'une vue oblique.... J'aime l'allure poétique, à sauts et à gambades.... Mon esprit et mon style vont vagabondant de même .... Je n'ai point d'autre sergent de bande à ranger mes pièces que la fortune : à mesure que mes rêveries se présentent, je les entasse; tantôt elles se pressent en foule, tantôt elles se traînent à la file. » Il se couvrait de Plutarque, coutumier aussi de ces « gaillardes escapades », et il avait fini par trouver que ce désordre, qui ne lui donnait pas de peine, était l'ordre même de son sujet. Ainsi montrait-il son « pas naturel et ordinaire, aussi détraqué qu'il est »; comme, de plus, « la relation et la conformité ne se trouvent point en telles âmes que les nôtres », comme nos actions, toujours « doubles, bigarrées, et à divers lustres », ne se peuvent « attacher les unes aux autres », la vérité voulait qu'il « prononçât sa sentence par articles décousus ». Il ajoutait donc, il cousait des pièces nouvelles : il n'ôtait pas, il ne changeait pas. Montaigne nous en donne un peu à garder ici : il a *corrigé*, plus d'une fois, et fort heureusement, non pas même toujours pour la justesse de l'idée, mais plus pour la beauté de l'expression.

Il savait bien son fort et son faible : et nous ne pouvons mieux faire pour mettre en lumière les charmantes qualités de sa forme que de les lui demander à lui-même. « Je prends de la fortune le premier argument : ils me sont également bons, et ne desseigne jamais de les traiter entiers : car je ne vois le tout de rien.... De cent membres et visages qu'a chaque chose, j'en prends un, tantôt à lécher seulement, tantôt à effleurer, et parfois à pincer jusqu'à l'os : j'y donne une pointe, non pas le plus largement, mais le plus profondément que je sais, et aime plus souvent à les saisir par quelque lustre inusité. » De cette libre allure vient cette fraîcheur vive d'impression qui donne tant de grâce primesautière, tant de force pénétrante aussi à son expression. Il appelle son style « comique et privé, serré, désordonné, coupé, particulier sec, rond et cru, âpre et dédaigneux, non facile et poli » jamais style en effet n'a été moins apprêté, moins bouffi, moins solennel, plus familièrement alerte. « Quand on m'a dit, ou qu moi-même me suis dit : *Tu es trop épais en figures : Voilà une phrase dangereuse* (je n'en refuis aucune de celles qui s'usent emmi les rues françaises; ceux qui veulent combattre l'usage par la grammaire se moquent) : .... oui, fais-je, mais je corrige les fautes d'inadvertance, non celles de coutume. Est-ce pas ainsi que je parle partout? me représenté-je pas vivement? suffit. J'ai fait ce que j'ai voulu : tout le monde me reconnaîtra en mon livre et mon livre en moi. »

Il se confesse au même lieu d'avoir « une condition singeresse et imitative », et de recevoir l'empreinte de tout ce qu'il regarde avec attention. Cela est vrai, et c'est tant mieux. Sénèque lui laisse de son nerf, Plutarque (celui d'Amyot) de sa vive bonhomie Lucrèce l'élève à quelque magnificence vigoureuse : mais c'est toujours Montaigne Partout s'échappe sa franche et personnelle sensibilité, atténuant les saillies de haut style par le laisser-aller du langage domestique et quotidien, relevant la négligence du parler populaire par la chaude sincérité de l'accent, d'une façon tout originale et inimitable. C'est le moins styliste, le moins puriste des hommes : non pas qu'il ne fasse pas des corrections de style c'est un artiste; mais il emploie son art à exprimer en perfection sa nonchalance cavalière, à éloigner du lecteur l'idée qu'on ait affaire en lui à un puriste, à un styliste; il n'est pas « de ceux qui pensent la bonne rhythme faire le bon poème », et il n'a cure d'où viennent les mots qui rendent sa pensée « C'est aux paroles à servir et à suivre; et que le gascon y arrive, si le français n'y peut aller [1] ».

Tout son livre témoigne de la vérité de ces déclarations. Dans ce style si vif, si éclairé, la phrase est volontairement inorganique : si longue, si chargée d'incidents et de parenthèses, d'une construction si peu nette, qu'à vrai dire il n'y manque pas une cadence, mais, dans la force du mot, une *forme*. A cet égard il marque un recul de notre prose. (App. VIII.) Calvin, Rabelais même organisent leur phrase plus artistement à la fois et plus conformément aux habitudes de la langue. Montaigne a voulu que sa phrase fût l'image de son propos; il n'a pas cherché la ligne, mais la vie.

Quant à sa langue, je ne sais si elle est aussi personnelle qu'on le croit : Montaigne a inventé moins qu'on ne l'a dit et dans son

1. Cf. Pasquier, *Lettres*, XVIII, 1.

vocabulaire et dans sa syntaxe. Il a usé du latinisme largement,
comme tous ses contemporains : il a *provigné* les vieux mots, il a
dit *esclaver*, *fantastiquer*, *grenouiller*, etc. : si les mots sont de lui,
le principe est de Ronsard. Il a usé insouciamment de son gascon :
comme est ce mot de *revirade* qu'il met quelque part ; mais le
gascon est pour lui ce qu'est le wallon ou le vendomois pour Ronsard, un dialecte apte à suppléer aux défaillances du français. Montaigne, en somme, fait de sa langue le même emploi que tous ses
contemporains : il suit son besoin, et ne sent encore aucune règle
qui l'empêche d'y satisfaire. Mais il ne se pique pas d'inventer
il estime notre langue suffisante, à condition qu'on l'exploite et la
cultive. « La recherche des phrases nouvelles et des mots peu
connus, disait-il, vient d'une ambition scolastique et puérile :
puissé-je ne me servir que de ceux qui servent aux halles à Paris. »
Il devait donc moins chercher que fuir le néologisme, et peut-être
Calvin et Amyot ont-ils hasardé plus de mots que lui. De même
les nouveautés de sa syntaxe seraient singulièrement diminuées, si
l'on en retranchait ce qui est purement et simplement laisser-aller
ou inadvertance, les constructions rompues ou boiteuses qui résultent moins du choix que de la paresse de l'écrivain, ce que lai-
même n'eût pas donné comme un précédent, même pour lui-même.

Ce qui est bien de Montaigne, c'est le style, c'est l'emploi des
tours et des mots que l'usage ou la liberté de son temps lui fournissaient. Là, il a une justesse, une nouveauté, un bonheur surprenants : il fait rendre aux mots tout leur effet par la place où il
les loge. De vives images, d'imprévues alliances de mots, voilà tout
le secret du charme de Montaigne : je n'en cite pas d'exemples ;
qu'on ouvre les *Essais* à n'importe quelle page, et qu'on lise. Montaigne, encore ici, s'est défini excellemment : « Le parler que j'aime,
c'est un parler simple et naïf, tel sur le papier qu'à la bouche ; un
parler succulent et nerveux, court et serré ; non tant délicat et
peigné, comme véhément et brusque ; plutôt difficile qu'ennuyeux ;
éloigné d'affectation, déréglé, décousu et hardi ; chaque lopin y
fasse son corps ; non pédantesque, non fratesque, non plaideresque,
mais plutôt soldatesque. »

2. MONTAIGNE VU DANS SON LIVRE.

Ne nous arrêtons pas plus longtemps aux mots : Montaigne voulait qu'un livre tirât tout son prix des choses. Et c'est bien le cas
du sien : le charme de son langage, c'est le charme de l'esprit qui
l'a écrit. Les *Essais*, c'est Montaigne, c'est vingt ans de vive et

robuste pensée, c'est toute une vie intellectuelle ramassée en naturels discours : « livre, disait-il, consubstantiel à son auteur ». Nous
le trouvons en effet là tout entier.

Nous y trouvons d'abord toute sa personne physique et morale,
naïvement, complaisamment étalée, non point dessinée en pied
par de nets contours : la manière de Montaigne, c'est, si je puis
dire, le *pointillé*, un amas de petits traits, qui s'harmonisent à distance en une forme souple, palpitante de vie. Nous apprenons
ainsi (je vous fais grâce de ses ascendants) qu'il était né à onze
mois, fut mis en nourrice au village, apprit le latin avant le français, était éveillé en son enfance au son des instruments, reçut les
verges deux fois, joua des comédies latines au collège de Guyenne;
qu'il était de taille au-dessus de la moyenne, assez peu porté aux
exercices du corps et à tous les jeux qui demandent de l'application physique, qu'il avait la voix haute et forte, un bon estomac,
de bonnes dents, dont il perdit une passé cinquante ans, qu'il aimait
le poisson, les viandes salées, le rôti peu cuit, le vin rouge ou
blanc indifféremment, et trempé d'eau; qu'il était sujet au mal de
mer, et ne pouvait aller ni en voiture, ni en litière sans être
malade, mais en revanche faisait de longues traites à cheval,
même en pleine crise de coliques néphrétiques; qu'il ne prenait
pas de remèdes, sauf des eaux minérales, et qu'il *gémissait sans
brailler*, quand la gravelle le tenait.

Nous n'ignorons pas qu'il s'habillait volontiers tout de noir
ou tout de blanc, qu'il tressaillait aux arquebusades imprévues,
qu'il fit une grave chute de cheval, et fut une fois détroussé par
des ligueurs, que sa maison ne fut pas mise en état de défense
et resta ouverte pendant la guerre civile, qu'il était chevalier de
Saint-Michel et bourgeois de Rome. Il nous confie aussi qu'il a
aimé les cartes et les dés en sa jeunesse, qu'il n'a jamais été
continent, qu'il n'était né ni pour la paternité ni pour le mariage;
il nous parle de son mariage, sinon de sa femme, d'où il résulte
qu'il s'est marié par raison, pour la famille. Il perdit *deux ou trois*
enfants au berceau avant la première édition des *Essais*. Il était
causeur et gausseur entre amis, l'humeur gaie, de langage assez
effronté, point avare, assez détaché de tout par complexion et par
étude, songe-creux, vagabond et voyageur jusqu'en sa vieillesse,
point cérémonieux, très franc, sans mémoire, peu entendu aux
choses du ménage, très ignorant des choses rustiques et jusque
des mots de la culture, sachant se laisser voler autant qu'il faut
par ses gens, se mettant parfois en colère, jamais longtemps,
fuyant par-dessus tout les tracas et les engagements. Il aimait un
logis commode et propre, et se plaisait dans sa *librairie*, entre
ses mille volumes, lisant, marchant, rêvant, dictant, seul surtout.

délicieusement seul : femmes, enfants, toutes les fâcheuses servitudes de la vie, étant arrêtés au seuil du sanctuaire.

Est-ce tout? Non sans doute, mais je n'en finirais pas, si je voulais énumérer tout ce que Montaigne nous dit de lui. Il est curieux
qu'au milieu de cette abondance de souvenirs, sa mémoire ne lui
représente jamais qu'n a ete conseiller au Parlement, *robin* : il se
pose en homme d'épée, en soldat. Il dit *mon page, mes ancêtres, le
tombeau de mes ancêtres* : il ne sait d'où est venu à un de ses ascendants l'idée de ce nom d'Eyquem. Et ainsi il nous oblige à songer
que ce nom, de toute antiquité porté par sa race, il a été le premier à le quitter : que son père avait sans doute fait les guerres
d'Italie, puisqu'il le dit, mais plus sûrement encore avait siégé à
la cour des aides de Périgueux; que cette terre de Montaigne, dont
il se nomme, cette fortune, dont il jouit, avaient été gagnées par
des générations de bons bourgeois, siégeant derrière leur comptoir,
et qu'enfin le grand-père Eyquem avait bien pu vendre du hareng,
comme disait Scaliger, parmi tant de marchandises dont il chargeait des vaisseaux. Un dernier trait s'ajoute donc à la physionomie de notre philosophe : la vanité, en sa forme la plus puérile,
la vanité nobiliaire du bourgeois enrichi. Il est curieux que notre
littérature nous offre deux exemplaires de M. Jourdain, et que ce
soient Montaigne et Voltaire : la chose est grave. Plus grave encore
cette lacune : le silence absolu que garde Montaigne sur sa mère :
elle lui a survécu pourtant. Son affection avait-elle conscience de
ne lui rien devoir? ou sa vanité le détournait-elle d'en parler, si
cette mère était d'origine juive, d'une famille portugaise de nouveaux chrétiens?

Michel de Montaigne est un aimable homme, quand il parle de
soi (et il en parle toujours), mais jamais plus que lorsqu'il parle de
cette partie de lui qui est son intelligence, ses idées : alors il
devient singulièrement intéressant; alors il nous parle de nous, en
parlant de lui; il nous confesse, en se confessant; il nous guide,
en s'orientant. Il est parti de ce point de départ, dont chacun de
nous, s'il était franc, prendrait bien volontiers l'analogue en lui-
même : qu'il n'y avait rien de plus intéressant au monde pour lui que
Michel de Montaigne, et que l'objet de son étude devait être ce
qu'était, ce que sentait, ce que voulait Michel de Montaigne, pour
lui ménager le plus de commodité, d'aise et de bonheur en cette
incertaine vie. Mais regardant en lui, il y a trouvé quelque chose
de plus que lui-même, l'homme : et il a trouvé aussi qu'il ne se
connaîtrait bien lui-même qu'en regardant hors de lui : ses voisins de Gascogne d'abord, ses voisins de France aussi, ses voisins
d'Allemagne et d'Italie, ses voisins d'Amérique, ses voisins enfin
de tout ce « petit caveau » qui est la terre dans l'univers : et les voi-

sins du temps comme les voisins de l'espace, les gens d'hier, et
d'avant-hier, et d'autrefois, l'humanité qu'on appelle ancienne.

Et voilà qu'en cherchant Montaigne, il a vagabondé de corps et
d'esprit, surtout d'esprit, à travers tous les pays et tous les siècles :
en cherchant les plus douces assiettes et les plus aisées postures,
il a essayé toutes les assiettes et toutes les postures où la pauvre
humanité s'est figurée à chaque moment trouver le repos pour
l'éternité des siècles. Pour faire rendre le plus de réel bonheur à ses cinq ou six mille livres de rente qu'il mangeait en son
castel, il a confronté avec sa Gascogne et sa France les deux
mondes découverts depuis un siècle, le monde de la nature, les
sauvages de l'Amérique, et le monde de la civilisation, les penseurs de la Grèce et de Rome. Il a trouvé dans les institutions, les
opinions, les mœurs, depuis la façon de s'habiller jusqu'à la
morale et la religion, le plus universel, épouvantable et grotesque
conflit qui se puisse imaginer. Il nous a apporté fidèlement, naïvement, triomphalement les résultats incohérents de son enquête.
Il a recueilli de ses conversations, des relations des voyageurs, de
tous les écrits des anciens, le plus volumineux dossier des contradictions humaines. On peut même soupçonner qu'il prend grand
plaisir à l'enfler, et regarde au nombre plus qu'au choix : témoin
ces amours d'un éléphant et d'une bouquetière en la ville d'Alexan-
drie, dont il nous fait part gravement, et je ne sais combien
d'autres sottises, auxquelles il se donne l'air de croire. Il se
moque de nous, au fond : s'en moque-t-il toujours autant qu'on
aimerait à le penser? Prenons bien garde que la critique historique est la dernière née, et que la critique philosophique pendant
deux ou trois siècles a fait son œuvre sans elle et même parfois
contre elle. Je ne garantis pas du tout dans quelle mesure ce
grand douteur de Montaigne savait douter d'un texte.

3. LES IDÉES DE MONTAIGNE.

Mais enfin voilà le produit net de sa vaste et curieuse enquête :
à travers tous ces faits, témoignages et arguments qui se choquent
confusément, ceci seul apparaît, que les hommes ne sont d'accord sur rien, qu'ils ne savent rien : en politique, en législation, en
morale, en religion, en métaphysique, les peuples donnent des
démentis aux peuples, les siècles aux siècles; le vulgaire se
divise, et les savants s'accusent de rêverie ou d'ânerie. Ni la souple
et ployable raison n'a su trouver une vérité constante, ni l'on

doyant et divers instinct n'a pu établir une forme universelle de vie. C'est un chaos de systèmes et de pratiques, où il se manifeste que l'homme ignore ce qu'est son âme, et son corps, et l'univers, et Dieu : l'*Apologie de Raimond Sebond*, cet immense chapitre de trois cents pages, est le recueil de toutes nos ignorances, erreurs, incohérences et contradictions, et conclut au doute absolu, universel. Logé au centre du livre, il en dégage l'esprit, il en concentre pour ainsi dire toute l'essence. C'est l'impression du moins qu'on en doit d'abord ressentir.

Mais, à la réflexion, on se demande si Montaigne est vraiment un sceptique : si son scepticisme est universel. Je remarque que toutes ces choses dont il doute et nous fait douter, sont justement celles pour lesquelles les hommes se cassent la tête, au propre comme au figuré. Je remarque que ce sont celles qui dépassent l'expérience et le raisonnement, sur lesquelles nombre de gens, qui n'étaient pas sceptiques, ont déclaré impossible à l'esprit humain d'acquérir aucune certitude, et que divers dogmatismes très positifs ont dénommé l'inconnaissable. Et dès lors le scepticisme de Montaigne sur les objets métaphysiques est un scepticisme transcendental, très limité par conséquent et circonscrit. Je remarque encore que le doute de Montaigne atteint avec la métaphysique d'autres choses, mais qui sont précisément comme un écoulement de la métaphysique dans la réalité : et je crois bien que son scepticisme transcendental a surtout pour but de couper dans la racine les affirmations métaphysiques dont notre vie sociale reçoit sa forme, et pour lesquelles nous nous coupons la gorge. Et je remarque enfin qu'au delà de la métaphysique et de ses émanations de l'ordre pratique, Montaigne travaille à nous faire douter les *formes* multiples où nous réalisons nos instincts, à nous persuader que ces formes, toutes relatives à nous, ne sont pas ces instincts, ni ne leur sont essentielles ; que donc nous ne devons pas nous opposer, nous diviser par là, ni refuser de voir nos semblables dans des hommes qui ne prient pas, ne parlent pas, ne s'habillent pas comme nous : est-ce raison d'assommer des sauvages parce qu'ils ne portent pas de hauts-de-chausses?

Qu'est-ce à dire, sinon que Montaigne donne le scepticisme pour remède au fanatisme? pas moins, pas plus. Il veut mettre dans le monde tout juste assez de doute pour que le monde vive en paix, pour que Montaigne ne soit tracassé, tourmenté ni par ses passions, ni par les passions de ses voisins : prêcher la tolérance, c'est fort bien; insinuer le *Que sais-je?* est plus sûr. Qui supprime la cause, supprime l'effet. Son scepticisme, c'est le secret de vivre à l'aise au milieu des guerres civiles, et le secret d'éteindre les guerres civiles, qui empêchent de vivre à l'aise. Il n'est, pour

Montaigne, comme pour Pascal, qu'un moyen : pour Pascal, moyen
d'aller à Dieu, pour Montaigne moyen d'aller au bonheur.

Car ce scepticisme laisse subsister au moins une affirmation :
qu'il est bon, qu'il est légitime de vivre à l'aise. S'il veut nous
retrancher toutes les passions qui troublent la vie, en éloignant
de notre vue les objets de ces passions, c'est qu'il estime au moins
la réalité de la vie. Dès que la vie est réelle, elle est bonne : il ne
s'agit que de savoir en user. Il y a deux choses certaines, et que
tout l'effort du pyrrhonisme ne saurait obscurcir : c'est le plaisir
et la douleur. — Mais le plaisir et la douleur varient d'homme à
homme, selon les tempéraments, de minute à minute, selon les
revirements de l'humeur. — Pas tant que cela, si l'on commence
par écarter tous les plaisirs et toutes les douleurs d'opinion, qui
sont des inventions humaines, et que notre prétendue civilisation
attache à des biens imaginaires. Si l'on sait rejeter cet être artificiel qui recouvre en chacun de nous l'être naturel, si l'on se
retranche aux seuls biens qui sont liés à nos primitives et naturelles fonctions, nous avons des plaisirs et des douleurs — en petit
nombre, mais bien réels — qui nous sont communs à tous, et sur
lesquels nous sommes tous d'accord. « Notre grande et puissante
mère nature » nous enseigne à fuir la douleur et à chercher le
plaisir : elle nous fournit les outils à cette besogne, nos instincts
nos organes, nos facultés ; elle nous prescrit le choix et la mesure
Qu'on lise les dernières pages des *Essais* : ce n'est pas la profession
de foi d'un sceptique : « J'aime la vie, et la cultive, telle qu'il
plu à Dieu nous l'octroyer. Je ne vais pas désirant qu'elle eût
dire la nécessité de boire et de manger.... J'accepte de bon cœur
et reconnoissant ce que la nature a fait pour moi, et m'en agré
et m'en loue.... Nature est un doux guide ; mais non pas plus
doux que prudent et juste : je quête partout sa piste.... C'est une
absolue perfection et comme divine, *de savoir jouir loyalement d*
son être. » Cet optimisme épicurien, très décidé et très affirmatif
n'est pas moins le fond et l'âme des *Essais* que le scepticisme
Avec une absolue conviction, Montaigne s'applique à *jouir loya*
lement de son être, et son livre n'est que la loyale recherche de
moyens d'assurer cette loyale jouissance. Il y a un « art de vivre »
selon l'expression de M. Brunetière, parce que l'homme a compliqué
et faussé la nature : et cet art de vivre se résume à savoir
retrouver la nature. Il comprend trois parties principales.

1° L'indépendance d'abord, qui s'obtient par le scepticisme plus
sûrement que par aucun moyen. Car les instruments de notre ser
vitude, ce sont les passions. L'ambition, l'avarice, nous asservis
sent à des biens qui ne dépendent pas de nous, à des biens sou
vent chimériques qui se déroberont à notre poursuite, ne nous

laissant que la réalité des tracas et des fatigues. Y renonçant, nous ne renonçons à rien d'assuré qu'à des maux. Soyons libres aussi à l'égard de toutes les formes de la vie sociale : ne croyons pas le bien et la vérité attachés à ces formes politiques ou religieuses, d'une croyance trop passionnée qui nous arrache à nous-mêmes et nous donne aux objets de notre fantaisie. Soyons libres même à l'égard des affections naturelles : aimons notre patrie, notre femme, nos enfants, non pas jusqu'au point de nous en troubler. Servons bien notre patrie : si elle doit périr, que Montaigne échappe, s'il peut, à la ruine publique. Sachons perdre femme et enfants sans affliction tyrannique : se détacher, c'est s'affranchir. On peut se prêter : on ne doit jamais se donner.

2° Il faut apprendre à mourir, ou plutôt à supporter la pensée de mourir; car la mort elle-même n'est rien. Montaigne s'est exercé soigneusement à regarder la mort, appelant Socrate et Sénèque, et Lucrèce à la rescousse. Puis il est arrivé à y songer avec indifférence, et à n'y plus songer toujours. Mais même au temps où il apprivoisait son âme à ce fâcheux objet, il n'a eu ni violent désespoir ni pessimiste mélancolie : la mort lui rendait la vie plus chère, voilà tout, et chaque instant prenait un prix infini, contenait un infini de délices, par la pensée qu'il pouvait être le dernier. L'idéal de Montaigne, définitivement n'est pas la raideur dédaigneuse du stoïcien, c'est la brute résignation du paysan, qui ne se couche que pour mourir, et meurt sans se plaindre, comme les animaux. Il a fini par se dire que la méditation de la mort était une duperie, que la méditation de la vie était meilleure, et qu'au lieu de regarder toujours la mort, il valait mieux regarder la vie, comme incertaine en général, mais enfin comme présentement certaine.

3° L'ennemi de la vie, ce n'est pas la mort, c'est la douleur, et c'est elle qu'il faut fuir de toutes les forces que nous prête la nature. « En quelque manière qu'on puisse se mettre à l'abri des coups, fût-ce sous la peau d'un veau, je ne suis pas homme qui y reculât : car il me suffit de passer à mon aise; et le meilleur jeu que je puisse me donner, je le prends, si peu glorieux au reste et exemplaire que vous voudrez. » Montaigne est de sa nature plus sensible à la douleur physique qu'à la douleur morale : il nous le dit. Le malheur est que contre la douleur physique le détachement ne sert à rien : il n'y a que la fuite qui vaille. Mais enfin, elle vient parfois : la gravelle tient Montaigne. Que faire? rien, puisqu'il n'y a rien à faire. Geindre soulage, quand on a la colique : si l'on peut n'y pas penser, cela soulage aussi. C'est alors qu'il faut user d'industrie, ne lâcher à la douleur que les parties de notre être et de notre vie que la nature lui attribue, et faire étude de conserver leur place et leurs moments à tous les plaisirs.

Voilà la morale de Montaigne, un art de vivre aisément, délicieusement, un épicurisme pratique qui applique où il faut certaines parties de fermeté et d'endurance, un égoïsme délicat, qui n'exclut aucune affection, et ne s'oublie pour aucune. Cette morale est l'antithèse de la morale chrétienne : elle exclut l'abnégation totale, les grands sacrifices, les miracles de la charité. On sait comment Montaigne se comporte pendant la peste de Bordeaux : il n'affronte pas le « mauvais air ». On n'avait pas besoin de lui, je le veux bien : sa présence n'était réclamée par les jurats que pour la cérémonie. Mais l'inutilité même de sa présence en eût fait un exemple fortifiant pour ses administrés. Il n'y songea pas. Aux grandes occasions sa morale était trop courte. (App. IX.)

Les opinions politiques et religieuses de Montaigne sont assorties à son art de vivre, et y font une pièce nécessaire, puisque, enfin, l'homme doit vivre en société. Le grand bien pour Montaigne, et le principal objet, c'est la paix. Donc il suivra en politique et en religion les opinions qui préviennent le mieux la guerre civile. Il posera en principe qu'il faut aimer la forme de gouvernement dans laquelle on est né ; et ainsi, étant Français, il sera pour la royauté, bien que son affection le porte de préférence vers le gouvernement démocratique. Il conseillera la soumission au pouvoir absolu, et il n'estimera rien de plus dans le christianisme que le précepte de respecter toutes les puissances. Il démontrera que les lois ne représentent pas la justice, mais la coutume, afin qu'on n'ait point le désir turbulent de les changer. En religion, il sera bon catholique, lui de qui l'âme est si peu chrétienne : c'est qu'il faut suivre aussi la religion de son prince et de son pays. Il en veut aux réformés, il taxe leur orgueil, d'avoir cru tenir la vérité, il les reprend de ne pas avoir paisiblement réglé leur croyance sur la coutume, en une matière où nul ne sait rien certainement, d'avoir troublé le monde pour une idée de leur cervelle : mais il n'excuse pas les catholiques de les égorger. Il aurait mieux valu ne pas faire la Réforme : puisqu'elle s'est faite, qu'on lui laisse sa place au soleil. Et ne vaudrait-il pas mieux laisser les sauvages à leur idolâtrie, que de leur porter nos vices, nos maladies, les tortures et la mort, avec la vraie foi? Conclusion : tolérance universelle. Il n'y a pas d'idée qui vaille qu'on tue un homme ; il y en a peu qui vaillent qu'on se fasse tuer.

Je ne sais si on l'a assez remarqué, les plus fragiles ou fausses morales ont toujours été proposées par de très honnêtes gens qui ont pris dans l'instinct et dans le plaisir la règle fondamentale de la vie, parce que leur instinct et leur plaisir ne les écartaient pas sensiblement des actions sans lesquelles il n'y a plus de morale, partant plus de société : ainsi Helvétius, ainsi Montaigne. Au sacrifice près, qui, en quelque mesure que ce soit, n'est pas la pente de sa nature, c'est un excellent et aimable homme, de charmant commerce, ami exquis et vrai, d'autant que le libre choix, dans l'amitié, assure son ombrageuse indépendance : on sait sa liaison de quatre années avec La Boétie, et la chaleur qui lui en resta toujours au cœur. L'amitié, du reste, n'est-elle pas la passion par excellence des gens plus intelligents que sensibles?

Mais, de plus, Montaigne reçoit de l'exigence de sa nature un certain nombre de postulats qui déterminent un peu plus rigoureusement sa morale, et fixent les modes légitimes de la loyale jouissance de notre être. Il ne s'embarrasse pas de faire un système, ni de savoir si les fondements de ses idées sont solides en bonne logique : il lui suffit que nature les ait mises en lui. Et comme au reste, sous la diversité infinie des actes et des formes, il trouve que ces idées-là sont les idées communes de l'humanité, il les pose dès lors avec plus d'assurance. Il a beau identifier volupté et vertu : il entend bien par vertu quelque chose de positif et de distinct, qui peut être volupté en lui, mais non pas forcément en tout autre. Il affirme que « le mentir est un maudit vice »; il hait toute duplicité, toute trahison : il fait profession d'absolue franchise. Nulle utilité publique ou privée ne lui semble excuser la fausseté. Il affirme la justice et l'humanité : par une horreur intime de la souffrance physique, son instinct écarte toutes les cruautés; mais sa réflexion adhère à son instinct, et c'est toute son intelligence avec tous ses nerfs qui lui dicte d'éloquentes protestations contre la torture, et contre la barbarie des Espagnols dans le Nouveau Monde. Il prend la peine de mettre la morale au-dessus de la politique, et de réduire les hommes d'État aux strictes règles de la vie privée : il rejette absolument la loi du salut public, par laquelle on autorise tout; et dans le service des princes, il défend qu'on se donne jusqu'à donner son innocence et sa vertu.

Il croit à la conscience, et à la raison, tellement qu'il s'en sert pour condamner la nature, ou la rectifier. Il n'y a pas de mot qu'il prononce plus souvent que celui de vérité; il ne connaît pas de plus excellente vertu que celle de savoir céder à la vérité, où qu'elle ne présente; et il connaît deux voies qui y mènent, la raison et l'expérience : la raison « ployable en tous sens » a besoin d'être guidée par l'expérience; mais que l'expérience est diverse et déconcertante! Par elles, pourtant, il est arrivé à cette grande vérité, qui est la conclusion de toute son argumentation prétendue sceptique: c'est que l'homme, en haut-de-chausses, en toge, ou dans sa nudité naturelle, roi ou paysan, est toujours l'homme, « ondoyant et divers » sans doute, mais identique à lui-même dans cette ondoyante diversité, portant partout dans le cœur les mêmes instincts plantés par la commune mère nature, et les mêmes notions essentielles dans la conscience et la raison. Les hommes se combattent et se haïssent parce qu'ils se voient différents : Montaigne leur étale leur naturelle égalité, pour les convier à vivre en frères.

Le chapitre de l'Institution des Enfants [1] suffirait pour marquer la mesure du scepticisme de Montaigne. On a pu trouver que Montaigne y faisait la part vraiment bien petite à l'effort, et l'on se demande quel esprit, quelle volonté peuvent se former sans l'effort. Sans la règle aussi, que peut-on faire? Comment Montaigne, qui prescrit si bien d'endurcir et d'assouplir le corps, ne veut-il pas soumettre l'âme à une pareille méthode, au même ordre sévère d'exercices et d'entraînement? Il fuit trop la peine pour son élève : il n'en fera qu'un charmant garçon, qui ne saura rien solidement, qui ne saura même pas apprendre ni vouloir apprendre, un amateur ayant dégusté la mousse de la science, un causeur aimable de salon. Il y a loin de l'effrayant programme de Rabelais au léger bagage de Montaigne, et la réaction est vraiment trop forte contre l'érudition encyclopédique. Dans la pratique, les idées de Montaigne aboutiront à l'éducation des Jésuites, au développement des qualités sociables et des talents mondains; ce qu'elles contiennent en substance, n'est tout justement que l'*honnête homme* du xviie siècle. Mais je passe sur tous ces points, et je reviens à la question qui nous occupait. Montaigne a foi dans l'éducation, pour développer, fortifier, mais aussi pour redresser la nature. L'article essentiel de son programme, le *blanc* où il faut viser, c'est de former un bon jugement : c'est-à-dire une raison qui aille à la vérité, une conscience qui aille au bien. Livres, voyages, études, jeux, tout doit tendre là. La conscience et la raison sont les pièces principales de cette délicate machine, dont l'éducation monte les ressorts pour la vie.

Il est donc certain que Montaigne est un positiviste plutôt qu'un sceptique. Il a borné sa vue à la vie présente, dont il a dressé la forme pour satisfaire à toutes les aspirations de sa nature physique, intellectuelle et morale, et de façon que la volupté, la justice, la bonté y fussent commodément logées. Son livre, comme sa vie, respire un dogmatisme serein, le dogmatisme de l'égoïsme naturel et du sens commun. Mais Montaigne enveloppe d'un nuage de doute le noyau très dense de ses affirmations catégoriques [2]. (App. X.)

---

1. *Essais.* I, 25.
2. Plus je lis Montaigne, plus je suis tenté de voir en lui un homme qui, à force de ne pas vouloir s'en faire accroire et nous en faire accroire, s'est fait, pour la morale, estimer moins qu'il ne méritait : on l'a pris au mot dans son sincère examen de lui-même. Les gens à phrases et à poses nous imposent toujours un peu : nous ne les réduisons jamais à leur mérite nu (*12e éd.*).

4. MONTAIGNE ET L'ESPRIT CLASSIQUE.

Montaigne termine le xvie siècle dont il recueille et filtre tous les courants, et les *Essais* sont comme le grand réservoir d'où va couler l'esprit classique. Je sais bien ce qui manque à Montaigne, ou ce qu'il a de trop, pour être classique : le corps tient trop de place en lui; l'individu s'étale. L'ordre manque, et le raisonnement, et les proportions. Montaigne commence et finit pour ainsi dire à chaque phrase, selon la remarque de Balzac. Il n'a pas d'art, et surtout il ignore l'art oratoire : il faudra que ces capricieuses divagations soient réduites en système ordonné d'abord, puis en thèmes oratoires. Charron, Balzac, d'autres ouvriers de la première heure du génie classique s'y appliqueront.

Surtout il n'est pas chrétien, et la décence de son adhésion à la religion établie dissimule mal en lui la négation de l'essence même du christianisme : ainsi le courant d'esprit antichrétien, ou simplement non chrétien, qui se laisse distinguer dans le siècle classique, et qui passe par Molière ou par Descartes pour arriver à Voltaire, prend sa source en lui; le rationalisme, épicurien ou cartésien, est impliqué dans les *Essais*. Et cependant, si les *Essais* doivent être le bréviaire des libertins, on travaillera à christianiser Montaigne, à approprier sinon son livre, du moins ses idées à la forme religieuse de l'esprit classique. Charron mettra à la doctrine de son ami un couronnement orthodoxe : d'autres feront les mêmes additions, les mêmes corrections avec une sévérité hostile. Mais eux-mêmes dans la forme de leur âme auront, à leur insu, reçu l'empreinte profonde des *Essais*.

Car presque tous les caractères, presque toutes les aspirations de l'esprit classique ont trouvé déjà leur formule dans Montaigne. En politique, il achète la paix, l'ordre, de l'entière soumission au pouvoir absolu. En religion, il se règle sur le prince. Sans doute, en philosophie, il décourage l'effort métaphysique; mais en dehors de la recherche de l'absolu, ce prétendu sceptique pose partout la souveraineté de la raison, commune à tous les hommes, et qui a charge et pouvoir de reconnaître la vérité. Par sa raison individuelle, l'aide de son expérience personnelle, confrontant l'Amérique et la Grèce, il trouve le principe fondamental de la littérature classique : il s'assure que les anciens ont parlé selon la vérité, selon la nature, et voilà leur autorité fondée en raison. Il réduit l'éducation à la formation de l'honnête homme, et restreignant la littérature à l'usage de l'honnête homme, il l'enferme dans la morale, dans la recherche d'une règle de la vie, et la description des formes de la vie. Il lui propose l'homme comme l'universel objet de notre connaissance et de notre intérêt. Si individuel et subjectif que soit son livre, il s'éloigne du goût classique plutôt par une différence d'application que par une contrariété de principes. Très clairement, très nettement, en plus d'un endroit, il nous offre l'homme en sa personne : « Chaque homme porte la forme entière de l'humaine condition » Rois ou paysans ne diffèrent qu'en « leurs chausses » : les passions, les ressorts sont les mêmes; mais les effets ici sont plus menus, là plus illustres; et voilà, remarquez-le, le principe d'une théorie toute classique de la tragédie. Enfin le xvii⁰ siècle consacrera les idées de Montaigne sur la langue et sur le style : il propose à la littérature de prendre la forme des pensées, tantôt dans le langage *des Halles*, tantôt dans le *jargon de nos chasses et de notre guerre* : c'est-à-dire qu'il veut une langue populaire, naturelle, et qu'il fait l'usage souverain. Il trouve en notre français « assez d'étoffe, et un peu faute de façon » : il se plaint qu'il *écoule* tous les jours de nos mains, et y voudrait plus de fixité. Il admire les anciens pour leur justesse vigoureuse, il blâme les modernes de trop d'esprit et d'affectation : un siècle et demi plus tard, Fénelon n'aura pas autre chose à dire. En fait de style, sa règle est déjà : *rien n'est beau que le vrai*; et c'est par la beauté des choses qu'il estime la beauté des mots. Les pages exquises où il nous confie les impressions de ses lectures se ramènent à ce sentiment absolument classique.

Mais si nous trouvons une étroite correspondance entre le génie de Montaigne et le genre classique, il faut bien songer que Montaigne, qui déborde encore les cadres classiques, correspond à ce qu'il y a eu de plus large, de plus compréhensif dans le goût du siècle suivant : il en a tout le positif, mais point le négatif. Et l'un des caractères éminents qu'il offre, c'est celui par lequel la littérature classique apparaît surtout comme une des plus pures formes de l'esprit français : c'est cet ensemble de qualités sociables, cette vive lumière d'universelle intelligibilité, qui fait des *Essais* un livre humain, et non pas seulement français. L'humanité a reconnu en lui un exemplaire de sa commune nature; et pour l'attester il suffira de nommer Bacon qui fait ses *Essais* à l'imitation de notre gentilhomme périgourdin, Shakespeare, à qui Montaigne peut-être a révélé la richesse psychologique et dramatique de Plutarque, qui à coup sûr lisait, et parfois transcrivait Montaigne [1] : le vieux Ben Johnson même l'avait entre les mains. **App. XI.**

1. *La Tempête*, acte II, sc. 1 : le couplet de Gonzalo est tiré du chapitre des Cannibales (*Essais*, I, 30). — Cf. Saintsbury, *Introduction* à la réimpression de la trad. anglaise des *Essais* publiée par John Florio en 1603 (Londres, 1892-93, 3 vol. in-8); A.-H. Upham, *The French influence in English Literature*, 1908.

LIVRE V

TRANSITION VERS LA LITTÉRATURE CLASSIQUE

CHAPITRE I

LA LITTÉRATURE SOUS HENRI IV

Importance de cette époque de transition. — 1. Individus et œuvres
O. de Serres; A. de Montchrétien et son traité d'*Économie*; Charron;
Du Vair et ses *Traités* moraux; François de Sales. La poésie :
Bertaut; Vauquelin de la Fresnaye; Régnier, son caractère et son
génie. — 2. Caractères généraux de cette période : restauration
monarchique et catholique; ordre et tolérance; rationalisme et
éloquence; détermination des objets littéraires; stoïcisme chrétien;
sincérité et naturel. Consolidation des principaux résultats de la
Renaissance.

Le règne de Henri IV avec les débuts du règne de Louis XIII, de
1594 à 1615 environ, forme une époque bien distincte et réellement importante de notre histoire littéraire. On a tort de ne pas
l'isoler, et de rejeter les œuvres qui la constituent les unes dans
le XVIᵉ, les autres dans le XVIIᵉ siècle. En réalité, elles ne sont ni
de l'un ni de l'autre et forment un groupe à part : il y a là une
vingtaine d'années et une dizaine d'écrivains, qui nous font assister
à la transformation de l'esprit de la Renaissance, à la formation
de l'esprit classique. Cette période est l'étape nécessaire qui conduit de Ronsard ou de Desportes au Malherbe de l'*Ode au Roi
partant pour la Rochelle*, de Montaigne à Balzac et à Descartes, ou
à Pascal; et là aussi, par Hardy, nous trouverons le passage des
tragédies de la Pléiade à la tragédie du XVIIᵉ siècle. De là partiront
Malherbe et Balzac pour faire les pas décisifs vers la perfection
laborieuse de l'éloquence artistique : là s'attachera aussi le mou-

vement, en un sens rétrograde, de la littérature aristocratique, romanesque, précieuse, qui écartera pour un temps de l'idéal classique. Le temps de Henri IV est donc comme un relais qu'il nous est impossible de brûler.

1. INDIVIDUS ET ŒUVRES.

Regardons d'abord les individus et les œuvres dans leur propre et personnel caractère. Il nous **suffira** de saluer Olivier de Serres [1], le gentilhomme protestant, qui ne céda qu'un instant aux passions de la guerre civile, et donna tout le reste de son existence à la culture de son domaine. Le seigneur du Pradel, qui ne perdit jamais de vue l'intérêt national dans sa laborieuse activité de propriétaire rural, et dont le livre fut un bienfait public, a mérité des statues, plutôt qu'une place dans notre histoire littéraire. Il écrit d'un bon style, avec une simplicité sérieuse, sans flamme et sans éclat. Il faut être agriculteur pour le lire, et s'y plaire.

Au lieu que, sans être économiste, on sera charmé de Montchrétien [2] : son traité d'*Économie politique*, remis en lumière dans ces dernières années, est une des belles œuvres du temps. Comment ce gentil poète des dames de Caen, cet artiste faiseur de tragédies poétiques, ce bretteur qui se fit chef de bandes huguenotes

1. Olivier de Serres, né en 1539, à Villeneuve-de-Berg, en **Vivarais**, protestant, prit part à la surprise de sa ville natale, qui fut suivie d'affreux massacres, en 1573 : c'est la seule fois qu'on le voit mêlé aux guerres civiles. Il s'enferma ensuite dans sa terre du Pradel, qu'il cultiva. Il prépara pendant trente ans son *Théâtre d'agriculture*. Outre plusieurs séjours qu'il fit à Paris, il visita sans doute l'Allemagne, l'Italie et l'Espagne. Il mourut en 1619

Éditions : *Cueillette de la Soie*, 1599 ; *Théâtre d'Agriculture et Ménage des Champs*, 1600 et 1941 ; *Pages choisies*, 1941. — **A consulter :** H. Vaschalde, 1886 ; A. Lavondès, 1936 ; F. Lequenne, 1942 ; Ch. Brune, 1943.

2. Antoine de Montchrétien, né vers 1575, fils d'un apothicaire de Falaise. Un duel l'obligea de quitter la France vers 1605. Il était entré en France en 1611 ayant vu la Hollande, outre l'Angleterre. Il établit des aciéries à Ousonne-sur-Loire, puis à Châtillon-sur-Loire, dont il devint gouverneur. On l'a dit protestant, il semble qu'il ait été catholique. Cependant il se jeta dans la révolte des protestants. Il ne put tenir Sancerre contre le prince de Condé, puis essaya de soulever la Normandie, et fut tué au bourg des Tourailles (7 oct. 1621) par le seigneur du lieu, Claude Turgot.

Éditions : *Tragédies*, s. d. (1601), Petit de Julleville, 1891 ; *la Reine d'Écosse*, éd. G. Michaut, 1905 ; *Traité de l'Économie politique*, s. d. (1615), éd. Funck Brentano, 1889. — **A consulter :** P. Dessaix, *M. et l'Économie politique nationale* 1901 ; G. Lanson, *Hommes et livres*, 1895 ; *les sources historiques de la Reine d'Écosse* (Rev. Universit., 15 Mai 1905) ; *Esquisse d'une Hist. de la Tragédie fr.* 1920 ; R. Lebègue, *Tragédie fr. de la Renaissance* et *Tableau de la Tragédie fr. de 1573 à 1610*, 1944.

et fut tué d'un coup de pistolet sur l'escalier d'une auberge, comment cet aventureux et incohérent personnage fit-il un traité d'économie, science pacifique? Un exil en Angleterre lui révéla la dignité du commerce et de l'industrie, sources de la prospérité nationale : rentré en France, il fonda des aciéries, chargea des vaisseaux. Un jour il prit la plume, et de son style de poète il essaya de faire passer son enthousiasme dans l'âme du jeune Louis XIII. Son programme se résume en deux articles : protection et colonisation. Mais, à travers ses arguments et ses exposés de faits, toute son âme se fait jour, un peu tumultueusement : un vif besoin d'ordre, de paix et de justice, un ardent patriotisme, un christianisme sincère, une profonde pitié du peuple qui paie et qui peine, et le très robuste orgueil du commerçant et de l'industriel : on le sent bien nettement, par la bouche de cet économiste, la bourgeoisie fixe le prix dont elle entend que la royauté lui paie le pouvoir absolu. La forme du livre est un peu confuse, mais vivante, avec son style éclatant parfois de verve rabelaisienne, souvent illuminé de grâce poétique, abondant même en chaude et vigoureuse éloquence. C'est un livre à lire.

Charron [1] est un honnête et lourd esprit de théologien, qui a fait le propre besogne dans la philosophie, la controverse et la prédication. On a cru voir que sa philosophie ruinait sa controverse et la prédication. Il est très vrai qu'il a aimé Montaigne, il est très vrai qu'il l'a plagié. Cela ne suffit pas pour en faire un sceptique : ne plagiait-il pas aussi le très chrétien Du Vair? Charron n'est coupable que d'avoir manqué de génie. Il avait, réfutant le traité de l'*Église* de Duplessis-Mornay, établi *trois vérités* : vérité de l'existence de Dieu, contre les athées; vérité du christianisme, contre les infidèles; vérité du catholicisme, contre les protestants. Lorsque ensuite il compila son livre de la *sagesse*, prenant indifféremment à Montaigne et à Du Vair, il voulait tout simplement faire de la raison l'auxiliaire de la foi, et conduire la sagesse humaine jusqu'au point qu'on ne peut plus dépasser que par la grâce : il rut simplement donner des raisons humaines de mener une vie chrétienne. Il classa méthodiquement, scolastiquement, lourde-

---

1. Pierre Charron (1541-1603), Parisien, fils d'un libraire, fut d'abord avocat, puis se théologien et prêtre. Il prêcha avec succès, et fut prédicateur de la reine Marguerite de Navarre, théologal de l'église de Bazas, puis théologal et chantre en l'église Condom. Le Père Garasse l'a appelé « le patriarche des esprits forts », à cause de Sagesse : mais Saint-Cyran l'a défendu.
Éditions: *Les Trois Vérités*, 1600; *De la Sagesse*, 1601. — A consulter: P. Bonnen, *Montaigne et ses Amis*, 1897; F. Strowski, *Pascal et son Temps*, 1907; H. usson, *Pensée religieuse fr., de Charron à Pascal*, 1933; P. Villey, *Montaigne vant la Postérité*, 1935; H. Bremond, *Autour de l'Humanisme*, 1936.

ment, et par cela seul il outra les saillies de Montaigne : mais ce
qu'il en saisissait, ce n'était pas l'irréligion, c'était l'observation
de la vie et du cœur. Il faisait de Montaigne ce que Du Vair a fait
d'Épictète, ce que Pascal fera de Montaigne même : ayant pris au
sérieux l'intention dont se couvre l'Apologie de Raymond Sebond,
il organise la philosophie au-dessous de la foi, et fait de son *Je
ne sais* la base rationnelle de la morale évangélique. Le problème
longtemps débattu du scepticisme de Charron fait le principal
intérêt de son œuvre : s'il dit d'excellentes choses, j'aime mieux
les lire dans Montaigne et dans Du Vair.

Les traités de Guillaume Du Vair [1] sont la grande œuvre de la
philosophie morale de ce temps-là. Il y eut peu d'âmes plus belles,
plus fortes, que celle de ce magistrat, qui mourut évêque : il eut,
de ses deux états, la justice et la charité. Il fut de ceux qui tinrent
à devoir de rester à Paris pendant la Ligue, et avec une inflexible
droiture il sut en ces temps difficiles ne manquer à aucune de
ses obligations, servir le roi, même protestant, et l'Église, même
rebelle, maintenir les droits du Parlement, travailler au salut du
royaume et à la conservation de Paris.

Il faisait provision d'énergie morale dans Épictète et dans la
Bible, vivant ses livres avant de les faire. Il n'inventait pas une
fiction, quand il donnait le siège de Paris pour cadre à son beau
dialogue cicéronien *de la Constance*, et qu'une prise d'armes, au
second livre, en rassemblait les interlocuteurs dans un corps de
garde. Il trouve dans la grande idée de la Providence le remède
à l'accablante tristesse dont le spectacle des misères publiques
frappe les cœurs honnêtes : par elle, sa raison voit clair, et dès
qu'il comprend, il se redresse, il espère. Dans d'autres traités,
il s'appliquera à mettre en honneur la raison et son double rôle
dans la vie morale, pour détourner les passions, et pour préparer sa foi. Sa pensée n'est pas originale, elle est sincère. Il
n'invente pas une conception nouvelle du devoir : il embrasse une
vieille morale, il en emplit sa raison, pour la vivre. C'est un
stoïcisme chrétien, qui préfère l'action à la contemplation, et la
vie civile au cloître. On saisit dans les traités moraux de Du Vair
on saisit encore distincts, bien qu'unis, les deux éléments qui feront
la forte beauté de la littérature chrétienne au XVIIᵉ siècle ; toute
la richesse intellectuelle de l'antiquité s'ajoutant à toute l'élévation religieuse de l'Évangile. Du Vair est un orateur moraliste
lorsqu'il prend son thème dans la Bible, il donne de beaux modèles.

---

1. Cf. p. 312. *Manuel d'Epictète* (trad.). *De la Philos. morale des Stoïques* (éd.
Michaut, 1946); *De la Constance et Consolations ès Calamités publiques* (éd. Flac
et Funck-Brentano, 1915). — Cf. L. Zanta, *Renais. du Stoïcisme au XVIᵉ s.*, 1914.

d'éloquence religieuse, dans un genre auquel le siècle classique devra un de ses chefs-d'œuvre[1]. Il a écrit des *Méditations* chrétiennes, très curieuses à étudier pour qui veut voir comment un esprit français, tout raisonnable et pratique, convertit en pensée éloquente le lyrisme passionné des prophètes juifs, comment il glisse par-dessous les grandes images de la Bible tout le détail utile de la vie morale. Même en sortant de Bossuet, on peut goûter les méditations de Du Vair sur Jérémie et son Isaïe. Si l'on rassemble la belle suite des harangues de Du Vair, son curieux traité de l'Éloquence Française, ses œuvres morales, et ses discours chrétiens, on se convaincra que ce remarquable orateur n'a pas encore reçu la place à laquelle il a droit.

Je ne m'arrêterai pas aux controversistes : leur genre aura plus tard des chefs-d'œuvre, il n'en est qu'à se discipliner. On trouve encore des érudits enragés, comme ce Feuardent qui dénonçait d'un coup *quatorze cents erreurs* des réformés. Cependant on commence à délimiter, à faire saillir les questions essentielles : entre Du Plessis-Mornay et Charron, la question de l'Église; entre Du Plessis-Mornay[2] et Du Perron[3], ou Coeffeteau[4], la question de l'Eucharistie : on commence à user aussi de la vraie méthode, et si l'on entasse encore les textes, du moins apprend-on à les manier, et le raisonnement se marie avec l'érudition. Après Calvin, les protestants n'avaient guère qu'à déchoir, mais les catholiques gagnent. Du Perron, notamment, use de science et de logique; avec lui l'Eglise romaine se décide à discuter, et à démontrer.

En face de Du Vair, le magistrat stoïque, il faut placer François de Sales[5], le mystique pasteur. Ils ne sont pas si différents : le premier a plus de tendresse, et le second plus de dureté qu'on

1. Parmi ses *Traités de piété*, je citerai : *De la Sainte Philosophie*; *Méditations sur Job, sur les lamentations de Jérémie, sur le cantique d'Ezéchias* (Isaïe), etc.

2. Du Plessis-Mornay (1549-1623); soldat, négociateur, théologien, a écrit : les *Discours sur la vie et sur la mort* (1575), les *Vindiciæ contra tyrannos* (1579); le *Traité de l'Eglise* (1579); le *Traité de la vérité de la Religion chrétienne* (1581); le *Traité de l'Eucharistie* (1598). Cf. R. Patry, 1933.

3. Jacques Davy Du Perron (155 6-1618), évêque d'Évreux (1575), puis archevêque de Sens, cardinal en 1604, réfuta le *Traité de l'Eucharistie* de Du Plessis-Mornay.

4. Nicolas Coeffeteau (1574-1623), dominicain, prédicateur de Henri IV, dont il fit l'oraison funèbre, évêque de Marseille en 1621, combattit Du Plessis-Mornay, Jacques Ier, Dumoulin. — **A consulter :** l'abbé Urbain, *N. Coeffeteau*, Paris, in-8, 1893.

5. François de Sales (1567-1622), né à Annecy, évêque de Genève. — **Éditions :** *Œuvres complètes*, 1641; éd. des Religieuses de la Visitation d'Annecy, 1892-1932; *Introduction à la Vie dévote*, éd. Ch. Florisoone, 1930, F. Henrion, 1934. — **A consulter :** J. Merlant, *De Montaigne à Vauvenargues*, 1914; H. Bremond, *Hist. litt. du Sentiment religieux*, I, 1921, *Autour de l'Humanisme*, 1936; F. Strowski, *St Fr. de S. Introd. à l'Hist. du Sentiment relig. au XVIIe s.*, 1928.

ne croirait. La maîtresse pièce de l'homme, pour lui, c'était la
volonté, et l'amour n'était que l'élan dont la volonté se portait au
bien aperçu par la raison. Ce bonhomme, qui semble tout fondant
de chaleur dévote, et qu'on prendrait pour un doux illuminé, a le
sens ferme et la conscience austère : ne prenez pas son tempérament pour sa doctrine, ni ses manières pour ses principes. Il y a
une direction très prudente et très peu indulgente dans ses deux
ouvrages capitaux, son *Introduction à la vie dévote* et son *Traité de*
l'amour de Dieu : il y a là plus de mollesse féminine, ici plus de mâle
vigueur, mais l'instruction est la même au fond. Ce grand conver-
tisseur et manieur d'âmes sait bien que ni l'Évangile ni la vie selon
l'Évangile ne sont choses plaisantes, et il faut ne l'avoir pas lu pour
s'imaginer qu'il rende la dévotion aisée.

Avec toute la différence de son humeur, il continue Calvin :
il fait de la théologie une matière de littérature, parce que, renonçant à la scolastique, il parle à tout cœur chrétien, à tout esprit
raisonnable ; il ne faut qu'être homme, et chercher la règle de la
vie, pour le comprendre et le goûter. Voici que décidément tout
le technique de la théologie reste dehors. « Monsieur de Genève »
fut aussi le vrai restaurateur de l'éloquence de la chaire. Il en avait
trouvé le vrai principe : « parler affectionnément et dévotement,
simplement et candidement, et avec confiance ». Ajoutez la science
du dogme et la science du cœur humain, qu'il avait surabondamment. Quoi qu'il ait prêché toute sa vie, comme il improvisait, on n'a qu'un très petit nombre de ses sermons : c'en est
assez, avec ses *Entretiens spirituels* qu'on a recueillis, pour nous
faire juger cette éloquence solide et insinuante, qui semble une
causerie aisée, soudaine, enlevée jusqu'au pathétique par une
émotion intérieure : c'est parfois un commentaire chaleureux de
quelque texte sacré, parfois une libre instruction sans ordre apparent, ou divisée sans subtilité. Le mouvement en est celui des
homélies pastorales de Bossuet, lorsqu'il prêchait dans son diocèse.

Le péché mignon du bon évêque, c'était l'exubérance d'une
imagination trop ingénieuse et trop fleurie. Car encore qu'il ait
écrit qu' « il ne faut ni blanc ni vermillon sur les joues d'une chose
telle que la théologie », il admettait pourtant en théorie dans l'éloquence sacrée l'emploi des éruditions antiques et des histoires
naturelles « comme l'on fait des champignons, pour réveiller l'appétit ». Sa pratique n'a été que trop fidèle à sa théorie. Toute
nature et tous les livres lui fournissent des comparaisons, des
images, des agréments : il a une libre fantaisie qui se promène à
travers le monde, ramassant toutes les curiosités et toutes les singularités, à la façon de Montaigne. Une légère sentimentalité envi-

loppe ses ingénieuses mignardises, et en fond la sécheresse. C'est
le commencement du style *rococo* : mais ce n'est autre chose que
la fin du lyrisme. La prose de François de Sales, et celle encore du
romancier d'Urfé, dont je définirai bientôt l'œuvre et l'influence,
marquent à peu près le même moment que les vers de Montchrétien et de Bertaut.

Les tragédies de **Montchrétien** sont toutes pleines d'effusions
charmantes ou passionnées : j'en parlerai quand j'exposerai les
commencements du théâtre classique. Le « sage » Bertaut [1] se dit
et se croit disciple de Ronsard et de Desportes : il n'a ni l'art et le
génie de l'un, ni la sécheresse brillante de l'autre. Les pointes qui
lui échappent ne changent pas le caractère de son œuvre : il a un
naturel mou, qui parfois étale des grâces nonchalantes, souvent, il
faut le dire, se dilue en prolixité plate. Le sonnet se fait rare chez
lui, et il ne tente plus guère les formes savamment compliquées
de la Pléiade. Des stances de quatre ou de six vers, ou des alexandrins continus, voilà sa forme, fluide et harmonieuse : pour sa
matière, c'est parfois la galanterie, toute mouillée de sentimentalité, mais surtout les événements de la vie journalière. Bertaut
s'est donné mission de pleurer les morts. Il y a en lui un poète
mondain, qui tient des larmes prêtes à tous les deuils notables. Mais
il a vraiment un fond d'imagination mélancolique, comme très
sincèrement aussi il est Français et chrétien. Il est lyrique de tempérament : il a des épanchements d'une douceur lamartinienne.
Mais déjà il est forcé d'exciter son inspiration lyrique au contact
de la Bible : quand il ne paraphrase pas un psaume, sa poésie
tourne en raisonnement, et se charge de réflexions morales. Il est
frappant que ses plus longues pièces portent le titre de *Discours*,
et ce qu'il appelle *Hymne de saint Louis* est un « panégyrique » en
vers du saint roi, orné d'abondantes moralisations.

Vauquelin de la Fresnaye [2], gentilhomme normand, est un
amateur de province sur qui la Pléiade, si l'on peut dire, a coulé.

1. Jean Bertaut, de Caen (1552-1611), fut encouragé par Ronsard et lié avec
Desportes. Il s'attacha à Henri III, qui le nomma son lecteur et conseiller au Parlement
de Grenoble ; après la mort de Henri III, il se rallia à Henri IV, qui le fit premier
aumônier de la reine en 1600, et évêque de Séez en 1607. *Œuvres poétiques*, éd.
A. Chenevière (Bibl. elzév.), Paris, Plon, 1891, in-16.

2. Jean Vauquelin, né à la Fresnaye-au-Sauvage, près Falaise, en 1536, fut lieutenant général à Caen (1572), député aux États de Blois (1588), président au présidial
de Caen, 1594 ; il mourut en 1606 ou 1608. Il avait débuté en 1555 par des *Foresteries*.
Il commença son *Art poétique* en 1574 ; Henri III l'invita à y travailler ; cet ouvrage
n'était pas achevé en 1589, et ne parut qu'en 1605. — **Éditions** : *Diverses Poésies*, 1605
éd. J. Travers, 1869-72 ; *Art poétique*, éd. G. Pellissier, 1885. — **A consulter** : A.-P
Lemercier, *Étude littéraire et morale sur les poésies de Jean Vauquelin de la Fresnaye*,
Paris, 1887, in-8. Vianey, *Les Satyres françaises de Vauquelin de la Fresnaye*, Rev.
des Universités du Midi, oct.-déc. 1895 ; A. Cart, *Poésie fr. au XVIIe s.*, 1939.

Débutant presque aussitôt que Ronsard, il a soumis son esprit au génie du maître, il n'a pas modifié son naturel qui l'incline à la facilité négligée, si bien qu'en sa vieillesse il se trouve à l'unisson de Bertaut et de Régnier. Il a cru rédiger la *Poétique* de la Pléiade : mais, sans y songer, il a adouci, abaissé, réduit les prétentions et les doctrines de l'École : il en a laissé tomber les parties les plus choquantes, et il les tourne naturellement du côté du sens commun et de la vérité moyenne. Il consacre le triomphe des genres antiques, l'élargissement de la langue, et ferme tout doucement la porte aux révolutions, en insinuant le respect de l'usage et de la tradition. Sur un point, il est moins Grec et Romain que ses devanciers de la Renaissance et que ses successeurs classiques : il veut une poésie, une tragédie chrétiennes.

Vauquelin fut un des introducteurs de la satire régulière, qui moralise la vie en la peignant. Avant lui, Du Bellay et de la Taille n'avaient fait qu'y toucher : Vauquelin fit cinq livres de *satires*, discours d'un bon homme qui sait par cœur Horace, Perse, Juvénal, et qui a ouvert les yeux avec indulgence sur le monde. Il n'est pas de qualité, du reste, à nous arrêter : d'autant que derrière lui nous découvrons Régnier [1]. Celui-là est un poète. Il mourut jeune, à quarante ans, ayant gaspillé sa vie et son talent. Il aima trop le jeu, la table, tous les plaisirs, et la pauvreté l'*affola* toute sa vie, parce que ses vices étaient plus forts que ses protecteurs et ses pensions.

> J'ai vécu sans nul pensement,
> Me laissant aller doucement
> A la bonne loi naturelle,

disait-il de lui même, et cela est vrai de ses vers comme de sa vie.

Si l'on excepte quelques pièces de commande, il ne sut qu'écrire à sa fantaisie, selon l'impérieuse impression du moment. Une mollesse élégiaque trempe ses stances amoureuses et ses strophes de contrition, dont l'accent rappelle tout à fait Bertaut. Il y a pareille douceur dans ses descriptions champêtres. Mais l'originalité du génie de Régnier est dans la peinture des mœurs. Il fuyait trop la peine pour avoir beaucoup pensé, et l'on n'en attendra pas des idées bien neuves ni bien puissantes. Je ne sais même pas s'il

---

1. Mathurin Régnier, de Chartres (1573-1613), neveu de Desportes, fit deux voyage à Rome à la suite du cardinal de Joyeuse et de M. de Béthune, ambassadeur du roi. Sur la fin de sa vie, il fut chanoine de Notre-Dame de Chartres, et eut 2 000 livre de pension de Henri IV. — Éditions : Brossette, 1729; J. Plattard, 1930; *la Macett de Mathurin Régnier*, éd. Brunot, Bloume, etc.., 1900. — A consulter : Sainte-Beuve, *La Poésie au XVIᵉ s.*; J. Vianey, 1896; A. Cart, *Poésie fr. au XVIIᵉ s.*, 1939.

convient de parler des *idées* de Régnier : rien de moins profond,
de plus vague et de plus banal que la *morale* de Régnier. A vrai
dire, il n'est pas *moraliste*, mais *peintre*, voilà sa vraie vocation et
son réel talent. Il a une singulière netteté de vision, et rend avec une
puissance, un relief, une vie extraordinaires les physionomies, les
attitudes, les propos des originaux qu'il a rencontrés. Il a et il
donne par le physique la sensation du moral : il saisit au vol le
geste ou l'accent significatifs d'un caractère ou d'une profession.
Boileau lui a donné ce juste éloge, d'avoir été avant Molière
l'écrivain qui a le mieux connu les mœurs des hommes. Dans
ses *Satires*, mieux que nulle part ailleurs, revit ce Paris de
Henri IV, à l'instant où les mœurs grossières commencent à se couvrir de politesse castillane : courtisans, petits-maîtres, médecins,
pédants, poètes crottés ou parasites, combien de vives silhouettes
s'enlèvent dans la clarté de cette poésie sans brumes! Et Régnier
n'est pas seulement pittoresque, il est dramatique. Ses chefs-
d'œuvre sont les *Satires* d'où l'abstraction et le raisonnement sont
éliminés, et qui sont purement et simplement des images de la vie,
qui en décomposent et fixent le mouvement : c'est cette pièce du
Fâcheux, où il a surpassé Horace par la richesse de l'observation
morale; c'est ce *Repas ridicule*, dont Boileau n'a pu, tant s'en faut,
égaler la chaude couleur et la verve comique; c'est cette *Macette*,
l'hypocrite vieille, que Tartufe ne fait point pâlir.

Ces rapprochements disent la valeur de Régnier. Dans ce genre
de la *satire*, qu'il a préféré aux *stances*, aux *odes*, aux *élégies*, aux
sonnets, ce poète tout naturel et primesautier inaugure vraiment la
littérature impersonnelle; et dans l'intensité de son impression, ce
n'est pas lui-même qu'il cherche à exprimer, c'est tout ce qui n'est
pas lui. Il est classique par là; il l'est par la composition de son
originalité. Ce paresseux a lu Horace et Juvénal; il a lu Berni,
Caporali, l'Arétin; il a pratiqué Rabelais et Marot. C'est un Beauceron en qui continue de vivre le vieil esprit bourgeois, celui de
Villon et de Jean de Meung. Réminiscence, hérédité, l'antiquité,
l'Italie, la France, tout cela se mêle pour former la substance de
ce sain et robuste talent, qui ne saura fausser ni forcer sa sensation. Il imite souvent : soyez sûr que s'il imite, c'est qu'il a reconnu
dans la nature l'objet que son modèle lui offrait, et que son imitation, tout spontanément, rectifiera le modèle littéraire sur la réalité
vivante.

Régnier eut le don du style : peut-être est-ce là le principal de
son génie. Il est de la famille de Molière et de Regnard, par la
franchise de son vers, par la couleur, la plénitude, la largeur qu'il
sait lui donner. Il n'a point de raffinement ni de délicatesse : par
certains excès de goût et de langage, il mène à Scarron et peut

revendiquer une part de paternité dans la naissance du burlesque.
Suivant, comme il dit, son « ver coquin », il a tous les bénéfices
comme tous les défauts de l'inspiration : le mot hardi, imprévu,
éclatant, l'image riche, inoubliable, un cours naturel et aisé de
langage, qui enregistre toutes les inégalités de la pensée.

Plus encore que Bertaut, Régnier a laissé le style artificiel de son
idole Ronsard : il n'est plus question de composés, ni de provignement, ni de toutes les méthodes prescrites aux poètes qui veulent
se faire une noble et riche langue. Régnier prend les mots de tout
le monde, et quoi qu'il reproche à Malherbe, il fuit moins que lui
ceux des crocheteurs. Comme Montaigne, il puise à la source commune et populaire : néologismes, mots savants, mots de terroir, ou
de carrefour, ou de cour, tout lui est bon, pourvu qu'il le tienne
de l'usage. Des façons de parler proverbiales, des dictons de Paris
émaillent ses propos, et leur donnent une saveur un peu vulgaire,
mais piquante. Au reste il écrit « à la vieille française », avec une
belle *furia*, enjambant les obstacles de la syntaxe, forçant la phrase
à le suivre par-dessus les barrières des règles, n'ayant souci que
d'aller au but, et sans crainte de se casser le cou : toujours clair,
toujours vif, toujours fort, il a des constructions troubles, incorrectes, incohérentes, étirées ou estropiées : que lui importe? C'est
le moins coquet des poètes, et qui n'est jamais plus à l'aise qu'en
débraillé.

Ce poète avait plus de sentiment que de logique. Neveu de Desportes, il adorait Desportes, et Ronsard, et la Pléiade : quand Malherbe se mit à maltraiter ses dieux, il voulut les venger, et écrivit
contre l'irrespectueux réformateur une admirable et incohérente
satire, où déborde la poésie, mais où il n'y a pas ombre de sens
critique. Il affectait de ne voir en Malherbe qu'un regratteur de
mots et syllabes; il lui reprochait de faire de la poésie une coquette
fardée : il s'imaginait que Ronsard et Desportes, c'était le beau
naturel, facile et nu! Il ne s'apercevait pas qu'il écrivait contre
Ronsard autant que contre Malherbe : car il écrivait contre l'*art*; il
ne voyait pas qu'il défendait ce que Ronsard avait combattu comme
Malherbe : car il défendait le simple naturel, négligé, sans étude.
Il ne voyait pas enfin qu'entre l'idéal de la Renaissance, et l'idéal
classique, ce qu'il exprimait était seulement l'idéal de sa génération, l'idéal de Bertaut et de François de Sales :

> Rien que le naturel sa grâce n'accompagne;
> Son front lavé d'eau claire éclate d'un beau teint...
> Les nonchalances sont ses plus grands artifices.

2. RÉSULTATS GÉNÉRAUX DU XVIᵉ SIÈCLE.

Dans ce défilé rapide des écrivains du temps de Henri IV, on n'a pas eu de peine sans doute à saisir au passage quelques traits communs de ces physionomies si différentes.

Après le vigoureux élan des humanistes pour s'élever à la hauteur des œuvres anciennes, après les convulsions politiques et religieuses qui ont remué les âmes jusqu'au fond, la littérature, comme la France, se repose. L'individu qui a tenté de se faire centre et maître du monde, reçoit une règle et restreint ses ambitions. L'édifice social, politique, religieux, moral est reconstruit; chacun s'y loge à sa place pour travailler dans sa sphère. Un grand besoin d'ordre et de paix s'est à la longue éveillé, surtout dans le peuple et dans la bourgeoisie : on se réfugie dans la monarchie absolue, à qui l'on demande le salut de l'État et la protection des intérêts privés. Malherbe, Du Vair, **Montchrétien**, Olivier de Serres, Régnier, chacun à sa façon, avec les nuances de son caractère, traduisent ce réveil de la foi monarchique dans laquelle s'unissent le patriotisme et l'amour du travail pacifique.

De la même source est sortie la tolérance religieuse. La France reste catholique, mais elle accepte des fils protestants. La controverse se règle : des deux côtés, on cherche à confirmer des fidèles, plutôt qu'on n'enflamme des soldats. L'Eglise catholique, avec Du Perron et François de Sales, achève sa réforme intellectuelle, elle retrouve la science et l'éloquence. Les protestants, il faut bien le dire, s'effacent de la littérature, dès qu'ils désarment : ils se perdent dans la masse catholique, tandis que leur D'Aubigné, en qui revit tout le XVIᵉ siècle individualiste, anarchique et lyrique, lâche, retiré en son coin, ses chefs-d'œuvre grognons et surannés.

Par la restauration de la monarchie absolue et de la religion catholique, l'esprit français écarte les questions irritantes et dangereuses. Comme il affranchit sa pensée, en supprimant la crainte des applications pratiques, il la rend efficace, en ôtant la tentation des aventures métaphysiques. Montaigne a bien délimité l'inconnaissable : mais s'il vit à l'aise dans son positivisme, tous les esprits qui ne peuvent se passer de certitude demandent à la foi de parler où la raison se tait. Ainsi se superpose l'Évangile à la philosophie, avec Charron, avec Du Vair. Bien assurée de ce côté, la raison, mûrie dans les agitations du siècle et l'étude des anciens, se reconnaît juge souveraine de la vérité qu'on peut connaître, et la littérature s'imprègne d'un rationalisme positif et scientifique. Le domaine de la foi est **réservé** : hors de là, tout se

décide par raison. Ce qui amène deux conséquences : la littérature devient l'expression de la vérité ; il faut donc qu'elle soit sincère et objective. Puis, il faut qu'elle tourne du lyrisme à l'éloquence. Et nous voyons précisément ces caractères apparaître dans
les écrivains dont j'ai parlé.

La littérature où la raison tend à dominer, s'oriente vers l'universel : elle reconnaît pour son objet ce dont chacun trouve en
soi la vérité et l'usage; rien ne lui sera plus propre que la vie
humaine, que les faits moraux, les forces et les freins que met en
jeu dans l'âme l'existence de chaque jour. Le technique tend donc
à être rejeté hors de la littérature, qui aura pour objets principaux
la peinture des mœurs et la règle des mœurs; l'une appartiendra
surtout à la poésie, et, par l'autre, la philosophie et la théologie
resteront des genres littéraires.

Sous la pression des tristesses morales de cette époque troublée,
une sorte de stoïcisme chrétien s'élabore dans les âmes qui ont
besoin de faire provision d'énergie. Montaigne ne put suffire qu'à
ceux qui vivaient comme lui retirés en leur château, sans action et
sans responsabilité. On conçut qu'il fallait donner une autorité
supérieure et un fondement rationnel a la règle des mœurs, et l'on
résolut encore ce problème par la superposition du christianisme
à la sagesse humaine des anciens. Le désordre des mœurs, la difficulté des temps font embrasser ce que la Bible et l'antiquité ont
de plus fort et de plus austère dans leurs doctrines morales. Du
Plessis-Mornay [1], d'Urfé [2], etc., paraphrasent Sénèque que Malherbe
traduira; Du Vair traduit Épictète, en même temps qu'il médite
Job et Isaïe. Le tendre François de Sales, sous l'aménité fleurie de
ses discours, arme la volonté, et lui donne tout, pour lui tout
demander. Dans ce réveil de l'énergie morale se préparent et la
théorie cartésienne de la volonté et la théorie cornélienne de
l'héroïsme : et là se trouve l'explication de la faveur que rencontrera le jansénisme, cette forme forte du catholicisme.

Après le grand effort de la Pléiade pour créer de toutes pièces
une littérature artistique, nous constatons sous le règne de Henri IV
un retour au naturel. Mais ce n'est pas le naturel de Marot : à force
de s'étirer, l'esprit français a grandi; à force de se guinder, il s'est
haussé. Les écrivains s'abandonnent et savourent le plaisir de ne
pas se contraindre : de là cette composition un peu lâche, cette
abondance diffuse, cet écoulement paisible de pensées, cette largeur
étale du style fluide et lent. Régnier, si vif, si ardent, est aussi
désordonné et prolixe que les autres. Il y a dans presque toutes les

---

1. Dans ses *Discours de la vie et de la mort* (1575).
2. Dans ses *Épîtres morales*, écrites en prison (1505).

œuvres du temps une molle détente, un éclat aimable et doux, une nonchalance négligée; la sécheresse des pointes et de l'érudition se détrempe, pour ainsi dire, dans les tièdes courants de l'imagination et de la sensibilité [1].

La centralisation littéraire n'est pas faite : la littérature échappe encore au joug du monde et de la cour. D'où ces deux effets, qu'il y a encore des œuvres littéraires dont les sujets ne sont pas mondains, et des écrivains provinciaux, qui vivent loin de la cour et de Paris. Comme il n'y a pas encore de goût public, et qu'il n'y a plus de doctrine d'école, chacun suit en liberté la pente de sa pensée et va où les nécessités de sa vie intellectuelle et morale le poussent. Les grandes ambitions d'art ont disparu. Le lyrisme s'affaiblit dans la sentimentalité élégiaque. La fantaisie et la raison, le lyrisme et l'éloquence s'équilibrent. Sous le pédantisme de la Renaissance commence à percer l'originalité classique. On fleurit encore les discours de souvenirs; François de Sales met de l'histoire naturelle dans la théologie, et Montchrétien de la mythologie dans l'économie politique. Cependant le fond révèle une pensée déjà indépendante, qui choisit sa matière selon le besoin, et la traite selon la vérité. Il reste aussi chez les poètes des traces de pétrarquisme, mais nous sommes loin pourtant de Desportes. De toute façon, les ouvrages de la période qui nous occupe sont de bons Français. Il y a là un temps de repos et d'indépendance pour notre littérature entre les deux invasions de l'italianisme, dont la seconde s'aggravera d'une invasion espagnole.

Un esprit sérieux, pratique, sensé, bourgeois, a pris possession de la littérature, et, comme dans l'ordre politique et religieux, il ne rêve plus de subversions ni de reconstructions totales. Il ne songe qu'à utiliser et jouir. L'idée capitale de la Renaissance est passée dans les faits : la substitution des genres gréco-romains aux vieux genres français est définitivement acquise, et notre littérature, à peu près détachée du moyen âge, va se relier à l'antiquité. Alors se déterminent la plupart des genres et des formes importantes de notre art classique. Vauquelin et Régnier organisent la satire : Hardy, dont j'ai remis à parler, établit la tragédie. Malherbe règle ce qui peut subsister de lyrisme. Dans la prose, deux grands genres se laissent discerner : le discours moral et l'éloquence religieuse. Enfin, ici s'attache le roman.

1. Cela ne s'applique guère à Henri IV, toujours avisé, et peu sentimental. Ses *Lettres* sont nerveuses et sèches, avec quelques fusées d'imagination ; il faut se défier des apocryphes, parfois les plus charmantes (*Rev. d'Hist. litt.*, 1896); ses harangues sont vives, fermes; la bonté et l'autorité y sont attentivement combinées.

Éditions : *Lettres missives de Henri IV* (Doc. inéd. sur l'Hist. de France), 1843-1876, 9 vol.; J. Nouillac, *Henri IV raconté par lui-même*, 1913; A. Lamandé, *Lettres d'amour de Henri IV*, 1932. — **A consulter :** Guadet, *Henri IV*, 1882.

En revanche nous assistons à l'avortement d'un genre qui fut
considérable dans l'antiquité : c'est l'histoire. L'esprit qui tendait
à prévaloir abolissait le sens historique par l'attention exclusive
qu'il donnait à la commune et immuable essence de l'humanité.
Si l'homme est le même dans tous les temps, l'histoire est chose
bien mince, et la vérité historique n'est plus perçue. Puis le
divorce de l'érudition et de la littérature est opéré, et l'on trouve
de la science sans art comme chez Fauchet ou La Popelinière, ou
de l'art sans science, comme chez Du Haillan ou Dupleix [1]. Et dans
tout sujet les modernes sont en présence d'une masse de documents, qui rejette les esprits littéraires vers les genres où l'invention est plus libre, vers l'observation morale ou vers l'analyse dramatique. Enfin les *Mémoires* sont les œuvres historiques qui satisfont
le mieux des esprits curieux avant tout de la vie et de l'homme. Deux
œuvres mettent alors en lumière l'avortement du genre historique :
d'abord l'admirable corps d'Histoires du président de Thou [2], si
exact, si informé, si impartial, et qui, écrivant en latin avec les
mots et la couleur de Tite-Live, n'arrive qu'à faire un pastiche ; en
second lieu la célèbre Histoire Romaine de M. Coeffeteau, regardée
comme un modèle de la prose française, et qui n'est qu'une traduction paraphrasée de Florus, sans érudition ni critique.

L'histoire, au XVIIe et au XVIIIe siècle, ne s'insinuera dans notre
littérature que sous la forme d'un autre genre et comme incidemment. Elle sera utilisée par la théologie, par la controverse, par la
philosophie, pour leurs fins propres et spéciales. Elle ne vivra pas
par elle-même. Déjà Bèze, par son *Histoire ecclésiastique des Eglises
Réformées* (1580), avait bien marqué le biais dont on la prendrait
chez nous, quand on voudrait s'élever au-dessus des *Mémoires* personnels et des *Dissertations* érudites. Il est curieux que ce genre
tout impersonnel de l'histoire ne devait arriver à se constituer dans
notre littérature que pendant le plein triomphe de la littérature
personnelle : histoire et lyrisme se tiennent plus qu'on ne croit. En
tout cas, l'élimination de l'histoire et l'extinction du lyrisme, au
début du XVIIe siècle, sont deux phénomènes qui annoncent la prochaine floraison de l'esprit classique.

1. Les *Antiquités* de Fauchet paraissent de 1579 à 1601. La Popelinière donne
en 1581 son *Histoire de France depuis l'an 1550*. Du Haillan fait imprimer en 1576
son *Histoire de France* (depuis les origines). Dupleix (qui meurt en 1661), donne sa
première édition en 1621 ; la science qu'il mêle à sa rhétorique vient d'André Duchesne.
— A consulter : A. Thierry, *Lettres sur l'Histoire de France* et *Dix Ans d'études
historiques*.

2. Jacques-Auguste de Thou (1553-1617) commença vers 1581 à écrire l'*Histoire
de son temps*, qui parut de 1604 à 1617. — Éditions : 1620, 4 vol. in-fol.; 1733,
Londres, 7 vol. in-fol. Cf. J. Rance, 1881; H. Harisse, 1905.

CHAPITRE II

LA LANGUE FRANÇAISE AU XVIᵉ SIÈCLE[1]

urcharge et confusion au début du siècle. Effort pour régulariser la
langue. Comment la langue s'éclaircit : exemples tirés de Calvin.
Retour au naturel : facilité et diffusion à la fin du siècle. Ce qui
manque et ce qu'on souhaite.

Les premiers humanistes qui essayèrent, dans des traductions
u autrement, d'appliquer la langue vulgaire à de hautes pensées,
e sentirent fort embarrassés. Habitués au latin, au grec, à des
angues mortes dont ils trouvaient les formes fixes, les règles cer-
aines, le type désormais immuable dans les écrivains anciens,
ls cherchaient le français et ne le trouvaient nulle part. Nous
rouvons le témoignage curieux de cet embarras dans la *Préface*
que Pierre Robert Olivetan mit à sa traduction de la Bible (1535) :
« Aujourd'hui pour la plupart le françois est mêlé de latin et
ouvent de mots corrompus : dont maintenant nous est difficile
es restituer et trouver. Ainsi donc par faute d'autres termes avons
té contraints d'user des présens, en nous accommodant à notre
emps, et comme parlant barbare entre les barbares. Au surplus ai
tudié tant qu'il m'a été possible de m'adonner à un commun
atois et plat langage, fuyant toute affecterie de termes sauvaiges,

---

1. Darmesteter et Hatzfeld, *XVIᵉ s., en Fr.*, 1889 ; F. Brunot, *Hist. de la Langue
r.*, II, 1927 ; E. Huguet, *Dict. de la Langue fr. au XVIᵉ s.*, 1933, *Langage figuré
u XVIᵉ s.*, 1933, *Évolution du sens des mots depuis le XVIᵉ s.*, 1934 ; R. Grand-
aignes d'Hauterive, *Dict. d'Ancien fr.*, 1948 ; Ch. Turot, *Prononciation fr. depuis
e commencement du XVIᵉ s.*, 1928 ; A. Benoist, *la Syntaxe française entre Pals-
rave et Vaugelas*, 1877 ; Livet, *la Grammaire et les Grammairiens au XVIᵉ
iècle*, 1859 ; De Blignières, *Essai sur Amyot*, 1851 ; Marty Laveaux, *la langue de
a Pléiade*, append. au tome I de la *Pléiade fr.* (Lemerre, 1896). Cf. les glossaires
t tables de mots des grands écrivains du XVIᵉ s.

emmasqués et non accoutumés, lesquels sont écorchés du latin
Toutefois que, à suivre la propriété de la langue française, elle es
si diverse en soi selon les pays et régions, voire selon les ville
d'un même diocèse, qu'il est bien difficile de pouvoir satisfaire à
toutes oreilles et de parler à tous intelligiblement. Car nou
voyons que ce qui plaît à l'un, il déplaît à l'autre : l'un affecte un
diction, l'autre la rejette et ne l'approuve pas. Le Français parl
ainsi, le Picard autrement, le Bourguignon, le Navarrais, le Provençal, le Gascon, le Languedoc, le Limousin, l'Auvergnat, l
Savoisien, le Lorrain, tous ont chacun sa particulière façon d
parler, différentes les unes des autres. »

C'était au même temps que Geoffroy Tory et Rabelais s
moquaient des pédants qui « despumaient la verbocination latiale »
et corrompaient le français. Ils en aimaient donc la pureté, ils er
respectaient la propriété : mais ils le sentaient pauvre et maigre
et où il défaillait, ils tâchaient de le refaire et compléter. « Com
ment donc ! dira Henri Estienne, ne sera-il loisible d'emprunte
d'un autre langage les mots dont le nôtre se trouvera avoir faute? »
Personne ne s'en fit scrupule : l'enrichissement de la langue était un
nécessité liée au développement de l'esprit; puisque la formation
populaire avait laissé perdre du latin tout ce qui représentait la
haute culture, il fallait bien aller l'y rechercher, maintenan
qu'on voulait s'approprier cette culture. Oresme déjà, sous Charles V
y avait été contraint : ce fut bien autre chose quand toute une
armée d'ardents et studieux esprits, théologiens, philosophes, tra
ducteurs, imitateurs, penseurs originaux, se mit à parler en langue
vulgaire sur toutes les plus ardues et plus graves matières. Outre
les savants, nul ne se fait faute de prendre des mots à sa fantaisie :
le faux principe de Ronsard que la perfection d'une langue est
en proportion du nombre de ses mots, abuse tout le monde, et par
dévouement à la langue nationale, on en vient à perdre tout respect de son génie et de sa pureté. Les soldats, les courtisans, les
dames reçoivent par mode les mots des étrangers auxquels nos
Français vont se frotter, ou qui viennent chercher fortune chez eux
L'Italie avait été un trop actif agent de notre Renaissance, pou
ne pas avoir imprimé fortement sa marque jusque sur notre langage; l'Espagne à la fin du siècle regagne du côté de l'influence
intellectuelle ce qu'elle perd en influence politique; elle nous
insinue de ses manières et de ses façons de parler.

De là l'extraordinaire extension de la langue française au xvi° siècle. De là sa merveilleuse et confuse richesse. Le vocabulaire s'enfle
à crever. Il retient les mots du moyen âge : *acoiser, ardoir, baller,
gaber, chevir, ost, sade, vesprée; cest, cestuy, icest, cil, icel, icelui,*
avec *celui.* Il reçoit des mots et des formes des dialectes : du wallon,

du picard, du vendomois, avec Ronsard; du gascon, avec Monluc et Montaigne; du lyonnais, avec Rabelais, comme cette forme *aimarent* si fréquente dans *Pantagruel*. Le latin fournit à Du Bellay, qui conseille d'user de mots purement français, ces néologismes que lui reproche Fontaine : *vigiler, hiulque, oblivieux, intellect, sinueux,* etc. Du Bellay introduit *patrie,* et Desportes *pudeur.* On voit entrer aussi *abnégation, amplification, agitation, exercitation, innumérable, manutention, spelonque, suspition, sagette, vitupère,* etc. Le grec fournit toute sorte de termes d'art, de science, de philosophie, de politique, comme ce mot de *police* au sens étymologique de gouvernement, comme *économie,* pour *ménage,* ou bien encore *squelette,* etc. Viennent ensuite les composés, que conseille Ronsard, que défend Henri Estienne et que prodigue Du Bartas : *porteciel, porteflambeaux, haut-bruyant, doux-amer,* etc. Le provignement fournit *œillader, ébenin, larmeux,* et, en dehors même de la Pléiade, *périller* qui est dans François de Sales, *esclaver, grenouiller,* qui sont dans Montaigne, etc. Les diminutifs, *archerot, enfançon,* etc., pullulent. Les Italiens nous envoient *courtisan, escorte, spadassin, bouffon, charlatan, costume, escrime, infanterie, cavalerie, grotesque, antiquaille, réussir,* etc.; les Espagnols *colonel, algarade, hâbler, bizarre, parangon, parangonner,* etc.

Même mélange dans les constructions. On y trouve des italianismes : *comme ainsi soit que, là où, comme celui qui,* etc.; des hellénismes, comme *le beaucoup amasser, l'être prompt à exécuter,* comme aussi le fréquent usage des adjectifs neutres, l'*intelligible,* le *choisissable,* etc. Mais la lutte est surtout entre la vieille langue et le latin. Il reste dans la conjugaison des traces de l'usage du moyen âge : le latin nous donne sa proposition infinitive, qu'on trouve, il est vrai, déjà acclimatée dans Commynes et dans Marot, mais qui devient alors tout à fait commune : il nous donne aussi toutes les constructions du relatif, soit éloigné de son antécédent, soit dépendant d'un participe ou d'un infinitif, et non d'un mode personnel du verbe. Parfois les deux syntaxes concourent au lieu de se contrarier, et le latinisme vient en aide à l'archaïsme dans l'omission fréquente des pronoms sujets, dans la suppression de la conjonction *que* devant le subjonctif, et surtout dans l'usage si développé alors de l'inversion.

Du latin aussi viennent ces idées, arbitraires et erronées le plus souvent, d'analogie et de régularité, qui bouleversent la langue et jusqu'à l'orthographe. Grammairiens et écrivains s'imaginent rapprocher le français du latin et en panser la corruption, quand ils hérissent pédantesquement leur écriture de lettres parasites qu'ils croient étymologiques, et quand ils essaient de ramener violemment au genre masculin les mots en *eur* et en *our* dérivés du latin

en *or*, que la spontanéité de la formation populaire avait faits
féminins depuis des siècles. Un des effets bizarres de cette réforme,
et qui en montre l'inepte lourdeur, c'est la tentative de transformation de certains adverbes en *ment*. Il y avait bientôt deux siècles
que les adjectifs dérivés de la classe où la forme en latin est unique
pour les deux genres masculin et féminin, s'assimilaient peu à peu
aux autres, et que *grand*, *fort*, etc., s'enrichissaient de terminaisons féminines par l'adjonction d'un *e* muet. Cette opération était
à peu près achevée : mais alors les adverbes dérivés du primitif
féminin de ces adjectifs choquèrent comme anormaux. Si l'on
disait *bonnement*, pourquoi dire *innocemment*, *savamment*, *loyau-
ment*? On crut plus correct de dire *innocentement*, *savantement*, *loyalement*, quoiqu'en réalité on achevât ainsi de s'éloigner du latin.
Mais la régularité, c'est-à-dire l'uniformité, le voulait. Aussi fut ce
pendant tout le siècle, et chez les mêmes écrivains, la plus étrange
confusion de formes anciennes et nouvelles, comme il apparaît
bien par l'usage actuel, où très capricieusement sont parvenues
tantôt les unes et tantôt les autres. Nous disons *innocemment*, et
nous disons *loyalement*.

Ce soudain grossissement et cette régularisation téméraire eurent
pour premier effet de rendre la langue plus trouble. Ce n'était plus
seulement de ville à ville, c'était de livre à livre que les mots et les
formes changeaient. Et dans la construction des phrases, l'allure si
nette, si dégagée de la vieille langue se ralentit, s'embarrasse,
s'alourdit, les phrases s'enchevêtrent, se nouent ou filent. Par l'inversion notamment, une réaction de l'ordre analytique vers l'ordre
synthétique se fait contre le vrai génie et le certain avenir de la
langue. Il y a à cet égard un recul visible de Marot et de Commynes à Rabelais, à Calvin, à Montaigne surtout dont j'ai dit déjà
combien la phrase est étrangement inorganique. Cependant après
un temps d'hésitation et comme de reflux, les nécessités pratiques
et vitales font reprendre à la langue son cours naturel : la phrase
se dégage et si, j'ose dire, se retrouve. Pour écarter les inégalités
imputables à l'individualité, regardons les deux traductions que
Calvin donne de son *Institution* en 1541 et en 1560, et voyons comment en moins de vingt ans, par le seul usage, la langue s'est fil-
trée et clarifiée. En 1541, Calvin écrit :

« Voilà pourquoi tous les États d'un commun accord conspirent
en la condamnation de nous et de notre doctrine. De cette affection ravis et transportés ceux qui sont constitués pour en juger
prononcent pour sentence la conception qu'ils ont apportée de leur
maison. »

En 1560 : « Voilà pourquoi tous les États d'un commun accord
conspirent à condamner tant nous que notre doctrine. Ceux qui

sont constitués pour en juger, étant ravis et transportés de telle
affection, prononcent.... »

1541 : « Or à toi appartient, Roi.... »

1560 : « Or c'est votre office, sire.... »

1541 : « Et ne te doit détourner le contemnement de notre
abjection. »

1560 : « Et ne devez être détourné par le contemnement de
notre petitesse. »

1541 : « Mais nous ne lisons point ceux avoir été repris qui
aient trop puisé.... »

1560 : « Mais nous ne lisons point qu'il y en ait eu de repris
pour avoir trop puisé. »

1541 : « Cestuy étoit Père, qui.... »

1560 : « C'étoit un des Pères, qui.... »

1541 : « Voysent maintenant nos adversaires.... »

1560 : « Que maintenant nos adversaires aillent.... [1] »

Et pareillement Calvin remplace en 1560 *loquacité* par *babil*,
abnégation par *renoncement*, *diriger* par *adresser*, *subjuguer* par
dompter, *expéter* par *désirer*, *promouvoir* par *avancer*, *médiocre* par
moyen, *cogitation* et *présomption* par *pensée*, *locution* par *façon
de parler*, etc. C'est le résultat de dix-huit années de travaux,
d'écritures multiples, de prédications incessantes, qui ont formé en
lui une faconde toujours claire et coulante. L'exercice populaire de
la parole a poli plus tôt le langage de Calvin, en a retranché l'excès
et la « débauche » : tout le siècle finit par y venir. La bouffissure
se réduit et la raideur se détend. Bertaut, Régnier, Montchrétien,
François de Sales, Du Vair se réduisent à l'usage du peuple, au
parler naturel et commun. Les composés à la mode grecque [2], le
provignement, les emprunts aux patois se font de plus en plus
rares. L'archaïsme et le latinisme s'effacent à la fois et se
fondent dans l'aisance spontanée de la phrase française : si bien
qu'à vrai dire les vestiges de la vieille langue passent à l'état de
licences bizarres, et les formes latines tendent à devenir une question de style plutôt que de grammaire.

Mais là, comme dans la poésie, le progrès n'est pas sans compensation : littérairement, je préfère le premier style de Calvin, si
laborieux, mais si plein et si nerveux, à la facilité pâteuse qu'il a
plus tard acquise. Et en général le défaut de cette langue de la fin
du siècle, entre 1580 et 1620, quand le génie individuel ne la réveille
pas, c'est une sorte d'égalité diffuse, sans nerf et sans accent.

On sent bien que la langue s'est réglée plutôt par une sorte de

---

1. Lettre à François Iᵉʳ, éd. du *Corpus Reformatorum*, t. III.

2. M. Chénevière n'en a compté que deux dans Bertaut, *porte-larmes* et *fausse-foy*.

lassitude générale que par une intime solidité d'organisation;
qu'elle reste livrée à tous les hasards de la fantaisie individuelle;
de toutes parts on aspire à l'ordre, à la stabilité, à l'unité. C'est le
cri général : Henri Estienne protestait contre le débordement de
l'italianisme, au nom du « pur et simple » français : il est vrai
que le latinisme ni l'hellénisme ne l'effrayaient. Mais Vauquelin
prescrit d'être *chiche et caut* à former des mots nouveaux. Du
Perron, dans sa *Rhétorique sacrée*, parle de fixer la langue. Étienne
Pasquier estime que les changements n'ont pas été toujours des
progrès, conseille de laisser la langue digérer ce qu'elle pourra des
latinismes qu'elle a déjà absorbés, et rejeter le reste ; et, pour l'enrichir à l'avenir, il compte sur l'exploitation des matériaux que
l'usage du peuple fournira. Montaigne, nous l'avons vu, est d'un
avis pareil, et il indique comme idéal à poursuivre la substantielle et nerveuse simplicité des anciens. On se demande où est le
vrai français : aux Halles? au Palais? à la Cour? Pour Pasquier, il
est *par toute la France*, dans toutes les provinces. L'usage de la
Cour ne prévaudra qu'au début du siècle suivant [1]. Ainsi, fixation,
épuration, mise en valeur de la langue française, voilà les trois
articles de la réforme universellement réclamée.

Ce sera l'œuvre de Malherbe : il *resserrera* la poésie et la langue,
qui s'écoulaient et se fondaient. Il les rendra plus denses, en leur
retranchant du volume : il donnera une structure artistique à la
masse inorganique du vers et de la phrase.

1. Montaigne, I, 25; III, 5; Pasquier, Lettres, II, 12.

QUATRIÈME PARTIE

LE DIX-SEPTIÈME SIÈCLE[1]

LIVRE I

LA PRÉPARATION DES CHEFS-D'ŒUVRE

CHAPITRE I

MALHERBE

. Le progrès de Malherbe. Sa personnalité, étroite et vigoureuse Tendance à l'universel; goût de l'éloquence. — 2. Desseins et théories de Malherbe : la réforme de la langue. La réforme de la poésie. Il a sauvé l'art. Malherbe et Théophile. — 3. Raisons du succès de Malherbe. Erreur capitale de sa pratique.

1. PROGRÈS ET CARACTÈRE DE MALHERBE.

Les premiers vers de Malherbe (1575) sont d'un provincial pour qui Vauquelin est un grand homme[2]. Ses *Larmes de saint Pierre* (1587)

---

1. **A consulter :** D. Mornet, *Hist. de la Litt. fr. class.*, 1940; A. Adam, *Hist. de la Litt. fr. au XVIIe s.*, 1947; G. Mongrédien, *Vie Litt. au XVIIe s.*, 1947.

2. **Biographie :** François de Malherbe naquit à Caen en 1555 d'une famille de magistrats locaux, l'aîné de neuf enfants. Son père était protestant dès 1541; quatre de ses frères et sœurs furent baptisés dans l'Eglise réformée. Malherbe resta catholique, s'attacha au duc d'Angoulême, fils naturel de Henri II, et le suivit en Provence comme secrétaire, en 1576. Il avait fait l'année précédente ses premiers vers, à l'occasion de la mort d'une jeune fille, Geneviève Rouxel. Il se maria en 1581 à la fille d'un président au Parlement de Provence, Madeleine de Coriolis, deux fois veuve déjà; il en eut trois enfants, à qui il survécut. Après la mort du duc d'Angoulême (1586), Malherbe vécut en Normandie, assez gêné. Il fit imprimer en 1587 ses *Larmes de saint Pierre*, qu'il dédia à Henri III. Il habita de nouveau en Provence de 1595

sont dignes de Desportes : l'original est italien, et la traduction en
rend à merveille l'afféterie brillante. La consolation à Du Périer
(1599) et l'ode à Marie de Médicis (1600) marquent une meilleure
manière, et plus originale. Malherbe suit son siècle : il marche
vers la simplicité et vers le naturel; ses vers ont cette abondance
aisée, cette mollesse aimable, ces vives couleurs qui sont les qualités
communes de la littérature au temps de Henri IV. Une touche
plus ferme, certains accents de vigueur, et surtout la beauté
achevée du travail révèlent la personnalité de l'écrivain. La *Prière
pour le roi allant en Limousin*, par la douce allure de la strophe
fleurie d'images, n'est encore que la perfection du style des Montchrétien et des Bertaut : mais déjà dans l'ode sur l'attentat de Jacques
des Isles (1606), plus sensiblement dans l'ode sur le voyage de Sedan
(1607), le style se serre, se tend; les images se ramassent en traits
énergiques et précis; l'effort de l'artiste qui veut égaler son expression à sa pensée se trahit par une sorte de brusquerie nerveuse;
cette poésie forte, pleine, un peu dure, trouvera ses plus complètes
expressions dans la *Paraphrase du Psaume CXLV* et dans l'*Ode à
Louis XIII allant châtier la Rebellion des Rochelois* (1628).

Voilà le progrès de Malherbe, qui aboutit à la création du style
dont la première génération des classiques du XVIIe siècle usera.
Il n'avait pas un tempérament très riche. Chapelain estime qu'il
« a ignoré la poésie », et le met, pour le génie naturel, au-dessous de Ronsard, ce qu'accordent aussi La Bruyère et Boileau.
En effet, si l'on regarde les quatre mille vers qu'il a écrits, ce n'est
ni l'abondance des idées, ni la force de l'imagination, ni la profondeur du sentiment qu'on y peut admirer. Ce poète lyrique n'a

à 1598 et de 1599 à 1605. En 1600, à Aix, il offrit son *Ode* déjà de bienvenue à Marie de
Médicis. En 1605, Des Yveteaux le présenta au roi, à qui Du Perron l'avait loué, et sur
la recommandation de Henri IV, le grand écuyer, M. de Bellegarde, donna une charge
d'écuyer du Roi au poète, qui fut aussi gentilhomme de la chambre. Il fut bien traité
de la régente, qui lui donna une pension. Il était assez âpre solliciteur, et savait
se faire payer de ses vers. Louis XIII lui donna 500 écus pour un sonnet, et Richelieu le fit trésorier de France. Séparé amicalement de sa femme, qui vivait en Provence, les grands chagrins lui vinrent par son fils Marc-Antoine, qui se fit condamner
à mort pour duel, et qui, à peine gracié pour cette affaire, était tué dans une autre
querelle en 1626 : le vieux Malherbe poursuivit énergiquement le meurtrier et ses
compagnons, qu'il accusait d'assassinat. Il mourut en 1628.

Éditions : *Œuvres*, 1630; éd. Lalanne, 1862; Martinon, 1926; Lavaud, 1936. —
A consulter : Sainte-Beuve, *Poésie au XVIe s.*; Brunetière, *Évol. des genres*,
1890; F. Brunot, *Doctrine de M. d'après son commentaire de Desportes*, 1891;
Arnould, *Anecdotes sur M., Supplément de la vie de M. par Racan*, 1892; De
Broglie, *M.*, 1897; A. Counson, *M. et ses sources*, 1904; Martinon, *Les Strophes*,
1911; M. Souriau, *Versification de M.*, 1912; E. Faguet, *Hist. de la Poésie
fr.*, 1923; J. de Celles, *M., sa Vie, son Caractère, sa Doctrine*, 1937; A. Cart.
Poésie fr. au XVIIe s., 1939; Th. Maulnier, *Poésie fr. au XVIIIe s.*, 1945; R.
Lebègue, *Poésie fr. de 1560 à 1630*, 1947.

guère parlé de la nature; il n'en tire même pas beaucoup de comparaisons, ou d'images; celles dont il use le plus volontiers, et qu'il répète infatigablement, il les prend moins dans la nature que dans la mythologie et l'histoire. Il a l'imagination livresque de l'honnête homme qui a fait ses classes et vécu à la ville. Il a parlé de l'amour, plus souvent qu'il ne l'a ressenti : plus ingénieux encore, plus guindé et plus alambiqué, quand il adresse ses propres soupirs à la vicomtesse d'Auchy, que lorsqu'il porte ceux du roi à la princesse de Conti. Il a parlé de la mort : toujours on sent Horace, ou Sénèque, ou la Bible derrière lui. Il n'a guère varié les éléments de sa poésie : toutes ses grandes odes, à Henri IV, à Marie de Médicis, à Louis XIII, au duc de Bellegarde, présentent les mêmes matériaux et le même argument : éloge des actions passées, prédiction des prospérités futures, développements moraux et applications mythologiques. Jamais il n'a pu parler à Henri IV sans lui promettre la conquête de l'Égypte.

Mais méfions-nous : Malherbe a pourtant une personnalité vigoureuse. C'est quelqu'un, c'est même un étrange original, que ce gentilhomme de Normandie, si fier de sa race, d'un si robuste orgueil, au verbe rude et incivil, autoritaire, brusque, indifférent en religion, mais respectueux de la croyance du prince et de la majorité des sujets, très soumis à l'usage et très épris de raison, disputeur, argumenteur, philosophe et fataliste, plus stoïcien que chrétien, très *matériel* et positif, au demeurant honnête homme, et de plus riche sensibilité qu'on ne croirait d'abord. La mort de son fils Marc-Antoine l'affola : bien des années auparavant, il avait écrit à sa femme, sur la mort de leur fille, une lettre déchirante. Sa poésie est plus étroite et plus sèche que sa nature. Il n'a guère laissé passer dans ses vers que les parties de son humeur qui étaient inséparables en lui de toute pensée : il a retenu, renfermé tout ce qu'il a pu de ses émotions intimes. S'il a donné un sonnet à Marc-Antoine, ce consolateur de Du Périer n'a pas fait un vers sur sa propre fille, qu'il pleurait tant. Je sens chez Malherbe, dans le choix des idées et des thèmes, un effort pour écarter le particulier, le subjectif : il choisit les sujets où son esprit communie avec l'esprit public, les sujets d'intérêt commun. Il chante la paix rendue à la France, l'ordre restauré avec la monarchie, la haine de la guerre religieuse et civile : choses qui lui tiennent au cœur, mais à tout le monde avec lui. Il dit aussi les grands lieux communs de la vie et de la mort; il les dit en apparence sans intérêt personnel, dérobant la particularité de ses expériences sous l'impersonnelle démonstration de la vérité générale. Qu'est-ce à dire, sinon qu'il élimine le lyrisme au profit de l'éloquence, qu'il donne à la raison la préférence sur le sentiment, et qu'enfin il est d'un temps où le *moi* commence à paraître haïssable?

Prenons Malherbe dans ses bonnes pièces, dans ses *odes* historiques et ses *stances* religieuses : ce sont des œuvres fortes et simples, où il y a, en vertu même des sujets, plus de conviction que de passion, plus de raisonnement que d'effusion; le mouvement, la chaleur viennent surtout de l'intelligence. Cela est sobre, juste, fort, exactement proportionné et solidement équilibré : en un mot, cela est *complet*. Bonnes en elles-mêmes, ces pièces sont excellentes surtout par les leçons qu'elles donnent : et Malherbe a bien entendu qu'il en fût ainsi. Sa pratique n'est que le reflet et l'effet de sa théorie, où l'ont amené, aux environs de l'an 1600, sa réflexion, le besoin profond de son esprit, et sans doute aussi le contact d'une intelligence telle qu'était celle du président Du Vair.

2. RÉFORME DE LA LANGUE ET DE LA POÉSIE.

Avec une très claire conscience du possible et du nécessaire en l'état présent des choses, Malherbe fit la liquidation générale du xvie siècle. Il fut grammairien autant que poète; il se donna pour mission de réformer la langue et le vers, et d'enseigner aux poètes a manier ces deux outils du travail littéraire. Avant toute chose, il est de son temps; et c'est pour cela qu'il réussit. Il ignore les Grecs, et méprise Pindare; il est plutôt latin; ou mieux il est tout français, et donne autorité à ceux des Latins qui lui offrent des modèles de son goût intime : aux orateurs tels que Tite-Live, aux moralistes tels que Sénèque, aux gens de savoir et d'esprit tels que Stace. Il méprise les Italiens, en théorie, encore qu'il se laisse aller trop souvent à faire des pointes. Il ne distingue la poésie de la prose que par le mécanisme, non point par la nature de l'inspiration. Dans l'une comme dans l'autre, il demande les mêmes qualités de conception et d'exécution, il poursuit le même résultat, qui est l'*éloquence*. Aussi sa doctrine, en dehors des règles techniques du vers, s'applique-t-elle à toute la littérature aussi bien qu'à la poésie.

Esprit exact plutôt que vaste, minutieux, formaliste, il s'attache passionnément à perfectionner la langue. Dans sa chambre de l'hôtel de Bellegarde, dont les six ou sept chaises étaient toujours occupées, il donnait des arrêts qui décidaient du sort des mots : de quel ton brusque et rogue, c'est ce que les lourdes incivilités du *Commentaire* sur Desportes nous permettent aisément d'imaginer. Tout ce qui regardait la pureté du langage était pour lui affaire d'importance. « Vous vous souvenez, dit Balzac, du vieux péda-

gogue de la cour et qu'on appelait autrefois le tyran des mots et
des syllabes, et qui s'appelait lui-même, lorsqu'il était en belle
humeur, le grammairien à lunettes et en cheveux gris.... J'ai pitié
d'un homme qui fait de si grandes différences entre *pas* et *point*,
qui traite l'affaire des gérondifs et des participes comme si c'était
celle de deux peuples voisins l'un de l'autre, et jaloux de leurs
frontières. Ce docteur en langue vulgaire avait accoutumé de dire
que depuis tant d'années il travaillait à dégasconner la cour et
qu'il ne pouvait pas en venir à bout. La mort l'attrapa sur l'arron-
dissement d'une période, et l'an climatérique l'avait surpris déli-
bérant si *erreur* et *doute* étaient masculins ou féminins. Avec quelle
attention voulait-il qu'on l'écoutât, quand il dogmatisait de l'usage
et vertu des participes? »

Malherbe s'était donné pour tâche de nettoyer la langue
française : il voulait mettre dehors les archaïsmes, les latinismes,
les mots de patois, les mots techniques, les créations arbitraires, mots composés ou dérivés, enfin tout ce dont l'ambition du siècle précédent avait surchargé, encombré la langue. Il
voulait la réduire aux *mots purement français*, comme disait Du
Bellay. Est-ce à dire qu'il nous ramenait à Marot? Non, et bien
au contraire; car sa règle était l'usage, l'usage présent et vivant
sans doute, non pas l'usage des gens qui étaient morts depuis
trois quarts de siècle. Cela revient à dire que Malherbe acceptait
précisément les innovations que l'usage avait consacrées, repous-
sait celles que l'usage avait condamnées : il n'appauvrissait pas
la langue, il la débarrassait. La langue qu'il mit à nu, dans sa
beauté nerveuse, c'était celle même que le xvie siècle avait formée :
il ne lui enlevait que ce qu'elle se refusait à assimiler, ce qui
la chargeait sans la nourrir. On peut blâmer ses décisions dans le
détail, et il y en eut d'injustes, de bizarres, d'ineptes : en principe, par l'esprit général, son travail était excellent.

Mais où Malherbe prenait-il l'usage? Il semble se référer toujours
au langage « courtisan », et d'autre part nous savons qu'il donnait
autorité aux crocheteurs du port Saint-Jean, ce qui semble assez
contradictoire. Mais rappelons-nous qu'il s'acharnait, comme dit
Balzac, à *dégasconner* la cour, et nous comprendrons que le « courtisan », au nom duquel il blâmait Desportes, était pour lui un
idéal plus qu'une réalité. Le « courtisan », c'était sans doute la
forme exquise de la langue que le peuple de Paris offrait à l'état
brut et non raffiné : les crocheteurs de la Grève devaient fournir
l'étoffe, et la cour y mettre la façon; mais il n'est pas au pouvoir
de la cour, ni même du roi, de faire français ce qui n'est pas du
français de Paris.

L'usage aussi lui fournissait la règle du sens et du genre des

substantifs, et de l'usage il tirait des lois universelles et nécessaires.
A l'usage encore il demandait de prononcer sur l'arrangement des
mots, sur leurs alliances, leurs rapprochements, leurs dépendances,
sur la structure et l'ordonnance des propositions. Mais ici se découvre un autre principe, que Malherbe extrait de ce qu'il estime
être la fonction littéraire de la langue : il veut qu'on satisfasse à la
raison, ainsi qu'à l'usage ; et l'usage même tire son autorité de
la raison. Car si l'on parle pour se faire entendre, c'est raison qu'on
parle comme tout le monde. Et pareillement, c'est raison qu'on
élimine de sa parole tout ce qui nuit ou ne sert pas à l'intelligence
des choses ; l'expression parfaite est celle qui met la pensée en
pleine lumière. Donc propriété, netteté, clarté, fuir tout ce qui est
fantaisie, irrégularité, équivoque, voilà en somme l'enseignement
de Malherbe. Il tend visiblement à constituer la langue comme une
sorte d'algèbre, à donner à la phrase une rectitude géométrique.
Il poursuit les métaphores fausses, les comparaisons inexactes :
il a une sorte de brutalité matérialiste dans la vérification des
figures. Au fond il n'y a guère que l'expression propre et directe
qui lui plaise. Et voilà la raison de son goût pour la mythologie :
elle est un répertoire d'images *raisonnables*, c'est-à-dire universellement intelligibles. C'est une langue symbolique, où les termes
ont des valeurs fixes, où les formes sensibles qui servent à l'expression de la pensée, sont indépendantes pourtant de la sensibilité
individuelle de l'écrivain. Aussi se réduit-il à peu près absolument
aux images mythologiques.

Faut-il imputer aussi à Malherbe la fatale distinction d'une
langue et d'un style *nobles*? Il a eu certaines idées, parfois singulièrement étroites, sur la décence de l'expression : mais ses scrupules sont plus mondains que littéraires. Si l'on compense les critiques que cet enragé contradicteur adressait à Desportes par sa
plus ordinaire pratique, on se persuadera qu'il ne reconnaît point
une langue poétique plus noble que la langue épurée du bon usage :
il distingue très sensément la langue commune des langues techniques, et, pour la clarté, il se réduit à celle-là ; mais, de celle-
là, tout est bon, et les trivialités énergiques de ses plus beaux vers
nous démontrent que le principe unique de la noblesse du style
réside pour lui dans la qualité de la pensée.

Il porte le même esprit dans la réforme de la poésie : il n'invente pas, il choisit. Dans le magasin trop rempli de la Pléiade, il
tire quelques formes, quelques rythmes, strophes de quatre, de
six ou de dix vers : alexandrins dans les stances de quatre ou de
six vers, vers de sept ou de huit syllabes dans les strophes de dix
vers, vers de six mêlés diversement aux alexandrins. Ces formes
ne sont pas nouvelles. Mais ce qui est nouveau, c'est la façon qu'il

eur donne. C'est une grande affaire pour lui que de placer un
epos : il estimait son *écolier* Maynard « l'homme de France qui
avait le mieux faire les vers », parce que Maynard lui avait fait
sentir la nécessité d'une pause après le troisième vers dans les
strophes de six. S'il estimait Racan un hérétique en poésie, c'était
surtout parce que, contre son avis et celui de Maynard, Racan se
refusait à mettre une pause après le septième vers, comme après le
quatrième, dans les strophes de dix. Il préférait les formes nettes
et arrêtées : il n'aimait pas les alexandrins qui s'en vont en rimes
plates, indéfiniment : il voulait réduire les élégies en quatrains et
même en distiques.

Il exigeait très rigoureusement la justesse et la richesse de la
rime. Il défendait de rimer le simple et le composé, comme *jour* et
séjour, *mettre* et *permettre*; ou les mots trop faciles à accoupler,
comme *montagne* et *campagne*, ou les noms propres, faciles toujours
à enchaîner, comme *Italie* et *Thessalie*. Il condamnait la rime d'un
a long avec un *a* bref. « La raison qu'il disait pourquoi il fallait
plutôt rimer des mots éloignés que ceux qui avaient de la convenance, est que l'on trouvait de plus beaux vers en les rapprochant
qu'en rimant ceux qui avaient presque une même signification; et
étudiait fort à chercher des rimes rares et stériles, sur la créance
qu'il avait qu'elles lui faisaient produire quelques nouvelles pensées,
outre qu'il disait que cela sentait son grand poète de tenter les
rimes difficiles qui n'avaient point été rimées[1]. » Pour peu qu'on
soit familier avec la poésie romantique, on ne peut avoir de doute
sur la valeur et la portée de ces idées.

Malherbe proscrivait toute licence et toute faiblesse, cacophonie,
inversion, hiatus, enjambement, manque de césure. Il faisait une
guerre impitoyable aux chevilles, à ce qu'il appelait pittoresque-
ment la bourre de Desportes. Il voulait un rythme impeccable,
une forme pleine et parfaite, et qu'on ne plaignît pas sa peine. Il
disait « qu'après avoir fait un poème de cent vers ou un discours
de trois feuilles, il fallait se reposer dix ans tout entiers ». Il prêchait d'exemple, produisant peu, et gâtant parfois « une demie
rame de papier à faire et refaire une seule stance[2] ». Voilà la
leçon excellente qu'il donnait : une leçon de travail et de patience;
ce n'est pas assez dire, une leçon de grand art. Car, si d'autres
avaient eu plus de génie, personne avant lui n'avait mieux vu que
la poésie est un art, et que la forme d'art ne s'improvise pas. Il
enseignait l'importance de la technique, et la facture serrée qui
fait les chefs-d'œuvre. Le sens profond de ses boutades et de ses
maussades jugements, c'est que l'*intention* a besoin du *métier* pour
s'exprimer; c'est aussi que la perfection consiste à condenser : le

1. Racan, *Vie de Malherbe*.

moyen d'être fort, c'est d'être sobre. Il a fait rendre au vers fran
çais, détendu par la molle fluidité des Bertaut et des Montchrétien
de plus âpres, mais de plus fiers accents. On peut trouver sa forme
étriquée, ses rythmes monotones et simples : songeons que la liberté
antérieure était indéterminée, confusion ; il a réglé la cadence d
la poésie comme il était possible en son temps, et il fallait passe
par la simplicité classique pour arriver à la complexité plus rich
de l'harmonie romantique.

Ses adversaires dont plusieurs eurent plus de génie que lui, l
combattirent sans le comprendre. « Comment serait-il possible
disait la pétulante demoiselle de Gournay, que la poésie volât au ciel
son but, avec une telle rognure d'ailes, et qui, plus est, écloppe
ment et brisement?... Belle chose vraiment, pour tant de per
sonnes qui ne savent que les mots, s'ils savent persuader at
public qu'en leur distribution gise l'essence et la qualité d'un écri
vain.... Eux et leurs imitateurs ressemblent le renard qui, voyan
qu'on lui avait coupé la queue, conseillait à tous ses compagnon
qu'ils s'en fissent faire autant pour s'embellir, disait-il, et se mettr
à l'aise.... Ils ont vraiment trouvé la fève au gâteau d'avoir su fair
de leur faiblesse une règle et rencontrer des gens qui les er
crussent. » Elle criait que cette poésie correcte et populaire étai
trop facile à faire, trop facile à comprendre. Régnier, avant elle
dans sa *Satire* IX, avait méprisé ce grammairien, ce regratteur de
mots, qui mettait le génie à la gêne et ne savait qu'éplucher l
détail. Théophile disait fièrement :

> Malherbe a très bien fait, mais il a fait pour lui....
> J'aime sa renommée, et non pas sa leçon....
> La règle me déplaît, j'écris confusément,
> Jamais un bon esprit ne fait rien qu'aisément.

Le pauvre garçon, qui eut tant de belles qualités, de si heureuse
inspirations, et qui n'est arrivé qu'à être inconnu ou ridicule, es
la vivante justification de Malherbe. Il s'est perdu par la négli
gence et par la fantaisie ; il n'a su atteindre, avec sa libre
humeur, ni l'impérissable beauté de la forme, ni l'universell
vérité des choses. Il eût mieux fait de pratiquer la leçon de Mal
herbe, qui lui eût appris à le surpasser.

3. RAISONS DU SUCCÈS DE MALHERBE.

Les ennemis de Malherbe n'y purent rien : il obtint gain de
cause auprès de ses contemporains. Ils trouvaient en lui des idée
et un esprit conformes aux leurs. Il exprimait le besoin de paix
d'ordre, de discipline, qui était celui de toute la France. Il expri
mait aussi ce besoin non moins universel de comprendre, cette

isposition rationaliste, qui n'a pas été créée par le cartésianisme,
mais qui l'a créé au contraire : il était avide de clarté, de netteté,
prenant pour guide et souverain maître « le sens commun, contre
lequel, disait-il, la religion à part, vous savez qu'il n'y a orateur
au monde qui me pût rien persuader ». Il entrait encore dans le
grand chemin du siècle, en laissant les sentiers des libertins comme
les hérétiques, et, tout indifférent qu'il était au dogme, il enveloppait son stoïcisme des façons de parler chrétiennes. Il déterminait
la position qu'en somme l'esprit classique gardera à l'égard de
l'antiquité, quand il traduisait selon son jugement plutôt que selon
le texte, déclarant qu' « il n'apprêtait pas de viandes pour les cui-
siniers » : entendez qu'il écrivait pour les gens du monde et non
pour les savants; c'était soumettre l'antiquité au sens commun.
Mais s'il satisfaisait par tant de côtés l'esprit de son temps, il l'enrichissait aussi, et, par un juste instinct de la grande poésie, il imposait au rationalisme le respect de la forme d'art, que celui-ci
n'aurait eu que trop de pente à méconnaître.

Ainsi, en rejetant Ronsard et tout ce qui se rattachait à Ronsard, Malherbe sauvait le meilleur et l'essentiel de l'œuvre de
Ronsard. S'affranchissant des doctrines aristocratiques et pédantesques de la Pléiade, ce gentilhomme normand, qui avait le
sens pratique d'un bourgeois, trouvait la conciliation du rationalisme et de l'art. Il rendait à la littérature française le plus
grand service qu'il fût possible alors de lui rendre : il lui révé-
lait le prix de la vérité et celui de la perfection. Il n'importe,
après cela, que ses vers soient médiocrement suggestifs, médiocrement aimables. Son œuvre est grande, si l'on ajoute son
influence à ses vers.

Mais on peut dire que Malherbe a manqué de clairvoyance sur
un point essentiel : il n'a pas su reconnaître ou créer la forme
poétique de cet esprit nouveau, qu'il était le premier à manifester.
Il a retenu les formes lyriques, sans le lyrisme. De là la rareté de
son inspiration : c'est pour cela aussi que sa postérité lyrique a
été si peu nombreuse et si peu heureuse. Ses enseignements n'ont
prouvé leur efficacité que transportés hors de cette forme de l'*ode*
où Malherbe s'est enfermé.

Or, au temps même où il travaillait ses strophes éloquentes, un
des plus négligents faiseurs de vers qu'il y ait eu, un des plus
grossiers adeptes de la théorie du *naturel facile*, un barbouilleur
qu'on ose à peine nommer un écrivain, et qui, dans les rares
moments où les doctrines littéraires le préoccupaient, ne jurait
que par Ronsard, Alexandre Hardy, fournissait à l'esprit classique
cette forme nécessaire que Malherbe ne savait pas découvrir, et
fondait la tragédie.

CHAPITRE II

ATTARDÉS ET ÉGARÉS

Confusion de la première moitié du siècle. — 1. Un survivant du
xvie siècle : D'Aubigné. Caractère de l'homme. Les *Tragiques* :
puissance de l'inspiration satirique et lyrique. — 2. Origine et
formation de la littérature précieuse. Naissance de la vie mondaine. L'*Astrée* : par où le roman diffère des pastorales italiennes
et espagnoles. — 3. L'Hôtel de Rambouillet, et la société précieuse
L'esprit mondain, son caractère et son influence sur la littérature. — 4. Grossièreté et raffinement. Influence des littératures
espagnole et italienne. La poésie après Malherbe : Maynard et
Racan. Poésie précieuse : Voiture. Les épopées. Les romans
Mlle de Scudéry. Contrepartie du fin et de l'héroïque : Saint-Amant
les romans comiques et bourgeois ; Scarron et le burlesque.

Avec Malherbe commence le xviie siècle ; il éclôt chez lui dix ou
quinze ans plus tôt qu'ailleurs. Mais quand, aux environs de 1615
plus tôt ou plus tard, disparaîtront ces derniers représentants du
xvie siècle chez lesquels nous avons vu se former tous les traits
de l'esprit classique, il s'en faut que les œuvres littéraires indiquent
nettement le caractère de l'âge nouveau. Si l'on excepte la tragédie, qui sera la première prête et la première féconde, il faudra
laisser écouler la moitié du siècle pour atteindre un chef-d'œuvre
authentique ; et ce sera la prose qui le fournira, dans une œuvre
de circonstance, dans les *Provinciales* de Pascal. Tout suivra
bientôt, et tous les genres conformes au génie du temps et
quelques années toucheront leur perfection.

Mais dans la production vigoureuse et touffue de la première
moitié du siècle, autour de Malherbe, puis de Corneille, avant
Pascal et avant Boileau, règne en apparence la plus incroyable confusion. L'idéal classique, tel que Malherbe l'a défini, loin de s'enrichir, semble s'obscurcir, se déformer ; ce sont des résistances
des reculs, des contradictions, des aberrations de toute nature

Plus les œuvres se multiplient, plus elles se dérèglent, et l'on dirait que la jeunesse féconde du siècle sème indifféremment la vie dans toutes les formes que le hasard lui présente. On a peine d'abord à débrouiller cette incohérence ; cependant des courants se laissent distinguer dans ces tumultueuses ondulations ; l'on s'aperçoit qu'en dépit de tout, l'instinct classique du temps l'emporte, et organise peu à peu la littérature à son image.

1. AGRIPPA D'AUBIGNÉ.

Ce n'est pas la moindre singularité de cette confuse période, qu'elle nous présente en face d'un Malherbe un Agrippa d'Aubigné [1]. Ce combattant du xvie siècle est un écrivain du xviie : sa vie littéraire ne commence guère qu'à l'heure de sa retraite politique ; ses *Tragiques* paraissent en 1616 [2], son *Histoire universelle* de 1616 à 1620, son *Baron de Fæneste* en 1617 et 1630 ; jusqu'en 1630, où il meurt, il ne cesse de s'escrimer de sa plume, ne pouvant plus tirer l'épée. C'est fausser l'histoire littéraire que de mettre à côté de Ronsard et de Desportes cet homme qui imprimait son œuvre sous Louis XIII, qui, dans la préface de son principal poème, grondait contre Malherbe, et le subissait pourtant. D'Aubigné, je le sais, est du xvie siècle par le génie et par le goût : mais, précisément, son originalité et sa caractéristique c'est d'être du xvie siècle en plein xviie, de n'avoir pas marché quand tout était en mouvement, et de rester, entre Richelieu et Corneille, le contemporain de Charles IX et de Garnier.

1. Biographie : Th. Agrippa d'Aubigné, né en 1550 en Saintonge, étudia à Paris et à Genève, et prit les armes à dix-huit ans dans la troisième guerre civile. Il servit à Jarnac et à la Roche-Abeille, puis au siège de la Rochelle. En 1573, il s'attacha au roi de Navarre, et plut à Charles IX par son talent poétique. En 1576 il s'échappe de la cour avec son maître qu'il sert avec activité et dévouement. Il accuse Henri d'ingratitude ; mais il était le plus incommode et le plus exigeant des serviteurs. Il assiste à Coutras (1587), aux sièges de Paris, à la campagne de Normandie. Il ne pardonna pas à Henri IV son abjuration, mais continua à le servir : il fut gouverneur de Maillezais, vice-amiral de Guyenne et de Bretagne. Sous la régence, il prit les armes avec Rohan, et se retira à Genève en 1620 ; il s'y remaria à plus de soixante-dix ans, et mourut en 1630.

Éditions : *Œuvres complètes*, éd. Réaume-Caussade, 1873-1892 ; *Tragiques*, éd, Congrédien, 1931, Garnier-Plattard, 1932 ; *Histoire universelle*, éd. de Ruble, 1886-1909, et Plattard, 1926. — A consulter : S. Rocheblave, 1910 et 1930 ; . Garnier, 1928 ; J. Plattard, 1931 ; F. Charbonnier, *Poésie fr. et Guerres de Religion*, 1920.

2. Dès 1593, certains morceaux circulaient, et Marie Stuart même en connut quelques-uns dans sa prison.

Tout en lui contredit le présent, tout représente un passé qu'on déteste ou qu'on méprise. Il est protestant, et non pas du petit troupeau qui paît à l'écart, pacifique et docile; il a dans l'âme le feu des guerres civiles, et continue de ne voir dans la France apaisée que des bourreaux ou des martyrs. Henri IV est un renégat, et le crime de Ravaillac est un jugement de Dieu. Toutes ses œuvres irritent les plaies anciennes : quand tous les autres veulent l'oubli et l'union, il réveille tous les souvenirs capables de diviser. Ces convertis et ces convertisseurs qu'il écrase dans la *Confession de Sancy*, ce sont les ouvriers de la restauration monarchique et catholique, qui en somme avaient refait la France. Ces fanfarons de Gascogne qu'il raille dans le *Baron de Fæneste*, ce sont les courtisans raffinés, spirituels, ambitieux, qui seront les précieux, c'est le public et les modèles de la nouvelle littérature [1]. Et il ne se trompe pas moins dans l'idéal qu'il propose : le gentilhomme austère et pieux, qui maintient la gravité dans les mœurs et va donner une forte empreinte de sérieuse moralité aux lettres classiques, ce n'est plus à cette heure le huguenot de 1560, le soldat de Coligny; c'est, ou ce sera tout à l'heure le janséniste, catholique malgré Rome. Mais d'Aubigné, qui eut toute sa vie devant les yeux les têtes des conjurés d'Amboise, ne connaît que le papisme, l'exécrable papisme des bûchers et des massacres.

À des gens qui vont faire leurs délices de Balzac et de Voiture au moment où l'Académie et Vaugelas vont paraître, il offre une prose voisine de *Pantagruel* et de l'*Apologie pour Hérodote*. Sa poésie est réglée selon l'*Art poétique* de la Pléiade, c'est-à-dire très déréglée avec beaucoup d'artifice et de rhétorique. Ni goût ni composition, ni mesure, ni netteté, ni correction, aucune de qualités où commençait précisément à consister toute la beauté des œuvres. En revanche, dans les sentiments et dans la forme toutes les sortes d'énergie et de beauté que le génie raisonnable et éloquent du XVIIe siècle ne pouvait admirer.

Ainsi s'explique que ces puissantes et riches œuvres n'aient pas laissé de trace dans la littérature du règne de Louis XIII. Agrippa d'Aubigné, pourtant, fait paraître Malherbe bien petit et bien pauvre. Il contient en lui toute la Renaissance et toute la Réforme. Ce forcené huguenot était un savant universel. À six ans, il « lisait aux quatre langues », française, grecque, latine et hébraïque. À sept ans et demi, il traduisait le *Criton*. Plus tard il étudie les mathématiques et jusqu'à la magie. Il s'entend aux fortifications, à la théologie, à la poésie. Entre deux guerres civiles, il enchante

---

1. Ce fut ce qui sauva *Fæneste* d'un oubli complet : il paraît que Condé goûta ce pamphlet. Édit. P. Mérimée, 1855.

a cour de Charles IX, et fait une tragédie lyrique de *Circé* pour le divertissement du roi.

Mais il a échappé par bonheur au pédantisme stérile : la passion religieuse emplit son œuvre — celle qui compte — et la fait sincère, intense et vivante. Son *Histoire Universelle*, œuvre d'un passionné qui s'efforce d'être juste, sa *Vie* écrite pour ses enfants, où il s'abandonne plus librement, sont de chaudes peintures des temps déjà lointains que d'Aubigné regrettait. Le souvenir de Tacite, qu'il admire, l'aide à maintenir sa violence de sentiment dans les bornes d'une nerveuse et grave émotion.

Rien ne l'a contenu dans ses pamphlets. Ici c'est Harlay de Sancy qui raconte et justifie son apostasie, découvrant toute la bassesse de son âme avec toute la malice du papisme par un procédé d'exposition satirique renouvelé des harangues de la *Ménippée*; là c'est la bonne et solide vertu sous les traits du vieux huguenot Énay (εἶναι) qui s'entretient avec le faux et frivole honneur incarné dans le jeune papiste Fæneste (φαίνεσθαι). Dans ces deux cadres viennent s'entasser discussions théologiques renouvelées de Calvin et de Bèze, anecdotes salées sur les moines qui semblent venir de l'*Apologie pour Hérodote*, invectives violentes, mordantes railleries, énormes bouffonneries; tous les adversaires de l'auteur, tous ceux qui ont mérité sa haine ou trahi son espoir, jusqu'au roi lui-même, y passent. Et ce pamphlétaire enragé trouve des traits, des scènes que lui envierait un moraliste impartial : il trouve l'accent, le geste éternellement humains, le mouvement qu'impriment à l'humaine poupée l'ambition, l'avarice, la vanité. Sancy, Fæneste, par instants, deviennent des types; et d'Aubigné fait revivre, avec une verve merveilleuse, ici les raffinés piaffeurs et faméliques de la régence, là les politiques souples et bas du règne de Henri IV. Il continue et il complète Régnier.

Mais son œuvre immortelle, ce sont les *Tragiques* : jaillissement de satire lyrique, à qui rien ne put se comparer, jusqu'aux *Châtiments*; car les admirables *Discours* de Ronsard sont plus oratoires. Dans le champ qu'il veut couvrir de ses couleurs, d'Aubigné trace sept compartiments : les *Misères*, composition générale qui rassemble sous les yeux toutes les iniquités et toutes les hontes; les *Princes*, où les figures des rois persécuteurs, le féroce et le coquet ressortent avec une admirable énergie; la *Chambre Dorée*, où la justice des magistrats étale ses horreurs; les *Feux*, qui sont comme les annales du bûcher, le martyrologe de la Réforme dèpuis Jérôme de Prague et depuis les Albigeois; les *Fers*, tableaux des guerres et des massacres; les *Vengeances*, où apparaissent les jugements de Dieu sur les ennemis d'Israël et de l'Évangile, sur Achab et sur Néron, tout un passé sinistre qui répond de l'avenir·

enfin le *Jugement,* où le huguenot vaincu, déchu de toutes se
espérances terrestres, assigne les ennemis de sa foi, les bourreaux
les apostats, devant le tribunal de Dieu, à l'heure de la Résurrec
tion.

Rien de plus inégal que ce vaste poème : comme il y a trè
loin de la sincérité du sentiment à la sincérité de l'expression, l
rhétorique y abonde, une rhétorique lyrique qui ne vaut pa
mieux que la rhétorique oratoire : d'Aubigné réussit à être vagu
et boursouflé dans la peinture de la Saint-Barthélemy! Tantôt l
style est tendu, antithétique, brillant, tantôt il est rocailleux, pro
lixe, informe. Il poursuit la force jusque dans l'horrible et l
dégoûtant. Les négligences alternent avec les éruditions. D
froides et obscures allégories succèdent à des chroniques impi
toyablement détaillées en vers languissants ou durs. A chaqu
instant, les inversions obscurcissent le sens, ou les enjambement
détruisent le rythme. Il faut beaucoup d'illusion pour assimile
les coupes de d'Aubigné à celles de Victor Hugo : ce qui est scienc
chez celui-ci, n'est chez l'autre qu'insouciance; dans les *Tragiques*
les enjambements, les vers disloqués produisent des effets puissants
quand la pensée y donne lieu, mais ils sont aussi bien employés à
ne rien produire du tout; et du moment qu'ils ne sont pas expres
sifs, ils sont forcément prosaïques [1].

En revanche, que de morceaux sont d'un rare, d'un gran
poète, et n'auraient eu besoin presque de rien, ici d'une retouche
là surtout d'un retranchement, pour atteindre à la perfection d
leur caractère! Est-il utile d'expliquer ce qu'il y a d'imagination
pittoresque, de vive, de mordante, d'âcre, d'ardente inspiration
dans les *Tragiques*, de détailler les trouvailles saisissantes de c
style forcené pour diffamer ou maudire, et pour glorifier ou bénir'
On n'a qu'à feuilleter le poème, à se rappeler les passages fameu:
que tout le monde cite : les prologues des *Misères* et des *Princes,* l
cour des Valois, et tant de vers éclatants qui fleurissent jusqu
parmi les plus épineuses broussailles.

1. Qu'on lise les vers suivants; on verra si les formes simples de Malherbe n'étaien
pas un progrès et un intermédiaire nécessaire entre les rythmes confus du xvie s. e
les rythmes compliqués du xixe :

> A tant elle approcha sa tête du berceau,
> La releva dessus; | il ne sortait plus d'eau
> De ses yeux consumés; | de ses playes mortelles
> Le sang mouillait l'enfant; | point de lait aux mamelles,
> Mais des peaux sans humeur; | ce corps séché, retrait,
> De la France qui meurt fut un autre portrait.
> Elle cherchait des yeux deux de ses fils encore;
> Nos fronts l'épouvantaient; | enfin la mort dévore
> En même temps ces trois. |

Mais il faut sentir surtout que d'Aubigné a trouvé l'une des plus riches sources de lyrisme qu'il y ait, un des sentiments les plus hauts, les plus universels par son objet que l'homme puisse exprimer, un de ceux aussi qui prennent l'individu tout entier, et jusqu'au fond. D'Aubigné est un fanatique, un esprit étroit. à l'horizon borné ; mais ce qui lui manque en largeur, il le regagne en hauteur. Il a l'étroitesse des prophètes juifs, dont il a le fanatisme. Mais, comme eux, il a la persécution, les désastres, la ruine de son peuple, pour agrandir, épurer son inspiration. La Bible dont ce bon huguenot était nourri, a étoffé son français ; elle l'a aidé à donner à notre grêle, aimable et fin parler des sonorités rudes, de brusques éclats, des harmonies chaudes et larges, qui font penser en effet aux maigres Juifs sortant de leur désert pour effrayer les Rois des menaces de l'Eternel. Vaincu, il a été dispensé de traduire en détestables faits ses passions et ses vengeances ; il a dû tourner ses yeux au ciel, remettre à Dieu de récompenser et de punir ; la défaite a ouvert, élevé son âme dure, elle y a mis, avec les larmes et les tendres regrets, la foi sereine, l'amour confiant, l'espérance et la soif de la justice. De là les fortes parties des *Tragiques* : cette sorte de *psaume* où le croyant appelle son Dieu, et crie vers lui pour qu'il se montre et se venge ; ces chants de triomphe en l'honneur des martyrs qui ont vaincu l'iniquité, les tourments et la mort ; ces scènes d'épopée lyrique qui placent d'Aubigné entre Dante et Milton, celle où la Justice et la Paix portent leurs plaintes à Dieu, celle surtout qu'a dictée à la fin le désespoir de l'irrémédiable défaite, quand, à la trompette de l'Ange, les morts s'éveillent, les éléments de la nature viennent témoigner de l'infâme abus qui a tourné entre les mains des hommes les excellentes œuvres de Dieu en instruments d'injustice ; et Dieu, appelant les élus, qui ont souffert pour lui, aux délices éternelles, envoie les maudits aux gouffres ténébreux d'où il ne sort

> Que l'éternelle soif de l'impossible mort.

Il n'y a rien de plus grand en notre langue que ces pages finales des *Tragiques*, malheureusement un peu troubles et mêlées, par la faute de l'auteur qui n'a pas daigné nettoyer son chef-d'œuvre, et retirer les pièces manquées et mal venues.

Ce lyrisme puissant a été ignoré pendant deux siècles On est dur en France parfois pour les minorités et pour le génie maladroit qui ne s'habille pas à la mode.

2. LA VIE MONDAINE ET L' « ASTRÉE ».

Si d'Aubigné n'a rien pu contre Malherbe, si même il sert à prouver par ses défauts et son échec la nécessité des principes de Malherbe, faut-il s'étonner que ni les colères gothiques de la demoiselle de Gournay, ni les illogiques emportements de Régnier, ni les capricieuses indépendances de Théophile n'aient pu enrayer le mouvement? A vrai dire, il n'était pas en la puissance du passé de barrer la route à l'avenir; et contre l'école de Malherbe, ce n'était pas Ronsard, ni Desportes, ni Bertaut, et leurs suivants, c'était quelque chose d'aussi moderne, d'aussi nouveau, de conforme aussi à certains besoins du présent, qui pouvait seul lutter avec succès. C'est ce qui arriva. L'œuvre de Malherbe fut menacée pour un temps, et partiellement stérilisée, non par une réaction, qui l'eût détruite, mais par une complication, qui la dévia. L'école du libre et facile naturel se transforma en une école ennemie du naturel, guindée, raffinée, laborieuse dans la conception, négligente seulement dans l'exécution : on saisit le passage dans l'œuvre de Théophile [1], en qui l'on peut saluer le dernier des lyriques et le premier des précieux; il donne une main à Bertaut et l'autre à Voiture. Cette transformation se fit sous une influence nouvelle, celle des gens du monde.

Car un fait considérable se produit à la fin du règne de Henri IV, l'organisation de la classe aristocratique en société mondaine; alors s'établissent les rapports, les habitudes, les formes de vie et d'esprit qui caractérisent « le monde »; alors s'établit pour deux siècles la souveraineté sociale et littéraire de cette minorité fermée, élite sans doute, mais aussi coterie dans la nation. On peut dire que le « monde » français n'est qu'une réduction et une adaptation de la vie de cour italienne, comme notre honnête homme, l'homme universel de Pascal, réalise, avec une élégance moins fine et moins riche, l'homme complet, idéal de l'Italie de 1500. Notre vie mondaine eut pour principe une chose excellente, la sociabilité des intelligences : et c'est par là qu'elle représente quelque chose de profond et l'un des caractères constitutifs

---

1. Théophile de Viau (1596-1626), né à Clairac près d'Agen, fut lié d'abord avec Balzac, puis se brouilla bruyamment avec lui. Banni comme huguenot et libertin, en 1619, il abjura; mais, après la publication du *Parnasse satirique*, et dénoncé comme athée par le P. Garasse, il fut condamné à être brûlé en 1623, puis, après un long procès, vit sa peine commuée en bannissement (1625), et alla mourir à Chantilly, chez le duc de Montmorency, son protecteur. — **Éditions:** Alleaume, 1856; L.-R. Lefèvre, 1926. — **A consulter :** Fr. Lachèvre : *Procès de Th. de Viau*, 1909; *le libertinage au XVIIe siècle : Des Barreaux, Saint-Pavin*, 1911. A. Adam, *Th. de Viau et la Libre Pensée fr. en 1620*, 1935.

de la race. On peut croire qu'elle fut vraiment, après l'excitation
de la Renaissance, une forme nécessaire de l'esprit français : car,
dès que l'apaisement des troubles civils et religieux donne le loisir
et la sécurité, la littérature et la société se précipitent ensemble de
ce côté. Une demi-Italienne, la fille d'une Savelli de Rome, Catherine de Vivonne, inaugure la vie mondaine en France vers 1608 :
et en 1610, peut-être avant, Honoré d'Urfé commence à publier son
Astrée, qui offre un idéal de vie distinguée et charmante.

On a voulu trouver dans l'*Astrée* [1] l'histoire même de l'auteur
et les personnes de la cour de Henri IV. Mais il ne faut recevoir ces *clefs* qu'avec défiance, malgré la bonne foi de Patru.
D'Urfé, qui avait au plus neuf ans quand son frère épousa la belle
Diane de Châteaumorand, n'était point un Céladon ni un Silvandre
blessé d'amour, et il paraît bien que, sa belle-sœur devenue
libre, il ne se maria avec elle que par des raisons d'intérêt. On
peut aussi, si l'on veut, reconnaître Henri IV dans Euric, et dans
Alcidon ou dans Daphnide, le duc de Bellegarde ou la duchesse de
Beaufort : à coup sûr, le ton n'y est pas; et même l'inconstant
Hylas, même le féroce Polémas n'ont pas les manières ni le reste
qui décidaient la marquise de Rambouillet à se retirer chez elle.

Céladon, banni par Astrée qui le croit infidèle, veut se noyer de
désespoir dans le Lignon : sauvé par des nymphes, il résiste à l'amour
de Galatée, mais il n'ose se présenter devant sa belle tant qu'elle
ne révoquera pas l'ordre de son bannissement; il faudra cinq
volumes pour qu'elle se décide, pendant lesquels aussi Silvandre
soupirera pour Diane, Hylas se fera gloire d'être inconstant, le
sage druide Adamas sera intarissable en bons conseils et bons
offices : nymphes et bergères, bergers et chevaliers entre-croisent
leurs histoires habilement suspendues, qui se dénoueront auprès
de la merveilleuse fontaine d'Amour.

On reconnaît là les thèmes de la pastorale italienne : l'*Arcadie*
de Sannazar, l'*Aminte* du Tasse, le *Pastor Fido* de Guarini, voilà les

---

1. **Biographie** : Honoré d'Urfé, né à Marseille en 1568, suivit le parti de la Ligue
et la fortune du duc de Nemours, et se retira en Savoie après le triomphe de la cause
royale. Il épousa en 1600 sa belle-sœur Diane de Châteaumorand : hormis ce fait,
toute l'histoire de leurs amours est un roman calqué sur l'*Astrée*. Il mourut en 1625.
Il a fait, avec l'*Astrée*, un poème du *Départ de Sireine*, une imitation de la *Diane*
de Montemayor, qu'il acheva en 1599, et des *Épîtres morales* (Lyon, 1598, in-12).

Éditions : L'*Astrée*, 1re partie, 1607; 2e, 1610; 3e, 1619; 4e et 5e, posth. 1627;
rééd. 1633, 1647. Ed. H. Vaganay, 1925-1928; M. Magendie 1928, (extraits). —
A consulter : A. Bernard, *les d'Urfé*, 1839; B. Germa, *l'Astrée, sa composition,
son influence*, 1904; G. Reynier, *Roman sentimental avant l'Astrée*, 1908; M.
Magendie, *Roman fr. au XVIIe s.*, 1933; O. Reure, *Vie et Œuvres d'H. d'U.*, 1910;
H. Boschet, *l'Astrée*, 1925; M. Magendie, *l'Astrée*, 1929. Sur l'influence de l'Es-
pagne, Brunetière, *Ét. crit. sur l'hist. de la litt. franç.*, t. IV, p. 51-73. — La
Diane, parue en 1542, fut traduite en français en 1582; puis en 1613.

sources de d'Urfé. Cependant son principal modèle a été la *Diane*
de Montemayor, un roman espagnol en prose mêlée de vers : mais
Montemayor est un des maîtres écrivains de l'Espagne italianisée,
et par lui c'est encore un reflet de la culture italienne qui illumine
l'*Astrée*.

Par l'Espagne, cependant, quelque chose du moyen âge
passera dans le roman moderne, ce goût d'aventures héroïques,
extraordinaires, qui dans l'*Astrée* même se traduit par le siège de
Marcilly, et cette dévotion exaltée de l'amant à sa maîtresse, qui
n'est que l'amour courtois ; c'est par l'Espagne surtout que l'héroïsme chevaleresque et le culte des dames sont restés des choses
sérieuses, en dépit de l'Arioste et des spirituels conteurs de l'Italie.
Celle-ci a fourni le platonisme pour subtiliser la galanterie, et la
forme de la pastorale pour isoler dans leur pureté tous les sentiments que la lutte ou l'accord des cœurs peut produire, abstraction
faite des autres affaires et des autres intérêts du monde. Voilà ce
que d'Urfé a pris.

Et voici comment il faut entendre l'*Astrée* : dans un temps
où la représentation de la vie réelle, en sa simple et sérieuse
apparence, n'est guère reçue dans l'art, où la nouvelle est condamnée au ton satirique ou comique, la vie pastorale est une
transcription littéraire de la vie mondaine ; bergers et nymphes
sont des hommes et des femmes qui n'ont rien à faire, et dont
l'unique et capitale affaire résultera par conséquent des rapports
sociaux : ces hommes et ces femmes se désirent, se poursuivent,
s'évitent, exercent enfin la profession de l'amour. La guerre y tient
tout juste autant de place qu'il faut pour marquer la noblesse des
personnages ; Céladon ne serait pas l'amoureux idéal, si jamais il
n'avait l'épée en main. Mais il la remet vite : il est gentilhomme et
non soldat.

La pastorale italienne est un rêve poétique ; l'idéalisme chimérique des sentiments se déroule dans l'irréalité charmante d'un
paysage de fantaisie : avec Montemayor, la pastorale prend pied
sur le sol de l'Espagne, et mêle des lieux, des noms connus à son
impossible action. D'Urfé fait pis : il veut du réel, et il épaissit, il
alourdit le rêve. De la pastorale arcadienne, il fait un roman historique, mérovingien ; il narre presque aussi bien qu'un historien
les intrigues de la cour de Gondebaud et la cueillette du gui chez
les anciens Gaulois. C'est un premier pas vers le roman vrai,
quoique l'*Astrée* elle-même soit plus fausse par l'incohérence de
l'élément pastoral et de l'élément historique : mais dans ce
mélange je reconnais l'effet du même instinct qui va soumettre
toute la littérature au vraisemblable et créer le réalisme classique.
Ces mots font sourire à propos de l'*Astrée* : c'était quelque chos

pourtant de situer l'action dans un temps, dans un lieu précis, de la lier à des faits vrais comme à un paysage réel.

La pastorale française modifie en même temps le ton du genre et l'expression des sentiments : ils prennent quelque chose de plus prosaïque, mais aussi de plus solide. Le Tasse, Montemayor sont en leurs pays de grands poètes : d'Urfé ne vaut que par sa prose, fluide, diffuse, aimable, où se reconnaît le contemporain littéraire de François de Sales et de Montchrétien. Il ne traite pas son thème à la mode lyrique : s'il abonde en descriptions, en images, en ornements, il est sensible qu'il vise déjà surtout à noter, à détailler, à expliquer des faits moraux, qu'il traite comme des réalités. Je crois qu'on a exagéré la valeur de ses caractères et de ses dissertations : sa conception est molle, son analyse vague, et tout ce fonds est passablement banal aujourd'hui. C'était plus neuf alors ; et du reste l'important, c'est qu'il ait songé à donner des caractères, à suivre des sentiments, à marquer des nuances, des actions, des progrès. Il est remarquable que dans le matériel de la pastorale il a laissé toutes les machines qui servent à faire des changements à vue de passions, à créer ou détruire l'amour instantanément. Il a abandonné les amants aux lois naturelles de l'amour. Il ne leur a point attribué un platonisme incroyable. Mais il a peint des amants respectueux, des hommes du monde qui attendent patiemment la volonté des dames, incapables de brutalité, tout attachés à mériter par la constance de leur sentiment et l'ingéniosité de ses expressions : ils donnaient à nos gentilshommes des leçons de galanterie mondaine et de savoir-vivre.

3. L'HÔTEL DE RAMBOUILLET ET L'ESPRIT MONDAIN.

Au milieu de la littérature du temps, sensée, pratique, bourgeoise, entre l'économiste et l'agriculteur, qui prêchent le travail, et le saint qui prêche la pénitence, d'Urfé ressuscite la littérature aristocratique. Il trace des modèles d'une belle vie, sans peines et sans devoirs que par l'amour, à qui elle est dédiée. On nous conte qu'en 1624 des princes, des dames et des seigneurs d'Allemagne firent une *Académie des vrais amants* pour vivre la vie de l'*Astrée* sous les noms de l'*Astrée*. Moins lourde, mais plus sérieuse fut l'imitation française : la société précieuse est la réalité dont l'*Astrée* donne le roman. Il n'y a pas à douter que l'œuvre de d'Urfé n'ait aidé Mme de Rambouillet à organiser la vie mondaine, lorsque, dégoûtée, nous dit-on, des manières par trop soldatesques et gasconnes de la cour du Vert Galant, elle se retira en son hôtel et y reçut ses amis [1].

La nouveauté était de réunir fréquemment les mêmes hommes et mêmes femmes, dans une égalité momentanée et dans une liberté parfaite, non point pour la cérémonie, mais pour le plaisir, non point pour un plaisir extérieur et précis, danse, souper, spectacle (quoique ces plaisirs naturellement ne fussent pas exclus), mais pour le simple et essentiel plaisir qui se pouvait tirer de la réunion des esprits, s'excitant mutuellement par le contact, et s'efforçant de produire ce qu'ils avaient de meilleur. Par là, la vie mondaine, échappant au formalisme frivole, eut un caractère profondément intellectuel; les salons furent comme des marchés d'idées, où les échanges ne languissaient pas, et la fonction propre de l'homme du monde fut la conversation. Il en fut ainsi jusqu'à la Révolution. La Grande Mademoiselle estimait « la conversation le plus grand plaisir de la vie, et presque le seul », et préférait les Tuileries à la vraie campagne parce que « l'on y est mieux pour causer » : de fait, les jardins ne seront en ce siècle que des salons et des galeries aux parois de feuillage, bien commodes pour se promener en causant. « La conversation, disait encore Mlle de Scudéry, est le lien de la société de tous les hommes, le plus grand plaisir des honnêtes gens, et le moyen le plus ordinaire d'introduire non seulement la politesse dans le monde, mais encore la morale la plus pure et l'amour de la gloire et de la vertu. » Saint-Evremond la préférait à la lecture, et Varillas, un historien de profession, disait à Ménage « que de dix choses qu'il savait, il en avait appris neuf par la conversation »: — « Je pourrais à peu près dire la même chose » ajoutait Ménage, un des cerveaux pourtant les plus bourrés du temps.

La marquise de Rambouillet eut donc le premier salon qu'on ait vu en France : dans la *Chambre bleue* d'Arthénice et dans son *réduit* se rassemblaient, autour d'elle et de sa fille Julie, le marquis de Pisani, son fils, bossu, spirituel, ennemi juré des beaux esprits de profession; le marquis de Montausier, original mélange d'Alceste et d'Oronte, qui aima quatorze ans Mlle de Rambouillet avant de la décider au mariage, et qui prépara pour elle pendant

1. **A consulter :** Somaize, *Dictionnaire des Précieuses*, éd. Livet; Tallemant de Réaux, *Historiettes*, éd. G. Mongrédien, 1932-1934; G. Lanson, *Choix de Lettres du XVIIe s.*; F. Brunetière, *Études crit.*, II; E. Magne, *Voiture et l'Hôtel de Rambouillet*, 1929-1930; E. Faguet, *Hist. de la Poésie fr.*, III, 1927; Battifol, Hallay Reboux, Nozière et Bellessort, *Grands Salons litt.*, 1927; G. Mongrédien, *Libertins et Amoureuses*, 1929, *Précieux et Précieuses*, 1939, *Vie litt. au XVIIe s.*, 194⁴ E. Magne, *Vie quotidienne au temps de Louis XIII*, 1943; R. Picard, *Salons lit. et Société fr.*, 1943; R. Bray, *Anthologie de la Poésie précieuse*, 1945; *Préciosité Précieux*, 1948.

trois ans ces fameuses étrennes du 1er janvier 1641, la *Guirlande de Julie*; Mlle Paulet, une bourgeoise, à qui sa beauté rousse et son esprit faisaient une noblesse; trois ou quatre Arnauld, abbés, magistrats, officiers, Chapelain, Voiture, Godeau, Ménage, non pas à titre d'écrivains, mais à titre de gens d'esprit. Deux princes du sang, le duc d'Enghien et sa sœur, future duchesse de Longueville, sont dès leur première jeunesse des habitués de la *Chambre bleue*. Plus tard apparaîtront Saint-Evremond, Mme de la Fayette, la toute jeune et riante marquise de Sévigné. Le vieux Malherbe chante Mme de Rambouillet; Balzac, Corneille lui sont présentés : mais les réunions n'ont rien d'une Académie. Les gens du monde y dominent et donnent le ton : c'est, dit Chapelain, « le grand monde purifié », « la pierre de touche de l'honnête homme ». Il écrivait à Balzac, très curieux de savoir quelle était cette nouvelle puissance : « On n'y parle pas savamment, mais on y parle raisonnablement, et il n'y a lieu au monde, où il y ait plus de bon sens et moins de pédanterie ».

Parler, c'était la grande affaire, et les lettres du temps nous représentent à merveille cette conversation des premiers temps, encore un peu lourde, et qui croit se donner de la légèreté en se tortillant. Avec l'éternelle matière des propos mondains, celle que fournissent les nouvelles du jour, les médisances et les scandales, on s'occupe fort de démêler, d'analyser les sentiments, d'en distinguer les nuances et les sources, de ceux surtout qui sont d'un usage journalier dans la vie sociale, amour-propre, amitié, amour surtout; on débat le sens et la beauté des mots; on prend pour thème parfois quelque ouvrage nouveau dont on a entendu lecture, une lettre ou une dissertation de Balzac, ou bien, un certain jour, le *Polyeucte* de Corneille, dont la dévotion ne plait guère. On dispute ferme à l'occasion sur une comédie de l'Arioste, ou sur deux sonnets rivaux : Malleville et Voiture ont fait chacun une *Belle Matineuse*. Le sonnet de Voiture à *Uranie* et le sonnet de Benserade sur *Job* partagent l'Hôtel de Rambouillet, puis tout Paris, en pleine Fronde !

La marquise, retirée chez elle dès 1608, ne meurt qu'en 1665, mais le beau temps de son salon c'est de 1624 à 1648. L'exemple qu'elle a donné est imité de toutes parts : par tout le beau Paris d'alors, autour du Louvre et du Palais-Cardinal, au Marais et dans la place Royale, les palais des princes et des seigneurs, des hôtels même de la riche bourgeoisie ouvrent leurs portes. Ce sont les dames de Clermont-d'Entragues, c'est la marquise de Sablé, qui a « la plus nette mignardise dans ses lettres aussi bien que dans sa conversation ». C'est Mme de Maure, Mme de Choisy, Mme Scarron; c'est M. Testu, chevalier du guet, chez qui on lit les comédies destinées à la scène. Tous ces *réduits* et ces *ruelles*, où les Précieuses tiennent conversation, se multiplient dans la première moitié du siècle. Chez Mlle de Scudéry, aux *samedis*, moins de grand monde, et plus de gens de lettres : c'est une *ruelle* littéraire, un peu pédante. Mais voici la *ruelle* mondaine et pédante à la fois, et les précieuses ridicules : les *mardis* de la vicomtesse d'Auchy, qui lit un jour une paraphrase de saint Paul; elle a pour amies Mme de Mosny qui apporte une fois un roman, Mme de Saintot, une ancienne actrice de la Foire, maintenant bas-bleu et fort écrivailleuse. Nul n'est admis, s'il ne compose et ne lit : un vieil officier, à qui la plume pèse, est forcé de barbouiller du papier pour être admis dans cette « Académie femelle », comme Chapelain écrit en 1638, s'égayant fort de ces « fées qui ont beaucoup d'âge et peu de sens ».

La province, comme de juste, suivit un peu plus tard, et l'on connaît la phrase de Chapelle sur les dames qu'il voit en 1656 à Montpellier : « A leurs petites mignardises, à leur parler gras et leurs discours extraordinaires, nous vîmes bientôt que c'était une assemblée de précieuses ».

Mais ce ne sont pas les originaux extravagants ni les imitateurs ridicules que nous avons à regarder. Les vraies précieuses — que Molière a visées et atteintes à travers les autres, — c'étaient Mme de Rambouillet, Mme de Sablé, Mme de Longueville, Mme de Maure, et le monde précieux a été l'école où se sont formés les Bussy et les La Rochefoucauld, les Sévigné et les La Fayette, les Maintenon et les Ninon, c'est-à-dire les plus exquis exemplaires de la société française dans la seconde moitié du siècle : voilà ce qu'il ne faut pas perdre de vue pour bien juger la préciosité. Elle n'est que le premier état de l'esprit mondain qui sans changer son idéal, modifie sans cesse et rectifie ses apparences.

Le fond de l'esprit mondain, c'est de se séparer, avec tout ce qui le touche ou lui sert, de ce qui n'est pas le monde; c'est d'établir par-dessus la vulgaire distinction du vrai et du faux, du bien et du mal, un nouveau principe de distinction à l'aide duquel tout se jugera et se classera : ce principe est l'idée des *convenances*, qui crée un genre nouveau de beauté, la *distinction*; une chose, un acte, qui présentent une sorte de perfection supérieure dans la conformité aux convenances, sont *distingués*. Le naturel n'est pas impliqué dans la distinction, mais l'aisance. Elle ne comporte ni la bonté du cœur, ni la force de l'intelligence, mais elle indique certaines manières d'avoir ou de n'avoir pas du cœur ou de l'intelligence. Comme la sociabilité a formé et lie toujours le monde, la *distinction* est un art de plaire; tout ce qu'on a en soi et sur soi réalité solide ou surface, il faut l'avoir pour les autres, ou s'en donner l'air : cette coquetterie de parure par laquelle la beauté semble faire don de soi au public, et prendre intérêt à son plaisir, quand il s'agit de la pensée et de l'expression de la pensée, c'est l'esprit. En littérature, il n'y a de *distingué* que l'esprit, au sens étroit : l'ingéniosité, l'invention spirituelle. Rien ne vaut que pénétré ou orné d'esprit. On est ainsi, tout à la fois, très près et très loin de l'art : ou, si l'on veut, on a un art d'agrément, et non d'expression, un art tout orienté vers le public, pour lui plaire à sa mode, et non vers la nature, pour la rendre selon la vérité. Mettez en face l'un de l'autre l'art du xviiie siècle et l'art grec.

Voilà comment l'influence de la société sur la littérature française fut mêlée de bien et de mal. Le public fit la loi : il imposa d'abord la clarté, l'unique et admirable clarté de nos chefs-d'œuvre classiques ; il obligea les auteurs à ménager sa peine sans plaindre la leur, à savoir nettement ce qu'ils voulaient dire, et à le dire sûrement. Mais ce public définit la clarté par ce que son esprit entendait : et ces femmes, ces gentilshommes ne voulaient pas ou ne pouvaient pas entendre bien des choses, qui eussent bien mérité qu'on les leur fît entendre. Notre littérature y perdit sans doute en hauteur et profondeur ; et les plus grandes questions, les plus vitales en furent exclues ou furent réduites à s'y glisser par occasion : de là ce que nos chefs-d'œuvre classiques paraissent avoir quelquefois d'un peu court, quand on les compare à certaines œuvres des autres littératures. Avec quelque chose de superficiel et de frivole, ou tout au moins de moyen, la littérature prit au monde le goût d'une simplicité brillante, très cherchée et très aisée, qui imite le naturel et qui est parfois tout le contraire : il fut difficile de n'avoir pas d'esprit, et les plus grands seuls de nos écrivains y parvinrent. Il fut difficile aussi de parler à ce public de ce qui n'était pas lui : et par là la matière littéraire se restreignit encore ; l'homme, mais l'homme de la société, soumis aux rapports, aux lois, aux accidents sociaux, ayant affaire un peu à Dieu, beaucoup aux hommes, nullement à la nature, fut l'original nécessaire de tous les portraits. N'étant guère *actionné* que par l'amour, il fit de l'amour l'action de tous les livres qui prétendaient à le représenter.

Enfin, s'il est une vérité reçue dans le monde, c'est que le monde a raison, c'est qu'il fait bien et pense excellemment, mieux que tous les individus qui le composent, et surtout mieux que tous les êtres qui n'en sont pas ou n'en ont pas été : d'où la raison, cette souveraine dominatrice du siècle qui commence, s'étrique, s'amincit, se creuse, et devient le préjugé mondain, qui investit momentanément tous ses caprices et toutes ses ignorances d'un titre d'absolue et

universelle vérité; et voilà surtout ce qui porta grand dommage à
la littérature du XVIIᵉ siècle.

Car tous les écrivains durent compter avec le goût mondain,
que la plupart au reste portaient en eux-mêmes. Il fallut qu'ils y
satisfissent, même en le dépassant. Le XVIIᵉ siècle, qu'on a tort
souvent de prendre « en bloc » et de croire tout d'une pièce, nous
offre plusieurs courants, plusieurs directions, et comme plusieurs
étages de goût et d'idées : il y a communication, juxtaposition,
entre-croisement; à de rares moments et jamais pour longtemps
fusion ou confusion. L'esprit de la société polie, esprit précieux
d'abord, puis simplement esprit de cour ou de salon, n'est en
somme que la forme charmante, étroite, inférieure, du goût classique : c'est au-dessus de lui, bien que souvent pour lui, que se
firent les chefs-d'œuvre.

4. POÈTES ET ROMANCIERS PRÉCIEUX.

Pour bien juger la préciosité, il faut la regarder comme une
discipline imposée à de fortes natures, pleines encore de sève
et de fougue, grossières, brutales[1].Puis là, délicatesse devenant de
plus en plus intérieure et spontanée, à mesure que se brisera le
ressort des âmes, et que se videra le réservoir des énergies primitives, les formes se simplifieront, se détendront. Mais jusqu'à la
fin du siècle, en somme, la force et la fougue seront sensibles sous
la politesse. De là précisément l'exagération du raffinement, l'intempérance cérémonieuse des manières, l'extravagance spirituelle
du langage. On ne sait pas encore marcher, on danse; et toute
la vigueur du corps robuste passe dans le bras qui arrondit un
salut. Tout est alors en deçà, au delà, ou au contraire de la
nature : car la nature est grossière, et le paraît là où elle ne l'est

---

1. C'est le point de vue où il faut se placer pour comprendre non seulement la
vie de cette époque, mais aussi la littérature précieuse. On ne saurait dire à quel
point l'ignorance, la grossièreté, la brutalité étaient venues, après quarante ans de
guerres civiles, à la cour et dans la noblesse. Les dames, telles que la marquise de
Rambouillet, furent les institutrices de la haute société : elles firent de la galanterie
et de la politesse les freins du tempérament; elles substituèrent peu à peu des
plaisirs et des goûts intellectuels aux passions et aux jouissances brutales. Les gens
de lettres aidèrent les dames à parfaire leur œuvre : la condition des uns et des
autres en devenait meilleure. Voyez dans Sorel comment Francion civilisa Clérante
aux environs de 1620. Tous les romans, depuis d'Urfé jusqu'à Mlle de Scudéry, mais
surtout l'*Astrée*, le *Cyrus* et la *Clélie*, sont « de vrais romans d'éducation ». C'est un
contresens que d'y chercher, comme Cousin, la peinture du monde réel : ce sont des
manuels de civilité, et lorsqu'il s'y trouve des portraits, le rude naturel en est systématiquement éliminé, et tout le tempérament qui résiste au dressage mondain.

pas réellement. Tout est excès, excès de grandeur ou excès de finesse, boursouflure ou subtilité; et l'idéal que les précieux essaient de réaliser dans leur vie et dans leur extérieur, celui que tout d'abord ils imposent à la littérature, c'est l'horreur du commun, du vulgaire, en tous sens et sans exception, le culte obstiné de la rareté qui surprend.

Ce goût eut pour premier effet de soumettre de nouveau la France aux influences étrangères. Car le merveilleux de l'esprit, se rencontrait plus facilement hors de chez nous, L'Italie, d'abord, cette fois encore, fut notre institutrice : mais l'Italie dégénérée, folle de l'artificielle beauté des *concetti*, dépensant tout son génie en inventions monstrueuses d'hyperboles, d'antithèses et de métaphores, l'Italie de Guarini et de Marino. Celui-ci un Napolitain d'inépuisable faconde, d'intelligence et de sentiment nuls, vint en France en 1615 : il y publia son *Adone* (1623), poème allégorique et descriptif de plus de 40.000 vers[1]. « Les yeux, disait-il quelque part, sont les balcons et les portes de l'âme, fidèles témoins, vrais oracles, sûre escorte de la raison timide, et flambeaux ardents de l'obscure intelligence. Il sont les langues de la pensée, toujours promptes et adroites, les messagers parleurs du muet désir, hiéroglyphes et livres où l'on peut déchiffrer les secrets du cœur, — vifs et purs miroirs où transparaît tout ce qu'enferment les profondeurs de la poitrine[2] », etc., etc. Dans le Tasse même qu'on lisait beaucoup, il n'y avait que trop de brillant, de finesse, et, comme disait un peu brutalement Despréaux, de *clinquant*. Ces beautés spirituelles faisaient fureur chez nous, et asservissaient tout, jusqu'au vieux Malherbe, grognant et cédant. Avec cela, les Italiens imposaient, parce qu'ils entendaient l'art; épopée, comédie, histoire, de quelque genre qu'on parlât, ils faisaient autorité : ils écrivaient selon les règles.

L'Espagne vint renforcer l'Italie : elle avait le même goût, l'ayant eue pour maîtresse. C'était l'Italie qui avait fait éclore chez elle dans sa mâle et âpre poésie, le *conceptisme* de Ledesma, l'*estilo culto* de Gongora : les *agudezas* valaient les *concetti*. Mais, dans ce raffinement, l'Espagne continuait d'exprimer son génie national par les sonorités emphatiques des mots, et par l'héroïque boursouflure des pensées. Cette influence fut, chez nous, plus tardive et moins universelle que celle de l'Italie. Antonio Perez ne l'établit pas, quoi qu'on ait dit : il ne dut jamais mettre les pieds à l'Hôtel de Rambouillet[3]. Dès le début du siècle, la langue espagnole était fami-

---

1. L'*Adone, poema del cavalier Marino,* Parigi, 1623, in-fol. Il est appelé Marini, dans le Privilège.
2. *Adone,* VI, 36, 37.
3. Car il mourut en 1611 et ne sortit plus de chez lui après 1608.

lière à la plupart des gentilshommes et des dames : mais les livres
pénétraient plus lentement, et ce n'est guère avant 1630 qu'on sent
une forte action du génie castillan sur la littérature française. Au
théâtre, les Espagnols nous donnèrent des sujets, dispensant nos
poètes du labeur de l'invention. Par Montemayor et par Perez de Hita,
ils furent nos maîtres dans le roman galant et héroïque. Leur poésie
ne fut, semble-t-il, jamais très bien connue. Gongora n'eut point
d'action. Voiture est peut-être le seul de nos poètes qui soit sensiblement teinté de goût espagnol. Je parle des gens sérieux de
poésie : car, pour le burlesque, l'influence de l'Espagne fut considérable. Lope de Vega, Gongora, fournissaient des modèles que
notre Saint-Amant, notre Scarron ont connus, et qui les ont
inspirés. Enfin l'esprit castillan s'est offert à nos courtisans dans
une idée que dégageaient, non plus les fictions des livres, mais
les vies réelles ou légendaires de quelques individus comme
Villamediana : idée de politesse héroïque et de gravité hautaine
même dans la facétie. En revanche, jamais le goût des Espagnols
n'a fait loi : et dans le temps même où on les pillait le plus, on ne
se gênait guère pour les taxer d'irrégularité ou d'extravagance [1].

Au total, l'Espagne, comme l'Italie, recommandait à la France le
goût effréné de l'esprit, le culte des formes les plus raffinées de sentir
et de parler.

Toute la littérature française fut atteinte par la préciosité et se
mit aux *pointes* [2], qui sont la forme française des *concetti* et des
agudezas. Mais il y eut des genres d'où la nature et le naturel
furent plus complètement bannis, ou qui sont comme la propriété
exclusive du mauvais goût étranger et mondain. La poésie de
forme lyrique, qui était devenue une poésie de cour ou de
ruelle, n'ayant guère ailleurs d'emploi, fut la première gagnée,
et les enseignements de Malherbe en furent corrompus.

Le maître lui-même soupira ses fausses amours en pointes fades;
mais ce qu'il y a de plus significatif, c'est que toutes les hautes

---

1. Les lettres de Chapelain à Carel de Sainte-Garde (au t. II de l'éd. T. de
Larroque) nous montrent ce qu'en 1659 le mieux informé des Français connaît de la
littérature espagnole. — A consulter : Morel Fatio, *Études sur l'Espagne*, t. I.

2. Les *pointes* sont proprement des jeux de mots, qui consistent à prendre un mot
tour à tour ou simultanément dans deux acceptions différentes, comme le propre et
le figuré, etc.

> Brûlé de plus de *feux* que je n'en allumai. (Racine.)

La *pointe* consiste à prendre *feux* à la fois au figuré comme régime de brûle, et
au propre comme antécédent du relatif.

> Belle Philis, on désespère
> Alors qu'on espère toujours. (Molière.)

Dans le composé, *espérer* a son sens commun, dans le simple il signifie attendre

parties de sa doctrine furent comme stérilisées jusqu'à Boileau,
et qu'il ne fit pas école. De loin en loin, la facture d'une *ode* porte sa
marque : mais il ne laisse en somme que deux disciples, Maynard
et Racan. Encore tiennent-ils plus du goût général que j'ai tâché
de définir dans la littérature de Henri IV, que du caractère original
de leur maître. De celui-ci pourtant Maynard [1] a pris le soin de la
langue et du vers, la poursuite acharnée de la netteté et de la
justesse : « Mes vers français, disait-il, ont tant de peine à me
satisfaire, que de 100 j'en rejette 90 ». Malherbe lui reprochait de
manquer de force : mais dans sa faiblesse laborieuse et châtiée, il
a de forts, de triomphants réveils ; on a de lui des pièces qui
valent le meilleur Malherbe. Il monte en perfection les lieux communs de l'amour, de la mort et de la fortune, il frappe excellemment les petites pensées de circonstance. Il voulait que chaque
vers offrît un sens complet, et cette règle du *détachement* du vers
était la mort du lyrisme ; elle condamnait la poésie aux décou-
pures, au martelage, au pailletage, enfin au prosaïsme brillant et
sec. Aussi Maynard fut-il naturellement conduit à détacher la
strophe comme le vers, en sorte que ses odes s'égrènent comme
des chapelets, et sont comme des collections de petites pièces
sous un titre commun : naturellement aussi il devait se plaire et
exceller aux rondeaux, aux sonnets, aux épigrammes, à tous ces
genres qui sont le triomphe du martelage et du trait. Cependant
il eut maille à partir avec les précieux, qui lui trouvaient encore
trop de sens et trop peu de pointe : en vain se fâcha-t-il contre
les *orateurs frisés* de ce *siècle coquet* ; on lui montra bien, quand il
reparut à Paris après la mort de Richelieu, que ses vers et lui
étaient des provinciaux. Déjà il ne se gagnait plus de gloire qu'à
Paris, à la suite de la mode : la résidence était de rigueur ; et
voilà pourquoi notre président d'Aurillac, qui méritait un peu
mieux, a laissé moins de renommée que les Voiture et les Sarrazin. On lui doit bien une place en bon jour, entre Malherbe et
Racan. (App. XII.)

Racan [2]. j'en ai peur, a dû son immortalité presque autant à
ses bizarreries qu'à son génie. « Hors ses vers, dit Tallemant des

---

1. Fr. de Maynard, né à Toulouse en 1582, secrétaire des commandements de Marguerite de Valois, fut nommé en 1618 président au présidial d'Aurillac, suivit en
Italie (1634) l'ambassadeur M. de Noailles avec qui il se brouilla, et qui le mit dans
la disgrâce de Richelieu. Il mourut en 1646, n'ayant fait que de rares séjours à Paris
ou à la cour depuis 1618.
    Édition : *Œuvres poétiques*, éd. F. Gohin, 1917. **A consulter :** Ch. Drouhet,
Mainard, 1909.
    2. Honorat de Racan, né en Touraine (1589), fut page du duc de Bellegarde, chez
qui il connut Malherbe. Il servit au siège de la Rochelle. Il se maria en 1628, et se
retira dans ses terres. Il mourut en 1670. — **Éditions :** *Œuvres complètes*, Tenant
de la Tour, 1857 ; en cours, L. Arnould. — **A consulter :** L. Arnould, *Racan*, 1896.

Réaux, il semble qu'il n'ait pas le sens commun, il a la mine d'un fermier. Il bégaie et n'a jamais pu prononcer son nom : car par malheur l'*r* et le *c* sont les deux lettres qu'il prononce le plus mal. » Ses distractions, sa naïveté qui prêtait aux mystifications, ont fait la joie de son siècle, et lui ont fait une légende. Racan est comme une première épreuve, plus grossière, de La Fontaine; c'est un La Fontaine moins spirituel, plus ignorant, plus paresseux, dont les vers sont faits de génie et tout gonflés de sentiment. Son ignorance et sa paresse le préservèrent des pointes; et même il n'accepta des enseignements de son maitre que ce qui ne coûtait pas plus de peine à pratiquer qu'à négliger. Jamais Malherbe ne put gagner sur lui qu'il composât avec lenteur et correction, qu'il polit laborieusement les vers que son inspiration première avait jetés. Racan appartint toute sa vie à l'école du négligé facile, et continua tout seul la tradition du lyrisme élégiaque des Montchrétien et des Bertaut. C'est un vrai poète (il en avait l'âme et l'oreille), un amant de la campagne, qui dans le plus faux des genres, dans la pastorale dramatique, a su jeter quelques impressions profondément sincères, un doux mélancolique qui a pleuré la fuite des choses et le néant de l'homme en strophes lamartiniennes, du milieu desquelles parfois s'enlèvent puissamment de magnifiques images, des périodes nerveuses et fières.

A côté de Racan, combien minces et combien glacés paraissent tous les rimeurs précieux, même Théophile, ce brillant et fantasque génie, qui préféra à la simplicité laborieuse de Malherbe la fausseté non moins laborieuse des Marino et des Gongora. De sa tragédie de *Pyrame et Thisbe* (probablement 1625) date le règne du goût précieux dans la poésie. Malherbe est vaincu : sa versification seule prévaut. Les Voiture, les Malleville, les Sarrazin, les Godeau, les Saint-Amant, les Scudery, les Scarron même lui opposent leur fantaisie : en eux se perpétue le lyrisme du siècle précédent, mais un lyrisme desséché, plus intellectuel que sensible ou imaginatif; leur art, très contraint dans son apparente liberté, n'est qu'un jeu d'esprit compliqué, dont la règle est de calculer toujours l'effet le moins attendu ou le moins nécessaire, pour le produire.

Comme la société est très intelligente et très avide du plaisir littéraire, on voit éclore alors une prodigieuse abondance de sonnets, de rondeaux, d'élégies, de chansons, de stances, dont la galanterie en général fait le fond, puisqu'il était établi qu'il ne pouvait y avoir d'honnête homme sans amour, ni d'honnête livre. Les uns sont plus emphatiques, d'autres plus raffinés; il y en a de plus fades, ou de plus piquants, et l'on peut trouver dans cet art faux des merveilles de grâce spirituelle. Mais il suffira

de nous arrêter à l'homme qui incarne à bon droit le goût précieux, à celui qui a qualité pour représenter ce monde et cet art, à
Voiture [1].

Ce fils d'un marchand de vins d'Amiens inaugure la puissance
sociale de l'esprit; sans naissance et ne s'en cachant pas, il se
fait recevoir à l'Hôtel de Rambouillet, et y traite d'égal à égal
avec tous. Il ne reçoit de pension que du roi, de Monsieur, à qui
il appartient : cela le tire de pair parmi les écrivains faméliques et
parasites. Il a soin aussi de n'être pas écrivain, afin d'être tout à
fait honnête homme. Il ne veut pas être autre chose qu'un homme
d'esprit qui écrit quelquefois, et ce sera son neveu Pinchêne qui fera
de lui un homme de lettres après sa mort, en l'imprimant. Voiture
que le service de Monsieur mena en Espagne, en Italie, écrivait
des lettres aux amis qu'il avait laissés à Paris : il en écrivait de
Paris aux amis qui s'en allaient aux armées ou en mission diplomatique. Il vivait dans l'intimité de la marquise de Rambouillet,
et il savait toujours faire jaillir quelques rimes ou quelques
pointes, de toutes les circonstances qui intéressaient le petit
cercle. Voilà ce qu'on appelle pompeusement les Œuvres de Vincent Voiture.

Ce petit homme, frileux et gourmand, bretteur et joueur, vaniteux, passionnément galant, mais plus épris des douceurs qu'il
disait que des femmes à qui il les disait, au reste brave, fier,
sincère, reconnaissant, cet homme aurait pu faire plus qu'il n'a
fait : il avait l'esprit sérieux et capable de grandes pensées; il
a su juger Richelieu comme on le juge à deux cents ans de distance. Mais comme il ne pouvait se maintenir dans ce monde où
sa naissance ne l'appelait pas, qu'en plaisant, il a voulu seulement plaire et toujours plaire. Il a dépensé plus d'esprit à dire
des riens, qu'un autre à exprimer des pensées solides. Comme
il écrit pour des gens très raffinés, et pour cette coterie seule, il
met de la finesse partout, il la fabrique avec un tortillage d'images,
de plaisanteries, d'allusions, dont ils ont seuls la clef, et ainsi il
est pour nous obscur et fatigant. Il y a même un peu de lourdeur
dans ses grâces, lorsqu'il développe ses métaphores ou ses allégories : la lettre où il se suppose mort, celle des lions du Maroc,
ou celle de la carpe au brochet sont des plaisanteries dignes de

---

1. Vincent Voiture (1598-1648) eut pour protecteurs principaux et pour amis le
comte d'Avaux et le cardinal de la Valette. Il fut introducteur des ambassadeurs du
duc d'Orléans, gentilhomme ordinaire et maître d'hôtel de la duchesse, puis maître
d'hôtel du roi, et premier commis du comte d'Avaux, lorsque celui-ci fut surinten-
dant des finances. — **Édition** : *Œuvres complètes*, éd. Ubicini, 1855. — **A consulter** :
Lettres du comte d'Avaux à Voiture, 1858; E. Magne, *V. et l'Hôtel de Rambouillet*,
1929-1930.

Mascarille ou de Trissotin. Sa poésie amoureuse est d'une finesse abstraite, et transpose avec une exquise précision le sentiment en idée. Mais quand il ne s'agit pas d'amour, il cause souvent, en prose ou en vers, avec un esprit net et vif, d'un style léger et piquant, dont l'allure fait penser à Voltaire : son *Épître au prince de Condé* revenant d'Allemagne sort du goût précieux, et réalise déjà l'urbanité de la fin du siècle ou du siècle suivant.

L'horreur du vulgaire naturel qui, appliquée aux menues circonstances de la vie mondaine, produisait la recherche spirituelle des petits vers, tourne en passion du romanesque quand il s'agit de la conduite générale de la vie. Un besoin d'aventures emporte alors les âmes, et se traduit parallèlement dans l'histoire par tous les troubles, les intrigues, les révoltes que l'on sait, dans la littérature par la vogue des genres et des œuvres où s'étale le plus extravagant héroïsme. L'épopée d'abord : en 15 ans, six grandes épopées paraissent, qui forment un total de 136 chants, et dont quelques-unes ont eu assez longtemps le renom de chefs-d'œuvre [1]. Je n'en parlerai pas : ce sont les parties mortes de la littérature classique. Quelques brillants morceaux de description ou de morale, voire de théologie, n'empêchent pas que ce soient des œuvres ennuyeuses et illisibles. L'invention est surtout extrêmement pénible, l'exécution presque toujours lâchée. C'est en eux qu'on peut voir combien l'esprit précieux est éloigné de l'art véritable, et en implique peu le sens. Ces épiques ne savent éviter la platitude que par les pointes, et, incapables de se concentrer, ils se boursouflent ; ils ne donnent que du fatras ou du clinquant.

Comme ils écrivent pour le monde, pour les femmes, leur public, qui méprise la science des collèges et n'est pas plié à la superstition de l'antiquité, leur inspire une doctrine, qui se trouve être essentiellement excellente : ils prennent des sujets chrétiens, donc modernes, Childebrand, Clovis, saint Louis, Jeanne d'Arc : le plus ancien est pris aux confins de l'antiquité romaine et des temps chrétiens, l'*Alaric* de Scudéry. Tout naturellement, ils font des idées de leur public la règle de leur ouvrage, et ici c'est parfaitement juste : par un semblable mouvement, Théophile, qui a pourtant prodigué ses vers aux Iris et aux Philis, déclarait un beau

1. Le Père Lemoyne, *Saint Louis*, 17 chants, 1651-1653 ; 18 chants, 1658 ; Scudéry, *Alaric*, 10 chants, 1664 ; Chapelain, *la Pucelle*, 24 chants (12 publiés en 1656, 12 inédits jusqu'à nos jours) ; Desmarets de Saint-Sorlin, *Clovis*, 26 chants, 1657 (réduits à 20 en 1673) ; Le Laboureur, *Charlemagne*, 42 chants, 1664 ; Carel de Sainte-Garde, *Childebrand*, 16 livres, 1666 (devenu en 1679 *Charles Martel*) ; ajoutez Saint-Amant, *Moyse sauvé*, 1653 ; Godeau, *Saint Paul*, 1654 ; Coras, *Jonas, Josué, Samson, David*, 1662-1665 ; Perrault, *Saint Paulin*, 1675. — **A consulter** : Duchesne, *les Poëmes épiques du XVII⁰ siècle*, 1870 ; Chérot, *Étude sur le P. Lemoyne*, 1887 ; R. Toinet, *Quelques recherches autour des poèmes héroïques épiques français du XVII⁰ siècle*, 1899.

jour qu'il n'en fallait plus, et que toute la mythologie avait fait
son temps dans la poésie. Le paganisme est un amas de fictions
impossibles à croire, dont les cuistres farcissent leurs cervelles : le
vrai, le réel (on ne dit pas le beau), c'est le christianisme. On
disait aussi que l'histoire de France devait être plus intéressante
pour des Français, et que les hauts faits des Grecs ou des Romains
ne pouvaient valoir pour nous le récit des luttes et des périls qui
avaient fondé ou affermi la monarchie.

Tout cela était fort bien : mais il fallait du génie pour traduire
ces idées, et c'est ce qui manqua. L'histoire fut travestie par ces
poètes autant qu'elle l'était par les historiens : imaginez le
Louis XIV de la Place des Victoires, ou les personnages des batailles
de Le Brun dans des architectures et des jardins tels que ceux de
Versailles, et vous aurez l'*Alaric* de Scudéry. Les sentiments sont
en harmonie avec le costume : cela n'est d'aucun temps. Il n'y a
pas un de ces poètes qui sache que c'est qu'un homme, et soit
capable d'en faire vivre un dans son poème. Ils font ronfler des
lieux communs, ou aiguisent des sentences.

Ils n'entendent rien au genre qu'ils traitent, et en cela ils continuent Ronsard et annoncent Boileau. Pour Scudéry, l'épopée est
un roman historique, en vers, ayant d'un bout à l'autre un sens
allégorique, qui donne la moralité de l'œuvre. La prise de Rome
sera la victoire de la raison sur les sens avec le secours de la grâce.
Voilà où en est Scudéry, et où ils en sont tous, et cette idée éclose
dans les écoles philosophiques de la Grèce, pieusement recueillie
par les chrétiens pour absoudre les chefs-d'œuvre parfois embarrassants de l'épopée païenne, sera consacrée par le docte père Le
Bossu dans un inepte traité que Boileau estimera.

Les épopées du XVIIe siècle ne sont que de mauvais romans; par
contre, les romans[1] sont des épopées qui ne sont pas bien bonnes.
Le roman ne suivit pas tout à fait la voie où l'avait mis d'Urfé : de
pastoral il se refit héroïque, et mêla les deux traditions de l'*Amadis*
et de l'*Astrée*. La raison en est facile à entendre : la vie pastorale,
au sortir du XVIe siècle, avait enchanté une génération fatiguée, qui
aspirait au repos; mais on eut bientôt assez du repos, quand les
forces revinrent. avec elles la fièvre du mouvement et de l'action.

---

1. Gomberville, *Polexandre*, 1632 (éd. complète, 5 vol. in-8, 1637). La Calprenède,
Cassandre, 10 vol., 1644-50; *Cléopâtre*, 12 vol., 1647 et suiv.; *Pharamond*, 12 vol.,
1661-1670 (les tomes VII-XII sont du sr d'Ortigue de Vaumorière). Mlle de Scudéry,
Artamène ou le Grand Cyrus, 1649-53, 10 vol.; *Clélie*, 1656-60, 10 vol. — A con-
sulter: A. Lebreton, *Roman fr. au XVIIe s.*, 1890; F. Brunetière, *Études critiques*,
IV; M. Magendie, *Roman fr. au XVIIe s.*, 1932; E. Seillière, *La Calprenède*, 1921;
Ch. Clerc, *G. de Scudéry*, 1929; D. Mac Dougall, *Madeleine de Scudéry*, 1938;
Cl. Aragonnès, *Madeleine de Scudéry, reine du Tendre*, 1934.

Les hommes de la guerre de Trente ans, des conspirations contre
Richelieu, de la Fronde, n'avaient pas pour idéal de soupirer avec
une bergère au bord du Lignon. On leur offrit donc de l'héroïque,
des aventures, de grands coups d'épée. En même temps l'instinct
du siècle se précisait : on voulait du vrai. Le vrai dans les sentiments, c'était bien fin pour qu'on y vînt d'abord; et puis on n'était
pas encore assez persuadé, ni par d'assez rudes expériences que
les grands sentiments n'étaient pas le vrai. Mais pour les faits, on
savait bien ce qui était réel : on ne voulait plus de bergers et de
druides; on voulait du réel, de l'historique, ou prétendu tel.
D'Urfé l'avait déjà senti, et je l'ai fait remarquer plus haut. Les
faiseurs de romans prirent donc qui le Mexique et le Pérou, qui
la Gaule française, un autre l'Asie, un autre Rome. Dans les cadres
historiques, ils mirent les sentiments à la mode, les occupations à
la mode, héroïsme, galanterie, conversation.

Mlle de Scudéry y mit plus : la description du monde précieux,
hôtels, châteaux, figures et caractères; Condé, dans *Cyrus*, avec la
bataille de Rocroy très exactement narrée; dans *Clélie*, la Fronde, et
Pellison sous le nom d'Herminus, Sarrazin sous celui d'Amilcar, et
puis Mme de Sévigné, Fouquet, La Rochefoucauld, le ménage Scarron,
les Jansénistes, et Port-Royal. Milon de Crotone se bat en duel, et
Horatius Coclès chante aux échos des douceurs pour Clélie. Mais
surtout les héros causent; en paix, en guerre, en prison, ils causent, galamment, spirituellement, de la mort, de l'éducation, des
femmes, de la politesse, des lettres, de tout enfin. Il y a beaucoup de
sens et d'esprit dans ces conversations un peu longues, qui publiées
à part, devinrent comme le manuel de la bonne société. C'est là
ce qui vaut le mieux dans l'œuvre de Mlle de Scudéry : les portraits, trop vantés, sont trop embellis par un art doucereux pour
avoir une grande valeur ou morale ou documentaire. La longueur
de tous ces romans, s'ajoutant à leur fausseté, les rend illisibles :
une invention inépuisable et banale les pousse d'aventure en aventure et d'histoire en histoire, jusqu'au 10e tome; et l'on retrouve
partout cette improvisation négligée à laquelle Malherbe avait
essayé d'arracher les écrivains.

En face de cette littérature galante et emphatique, une autre
se présente, triviale et burlesque. Elle semble la parodie de la première, ells l'est parfois en effet, elle en raille l'excès et la fausseté :
et c'est en général au même public qu'elle s'adresse; la littérature
comique, picaresque ou grotesque de ce temps-là fait presque
tout entière partie de la littérature précieuse[1]. Elle n'est pas

1. Si on veut voir comment, depuis l'héroïque jusqu'au burlesque, toutes les
façons de fausser la nature s'entretiennent et peuvent s'unir dans un seul esprit,
on n'a qu'à examiner l'œuvre folle et fantaisiste de Cyrano de Bergerac.

moins éloignée de la nature que l'autre, même quand elle s'y oppose : elle outre la grossièreté, le ridicule ; elle étale la bouffonnerie ou cynique ou brutale. Si les femmes font un peu les renchéries, les hommes, après avoir poussé les beaux sentiments et cherché le fin du fin, ne haïssent pas de rire gros, comme des *ruelles* ils vont aux cabarets. A leurs solides estomacs, pour les mettre en belle humeur, il faut des viandes bien épicées : dans la poésie, les chansons bachiques, les tableaux crument colorés des « crevailles » copieuses, de la gueuserie après la goinfrerie. Le gai compagnon du gros comte d'Harcourt dans les tripots et dans les cabarets, Saint-Amant[1], y porte une verve originale et chaude : il a le sens du trivial, parfois même du fantastique, et tels de ses sonnets a la précision vigoureuse d'une eau-forte. Il a le tempérament d'un réaliste ; mais il s'obstine à convertir ses impressions de nature en préciosité spirituelle.

Dans le roman, il paraît bien que Sorel a été un bourgeois de sens ferme, à qui par malheur le talent a manqué pour faire une grande œuvre. Il a, trente ou quarante ans avant Molière et Boileau, essayé de détruire la fausse littérature et de discréditer les sentiments hors nature. Son *Francion* (1622) est le premier de nos romans réalistes, où sont peints, en couleurs peu flatteuses, les bas-fonds de la société, et le monde vaniteux ou servile des gens de lettres ; et son *Berger extravagant* (1627) a été pour la mode des pastorales ce que les *Précieuses ridicules* ont été pour le romanesque et les *pointes*. Par malheur, l'art, la mesure, le style manquent à Sorel[2] ; et son *Francion*, ancêtre de *Gil Blas*, n'arrive qu'à être une date, non une œuvre.

Il y a un tempérament d'écrivain plus vigoureux dans le *Roman comique* de Scarron[3], qui, avec une verve allant parfois jusqu'à la plus dégoûtante bouffonnerie, nous représente les mœurs des comédiens nomades du temps, et les originaux ridicules de la province. Pour remplacer les coups d'épée des Cyrus et des Aronce, Scarron met à notre goût un peu trop de coups de pieds ; mais son récit offre, épars çà et là, ou enveloppés de fantaisie

1. Marc-Antoine de Gérard, sieur de Saint-Amant (1594-1661), s'attacha au duc de Retz, puis au comte d'Harcourt qu'il suivit dans ses campagnes maritimes et terrestres, et dans sa mission d'Angleterre en 1643. Il suivit en 1645 Marie de Gonzague en Pologne, où elle allait épouser le roi Ladislas Sigismond.
Édition : Livet, 1855. — A consulter : Audibert et Bouvier, 1946.
2. A consulter : *Francion*, éd. E. Roy, 1924-1931. Cf. E. Roy, *Sorel*, 1891.
3. Paul Scarron (1610-1660), fut saisi à vingt-sept ans d'un rhumatisme déformant, qui ne lui enleva rien de sa gaieté. Il épousa en 1652 Mlle d Aubigné la future Mme de Maintenon. — Éditions : *Rom. com.* (1651) éd. V. Fournel, 1857 ; *Poésies*, éd. M. Gauchie, 1947. — A consulter : P. Morillot, *Sc. et le Genre burlesque*, 1888 ; E. Magne, *Sc. et son milieu*, 1924 ; H. d'Alméras, *le Rom. com. de Sc.*, 1932.

exubérante, de sérieux éléments de comédie, des figures curieusement dessinées, la Rancune, le cabotin usé et grincheux, la Rap-
pinière, le rieur méchant, la Garouffière, le provincial *parisien-
nant*, Ragotin, un petit bourgeois vif et hargneux, galant et fat.

L'épopée, elle aussi, aura sa contre-partie, qui sera le burlesque.
L'essence du burlesque, c'est le manque de convenance : faire
parler les dieux et les héros comme on parle aux faubourgs, aux
halles, et mettre tout le détail de la forme en désaccord constant
avec la nature du sujet. Scarron est le grand homme du genre :
rien ne vaut le *Virgile travesti*, qui ne vaut pas grand'chose. On
en a trop vanté le sens littéraire, et l'esprit y est des plus gros;
cela fatigue vite. Ce barbouillage n'a pas l'ampleur de bouffonnerie du *Roman comique*, ni même de *Don Japhet d'Arménie*. On
a peine à croire à quel point ce genre du burlesque, aussi faux
que l'héroïque, fut à la mode de 1648 à 1660. On mit tous les
auteurs anciens en style burlesque, même Hippocrate On fit du
burlesque une arme politique dans les Mazarinades; on l'employa
dans les querelles scientifiques, pour discréditer l'antimoine. On
l'appliqua même à l'édification, pour profiter de sa vogue, et les
âmes pieuses purent puiser dans la « Tabatière spirituelle pour
faire éternuer les âmes dévotes vers le Sauveur ».

Ainsi dans la poésie, dans l'épopée, dans le roman, dans le
sérieux et dans le comique, toute la première moitié du siècle
nous fait assister à une débauche d'esprit et de fantaisie, où l'invention monstrueuse, toujours plus haut ou plus bas que la
nature, s'associe à une exécution la plupart du temps hâtive, inégale, et grossière jusque dans ses finesses.

CHAPITRE III

TROIS OUVRIERS DU CLASSICISME

1. Balzac : un artiste en phrase française. Les idées de Balzac : éducation intellectuelle du public par les lieux communs. — 2. La
critique et les règles. Chapelain : ses tendances classiques; ses
timidités et ses complaisances. — 3. Descartes : rapport de sa
philosophie à la littérature. L'écrivain. Le *Traité des Passions* :
Descartes et Corneille. Le *Discours de la méthode*. Esprit rationaliste et méthode scientifique : opposition intime et accord passager
du cartésianisme et du christianisme. Le cartésianisme, négation
de l'art : union du cartésianisme et de l'art dans le classicisme.

Dans la première moitié du XVIIe siècle, après Malherbe, et hors
de la poésie dramatique, trois noms se détachent, exprimant autre
chose que les divers aspects de la mode et de l'esprit mondain :
Balzac, Chapelain, Descartes, très inégaux de génie, très inégalement aussi dépendants du monde, ont été trois modificateurs
influents des formes et des idées littéraires.

1. BALZAC.

On ne lit plus guère Balzac [1] aujourd'hui : c'est un phraseur, un
emphatique, qui maintes fois joue au précieux. Il semble qu'il ait

1. **Biographie** : Jean-Louis Guez de Balzac (1597-1654) était filleul du duc d'Épernon,
au service de qui il fut d'abord : en 1621-1622, un fils du duc, l'archevêque de Toulouse, cardinal de la Valette, l'employa comme agent à Rome. Dès 1624, il se
retira chez lui, et à partir de 1631 n'en bougea plus guère. Il fut présenté très tard à
l'Hôtel de Rambouillet dans un de ses derniers voyages à Paris; le dernier est de 1636,
et c'est dans celui-là qu'il fit son unique apparition à l'Académie française, dont on
l'avait mis malgré lui. Richelieu l'avait fait conseiller d'État et historiographe de
France, sans peut-être se montrer disposé à utiliser les talents de Balzac dans les
rauds emplois auxquels celui-ci se serait estimé propre. On ne sait ce que peut

passé sa vie à souffler des idées creuses. On ne le lit plus : et l'on a tort. Il vaut mieux que sa réputation, et il a rendu en son temps de grands services.

La prose, l'élocution pratique avait moins souffert que la poésie des fantaisies du bel esprit. Elle s'était polie, allégée; elle avait pris de la délicatesse, de la rapidité. Les précieuses écrivaient des lettres; la phrase de Mme de Montausier, ou de Mme de Sablé, ou de Mme de Maure, est encore un peu compassée, cérémonieuse, à longue queue : cependant avec elles, et surtout avec Voiture, qui a laissé échapper de délicieux billets, on sent que l'on marche vers l'excellent style, sans relief et sans couleur, mais d'un trait si juste et si fin, que Bussy et Mme de la Fayette emploieront.

Balzac, qui n'est que par accident un précieux, Balzac a *inventé* une autre phrase, qui s'est imposée à l'admiration des gens du monde et à l'usage des genres littéraires : il a *inventé* ou, si vous voulez, *réinventé*, en la reprenant chez Du Vair, la phrase oratoire, ample, rythmée, sonore, imagée. Il a passé sa vie à forger de belles phrases, comme on n'en avait jamais fait en notre langue. Il a manqué de naturel : c'était inévitable; mais il en a manqué surtout par scrupule d'artiste, qui ne veut laisser dans son œuvre aucune négligence. Il a enseigné aussi les harmonies secrètes du langage : celles qui résultent de l'unité du ton, de l'égalité, de la continuité des développements. Il a enseigné à faire dominer une idée, une couleur : il a montré comment les transitions servent à lier et à fondre. Il a cherché le mot propre, le mot fort, avec une opiniâtreté méticuleuse. Sa règle n'était pas la bienséance mondaine, mais l'effet d'art; il effarouchait quelquefois les *ruelles* par l'emploi de certaines vulgarités pittoresques, qu'il se refusait à supprimer; si elles étaient amenées, et si elles étaient fondues, il estimait qu'on n'avait rien de plus à demander. Son rôle a donc été fort analogue à celui de Malherbe : en face de la strophe oratoire préparée par celui-ci, il a construit la période éloquente, et Boileau avait le droit d'écrire : « On peut dire que personne n'a jamais mieux su sa langue que lui, et n'a mieux entendu la propriété des mots et la juste mesure des périodes. » Et vraiment, quand on lit certaines pages de Balzac, dans le *Socrate chrétien* par exemple, on sent que la forme de Bossuet est trouvée. Il ne reste plus qu'à la remplir.

être la *tempête* qui en 1627 *faillit le briser*. Il y eut à coup sûr quelque déception d'ambition dans sa retraite philosophique.

Éditions : *Lettres*, 1624. *Le Prince*, 1631, *Socrate chrétien*, 1652. *Œuvres*, 1665. *Lettres inédites* (Doc. inéd. sur l'Hist. de France), au t. I (in-4) des *Mélanges historiques*. — **A consulter:** G. Guillaumie, *Guez de Balzac et la Prose franç.*, 1927; F. Brunot, *Histoire de la langue fr.*, et la plupart des ouvrages signalés au chapitre suivant : *la langue franç. au XVIIIe s.*

Car le sens chez Balzac paraît mince. Ce ne fut pas un génie inventif. Retiré au fond de sa province, il ne se renouvelle pas par le commerce des hommes : et de son fonds, il est sec. Fils peu tendre, vieux garçon, citoyen désintéressé de la fortune publique, enfin parfaitement égoïste, il n'a pas l'excitation qui vient du cœur. Mais ici encore, il faut se garder d'exagérer. La nature, les arbres, les eaux, le clair soleil, lui donnaient du plaisir, et sous ses grandes phrases on sent la sincérité de la jouissance : il a vraiment aimé la·campagne, il l'a préférée à la société. La chose n'est pas commune en ce siècle. Puis il avait, à défaut du génie, l'esprit juste, le goût assez fin. Il a très bien compris, et très bien dit — et dit à Scudéry même, — que le *Cid* est beau, en dépit des règles, et que l'objet de la poésie est le plaisir par la beauté; il a très finement écrit — et à Corneille même — sur la prétendue vérité historique de *Cinna*. Il a solidement parlé sur la politique et sur la morale.

Il n'a rien dit de bien neuf, ni de bien profond : il a dit ce qu'il avait lu dans Montaigne et dans les anciens. Dans ses lettres, dans ses dissertations, il a offert à son siècle, enveloppés d'éloquence, les lieux communs qu'il avait, au cours de ses lectures, rencontrés dans 'es historiens, les orateurs, les poètes, les Pères de l'Église. Banales pour nous, ces idées ne l'étaient pas alors. Il faut se représenter ce qu'étaient les lecteurs de Balzac : les guerres civiles avaient rendu une bonne partie de la noblesse à l'antique ignorance. Les compagnons du Béarnais se moquaient bien de la science; Biron et Bellegarde n'avaient jamais étudié, et le dernier connétable de Montmorency, qui meurt en 1614, à en croire Saint-Evremond, ne savait pas lire [1]. Ces rudes gentilshommes disparaissaient l'un après l'autre, et la nouvelle génération, née depuis la paix, s'instruisait mieux : mais il y avait encore beaucoup d'ignorance, et il fallait renouer la tradition de la Renaissance.

Balzac fut l'instituteur de la société polie. Il a essayé, selon ses propres paroles, « de civiliser la doctrine en la dépaysant des collèges et la délivrant des mains des Pédants [2] »; à ceux qui n'étaient pas des savants, et ne lisaient latin ni grec, aux femmes, il a offert la substance de l'antiquité. Il a jeté dans la circulation tous les excellents lieux communs où consiste la culture supérieure des esprits; en les vulgarisant, il a mis le public en état de goûter les grandes œuvres dont elles seraient le nécessaire fondement. Est-il si malaisé de voir qu'en compagnie de Voiture on ne se prépare à

---

1. Cf. Tallemant des Réaux, les *Historiettes* des contemporains de Henri IV et de la Régence; et Saint-Evremond, la lettre connue au comte d'Olonne.
2. Balzac, *Lettres*, l. VII, l. 49, éd. 1665.

comprendre ni Corneille, ni Pascal, ni Bossuet, mais qu'au sortir des « banalités » de Balzac on est tout prêt?

On s'explique ainsi la gloire de cet homme, devant qui s'inclinaient et Descartes et Corneille, et dont les moindres pages faisaient événement dans l'Hôtel de Rambouillet. Seuls les jansénistes — trop instruits pour estimer son fond, trop peu artistes pour sentir sa forme — le tenaient en médiocre estime.

2. CHAPELAIN.

Ce beau monde, dont Balzac faisait l'éducation, était assez disposé, tant par ignorance que par suffisance, à prendre son seul plaisir pour *critérium* de la valeur des œuvres littéraires : principe séduisant, mais dangereux. Cette tendance fut enrayée pour un temps par la critique.

Une des préoccupations des humanistes, au siècle précédent, avait été d'étudier la structure des œuvres antiques; et l'on en avait réduit la beauté en formules, en recettes, en règles. En chaque genre, une sorte de canon idéal avait été établi, d'après les écrivains reconnus pour excellents, et d'après les principes qu'on recueillait d'Aristote et d'Horace. La *Poétique* de Scaliger est le chef-d'œuvre de ces codifications dogmatiques dont la principale erreur était de prendre les règles pour une méthode infaillible, pour les conditions nécessaires et suffisantes de la perfection littéraire. Le culte souvent aveugle des formes anciennes était le dogme fondamental de cette critique : et elle parvint à l'imposer à la légèreté indépendante de la société polie. L'homme qui nous représente éminemment l'influence des doctes sur le monde, l'homme qui fit plus que personne pour opérer la transformation des théories savantes en préjugés mondains, fut le bonhomme Chapelain [1], qui se place entre Ronsard et Boileau, comme ayant fait faire un progrès décisif à la doctrine classique.

1. **Biographie** : Jean Chapelain (1595-1674), fils d'un notaire, se fit connaître d'abord par la *Préface* de l'*Adone*, puis par des *Odes*, et par son poème épique de *la Pucelle*, dont les 12 premiers chants parurent en 1656, au bout de vingt ans de travail. Il était très considéré de Richelieu, et il fut de même en grand crédit auprès de Colbert, dont il fut le principal agent dans la répartition des libéralités royales entre les principaux savants et écrivains de France et d'Europe; très écouté à l'Hôtel de Rambouillet, il eut jusqu'à la fin, en dépit de Boileau, l'estime et l'amitié de Montausier, de Retz, de Mme de Sévigné. Sensible à la flatterie, et fort rancunier, il était du reste bon homme et serviable. Il avait de riches pensions, mais il y a sans doute beaucoup de légende dans ce qu'on dit de son avarice.

Éditions : *la Pucelle* (les 12 derniers chants), Orléans, 1882, *Lettres*, éd. Tamizey de Larroque, 1880-1883; *Opusc. critiques*, éd. Hunter, 1936. — **A consulter** : G. Collas, *Chapelain*, 1912; R. Bray, *Formation de la Doctr. class.*, 1927.

Chapelain est très complexe ou, pour mieux dire, très confus. Érudit universel à la mode du xvie siècle, homme du monde à celle du xviie, ayant le goût de la politique, de l'histoire, de la philosophie, poète, ou du moins faiseur de poèmes, son vrai caractère, celui par lequel, même après la *Pucelle*, il conserva son autorité dans les salons et la confiance de Colbert, ce fut d'être l' « expert », le critique des œuvres littéraires. Par malheur, il manquait ou de netteté ou de courage dans l'esprit ; il se laissait donner des admirations ou des dégoûts par la société où il vivait, et par les patrons qui le pensionnaient. Il mettait une préface à l'*Adone* de Marino : il rédigeait la censure du *Cid* de Corneille. Les complaisances injustifiées de sa critique ont rapetissé son rôle, et l'ont fait méconnaître à ses successeurs. Boileau voyait en lui l'apologiste des ouvrages précieux, et la conduite publique de Chapelain l'y autorisait.

Cependant le même Chapelain avait eu l'idée du *Dictionnaire* de l'Académie, ce monument de la langue classique : et il avait de toutes ses forces travaillé à réduire la tragédie aux *unités*, c'est-à-dire au type idéal du drame classique. Et le même Chapelain, dans ses lettres intimes qui nous découvrent sa véritable pensée, se montre essentiellement classique par toutes les préférences et par la direction générale de son esprit. Il ne parle que de bon sens, de raison, de jugement, et il ne parle que des règles qu'il a trouvées dans les anciens, et qu'il impose aux modernes. A vrai dire, comment accorde-t-il les règles avec la raison ? Il ne le sait trop lui-même. Et il manque aussi trop absolument du sens de l'art : cet élément essentiel des œuvres antiques, la beauté, il ne le découvre pas ; ces règles dont il fait tant de bruit, sont un *mécanisme* plutôt qu'une *esthétique*. Mais c'est déjà beaucoup que de voir s'ébaucher chez ce flatteur de Marino, cet ami de Voiture, ce docteur en titre de la société précieuse, chez l'auteur, pour tout dire, de la *Pucelle*, c'est beaucoup d'y voir s'ébaucher la formule de l'idéal classique, dans le rapprochement des deux termes qui la composent : souveraineté de la raison et respect de l'antiquité.

3. DESCARTES.

A la différence de Balzac et de Chapelain, Descartes [1] est tout indépendant du monde ; je dirais même qu'il est indépendant de

---

1. **Biographie** : René Descartes (1596-1650) fait ses études chez les jésuites, à la Flèche ; puis il s'en va servir comme volontaire sous Maurice de Nassau et sous le duc de Bavière : il parcourt la Hollande, l'Autriche, la Hongrie, l'Allemagne, la

la littérature de son temps. Il n'est pas *cause* des œuvres contemporaines de son œuvre : il est très peu *cause* (cause directe, bien entendu) des œuvres qui ont paru après son œuvre. Mais il est comme la conscience de son siècle : j'aperçois chez lui nettement ce qu'il faudrait beaucoup de peine et de temps pour analyser dans la, société et dans la littérature du temps; il révèle certains *dessous*, qui expliquent les caractères apparents. A ce titre, on ne saurait lui refuser une place ici.

L'écrivain, en Descartes, a peut-être été surfait. Il a une phrase longue, enchevêtrée d'incidentes et de subordonnées, alourdie de relatifs et de conjonctions, qui sent enfin le latin et le collège. Il la manie avec insouciance, la laisse s'étaler sous le poids de la pensée, sans coquetterie mondaine et sans inquiétude artistique. Il est demeuré étranger au souci de ses contemporains, qui travaillaient la forme : il n'a ni la phrase troussée de Voiture ni l'ample période de Balzac. Il retarde sur eux : il en est resté à Montchrétien, à François de Sales, aux négligences faciles. Au reste, il a de grandes qualités, une plénitude vigoureuse, une justesse exacte, et certaines fusées d'imagination qui font d'autant plus d'effet, éclatant parmi les lignes sévères des raisonnements abstraits.

Deux ouvrages de Descartes marquent surtout dans l'histoire littéraire : le *Discours de la Méthode* (1637) et le *Traité des Passions* (1649). Ils se complètent par la correspondance.

Le *Traité des Passions*, qu'on a trop souvent le tort d'abandonner aux philosophes, est du plus haut intérêt. Je fais abstraction de la physiologie fantaisiste qu'il contient, et qui est celle que le temps permettait : notons-y pourtant la fermeté de la conception générale, qui lie tous les faits moraux à des mouvements de la matière. Descartes ne perd jamais de vue que les passions de l'âme sont accompagnées de modifications physiologiques, qui se traduisent par certaines contractions ou au contraire certaines détentes de certains muscles, en d'autres termes par une sorte de

Suisse, l'Italie. Il rentre à Paris en 1625, et s'y cache pendant deux ans à tous ses amis, pour sauver son temps et son indépendance. En 1629, il part pour la Hollande, et réside à Leyde, à Utrecht, à Amsterdam, jusqu'à ce que, tourmenté par les théologiens de Leyde, il accepte les offres de la reine Christine : il se rend auprès d'elle en 1649, et meurt en Suède. Il avait supprimé en 1633 son *Traité du monde*, effrayé qu'il était par la condamnation de Galilée, et c'est pour suppléer en quelque façon à ce grand ouvrage, qu'il donna son *Discours de la Méthode*. — **Éditions** : *Œuvres*, éd. Adam et Tannery, 1897-1913; *Corresp.*, éd. Adam et Milhaud, 1936-1947; *Disc. de la Méth.*, éd. E. Gilson, 1931. — **A consulter** : Krantz, *Essai sur l'Esthét. de D.*, 1882; A. Fouillée, 1893; J. Chevalier, 1921; G. Lanson, *Hommes et Livres*. 1895, *Études d'Hist. litt.*, 1930; E. Gilson, *Rôle de la Pensée médiévale sur le système cartésien*, 1930; H. Gouhier, *Pensée religieuse de D.*, 1911; J. Laporte, *Rationalisme de D.*, 1945; L. Brunschvicg, *D. et Pascal, lecteurs de Montaigne*, 1945; P. Mesnard, *Morale de D.*, 1936.

mobilisation partielle ou générale des organes en vue de certains effets Cette concordance continue du physique et du moral produit cette conséquence, que Descartes ne considère pas les passions du point de vue sentimental, mais du point de vue pratique : elles ne valent pour lui que par l'action qui les suit; il ne songe pas à en composer la vie de l'âme, abstraction faite du reste.

Il n'a point de respect pour elles, n'y voyant que le reflet mental des impressions physiques; et sans s'arrêter à en mesurer la qualité, la délicatesse, à noter la grâce de leurs frissons ou la majesté de leurs ondes, il les traite comme de brutales impulsions de l'instinct, qui se classent selon leur conformité à la raison et aux « jugements fermes et déterminés touchant la connaissance du bien et du mal » que la raison fournit. Ainsi, dans l'amour : « lorsque cette connaissance est vraie, c'est-à-dire que les choses qu'elle nous porte à aimer sont véritablement bonnes, l'amour ne saurait être trop grande, et elle ne manque jamais de produire la joie. Je dis que cette amour est extrêmement bonne, pour ce que, joignant à nous de vrais biens, elle nous perfectionne d'autant [1] ». Et dans une âme bien faite, l'amour qui n'est que le désir du bien, se portera toujours au plus grand bien connu : et le degré de l'amour sera en relation avec la perfection connue de l'objet; il sera goût, amitié, dévotion. « On peut avoir de la dévotion pour son prince, pour son pays, pour sa ville, et même pour un homme particulier, lorsqu'on l'estime beaucoup plus que soi »; mais « son principal objet est sans doute la souveraine divinité, à laquelle on ne saurait manquer d'être dévot lorsqu'on la connaît comme il faut [2] ». Il arrive souvent que, comme les animaux déçus par des appâts sont conduits par la nature à leur mal, les passions se portent à de faux biens. La raison n'a pas elle-même de force pour faire dominer ses jugements : c'est le rôle de la volonté, à laquelle il appartient de déterminer ceux « sur lesquels elle résout de conduire les actions de la vie ».

La théorie de la volonté est l'âme du *Traité des Passions*, et elle est fort remarquable. La volonté n'agit pas directement sur les passions, mais elle les modifie indirectement à l'aide de l'imagination, elle les réduit les unes par les autres, enfin elle est toujours maîtresse d'en suspendre les effets extérieurs : elle commande l'action, avec, sans ou contre les passions. « Les âmes les plus faibles de toutes sont celles dont la volonté ne se détermine point à suivre certains jugements, mais se laisse continuellement emporter aux passions présentes, lesquelles étant souvent contraires

1. *Traité des Passions,* art. 139.
2. *Ibid.,* art. 83.

les unes aux autres, la tirent tour à tour à leur parti, et l'employant
à combattre contre elle-même, mettent l'âme au plus déplorable
état qu'elle puisse être... *Il est vrai qu'il y a fort peu d'hommes si
foibles et irrésolus qu'ils ne veulent rien que ce que leur passion leur
dicte.* La plupart ont des jugements déterminés suivant lesquels ils
règlent une partie de leurs actions ; et, bien que souvent leurs jugements soient faux, et même fondés sur quelques passions par lesquelles la volonté s'est auparavant laissé vaincre et séduire, toutefois... on peut... penser que les âmes sont plus fortes ou plus
faibles à raison de ce qu'elles peuvent plus ou moins suivre ces
jugements, et résister aux passions présentes qui leur sont contraires. Mais il y a pourtant grande différence entre les résolutions
qui procèdent de quelque fausse opinion et celles qui ne sont
appuyées que sur la connaissance de la vérité : d'autant que, si on
suit ces dernières, on est assuré de n'en avoir jamais de regret ni
de repentir, au lieu qu'on en a toujours d'avoir suivi les premières
lorsqu'on en découvre l'erreur [1]. » En un mot, « la volonté est tellement libre qu'elle ne peut jamais être contrainte...; et ceux
même qui ont les plus faibles âmes pourraient acquérir un empire
très absolu sur leurs passions, si l'on employait assez d'industrie
à les dresser et à les conduire ».

Tout le monde reconnaît ici la psychologie de Corneille : sur
ces deux questions capitales, théorie de l'amour, théorie de la
volonté, le philosophe souscrit aux affirmations du poète, et ne
fait pour ainsi dire que donner la formule de l'héroïsme cornélien.
C'est que tous les deux sont de la même génération, et leur pensée
travaille sur des impressions identiques que la même réalité leur
a fournies.

La guerre civile avait durci les âmes, tendu les énergies; nous
l'avons constaté déjà à propos de Du Vair : on allait naturellement
au stoïcisme. La génération qui s'est élevée entre les souvenirs
du terrible passé, et les secousses d'un présent encore troublé,
ces hommes des conspirations contre Richelieu et de la guerre de
Trente Ans, sont de fortes, même de rudes natures, peu disposées
à s'amuser aux enfantillages de la vie sentimentale, capables et
avides d'action : Richelieu, Retz sont les formes supérieures du
type. Les passions sont plus brutales que délicates : mais l'intelligence est prompte, souple, infatigable. Ces gens-là n'ont rien,
absolument rien de féminin : ils se gouvernent par raison et par
volonté. Leur galanterie est activité d'esprit, plus que sensibilité.
Leur fantastique amour se réduit au fond au culte de la perfection
conception intellectuelle et non sentimentale. Leur héroïsme roma-

---

1. *Traité des Passions*, art. 48 et 49.

esque répond à un besoin impérieux d'effort et d'action. Les romans
t les épopées ne sont que des caricatures du type vigoureux dont
'orneille nous donne le portrait, et Descartes la définition. Après
660, un autre type prévaudra, en qui l'activité sentimentale sera
éveloppée au détriment de l'activité volontaire, et qui fera une
lace de plus en plus grande aux sentiments féminins. On ne sau-
ait trop s'attacher à les distinguer, et les formules du *Traité des
'assions* nous en offrent un moyen facile.

Plus large encore est la portée du *Discours de la méthode*; ici,
'escartes ne représente plus sa génération : il représente son
iècle, à certains égards même les temps modernes. Le « Discours
e la méthode pour bien conduire sa raison et chercher la vérité
ans les sciences » est la *biographie* d'une pensée; et du seul carac-
ère narratif et descriptif de l'ouvrage sortent visiblement deux
raits de la physionomie intellectuelle de Descartes : au lieu d'une
xposition théorique de sa méthode, il nous en décrit la formation
ans son esprit, et présente ses idées comme autant d'actes succes-
ifs de son intelligence, de façon à nous donner en même temps
u'une connaissance abstraite la sensation d'une énergie qui se
éploie; le tempérament actif des hommes de ce temps est devenu
hez Descartes une puissance créatrice d'idées et de « chaînes »
'idées.

En second lieu, ces actes intellectuels sont toute la vie du phi-
osophe; le reste ne compte pas dans son autobiographie, et toutes
es déterminations de sa vie extérieure, choix d'une profession,
oyages, retraite, expatriation, ont toujours pour fin d'assurer un
eu plus facile et plus libre à l'activité de son esprit : par là Des-
artes est l'homme idéal du xviie siècle, l'*homme-pensée*.

Il nous expose donc dans son *Discours* comment l'éducation de
es précepteurs, les jésuites, n'ayant donné aucune satisfaction au
esoin essentiel de son esprit, il s'est efforcé de se donner lui-
nême le bien sans lequel il ne pourrait vivre : ce bien, c'est la
onnaissance, et ce besoin, le désir de la vérité. Pour la trouver,
l a sa raison, dont c'est la fonction naturelle, et qui ne peut y
nanquer, si elle est bien dirigée. Remarquant donc que seuls
es mathématiciens ont su découvrir quelques démonstrations,
'est-à-dire « quelques raisons certaines et évidentes », il extrait
le leur méthode quelques règles absolues et générales, qui lui ser-
rent à vérifier tous ses jugements. Révoquant tout en doute, tout
e que les hommes estiment le plus certain, et ce que lui-même
vait cru jusque-là, bien résolu à « ne recevoir jamais aucune
hose pour vraie qu'il ne la connût évidemment être telle », il
'attache à saisir une vérité et comme un bout du fil infini des
vérités, qui s'entretiennent toutes. Il s'assure ainsi de l'existence

de sa pensée, où consiste son être essentiel, de l'immatérialité d
son esprit, de l'existence de Dieu, de l'existence du monde exté
rieur; et dès lors le monde intelligible lui appartient : il n'est plu
rien qui puisse se dérober à la raison bien conduite; les premier
résultats garantissent l'universelle efficacité de la méthode.

La raison cartésienne se met à la place de Dieu, et compose l
machine du monde : mieux encore, elle n'explique pas seulemen
elle agit, car de la science dépend la puissance; par son progrès
elle vaincra la maladie et la mort même. Mais la raison cartésienne, c'est la raison humaine, une, égale et identique chez tou
les hommes : et quiconque par conséquent voudra appliquer
comme lui son esprit, pourra se promettre le même succès. Voil
pourquoi il écrit en français, non pas en latin : le bon sens n'es
pas le privilège des savants qui, au contraire, sont souvent en ce
matières plus aveuglés que les autres par un faux respect de
anciens. Le préjugé de l'autorité fait moins échec à la raison che
les simples ignorants, qui jugent par la lumière naturelle.

Le *Discours de la Méthode* fut lu de tout le monde en effet, de
femmes même. Et tout le monde y applaudit. L'opposition au car
tésianisme vient des savants et des théologiens : les honnêtes gen
se trouvèrent cartésiens du premier coup. Plus tard, Descarte
sera un maître, pour la génération suivante : mais tout d'abord
pour sa génération, il fut souvent un « semblable », qui avait s
lire en lui-même ce que tous portaient en eux, et qui les révéla
à eux-mêmes. Car ce qu'il y avait au fond de cet esprit mondai
sous les incohérences fantaisistes de la surface, c'était un sentime
très obscur et très fort du pouvoir de la raison : là-dessus s'ap
puyaient précisément la force du préjugé mondain et la tyranni
de la mode.

La philosophie de Descartes illumine tout le mouvement inte
lectuel et littéraire auquel la Renaissance a donné l'impulsion. Ell
manifeste, en une forme abstraite et d'autant plus aisément cor
naissable, l'idée nouvelle qui prend ou aspire à prendre la dire
tion de ce mouvement. Elle consiste essentiellement dans une co
ception scientifique de l'ensemble des choses, constituant la raiso
juge souverain du vrai, et lui proposant pour tâche de repr
senter par l'enchaînement logique de ses idées la liaison nécessai
des vérités : elle fixe une méthode rationnelle pour parvenir à
certitude, écartant toute autre voie, autorité, tradition, révélatio
elle espère, elle annonce que par le procédé rationnel, toute véri
sera un jour saisie, et ne fixe aucune limite aux ambitions lég
times de la science.

La vérité scientifique s'oppose ainsi à la vérité théologique, do
elle a sans doute emprunté l'absolue et rigoureuse déterminatio

Le cartésianisme menace assurément le christianisme : par le développement nécessaire de son principe, il produira la philosophie du xviiie siècle, quoiqu'elle semble l'avoir rejeté ; mais elle a gardé en effet la foi exaltée en la raison, au progrès, la passion de la recherche scientifique, la rigueur de la méthode analytique. Il ne pouvait sortir du cartésianisme qu'une irréligion rationnelle.

Mais cet effet ne sortit pas tout de suite. Non seulement Descartes, par prudence, accommoda de son mieux sa doctrine à la théologie catholique : il la rassura par le soin avec lequel il sépara les domaines de la raison et de la foi. Mais, surtout, il était conduit par sa méthode à certaines vérités que la religion aussi revendiquait comme siennes : un Dieu infini, parfait, une âme immatérielle, immortelle. Ainsi sa philosophie semblait se faire l'auxiliaire de la foi, et donner un fondement rationnel au dogme traditionnel et révélé. Voilà comment les premiers résultats de la méthode cartésienne en cachèrent la dangereuse essence, qui n'apparut qu'au bout du siècle. Jusque-là elle vécut à côté du christianisme, en paix avec lui, dans les mêmes intelligences ; et je ne doute pas même qu'elle n'ait aidé pendant un temps certains esprits, tels que Boileau, à rester chrétiens. Elle les dispensa d'aller jusqu'à Montaigne. Il est à remarquer que dans le cours du xviie siècle, la philosophie irréligieuse, la doctrine des libertins qui veulent faire de la théorie, c'est l'épicurisme de Lucrèce ou de Gassendi : or Descartes combat Gassendi.

D'autre part, les parties à la fois éclairées et austères de l'Église gallicane sont cartésiennes, ou inclinent au cartésianisme en philosophie : ainsi l'Oratoire, qui fournira Lami et Malebranche. Le thomisme de Bossuet sera tout imprégné de cartésianisme. Les jansénistes même sont les plus décidés cartésiens qu'il y ait. Arnauld reconnaît chez Descartes un dessein « de soutenir la cause de Dieu contre les libertins », et il écrit avec Nicole la *Logique de Port-Royal*. Les *Méditations* sont traduites en français par le duc de Luynes, un fervent janséniste ; et l'on verra qu'il ne faut pas opposer, comme on fait souvent, l'esprit de Pascal à l'esprit de Descartes.

Ainsi le christianisme, pendant le xviie siècle, utilisa les forces de cette doctrine dont le principe était capable de le ruiner, et par là retarda l'éclosion des dangereuses conséquences qu'elle recélait : il fallut que les affirmations dogmatiques de Descartes fussent ruinées pour que l'esprit de sa méthode manifestât son énergie destructive.

Il se passa en littérature quelque chose d'analogue. Par certains côtés la philosophie de Descartes correspond exactement à l'esprit classique. L'absolue séparation de la pensée et de la matière, la dignité supérieure attribuée à la pensée ne pouvaient que confirmer la littérature dans l'élimination de la nature et dans l'étude exclusive de l'homme moral. L'affirmation de l'universalité de la raison engageait à poursuivre dans l'œuvre d'art aussi un objet universel, et à faire consister la perfection dans le caractère général du sujet étudié, dans le caractère commun du plaisir procuré. De la même source se tirait aussi facilement l'exclusion du lyrisme et de l'histoire. Enfin la méthode cartésienne, qui tend à constituer des démonstrations, a son analogue dans la forme oratoire, qui s'établit en même temps dans la littérature.

Mais le cartésianisme, par son caractère rigoureusement scientifique, exclut l'art : il n'y a pas d'esthétique cartésienne, ou, si l'on veut, elle consiste à réduire l'art à la science, à l'y confondre. Le but de tout exercice de la pensée est le vrai : en littérature comme en philosophie, dès qu'on pense, dès qu'on parle, ce ne peut être que pour chercher ou exposer la vérité. L'esprit classique manifeste donc encore ici sa concordance avec le cartésianisme, lorsqu'il fait de la vérité l'objet suprême de l'œuvre littéraire, et pose comme identiques le vrai et le beau. Seulement il ne pouvait sortir du pur rationalisme qu'une littérature scientifique, une sorte de positivisme littéraire, sans caractère esthétique, réduisant l'expression à la notation pour ainsi dire algébrique de l'idée : ni poésie, ni éloquence, ni forme d'art; un langage sec, abstrait, logique. En un mot, on arrive d'emblée à la littérature des Perrault, des **La Motte et** des Fontenelle : voilà les purs rationalistes, les cartésiens de la littérature.

Heureusement à ce courant se mêla celui de la tradition antique, et de leur mélange résultèrent l'esprit et les œuvres classiques. Le soin de la forme, l'idée de la beauté furent maintenus par le respect des modèles grecs ou romains : grâce à cette influence, la littérature resta un art; et l'idée d'une vérité artistique, concrète et sensible, l'idée du *vrai naturel* et *réel* se superposa à l'idée de la vérité scientifique, nécessairement abstraite. C'est à quoi travaillèrent tous ceux qui eurent le culte de l'antiquité; et ainsi de Ronsard, par Malherbe, Balzac et même par Chapelain (malgré l'inintelligence artistique de celui-ci) se prolongea, jusqu'à Boileau et jusqu'aux grands écrivains, la tradition antique d'un art littéraire, qui neutralisa ou restreignit pendant le cours du siècle les effets du rationalisme dont la doctrine cartésienne est l'expression philosophique. La perfection des œuvres classiques consiste précisément à combiner les deux formules, esthétique et scientifique, de la littérature, de façon que la beauté de la forme manifeste la vérité du fond.

CHAPITRE IV

LA LANGUE FRANÇAISE AU XVIIᵉ SIÈCLE

1. Les Précieux : leur travail et leur influence sur la langue. — 2. L'*Académie* française et le *Dictionnaire*. Vaugelas : le bon usage. Appauvrissement et raffinement de la langue : langue intellectuelle, scientifique plutôt qu'artistique.

1. LES PRÉCIEUX ET LA LANGUE FRANÇAISE [1].

L'intime identité de l'esprit mondain du xviiᵉ siècle et de l'esprit cartésien apparaît sensiblement dans la constitution de la langue. Ce fut avec une incroyable passion que la société polie s'appliqua à débrouiller, à perfectionner la langue : tous nos précieux et nos précieuses, marquis, magistrats, prélats, femmes, disputent sur le sens, le mérite, l'orthographe des mots. Écrirait-on *muscadin*, ou *muscardin*? Cette grave question divisa l'Hôtel de Rambouillet, comme celle de la conservation ou de la proscription du mot *car*, à qui Voiture gagna l'appui de la princesse Julie contre l'hostilité du romancier Gomberville. Or, dans cette culture attentive de la langue française, l'idée directrice à laquelle obéissent plus ou moins consciemment les précieux, est l'effet d'un rationalisme instinctif : elle consiste à ne pas traiter les mots comme des formes concrètes, valant par soi, et possédant certaines propriétés artistiques, mais comme de simples signes, sans valeur ni caractère indépendamment de leur signification. La langue est une algèbre, il ne s'agit que de rendre les signes et les formules aussi commodes que possible à tous les usages intellectuels.

En général, les précieux se sont laissé guider par la connaissance qu'ils ont eue de l'utilité des mots, traités exclusivement comme

---

1. **A consulter**: Somaize, *Dict. des Précieuses*; Roy, *Étude sur Ch. Sorel*; Balzac, *Socrate chrétien*, X; *Dissert. critiques*, VI; Bouhours, *Entretiens d'Ariste et l'Eugène* (Entr. sur la langue française); Pellisson et d'Olivet, *Hist. de l'Acad.*, éd. Livet (les Appendices du t. I).

signes abstraits des idées : et voilà pourquoi, en affinant la langue, ils l'ont rendue plus froide et moins pittoresque. Comme ils faisaient métier de démêler, d'analyser la nature et les nuances des sentiments, ils s'occupèrent de préciser les sens des mots, d'en délimiter l'extension, de séparer ceux qui étaient voisins et semblaient se confondre. Ils enrichirent ainsi la langue en la rendant plus hétérogène, en appliquant à des fonctions spéciales les termes qui, jusque-là, se remplaçaient à peu près indifféremment : les synonymes reçurent des propriétés diverses, et l'on prépara ainsi de fins instruments pour enregistrer la finesse des pensées. Mais dans tout système de signes, c'est un avantage de n'en avoir pas plus qu'il ne faut, à condition que la valeur de chacun soit constante et bien définie ; il importe aussi qu'on n'emploie jamais que des signes connus et convenus. De là vint qu'on ne regarda point à mettre nombre de mots en réforme; et le développement de l'énergie expressive des signes ne fit que compenser la notable réduction du matériel de la langue. Pour alléger la phrase, on la débarrassa de l'échafaudage logique qui l'étayait; les idées se lièrent par elles-mêmes, se subordonnèrent par leur ordre de présentation; et l'on rebuta des termes de liaison, conjonctions et locutions conjonctives. Deux causes surtout appauvrirent la langue à l'époque précieuse. Le monde, par raison et par mode, s'affranchissait de la tradition ancienne et ne reconnaissait que l'usage actuel : ainsi tout terme suranné était absolument proscrit; il ne restait plus à la disposition de l'individu à qui il plaisait de l'utiliser. Puis le monde, par sa composition, fit souveraine la langue de la cour : le vocabulaire du courtisan fut le vocabulaire des honnêtes gens, et les vocabulaires des métiers, tous les termes professionnels et techniques, leur furent interdits.

Le résultat de ce travail fut un système de signes réduits au nombre *minimum*, mais merveilleusement précis, clairs, aptes à fournir une infinité de combinaisons; et la qualité du style sera précisément équivalente à la valeur intellectuelle de ces combinaisons. Celles que les précieux tentèrent furent parfois heureuses; on leur doit des locutions telles que : *avoir l'âme sombre, être d'une vertu sévère* ou *commode, dire des inutilités, perdre son sérieux, fendre la presse, être brouillé avec le bon sens, faire* ou *laisser mourir la conversation, faire figure dans le monde,* etc.

La réforme de l'orthographe que certains précieux ont entreprise est une conséquence du même esprit : s'il s'agit de faciliter l'usage et d'augmenter la clarté, rien de mieux que simplifier l'orthographe, et de la réduire à la prononciation actuelle. Les lettres parasites tombent; on écrira *tête* pour *teste, auteur* pour *autheur, parêt* pour *paroist, indontable* pour *indomptable, acomode* pour

accommode, etc. : les signes simplifiés n'en seront que plus maniables. Que peuvent peser auprès de cette raison un scrupule
d'érudition ou un respect d'artiste?

Mais n'allèrent-ils pas plus loin, et ne voulurent-ils pas se faire
un jargon particulier, un système de langage conventionnel dont eux
seuls avaient la clef? Ils l'essayèrent sans nul doute, par goût de
la distinction et par amour de l'esprit. Ils se proposèrent de « dévul-
gariser » la langue, et — très faussement, très dangereusement —
ils prétendirent se faire un vocabulaire exquis, séparé du vocabulaire grossier qu'ils laissaient au peuple. Mais quand leurs dégoûts
portent sur des mots, il est bien rare qu'ils ne s'attachent pas à certains sens des mots, par conséquent aux idées : et ils ne repoussent
les mots *ignobles* que comme signes d'idées *ignobles*. Là est le
principe de ces bizarres proscriptions auxquelles Vaugelas eut le
mérite de s'opposer : on voulait bannir *face* parce qu'on disait
face de grand Turc, et *poitrine*, à cause de *poitrine de veau*. C'était
aussi purement pour un certain emploi du signe, et non pour le
signe lui-même, que la pruderie mondaine, se souvenant de Montaigne, condamnait le mot *besogne*, que Balzac se refusait à biffer
de ses écrits.

Les métaphores du langage précieux ne sont pas des « images »,
au sens exact du mot, des réveils de sensations, mais des façons
spirituelles de donner à deviner des idées. Elles ne mettent en jeu
que l'esprit : ce sont, à vrai dire, non des visions, mais des *rébus*.
Telles sont les expressions citées par Somaize : *avoir un œuf caché
sous la cendre*, pour dire *avoir de l'esprit et n'en avoir pas la clef*;
il me semble, monsieur, que vous avez des quittances d'amour, pour
dire des *cheveux gris*. Le propre ici de la préciosité consiste à ne
concevoir d'autre supériorité dans l'usage des mots que de détourner ou de compliquer l'expression : ce qui suppose la subtilité
de l'esprit et chez celui qui parle et chez celui qui écoute. Pour
tous les esprits qui ne sont pas artistes, en dehors de la précision
scientifique, la beauté du style ne peut consister qu'à excercer l'intelligence par la désignation indirecte de l'objet, ou la désignation
simultanée de plusieurs objets. Il y a là, dans le langage précieux,
une tendance que le goût italien alors à la mode fortifie, mais
qui, du reste, est contraire à l'esprit général du siècle : car elle
encourage la fantaisie individuelle. Aussi cédera-t-elle bientôt, et
le parler métaphorique sera vite ridicule.

Un dernier caractère de la langue des précieux est à remarquer :
ils parlent comme les livres, en belles phrases littéraires. Cela est
sensible dans la première génération de nos gens du monde, et
cela résulte de ce que, chez eux, le langage, élégant comme tout
le reste, est appris et voulu. On cause dans le style des maîtres

français et italiens, qui sont des modèles de beau langage. Ici encore apparait l'effort pour discipliner la grossière nature. Lorsque cette nature sera tout à fait polie, alors, mais alors seulement, la perfection du langage pourra consister dans le simple naturel. Au moment où nous sommes arrivés, le monde en est à prendre les habitudes qui plus tard seront nature, qui ne sont encore que contrainte : d'où l'étude et l'apprêt dans les façons de penser et de parler.

2. L'ACADÉMIE FRANÇAISE ET LE DICTIONNAIRE.

En 1626 [1] plusieurs écrivains et amateurs de lettres se réunissaient souvent chez Valentin Conrart, homme très considéré, protestant, érudit, bel esprit, et riche : Gombauld, Godeau, Malleville, les deux Habert, d'autres encore. Le bruit de ces doctes entretiens se répandit; en 1629, Richelieu fit offrir à la société de lui donner sa protection et une existence officielle. On hésita, mais comme, en refusant, on n'aurait pu dire la raison du refus, on accepta. La nouvelle compagnie compta 27 membres, auxquels furent adjoints bientôt sept autres, dont Balzac, Voiture et Vaugelas. Elle songea à se nommer *Académie des beaux esprits*, ou *Académie de l'éloquence*, ou *Académie éminente*, et finit par s'appeler du meilleur et du plus simple nom : Académie française. La première séance fut celle du 13 mars 1634 : le Parlement, inquiet et jaloux de la constitution d'un nouveau corps, dont il ne concevait pas nettement les attributions, refusa pendant longtemps d'enregistrer les lettres patentes qui établissaient l'Académie; il ne céda qu'au bout de trois ans, le 10 juillet 1637. L'usage des harangues de réception fut inauguré en 1640 par Patru. Dès le début, le nombre des académiciens avait été porté de 34 à 40, où il est encore aujourd'hui fixé. Si l'on parcourt la liste des quarante membres [2] qui composèrent la Compagnie à l'origine, on verra aisément que tous ne sont pas des écrivains, et que la primitive Académie est peut-être moins une institution destinée à honorer le mérite litté-

---

1. **A consulter :** Pellisson et d'Olivet, *Histoire de l'Académie française*, édit. Ch. Livet, 1858; *Les Registres de l'Académie française* (1672-1793), 1895. F. Masson, *l'Acad. fr.*, 1912; R. Peter, *Vie secrète de l'Acad. fr.*, 1935-1941; G. Boissier, *l'Académie franç. sous l'ancien régime*, 1909.

2. Les quarante premiers académiciens furent Godeau, Gombauld, Chapelain, les deux Habert, Conrart, Serizay, Malleville, Faret, Desmarets, Boisrobert, Bautru, les deux Du Chastelet, Silhon, Sirmond, Bourzeys, Meziriac, Maynard, Colletet, Gomberville, Saint-Amand, Colomby, Baudouin, l'Estoile, de Porchères, Baro, Racan, Servien, Balzac, Bardin, Boissat, Vaugelas, Voiture, Laugier, Montmor, La Chambre, Seguier, Giry, Granier.

raire qu'une sélection de gens d'esprit, amateurs de bonne langue et de bons ouvrages.

A peine constituée, la nouvelle société se demanda ce qu'elle allait faire dans ses séances hebdomadaires du lundi : ce n'était pas pour causer évidemment qu'un corps officiel pouvait se réunir. On résolut de faire des discours : Racan parla contre les sciences, Chapelain contre l'amour, Gombauld sur le *Je ne sais quoi*. Cela ne menait à rien. Un autre avait mieux rencontré, quand il haranguait *sur le dessein de l'Académie et sur le différent génie des langues*. Peu à peu l'Académie prit conscience de son rôle : elle entama l'examen des écrits de ses membres pour en tirer des règles et des exemples de l'emploi de la langue ; elle fit à Malherbe mort l'honneur d'examiner certaines de ses odes. Enfin ce fut Chapelain qui, s'inspirant de l'esprit des statuts, trouva le seul ouvrage que quarante personnes pussent faire ensemble pour « l'embellissement de la langue » : un Dictionnaire. Il en dressa le plan, et l'on se mit au travail. Dès le mois de juin 1639, on avait fort avancé la lettre A.

L'Académie, en entreprenant le *Dictionnaire*, et en projetant une grammaire, retirait à la société polie la direction du mouvement de la langue. Mais elle était en réalité, elle fut pendant tout le siècle l'expression très fidèle de l'esprit qui prévalait dans la société polie ; et si l'on voulait se convaincre qu'il ne faut pas juger tout le siècle par ses grands écrivains, on n'aurait qu'à regarder comment ils furent toujours, par le nombre, une minorité, et, par le goût, une opposition dans l'Académie. Cependant cette compagnie qui n'était pas exclusivement littéraire, l'était plus que n'importe quel salon, et ainsi dans l'élaboration du vocabulaire, elle donna aux écrivains plus d'autorité que le monde ne leur en donnait jusque-là. Cela ne changea pas le sens de l'évolution du langage, mais plutôt prévint certains excès et certaines déviations : on consulta moins les fantaisistes répugnances de la délicatesse précieuse, et davantage les exigences réelles de la pensée aspirant à se rendre intelligible.

L'Académie, pour venir à bout de son dessein, se trouva bien d'avoir Vaugelas [1]. C'était un gentilhomme savoisien, simple et bonhomme, fort gueux, et à qui la pauvreté arracha quelque jour d'équivoques démarches : du reste, il n'avait de passion que pour la langue française. Il s'acquit la réputation de la connaître par-

---

1. Claude Favre, sieur de Vaugelas (1585-1650), sixième fils du président Favre, fut chambellan du duc d'Orléans.

Édition : *Remarques sur la langue française*, 1647 ; avec commentaires de La Mothe Le Vayer, Ménage etc., éd. J. Streicher, 1936.

faitement, et ses décisions firent loi. « Si *félicité* n'est pas français, écrivait Chapelain, il le sera l'année prochaine : M. Vaugelas
m'a promis de ne pas lui être contraire, quand nous solliciterons
pour lui. »

En 1647, Vaugelas donna ses *Remarques sur la langue française*,
qui étaient comme le registre de ses observations. C'est un recueil
de décisions particulières, précédées d'une préface où l'auteur
explique ses principes et sa méthode. Il se pose nettement en continuateur de Malherbe, lorsqu'il se propose de perfectionner la
langue française, « de la rendre vraiment maîtresse chez elle, et
de la nettoyer des ordures qu'elle avait contractées ». Comme
Malherbe aussi, il ne reconnaît qu'un *critérium* en fait d'élocution :
l'usage. Rien de plus rationnel, dès qu'on ne voit dans une langue
qu'un système de signes; la qualité essentielle d'un signe, c'est
d'être reconnu par ceux qui l'emploient. Vaugelas subordonne donc
à l'usage, et même y réduit l'*analogie* et le *raisonnement* : l'usage
seul est souverain. Mais il y a un bon et un mauvais usage : qu'est-ce
que le bon usage? « C'est la façon de parler de la plus saine partie
de la cour, conformément à la façon d'écrire de la plus saine partie
des auteurs du temps. » On pourrait demander : qui définira ces
plus saines parties et de la cour et des auteurs? Sans doute elles se
détermineront négativement : ce seront celles en qui l'on ne trouve
point trace de provincialisme ou de langage technique. Mais une
des règles de Malherbe, et la plus claire, la plus bienfaisante aussi
est perdue de vue : l'usage du peuple (dans les régions de la France
où la langue française est indigène; ainsi, à Paris). Vaugelas, très
positif et très utilitaire, donne toute autorité à l'usage des honnêtes
gens, puisqu'après tout, la langue ainsi constituée ne doit servir
qu'aux honnêtes gens pour causer ou pour écrire. Cela tend à
séparer les classes, il faut bien le dire, et à couper les derniers
liens qui pouvaient rattacher la littérature au peuple.

Si Vaugelas établit la souveraineté de l'usage, il est bien clair
qu'il n'a pas songé à *fixer* la langue. Le xviie siècle n'a pas commis
l'erreur qu'on lui prête trop souvent : Vaugelas a pris soin de l'instruire qu'une langue vivante est toujours en changement. Aussi
Vaugelas n'espère-t-il pas que ses principes durent au delà de
« vingt-cinq ou trente ans ». Mais s'il ne se flattait pas d'*arrêter* la
langue, il prétendait la *régler* : et s'il prétendait la fixer, ce n'était
pas dans la multiplicité de ses formes, c'était dans la loi de son
évolution et dans ses traits généraux. « Je pose des principes
disait-il, qui n'auront pas moins de durée que notre langue et notre
empire. » Il fermait l'âge des révolutions et des coups d'État en
fait de langage : il retirait aux individus, pour les remettre à la
communauté des esprits, la lente élaboration, le renouvellement
incessant de la langue.

Et puis, il y a dans une langue, comme dans un corps vivant, un point de maturité où les formes générales, la structure intérieure s'arrêtent, où les organes sont complets en nombre et en développement, où, jusqu'à la dissolution finale, la somme des changements doit demeurer inférieure à la somme des éléments fixes : c'était ce point que la langue avait atteint au xviiᵉ siècle, Vaugelas le comprenait : et de fait, pour la langue, Victor Hugo est moins loin de Malherbe que Ronsard de Villon.

Enfin Vaugelas avait très bien déterminé l'élément stable d'une langue, celui que tous les efforts de nos contemporains sont à peine arrivés à modifier, la construction grammaticale; et il s'est efforcé de la déterminer par un fin discernement du bon usage.

Il avait si bien mis en train le *Dictionnaire*, que sa mort ne perdit pas l'entreprise. A travers toutes les oppositions et tous les quolibets, en dépit de Mlle de Gournay et de Scipion Dupleix, défenseurs du vieux langage, en dépit de Saint-Evremond et de Ménage, critiques d'humeur plutôt que de conviction, l'Académie poursuivit son *Dictionnaire*. Hors d'elle et en elle, toute une postérité de Vaugelas, Ménage, le P. Bouhours, Th. Corneille, s'appliquaient à faciliter sa besogne, à éclaircir, à épurer, à régler le vocabulaire et la syntaxe. L'Académie vit même une concurrence s'élever de son sein : Furetière gagna la Compagnie de vitesse, et publia en 1690 son *Dictionnaire*; on l'avait au préalable assez brutalement exclu. Enfin le fameux et tant attendu *Dictionnaire* des quarante parut en 1694 : dans les éditions postérieures que la Compagnie en donna, et qui ont été toujours sa principale occupation, il faut citer la seconde (1718), la quatrième (1762) et la septième (1879) [1].

Le Dictionnaire de 1694 donne à la fin du siècle le résultat du travail du siècle. Un peu trop savant pour l'usage des honnêtes gens, puisqu'il reproduit le plan du *Thesaurus* grec de Henri Estienne et classe les mots par racines et dérivés, il ne contenait que la langue de la société polie, les termes d'usage universel, qui sont les signes nécessaires de ces idées qu'on pourrait appeler le domaine commun des intelligences. L'abondance des termes de chasse, de blason et de guerre marque le caractère aristocratique

---

1. Éditions : *Dictionnaire de l'Académie*, 2 vol. in-fol., Paris, 1694; Furetière, *Dictionnaire universel*, 2 vol. in-fol., Rotterdam, 1690; Saint-Evremond, *la Comédie des Académistes* (au t. I de ses *Œuvres*); Dupleix, *la Liberté de la langue française dans sa pureté*, in-4, 1651; Ménage, *Observations sur la langue française*, in-12, Paris, 1673; Bouhours, *Doutes sur la langue française*, Paris, 1674; Th. Corneille, *Observations sur les remarques de M. de Vaugelas*, 2 vol. in-12, Paris, 1705; *Opuscules sur la litt. fr. par divers Académiciens* (Dangeau, Choisy), in-12, Paris, 1754. — Pour la suite du travail académique au xviiiᵉ siècle, Régnier-Desmarais, d'Olivet, Duclos.

de cette société, mais les termes techniques y font si absolument défaut, qu'un académicien, Thomas Corneille, se hâte de faire imprimer la même année un *Dictionnaire des Arts et des Sciences*, en même format.

Le *Dictionnaire* de l'Académie donne évidemment raison en un sens à ceux qui se plaignaient de l'appauvrissement de la langue. L' « écorcheuse » Académie, en effet, a conduit aussi loin que possible l'œuvre de Malherbe et celle des Précieuses. Les gens d'imagination, tels que Fénelon, pourront regretter la langue du xvie siècle, si riche. Les artistes, tels que La Bruyère, regretteront de vieux mots savoureux. L'exact Vaugelas lui-même reconnaissait — non sans regret — qu'on avait perdu la moitié du langage d'Amyot. Les esprits fins et secs se réjouissaient : le bel ordre de la langue, sa netteté, sa précision qui la rendaient si commode et si claire, les consolaient de toutes les pertes : « La langue, disait le P. Bouhours, type accompli de la délicatesse intellectuelle et de l'inaptitude artistique de la société polie, la langue s'enrichit parfois en se dépouillant. »

De quoi s'était-elle dépouillée en effet? De ses éléments concrets, colorés, pittoresques, succulents : elle avait gardé, aiguisé, fortifié les éléments rationnels, abstraits et pour ainsi dire algébriques, tout ce qui sert à définir la pensée sans la figurer. La langue que l'Académie avait achevé de faire est la langue de l'intelligence pure, du raisonnement, de l'abstraction : c'est celle qui servira bientôt à Voltaire, à Condillac, une langue d'analyseurs et d'idéologues. Comme après tout il est impossible de vider les mots de toute qualité sensible, comme ils restent sons, et recèlent toujours quelque possibilité d'image, de grands poètes, de grands artistes sauront organiser ce langage intellectuel selon la loi de la beauté, ils en exprimeront des formes esthétiques; mais il en est d'autres, et non les moins grands, qui refuseront de souscrire aux arrêts de l'Académie, et qui, pour épancher leur riche imagination, iront rechercher les éléments d'un plus copieux et substantiel langage. Le *Dictionnaire* académique vaut pour Racine : il est trop pauvre pour Molière et pour La Fontaine, qui ont besoin de signes moins éloignés et moins dépouillés des sensations naturelles.

LIVRE II

LA PREMIÈRE GÉNÉRATION DES GRANDS CLASSIQUES

CHAPITRE I

LA TRAGÉDIE DE JODELLE A CORNEILLE

Continuité de l'évolution du genre tragique. — 1. La tragédie du xvi⁰ siècle ; ses caractères. Garnier et Montchrétien. Supériorité des tragédies religieuses. La Pléiade a fait des tragédies sans fonder un
théâtre. — 2. Alexandre Hardy, fondateur du théâtre moderne.
Médiocrité de style ; irrégularité de structure ; instinct dramatique.
Établissement des règles : les trois unités, instruments de vraisemblance, en vue de l'imitation réaliste et de l'illusion. —
3. Influence italienne et espagnole. Le théâtre en 1636. *Le Cid* et
la querelle du *Cid*. Avec le *Cid* se dégage la tragédie française :
étude morale, humanité. Du *Cid* à *Nicomède*.

Il nous faut à cette heure revenir en arrière, et prendre au
xvi⁰ siècle l'histoire de la tragédie française. J'en ai renvoyé
jusqu'ici l'étude, parce qu'il est intéressant d'embrasser le développement de ce genre dans toute sa suite, depuis les origines
jusqu'au premier chef-d'œuvre qui en fixa pour deux siècles au
moins les plus essentiels caractères : il n'y a pas de genre qui
présente une continuité plus sensible dans son évolution. Au reste,
ce retard était sans inconvénient : avant *le Cid*, le théâtre français
reçoit toutes les influences, sans en renvoyer aucune.

1. LA TRAGÉDIE AU XVIᵉ SIÈCLE.

Là comme ailleurs, la Renaissance française est une répétition
de la Renaissance italienne [1]. Pendant le xvᵉ siècle, l'Italie avait
eu des drames latins, fort inspirés de Sénèque; Erasme, en traduisant en latin *Hécube* et *Iphigénie à Aulis*, mit la tragédie
grecque à la portée des lettrés. En 1515, Trissino donna sa *Sofo-
nisba*, la première tragédie en langue vulgaire. Vinrent ensuite les
Dolce, les Cinthio, les Ruccellai, les Alamanni [2], qui s'essayèrent
à calquer de leur mieux les formes de l'art antique. Ils reprirent
ou constituèrent un certain nombre de sujets tragiques, et il est
notable que ces sujets sont précisément ceux que notre tragédie
à ses débuts traita le plus volontiers : *Sophonisbe, Cléopâtre, Didon,
Médée, Antigone*, etc. Ces tragédies furent d'abord seulement imprimées; mais, en 1541, on joua à Ferrare, devant le duc, l'*Orbecche*
de G.-B. Cinthio.

Les choses se passèrent en France à peu près comme en Italie : les
humanistes tournèrent en élégant latin quelques œuvres fameuses
du théâtre grec; il s'exercèrent à les imiter dans des compositions
originales. Les collèges leur fournissaient un public, des acteurs :
et voilà comment Michel de Montaigne note parmi les faits mémorables de sa jeunesse d'avoir, à l'âge de douze ans, vers 1545,
« soutenu les premiers personnages ès tragédies latines de
Buchanan, de Guérente, et de Muret, » qui se représentaient « avec
dignité » au collège de Guyenne, sous l'habile direction du principal André Gouvéa. De ces pièces, le *Jephté* de Buchanan et le
Jules César de Muret ont joui au xviᵉ siècle d'une prodigieuse
renommée, que la première justifie parfois en partie.

En même temps, les traducteurs, parmi tant d'œuvres anciennes
qu'ils transportaient dans notre langue vulgaire, ne négligeaient
pas les poèmes dramatiques : Lazare de Baïf [3], en 1537, traduisit
l'*Électre* de Sophocle, et plus tard l'*Hécube* d'Euripide. D'autres
s'attaquèrent à *Iphigénie à Aulis*, à *Hélène*. Après le manifeste de
Du Bellay, presque avec les *Odes* de Ronsard, apparut la *Cléopâtre*
de Jodelle [4], qui fut jouée par l'auteur et ses amis à l'Hôtel de

1. **A consulter :** Pour tout le xviᵉ et le xviiᵉ s., les frères Parfaict, *Histoire du
Théâtre français*, 15 vol., 1735 et suiv.; E. Faguet, *Tragédie fr. au XVIᵉ s.*,1883;
E. Rigal, *Théâtre fr. avant la Période class.*, 1901; G. Lanson, *Esquisse d'une
Hist. de la Tragédie fr.*, 1920; R. Lebègue, *Tragédie religieuse en France* (1514-
1573), 1929, *Tragédie fr. de la Renaissance*, 1944.

2. L'*Antigone* d'Alamanni fut jouée devant la cour de François Iᵉʳ.

3. Cf. L. Pinvert, *Lazare de Baïf*, 1900. Cf. M. Delcourt, *Traductions des Tragiques grecs et latins en fr.*, 1925.

4. Étienne Jodelle (1532-1573), né à Paris, fit jouer sa *Cléopâtre captive* en 1552;
il mourut à quarante ans, usé et misérable. — **Édition :** Marty-Laveaux, 2vol. in-8,
Paris. Lemerre, 1868-70.

Reims, devant Henri II. Une *Didon* suivit bientôt la *Cléopâtre*;
Jodelle lui-même fait école, et de 1552 aux premières années du
XVIIe siècle, poètes tragiques et tragédies se multiplient : l'école
de Ronsard fait un vigoureux effort pour acclimater chez nous le
drame antique [1].

Parmi les successeurs de Jodelle, deux vrais, deux remarquables
poètes se rencontrent, Robert Garnier et Antoine de Montchrétien.
Garnier [2] abonde en rhétorique vigoureuse : il a parfois des
phrases oratoires d'une réelle ampleur, mais il s'est particulièrement exercé au dialogue pressé, où les répliques se choquent,
courtes et vives, vers contre vers : ce sera plus tard la coupe cornélienne. Il est nerveux, tendu, sentencieux : il trouve dans ses
chœurs des strophes d'une belle et ferme allure. Montchrétien [3]
est un élégiaque, souvent languissant, souvent précieux, mais parfois délicieux : il faut descendre jusqu'à *Bérénice* et *Esther* pour
trouver une poésie plus suave, plus fraîche, plus harmonieuse. Il
y a dans son *Écossaise*, et ailleurs, des couplets d'une sensibilité
pénétrante; et dans certains de ses chœurs les strophes tombent
avec une grâce mélancolique et molle, avec une douceur d'élégie
lamartinienne. Les six tragédies de ce contemporain de Malherbe
font de lui notre dernier lyrique, et vraiment un très aimable
lyrique.

Tous ces poètes, qui se sont *frottés à la robe* de Ronsard, ne
sont guère que d'enthousiastes écoliers, qui, les yeux fixés sur les
grands modèles, essaient d'en copier de leur mieux le tour et la
forme extérieure. Ils partagent l'erreur capitale du maître : ils
croient toucher la perfection des œuvres anciennes, en calquant
les procédés d'exécution, en dérobant les matériaux. Ils ne savent
que regarder les Grecs, Sénèque, les Italiens et les modernes latins
qui reflètent Sénèque : depuis qu'un déplorable contresens de
l'humanisme italien a donné à Sénèque les honneurs de la représentation, ce tragique de salon a tyrannisé la scène; trop souvent
les Grecs, moins prochains, moins accessibles, n'ont été vus qu'à
travers son œuvre.

Aux exemples de Sénèque s'est jointe la leçon des théoriciens :

---

1. Bastier de La Péruse, *Médée*; Grévin, *Jules César*, d'après Muret (cf. L. Pinvert,
Jacques Grévin, 1899); Fl. Chrétien, *Jephté* (d'après Buchanan); Jean de la Taille, *Saül
le Furieux* et les *Gabéonites*; Garnier, *Porcie, Cornélie, Hippolyte, Marc-Antoine, la
Troade, Antigone, les Juives, Bradamante*, tragi-com.; Montchrétien, *Sophonisbe,
David, Aman, l'Écossaise, Hector, les Lacènes, Bergerie*.
2. Robert Garnier (1535-1601), Manceau, fut avocat au Parlement de Paris, et lieu-
tenant criminel au Mans. Il fit paraître ses tragédies de 1568 à 1580. — **Éditions :**
L. Pinvert, 1923; R. Lebègue, 1950. — **A consulter :** Bernage, *R. G.*, 1880; Faguet,
Trag. fr. au XVIe s., 1883; Chardon, *R. G.*, 1905; R. Lebègue, *Les Juives*, 1944.
3. Sur Montchrétien, cf. p. 338, n. 2.

non pas celle d'Aristote, trop difficile à entendre, et qui, inter-
prétée, commentée, déformée par une demi-douzaine d'Italiens et
par Scaliger, ne mettra par accident qu'une empreinte légère sur
la tragédie du XVIᵉ siècle; elle n'aura de véritable action en France
qu'au XVIIᵉ siècle, vulgarisée par le petit traité de Heinsius. Mais
la tradition du moyen âge, issue des grammairiens latins, se prolonge à travers le XVIᵉ siècle. Donat et Diomède continuent de
faire autorité, à côté d'Horace. Des modèles et des préceptes, on
apprend qu'il faut dans une tragédie des monologues, des chœurs,
des songes, des ombres, des dieux, des sentences, de vastes couplets, de brèves ripostes, un événement unique, historique, illustre,
pathétique, un dénouement malheureux, un style élevé, des vers,
un temps qui ne dépasse pas un jour : tout cela pêle-mêle, sans
subordination ni sens intérieur. Les théoriciens, comme Scaliger [1],
insisteront d'après Aristote sur la nécessité d'une rigoureuse unité
de l'action : mais le précepte est lettre morte pour nos poètes.
Car ils ne savent ce que c'est que l'action dramatique. Elle n'est
ni une ni multiple chez eux, elle n'est pas. Quand Garnier amalgame deux ou trois sujets de tragédies antiques, il ne *corse* pas
l'action : elle reste aussi vide, aussi *nulle*; le poète ne multiplie en
réalité que les *thèmes* oratoires ou lyriques.

De fait, leur pratique correspond à leur talent : ils traitent
chaque sujet comme une succession de thèmes poétiques. Chaque
situation, chaque état moral n'est pour eux qu'un *motif*, selon la
nature duquel ils modifient leur rhétorique, écrivant ici un discours, là une ode, ailleurs une élégie, ou une méditation, ou une
suite de sentences. Ils suivent la pente de leur siècle qui s'applique
avec passion à retrouver ou à créer les idées générales. Naturellement, selon les lois de l'éloquence et du lyrisme, leurs développements des situations particulières et des sentiments individuels
tendent à l'universel, au lieu commun : d'autant mieux que,
n'ayant pas une idée claire de la nature propre du drame, ils sont
amenés fort logiquement à le prendre comme une allégorie
morale, destinée à l'instruction : pourquoi raconterait-on ces
choses extraordinaires, si ce n'est pour l'*exemple*?

Cependant telle est la force des modèles antiques, qu'on voit
s'ébaucher une sorte de drame, pathétique, lyrique, sans intrigue
qui n'a rien de commun avec le mécanisme psychologique de la
tragédie du XVIIᵉ siècle. Avec plus d'intelligence et de talent, ces
poètes auraient créé un théâtre qui eût été la mise en action de la
souffrance humaine, l'image pitoyable des cas douloureux de l'his-

---

1. *Julii Cæsaris Scaligeri Poetices libri septem*, in-4, 1561. — A consulter : Lintilhac, *J.-D. Scaliger, fondateur du classicisme* (*Nouvelle Revue*, 15 mai et 1ᵉʳ juin 1890).

toire, la plainte émouvante des grandes victimes de la destinée.
C'est ce qu'on entrevoit dans quelques parties de pièces, dans
quelques scènes, dans quelques rôles, chez Des Masures, chez
Jean de la Taille surtout, et même parfois chez Garnier. Mais ces
rencontres sont trop rares. Il est à remarquer que le sens dramatique, loin de se développer à mesure qu'on s'éloigne de
Jodelle, va s'atrophiant et s'effaçant : Montchrétien, supérieur par
le génie poétique, n'a plus guère de ces lueurs d'invention théâtrale qu'on pouvait encore surprendre chez Garnier dans sa *Bradamante,* par exemple, ou ses *Juives.*

Une autre observation qu'on peut faire, c'est que les sujets
antiques sont en général les plus froidement traités, avec le plus de
rhétorique et de pédantisme : là, en effet, l'imitation à outrance a
lieu de s'exercer, et ces pièces se fabriquent par les mêmes procédés que *la Franciade.* Mais il y a deux autres catégories de
sujets, où les poètes étaient plus libres, et contraints même à
développer quelque originalité : c'étaient les sujets *modernes,* et
les sujets *bibliques.* Là, en effet, on se trouvait affranchi malgré soi
du joug de l'antiquité, et, comme je l'ai déjà remarqué à propos de
la poésie lyrique, l'actualité vivante des sujets ou des sentiments,
les passions du temps, surtout le fanatisme ou bien l'enthousiasme
religieux, mettaient dans les œuvres un principe de sincérité qui
les élevait. Voilà comment les œuvres les plus intéressantes de la
tragédie du XVIe siècle sont les trois *David* de Des Masures, le
Saül de Jean de la Taille, les *Juives* de Garnier, et l'*Ecossaise* de
Montchrétien. Mais, à part quelques réussites heureuses, ces sujets
n'ont inspiré aux poètes que de l'éloquence ou du lyrisme : ils
n'ont pas réussi à leur faire créer un drame.

Encore moins y sont-ils parvenus, quand ils ont cherché des
voies inconnues à l'antiquité. Sous l'influence des Italiens, ils
adoptent la *pastorale* illustrée par l'*Aminte* et par le *Pastor fido*;
ce genre, d'essence toute descriptive et lyrique, est exactement
l'opposé de ce que devait être notre théâtre national[1]. Il ne put
rien produire chez nous que de faux et de médiocre, hormis quelques pages sincères de Racan. La vogue du poème de l'Arioste
engagea Garnier à écrire sa *Bradamante,* qu'il nomma *tragi-
comédie* : œuvre hybride, à dénoûment heureux, tragique et familière, dénuée de chœurs, plus alerte et plus directe en son développement que les autres pièces du poète, mais nouveauté
dangereuse, en somme, parce qu'elle tendait à dévier la poésie
dramatique vers la bigarrure de l'action extérieure et romanesque.

1. A. Hulubei, *L'Églogue en Fr. au XVIe s.,* 1938.

D'ailleurs la tragi-comédie ne prit pas d'essor avant le XVIIᵉ siècle [1].

Il n'est donc pas vrai, en un sens, de dire que la Pléiade ait fondé la tragédie française. La date de 1552, si pompeusement célébrée par Ronsard et tous les amis de Jodelle, ne doit pas être acceptée par la critique comme celle d'une révolution dans l'art dramatique. La *Cléopâtre* marque seulement un progrès sur l'*Electre* de Baïf, qui n'est qu'une traduction, et sur le *Jephté* de Buchanan, qui est en latin. Elle n'est pas davantage une œuvre de théâtre. [— Mais elle est originale, elle est française, elle a été jouée [2]. Et après elle, beaucoup d'autres tragédies et comédies, des pastorales, des tragi-comédies, enfin toute sorte de pièces du type antique ou italien, ont été représentées en France, soit dans les palais et les hôtels des princes, soit dans les maisons des particuliers, soit dans les collèges, soit même comme les Mystères et les Moralités, sur des échafauds dressés dans les rues ou les places : elles ont été représentées par les poètes mêmes et leurs amis, ou par des seigneurs et des bourgeois, ou par des écoliers, ou enfin par des comédiens de profession.

Si beaucoup de pièces, et les plus connues, les plus littéraires, n'ont pas été jouées, ce n'est pas que les auteurs n'en aient pas eu le désir et l'ambition : ils se sont résignés à imprimer, faute de protecteurs qui fissent les frais du spectacle. Les représentations sont devenues rares et ont cessé de bonne heure à la cour : les guerres civiles surtout en sont cause. Mais en province, et grâce surtout aux écoliers, le théâtre à l'antique et à l'italienne chassa peu à peu les anciens genres des Mystères et des Moralités; les comédiens l'adoptèrent. C'était la nouveauté; cela flattait les lettrés; et cela n'éveillait pas les scrupules du clergé et des Parlements. J'ai pu compter quatre-vingt-dix représentations antérieures à 1610, et la liste pourrait encore s'allonger. Quand s'ouvre le XVIIᵉ siècle, la substitution des genres antiques et italiens aux genres français traditionnels est opérée : il n'y a que la farce qui tienne bon.

Mais la tragédie paie sa diffusion d'une diminution de délicatesse littéraire. Les lettrés avaient voulu, et faisaient encore çà et là (par exemple Montchrétien), des pièces en beau style, et à peu près régulières. Le gros public se moquait de la régularité et du style : il exigea du nouveau théâtre ce qui le remuait dans l'ancien, du pathétique et du mouvement. La tragédie renonça à la poésie, se débarrassa des chœurs (c'est chose faite à peu près vers 1600), multiplia les gros effets, étala même des atrocités sur la scène. Elle

---

1. H. Carrington Lancaster, *The French Tragicomedy* (1551-1628), 1907.
2. Ce qui suit, entre crochets, a été ajouté dans la 11ᵉ édition.

chercha le fait violent au lieu du fait illustre, commença à prendre
ses sujets dans les romans. Elle brava toutes les règles : *Cammate*,
de Jean Hays, est en sept actes. Les unités disparurent. Les pièces
furent des « histoires » où souvent toute la vie d'un prince ou
autre héros était représentée. Les « épisodes » triviaux et facétieux
s'introduisirent, se développèrent, côte à côte avec les horreurs.

Le public avait imposé au nouveau théâtre le goût de l'ancien
théâtre, qui lui était adapté. Voilà pourquoi *les Portugais infortunés*
du sieur Des Croix ou la *Sainte Agnès* de Trotterel sont des *trage-
dies* ramenées au niveau des *moralites* et des *mystères*.

Ce fut Hardy qui dans cette confusion choisit la voie ou Corneille
trouva la tragédie classique.]

2. DE HARDY AUX UNITÉS.

Pendant la seconde moitié du XVIᵉ siècle, l'ancien théâtre français subsista à l'Hôtel de Bourgogne, où les Confrères de la Passion
donnaient toujours leurs représentations. Ils se risquaient, malgré
l'édit de 1548, à jouer des *mystères sacrés*, déguisés parfois sous les
noms nouveaux de *tragédies* ou de *tragicomédies* : ils jouaient des
moralités, des *mystères profanes*, *histoires et romans*, un *Huon de
Bordeaux*, un *Amadis*, une *Prise de Troie*. Ils défendaient leur
monopole contre les troupes nomades de comédiens, qui tentaient
de temps à autre de s'établir à Paris : aussi est-ce en province
que s'implantèrent d'abord et prospérèrent les genres nouveaux.

Mais, en 1599, les Confrères de la Passion, se résolurent à cesser
d'exploiter eux-mêmes leur privilège, et louèrent leur salle à des
comédiens. La troupe qui s'y installa alors, et qui, avec quelques
interruptions pendant les trente premières années, se fixa à
l'Hôtel de Bourgogne, celle de Valleran Lecomte, avait à ses gages
un poète parisien, Alexandre Hardy [1]. Voilà, plutôt que Jodelle, le
fondateur du théâtre classique. Car il semble bien, que Hardy
ait le premier traité les sujets antiques comme des actions dramatiques, et non comme des thèmes poétiques. C'est chez lui que
commence à se définir nettement l'action tragique.

Mais on ne comprendrait rien au développement du théâtre
français, si l'on s'imaginait en avoir fini avec les *mystères* lorsqu'on ne joue plus que des *tragédies* et des *tragi-comedies* : c'est
une erreur que l'on commet souvent, quand on ne voit dans l'art

---

1. Alexandre Hardy, né entre 1569 et 1575, débuta vers 1593, et mourut vers
1631-1632. — **Édition:** E. Stengel, Marburg, 1884, 5 vol. — **A consulter:** E. Rigal,
A. Hardy, 1889; *le Th. avant la période class.*, 1900; Deierkaupf-Holsboer, *Vie
de Hardy*, 1947; *Hist. de la mise en scène dans le Th. fr. de 1600 à 1657*. 1933.

dramatique qu'un genre littéraire. Avec la salle des Confrères, les comédiens avaient loué leurs décorations : le renouvellement des sujets ne porta point d'abord atteinte aux traditions scéniques, et Hardy ne songea point à construire sa *Didon* ou sa *Marianne* autrement qu'il n'eût découpé une *Vie de Sainte Catherine* ou une *Histoire d'Amadis*. Le principe de la mise en scène est le *décor simultané*, la juxtaposition de tous les lieux nécessaires au développement successif de l'action. Par exemple, pour une pièce perdue de Hardy, le décorateur de la comédie note ainsi la mise en scène : « Il faut au milieu du théâtre un beau palais, et à un des côtés une mer où paraît un vaisseau garni de mâts, où paraît une femme qui se jette dans la mer, et à l'autre côté une belle chambre qui s'ouvre et ferme, où il y ait un lit bien paré avec des draps [1] ». Il pouvait y avoir ainsi cinq ou six lieux figurés ensemble sur la scène. Quand les lieux étaient voisins dans la réalité, l'acteur passait lentement de l'un dans l'autre : éloignés, il quittait la scène pour y entrer aussitôt. Aux changements du lieu correspondait souvent l'écoulement plus ou moins long du temps, une heure, un jour, un mois, une année, ou plus, selon que voulait et indiquait le poète. Ainsi arrivait-il qu'on voyait, à l'acte IV de la *Force du sang*, une femme sur le point d'être mère dans la scène I, et dans la scène IV la même femme accompagnée d'un fils de sept ans.

Hardy n'eut jamais de scrupule sur la légitimité de ces conventions, et son théâtre est résolument irrégulier. Il ne chercha pas non plus à maintenir les chœurs. Cependant, en ses jours de prétention littéraire, il se réclamait de Ronsard. Au fond, pour lui comme pour Régnier, comme pour d'Aubigné, Ronsard, par une illusion dont l'histoire littéraire offre plus d'un exemple, Ronsard était le représentant de la liberté de l'art, du facile et fécond naturel, contre Malherbe et contre les puristes tyrans du vers et de la langue. Ronsard sans doute eût renié ce grossier versificateur, si peu poète, si peu artiste.

Et pourtant Ronsard aurait eu tort. Lorsqu'on voit l'irrégularité extravagante et confuse, l'incohérence romanesque de la tragédie aux environs de 1600, on se rend compte que l'irrégularité méthodique de la tragédie de Hardy est une restauration. Il revient aux sujets antiques, aux faits illustres, historiques ou légendaires; il ne donne guère dans le romanesque. Et sans abandonner encore le point de vue pathétique de la tragédie lyrique de la Renaissance, il indique, par un sûr instinct dramatique, l'intérêt qui peut résulter d'une action animée et graduée. Qu'on lise, si l'on peut,

---

1. *Mss de Laurent Mahelot*, Bibl. Nat., Fr. 24 330 (Mém. de la Soc. de l'Histoire de Paris, t. XXVIII); cf. Rigal, *ouvr. cité*, et le *Catalogue du Ministère de l'instr. publ. et des beaux-arts* pour l'Exposition de 1878, Paris, 1878, p. 66 et 80. (App. XV.

sa *Didon* : le quatrième livre de l'*Énéide* y est intelligemment mis
en scène. Rien du style, ni de la poésie, ni du pittoresque de Virgile
ne subsiste ; mais l'action, la vie, la lutte. Hardy a senti tout cela :
il dégage très justement les situations, et, dans son plat jargon, il
fait dire aux personnages précisément ce qu'il faut qu'ils disent.
Sa psychologie, très grossière, très sommaire, est du moins naturelle et saine. Il a été un *charpenteur* plutôt qu'un *écrivain* de
drames ; mais il a eu le très juste instinct de ce que le théâtre
classique devait être : des situations faisant saillir des caractères.

M. Rigal a conjecturé que les tragédies de Hardy étaient les
œuvres de sa jeunesse, composées et jouées pendant le séjour de
sa troupe en province : ce n'est pas bien certain.

Il semble que ces pièces, relativement sévères, aient eu du mal à
s'établir sur la scène de l'Hôtel de Bourgogne, et que le poète ait
dû chercher autre chose pour satisfaire son public. Ce public, très
grossier et très bruyant, composé de marchands, d'artisans, de
clercs, de commis, d'écoliers, de laquais et de filous, ce public
aimait le mouvement scénique, les actions embrouillées et surprenantes : Hardy lui fournit un divertissement de son goût par
ses *pastorales* et ses *tragi-comédies* ; il s'appropria ces deux genres
dont les poètes érudits de la Pléiade lui donnaient l'idée, comme
ils lui avaient donné celle de la tragédie. C'est lui qui donna
vraiment la vie à la *tragi-comédie* : il y mit tout le romanesque
qu'il excluait de la tragédie, toute l'irrégularité qu'il y modérait,
et il la fit si bien agréer de son public, par la complication accidentée des intrigues, qu'elle parut, avec la pastorale, jusque vers
1640 devoir exclure la tragédie de la scène. Exploitant les anciens
et les modernes, les poètes, les historiens, les romanciers, mais,
manifestement, aimant mieux découper en scènes une action
racontée, et choisir lui-même les éléments du drame, que de calquer son œuvre sur un modèle artistement construit, sans idolâtrie
érudite ni engouement précieux, indépendant de Sénèque, très
affranchi des Italiens, et tout à fait ignorant des dramaturges espagnols, Hardy, avec ses six ou sept cents pièces, fut pendant une
trentaine d'années le fournisseur habituel de l'Hôtel de Bourgogne.

Il réussit à tirer le théâtre français de son obscurité, et du
mépris où le tenaient les classes aristocratiques. Son succès
engagea les poètes de la société polie à porter aux comédiens des
poèmes délicatement écrits. Théophile leur donna son illustre
Pyrame et Thisbé (entre 1617-1619, ou 1621-1623). La pastorale
française trouve alors ses chefs-d'œuvre, avec les *Bergeries* de
Racan (vers 1623), la *Silvie* de Mairet (vers 1626)[1], et l'*Amaranthe*

1. **Éditions :** *Chryséide et Arimand* (1625), éd. H. Carrington Lancaster, 1925;

de Gombault (impr. 1631). La société polie suivit ses poètes, le
cardinal de Richelieu se déclara amateur passionné du genre dramatique, et les honnêtes femmes commencèrent à se risquer chez
les comédiens.

Alors apparaissent les *règles*, les fameuses *règles* des *unités* . Elles
étaient connues depuis longtemps des critiques et des poètes érudits. Les Italiens les avaient extraites d'Aristote, celle de l'action
du moins, et celle du temps. Les Espagnols en avaient disputé,
Cervantès pour, Lope et Tirso contre. En Angleterre, avant 1595,
Philippe Sidney définissait le drame classique et ses trois unités.
En France, Scaliger, Jean de la Taille les avaient indiquées : mais
en s'établissant dans la décoration des mystères, la tragédie les
avait écartées. Hardy ne semble pas même les soupçonner, et il faut
qu'elles aient préoccupé bien peu les esprits, puisque Corneille, à
la date de 1629, où il écrivit *Mélite*, n'en avait jamais entendu
parler. Celui qui les introduisit réellement fut Mairet, qui n'a
guère d'autre titre à notre souvenir. Il les appliqua — à peu près
— dans *Silvanire*, tragi-comédie pastorale (1629). En 1631, il formula la théorie classique des unités dans la *Préface* de *Silvanire*.
Enfin, en 1634, il fit jouer *Sophonisbe*, la première tragédie régulière qu'on ait donnée.

Ces tentatives, auxquelles les comédiens de l'Hôtel de Bourgogne
étaient hostiles, moitié par esprit de tradition, moitié par intérêt,
pour ne pas mettre au rebut tout leur magasin de décorations,
furent favorisées par l'établissement d'une seconde troupe de comédiens, celle de Mondory, qui se fixa à Paris en 1629 ; pour se soutenir contre l'Hôtel de Bourgogne, Mondory fit accueil aux nouveautés. Aux environs de 1630, la polémique sur les unités était
dans toute sa force : c'est en 1628 que Fr. Ogier écrivait pour la
tragi-comédie de Schelandre, *Tyr et Sidon* [2], la plus vigoureuse
défense qu'on ait faite du théâtre irrégulier : au nom de la vérité,
il maintient le mélange des genres, du tragique et du comique ; au
nom du plaisir, il autorise la dispersion de l'action dans le temps
et dans l'espace. On bataille dans les *Préfaces* et dans les *Traités*.
Chapelain a été des premiers converti aux règles : en 1635, il y
convertit le cardinal. Le public semble incertain : Scudéry, qui est
dans le camp d'Aristote, continue à faire des pièces irrégulières

---

Sylvie (1626), éd. Marsan, 1905 ; *Silvanire*, éd. Otto, 1890 ; *Sophonisbe* (1634), éd.
Ch. Dédeyan, 1945. — **A consulter :** G. Bizos, *Mairet*, 1877 ; J. Marsan, *Pastorale
dramatique*, 1906.

1. **A consulter :** Ch. Arnaud, *Théories dramatiques : d'Aubignac*, 1888 ; F. Brunetière, *Études critiques*, IV ; G. Lanson, *Hommes et Livres*, 1895 ; R. Bray, *Formation de la Doctrine class.*, 1931 ; G. Mongrédien, *Vie litt. au XVIIe s.*, 1947.

2. *Ancien Théâtre français*, Bibl. elzév., t. VIII. Rééditée en 1908.

« pour contenter le peuple ». Cependant, dès lors, les *unités* ont cause gagnée. Pendant quelques années on semble chercher un moyen terme entre l'unité et la multiplicité, soit par la juxtaposition de lieux réellement contigus, soit par une certaine indétermination du lieu. Enfin, à partir de 1640, on peut dire que la doctrine classique règne dans toute sa rigueur.

L'établissement des unités aristotéliciennes fut certainement une victoire pour la critique érudite. Elle a, par là, fortement agi sur l'évolution de l'art dramatique en lui fournissant la formule de ses œuvres. Cependant il ne faut pas s'y tromper : Aristote n'a pas tyrannisé le goût français, il n'a point jeté notre tragédie hors de sa voie naturelle. Bien au contraire, à qui lira attentivement les tragédies de Hardy, ou la *Mélite* de Corneille, il apparaîtra que le drame français tendait à se concentrer, et que, laissé à lui-même, il se fût, un peu plus tard peut-être, mais un jour certainement, régularisé. Il eût retranché l'excès de mouvement extérieur qui détourne de l'explication des causes morales. Les unités n'ont fait que hâter et servir la définition de la forme où tendaient secrètement les auteurs et le public : et ce ne sont pas les érudits, c'est la *raison* qui a fait triompher Aristote sur notre scène. « Je dis que les règles du théâtre ne sont pas fondées en autorité, mais en raison. » Celui qui parle ainsi est l'un des plus entêtés défenseurs des règles, c'est l'abbé d'Aubignac dans sa *Pratique du théâtre* [1].

En venant au théâtre, la société polie y avait apporté sa sécheresse d'imagination et son instinct rationaliste. Sur cette misérable scène de l'Hôtel de Bourgogne, à la maigre lueur des chandelles, le contraste de la réalité signifiée et de l'image figurée était trop fort ; on remarqua que la forêt était un arbre, la mer un bassin : on s'étonna que l'Allemagne et le Danemark, ou même la place Royale et les Tuileries ne fussent séparés que par quelques toises, et qu'en une heure le héros eût vieilli de trente ans. Cela ne parut pas raisonnable, ni croyable. Les extravagances romanesques des tragi-comédies ravissaient : mais l'insuffisance de l'imitation scénique choquait. On ne sut pas passer du décor simultané au décor successif, qui pourtant ne fut pas tout à fait inconnu. Les unités offraient une idée qui séduisit les honnêtes gens : celle d'une imitation exactement équivalente à la réalité, et capable ainsi de faire illusion. En leur vrai sens, elles représentent le *minimum* de convention qu'on ne peut retrancher dans la représentation de la vie : on suppose que le plancher de la scène est un autre lieu quelconque du monde, mais toujours le même lieu, et que les deux heures du spectacle peuvent contenir les événe-

1. Éditions : Paris, 1657; éd. P. Martino, 1927.

ments d'une journée : mais l'idéal où l'on tend, c'est de réduire
la durée de l'action à la durée de la représentation. Ainsi l'établissement des unités fut en réalité une victoire du réalisme sur
l'imagination : et voilà pourquoi elles s'implantèrent chez nous, et
non en Espagne, ni en Angleterre.

Partout, lorsqu'on discute sur les unités, c'est bien la question
du réalisme de la mise en scène qu'on discute : et chez Tirso et
chez Sidney nous en avons la preuve. Chez nous, dès le xvie siècle,
Scaliger avait posé nettement le problème, lorsqu'il ne traitait des
unités qu'à propos de la *vraisemblance*. Tout érudit qu'il était, il
ne suivait pas Aristote, mais la raison, lorsqu'il impliquait dans
l'unité de temps l'unité de lieu dont la *Poétique* n'avait rien dit, et
lorsqu'il réduisait l'unité de jour à cinq ou six heures pour la rapprocher autant que possible de la durée réelle du spectacle. Ces
règles donc, qui sont devenues cause de tant d'invraisemblances
dans la décadence du théâtre classique, se sont imposées comme
condition nécessaire de la vraisemblance : on en méconnaîtrait le
caractère si l'on perdait de vue un seul moment à quel état de la
mise en scène elles se rapportent. Il suffit de lire la *Pratique du
théâtre* pour s'apercevoir que d'Aubignac bataille contre une forme
de drame qui est celle des mystères, et pour comprendre que,
dans les règles aristotéliciennes, le rationalisme classique a trouvé
un moyen d'éliminer de la scène les derniers vestiges de la fantaisie jadis naïve du moyen âge. Il s'en est servi pour resserrer le
poème dramatique dans l'espace et dans le temps, c'est-à-dire
pour placer l'intérêt dans l'action morale et dans le mouvement
des caractères plutôt que dans l'agitation des corps. On peut dire
que par les unités l'esprit classique s'est construit la forme littéraire la plus apte à l'exprimer; et sans doute il n'était pas *nécessaire* que Corneille écrivît *le Cid* en 1636 : mais du moins, pour
l'extraire du drame de Guillen de Castro, il lui fut utile de se
sentir lié par ces lois nouvelles qui obligeaient de concevoir la
tragédie autrement que comme un roman découpé en scènes.

3. LE CID.

Pour estimer *le Cid* à sa valeur, il faudrait voir ce qu'étaient les
œuvres au milieu desquelles il apparut. Grâce à Hardy et à Mairet,
le public était en train de se passionner pour le théâtre, et le
poème dramatique passait insensiblement au premier rang des
genres littéraires. La gloire et le profit s'y rencontraient : aussi les
jeunes auteurs se portent-ils avec ardeur de ce côté. Autour de

Mairet viennent se placer de 1628 à 1630 Rotrou, Scudéry, Corneille, Du Ryer : en 1636, Tristan. A voir leurs œuvres, on serait tenté d'abord de regretter le vieux Hardy, qui était grossier et brutal, mais qui du moins n'était ni précieux, ni galant, ni italien, ni espagnol : on regrette le gros bon sens avec lequel il maniait ses sujets, son action directe et rapide, ses sentiments peu raffinés, mais naturels. Ceux-ci se piquent de style et d'esprit ; ils portent au théâtre le goût des pointes, des inventions romanesques, des fanfaronnades épiques : c'est avec eux que, sans négliger les Italiens, notre théâtre se met à vivre aux frais du répertoire espagnol.

A la veille du *Cid*, le spectacle offre un singulier mélange d'extrême grossièreté et de recherche extravagante. La tragi-comédie ou la tragédie jusque vers 1635 est précédée du *Prologue,* vrai boniment de foire, énorme de bouffonnerie et d'obscénité : elle est suivie de la farce, qui est salée, et souvent d'une chanson de Gaultier Garguil'e, qui n'est pas mièvre non plus. Au milieu de ces divertissements tout populaires, la tragi-comédie étale ses inventions surprenantes et stériles : nous pouvons prendre pour spécimen l'*Heureuse Constance* de Rotrou (1631). Le roi de Hongrie doit épouser la reine de Naples, et l'épousera au dénouement ; mais pour qu'il en vienne là, il faudra que tout le monde se déguise, le roi de Hongrie en simple gentilhomme, Alcandre, frère du roi, en marchand, son amante Rosélie en paysanne, la reine de Naples en pèlerine, un valet bouffon en Alcandre ; et il faudra encore deux fausses lettres pour brouiller la situation au milieu de la pièce. Les déguisements et les travestis sont la monnaie courante dans les tragi-comédies.

Quant à la tragédie, dans la mesure où les exigences de la scène le permettent, elle a repris l'allure d'une déclamation littéraire, à la façon dont l'entendaient les poètes du xvie siècle. Sénèque, inconnu de Hardy, reprend son autorité sur nos poètes : dans l'*Hercule mourant* (1634), seule tragédie de Rotrou antérieure au *Cid*, Hercule a revêtu au troisième acte la tunique empoisonnée ; deux actes durant, il agonise, d'une agonie qui consiste à lâcher coup sur coup d'énormes tirades, et le cinquième acte est une apothéose d'opéra. En 1636, deux tragédies notables paraissent : la *Mort de César* de Scudéry, où Plutarque n'est pas mal découpé, mais où l'action trop visiblement ne sert que de prétexte aux exercices oratoires dans le goût de Lucain, et la *Marianne* de Tristan, qui n'ajoutait guère à celle de Hardy que la boursouflure d'une rhétorique échevelée.

Le *Cid* parut à la fin de 1636 ou dans les premiers jours de 1637 : le poète était déjà célèbre, rien cependant ne pouvait faire prévoir

qu'il était capable de donner ce chef-d'œuvre. Le succès fut tel,
qu'il souleva contre Corneille presque tous les auteurs dramatiques, depuis l'obscur Claveret jusqu'aux illustres Mairet et Scudéry : Rotrou s'abstint. La querelle du *Cid* ne nous montre que
l'exaspération de rivaux jaloux et impuissants. Aucun principe,
aucune doctrine d'art n'est en jeu ; et c'est pourquoi nous pouvons ne pas nous arrêter aux pamphlets de Mairet, accusant Corneille de plagiat, aux *Observations* de Scudéry se faisant fort de
démontrer : 1° que le sujet *du Cid* ne valait rien ; 2° qu'il choquait
les règles ; 3° qu'il manquait de jugement en sa conduite ; 4° que
les vers en étaient méchants — et qualifiant Chimène d'impudique
et de parricide. Le pis fut, pour Corneille, que parmi les jaloux
se rencontra le cardinal de Richelieu qui occupait ses loisirs à
concevoir de méchantes pièces, et avait toutes les passions mesquines d'un *raté*. Il obligea l'Académie à juger et Corneille à laisser
juger *le Cid*. L'Académie eut du mal à contenter le cardinal, qui
rejeta les deux premières rédactions qu'on lui proposa. Enfin
Chapelain fit agréer la sienne, où il avait tâché d'équilibrer de son
mieux le mal que le cardinal l'obligeait à dire de la pièce, et le
bien qu'il en pensait lui-même. Les *Sentiments de l'Académie* parurent en 1638 : c'est une œuvre de critique étroite, chicanière, sans
vues générales ni élévation d'esprit.

Quand ce bruit fut apaisé, il ne resta plus guère que Scudéry
pour s'imaginer que d'autres pièces pouvaient se comparer au *Cid*.
Le public persista à croire que *le Cid* était une pièce unique, et il
avait raison. Outre son agrément infini, que Balzac signalait si bien,
outre le pathétique des situations et la beauté des vers, *le Cid* eut
le mérite de fixer la notion de la tragédie classique ; et c'est par là
qu'il est une date considérable dans l'histoire de l'art. C'est une de
ces œuvres fécondes et impérieuses qui engagent l'avenir. Depuis
Hardy, ou, si l'on veut même, depuis les premiers traducteurs de
Sophocle et d'Euripide, la forme tragique s'organisait : *le Cid*
décida seul de ce qu'on mettrait dans cette forme. Et, par là, seul
il fonda le théâtre français.

Comme quelques-uns de sa génération faisaient volontiers, Corneille avait pris un drame espagnol, joué à Valence en 1618, *las
Mocedades del Cid* [1] de Guillen de Castro, mais à l'étoffe étrangère il
avait donné sa façon. Il avait taillé librement dans cette chronique
touffue, pittoresque, morcelée. De cette biographie dramatique, il
avait extrait un épisode principal, le mariage de Rodrigue, qui

1. A consulter : E. Martinenche, *Comédie espag. en Fr.*, 1900 ; G. Huszar, *Corneille et le Th. espagn.*, 1903. — Cf. H. Lyonnet, *Les Premières de C.*, 1923 ; *Le
Cid*, 1929 ; J. Lemoine, *La Première du Cid*, 1936 ; Gasté, *La Querelle du Cid*, 1898.

était devenu tout son drame. Il avait retranché l'action extérieure, purement sensible, le mouvement et comme la trépidation d'une figuration multiple. Il n'avait laissé autour des deux amants que les personnages nécessaires à l'explication de leur fortune : s'il a gardé l'infante, c'est par une erreur imputable aux préjugés de son temps. Il avait défini les caractères de l'action tragique : elle doit être morale et intérieure en son principe; l'intéressant, ce n'est pas l'événement, c'est le sentiment, et les faits extérieurs, même nécessaires à l'action, ne valent que comme donnant une expressions aux faits moraux, ou ayant sur eux un contre-coup. Aussi ne les montrera-t-on pas, l'unité du lieu, quoique encore entendue assez lâchement, faisant son office : la mort du comte, la bataille, le duel de Rodrigue et de don Sanche resteront dans la coulisse, parce qu'ils ne servent qu'à traduire ou modifier les éléments psychologiques du sujet. Il suffit donc de les *donner par hypothèse* sans les donner en spectacle, c'est-à-dire de les annoncer par récit. En revanche, il suppléera aux insuffisantes analyses du drame espagnol : il ajoutera la seconde entrevue de Rodrigue et de Chimène, qui rend sensible le progrès de l'action morale, en enregistrant les changements de sentiment des deux amants.

Ce n'est pas tout : *le Cid* pose cette loi, que le héros tragique fait sa destinée par les déterminations de sa volonté : il ne reçoit pas l'impulsion du dehors; le hasard et l'accident sont exclus (en principe) de l'intrigue tragique. Sans doute la mort du comte est un événement fortuit qui met obstacle au bonheur de Rodrigue et de Chimène, mais qui ne voit que le fait matériel de cette mort n'est rien, et que les sentiments déterminés chez les deux amants par cette mort sont tout l'obstacle? Ainsi ils font eux-mêmes leur fortune : le principe de l'action tragique est dans la définition première de leurs caractères. Et le développement de cette action, la suspension pathétique du dénouement vient de ce que chacun des deux amants trouve en lui-même un sentiment qui l'oblige à défaire ou retarder son bonheur, et de ce que chacun d'eux trouve aussi dans l'autre un sentiment qui s'oppose à sa volonté : chez tous les deux, la piété filiale combat l'amour; et le devoir parle à Rodrigue quand Chimène n'a encore qu'à suivre son amour, à Chimène quand Rodrigue peut de nouveau écouter son amour. Cette discordance intime ou réciproque est toute l'action. Ainsi se dégage la formule de la tragédie : ce sera une étude d'âmes, mais une démonstration, non pas une description, où les âmes seront en action, en conflit. La lutte des passions et des volontés, dans une âme agitée, ou dans plusieurs âmes opposées, voilà ce que *le Cid* pose comme l'essence de la tragédie.

Il pose encore cette loi que le héros n'est pas un Espagnol, un

Français, mais simplement et plus, un homme. Corneille n'a pas
songé — il ne le pouvait guère — à ressusciter le vrai *Cid*, le
rude ambitieux et cupide baron du xie siècle, le mercenaire cruel et
pillard qui souvent combattit les chrétiens et servit les Musulmans,
l'indocile vassal qui fut trois fois exilé par son roi, et fièrement se
fit une souveraineté dans Valence conquise. Mais aussi bien que le
Cid de l'histoire, que le Cid toujours barbare du Poème ou de la
Chronique Rimée, et que le Cid chevaleresque des romances, Corneille a refusé d'évoquer le Cid de Guillen de Castro, héros national,
presque saint, mais beau cavalier et serviteur des dames, hidalgo
tueur de Mores et diseur de pointes : il n'a gardé du caractère
local de l'action et du héros, que ce qui était indispensable à la
réalisation des sentiments généraux. C'est dire que l'intérêt du
Cid n'est pas dans la couleur historique, mais dans la vérité
humaine. Il n'importe pas, ou il n'importe guère, que le Cid et
Chimène portent des noms espagnols. Car si cette dévotion de
l'amour et cette exaltation de l'honneur sont réellement espagnoles, elles ne le sont pas pourtant exclusivement ; et c'est vraiment en tout pays qu'on peut voir deux volontés, éprises d'amour
éprises aussi d'honneur, subordonner l'amour à l'honneur par
respect pour cet amour même, et se rendre dignes du bonheur en
le refusant. Le cas n'est pas castillan, il est humain : et ainsi en
sera-t-il dès lors de toute tragédie : grecque, ou asiatique, ou
romaine, elle n'aura en réalité qu'un objet et qu'un modèle
l'homme. Le lieu et la date ne seront que des éléments de représentation concrète, des signes particuliers de l'universel.

Il restera pourtant dans *le Cid* français un reflet de l'Espagne,
et c'est ce qui fera la magie, la séduction juvénile et charmante de
l'œuvre. Le drame, si précis, si positif, si raisonnable, s'enveloppe
d'une grâce chevaleresque par où le sujet révèle son lieu d'origine.
Le Cid et Chimène restent des personnages de roman, mais des
personnages de roman qui seraient vrais et sensés. Tandis qu'ici
l'imagination tour à tour lyrique ou épique s'allie à la raison, à
l'exacte et précise notation des faits moraux, plus tard Corneille
aura surtout l'imagination mécanique, celle qui combine abstraitement les forces. Jamais il ne retrouvera cette couleur pittoresque
et chaude, cet éclat de fantaisie poétique : et s'il en retrouve un jour
quelque chose, ce sera lorsqu'il rentrera en Espagne, et en ramè-
nera *Don Sanche*.

Après *le Cid* viendra *Horace* (1640) : *le Cid* tenait encore de la
tragi-comédie ; *Horace* est une pure tragédie, non plus un exercice oratoire, à la façon de Sénèque, comme l'*Hercule furieux* de
Rotrou, ou comme la *Médée* même de Corneille : mais un conflit
dramatique de caractères fortement définis. *Horace* assure le

triomphe de la tragédie et détermine la disparition définitive des formes hybrides et confuses, telles que la tragi-comédie : *Horace* enfin rompt avec le roman, le précieux, l'Espagne, et ramène à l'antique. *Cinna* (1640), *Polyeucte* (1643), *Rodogune* (1644-1645), *Nicomède* (1651), développeront par des expressions variées l'originalité du génie de Corneille, et la conception qu'il s'était faite du mécanisme moral de l'homme. *Le Menteur* contribuera à dégager la forme de la comédie, comme *le Cid* a fixé celle de la tragédie. *Nicomède* marque le point d'arrêt du génie de Corneille : à partir de ce point, il ne fera pas toujours des choses indignes de lui, il composera même des ouvrages fort curieux et d'une psychologie originale, mais il n'ajoutera rien d'essentiel à la définition que les ouvrages précédents nous donnent de son génie et de son art. C'est cette définition qu'il nous faut essayer de présenter maintenant[1].

1. Sur la tragédie au xviiᵉ s., cf. G. Lanson, *Esquisse d'une Histoire de la Tragédie fr.*, 1920; D. Mornet, *Histoire de la Littérature fr. classique*, 1940; J. Schérer, *La Dramaturgie classique fr.*, 1951; P. Mélèse, *Théâtre et Public à Paris sous Louis XIV*, 1935.

CHAPITRE II

CORNEILLE

Caractère de Corneille. — 1. Le théâtre de Corneille : la vérité morale est le but. Les règles. Les intrigues. Le choix des sujets. L'histoire dans Corneille : goût des réflexions sur la politique. Le type romain. — 2. Psychologie cornélienne. La conception de l'amour. L'héroïsme de la volonté : les généreux et les scélérats. Ce qu'il y a de peu dramatique dans la psychologie cornélienne. — 3. Les personnages de second plan : variété, vérité, finesse des études de caractère. — 4. La « mécanique » dans la tragédie cornélienne. Dialogue et style. — 5. Rotrou : imagination originale.

Corneille [1] n'a pas de biographie : il n'importe à son œuvre qu'il ait déménagé de Rouen à Paris en 1662, et qu'il se soit installé rue

1. Pierre Corneille, né le 6 juin 1606, à Rouen, était d'une famille de robe ; reçu avocat, il acquit une charge d'avocat général à la table de marbre du Palais (eaux et forêts, et navigation). Il fit en 1629 sa première œuvre dramatique, *Mélite*. Il fut un moment un des *cinq auteurs* qui écrivaient des pièces sous la direction de Richelieu ; il collabora aussi à la *Guirlande de Julie*. Il se maria en 1640, après *Horace*. L'Académie le reçut en 1647, après deux échecs. En 1650, il se défait de sa charge. De 1652 à 1659, de *Pertharite* à *Œdipe*, il se tient éloigné du théâtre. En 1662, il transporte son domicile de Rouen à Paris, et reçoit l'année suivante du roi une pension de deux mille livres, qui dès 1665 fut irrégulièrement payée. Il perdit un fils de quatorze ans en 1667 ; un autre, qui était officier de cavalier, fut tué au siège de Grave en 1674. Cette même année 1674, Corneille donna sa dernière pièce, *Suréna*. Il mourut assez misérable dans la nuit du 30 septembre au 1er octobre 1684. — La chronologie des premières pièces de Corneille s'établit ainsi : *Mélite ou les Fausses Lettres*, hiver 1629-30 (éd. M. Roques 1950) ; *Clitandre ou l'Innocence délivrée*, hiver 1630-31 (éd. R.-L. Wagner) ; *La Veuve*, 1631 ; *La Galerie du Palais*, 1632 ; *La Suivante*, 1632-33 ; *La Place Royale*, 1633-34 ; *Médée*, 1635 ; *l'Illusion comique*, 1636 (éd. J. Marks, 1944) ; *Le Cid*, janvier 1637 (éd. M. Gauchie, 1947) ; *Horace*, début 1640 ; *Cinna ou la Clémence d'Auguste*, 1640-1641 ; *Polyeucte*, 1641-1642 ; *Mort de Pompée*, 1642-1643 ; *Le Menteur*, 1643 ; *La Suite du Menteur*, 1644 ; *Rodogune, Princesse des Parthes* 1644-1645 (éd. J. Schérer, 1945) ; *Théodore*, 1645 ; *Héraclius*, 1646-1647 ; *Don Sanche d'Aragon*, 1649. — **Éditions** : 1660 ; 1764 (commentaires de Voltaire) ; Marty-Laveaux, 1862-1868 ; P. Lièvre-R. Caillois, 1949. — **A consulter :** G. Lanson,

d'Argenteuil après 1676, non plus tôt comme certains l'ont cru. Nous noterons seulement qu'il était Normand, et avocat : deux garanties de subtilité d'esprit. Il fut élevé chez les jésuites, dont les théologiens seront précisément les défenseurs du libre arbitre contre le jansénisme. Ce fut un bonhomme, de mœurs très simples, marguillier de sa paroisse à Rouen, dévot, très sincèrement et naïvement dévot : il occupa ses loisirs, pendant qu'il fut éloigné du théâtre de 1652 à 1659, à traduire en vers des chants d'Église et l'Imitation de Jésus-Christ ; plus tard, il fera encore l'Office de la Vierge. Il était fier et besoigneux : de là vient qu'il quémandait ou remerciait tantôt bassement, tantôt avec quelque raideur : jamais adroitement. Les passions ne troublèrent pas sa vie : il était homme de famille, et vécut dans une étroite intimité avec son frère Thomas, de vingt ans plus jeune que lui. Il avait l'esprit timide et scrupuleux : il se tourmenta fort à chercher les fautes de ses pièces, et les excuses de ses fautes ; il n'avait pas la vanité contente. mais la vanité inquiète. Il prépara avec grand soin les éditions séparées de ses pièces et les éditions générales de ses œuvres, multipliant les corrections, épluchant avec une attention minutieuse chaque vers, chaque syllabe de son texte. Il porta l'esprit de Malherbe à la scène, jusque-là livrée aux raffinés négligents, et il y fit valoir la simplicité travaillée.

Étant homme, et poète, il aimait ce qui venait de lui, et préférait ce qu'il voyait mal reçu du public. Il quitta le théâtre par un dépit d'auteur sifflé, après *Pertharite* : il y rentra, au moment où disparaissaient et les modèles qu'il peignait et le public qui avait fait sa renommée. Cette retraite est le grand événement de sa vie. Quand il reparut, il lui fallut plaire à un autre goût, à une nouvelle génération, très infatuée d'elle-même et dédaigneuse des vieilles modes ; le grand Corneille se fit doucereux, gauchement, à la façon de Quinault. Mais il ne put tenir contre Racine : il fut jaloux, et malheureux. Sa pauvreté lui fut moins amère que cette gloire d'un rival, qui lui semblait un vol fait à son génie.

1. LA FORME DU DRAME CORNÉLIEN.

Le principe fondamental du théâtre de Corneille, c'est la vérité, la ressemblance avec la vie. Il a tâtonné d'abord, s'étant formé

1898 ; Ch. Péguy, *Victor-Marie, comte Hugo*, 1910 ; Dorchain, C., 1918 ; H. Lyonnet, *Les Premières de C.*, 1923 ; R. Bray, *La Tragédie corn. devant la critique class.*, 1927 ; J. Schlumberger, *Plaisir à C.*, 1936 ; L. Rivaille, *Débuts*, 1936 ; R. Brasillach, *C.*, 1938 ; R. Schneider, *Grandeur de C.*, 1945 ; O. Nadal, *Le Sentiment de l'Amour dans l'œuvre de C.*, 1948.

dans un temps où nul ne songeait à diriger l'œuvre dramatique
vers cette fin : il a poussé sa fantaisie dans tous les sens : vers
l'extravagance galante avec *Mélite*, vers l'*imbroglio* romanesque avec
Clitandre, vers la rhétorique raffinée avec *Médée*, vers la bouffonnerie copieuse avec *l'Illusion comique*. Mais, dès ces premiers
temps, il avait créé à son usage une forme de comédie, sobre,
sérieuse, vraie, sur laquelle nous reviendrons. Puis il créa la tragédie vraie, à laquelle il se tint. Il accepta les unités, qui n'étaient
pas encore établies quand il débutait, parce qu'elles étaient une
méthode utile pour l'exposition dramatique de la vérité morale.

On s'est parfois singulièrement trompé sur l'attitude de Corneille à l'égard des fameuses *règles* : on a plaint trop facilement ce
grand génie ligotté par de pédantesques lois, et se débattant en
vain contre leur fatale contrainte. En fait, Corneille ne conteste
pas du tout le principe des unités. Il chicane les formules absolues
des critiques érudits, qui concèdent vingt-quatre heures, et en refusent trente, qui reconnaissent l'*unité* d'un palais, plutôt que l'*unité*
d'une ville. Pour lui, il a sur les unités le sentiment qui est celui
du public, et qui les a établies : elles sont l'expression de « la
raison naturelle »; elles donnent la vraisemblance, et un air de
réalité au poème dramatique. Aussi faut-il les prendre moins
comme des formules fixes de valeur constante, que comme des
formules élastiques, de valeur variable, qui indiquent un idéal à
poursuivre. « La représentation dure deux heures, et ressemble-
rait parfaitement, si l'action qu'elle représente n'en demandait pas
davantage pour sa réalité. Ainsi ne nous arrêtons point ni aux
douze ni aux vingt-quatre heures, mais resserrons l'action du
poème dans la moindre durée qu'il nous sera possible, afin que sa
représentation ressemble mieux et soit plus parfaite [1]. » Et pareillement pour le lieu. En d'autres termes, *unité de lieu*, *unité de
temps*, signifie pour Corneille *minimum* de variation dans le lieu,
minimum de durée dans le temps, donc *maximum* de vraisemblance :
mais la quantité *minima* de temps ou d'espace n'est pas absolue,
elle est relative, et se détermine par la constitution particulière de
chaque sujet. Quand on a donné au sujet toute la concentration
que ses propriétés essentielles rendent possible, on a atteint
l'*unité* de ce sujet et le *maximum* de vraisemblance.

Si maintenant Corneille a souvent besoin de prendre plus que la
formule des doctes n'accorde, s'il n'arrive guère à faire coïncider
dans le temps et l'espace l'action réelle et la représentation de
l'action, tandis que Racine n'a jamais subi la gêne des règles, la
raison principale en est que les passions se manifestent tout entières

1. *Discours des trois unités.*

par des impulsions instantanées, tandis que la volonté se reconnaît surtout à la constance des effets, et il n'y a pas de constance sans une certaine durée. Voilà pourquoi les vingt-quatre heures font un peu violence au sujet du *Cid*, tandis qu'*Andromaque* ou *Phèdre* s'y renferment sans peine.

Le caractère des intrigues de Corneille se déduit d'une raison analogue. Il ne faut pas en exagérer la complication. D'abord il n'a pas usé de moyens romanesques : on ne citerait pas un travestissement, pas un *incognito*, dans son théâtre, hors *Don Sanche* qui n'est pas une tragédie, hors *Héraclius* aussi : mais dans Héraclius la substitution d'enfants n'est pas un moyen de traiter le sujet, c'est l'essence même du sujet, et de cette donnée singulière le poète veut tirer moins des péripéties surprenantes que des états d'âme pathétiques ; ce qui l'intéresse, c'est le cas moral, extraordinaire sans doute, mais humain, de Phocas. Il n'a pas usé non plus des reconnaissances ; il a fait parfois revenir des gens qu'on croyait morts comme Sévère dans *Polyeucte* : mais l'espèce de reconnaissance de Sévère et de Pauline pose le problème psychologique de la pièce, elle est nécessaire, naturelle ; elle produit des évolutions de sentiments, non des ricochets d'intrigue. *Rodogune* est une pièce compliquée : oui, dans ses données fondamentales ; non **pas**, dans son intrigue. Ce qu'on doit retenir du fameux récit pour comprendre la pièce est peu de chose, et la pièce tout entière est le conflit de deux caractères durs, entre lesquels sont tiraillés, écrasés deux caractères faibles. Toutes les complications de l'action sont des complications morales.

Et si l'on veut bien y regarder de près, on verra que Corneille intrigue ses pièces par l'invention subtile, non pas des faits, mais des sentiments. S'il lui faut supposer parfois des faits multiples ou des coïncidences trop arrangées, c'est qu'il médite des cas de conscience raffinés, des conflits héroïques de sentiments. Si la tragédie morale semble souvent continuer un roman ou s'y superposer, et si son action semble parfois, soit au début, soit dans le cours des pièces, recevoir l'impulsion du dehors, c'est qu'il peint des volontés, comme nous le verrons, et que ces volontés, sûres et constantes, ne changeraient point d'état ou de posture, ne livreraient point de combat, si des accidents de fortune ne leur suscitaient des ennemis dans le *moi* ou hors du *moi*. Si enfin l'action tragique dans Corneille ne reste pas intérieure jusqu'au dénouement qui l'*extériorise* en un acte ou un état définitifs de crime ou de malheur, c'est encore qu'il peint des volontés, et que la volonté tend nécessairement aux effets ; elle aspire à réaliser ses déterminations, elle est active ; de là vient que l'action, chez Corneille, ricoche constamment de l'intérieur à l'extérieur, de la pensée à l'acte et de l'acte à la pensée.

Ainsi les volontés, dans le théâtre de Corneille, se créent à elles-
mêmes, et les unes aux autres, par leurs actes, des situations qu
leur donnent occasion de changer non leurs essences, mais leur
formes, de renouveler, de diversifier, et de croître leur effort. L'in
trigue pour l'intrigue, le fait pour le fait, le pur intérêt de curiosité
de surprise, enfin la conception mélodramatique du théâtre n'exist
pas dans Corneille, quoi qu'on en dise : il est rigoureusement vra
que l'intrigue est chez lui occasion, soutien, ou effet du mécanism
psychologique. Le roman, chez lui, et la fantaisie à l'espagnole
dont il a gardé des traces, ont toujours pour dernière fin la mani
festation des caractères.

J'en dirai autant du choix de ses sujets. Il a pensé aux sujet
privés et bourgeois, à ce que nous appelons le *drame* : il en
donné la formule; il ne l'a pas appliquée lui-même. D'abord parc
que, comme disaient les Grecs, ἀρχὴ δείξει ἄνδρα, « la puissance révèl
l'homme », en l'affranchissant des entraves légales, pécuniaires
morales même de la condition privée; et c'est dans ceux qui peu
vent tout, dans les rois et les héros, qu'on doit expérimenter l
vraie nature des passions. Ensuite, parce que, de son temps d
moins, la fortune des hommes illustres intéressait le public plu
que celle des bourgeois, et fournissait des causes plus adéquates
la grandeur des passions; et puis, aussi, parce qu'en somme le
intérêts historiques donnent aux passions une base plus universel
lement intelligible que les intérêts professionnels ou financiers
d'où sortent les passions bourgeoises.

Enfin, parce que les sujets historiques sont *vrais*. Corneille
toujours cru que les sujets d'invention pure ne convenaient pas
la tragédie, et de là vient ce mot, qu'on a si souvent mal com
pris et incriminé : « Les grands sujets doivent toujours aller a
delà du vraisemblable. » Ce qui veut dire, non pas du tout qu
l'invraisemblance est de règle, mais que la vérité matérielle, histo
rique des faits, est nécessaire. Et elle est nécessaire pour la vrai
semblance : j'admets plus aisément qu'une femme tue ses enfants
un frère sa sœur, un père sa fille, quand cette femme s'appell
Médée, ce frère Horace, ce père Agamemnon. Appelez-les de nom
inconnus : vous aurez bien plus de mal à établir la vraisemblanc
des faits. C'est tout simplement l'idée d'Aristote. « Ce qui n'est pa
historique ne nous apparaît pas immédiatement comme possible
les faits historiques, au contraire, sont évidemment possibles : il
ne seraient pas arrivés, en effet, s'ils n'étaient possibles. »

Au point de vue poétique, l'histoire et la légende sont équiva
lentes : mais il est notable que Corneille les distingue. Sa cor
ception de la vérité dramatique est rationaliste, bien plutôt qu
poétique. Il demande à l'histoire des actions éclatantes, extraordi

naires, mais vraies : il repousse les faits fabuleux, irréels, qui ne peuvent servir que de symboles. Il veut du merveilleux rationnel. Dans toutes ses tragédies (je ne parle pas des pièces à machines qui étaient comme des ébauches d'*opéra*), je ne trouve que deux sujets légendaires, *Médée*, qui précède *le Cid*, et *Œdipe*, qui est une erreur. Il a pris ses sujets presque exclusivement dans l'histoire, et chez les historiens : *Rodogune*, c'est l'Asie hellénisée des successeurs d'Alexandre; *Suréna*, c'est l'empire parthe; *Pertharite*, ce sont les Lombards : *le Cid*, *Don Sanche* malgré leurs origines poétiques, sont encore des sujets d'histoire. Mais Corneille s'est arrêté avec prédilection à l'histoire romaine, où il n'y a guère d'époque qu'il n'ait représentée : les rois dans *Horace*; la conquête du monde dans *Sophonisbe* et dans *Nicomède*; les guerres civiles dans *Sertorius* et dans *Pompée*; l'empire dans *Cinna*, *Othon*, *Tite et Bérénice*, *Pulchérie*; le christianisme et l'empire dans *Polyeucte* et *Théodore*. les barbares et l'empire dans *Attila*, l'empire byzantin dans *Héraclius*.

C'est ce qui a donné lieu à des observateurs superficiels de se figurer un *Corneille historien*. Il est aisé de relever certaines peintures exactes et frappantes : mais combien d'erreurs de fait, combien de fausses couleurs néglige-t-on? *Nicomède* formule en vers admirables les maximes de la politique romaine : Sévère et Félix, dans *Polyeucte*, représentent avec justesse les sentiments des Romains à l'égard du christianisme. Il y a dans *Othon* d'étonnantes peintures des mœurs de cour sous l'Empire. Mais le jugement d'Horace, mais la cour d'Auguste, et le caractère d'Auguste, et le caractère de Nicomède, et la chronologie d'*Héraclius*, et ce chimérique Flaminius si dextrement substitué au réel Flamininus pour amener une belle riposte, est-ce de l'histoire tout cela? Au fond, toutes les fois qu'il a cru pouvoir le faire sans qu'on s'en aperçût, et avec quelque utilité théâtrale, Corneille a travesti la vérité historique. La vérité historique n'est pour lui qu'un instrument de *vraisemblance*. Il en cherche l'illusion plutôt que la réalité, avec une minutieuse patience, dans le dépouillement des textes, dans la collection des petits faits et des noms locaux; et cela lui a réussi, puisqu'il a trompé jusqu'aux critiques.

Au fond, dans l'histoire, une chose l'intéresse, c'est la politique. Et c'est pourquoi il a si bien réussi ses personnages de magistrats et d'hommes d'État, ses théoriciens du gouvernement, de la conquête et de la sédition. C'est pourquoi aussi il a travaillé de préférence sur l'histoire romaine, la plus *politique* de toutes les histoires. Ce goût lui était commun avec sa génération, génération de patriotes, témoins curieux et volontiers acteurs du drame politique : les *Lettres* de Chapelain, le *Ministre d'État* de Silhon, jusqu'aux dissertations de l'indifférent Balzac, mais surtout les *Mémoires* de Retz nous font comprendre de quel état d'esprit est venue et à quel état d'esprit s'adressait la tragédie cornélienne; elle est *politique*, non *historique*. Elle rappelle, si l'on veut, Machiavel et ses *Discours sur Tite-Live* : elle poursuit, non pas l'exacte restitution et l'explication certaine du passé, mais l'établissement de certaines maximes dont le présent peut faire son profit, à l'aide des exemples que le passé fournit. La fameuse discussion de Cinna et de Maxime sur la monarchie et la république, la conversation de Sertorius et de Pompée sur la guerre civile, ne sont pas des morceaux *historiques*, mais *politiques* : elles traitent des questions actuelles, avec des sentiments très modernes; ces scènes romaines sortent de l'âme du xviie siècle. Même la tragédie de Corneille est une peinture saisissante de la vie politique de son temps : s'il ne fait en général ni portraits ni allusions, la réalité contemporaine l'enveloppe, le domine, et transparaît sans cesse dans son œuvre.

On a beaucoup trop loué Corneille sur la vérité des caractères romains qu'il peignait. Comme Balzac, dans sa lettre sur *Cinna*, a su le dire très agréablement au poète, ses Romains ne sont que les Romains de Corneille. Il y a deux éléments, en effet, dans l'héroïsme romain des tragédies cornéliennes : l'un, banal et historique, l'autre original et psychologique. L'élément historique, ou cru tel (je n'ai pas ici à en examiner la valeur), c'est ce type du Romain républicain, patriote, désintéressé, amoureux de la gloire, superbe de fermeté et de fierté : type formé dans les écoles des rhéteurs à la fin de la république, développé dans Tite-Live, dans Florus, dans Valère-Maxime, encore agrandi par les moralistes satiriques qui en écrasent la petitesse de leurs contemporains, par Sénèque, par Juvénal, assoupli et animé par Plutarque, transporté par la Renaissance dans notre littérature : Montaigne l'évoque parfois, Amyot l'étale, et, au temps même de Corneille, Balzac le grave avec une netteté dure dans ses dissertations sur le *Romain* et sur la *Gloire*. Cette conception oratoire de l'âme romaine, Corneille s'en est emparé, sans la corriger, sans y mettre aucun élément historique nouveau, si bien que ses rivaux et disciples, Scudéry et Du Ryer, n'auront pas de peine à la saisir.

Mais ce type oratoire du Romain n'est pour lui qu'un cadre, une forme, où il a réalisé sa notion générale de l'homme : il a trouvé la raideur hautaine de ce caractère admirablement propre à faire valoir l'idée fondamentale de sa psychologie. Au mannequin glorieux construit par des générations de rhéteurs, il a mis le ressort qui l'anime : et du même coup il a fait de ce type romain un type humain. Ne nous y trompons pas : il n'y a d'original, de grand

de vrai dans les Romains de Corneille que ce qui est cornélien,
et non romain, c'est-à-dire le mécanisme moral.

2. PSYCHOLOGIE DU HÉROS CORNÉLIEN.

Nous sommes donc toujours ramenés à ceci que la tragédie
de Corneille tend à la vérité humaine des caractères, comme à sa
fin essentielle. Cette vérité a parfois été méconnue. C'est qu'on
songe toujours trop à Racine en parlant de Corneille. La nature
que peint Racine est plus vraie pour nous : ne pourrait-on pas dire
que cette vérité date précisément de Racine ? Il a aperçu et décrit
des états d'âme qui sont devenus de plus en plus fréquents et
universels, des *sensitifs* et des *impulsifs*, des nerveux et des
femmes. Corneille est d'un autre temps, il a et il exprime une
nature plus rude et plus forte, qui a longtemps été la nature française, une nature intellectuelle et volontaire, consciente et active.
En son temps surtout, c'était la vérité : il y a une harmonie admirable entre l'invention psychologique de Corneille, et l'histoire
réelle des âmes de ce temps-là : même les femmes sont peu féminines ; leur vie intérieure est plus intellectuelle que sentimentale.
Et, je l'ai déjà dit, Descartes confirme pleinement Corneille.

Voilà comment Corneille a peint si peu de pures passions : il a
peint des exaltés, des fanatiques, mais toujours des passionnés
intellectuels, qui voient leur passion, la raisonnent, la transforment
en idées, et ces idées en principes de conduite. Jamais ce ne sont
des inconscients et des irresponsables. Il a peint des femmes toujours viriles, parce que toujours elles agissent par volonté, par intelligence, plutôt que par instinct ou par sentiment. *La femme* selon
la définition moderne, lui est inconnue : c'est Racine, le premier,
qui l'a « constatée ». Rien de plus caractéristique, à cet égard,
que sa théorie de l'amour : c'est la pure théorie cartésienne que
j'ai expliquée plus haut. L'amour est le désir du bien, donc réglé
sur la connaissance du bien. Une idée de la raison, donc, va gouverner l'amour. Ce que l'on aime, on l'aime pour la perfection
qu'on y voit : d'où, quand cette perfection est réelle, la bonté de
l'amour, *vertu* et non *faiblesse*.

Première conséquence : on ne saurait parler du conflit du devoir
et de l'amour, dans *le Cid* par exemple ; ou, du moins, ce conflit
n'a pas le caractère qu'on dit. En effet, l'amour de Rodrigue pour
Chimène, et de Chimène pour Rodrigue, est légitime, étant fondé
sur une connaissance véritable : ni l'un ni l'autre ne peut donc y
renoncer sans injustice. Ni l'un ni l'autre aussi ne songe à y

renoncer : même poursuivant Rodrigue, Chimène se croit le droit, le devoir de l'aimer. Mais cet amour même exige qu'elle ne fasse rien pour le satisfaire : subtilité curieuse et noble. Si l'estime en effet détermine l'amour, il faut agir, non pour l'amour, mais pour l'honneur, pour le devoir, dont la perte ou dont la violation ne laisserait pas subsister l'estime. Et ainsi on ne mérite l'amour qu'en ne faisant rien pour lui. Mais il ne s'agit pas de le sacrifier. Écoutez Rodrigue :

> Qui m'aima généreux, me haïrait infâme....
> Je t'ai fait une offense et j'ai dû m'y porter,
> Pour effacer ma honte et pour *te mériter*.

Et de là, les âmes des deux amants s'unissent plus étroitement quand leurs actes s'opposent le plus ; grandis par l'effort, ils sont plus dignes d'amour, ils en obtiennent plus, à mesure qu'ils y cèdent moins.

Deuxième conséquence : la raison s'éclairant peut changer l'amour. Si le bien qu'on aimait est connu pour faux, ou si on reçoit la notion d'un bien supérieur, l'âme déplacera son amour du moins parfait au plus parfait. C'est toute la psychologie de *Polyeucte*. Polyeucte aime Pauline dès le début « cent fois plus que lui-même »; près du martyr, il l'aimera

> Beaucoup moins que *son* Dieu, mais bien plus que *lui*-même.

Ce nouveau terme de comparaison explique toute la transformation de son âme. Lorsqu'il connaissait mal Dieu, Pauline était tout pour lui : l'œuvre de la grâce achevée, son amour est tout à Dieu, et ne retombe sur la créature que renvoyé sous forme de charité par l'amour même de Dieu. Même aventure arrive à Pauline : Sévère longtemps a été tout ce qu'elle connaissait de meilleur; elle l'aimait donc plus que tout. Mais Polyeucte, converti, rebelle, martyr, lui révèle un héroïsme supérieur, tandis que la situation accuse les parties vulgaires de l'amour de Sévère : l'amour de Pauline se transportera donc à Polyeucte, d'où il s'élancera jusqu'à la souveraine perfection, jusqu'à Dieu. Tout le mécanisme moral de la tragédie se déduit de la définition cartésienne et cornélienne de l'amour.

Avec l'amour, à bien plus forte raison, les autres passions se réduiront à la connaissance. Et de là tout principe d'agir est transporté à la raison, toute force d'agir à la volonté. Là est le trait original, et capital, de la psychologie de Corneille, toujours d'accord, je le répète, avec Descartes, et toujours conforme aussi à la réalité contemporaine. L'héroïsme cornélien n'est pas autre

chose que l'exaltation de la volonté, donnée comme souverainement libre et souverainement puissante. Il n'est rien que les héros
cornéliens affirment plus fréquemment ni plus fortement que
leur volonté, claire, immuable, libre, toute-puissante.

> Je le ferais encore, si j'avais à le faire (le Cid, Polyeucte).
> Et sur mes passions ma raison souveraine (Pauline dans Pol.).
> Je suis maître de moi comme de l'univers,
> Je le suis, je veux l'être.... (Auguste dans Cinna).

Le Cid tuant le père de Chimène, Chimène demandant la tête du
Cid, Pauline aimant Sévère, le lui disant et lui montrant en
même temps qu'il n'a rien à espérer, Sévère, s'efforçant de sauver
Polyeucte dont la mort rendait libre la femme qu'il aime : autant
d'exemples et de triomphes de la volonté. Même Polyeucte, le
saint, l'extatique, l'illuminé, même Horace, le patriote furieux,
même Camille, l'amoureuse fanatique, manifestent surtout la
volonté : tous les trois ont cette forme supérieure de l'amour qui est
la dévotion, et dans laquelle la raison attribue une perfection, donc
une valeur infinie à l'objet aimé, en sorte que la volonté s'applique
tout entière et ramasse toutes les énergies de l'âme au service de
l'amour. Mais le miracle de la volonté, c'est dans Cinna qu'on le
trouve, dans Auguste. Descartes intitule un de ses articles Comment la générosité peut être acquise ; c'est le cas d'Auguste, dont
l'âme, mauvaise, égoïste, féroce, s'élève à l'héroïsme du pardon
par un effort de volonté, lorsque sa raison l'a désabusé des faux
biens où s'égarait sa convoitise.

Tous les personnages de Corneille, du moins ceux du premier
plan, les héros sont construits sur cette donnée, les femmes comme
les hommes, les scélérats comme les généreux. Tous agissent par
des déterminations de la volonté, d'après des maximes de la
raison. De là vient qu'on reproche à ces caractères d'être raides, et
tout d'une pièce : car tant que la raison persiste dans ses maximes,
la volonté persiste dans sa conduite. De là vient qu'on leur
reproche de se démentir, et de pivoter tout d'une pièce : si parfois
la raison s'éclairant change de maximes, la volonté suit, et toute
l'âme, ainsi Émilie, à la fin de Cinna :

> Ma haine va mourir, que j'ai crue immortelle.
> Elle est morte....

Et rien du vieux levain ne fermentera plus en elle : elle sera
paisible dans la tendresse comme elle avait été assurée dans la
fureur. De là vient aussi que Racine reprochait à Corneille ses

héros « impeccables » : car si les maximes de la raison sont vraies,
il ne saurait y avoir place pour le repentir, ni pour le regret, ni
pour le changement, comme disait Descartes. De là enfin résulte
que ces héros sont des raisonneurs : car ils n'agissent pas par
aveugles impulsions, et les objets même de leur passion sont
transformés par eux en fins de leur raison. Ils sont donc toujours
conscients, et toujours réfléchis.

Cette conception a sa vérité : elle représente, en leur forme
idéale, les âmes fortes et dures, qui raisonnent leurs passions, les
âmes des Richelieu [1] et des Retz, des grands ambitieux lucides et
actifs. Ce qui a fait le plus méconnaître cette vérité, c'est qu'on a
longtemps identifié l'héroïsme cornélien à la vertu. Or il n'a pas
nécessairement un caractère moral. Il exprime la force, et non la
bonté de l'âme. Tous les mots sublimes de Corneille — si nous
recueillons nos souvenirs — sont des réalisations imprévues de
l'*absolu* de la volonté. Aucune affirmation essentielle de la moralité
intrinsèque des actes n'y est impliquée. La volonté peut être
employée au crime ; voyez Cléopâtre dans *Rodogune*. Elle reste « la
volonté », admirable par le degré d'intensité, abstraction faite de
la qualité, de la forme des actes. Et ce spectacle a sa *moralité*, très
particulière et de qualité supérieure. Toujours, et plus que jamais
aujourd'hui, dans l'universelle *veulerie* qui est la plaie de notre
siècle, il n'y a point de leçon plus précieuse à donner, qu'une leçon
de *vouloir*, à quoi que ce vouloir s'applique. Voilà par où Corneille
est sain.

N'est-il pas bizarre que Corneille, qui dans *Œdipe* a si éloquemment affirmé le libre arbitre, qui a employé tout son théâtre à le
manifester, se soit démenti dans un de ses chefs-d'œuvre, et qu'il
ait fait le janséniste dans *Polyeucte* ? Aussi ne l'a-t-il pas fait, et
cette interprétation de *Polyeucte* est un pur contresens : la pièce
est plutôt *moliniste* ; et la grâce dont on parle est celle des jésuites,
théologiens de la liberté, et anciens maîtres du poète.

Cette conception de la volonté toute-puissante est-elle dramatique ?
Malgré les chefs-d'œuvre de Corneille, la question peut se poser.
En effet l'*identité* est le caractère, le signe de la volonté : où il y a
changement, flottement, il n'y a sûrement pas volonté. Puis, ou la
volonté n'existe pas, ou elle est maîtresse. Peindre la volonté
vaincue, ou demi-vaincue, ce n'est pas peindre la volonté. Il faut
que les luttes de la volonté soient courtes, ses victoires rapides :
ainsi les *stances* de Rodrigue, l'angoisse de Pauline au retour de
Sévère. Enfin la volonté, qui ne supprime pas les passions, les
arrête, en supprime les signes, ne laisse passer que les actes qu'elle

---

1. A consulter : Hanotaux, *la Jeunesse de Richelieu*, in-8, 1893.

approuve. Comment donc soutenir l'action morale? Par l'action
extérieure : en fournissant à la volonté toujours de nouveaux
obstacles, toujours de nouveaux efforts; et nous sommes ainsi
ramenés à la structure de l'intrigue indiquée plus haut. Mais surtout, qu'arrivera-t-il, quand la volonté sera présentée dans sa force
maxima, dans sa pureté supérieure : dominatrice, sereine, immuable?
Il fallait bien y arriver, du moment qu'on la prenait pour élément
essentiel de la psychologie dramatique. Et c'est ainsi que Corneille
dut faire *Nicomède* : toutes les passions du dedans supprimées,
toutes les passions du dehors, chez les autres, impuissantes, la
volonté, maîtresse de soi-même, supérieure à la fortune, se dresse
dans le vide. Plus d'effort à faire; plus de passion, partant, ni de
violence. Plus d'action aussi. Que reste-t-il? Il n'est pas besoin
qu'elle s'arme, pour écraser les petits ennemis qui la menacent :
le mépris suffit. D'où la hautaine et calme ironie de Nicomède,
qui est le pur héros cornélien. Le poète était assez fier d'avoir
fondé dans cette pièce une nouvelle sorte de tragédie, sans
terreur ni pitié, avec l'admiration pour unique ressort : il ne
s'apercevait pas qu'il la fondait dans le vide. En effet, plus la
volonté est pure, moins la tragédie sera dramatique : ce qui est
dramatique, ce sont les défaites ou les demi-succès, ou les lentes
et coûteuses victoires de la volonté, ce sont les incessants combats;
mais la domination absolue et incontestée de la volonté n'est pas
dramatique. *Nicomède* est un coup de génie que Corneille n'a pas
pu répéter [1] : sur cette donnée de la volonté toute-puissante, il n'y
a qu'une tragédie à faire, une seule, qui sera un chef-d'œuvre, et
qu'on ne jouera guère. Les autres pièces de Corneille sont dramatiques, précisément dans la mesure où la volonté s'éloigne de sa
perfection, et en vertu des éléments qui l'en éloignent. Ce qui se
mêle de passion, auxiliaire ou adversaire, à la volonté des héros,
fait la beauté dramatique du *Cid*, de *Polyeucte*, de *Cinna*.

3. DES PERSONNAGES SECONDAIRES.

Autour de ses héros, représentants de cette force infinie qui est
en nous et dont la plupart de nous font si peu d'usage, Corneille
place des âmes moyennes, telles que la vie en présente à chaque
instant; ces caractères de second plan sont souvent d'une observation curieuse, d'une vérité originale et fine. On n'a jamais assez
remarqué ce qu'il y a mis de réalité familière. Il ne les saisit guère

---

1. *Nicomède* suit *Don Sanche*, qui lui est identique; mais le sujet, dans *Don
Sanche*, était enveloppé de romanesque espagnol.

dans l'état de passion, dont il ne connait pas bien la particulière essence ni le mécanisme spécial. Ce qu'il aime, ce sont les demi-teintes, les demi-sentiments, les affections simples et domestiques, les inclinations paisibles ou contenues, où entre autant de connaissance que de passion; ou bien les caractères renfermés et compliqués, parfois les âmes égoïstes et médiocres : des amours de vieillards [1], profonds, discrets, point du tout ridicules; des amitiés de frères [2], confiantes et fortes, contre qui l'ambition même et l'amour ne prévalent pas; des affections de cour, composées d'intérêt ou d'amour-propre, mais aussi de goût sérieux et sincère [3] chez d'honnêtes gens qui ont de la raison et de l'expérience; des intrigues de ministres ambitieux, de courtisans retors, de fonctionnaires égoïstes, toute la mécanique des cours et des cabinets de princes [4]. Sauf une réserve pour la décence, il estimait qu'on pouvait présenter dans la tragédie toute espèce de caractères, et il a été jusqu'à la bassesse presque comique.

Les dernières pièces de Corneille se caractérisent par l'élimination de plus en plus complète de la passion, même de l'exaltation : il ne reste guère que des volontés plus ou moins fortes, désintéressées et droites. Corneille s'est plu à y peindre ces milieux politiques, où les sentiments sont nécessairement compliqués et modérés, tout au moins obligés à se manifester toujours avec modération, sans éclat, à demi-voix : il excelle à les rendre. Ces pièces sont nécessairement peu dramatiques : mais, sauf peut-être *Agésilas*, elles ne sont pas méprisables. Il y en a de singulièrement vraies, comme *Othon*, comme *Pulchérie*, comme *Suréna* : c'est là qu'il faut aller chercher le roman vrai des mœurs politiques du xviie siècle, celui qui se dégagerait des mémoires et des correspondances diplomatiques. Ce bonhomme de Corneille, par une admirable intuition, voit aussi clair que Retz, qui était de la partie.

Cette vérité, si simple, si peu accidentée, toute dans l'analyse fine des caractères et l'exacte répartition des forces, est une vérité de roman, non de drame. Corneille l'a bien senti, et il a cherché une compensation à l'insuffisance dramatique de l'action morale par l'énergie dramatique de l'action extérieure. Il choisit, comme suite des causes psychologiques, des faits extraordinaires qui secouent violemment ou saisissent fortement l'imagination : ainsi ce terrible cinquième acte de Rodogune, amené par quatre actes qui, malgré Cléopâtre et ses éclats furieux, restent en somme

1. Sertorius; Martian de *Pulchérie*.
2. Antiochus et Séleucus de *Rodogune*.
3. Rodogune; Attale de *Nicomède*; Viriate de *Sertorius*; Othon, et Camille, etc.
4. Arsinoé, de *Nicomède*; Vinius, Martian et Lacus, d'*Othon*; Félix, de *Polyeucte*, Ptolémée et ses ministres, de *Pompée*, etc.

assez calmes. Dans les dernières pièces de Corneille, cela devient un système : il combine les atrocités historiques de l'antiquité avec les mœurs politiques du jour, plus rusées que cruelles, et ainsi l'ajustement de l'intrigue aux caractères est moins exact. Par une certaine amplification des effets, Corneille relie aux causes morales des crimes tragiques qu'elles ne devraient pas produire. L'analyse est exacte ; mais il faut rabattre la moitié du produit extérieur pour rester dans la réalité. Corneille semble établir une sorte de symbolisme conventionnel, qui fait représenter par les horreurs de la tragédie une réalité moins horrible : Suréna tué, par exemple, représentera Condé emprisonné [1] ; je ne dis pas que l'auteur ait songé à Condé, mais je prends un cas entre cent autres similaires. Seulement ces effets violents ne réchauffent pas la tragédie, précisément par ce que le public fait la réduction convenable, et par ce que le sang versé au théâtre n'est pas pathétique physiquement, par son aspect, mais moralement, par les causes de l'acte. Corneille n'était pas sans le comprendre, puisqu'il a essayé de créer au-dessous de la tragédie une comédie héroïque, destinée à l'analyse des caractères politiques.

4. LA MÉCANIQUE ET LE STYLE.

Si la psychologie de Corneille n'est pas dramatique, cela n'empêche point que peu de gens aient eu à un plus haut degré le sens du théâtre : car il a admirablement masqué, ou mieux, admirablement utilisé sa psychologie. La structure de ses meilleures pièces est remarquable : tant les forces, qui sont en présence, sont exactement opposées, se contrepèsent, se composent, se dévient, s'annulent, s'entraînent, avec une sûreté de calcul qui est prodigieuse. Ces jeux de caractères sont d'étonnants problèmes de mécanique morale. Chaque caractère est analysé, pesé, dosé, de façon à concourir dans la juste mesure à l'action totale, et dans chaque effort fait paraître tout juste la quantité d'énergie qu'il faut, ou se dispose précisément dans la plus favorable attitude.

Il y a bien de l'exagération, la formule première une fois admise, dans le reproche de raideur qu'on fait aux personnages de Corneille. Rien de plus simple que les mouvements coordonnés des

---

1. Et encore pourrait-on citer Wallenstein comme une preuve que Corneille n'exagère pas tant. D'autre part, ne voit-on pas de Lyonne offrir à Louis XIV de le débarrasser par l'assassinat d'un ennemi politique (cf. G. Lanson, *Choix de lettres du XVIIe s.*, p. 325). C'est donc *pour nous* surtout, et non selon la réalité des mœurs du temps, qu'il faut rabattre des froides horreurs de la tragédie politique.

caractères qui s'opposent : qu'on regarde, si l'on veut, les relations
d'Attale et de Nicomède, et l'évolution du caractère d'Attale, soit en
lui-même, soit dans l'opinion que Nicomède en prend. Il y a aussi
du mouvement dans chaque caractère, grâce au déplacement de la
volonté qui suit la raison : je n'en veux pour exemple que Polyeucte
et Pauline, et surtout cet admirable Auguste.

Mais la pièce dont l'ajustement fait le plus honneur au génie de
Corneille, c'est *Horace* : pour tirer parti de la belle et ingrate
matière qui lui fournissait Tite-Live, il a fallu que par un coup de
génie il fît du meurtre, du crime, le point culminant du drame,
que toute l'action y tendît, s'y adaptât, et tous les caractères.
De là cette si vraie et originale composition d'Horace et de
Camille : le frère et la sœur, natures pareilles, également brutales,
féroces et fanatiques, mais appliquant différemment leurs amours
identiques d'essence ; l'homme idolâtre de sa patrie, la femme idolâtre d'un homme ; et de cette différence, profondément vraie, va
sortir le choc des deux âmes, dont le meurtre de Camille sera la
résultante nécessaire. Il y a là une puissance singulière de sens
dramatique, pour tirer une tragédie, vraie, forte, émouvante celle-
là et théâtrale, d'une légende épique terminée en fait-divers atroce.

La forme du dialogue cornélien est une des parties essentielles
de son génie dramatique : ce dialogue tantôt se distribue en longs
couplets, d'une rare éloquence, d'un raisonnement puissant et
nerveux, et traversés d'éclatantes sentences, tantôt se ramasse en
courtes répliques, qui se croisent et s'entre-choquent avec une singulière vivacité. Cette coupe du dialogue qui se poursuit en ripostes
du vers au vers, est la coupe originale de Corneille : il ne l'a pas
inventée, il se l'est appropriée par l'usage qu'il en a fait. Dans les
amples couplets, il s'est montré un grand orateur, ayant le goût
des idées et des maximes universelles, et se plaisant à mettre
en lumière la généralité plutôt que la particularité des raisons. Il
suivait en cela le goût de son temps.

Il l'a suivi, malheureusement, aussi dans certains détails de son
style. Il ne s'est jamais défait complètement de certaines délicatesses, ou de certaines emphases à l'espagnole. Il a usé (je dirais
abusé, si l'usage déjà n'était abus), il a usé du jargon fade de la
galanterie mondaine. Mais on ne doit pas trop s'arrêter à ces
taches. Il ne faut pas non plus s'arrêter trop à ces reproches contradictoires de déclamation et de trivialité que des critiques ont
adressés à son style, non plus qu'à celui d'incorrection ou d'impro-
priété que Voltaire ne lui a pas ménagé. Corneille est un grand,
même un excellent écrivain : il parle la langue de son temps, qui
a parfois vieilli, une langue un peu dure, un peu tendue, admirable
de vigueur et de précision. Il la possède à fond, et la manie avec

une aisance, une habileté uniques, comme il maniait le vers : c'est un des plus étonnants écrivains en vers que nous ayons ; il semble que cette forme lui soit plus naturelle que la prose. Loin de parler de galimatias, pour quelques endroits où la construction a vieilli, ce qu'il faut louer, c'est la netteté, la facilité du style poétique de Corneille.

Ce style n'a rien de plastique, et ne vise pas aux effets artistiques, sensibles, pittoresques. Il n'a même pas beaucoup de couleur, sinon dans les sujets où l'imagination espagnole jette encore ses feux à travers le langage raisonnable de l'auteur français. Mais il a la force, et un éclat intellectuel, qui résulte du *ramassé* de la pensée, de la justesse saisissante des mots, de la netteté logique du discours. J'ai déjà dit que Corneille avait surtout l'imagination mécanique : il ne voit, en son style ne note que les forces qu'il met en action. Il ne crée pas, avec les mots, les images, les harmonies de son vers, une sorte d'atmosphère poétique où vivront ses héros ; au contraire, il dessine la courbe de leur effort sur un fond neutre, qui laisse la pensée libre, et ne dérobe aucune partie de l'attention. Dans aucune tragédie romaine de Corneille, il n'y a la moitié de la *couleur* qu'on trouve dans *Britannicus*. Son génie et son langage sont éminemment intellectuels ; il ne regarde et n'enregistre que les mouvements psychologiques.

Même dans ses œuvres lyriques — il y a de belles choses dans son *Imitation* ou dans son *Office de la Vierge* — les qualités ordinaires du style lyrique, richesse des images, délicatesse des sonorités, ne se rencontrent guère : là encore les éléments concrets, sensibles, pittoresques font à peu près défaut. Il reste le rythme, le rythme pur, séparé du son, dont la qualité est ordinaire ; et le rythme, c'est le mouvement : le lyrisme de Corneille, ce sont des pensées en mouvement, qui se pressent, s'élancent, enlèvent la stance ou la strophe ; et c'est la sensation expressive de ce mouvement abstrait que le rythme nous communique.

5. ROTROU.

Autour de Corneille se groupent quelques poètes qui ne sont point méprisables. Le plus médiocre est Scudéry. Mais Du Ryer, Tristan, Rotrou ont vraiment du talent : il est à noter pourtant que toutes leurs meilleures pièces sont postérieures au *Cid*. Du Ryer a réussi surtout les sujets romains et politiques [1] : il n'y a guère porté d'originalité. Tristan[2], dans une *Mort de Sénèque* (1644).

1. *Alcionée* (1640), *Scévole* (1647), *Saül* (1640) : Carrington Lancaster, 1930.
2. **Éditions :** Théâtre, éd. E. Girard, 1904-1907. *Le Page disgracié*, éd. Aug. Dietrich, 1898. *Folie du Sage* (1642), *Mort de Sénèque* (1643), *Le Parasite* (1653), éd. J. Madeleine, 1936, 1919, 1934. — **A consulter :** N.-M. Bernardin. *Un précurseur de Racine, Tristan l'Hermite*, 1895.

et dans un *Osman* (impr. 1656), a tiré des effets tout à fait saisïs-
sants et pour ainsi dire romantiques, de la juxtaposition, même
de la fusion d'une familiarité pittoresque avec l'atrocité tragique :
il a l'imagination exubérante et déréglée, outrant la force et tombant parfois dans le ridicule et le puéril.

Rotrou [1] est à lire, même après Corneille. D'abord égaré dans les
extravagances tragi-comiques, il s'est assagi [2], mûri, élevé, grâce
surtout aux exemples que lui fournissait son grand rival. *Saint-
Genest* (1646) et *Venceslas* (1647) sont deux belles choses : *Saint-
Genest* [3], avec son mélange de scènes familières et de scènes pathétiques, peinture du monde du théâtre et de l'héroïsme chrétien, a
des parties qui continuent dignement Polyeucte. *Venceslas* [4] est
une forte étude d'une âme violente, qui arrive à la générosité
par la volonté : ce vieux roi Venceslas qui condamne son fils par
justice, et ce fils qui accepte sa juste condamnation, font une
situation vraiment cornélienne. De Corneille, sans doute, il a
appris à imiter librement, à marquer d'une conception originale les sujets qu'il n'inventait pas, à dégager les études d'âmes
et de passions que la pittoresque comédie des Espagnols enveloppait. *Saint-Genest* est à Rotrou comme le *Cid* à Corneille; la
crise morale de Ladislas est à lui, dans *Venceslas*; et dans *Laure
persécutée*, il a tiré d'une sèche indication de l'original un des
plus beaux développements d'exaltation sentimentale qu'il y ait
au théâtre.

1. Jean Rotrou, né à Dreux en 1609, n'avait pas vingt ans quand il composa sa
première œuvre, *l'Hypocondriaque* ; il dit en 1634 avoir fait déjà trente pièces. Il
succéda sans doute à Hardy comme poète de l'Hôtel de Bourgogne. Puis il fut un
des *cinq auteurs* de Richelieu. Il trouva un protecteur dans le comte de Belin, un
seigneur très passionné pour le théâtre. Il eut quelques relations avec l'Hôtel de
Rambouillet. En 1639, il devint lieutenant au bailliage de Dreux : il mourut en 1650,
d'une maladie épidémique qui ravageait la ville. Dans sa fin, comme dans sa vie,
presque tout ce qu'on raconte est légendaire : il n'y a de réel que son courage et
son dévouement en face du danger.

Éditions : Viollet-le-Duc, 5 vol. in-8, 1820-22; *Théâtre choisi*, éd. F. Hémon
1883; *Le Véritable Saint-Genest* et *Venceslas*, éd. Th.-Fr. Crane, 1907. — **A consulter :** J. Jarry, *Œuvres dramatiques de R.*, 1868; Person, *Histoire du véritable
Saint Genest*; *Histoire du Venceslas* de Rocrou, 1882; H. Chardon, *Vie de R.*,
1884; L. Curnier, *Étude sur R.*, 1885; M. E. Pascoe, *Drames religieux du milieu
du XVIIe s.*, 1932; K. Loukovitch, *Tragédie religieuse class. en Fr.*, 1933.

2. Il a écrit vingt et une pièce en huit ans (1628-36), et quatorze seulement dans
les quatorze dernières années de sa vie (1637-1650).

3. Tiré de Lope de Vega, *Lo fingido verdadero*, et du P. L. Cellot, jésuite, *Sanctus
Adrianus, martyr.* — Rotrou doit aussi *Cosroès* au P. Cellot.

4. Tiré de Rojas. *No hay ser padre siendo rey.* L'acte V en particulier, où
le roi de Pologne Venceslas se voit forcé de condamner à mort Ladislas son
fils, rappelle Corneille.

Mais Rotrou est resté lui-même, en recevant les leçons d'un plus grand que lui. Il a gardé ses défauts, son insouciante improvisation, ses négligences, mais ses qualités aussi, une imagination et une sensibilité lyriques, qui, dans certaines scènes pittoresques ou mélancoliques, donnent une saveur tout à fait originale à ses pièces. Dans quelques parties de ses deux chefs-d'œuvre tragiques et dans quelques endroits de ses meilleures tragi-comédies, comme *Don Bernard de Cabrère* (1648) ou *Laure persécutée* (1637) [1], il nous fait penser à Shakespeare : il est le seul en son siècle de qui on puisse le dire.

1. Tirées toutes les deux de Lope de Vega.

CHAPITRE III

PASCAL

Le jansénisme, réforme catholique et laïque. — **1.** L'irréligion au
début du xviie siècle. — **2.** Origines du jansénisme. Port-Royal.
Les persécutions. Grandeur morale de l'esprit janséniste. Les
écoles de Port-Royal. Les écrivains : Arnaud et Nicole. —
3. Pascal : sa vie, son humeur. — **4.** Les *Provinciales* : leur
fortune, leur valeur. De l'ironie et de la raison dans les questions
de théologie. Art et style de Pascal. — **5.** Les *Pensées*. Plan de
l'*Apologie de la religion chrétienne*. Application des méthodes
scientifiques au problème théologique. Absence de nouveauté et
puissance d'originalité : le don de profondeur. L'étude de
l'homme : intuitions et questions remarquables. Les *deux infinis* :
la limite de la science. Unité du développement intellectuel de
Pascal. Le style des *Pensées* : abstraction et réalité, raisonnement et poésie.

La Réforme hérétique et schismatique eut pour contre-partie au
xvie siècle une Réforme unitaire et orthodoxe. Dans tous les pays
qui restèrent en communion avec Rome, en France comme
ailleurs, il se produisit un réveil puissant de la foi, mais un réveil
aussi de l'ardeur morale du christianisme, et le catholicisme restauré ne lutta pas moins contre le libertinage naturaliste de la
Renaissance que contre les doctrines hétérodoxes des sectes protestantes. Les années de discordes et de misères qui chez nous retrem-
pèrent l'énergie des âmes, les disposèrent à se faire un catholicisme viril, dur, ascétique, qui, demandant beaucoup à l'homme,
lui rendît beaucoup en profondeur d'émotion et en force pour l'action. De là, sans parler des raisons politiques et de l'instinct
national, le peu de succès que trouvèrent chez nous les jésuites,
avec leur religion aimable, fleurie, assoupissante, et le succès au
contraire que trouva le jansénisme [1].

La renaissance du catholicisme en France s'était marquée déjà
par une recrudescence de l'ascétisme dans l'Église, par une florai-

---

1. A consulter : Sainte-Beuve, *P. R.*, 1840-48 (éd. R.-L. Doyon et C. Marcnesné,
1926-32); H. Bremond, *Hist. litt. du Sentiment religieux en Fr.*, IV, 1920; A. Gazier,
Hist. du Mouvement janséniste, 1922; J. Laporte, *Doctrine de P. R.*, 1923, *Saint-
Cyran*, 1923; J. Orcibal, *Duvergier de Hauranne*, 1947-48.

son nouvelle de l'esprit monastique que la révolution intellectuelle du xvi⁰ siècle avait paru d'abord devoir éteindre. Nombre de communautés, réformées ou nouvelles, feuillants, bénédictins de Saint-Maur, oratoriens, prêtres de la Mission, compagnie de Saint-Sulpice, trappistes, sœurs de la Charité, filles du Calvaire, les unes contemplatives, d'autres actives, certaines studieuses, d'autres charitables, toutes ferventes et rigoristes, attestent, de la fin du xvi⁰ siècle jusque fort avant dans le xvii⁰, la force du mouvement catholique. Le jansénisme est un effet parmi les autres, et non la cause, de cette reprise vigoureuse de vitalité par laquelle la religion, si menacée naguère, va ressaisir la domination du siècle.

Mais le jansénisme se distingue, d'abord parce que seul il est *hétérodoxe*, ce qui veut dire qu'il a une doctrine, une personnalité intellectuelle, une conception propre de la vie et des rapports de l'homme avec le surnaturel ; ensuite parce que seul il ne se développe point exclusivement dans l'Eglise : au contraire, il n'a point de pénétration dans le clergé régulier, il est assez largement diffus parmi les compagnies de prêtres telles que l'Oratoire, il recrute surtout ses adhérents parmi les ecclésiastiques séculiers et parmi les personnes pieuses de tout caractère. Il est une doctrine, et non pas un ordre : par là même, comme on s'y lie par une adhésion libre de la raison, non par un engagement destructeur de la liberté, il est, malgré sa conception du *prêtre*, pratiquement tout *laïque*. Et c'est ce qui le rendra propre à représenter dans le siècle l'esprit de toute la religion, c'est ce qui en fera l'adversaire par excellence et la barrière du libertinage intellectuel et moral. C'est ce qui lui permettra, persécuté et vaincu dans ses opinions dogmatiques, d'étendre à travers la société son autorité morale, à tel point qu'il semblera avoir, aux yeux de la postérité, la direction du mouvement catholique dans la lutte contre l'irréligion.

Il faut nous arrêter un moment pour expliquer cette lutte.

1. L'IRRÉLIGION AU DÉBUT DU XVII⁰ SIÈCLE.

Le xvii⁰ siècle, de loin, paraît presque tout chrétien : à le regarder de près, on y distingue un fort courant d'irréligion, théorique et pratique. Le courant disparaît presque dans la seconde partie du siècle, sous l'éclat de la littérature catholique et sous la décence des mœurs imposée par le grand roi. Mais, entre 1600 et 1660, l'incrédulité s'étale [1].

1. **A consulter** : Perrens, *Libertins en Fr. au XVII⁰ s.*, 1896; F. Lachèvre, *Libertinage au XVII⁰ s.*, 1921-24; H. Busson, *Pensée religieuse fr.*, 1933; A. Adam, *Th. de Viau et la Libre Pensée fr. en 1620*, 1936; R. Pintard, *Libertinage érudit dans la 1⁰ⁿ moitié du XVII⁰ s.*, 1943; M. Magendie, *Politesse mondaine et théories de l'honnêteté en Fr.*, de 1600 à 1660, 1925.

La licence des opinions et de la vie a deux causes principales. L'une est l'enivrement de la raison après l'effort et les conquêtes du xvie siècle. La pensée tend à s'affranchir de l'autorité de l'Église, elle s'éloigne de la tradition par diverses routes : aristotélisme alexandrin ou averroïste, panthéisme naturaliste, scepticisme et positivisme, philosophie scientifique. L'autre cause est le débordement des tempéraments, que favorisent en France les guerres civiles et religieuses. L'individu suit sa passion, cherche son plaisir, rejetant toute règle : et quelle règle plus gênante que la règle chrétienne? Ainsi l'anarchie politique prépare l'anarchie morale.

Enfin, la diffusion de l'incrédulité est chez nous, pour une part, un cas de l'influence italienne. Vanini, brûlé à Toulouse en 1619, laissa des disciples dans notre midi : Théophile l'y a connu.

Sans ajouter foi aux chiffres donnés par le Père Mersenne (une statistique en pareille matière ne saurait être, même approximativement, exacte), nous devons croire que les libertins furent très nombreux sous Louis XIII : nombre de témoignages l'attestent. Il y en avait de deux sortes : les philosophes et érudits formaient un premier groupe, discret, peu bruyant, ennemi du scandale, faisant extérieurement profession de respecter la religion; les uns se rattachaient à l'épicurisme relevé par Gassendi; les autres suivaient, avec Le Vayer, la doctrine sceptique.

Le second groupe était celui des mondains, courtisans et femmes, avec quelques poètes et beaux esprits. Ceux-ci faisaient grand bruit, multipliaient les scandales et les indécences : ce qui leur plaisait le plus dans l'incrédulité, c'étaient les provocations tapageuses; c'était de « faire les braves » contre Dieu. Ces libertins du monde n'avaient pas de doctrine arrêtée : ils se moquaient des mystères et des dévots, affichaient la tolérance, prétendaient suivre seulement la raison et la nature, et vivaient en gens pour qui c'est raison de satisfaire à leur nature.

L'Église essaya d'arrêter par des rigueurs le progrès du mal. Le Parlement, en France, lui prêta son appui : le procès de Théophile est un épisode de la guerre entreprise par les jésuites et les magistrats contre l'irréligion; on voulait, par le supplice d'un poète, d'un homme de peu, épouvanter les grands dont il était le commensal et le conseiller.

Mais les rigueurs ne pouvaient vaincre à elles seules les esprits. Il fallut des freins intérieurs pour retenir l'âme avec son propre consentement et l'empêcher de glisser dans l'impiété scandaleuse.

La politesse, d'abord, y servit. L'honnête homme n'aime pas à se distinguer par des façons de penser téméraires; et la religion est pour lui une partie du savoir-vivre. Il suffisait des progrès du goût, pour rendre impossibles les manifestations éclatantes d'irréligion, les indécentes parodies où se plaisaient les Roquelaure et les Matha.

Puis le libertinage fut contenu et vaincu par des doctrines philosophiques et religieuses qui donnèrent à la raison les légitimes satisfactions qu'elle réclamait.

Le cartésianisme fit des chrétiens apparents, en faisant des philosophes qui croyaient à Dieu, à l'âme immortelle, à la supériorité infinie de la nature spirituelle sur la nature corporelle (ce qui établissait une hiérarchie très nette des plaisirs). Mais surtout le catholicisme s'adapta aux nécessités de la lutte : et contre l'indépendance superbe de la raison, qui faisait le péril, il opposa fortement les doctrines de la grâce et de la Providence. Par l'une, il soumettait à Dieu la vie intérieure de l'individu, par l'autre, la conduite universelle du monde, par l'une et l'autre, il faisait échec à la raison et la courbait sous une force divine, impénétrable et irrésistible.

Ainsi furent suspendues pour un demi-siècle les tendances qui composèrent l'esprit de l'âge suivant. Mais si l'effort du catholicisme fut efficace, c'est qu'il avait repris force et vitalité dans la crise du xvi° siècle; et c'est qu'il avait poussé en France le rameau vigoureux du jansénisme.

2. LE JANSÉNISME ET PORT-ROYAL.

Le jansénisme appartient à peu près exclusivement à la France et aux Pays-Bas catholiques. C'est aux Pays-Bas qu'il naquit, dans l'esprit du pieux évêque Jansénius, au temps où les âmes inclinaient de toutes parts vers le stoïcisme philosophique ou chrétien, au temps où François de Sales, sous la douceur aimable de son langage, rétablissait l'impérieuse austérité de la morale évangélique. Jansénius tira de saint Augustin une doctrine rigoureuse, assez approchante du calvinisme : tandis que l'orthodoxie romaine admettait une coopération mystérieuse de la liberté humaine à la grâce divine dans l'œuvre du salut [1], Jansénius [2] supprimait le libre arbitre pour donner tout à la grâce, et enseignait la *prédestination*, qui sépare les élus et les damnés de toute éternité par un décret absolu et irrévocable de Dieu.

1. L'Eglise laissait à la liberté des fidèles l'option entre les systèmes qui concilient le libre arbitre et la grâce, celui de saint Thomas, où domine la grâce, et celui du jésuite Molina, où domine la liberté. Elle n'imposait aucune de ces explications.
2. Jansénius, évêque d'Ypres, 1585-1638. Son fameux ouvrage, intitulé *Augustinus*, fut publié en 1640 par ses amis.

Le foyer du jansénisme, en France, fut l'abbaye de Port-Royal : c'était une communauté cistercienne de femmes établie depuis 1204 dans la vallée de Chevreuse, et réformée en 1608 par la mère Angélique Arnauld ; elle fut transportée, en 1626, à Paris, au faubourg Saint-Jacques. Du Vergier de Hauranne, abbé de Saint-Cyran, directeur de la maison à partir de 1636, y implanta la doctrine de Jansénius, avec qui il était lié, et fit de ces filles les croyantes obstinées, au besoin les inflexibles martyres de ce qu'elles regardèrent comme la pure vérité de Jésus-Christ. Quand le jansénisme commença de se répandre dans le monde, on se tourna vers Port-Royal comme vers le sanctuaire, le centre religieux de la nouvelle Église : les bâtiments de Port-Royal des Champs furent relevés [1] et servirent d'asile aux *solitaires*, aux hommes saints que la grâce avait touchés, et qui, sans se lier par aucuns vœux, sans quitter leur nom, sans former une communauté régulière, venaient vivre là, dans la retraite, une vie d'étude et de piété.

L'année 1638 commença la gloire et les malheurs de Port-Royal et du jansénisme : cette année-là, Antoine Le Maître [2], avocat, conseiller d'État, quitta l'espoir d'une haute fortune pour se retirer à Port-Royal. Cette année là, aussi, Saint-Cyran fut emprisonné par ordre de Richelieu, et les solitaires dispersés. Les jansénistes avaient d'ardents ennemis, surtout les jésuites, qui se voyaient disputer par eux la direction des âmes et l'éducation des enfants, et qui, défenseurs des prétentions romaines, les regardaient comme le parti avancé du gallicanisme. L'autorité civile, se souvenant du siècle précédent, craignit que la secte religieuse ne contînt le germe d'un parti politique, et crut de son intérêt de faire cause commune avec les jésuites, servant ainsi ceux qui devaient la combattre et persécutant ceux qui devaient la défendre dans ses rapports avec Rome.

Dès lors Port-Royal n'eut plus guère de repos. Cinq articles ou *propositions*, qu'on tira de l'*Augustinus*, furent condamnés par la Sorbonne, par les évêques (1656), par le pape (1653 et 1656). Les jansénistes soutinrent que les propositions n'étaient pas dans Jansénius (elles n'y étaient pas *textuellement*, mais elles étaient l'*âme du livre*, selon Bossuet), et ils refusèrent de les condamner comme étant de lui. Les femmes furent aussi fermes que les hommes. La défense des jansénistes fut belle : ils firent des miracles de constance, ils développèrent leur force et leur subtilité d'esprit, ils furent adroits, perfides même autant qu'héroïques, contre des ennemis à qui toutes les armes étaient bonnes. Rien n'y fit. Les

1. Il y revint aussi des religieuses à partir de 1648.
2. Ils étaient trois frères, neveux d'Arnauld : Antoine Le Maître, Le Maître de Saci, traducteur de la Bible et de Térence, et Le Maître de Séricourt.

solitaires sont de nouveau dispersés et les écoles fermées en 1656.
L'assemblée du clergé de France a rédigé (1656) un *formulaire* qui
condamne les cinq propositions : Port-Royal refuse obstinément
de le signer; d'où redoublement de la persécution : en 1660, on
ferme définitivement les écoles, on chasse les confesseurs, les
pensionnaires, les novices de la maison; on use toute la science,
toute la patience des docteurs et de l'archevêque de Paris contre
l'inflexibilité des religieuses, on finit par distribuer les douze plus
obstinées dans des communautés plus soumises (1664); à peine
arrache-t-on quelques signatures, bientôt rétractées ou expiées
dans les larmes. En 1665, on transporte aux Champs toute la communauté rebelle de Paris, et l'on donne la maison du Faubourg
Saint-Jacques à des religieuses soumises. En 1666, on emprisonne
M. de Saci. Après une trêve d'une dizaine d'années, la lutte reprend
en 1679 : Arnauld est obligé de fuir aux Pays-Bas. Louis XIV a
pris en haine ces indociles, dont la résistance choque son instinct
d'absolue autorité. En 1708, la communauté de femmes est supprimée par une bulle du pape; en 1709, les religieuses sont expulsées
par le lieutenant de police; enfin Port-Royal des Champs est
détruit (1710), sa chapelle rasée, ses sépultures violées.

On n'en avait pas fini avec le jansénisme : on l'avait décapité, non
pas supprimé. On avait réussi à lui retirer cette hauteur morale,
cette largeur intellectuelle qui en avaient fait l'expression supérieure
du christianisme français : on l'avait réduit à une bigoterie étroite,
farouche et stérile. Mais il subsista à travers tout le xviiie siècle,
surtout dans l'Université et dans le Parlement; la bulle *Unigenitus*
(1713) ranima pour un demi-siècle la querelle, où les deux adversaires s'avilissaient et avilissaient la religion devant les incrédules
charmés et railleurs : de jour en jour croissaient la fureur, l'imbécillité des deux partis; et de la même source qui avait produit
les *Provinciales* et les *Pensées*, sortaient les miracles de Saint-
Médard et le scandale des billets de confession. Ainsi se prolonge
le jansénisme, ayant parfois sa revanche dans ses malheurs, comme
le jour où il fit décréter l'expulsion des jésuites, et faisant sentir
sa main dans les affaires religieuses jusqu'au début de la Révolution : même au début de notre siècle, il n'a pas été sans
influence sur certains doctrinaires libéraux et gallicans.

La grandeur du jansénisme est tout entière dans sa morale.
Comment cette dure et désolante doctrine, qui niait la liberté, et
vouait l'immense majorité des hommes à la damnation éternelle,
sans espoir et sans retour, a-t-elle été un principe actif, efficace
d'énergie et de vertu? comment a-t-elle excité les âmes aux
sublimes efforts dans les rudes voies de la perfection chrétienne?
Il serait long de l'expliquer : mais j'ai déjà fait remarquer que

toutes les doctrines qui ont demandé le plus à la volonté humaine
ont posé en principe l'impuissance de la volonté; elles ont ôté le
libre arbitre et livré le monde à la fatalité. Le jansénisme présente
à l'homme la « face hideuse » de l'Évangile; il l'abîme dans la pro
fondeur de sa misère et de son néant, et il dresse devant lui l'inac
cessible perfection où il faut qu'il atteigne. Il le désespère, l'écrase
l'oblige de renoncer à tout ce qui fait la vie aimable et douce, à l
science même et à l'exercice de l'esprit : une seule œuvre es
nécessaire et permise, celle du salut, dont la pensée doit être l
seule pensée de l'homme, et toute sa vie.

Par cette austérité de leurs enseignements, et par les grand
exemples qui la soutenaient, les jansénistes ont exercé sur
xviiᵉ siècle une influence disproportionnée à leur nombre, et qu
contraste avec leur oppression. Aussi bien étaient-ils au gré d
siècle par la forme de leur esprit; quoiqu'on rencontre parmi eu
quelques âmes tendres et mystiques, en général leur ascétisme es
plus intellectuel que sentimental : ce sont de rudes dialecticien:
âpres disputeurs, subtils tireurs de raisonnements infatigable
chercheurs de clarté et d'évidence logique. Ils ont été des premier
à s'emparer du cartésianisme, ils en ont neutralisé l'esprit en s'e
appropriant la méthode. Le principe même de leur hérésie dog
matique est tout rationaliste : c'est en appliquant la raison au
choses de la foi, en refusant de s'incliner devant le mystère, e
s'obstinant à résoudre une contradiction que l'Église se résigne
ne pas lever, qu'ils ont élevé la toute-puissance de la grâce su
les ruines du libre arbitre; leur doctrine est une tentative pou
reculer la limite de l'incompréhensible dans le dogme.

Héros de la volonté, par le perpétuel effort de leur conduite
maîtres de la raison, par les infatigables argumentations de leur
livres, à ce double titre ils dominèrent leur siècle; et ainsi s'es
fait que tout ce qui n'était pas épicurien ou jésuite a relevé d'eu
plus ou moins. Il y eut, hors de leur secte, sans nulle adhésion
celles de leurs opinions que l'Église condamnait, nombre de gen
qui tinrent à Port-Royal; et à vrai dire ces jansénistes du dehor
furent, ou peu s'en faut, tout ce qui avait de l'élévation dan
l'âme et dans l'esprit, mondaines pieuses, telles que Mme de Sévigné
catholiques soumis et fervents, tels que Bossuet, ou rationaliste
chrétiens, tels que Boileau.

Une des meilleures choses du jansénisme, ce furent ses école:
Port-Royal ne fit pas beaucoup pour l'éducation des filles; l
règlement rédigé par Jacqueline Pascal en 1657 en est la preuve
Mais l'école de Port-Royal des Champs, où les garçons recevaien
l'enseignement d'hommes tels que Lancelot, Nicole, Arnauld, fu

n son temps un établissement modèle [1]. Par une contradiction
qui n'est qu'apparente, ces contempteurs de l'esprit humain, et
qui rangeaient l'amour de la science parmi les concupiscences
mortelles, donnaient aux enfants la plus solide instruction. Ils
mettaient la piété au-dessus de tout, mais ils s'efforçaient de
former la volonté et le jugement, afin qu'on pût faire en ce
monde tous les devoirs d'un état honnête. Leur principe excellent et fécond, était que toutes les connaissances où consiste la
matière de l'instruction ne sont pas à elles-mêmes leur but, mais
ont seulement des moyens d'élever, de fortifier l'intelligence. Rien
de plus large que l'esprit de leur enseignement, rien de meilleur,
pour le temps, que leurs méthodes, dont leurs rivaux, et surtout
l'Université, s'inspirèrent bientôt. Ils contribuèrent ainsi très sensiblement à élever le niveau intellectuel de leur époque. Par leur
science et leur culte de l'antiquité latine, ils servirent efficacement
la cause de l'art classique; par leur connaissance du grec, qui
nulle part ne fut enseigné comme à Port-Royal, ils travaillèrent à
mettre l'art classique en contact avec les plus parfaits modèles, à
le rapprocher de la plus simple beauté; ils lui offrirent un moyen
de s'élever encore au-dessus de lui-même. En un mot, ils n'ont pas
fait Racine, mais ils l'ont formé : c'est là qu'il a pris son goût, son
sens exquis de l'hellénisme, c'est à eux d'abord qu'il doit de n'avoir
pas sombré dans le bel esprit précieux. A ce seul titre, le jansénisme occuperait une grande place dans le mouvement intellectuel
au XVIIe.

Mais il a eu des écrivains, de bons et solides écrivains, un seul
grand, mais tel que ni en ce temps-là ni en aucun temps il n'y en
a de supérieur. Antoine Arnauld [2], l'intrépide docteur, jusqu'à
quatre-vingt-deux ans disputa contre toutes les « erreurs » dont il
estimait la foi menacée, erreurs des jésuites, erreurs des protestants, erreurs de Malebranche. Ce farouche théologien était un
lettre fervent; la longue lettre qu'à soixante-dix-huit ans, exilé,
errant, aveugle, il dicta pour défendre Boileau devant Perrault fait
grand honneur à son esprit. Mais il n'eut ni la volonté ni la puis-

1. Il y a quelques élèves dès 1637 autour de M. Singlin. Les *petites écoles* se
développent à Paris en 1646, puis à Port-Royal des Champs.
2. L'avocat Arnauld, qui plaida à la fin du XVIe s. contre les jésuites, eut 22 enfants,
parmi lesquels une fille fut la mère des trois Le Maitre, 2 autres furent les mères Angélique et Agnès, abbesses de Port-Royal, et 5 autres y furent religieuses. Parmi
les fils, Arnauld d'Andilly (*Journal*, Jouaust, 1892, in-8) eut 5 filles à Port-Royal, et
4 fils (dont le marquis de Pomponne); un autre fut l'évêque d'Angers, et le plus
jeune, vingtième enfant de l'avocat, fut le grand Antoine Arnauld (1612-1694). Il
donna en 1643 son traité de la *Fréquente Communion*, fut censuré par la Sorbonne
en 1656, s'en alla en exil en 1678, et y mourut. *Lettres*, 1729, 9 vol. in-12. *Œuvres*,
1775-83, 45 vol. in-4. Cf. J. Laporte, *Doctrine de la Grâce chez Arnauld*, 1923.

sance d'être un artiste : il fit œuvre de théologien, de philosophe
de logicien, jamais pour ainsi dire œuvre d'écrivain; dans aucun
de ses polémiques, il ne fit un de ces livres « absolus » qui dépas
sent l'occasion d'où il naissent et lui survivent. Il a trop écrit e
trop vite, avec un désintéressement littéraire que ne compensai
pas son tempérament. Nicole[1], son second dans mainte querelle
son collaborateur dans la *Logique de Port-Royal*, moins fougueu
et moins infatigable que lui, doit presque à Mme de Sévigné d'êtr
encore connu : c'est elle qui a préservé de l'oubli les *Essais* de c
moraliste sensé, sans profondeur et sans éclat.

Toute la force et toute la gloire littéraires de Port-Royal, e
somme, si l'on met Racine à part, sont ramassées dans Pascal
il représente pour nous toute la hauteur intellectuelle et morale d
la doctrine janséniste, qu'il agrandit de la vaste originalité d
son génie.

3. VIE DE PASCAL.

S'il est inutile pour comprendre le théâtre de Corneille d'étudi
les circonstances de sa vie, la biographie de Pascal est inséparab
de son œuvre; il n'y a pas d'écrivain qui soit plus engagé da
ses livres de toute sa personne et de toutes les parties de s
humanité.

Blaise Pascal[2] est né à Clermont, le 19 juin 1623, troisiè
enfant d'Étienne Pascal, président à la cour des aides de Clermon
En 1631, son père s'établit à Paris; il s'occupe de sciences phys
ques et mathématiques; et des savants, le Père Mersenne, Roberva
fréquentent sa maison. A douze ans, le petit Blaise, dont on mén
geait la délicatesse, donne de telles marques de son goût po
les mathématiques, que son père se décide à le laisser s'y appl
quer librement : à seize ans, un de ses travaux, un *traité des se
tions coniques*, étonnait Descartes; puis il s'occupe d'application
pratiques; il construit une machine à calculer. Son instructio
littéraire paraît avoir été fort courte; de ce côté Pascal est u
« ignorant » de génie : c'est l'effet qu'il produira plus tard à tou
le monde. De bonne heure, dès 1641, épuisé de travail, il ressen
les atteintes de la maladie qui n'aura pas sur le fond de son œuvr
l'influence capitale qu'on prétend parfois, mais qui, du moin
exaspérant sa sensibilité, donnera à son style un frémissemer
singulier.

1. Nicole (1628-1695) suivit Arnauld en exil, mais se lassa et obtint de l'arch
vêque de Paris la permission de rentrer à Paris. Les premiers *Essais de morale*
instructions théologiques parurent en 1671.

2. **Éditions :** *Provinciales* : en feuilles, du 23 janvier 1656 au 24 mars 1657 e

La famille Pascal était pieuse : un accident la donna au jansè-
isme. Étienne Pascal, devenu intendant à Rouen, s'étant cassé la
jambe sur la glace, fut visité par deux gentilshommes normands
qui firent lire au jeune Blaise Jansénius, Saint-Cyran, Arnauld. La
logique de la doctrine séduisit l'esprit du savant : il se jeta dans
le jansénisme avec tout l'emportement de sa fougueuse nature ; et
pour première marque de son application à la théologie, il dénonça
à l'archevêque de Rouen un certain frère Saint-Ange, dont la philosophie ne lui semblait pas orthodoxe. Il se fit aussi apôtre dans sa
famille : il convertit son père et sa sœur Gilberte (Mme Périer) [1],
natures pondérées, et sérieuses sans violence, qui furent jansénistes avec une fermeté paisible ; mais son autre sœur Jacqueline,
une âme de même étoffe que la sienne, fière et ardente, médita
dès lors de quitter le monde.

A partir de ce moment, Pascal est acquis au jansénisme. Mais il
reste dans le monde, et continue ses travaux. En 1648, il fait et
fait faire à Paris, à Rouen et à Clermont les fameuses expériences
qui mettent en évidence la pesanteur de l'air. Il écrit sa *Préface
d'un traité du Vide*, le morceau fameux où, rejetant le culte de l'antiquité dans les sciences, il expose la théorie **rationnelle** du progrès.
Au milieu de ces travaux, chaque crise qui froissait son âme maladive
met à nu la profondeur de sa foi janséniste : de là la *Prière pour le
bon usage des maladies* (1648), et de là la *Lettre sur la mort de
M. Pascal le père* (1651). Même le germe de la conception qui inspirera les *Pensées*, de ce qu'on appellera inexactement le scepticisme de
Pascal, existe déjà dans son esprit : la *Préface du traité du Vide*
admet l'impossibilité d'atteindre à la certitude autrement que par

vol., 1657 ; L. Brunschvicg et F. Gazier ; Z. Tourneur, 1944. — *Pensées* : Port-
Royal, 1669 ; Condorcet, 1776 ; Faugère, 1844 (d'après le manuscrit) ; Havet, 1851 ;
Molinier, 1877 ; Michaut, 1896 (ordre du manuscrit) ; L. Brunschvicg, 1904 et
1905 (reprod. phototypique) ; Chevalier, 1925, et Massis, 1925-29 (d'après le plan
de Filleau de la Chaise, *Disc. sur les Pensées* : cf. éd. Giraud, 1922) ; Tourneur,
1938 et 1942 (toutes les variantes) ; Lafuma, 1948 (d'après la 1re copie). *Disc. sur
les Passions de l'Amour*, éd. Lafuma, 1950. — *Pensées et Opuscules*, éd. Brunschvicg, 1897. — *Œuvres* : Brunschvicg, Boutroux et Gazier, 1904-14 ; Chevalier,
1936. — **A consulter** : Sainte-Beuve, *Port-Royal*, III ; A. Vinet, *Etudes sur P.*,
1848-1936 ; V. Giraud, P. Boutroux, 1900 ; A. Hatzfeld, 1901 ; G. Michaut, *Epoques
de la Pensée de P.*, 1902 ; F. Strowski, *P. et son Temps*, 1907-09 ; H. Bremond,
Hist. litt. du Sentiment religieux, IV, 1920 ; J. Chevalier, 1922 ; L. Brunschvicg,
Génie de P., 1924, E. Jovy, *Etudes pascaliennes*, 1927-1936 ; J. Lhermet, *P. et
la Bible*, 1931 ; J.-R. Carré, *l'Anti-Pascal de Voltaire*, 1935 ; Z. Tourneur, *Une
vie avec P.*, 1943 ; E. Baudin, *Philosophie de P.*, 1946-48 ; Ch. Péguy, *P.*, 1947 ;
P. Humbert, *Œuvre scientifique de P.*, 1947 ; G. Chinard, *En lisant P.*, 1948 ;
A. Bayet, *Provinciales* et *Pensées de P.*, 1930 et 1948 ; J. Laporte, *Cœur et Raison
selon P.*, R. Guardini, *P. ou le Drame de la Conscience chrétienne* ; J. Mesnard, *P.*,
1951.

1. Gilberte Pascal (1620-1687) épousa en 1641 Florin Périer, conseiller à la cour

la révélation, en matière de théologie ; la raison même, au progrès
de laquelle il croit et travaille, n'a point ici de méthode qui vaille

Cependant il mène une vie assez mondaine, à Clermont et à
Paris. La mort de son père a relâché autour de lui les liens de la
famille. Gilberte est en Auvergne, mariée à un magistrat. Jacque
line, dès la mort de son père, a déclaré sa volonté d'entrer à Port
Royal. Chose étrange : c'est Pascal qui s'y oppose. Il y eut là une
lutte pénible, que compliquèrent des questions d'intérêt : enfin
Jacqueline l'emporta et devint la sœur Sainte-Euphémie (1653)
Resté seul et libre, il se répandit davantage dans le monde. De ce
temps serait ce *Discours des passions de l'amour* qu'on lui attribue
certaines propositions et le ton général de l'ouvrage sentent l'épi
curien ; cette fois, le jansénisme de Pascal fut sérieusement e
danger. Il songea même à se marier. C'est dans cette dissipatio
mondaine qu'il rencontre et fréquente des libertins, tels que Desbar
reaux et Miton ; mais l'homme qui eut alors sur lui le plus d'in
fluence, ce fut le chevalier de Méré[1], un fat de beaucoup d'espri
et d'une intelligence singulièrement pénétrante, qui lui fournit l
principe de quelques-unes de ses vues les plus profondes.

Une grande question semble avoir dès lors fortement préoccup
son intelligence : il cherchait une certitude, et si vraiment, comme
disaient les théologiens, il n'y en avait pas hors de la vérité révélée
C'est là ce qu'il demandait aux philosophes, à Épictète, à Montaigne

Mais surtout il aspirait au bonheur : il le réclamait ; il en deman
dait la voie aux philosophes ; il le cherchait dans la science, pa
l'exercice de la pensée ; il le rêvait au moins dans la vie mondaine
par la jouissance des passions. Un accident de voiture, où il fu
sauvé par miracle, auprès du pont de Neuilly, n'est sans dout
qu'une légende ; mais l'évolution naturelle de ses idées[2], l'impossi
bilité d'atteindre le bonheur permanent, infini où il aspirait, et enfi
l'insoluble mystère — psychologique ou théologique — de la grâc
amenèrent la crise définitive : cette nuit du 23 novembre 1654, nui
d'extase et de joie, où face à face avec son Dieu, Pascal se donn
à lui, et pour toujours. L'engagement en est consigné dans cett
prière enflammée que Pascal depuis porta toujours sur lui, cousu
dans la doublure de son habit. Cette fois il avait, non pas exécut
définitivement l'abdication de son intelligence, mais trouvé la vérit
supérieure qui pouvait mettre l'unité dans sa vie intellectuelle e
morale, la vérité où étaient compris toute certitude et tout bonheur

des Aides de Clermont ; Marguerite Périer, la miraculée, et Étienne Périer, l'auteu
de la *Préface* de 1670, sont ses enfants. — Jacqueline Pascal (1625-1661), esprit vi
imagination de feu, entra à Port-Royal, le 4 janvier 1652. — **A consulter**
M. Perroy, *Gilberte P.*, 1930 ; F. Mauriac, *P. et sa sœur Jacqueline*, 1931.

1. *Œuvres*, éd. Ch. H. Boudhors, 1930.
Cf. le traité de la *Conversion du pécheur*, et la *Vie* écrite par Mme Périer.

Pascal donne à Port-Royal un esprit tout laïque, formé aux méthodes et imbu des notions de la science et de la philosophie, assez ignorant de la théologie : de son *Entretien avec M. de Saci*, il résultera qu'au moment d'entreprendre ses rudes campagnes contre l'erreur et l'incrédulité, ce défenseur de la foi connaît les philosophes, et n'a pas lu les Pères de l'Église : il n'en aura jamais qu'une connaissance superficielle. Et de là même sa puissance sur le monde laïque : idées, méthode, style, tout en lui est du savant et de l'honnête homme, rien du théologien.

En 1655, un curé ayant refusé l'absolution au duc de Liancourt, parce qu'il avait sa petite fille à Port-Royal, Arnauld écrivit sur ce refus deux lettres qui irritèrent les ennemis du jansénisme, et furent menacées d'une censure en Sorbonne. Le parti se résolut alors à en appeler au sens commun, à l'équité naturelle du public, et Arnauld, ne se sentant pas le talent qu'il fallait pour cette entreprise, engagea Pascal à la tenter : du 23 janvier 1656 au 24 mars 1657, dix-huit lettres parurent, anonymes, imprimées clandestinement, bravant toutes les fureurs de l'ennemi qu'elles écrasaient. On les réunit ensuite sous le titre de *Lettres de Louis de Montalte à un Provincial de ses amis et aux R. R. P. P. Jésuites sur la morale et la politique de ces Pères*. L'exaltation de Pascal pendant cette polémique est incroyable. Il reçut une grande joie quand sa nièce, la petite Marguerite Périer, fut guérie miraculeusement au contact d'une relique conservée à Port-Royal, une épine de la couronne de Jésus-Christ : ce miracle, tombant au cours de ses démêlés avec les Jésuites, lui apparut comme une manifeste approbation de Dieu. Et vers le même temps, sûr de sa vérité, il jetait durement, cruellement, dans le cloître Mlle de Roannez, une pauvre et faible âme que son impérieuse direction brisa.

Il conçut ensuite le projet d'une *Apologie de la Religion chrétienne*, telle, bien entendu, que la définissait le jansénisme. Il y travailla tant qu'il put, au milieu de souffrances aiguës : la maladie maintenant ne le laissait plus. Mais il avait conquis le bonheur avec la vérité : il était serein et souriant. Il se savait au nombre des élus : il écrivait l'étrange et admirable *Mystère de Jésus*. Ses souffrances même étaient un signe de son élection : il les redoublait, croyant aider à la grâce et collaborer à la miséricorde de Jésus. Il s'ingénia à s'inventer des souffrances, des gênes : il persécuta son pauvre corps avec des raffinements incroyables de dureté. Il mourut le 19 août 1662.

Ce fut une fière nature, à l'énergie indomptable, aux passions de flamme, d'un amour-propre ardent, qui put bien s'épurer, mais non pas s'éteindre par la foi, d'une personnalité impérieuse, qui le fit intraitable à se conserver l'honneur de ses recherches scientifiques, et qui l'amena dans sa pénitence a exiger instamment de Jésus qu'il lui eût donné sur la croix une pensée, une goutte de son sang, personnellement, à lui Pascal, pour sa rédemption particulière : nature tourmentée et superbe, qu'aigrit encore et troubla la maladie, intelligence puissante, étendue en tous sens et comme en toutes dimensions, un des plus beaux et plus fort esprits d'homme qu'il y ait jamais eu.

4 LES PROVINCIALES.

Les quatre premières Provinciales traitent de la censure d'Arnauld, et de la Grâce : puis Pascal élargit le débat, et va à l'essentiel, en traitant dans les lettres V à XVI de la morale des jésuites. Les lettres XI à XVI sont adressées aux Révérends Pères eux-mêmes, dont les réponses sont réfutées dans la XIIIᵉ; le deux dernières, adressées au P. Annat, de la Société, discutent la question si les jansénistes sont des hérétiques.

Ces vigoureux pamphlets firent une impression profonde : le Parlement de Provence les condamna, Rome les condamna (sept. 1657) : à Paris, en 1660, sur le rapport d'une commission ecclésiastique, le Conseil d'État fit brûler la traduction latine que Nicole, sous le pseudonyme de Wendrocke, avait donnée des *Provinciales* : il est vrai que l'arrêt visait surtout une note du traducteur, où l'on vit une offense à Louis XIII.

Cependant on ne peut dire que Pascal ait eu le dessous même dans l'Église : tandis que son parti était vaincu, son livre triomphait, et jamais depuis, la Compagnie de Jésus ne s'est remise du coup qu'il lui a porté. Il a créé contre elle un ineffaçable préjugé et fourni des armes à tous ceux qui l'ont crainte ou haïe Dès 1656, les curés de Rouen, puis ceux de Paris déféraient à l'Assemblée du Clergé 38 propositions de morale relâchée; en 1658, les curés de Paris dénonçaient au Parlement, à la Sorbonne et aux vicaires généraux une *Apologie des Casuistes*, qui fut condamnée Alexandre VII en 1665, Innocent XI en 1679, condamnèrent la morale relâchée. Bossuet, en 1682, en prépara une censure pour l'Assemblée du Clergé, qui n'eut pas le temps de la voter; mais en 1700 il reprit le même dessein, et cette fois le mena à bout Enfin, en 1773, dans la bulle de suppression de l'ordre des jésuites l'un des considérants indiqués par le pape est la morale pernicieuse de leurs casuistes. Tout cela, et mainte manifestation de la libre pensée moderne contre la Compagnie, tout cela sort des *Provinciales* et n'est que la suite du mouvement créé par Pascal.

Il est certain que les *Provinciales* sont très fortes, et les défenses des jésuites très faibles : la meilleure, celle du Père Daniel, parut

en 1694, et prouve par sa date que, près de quarante ans après
l'attaque, ceux qui en étaient l'objet n'estimaient pas l'avoir encore
repoussée. On a chicané Pascal sur l'exactitude des textes qu'il
cite : mais il s'est bien gardé. Il avait lu deux fois la *Théologie
morale* d'Escobar[1] ; et ses amis lisant les autres casuistes lui fournissaient des citations[2], qu'il vérifiait scrupuleusement. De fait,
on n'a pu le prendre sérieusement en faute là-dessus.

Mais n'était-ce pas un subterfuge d'assez mauvaise foi, que de
passer de la grâce à la morale, et déplacer la question? Non .
c'était montrer la valeur de la question : car il est certain que la
vie chrétienne est le but, et le dogme de la grâce un moyen.

Mais alors, ne peut-on chicaner Pascal sur ses conclusions, et
ne sont-elles pas manifestement outrées ? Voltaire, qui après tout
s'accommode mieux des doux jésuites que des âpres jansénistes,
accuse Pascal de calomnie pour avoir reproché à la Compagnie de
corrompre les mœurs. Pascal rend justice à la pureté de la vie des
Pères, et ne leur prête nulle part le dessein exprès de favoriser la
corruption . il dit que la Société poursuit un but politique, la
domination des consciences pour le compte de Rome, et fait plier
la morale de l'Évangile à sa politique, pour attirer les âmes par
la religion aimable et le salut facile.

On l'a repris aussi d'avoir confondu casuistes et jésuites, comme
si tous les ordres religieux n'avaient pas leurs casuistes : le fait est
vrai ; mais il est vrai aussi que les autres ordres sont perdus au
sein de l'Église ; les jésuites existent à part, forment un parti,
ayant unité de vues et d'ambition, et la casuistique leur a été plus
propre qu'à personne ; elle n'a été qu'un accident ailleurs, elle a
été chez eux une méthode de domination.

Ce n'est pas à dire qu'il n'y ait de l'injustice dans la polémique des *Provinciales* comme dans toute polémique. D'abord
la casuistique semble y être enveloppée dans la condamnation
des casuistes : c'est en méconnaître l'innocence, la légitimité,
la nécessité ; la casuistique est l'*art* d'appliquer les principes
de la *science* morale, elle est nécessaire toutes les fois qu'il
s'agit de passer de la théorie à la pratique, de la loi universelle
aux cas particuliers : dans tous les conflits de devoirs, et dans

---

1. *Liber theologiæ moralis*, etc., Lyon, 1652.
2. On peut voir, en examinant le petit écrit intitulé *Théologie morale des Jésuites*
(1644, in-12), ce que ces amis ont fourni à Pascal : presque toute la matière des lettres IV-X est ramassée dans les 40 ou 50 pages de cette terne et sèche compilation.
Et M. Strowski a montré que d'autres écrits d'Arnauld avaient été employés par
Pascal : si bien que l'originalité des *Provinciales* n'est ni dans l'information ni dans
les arguments ; elle n'en est pas diminuée d'ailleurs.

les situations complexes, elle seule éclaire l'homme. Les stoïciens
même en ont fait usage.

Et parmi les innombrables décisions des casuistes, faut-il ne
relever que le nombre — considérable encore, mais relativement
restreint — des décisions immorales? Il est certain que l'esprit
général de la casuistique catholique tend à adoucir l'austérité de
la morale évangélique. Mais doit-on oublier que c'est là un des
expédients nécessaires par lesquels s'est faite l'adaptation du
christianisme à son rôle de religion universelle, et que ces subtilités de procédure théologique qui aboutissent à tourner la loi
par la considération des *espèces*, ont l'avantage de laisser *théoriquement* entier l'idéal chrétien? C'est comme un délicat et sensible
appareil qui permet à l'Église de relever ou d'abaisser le niveau
de ses commandements, pour obtenir à chaque moment des consciences la plus grande *approximation* réellement possible dans la
poursuite de la perfection morale. Si l'admirable aspiration de
quelques doux rêveurs a pu devenir la loi de sociétés immenses,
c'est que la casuistique a transposé l'utopie irréalisable en précepte
pratique, et ses décisions représentent souvent, en face de la folie
ascétique, le ferme et naturel bon sens.

Sans insister plus qu'il ne convient, on ne peut cependant
omettre de dire qu'il y avait dans les gros recueils des casuistes
une floraison d'imagination subtile et romanesque, fort analogue
à celle qui se révèle dans la composition des thèmes oratoires sur
lesquels s'exerçaient les rhéteurs de l'empire romain, et que, tout
en condamnant la bizarrerie immorale de ces jeux d'esprit, il ne
faut pas pourtant en exagérer la conséquence. Il est vrai aussi
que ces lourds bouquins, scolastiques presque toujours de style et
de langue, étaient plus à l'usage des directeurs que des fidèles, et
servaient plus à absoudre l'irréparable passé qu'à autoriser les
fautes à faire. Et enfin, si l'on songe que la terre d'élection de la
casuistique fut l'Espagne, et quelles conséquences temporelles y
pouvait avoir, sous le régime de l'inquisition, un refus d'absolution
entraînant l'exclusion des sacrements, on sera tenté d'excuser un
peu l'intention des complaisants casuistes qui employaient leur
esprit à « enlever les péchés du monde ».

J'admets donc qu'il y ait de l'injustice ou de l'excès dans les
attaques de Pascal, et j'en fais la part aussi large que possible :
mais il reste qu'en gros il a fait une œuvre juste et salutaire. Les
raisons qui pouvaient atténuer en Espagne le relâchement de la
morale religieuse n'existaient pas en France, et certains jésuites
français avaient écrit déjà en notre langue, offrant à tous le libre
usage de leur indulgence. L'indépendance et le haut essor de la
raison laïque rendaient chez nous ces complaisances plus meur-

trières à la religion : entre les mains des casuistes, l'originale hauteur de la morale chrétienne s'amortissait, se fondait, s'aplanissait, et tendait à se mettre de niveau avec la mollesse équivoque de la morale mondaine.

Pascal et le jansénisme ont rendu au christianisme sa raison d'être, lorsqu'ils l'ont ramené à être un principe d'effort moral, lorsqu'ils ont remis dans le chemin de la vertu ses épines et ses ronces. Ils ont eu raison même absolument, en dehors de tout dogme, du seul point de vue de la conscience, lorsqu'ils ont rétabli la lutte incessante, obstinée contre l'instinct et l'intérêt, l'inquiétude de tous les instants, comme les conditions de la moralité, et qu'aux décisions des directeurs complaisants ils ont opposé leur rigorisme, l'obligation, dans tous les cas douteux, de choisir le parti le plus dur, et de décider contre l'égoïsme, par la seule raison qu'il est l'égoïsme.

Il y avait aussi quelque chose d'inquiétant, de scandaleux même, dans l'opération logique qui tirait de la règle une pratique contraire à l'esprit de la règle : l'avantage de sauver la règle cédait ici à l'inconvénient de blesser les consciences par l'équivoque tortueuse et la subtilité hypocrite. C'est ce que sentirent les gens du monde qui, sans aucun goût pour l'ascétisme chrétien, applaudirent à la dénonciation de la morale facile : ils voulaient bien faire ce que les casuistes autorisaient, se dispenser du jeûne, se battre en duel, cajoler les dames, prêter à intérêt; mais ils voyaient bien que ces choses-là ne s'autorisaient pas par les principes dont les casuistes les dérivaient. Quiconque aimait la franchise et la sincérité, fut avec Pascal.

Enfin les *Provinciales* furent un acte de bon goût, et comme de salubrité esthétique et littéraire : il était bon, au temps où la littérature profane allait se débarrasser du romanesque espagnol, de barrer la route aussi aux fantaisies extravagantes où l'imagination religieuse se complaisait de l'autre côté des Pyrénées. En écrivant ses pamphlets, Pascal se faisait le défenseur de la raison classique dans le domaine de la religion.

Il y a un point où les adversaires de Pascal avaient raison : c'est quand ils l'accusaient de rire des choses saintes. Je n'ai pas besoin de dire que Pascal riait seulement des jésuites, et qu'il respectait la religion autant qu'aucun de ses adversaires, en la comprenant mieux. Cependant ceux-ci avaient plus raison qu'ils ne croyaient eux-mêmes. Pascal a frayé la voie à Voltaire : et voici comment. Une des réponses qu'on lui opposa notait le « ton cavalier » de sa polémique; disons l'accent laïque. C'est un homme du monde qui parle aux gens du monde : une raison qui se communique à la raison de tous. Voilà le danger. Il est le même que lorsque les Réformateurs avaient convié le peuple à examiner les

Écritures ; ils ne pensaient pas non plus travailler au profit de l'irréligion. Pascal croit servir la vérité du Christ ; il l'affaiblit. Car il la livre aux discussions des profanes. Il tire hors de l'École et de l'Église les matières théologiques ; il propose à la raison laïque de décider sur tel dogme, telle doctrine, entre tels et tels théologiens. D'autres appliqueront la même méthode à tout le dogme, et poseront la question entre la raison elle-même et la foi. Pascal énumère les sottises des casuistes, et les confond par l'extravagance qu'y découvre le sens commun : d'autres étaleront les sottises des Pères, les sottises de la Bible, et ruineront la religion en l'opposant au sens commun. Pascal a fait tort à la religion, parce que toutes les polémiques violentes où les théologiens la donnent en spectacle au public sont mauvaises pour elle ; et il lui a fait tort plus qu'un autre, parce qu'il a employé à traiter des problèmes théologiques des armes toutes laïques, les seuls moyens et la seule autorité de la raison.

Mais c'est cela même qui fit le succès du livre, et qui en fait encore aujourd'hui la beauté supérieure. Ne parlant qu'à la raison, il a fondé solidement ses arguments sur des bases éternelles, sur les principes essentiels de la moralité et de l'intelligence humaines, sur notre impérissable sens du vrai et du bien : il a dû pour cela sonder ces questions théologiques qu'il débattait, jusqu'à ce qu'il eût découvert le fond solide des lieux communs où la vie morale de l'homme est nécessairement comprise. Par là ce pamphlet est demeuré un des livres que lira toujours quiconque, chrétien ou non, cherchera sa règle de vie : il a réalisé cette loi des grandes œuvres d'art, de dépasser les circonstances contingentes qui lui ont donné l'être, et de revêtir un intérêt absolu, universel.

Toutes les sortes d'éloquence y sont renfermées, comme a dit Voltaire : vigueur de raisonnement, ou de passion, ironie délicate ou terrible. Villemain disait qu'il estimerait moins les *Provinciales* si elles avaient été écrites après les comédies de Molière : on comprendra ce jugement paradoxal, si l'on regarde avec quelle puissance expressive, quel sens du comique, et quel sûr instinct de la vie, sont dessinées les physionomies des personnages que Pascal introduit ; deux pères jésuites surtout, subtils et naïfs, celui dont l'ample figure occupe la scène de la 5e à la 10e lettre, et celui dont la vive esquisse illumine la 4e Provinciale. Il y a là un art singulier de traduire les idées abstraites en actes, en gestes, en accents, en un mot une réelle force d'imagination dramatique.

Mais ce qu'il y a de plus admirable dans l'œuvre, c'en est la simplicité, l'*objectivité* : toute la personne de l'auteur s'efface de l'œuvre en la construisant ; elle est toute ramassée dans l'expression, absente volontairement de la matière. Tout est subor-

donné à la démonstration que l'écrivain veut faire : **il n'applique**
son rare génie qu'à choisir les meilleurs moyens de l'opérer. Tout,
ainsi, est argument, et tout est efficace, véhémence et raillerie,
logique abstraite et dramatique imagination. Pour les règles,
l'auteur n'en reçoit que de son sujet : et dans le mépris de la rhétorique il trouve le plus juste emploi et le *maximum* de puissance
de tous les moyens de la rhétorique, qui, chez lui, sont reçus de
la nature des choses, qui partout sont les formes propres et nécessaires, partout aussi les formes simples et naturelles. Aussi, du
coup, l'éloquence française égale-t-elle la perfection souple et la
sublimité aisée de l'éloquence attique : Démosthène est comparable, point du tout supérieur à Pascal.

Les *Provinciales* sont, dans notre prose, le premier chef-d'œuvre
du goût classique. C'est une œuvre de raison, non seulement parce
que l'objet en est une démonstration et la méthode une suite de raisonnements, mais surtout parce que, selon la raison, elle ne nous
parle jamais de son auteur, toujours de son sujet, et parce qu'elle
a un caractère universel de vérité et de beauté. C'est une œuvre
d'art aussi, d'un art qui s'emploie à manifester uniquement la
raison. Mettant à profit la grande leçon de Malherbe, Pascal a laborieusement, lentement, patiemment amené son ouvrage à être
l'expression pure et parfaite de sa pensée : il ne s'est pas contenté
du premier effort de sa nature, si richement douée. Ayant dû
improviser à peu près les trois premières lettres, dès qu'il peut, il
travaille, il corrige : il refait, dit-on, treize fois la 18e lettre ; et par
un mot profond, il s'excuse de n'avoir pas fait la 16e plus courte
faute de loisir. Son idéal est de trouver les voies les plus rapides,
les moins pénibles, et les plus sûres de la persuasion : il compose
rigoureusement, il donne à ces discussions la rigueur et la clarté
d'une démonstration scientifique. Il évite toutes les déperditions de
forces : tout ce qui n'est pas nécessaire est inutile. Il choisit ses
mots avec un sens si juste de leur propriété, de leur efficacité,
qu'après 250 ans, il n'y a pas une page pour ainsi dire de son œuvre,
dont l'énergie se soit dissipée, ou dont la couleur se soit altérée.

5. LES PENSÉES.

Pascal n'avait pu terminer son *Apologie de la Religion chrétienne* :
les fragments qu'il avait rédigés furent publiés en 1670 par
MM. de Port-Royal, assez inexactement, avec toute sorte de
retranchements et de corrections, mais en somme de la seule
façon qui pût en ce temps-là faire passer et faire goûter l'ouvrage.
Le texte authentique des *Pensées* a été signalé en 1843 par Victor
Cousin, et souvent publié depuis.

Le plan que Pascal se proposait de suivre est connu dans ses grandes lignes, d'abord par la *Préface* de l'édition de 1670, où Étienne Périer l'expose tel que son oncle l'avait développé devant quelques amis vers 1658 ou 1659 [1], puis par certains fragments qui se rapportent à l'ordre et aux divisions du livre. Voici la plus importante de ces notes :

« Les hommes ont mépris pour la religion, ils en ont haine et peur qu'elle soit vraie. Pour guérir cela, il faut commencer par montrer que la religion n'est point contraire à la raison ; ensuite qu'elle est vénérable, en donner respect ; la rendre ensuite aimable faire souhaiter aux bons qu'elle fût vraie, et puis montrer qu'elle es vraie. — Vénérable, en ce qu'elle a bien connu l'homme ; aimable parce qu'elle promet le bien (éd. Havet, art. XXIV, 26). »

Si nous combinons ces indications avec le plan d'Étienne Périer qui ne détache pas nettement la 1re et la 3e des parties distinguées par Pascal, mais les indique pourtant, voici comment nous nou représenterons le dessein de Pascal.

1° *La religion n'est pas contraire à la raison.* — Cette partie es une *préparation*, pour disposer le lecteur à ne point mépriser pa préjugé la religion, pour lui faire comprendre qu'il se pourrai qu'elle fût logiquement défendable, pratiquement efficace. Après l discours contre l'indifférence des athées (art. IX), qui vaut comm une introduction générale de l'ouvrage, Pascal exposait sa thèse d l'impuissance de la raison, incapable de savoir tout, et de rien savoir certainement, réduite à juger des « apparences du milieu de choses » (les deux infinis, art. I). La foi est un moyen supérieu de connaissance : elle s'exerce au delà des limites où la raiso s'arrête (distinction de la *raison* et du *sentiment* ou du *cœur*). Mai quand cela ne serait point, quand aucun moyen ne s'offrirait à l'homme de parvenir jusqu'à Dieu, par la raison ou par tout autre voie, dans l'absolue impossibilité de savoir, il n'en faudrai pas moins faire comme si on savait. Car, selon le calcul des proba bilités, on a avantage à *parier* que la religion est vraie, à régle sa vie comme si elle était vraie. En vivant chrétiennement o risque infiniment peu, quelques années de plaisir mêlé, pou gagner l'infini, la joie éternelle. Il faut donc vivre en chrétien. Mai désirer de croire n'est pas croire : on ne croit pas à volonté ; il faut la grâce. En attendant qu'on l'ait, et qu'on croie, on se pré parera à la recevoir et à croire : on *pliera la machine*, on *ira à l messe*, on s'*abêtira*. On disposera le corps, l'*automate*, de façon qu

---

1. Ou mieux encore le plan exposé par Filleau et La Chaise dans le projet primiti de *Préface* dont la famille de Pascal ne voulut pas. Étienne Périer n'a fait que resserre le développement de M. de la Chaise. On trouve ce discours dans l'édition des *Pensée* le Lyon, 1677. in-12. et même déjà dans l'éd. Desprez, Paris. 1673.

ses habitudes ne fassent pas obstacle aux mouvements de l'âme, quand la grâce l'inclinera [1].

Ces discours montrent qu'il peut y avoir un moyen de savoir et des raisons d'agir comme si on savait. La religion n'est donc plus une absurdité à dédaigner. Pascal entamera donc ses démonstrations, sûr d'être au moins suivi.

2° *La religion est vénérable, parce qu'elle a bien connu l'homme.* Pascal peindra à l'homme sa grandeur et sa bassesse, ses avantages et ses faiblesses, toutes les contrariétés étonnantes qui se trouvent dans sa nature. Il lui donnera ainsi la curiosité, *s'il a tant soit peu de raison*, de connaître d'où vient cette étrange disproportion de sa nature; et pour résoudre cette énigme, il l'adressera aux philosophies [2] et aux religions, dont il montrera la vanité, la faiblesse et l'impuissance. Il lui fera remarquer ensuite le peuple juif, et ce livre, qui est son histoire, sa loi, sa religion : là l'homme trouvera le récit de la chute d'Adam; et cette idée d'une nature d'abord excellente, puis déchue par le péché, illuminera les contradictions qu'on aura d'abord relevées. La religion chrétienne héritière de la loi juive, se présentera donc comme une hypothèse, telle qu'en emploient les sciences, qui tire sa probabilité de son adaptation aux faits constatés. Seule de toutes les doctrines philosophiques et religieuses, la doctrine de la chute explique le contraste incompréhensible de grandeur et de bassesse, qui est le trait caractéristique de la nature humaine. Elle a de plus l'avantage d'offrir la seule idée de Dieu, et du culte où à Dieu, qui soit capable de contenter la raison. La religion donc qui propose cela, qui a bien connu l'homme et bien parlé de Dieu, si elle n'est pas vraie encore, mérite du moins d'être prise au sérieux, et respectée.

3° *La religion est aimable, parce qu'elle promet le vrai bien.* L'homme a naturellement le désir du bonheur. Or la religion chrétienne est une religion d'amour. Jésus-Christ est rédempteur, réparateur : à la nature déchue et misérable, il apporte le salut, le pardon. Les élus sont destinés à la joie éternelle.

Voilà un bien pur, complet, impérissable, tel donc que la raison l'exige pour s'y attacher : incapable de manquer, incapable de lasser.

4° Mais ces deux arguments sont des arguments indirects, qui rendent la religion probable et font désirer de la trouver vraie. Il faut montrer enfin que *la religion est vraie*, au sens rigoureux du mot, par des preuves directes et intrinsèques. Pascal étudiera la Bible, fera valoir que seuls les Juifs ont conçu Dieu dignement, établira la vérité des livres saints et du livre de Moïse en particu-

---

1. Je n'oserais affirmer que ce morceau du pari ait été conçu et rédigé pour entrer dans l'*Apologie*.
2. A la stoïcienne, dogmatique, et à l'épicurienne, sceptique.

lier, la vérité des miracles de l'Ancien Testament, prouvera la mission de Jésus-Christ par les *figures* de la Bible et par les prophéties, puis par la personne même, les miracles, les doctrines, la vie du Rédempteur ; enfin il montrera dans la vie et les miracles des Apôtres, dans la composition et le style des Évangiles, dans l'histoire des saints et des martyrs, et dans tout le détail de l'établissement du christianisme, les marques évidentes de la divinité de notre religion. En poursuivant ces études, deux idées dominent l'argumentation de Pascal : 1° *Credo quia absurdum* : la religion, *essentiellement*, est choquante, absurde pour la raison, et pourtant elle s'est établie : donc son établissement est preuve de sa divinité. Des hommes l'auraient faite plus vraisemblable, ne fût-ce que pour pouvoir l'accréditer. 2° *Deus absconditus* : il est *essentiel* à la religion qu'elle soit incompréhensible, incertaine : sinon, si tout le monde la comprend, en aperçoit la vérité et la divinité, tout le monde y croira, et tout le monde sera sauvé. Or, par hypothèse, Dieu ne veut se montrer qu'à ses élus ; il se dérobe à ceux qu'il damne, pour les damner de ne l'avoir point vu. Ces deux idées sont les moyens par où toutes les objections qu'on peut faire à Pascal sont réduites en arguments à l'appui de sa thèse. Et ainsi s'achève le dessein qu'il avait de *montrer que la religion chrétienne a autant de marques de certitude et d'évidence que les choses qui sont reçues dans le monde pour les plus indubitables.*

On a embrouillé à plaisir le dessein de Pascal, et l'on y a cherché les difficultés, des contradictions qui n'y sont pas. Comment peut-il mépriser l'infirmité de la raison, et soumettre à la raison les preuves de la religion ? Mais dans la première partie, Pascal établit seulement l'*impuissance transcendantale* et *métaphysique* de la raison, qui ne donne qu'une certitude imparfaite dans un domaine restreint ; dans la seconde partie, Pascal parle des causes multiples qui, dans son domaine même, font errer souvent la raison, mais il sait le remède, et les règles par lesquelles on est assuré de faire un bon usage de sa raison. Il dit que *le pyrrhonisme est le vrai*, mais il ne dit pas que le dogmatisme soit faux, bien au contraire : le dogmatisme aussi est le vrai. Et puis le pyrrhonisme tient le dogmatisme en échec précisément sur une question qui dépasse la portée restreinte de la raison, sur une question d'essence et d'origine, sur celle de savoir pourquoi l'homme est ce qu'il est : à cette question la révélation seule répond Pascal, après cela, a donc bien le droit de s'adresser dans la quatrième partie à la raison, et de lui proposer des *preuves*, qui fourniront une évidence pareille, égale, et non supérieure, à celle que l'homme obtient par ses méthodes humaines dans toutes les parties de ses sciences. Les trois premières parties fourniront des probabilités, des présomptions, des preuves indirectes ou partielles ; la quatrième, une preuve directe, intrinsèque, rigoureuse, intégrale [1].

Cette quatrième partie est singulièrement faible aujourd'hui : mais il y a bien de la hardiesse et de la pénétration dans la seule position de la question. Pascal a cherché la solution du problème de la révélation dans une *critique* historique et philologique des Écritures. Il prenait cette voie périlleuse pour ne manquer ni à ses principes ni à ses promesses. Il s'était engagé à démontrer la religion, et il avait établi l'impuissance métaphysique de la raison. Il fallait donc essayer de saisir Dieu dans les apparences dont la raison est juge. La raison, Pascal l'a dit dans sa *18ᵉ Provinciale*, a seule droit, en consultant l'expérience, de décider sur les *faits*. Si donc on traite la religion comme un *fait*, les miracles, les évangiles comme des *faits*, la raison, critiquant ces réalités sensibles, pourra y faire apparaître avec évidence un élément surnaturel et surhumain : l'action divine, insaisissable en elle-même, sera atteinte dans ses manifestations historiques.

Pascal a conduit cette originale tentative avec une rare témérité, une entière ignorance de l'histoire et de la philologie, et une volonté décidée de faire sortir des textes la *vérité* qui lui plaisait : il ne pouvait se douter que de la méthode qu'il indiquait, appliquée avec la rigueur impartiale de la science, devait sortir la condamnation de sa croyance. Il ne s'était pas aperçu, ce fort logicien, que le principe de la science, la croyance au déterminisme rigoureux des phénomènes, excluant Dieu de l'univers connaissable, implique la négation de la Révélation dans l'ordre de la science, que la méthode par conséquent contient la conclusion, et que le seul moyen de sauver la foi est de la mettre hors de la raison, sans contact immédiat et sans liaison directe avec elle.

Pour les 1ʳᵉ et 2ᵉ parties, l'originalité des raisonnements de Pascal est dans l'application des méthodes scientifiques au problème théologique : le physicien et le géomètre se retrouvent dans ces étonnantes démonstrations où la religion est tantôt offerte par *hypothèse*, comme le système astronomique de Copernic, opposé à celui de Ptolémée, se vérifie par la concordance de ses conséquences logiques avec les faits observés, et tantôt jouée comme à la roulette, sur un calcul de probabilités. Quelle force pouvaient donner à la religion ces démonstrations étranges? Je ne sais trop, mais assurément Pascal a touché plus juste, quand il a saisi ensuite le fondement naturel et psychologique de la foi, ce désir du bonheur que l'homme ne peut retrancher de son cœur et qui, sans cesse déçu par la réalité, se recule toujours plus loin, jusqu'à ce qu'il ne

1. Ou plutôt, les trois premières parties sont la démonstration rationnelle du christianisme ; la dernière est la constatation du fait de sa divinité.

trouve plus d'autre moyen de subsister que de s'élancer hardiment dans l'inconnaissable, plaçant son espérance en sûreté hors de la vie et du temps.

« Qu'on ne dise pas, écrit Pascal, que je n'ai rien dit de nouveau : la disposition des matières est nouvelle. Quand on joue à la paume, c'est une même balle dont on joue l'un et l'autre; mais l'un la place mieux. » Pascal excelle à placer la balle. Il a pris sa matière partout : peu érudit en théologie, il a causé avec M. de Saci et d'autres solitaires, il a lu saint Augustin. Ses idées sur la religion, au fond, n'ont rien de nouveau : pas même ses idées morales, politiques, sociales. Celles qui sont essentiellement chrétiennes, lui sont communes avec les grands docteurs de l'Église; Bossuet les exprimera, sans avoir besoin de s'inspirer de Pascal. Ce n'est pas à Pascal qu'il prendra l'idée du *Discours sur l'histoire universelle*. l'idée d'une Providence qui fait tourner l'histoire du monde autour du petit peuple juif. Ce n'est pas à Pascal qu'il prendra l'idée du néant et de la grandeur de l'homme, cette effrayante énigme dont la religion dit le mot.

D'autres théories de Pascal sont celles du temps : sa doctrine politique, au fond, se réduit à des opinions assez répandues parmi le tiers état intelligent depuis la fin du xvie siècle, et elle se retrouvera, l'accent seulement étant changé, dans la *Politique* de Bossuet. Mais la grande source des idées profanes, si l'on peut dire et purement rationnelles de Pascal, c'est Montaigne, dont la pensée, les mots mêmes et les images sont sans cesse l'étoffe à laquelle il met sa façon. Il est curieux de remarquer combien Pascal, sur les sujets de morale individuelle ou générale, a l'intelligence et l'imagination obsédées par les *Essais*.

Il a sur l'invention la superbe indifférence de nos classiques, ou plutôt il dirige comme eux son invention moins vers la nouveauté que vers la vérité; et l'originalité qu'il cherche est celle de l'expression et du maniement des matériaux. Il est, en effet, étonnant dans le tour et dans l'emploi des idées que d'autres ont rendues avant lui. Il a une puissance d'analyse et de raisonnement, qui y découvre toutes sortes de caractères et de liaisons qu'on ne soupçonnait pas. Il a l'art surtout de les saisir en profondeur. Jamais rien, chez lui, ne reste banal et superficiel. Les choses qu'on lit ailleurs, dans Montaigne même, sans y faire grande réflexion, ni y apercevoir grande conséquence, prennent, lorsqu'il les rend, presque dans les mêmes termes, une gravité, une portée qui saisissent l'esprit : par un mot, ou même par l'insaisissable frémissement de sa phrase, on sent qu'il y voit un monde, et on se dispose à l'y voir avec lui. Je ne sais pas de style qui ait plus de pénétration à la fois et d'envolée. C'est qu'au'avec la précision de son génie scientifique, Pascal ne nous montre aucun objet, qu'il ne lui ait arraché le secret de son essence intime, et qu'il n'ait suivi, aussi loin que la pensée peut aller, l'action qui en rayonne à travers l'infinité de la nature.

Ce don de profondeur, qui est l'originalité propre de l'esprit de Pascal, apparaît à chaque page dans les *Pensées*, surtout dans celles qui se rapportent aux deux premières parties du plan précédemment expliqué. Dans la seconde, l'enquête universelle à laquelle il se livre sur la nature de l'homme lui fournit une belle matière. Il s'agit de montrer que l'homme est un composé de grandeur et de bassesse : la grandeur, ce sont les aspirations, le rêve, l'illusion ; la bassesse, c'est la réalité, et toutes les réalités, sentiments, croyances, institutions, coutumes, arts, toute la vie morale, politique et sociale de l'homme. Il faut voir avec quelle force d'observation et de logique Pascal réduit à la fantaisie, au préjugé, à l'habitude, toute l'œuvre de l'esprit humain, hors de lui et en lui-même. Toutes les remarques portent, et il n'y en a point qui ne donnent à penser longuement, quand il explique le mécanisme de l'amour-propre, ou qu'il montre l'imagination et les nerfs plus maîtres de nous que notre raison, quand il nous promène à travers le monde cherchant une morale fixe, des lois communes, quand il sonde l'institution sociale, le principe monarchique, pour ne trouver au fond, à l'origine, que la force, et qu'il autorise si superbement le respect traditionnel des lois, de la hiérarchie, de l'hérédité dynastique. Tout l'envers du monde et de l'homme apparaît, triste à voir.

Où que son raisonnement le mène, il jette de triomphants coups de sonde : il ouvre à la pensée des voies fécondes, quand il définit l'éloquence ou le style, ou quand il jette quelques mots, obscurs et bizarres de prime abord, mais combien riches de sens, sur les caractères de la beauté. Je ne puis que renvoyer à toute cette partie des *Pensées* : il n'y a pas un mot qui ne soit à méditer.

Mais si l'on veut prendre rapidement une idée de la profondeur de Pascal et de l'avance qu'il avait sur son siècle, qu'on s'arrête à la question qu'il pose sur la cause de l'amour. Qu'aime-t-on en quelqu'un ? L'être, ou les qualités ? qu'est ce que l'être sans les qualités ? Et pourtant l'être ne subsiste-t-il pas, les qualités changeant ou disparaissant ? Il y a dans cette réflexion de Pascal toute la question de l'unité, de l'identité du moi, de sa réalité : un des grands et troublants problèmes de la pensée contemporaine.

Ou bien qu'on lise ceci : « Quelle est donc cette nature sujette à être effacée ? La coutume est une seconde nature qui détruit la première. Pourquoi la coutume n'est-elle pas naturelle ? J'ai bien peur que cette nature ne soit elle-même qu'une première coutume, comme la coutume est une seconde nature . » Et nous voici au centre de la grande énigme à laquelle s'attaque la science depuis un demi-siècle : ce que nous appelons aujourd'hui *nature* dans tous les êtres, formes et propriétés ou instincts, n'est-ce pas une collection d'acquisitions successives, fixées par l'habitude, transmises par l'hérédité? Le mot de Pascal contient, deux siècles avant Darwin, l'essence de la doctrine évolutionniste.

Mais il n'y a rien peut-être de plus étonnant dans les *Pensées* que le fameux morceau des *Deux Infinis*, qui me paraît répondre à la première partie de son plan. Tout à l'heure, dans la seconde partie, Pascal, par un *scepticisme* provisoire, ou mieux par un *criticisme* rigoureux, fera voir à l'homme que dans toutes les formes de son activité, il a fait mauvais usage de sa raison, et que, dans toutes ses institutions, croyances, opinions, qu'il s'est imaginé bâtir sur un fondement de vérité à l'aide de sa raison, il a été la folle dupe de son préjugé, de son habitude et de ses sens. Ici, au contraire, son scepticisme transcendant s'attache à mettre en lumière l'*impuissance absolue* de la raison : suspendu entre les deux abîmes de l'infiniment grand et de l'infiniment petit, l'homme ne peut rien connaître, faute de pouvoir connaître tout, parce que tout s'entretient. Que lui reste-t-il donc, « sinon d'apercevoir quelque apparence du milieu des choses »? Et voilà tout ce que sa raison en effet peut se flatter de saisir.

Si nous dépouillons le morceau de sa grandiose poésie, et que nous en cherchions le sens précis, nous remarquerons avec étonnement que Pascal, au temps même où la science faisait ses premiers pas, lorsque le premier emploi des méthodes et des instruments l'emplissait d'orgueil et d'espérance, mesure avec sûreté le domaine de la science et la puissance de la science. Il parle comme parlera deux siècles et demi plus tard Renan, après tant de merveilleuses découvertes qui auront fait comprendre à la fois et le progrès infini, et les étroites limites de la connaissance : il est en effet curieux de voir que Renan a refait la méditation des Deux Infinis en des termes qui rappellent étrangement Pascal [1]. Nous sommes emprisonnés dans notre univers, et de cet univers même nous ne pouvons saisir toute l'infinité : « quelque apparence du milieu des choses ». voilà le connaissable, voilà la science; mais les substances, les causes, les principes nous échappent, pendant que se déroulent sous nos yeux des séries de phénomènes qui jamais ne commencent et jamais ne finissent. La connaissance scientifique est essentiellement incomplète et relative; c'est ce qu'aperçoit nettement Pascal, au début d'un âge scientifique, et cela désespère ce grand esprit, avide d'une certitude absolue et infinie.

1 *Examen de conscience philosophique*. Rev des Deux Mondes, 15 août 1889.

Mais par là se découvre à nous une vérité qu'on s'est d'ordinaire refusé à voir : l'ascétisme janséniste de Pascal et les *Pensées* ne sont pas en contradiction avec le développement antérieur de son intelligence. Il n'y a pas eu de rupture dans sa vie intellectuelle : il y a eu une évolution continue, au terme de laquelle il a tout quitté pour suivre Jésus-Christ. Il n'était ni fou ni malade; il n'a jamais été plus lui-même, plus maître de sa raison et conscient de ses actes, que lorsqu'il a semblé envahi de la folie religieuse[1]. C'est prendre les choses par le petit côté que de rendre compte de sa conversion par l'état de ses nerfs et l'acuité de ses souffrances. Du moins il faut reconnaître que sa raison aussi le conduisait à Port-Royal. C'était cette raison, en effet, qui renonçait à lui, et non pas lui à elle, lorsqu'elle lui disait qu'elle ne lui donnerait pas la connaissance complète dont il avait soif. Plutôt que de se reposer béatement, comme tant de savants, dans la science des « apparences », puisque la raison ne lui permettait rien de plus, Pascal a tourné ses yeux d'un autre côté : il a cherché s'il n'y avait pas ailleurs une source de vérité, mais de vérité totale et certaine; il l'a trouvée, et il est allé demander à la foi une connaissance supérieure à celle que procure la raison. Il n'a pas méprisé pour cela la raison, il l'a réduite à son domaine, et il a évalué ce domaine : mais il a tout attendu de l'intuition; il en a tout reçu, avec cette certitude qui seule pouvait donner la paix à une intelligence impatiente, insatiable comme la sienne, et incapable de s'arrêter dans une demi-science douteuse et relative. Pascal ne serait pas Pascal, si sa foi n'avait satisfait sa raison, et le dévot en lui n'a pas détruit, il a contenté le savant.

J'aurais à parler maintenant du style de Pascal : il faut être, a-t-il dit quelque part, « pyrrhonien, géomètre, chrétien »; et son style, comme son génie, est tout cela, et tire ses qualités de cette triple essence : une analyse aiguë, un raisonnement puissant, une dévotion passionnée, voilà les éléments qui s'amalgament étrangement et font le style le plus fort, le plus suggestif, et le plus séduisant qu'il y ait. Si on l'étudie de près, on apercevra que le secret de son énergie est dans le procédé scientifique que Pascal applique aux mots, manifestant leur définition et utilisant leurs liaisons dans les emplois qu'il en fait : le respect de leur propriété, et le choix de leur place, tout se ramène là.

Ce style de savant est un style de poète. Dans notre littérature classique, qui n'a guère eu de poètes lyriques que parmi ses grands prosateurs, selon le mot de Mme de Staël, Pascal est un des

---

1. Une autre preuve de ce que j'avance, c'est l'extrême difficulté qu'on a pour discerner les *Pensées* qui ne se rapportent pas au dessein de l'*Apologie*. Pascal a eu de tout temps l'habitude de jeter sur le papier les idées qui lui venaient.

plus grands. Il l'est, comme tous les autres, parce qu'il est obstinément *réaliste* : son imagination représente les réalités concrètes
dont sont extraites les abstractions sur lesquelles il opère; — et
parce qu'il est profondément sensible : chaque acte de sa pensée,
chaque idée qu'il conquiert met en jeu, exalte ou blesse toutes les
émotions, les affections de son âme singulièrement délicate. Il
vibre, gémit, jouit dans tout son être de ce qui occupe à chaque
moment sa raison.

Mais l'originalité poétique de Pascal, c'est le caractère, si je puis
dire, métaphysique des inquiétudes et des images qui jettent ces
flammes intenses dans son style. Jamais il n'est plus poète, plus largement, plus douloureusement, ou plus terriblement poète que lorsqu'il se place en face de l'inconnaissable. « Le silence éternel de
ces espaces infinis m'effraie. » Et ailleurs, toute cette poursuite,
angoissée et superbe, de l'inaccessible infini et de l'inaccessible
néant. Ici d'amples raisonnements, là un mot saisissent l'imagination frissonnante. Il faut lire aussi, dans la dernière moitié des
Pensées, nombre de morceaux, où s'exalte et crie l'âme de Pascal,
en face du mystère chrétien, mystère qui fait sa certitude, et où
pourtant il s'abîme, mais avec quelles délices et quel triomphe!
Pascal est un grand poète chrétien, à placer entre sainte Thérèse
et l'auteur inconnu de l'*Imitation*; tant il a rendu avec force la
poésie de la religion : non la poésie extérieure, mais la poésie
intime, personnelle, qui coule de l'âme croyante et unie à son
Dieu. La tendresse même et la suavité ne lui ont pas fait défaut :
il a vu même le Christ de douceur et d'amour. Il a rendu surtout
l'appel ardent, impérieux, désespéré à la fois et confiant, de l'âme
pécheresse au Rédempteur : son *Mystère de Jésus* est un poème
d'une grandiose et bizarre sublimité.

Que de choses resteraient à dire encore! Mais Pascal n'est pas
de ces auteurs qu'une étude peut épuiser. Il est du petit nombre
que la lecture seule révèle, et qui, une fois lus, peuvent toujours se
relire, découvrant, suggérant toujours de nouvelles idées à l'esprit
attentif [1].

1. Dans une étude plus ample que celle-ci, il faudrait étudier de près les écrits
scientifiques, opuscules et lettres de Pascal : on y trouverait, outre une vive image
de son humeur et de sa figure morale, l'idée nette de sa méthode et de sa logique.
(Distinction des méthodes selon les objets à connaître ; à chaque ordre d'objets sa
méthode spéciale. On se trompe, si l'on raisonne sur les choses de fait, dont les
sens et l'observation sont juges ; on en emploie l'autorité à les établir. Observation, raisonnement, autorité : trois moyens également légitimes de certitude, si on
le applique à propos. Dans le raisonnement de Pascal, noter l'habitude de poser
les termes contraires et qui semblent s'exclure, pour en composer la vérité totale :
l'erreur, c'est ordinairement de faire d'une vérité partielle la vérité totale : sceptiques, dogmatiques; calvinistes ; jésuites. Ceux qui voient le vrai, affirment les
deux vérités contraires : chrétiens, jansénistes.)

LIVRE III

LES GRANDS ARTISTES CLASSIQUES

CHAPITRE I

LES MONDAINS : LA ROCHEFOUCAULD, RETZ, MADAME DE SÉVIGNÉ

Division du xviie siècle. — 1. La Rochefoucauld; l'homme. Le livre des *Maximes* : sens et vérité. Valeur du genre. — 2. Les *Mémoires* : le cardinal de Retz, l'homme et l'écrivain. — 3. Les *Lettres* : Bussy, Saint-Evremond; Mme de Sévigné et Mme de Maintenon. — 4. Le roman : Mme de la Fayette. — 5. Le monde de l'érudition : les Bénédictins.

L'année 1660, où Louis XIV prend en main le gouvernement, marque aussi le point de partage de l'histoire littéraire du siècle. La période antérieure est une période de confusion et d'irrégularité au milieu de laquelle émergent quelques chefs-d'œuvre, cinq ou six tragédies de Corneille et de Rotrou, les *Provinciales* de Pascal, et (pour nous seulement) ses *Pensées*. Mais tout s'organise, l'esprit classique mûrit, prend conscience de lui-même, les influences fâcheuses sont repoussées, les éléments disparates sont éliminés : les forces qui tendent au vrai, au simple, à la raison enfin, prévalent; et les résultats apparaissent autour de 1660.

A cette date, la défaite politique des classes aristocratiques en a rendu toutes les forces intellectuelles disponibles pour l'activité mondaine et littéraire. A cette date, Bossuet, Molière viennent d'arriver à Paris. Boileau commence à écrire. Racine va trouver sa voie, et La Fontaine se découvrir. A côté d'eux, derrière eux, paraîtront Bourdaloue et Malebranche, La Bruyère et Fénelon, et Regnard. Pour un demi-siècle, l'histoire littéraire n'est plus guère que l'étude des grands esprits et des chefs-d'œuvre : les courants contraires s'enfoncent et disparaissent, et les forces hostiles semblent paralysées. L'union de l'art antique et de la raison moderne dans les hautes intelligences littéraires a produit ce merveilleux épanouissement. A cette fécondité contribuent trois ou quatre générations d'écrivains : et l'on aperçoit parmi les jeunes génies qui surgissent des esprits mûrs, lentement formés et fortifiés dans les troubles efforts de l'âge précédent.

On peut partager le siècle en quatre ou cinq générations : la première, de Richelieu (1585) à Corneille (1606), a disparu, ou vieilli en 1660; la suivante, de La Rochefoucauld (1613) à Bossuet (1627), a sa pleine vigueur, alors que la troisième, celle de Boileau, de Louis XIV et de Racine (1636-1639), entre seulement dans la vie, dans l'activité indépendante et consciente; la quatrième, de La Bruyère (1645) à Regnard (1655), ne s'avancera au premier plan que dans les dernières années du siècle, tandis que la suivante, avec La Motte (1672), formée avant 1715, inaugurera en sa maturité le XVIIIe siècle intellectuel auquel les Montesquieu (1689) et les Voltaire (1694) appartiendront tout entiers, gardant seulement en leurs esprits quelques reflets de ce XVIIe siècle, dont les dernières lueurs auront éclairé leur enfance. D'une génération à l'autre, la brutalité, la volonté diminuent; la raison étend son activité en élargissant son indépendance, et développe un individualisme intellectuel; les âmes ont moins de ressort, moins de fierté, une étoffe plus fine et plus molle; les esprits se clarifient en se simplifiant, jusqu'au moment où ils se compliquent de nouveau, non plus pour obéir à des modes du dehors, mais par un effet de leurs multiples acquisitions.

Pour étudier le grand ensemble que forment les œuvres de la seconde partie du XVIIe siècle, il conviendra de porter d'abord notre attention sur celles qui, appartenant plutôt à des mondains qu'à des artistes, nous font ainsi connaître à la fois le milieu où se formèrent et le public auquel s'adressèrent les artistes. Ensuite nous regarderons, dans Boileau, les grandes théories d'art qui nous expliquent les créations de l'éloquence et de la poésie classiques, dans ce qu'elles ont de propre à l'égard de l'œuvre des autres siècles, et dans ce qu'elles ont entre elles de commun.

1. LA ROCHEFOUCAULD.

La vie de La Rochefoucauld peut se résumer en deux mots : une période d'action furieuse, où l'amour, l'ambition, la passion de jouer un rôle, ne lui attirent que déconvenues, désastres, ruine de

ses affaires et de son corps; une période de méditation amère,
lorsque, infirme et vieilli avant l'âge, il se remet en mémoire ce
que lui ont valu ses hautes aspirations, lorsqu'il raconte les faits
auxquels il a pris part, dans ses *Mémoires*, et en tire la philosophie,
dans ses *Maximes* [1].

Rien ne réussit à cet homme, pourtant supérieur, parce qu'il
n'avait pas une nature simple. La vanité, chez lui, entravait
l'ambition; la passion déconcertait les calculs de l'égoïsme; l'intelligence faisait hésiter la volonté : il était irrésolu, inconstant; il
paraissait peu sûr à son parti, qui ne lui pardonnait point de le
juger parfois, et de se juger lui-même en tant qu'il y coopérait,
avec trop de clairvoyance. De là ce *je ne sais quoi* de trouble, de
là cette impuissance à *remplir son mérite*, que signale un ennemi
pénétrant, le cardinal de Retz. Un des premiers, et de cela encore
son parti lui sut mauvais gré, le duc de la Rochefoucauld [1]
comprit que la royauté avait partie gagnée contre la noblesse, et
se résigna à recevoir la compensation qu'elle offrait au lieu de
l'influence politique annulée, la sécurité oisive de la vie mondaine,
brillamment rehaussée de l'exercice désintéressé des forces intellectuelles. Il y chercha l'adoucissement de ses désillusions, et se
fit une vieillesse paisible, sinon heureuse, illuminée d'exquises
amitiés de femmes : au premier plan, Mme de Sablé, puis Mme de
la Fayette; d'un peu plus loin, Mme de Sévigné. Il n'était pas
causeur; une pointe d'amertume passait dans la gravité souriante
de ses propos; il portait avec une grâce héroïque l'incurable
blessure que la trahison de la vie lui avait faite.

Il avait caché son *moi* : il ne l'avait pas ôté, comme dit Pascal :
on le voit bien aux *Mémoires*, où il règle sans en avoir l'air les
comptes de toutes ses rancunes, et compose son personnage pour
la postérité. Les *Maximes* sont plus sincères, parce qu'elles sont
plus générales, et confessent le siècle avec l'auteur. Il les élabora
lentement, sous le contrôle rigoureux de l'expérience, non la
sienne seulement, mais celle de tout son monde. Mme de Sablé
s'était retirée depuis 1659 auprès de Port-Royal, ajoutant la dévotion à tous ces défauts et qualités qui composaient sa charmante
personne. Son salon fut un des lieux où la préciosité s'épura
en politesse. Tournant son goût de fine subtilité vers les solides

1. François VI de la Rochefoucauld (1613-1689) se jeta dans les intrigues contre
Richelieu, puis dans les deux Frondes, sous l'influence de Mme de Chevreuse, puis de
Mme de Longueville. Il fut très grièvement blessé au combat de la Porte Saint-
Antoine.

Éditions : *Maximes*, 1665-66-71-75-78; éd. J. Marchand, 1931; H. Guillemin,
A. Hoog, 1945; J. Mercanton, 1947. *Œuvres :* L. Martin-Chauffier, 1951. — **A
consulter :** J. Bourdeau, *La R.*, 1895; R. Grandsaignes d'Hauterive, *Pessimism
de L. R.*, 1914; E. Magne, *Le vrai visage de L. R.*, 1923.

réalités du cœur, elle se plaisait, et l'on aimait autour d'elle à faire
des *sentences* ou *maximes*. Ce fut la forme où s'arrêta La Rochefoucauld, pour y ramasser son expérience. Prenant parfois les sujets
que la conversation dans le salon de son amie lui fournissait, ou bien
apportant sa matière dégrossie et taillée en formes encore impar-
faites, il creusa, polit, compléta, corrigea ses *Maximes* pendant cinq
ou six années; il soumettait tout au jugement de Mme de Sablé,
à celui de leurs communs amis.

Le recueil parut en 1665 : peu après, l'amitié de Mme de la
Fayette devint prépondérante et ce fut sous cette influence nouvelle que se fit la revision des *Maximes* d'une édition à l'autre jusqu'à la cinquième (1678). Mme de Sablé, janséniste, et qui avait
vu les temps où l'homme se montrait à nu, n'avait pas réprimé le
pessimisme de La Rochefoucauld : Mme de la Fayette, mondaine
timorée, et qui estimait inutile de dire au vrai certaines choses,
s'appliqua à atténuer l'amertume désenchantée du livre, à en
brider la franchise aiguë par des indulgences de bon ton. Cependant le sens et la portée des *Maximes* ne changèrent pas.

« Les vertus se perdent dans l'intérêt comme les fleuves se
perdent dans la mer. — Les vices entrent dans la composition
des vertus comme les poisons entrent dans la composition des
remèdes. » Voilà la note, et l'essence du livre. Il n'y a dans le
monde qu'égoïsme, c'est-à-dire intérêt : ni vertu, ni dévouement,
peu même de ces passions, qui, égoïstes en leur principe,
s'absorbent dans leur objet jusqu'à l'entier désintéressement. Les
belles actions ne sont que de beaux dehors. Il n'y a pas de vrais
amis; il n'y a pas d'honnêtes femmes, c'est-à-dire qui le soient par
choix et avec satisfaction. La nécessité de notre nature nous fait
vicieux; la nécessité de la fortune nous fait heureux ou malheureux; ni notre volonté n'élude la nature, ni notre mérite ne gouverne la fortune.

Cela n'est pas gai, et cela fit scandale. Les femmes surtout, qui
sont volontiers idéalistes et optimistes, se récrièrent contre ces
définitions si peu flatteuses de l'homme et de la femme. Les plus
spirituelles reconnurent pourtant que l'observation était exacte.
Mme de Maure demandait seulement qu'on mît des *quasi* aux affirmations universelles, en faveur des exceptions possibles et réelles.
Mais la plus pure, la plus noble âme, à qui Mme de Sablé ait
adressé le manuscrit des *Maximes*, Mme de Schomberg, se déclarait impuissante à contredire des vérités, que son indulgente bonté
n'aurait pas toute seule découvertes. Elle était attristée et per-
suadée. Ceux qui applaudirent, c'étaient les jansénistes; ils
retrouvaient, par cette impitoyable analyse de l'égoïsme humain,
la démonstration de notre corruption dans l'état de la nature

déchue. MM. de Port-Royal ne pouvaient pas méconnaître que l'enquête conduite par La Rochefoucauld aboutissait à la conclusion même qui s'ébauchait dans les notes confuses laissées par M. Pascal, et donnait une base rationnelle aux dogmes de la chute et de la grâce. Et qui sait si le succès des *Maximes* ne leur a pas persuadé qu'ils pouvaient sans danger pour la gloire de leur ami donner les fragments décousus de son œuvre inachevée?

Au reste La Rochefoucauld n'est pas janséniste : aucune idée religieuse ne le guide. Il formule impartialement, avec une probité scientifique, les lois des faits qu'il a observés. Mais comme il dit en cinq mots la vérité que le roman dilue en un volume, notre amour-propre trouve le breuvage amer. Les grimaces, pourtant, sont inutiles : La Rochefoucauld a *vu*; et il serait difficile de lui contester rien d'important. Surtout il a *vu* son temps, le temps de la Fronde, le temps des romans héroïques et des tragédies cornéliennes. Chacune de ses *maximes* est comme une piqûre d'épingle qui dégonfle l'idéal emphatique ou les aspirations surhumaines de l'âge qui finit. Ce témoin, cet acteur des brillants drames de l'amour et de l'ambition, une fois qu'il a quitté la scène, nous dit ce qu'il a **trouvé**, en lui, autour de lui; toujours, partout, une base d'égoïsme et de calcul. Que pouvait lui offrir un Condé, un Retz, un Mazarin? En son temps, en son monde, il ne pouvait voir que ce qu'il a vu; et s'il faut corroborer son témoignage par d'autres, demandez à la bonne Mme de Motteville, qui n'avait pas des yeux de lynx, ce qu'elle en pense : elle n'a pas pu vivre à la cour, et continuer de croire au désintéressement. Ainsi les *Maximes* sont comme le testament moral de la société précieuse.

Elles sont aussi son testament littéraire. Il y a encore du bel esprit, du pailletage, des *concetti* dans les *Maximes* : il y en avait surtout dans la 1ʳᵉ édition. Mais, à l'ordinaire, la pensée est solide, exacte : la finesse est dans le discernement et dans la notation des nuances, dans l'appropriation exquise du mot à l'objet, dans la vaste compréhension des brèves formules, qui mettent l'esprit en branle, et l'obligent à parcourir un long cercle d'idées inexprimées. Mme de Schomberg aimait dans La Rochefoucauld « des phrases et des manières qui sont plutôt d'un homme de cour que d'un auteur ». Elle avait raison, et ce style est exquis de naturel — de naturel laborieusement exprimé, mais enfin de naturel effectivement réalisé. C'est la perfection — pour la première fois manifestée — du style mondain, point artiste, qui tire toute sa valeur de ses propriétés intelligibles.

A cette date de 1665, contemporaine des *Satires*, antérieure de deux ans à *Andromaque*, de cinq aux *Pensées*, les *Maximes* sont un

événement considérable, et par leur fond, et par leur forme. Toutes
mondaines d'origine, elles manifestent le pur génie du monde et
sa naturelle direction. De la littérature dont on l'amuse, le monde
a extrait deux formes qui n'existaient pas isolément, a constitué
pour son divertissement deux genres qu'il a rendus ensuite à la
littérature : les *Maximes* et les *Portraits*. Or que sont ces genres
essentiellement? Ils servent à décrire et à définir : leur contenu,
ce sont les types et les lois. Ce sont donc deux genres éminemment
scientifiques, des instruments d'abstraction et de généralisation : ils
donnent les résultats de cette étude de l'homme qui est l'affaire de
tout le siècle, avec une exacte précision, en éliminant tout ce qui
est invention d'artiste, fantaisie, roman, effet sensible ou pittoresque pour le plaisir. Nulle part mieux que dans la création de
ces deux genres, l'esprit mondain du xviie siècle n'a marqué son
identité intime avec le rationalisme scientifique.

Aussi je ne suis pas de ceux qui estiment les *Maximes* de
La Rochefoucauld comme un de ces chefs-d'œuvre dont la date et
l'occasion font l'importance, et qui s'amoindrissent en vieillissant. Il
ne faut pas les confondre avec les recueils plus ou moins ingénieux
et factices qui en sont comme la postérité. Pour La Rochefoucauld,
chacune de ses réflexions représente une collection de faits, et
nous en peut suggérer une analogue. C'est vraiment encore aujour-
d'hui un précieux recueil, pour qui ne se contente pas de le lire
une fois. Autour de ces maximes, chacun de nous peut distribuer
son expérience, en prendre conscience, et la préparer pour l'usage
en la classant. C'est un guide qui nous désenchante, même de
nous-mêmes. Le remède à la naïveté, mais le remède aussi à la
vanité, est là, dans **ce** petit volume presque tout entier excellent
et substantiel, dont ceux-là seuls médiront, qui n'auront pas su s'y
connaître.

2. LES MÉMOIRES : RETZ.

Le xviie siècle a gardé le même goût que le xvie pour les *Mémoires*,
et pour les mêmes raisons. Mais il s'y ajoute alors une raison nouvelle, la curiosité de démêler les variétés des sentiments et des
mobiles, la curiosité de l'homme en soi : et tous les mémoires —
ou les meilleurs — prennent alors tout naturellement la couleur
d'un document psychologique. La délicatesse de la culture mondaine affine l'esprit et le style des auteurs, et de là vient, avec la
richesse du genre, l'agrément des œuvres : il en est peu que la
forme au moins ne fasse lire; et beaucoup sont vraiment et solidement exquises. Je ne m'attarderai pas cependant à les étudier une

à une [1] ; je ne fais point ici une galerie de portraits. Il me suffira de prendre pour type du genre l'œuvre supérieure qui contient et dépasse toutes les autres : je parle des *Mémoires* du cardinal de Retz [2], puisque ceux de Saint-Simon appartiennent décidément au XVIIIe siècle.

Retz écrivit ses *Mémoires* après 1671 : mais tout y est antérieur à 1660, esprit et style. Tandis que La Rochefoucauld dément Corneille, Retz le réalise : toute sa vie, son caractère, ses écrits, sont un commentaire perpétuel et une illustration de la tragédie cornélienne. On l'a fait d'Église malgré lui, pour conserver dans la famille l'archevêché de Paris : dès qu'il a reconnu la nécessité d'être prêtre sans vocation, peut-être sans foi, il cesse de regimber ; sa volonté se fixe un but, le ministère ; pour y atteindre, il prêche le bon peuple de Paris, il répand les aumônes ; il est populaire. La Fronde précise ses espérances : il combat, il sert, il trompe la cour, les princes ; il tient le Parlement et le duc d'Orléans ; il négocie à Rome, il y jette cent mille écus ; le voilà cardinal ; c'est une nécessité pour un prêtre qui veut être ministre. Mais la Fronde avorte, et toute son habileté le mène à une prison.

Dans sa ruine, la mort de son oncle lui donne une force avec qui la royauté devra compter : de coadjuteur il devient archevêque de Paris. On négocie sa démission : il la vend, la retire, s'évade. Pendant six ans il lutte désespérément pour sauver au moins les débris de son naufrage. On ne saurait imaginer ce qu'il dépense d'adresse, de ressources et de force d'esprit, d'éloquence, pour obtenir de rentrer en France en gardant son archevêché, où un homme comme lui pourrait recommencer une carrière, sans compter les riches revenus, qu'il ne dédaigne pas ; il faut lire ses lettres pour le connaître. Il fait jouer toutes les machines : en même temps

---

1. Principaux *Mémoires* du XVIIe s. Je ne nomme pas les *Œconomies royales* de Sully qui ne sont pas une œuvre littéraire, et qui sont contestées même comme document historique. Mais on a les *Mémoires* de Rohan, de Fontenay-Mareuil, de Mme de Motteville, de la Rochefoucauld, de Mlle de Montpensier, de Bussy-Rabutin, du marquis de Villars (éd. 1894), de Louis XIV, de Choisy, de Mme de la Fayette, de Fléchier (sur les grands jours d'Auvergne), de la duchesse de Nemours, de Mme de Caylus, de La Fare, etc. J'y ajouterai, pour son intérêt chronologique, le *Journal* de Dangeau. Les *Historiettes* de Tallemant sont comme les *Mémoires des autres* du XVIIe siècle.

2. Biographie : Paul de Gondi (1613-1679), neveu de l'archevêque de Paris, et son coadjuteur en 1643, s'allia dans la Fronde au Parlement et au duc d'Orléans. Il se fait nommer cardinal en 1651 par la cour dont il s'était rapproché en haine des princes. En 1652, on l'arrête. Pendant sa prison, il devient archevêque de Paris (1653). Il s'évade, et ne rentre qu'en 1662. Il alla à Rome pour diverses affaires (garde corse, etc.) et pour trois conclaves, où l'on élut Clément IX, Clément X et Innocent XI.

Éditions : *Mémoires*, 1717, éd. Feillet, 1870-88 ; G. Mongrédien, 1935 ; M. Allem, 1939. — A consulter : L. Battifol, 1929 ; J. Dyssard, 1938.

qu'il intrigue vigoureusement, il joue au prélat persécuté, au
martyr, il étale ses angoisses pastorales, d'être loin de son troupeau, de le savoir délaissé, sans guide et sans gardien; il envoie
en France des mémoires, des lettres, où respire l'âme évangélique
des Athanase et des Grégoire : le merveilleux comédien!

La paix des Pyrénées le convainquit que la partie était irrémédiablement perdue. Il ne s'obstina pas : il ne chercha qu'à tomber
avec grâce — en se faisant le moins de mal possible. Il s'assure
sous main des intentions du roi : alors, sans marchander, sans
stipuler, sans se défier, il écrit au roi une lettre où il abandonne
tout; il se démet de l'archevêché de Paris. Il a bien joué le coup
de la grandeur d'âme : les compensations attendues lui sont données, de riches abbayes, dont Saint-Denis.

Il rentre en France, et sa volonté embrasse la seule vie qui pût
conserver sa gloire. Il est difficile, quand on a perdu de telles parties, de vivre, de vieillir avec dignité : Retz y réussit. Il lui suffit
de se donner l'air de renoncer à tout, de sembler ne garder du
passé ni une espérance, ni un regret, ni au ressentiment. Il s'appliqua à payer ses dettes énormes; il jouit de la conversation des
honnêtes gens; il écouta Boileau, Molière, qui parfois vinrent lui
lire leurs œuvres nouvelles. De temps à autre, il allait à Rome,
pour le service du roi, et montrait dans les négociations, dans les
conclaves, que son génie ne s'était pas affaibli. Il n'aurait pas été
fâché de persuader à Louis XIV qu'il était capable d'être un excellent ministre des affaires étrangères : mais il ne marqua cette
secrète espérance que par l'empressement de son service. Enfin,
quand il fut, tout à fait certain que sa vie était finie, il se démit
du cardinalat : humilité que le public admira, et qui découvrit au
malin Bussy le secret du personnage. Retz est bien cornélien :
toute sa vie d'un bout à l'autre est une œuvre de volonté. Rien ne
le retient : religion, piété, intérêt public, probité, ce ne sont pour
lui que des moyens. Rien ne l'égare aussi, pas même ses vices, ni
son amour-propre, qui servent ou qui s'effacent à propos. Et par
Retz se révèle l'affinité de l'héroïsme cornélien avec la *virtù* italienne : il est sublime d'absolue immoralité dans la grandeur d'âme
continue.

Ses *Mémoires* sont une des occupations décentes de ses dernières
années : ils suffiraient à montrer que le personnage n'a pas changé.
Retz se joue impudemment de la vérité : il dit ce qu'il veut qu'on
croie, il prépare sa figure pour l'immortalité. Aucun mensonge ne
lui coûte pour se faire valoir : il fausse les dates, dénature ou suppose les faits. N'ayant pas, au reste, la vanité professionnelle de
l'écrivain, il n'en a pas les scrupules d'art, et il copie indifféremment les documents qu'il a sous les yeux, journaux ou pamphlets,

autant que cela sert à son dessein. Mais il est à noter qu'il n'affadit
pas son personnage : il lui arrive de se noircir à plaisir : il ne lui
déplaît pas de montrer combien son âme est supérieure aux préjugés, aux vertus des âmes médiocres. Comme il n'a pas moralisé
son récit, ses mensonges n'altèrent pas la vérité générale de ses
peintures : dans l'ensemble, son temps et lui y sont admirablement représentés avec une incomparable vigueur. Sa narration est
chaude, vivante, pittoresque : elle est tumultueuse, « grouillante »,
comme la réalité, mais avec cela d'une lumineuse netteté. Il y a
peu de pages qui donnent mieux la sensation du Paris des jours
d'émeute, que son **tableau** des *Barricades*.

Aux narrations s'ajoutent deux éléments que Retz a su employer
avec une rare maitrise : les raisonnements politiques, et les portraits. Non par une nécessité seulement de son sujet, mais par un
goût qui fut celui **de** toute sa génération, Retz se complaît aux
réflexions sur la politique : et il y a peu de morceaux plus amples
à la fois et plus profonds que le début de sa seconde partie où
il recherche les causes de la guerre civile. Pascal même n'a pas
signalé par un mot plus saisissant le danger de poser certaines
questions sur l'origine du pouvoir, sur l'accord du droit des rois
et du droit des peuples. Retz se plait à détailler les conversations,
les discussions politiques, où chaque partie fait valoir son intérêt
de gloire ou de profit : et son entretien avec Condé, au début de
la Fronde, fait vraiment pendant aux grandes scènes politiques de
Corneille

Le goût **des** portraits, Retz l'a pris aussi à son monde; il y a été
vraiment supérieur. Esquisses ou profils rapides, portraits en pied
curieusement étudiés, on en trouve de toutes les sortes chez lui,
et qui ne sont jamais insignifiants. En deux mots, il définit un
homme, par sa propriété essentielle; ou bien il développe tous les
replis, fait **valoir toutes** les nuances, explique tous les rouages avec
une clairvoyance qui devient à l'égard de ses ennemis la plus
exquise perfidie. Il a marqué Richelieu, Mazarin, La Rochefoucauld, tous les **acteurs** de la Fronde, de traits inoubliables Ce n'est
pas qu'il faille toujours le croire : il fausse parfois ses portraits,
non parce qu'il voit **mal**, mais selon l'idée qu'il veut donner de
l'original. Il manque de probité, non de pénétration.

Si ses portraits ne sont pas toujours vrais individuellement, ils
le sont humainement. Retz fausse l'histoire, non la psychologie
Et, portraits ou récits, ses *Mémoires* sont d'un bout à l'autre une
peinture curieuse du jeu complexe des sentiments et des intérêts
humains. Retz a une connaissance profonde de son modèle, et
une connaissance pratique, non théorique. Il a pénétré l'homme,
mais aussi les hommes, chaque homme : la psychologie était une

partie et la base même de sa politique. Il s'entendait étonnamment
à évaluer les actions ou les réactions que pouvait fournir chaque
homme, de façon à y proportionner son jeu. Il faut lire avec
quelle sûreté il joue de Gaston d'Orléans; il en connaît le ressort,
la peur; mais il sait exactement les degrés et les moments, quelle
pression, en quelles circonstances, produira la passivité, l'activité
ou sentimentale ou oratoire ou physique, enfin le courage même.

Retz est un grand écrivain, mais il date de Louis XIII plutôt que
de Louis XIV. Il a une propriété, une vivacité singulières d'expression : plus de corps et de couleur que de délicate élégance, de la
vigueur même dans la finesse; de longues périodes chargées d'incidentes et de participes, un large emploi des pronoms, souvent bien
éloignés du nom qu'ils ont charge de suggérer, des archaïsmes,
de libres tournures : à ces dernières marques surtout, on reconnaît un style formé avant les *Provinciales*.

3. LES LETTRES : SÉVIGNÉ ET MAINTENON.

Les recueils de lettres [1] sont plus nombreux encore que les
Mémoires, et peut-être encore plus agréables : cette richesse et
cette perfection s'expliquent aisément par la vie de société qui
fait du commerce des esprits une des nécessités de l'existence, et
qui, les affinant, leur impose de n'offrir à autrui que le meilleur
d'eux-mêmes. Dans ce grand nombre de correspondances, je choi-
sirai celles qui, n'émanant pas des *écrivains*, éclairent le mieux
l'histoire littéraire, ou l'enrichissent le plus. Il convient de faire
une place au roi [2], qui dans ses *Mémoires* et dans ses *Lettres*, se
montre à son avantage, avec son sens droit et ferme, son application soutenue aux affaires, sa science délicate du commandement :
une intelligence solide et moyenne, sans hauteur philosophique,
sans puissance poétique, beaucoup de sérieux, de dignité, de simplicité, une exquise mesure de ton et une exacte justesse de langage, voilà les qualités par lesquelles Louis XIV a pesé sur la littérature, et salutairement pesé.

Parmi les courtisans et gentilshommes dont on a des lettres,
deux nous arrêteront comme des types largement représentatifs :
Bussy et Saint-Evremond, deux hommes d'esprit dont l'esprit

1. Principales correspondances du siècle : Malherbe, Vincent de Paul, Descartes,
Poussin, Voiture, Balzac, Chapelain, Méré, Guy Patin, Retz, Mme de Sablé, Mlle de
Scudéry, Louis XIV, La Fontaine, Bussy, Racine, Bossuet, Fénelon, Saint-Evremond
et Ninon, Sévigné, Maintenon. Cf. notre *Choix de Lettres du* xviie *s.*, Hachette, in-16.

2. *Œuvres*, 1805, 6 vol. in-12; *Mémoires*, éd. J. Longnon, 1938; *Pages immortelles*,
éd. G. Boissy, 1940.

a causé le naufrage, et qui ont vieilli sans emploi, en exil, l'un au fond de la Bourgogne, l'autre en Angleterre : Bussy [1], vaniteux et tempérament brutal, esprit fin, souple et sec, sans fantaisie et sans flamme, d'un goût sûr plutôt que large, d'un style net et propre en perfection, railleur, flegmatique et dangereux ; Saint-Evremond [2], spirituel et négligé, jouissant de sa nature avec un complet abandon, libertin de mœurs et de croyance, d'un goût original, à la fois Louis XIII et Régence sans rien de Louis XIV, laissant aller son style et dépouillant la préciosité par haine de l'effort et de la prétention.

La littérature tient une grande place dans les lettres de Bussy : il donne son avis sur tout ce qui parait, et il en parle à merveille, en grand seigneur qui est académicien, et ami des Pères Rapin et Bouhours [3]. Il nous aide à nous figurer l'état d'esprit de ce public qui admirera un peu pêle-mêle Benserade, La Fontaine, Perrault, Boileau, plus sensible aux qualités effectives des œuvres qu'aux principes spéculatifs des théoriciens, plus sensible surtout à la convenance qu'à l'art, à la vérité qu'à la poésie, et parfaitement satisfait de toute œuvre qui parle clairement à son intelligence : il ne cherche dans les livres que des idées, et ses idées; il ne se préoccupe guère des anciens. Bussy les traite assez cavalièrement ; Horace n'est guère pour lui qu'un « garçon d'esprit » comme Despréaux. Saint-Evremond en use aussi librement. Tous les deux sont assez près de regarder le respect des anciens comme une dévotion de cuistre : pour eux, ils les jugent en honnêtes gens, par leur raison, sans leur attribuer de supériorité sur les modernes en vertu de leur antiquité. Voilà le public qui résistera à Racine, et qui applaudira Perrault. Ce public est à distance des chefs-d'œuvre : il a un goût capable de les comprendre, de les aimer, distinct pourtant du goût qui les crée, et surtout inférieur. La théorie lit-

1. Roger de Rabutin, comte de Bussy (1618-1693), était lieutenant général et mestre de camp général de la cavalerie, quand son *Histoire amoureuse des Gaules* brisa sa fortune. Il fut mis à la Bastille, puis exilé dans ses terres, à Bussy et Chaseu. Il fut rappelé au bout de seize ans sans pouvoir retrouver ni faveur ni emploi.

Éditions : *Mémoires, Corresp.*, éd. Lalanne, 1857-58; *Hist. amoureuse des Gaules*, éd. G. Mongrédien.

2. Charles de Saint-Denys de Saint-Evremond (1613-1703) dut s'exiler en 1661 à Londres. — **Éditions :** *Œuvres mêlées*, 1706; *Choix*, éd. R. de Planhol, 1927; *Comédie des Académistes*, éd. G.-L. Van Roosbroeck, 1931. — **A consulter :** W. M. Daniels, *St.-E. en Angleterre*, 1907; G. Cohen, *St.-E. en Hollande*, 1926; A.-M. Schmidt, *St.-E. ou l'Humaniste impur*, 1932; K. Spalatin, *St.-E.*, 1935.

3. Le P. Rapin (1621-1687) et le P. Bouhours (1628-1702) étaient de la Compagnie de Jésus. Le P. Bouhours a écrit *les Entretiens d'Ariste et d'Eugène Rossel*, 1911, et *la Manière de bien penser sur les ouvrages de l'esprit*. — **A consulter :** Sc. Doncieux, *le P. Bouhours*, 1886.

téraire qui est faite exactement à sa mesure, ce n'est pas celle de
Boileau, c'est celle de Bouhours

Saint-Evremond nous intéresse surtout pas ses opinions philosophiques. Il est franchement incrédule, plus assuré d'avoir un
estomac qu'une âme, et partant plus disposé à faire le plaisir de
l'un que le salut de l'autre, gourmand par principe philosophique,
et parmi les misères de la vie, comptant, pour bonnes raisons de
vivre, le vin, les truffes, les huîtres : il s'assurait aussi d'avoir un
esprit, et, avec l'amour, surtout après l'amour, il tint l'amitié pour
essentielle au bonheur de la vie. Ils sont là tout un groupe. Saint-
Evremond, Ninon[1], les deux Rémond, Lassay, un groupe de
mondains épicuriens et philosophes qui ont recueilli l'esprit
des « athéistes » du xvıe siècle, des libertins des deux Régences
du xvııe, qui en conservent religieusement le dépôt pendant que
triomphent la ferveur janséniste et la dévotion jésuitique, et qui
seront les instituteurs hardis des incrédules du xvıııe siècle. Par
eux, et par les Vendôme et la cour du Temple, avant eux, par la
Palatine et par Condé en sa jeunesse, par des courtisans tels que
Montrésor et Saint-Ybal au temps de la Fronde, ou tels que ce
Matha et ce Fontrailles qui chargeaient un crucifix l'épée à la main
en criant : « L'ennemi! », par le chevalier de Méré, par le voyageur
Bernier qui disait si bravement que l'abstinence des plaisirs lui
paraissait un grand péché, plus tôt encore, par les amis et patrons
de Théophile, les Montmorency et les Liancourt, par les philosophes nourris de Lucrèce et de Sénèque, on trace un grand
courant de scepticisme ou de négation qui, sous les dehors chrétiens
du grand siècle, relie Montaigne à Voltaire, et l'on sait à quelles
sources rattacher l'esprit des œuvres de la Fontaine et de Molière.

Entre les Correspondances du xvııe siècle, deux surtout ont une
valeur absolue qui les range au nombre des chefs-d'œuvre de l'art
classique, quoiqu'il faille se garder d y voir des œuvres d'art. Ce
sont les lettres de Mme de Sévigné et de Mme de Maintenon : les
femmes ont toujours excellé à écrire des lettres et, parmi les
hommes, ceux qui ont eu des natures de femmes, par les défauts
comme par les qualités.

Une enfance sans parents, un mariage sans tendresse, un mari
qui la trompe, la ruine, et se fait tuer pour une autre, la laissant
veuve en pleine jeunesse, en pleine beauté, avec deux enfants à
élever; ces enfants à peine élevés, les craintes pour le fils qui va à
l'armée, le désespoir surtout de perdre la fille qui suit son mari à
l'autre bout du royaume, et dès lors de longues séparations qui
remplissent tous ses jours d'inquiétude, de brèves réunions où sa

---

1. *Correspondance*, Colombey, 1881. Magne, *Ninon de L.*, 1912.

tendresse, irritée et froissée à tout instant, envie les tourments de l'absence; la fortune qui s'en va, l'argent difficile à trouver, le dépouillement, lent et douloureux, pour payer les fredaines du fils, l'établir, le marier, mais surtout pour jeter incessamment dans le gouffre ouvert par l'orgueil des Grignan; une petite-fille à élever, tant de veilles, de soins, d'appréhensions, pour voir la p auvre Marie Blanche, ses *petites entrailles*, disparaître à cinq ans dans un triste couvent; la vieillesse, enfin, triste avec les rhumatismes et la gêne : telle est la vie de Mme de Sévigné [1].

Elle la porte gaiement, bravement; elle a une nature énergique où l'intelligence domine. En général, elle a plus d'enjouement et de vivacité que de sensibilité. Elle n'eut de passion que pour sa fille, un peu aussi pour Marie Blanche, une affection calme pour son fils; en dehors de cela, quelques amitiés solides et sereines, où son esprit prenait autant que son cœur : Fouquet, Retz, Mme de la Fayette. En dépit donc de ses effusions maternelles, ce n'est pas une passionnée. En sa jeunesse, elle est vive et gaie, et donne prise par là aux médisants; cela s'amortit un peu avec l'âge, mais on retrouve encore la rieuse jeune fille dans la grand'mère. Spirituelle, ironique, maligne, elle n'est point tendre, sentimentale ni mélancolique. Les larmes lui manquent, et la pitié.

Elle aime la nature, et par là ses lettres mettent une note originale dans la littérature classique : mais elle ne mêle à cet amour ni sentimentalité ni rêverie. Elle en fait de la joie, comme de tout, et une joie physique, sensuelle, une joie des yeux et des oreilles. Un printemps, c'est du roux, puis du vert : en voilà assez pour l'enchanter. A Livry, aux Rochers, elle a des bois : mais ici c'est un vert, et là c'est un autre vert. Elle a ainsi des impressions, des plaisirs d'artiste.

Elle aime les livres : elle est passionnée de comprendre et de penser. Elle a des goûts de *précieuse*, d'exquise mais authentique précieuse. Les grandes aventures des romans la ravissent. Corneille l'enivre; elle est charmée de Molière, réfractaire en somme à Racine, qu'elle ne *sent* pas : preuve que sa nature est foncièrement intellectuelle. Au fond, elle saisit mieux les idées que la

---

1. Marie de Rabutin-Chantal (1626-1696) perdit son père à dix-huit mois, sa mère à sept ans et demi; elle fut élevée par son oncle de Coulanges, abbé de Livry, *le Bien bon*. Elle épousa en 1644 le marquis de Sévigné qui fut tué en duel en 1651. Elle maria sa fille à M. de Grignan en 1668. Elle vivait à Paris, où elle loua, en 1677, l'hôtel Carnavalet, ou à Livry, près de Paris, ou aux Rochers près de Vitré. Elle alla quelquefois à Vichy, en Bourgogne, en Provence où elle mourut.

Editions : Monmerqué-Mesnard, 1862-1868 et Capmas, 1876; éd. du tricentenaire, 1926; choix de Mme A. Vigneron, 1937. — A consulter : Sainte-Beuve, *Portraits de Femmes*; G. Boissier, 1887; A. Hallays, 1921; H. Celarié, 1925; J. Lemoine, 1926; C. Gazier, 1933; Mme St-René Tallandier, 1938.

poésie. Ses goûts vérifient en somme ce que je disais à propos de Bussy. Très solidement instruite, elle a un choix de lectures austère pour une femme. Elle lit Quintilien, Tacite, saint Augustin : Nicole ne la lasse jamais, et Pascal la transporte. De ce fonds de lectures, que son esprit applique à son expérience, sortent tant de réflexions sur la vie humaine, sur les mœurs et sur les passions, qui rendent ses lettres si substantielles. Mais sa qualité essentielle et dominante, c'est l'imagination ; et ce qui fait de ses lettres une chose unique, c'est cela : une imagination puissante, une riche faculté d'invention verbale, deux dons de grand artiste, dans un esprit de femme plus distingué qu'original, et appliqué à réfléchir les plus légères impressions d'une vie assez commune, ou les événements journaliers du monde environnant. Dans ses inégalités, dans ses vivacités d'humeur, dans ces caprices où son jugement va à la dérive, quand elle prophétise sur Racine ou sur le chocolat, dans sa dévotion, sincère assurément, mais sans fièvre, jusque dans son idolâtrie maternelle, qui lui fait adorer de loin la fille avec qui elle ne peut vivre sans disputer, l'imagination domine. Elle a une puissance de se figurer les sentiments qui dépasse sa capacité immédiate de sentir. Voyez son admirable lettre sur la mort de Turenne, elle l'écrit au bout d'un mois, lorsqu'elle a déjà parlé dix fois du fait. Au lieu de s'émousser, l'impression s'avive en elle, parce que lentement, à mesure que les circonstances lui parviennent, son imagination en élabore une représentation complète : et c'est de cette vision que jaillit le récit définitif, simple, objectif, et saisissant comme la réalité même. En un mot, elle est artiste, et comme telle, sa personne n'est pas la mesure de son œuvre ; par cette riche faculté de représentation qu'elle possède, elle se donne des émotions que la simple affection ne ferait pas naître, et elle émeut plus qu'elle n'a elle-même d'émotion.

De là encore dérive ce don rare par lequel elle fait sortir le pathétique des idées abstraites : elle a cette forme supérieure de l'imagination qui érige en symboles les objets sensibles, et fait transparaître l'universel dans l'expression du particulier. Lisez la sublime demi-page sur la mort de Louvois : ce pathétique n'est pas un épanchement irrésistible de tendresse ou de sympathie sur les choses ; il naît du saisissement de lire à travers certaines formes de la réalité vivante les vérités métaphysiques devant lesquelles sa raison frissonne. Une mort lui révèle toute la mort. C'est le pathétique de Bossuet.

Cette force d'imagination dans un tempérament froid fait la valeur de la peinture que Mme de Sévigné a tracée de la société de son temps. Ses *Lettres* nous sont une image merveilleusement fidèle de la vie noble au xviie siècle, dans tous ses aspects et se

mplois, à la cour, en province, aux champs, à la comédie, au
ermon, dans l'intimité domestique, dans les relations sociales,
ans la représentation des grandes charges : les impressions jour-
alières de Mme de Sévigné font un des documents d'histoire les
lus sincères qu'on puisse consulter. On a peut être trop admiré
adis les lettres *étourdissantes* où elle déploie sa virtuosité : la lettre
ux épithètes, la lettre des *foins*, etc. Ce sont là des tours de force
u des gentillesses qui n'ont guère de conséquence. Mais les
rdeurs de sa dévotion maternelle, ses sensations de la campagne,
es jugements littéraires, ses inquiétudes métaphysiques, ses
ableaux de mœurs, voilà tout autant de catégories de lettres,
ichement fournies, et dont l'avenir ne baissera pas le prix.

Mme de Sévigné écrivait naturellement, ce qui ne veut pas dire
égligemment. Il y a peu de lettres qui soient des effusions toutes
pontanées et irrésistibles de l'âme, comme celles qu'elle écrit à sa
ille dans la première angoisse des séparations. Le plus souvent,
ême avec sa fille, Mme de Sévigné surveille son inspiration,
hoisit, et fait effort pour dégager les qualités de son esprit, ou
'intérêt des choses. Elle avait passé par l'Hôtel de Rambouillet, où
on se piquait de bien faire les lettres. Entre deux ordinaires, elle
ait sa provision d'idées, de faits, elle leur donne forme en son
sprit, et, quand elle se met à sa table pour écrire, elle peut *laisser*
otter sa plume. Encore soyez sûr qu'elle l'a bien en main, qu'elle
a surveille, et ne la laisse pas s'emporter au hasard. Elle écrit
ette langue riche, pittoresque et savoureuse, que parleront tous
eux qui auront formé leur esprit dans la première moitié du
iècle, et sans quitter jamais le simple ton de la causerie, elle y
ênêla les mots puissants, qui évoquent les grandes idées ou les
isions saisissantes.

Mme de Maintenon [1] a l'air d'être la raison même : elle l'est
evenue en effet; mais il y avait en elle une imagination hardie,
ne ardente sensibilité, qu'elle a lentement, douloureusement
omptées. Elle, *la raison même*, Racine était son poète, tandis que
Mme de Montespan goûtait mieux Boileau : ces préférences met-
ent à nu le fond des âmes.

La vie, qui d'abord lui fut dure, l'obligea à se retrancher tout

1. Françoise d'Aubigné (1635-1719), mariée à seize ans à Scarron, veuve en 1660,
pouse morganatique en 1683 de Louis XIV; elle avait reçu de lui en 1675
a terre de Maintenon avec le titre de marquise; elle fonda Saint-Cyr en 1686. —
Éditions : éd. La Beaumelle, très falsifiée, 1752 et 1756; éd. Lavallée, encore défec-
ueuse, 1854 et suiv. Geffroy, *Mme de Maintenon d'après sa correspondance authen-
ique*. (choix), 1887; M. Langlois, *Lettres de Mme de M.*, 1935 et suiv. — A
consulter : D'Haussonville et Hanotaux, *Souvenirs de Mme de M.*, 1902-1905;
G. Truc, *Vie de Mme de M.*, 1929; M. Langlois, 1932; G. Girard, 1936;
A. Bailly, 1942; M. Dhanys, *Souvenirs d'une bleue, élève de Saint-Cyr*, 1925;
E. Pilon, *Un roman à la maison de Saint-Cyr : Mlle de Maisonfort*, 1922.

ce qui n'était pas sens pratique et vertu utile. Née dans une prison,
orpheline de bonne heure, enfermée dans un couvent pour y être
convertie, nourrie par charité chez des parents sans tendresse, la
petite fille de d'Aubigné épouse à seize ans Scarron, un bouffon
infirme, pour échapper à la misère, où le veuvage la replonge.
Elle vit d'une petite pension, et des cadeaux de quelques amis
qu'elle s'ingénie à payer par des services : à l'Hôtel d'Albret, à
l'Hôtel de Richelieu, chez les Montchevreuil, elle porte sa bell
humeur, son activité, son humilité, tenant peu de place, et faisan
toutes les besognes. La voilà chargée d'élever les enfants d
Mme de Montespan : c'est le coup de fortune qui change sa vie.
Peu goûtée de Louis XIV d'abord, elle le séduit à force de douceu
et de raison, elle est sa confidente, son amie, jusqu'à ce que la mor
de Marie-Thérèse la fasse femme du grand roi. Elle n'avait pa
songé d'abord à cette grandeur. Elle avait voulu seulement s'as
surer de quoi ne pas manquer de pain en sa vieillesse. Elle resta à
la cour, sur le conseil de ses amis, de son confesseur, pour guide
le roi dans l'affaire de son salut. Elle le fit dévot.

Elle ne gouverna pas le royaume. Elle ne fut pour rien dans la
révocation de l'édit de Nantes. Mais ses sympathies, ses antipa
thies de femme et de dévote pesèrent d'un grand poids sur les
décisions du roi dans le choix des ministres, des généraux, d
tous ceux enfin à qui le bonheur public était confié. Elle livra ainsi
l'État, dans des circonstances terribles, à des gens qui n'étaien
bons que pour suivre une procession. Elle se mêla aussi directe
ment aux affaires où les princes qu'elle avait élevés, ceux qu'ell
aimait, avaient intérêt : de là son rôle dans celles d'Espagne.

En une chose, cette femme de sens eut du génie : c'est e
matière d'éducation. Elle était née institutrice. De ce côté-là il n'y
a presque rien en elle que d'excellent, souvent d'admirable. On sai
comment elle fonda Saint-Cyr, pour élever gratuitement deux cen
cinquante demoiselles nobles, à qui le roi assurait ensuite de
dots pour se marier ou entrer en religion. Mme de Maintenon fu
une éducatrice merveilleuse, d'un sens droit et ferme, d'une finesse
singulière, d'un tact exquis, d'un art infini pour manier e
façonner les âmes. Elle appliqua aux filles le grand principe péda
gogique que Port-Royal avait posé : elle voulut faire des carac
tères droits et des esprits justes. Pour le détail, elle ramène tou
au rôle futur de la femme : il faut qu'elle soit à la hauteur de tou
les devoirs, et il faut qu'elle aime tous les devoirs. Peut-être
tend-elle trop à développer les vertus actives qui rapportent
on sent dans cette morale un peu terre à terre une femme que la
vie a battue et rapetissée. En somme, son œuvre à Saint-Cyr est
excellente, et ses *Lettres* nous l'y font estimer, aimer même. Là,

elle est absolument aimable en effet, étant absolument franche, et désintéressée. Elle s'est dévouée à ses filles, mais elle leur a dû toute la joie de sa vieillesse. Là seulement, et quand elle s'occupe d'elles, s'efface ce goût de tristesse amère, de lassitude accablée, d'ennui pesant, qui se fait sentir dans les lettres qu'elle écrit de la cour.

Toute cette correspondance est d'un écrivain de premier ordre : Mme de Maintenon a une propriété, une netteté, une brièveté sans sécheresse, une justesse aisée, une grâce de bon sens naturel et limpide, qui faisait rendre les armes à Saint-Simon même. Et si l'horizon de Mme de Sévigné est plus large, si elle a des inquiétudes plus hautes et plus philosophiques, Mme de Maintenon a une expérience sûre et profonde de la nature humaine et des tempéraments individuels, une de ces expériences d'institutrice et de directrice d'âmes à qui rien ne se dérobe : on aime à entendre une personne de si bon sens et si bien informée, qui a perdu ses illusions sans en trop vouloir à autrui.

4. MADAME DE LA FAYETTE.

Je rattacherai le roman à l'étude des genres et groupes d'écrits qui appartiennent proprement à la société polie du xvııe siècle, et ne contiennent rien qu'elle n'y ait mis. Dans la seconde partie du siècle, en effet, comme dans la première, aucun artiste ne s'empare encore de cette forme, et c'est une femme du monde qui en fournit le chef-d'œuvre.

Mme de La Fayette [1], que La Rochefoucauld estimait la femme la plus *vraie* qu'il eût connue, était une fine et adroite personne, très intelligente et point sentimentale, dont le style est, avec celui de Bussy, et mieux encore, la perfection du style mondain : elle a un style aisé, vif, sans affectation, sobre et net, lumineux plutôt qu'outré, sans passion ni grands éclats ni ampleur de geste, avec une pointe sèche de gaieté, et une malice aiguë, parfois meurtrière.

Elle réduisit le roman héroïque en dix tomes de Mlle de Scudéry à des proportions plus délicates et à des sentiments plus humains. *Zayde* (1670) n'est encore qu'un abrégé du *Cyrus* : matière

1. **Éditions :** *Romans et Nouvelles*, éd. Magne, 1939; *Princesse de Clèves*, éd. A. Cèzes, 1934, E. Magne, 1946; *Corresp.*, éd. A. Beaunier, 1942; *Comtesse de Tende*, éd. P.-L. Couchoud, 1947. — **A consulter :** A. Beaunier, *Jeunesse de Mme de L. F.*, 1921, *L'Amie de La Rochefoucauld*, 1926; H. Ashton, 1922; E. Magne, *Mme de L. F. en ménage*, 1926, *Le Cœur et l'Esprit de Mme de L. F.*, 1927.

et disposition, c'est le même genre en miniature. Mais *la Princesse de Clèves* (1678) marque un progrès : c'est une transposition du tragique cornélien dans le roman. La précision de l'analyse, l'énergie fière des âmes, la conception de l'amour vertueux et l'écrasement de l'amour sous l'honneur, tout rapproche *la Princesse de Clèves* de l'œuvre de Corneille. Même le sujet, c'est *Polyeucte* moins la religion : une honnête femme qui aime un autre que son mari, et qui va chercher auprès de son mari un appui contre l'amour. Rien au contraire, ni dans le thème, ni dans la subtile précision des analyses, ne rappelle Racine. Mme de la Fayette peint des esprits qui s'embrassent, se pénètrent et comme se fondent intimement : ce n'est pas là encore la *passion* sans épithète et sans restriction. Par le goût, ce roman exquis, malgré sa date, est antérieur au réalisme artistique dont sortent au même temps presque tous les chefs-d'œuvre. Mais il marque un renversement d'influences, et le moment où la tragédie qui, jusque vers le milieu du siècle, fut sous l'action du roman, la repousse définitivement et lui renvoie au contraire la sienne.

Il sera vrai, à bien des égards, de dire que le mouvement réaliste d'après 1660 sera une réaction du bon sens bourgeois contre la littérature aristocratique, spirituelle et fantaisiste. On en voit la preuve dans le roman, où Furetière [1] reprend la voie non de Scarron — qui, avec son imagination exubérante et toute espagnole, est le bouffon du grand monde — mais de Sorel, un ennemi, celui-là, des emphatiques, des galants et des précieux. Furetière est un ami de Boileau et de Racine, un des compagnons de leur jeunesse, leur camarade de cabaret, le complice de leurs plaisanteries à l'adresse de Chapelain. Mais ce n'est pas un artiste : son *Roman bourgeois* est une collection assez incohérente de portraits et de satires. Il y dessine divers types de la vie ordinaire et des classes moyennes : un procureur et sa femme, un avocat, un plaideur, une coquette de la bourgeoisie, un homme de lettres. Les noms sont réels, non romanesques : Javotte, Vollichon, Jean Bedout. Certaines scènes sont d'une franchise remarquable, de vrais morceaux de réalité, sincèrement transcrite, sans outrance et sans esprit. A côté de cela, des plaisanteries de littérateur, des satires qui seraient aujourd'hui des chroniques du *Figaro* ou de *la Vie Parisienne*, une raillerie spirituelle et vigoureuse des romans et de l'esprit romanesque, des marquis et des ruelles. Ce *Roman bourgeois*

---

1. Antoine Furetière (1620-1688), avocat, fut chassé de l'Académie en 1685, pour avoir fait son *Dictionnaire* avant celui de l'Académie. — **Éditions :** *le Roman bourgeois*, 1666; éd. Colombey, 1880. — **A consulter :** G. Reynier, *Roman réaliste au XVIIᵉ s.*, 1914; D.-F. Dallas, *Roman fr. de 1660 à 1680,* 1932.

nous offre, entassés pêle-mêle, parfois bruts, et parfois dégrossis pour l'usage, des matériaux identiques à ceux que les grands artistes du temps emploieront à la description des mœurs et à la satire du faux goût.

5. LES ÉRUDITS. LES BÉNÉDICTINS.

La plus grande partie de ce chapitre nous fait apercevoir la société polie des salons et de la cour. Tout à l'heure, avec Furetière, nous avons rencontré la bourgeoisie, dont les lettres de Guy Patin [1], ce médecin parisien si frondeur et si caustique, nous offriraient un type un peu antérieur et contemporain du monde précieux, dont nous rencontrerons encore le type tout à l'heure chez nos grands écrivains, mais un type élargi, affiné par le double contact des anciens et de la cour. Par les orateurs de la chaire, nous pénétrerons dans la société ecclésiastique.

Mais il est un coin de ce monde du xviie siècle, où nulle œuvre littéraire ne nous mène, et sur qui cependant nous ne saurions négliger de jeter un coup d'œil. Je veux parler des érudits, les Du Cange [2], les Baluze, et tous ces bénédictins dont l'immense labeur a illustré le nom de l'ordre, les Luc d'Achery, les Mabillon, les Ruynart, les Montfaucon. Beaucoup d'entre eux ont laissé des lettres où revivent ces originales figures d'érudits, qui cherchèrent la vérité avec une passionnée indépendance sans cesse d'être d'humbles chrétiens. Mais n'eussent-ils pas écrit de lettres, il n'en faudrait pas moins indiquer ici qu'ils vécurent et travaillèrent : car leur œuvre, étrangère à la littérature, et même souvent à la langue française, a préparé le merveilleux développement de la critique, de l'histoire, de l'archéologie, de toutes ces sciences où la littérature du xviiie siècle et celle du xixe siècle ont trouvé quelques-uns de leurs plus authentiques chefs-d'œuvre.

---

1. Guy Patin (1602-1672) professeur au Collège de France, doyen de la Faculté de médecine. *Lettres*, Triaire, 1907. Cf. Pintard, *Libertinage érudit*, 1943.
2. Du Cange (1610-1688) : *Glossarium ad scriptores mediæ et infimæ latinitatis* (1678); *Gloss. ad script. med. et inf. græcitatis* (1688); Baluze (1630-1718), bibliothécaire de Colbert : *Regum Francorum Capitularia* (1677); Luc d'Achery (1609-1685) : *eterum aliquot scriptorum.... spicilegium* (1655-1677); Luc d'Achery et Mabillon, *Acta sanctorum ordinis Sancti Benedicti* (1668-1701); Mabillon (1652-1707) : *De re diplomatica libri VI* (1681); *Traité des études monastiques* (1691) contre l'abbé de Rancé; Ruynart (1657-1709) : *Acta primorum martyrum sincera et selecta* (1689), Montfaucon (1655-1741) : *l'Antiquité expliquée* (1719); *Palæographia græca* (1708), *Monuments de la monarchie française* (1729-1733), etc. — A consulter : E. de Broglie *Mabillon et la Société de l'abbaye de Saint-Germain des Prés*, Paris, 1888, 2 vol. in-8, B. de Montfaucon et les Bernardins, Paris, 1891, 2 vol. in-8.

CHAPITRE II

BOILEAU DESPRÉAUX

1. La poésie de Boileau : impressions d'un bourgeois de Paris. Art réaliste. Technique savante. — 2. La critique de Boileau. Les *Satires* : leur portée et leur sens. Les victimes de Boileau. — 3. L'*Art poétique* : défauts et lacunes. Valeur de la doctrine : définition du naturalisme classique. Alliance du rationalisme et de l'art : l'imitation de l'antiquité. Importance du *métier*. Des ornements et du sublime.

De 1660 à 1668, Boileau compose neuf *satires*, sa dissertation sur *Joconde*, et son *Dialogue des héros du roman*; de 1668 à 1677, il écrit neuf *épîtres*, son *Art Poétique* (1674), sa traduction de *Longin*, quatre chants du *Lutrin* (1674), qui ne sera achevé qu'en 1683; de

1. **Biographie** : Nicolas Boileau, connu de son temps sous le nom de Despréaux, né à Paris le 1er novembre 1636, dans la cour du Palais, en face de la Sainte-Chapelle, fils d'un greffier à la Grand'Chambre, fut tonsuré en 1647 et appliqué à la théologie, puis au droit : il fut reçu avocat en 1656, et ne plaida pas. Il perdit son père en 1657. Il commença d'écrire des Satires en 1660. Avec Furetière, Racine, La Fontaine, Molière, Chapelle, il hante les cabarets; il est lié aussi avec des courtisans libertins, avec Ninon et la Champmeslé. Le duc de Vivonne le présente au plus tôt en 1673 à Louis XIV qui lui donne 2000 livres de pension. En 1677 il devient historiographe du Roi avec Racine. En 1683, il entre à l'Académie. Dans sa maturité, il fréquente surtout l'Hôtel de Lamoignon. En 1687, il achète sa maison d'Auteuil qu'il possédera vingt ans. Depuis longtemps asthmatique, affligé d'une extinction de voix, il devient sourd; l'hydropisie l'atteint, puis une faiblesse générale, qui en 1709 le rend incapable de marcher. Ses liaisons avec les jansénistes et son *Épître sur l'amour de Dieu* le mettent en guerre avec les jésuites (à partir de 1703). Il mourut le 13 mars 1711. Il a laissé des lettres : ses principaux correspondants sont Racine et Brossette.

Éditions : Satires, 1666, Œuvres, 1674, 1683, 1694, 1701, 1710, 1718 (Brossette); éd. J. Bainville, 1928-29; Ch.-H. Boudhors, 1934-43; *Satires et Épîtres*, éd. A. Cahen, 1932 et 1937; *Premières Satires*, éd. A. Adam, 1941; *Art poétique*, éd. H. Bénac, 1946. — **A consulter** : F. Brunetière, *Etudes critiques*, VI, *Evolution de la Critique*, article B. dans la *Grande Encyclopédie*; G. Lanson, 1892; E. Faguet, *Hist. de la Poésie fr.*, II et V, 1926-31; M. Ory, 1923; P. Clarac, 1936; R. Bray, D. Mornet, 1942; F. Lachèvre, *Satires de B. commentées par lui-même*, 1906; *Art poétique de B.* par A. Albalat, 1929 et M. Hervier, 1938; Hervier, *l'Art Poétique*, 1938; E. Magne, *Bibliogr. générale des œuvres de Boileau*, 1919.

687 à 1698, des épigrammes contre Perrault, neuf *Réflexions sur Longin* (1692-1694), trois *Épîtres*, deux *Satires*; de 1703 à 1710, des épigrammes contre les Jésuites et la Satire XII (1705). Voilà les principaux points de repère dans l'œuvre de Boileau. Elle peut se considérer de deux points de vue, selon qu'on y cherche un poète ou un critique.

1. LA POÉSIE DE BOILEAU.

Boileau est un petit poète doublé d'un grand artiste. Si nous cherchons la poésie dans son œuvre, nous ne la trouverons ni dans les pièces purement morales, qui sont banales dans le lieu commun et lourdes dans le paradoxe, sans intérêt et sans vie, ni dans les satires littéraires, où il y a de la couleur, de l'éloquence même, une éloquence un peu courte et essoufflée, mais décidément rien de plus : des morceaux épiques ou lyriques, nous tirerons la conclusion que Boileau est à peu près aussi épique que Chapelain, et aussi lyrique que La Motte.

Au reste, ses origines, sa vie, son tempérament, sa conversation, tout en lui exclut l'idée d'une forte nature poétique. C'est un bourgeois de Paris, de vieille bourgeoisie parisienne, né et élevé entre la Sainte-Chapelle et le Palais, mort au Cloître-Notre-Dame, et qui dans ses soixante-dix ans de vie n'a guère quitté Paris que pour Auteuil; quelques séjours à Bâville, chez Lamoignon, ou à Hautisle, chez Dongois, épuisent la liste des déplacements de ce Parisien renforcé. Dans son ascendance, dans son alliance, des magistrats, des procureurs, des marchands : rien que de franchement bourgeois. Il l'est lui-même au plus haut point.

C'est un bon homme, dont la réelle élévation d'âme, le désintéressement, la bonté, la loyauté s'enveloppent de formes un peu âpres et brusques : économe, soigneux de son bien, un peu sensuel du côté de la table, aimant les bons dîners, les bons vins, les bons compagnons, rieur et railleur, éclatant en originales et plaisantes saillies, peu dévot et toujours prêt à se gausser des gens d'Église, très indépendant d'esprit et très soumis à l'autorité : le plus doux des hommes avec sa mine de satirique. Les problèmes métaphysiques et les ardeurs mystiques ne le tourmentent point : il est toute raison, il a le bon sens le plus positif et le plus pratique. Il ne vit jamais que des disputes de mots dans les querelles théologiques, même dans celle du jansénisme, auquel il ne tint que par une sympathie d'honnête homme et par certaines amitiés personnelles.

il n'avait pas de sensibilité : on ne lui connait pas une passion ;
il n'aimait dans la campagne que le silence, le loisir et le repos ;
il y cherchait, si je puis dire, plutôt des satisfactions hygiéniques
que des jouissances sentimentales ou esthétiques. Il avait une
bonté intellectuelle sans tendresse, et il aimait ses amis solidement, vigoureusement, sans agitation ni expansion. Il était vif,
pétulant, irascible, contredisant, têtu : humeur qui n'est pas en soi
poétique, et qu'il dépensait toute à la défense de ses idées.

Il avait une nature d'esprit avide de vérité, mais de vérité démontrée, évidente, tangible : il était passionnément raisonnable, raisonneur, et rationaliste. Aussi le système de Descartes le satisfit-il
parfaitement. Et ce qu'il y goûta, ce fut vraiment l'essentiel du cartésianisme, le principe et la méthode. Il fut plus cartésien que
chrétien, chrétien seulement d'occasion, par respect des puissances
et parce que la méthode, entre les mains de Descartes, avait fait
sortir des conclusions qui autorisaient en somme la foi. Il n'estimait que la vérité *scientifique*, c'est-à-dire constante et générale :
le particulier n'intéressait pas cette intelligence, éprise d'universel.
Il méprisait la théologie, qu'il avait effleurée, le droit, qu'il savait,
l'histoire, qu'il ignorait : il ne regardait l'antiquité, qu'il adorait
ni en philologue, ni en archéologue, ni d'aucun point de vue que
celui du littérateur. Il avait l'esprit très philosophique, et peu de
connaissances ou de curiosité philosophiques; il n'avait en morale
qu'une science commune et superficielle, et ni théoriquement ni
pratiquement il n'avait de grandes lumières sur la vie de l'âme
humaine : il fait exception dans le XVIIe siècle par son manque
de sens psychologique. Il a la culture étroite, l'intelligence exclusive, le préjugé tenace de l'écrivain artiste, pour qui rien n'existe
hors de la littérature. Il l'a aimée uniquement; mais il y a trouvé
pour lui, il y a placé pour les autres un principe de noblesse morale,
un engagement à se mettre au-dessus de tous les sentiments mesquins.

Jusqu'ici, cette âme, cet esprit, même en leurs plus hautes parties, ne nous offrent rien que de prosaïque. Mais nous n'avons pas
tout vu. Ce bourgeois positif et raisonnable a des sens et des sensations d'artiste : il s'intéresse aux choses extérieures, il a le don
de les voir, et le don de les rendre. Il n'ajoutera rien à sa sensation : car il n'a pas d'imagination; il réveillera exactement et
représentera sa sensation. Il est réaliste par tempérament. Sa
poésie sera donc une peinture réaliste des choses extérieures qui
sont situées dans le cercle de son expérience : les sensations qu'il
rendra seront celles d'un bourgeois de Paris, à qui Paris est familier dès l'enfance, avec ses rues, son Palais, ses églises, ses bruits,
son peuple, ses modes, toutes les particularités de sa physionomie

t de sa vie. De ces impressions de Parisien sont faites les
atires III et VI, une bonne partie du *Lutrin*, les plus forts endroits
e la satire X : et le vrai Boileau, le Boileau original et qui compte
n art, est là. La rue grouillante et bruyante, un intérieur, un
iner, une procession, des chantres à la taverne, des profils de
oètes, de médecins, de chanoines, un jardin de banlieue, et une
ace bâillante de jardinier, voilà la nature, vulgaire et bornée, que
oileau rend avec une franchise, parfois une crudité singulière.
. fait penser à certains petits Hollandais; ou, si vous voulez, c'est
e Coppée, nullement sentimental, du grand siècle.

Mais ce siècle et même son propre esprit ont combattu, gêné,
omprimé son tempérament. A l'expression simplement réaliste
es choses extérieures et communes, Boileau a mêlé ses malices
e bourgeois indévot, ses épigrammes de polémiste littéraire : il
tâché le plus souvent de mettre des idées, de l'intelligence dans
es vers, d'en pénétrer ou d'en entourer ses sensations. Il a eu la
uperstition du *sujet* : étant né pour faire de petits tableaux d'une
rande intensité d'impression, sans signification intellectuelle ni
aison rationnelle, il a inventé des lieux communs d'une banalité
ésespérante pour les encadrer, comme dans la satire X. Il a sué
ur des transitions. Il a donné ses impressions pour des argu-
nents, il a mis des intentions ou des prétentions morales dans sa
einture. De là la composition dure, incohérente de ses satires,
t la grande supériorité du détail sur l'ensemble.

Si l'on ne recherche dans les vers de Boileau que des *impres-
ions*, on lui rendra justice. Il a fait, sans se douter qu'il en fai-
ait, des transpositions d'art étonnantes pour le temps : il a
endu par des mots, dans des vers, des effets qu'on demande d'or-
inaire au burin ou au pinceau. Et il a une précision, une vigueur,
arfois une finesse de rendu qui sont d'un maître. Dans le *Repas
idicule*, dans les *Embarras de Paris*, dans la *Lésine* de la satire X,
a réalité vulgaire est traduite avec une exactitude puissante : et
ans le *Lutrin*, ce qui est purement pittoresque et traduisible par
e dessin et la couleur, profils et gestes de chanoines, de chantres,
neubles, flacons, « natures mortes », tout cela est indiqué d'un
rait sûr et léger, avec une charmante sincérité.

Est-ce de la poésie? Je ne sais : car qui décidera s'il y a, s'il
eut y avoir une poésie vraiment, absolument réaliste? Mais c'est
e l'art à coup sûr, et du grand art, par la probité de la facture
olide et serrée, par le respect profond du modèle, par le large
t sûr emploi du *métier*. Boileau a le sentiment très net et très
iste du vers comme forme d'art. Pardonnons-lui d'avoir usé de
alexandrin classique, coupé à l'hémistiche, et qui proscrit l'hiatus
t l'enjambement : il a du reste varié ses coupes plus qu'on ne

le remarque d'ordinaire. Entendons bien sa doctrine de la rime
asservie à la raison; cela veut dire que la forme doit réaliser ave
fidélité, avec précision l'idée, et que la rime raisonnable est l;
rime expressive. Il condamne les rimes banales : il cherche à rime
richement, curieusement. Tout cela est d'un artiste. Mais surtou
il a une rare délicatesse d'oreille : il a le sens et la science de
rythmes, des sonorités, de leurs rapports subtils et efficaces a\
caractère de l'objet, aux émotions du lecteur. La matière de s;
poésie est petite, le champ de son talent est étroit : mais la perfection de sa forme le fait grand, et donne une rare valeur à son
œuvre. Rappelons-nous que Flaubert refusait d'en médire : il recon
naissait en Despréaux un artiste, un maître qui avait égalé son
exécution à son intention.

2. LA POLÉMIQUE DES SATIRES.

Mais le critique, pour nous, dépasse le poète, ou l'artiste : et l;
raison en est qu'ici Boileau ne représente plus dans son œuvre son
tempérament personnel, mais le génie de son siècle, et la commune essence des grandes œuvres.

L'œuvre critique de Boileau se divise en trois parties, qui correspondent à trois périodes de sa vie littéraire : dans les *Satires*
il attaque la littérature à la mode; dans l'*Art poétique*, il défini\
sa doctrine; dans les *Réflexions sur Longin*, il la défend.

Boileau fonda dans les *Satires* la critique littéraire, à peu prè
inconnue avant lui. On avait des *Poétiques*, des *Arts*, ou traités généraux et didactiques : et l'on avait, contre les œuvres particulières
des libelles, injurieux ou venimeux. On ne trouve d'examen
impartial que chez Corneille, parlant de ses propres pièces, e
chez d'Aubignac, qui mêla dans sa *Pratique du t'iéâtre* la critique
à la théorie. Sous cette réserve, Boileau fut vraiment le premie
à se constituer conseiller du public dans le jugement des écrits
à entreprendre, sans passion personnelle, pour de pures raison
de goût, de démolir ou d'élever les réputations littéraires.

Le public fut surpris d'abord de la vigueur et de l'insistanc
de ses attaques, et nombre de gens le prirent pour un médi
sant forcené : Montausier mit vingt ans à lui pardonner. Mai
parmi la foule des auteurs que les *Satires* atteignaient, certain
noms plus cruellement raillés, plus impitoyablement ramené
sous les yeux du public, indiquaient l'intention du poète et le sen
général de ses attaques : dans la satire I, Saint-Amant et Chapelain; Chapelain dans la satire VI; dans la satire II, Quinault e

Scudéry; Chapelain dans la fameuse parodie du *Cid*; Chapelain
dans la IVe satire; Chapelain dans le *Discours au Roi*, Chapelain dans
e *Dialogue des héros de roman*, avec Mlle de Scudéry et Quinault;
Chapelain encore, et Quinault, et Mlle de Scudéry et l'abbé Cotin
dans la Satire III; dans la satire VIII, Cotin; dans la IXe enfin, dans
cet admirable et terrible abatage de réputations, Cotin et Chapelain, avec Quinault, Saint-Amant, Théophile, et vingt autres.

Ce que Boileau immole, ce sont les maîtres de la littérature précieuse, leurs genres et leur goût : les froides épopées avec Chapelain
et Scudéry, les romans extravagants avec Mlle de Scudéry, les petits
vers alambiqués avec Cotin, la tragédie doucereuse avec Quinault;
c'est la poésie sans inspiration et sans travail, la négligence prosaïque et prolixe, la fantaisie subtile ou emphatique, les sentiments hors nature et les expressions sans naturel. Il fait le procès
à toutes les œuvres où manquent et la vérité et l'art. Il oublie le
burlesque, qui est pourtant une des principales voies par où la
fantaisie aristocratique s'est tirée loin de la nature : mais le burlesque aura son fait dans l'*Art poétique*.

Cependant Boileau donnait nettement à entendre ses préférences.
Il offrait à l'auteur de l'*École des femmes* des stances courageuses
et la satire II; il opposait l'auteur d'*Alexandre* à l'auteur d'*Astrate*;
et dans une dissertation en prose, il osait humilier l'Arioste devant
l'imitateur de sa *Joconde*. Racine, Molière, La Fontaine, ces choix
étaient un programme. Peu à peu, le public prit conscience de la
valeur exacte des *Satires* : elles l'aidèrent à débrouiller son propre
goût, elles en hâtèrent la maturité et en fixèrent l'orientation. Il y
prit le courage de s'ennuyer librement, et de se plaire sans scrupule, selon la propre et intrinsèque vertu des œuvres.

Mais les battus n'étaient pas contents, et rendirent coup pour
coup. Cotin, Coras, Boursault, Carel de Sainte-Garde, Saint-Sorlin,
Pradon, Bonnecorse [1], de 1666 à 1689, tentèrent d'écraser l'auteur
de ces meurtrières *Satires*. Ils ne surent qu'injurier grossièrement
ou chicaner puérilement. Chapelain, pratique et sournois, tout en
déchargeant sa bile dans un sonnet et dans des lettres privées, fit
retirer par Colbert à Despréaux le *privilège*, que le roi lui rendit
ensuite, pour l'impression de ses œuvres. Mlle de Scudéry cabala
pour fermer l'Académie au railleur de *Cyrus*.

---

1. *La Satire des satires* et *la Critique désintéressée*, de Cotin (1666-1667); *le Satirique berné en vers et en prose*, de Coras (1668); *la Satire des satires*, comédie,
de Boursault (1669); *Défense des beaux esprits de ce temps par un satirique*, de Carel
de Sainte-Garde (1671); *Défense du poème héroïque, et remarques sur les œuvres
héroïques du sieur Despréaux*, de Desmarets de Saint-Sorlin (1674); *Nouvelles Remarques sur les ouvrages du sieur D.*, de Pradon (1685); *le Triomphe de Pradon sur les
Satires du sieur D.* (1686); *Lutrigot*, de Bonnecorse (1686); *le Satirique français expi-
rant*, de Pradon (1689).

Boileau ne répondit à aucune attaque [1] : à quoi bon se justifier
d'avoir fait servir sur une table parisienne des alouettes *au mois
de juin*? ou d'avoir pillé Horace et Juvénal? à quoi bon démontrer qu'il n'avait pas manqué à la majesté du roi, ou qu'il n'était
pas athée, ou qu'il n'avait pas été bâtonné? Les deux idées sérieuses
qu'il pouvait distinguer parmi les invectives et les sottises, qu'avait-
il à y répondre? puisqu'aussi bien l'une était un éloge : c'est quand
Pradon lui donne le talent de peindre « en vers frappants » la réalité
vulgaire; — et l'autre exprimait bien ce qu'il était et voulait être :
c'est quand tous, successivement, lui reprochaient de n'être qu'un
bourgeois, et de n'entendre rien au sublime des ruelles. Il suivit
donc bonnement sa voie, et quand il eut ridiculisé ses adversaires,
par des traits si justement assenés qu'ils sont devenus inséparables de leur mémoire, et partie intégrante de leur définition, il
exposa les principes de son goût dans son *Art poétique*, auquel
la neuvième *Épître* se joint nécessairement.

Il n'y a pas à réhabiliter les victimes de Boileau. Il y eut dans sa
polémique des exagérations, des brutalités, des exécutions sommaires : nous qui voyons quelle œuvre il faisait, où il tendait, nous ne
pouvons lui en vouloir d'avoir un peu vivement prié les Chapelain et
les Saint-Amant de faire place aux Racine et aux La Fontaine. Entre
les deux luttes qu'il soutint, au temps de son triomphe incontesté,
en 1683, Boileau a concédé du mérite à Chapelain, de l'esprit à
Quinault, du génie à Saint-Amant, à Brébeuf, à Scudéry : est-ce
assez? En 1701, il a donné du génie à Cotin même : n'est-ce pas trop?
On a tenté en notre siècle bien des *réhabilitations* : on a pu relever
Théophile, Saint-Amant; mais les grandes victimes sur qui s'acharna
Despréaux, il les a tuées pour jamais, et si bien tuées qu'il ne
dépendait pas de lui-même de les ressusciter dans ses heures de
clémence. Ce que l'on peut dire de mieux en faveur de quelques-
uns, c'est que Boileau leur était redevable et continuait leur
œuvre. Chapelain fut en son temps un des ouvriers de la doctrine
classique. Mais, en 1660, il arrêtait le mouvement, loin d'y aider.
Par indécision de goût, par complaisance d'homme du monde, il
couvrait de son autorité la poésie à la mode, les précieux, les
négligés : il n'était plus qu'un obstacle, dont il fallait à tout prix
débarrasser la littérature. Et de là, la complète, et nécessaire, et
irrévocable exécution des *Satires*.

---

1. Il se donna le tort pourtant de recourir à l'autorité pour empêcher la représentation de la comédie de Boursault.

3. L'ART POÉTIQUE.

L'*Art poétique* a ses défauts : une lacune de l'esprit de Boileau
y apparaît. Son exposition est incohérente, alors que sa doctrine
est d'une parfaite cohésion. Il pense par saillies ; il n'a pas la faculté
oratoire d'enchaîner, de subordonner, de faire converger ses idées.
Elles jaillissent séparées, rayonnant autour de quelques foyers
principaux. Quand il veut les relier directement l'une à l'autre,
ces ponts qu'il établit, et qui sont ses transitions, sont aussi maladroitement jetés que possible : rien de plus ridicule que les *transitions* du second chant. Le quatrième chant tout entier est un
appendice dont on ne sent pas d'abord l'utilité : il n'y est pas
question de littérature, mais de morale. En voici le sens : Boileau
n'a garde de poser la moralité comme un des éléments constitutifs
de l'œuvre d'art : seulement, il l'exige de l'artiste. Si la vérité, la
sincérité sont les lois suprêmes de l'art, il n'y a plus lieu, dès que
l'artiste est honnête homme, d'exiger qu'il ait le dessein formel et
particulier de faire une œuvre morale : quoi qu'il fasse, il la fera
morale, en vertu de sa nature. Et voilà pourquoi Boileau poursuit
le débraillé, le parasitisme, l'envie, la bassesse chez les poètes,
comme les chevilles ou le galimatias dans les vers. Mais il n'a pas
marqué nettement la liaison de ses conseils moraux à ses règles
esthétiques.

Quant au fond, l'*Art poétique* préjuge une grande question : y a-
t-il une beauté, partant un goût absolu ? Boileau n'en doute pas,
et n'estime pas que certaines formes littéraires soient liées à certains états de civilisation, ni que l'idéal poétique puisse être relatif
et variable selon le génie des peuples. Aussi ne s'est-il pas soucié
de ce qu'on appelle l'histoire littéraire, l'étude du développement
des littératures et des genres, l'examen des conditions et des
milieux, qui dans une certaine mesure déterminent la direction du
génie littéraire et les formes de son expression. Cela se sent dans
l'*Art poétique* : il ignore tout ce qui n'est pas la littérature, et une
bonne partie de la littérature. Tout le moyen âge lui échappe,
comme à presque tous ses contemporains : il voit le xvie siècle
moins nettement que Chapelain ou Colletet. Même dans l'antiquité,
il se représente très confusément, très inexactement, d'après
Horace et Aristote, la naissance et les progrès du théâtre : il n'a
pas l'idée de ce qu'est une ode de Pindare et de ce qui la différencie d'une ode de Malherbe ; il n'a pas sur Homère les inquiétudes ingénieuses d'un abbé d'Aubignac [1] ; Homère est un très

---

1. *Conjectures académiques*, ouvrage posthume, Paris, 1715.

grand, très grand *monsieur*, le plus fort et le plus adroit artiste
qu'on ait jamais vu. Ainsi s'explique la confiance de Boileau en ses
« règles »; elles définissent la perfection *absolue, universelle, nécessaire*, celle où *doivent* tendre toutes les œuvres qu'on fera, et
d'après laquelle on *doit* juger toutes les œuvres qu'on a faites. Il y
a *un* type du sonnet, *un* type de la tragédie, *un* type de l'épopée :
absolument comme dans un problème de mathématiques il y a
une solution vraie, à l'exclusion de toutes les autres. Quelque
étroitesse de goût résulte nécessairement de ce rigorisme dogmatique.

Boileau a séparé les genres avec trop de précision. On est revenu
aujourd'hui de leur confusion, et l'on reconnaît que leur distinction est fondée en raison. Mais il faut que ce soit la nature même
qui les distingue et les maintienne, comme elle maintient à peu
près les espèces animales. C'est affaire à l'expérience de montrer
s'il y a des formes mixtes qui soient *légitimes*, c'est-à-dire viables
et permanentes. Boileau a parqué trop soigneusement les *espèces*
littéraires : il les a multipliées aussi trop facilement. Il a compté
comme espèces de simples variétés : élégie, ode, sonnet, ballade,
chanson, il n'a pas vu que tout cela, c'étaient les variétés de l'*espèce* lyrisme; tout à la description des variétés, il n'a pas aperçu
la définition de l'espèce. Il n'a pas saisi non plus le lien plus délicat,
mais non moins réel, du bucolique à l'épique.

Il y a, dans le détail du poème, des incohérences ou des erreurs
que les principes même de Boileau devaient lui faire éviter. Séduit
outre mesure par les anciens, il a loué dans l'églogue précisément
le manque de réalité : cédant trop complaisamment au goût mondain, il a préféré la « mignardise » de Térence au robuste naturel
de Molière. Il a défini l'épopée comme Chapelain et Scudéry, « un
roman héroïque en vers, merveilleux, allégorique et moral » : par
superstition d'humaniste, il a, contre Desmarets [1], maintenu la
mythologie dans la poésie française comme un système d'élégants
symboles, sans s'apercevoir quel démenti il donnait ainsi à son
vigoureux réalisme; et par une légèreté de bourgeois indévot, il a
estimé que le « diable » des chrétiens était toujours et partout un
objet ridicule : ce théoricien de la poésie fermait tout bonnement
la poésie au sentiment religieux.

Mais on a tort de lui reprocher des omissions : dans son *Art poétique*, il parle des *genres poétiques*, de ceux où le vers est essentiel,
et qui ne subsistent pas quand on l'enlève, comme le sonnet, l'ode,
l'épopée, la tragédie même. Mais pourquoi parlerait-il de la Fable ?

---

1. Desmarets, *Discours* imprimé dans l'éd. de *Clovis* de 1673 ; *Défense du
poème héroïque* (1674).

il l'omet comme le *conte*, comme l'*épître*, comme le *genre didactique*, qui tous peuvent se traiter également en prose et en vers.

La part marquée, aussi grande que possible, aux imperfections de l'*Art poétique*, il y reste une grande et forte doctrine, faite de deux pièces finement ajustées : elle combine le rationalisme moderne avec l'esthétique gréco-romaine; elle mêle les deux courants du cartésianisme et de l'humanisme.

Le point de départ de l'*Art poétique* est celui du *Discours de la méthode* : la raison, départie à tous, est en nous la faculté supérieure, dominatrice et directrice des âmes, douée spécialement de la propriété de discerner le vrai du faux. Toutes les pensées et les expressions des pensées doivent avant tout satisfaire la raison :

> Aimez donc la raison : que toujours vos écrits
> Empruntent d'elle seule et leur lustre et leur prix.

La *raison* fait donc la *beauté* : donc encore, la *beauté* sera quelque chose d'*absolu*, de *constant*, d'*universel*; car ce sont là les trois caractères par lesquels les choses satisfont à la raison. Mais ainsi, la *beauté* sera identique à la *vérité* :

> Rien n'est beau que le vrai.

Mais, le *vrai*, à son tour, c'est la *nature*

> Mais la nature est vraie....

Et elle porte avec elle son *évidence* :

> ...Et d'abord on la sent.

Ainsi la nature fournit à la poésie un objet universellement et immédiatement connu pour vrai, par la représentation duquel la poésie fournit un plaisir raisonnable, c'est-à-dire universellement et constamment perceptible à tous les esprits : voilà la première idée fondamentale de l'*Art poétique*. Raison, vérité, nature, c'est tout un [1]; et Boileau, par ses formules favorites, qui ont révolté tant de lecteurs superficiels, pose seulement en principe le respect du modèle naturel.

La doctrine qu'il établit est franchement « naturaliste ». Quand

---

1. Voir la *raison* identifiée à la *passion*, quand la passion est la *nature* à rendre, dans ces vers de Molière, *Misanthrope*, I, 2 :

> Et ne voyez-vous pas que cela vaut bien mieux
> Que ces colifichets dont le *bon sens* murmure
> Et que la *passion* parle là *toute pure*?

il répète : « Tout doit tendre au bon sens », il n'étouffe pas plus
l'imagination qu'un peintre qui recommande à ses élèves de faire
« d'après nature ». Il proscrit la fantaisie, l'esprit : il exige la
probité, l'oubli de soi-même, la concentration de toutes les forces
de l'esprit, de toutes les ressources du métier dans l'expression
du pur caractère de l'objet. Ce « naturalisme », c'était précisément
ce qui manquait aux victimes des *Satires*, dont l'ordinaire défaut
était de déformer la nature ou de l'exclure.

L'imitation de la nature est le principe de la beauté dans la
poésie : mais quelle nature imitera-t-on? jusqu'à quel degré sera
poussée l'imitation? Le tempérament de Boileau — les *satires*
pittoresques en donnent la preuve — le poussait à répondre :
toute nature est objet de l'imitation artistique; et l'imitation n'a
pas d'autre limite que l'identité avec l'objet. Mais son goût a refréné
son tempérament. Sous l'influence de certains préjugés contemporains, il a posé certaines bornes étroites au domaine, et certaines
restrictions fâcheuses à l'exactitude de l'imitation artistique. Cependant, si l'on ne s'arrête pas aux détails, on voit que son but reste
en somme l'équivalence de l'image à l'objet, la *vraisemblance*
(au sens étymologique), l'*illusion*. Voyez comment il loue la vérité
des personnages dans Térence :

> Ce n'est plus un portrait, une image semblable :
> C'est un amant, un fils, un père *véritable*.

Seulement, l'art ayant pour objet un *plaisir*, la ressemblance doit
aller jusqu'où le plaisir cesse; l'imitation d'une réalité hideuse ou
horrible doit être *agréable*. Sinon, on sort de l'art.

En général, aussi, le champ de l'imitation n'est borné que par
les caractères intrinsèques du *vrai* et du *rationnel*. Il n'y a pas de
science du particulier, ni de l'exception : il n'y a *vérité* qu'où il y
a *universalité* et *permanence*. La nature que la poésie imitera sera
donc la nature commune, celle qui est partout et toujours, les
objets qui existent en vertu de ses lois éternelles, non pas les accidents de l'individualité, ni les bizarreries des phénomènes monstrueux. Ainsi la tragédie ne peindra pas les individus, Nicomède ou
Auguste, mais des types humains dans les apparences Auguste ou
Nicomède. On remarquera, en passant, que sous ce principe
tombent l'*histoire*, expression des formes passagères, perception
des *différences* et non de l'identique, et le *lyrisme*, manifestation du
subjectif, émanation de la plus intime individualité. Il y avait
moyen de les sauver, en vertu même du naturalisme : mais ni
Boileau ni le XVIIᵉ siècle n'y ont songé.

Dans son *naturalisme*, Boileau trouve le moyen de fonder en raison l'admiration, l'imitation des anciens. Ils sont grands, parce qu'ils sont vrais : ils ont su voir, ils ont su rendre la nature. Et c'est la nature reconnue dans leurs œuvres, qui nous ravit. Ainsi ils peuvent nous enseigner à voir et à rendre. L'immortalité de leurs œuvres garantit l'excellence de leur méthode. Donc, l'antiquité, c'est la nature; et imiter l'antiquité, c'est user des meilleurs moyens que l'esprit humain ait jamais trouvés pour exprimer la nature en perfection. Voilà comment Boileau achève l'œuvre commencée il y a plus d'un siècle par Ronsard, et fait triompher définitivement la doctrine qui voulait régler la poésie moderne sur l'idéal ancien, sur les modèles anciens. Il n'y parvient qu'en la réduisant au rationalisme. Du coup, l'idolâtrie servile du xvie siècle est transformée en estime raisonnable.

Mais il vaut la peine d'y faire attention pour consoler ceux qui ont cru le génie français opprimé par le culte de l'antiquité : la raison ne reçoit de loi que d'elle-même; et, du moment que c'est la nature qu'on aime dans l'antiquité, il pourra bien arriver que parfois (comme dans l'épopée ou l'églogue) on reçoive pour vraie nature ce qui n'existera pas hors des œuvres anciennes; mais il arrivera bien plus communément qu'on trouvera dans les œuvres anciennes la nature contemporaine, crue éternelle; et si elle n'y est pas, on l'y trouvera cependant. En d'autres termes, le xviie siècle fera les anciens à son image, plus encore qu'il ne se fera à l'image des anciens, et — son absence de sens historique venant en aide à son rationalisme — il *modernisera* l'antiquité.

Il résulte de ce qui précède que la perfection de la poésie ne consiste pas dans la *nouveauté* : et Boileau signale au contraire la nouveauté comme une des plus dangereuses séductions qui puissent égarer un poète. Il ne faut se soucier que de la vérité : les âmes et les arbres d'aujourd'hui sont pareils aux âmes et aux arbres d'il y a deux mille ans. Mais l'originalité jaillira de l'étude sérieuse du modèle, et de l'effort consciencieux pour y égaler l'imitation. De là vient qu'on peut reprendre sans scrupule les sujets des anciens : une fable de Phèdre, une tragédie d'Euripide, une comédie de Plaute. L'invention demeure entière dans de vieux sujets. On conçoit aussi pourquoi il n'y a rien de servile dans le respect de Boileau pour les œuvres consacrées par le temps. Le consentement universel est signe pour lui de vérité : si trente siècles et dix peuples ont adoré Homère, c'est que ces siècles, ces peuples ont reconnu la nature dans Homère; et il y a chance qu'elle y soit, si tant d'individus si différents de mœurs et de goût l'y ont vue.

L'imitation des anciens fournit à Boileau le moyen de transformer en forme d'art l'observation de la nature. Elle l'aide à éviter l'écueil du positivisme littéraire, qui est la négation et la suppression de l'art. C'est là que conduisait le rationalisme cartésien, qui, traitant *scientifiquement* la poésie, devait méconnaître la nature et la valeur de la forme poétique : n'y voyant que les *signes* des idées, il n'y exige que la clarté et la justesse, il la réduit à un système d'abstractions. Grâce aux modèles anciens, qu'il eut le mérite de comprendre et de sentir comme *œuvres d'art*, Boileau maintint la notion de l'art dans la littérature.

A vrai dire, la transformation de son naturalisme scientifique en naturalisme esthétique ne se fit pas sans quelque peine. La soudure des deux doctrines n'est pas toujours très bien faite, et l'on sent un peu de difficulté à mettre partout d'accord la *vérité*, équivalent rationnel de la nature, avec la *vraisemblance*, qui en est l'expression artistique. Cependant on saisit sa pensée à travers l'insuffisance de l'expression : il faut la vérité, et il faut la vraisemblance; la vraisemblance, c'est la vérité rendue sensible par une forme d'art.

On a souvent attaqué Boileau sur la part qu'il faisait à l'art. On lui a reproché d'étouffer l'imagination par des règles sévères : rien de plus indiscret et de plus faux. Enseigner le dessin, ce n'est pas comprimer, c'est armer le génie du peintre. Si on relit le début de l'*Art poétique*, on y trouvera sans peine que Boileau exige du poète la vocation, le don naturel et spontané. Il croit même — avec raison — que les aptitudes poétiques sont spécialisées pour l'un ou l'autre des principaux genres : on est épique, ou élégiaque, ou dramatique. Si l'on n'est pas né poète, il ne faut pas faire de vers, et si l'on n'est pas né poète épique, il ne faut pas faire d'épopée. Cela dit, Boileau passe. Pourquoi? parce qu'il n'y a pas d'enseignement qui donne le génie. Il s'adresse à ceux qui l'ont, et il va leur apprendre le *métier*.

Est-il utile aujourd'hui de justifier l'importance que Boileau attribue au métier, de prouver que le génie ne dispense pas du métier, et qu'il n'y a pas de chef-d'œuvre sans métier? Jamais Boileau ne fut plus artiste que dans son estime de la *technique*. Tout le premier chant de l'*Art poétique* n'est qu'une exposition des procédés essentiels de la technique classique. Il pose les lois de la versification, qui sera correcte d'abord, mais aussi harmonieuse, expressive; il pose les lois du style, qui sera correct et clair, mais efficace et expressif, les lois de la composition, qui sera juste et proportionnée : vers, langage, plan, ce sont trois moyens, qui doivent concourir à approcher l'objet naturel, sans le déformer, de l'esprit du lecteur.

Puis il passe aux *genres* : les *genres*, subdivisions des *arts*, sont comme eux des conventions qui font abstraction d'une partie des caractères naturels pour en mettre quelques-uns en lumière. Les

règles des genres se tirent de leurs définitions; et l'imitation de la
nature se détermine, en sa manière, par les règles du genre que
l'auteur élit. Chez les anciens, les *genres* se distinguaient par la
forme, par le mètre : chez nous, ils se distinguent surtout (du
moins les principaux) par le fond, par l'impression, la forme restant libre dans une large mesure. La Renaissance et le xvie siècle,
par conséquent Boileau, mêlent la théorie ancienne et l'idée
moderne. Boileau définit un certain nombre de genres *fixes*, où la
couleur, l'impression peuvent varier, non le mètre; il énonce minutieusement les règles du sonnet, pour qui il semble avoir la dévotion d'un précieux, ou d'un Parnassien. D'autres genres, surtout les
grands genres, sont définis par le caractère intellectuel et sentimental de leur imitation : satire, ode, épopée, tragédie, comédie.
Les règles formelles y sont peu nombreuses, et connues, comme
les unités dramatiques, que Boileau énonce en deux vers, ou la
coupe en actes, qu'il ne se donne pas la peine d'indiquer.

Les grands genres, où Boileau s'arrête en son 3e chant, sont
l'épopée, par tradition antique, et par respect d'Homère et de
Virgile, la tragédie et la comédie, par tradition aussi, mais surtout par sentiment de leur importance actuelle, par goût personnel
et conscience du goût commun de son siècle. Il demande à la tragédie la vérité, l'intérêt, la passion; je n'insisterai pas sur l'idée
qu'il nous donne d'une tragédie psychologique et pathétique, composée par un artiste curieux et scrupuleux : c'est inutile; cette
tragédie dont Boileau nous développe la formule abstraite, nous
la retrouverons tout à l'heure, vivante, dans Racine. Car c'est à
Racine qu'il a constamment songé : Racine avait réalisé son idéal.

Molière ne l'a pas satisfait : il a préféré Térence, plus par préjugé
mondain que par superstition pédante. Car, ici, Boileau a subi le
joug fâcheux de ses idées d'homme bien élevé : il a voulu imposer
à la comédie le ton des salons, par suite il ne lui a laissé à peindre
que la vie des salons. Il donne d'abord le principe naturaliste :

> Que la nature donc soit votre étude unique.

Mais il le restreint aussitôt :

> Étudiez *la cour* et connaissez *la ville*.

Voilà pour l'objet : quant à l'expression, il la veut fine, délicate,
observatrice de toutes les bienséances mondaines. Cela mène à la
comédie spirituelle du xviiie siècle : Destouches, Gresset, Collin
d'Harleville, voilà ce qui peut sortir de la théorie de Boileau. Il n'a
pas vu que la source vive, inépuisable, où s'alimente la comédie,
toute la comédie, même la plus haute, c'était la farce populaire, et

non la plaisanterie moderne : de là sa rigueur contre Molière, qu'il trouve trop *peuple*, entendez trop chaud, trop franc, trop grossièrement vivant. Voilà la grande erreur et la grande inconséquence de Boileau dans sa théorie du comique : et c'est autrement grave que de proscrire le mélange du rire et des larmes, que de condamner à l'avance le *drame*; les *pièces* mixtes.

Il y a un point où le naturalisme classique diffère beaucoup de celui de nos contemporains Il ne regarde pas seulement l'objet; il regarde aussi l'esprit humain, auquel il veut présenter l'objet; et tant par une règle d'urbanité mondaine que par une tradition artistique de l'antiquité, il fait effort pour présenter l'objet par ses caractères agréables à l'esprit. Il se donne pour mission de mettre en contact les deux natures, celle des choses et celle du public, et il tient compte de l'une aussi bien que de l'autre. C'est une chose curieuse que cet art du xviie siècle, qu'on accuse de n'avoir connu que la froide raison, est celui qui fait le plus une loi d'adapter la nature à l'esprit et qui pose nettement le plaisir comme sa fin suprême, comme la condition nécessaire et presque suffisante de la perfection. A la tragédie, il donne un ordre d'émotions; à la comédie, un autre : et la représentation *vraie* des choses ne lui suffit pas, si on ne donne à cette représentation un agrément ou pathétique ou plaisant. Et voilà encore qui limite le choix ou détermine l'expression des objets : il en faut extraire, ou il y faut insinuer un caractère *sensible*, par où ils soient doux à l'âme. Cette méthode n'est pas sans danger, elle peut mener à *humaniser* la nature à l'excès; mais le génie consistera à trouver des agréments dans la vérité, et à faire que le plaisir du public soit attaché aux mêmes choses où consiste la fidélité de l'imitation.

De cette conception du but de l'art, résultent certaines particularités du langage de Boileau : au *vrai*, au *simple*, au *naturel*, qu'il réclame, s'ajoutent des expressions faites d'abord pour inquiéter : le *pompeux*, le *noble*, le *fin*, l'*agrément*, l'*ornement*. En général, ces mots qui impliquent une intervention de la personne de l'artiste et une accommodation de la nature à l'esprit, se rapportent à l'idée, que l'art ne saurait se passer de plaire. Sa fonction consiste à établir un rapport entre les choses et l'esprit, de façon que l'esprit goûte la vérité des choses. Mais la grande loi reste toujours la vérité, d'autant que ces natures tout intellectuelles du xviie siècle ne sauraient se plaire aux objets où leur raison ne trouve point de vérité. Il ne faut pas par conséquent attacher trop de sens, ni un mauvais sens, à toutes les expressions de Boileau qui nous semblent des dérogations à la probité ordinaire de son naturalisme. J'ai signalé ses défaillances particulières : elles n'altèrent point la portée générale de sa doctrine. Il faut en

le lisant bien définir les mots dont il se sert, et l'on verra, par
exemple, quand il trouve du sublime dans une phrase assez vulgaire
d'Hérodote, ou quand Ménage en trouve dans la satire des *Embarras
de Paris*, on verra que pour Boileau et pour Ménage, pour les gens
de ce temps-là, le *sublime* répond à peu près à ce que nous appelons l'*intensité expressive* du langage.

Voilà, dans ses grandes lignes, la doctrine de l'*Art poétique*. Le
poème eut un très grand succès. Le siècle y reconnut son goût, un
peu parce qu'il n'y remarqua que ce qui était adéquat à son goût.
La querelle des anciens et des modernes, dont nous parlerons en
son temps, montra que l'accord n'était pas parfait entre l'auteur
de l'*Art poétique* et le monde qui l'admirait. Mais, au contraire,
l'accord était parfait entre Boileau et le groupe des grands écrivains
qui ont illustré la fin du siècle : l'*art naturaliste* qu'il s'est appliqué
à définir nous donne la formule même des chefs-d'œuvre. Il a eu
conscience de ce qu'on pouvait faire en son temps, et il a aidé de
plus grands génies que lui, La Fontaine, Racine, Molière, à en
prendre conscience. De là l'autorité qu'ils lui ont reconnue. Ne
serait-il que le théoricien du xviie siècle, sa place dans notre littérature serait grande. Mais il se pourrait que son naturalisme, dans
lequel un rationalisme positiviste se combine avec la recherche
d'une forme esthétique, et qui pose ces trois termes comme identiques ou inséparables, *plaisir, beauté, vérité* : il se pourrait que ce
fût en somme la doctrine littéraire la plus appropriée aux qualités
et aux besoins permanents de notre esprit [1].

1. Sur le classicisme, consulter : Textes : F. Vial et L. Denise, *Idées et Doctrines
litt. du XVIIe s.*, 1906; H. Bénac, *Le Classicisme*, 1949. Etudes : H. Busson,
Sources et Développement du Rationalisme, 1922; A. Bailly, *Ecole class. fr.*, 1921;
R. Bray, *Formation de la Doctrine class.*, 1927; J. E. Fidao-Justiniani, *Qu'est-ce
qu'un Classique?* 1930; D. Mornet, *Hist. de la Litt. class. fr.*, 1940; H. Peyre,
Qu'est-ce que le Classicisme? 1942; G. de Reynold, *XVIIe s., Classique et Baroque,*
1947; G. Mongrédien, *Vie littér. au XVIIe s.*, 1947; *Vie quotidienne sous Louis
XIV*, 1948.

CHAPITRE III

MOLIÈRE

De Jodelle à Molière. La comédie précieuse de Corneille. Comédies espagnoles et italiennes : *le Menteur.* Premières esquisses de
caractères. Fantaisie et bouffonnerie. Les farces. — 2. Molière :
vie et caractère. — 3. Son œuvre : le style. Les plagiats. Objet de
la comédie : le vrai, plaisant et instructif. Les règles. La plaisanterie. L'intrigue. Les caractères : types du temps et types généraux. Puissance de l'observation et justesse de l'expression. —
4. La morale : complaisance pour la nature; opposition au christianisme. *Nature* et *raison.* Caractère pratique et bourgeois de
cette morale : le mariage et l'éducation des filles. Place de Molière
dans notre littérature. — 5. Molière n'a pas fait école. Comédies
bouffonnes. Comédies d'actualité ou de genre. La fantaisie de
Regnard; le réalisme de Dancourt et de Lesage.

J'ai pu retarder le tableau du développement de la comédie,
comme celui du développement de la tragédie, et pour les mêmes
raisons. Il nous faut maintenant remonter aux origines, c'est-à-
dire à l'année 1552, où Jodelle fait représenter, à la suite de sa
Cléopâtre captive, une comédie intitulée *Eugène, ou la Rencontre,*
et même un peu au delà, aux premières traductions de Térence ou
de l'Arioste [1].

1. DE JODELLE A MOLIÈRE.

Notre comédie du xvie siècle, depuis l'*Andrienne* jusqu'aux trois
dernières comédies de Larivey (1540-1611), n'est qu'un reflet de
la comédie des Italiens. Ici nous n'avons même pas besoin de
remonter aux anciens : Charles Estienne, Ronsard, Baïf [2] se met-

---

1. Trad. de Térence par O. de Saint-Gelais (1539), de l'*Andrienne*, par Ch. Estienne (1540). Cf. H. W. Lawton, *Térence en France au XVIe s.*, 1926.
2. Trad. de *Plutus*, par Ronsard; du *Miles gloriosus* dans le *Taillebras* de Baïf (1567).

tent en face de Térence, d'Aristophane ou de Plaute ; mais leur exemple n'est pas suivi. C'est aux Italiens [1] qu'on va directement, et exclusivement. Leur exemple vaut assez pour imposer la prose à certains de nos auteurs, en dépit des exemples contraires des anciens. Intrigue, dialogue, types, comique, tout vient d'eux, et ceux qui essaient ou se vantent de faire des compositions originales [2], ne se distinguent pas du tout des traducteurs.

Les pièces sont très intriguées, les conversations longuement filées, les types soigneusement caractérisés et poussés tantôt dans la vulgarité réaliste, tantôt dans la fantaisie bouffonne, marchands, bourgeoises, entremetteuses, ruffians, capitans, parasites ; les situations et le ton vont aisément jusqu'à la plus grossière indécence. Cette comédie est sans rapport direct avec notre vieille farce française : les jeunes filles et l'amour, avec le dénouement du mariage, y tiennent une telle place que cela seul suffit à séparer les deux genres. Les rapports qu'on serait tenté de trouver entre eux s'expliquent soit par la nature et les origines de la comédie des Italiens, soit par l'étrange liberté des mœurs et du ton dans toutes les classes en France au xvie siècle.

Quelques pièces, comme celle des *Contents* d'Odet de Turnèbe (1584), valent par la franchise du style, qui dissimule le factice de ces arrangements de sujets étrangers. L'œuvre la plus considérable du xvie siècle, et par le nombre et par le mérite des pièces, est celle de Larivey : on a de lui neuf comédies, toutes prises aux Italiens [3]. Ses prologues mêmes ne sont pas originaux : de là vient qu'il signale les œuvres anciennes auxquelles chaque pièce doit quelque chose, et fait le silence sur les œuvres italiennes dont toutes ses pièces sont traduites. L'auteur italien faisait hommage aux anciens de leur bien, et l'auteur français l'a suivi : mais il n'a pas eu de contact direct avec eux. Ainsi, dans sa comédie des *Esprits*, Larivey n'a vu Plaute qu'à travers Lorenzino de Médicis, et la fusion de l'*Aululaire* et de la *Most llaria* s'est offerte à lui toute faite dans l'*Aridosio* du prince florentin. Comme les tragédies du même temps, les comédies étaient représentées dans des collèges ou des hôtels princiers, et les recueils de Larivey furent sans doute imprimés sans qu'aucune des pièces qu'ils contiennent eût été jouée [4].

---

1. *Le Negromant* de J. de la Taille, *les Déguisés* de Godard sont d'après l'Arioste.
2. J. de la Taille dans les *Corrivaux* (1574) ; Odet de Turnèbe dans les *Contents* (1584).
3. Dolce, N. Bonaparte, Lorenzino de Médicis, Grazzini, Gabbiani, Razzi, Pasqualigo, Secchi. Pierre de Larivey, né vers 1540, mourut après 1611. Il fut chanoine de Saint-Étienne de Troyes. Il traduisit les *Facétieuses Nuits* de Straparole (1572). I. était d'origine italienne.
4. **Éditions** : Viollet-le-Duc, *Anc. Théâtre fr.*, IV-VII, 1854-57 ; E. Fournier,

Avec ses mérites de style et de pittoresque, la comédie du
XVIᵉ siècle est donc purement littéraire et artificielle. Aussi le
genre disparut-il à peu près avec l'école de Ronsard. Lorsque
Hardy fonda, ou du moins organisa le théâtre nouveau, la comédie
n'y eut point de place : la chose s'explique toute seule. La tragi-
comédie et la pastorale, qui étaient plus en faveur que la tragédie
même, enfermaient quelques éléments de la comédie : les autres
étaient détenus par la farce, qui, dans les représentations, suivait
à l'ordinaire la grande pièce littéraire (tragédie ou autre). Cette
farce, toute populaire et grossière, était très en faveur[1] : à l'Hôtel
de Bourgogne, Gros Guillaume, Gaultier Garguille, Turlupin faisaient les délices du public, et l'on goûtait les *Prologues* bouffons
de Bruscambille. Au Pont-Neuf, devant la boutique de l'opérateur
Mondor, son frère *Tabarin* s'immortalisait par des parades. Tragi-
comédie et farce rendaient la comédie inutile. Aussi (le second
recueil de Larivey mis à part) ne s'étonnera-t-on pas de ne pas
rencontrer plus de quatre ou cinq comédies entre 1598 et 1627.

La comédie fut rétablie par Rotrou (1628, ou plutôt 1630), Corneille (1629), Mairet (1632)[2]. *Le Cid* et *Horace*, en déterminant la
tragédie, en la purgeant de comique, aidèrent la comédie à se
définir; un peu gênée, et incertaine de sa limite tant que se soutint
la tragi-comédie, elle élimine pourtant peu à peu le tragique. Les
œuvres se multiplient : Desmarets (1637), d'Ouville (1641), Gillet de
la Tessonnerie (1642), Scarron (1645), Boisrobert (1646), Th. Corneille (1647), Quinault (1653), Cyrano de Bergerac et Tristan (1654)
enrichissent le genre et le conduisent à Molière. Même de 1649 à
1656, la comédie prend le pas sur la tragédie : sa vogue est parallèle à celle du burlesque.

Dans cette période (1627-1658), la couleur de la comédie est à
peu près trouvée dans l'exclusion du pathétique; mais on cherche
la matière, et l'on tente diverses directions. Tout au début, alors
que les comédies étaient rares encore, Corneille fit une tentative
des plus originales[3]. Il créa une comédie à peine comique, toute
spirituelle, qui était la peinture, non la satire ni la charge, de la
société précieuse : il y introduisait des *honnêtes gens sans ridicules*,
qui avaient le ton, les manières, les idées du monde; il montrait

Théâtre fr. au XVIᵉ s., 1871. — **A consulter :** E. Rigal, *Théâtre fr. avant la période
class.*, 1901; Lintilhac, *Hist. du Théâtre*, II, 1905.

1. On trouvera une farce de l'Hôtel de Bourgogne au tome IV des frères Parfaict,
p. 254, et deux farces de Tabarin dans Fournier, *recueil cité*.

2. Mairet donna *les Galanteries du duc d'Ossone*, œuvre italienne de goût et de
facture.

3. *La Veuve, la Galerie du Palais, la Suivante, la Place Royale.* Cf. L. Rivaille :
P. Corneille correcteur de ses premières œuvres, 1936; Débuts de C., 1936;
O. Nadal, *Sentiment de l'Amour dans C.*, 1948.

avec un goût curieux de réalité certains lieux connus de Paris,
la *galerie* du Palais avec ses marchands, ses boutiques, son va-et-
vient d'acheteurs et d'oisifs. C'est une comédie où on n'oublie
pas l'heure du dîner, où un amant éconduit, sans se tuer ni
perdre l'esprit, s'en va faire un tour de six mois en Italie. Cadre
et fond, caractères et milieux, tout est d'une vérité fine dans ces
œuvres sans précédent et sans postérité. Corneille fut seul à
exploiter cette veine; encore l'abandonna-t-il bientôt lui-même,
pour se tourner vers l'imitation des Espagnols.

Car, en ce temps-là, les anciens fournissent assez peu; les Italiens, davantage [1] : mais le grand fonds où l'on puise, et où puisaient
du reste eux-mêmes les Italiens du xviie siècle, c'est le répertoire
espagnol. Rotrou, d'Ouville, Boisrobert, Scarron, les deux Corneille [2] s'attachent à Lope, Tirso, Rojas, Alarcon, Moreto, Calderon,
adaptant, coupant, ajoutant, transformant au gré de leur fantaisie,
et parfois à la mesure de quelque acteur. *Le Menteur* de Corneille
(1644) est la plus charmante, la plus originale, et la plus française de ces adaptations. On en a parfois bien surfait l'influence.
Elle tire sa valeur surtout de son style qui est d'une qualité
rare, et du tact avec lequel Corneille a déterminé quelques-unes
des conditions du genre : il fixe la comédie dans son juste ton,
entre le bouffon et le tragique; il marque le mouvement du dialogue, vif, naturel et agissant; et, bien qu'il n'ait pas précisément
dessiné de caractères, il place dans la forme morale du personnage principal la source des effets d'où jaillit le rire.

Mais ce dernier mérite se rencontrera mieux dans certaines
œuvres moins délicates de goût et de style, qui, avant et après *le
Menteur*, dirigeaient plus nettement la comédie vers son véritable
objet. Les *Visionnaires* de Desmarets de Saint-Sorlin (1637) [3] sont
la première étude de caractères généraux qu'on ait faite d'après
nature, avec intention formelle de placer le plaisir du spectacle
dans la fidélité de la copie : et ces caractères sont des types

1. Des anciens viennent *les Sosies* et *les Ménechmes* de Rotrou (1632 et 1636). Des
Italiens, *la Sœur* de Rotrou (*la Sorella* de J. B. della Porta), *l'Amant indiscret* de Quinault, *l'Étourdi* et *le Dépit* de Molière, etc. — Les types de parasites et de mata-
mores, si souvent introduits dans les comédies d'alors (Corneille, *l'Illusion comique*,
1636; Tristan, *le Parasite*, 1654), viennent de la comédie italienne et latine.

2. Rotrou, *la Bague de l'oubli*, *Diane*; d'Ouville, *l'Esprit follet*; Boisrobert, *l'Inconnue*, *la Belle invisible*; Scarron, *Jodelet ou le Maître valet*; *Don Japhet d'Arménie*,
l'Écolier de Salamanque; Th. Corneille, *les Engagements du hasard*, *Don Bertrand
de Cigarral*, *le Geôlier de soi-même*; P. Corneille, *le Menteur* et *la Suite du Menteur*.

3. Jean Desmarets de Saint-Sorlin (1595-1676), l'auteur de *Clovis*, l'adversaire de
Nicole et de Boileau; Cyrano de Bergerac (1619-1655), l'un des plus extravagants
fantaisistes du temps; Gillet de la Tessonnerie (1620-vers 1660), conseiller à la cour
des Monnaies, débuta dans la comédie par une adaptation du roman de Sorel
Francion.

ridicules de la société polie. *Le Pédant joué* de Cyrano (1654) [1] est une
œuvre énorme et disparate, où ressortent des parties d'excellente
comédie, et notamment une vigoureuse étude de paysan niais et
finaud. *Le Campagnard* de Gillet de la Tessonnerie (1657) est une
peinture satirique de la grossièreté provinciale, dont s'égaient la
cour et la ville. Il y a dans ces trois œuvres les éléments d'une
comédie de mœurs, image des travers attribués à chaque classe
et des ridicules sociaux : il y a dans les deux premières quelques
éléments d'une comédie de caractères, largement humaine. Et
n'étant point faites d'après des originaux étrangers, elles indiquaient
clairement la vie contemporaine comme le modèle d'après lequel il
faut travailler.

Originales ou imitées, les comédies dont nous parlons ont pour
caractère commun l'énormité du comique. Des intrigues chargées, romanesques et surprenantes, des types d'une bouffonnerie
chimérique, tout conventionnels, tels que le parasite, le matamore,
ou bien des types de la réalité contemporaine, poussés jusqu'aux
charges les plus folles, une profusion de *lazzi* et de saillies qui
s'échelonnent depuis le calembour ou l'obscénité du boniment
forain jusqu'à la *pointe* aiguisée des ruelles, voilà la comédie de
la première moitié du XVIIᵉ siècle. A mesure qu'on approche de
Molière, la verve est plus copieuse, mais la caricature plus truculente, plus épaisse, plus démesurée : c'est le temps de Scarron, de
Cyrano, de Thomas Corneille. Le grand Corneille se distingue par
sa finesse : il ne se rattache guère au comique contemporain que
par *l'Illusion comique*. Ce comique incline à la farce : et jamais il
n'est plus vivant ni plus naïf que lorsqu'il y plonge [2].

On peut se demander comment une société qu'on se figure si
délicate et si polie, a pris plaisir à de telles œuvres : mais qu'on
lise Tallemant, on ne s'étonnera plus. La délicatesse est dans le
mécanisme intellectuel et à la surface des manières : le tempérament reste robuste, ardent, grossier, largement, rudement jovial,
d'une gaieté sans mièvrerie, où la sensation physique et même
animale a encore une forte part.

Au-dessous de cette comédie subsiste toujours la farce ; et plus
que du *Menteur*, plus que d'aucune des comédies que j'ai nom-

---

1. **Éditions :** V. Fournel, *Contemporains de Molière*, 1863-1875 ; H. Parigot,
Théâtre choisi des Auteurs comiques du XVIIᵉ s. — **A consulter :** F. Brunetière,
Epoques du Théâtre fr. ; E. Martinenche, *Comédie espagnole en Fr.*, 1900 ; E. Lin-
tilhac, *Hist. du Théâtre en Fr.*, III, 1908 ; E. Rigal, *De Jodelle à Molière*, 1911 ;
S. W. Holsboer, *Hist. de la Mise en Scène*, 1934 ; P. Mélèse, *Théâtre et Public sous
Louis XIV*, 1935 ; G. Mongrédien, *Grands Comédiens du XVIIᵉ s.*, 1927. Sur
Cyrano de Bergerac, cf. Lachèvre, 1920.

2. Même les comiques reçoivent le ton des farceurs : *le Matamore, Perrine* ou
Alison, Jodelet étaient les continuateurs des Gros Guillaume et des Turlupin.

mées, la comédie de Molière relève de la farce. Les ennemis du
poète l'accusaient d'avoir acheté les mémoires de Guillot Gorju :
c'est une fable, mais vraie d'une vérité de légende. Molière est un
farceur. Remarquez son progrès : il fait d'abord *l'Étourdi* et *le Dépit*,
pièces littéraires du type usuel en 1650, analogues aux pièces des
Boisrobert et des Scarron. Mais est-ce de là que sortent *les Précieuses*,
Sganarelle, ces petits actes, ses premiers chefs-d'œuvre, dans lesquels il prend conscience de son idéal? Ne sortent-ils pas plutôt
de ces farces qu'il composait aussi en province, et dont quelques
titres et canevas nous sont connus. *Don Garcie* ensuite est une
rechute dans la littérature à la mode : mais viennent *l'École des
maris*, *l'École des femmes*, où tous les éléments italiens et latins
n'empêchent pas qu'on sente l'esprit mordant et positif des conteurs
et des farceurs français. N'entrevoit-on pas aussi plus d'une fois
que les farces de la jeunesse de Molière ont été les germes des
comédies de sa maturité?

En réalité Molière est parti de la farce : tout ce qu'il a pris
d'ailleurs, il l'y a ramené et fondu, il l'en a agrandie et enrichie.
La farce lui a appris à faire passer l'expression naïve et plaisante
des sentiments avant l'arrangement curieux de l'intrigue et les
grâces littéraires de l'esprit de mots. Et si sa comédie est à tel
point nationale, c'est qu'il ne l'a pas reçue des mains de ses devanciers comme une forme savante aux traditions réglées; il l'a
extraite lui-même et élevée hors de la vieille farce française, création grossière, mais fidèle image du peuple; il l'a portée à sa perfection sans en rompre les attaches à l'esprit populaire. N'en
déplaise à Boileau, si Molière est unique, c'est parce qu'il est,
avec son génie, le moins académique des auteurs comiques, et le
plus près de Tabarin.

2. MOLIÈRE : SA VIE.

L'œuvre de Molière est objective et impersonnelle : on ne
saurait se dispenser pourtant de jeter un coup d'œil sur sa vie,
qui nous aide à comprendre comment ses comédies offrent un
si solide fonds d'observation morale.

Peu d'existences furent plus rudes [1] : la vie de comédien nomade

---

1. **Biographie** : Jean-Baptiste Poquelin, né à Paris, le 15 janvier 1622, fils de Jean
Poquelin, tapissier valet de chambre du roi, de qui il eut en 1637 la survivance, fut
élevé au collège de Clermont, et se fit recevoir avocat à Orléans. En 1643, il fonde
avec les Béjart et quelques amis l'*Illustre Théâtre*, qui tombe en déconfiture. A
la fin de 1645, la troupe quitte Paris. Elle s'unit en Guyenne à la troupe du duc
d'Épernon; puis elle est signalée en 1647 à Toulouse, Albi, Carcassonne ; en 1648, à
Nantes; en 1649, à Toulouse et à Narbonne; en 1650, à Narbonne et à Agen ; en

qu'il mena pendant douze ans, était riche en déboires et en fatigues. Une fois établi à Paris, une fois en possession de la gloire et
du succès, il aurait pu regretter les durs temps de sa jeunesse.

1651, sans doute à Vienne et à Carcassonne; en 1652, à Grenoble et à Lyon. En 1653,
elle quitte Lyon, pour aller jouer à la Grange-aux-Prés, près de Pézenas, devant
le prince de Conti, gouverneur du Languedoc, puis à Montpellier, d'où en 1654 elle
va à Lyon, et où elle revient à la fin de l'année pour les États. De Montpellier, en
1655, elle va à Lyon : c'est là que Molière fait jouer l'*Étourdi*. Il faisait aussi des
farces, dont on a quelques titres : *le Docteur amoureux, les Trois Docteurs rivaux,
le Maître d'école, Gros-René écolier, Gorgibus dans le sac, le Fagoteux, la
Jalousie du Barbouillé, le Médecin volant.* Des deux dernières on a des rédactions
plus ou moins authentiques. Molière revient de Lyon, par Avignon, à Pézenas
pour les États de 1655-1656. En 1656, on le trouve à Narbonne, puis à Bordeaux,
d'où il retourne à Béziers pour les États (1656-1657). En 1657, il quitte Béziers
pour Lyon, d'où il va à Dijon et à Avignon. Nous le voyons en 1658 à Lyon, à
Grenoble, puis pendant l'été à Rouen, d'où, à l'automne, il arrive enfin à Paris.
Le 24 octobre 1658, il joue au Louvre *Nicomède* et *le Docteur amoureux.*
Dans la salle du Petit-Bourbon, il donne, le 18 novembre 1659, les *Précieuses
ridicules*, qu'un *aleoviste de qualité* fait suspendre quelques jours; en 1660,
Sganarelle. En 1661, au Palais-Royal, dans la salle bâtie par Richelieu,
qu'on lui a concédée, *Don Garcie de Navarre*, qui tombe; *l'École des maris*,
qui a un grand succès. En août 1661, aux fêtes de Vaux, *les Fâcheux.* En
1662, Molière épouse Armante Béjart, [sœur ou] fille de sa camarade Madeleine.
L'École des femmes est jouée en décembre 1662 : c'est le plus grand succès de
Molière. De là des jalousies qui éclatent violemment. Molière a pour lui Boileau
(stances du 1er janvier 1663). Mais de Visé l'attaque dans ses *Nouvelles Nouvelles*, 3e série : il se défend par la *Critique de l'École des femmes* (1er juin 1663) :
de Visé riposte par *Zélinde*; Boursault intervient avec *le Portrait du peintre*,
joue à l'Hôtel de Bourgogne; sur l'ordre du roi, Molière répond par *l'Impromptu de
Versailles* (octobre 1663), auquel Jacob de Montfleury oppose *l'Impromptu de l'Hôtel
de Condé*, et de Visé (aidé peut-être de de Villiers) *la Vengeance des marquis.* Montfleury père fait une requête au roi, où il accuse Molière d'avoir épousé sa propre
fille (1663). Le roi, en février 1664, accepte d'être parrain d'un fils de Molière avec
Madame. Puis viennent *le Mariage forcé* (1664); du 7 au 13 mai, dans les fêtes qu'on
appelle *les Plaisirs de l'Ile enchantée*, à Versailles, *la Princesse d'Élide*, et (le 12) trois
actes de *Tartufe*, qui provoquèrent une violente explosion de dévotion, à laquelle le
roi céda par une bienveillante défense de jouer la pièce. Roullé, curé de Saint-Barthélemy, lance son pamphlet, *le Roi glorieux au monde...*, contre l'impiété de Molière.
Lectures du *Tartufe*, chez le légat Chigi, chez l'académicien Montmor, chez Ninon.
Premier placet au Roi. Représentation des trois premiers actes à Villers-Cotterêts
chez le duc d'Orléans (25 sept. 1664), de la pièce entière chez la princesse Palatine
(29 nov. 1664 et 8 nov. 1665). Dans l'intervalle, la troupe de Molière, auparavant à
Monsieur, devient troupe du roi avec 6 000 livres de pension. Le 5 août 1667, représentation à Paris de *l'Imposteur*, où Tartufe est devenu Panulphe : le président de
Lamoignon interdit la pièce après la 1re représentation : 2e *placet*, porté au camp de
Flandre par deux comédiens; ordonnance de l'archevêque Hardouin de Péréfixe
qui défend de représenter, d'entendre, de lire la pièce sous peine d'excommunication. A la fin de 1667, Molière est très abattu; sa troupe reste quelques semaines
sans jouer. En 1668, il donne *le Tartufe* chez Condé, à Paris et à Chantilly. Enfin,
1669, le 5 février, la défense est levée, et *Tartufe* est représenté librement à Paris.
Pendant ces cinq années de lutte, Molière avait produit d'autres œuvres : *Don Juan*
(févr. 1665), qui donna lieu aux *Observations du sieur de Rochemont* (attr. à Barbier
d'Aucour, janséniste) et fut sans doute interdit par l'autorité; *l'Amour médecin*, comé-
die-ballet (1665); *le Misanthrope* (4 juin 1666); *le Médecin malgré lui* (1666); à la

L'École des femmes déchaîna contre lui des haines furieuses de gens
le lettres et de comédiens; rien ne fut épargné en lui, ni l'au-
eur, ni le comédien, ni l'homme. On l'accusa de n'être qu'un *far-
eur*, un plagiaire : on l'accusa d'indécence, d'impiété, d'inceste.
Il fit tête bravement. Mais à peine est-il sorti de cette bagarre,
que le *Tartufe* soulève tous les dévôts, vrais et faux, jésuites et
ansénistes, chrétiens rigoristes et auteurs jaloux : par le *Don Juan*,
Molière jette imprudemment de l'huile sur le feu. Le roi l'aban-
lonne avec bienveillance. A sa mort, les passions ne désarment
•as : on a peine à obtenir la permission de l'ensevelir.

Au milieu de ces luttes, il lui faut faire vivre sa troupe, amuser
e roi : il est directeur, comédien, auteur : il va figurer à Versailles,
Saint-Germain, à Chambord, dans les ballets; il joue à Paris dans
es pièces, dans celles des autres auteurs, dans des tragédies : et
•armi cette agitation, parmi ces accablantes occupations, il écrit
•n treize ou quatorze ans près de trente pièces, dont beaucoup
ont en cinq actes, et beaucoup des chefs-d'œuvre.

Cependant sa vie intime était douloureuse : un mariage dispro-
•ortionné, où la femme était trop jeune et légère, le mari trop
•pris et trop occupé, l'empoisonna d'inquiétudes et d'amertume.
Il souffrit profondément : mais il n'était pas sentimental, bien que
érieux et mélancolique. De sa vie intérieure comme de sa vie

jour, dans le *ballet des Muses* (2 déc. 1666-16 févr. 1667), *Mélicerte*, comédie pastorale
héroïque, et *le Sicilien ou l'Amour peintre*; *Amphitryon* (1668); *Georges Dandin*
juil. 1668 a Versailles; nov. à Paris); *l'Avare* (sept. 1668). Après le succès de la
campagne du *Tartufe*, *Monsieur de Pourceaugnac* (oct. 1669 à Chambord; nov. à
Paris); en 1670, à Saint-Germain, dans *le Divertissement royal*, *les Amants magnifiques*; à Chambord (octobre) et à Paris (novembre), *le Bourgeois gentilhomme*. En
670 paraît le pamphlet d'*Elomire hypocondre*, par Le Boulanger de Chalussay. En
anvier 1671, *Psyché*, tragédie-ballet avec Corneille, Quinault et Lulli. Puis *les Four-
eries de Scapin* (mai 1671); *la Comtesse d'Escarbagnas* (déc. 1671, à Saint-Germain,
lans *le Ballet des ballets*; juillet 1672, à Paris); *les Femmes savantes* (mars 1672); *le
Malade imaginaire* (1673); pendant les représentations de cette comédie, Molière
ombe malade, et meurt le 17 février 1673. On l'enterre le 21, à la nuit, au cimetière
Saint-Joseph. — **Éditions** : E. Despois et P. Mesnard, 1873-93; R. Bray (en cours
le publication); G. Michaut, 1949. — **A consulter** : *Le Moliériste*, toute la collec-
ion. F. Brunetière, *Études critiques*, I, IV, VII et *Époques du Théâtre fr.*; J. Le-
naître, *Impressions de Théâtre*, I, III, IV et VI; Livet, *Lexique de la langue de
Molière*, 3 vols., 1896; G. Lanson, *M. et la Farce* (*Revue de Paris*, 1er mai 1901);
Martinenche, *M. et le Théâtre espagnol*, 1906; Gendarme de Bévotte, *La Légende
le Don Juan*, 1906; E. Rigal, 1908; G. Larroumet, 1909; E. Faguet, *En lisant
M.*, 1914; M. Pellisson, *Comédies-Ballets de M.*, 1914; K. Mantzius, *M.*, 1918;
H. Lyonnet, *Les Premières de M.*, 1921; D'Alméras, *le Tartuffe de M.*, 1928;
Doumic, *le Misanthrope de M.*, 1928; G. Michaut, *Jeunesse de M.*, *Débuts de M.*,
Luttes de M., 1922-26; P. Kohler, *Autour de M.*, 1925; Ramon Fernandez, *Vie
le M.*, 1929; H. Sée, *M. peintre des conditions sociales*, 1929; P. Brisson, *M.,
sa Vie dans ses Œuvres*, 1942; D. Mornet, *M., l'Homme et l'Œuvre*, 1943;
G. Mongrédien, *Vie privée de M.* 1950.

extérieure, de ses chagrins et de ses passions comme de ses courses
et de ses luttes, il tira de l'expérience une large connaissance des
travers, des faiblesses, des vices de la commune humanité.

Une imprudente et légèrement ridicule idolâtrie a faussé, noyé
affadi les traits réels de sa physionomie. Sachons le voir comm
il est, avec sa belle énergie et son infatigable activité, son bo
sens ferme et fin, ses instincts généreux, humains, bienfaisants
Mais enfin, c'était un homme, et un comédien; et il y avai
d'étranges mœurs parmi les comédiens du xviiᵉ siècle, et les Béjar
furent pires parmi les pires. Molière vivait dans le monde le plu
libre de son temps et le plus irrégulier. Il fut faible contre ses pas
sions, peu rigoriste, et même relâché en certaines matières. Le
ennemis de Molière l'ont calomnié, j'en suis persuadé : mêm
ainsi, il ne faut pas regarder de trop près son mariage. Ces choses
là sont de celles où il ne faut pas insister : il y a assez d'autre
parties à aimer dans Molière, et je viens à son œuvre.

3. L'ŒUVRE DE MOLIÈRE : COMIQUE ET VÉRITÉ.

Il y a d'abord une question dont il faut nous débarrasser : cell
du style de Molière. La Bruyère, Fénelon, Vauvenargues, Schér
l'ont accusé de mal écrire [1]. On lui a reproché du barbarisme et d
jargon, des phrases forcées, des entassements de métaphores, d
galimatias, des impropriétés des incorrections, des chevilles, de
répétitions fatigantes, un style *inorganique*. « Molière est auss
mauvais écrivain qu'on peut être. » (Schérer.)

Faisons la part du vrai : les négligences abondent dans Molière
et son style a tous les défauts, les taches, les bavures que l'extrêm
rapidité de la rédaction y peut mettre. Pour suffire à tous se
emplois, et écrire encore tant de pièces, il fallait que Molière impro
visât : et cela se sent. Mais, pour être juste, il faut reconnaîtr
que, malgré tout, Molière est un admirable écrivain. Est-ce le jargo
des paysans et des servantes, des Suisses et des provinciaux, que L
Bruyère n'aime pas? Sont-ce les formes incorrectes du parler popu
laire? Molière fait parler chaque caractère selon sa condition; l
style est une partie de la vérité du rôle, et blâmer dans ses pièce
le jargon provincial, campagnard ou populaire, c'est reprendre l
choix des personnages et des sujets qui exigent ces formes du lan
gage : ce qui change totalement la question.

1. La Bruyère, ch. ı; Fénelon, *Lettre à l'Acad.*, *Projet d'un traité sur la comédie*
Vauvenargues, *Réflexions critiques sur quelques poètes*; Schérer, *le Temps* d
18 mars 1882; au contraire, M. A. Dumas, *Préface* du *Père prodigue.*

Mais, au fond, ce que n'admettent pas La Bruyère, Fénelon et auvenargues, c'est que Molière n'emploie pas le langage des *honêtes gens*, le langage épuré des précieuses et de l'Académie, qu'on arle dans les salons et qu'on écrit dans les livres. Il faut passer ondamnation là-dessus. Molière se moque des Précieuses, et 'épargne même pas l'Académie ni son Vaugelas. Né près du peuple, bsent de Paris pendant douze années, il est resté à l'écart du tra- ail que faisait la société polie sur la langue ; et quand il revient, n 1658, il garde son franc et ferme style nourri d'archaïsmes, de cutions italiennes ou espagnoles, de façons de parler et de méta- hores populaires ou provinciales, un style substantiel et savoureux, lus chaud que fin, plus coloré que pur, brusque en son allure et ssez indépendant des règles savantes ou du bel usage. Ses règles, lui, sont la justesse et l'énergie, et la convenance dramatique : il bserve celle-ci jusqu'à parler, quand il faut, le pur langage des uelles et de la cour.

Le tempérament de Molière n'explique pas seul qu'il n'ait pas oumis son style au goût du grand monde : il avait d'autres rai- ons. Le style fin et discret ne passe guère la rampe. Le style ntense, chargé, emporté de Molière, est merveilleusement efficace. es qualités qu'il a négligées, ou sont inutiles, ou sont des défauts la scène. Son vers et sa prose sont faits pour être dits, et non our être lus. Les critiques ne s'en sont pas doutés : ils ont jugé es comédies comme des livres. M. Schérer se plaint de ces phrases ui se répètent, se juxtaposent, toujours reliées par la conjonction *t* : c'est la nature même, et l'allure générale de la conversation. ombre de phrases mauvaises, longues, confuses, qu'on trouve hez lui à la lecture, s'organisent spontanément dans la bouche du omédien : ce sont des phrases pour les oreilles, non pour les yeux.

Une seconde question sera vite écartée aussi : celle des plagiats e Molière. Non plus que Racine ou La Fontaine, il ne se soucie 'inventer ses sujets : il les demande à Plaute, à Térence, aux omédies littéraires des Italiens, à leur *commedia dell'arte*, aux ontes italiens et français : il utilise Boccace, Straparole, Sorel, es nouvelles et des comédies de Scarron, des comédies de La- ivey, de Desmarets et de bien d'autres. « Je prends mon bien où e le trouve », lui fait-on dire. Ce serait fort bien, s'il n'avait pris arfois mot pour mot des scènes entières : ainsi au *Pédant joué* de yrano de Bergerac, à la *Belle plaideuse* de Boisrobert. Il y a là ertainement un procédé que les mœurs littéraires d'aujourd'hui admettent plus. Mais, d'abord, le succès l'a justifié, et, sans lui, n ne saurait guère si Boisrobert ou Cyrano ont écrit des scènes i plaisantes : c'est à lui qu'ils doivent de n'être pas plus oubliés u'ils ne sont. Puis, tout ce qu'il prend, Molière le choisit, parce

qu'il y a reconnu l'expression juste d'un original qu'il connait dans
la vie; et il le retouche de façon à faire éclater cette vérité d'expression. N'y mit-il que de très légères retouches, comme dans se
fameux *plagiats*, elles sont si délicates et si justes qu'elles dégagen
avec puissance le caractère du portrait.

Molière cherche toujours à faire vrai. Mais il ajoute à la *vérit*
deux caractères qui appartiennent essentiellement aussi au genre
il faut qu'elle soit *plaisante*, et *morale*. La vérité des peintures doi
faire rire les honnêtes gens et corriger les mœurs.

Les règles n'embarrassent guère Molière. Il y voit des « observation
aisées que le bon sens a faites sur ce qui peut ôter le plaisir qu'o
prend » au théâtre; et par conséquent « la règle de toutes le
règles », et qui contient les autres, c'est de plaire. Au reste, il n'
aucune intention révolutionnaire : et dans la mesure où ses suje
le comportent, il se soumet aux *unités*. Elles s'étaient établies san
bruit dans la comédie : il était plus facile d'y réduire les sujets d
pure invention dont l'ordonnance est à la disposition de l'auteur

Personne ne peut trouver à redire, quand toutes les maison
sont rassemblées sur la même place, autour de la scène; et l'o
ne s'étonne pas, quand de simples bourgeois descendent dans l
rue pour causer, comme quand des rois ou des reines sortent d
leur chambre pour dire leurs secrets. La comédie garda donc un
liberté, qui fut refusée à la tragédie. Molière change le lieu, quan
il y a intérêt ou nécessité : ainsi dans *le Médecin malgré lui* e
dans le *Don Juan*. Mais quand il prend un lieu unique, il le trait
parfois hardiment comme un lieu de *convention*, tout irréel : voye
l'Ecole des Femmes. On ne songe pas à se demander, dans *Tar*
tufe ou dans *les Femmes savantes*, si, *réellement*, tous les person
nages ont dû venir dans cette même salle.

Molière use de même du temps : le temps est *réel* dans l
Misanthrope; Alceste est pris en un état de crise qui ne doi
pas durer, et une journée de la vie mondaine peut suffire au
affaires de la comédie. Mais dans *Don Juan*, le temps est de con
vention, au moins pour certaines scènes : afin d'en avoir l'équiva
lent réel, il faut diluer la brièveté rapide de l'action dans un temp
plus long. Ainsi, l'orsque don Juan est entre Charlotte et Mathurine
là, de plus, l'unité du lieu doit se résoudre, pour la vie réelle, e
pluralité des lieux; alors apparaîtra la vérité de la scène : l'homm
qui courtise deux femmes, les courtise *séparément* et *successivemen*
Mais le resserrement de l'action dans la convention dramatiqu
en fait saillir vigoureusement et le comique et la moralité.

Dans toutes les règles, il n'y en a vraiment qu'une qui ne com
porte pas d'exceptions aux yeux de Molière; c'est celle qui impos
de tourner les choses au plaisant. En effet, l'*art* comique est là

t la réalité ne peut prendre forme d'art, selon la loi de la comé-
ie, qu'en devenant capable d'exciter le rire. La tâche du poète
st donc d'extraire le rire de toutes les parties de la vie qu'il veut
résenter, ou de l'y ajouter.

Ce n'est pas toujours facile, ni surtout aisément compatible avec
a vérité. Plus on creuse dans l'étude de la vie et de l'homme, plus
n trouve de tristesse et d'amertume. Molière n'était pas gai, et ses
ujets aussi ne sont pas gais. Ces travers, ces vices, ces passions
artyrisent les individus, ruinent les familles. Arnolphe, Dandin,
lceste sont profondément malheureux. L'hypocrisie de Trissotin,
e Béline et de Tartufe détruit la paix et la fortune des mai-
ons. Avec les mêmes types et les mêmes sujets, Balzac ferait fris-
onner; Molière fait rire : il s'est imposé la loi de trouver le point
'où ces tristes dessous de l'âme et de la vie sont risibles. Parfois
e sujet l'emporte, dans *Don Juan*, dans *le Misanthrope*, dans *Tar-*
ufe, dans *le Malade*, et la comédie touche un moment aux limites
u genre, même les franchit : une émotion tendre ou douloureuse
e dégage. Mais elle est aussitôt réprimée par le poète, et il vaudrait
a peine d'étudier avec quel art, quelle finesse de composition il
ait toujours dominer l'impression comique, chargeant Sganarelle
'atténuer don Elvire, don Luis et don Juan, Dubois d'effacer le
rouble pathétique du IVe acte du *Misanthrope*, Dorine de jeter sa
elle humeur à travers les scènes pitoyables de *Tartufe*, Argan enfin
e contrepeser l'odieux de Béline et le charme attendrissant d'An-
élique. Même on pourrait dire que moins la réalité est riante, et
lus Molière la traite en farce : par la bouffonnerie seule, la
omédie peut s'emparer de certains sujets où déborde la tristesse,
omme celui de Georges Dandin.

Mais il ne faut pas partir de là pour larmoyer aux pièces de
olière : le triomphe de son génie comique, c'est précisément
'avoir saisi la gaieté latente dans chaque type et chaque situation.
t cette gaieté est franche, solide, sincère. Ce n'est pas une grimace
u bout des lèvres, pour cacher l'envie de pleurer. Le pire contresens
u'on puisse faire sur Molière, c'est de ne pas sentir combien son
ire est naturel, spontané, copieux, et comment, loin d'être le
asque de son expérience, il a les mêmes sources profondes que
ette expérience même.

On ne saurait trop remarquer la qualité de la plaisanterie de
olière. Elle n'est jamais littéraire; elle n'est jamais l'esprit de
nots. Marivaux, Beaumarchais, M. Dumas fils sont infiniment
lus *spirituels* que Molière. La plaisanterie de Molière est, en son
enre, analogue au sublime de Corneille : c'est un jaillissement
igoureux du caractère se révélant tout d'un coup en son fond. Il
a définie excellemment quand, justifiant un mot de *l'Ecole des*

Femmes, il disait : « L'auteur n'a pas mis cela pour être de soi un
bon mot, mais seulement pour une chose qui caractérise l'homme »,
l'homme qui parle, bien entendu, dans son humeur particulière.
Toute la puissance de la plaisanterie de Molière vient de là, et
même ses farces les plus étourdissantes ne s'évaporent pas dans la
fantaisie : sa bouffonnerie n'est qu'un agrandissement de la réalité
où les caractères ressortent par des effets *réellement* impossibles
mais *essentiellement* conformes aux effets naturels.

Pas de vérité sans comique, pas de comique sans vérité, voilà
la formule de Molière [1]. Le comique et la vérité se tirent du
même fonds, c'est-à-dire de l'observation des types humains. Il
suit de là que l'intrigue n'aura qu'une place secondaire : Molière
n'y cherche — en général — ni la source du rire, ni l'air de réalité. Il la prend telle quelle la plupart du temps, hardiment banale
et conventionnelle, l'éternelle intrigue de la comédie antique et
italienne, les amours de deux jeunes gens, servis par un valet ou
une suivante, traversés par un père, un tuteur, une mère, un
rival ridicules : ce n'est que le cadre où s'étale la comédie, qui est
toute dans les caractères. Ce n'est pas que, quand le sujet le
porte, il ne sache dresser une intrigue vraie, ou même se passer
d'intrigue, et laisser la vie même par son mouvement naturel
déterminer l'évolution de l'action comique : *le Misanthrope*, *George
Dandin* nous en offrent des exemples. *Don Juan*, de même; mais,
en vertu de son origine, la pièce est construite sur un patron
étranger, elle n'a que l'unité biographique et c'est une chronique
découpée en tableaux dramatiques.

Plus indifférent encore est Molière, et plus maladroit par suite,
dans ses dénouements. *Tartufe* et *Don Juan* finissent par des
miracles : il faut ici Dieu, et là le roi, pour venir à bout des deux
scélérats. Que ne pourrait-on dire sur la *lettre* providentielle,
sur les cascades de reconnaissances, qui terminent tant de comédies de Molière. Ces dénouements sont d'autant plus vicieux, qu'ils
consistent dans un *renversement du pour au contre* : ils annulent
d'un coup l'effet des caractères et des passions, pour rendre tout
le monde heureux et satisfait. Par là ils sont tout conventionnels,
mais par là nécessaires : sans eux, y aurait-il moyen de finir gaiement ces conflits d'égoïsme qui s'exaspèrent? et s'ils étaient moins
brusques, la place et le temps donnés à leur préparation ne
seraient-ils pas enlevés au déploiement des caractères?

Parfois avec l'intrigue disparaît l'utilité de dénouer. *Le Misanthrope* laisse Alceste en face de Célimène; il pourra, s'il veut,

1. Il a porté cette vérité même dans son jeu, qu'il a rendu le plus naturel possible. Cf. L. Lacour. *M. acteur*, 1928.

evenir chez elle le lendemain : ce ne sera pas la première con-
radiction de ce faible amoureux. Georges Dandin reste en face de
a femme : toute la différence entre le dénouement et l'exposition,
'est qu'il a un peu plus envie d'aller se jeter à la rivière.

Mais venons aux caractères. Dans l'expression qu'en donne
Molière, il y a simplification et grossissement, tant pour dégager
e plaisant que pour manifester la vérité. Boileau, Fénelon,
a Bruyère, qui lui ont reproché de forcer la nature, ne se sont pas
endu compte des larges conceptions de Molière ; leur réalisme exi-
reant s'est attaché aux minuties des apparences superficielles. Mais
es réalités que Molière voulait montrer, ce n'était pas les particu-
arités du costume, du geste ou de la démarche, le petit train des
ccupations journalières : c'étaient les dessous de l'âme, les motifs,
es ressorts, les essences ; et il ne prenait des dehors que ce qui
orrespondait à ces dessous. L'exactitude dont il se piquait n'avait
as rapport à l'extérieur de la vie, mais à l'intérieur des âmes.

On classe communément ses pièces en farces, comédies de mœurs
t comédies de caractères. Je ne sais rien de plus artificiel que cette
livision. Il n'y a guère d'œuvre où l'on ne trouve à la fois du
omique de farce, du comique de mœurs, et du comique de carac-
ère, selon les objets qu'il s'agit de rendre et l'impression que le
oète veut donner. La farce est logiquement comme historique-
nent la source de toute la comédie de Molière ; mais le comique
'épure et s'affine, à mesure que les modèles choisis sont plus
lélicats et sérieux.

Parcourons toute la comédie de Molière : du haut en bas, nous
rouverons toujours la même dose d'observation vraie. Regardons
es farces les plus bouffonnes : n'y a-t-il pas une peinture de mœurs
ans Pourceaugnac ? la lourdeur du provincial, l'ignorance pédante
es médecins, que d'autres détails encore sont pris dans le vif de
a société contemporaine ! Les Précieuses ne sont qu'une farce, mais
ui a créé la comédie de caractère : outre la satire d'un ridicule
u xviie siècle, elle découvre certains états de sentiment et d'esprit
ui sont aussi bien de notre temps. Et dans la fantaisie des Four-
eries de Scapin, que de morceaux d'humanité vivante ! quel char-
nant naturel dans le tracas de ces pères, de ces fils, de ces
emmes ! Dans le délicieux Amphitryon, voyez Sosie et son maitre
n présence : avec quel esprit, quelle légèreté, mais quelle sûreté
e main est marqué l'éternel rapport de l'homme qui sert à
homme qui commande !

Même les types de convention que la tradition comique offrait
Molière, il les a rendus vivants, par réflexion aux mœurs de
on temps : Laporte et Gourville sont les équivalents réels des
Iascarille et des Scapin ; et les Martine ou Dorine, les servantes

du vieux temps, qui sont de la famille et ont leur franc parler
n'ont rien de conventionnel que leurs jeunes visages.

Pareillement, la comédie de mœurs et la comédie de caractère
se pénètrent : la satire la plus particulière est toujours un trai
d'humanité; Molière s'est défendu énergiquement de faire de
personnalités : et ce qu'on en a trouvé chez lui, atteste seulemen
la vérité précise des types. On a nommé l'original de Pourceau
gnac : c'est un beau-frère de Molière. On a reconnu dans Alcest
M. de Montausier, qui ressemble autant à Oronte : mais on y a
reconnu aussi Molière; et Boileau s'est nommé enfin comme l'or
ginal du critique des mauvais sonnets. On a trouvé qui était Tar
tufe : c'est le président Séguier, à moins que ce ne soit l'abb
Roquette. Tout cela est fantaisie : il n'y a de réel que la ressem
blance des individus au type. Cependant il y a quelques cas où l
satire est vraiment personnelle. S'il n'est pas absolument certai
que le chasseur des *Fâcheux* soit M. de Soyecourt le grand veneu
Trissotin est bien l'abbé Cotin, Vadius est Ménage; et les cin
médecins de l'*Amour médecin* sont cinq fameux médecins d
temps, reconnaissables à leurs singularités, à leurs tics et défaut
physiques. Mais ces médecins en causant nous découvrent tou
les travers de la profession médicale au xviie siècle et — je me l
suis laissé dire — quelques-uns qui durent encore de notre temps
Mais Trissotin est l'idéal du pédant aigre, Vadius l'idéal du cuistr
injurieux : le chasseur est *le chasseur* éternel, absolu.

Ces personnalités sont donc tout simplement des types du temps
élargis même en types humains. La comédie de Molière nous offr
un vaste tableau de la France du xviie siècle, étonnant de couleu
et de vie. On entrevoit à peine le paysan, naïf et finaud, enveloppan
d'innocence son égoïste et vicieuse humanité; la paysanne coquett
et vaniteuse, par là facile à enjôler. Sganarelle est le paysa
ivrogne, brutal, intéressé. On entrevoit le peuple, par quelque
silhouettes de rustres, porteurs de chaise; un monde louche d'in
trigants, entremetteuses, spadassins, se laisse deviner, c'est de l
que sortent et là qu'ont leurs attaches les valets impudents e
fripons. Le peuple honnête, rude en ses manières, cru en son lan
gage, solidement loyal et bon, est représenté par les servantes.

Les bourgeois sont nombreux et divers, comme leur classe
M. Dimanche, le marchand, créancier né des gentilshommes, et n
pour être payé en monnaie de singe; Madame Jourdain, tout
proche du peuple, par son bon sens, sa tête chaude, sa parol
bruyante, et sa bonté foncière; Chrysale, la *ganache* bourgeoise
épais et matériel, tout occupé de son pot, père et mari sans dignit
et sans autorité; Jourdain, Arnolphe, les bourgeois vaniteux, qu
jouent au gentilhomme, prennent des noms de terre, ou frayen

avec des nobles dont la compagnie leur coûte cher; Madelon, Cathos, Armande, Philaminte, les bourgeoises qui font les précieuses et jouent au bel esprit; Orgon et sa famille, la haute bourgeoisie ou la noblesse de robe, de bon ton, de vie large et déjà luxueuse.

Voici la noblesse provinciale : les Sottenville, fiers du nom et de la race, gourmés, solennels, insolents pour tout ce qui n'est pas né; leur fille Angélique, une coquette de province qui n'est qu'une coquine; M. de Pourceaugnac, vaniteux, lourd et sot; la comtesse d'Escarbagnas, folle du bel air, et qui singe grotesquement les manières de la cour et de Paris. Voici enfin la noblesse de Paris et de la cour : le noble ruiné, qui se fait escroc, Dorante; les petits-maîtres, jolis et ridicules, les marquis : Oronte, le grand seigneur qui fait des vers; Arsinoé, la prude; Célimène, la coquette féroce et exquise : Clitandre, Alceste, Philinte, Eliante, les vrais honnêtes gens.

Le financier n'est qu'entrevu; le courtisan n'est pas vu à la cour, dans la splendeur de sa servilité. Si le roi manque, et le prêtre, on comprendra qu'il n'y a pas à le reprocher à Molière : au reste Tartufe est plus qu'un dévot presque un directeur.

Une chose fait ressortir la profondeur de l'observation du poète : c'est que parfois sa comédie semble devancer les mœurs. Dès 1672, dans les *Femmes savantes*, on voit se substituer à la préciosité un pédantisme scientifique et philosophique qui ne se développe visiblement qu'à la fin du siècle et s'épanouit au siècle suivant. Et pour don Juan, le grand seigneur méchant homme, athée avec conviction, par principe rationaliste, si l'on veut lui trouver des originaux vraiment ressemblants, mieux que les *libertins* de la Fronde, les *roués* de la Régence ou les nobles protecteurs de la *philosophie*, les Richelieu et les Choiseul, nous en fournissent. Il est même remarquable que Molière a si bien posé les traits caractéristiques des diverses classes de la société française, qu'à travers toutes les révolutions, les grandes lignes de ses études restent vraies : Balzac et Augier nous aideraient à le prouver.

De ces originaux Molière fait des types, parce qu'il saisit toujours le caractère humain dont ils sont la déformation contemporaine. Ainsi les grandes passions éternelles et les inclinations fondamentales de notre nature servent de base à la peinture des mœurs, et s'y font reconnaître. Ces bourgeois et ces nobles sont des vaniteux, des orgueilleux, des sots, des habiles, des méchants, des égoïstes, ou au contraire des cœurs droits, de solides esprits. Par contre, il n'y a pas de comédie de caractères qui le soit purement, qui exprime les caractères généraux sans les formes particulières des ridicules contemporains : voyez les *Femmes savantes*, le *Misanthrope*, *Tartufe*. Il sera facile à tout le monde de distinguer les deux points de vue, et de réduire chaque pièce tantôt à être un tableau de mœurs disparues, tantôt à offrir simplement des types sans date ni existence historique. L'*Avare* est peut-être la pièce où l'élément universel est le plus dégagé : Harpagon est le plus abstrait des caractères de Molière : il est l'*avare en soi*; l'usurier du xviie siècle n'apparaît qu'à une minutieuse étude. C'est que le vice d'Harpagon se prêtait à cette expression abstraite, et la tradition littéraire depuis des siècles préparait le type classique, universel, de l'avare : l'avare qui enterre son or. Ce type contredisait le portrait contemporain, et lui barrait la route.

Mais il ne faut pas s'arrêter à considérer chaque type, isolément, dans sa vérité propre. Il faut les observer dans leur dépendance réciproque. Emboîter ces réalités individuelles les unes dans les autres, équilibrer les actions et les réactions, établir partout des correspondances si exactes, que, les personnages une fois posés, l'auteur soit seulement le secrétaire de leurs propos, l'enregistreur de leurs actions, voilà peut-être la partie la plus délicate de l'œuvre comique, et où le génie de Molière apparaît le plus. Il engage ses caractères dans leurs relations réelles; et il les étudie dans leur milieu, modifiés par lui et le modifiant.

Tout l'effet du *Misanthrope* est dans l'opposition du caractère d'Alceste aux caractères qui l'entourent. Jean-Jacques a raison : Alceste est vertueux, sympathique; et nous rions d'Alceste, non seulement nous, mais tous les acteurs depuis Philinte jusqu'à Célimène. C'est que ces acteurs, c'est nous : la même disproportion existe entre Alceste et nous qu'entre eux et lui. Et inversement, pour la même raison, ils sentent intérieurement le même respect pour lui que nous sentons nous-mêmes. Tout le comique du rôle résultera donc du désaccord perpétuel que l'auteur fait ressortir entre une nature élevée et les natures moyennes.

Mais il y a dans cette comédie un rapport plus délicat encore, c'est celui qui consiste à faire le Misanthrope amoureux d'une coquette : pourquoi est-ce profondément, tristement vrai, cette séduction de la femme en qui tout est artifice, sur l'homme en qui tout est vrai? Cela se sent, plutôt qu'on ne le démontre : on voit pourtant bien qu'à une âme naïve, la plus fausse des coquettes devait, dès la première rencontre, présenter son idéal plus complet et apparent qu'une simple honnête femme : le vrai a ses limites que le faux franchit aisément. Et, dès lors, le charme tour à tour plaisant et douloureux de la comédie est dans l'ajustement des deux rôles, dans le jeu de la fine et sèche coquette contre l'ardent et loyal amant, tour à tour grondant et trompé, clairvoyant et dompté, jusqu'à ce qu'un dernier coup semble le jeter hors du joug. C'est la nature même : et depuis deux cents ans, tous les

romanciers et poètes qui ont voulu mettre aux prises la fausseté
de la femme avec la passion de l'homme, n'ont pu que refaire,
délayer ou transposer l'admirable quatrième acte de Molière.

Une des études où Molière s'est complu, c'est le ravage que fait
le vice dans l'homme, puis hors de l'homme en qui il vit, les
destructions ou altérations de sentiments naturels qui en résultent,
les longues traînées de misère ou de mal qui le prolongent de
tous côtés : et rien n'a donné plus de largeur ni plus de sérieuse
portée à ses pièces. Voilà Tartufe, le maître hypocrite : son hypocrisie corrompt Orgon, corrompt en lui l'amour de sa femme,
de ses enfants, les sentiments élémentaires de bonté, de justice,
d'honneur, le fait égoïste sottement, durement, honteusement;
même les âmes honnêtes et pures sont viciées à ce contact, et la
douce Elmire en vient à jouer un jeu après lequel son mari doit
demeurer à jamais avili à ses yeux. Plus tragique encore est la
génération du vice par le vice dans l'*Avare*, qui est la plus
dure des comédies de Molière : l'avarice d'Harpagon tue en lui
le sentiment de l'honneur, le souci de sa dignité, la notion de ses
devoirs, même l'affection paternelle; mais en ses enfants elle tue
le respect, l'affection filiale. La famille est détruite : ce père, ces
enfants sont en face les uns des autres comme des étrangers, des
ennemis, et des ennemis qui ne s'estiment pas.

A suivre ces conséquences, la comédie tourne vite au noir.
Molière les indique avec précision, d'une main légère, mais il
projette toute la lumière sur les caractères eux-mêmes, qui sont
plaisants. Nulle part cependant les suites graves des travers les
plus légers ne sont absentes : étudiez les *Précieuses*, et vous
saisirez comment le faux bel esprit mène aux pires aberrations
de la conscience et de la conduite, par quelle pente nos héroïnes
en idée arriveront à n'être que des aventurières. Regardez les
Femmes savantes, et de la plus innocente en apparence des manies
vous verrez sortir le dessèchement ou la perturbation des affections naturelles, le naufrage matériel et moral d'une famille
d'honnêtes gens.

4 LA MORALE DE MOLIÈRE.

Ceci nous fait passer à la morale de Molière. On peut se
demander s'il en a une, et si ce n'est pas nous qui la lui prêtons.
Mais, d'abord, il est impossible qu'une observation profonde des
hommes ne repose pas sur une certaine conception de la vie et du
bien, et ne s'y termine pas. Et ensuite Molière nous avertit que la
comédie a essentiellement pour objet de corriger les mœurs

humaines. Il le dit pour justifier son *Tartufe*, mais ce n'est point
un argument de circonstance. Dans toute la suite de son œuvre, il
a fait de la satire sociale ou morale : il a posé ses ridicules et ses
honnêtes gens de façon à ne nous laisser jamais douter qu'il ne
blâme cela et n'approuve ceci [1]. Quelle est donc la morale de
Molière ?

Elle est humaine : ce qui veut dire d'abord qu'elle n'est pas
chrétienne. Molière a profondément ignoré le christianisme : il ne
le comprend pas. Je veux bien qu'on ne porte pas à son compte
l'athéisme scientifique, singulièrement grave et fort, de don Juan,
quoique, malgré tout, on ait peine à concilier le choix de Sganarelle, comme défenseur de Dieu et de la religion, avec un respect
sincère de ces choses. Mais le *Tartufe* ne laisse aucun doute. Ce
qui m'y paraît grave et significatif, c'est la façon dont Molière
définit la vraie dévotion. Je ne doute pas de sa sincérité, et qu'il
n'ait eu la volonté sérieuse de la distinguer de la fausse. Mais il
la définit en *philosophe*, en incrédule. Il la réduit à la morale,
aux vertus sociales : il en exclut ce qui en est l'essentiel pour un
dévot, disons pour un chrétien. La flamme de vie intérieure, la
tendresse mystique, l'austérité surhumaine, l'ascétisme qui rabat
et dompte la nature, de très bonne foi il les rejette : ce ne peut
être que sottise ou grimace. Par la façon dont Molière comprend
la piété, les chrétiens fervents ne peuvent être qu'Orgon ou Tartufe, des imbéciles ou des hypocrites : pour être dévot à sa façon,
il faut être détaché de la religion. Molière est tout près de Voltaire, que l'on croirait entendre dans certains vers de *Tartufe*.

La forme originale de la morale chrétienne, c'est la résistance
à la nature. On ne la trouve pas chez Molière. Par conséquent,
pas de lutte contre l'égoïsme, pas de sacrifice, pas d'abnégation, d'immolation, dans les choses du moins qui coûtent ;
le dépouillement douloureux de soi, l'effort sanglant vers l'idéal,
tout cela est absent de son œuvre. Héritier de l'esprit de Rabelais
et de Montaigne, ami, dit-on, de quelques *libertins* comme Bernier, il estime la nature foncièrement bonne et toute-puissante. Il
faut suivre l'instinct, cela est légitime. Ainsi les jeunes gens qui
suivent la loi naturelle de l'amour ont raison contre les pères et
tous ceux qui les entravent : c'est par raison philosophique, et
non seulement par tradition comique, que Molière prend vigoureusement leur parti. Combattre la nature est folie : on est ridicule
de le faire, et malheureux ; car la nature a le dessus ; elle se
retourne contre celui qui veut la forcer ou la détruire. La sottise

___

1. Notez en outre les *raisonneurs*, qui sont chargés de parler au nom du bon
sens, c.-à-d. des idées propres à l'auteur.

d'Agnès punit les calculs d'Arnolphe. Les enfants d'Harpagon,
détachés de lui par son vice, se jouent de lui. C'est même ce
point de vue qui rend la comédie possible : tous les personnages ridicules sont des gens qui s'acharnent à dévier ou supprimer la nature, qui n'ont pas su voir qu'elle était toute bonne
et toute-puissante ; et ainsi ils se présentent dans leur opposition
au *vrai*, non au *bien* : par conséquent, ridicules, et non odieux.
Les travers, les vices, les passions que peint la comédie, sont des
erreurs du jugement, choquent la raison, et ainsi sont justiciables
du rire.

Cependant la nature est égoïste et l'instinct brutal : et le vice
d'Harpagon n'est-il pas *sa* nature, ou l'hypocrisie de Tartufe ? Il
est vrai ; mais comme Rabelais et comme Montaigne, Molière
ajoute la raison à la nature. La raison, par qui l'homme est
homme, fixe à la nature, à l'instinct, leur mesure et leurs bornes.
La raison approuve l'égoïsme désintéressé des amoureux : elle condamne l'égoïsme intéressé d'Harpagon et de Tartufe. On pourrait
dire que la limite de la légitimité des instincts résulte de la société
humaine, et que la morale de Molière est éminemment sociable ou
sociale. Tous les individus ont droit au plein développement de
leur nature, en sorte que le droit de chacun a pour borne le droit
d'autrui, et le borne à son tour. Il n'est pas permis de se subordonner une personne humaine, jusqu'à la supprimer : un philosophe dirait, de traiter comme moyen ce qui est une fin en
soi. Là est la faute d'Arnolphe, qui par une vue tout égoïste condamne Agnès à l'ignorance, à la bêtise, à la privation de tous les
plaisirs naturels : mais la nature d'Agnès se révolte, et la petite
niaise court énergiquement, directement, à son bonheur, selon son
instinct ; et Molière bat des mains.

Il est naturel que ceux qui ont eu part au bonheur laissent s'approcher les autres de la table : c'est la loi que les enfants aient
leur tour après les parents. Molière est impitoyable contre les
parents qui veulent faire servir leurs enfants à la satisfaction de
leurs idées et de leurs besoins, quand ceux-ci ont l'âge de vivre par
et pour eux-mêmes. L'autorité des pères et des mères était dure
au XVIIe siècle : Molière la raille, l'avilit, la brise. Il ne comprend
que la tendresse indulgente : la nature, la bonne et raisonnable
nature veut que l'enfant soit puissant sur le père [1], et en obtienne
tous les secours qui l'aideront à saisir la part de plaisir où elle
l'invite.

Comme toute morale qui pose en principe la bonté de la nature

---

1. Il a exprimé son idéal de la bonté paternelle dans une scène charmante et
attendrie de *Mélicerte*, II, 5.

et la légitimité de l'instinct, et qui veut éviter de déchaîner la brutalité des appétits, la morale de Molière aboutit à identifier la vertu avec l'altruisme. Le soin de la perfection intime se subordonne aux vertus sociales, à la sympathie, à la bienfaisance. Les actes qui n'ont pas de conséquences pour la société sont indifférents et licites. Il y a pourtant une limite, celle que peut fixer un esprit qui estime infiniment et cherche passionnément le vrai. Pour ce probe esprit de philosophe, le respect de la vérité sera la vertu par excellence, l'unique vertu qui doive être pratiquée pour elle-même, et sans avoir égard aux conséquences. Mais ici l'observateur intervient, et dit que ce respect de la vérité est rare dans le monde; que même la société ne saurait subsister, s'il était universel. Et voilà d'où vient l'arrière-goût d'amertume que dégage pour nous le *Misanthrope*. Avoir défendu la vérité, la nature, avoir combattu, honni tout ce qui s'en éloignait ou la corrompait, et s'apercevoir que, si un homme porte en lui cette vérité, et l'offre aux autres, la société ne pourra le supporter, le meurtrira, le rejettera, que la société, en réalité, repose sur un ensemble de mensonges et de conventions qui masquent la nature : la découverte a de quoi mettre un accent irrité dans la parole d'Alceste. Sans vouloir forcer les choses, il y a dans le *Misanthrope* comme un germe de la fameuse antithèse de l'homme social et de l'homme naturel, qui s'épanouira à travers l'œuvre de J.-J. Rousseau.

De ce point de départ, et sur ces principes, la morale de Molière ne peut être que pratique. Elle l'est énergiquement; elle n'est pas sublime, ni dure, ni chrétienne, ni stoïque; elle propose un idéal très accessible et très séduisant de bonheur individuel et de douceur sociale. Elle veut faire des honnêtes gens, qui s'efforcent d'être tous heureux en s'aidant mutuellement à l'être. Mais un trait bien remarquable de cette morale, c'est son caractère, en général, profondément bourgeois : ce comédien longtemps nomade, enfoncé toute sa vie à des titres divers dans cette louche famille des Béjart, mal marié, et qui n'a connu du ménage que les ennuis, a été hanté de l'idéal du bonheur bourgeois, de la vie de famille régulière et paisible. De là vient que, parmi tous les sujets qui se sont offerts à son génie, il a choisi toujours de préférence ceux qui touchaient aux conditions du bonheur domestique et de la vie de famille. Il est toujours revenu sur deux points : le mariage, et l'éducation des femmes.

Dans le mariage, il exige quatre convenances : il faut un rapport des conditions; c'est une nécessité, non pas naturelle, mais sociale : Georges Dandin, un vilain, sera malheureux pour avoir épousé une demoiselle. Il faut un rapport d'humeur (qui n'existe guère dans l'inégalité des conditions, et ainsi la raison sociale se réduit à une raison naturelle); c'est folie de vouloir marier le pédant Trissotin à la simple Henriette, l'hypocrite Tartufe à la candide Marianne, le cuistre Diafoirus à la douce Angélique. Il faut un rapport d'âge : la nature destine les jeunes hommes à épouser les jeunes filles; les vieillards n'ont que la paternité pour carrière; Arnolphe est coupable de prétendre à Agnès, Harpagon ridicule de se poser en rival de son fils. Il y a enfin une quatrième convenance, convenance suprême qui crée toutes les autres ou y supplée : c'est celle par où la nature conduit les individus à ses fins. Où l'amour existe, la raison existe, et rien n'a droit de résister.

Le second point, c'est l'éducation des filles. Il ne les veut ni cloîtrées et sournoises comme Isabelle, ni abêties et ignorantes comme Agnès, ni précieuses et folles comme Madelon, ni pédantes et sèches comme Armande. La femme à son goût, c'est ou la nonchalante et mondaine Elmire, ou la simple et sincère Eliante. La femme n'est pas pour lui ce petit animal instinctif, illogique, et déconcertant, que nos contemporains aiment à représenter. Ce type ne se rencontre guère dans son œuvre (sauf, un peu, Agnès). En général ses caractères féminins ont quelque chose de viril et de vigoureux; et son honnête femme est tout à fait identique à un honnête homme : raison éclairée, volonté droite, voilà le type, qui est féminisé par la grâce affinée et par l'innocente coquetterie.

La jeune fille de qui sortira une telle femme, ce sera la sensée, l'aimable Léonor, ce sera l'exquise Angélique du *Malade* : ce sera surtout Henriette. Avis aux pères et aux maris : voilà l'idéal. Henriette est amoureuse sans roman ni romantisme, d'un bon et solide amour qui fera une éternelle amitié conjugale; elle a l'esprit cultivé, lumineux, net; elle est pratique, elle sait la vie, ne lui demande en fait de bonheur que ce qu'elle peut donner; elle s'en contente, mais elle y tient, et le réclame énergiquement. Elle s'est formée elle-même, hors de l'influence d'une mère; et notez que Léonor et Angélique sont orphelines : leur éducation les a donc faites fortes plutôt que tendres [1]. Henriette est raisonnable et joyeuse : c'est une bonne petite bourgeoise, qui sera adorée de son honnête homme de mari et de ses marmots d'enfants. Je sais bien ce qu'on peut trouver qui manque à Henriette : les imaginations ardentes, les sensibilités tourmentées ne s'y satisferont pas; cela manque d'envolée, de lyrisme; c'est un peu la *poésie* de la Gabrielle d'Augier, avec moins de prétention. Henriette, c'est la prose, mais quelle forte et claire et charmante

---

1. *L'absence des mères* dans la plupart des comédies de Molière est très notable. Est-ce que, n'ayant pas connu la sienne, il y avait une lacune dans son expérience?

prose! et surtout qu'elle est exactement à notre mesure, à nous autres Français. Son manque, c'est notre manque.

De tous les écrivains de notre xviie siècle, Molière est, en effet, peut-être le plus exactement, largement et complètement français, plus même que La Fontaine, trop poète pour nous représenter. Le génie de Molière n'est que les qualités françaises portées à un degré supérieur de puissance et de netteté. (App. XVI). De là son succès, qui fut très grand de son temps, en dépit de ses ennemis. Jamais ils ne purent lui aliéner le roi, ni même les *marquis* : ces turlupins et petits maîtres dont il se raillait si joyeusement furent les plus ardents à l'applaudir. Tout au plus, dans les dernières années, trouva-t-on que décidément il revenait trop souvent à la peinture des mœurs bourgeoises, au lieu de présenter les mœurs de cour : il n'y avait pas assez de *marquis* dans ses dernières pièces! A peine fut-il mort, toutes les attaques, et les jalousies, et les réserves cessèrent; il fut classé comme un génie inimitable et sans égal, et jamais peut-être réputation ne s'est soutenue aussi constamment que la sienne.

5. CONTEMPORAINS ET SUCCESSEURS DE MOLIÈRE.

Molière n'était d'aucune école : il n'a pas fait école non plus. Comme il n'avait pas apporté une théorie nouvelle, ni une forme nouvelle de son art, et que les qualités personnelles de son génie faisaient la valeur de son œuvre, il n'exerça pas l'influence qu'on aurait pu croire. Il contribua — bien malgré lui — à enfoncer dans les esprits une idée fausse, née d'une étude superficielle de son théâtre : l'idée d'une comédie de *caractères*, sans tableaux de mœurs, au comique noble et contenu, et qui serait la forme supérieure de la comédie. Jusqu'à notre siècle, l'idée de la comédie de *caractères*, abstraite et sérieuse, hantera le cerveau d'excellents écrivains. Et d'autre part, ceux qui n'auront pas de si hautes ambitions ne chercheront plus à donner une valeur universelle ni une portée morale à leurs peintures de mœurs ou à leurs folles fantaisies : ils s'amuseront à des pochades et à des bouffonneries sans conséquence.

Beaucoup pilleront Molière, lui déroberont des traits, des scènes, des mots : nul ne cherchera sérieusement à prendre un sujet comique de la même prise que ce grand maître. En somme, au-dessous de lui, après lui, la comédie continue son développement presque comme s'il n'eût pas existé. Thomas Corneille [1] donne

---

1. Thomas Corneille (1625-1709), poète tragique et comique, et grammairien; *la Comtesse d'Orgueil, le Baron d'Albikrac, Don César d'Avalos*, — Édition : *Œuvres,*

toujours ses comédies à l'espagnole, de plus en plus poussées vers
l'énormité grotesque des types : on croirait qu'il n'apprécie dans
Molière que Pourceaugnac, si ce n'était simplement Scarron
qu'il continuait. Montfleury rivalise avec lui de verve épaisse
et copieuse : il charge les portraits, multiplie les contorsions et
les travestissements, grossit la plaisanterie jusqu'à l'extravagance
effrénée ou l'indécence énorme, vrai fils, lui aussi, de Scarron.
Nombre de comédiens [1] se mêlent d'écrire, et font prédominer
dans leurs œuvres, selon la tradition offerte par le répertoire qu'ils
jouaient ordinairement, l'intrigue à surprises et la bouffonnerie
haute en couleur.

Il n'y a de peinture des mœurs, dans tout cela, que pour les
travers les plus particuliers de certaines professions ou classes,
qui sont les plus faciles à charger : médecins, gentilshommes
campagnards, fanfarons de Gascogne. A ce genre appartiennent
les *Plaideurs* de Racine, comédie demi-aristophanesque, énorme
et superficielle d'invention, délicate et légère de style, grosse
farce écrite par le plus spirituel des poètes. On pourrait
faire une place à part à Quinault, pour sa *Mère coquette* : il y a
une observation vraie et fine dans cette idée d'une mère jalouse
de sa fille qui la vieillit [2]. Plus tard, dans les vingt années
qui suivent la mort de Molière, c'est Baron [3] qui, dans son
Homme à bonnes fortunes, donne le plus considérable document sur
les mœurs françaises, sur cette égoïste sécheresse qu'il sera du bel
air désormais de porter dans l'amour : il dessine un don Juan
au petit pied, sans ampleur et sans scélératesse, précurseur des
méchants et des jolis hommes du xviiie siècle.

Une forme de comédie trouve alors grande faveur : c'est la
comédie en un acte, légèrement intriguée, suite de scènes plaisantes reliées et dénouées au petit bonheur, forme littéraire en
somme de la farce, dont elle garde le libre mouvement et l'absence
de prétention. Molière s'y plaît ; les poètes comédiens s'y tiennent
le plus souvent. Cette forme est employée souvent à mettre en
scène des anecdotes : la comédie nous fournit pour ainsi dire
le journal satirique et bouffon de la vie parisienne. A l'occasion

---

1 vol. in-12, Paris, 1722. — A consulter : G. Reynier, *Th. Corneille, sa vie et
son temps*, Hachette, in-8, 1893.

1. Brecourt, Poisson, Rosimont, Champmeslé, Hauteroche, Raisin, Guérin, etc.

2. Le talent de Quinault est plus comique que tragique. Il eût été un peintre
délicat des sentiments fins et modérés. Ses tragédies abondent en traits et en
couplets qui font regretter qu'il n'ait pas résolument rejeté, comme plus tard
Marivaux, la forme de la tragédie.

3. Michel Boyron, dit Baron (1653-1729), illustre acteur, appartint d'abord
à la troupe de Molière. A la mort de celui-ci, il passa à l'Hôtel de Bourgogne;
puis il fut de la troupe formée, en 1680, par la réunion des trois troupes de
l'Hôtel, du Palais-Royal et du Marais, réunion d'où date la Comédie-Française.
— A consulter : B.-E. Young, *Michel Baron*, 1904.

le cadre s'agrandit : Boursault [1] porte le premier sur le théâtre
le journalisme, puissance nouvelle et mœurs nouvelles; il fait
défiler les originaux qui assiègent le bureau du *Mercure galant* :
avec assurance, il met le doigt sur la plaie, sur ce coup de fouet
donné à la vanité par la publicité affriolante du journal, sur la
passion de réclame qui va corrompre jusqu'aux plus obscurs et
moindres mérites. Thomas Corneille et de Visé, qui sont des journalistes, se distinguent par la prestesse avec laquelle ils découpent
en pièces faciles et médiocres le scandale ou l'événement du jour [2].

Une tentative plus originale qu'intéressante se produit à la fin
du siècle pour rendre à la comédie la valeur d'une instruction
morale : par malheur il n'y a rien de plus contraire au dramatique, et au plaisir, que ce défilé de Fables dont les situations de
la pièce ne sont que le prétexte [3]. Rien n'est plus significatif que de
voir, à la fin du XVIIe siècle et pendant le XVIIIe, tous ceux qui
essaient de renouveler la comédie, s'adresser l'un à La Fontaine,
un autre à Boileau, d'autres à La Bruyère : personne à Molière.

La comédie se relève dans les vingt-cinq dernières années du
règne de Louis XIV : elle finit brillamment avec Regnard, Dancourt
et Lesage. Regnard [4] est un vaudevilliste qui a du style, un Duvert
qui aurait le vers de Molière. Son *Joueur*, son *Légataire*, ses
Ménechmes ne sont que des *folies*. Il ne vise qu'au rire. Son sujet
posé, il en tire tout ce qu'il contient de rire, avec une logique extravagance, sans aucun souci de la réalité ni de la vraisemblance.
S'il part d'une idée juste, d'une observation vraie, il se hâte de la
fausser, pour forcer le rire. Regardez *le Joueur* : il est naturel
qu'un joueur oublie sa maitresse, quand la chance le favorise,
naturel aussi qu'il se retourne avec attendrissement vers elle,
quand il est décavé, en jurant de ne plus jouer. Mais cette idée,
qu'en fait Regnard? il la sent plaisante, et pour l'épuiser, il
imprime à sa comédie ce mouvement symétrique de bascule, qui
est le plus déplaisant des artifices du vaudeville.

Regnard n'a jamais songé à peindre les mœurs : s'il est le

1. E. Boursault (1638-1701), serait moins connu s'il n'avait été l'ennemi de Boileau,
de Molière et de Racine : circonstance fâcheuse pour son esprit, car son caractère
est d'un très honnête homme. — Édition : *Théâtre*, 3 vol. in-12, Paris, 1694 et 1725.
  2. *La Devineresse* (1679) qui exploite le scandale du procès de la Voisin.
  3. Dans les *Fables d'Esope* (1690) et *Esope à la cour*, de Boursault.
  4. J.-F. Regnard (1655-1709), né à Paris, fils d'un riche bourgeois, voyagea en
Italie, en Alger (où il fut esclave), en Hollande, en Pologne, en Suède, en Laponie,
en Allemagne; il écrivit pour la Comédie-Française, pour les Italiens et pour la Foire.
Le Joueur, 1696; les *Folies amoureuses*, 1704; les *Ménechmes*, 1705; le *Légataire*,
1708. — **Éditions :** éd. Ribou, 1731, éd. E. Fournier, 1874. — **A consulter :** P.
Toldo, *Etudes sur le théâtre de Regnard* (*Revue d'Hist. litt.*, 1904-1905); J. Guyot,
le Poète Regnard en son château de Grillon, 1907.

témoin, malgré tout, des mauvaises mœurs de la fin du grand
siècle et du commencement de cette joyeuse corruption à
laquelle la Régence attachera son nom, c'est sans le vouloir,
parce que sa fantaisie est bien forcée d'aller prendre des matériaux dans la réalité. Aussi présentera-t-il de jolis chevaliers et
d'aimables marquis sans le sou, joueurs, coureurs de dots et
d'héritages, des filles délurées et impatientes de prendre leur vol,
de rusées marchandes à la toilette : tout un monde débraillé et
cynique, dont il s'amusera en toute innocence, sans faire le satirique ni le grognon, comme si c'étaient là les mœurs les plus
naturelles du monde. Il jettera là-dessus son intarissable gaieté,
ses mots imprévus, d'une fantaisie extraordinaire, ses couplets
éclatants de chaude couleur et de verve pittoresque. Et il fera
illusion; on le croira le successeur de Molière.

Dancourt [1] manque de style : il écrit à la diable, et ne fait guère
que des pochades. Mais celui-là a voulu *voir* et su *voir* : c'est un
réaliste, sans amertume et sans prétention. Paysans de la banlieue
rusés et cupides, escrocs de tous les mondes, notaires dignes des
galères, procureurs âpres, joueurs et joueuses, bourgeois enrichis
et avides de s'anoblir, gentilshommes ruinés, avides de se refaire,
chevaliers entretenus, comtes à vendre aux veuves que la roture
ennuie, bals, tripots, foires, lieux de rencontre et de plaisir, tous
les originaux marqués, tous les endroits à la mode, toute la vie
du temps : voilà ce que donne Dancourt dans ses pièces anecdotiques, et dans ses grandes comédies, avec une verve toujours
en haleine, avec une sûreté singulière dans le coup de crayon
qui note un geste caractéristique, ou fait sortir une silhouette
vivante.

Il a marqué le détraquement de ce xviiie siècle naissant, il en a
vigoureusement indiqué le trait essentiel et saillant, cette toute-
puissance de l'argent, qui enfièvre tout le monde, déchaîne toutes
les convoitises, justifie toutes les bassesses et tous les orgueils.
Dans ses œuvres les plus considérables, dans le *Chevalier à la mode*
et les *Bourgeoises de qualité*, il a plaisamment mis en scène le
nivellement social que produit l'argent, en dépit des préjugés héré-
ditaires et des habitudes invétérées : l'équilibre maintenu par le
prestige de la qualité, et de ce chef, le mendiant ou l'escroc titré
reprenant l'avantage sur la bourgeoisie, qui se demande parfois
si ce qu'on lui vend, amour ou nom, vaut bien les bons écus qu'elle

---

1. Dancourt (1661-1725) entra à la Comédie-Française en 1685 : *le Notaire obligeant
ou les Fonds perdus*, 1685; *la Désolation des joueuses*, 1687; *le Chevalier à la
mode*, 1687; *la Loterie*, 1697; *les Bourgeoises de qualité*, 1700; *le Galant Jardinier*,
1704, etc. — Édition : 1760, 12 vol. in-12. — **A consulter** : J. Lemaître, *la Comédie
après Molière et le Théâtre de Dancourt*, 1882, in-16.

lâche ; enfin, l'ascension obstinée de tout ce qui a gagné ou volé, vers la noblesse, vers les offices et les alliances qui décrassent. Il y a là des jeux d'intérêts, de vanités, que Dancourt a décrits sans rien atténuer, et sans rien prendre au tragique.

Ce réalisme bon enfant n'est pas celui de *Turcaret* (1709), la principale, on pourrait dire l'unique comédie de Lesage [1]. C'est le chef-d'œuvre du réalisme dramatique. Une baronne d'aventure qui pille le traitant Turcaret, un chevalier qui pille la baronne, un valet et une soubrette qui volent la baronne, le chevalier et Turcaret, un M. Rafle qui aide Turcaret à faire une usure effrontée et le plus impitoyable brigandage, voilà les originaux que Lesage nous présente, peints d'après nature, parfois même plus vrais que nature. Le réalisme cruel fait son apparition avec Lesage : il met dans la bouche de l'épais, impudent et vaniteux Turcaret de ces *mots nature*, qui font récrier, et qui sont des mots — plaisants et cinglants — d'observation satirique. Ainsi dans la fameuse scène où Rafle rend compte à Turcaret des affaires dont il est chargé, le mot tant de fois cité, mot d'une naïveté comique et d'une portée effrayante : « Trop bon, trop bon ! Eh ! pourquoi diable s'est-il donc mis dans les affaires !.... Trop bon ! trop bon ! [2] » Toute la pièce est écrite dans ce ton, avec une verve âpre et triste, en sorte que l'on a peine à rire dans cet enchevêtrement de friponneries, sans éclaircie et sans arrêt, où seuls un valet balourd, un marquis ivre et une revendeuse forte en bec représentent les honnêtes gens. Lesage ne fera plus rien d'aussi serré ni d'aussi amer. Nous le retrouverons dans le xviiie siècle, auquel il appartient. Mais *Turcaret* est du xviie siècle, et ne peut se séparer des œuvres de Regnard ou de Dancourt, dont il est contemporain.

---

1. Sur Lesage, cf. plus bas, p. 668 et suiv. — *Turcaret* fut donné au milieu de la guerre de la succession d'Espagne, dans le temps où le peuple était à bout, et regardait les traitants comme les auteurs principaux de sa ruine. De là le ton d'amertume de la comédie, si différent du ton ordinaire de Lesage. — **A consulter :** Brunetière, *Époq. du th. fr.*, 8e conf. Lintilhac, *Lesage*, 1re p., ch. iii.

2. *Turcaret*, III, 8.

CHAPITRE IV

RACINE

1. Thomas Corneille et Quinault. Le romanesque doucereux. L'opéra
et le ballet de cour. — 2. Racine : sa vie et son humeur. —
3. Son œuvre dramatique : la tragédie passionnée. Vérité de la
passion : lutte contre le faux idéalisme. Réalité intime du drame :
simplicité de l'action et du style. Les femmes de Racine : variété
des caractères. Peinture de l'amour. — 4. La poésie de Racine :
La *couleur* dans ses tragédies. *Mithridate, Phèdre, Athalie.* —
5. Faiblesse de la tragédie autour de Racine, décadence après lui.

1. THOMAS CORNEILLE ET QUINAULT.

Corneille s'était retiré du théâtre, dépité de la chute de *Pertha-*
rite (1652). Pour prendre la place qu'il laissait vide, deux hommes
se présentèrent : l'année 1656 vit débuter dans la tragédie Thomas
Corneille et Quinault.

Thomas Corneille [1] est un de ces souples esprits, distingués et
médiocres, qui sont capables de tout, et ne font rien supérieurement. Il excelle à profiter des inventions, à copier la manière des
autres : c'est un faiseur, plutôt qu'un artiste. Il s'est cru obligé
par son nom à faire du Corneille, et il en a fait. Il nous a redonné
— énervés, diffus, alambiqués, dans un style plus lâché que simple
— l'amour-estime, les discours sur les matières d'État, et la politique en maximes, les grandioses scélérats qui raisonnent leur
scélératesse, les orgueilleuses princesses qui combattent leur
amour par leur gloire. Souvent le cadet s'est contenté de démar-
quer les pièces du grand frère : *Camma* est en rapport étroit avec

---

1. Cf. p. 512 et 530-1. — Principales tragédies : *Timocrate*, 1656; *Stilicon*, 1660;
Camma, 1661; *Maximien*, 1662; *Laodice*, 1668 *la Mort d'Annibal*, 1669; *Ariane*, 1672;
le Comte d'Essex, 1678.

Pertharite, le *Comte d'Essex* avec *Suréna*; mais surtout la *Mort d'Annibal* est une seconde épreuve de *Nicomède*; *Laodice* visiblement
n'est qu'un reflet de *Rodogune*. Même alors, c'est du Thomas, et
non pas du Corneille : l'intuition personnelle de la vie morale
n'anime pas la conception cornélienne de la volonté; Essex, malgré
quelques beaux cris d'une âme fière, fait l'effet d'un mannequin
bien creux, je ne dis pas à côté de Nicomède, mais seulement en
face de Suréna.

Au fond, le petit frère a vingt ans de moins que son aîné, et cela
fait que, n'en ayant pas le génie, il n'est même pas en état de le
comprendre tout à fait. Il est d'une autre génération, d'un autre
goût; et dès son début, dès *Timocrate*, on sent en lui l'authentique
et propre esprit de Quinault. *Timocrate*, le plus grand succès
dramatique du siècle, qui eut 80 représentations, Timocrate vient
de la *Cléopâtre* de La Calprenède : c'est l'idéal romanesque qui
reparaît en sa pure fausseté, mais dégagé de toute aspiration
héroïque et sublime, détendu, édulcoré, amolli. Timocrate est le
parfait amant, qui ne connaît pas de loi, de devoir, de gloire,
hors l'amour. Assiégeant la princesse qu'il aime, il vient la servir
contre ses propres troupes : haï sous son nom, adoré sous son
pseudonyme, il dirige l'attaque et la défense. L'intrigue romanesque, que Corneille avait exclue, est donc rappelée aussi, pour
encadrer, mais surtout pour réveiller les langueurs de l'amour
galant. Le succès de son contemporain Quinault ne put qu'encourager Thomas à suivre cette voie : et on le voit constamment
occupé à doser d'heureux mélanges de Quinault et de Corneille.
Même, toujours attentif à prendre le vent, il fera du Racine, quand
il sera avéré que le Racine réussit : il écrira *Ariane*, tragédie élégiaque, où l'héroïne tient de Bérénice et d'Hermione. Le rôle est
dessiné, plutôt qu'écrit, avec des indications assez justes pour
fournir sur la scène au jeu d'une grande actrice : et cela fait penser
à Voltaire plutôt qu'à Racine.

Quinault [1] fut, pendant dix ans, le maître de la tragédie : entre
Corneille et Racine, il remplit l'interrègne. Boileau s'est moqué
de l'*anneau royal* d'*Astrate*, c'est-à-dire des ressorts artificiels et
puérils qui meuvent l'action et produisent les situations. Quinault
fait une grande dépense de conspirations, de crimes, de politique
tragique : le malheur est que tout cela n'est pas sincère. La tendresse (une tendresse sèche, toute de tête, sans un sentiment du

1. Principales tragédies : *la Mort de Cyrus*, 1656; *Amalasonte*, 1657; *Astrate*,
1664. Philippe Quinault, né en 1635, entra à l'Académie en 1670. Il ne faisait pas
de la poésie son unique métier, et fut reçu auditeur des comptes en 1671. Il mourut en 1688. — **Édition** : Paris, 1739, 5 vol. Cf. E. Gros, 1927; J. Buijtendorp, 1928.

cœur), la tendresse règne sans partage, moins empanachée et sonore, moins subtile et chercheuse du fin du fin, que l'amour précieux; elle s'étale, fluide, intarissable, désespérante de monotone douceur. Plus de caractères : l'amour égalise les humeurs au lieu de se diversifier selon les humeurs. L'amour dispense Astrate de générosité, de dignité, d'affection filiale même : l'amour est une vertu, la seule vertu.

> S'il est beau de se vaincre, il est doux d'être heureux....
> L'éclat de deux beaux yeux adoucit bien un crime :
> Aux regards des amants tout paraît légitime....
> Je ne me connais plus et ne suis plus qu'amant;
> Tout mon devoir s'oublie aux yeux de ce que j'aime.

Ces maximes, que je glane dans *Astrate*, et qui se retrouveraient en d'autres termes dans tout le théâtre de Quinault, en firent le succès. Cela répondait au besoin du jour. La Fronde était vaincue, et le règne de Louis XIV commençait : la forme supérieure de la vie sociale devenait la vie de cour, brillante et vide; la noblesse, exclue du gouvernement de l'État, n'avait plus d'autre affaire que de se montrer au roi, et de faire la cour aux dames. Elle trouve son image fidèle, à ce moment précis, dans les tragédies de Quinault. Le vieux Corneille, quand il fit sa rentrée, dut se mettre, en grommelant, à l'école de son heureux successeur, et l'imita trop pour sa gloire.

Quinault se retira de la tragédie peu après que Racine y fut entré (1670) Il transporta plus tard son goût et ses maximes dans l'opéra [1], à qui il imposa dès sa naissance la fadeur et la fausseté des sujets comme conditions essentielles du genre. Boileau, La Bruyère n'avaient pas tort de mépriser ces livrets trop vantés, où s'étalaient « tous ces lieux communs de morale lubrique ». L'opéra appartiendra, jusqu'à la fin du xviiie siècle, à la littérature, autant et presque plus qu'à l'art musical : nous le verrons exercer par son éclat et ses séductions une réelle et parfois fâcheuse influence sur la littérature.

Avant l'opéra, et par l'effet du même goût s'acclimata en France le ballet. On en dansa dès le xvie siècle; mais sa grande vogue date du règne de Louis XIII. Ce fut le divertissement favori de la

---

1. *La Finta Pazza*, *l'Orfeo* que Mazarin fit jouer en 1645 et 1647, puis *l'Ercole amante* (1660), enfin *l'Andromède* et *la Toison d'or* de Corneille (1650 et 1660), préparèrent l'opéra. Puis vint l'abbé Perrin, qui, après avoir fait représenter plusieurs pièces, obtint en 1668 le privilège d'une Académie des Opéras en langue française. Lulli se fit céder ce privilège (1672), et prit pour poète Quinault, qui avait déjà travaillé dans un genre analogue, pour *Psyché* (1670). Les principaux opéras de Quinault sont : *Alceste* (1674), *Atys* (1676), *Roland* (1685), *Armide* (1690) — A consulter: R. Rolland, *Musiciens d'autrefois*, 1908 (Les origines de l'opéra. — Lulli).

cour de Louis XIV, à laquelle rien ne donna plus d'éclat et de
somptueux éblouissement. La représentation des ballets occupait
une foule incohérente et bizarrement mêlée, artistes, danseurs,
chanteurs, musiciens de profession, bourgeois amateurs, courtisans et princes, dames et demoiselles, Mlle de Sévigné, Mme de
Montespan, Monsieur frère du roi, la reine, le roi lui-même, qui
pendant vingt ans se fit honneur de figurer les Apollon et les Jupiter.
Rien ne contribua plus à griser le Grand Roi que cette perpétuelle
apothéose de sa grandeur et de ses faiblesses. Les ballets entrent
dans la poésie par les *livrets* de Benserade [1], qui sont de ces œuvres
de circonstance où revit l'âme d'une société.

Ces livrets étaient des programmes détaillés, qui contenaient
la suite des *entrées*, les noms des danseurs, les vers des *récits*, des
couplets sur chacune des personnes qui figuraient dans les diverses
entrées. Benserade excelle à mêler le rôle et l'acteur, à décocher
l'éloge ou l'épigramme avec une piquante délicatesse. Il étale,
naturellement, la morale et les maximes de l'opéra, une éternelle
invitation à aimer, que les sujets mythologiques amenaient. Il
faut joindre ces livrets aux œuvres de Quinault, si l'on veut comprendre sur quel public tombèrent les furieux amants de la tragédie racinienne. En son genre — un genre brillant, sec et glacé,
— Benserade est original. unique.

2. JEAN RACINE

« Racine est-il poète? est-il chrétien? » se demandait un jour un
Père jésuite dans un discours latin qui fit quelque scandale. La
vie de Racine, sans son œuvre, répond à la seconde question : elle
aide même à répondre à la première.

Né à la Ferté-Milon, où il fut baptisé le 22 décembre 1639, fils
d'un bourgeois du lieu, qui avait un emploi de finance, de famille
janséniste par sa mère, Jean Racine resta orphelin de bonne
heure, et fut élevé par sa grand'mère Marie Desmoulins. C'est elle
qui, retirée à Port-Royal, fit recevoir le petit Racine à l'école des
Granges, où il acheva son éducation. Il eut pour maîtres l'helléniste Lancelot, Nicole, Hamon, Antoine Le Maître ; il leur dut

---

1. Isaac de Benserade (1612-1691) débuta par de mauvaises tragédies. Il écrivit des
vers de ballet de 1651 à 1681. Les principaux sont ceux de *Cassandre*, de *la Nuit*, du
Triomphe de l'Amour. Bouffon sous Henri IV, alternativement pompeux ou burlesque,
souvent obscène, le ballet devint sous Louis XIV à peu près exclusivement mythologique et galant. *Œuvres*, 1697, 2 vol. in-12. — **A consulter** : le P. Ménestrier, *Des
Ballets anciens et modernes*, 1682. in-12: V. Fournel, *les Contemporains de Molière*,
t. II.

cette connaissance solide et ce sentiment délicat de l'antiquité, surtout de l'hellénisme, qui firent de lui le grand et pur artiste que l'on sait. Port-Royal voulait faire de son élève un avocat : mais la vocation poétique s'éveilla, encore indécise et prête à tenter toutes les voies. Cette âme tendre subit toutes les influences, et reflète tous les milieux : à Port-Royal, il fait des *odes* pittoresques et pieuses [1]; dans le monde [2], où l'introduit son cousin Vitart, intendant du duc de Luynes, lié avec des poètes, des beaux esprits, d'humeur facile et de vie libre, il fait de petits vers, des madrigaux, des sonnets; il révèle une pointe de malignité fine et meurtrière. Chapelain loue sa *Nymphe de la Seine* [3], et lui fait donner cent louis de l'argent du roi : c'était quelque chose en 1660 que d'être encouragé par M. Chapelain, et M. Perrault se joignait à M. Chapelain.

Les grandes fortunes poétiques ne pouvaient guère se faire qu'au théâtre; notre débutant commence à travailler pour les comédiens [4]. Port-Royal frémit : il y avait une tante [5], qui lui écrivit toute sorte d'adjurations, d' « excommunications »; Racine prit de l'humeur, et perdit le respect. On l'envoya en Languedoc, à Uzès, auprès d'un oncle, le grand vicaire Antoine Sconin : il devait y étudier la théologie, et recevoir des bénéfices. Il lut donc Saint Thomas et les Pères : mais le monde le garda; les beaux esprits du lieu, les dames avaient bien reçu ce jeune poète qui avait l'air de Paris et connaissait Chapelain; ses amis parisiens l'entretenaient aussi de pensées profanes. Il continua de faire des vers. Il lisait, annotait Virgile, Homère, Pindare.

Paris le revit, en 1663, plus poète que jamais. Il y retrouva La Fontaine, il y connut Boileau et Molière : avec eux, il hanta le *Mouton blanc* et la *Croix de Lorraine*; et il apprit à rire de Chapelain. Il vit les libres compagnies, les comédiennes; il éprouva les plaisirs et les passions. Il vécut ce qu'il devait peindre. Deux pièces [6] qu'il donna, et qui ne sont pas des chefs-d'œuvre, achevèrent de le brouiller avec Port-Royal. Il prit pour lui une phrase que Nicole adressait à Desmarets de Saint-Sorlin, avec qui le jansénisme bataillait alors; et se croyant traité d' « empoisonneur public, non des corps mais des âmes des fidèles [7] », il lança contre ses anciens maîtres une lettre extrêmement spirituelle et satirique

1. *Le Paysage de Port-Royal*, sept odes.
2. Il avait été faire sa philosophie au collège d'Harcourt.
3. Pour le mariage du roi. Cette ode fut suivie de *la Convalescence du Roi* (1663), puis de *la Renommée aux Muses*, qui lia Racine avec Boileau.
4. *Amasie*, refusée aux Marais; plan des *Amours d'Ovide*.
5. La mère Agnès de Sainte-Thècle.
6. *La Thébaïde* (1664), jouée par Molière; *Alexandre* (1665), jouée par Molière, puis portée à l'Hôtel de Bourgogne, ce qui brouilla Molière et Racine.
7. *Visionnaires*. Nicole a écrit contre Desmarets *les Imaginaires* et *les Visionnaires*.

(1666), qui eût été suivie d'une autre, sans l'intervention de Boileau : Racine regretta plus tard amèrement cette aigreur de son amour-propre, qui l'avait fait un jour ingrat et méchant.

Andromaque (nov. 1667) eut un succès qui rappela celui du *Cid* : six autres chefs-d'œuvre, en dix ans, lui succédèrent [1]. Mais l'amour-propre du poète souffrit cruellement. Depuis *Alexandre*, une foule de critiques s'étaient mis après lui, amis de Corneille, ennemis de Boileau, rivaux et envieux : c'était à qui trouverait des fautes et nierait les beautés dans ses pièces; les préfaces amères dont il accompagna toutes ses tragédies depuis *Alexandre* faisaient voir qu'on ne perdait pas sa peine à le tourmenter. Hormis la révélation de certaines résistances du goût public sur lesquelles nous reviendrons, nulle question de doctrine ou d'art n'est enveloppée dans ces attaques; et l'étude des pamphlets dirigés contre Racine n'a qu'un intérêt anecdotique.

On imagina, pour couper le succès d'*Iphigénie*, d'y opposer une autre *Iphigénie*, fabriquée en hâte par Leclerc et Coras. La manœuvre échoua. On la reprit pour *Phèdre* : une cabale dirigée par la duchesse de Bouillon, le duc de Nevers son frère et Mme Deshoulières fit applaudir la *Phèdre et Hippolyte* de Pradon et siffler la *Phèdre* de Racine pendant les premières représentations. Des vers injurieux furent échangés de part et d'autre : Boileau se fit le second de son ami dans ce duel au sonnet, qui aurait eu une fin fâcheuse pour les deux poètes, si le grand Condé ne les avait hautement protégés.

Soudain Racine se résolut à renoncer au théâtre. Il avait senti la foi de sa jeunesse se réveiller; Port-Royal avait ouvert ses bras à l'enfant prodigue. Il se persuada qu'il avait travaillé à corrompre les mœurs, à perdre les âmes. Il eut horreur de lui, et voulut se faire chartreux. Enfin il se maria avec une modeste et médiocre femme, dont il eut cinq filles et deux fils. Il s'appliqua à leur éducation, avec un dévouement inquiet, une piété scrupuleuse.

Le roi l'aida à oublier la poésie, en le nommant pour écrire son histoire avec Boileau (1677) [2]. Il suivit la cour en divers voyages, pendant plusieurs campagnes, jusqu'en 1695. Il avait pris sa tâche à cœur, et s'instruisait avec soin : mais était-il possible de faire l'histoire de Louis XIV, pour Louis XIV ? A partir de 1677, Racine se partage entre sa petite famille et la cour : il était fin, spirituel, plein de tact : « rien du poète, dit Saint-Simon, et tout de l'honnête

---

1. *Britannicus* (1669), *Bérénice* (1670), *Bajazet* (1672), *Mithridate* (1673), *Iphigénie* (1674), *Phèdre* (1677). Racine fut reçu à l'Académie le 12 janvier 1673.

2. Ce que Racine et Boileau écrivirent fut détruit, dit-on, en 1726 dans l'incendie de la maison de M. de Valincour.

homme ». Mme de Maintenon le ramena à la poésie dramatique :
elle lui fit écrire *Esther* et *Athalie* pour les demoiselles de Saint-
Cyr. *Esther* fut jouée avec pompe (1689). *Athalie* fut représentée
dans une chambre, sans costumes (1691) : nul n'en parla. Mme de
Maintenon avait été prise de scrupules à l'endroit de ces représentations tapageuses qui démoralisaient Saint-Cyr : l'œuvre de Racine
en porta la peine, et fut étouffée à sa naissance. Le public mit
vingt-cinq ans à s'apercevoir que le poète avait fait là un chef-
d'œuvre, et son chef-d'œuvre [1].

Quatre cantiques spirituels (1694), des épigrammes mordantes
contre de méchants auteurs et de méchantes tragédies, firent
encore voir qu'il gardait toute la vivacité, toutes les ressources de
son esprit. Néanmoins il persista dans sa résolution : la piété
fut la plus forte. Publiquement attaché à Port-Royal [2], il finit par
se sentir moins agréable au roi. On a bâti là-dessus toute une
légende : la vérité est que Racine ne fut jamais en disgrâce; mais
son jansénisme déplaisait. Il souffrit de ce refroidissement de la
faveur royale avec sa vivacité ordinaire de sentiment : et ses derniers jours en furent attristés. Il mourut le 21 avril 1699, courageusement, chrétiennement, ayant autour de lui, avec sa famille,
Valincour et Boileau, ses plus chers amis. On l'enterra, sur sa
demande, à Port-Royal, au pied de la fosse de M. Hamon, une
âme tendre comme la sienne parmi ces durs logiciens.

Une sensibilité infiniment délicate, un esprit mordant, un amour
propre ardent, beaucoup d'impétuosité à suivre le premier mouvement, peu de possession de soi jusqu'à ce que la religion l'eût
réglé, voilà ce que la vie de Racine nous montre en lui : c'est une
âme de poète, vibrante et passionnée. Retenons aussi ces deux
points : son éducation janséniste, et son sentiment du grec; ils
sont essentiels à l'explication de son œuvre [3]

---

1. *Athalie* ne fut mise au théâtre que sous la Régence.

2. Il a écrit un *Abrégé de l'Histoire de Port-Royal*, qui est le chef-d'œuvre de la
littérature historique au XVIIe siècle. Racine est aussi excellent prosateur que
poète. Ses *Lettres* sont exquises.

3. **Éditions :** 1676, 1697; éd. P. Mesnard, 1865-73; G. Truc, 1929-36; E. Pilon
et R. Groos; V. L. Saulnier (en cours). — **A consulter :** M. Souriau, *L'Evolution
du Vers fr. au XVIIe s.*; Brunetière, *Etudes crit*, I; *Hist. et Littér.* II, *Epoques
du Théâtre fr.*; Robert, *La Poétique de R.*, 1890; Monceaux, *R.*, 1892; abbé Del-
four, *La Bible dans R.*, 1893; Larroumet, *R.*, 1898; Le Bidois, *La Vie dans les Tragédies de R.*, 1901; J. Lemaître, *R.*, 1908; G. Truc, *R.*, 1926; L. Dubech, *R. politique*,
1926; F. Mauriac, *Vie de R.*, 1928; J. Giraudoux, *Littérature*, 1941; H. Bremond,
R. et Valéry, 1930; J. Lichtenstein, *R. poète biblique*, 1934; Thierry Maulnier, *R.*,
1936; J. Segond, *Psychologie de R.*, 1940; P. Moreau, *R.*, 1943; D. Mornet, *R.*, 1943;
P. Brisson, *Les Deux Visages de R.*, 1944; G. May, *Tragédie cornélienne, Tragédie
racinienne*, 1948; P. de Lacretelle, *Vie privée de R.*, 1949; A. A. Eustis, *R. devant
la Critique fr.*, 1950.

3. TRAGÉDIE PASSIONNÉE ET VRAIE.

Racine n'apporte point de formules nouvelles au théâtre; et c'est pour cela que, comme Molière, il ne se laissera guère imiter. Il conserve à la tragédie les caractères qui la définissaient chez Corneille : l'action enfermée dans les trois unités, l'intérêt placé dans l'expression des caractères, l'allure du drame fortement noué, et débarrassé de toutes les manifestations inutiles. Et cependant, par l'originalité de son génie, il a coulé dans la tragédie un esprit nouveau, il l'a modifiée intérieurement de telle sorte qu'il nous semble le créateur d'un système dramatique.

Il n'a jamais discuté dans ses *Préfaces* sur les unités : elles sont trop bien établies, mais surtout elles ne le gênent pas. Il prend son point de départ si près du point d'arrivée, qu'un tout petit cercle contient l'action, l'espace et le temps. Au moment où il commence, toutes les forces sont déjà convergentes et ramassées. Sa tragédie est donc simple, chargée de peu de matière, aussi purgée que possible de roman. Son idéal, c'est l'absence d'intrigue, la belle nudité des tragédies grecques, et voilà par où le sujet de *Bérénice* lui a plu [1] : deux lignes, un seul fait; ce n'est rien, mais l'invention consiste à faire quelque chose de rien. Moins il y a de matière, plus l'immatériel a de liberté pour se développer. A l'ordinaire, une tragédie de Racine est un fait, abondamment nécessité par les caractères des personnages : chacun d'eux étant posé au début dans une situation, sous une certaine pression, le conflit de leurs sentiments remplit les cinq actes, jusqu'à ce qu'il détermine un unique et irrémédiable fait, le dénouement. L'impulsion, le mouvement, dans le cours du drame, viennent presque exclusivement du dedans. Ainsi sont construites les tragédies d'*Andromaque*, de *Britannicus*, de *Bérénice*, d'*Iphigénie* (sauf le miracle mythologique qui renverse le dénouement logique) : *Bajazet* un peu, *Mithridate* davantage, *Phèdre* surtout, admettent certains faits du dehors à modifier l'action; mais il est remarquable que pour les deux dernières, ces faits (mort, résurrection, retour de Mithridate et de Thésée) sont des hypothèses nécessitées par la vérité psychologique, et point du tout des ressorts disposés pour la surprise.

Racine produit toujours ses caractères en travail, jamais dans un état purement sentimental : il semble que ce soit une nécessité dans le théâtre français, de ne rien montrer qui ne soit action. Racine conçoit toutes les émotions, tous les états passifs comme mobiles, et principes d'activité; il les exprime justement sous l'aspect où leur force d'impulsion ou d'inhibition se découvre le

---

1. Mais il faut se garder de prendre *Bérénice* pour le type de la tragédie racinienne : ce n'en est que la limite.

plus fortement : l'objet est toujours une résolution à prendre, qui est prise, rejetée, reprise, autant de fois que s'exercent l'impulsion ou l'inhibition, jusqu'à ce qu'une secousse plus forte amène l'action définitive. Etudiez Phèdre, la grande passionnée : amour, pudeur, espoir, honte, remords, jalousie, repentir, il n'y a rien, dans ce rôle si riche, qui soit donné simplement comme modification sentimentale de l'être intime; tout est évalué comme quantité d'énergie, produisant un certain travail, pour éloigner ou approcher tour à tour le personnage d'une action irréparablement bonne ou mauvaise. Voilà comment la sensibilité se peint chez Racine non par des effusions lyriques, mais par des vibrations dramatiques; et sa tragédie est une suite de coups de théâtre et de révolutions.

En un sens Racine resserra le domaine de la tragédie : il ne crut point suffisant, comme Corneille, de présenter des caractères; il estima nécessaire de les saisir dans la passion, et même dans une crise aiguë de passion. Il est certain qu'en vingt-quatre heures, une âme ne se montre pas *naturellement* tout entière et jusqu'au fond, si quelque violente agitation ne la remue. A la tragédie de caractère, telle que de plus en plus la pratiquait Corneille, Racine substitua donc la tragédie de passion.

Peintre de la passion, il réagit contre Quinault, sans revenir à Corneille. Il laissa la tragédie politique, la psychologie des sentiments médiocres et des caractères froids; mais il chassa de la scène la fade galanterie. On lui a reproché d'avoir modernisé tous ses sujets, et l'on n'a voulu voir en lui que le peintre des mœurs de cour, affinées et polies : il est vrai que quelques-uns de ses jeunes premiers, Xipharès ou Bajazet,

> Tendres, galants, doux et discrets,

ont un peu l'air de courtisans français, très idéalisés. Mais nous verrons que Racine a beaucoup mieux regardé qu'on ne dit communément les mœurs locales, la couleur particulière de chacun de ses sujets. Taine rêvait qu'on représentât *Iphigénie* dans la grande galerie des glaces, en costumes du temps de Louis XIV : il aurait pu aussi bien demander une représentation de *Jules César* en costumes du temps d'Elisabeth; César, Burrhus, Antoine, et ce *mob* qui hurle pour ou contre César, tout cela est aussi anglais qu'*Iphigénie* est française.

Prenons le témoignage des contemporains : Quinault les satisfaisait, et Racine leur fit l'effet d'un brutal. Ce Pyrrhus que nous trouvons coquet, galant, les choquait comme un malappris, et Racine était obligé d'écrire cet avertissement : « Le fils d'Achille

n'avait pas lu nos romans : certes ces héros ne sont pas des Céla-
dons ». N'a-t-on pas trouvé Néron même trop méchant? Il n'était
pas assez amant avec Junie. Racine batailla pour obtenir le droit
de faire autrement que Quinault, et de présenter la passion toute
pure. Ses effets paraissaient alors trop crus, et blessaient l'optimisme galant des salons : Saint-Evremond, un homme d'esprit,
trouvait *Britannicus* trop noir, et la pièce, en effet, n'est pas
« consolante ».

Contre la mode, contre les délicatesses mondaines, Racine fit
régner la raison, c'est-à-dire la vérité, dans sa tragédie. Il prit des
sujets légendaires ou historiques, et comme tels, aussi invraisemblables que ceux de Corneille : sous le merveilleux ou le grandiose
des fables et des noms, il aperçoit, montre le fait commun, n'
héroïque, ni royal, humain : une femme délaissée qui fait assassiner
son amant par un rival, voilà *Andromaque*; une femme trompée se
vengeant sur sa rivale et son amant, voilà *Bajazet*; un homme qui,
pour un intérêt ou un devoir, laisse une femme aimée, voilà *Bérénice*; un vieillard rival de ses fils, voilà *Mithridate*; une belle-mère
amoureuse de son beau-fils, et le haïssant, le persécutant pour
ne pouvoir s'en faire aimer, voilà *Phèdre*. Ne sont-ce pas les
éternelles tragédies de la vie réelle, les sujets toujours les mêmes
que les journaux et les tribunaux offrent à notre sensibilité avide
de se dépenser? Même de *Britannicus*, même d'*Iphigénie*, n'extrai-
rait-on pas des drames domestiques? une mère impérieuse, un fils
craintif, révolté soudain par ses passions ou ses vices, ou bien un
père sacrifiant à son ambition, à sa vanité, le bonheur et toute la
vie d'une fille qu'il aime pourtant, est-ce là seulement de l'« histoire ancienne » ou de la « mythologie »?

Sous les noms héroïques, à travers les infortunes et les crimes
extraordinaires, c'est la simple, générale, humaine vérité que
Racine veut montrer : outre la politique, cela exclut l'intrigue
romanesque, les moyens compliqués ou surprenants. L'action se
proportionnera aux sujets, et les ressorts qu'elle emploiera seront
parfois « vulgaires » comme eux. Néron se cache derrière un rideau,
pour épier Britannicus et Junie : bassesse comique! Sans doute;
la dignité tragique est une sottise : un empereur amoureux est un
homme amoureux, qui a seulement plus de pouvoir, partan
moins de scrupule à se satisfaire. On s'est étonné de certaine
affinités qu'on a saisies entre la tragédie de Racine et la comédi
de Molière : rien de plus naturel. Mithridate est avec Xipharè
dans le même rapport qu'Harpagon avec Cléante. Si les deux
peintres rendent la même passion, quoi d'étonnant qu'ils dessinen
le même geste, et que les deux pères emploient la même ruse
pour s'assurer de la rivalité des deux fils? Seulement des même

passions, de la même situation, du même moyen, l'un tire du
comique, et l'autre du tragique : chacun suit la loi du genre qu'il
traite.

Le style est pareil : simple et naturel avant tout, juste, précis,
intense, rasant la prose, comme disait Sainte-Beuve. Une admirable
poésie, dont on parlera plus tard, s'y fond, et s'y résout en langage pratique. Point de *sublime*; point de mots à effets, de vers à
détacher, à retenir. Racine ne fait pas de « pensées », ni de
maximes. Le *Qui te l'a dit?* d'Hermione, le *Seigneur, vous changez
le visage* de Monime, le *Sortez* de Roxane, voilà le sublime de
Racine, des mots de situation, terribles ou pathétiques par les
causes qu'on saisit et par les effets qu'on pressent. Des mouvements de passion s'expriment avec une naïveté qu'on a trouvée
presque comique : comme l'amour de Pyrrhus, au moment où il
a juré de ne plus penser à Andromaque. Mithridate, pressant
Monime de l'aimer, me fait invinciblement penser à l'autre vieillard amoureux, à l'Arnolphe de Molière. On serait étonné, si l'on
y regardait de près, de ce qu'il y a chez Racine de mots familiers,
de locutions de tous les jours; la musique délicieuse de son vers
nous empêche de remarquer les formes de la conversation courante qui souvent le remplissent.

Les personnages de Racine sont plus près de nous que ceux de
Corneille : du moins, il nous le semble, quoique peut-être les
grandes passions ne soient guère moins rares que les grandes
volontés. Mais dans nos âmes communes, les abandons au sentiment, à l'inclination, sont plus fréquents que les résistances et
les victoires de l'énergie volontaire. Racine a été élevé dans le jansénisme, à croire que la nature est corrompue, que tout mérite,
tout bien en l'homme vient de la grâce; il a pu rompre avec ses
maîtres, il n'a pu se défaire des enseignements lentement insi-
nués, quitter le point de vue d'où ils lui avaient appris à regarder
l'agitation humaine. Il a donc peint une nature faible, impuissante à se diriger, tiraillée entre ses instincts, des passions
fougueuses, des volontés chancelantes ou abattues. Il n'y a rien
de proprement chrétien dans les caractères qu'il dessine (*Esther*
et *Athalie* écartées), sinon en tant que le christianisme est un des
éléments principaux de la civilisation dont les types étudiés sont
le produit. Mais il est bien certain qu'il y a un parfait accord
entre la conception psychologique de Racine et le dogme caractéristique du jansénisme : de là vient la facilité avec laquelle
Arnauld accepta *Phèdre*, lorsqu'on voulut réconcilier Racine avec
lui, et de là le mot fameux que la reine incestueuse est « une
chrétienne à qui la grâce a manqué ».

Ainsi, tandis que Corneille résout le conflit de la volonté et des

passions par la victoire de la volonté, Racine conclut au triomphe
des passions : et comme Corneille tend à supprimer les passions
il tend à supprimer la volonté. L'orageuse beauté de Phèdre
résulte de ce que sa volonté tient à peu près en balance son
amour; une lutte intérieure la déchire, tellement que tout le drame
est dans ce seul rôle. Au contraire, dans Roxane, la passion est
toute pure, sans contrepoids, sans correctif, immodérée, impudente. Et Agrippine, Clytemnestre, Athalie, chacune en son genre
ne sont aussi que passion.

Cette façon de juger les forces respectives de l'instinct et de la
raison pousse le drame aux dénouements funestes : où la passion
domine, le crime et le malheur doivent suivre. Ainsi la tragédie
de Racine finit presque toujours mal : seul un miracle mythologique autorise le dénouement heureux d'*Iphigénie*; et, si *Mithridate* se termine bien, c'est par un miracle psychologique, qui
n'est pas la meilleure partie de la tragédie. Je ne parle pas
d'*Esther* et d'*Athalie* : Dieu peut tout, et c'est lui qui mène les
deux actions.

Mais voici une conséquence plus importante de la psychologie
de Racine : son théâtre sera féminin, comme celui de Corneille
était viril. Car c'est dans les femmes que la faiblesse naturelle
paraîtra le plus visiblement : ce sont elles qui sont par excellence
des êtres d'instinct, de volonté faible ou nulle, de raison ployable
et réduite au rôle de servante du sentiment qu'elle fournit de
sophismes; ce sont elles que toujours et partout l'affection conduit, jamais l'idée. Telles du moins les voit Racine, et par suite
il les pousse au premier plan de sa tragédie. Là où l'histoire ne
s'impose pas au poète, dans les sujets dont il est maître et qu'il
arrange à son goût selon son expérience intime, les hommes
pâlissent et s'effacent : que sont Pyrrhus, Oreste, Bajazet, Hippolyte, Thésée, même Acomat, à côté d'Hermione, d'Andromaque,
de Roxane, de Phèdre? De Racine date l'empire de la femme
dans la littérature : et cela correspond au moment où tous les
instincts violents, ambitieux, qui jetaient les hommes dans l'action
politique et militaire, s'apaisent dans la vie de société, où la
femme y devient souveraine sans partage, où d'elle va partir tout
honneur, tout mérite et toute joie.

Racine a peint admirablement les âmes féminines, avec une
finesse singulière. Il en a marqué toutes les nuances les plus
délicates, mais surtout la forme et le mouvement caractéristiques
le sentiment faisant office de raison, l'extrême violence sortant de
l'extrême faiblesse. On l'a accusé de se répéter; il ne faut l'avoir
guère lu, ou grossièrement. Plus on a soi-même d'expérience,
plus on aperçoit de variété dans son observation. Il a peint, non

l'*amour*, mais cinq, dix amours, dont pas un ne ressemble à
l'autre : chaque individu aime à sa façon, avec son tempérament,
son esprit, toutes les modifications que l'âge, la condition, la
situation peuvent imprimer à l'éternel élément de la passion.

Voyez ses jeunes filles, sœurs peut-être, non pas *doubles* les
unes des autres : Junie, pitoyable et protectrice, Iphigénie, douce
et fière, Hermione, naïve, abandonnée, emportée; Monime,
pudique, résolue, soucieuse de son devoir, de son honneur, de
sa dignité, ferme dans sa volonté comme une héroïne cornélienne,
sans raideur pourtant, et toute tendre et gracieuse; Eriphyle,
enfin, déprimée par la misère, envieuse, ingrate, une amoureuse
qui avilit l'amour. Même variété parmi les femmes, ou plus grande
encore : Bérénice, tendre, élégiaque, mélancolique, avec des réveils
d'énergie pour ressaisir l'arme féminine de la coquetterie; Phèdre,
malade d'amour à mourir, et voulant mourir sans parler, parlant
quand, trompée par son malheur, elle se croit libre, consentant
alors à sa passion débordée, atterrée par le retour de Thésée, et
laissant par honte, pour cacher la faute déjà faite, se consommer
un plus grand crime, ramenée par le remords pour démentir la
calomnie, replongée plus profondément dans le mal par une crise
effroyable de jalousie, et, aussitôt que l'irréparable est consommé,
repentante, enfin se rachetant par la confession publique et la
mort volontaire; Roxane, plus simple, sensuelle et féroce, qui
sans cesse donne à choisir à son amant entre elle et la mort, sans
esprit, sans âme, animal superbe et impudique. Ces huit caractères de femmes sont tous des types bien tranchés, et d'une
absolue vérité.

Les hommes sont plus faibles : les amoureux aimés sont des
galants agréables, et rien de plus. Je ne sais pas au reste s'il est
jamais arrivé que l'objet d'une grande passion, au roman et au
théâtre, fût peint d'une manière satisfaisante, et parût autre chose
qu'un ressort qui met la passion en branle, ou bien une cible où
elle tire. Il n'y a peut-être que Corneille qui ait pu rendre l'objet
égal à la passion qu'il inspire.

Racine se retrouve dans les amants qu'on n'aime pas : Pyrrhus,
fier et épris, un soupirant qui a de belles révoltes, et qui donne
parfois de rudes secousses à sa chaîne; Oreste, passionné et
sombre, proche de la folie, et capable de crime; et Mithridate,
l'amoureux en cheveux gris, qui sait qu'on ne peut l'aimer et
s'acharne à exiger l'amour, étalant avec emportement toutes les
compensations qu'il a de la jeunesse qui lui manque; et Néron,
l'amoureux qui est un maître, et qui le sait.

Racine ne s'est pas borné à l'amour, où il voyait, non sans
raison, « la route la plus sûre pour aller au cœur ». Même dans les

tragédies où l'amour est tout, il y a d'autres caractères que des
amoureux. Voici Andromaque, veuve et mère, obligée de choisir
entre la fidélité qu'elle doit à son mari, et la protection qu'elle
doit à son fils, honnête femme qui se défend avec ses grâces de
femme, ménageant l'amour de Pyrrhus pour lui résister sans le
décourager. *Bajazet* nous offre Acomat, un politique réaliste qui
ne débite pas de maximes, dépourvu de sentiment et de scrupules, tout à ses intérêts, mais éloigné des crimes inutiles autant
que de l'impudence pompeuse, n'ayant pas d'illusion sur les
hommes et ne le criant pas : une des plus réelles figures de
ministre qu'on ait jamais dessinées. Et Mithridate, c'est le vieillard
amoureux, mais c'est Mithridate, le roi barbare, l'ennemi des
Romains.

Dans certaines tragédies, l'amour n'est qu'un cadre, ou même
un fil léger, et donne occasion de peindre diverses sortes de caractères et de passions. Dans *Iphigénie*, *Britannicus*, l'amour est peu
de chose, dans *Athalie* il n'est rien. Et dans ces trois sujets, que
de formes d'âmes nouvelles et variées : Ulysse, le politique froid,
qui ne recule jamais devant les moyens, quand il a choisi le but,
point insensible pourtant, mais rassuré par la conscience qu'il a
de ne voir que le bien public; Agamemnon, père tendre, faible
ambitieux, qui voudrait les fruits du crime sans le crime, et qui
ne peut se résoudre à sacrifier sa fille à son égoïsme, ni son
égoïsme à sa fille, plus sympathique que le Félix de Corneille,
parce qu'il est plus déchiré; Clytemnestre, la « mère », qui ne
connaît plus ni patrie, ni dignité, ni mari, dès que sa fille est
en péril, en qui, mieux qu'en aucune amplification romantique,
apparaît le sentiment primitif, animal, de la maternité; c'est la
bête défendant son petit.

Ailleurs voici Agrippine, une mère aussi, mais ennemie de son
fils, et l'aimant pourtant d'un reste d'instinct : fière, ardente,
ambitieuse, d'une ambition de femme, qui n'est pas une énergie
d'ordre supérieur, aspirant à pouvoir plus pour agir plus, ni une
confiance superbe de savoir réaliser mieux que personne le bien
public, mais une vanité avide de l'extérieur, de l'enivrement, des
flatteries de la puissance : Agrippine est ambitieuse comme une
autre est coquette. Jouet de ses affections, son humeur la mène,
son orgueil, son espoir la trompent : elle s'irrite et s'apaise follement, inégale en son action, maladroite et crédule. A côté d'elle,
Néron, une âme mauvaise, égoïste, vaniteuse, lâche, en qui
l'amour est une fureur sensuelle, un transport de l'imagination,
sans tendresse, sans estime, sans pitié : il va à son premier crime,
poussé par son instinct, fouetté par la jalousie, retenu par ses
peurs, peur de sa mère, peur de son gouverneur, peur des mille

voix du peuple, enlevé enfin par l'aigreur de sa vanité, sans étonnement après le crime, et d'une belle impudence, mais affolé soudain d'une peur toute physique, dans la détente de ses nerfs après l'action, et déprimé de voir la femme pour qui il avait fait le coup lui échapper. Autour de ces deux personnages, Burrhus, un honnête homme, dans une situation fausse, assez souple pour être vivant, et un coquin, Narcisse, bas, plat, intrigant, qui joue de son maître à merveille en semblant lui obéir.

Enfin *Athalie* est, sans maximes ni dissertations, une des plus fortes pièces politiques qu'on ait jamais écrites, et à coup sûr la plus hardie peinture de l'enthousiasme religieux : Athalie est une femme, fiévreuse par conséquent et inégale, alternativement irritée et facile, selon les objets qui tournent son âme passionnée; un songe, un visage d'enfant, tout dévie ou rompt son action. Elle se débat plus qu'elle ne lutte. Elle figure un pouvoir qui tombe, contre qui toutes les circonstances fortuites tournent fatalement, et qui n'a plus vraiment la force de se soutenir : il donne quelques secousses, violentes et inutiles, qui l'épuisent, et il est incapable d'une résistance ferme. Joad est un fanatique, désintéressé, sans scrupules, impitoyable, le plus dur et le plus immoral des politiques, parce qu'il ne fait rien pour lui, tout pour son Dieu. Par Joad, le pieux poète nous découvre tous les crimes du fanatisme et leur source profonde. Entre Joad et Athalie oscille Abner, brave soldat, politique naïf, calme dévot, l'honnête homme timoré, qui fuit les responsabilités, ménage tous les devoirs, et sert tous les pouvoirs. Mathan est une âme envieuse, ambitieuse, qui joue de la religion, hypocrite tragique, à qui nulle vie innocente, nul intérêt public n'est précieux, dès qu'il trouve jour à satisfaire ses haines ou son orgueil : serviteur égoïste et sans dévouement d'Athalie, servi lui-même par le zèle intéressé de Nabal. Enfin, il y a, dans *Athalie*, Joas, un enfant. Songez quelle hardiesse c'était de mettre un enfant dans une tragédie : le XVIIe siècle n'a pas connu, n'a pas aimé les enfants. La raison n'a pas assez de place dans leur vie; et l'instinct naturel, primitif, les conduit. Il n'y a que deux enfants qui comptent dans la littérature classique : la petite Louison, naïve et futée, le petit Joas, simple, candide, répétant sa leçon avec une gravité dévote d'enfant de chœur.

En voilà assez pour nous faire entendre quelle injustice c'était de dire que Racine ne ferait plus de tragédies, quand il ne serait plus amoureux. Cet homme-là, par un exemple unique, a fait vraiment à son Dieu le sacrifice de son génie; il s'est retiré quand il n'était ni épuisé ni fatigué, quand il avait seulement montré ce qu'il pouvait faire.

4. LA VISION POÉTIQUE DE RACINE.

On n'aurait que la moitié de Racine, si l'on ne regardait
que la vérité psychologique de ses peintures, leur ressemblance
avec la vie réelle. Il a mis la poésie dans la tragédie, cette poésie
si rare dans Corneille, et que Rotrou par accident a rencontrée.
Remarquons bien une différence entre nos deux grands tragiques
dans le choix des sujets : depuis le *Cid*, Corneille n'a pas tiré une
tragédie de la poésie ancienne, sauf *Pompée*, qui vient de Lucain,
un historien rhéteur plutôt qu'un poète, et sauf *Œdipe*, dont il a
fait ce que vous savez, du Sophocle habillé à la Quinault. Racine
prend ses sujets dans Euripide : *Andromaque, Iphigénie, Phèdre*. Il
y ajoute, pour les traiter, Virgile et Homère. Mais quand il s'inspire des historiens, c'est là qu'il faut saisir l'opposition des deux
génies. Pour Corneille, un historien est un historien, un *garant* de
l'authenticité des faits : Tite-Live ou Justin, Baronius ou Du Ver-
dier traduisant Paul Diacre, ce lui est tout un. Racine, au contraire (mettons à part Suétone qui lui fournit *Bérénice* : le sujet
n'a pas été choisi par lui), Racine prend *Britannicus* à Tacite, *le
plus grand peintre de l'antiquité*; *Mithridate*, à Plutarque, le bio-
graphe dramatique, où Shakespeare allait aussi chercher la poésie
des passions. S'agit-il de tragédies saintes, Corneille ouvre Surius;
Racine, la Bible. Reste donc *Bajazet*, le seul sujet qui ait été choisi
par Racine pour sa pure valeur dramatique et réaliste.

Il est poète, et dans toutes les actions qu'il met en scène, il
saisit une puissance poétique qu'il dégage. La seule étoffe de son
style nous en avertit. J'ai signalé cette notation si exacte des sentiments, qui est la forme nécessaire du positivisme classique.
Mais j'ai dit aussi qu'il y a des vers, des couplets de poète dans
Racine; la traduction serrée de l'idée que commande la psychologie
dramatique, s'achève sans cesse en images, en tableaux qui la
dépassent infiniment, et qui ouvrent soudain de larges échappées
à l'imagination. A travers un rapide récit, où Xipharès expose
toutes les circonstances par lesquelles son rôle est déterminé,
soudain il s'arrête un moment sur les victoires de son père :

> Et des rives du Pont aux rives du Bosphore,
> Tout reconnut mon père....

De ce triomphe l'orgueil filial de Xipharès est enivré, et le sentiment suscite un réveil de sensations, la vision d'une mer sans
ennemis, où les flottes du roi déploient joyeusement leurs voiles :

> .... Et ses heureux vaisseaux
> N'eurent plus d'ennemis que les vents et les eaux. (Acte I, sc. I.)

Après cette envolée soudaine, le style se rabat, tout près de la prose, dans l'indication exacte des faits. Un peu plus loin, Pharnace engage Monime à s'embarquer avec lui :

> Jusques à quand, madame, attendrez-vous mon père?
> (Acte I, sc. VIII.)

Et il fait son invitation dans un couplet pressant et précis, qu'éclairent de place en place comme de larges trouées ouvertes sur de lointains et grandioses passages.

> Fuyez l'aspect de ce climat sauvage....
> Un peuple obéissant vous attend à genoux
> Sous un ciel plus heureux....;

mais surtout à la fin, dans ce dernier vers qui évoque à nos yeux Monime

> Souveraine des mers qui la doivent porter,

on voit tout un triomphal cortège glisser sur l'étendue resplendissante des eaux. Deux vers ou trois plus bas, Monime ouvre la bouche, et son premier mot, c'est : *Éphèse et l'Ionie*; une soudaine et lumineuse évocation de la Grèce asiatique, avec tout ce qu'elle contient pour nous de prestigieux souvenirs.

On n'a qu'à feuilleter n'importe quelle tragédie de Racine, et des impressions analogues surgiront en foule. Cela veut dire que chacun de ses sujets éveille en lui une vision poétique. Il ne se pique pas d'être historien; il ne fait pas de couleur locale. Mais à chaque sujet il s'efforce de garder son caractère, de faire revivre en son imagination les âges lointains, les civilisations disparues. Il ne croyait pas qu'on pût mettre en tragédie la réalité immédiatement perçue : il voulait envelopper l'observation dans une vision agrandie par l'éloignement, et par là poétique : à cette condition seulement, il crut pouvoir traiter *Bajazet*, parce qu'il sentait les *Turcs* aussi *loin* de lui que les Romains. Et, même dans *Bajazet*, il a essayé d'être le moins « français » possible. Les éléments d'une vision complète et colorée lui ont manqué, et le style de la pièce est plus pragmatique que poétique; cependant il est visible qu'il a utilisé avec soin toutes les indications de mœurs et d'institutions, qui pouvaient l'aider à former une représentation sensible du sujet.

Nous ne pouvons exiger que Racine nous parle selon nos idées de la Grèce ou de l'Asie, qu'il *costume* ses acteurs d'après les dernières trouvailles ou les hypothèses récentes de l'histoire et de l'archéologie : il n'y avait guère que la civilisation gréco-romaine, la décadence raffinée, dont il pût avoir un sentiment historiquement exact. Et d'autre part, si nous sommes habitués de nos jours à voir nos écrivains nous présenter l'humanité antique dans ce qu'elle a d'irréductible aux formes actuelles de nos âmes, il faut consentir à ce que Racine nous la montre dans ce qu'elle a d'identique; l'un n'est pas plus vrai en soi que l'autre. Ces considérations une fois admises, nous n'aurons pas de peine à trouver que le réalisme psychologique de Racine se fond dans une vision poétique, d'où résultent cette lumière exquise et cette pure noblesse de sa forme tragique.

Ses modèles et ses auteurs parlaient à son imagination. Ce n'étaient pas pour lui des hommes quelconques, types de l'humanité, tirant toute leur valeur de leur définition. C'était Andromaque, l'Andromaque d'Homère et de Virgile, c'était l'Oreste fatal d'Eschyle et d'Euripide. Toute la Grèce homérique lui apparaissait sur le rivage d'Aulis, autour de l'autel où il traînait Iphigénie. La grande figure de Mithridate séduisait son âme d'artiste; et, au risque de déranger l'équilibre de sa composition, au milieu du drame réaliste du vieillard amoureux, il s'arrêtait à peindre, dans toute sa hauteur, le despote oriental, cruel et héroïque, dont Plutarque lui donnait l'idée. Il écrivait *Britannicus*, le plus saisissant tableau qu'on ait tracé de Rome impériale : il l'écrivait en pur artiste, sans idée ni intention de politique, attaché seulement à bien rendre la sombre couleur de Tacite. Là, comme dans *Mithridate*, il en use librement avec ses auteurs, pour le détail des faits et pour la composition psychologique des caractères individuels : mais Plutarque et Tacite ont très fortement enfoncé dans son âme la vision d'une Asie barbare ou d'une Rome corrompue, qui se déploie par-dessus le mécanisme abstrait des forces morales. Phèdre a une poésie plus prestigieuse encore : on ne saurait citer tous les vers qui créent, autour de cette dure étude de passion, une sorte d'atmosphère fabuleuse, enveloppant Phèdre de tout un cortège de merveilleuses ou terribles légendes, et nous donnant la sensation puissante des temps mythologiques :

> Noble et brillant auteur d'une triste famille,
> Toi dont ma mère osait se vanter d'être fille,...
> Soleil....
> O haine de Vénus ! ô fatale colère !
> Dans quels égarements l'amour jeta ma mère !...
> Ariane, ma sœur, etc...
> La fille de Minos et de Pasiphaé....
> Moi-même, il m'enferma dans des cavernes sombres,
> Lieux profonds, et voisins de l'empire des ombres....

Et tant d'autres vers, qui font que la tragédie s'élargit avec l'imagination du public, et devient apte à recevoir toutes les impressions que notre éducation archéologique et esthétique nous fait rechercher dans la représentation de l'antiquité.

Les tragédies sacrées de Racine ont le même caractère. *Esther* est une élégie pieuse, aimable et un peu enfantine, avec son fantoche de sultan et son épouvantail de ministre : mais le vieux Juif Mardochée, la douce dévote Esther ressortent en pleine lumière. Toute la poésie des Livres Saints est passée dans la prière d'Esther. *Athalie* est une vision d'une intensité étonnante : dans ce cadre grandiose du temple, devant ces chœurs, dont la voix, un peu maigre, rappelle à notre mémoire les fières beautés des psaumes hébraïques, Joad, si bien saisi dans son âpreté juive, dans sa puissance de haine et de malédiction, **dans** l'absorption enfin du sentiment national par la passion religieuse, Joad est une figure biblique. Mais songez surtout à son accès de fureur prophétique, à ce qu'il a fallu de puissance poétique, de hardiesse artistique, pour concevoir et pour offrir à ce monde de raisonneurs et d'intellectuels un prophète, un vrai prophète, inspiré, délirant, dessinant l'avenir en images actuellement extravagantes. Et, pour doubler l'audace de la peinture, imaginez que ce prophète découvre les crimes futurs de Joas, et risque de rendre odieux le personnage sympathique : faute insigne pour un dramaturge adroit, trait admirable de vérité profonde et de large poésie, qui jette soudainement une vive lumière sur la sinistre histoire de Juda, et sur le triste, le pauvre fond de notre humanité.

Je crains que Racine, comme Bossuet, n'ait été trop poète pour un siècle qui s'éloignait de plus en plus de la poésie : on sentit la vérité humaine mieux que la grandeur poétique de son œuvre. On pourrait s'étonner que les romantiques l'aient traité si mal, eux qui étaient poètes et artistes; mais il faut songer que tous les pseudo-classiques qui s'abritaient derrière Racine, leur en faisaient méconnaître le véritable caractère. Et surtout la poésie de Racine est tout juste l'opposé de la poésie romantique : elle n'est pas l'épanouissement de l'individualité, impérieuse et capricieuse; elle est tout objective et impersonnelle. **App. XVII.)**

5. LA TRAGÉDIE APRÈS RACINE.

J'ai pu grouper quelques tragiques autour de Corneille : autour de Racine, il n'y a personne. Rien de plus plat que Pradon et que l'abbé Genest [1]. Totalement dépourvus de sens poétique, ils

---

1. Sur la tragédie après Racine, cf. G. Lanson, *Nivelle de la Chaussée et la Comédie*

traitent les plus merveilleux sujets de la poésie antique avec une
sorte de bon sens bourgeois, asservi et étréci par les préjugés de
leur monde. A la fin du siècle, je ne vois à nommer que la pièce
de Longepierre (1688), pour une *Médée* rendue avec une raideur
énergique de dessin et une pauvreté de couleur qui font moins
songer à l'antiquité qu'à David, et pour un Jason très curieux de
réalité prosaïque, dans son rôle de bellâtre égoïste et plat.

La tragédie se meurt. Des mœurs de convention s'établissent :
l'observation directe de la nature cède la place à des formules
arrêtées, dont, au nom de la dignité tragique, il ne sera plus
permis de se départir. Les sujets s'évanouissent dans le vague et
l'abstrait. Pour voiler le vide et la fausseté des sentiments, on
arrange, on entortille les incidents romanesques, les scélératesses
monstrueuses. Les *incognitos* et les reconnaissances deviennent le
train ordinaire et journalier des actions théâtrales. A mesure que
la tragédie s'affadit, on cherche à la renforcer par la rareté des
situations et des sentiments : on va hors de la nature et contre
la nature. Jamais Campistron n'est plus fade que lorsqu'il veut
peindre un amour incestueux. Ni lui, ni Lagrange-Chancel ne
valent d'être lus[1] : ils font valoir je ne dis pas Rotrou ou Tristan,
mais Scudéry et La Calprenède, et le bonhomme Hardy. Ne nous
faisons pas illusion : la fécondité vigoureuse de la tragédie, c'est
autour de Corneille qu'il faut la chercher. Racine en a prolongé
seul la splendeur, dans une époque qui n'était plus capable que de
l'opéra.

---

larmoyante, p. 81-106. Le jugement ici porté se justifierait par : Pradon, *Régulus*,
ou *Phèdre et Hippolyte*; Genest, *Pénélope*; Longepierre, *Médée*; Campistron, *Andronic*
Tiridate; Lagrange-Chancel, *Ino et Mélicerte*, *Amasis* (sujet de Mérope).

1. Passe pour Lagrange-Chancel, le faiseur de mélodrames. Mais l'arrêt est un
peu dur pour Campiston. L'homme est un personnage assez curieux; et dans ses
tragédies affadies, il y a une ou deux notes de mélancolie presque romantique qui
à cette date sont originales (17ᵉ éd., 1922).

CHAPITRE V

LA FONTAINE

1. La Fontaine, son caractère ; sources et formation de son génie poétique. — 2. Les *Fables* : ce qu'il a fait du genre : drame et lyrisme.
— 3. La poésie dite *légère*. Chaulieu.

1. LA FONTAINE.

Si l'on veut se rendre compte des restrictions que comporte la
théorie des *milieux*, de l'effrayant inconnu que nulle détermination
scientifique des œuvres littéraires ne peut réduire, il ne faut que
considérer les deux plus purs poètes de notre xviie siècle : La Fontaine et Racine. Ils sont tous les deux Champenois[1], de la plus grise,
et prosaïque, et positive de nos provinces, de cette terre des bons
vivants et des malicieux conteurs, dont il semble que les *fabliaux*
épuisent la définition intellectuelle. Il y a dans La Fontaine assez
de quoi répondre à cette origine[2] : c'est moins évident chez Racine.

1. L'un est de la Ferté-Milon et l'autre de Château-Thierry. Il est possible que ce
soient deux terroirs très différents ; mais si cela est, on comprend que l'idée générale
de la région, de la province, à laquelle se tiennent d'ordinaire les disciples de Taine,
n'est plus qu'une abstraction sans réalité et sans signification précise (*11e éd.*).
2. Biographie : Né à Château-Thierry, le 8 juillet 1621, fils d'un maître des eaux
et forêts, Jean de La Fontaine étudia à l'Oratoire de Reims et à Saint-Magloire de
Paris ; puis il vécut oisivement à sa ville natale, parmi ses amis, Pintrel, traducteur de Sénèque, Maucroix, traducteur de Platon. En 1647, il se marie, et prend
une charge de maître des eaux et forêts. En 1654, il publie une traduction de l'*Eunuque* de Térence. Son parent Janmart le pensionne à Fouquet, qui le pensionne
Après la disgrâce de Fouquet, il écrit l'*Élégie aux nymphes de Vaux* ; et il accompagne Janmart exilé à Limoges ; il a raconté son voyage dans des lettres à sa femme
Plus tard, il est présenté à la duchesse de Bouillon, exilée dans sa terre de Château-
Thierry, pour qui il écrit les *Contes*. En 1669, il publie son roman de *Psyché*. Il
avait tout à fait abandonné Château-Thierry et sa femme. Pendant vingt ans il
vécut chez Mme de la Sablière ; lorsqu'elle fut morte, il alla chez M. d'Hervart
L'Académie le reçut en 1684. Il écrivit pour le théâtre *Ragotin ou le Roman comique*
1684), le *Florentin* (1685), la *Coupe enchantée* (1688). Il se convertit en 1693, et
mourut le 13 avril 1695. Parmi ses poésies diverses sont deux pièces importantes pour

Il faut se garder de l'enthousiasme, comme du dénigrement, quand on parle de l'homme et de la façon dont il vécut. On a poétisé la vie de ce bourgeois de province, sensuel et flâneur, qui n'eut ni sens moral, ni énergie pour aucun devoir, qui ne sut faire ni sa charge de maître des eaux et forêts, ni sa fonction de chef de famille. En pleine force du corps et de l'esprit, il lâcha tout, charge, femme et fils, pour venir à Paris, et vivre à la solde d'amateurs généreux. Il fut foncièrement égoïste; il ne sut résister jamais ni à son désir ni à son plaisir, et s'abandonna à toutes les impulsions de sa nature.

D'où vient cependant que ce caractère assez laid en somme s'est prêté aux idéalisations de la critique? C'est que La Fontaine a un égoïsme d'une qualité particulière, cet égoïsme des enfants qui n'est que l'instinct naturel, exempt de complications corruptrices. Le calcul et la réflexion en sont absents: il est tout spontané et de premier mouvement. Et dans ce total abandon à la nature, si la nature a des instincts de tendresse, de sympathie, d'amitié, l'homme sera tendre, affectueux, et capable de préférer ses sympathies à ses intérêts. C'est le cas de La Fontaine; il a le cœur primesautier, et le sentiment peut tout sur ce grand enfant ingénu.

Parce que cela lui fait plaisir, il aime ses amis; il leur est dévoué tendrement, délicatement, à Fouquet, à Mme de la Sablière, à M. d'Hervart. Si incapable de réflexion et de bon conseil pour lui-même, il est attentif, clairvoyant, prudent sur les affaires de ses amis. Aussi se fait-il aimer, comme il aime. Ce n'est pas la seule fois où l'on voie l'égoïsme radical faire un caractère charmant: ces libres déploiements de la nature primitive, antérieure à toute morale, ont d'infinies séductions.

Le fond de la poésie de La Fontaine, c'est cette spontanéité, cette richesse des émotions, qui, dans la vie réelle, en font le plus incorrigible des fantaisistes; c'est la simplicité, l'absolue et immo-

la connaissance de son génie, l'*Epître à Huet* et le *Discours à Mme de la Sablière*.
    Éditions: *Fables*, I-VI, 1668; VII-VIII, 1678; IX-XI, 1679; XII, 1694. Ed.
R. Delbiausse, 1948; V.-L. Saulnier, 1950; *Œuvres complètes*, éd. H. Régnier e
P. Mesnard, 1883-93; J. Longnon, 1927; E. Pilon, R. Groos, J. Schiffrin et P. Cla
rac, 1941. *Disc. à Mme de la Sablière*, éd. H. Busson et F. Gohin, 1938. — **A con**
sulter : Chamfort, *Eloge de L. F.*, 1774; Sainte-Beuve, *Portraits litt., Lundis*
XIII; F. Brunetière, *Etudes critiques*, VII; H. Taine, *L. F. et ses fables*, 1853-60;
Marty-Laveaux, *Langue de L. F.*, 1853; G. Lafenestre, *L. F.*, 1895; Roche
L. F., 1913; G. Michaut, *L. F.*, 1913-14; E. Faguet, *L. F.*, 1913, *Hist. de l*
Poésie fr., IV, 1930; A. Hallays, *L. F.*, 1922; R. Bray, *Fables de L. F.*, 1929;
F. Gohin, *Art de L. F., dans ses Fables,*, 1930, *L. F.*, 1937; A. Bailly, *L. F.*
1937; J. Giraudoux, *Les Cinq Tentations de L. F.*, 1938; P. Clarac, *L. F.*, 1947

rale irréflexion (en un sens) de l'expression qu'il leur donne.
Il y a de tout dans cette âme de poète : esprit d'abord, malice,
ironie; sensibilité ensuite, et sympathie universelle, large amour
de la nature et de l'humanité. C'est un artiste en plaisirs, qui
excelle à s'en fabriquer de toutes sortes et de toutes qualités, avec
tous ses sens et tout son esprit.

> J'aime le jeu, l'amour, les livres, la musique,
>   La ville et la campagne, enfin tout : il n'est rien
>   Qui ne me soit souverain bien,
> Jusqu'aux sombres plaisirs d'un cœur mélancolique.

Il goûte voluptueusement

> Les forêts, les eaux, les prairies,
> Mères des douces rêveries.

Mais il est amoureux aussi de l'esprit humain, de l'exercice intellectuel, des livres, et de tous les *livres* :

> Je chéris l'Arioste et j'estime le Tasse;
> Plein de Machiavel, entêté de Boccace,
> J'en parle si souvent qu'on en est étourdi.

Ne voulait-il pas aller au séminaire pour avoir lu la Bible? N'était-ce
pas une ode de Malherbe qui avait fait jaillir la source profonde
de poésie jusque-là cachée sous l'épaisse jovialité du bourgeois
de province? Et ne le voit-on pas raffoler de Baruch toute une
semaine? Dans cette vivacité et cette mobilité d'impressions, une
vie s'en va à vau-l'eau : mais l'étoffe est riche pour la poésie.

Avec cela, il n'a rien d'un fou, d'un inconscient, d'un irrespon-
sable. Ses légendaires distractions ne l'empêchaient pas de voir
clair dans la vie : le caractère était mou et ployable en tous sens,
mais l'intelligence était aiguisée et pénétrante. Il était observateur, et toute réalité entrait profondément en lui. Il voyait si
clair, le bonhomme, qu'il a été le premier à noter, dès 1660, que
le temps de la fantaisie était passé, que le temps de la vérité était
venu dans la littérature. Il avait aussi un sens exquis de l'art :
il avait ce don rare, la mesure dans l'énergie. Il savait limiter ses
impressions, les arrêter au point précis où elles deviendraient
douloureuses et brutales. Hardiment naturaliste, il estimait qu'il
n'y a pas d'interprétation artistique de la nature qui n'y manifeste
de l'agrément et de la grâce; mais, comme c'était le plus loyal et
le moins *truqueur* des artistes, il ne rendait ainsi que parce qu'il
sentait d'abord : sa forme d'esprit était un délicat épicurisme,

qui excellait à extraire de tous objets les parcelles de beauté ou
de plaisir qui y étaient enveloppées. Il avait, dans un degré particulier de puissance, les facultés techniques du poète : les mots
étaient pour lui des formes vivantes, souples, colorées, et le vers
était le développement harmonieux d'une ondulation rythmique.

On voit de quels éléments est formé le génie de La Fontaine, et
ce qu'y peuvent revendiquer toutes les influences extérieures et
antérieures. De la tradition gauloise, c'est-à-dire purement française, il tient l'esprit, le récit leste et vif, la raillerie subtile et
pénétrante, sans parler de l'immoralité qui est un jeu de l'esprit
plutôt qu'une fougue des sens. Les *Contes*, c'est la pure tradition
des auteurs champenois et picards, c'est l'inspiration des *fabliaux*,
avec un peu de l'art de Boccace. Ils sont bien déplaisants et
ennuyeux aujourd'hui, avec leur libertinage raffiné et froid, où
le thème scabreux est présenté toujours dans l'abstrait, hors de
toute peinture des mœurs : mieux vaut encore la grossièreté des
fabliaux. De son siècle, de l'esprit rationaliste et scientifique
qui prévalait alors, il tient son goût de vérité exacte, son observation précise et serrée, sa curieuse recherche et sa sûre connaissance de la vie morale et des passions humaines. De l'Italie, et de
l'antiquité, même de l'antiquité grecque qu'il eut le rare talent
de percevoir à travers les insuffisantes traductions, il a tiré son goût
délicat, et ce sens de la forme, ce besoin d'une perfection difficile,
qui ont réglé l'emploi de ses facultés poétiques : c'est par là qu'il
est devenu un artiste, et qu'il a travaillé sa matière en œuvre d'art.
Enfin, son originale propriété, l'inexplicable fond de son individualité, c'est, dans une race, dans un siècle peu poétique, la puissante expansion de son tempérament poétique; c'est cette souplesse
de l'âme universellement impressionnable, et capable d'absorber,
d'amalgamer et de fondre toutes les autres influences.

Au reste, il ne faut pas se laisser égarer par les mots légendaires
qui ont cours à propos du bonhomme. Ce *fablier* n'a pas porté
ses *fables* comme un prunier porte des prunes : ç'a été du moins
un fablier bien tardif. La Fontaine fait ses débuts dans la littérature à trente-trois ans, par l'*Eunuque* (1654); il a plus de quarante
ans quand il écrit *Joconde*, son premier *Conte*; il a quarante-sept
et cinquante-sept ans, quand il publie ses deux principaux recueils
de *Fables*. C'est tout juste le contraire de ce qu'on attendrait
d'un génie naturel et facile : la poésie de La Fontaine est l'œuvre
de sa maturité déjà avancée. Il lui fallut le temps de se reconnaître : lentement, péniblement, il s'est mis en possession de son
originalité, après avoir tâtonné et erré. Il n'y a rien d'inconscient
dans son génie; il est tout clair, avisé, réfléchi; et il faut qu'il ait
nettement conçu et la qualité de son naturel et le caractère de

son idéal pour les réaliser dans des œuvres parfaites. L'esprit l'a séduit d'abord, et tous les précieux, les Italiens, Voiture. Mais il en est revenu : les anciens l'ont ramené à la simple nature. Il les en a remerciés dans son *Épitre à Huet*, attestant par son expérience la vérité des enseignements de Boileau. Même alors, surtout alors, il a travaillé : il s'était négligé quand il raffinait, mais l'exquise simplicité, il ne l'a jamais rencontrée que par un labeur obstiné. Ses *Fables*, où la poésie coule de source, ont été faites et refaites, jusqu'à ce qu'elles eussent trouvé leur perfection. On possède le *Renard, les mouches et le hérisson*, sous deux formes : il n'a passé dans la seconde rédaction que deux vers de la première.

2. LES FABLES.

Nous pouvons négliger tout le reste de l'œuvre de La Fontaine, les *Contes*, si ennuyeux et si tristement vides de pensée dans la grâce légère de leur style, tout le théâtre, les *Poèmes* sur le *Quinquina* et la *captivité de Saint-Malc*, les pièces détachées, les lettres. Ce n'est pas là qu'il faut chercher La Fontaine : s'il s'y trouve parfois, il y est moins complet, moins pur que dans ses *Fables*. Il a pu y semer des choses exquises : il n'y en a nulle part d'aucune sorte que les *Fables* ne nous présentent dans une intensité ou une perfection supérieures. Le principal intérêt de tous ces ouvrages, c'est de nous montrer souvent à l'état brut ou mal dégrossis encore des matériaux que le bonhomme recueille de ci de là, au hasard de ses expériences et de ses rencontres, et qu'il essaie, affine, concentre peu à peu, pour en faire ensuite les éléments de ses chefs-d'œuvre. Ils nous aident à comprendre aussi ce que l'unique et personnelle perfection des *Fables* nous dérobe : par où La Fontaine tient à la poésie légère de son temps. Les vers de sa jeunesse le rapprochent de Voiture, des Benserade, des Segrais, les poètes mondains, raffinés, spirituels et froids : voilà d'où il part, et peu à peu il se dégage de leur compagnie. Les œuvres de sa vieillesse, avec le XII° livre des *Fables*, nous montrent comment il retourne au ton de la poésie mondaine, et redescend vers les Chaulieu, les Hamilton et les La Fare. Entre les deux groupes se placent onze livres de *Fables*, où l'individualité absorbe et domine toutes les influences du milieu et du moment.

Ici ma tâche est abrégée par l'excellente étude de Taine. Je n'ai qu'à y renvoyer le lecteur désireux de comprendre la substantielle solidité et l'art exquis des *Fables*. Elles sont d'abord un tableau de la vie humaine et de la société française. La Fontaine a l'intuition psychologique, et il a le sens du réel : il a peint des hommes de tout caractère et de toute condition, rois, seigneurs, bourgeois, curés, savants, paysans, orgueilleux, poltrons, curieux, intéressés, vaniteux, hypocrites, chacun dans l'attitude et avec le langage qui lui conviennent et l'expriment. Il connaît l'homme comme Molière, la société comme Saint-Simon.

Mais, selon la tradition du genre, les hommes ne sont pas à l'ordinaire présentés dans leurs formes et leurs actes d'hommes : toute la nature fournit de transparents symboles, où le poète enferme ce que son analyse a découvert de nos vices et de nos travers. Ainsi la vérité se recouvre de fantaisie; elle se voile sans se dérober, et le charme du livre est fait en partie de ce contraste, qui nous fait passer incessamment de l'irréel au réel, et de la dure précision de l'expérience aux capricieuses libertés du rêve. En vertu des sujets traditionnels de l'apologue, la scène est presque toujours transportée hors du monde, hors de la ville, aux champs, dans les solitudes des bois et des plaines : et voilà le sentiment de la nature réintégré dans la poésie, entre la morale et la psychologie. La Fontaine ne mêle point de religion, ni de panthéisme, ni même de dynamisme dans son amour de la nature : il jouit des formes qu'elle offre, des sensations qu'elle procure, sans rien chercher au delà. Les paysages sont dessinés d'un trait fin et rapide : ce sont des impressions nettement et sobrement notées.

Dans la description des animaux, je me sépare de Taine : La Fontaine n'a rien du naturaliste. C'est tout simplement un *peintre animalier* d'un incomparable talent. Regardez ses chats, ses lapins, ses chèvres, son héron : il dessine avec une précision, une vie étonnantes, la forme extérieure de l'animal, silhouette, attitudes, démarche. Et par un raisonnement que nous faisons tous les jours à propos de nos semblables, du profil et de l'aspect de l'animal il en induit le caractère, c'est-à-dire un caractère humain, qu'il lui attache : il en explique les actes familiers par les motifs et les mobiles qui rendent compte des actes des hommes.

Il faut demander à Taine aussi le secret de la perfection artistique des *Fables*. Chaque récit est composé comme un drame, avec son exposition, ses péripéties, son dénouement. Chaque personnage est caractérisé dramatiquement, par ses actes, et par son langage : rien de vague, rien d'abstrait; le type est général, la forme qui l'exprime est concrète; tout est précis, individuel et vivant. L'expression est merveilleuse de justesse et d'intensité. La Fontaine s'est fait une langue personnelle, exquise, énergique, pittoresque. Comme Molière, il a refusé de s'enfermer dans le langage académique et dans l'usage mondain : mettant en scène tout condition et tout caractère, il lui faut des mots de toute couleur et de toute dignité. Il en prend au peuple, aux provinces, mots de cru et de terroir, savoureux et mordants : il en va chercher chez ses conteurs du xvi⁰ siècle, chez son favori Rabelais. Il mêle tous ces emprunts dans le courant limpide de son style, et les plus vertes expressions, les plus triviales, et qui sentent la canaille ou l'écurie, n'étonnent ni ne détonnent chez lui, tant elles sont à leur place, et justes, naturelles, nécessaires. Il faut comparer ses *Fables* avec les secs apologues d'Esope, avec la froide philosophie de Lessing : mais il faut aussi, dans les occasions où il a rivalisé avec notre Rabelais, étudier comment, à force de goût, de mesure, de sobriété, il a multiplié en quelque sorte sa puissance. C'est là surtout qu'on apercevra quelle part ont le discernement et la réflexion dans ces chefs-d'œuvre.

Presque toutes ces idées trouvent leur développement, avec les exemples capables de les illustrer, dans le charmant livre de Taine. Je me contenterai donc d'ajouter quelques observations complémentaires, et d'appeler l'attention sur quelques points importants.

La Fontaine, d'abord, n'invente rien : il prend sa matière de toutes mains, d'Esope, de Phèdre, de Babrius, d'Avienus, de Lokman ou Pilpay, d'Horace ou de Marot, de Des Périers ou de Rabelais, de tous les fabulistes de profession et d'occasion qu'il peut connaître. Parfois une anecdote contemporaine l'inspire, comme dans le *Curé et le mort* : parfois il reçoit le sujet de quelqu'un qui le lui donne à mettre en vers; jamais de lui-même il n'a inventé sa matière. Par là il manifeste son entière communion de goût avec les grands artistes classiques, chez qui nous avons trouvé la même conception originale de la véritable invention. De plus, quand il s'agit de fables, c'est une preuve de goût notable, que de se refuser l'honneur facile de créer des sujets. L'apologue est de sa nature une forme très primitive et très naïve : la réflexion individuelle ne peut guère plus créer des sujets de fables que des sujets d'épopée; et ces formes symboliques ne sauraient être compréhensives et vivantes qu'à condition de dériver d'une source populaire ou d'être au moins consacrées par une longue tradition. Alors toutes les bizarreries, toutes les impossibilités deviennent vraisemblables; les symboles se présentent déjà tout chargés de sens, et taillés à la mesure des réalités naturelles. Ce qu'un auteur invente et combine, en ce genre, ne peut être qu'ingénieux, factice et sec : on peut s'en assurer en lisant les insipides ou absurdes créations de La Motte-Houdart.

Mais dans ces cadres traditionnels, La Fontaine a versé toute la richesse de sa nature, de ses émotions, de ses expériences. On s'est demandé souvent par quel effort de génie il avait su porter si

haut un genre si mince : c'est tout simplement qu'il l'a ajusté à
sa taille. Il n'a pas *versifié* les sujets d'Ésope et de Phèdre : il a
traduit des visions personnelles de la vie, que sa réflexion faisait
transparaître à travers les lignes maigres et sans caractère des
thèmes traditionnels. Un exemple va nous aider à comprendre.
La Fontaine lit, dans *le Coche et la mouche*, le fait abstrait, sec,
incolore, insipide. Mais ce fait réveille en lui des sensations lointaines [1] : le carrosse de Poitiers gravissant une rude montée dans
la vallée de Torfou ; et de ces sensations réveillées va se former le
tableau merveilleux, d'une couleur si sobre et si intense, que présente le début de la fable. C'est en lui, non dans son auteur, qu'il
a trouvé le pittoresque et la poésie du sujet.

Voilà comment il a tant élargi le genre de l'apologue. Telle
fable est un conte, un *fabliau*, exquis de malice, ou saisissant de
réalité, *le Curé et le mort, la Laitière et le Pot au lait, la Jeune
Veuve, la Fille, la Vieille et ses deux servantes*. Telle est une idylle :
Tircis et Amarante, Daphnis et Alcimadure. Telle, une élégie : *le
Deux Pigeons*. Nombre de fables sont encadrées dans des épîtres
des discours, des causeries : le duc de la Rochefoucauld, Mme de
la Sablière, Mlle de la Mésangère, Mlle de Sillery, Mlle de Sévigné
reçoivent des pièces plus charmantes qu'aucune de celles qu'on
dédiées Voiture ou Voltaire. Ailleurs la fable s'agrandit en poème
philosophique : comme lorsqu'il démontre la vanité de l'astrologie
judiciaire, ou lorsque, dans un long discours, il discute la théorie
cartésienne des animaux machines. Enfin, à chaque instant, le
fables s'enrichissent de prologues ou d'épilogues lyriques : c'est
par une ode à la solitude que se termine *le Songe d'un habitant d
Mogol*.

A vrai dire, le lyrisme est partout dans ces *fables* : l'individualit
du poète s'épanche avec une grâce charmante, une individualit
qui n'a rien de romantique, de fougueux, de tapageur, qui es
toute en finesse ironique, en sensibilité discrète. Il se fait u
mélange singulier de description objective et d'expansion subjec
tive, un continuel et facile passage de l'une à l'autre. On se demand
parfois où est la poésie lyrique dans le xviie siècle classique : ell
est là, dans ces *Fables*, qui offrent précisément et la dose et l
forme du lyrisme que l'esprit d'alors était capable de goûter. C'e
une combinaison unique de représentation impersonnelle et d'émo
tion personnelle. La Fontaine tempère le lyrisme par les élémen
narratifs ou dramatiques ; il l'impose ainsi à un public positif, pe

---

1. Cf. une lettre à sa femme du 30 août 1663.
2. *Les Lapins, le Corbeau, la Gazelle et la Tortue, Daphnis et Alcimadure, Tir
et Amarante, le Lion amoureux.*

rêveur et peu sentimental; et ce public s'étonne du charme singulier de ces petits récits et de ces petites comédies, sans se douter
que cette douceur pénétrante, d'une essence inconnue, vient précisément des émotions lyriques dont cette âme de poète a imprégné
sa matière. Patru suivait l'instinct du siècle quand, ne voyant que
la « vérité », et ne considérant la fable que comme un appareil
destiné à enregistrer les résultats d'une étude expérimentale de
l'homme et de la vie, il conseillait à La Fontaine d'écrire en prose.
Mais le bonhomme avait son idée : il ne se voyait pas savant, mais
poète et artiste, et derrière chaque vérité conçue par son esprit il
sentait se lever toutes les émotions de son cœur, toutes les images
de ses sensations.

Il a créé pour son œuvre unique une forme unique aussi : précise et imprécise à la fois, nette et fuyante, étonnante de mélodie
et de richesse. Chaque fable déroule ses rythmes particuliers,
insaisissables, instables, sans loi apparente ni périodicité définie :
on compterait les pièces où le mètre est fixe et uniforme, et il est
rare qu'elles soient parmi les chefs-d'œuvre. Cette forme expressive et souple, qui se défait et se refait sans cesse, qui se coule
librement, sans aucune contrainte technique, sur la pensée ou le
sentiment, n'est-ce pas la perfection de ce que quelques-uns de
nos contemporains s'évertuent à chercher? n'est-ce pas le vers
polymorphe, apte à enregistrer toutes les nuances et comme toutes
les modulations d'une âme?

La vérité psychologique, le sentiment poétique, la délicatesse
rythmique, voilà les parties essentielles de la Fable, telle que La
Fontaine l'a faite. La moralité, je veux dire la formule morale
dont le récit est l'illustration exacte, passe assurément au second
plan. Tantôt elle est en tête, ou en queue, selon le caprice du
poète, tantôt elle est double, tantôt elle est absente : deux récits
se juxtaposent pour une seule morale. Souvent le récit exquis,
original, amène une moralité insignifiante ou banale. Il est visible
que La Fontaine a inséré cet élément comme traditionnel, et
nécessaire à la définition du genre. En réalité, ce n'est pas dans
la moralité qu'il faut chercher la morale de La Fontaine : c'est
dans le conte, dont le meilleur et le plus substantiel ne passe pas
dans la formule abstraite qui prétend le résumer. C'est du conte et
de tous ses compléments lyriques, que se dégage la morale de
notre poète, sa conception de la vie, du bonheur et du bien.

Jean-Jacques Rousseau et Lamartine l'ont assez vivement accusé
d'immoralité. Ils n'ont trouvé dans les Fables que des leçons
d'égoïsme, de dureté, d'intérêt, de duplicité. Outre les raisons
personnelles qui ont égaré leur jugement, ils ont mal interprété les
moralités finales des Fables. Ils y ont vu des préceptes, quand ce

sont ordinairement des observations : ils ont cru que le poète
réglait, quand il constatait ; ils ont pris des lois expérimentales
pour des commandements catégoriques.

Au reste, il n'y a pas à nier que la morale qu'on peut tirer des
Fables, tant des moralités que des récits, soit une morale épicurienne. L'idéal du poète est un idéal de vie facile, naturelle,
instinctive ; c'est quelque chose d'intermédiaire entre Montaigne
et Voltaire ; c'est quelque chose d'analogue à la morale de Molière,
avec moins de réflexion, de sens pratique et d'honnêteté bourgeoise, avec plus de naïveté, de sensibilité et de sensualité tout à
la fois. Morale d'honnête homme éclairé, indulgent, sensible à
l'amitié, qui ne demande aux hommes que d'aller à leur bien
modérément sans détruire le bien des autres. La Fontaine, avec
Molière, représente dans la littérature classique une tradition
libertine, qui subsiste entre la tradition chrétienne et la doctrine
cartésienne. Il appartient à ce groupe qui finira par s'emparer
du principe cartésien, de la méthode scientifique, qui les déviera
pour les séparer de la religion et y trouver un moyen de la battre.
Déjà, chez lui, le naturalisme devient visiblement sensualisme.

C'est une question si La Fontaine a été estimé de ses contemporains à sa valeur. Je n'en doute pas. On estimait l'ample et
profonde vérité de son observation. Mais ces mondains mêmes
subissaient, sans trop se rendre compte de leur impression, le
charme complet de cette poésie qui, en leur parlant toujours de
l'homme, leur faisait voir toute la nature, l'immense, la multiple
nature, et qui mêlait l'effusion lyrique à la précision narrative ou
dramatique. Ils s'abandonnaient à cette séduction, à ce *je ne sais
quoi* si puissant et si doux. Ils le voyaient tel qu'il est, c'est-à-
dire unique ; et, par une exceptionnelle et heureuse dérogation aux
procédés habituels de leur esprit, ils le sentaient mieux qu'ils ne
le définissaient. Bussy et Mme de Sévigné [1] nous ont laissé des
témoignages décisifs du succès du bonhomme : et qui peut mieux
représenter qu'eux le goût de la haute société du XVIIe siècle ?

3. POÈTES LÉGERS.

Par ses œuvres secondaires, ainsi que je l'ai dit, La Fontaine se
relie à la foule des petits poètes du XVIIe siècle. Chez les uns,
l'esprit est plus pincé, plus facile chez les autres ; mais, dans
l'ensemble, il est sensible que la préciosité étudiée de l'âge précé-

---

1. Cf. Bussy, *Lettre du 4 mai 1686* ; Sévigné, *Lettre du 14 mai 1686.*

dent s'est résolue en distinction aisée. ou même en négligence de
bel air; décidément les qualités mondaines ne sont plus une surface, mais la nature même, et par malheur toute la nature. On
désigne cette poésie du nom de poésie légère, ne pouvant l'appeler
lyrique; il y manque en général la passion, l'émotion, la profondeur; et il y manque l'art. Ce sont des vers élégants, souvent
jolis, parfois exquis : ce n'est pas de la poésie, ou, du moins, ce
que nous mettons dans ce mot est absent. C'est, dans un rythme
facile et rapide, une causerie agréable, piquée de traits délicats
ou spirituels [1], comme une quintessence de l'esprit de salon.
Toutes les conventions mondaines y fleurissent, comme dans les
Églogues ou l'*Athis* de Segrais [2], où l'on trouvait tant de « douceur, tendresse et sentiment » : rien de plus froid, de plus vide,
que ces vers purs et coulants, où la galanterie ingénieuse ne laisse
pénétrer aucun parfum de la vraie nature, aucun accent de la
vivante humanité.

Nombre de ces petits poètes, et les meilleurs, vivent dans les
plus libres sociétés du siècle. Un vif courant de sensualité épicurienne circule dans leurs œuvres, où les appétits de la chair excitent l'indépendance de l'esprit. Et, par la poursuite du plaisir sans
relâche et sans règle, par la lassitude finale qui envahit les existences trop uniquement voluptueuses, un peu de sentiment, de la
sincérité, de la mélancolie, enfin de la poésie, rentrent dans ces
pièces légères. Sous l'apparente fadeur des *idylles* de madame
Deshoulières [3], dans les retours fréquents qu'elle fait sur sa fortune, quand on perce les transparentes allégories, il y a bien de
l'amertume, un triste désenchantement des hommes et de la vie,
un fond singulier de libre pensée.

Mais il faut estimer surtout l'abbé de Chaulieu [4]. Ce Normand
avisé, qui laissa son ami La Fare s'abrutir en suivant à la lettre

---

1. Ainsi Chapelle (1626-1686) écrit avec Bachaumont le fameux *Voyage en Languedoc* (1656), qui est la plus insignifiante bagatelle : le parti pris d'amuser exclut
toute vérité d'impression.

2. Segrais (1624-1701) fut secrétaire des commandements de Mademoiselle; s'étant
brouillé avec elle, il passa chez Mme de la Fayette, à qui il prêta son nom pour
publier ses romans. En 1676, il se retira à Caen. Il a traduit en vers *l'Énéide* et *les
Géorgiques*, remplaçant le sentiment virgilien par l'élégance académique.

3. Mme Deshoulières (vers 1638-1694), avec qui Fléchier fut intimement lié, est le
trait d'union entre les précieux de l'Hôtel de Rambouillet et les précieux de l'Hôtel
Lambert et de Sceaux. Boileau l'a mise comme telle dans sa X[e] satire.

4. Guillaume Amfrye, abbé de Chaulieu (vers 1636-1720), né à Fontenay dans le
Vexin normand, s'attacha surtout au grand prieur de Vendôme. « Monsieur le Duc »
et la duchesse du Maine le protégeaient et le recherchaient aussi. Exploitant ces illustres amitiés, il se fit 30 000 livres de rente en bénéfices. — Éditions : *Poésies*, Lyon,
1724, in-8; 1750, 2 vol. in-12; 1774, 2 vol. in-8; *Lettres*, dans le recueil des *Œuvres*
de Mme de Staal; *Lettres inédites*, publ. par le marquis de Béranger, Paris, 1850.

leurs communes maximes, et s'arrêta, dans l'usage de la paresse et du plaisir, au juste point où ni sa santé ni son intelligence ni ses intérêts n'étaient compromis, était une robuste nature; il n'y a rien de mièvre ni d'épuisé dans ses vers. On n'y retrouve guère ce pétillement de fantaisie, **qui rendait** Chaulieu séduisant dans un souper, au Temple, à Saint-Maur ou à Sceaux.

A la fin de sa longue existence, ce très profane abbé a ressenti dans ses sens et dans son âme une ombre des impressions qui font la douloureuse beauté de l'*Ecclésiaste*. En son léger et clair langage d'homme du monde, il a laissé couler dans quelques pièces et dans quelques lettres une fine tristesse, sans éclat et sans espoir, dont l'emplissaient la vue de la vanité des choses, le sentiment de l'irrévocable passé, de son être, tout entier, pour jamais écoulé, et par ces douces sensations même où il aspirait. Rien ne compense et ne contrepèse chez les derniers poètes du grand siècle les navrantes désillusions de l'égoïsme voluptueux : plus tard, le dévouement à l'humanité, la bienfaisance, la recherche du progrès social apporteront au sensualisme un principe de joie et d'espérance et aideront l'homme à se reprendre, à se relever par l'action. Tout cela manque à Chaulieu. Tout cela manquait à ses contemporains : de là ces accents qu'on trouve parfois chez eux, si amers sous la grâce badine des formes.

Une chose pourtant soutient Chaulieu et le rassérène : l'intelligence. Par elle, il comprend la loi de l'univers, qui implique la mort. Par elle, il se fait des idées de la nature et de Dieu, qui ôtent à la mort sa menace et son effroi. Par elle, il devient capable de mourir élégamment, c'est-à-dire paisiblement; il définit en vers lumineux les *trois manières de mourir*, épicurienne, panthéiste, et déiste, qui reviennent toutes les trois à mourir en philosophe. avec le sourire de l'acceptation ou de la confiance.

CHAPITRE VI

BOSSUET ET BOURDALOUE

Absence de l'éloquence politique; médiocrité de l'éloquence judiciaire.
— 1. L'éloquence de la chaire avant Bossuet. — 2. Bossuet : sa vie,
son caractère, son style, sa langue. — 3. Sermons, panégyriques,
Oraisons funèbres. — 4. Politique, Histoire universelle, Histoire
des variations, Méditations et Élévations. — 5. Bourdaloue. — 6.
Fléchier, Massillon : déclin de l'éloquence religieuse au xviiie siècle.
— 7. Prédication protestante.

Il n'y a pas eu d'éloquence politique au xviie siècle. Notre forme
de gouvernement n'en permettait pas le développement, comme
l'a fait justement remarquer Fénelon; aussi nulle tradition ne put
s'établir; et les rares discours que l'on a recueillis, dans les temps
où la faiblesse du pouvoir royal, sous les deux régences, permit la
libre et publique discussion des affaires publiques, sont des accidents sans conséquence, des œuvres isolées et sans lien, où l'on
n'aperçoit pas un art de la parole. Les harangues du Parlement,
prononcées à l'époque de la Fronde, celles par exemple de l'avocat
général Talon, ont la marche et le style des plaidoyers; on sent
que ceux qui parlent ont pour principale et ordinaire fonction
l'administration de la justice. Ainsi le rapport nécessaire est renversé chez nous entre les deux éloquences, judiciaire et politique : au lieu de celle-ci, c'est celle-là qui donne le ton [1].

Or l'éloquence judiciaire ne peut s'élever — c'est un fait — que
dans les pays où une grande éloquence politique s'est développée.
Ce n'est qu'à l'éloquence politique que l'éloquence judiciaire peut
emprunter une certaine manière large, lumineuse et populaire de

---

1. *Recueil choisi des harangues, remonstrances, panégyriques, plaidoyers, et autres
actions publiques les plus curieuses de ce temps*, Paris, G. de Luynes, in-4, 1657.
A consulter : Aubertin, *l'Éloquence politique et parlementaire en France avant 1789*,
Paris, Belin, in-8, 1882.

traiter les questions, de tirer le plaidoyer hors de la contestation
aride et technique, et hors de l'érudition pâteuse et pédantesque,
où invite la nécessité de plaire à des auditeurs peu nombreux et
généralement lettrés. Il n'y aura donc pas lieu de donner un chapitre à l'éloquence judiciaire du xviie siècle.

Il y a de l'esprit, une réelle netteté d'argumentation, mais que
d'érudition lourde, d'antithèses compassées dans les plaidoyers
d'Antoine Le Maître! Lisez le quatrième, sur la principauté du collège de la Marche : vous y verrez Platon et Sidoine appelés à décider
de l'âge d'un principal. Au milieu du siècle, en 1646, une cause
célèbre, celle de Tancrède qui revendiquait le nom de Rohan, soutenu par sa prétendue mère, la duchesse douairière, contre la
duchesse de Chabot-Rohan et contre toute la parenté, fit parler les
plus célèbres avocats du temps : Martin, pour Mme de Rohan-
Chabot, contestant que Tancrède fût le vrai et légitime frère de sa
cliente, allègue Médée, et Virginie, et l'Evangile, et la femme qui
*ayant mis trois fois au monde des enfants morts, dit avoir rêvé qu'il
lui fallait accoucher dans un bois sacré.* Gaultier vient ensuite,
pour le duc de Rohan-Chabot, et cite Archytas, Porphyre et les
six ordres des démons, Orphée et Apollon, du grec et du latin,
des vers et de la prose, Platon, Socrate, Rachel, l'empereur
Henri, une princesse grecque, etc. Il montre la duchesse douairière
épouvantée d'avance de l'arrêt qui lui découvrira « un enfante-
ment sans douleur, une conception sans le secours de la génération, une filiation sans paternité », etc. « Elle craint, dit-il, que
l'on lui fasse voir qu'elle a commis le larcin de Prométhée, et
qu'elle veut que le feu de sa passion soit le feu dérobé du ciel
qui anime un enfant supposé, lui donne un nouvel être, et falsifie
l'ouvrage de la nature. » Enfin Patru se présente pour le duc de
Béthune et autres parents : « Messieurs, dit-il, l'intérêt de mes
parties est tout visible : on veut leur donner un inconnu pour
parent. » Cette simplicité repose. Ce n'est pas qu'il n'y ait encore
parfois de la boursouflure et du pédantisme dans les plaidoyers
de Patru : mais, en général, il sait se passer d'éloquence; on lit
encore avec intérêt certains de ses discours qui nous mettent bien
au courant des affaires. Ainsi s'explique la renommée dont il
jouit en son temps; et, si elle dépasse son mérite, elle fait honneur
au goût de ceux qui la lui ont donnée [1].

1. **Biographie** : Antoine Le Maître, neveu d'Arnauld d'Andilly et d'Antoine Arnauld
né en 1608, se fit une grande réputation au barreau; sa retraite à Port-Royal en 1638
fit grand bruit. Il mourut en 1658. — Olivier Patru, né en 1604, mort en 1681, fut de
l'Académie en 1640. Lié avec Vaugelas, Balzac, D'Ablancourt, plus tard avec Boileau
et La Fontaine, il faisait autorité en matière de langage et de goût.

Éditions : *les Plaidoyers et harangues de M. Le Maistre*, Paris (1657), *dernière*

Notre éloquence serait bien peu de chose auprès de l'éloquence
grecque ou romaine si nous n'avions les prédicateurs. La religion
a été, dans la société du xviie siècle, la source vive de la parole
publique; et, comme le faisait très bien remarquer M. Brunetière,
les discours chrétiens des Bourdaloue et des Bossuet ne sont pas
inférieurs aux harangues civiles des Cicéron et des Démosthène.
Si les orateurs grecs et romains touchent en nous les cordes du
patriotisme et les notions générales de l'intérêt public, ce dont
nous parlent nos orateurs chrétiens — le dogme mis à part, —
c'est toute notre vie morale et toutes les grandes questions métaphysiques et morales, que notre conduite journalière tranchera à
notre insu, si nous ne les résolvons avec réflexion; c'est une conception genérale de la vie et de l'être, qui se dégagera malgré
nous de nos actes, si nous ne les dirigeons pas par elle.

1. PRÉDECESSEURS DE BOSSUET.

Ce serait une erreur de s'imaginer, sur la foi d'extraits trop
judicieusement choisis, qu'avant Bossuet, tout est ridicule, emphatique, précieux, pédant dans les discours des prédicateurs. La
vérité est, au contraire, que depuis le temps de Henri IV jusqu'au
milieu du xviie siècle, la restauration du catholicisme se fait
sentir dans la chaire par la gravité, la solidité de la parole chrétienne. On ne sait pas encore se priver des ornements de l'érudition profane et des coquetteries de l'esprit mondain : mais cela
recouvre un fond solide de théologie, et n'étouffe point les ardeurs
de la foi et de la charité. Autour de Du Perron et de François de
Sales, et après eux, se présentent en grand nombre des prédicateurs distingués, évêques, docteurs, moines, Charron, Coeffeteau,
Fenoillet , Cospean, les deux Lingendes, Senault, Lejeune, Desmares.

Je ne crois pas que les jansénistes aient en rien contribué
au perfectionnement de l'éloquence chrétienne : ils ont fait leur
œuvre par la direction et par les livres. Il y a au contraire deux
corps qui, en vertu de leur institution, s'adonnent avec ardeur
à la prédication : les oratoriens et les jésuites se disputent la
chaire comme l'enseignement. Les jésuites, en général, donnent
plus dans les agréments littéraires et mondains : les oratoriens

édition, 1664, in-4; les Plaidoyers et œuvres diverses de M. Patru, nouvelle édition
augmentée, etc., Paris, 1681, in-8; Recueil choisi, etc. (cf. plus haut). — A consulter :
Sainte-Beuve, Port-Royal, t. I ; Munier-Jolain, les Époques de l'éloquence judiciaire
en France, Paris, Perrin, 1888, in-12.

sont plus théologiens, et s'appliquent aux descriptions exactes des passions. Le zèle est égal des deux parts. Cependant il ne s'élève aucun talent supérieur, et les meilleurs sermons sont des œuvres d'une assez égale médiocrité. L'oraison funèbre et le panégyrique, comme discours d'apparat, restent singulièrement au-dessous des sermons, où la nécessité d'instruire et d'édifier met des limites aux excès du bel esprit. Il y a eu pourtant de bonnes parties dans quelques oraisons funèbres de Henri IV; mais après cela on ne rencontre rien qui soit même passable, jusqu'aux oraisons funèbres des deux Henriette.

Saint Vincent de Paul exerça une sérieuse influence sur l'éloquence religieuse. M. Vincent, comme on l'appelait, était ennemi de l'éloquence : il ne pouvait souffrir l'esprit, la pompe, la science étalée et ronflante. Il n'estimait que l'effusion du cœur qui va au cœur. Il parlait lui-même avec son cœur, sans étude, sans apprêt, familièrement, efficacement : son idéal est l'homélie simple et touchante des premiers temps de l'Église. Par son exemple, par l'autorité de sa haute vertu, par les conférences qu'il institua à Saint-Lazare pour former les jeunes prédicateurs, M. Vincent contribua plus que personne à mettre le discours chrétien dans la voie de la sérieuse et utile simplicité : il ne put sans doute proscrire, comme il le voulait, l'éloquence ; il enseigna du moins à en faire bon usage, à la subordonner aux fins essentielles de la parole chrétienne. Bossuet profita de ces enseignements [1].

2. BOSSUET : L'HOMME ET L'ECRIVAIN.

L'œuvre de Bossuet est immense et variée [2] : elle trouve son unité dans son rapport à la vie et au caractère de l'homme.

1. **A consulter** : A. Lezat, *De la prédication sous Henri IV*, Paris, in-8, 1871. De Tréverret, *Du panégyrique des saints avant Bossuet*, Paris, 1868. Jacquinet, *les Prédicateurs du* XVIIe *siècle avant Bossuet*, in-8°. *Lettres de saint Vincent de Paul*, Paris, Dumoulin, 1882, 2 vol. in-8.

2. **Éditions** : *Discours sur l'Hist. univers.*, 1681; *Hist. des Variations des Églises protest.*, 1688; *Recueil d'Oraisons fun.* 1689., *Œuvres complètes* : éd. des Bénédictins, 1772-88, 19 v. in-4; éd. de Versailles, 1815-19, 43 v. in-8; éd. Lachat, 1862-66, 31 v. in-8; éd. de Bar-le-Duc, 1877-85, 10 v. in-4. *Œuvres oratoires*, éd. critique J. Lebarq, Ch. Urbain, E. Levesque, 1914-29. *Correspondance*, éd. Urbain et Levesque, 1909-25; *Lettres*, éd. H. Massis, 1934; *Extraits des Œuvres diverses*, Lanson, 1899; *Maximes et Réflexions sur la Comédie* et *Traité de la Concupiscence*, éd. Urbain et Levesque, 1927 et 1930. Choix de textes commentés par Baumann, sous le titre *Bossuet moraliste*, 1932; *Lettres de B.*, éd. Massis, 1934. — **A consulter** : Abbé Ledieu, *Journal sur la vie et les œuvres de B.*; Gandar, *B. orateur*, 1866; J. Lebarq, *Hist. critique de la Prédication de B.*, 1888; G. Lanson, *B.*, 1890; abbé de la Broisse, *B. et la Bible*, 1890; Crouslé, *Fénelon et B.*, 1894-95; Rébelliau, *B.*, 1900; Ingold, *B. et le jansénisme*, 1904; F. Brunetière, *Études critiques*, II, V, VI, *B.*, 1914; Gazier, *B. et Louis XIV. Étude historique sur*

Jacques-Bénigne Bossuet est né à Dijon le 27 septembre 1627,
d'une famille de magistrats provinciaux : il avait six ans quand
son père fut nommé conseiller au Parlement de Metz. Il fit ses
études au collège des jésuites de Dijon et vint étudier la théologie au vieux collège de Navarre. Il soutint le 25 janvier 1648 sa
première thèse, devant le grand Condé, gouverneur de sa province natale, et protecteur de sa famille : puis il entre en licence
en 1650; prêtre et docteur en 1652, il se rend à Metz, ville toute
pleine de protestants et de Juifs, où les controverses sont ardentes.
Contre ces deux sortes d'adversaires, Bossuet essaie toutes les armes
de la théologie traditionnelle. Il prêche activement. Il écrit sa *Réfutation du Catéchisme* de Paul Ferry, ministre de l'Église réformée. En
1659, il s'établit à Paris, et, pendant dix ans, se dévoue à peu
près exclusivement à la prédication. Outre les sermons isolés qu'il
prononce, il prêche le Carême en 1660 aux Minimes, en 1661 aux
Carmélites, en 1665 à Saint-Thomas du Louvre, l'Avent en 1663
aux Carmélites, en 1668 à Saint-Thomas du Louvre. La cour
aussi veut l'entendre : il prêche au Louvre le Carême de 1662,
puis l'Avent de 1665; à Saint-Germain, le Carême de 1666, l'Avent
de 1669. Sa solidité théologique, son talent de controversiste le
font rechercher par les calvinistes inquiets ou ambitieux, qui
désirent s'éclairer, ou masquer une conversion intéressée : il écrit
pour Turenne son *Exposition de la foi catholique*, publiée en 1671;
devant Mlle de Duras, il soutient une laborieuse controverse contre
le ministre Claude (1678). Cependant, en 1667 il avait prononcé
avec succès l'oraison funèbre d'Anne d'Autriche, non imprimée
et perdue. En 1669, il avait consenti à publier celle de la reine
d'Angleterre Henriette de France; puis vinrent celles de Henriette
d'Angleterre, duchesse d'Orléans (1670), de Marie-Thérèse (1683),
de la princesse Palatine Anne de Gonzague (1685), du chancelier
Le Tellier (1686), du prince de Condé (1687).

Il fut arraché à la prédication par un emploi qui donna une
direction nouvelle à sa vie : il ne reparaîtra désormais dans les
chaires de Paris que pour de rares occasions. Après l'avoir nommé
évêque de Condom (sept. 1669), le roi le choisit en septembre 1670
pour être précepteur du Dauphin, dont M. de Montausier était

le caractère de B., 1914; Dimier, B., 1916; A. Letellier B., notre plus grand
écrivain, 1920; Bertault, B. intime, 1928; L. Bertrand H. Bordeaux, B. et
notre temps, 1928; Baumann, B., 1929; Guy de la Batut, Oraison funèbre
d'Henriette d'Angleterre par B., 1931; Vianey, l'Éloquence de B. dans la predi-
cation à la cour, 1929; A. Virely, B. essai d'iconographie, 1938; E. Baumann,
B. moraliste, 1932; G. Truc. B. et le Classicisme religieux, 1934; J. Calvet,
B., l'Homme et l'Œuvre, 1941; A. Rébelliau, B. historien du Protestantisme, 1892,
B. et le Jansénisme, 1898; L. Crouslé, B. et le Protestantisme, 1901; H. Bremond,
Apologie pour Fénelon, 1910; P. Hazard, Crise de la Conscience européenne,
1935; Willemot, B. et notre Temps, 1928; J. Calvet, Message de B., 1942.

gouverneur. Cette honorable, rude et ingrate fonction l'absorba
pendant dix ans (1670-1679). Se voyant attaché à la cour, il se
démit de son évêché, par un scrupule rare en ce temps-là : il
estimait que la résidence était de stricte obligation. L'insurmon-
table *incuriosité* du Dauphin, nature apathique et têtue, rendit
inutiles les efforts, le dévouement, la sévérité du gouverneur et du
précepteur.

Bossuet avait conçu cette éducation sur un plan sage et large,
qu'il nous fait connaître dans une lettre latine adressée au pape
Innocent XI. Il voulait que son élève ne demeurât étranger à
aucune connaissance humaine. La religion était au premier plan,
mais n'excluait rien : le Dauphin lut Térence, pour apprendre à se
garder des *pièges de la volupté et des femmes.* Le danger des éduca-
tions encyclopédiques fut écarté par la fermeté du précepteur, qui
fit prédominer dans toutes les études un caractère strictement utilitaire. Il ne perdit pas un instant de vue qu'il ne formait ni un
homme de lettres ni un savant, mais un roi : il apprit au Dauphin
tout ce qu'un roi doit savoir, il lui présenta toutes les connaissances par le côté qui pouvait l'aider à faire son métier de roi.
Il s'attacha à lui former surtout le caractère, à développer la
raison, en ornant l'esprit.

Afin d'éviter et le surmenage et les lacunes, et pour apprendre
au Dauphin tout ce qui était utile, mais rien qui ne fût utile,
afin d'assurer aussi l'unité morale de la direction, il se chargea
lui-même de donner tous les enseignements : il rapprit le grec,
l'histoire; il se fit donner des leçons d'anatomie : il n'abandonna
à d'autres maîtres que les mathématiques. Il s'astreignit à composer tous les ouvrages dont le Dauphin pouvait avoir besoin; et
les rédactions de l'écolier, que l'on a conservées, attestent sur
quelle étude solide des textes Bossuet établit son cours d'histoire
pour le XVIᵉ siècle surtout, il a dépouillé soigneusement tous les
principaux mémoires. L'esprit est large et libre, chrétien sans
bigoterie, monarchiste sans servilité; les papes et même les rois
sont hardiment, sévèrement jugés. Parmi les ouvrages composés
pour le Dauphin, il en est trois de considérables : le *Traité de la
Connaissance de Dieu et de soi-même,* auquel on peut joindre la
Logique et le *Traité du libre arbitre,* la *Politique tirée de l'Écriture
Sainte,* et le *Discours sur l'histoire universelle.*

Une fois l'éducation du Dauphin terminée, Bossuet fut nommé
au siège de Meaux (1681) : et tel était l'ascendant de sa science
et de son éloquence, que, simple évêque, et de médiocre naissance, il fut le véritable chef de l'assemblée du clergé de France
qui se réunit à la fin de 1681. Il inspira la *Déclaration* de 1682
formulant les libertés de l'Église gallicane : indépendance de

rois au temporel; infaillibilité de l'Église universelle, et non du pape; primauté du pape, mais égalité essentielle des évêques, comme ses pairs et successeurs directs des apôtres. Bossuet avait préparé une condamnation de la morale relâchée des Casuistes, que la brusque séparation de l'assemblée de 1682 ne laissa pas le temps de voter, mais qu'il reprit et fit passer dans l'assemblée de 1700.

En 1688, Bossuet publia son *Histoire des Variations des Églises protestantes*, qui fut fort attaquée par les protestants français et étrangers, par Basnage, Burnet, et surtout Jurieu. Il leur répondit par six *Avertissements* et par une *Défense*. Il ne voulait pas tant écraser la Réforme que ramener les réformés : il entretint long-temps l'espoir chimérique de rétablir l'unité de l'Église chrétienne. De là sa correspondance avec Leibniz, et des négociations entamées de 1692 à 1694, reprises de 1699 à 1701, qui n'eurent d'autre effet que de mettre à nu l'irréductible incompatibilité de la tradition catholique et du rationalisme protestant.

La plus âpre des controverses où Bossuet se soit mêlé est la querelle du quiétisme, qui devint un duel entre Fénelon et lui. Le quiétisme est une erreur de certains mystiques qui prétendent s'élever à un état de perfection indéfectible, dans lequel leur âme, unie à Dieu, ne fait plus d'actes distincts de foi ou d'amour, ne connaît plus les dogmes définis, n'emploie plus les prières for-melles, ne désire plus le salut éternel, s'abandonne passivement à la volonté divine, à toutes les inspirations et suggestions de cette volonté : le *pur amour* des quiétistes aboutit, en théologie à l'indifférence aux dogmes, en discipline au mépris des autorités ecclésiastiques, en morale à l'abandon de tout l'esprit et de toute la chair aux suggestions de l'instinct intérieur.

L'hérésie quiétiste, condamnée à Rome [1], reparut en France, où elle fut renouvelée principalement par un prêtre et par une femme de mœurs pures et d'imagination désordonnée, par P. Lacombe et par Mme Guyon. Cette femme séduisante réunit autour d'elle une petite église, fanatique et dévouée; l'abbé de Fénelon fut gagné, et Mme de Maintenon, qui laissa l'esprit de Mme de Guyon se répandre à Saint-Cyr. Bientôt, cependant, cette prudente institu-trice s'inquiéta des suites effectives du *pur amour*; l'évêque de Chartres, Godet-Desmarais, directeur de Saint-Cyr, la fit revenir de son égarement; et Saint-Cyr fut fermé à Mme Guyon. Alors, sur

1. Molinos, prêtre de l'église de Saragosse, fut emprisonné en 1685, et condamné en août 1687. De 1688 à 1690, la cour de Rome condamna les livres quiétistes parmi lesquels des ouvrages de Malaval et du P. Lacombe, et *le Moyen court et facile pour l'oraison*, de Mme Guyon, qui avait paru à Grenoble en 1685 (*Œuvres*, 1790, 40 vol. in-8°)

le conseil de Fénelon, elle invoqua l'arbitrage de Bossuet, qui, fort occupé d'ailleurs, et peu mystique de sa nature, n'entra dans l'affaire qu'avec répugnance. Mme Guyon lui remit ses *Torrents* et autres ouvrages pour les examiner (1693). Bientôt après, elle demanda officiellement des juges, qui furent M. de Noailles, évêque de Châlons, Bossuet et M. Tronson, directeur du séminaire de Saint-Sulpice. Des conférences s'ouvrirent à Issy, où les trois commissaires arrêtèrent laborieusement 34 articles qui définissaient la doctrine orthodoxe sur le pur amour et l'oraison. Fénelon, qui, après avoir reconnu formellement l'autorité des commissaires, fit tous ses efforts pour empêcher la condamnation de Mme Guyon, fut associé à la signature des articles (10 mars 1695). Pendant les conférences, le roi le nomma archevêque de Cambrai : après la signature, Bossuet le sacra. Son adhésion finale rassurait sur son orthodoxie.

Tandis que Bossuet, Noailles et l'évêque de Chartres publiaient dans leurs diocèses les articles d'Issy, Fénelon se taisait. Bossuet crut devoir expliquer plus amplement la matière, et composer l'*Instruction sur les états d'oraison*, dont le manuscrit fut communiqué à Fénelon. Mais, gagnant Bossuet de vitesse, il écrivit secrètement une *Explication des maximes des Saints*, qui rétablissait la doctrine abandonnée par lui : le livre parut un mois juste avant celui de Bossuet (1697). L'*Explication* s'annonçait comme un simple commentaire des articles d'Issy : Bossuet et Noailles, auxquels se joignit Godet-Desmarais, protestèrent publiquement. Devant le scandale que fit son ouvrage, Fénelon, après avoir refusé de se rétracter, et même de conférer avec Bossuet, en appela au pape le 18 avril 1697. Ce fut le commencement d'une violente polémique, où ni Bossuet ni Fénelon ne se ménagèrent, l'un plus franchement violent, l'autre plus perfide et déguisant ses violences sous une humble douceur. Pamphlets sur pamphlets arrivaient à Rome, où les agents des deux adversaires combattaient par toutes les armes de l'intrigue. Fénelon, ultramontain, ami des jésuites, avait la faveur de la cour de Rome : Bossuet, gallican, eut besoin d'avoir évidemment raison, et surtout d'avoir de son côté la peur qu'inspirait le roi. La terrible *Relation sur le quiétisme* (fin 1698) porta le dernier coup à Fénelon, qui fut condamné le 12 mars 1699. Cette grande affaire, où, selon Bossuet, il y allait de toute la religion, l'avait occupé cinq ans.

Au début, cependant, il avait trouvé le temps d'écraser un théatin qui défendait le théâtre : le P. Caffaro se rétracta bien vite après la *Lettre* de Bossuet, développée ensuite dans les admirables et dures *Maximes et réflexions sur la Comédie*.

En 1678, il avait fait détruire toute l'édition d'une *Histoire cri-*

tique de l'Ancien Testament, que l'oratorien Richard Simon avait fait imprimer. Il revient en 1702 sur le même adversaire, condamne sa version du Nouveau Testament, et écrit contre lui une *Défense de la Tradition et des Saints Pères*. Ce qu'il combattait là, c'était la critique historique et philologique, qu'il pressentait funeste à l'orthodoxie, et destructive de la religion : aucune des polémiques de Bossuet ne fut plus grave, et c'est la seule peut-être pour laquelle il se soit trouvé insuffisamment armé.

Tant d'ouvrages et de controverses, et de grands emplois dont il fut revêtu à la Cour ou à Paris — premier aumônier de la Dauphine, puis de la duchesse de Bourgogne, supérieur de la maison de Navarre, conservateur de l'Université, conseiller d'État d'Église — n'empêchèrent pas Bossuet de donner son principal soin à son diocèse et d'y faire ordinairement résidence. Il remplissait avec zèle toutes les fonctions pastorales, sans trop distinguer le temporel du spirituel, veillant au bien-être matériel, à l'hygiène, aussi bien qu'à la morale, à la discipline et à l'orthodoxie. Il eut à appliquer l'édit de Nantes, auquel il applaudit sans l'avoir conseillé, et que plus tard peut-être il sentit être une faute. Il l'appliqua avec modération, sans aucune idée de tolérance, mais par respect pour sa religion, et de crainte des sacrilèges qui pouvaient suivre des conversions forcées et fausses : les évêques du Midi, l'intendant Bâville le jugèrent tiède. Il prit grand intérêt aux communautés religieuses, qu'il soumit vigoureusement à son autorité : Jouarre et sa noble abbesse tentèrent de résister à l'évêque, qui plaida, gagna, et dut presque faire enfoncer les portes du couvent pour s'y faire reconnaître. Il distingua dans les communautés de femmes quelques âmes délicates et pures, qu'il consentit à diriger : il écrivit pour elles ses *Méditations sur l'Évangile* et ses *Élévations sur les mystères*. Mais il était le pasteur de tous, et non de quelques-uns : il se donnait à tous, visitant, confessant, prêchant surtout, avec une infatigable activité. Il s'affaiblit à la fin de 1703, et mourut le 12 avril 1704.

L'unité de cette vie (si du moins on peut se flatter de saisir le principe d'action d'une âme qui ne s'est jamais livrée ni étalée), c'est le désintéressement, le dévouement sans défaillance au devoir, sous toutes les formes où successivement il se présente; chacun des ouvrages de l'orateur ou de l'écrivain est venu à son heure, pour un besoin actuel et précis, sans désir de gloire littéraire. Avant tout, Bossuet est prêtre; cette qualité détermine les formes de son esprit et de sa conduite : le service qu'il fait à son roi, à son pays, à son prochain, est celui qu'un prêtre peut faire. Mais dans sa haute et généreuse intelligence, ce service s'élargit, de façon que son état de prêtre ne lui crée jamais une dispense, lui impose souvent une aggravation de peine et d'effort.

C'était un robuste Bourguignon, de sang riche, de tempérament bien réglé, simple, lucide, franc, sans brutalité comme sans flatterie, ennemi du tortillage et du mensonge. Son style paraît dur, parce que la vérité et la logique le règlent, impérieux, parce qu'il explique la tradition, et non sa pensée individuelle : mais, en cela du moins, son style n'est pas l'image de son caractère. Il a l'âme tendre, au contraire, la sensibilité vive : dans quelques écrits comme dans les *Méditations* et les *Élévations,* dans quelques lettres, il s'est livré, et l'on a pu voir de quelle ardeur il aimait et son Dieu, et les hommes, et quelques-uns parmi les hommes. Mais, à l'ordinaire, il contenait sa sensibilité; il montrait un jugement net, une volonté ferme; il avait la notion du possible et du pratique, le besoin de l'action efficace et précise. Il n'a point connu les chimères, les folies de la pensée, ni celles même de la vertu. Et ce manque absolu d'excès, cette infaillible exactitude qui se tenait toujours aux limites du vrai, du possible, de l'utile, c'est peut-être le point faible de ce grand et excellent homme : il fut trop paisiblement sage, sensé et soumis.

Avec sa forte intelligence, ce fut toujours une âme candide, presque naïve. Il fut le plus savant des théologiens, et garda jusqu'à sa mort la foi simple, sans nuages et sans doute, d'un petit enfant. Il expliquait avec pénétration le mécanisme abstrait des passions, des instincts, de l'égoïsme humain, et il crut toujours aux hommes : qui voulut le jouer, le joua. Ce moraliste profond n'avait pas l'ombre de l'intuition psychologique qui fait les politiques, les diplomates ou même les directeurs d'âmes. Il les dirigeait, lui, si discrètement, et de si haut, que, ne se sentant pas asservies, elles ne se croyaient pas dirigées : il se contentait d'offrir, de sa raison à leur raison, des principes généraux de conduite. Il ne voulait pas s'établir dans les profondeurs de leur conscience, de peur de violer leur liberté et de briser leur activité; s'il eût voulu y entrer, l'eût-il pu? l'eût-il su?

La qualité éminente de son esprit, c'est le bon sens, l'amour et le discernement du vrai. Il n'a pas évidemment la liberté critique d'un savant de nos jours : sa raison est soumise à la foi. Mais, d'abord, cette soumission n'est pas une abdication; elle est volontaire et sans violence : la raison y trouve son compte. Pour Bossuet, tout est obscur, douteux, fragile sans la foi : par la foi, l'univers, la vie, la morale deviennent intelligibles; de la foi sortent la clarté, la certitude. Il faut que la raison renonce à rien savoir, à rien comprendre, ou bien qu'elle accepte ces dogmes, qui la dépassent, et qui sont la condition de toute connaissance, la source de toute intelligibilité. Sous le contrôle et dans les limites tracées par la foi, la raison de Bossuet s'exerce librement. Au lieu de s'étonner que ce prêtre n'ait pas pensé comme un athée, il vaut mieux remarquer combien sa pensée a su garder de largeur et de liberté sans sortir de l'orthodoxie, et que nulle vérité ne lui a fait peur. C'est qu'il avait la plus fine logique, pour tout réduire et tout ramener à la doctrine révélée.

Et de là vient la solidité de son œuvre. Elle est absolument catholique, et pourtant, le catholicisme ôté ou nié, elle ne s'évanouit ni ne s'écroule. C'est que cette œuvre catholique est une œuvre de science rationnelle et expérimentale. Bossuet semble tout prendre de l'Écriture et de la tradition de l'Église : en fait, aucune réalité vivante, aucune vérité manifeste n'a été volontairement négligée par lui ; ce prêtre s'est nourri des inventions de la raison profane et même païenne. La meilleure substance de l'antiquité gréco-romaine a passé dans son esprit ; il découvre dans la Bible ou l'Évangile les pensées d'Aristote ou de Platon ; il emploie Lucrèce à commenter la Genèse. En un mot, avec une entière sincérité, mais aussi avec une rare adresse, il fait entrer dans le système de la religion toutes les vérités acquises depuis des siècles par la raison laïque. (App. XVIII.)

Son style tire sa perfection de son absolue et candide probité. Il ne faut pas se laisser égarer par quelques passages pompeux des *Oraisons funèbres* : le plus ordinairement, Bossuet est très simple. Dans les controverses, dans les expositions de faits, dans les discussions critiques, il a une brièveté, une rapidité, une négligence même, qui répondent bien peu à la définition banale de son style, qui passe pour uniformément sublime et pompeux. La qualité dominante, et l'on pourrait dire unique, de ce style, c'est la propriété ; il ne vaut que parce qu'il rend la pensée de l'homme. Mais il la rend toute, c'est-à-dire non pas seulement l'idée pure, l'élément intelligible, mais à tous les éléments sensibles qui l'enveloppent, lui donnent corps et couleur, émotions du cœur, formes de l'imagination, et jusqu'aux plus délicates vibrations de la personnalité intime. Tout Bossuet passe dans son style, et de là vient, comme nous le verrons, que l'orateur se double sans cesse d'un poète. Dans ce style se retrouve aussi la double inspiration que je signalais dans la pensée de Bossuet : non seulement il cite l'Écriture, mais il se l'est incorporée, et à chaque page se présentent des tours, des images, plus ou moins directement et sensiblement émanés des Livres saints. C'est même en grande partie, de ce commerce intime avec les écrivains bibliques et évangéliques, que vient la qualité originale de son style, unique entre tous dans la littérature classique. Mais il a eu pour maîtres aussi tous les anciens, les Latins surtout ; jamais l'empreinte dont ils l'avaient marqué ne s'est effacée.

Pour la langue proprement dite, la date de la naissance de Bossuet nous avertit qu'il devra parler la langue de la première moitié du siècle, celle de Corneille et de Retz plutôt que de Racine et de La Bruyère. Son éducation ecclésiastique nous expliquera qu'elle reste chez lui plus chargée de latinisme dans les tours et dans les sens que chez aucun des écrivains mondains. Bossuet ne se révoltera pas contre le bel usage et contre l'Académie : il en suivra de son mieux les décisions. Il se retranchera dans son âge mûr certaines familiarités, certaines trivialités ; il éclaircira et francisera quelque peu sa construction. Mais il ne parlera pourtant jamais la langue académique et mondaine : et la raison en sera dans son tempérament plutôt que dans son goût. Sa pensée n'est pas assez décharnée et abstraite ; il lui faut des mots et des phrases qui contiennent non pas seulement de l'intelligible, du spirituel, mais aussi, et fort abondamment, du sensible, du concret, du pittoresque ; il lui faut une langue des émotions et des sensations : cela suffit pour qu'il ne parle pas tout à fait la langue des salons.

3. ŒUVRES ORATOIRES DE BOSSUET.

Dans la diversité des ouvrages de Bossuet, le caractère le plus constant et le plus général qui se manifeste, est le caractère oratoire : c'est donc sur l'orateur qu'il faut porter d'abord notre étude. Il nous a développé son idéal dans l'*Oraison funèbre du P. Bourgoing* et dans le *Panégyrique de saint Paul* : il demande que l'orateur écarte le bel esprit, mette de côté tout désir de plaire, tire toute la force de son discours de l'étude de l'Écriture et de l'ardeur de sa foi. Ce n'est pas qu'il doive se priver des moyens humains de l'éloquence : Bossuet ne suit pas M. Vincent jusque-là. Dans une *Instruction* rédigée pour le jeune cardinal de Bouillon, il indique par quelle préparation se peut former un prédicateur : les ouvrages de l'antiquité profane, quelques livres français, tels que les *Provinciales*, sont recommandés avec les deux Testaments, les Pères grecs, saint Augustin et Tertullien. L'objet qu'on ne doit jamais perdre de vue, c'est d'interpréter la parole de Dieu pour l'utilité du prochain ; il ne s'agit pas d'ignorer la rhétorique, mais de la manier délicatement ; c'est tout un art que de « faire parler Dieu » avec efficacité.

Bossuet n'y réussit pas du premier coup en perfection. Il y a des traits de génie dans ses sermons de Metz, et jamais il ne fera mieux que dans le *Panégyrique de saint Bernard* (1653). Mais souvent l'imagination est exubérante ; le style, d'une vigueur tendue

t d'une couleur chargée, va jusqu'au mauvais goût et aux trivia-
ités répugnantes; la science, de fraîche date, s'étale, subtile ou
•édante, théologique ou profane; il y a trop de citations plaquées,
rop de raisonnements en forme, un mélange de sèche logique
et de grande rhétorique. Surtout il y a trop de tout : les discours
sont trop longs. L'expérience, le travail corrigèrent ces défauts peu
à peu. A Metz, Bossuet s'appliqua aux Pères grecs, dont l'heureuse
influence s'ajouta aux leçons de ses auteurs jusque-là préférés,
saint Augustin, Tertullien, les âpres Africains, subtils et violents :
Basile et Grégoire détendirent son éloquence et lui enseignèrent
la puissance de la douce simplicité.

Quand il arrive à Paris, il est maître de son talent et de sa
forme : cependant dans cette suite de chefs-d'œuvre qu'il accumule
pendant onze ans, on peut distinguer deux manières : les sermons
des premières années sont plus voisins des sermons de Metz, par
la vigueur de l'appareil logique, par la chaude couleur du style.
Vers 1666, cette éloquence s'atténue pour ainsi dire sans s'amoindrir, elle se subtilise, se fait plus délicate, plus limpide, plus
dégagée d'éléments matériels, étonnante de lumière abstraite et
de pureté intellectuelle. Enfin, lorsque, retiré à Meaux, il prêche
dans son diocèse, aux bourgeois, aux paysans, aux communautés,
à des humbles d'esprit et de fortune, alors ce grand orateur consomme le sacrifice de son éloquence. Alors il rappelle et met en
pratique les enseignements de Vincent de Paul; il fait taire sa
science, et laisse couler de son cœur des homélies familières,
exquises et efficaces dans leur petitesse volontaire.

Jamais il n'apprit par cœur ses sermons. Il se préparait fortement, rédigeait presque parfois le discours, relisait son canevas
ou son brouillon avant de monter en chaire : là il s'abandonnait
à l'inspiration, qui reprenait, complétait, rectifiait les formes préparées par la réflexion. Il ne répétait pas les sermons qu'il avait
une fois prononcés : il revoyait les anciens plans, les rédactions
primitives, pour les adapter au progrès de son esprit, ou bien au
nouvel auditoire. Tant qu'il prêcha à Metz et à Paris, il ne se fia
jamais à son expérience ni à sa facilité : et après quinze ans de
prédication il ne faisait ni des plans moins exacts ni des brouillons moins complets. A Meaux seulement, il se contenta en général
de quelques notes légères et rapides, et son éloquence se rapprocha
de l'improvisation : le travail qui eût encore élevé son discours,
l'eût écarté de la bassesse populaire que sa raison désintéressée
avait élue pour idéal.

Ne prêchant que pour remplir un devoir du ministère ecclésiastique, Bossuet n'a pas recueilli lui-même ses sermons. Il n'en a
publié qu'un seul, *sur l'Unité de l'Église*, qui était comme le mani-

feste du gallicanisme. On n'a donc, pour se faire une idée de sa
parole, que les plans et brouillons qui représentent non sa prédication, mais la préparation de sa prédication. C'en est assez pour
reconnaître une éloquence sans rivale.

Le fond des sermons de Bossuet est l'explication du dogme.
Il se plaignait que déjà de son temps, les prédicateurs s'éten-
dissent sur la morale en laissant le dogme de côté. Pour lui, il
plaçait le dogme avant tout, comme source et fondement de la
morale [1], et il s'attachait à expliquer, interpréter, justifier les mystères et les articles de foi, persuadé qu'un chrétien sait ce qu'il
doit faire, lorsqu'il sait ce qu'il doit croire. La morale est la conséquence pratique du dogme : aussi ne faisait-elle jamais défaut,
et le « catéchisme » de Bossuet aboutissait à ordonner la conduite
en même temps qu'à éclairer la foi.

Comme l' « utilité des enfants de Dieu » était sa grande règle, il
choisissait les sujets de sermons et les applications du dogme, qui
pouvaient avoir le plus d'utilité pour ses auditeurs. Sa parole
s'appropriait très étroitement et très délicatement à son public [2].
Quand les heureux, les grands, les habiles l'écoutent, il prêche sur
l'ambition, sur l'impénitence finale, sur l'honneur du monde, sur
la justice : il expose la haute philosophie de la religion ou discute
les objections raffinées des esprits forts. Dans les paroisses aristocratiques de Paris, à Saint-Germain, au Louvre, il ne se lasse
pas de rappeler qu'il faut payer ses dettes, et qu'il faut faire l'aumône : il remet sans cesse sous les yeux des riches leurs créanciers et les pauvres. Parfois il prêchera pour le roi seul : sur les
Devoirs des rois. Il fait son métier en conscience, sans brutalité
et sans flatterie, sans complaisance et sans impertinence. Il ne
craint pas de présenter la « face hideuse » de l'Évangile; quoiqu'il soit rigoureusement orthodoxe, et point du tout janséniste, il
a en horreur, autant que Pascal, les relâchements de la casuistique.
Mais sa morale, tout austère, n'a rien qui effraie et décourage : il
croit et il montre que, si Dieu a donné à l'homme ses commandements, c'est que l'homme peut les exécuter. Pour cela, il n'est pas
besoin de fuir le monde : on peut se sauver dans toutes les conditions. Il n'est pas besoin de passer sa vie en prières, en jeûnes,
en sanctifications extraordinaires : remplir le devoir de son emploi
sans amour-propre, pour le bien public et le service de Dieu, dispense de chercher des raffinements de dévotion, et suffit à faire
une bonne et chrétienne vie.

Bossuet ne s'est pas amusé aux descriptions curieuses des

---

1. Voyez le sermon sur *l'Éminente dignité des pauvres dans l'Eglise*.
2. Comparez les deux *Sermons sur la Providence*.

mœurs et des passions. Il établit soigneusement la base, le caractère, l'étendue du devoir : il marque exactement la source, la
nature, la gravité de l'erreur, ou de la malignité qui en écarte
les hommes. Les subtiles analyses, les « anatomies » du cœur
humain, qui ne servent que d'amusement intellectuel, ne sont
pas son fait; il se contente d'en dire assez pour que chacun se
reconnaisse, rentre en soi-même, et tâche de s'améliorer. Il a
affaire à des malades qui souvent ne voient pas leur mal : il faut
leur en donner le sentiment cuisant et non la connaissance théorique, et il faut leur faire apercevoir, désirer, tenter le remède.

Les sermons, selon l'usage des prédicateurs catholiques, sont
divisés en deux ou trois points. Bossuet saisit fortement les deux
ou trois aspects principaux du sujet, les deux ou trois difficultés
importantes, les deux ou trois raisons capitales, et il va droit aux
choses dont la décision emporte le reste. Une ferme et souple
logique mène le sermon à son but; Bossuet raisonne loyalement,
solidement; il excelle à résoudre les plus rudes objections, à mettre
en lumière la vérité qu'elles recèlent, pour s'emparer de cette
vérité et en faire un argument à son usage.

Mais la logique est la charpente ou le squelette du discours :
Bossuet parle à toute l'âme, de toute son âme; il a la tendresse,
l'onction, le pathétique. Son imagination, toute pleine d'images et
de visions bibliques, pleine aussi de toutes les formes, de toutes
les impressions de la réalité prochaine et vivante, répand une couleur pittoresque sur le dessin de l'argumentation. Bossuet ne voit
rien dans l'abstrait : toutes ses idées se chargent de sensations,
et le raisonnement tourne en tableaux, en visions familières ou
merveilleuses. Ce que ses yeux ne voient pas, ce dont son
expérience ne lui fournit pas les formes, les prophètes et les
évangélistes lui en donnent les images. Toute une poésie pittoresque, ou dramatique, une poésie d'ode ou de mystère passe
ainsi dans ces expositions de dogme et ces descriptions de morale [1];
et ce fort logicien de Navarre nous fait parfois penser à Dante ou
à Milton. Il aime à élargir en symboles les personnages et les
actions de l'Écriture, et il y verse toute la richesse, il y réalise
toute la généralité de sa pensée. On pourrait dire que sa méthode
est moins analytique que synthétique, moins psychologique que
philosophique et sensible à la fois, métaphysique et poétique. Car
il unit à un fond d'amples ou profondes vérités, de principes uni-

---

1. Voyez comment il fait parler Dieu ou Jésus; la méditation de Bernard dans le
Panégyrique; le chœur des démons dans *le Sermon sur les démons*; la mort du mauvais riche dans *le Sermon sur l'impénitence finale*; le second point du *Sermon sur
l'ambition*.

versels et transcendants, une forme concrète, colorée, vivante, de fortes et nettes images, des symboles immenses et saisissants. Tandis que Bourdaloue procède à la façon des psychologues positifs du roman et du théâtre classiques, Bossuet a le tempérament des lyriques de notre siècle, qui enveloppent de leurs visions individuelles les plus larges lieux communs.

Les panégyriques et les oraisons funèbres de Bossuet ne sont en réalité que des sermons, où la vie d'un homme sert à illustrer l'instruction. Il a pris de ce biais ces discours d'apparat, ne pouvant concevoir un discours chrétien qui ne tendît à l'édification. Il ne s'est pas attaché à faire revivre les figures des saints, à retracer leur vie. Il a saisi dans leur caractère, dans leur activité, un trait, un caractère, qui mettaient bien en lumière une vérité importante du dogme ou de la morale : et c'est sur cette vérité qu'il prêchait son panégyrique. Le *Panégyrique de saint Jacques* est un sermon sur l'établissement du christianisme; celui de *sainte Catherine*, un sermon sur la science. Même dans l'admirable *Panégyrique de saint Bernard*, ce n'est pas l'individu que fut Bernard, psychologiquement et historiquement, c'est le type idéal de l'enthousiasme ascétique, c'est, si l'on veut, l'image, lyrique encore plus que dramatique, du moine que Bossuet nous fait apercevoir.

Les oraisons funèbres sont des sermons, à tel point que le plan, les idées, parfois les expressions même sont communes au *Sermon sur la Mort* et à *l'Oraison funèbre de la Duchesse d'Orléans*. On peut dire que celle-ci est le type du genre : par une idée naturelle, et pourtant nouvelle, Bossuet fait de l'éloge des morts une méditation sur la mort. L'occasion du discours en devient la base : à la lumière de la mort Bossuet regarde les occupations de la vie, par la mort il juge et règle la vie. De là l'unité religieuse et esthétique à la fois des oraisons funèbres : de cette idée centrale la lumière se distribue à toutes les idées, les enveloppe et les lie.

Mais, en se proposant avant tout d'instruire des vivants à l'occasion des morts, Bossuet n'a pas oublié que son office était de faire entendre l'éloge des morts. Il s'en est acquitté avec sa loyauté et sa mesure ordinaires. Il a respecté toutes les convenances, que le lieu, le jour, l'auditoire, lui imposaient. Mais il a dit, ou fait entendre toute la vérité qu'il était capable de concevoir. Il a pu mal juger la révolution d'Angleterre, ou la révocation de l'édit de Nantes : il ne les a pas jugées autrement dans ses oraisons funèbres que dans ses autres ouvrages; il n'a dit que ce qu'il a constamment pensé. Le genre lui a imposé de l'adresse, mais ni flatterie ni mensonge. Il a été candide et sincère en parlant de Cromwell comme de Condé. Il a même fait effort pour être bien informé : il n'est pas de ceux qui craignent de savoir, de peur de

ne pouvoir plus admirer ou aimer. Lorsqu'il eut à faire l'éloge
de la reine d'Angleterre, il fit appel aux souvenirs de Mme de
Motteville, et fonda sa peinture du courage de la princesse sur les
faits contenus au *Mémoire* qui lui fut remis. De même, il allègue,
il cite les écrits, les lettres d'Anne de Gonzague, pour nous la faire
connaitre telle qu'elle fut. Ailleurs il utilise, il invoque ses souvenirs personnels.

Mais ce qui domine et enveloppe l'instruction et la biographie,
la morale et l'histoire, dans ces oraisons funèbres, c'est l'émotion
personnelle de l'orateur. Aussi les plus belles sont-elles celles où
il parle des gens qu'il a connus et aimés, de Madame ou du prince
de Condé. Sa sympathie, son admiration, sa douleur se répandent
largement, et il s'y abandonne parce que cela se trouve dans la
convenance, dans la nécessité même de son sujet. Il y a un élément personnel et lyrique encore dans ces admirables discours,
envers qui l'on n'est pas juste, faute de les regarder d'assez près.
Et de là vient la puissance pathétique de ces effusions de tendresse
douloureuse, lorsqu'il peint la grâce si charmante et si tôt flétrie
de Madame, de ces effusions de sympathie admirative, lorsqu'il
conte les victoires, l'héroïsme, la simplicité du prince de Condé :
si ce n'est pas de l'histoire, c'est à coup sûr de la poésie.

4. ŒUVRES DIVERSES DE BOSSUET

Comme précepteur du Dauphin, comme évêque, Bossuet a déployé
une prodigieuse activité, et l'on se demande comment il a trouvé
le temps d'expliquer, à plus forte raison d'étudier tant de matières,
vastes et difficiles. Mais, en réalité, il était prêt, dès 1670, sur
tous les sujets qui pouvaient être de son ressort : il s'était préparé
en prêchant. En méditant ses sermons, il avait amassé toute la
doctrine, dont il composa plus tard ses nombreux traités. On
trouve des sermons qui contiennent sommairement l'*Histoire universelle*, d'autres les *Variations*, d'autres la *Politique*; ils fournissent les cadres, la méthode, les idées capitales ou originales. Philosophie, histoire, controverse, tout a sa source dans la prédication de Bossuet.

La *Politique tirée de l'Écriture sainte* est un livre solide, sensé,
d'une réelle largeur de vues pour le temps. Bossuet n'allègue guère
que l'Écriture pour autoriser ses préceptes; en fait, il tire quelque
chose de saint Thomas, dans son *De regimine principum*; il s'inspire plus encore d'Aristote et de Hobbes; souvent il dégage des lois
de l'étude des faits, et il utilise les observations qu'il a faites en

expliquant au Dauphin l'histoire de France. Sa théorie du pouvoir royal est ce que l'on peut attendre d'un prêtre gallican, de famille parlementaire : les rois sont absolus, mais ils *doivent* respecter les lois, les droits des divers corps de la nation. Ce qu'ils font contre ces droits et ces lois est essentiellement nul. Mais personne, ni individu, ni corps, n'a droit de résister aux rois : ils ne sont responsables que devant Dieu, et Dieu leur demandera des comptes d'autant plus sévères qu'il est seul à pouvoir les leur demander. Cette terrible responsabilité devant Dieu est le contrepoids de l'autorité absolue que Bossuet accorde aux rois sur la terre.

Mais Bossuet ne fait la théorie de la monarchie que parce qu'elle est établie en France : sa doctrine politique, en réalité, n'est liée à aucune forme de gouvernement, précisément parce qu'elle est rigoureusement orthodoxe [1]. L'Église respecte toutes les puissances établies : aussi Bossuet est-il tout à la fois strictement et largement conservateur. Despotisme, monarchie absolue, république aristocratique, démocratie, il admet tout, avec plus ou moins de sympathie ou de répugnance : mais enfin il admet tout; il ne demande à un gouvernement, pour être légitime, que de durer, et de faire sa fonction, qui est de garantir l'ordre, de protéger les sujets. Comme catholique il est attaché à la tradition : il aimera donc en chaque pays les formes anciennes de gouvernement. Par hérédité peut-être, à coup sûr par tempérament, il est attaché aux formes juridiques, aux procédures exactes, au mécanisme régulier de l'organisation administrative, à tout ce qui assure stabilité, sécurité : il préférera donc l'autorité, et la hiérarchie à la liberté, l'hérédité monarchique à la souveraineté populaire, où il ne voit qu'un déguisement de la force brutale.

Le *Discours sur l'Histoire universelle* est d'abord un abrégé chronologique de l'histoire générale, qui vaut par la brièveté lumineuse, et par un sens de la réalité dont tous ces faits arides et ces dates sèches se trouvent vivifiés. Bossuet, dans cette première partie, ne visait qu'à faire repasser au Dauphin tous ses cours. A ce simple abrégé il voulut ajouter quelques réflexions qui ont formé tout un corps de philosophie de l'histoire. Elles se sont groupées en deux parties : l'une qui explique la suite de la religion, et l'autre qui traite des empires. Celle-là, dans l'esprit de Bossuet, était la principale, et il ne considérait la troisième partie que comme une annexe de la seconde. Dans cette seconde partie, il fait voir comment s'est développée providentiellement la religion,

---

1 Les encycliques de Léon XIII, et l'attitude prise par la partie du clergé de France qui a suivi le chef de l'Église, sont venues justifier l'interprétation de la *Politique* de Bossuet que j'avais donnée dans mon étude.

ans interruption aucune depuis Adam jusqu'à Innocent XI : cet xposé chronologique est un résumé de toute la théologie de Bossuet; il y ramasse les principaux arguments qu'un catholique peut aire valoir contre les libertins, les juifs, les protestants et les criiques : c'est un cours élémentaire de théologie à l'usage du Dauphin et des gens du monde.

La même providence qui se manifeste dans la continuité de la religion fait éclater aussi son action dans l'élévation et dans la chute des empires : voilà comment s'introduit la troisième partie. Entre la préface et la conclusion de cette partie, où s'étale éloquemment le dogme de la Providence dans son application aux grands faits de l'histoire, Bossuet étudie les causes humaines et physiques de la prospérité et de la ruine des peuples anciens. Comment peut-il le faire sans contradiction? Simplement par la même raison que son orthodoxie laisse à l'homme le libre arbitre, la décision et la responsabilité de ses actes, tout en proclamant la nécessité de la grâce et la prescience divine. Les cinq ou six chapitres que Bossuet consacre à la philosophie de l'histoire ancienne sont vraiment beaux. Il va sans dire qu'ils ne sont plus au courant de la science. On ignorait trop au XVIIe siècle l'Egypte, la Chaldée, l'Assyrie, la Perse, pour que Bossuet pût en bien parler. L'archéologie grecque et romaine, l'étude des institutions, de l'organisation politique, sociale, économique des Spartiates, des Athéniens, des Romains, ont fait bien des progrès aussi, surtout depuis cent ans. Mais, malgré tout, les chapitres de la Grèce et de Rome sont remarquables : Bossuet a mis en lumière la force de quelques causes morales, amour de la patrie, respect de la loi; il a saisi le rapport des faits à certaines institutions ou traditions; il a expliqué la lente et sûre formation de la grandeur romaine par les qualités d'endurance et de discipline de la race, par l'organisation militaire, par l'esprit conservateur du sénat qui, dans la politique étrangère, met la continuité; la moitié des *Considérations* de Montesquieu vient de Bossuet. Chose curieuse, ce que ce prêtre a le moins vu, c'est la force et l'influence de la religion dans la société antique; mais personne, avant Fustel de Coulanges, ne le verra davantage.

Le *Discours sur l'Histoire universelle* est l'œuvre d'un théologien qui a su avoir quelques-unes des qualités de l'historien, le don des généralisations, l'intuition des lois, le sens philosophique enfin. L'*Histoire des variations des Églises protestantes* est un traité de controverse, où se révèlent d'autres qualités de l'historien, la science et la critique des textes, le sens de la vie et des âmes individuelles. Cette histoire représente le principal effort de Bossuet dans la guerre d'un demi-siècle qu'il a faite au protestantisme.

Après avoir secoué le joug de Rome, les protestants s'étaient efforcé
d'arrêter un dogme commun, et de constituer des églises. Le sen
général de l'œuvre de Bossuet est de démontrer qu'ils ne peuven
faire ni l'un ni l'autre : qu'en fait, le dogme varie de secte à sect
et de génération en génération; que nulle autorité chez eux n'es
reconnue, ni universellement, ni souverainement, et que l'essenc
de la réforme est de livrer le dogme aux variations de la raiso
individuelle, de mettre cette raison individuelle au-dessus de l
tradition et de l'autorité. Bossuet n'a raconté l'histoire du protes
tantisme que pour en faire sortir cette démonstration : de là le
lacunes de son histoire, et le mélange continuel de la discussio
à la narration. Il n'est pas impartial, puisqu'il est catholique : i
le dit lui-même dans sa préface. Mais il promet d'être sincère e
juste, point injurieux, charitable aux personnes; et il l'a été, s
l'on compare le ton de son ouvrage aux habitudes de la polémiqu
religieuse depuis cent cinquante ans, ou simplement aux ripostes
de son adversaire Jurieu.

L'originalité du livre est dans l'usage qu'il a fait de l'histoire [1]
pour faire avouer aux protestants qu'ils avaient varié, il a trè
bien compris qu'il fallait non de l'éloquence, mais des faits : e
voilà comment notre controversiste s'est fait historien. Il a mis la
méthode historique au service de sa thèse, recueillant les textes
écartant les ouvrages de seconde main, faisant une critique minu
tieuse et pénétrante des témoignages, si bien que sur les deux ou
trois points principaux qu'il avait choisis, il a devancé les con
clusions de l'histoire scientifique. Cette force d'érudition et de
critique a rendu son ouvrage inébranlable; et il a ainsi con
tribué à donner aux protestants la nette conscience de l'essence
du protestantisme, qui est dans la liberté de la croyance indivi
duelle et dans l'évolution du dogme. La grande injustice de Bos
suet, dans cet ouvrage, et dans toute sa polémique contre les pro
testants, a été de ne pas rendre hommage à la profonde moralité
de l'esprit protestant : sa grande erreur a été de ne pas croire à
la vitalité du protestantisme. Homme de logique, il s'imaginait en
avoir fini avec les hérétiques pour avoir acculé l'hérésie à une
contradiction : il ne pensait pas que, pour vivre, l'hérésie s'adap
terait à cette contradiction, et se transformerait en la supprimant.

Au point de vue de l'art, l'*Histoire des variations* est un des plus
puissants chefs-d'œuvre de Bossuet : cette suite de raisonnements,
de discussions, ce mélange ardu de faits historiques et de théo
logie dogmatique est animé d'une vie extraordinaire Au travers
de la controverse, l'histoire ressuscite le passé; les hommes appa-

1. Cf. le livre cité de Rébelliau.

raissent : Calvin, Luther, Bucer vivent dans des portraits où l'on
reconnaît la main d'un ennemi, mais d'un ennemi singulièrement
clairvoyant; il y a surtout un admirable livre où les angoisses, les
incertitudes de Mélanchthon sont exposées, et qui est d'un bout à
l'autre une des plus belles études d'âmes qu'on ait faites.

Si Bossuet s'est attaqué surtout aux protestants, ce n'est pas
parce qu'ils formaient le corps le plus nombreux et le plus redoutable parmi les ennemis de l'Église catholique : c'est aussi parce
qu'il discernait dans les origines et dans le développement de la
réforme un principe de libre examen subversif du christianisme
et de toute religion fondée sur la tradition et l'autorité. Aussi
tout son raisonnement tendait-il à faire apparaître le mal, en
réduisant le protestantisme à l'individualisme effréné, rationalisme ou illuminisme; et il ne lui donnait le choix qu'entre ces
deux excès. Il sentait monter la révolte du sens individuel contre
l'Eglise : il la devinait de tous côtés, il voyait naître les germes
de ce qui fera le caractère intellectuel du XVIIIe siècle. Il faisait
face bravement, et partout où il apercevait quelque trace de ces
germes, il essayait de les étouffer. De là ses efforts contre Richard
Simon, contre les libertins, contre Fénelon même; de là sa défiance
à l'égard de Malebranche, et ses sombres pronostics sur le péril
du cartésianisme.

Il savait que toutes les pièces du dogme se tenaient : aussi se
montrait-il intraitable contre tous ceux qui en altéraient quelque
partie. Pendant cinquante ans il n'est pas d'erreur ou de révolte
qu'il n'ait combattue de toute sa science et de toute son éloquence.
Ce qu'il a écrit contre Richard Simon et contre Fénelon est trop
lié à la théologie pour que je m'y arrête ici : je signalerai de préférence le petit traité sur la *Comédie*, débordant d'une âpre éloquence, et dans lequel une dure malédiction fait éclater l'opposition de l'esprit de Molière et de l'esprit chrétien.

Les *Méditations sur l'Évangile* et les *Élévations sur les Mystères*
sont des écrits d'édification, et non de controverse : tout y est
simple, lumineux, touchant; la science se cache, la logique se tait;
le cœur déborde, et l'imagination s'étale. Bossuet repasse toutes
les grandes scènes de la Bible et de l'Évangile; il nous les présente
avec tout ce que son esprit y attache de sens, y enferme de leçons;
mais ce sont des réalités pour lui que cette histoire juive et cette
histoire évangélique : et tout le pittoresque de la religion se
déroule à nos yeux, parle à nos sens. Ces réalités sont celles où se
manifestent les desseins et les jugements de Dieu : leur image
éveille en lui tous les sentiments dont son Dieu est l'objet, toutes les
ardeurs de la foi, de l'espérance et de l'amour. Par là, plus largement encore que dans les *Sermons*, se répand la poésie, poésie de

la nature ou poésie du cœur, tableaux pittoresques ou émotions exaltées. Bossuet s'abandonne librement ici à ses facultés de poète : il écrit pour des femmes, en qui il veut redoubler la fer veur, en leur faisant sentir le charme puissant des *Livres saints*. Il est vraiment le grand poète lyrique du XVIIe siècle ; et s'il a pu l'être, dans ce siècle intellectuel et rationaliste, c'est que son caractère ecclésiastique lui a permis de suivre son tempérament. En effet les objets de ses émotions, de ses transports lyriques, étant ceux que la religion fournissait, avaient un caractère universel et souverain, à l'ombre duquel, pour ainsi dire, l'individualité pouvait se déployer librement : nul ne pouvait s'étonner des ravissements du prêtre en face de son Dieu, et tout le monde pouvait les comprendre.

J'ai réservé pour la fin de cette étude les œuvres philosophiques de Bossuet. Il y a d'excellentes choses, des vues originales, une exposition magistrale dans la *Connaissance de Dieu et de soi-même*, et dans la *Logique*, où il mêle avec indépendance saint Thomas et Descartes, suivant surtout son sens personnel de la vérité des choses. Mais ces ouvrages philosophiques ne sont en somme que des manuels pour un enfant, et sont loin de contenir toute la philosophie de Bossuet. Il faut la chercher dans toute son œuvre, où elle est diffuse. A vrai dire, la philosophie de Bossuet, comme de tout ecclésiastique qui n'est pas en désaccord avec lui-même, c'est sa théologie : et la théologie de Bossuet, c'est la théologie catholique, sauf les deux ou trois opinions particulières au gallicanisme. Il suffirait donc de dire que la philosophie de Bossuet est celle qu'enveloppe le dogme catholique, puisque toute religion est en effet une philosophie.

Mais, tout en étant orthodoxe, Bossuet a une façon à lui de grouper, sérier, présenter les dogmes : dans la prédominance qu'il donne à l'un ou à l'autre, dans la complaisance avec laquelle il expose celui-ci ou celui-là, s'affirme un tempérament, et se dessine une philosophie. Or, en regardant la vie, Bossuet est frappé de la mort. La mort est l'immense, universelle, irréparable injustice de ce monde. Mais son tempérament de juriste a besoin de justice : le dogme de la Providence corrige l'immoralité de la réa lité, et rend à chacun selon son mérite. Que l'on regarde toute l'œuvre de Bossuet, en dehors des controverses définies, on peut dire qu'elle est toute consacrée à mettre en lumière le fait, c'est-à-dire la mort, et le correctif du fait, c'est-à-dire la Providence. De la mort sort la tendresse émue, la triste sympathie qui s'étendent sur les choses éphémères ; de la Providence, la confiance robuste et joyeuse, l'optimisme définitif, dont il regarde tant de misères et de bassesses, qui sont la vie et qui sont l'homme.

5. BOURDALOUE.

Bossuet étant descendu des chaires de Paris dans toute la force de l'âge et du talent, le souvenir de sa prédication, que ne soutenait pas l'impression, se perdit vite au milieu de tant de titres de gloire que son activité paisible lui acquérait incessamment. De plus, dans les sermons de Bossuet, les contemporains estimèrent surtout la logique et la science; et ils ne s'aperçurent pas, lorsqu'il se tut, qu'il leur manquât quelque chose, parce qu'au même instant Bourdaloue vint tenir sa place, et réaliser d'autant mieux leur idéal qu'il ne le dépassait pas [1].

Ce Père jésuite débuta dans les chaires de Paris en 1669 : dix ans de prédication en province l'avaient formé. Mais, avant de prêcher, il enseignait dans les collèges de sa compagnie; il professa les humanités, la rhétorique, la théologie morale; il y prit le pli qui ne s'effaça jamais; après que ses supérieurs eurent découvert l'orateur qui était en lui, il resta un homme de science et d'enseignement : son éloquence fut toujours didactique, et chacun de ses discours fut un cours.

Bourdaloue n'a point de biographie : c'est une âme pure, modeste, soumise, qui se donna toute à son devoir. Il prêcha pendant quarante-deux ans : huit jours avant sa mort, il prêchait encore. Le seul incident de sa vie est une mission en Languedoc après la révocation de l'édit de Nantes. Cependant la prédication ne l'occupa point seule : il confessa, il dirigea; et c'est là qu'il acquit et nourrit cette science du cœur si merveilleuse chez un homme dont nulle passion n'a troublé la vie.

Fénelon nous a tracé dans ses *Dialogues sur l'éloquence* un portrait de Bourdaloue prêchant, qui manque de bienveillance, mais non de vérité. Le prédicateur a le geste rare, un mouvement de bras égal et monotone, la voix mélodieuse et uniforme, sans autre nuance qu'un peu plus de lenteur ou de rapidité dans le débit : les yeux sont clos; la mémoire travaille pour représenter la suite du discours appris par cœur; et parfois l'orateur reprend quel-

1. **Biographie :** Né à Bourges en 1632, Bourdaloue entre chez les Jésuites; ses supérieurs l'appliquent à l'enseignement jusqu'en 1659; de 1659 à 1669 il prêche en province. En 1669, il prêche un Avent à Paris; en 1670, un carême à la cour, qui neuf fois encore l'entendit. Il mourut en 1704. — **Éditions :** *Œuvres*, éd. du P. Bretonneau, 1707-1734, 16 vol. in-8; 17 vol. in-8, 1822-26; Paris, 1833-34, Lefèvre, 3 vol. gr. in-8; *Sermons choisis*, Dimier, 1936. — **A consulter :** A. Feugère, *Bourdaloue, sa prédication et son temps*, in-8, 1874; Le P. M. Lauras, *Bourdaloue, sa vie et ses œuvres*, 2 vol., 1881; Brunetière, *Etudes crit.*, VIII; Le P. Griselle, *Sermons inédits de Bourdaloue*, 1901; *Bibliographie* (Bibliothèque des Bibliographies critiques); *Nouveaux sermons inédits*, 1904, *Histoire critique de la prédication de Bourdaloue*, 2 vol., 1901; Le P. Chérot, *Bourdaloue inconnu*, 1898; *Bourdaloue, sa correspondance et ses correspondants*, 1899; Castets, *Bourdaloue*, 2 vol., 1901-1904.

ques mots pour ressaisir le fil qui lui échappe. Il débite des choses
sensées en termes propres; ses sermons sont tout unis, sans
variété, sans émotion : les déductions sont exactes, les portraits
fidèles; les divisions, les subdivisions rigoureuses et multiples.
L'impression est froide, fatigante. « C'est un grand homme qui
n'est pas orateur. » Il ne faut voir dans cette sévérité de Fénelon
que l'incompatibilité de sa nature féminine, ardente et illogique,
avec les fortes et solides qualités de Bourdaloue.

Ce que Fénelon n'apprécie pas, a enchanté son siècle. Bourdaloue
a excité une admiration unanime et incroyable : la cour l'a fait
venir dix fois pour les Carêmes et les Avents. Bossuet le réclamait
en son diocèse. L'église de la rue Saint-Antoine était trop petite
quand il prêchait, et les lettres de Mme de Sévigné nous attestent
la forte impression qu'il faisait. Il avait affaire à un public épris
de raison et de clarté, qui voulait des idées, un exercice de l'intelligence, et qui avait du reste peu de besoins sentimentaux ou
esthétiques. L'éloquence de Bourdaloue était juste à sa mesure.
Il divisait, subdivisait, multipliait les énumérations d'idées à développer, les récapitulations d'idées développées : mais tout cela
n'avait rien de factice ni de pédant; c'étaient des moyens de distribuer la matière, d'aider l'auditoire à suivre, à se rappeler; c'était
l'art d'un professeur qui sait qu'une exposition méthodique seule a
chance de se graver dans la mémoire, et que l'on ne peut trop
multiplier les points de repère. De là ces exordes qui numérotent
toutes les parties du raisonnement, ces phrases d'exposition dont
chaque proposition est l'annonce d'un paragraphe à faire [1]. Cette
méticuleuse composition peut rendre la lecture plus aride et plus
fatigante : elle rend l'audition plus claire et plus efficace.

Bourdaloue est aussi grave, aussi sérieux, aussi chrétien que
Bossuet : il ne lui ressemble pas du tout. Il ne fait pas de catéchismes, pas d'expositions théologiques : il n'explique pas le
dogme, il ne le justifie pas. Il l'impose, il le tient pour incontesté;
il lui demande seulement la sanction de l'obligation morale : il
fait appel à son autorité pour courber le cœur [2].

Son discours a un caractère avant tout moral et pratique : il
s'attache à régler la conduite. C'est un directeur : un directeur
rigoureux, dur même, d'autant plus impitoyable que le pécheur
est plus grand des grandeurs terrestres. « Il frappe comme un
sourd », disait Mme de Sévigné; et cette austérité plaisait dans un
jésuite. La meilleure réponse que la Compagnie ait jamais faite
aux *Provinciales*, ç'a été de faire prêcher Bourdaloue.

---

1. Voir par ex. *le Sermon de l'ambition* (mercredi de la seconde semaine de Carême).
2. Sermons sur *la Providence* et sur *l'Aumône.*

La morale de Bourdaloue est très précise, très particulière, non pas seulement dans les préceptes, mais dans les observations aussi et les analyses : il présente au pécheur toutes les nuances, toutes les formes, il lui donne toutes les sources et causes, tous les effets et dépendances de son péché : il ne lui laisse rien ignorer de ce qu'il est, afin de faire éclater devant sa conscience combien il est éloigné d'être ce qu'il doit être. Dans l'analyse abstraite des vices, des passions, des multiples infirmités de notre nature, Bourdaloue est incomparable : plus pénétrant et plus original que La Bruyère, ses analyses substantielles et condensées ont abouti aux *portraits*; cette forme de la littérature à la mode s'est trouvée tout naturellement adaptée au sermon de Bourdaloue Ces portraits ne sont point abstraits précisément, mais purement moraux et psychiques, absolument dépourvus de couleur et d'éléments sensibles. Il ne s'agit pour le prédicateur que de marquer des formes d'âmes et de tracer les effets mécaniques des forces morales. Il pousse la précision à tel point, que parfois il a été, du moins on l'a dit, jusqu'à prendre un modèle individuel [1]. Ces personnalités sont un peu effacées pour nous, et il y a lieu de croire que la malignité des contemporains ajoutait aux intentions du prédicateur.

Cette éloquence intellectuelle, logique et comme immatérielle, ne donnait-elle donc rien à la sensibilité? Il y a réellement de la chaleur dans Bourdaloue : une sincérité profonde, le désir et le plaisir de rendre la vérité sensible, la charité aspirant à l'utilité des âmes, dégagent insensiblement, à travers le tissu serré des raisonnements, une émotion de qualité pure et fine, qui va au cœur : émotion d'autant plus puissante qu'elle ne fait rien pour s'étaler.

[Il y a d'ailleurs quelque chose de Bourdaloue qui nous échappe : c'est son style, son accent. Le P. Griselle a prouvé que le vrai Bourdaloue avait une expression moins éteinte, moins incolore que celle qu'on trouve dans le texte établi par le P. Bretonneau Les manuscrits des copistes qui prenaient des notes au pied de la chaire, nous rendent un Bourdaloue qu'on ne soupçonnait pas, dont la parole a des accents brusques, familiers, ou populaires, une couleur forte et réaliste, que le P. Bretonneau. par scrupule de bon goût, a fait disparaître : il a décoloré Bourdaloue pour l'épurer.]

6. FLÉCHIER ET MASSILLON.

Autour de Bossuet et de Bourdaloue se groupent plusieurs orateurs distingués, mais qui sont loin de leur être comparables [2]. Un

---

1. *Le sermon sur les fausses conversions* a été appliqué à M. de Tréville.
2. **A consulter :** l'abbé Hurel, *les Orateurs sacrés à la cour de Louis XIV*, 1872; Freppel, *Bossuet et l'Eloquence sacrée au XVIIe s.*, 1893.

seul homme, sans doute, ne leur fut pas inférieur, je veux parler
de Fénelon. Mais nous n'avons guère de lui que des harangues de
cérémonie, des discours solennels où il s'est forcé pour être
majestueux et digne. A l'ordinaire, il improvisait, et ce qu'il pouvait y avoir de séduction, de tendresse, de grâce ondoyante et
captivante, d'abondance d'idées et de sentiments, dans ces homélies familières qu'il « parlait » si inépuisablement, ses écrits et
particulièrement ses lettres de direction peuvent nous l'apprendre.

Je me contenterai de signaler Fléchier [1].

Cet abbé de ruelles, faiseur de vers latins aimables et de vers
français coquets, assidu à l'hôtel de Rambouillet dans ses derniers
beaux jours, intime ami de Mme et de Mlle Deshoulières, ce bel esprit
d'Église qui est un des intermédiaires par où l'on passe de la préciosité de 1650 à celle de 1715, fit en sa maturité un prédicateur
estimé et décent, un excellent évêque, zélé, charitable, doux.
Malgré tout, par-dessus le prédicateur et par-dessus l'évêque, surnage toujours le galant homme, l'homme du monde, qui « ne se
pique de rien », qui fait les devoirs de son état en perfection,
sans tapage et sans pose, sans gravité trop sérieuse aussi, avec un
coin de sourire aux lèvres, et un air exquis de finesse un peu railleuse. Dans sa prédication, il parla convenablement des vices du
jour, des dettes, des mariages d'argent, des vocations forcées, des
devoirs des mères. Il se fit admirer surtout dans l'oraison funèbre :
il eut toutes les qualités mondaines en parlant des gloires du
monde, et même le tact suprême d'être sincèrement chrétien.
Fléchier est un admirable rhéteur, d'une souveraine élégance de
forme, d'une rare délicatesse d'oreille : sa prose est merveilleuse
de rythme, et telle page des oraisons funèbres, l'exorde par
exemple de celle de Turenne, donne la sensation d'un chant.

Les qualités de Fléchier sentent la décadence, et en effet avant
la fin du siècle il est sensible que l'éloquence chrétienne s'en va,
du même pas que l'esprit chrétien. Dès 1688, La Bruyère, dès 1681-
1686, Fénelon, enregistrent la décadence de l'éloquence de la chaire.
Ils s'accordent à reprocher aux prédicateurs l'ambition et le bel
esprit, l'ignorance de la religion et le manque de zèle. Le sermon
est un spectacle, ou un exercice littéraire. L'orateur ne cherche

---

1. **Biographie :** Esprit Fléchier (1632-1710), précepteur du fils de Le Fèvre de Caumartin, qu'il suit aux grands jours d'Auvergne (1665-66), évêque de Lavaur en 1685
de Nîmes en 1687 : Oraisons funèbres de Mme de Montausier (1672), de Turenne
(1676), de M. de Montausier (1690).

Éditions : *Œuvres complètes de Fléchier*, Nîmes, 1782, 10 vol. in-8; *Mémoires su*
les grands jours d'Auvergne, édit. Gonod, 1844; édit. Cheruel, 1856. — A consulter
l'Abbé A. Fabre, *Correspondance de Fl. avec Mme Deshoulières et sa fille*, Paris
1871; *la Jeunesse de Fl.* 1882, 2 vol.; *Fl. orateur*, 1886; Mgr. Grente, *Fl.*, 1934

qu'à s'en tirer à son honneur. Du vrai, de l'efficacité, il n'en a cure, pourvu qu'on dise qu'il a bien prêché. L'art et l'esprit profanes envahissent le sermon, qui devient un pur développement de philosophie morale, embelli plus ou moins de traits ingénieux et surprenants.

Le dernier des grands orateurs de la chaire masque cette décadence, sans l'enrayer. Massillon [1], oratorien, homme doux et timide, enseignait dans les collèges de son ordre, quand on le força à prêcher : il débuta à Paris en 1698; son succès fut considérable. Il avait la voix touchante et sensible, l'action pathétique. Cet homme doux était parfois effrayant en chaire. Il ne parlait que de crimes et de supplices : il fermait la porte à l'espérance. En un autre temps, il eût découragé les fidèles. En réalité, il faisait son métier, et ses auditeurs le prenaient bien ainsi. Cet ancien professeur de rhétorique avait une vraie foi, une émotion sincère, et de là une forte éloquence qui éclatait parfois : mais à l'ordinaire il ne pouvait se tenir d'*amplifier* sa matière, avec force hyperboles et grands mouvements. Il développait de belles périodes, avec une exubérance cicéronienne : le malheur était qu'une fois entré dans un tour, il n'en sortait plus, il le représentait avec insistance, jetant toutes ses phrases dans le moule qu'il avait d'abord choisi.

Son pire défaut est ce qui l'a fait préférer de Voltaire, de La Harpe et des Encyclopédistes, entre tous les prédicateurs. Il efface le dogme, il cite à peine l'Écriture, sa prédication est toute morale, toute philosophique, presque laïque. Si l'on excepte les formules traditionnelles, rien n'y sent le chrétien.

Après Massillon, il n'y a plus rien. On goûte des parleurs académiques [2], élégants, descriptifs, satiriques, sensibles, qui prêcheront dans le goût des vers de Saint-Lambert ou de Delille, de plus en plus fades et édulcorés à mesure que le siècle avance. Cette misé-

---

1. **Biographie** : Massillon (1663-1742), professeur de lettres à Pezenas, de rhétorique à Montluçon et à Juilly, de philosophie à Vienne, s'applique par ordre à l'éloquence de la chaire; carême de 1698, à Montpellier; carême de 1699, à l'Oratoire de la rue Saint-Honoré; en 1701 et 1704, Carêmes à la cour; oraisons funèbres du prince de Conti (1709); du dauphin (1711), de Louis XIV (1715); petit carême en 1718; oraison funèbre de Madame en 1723. Il devint évêque de Clermont en 1717.

Éditions : *Œuvres*, 1745; éd. de 1817, Paris, 4 vol. in-8. — **A consulter** : l'abbé Blampignon, *la Jeunesse de Mass.*, *l'Episcopat de Mass.* Paris, 1884; Ingold, *l'Orat. et le Jansén. au temps de Mass.*, 1880; Brunetière, *Etudes crit.*, II; A. Chérel, *Mass.*, 44.

2. Les chrétiens sincères ne manquent pas : ils n'ont pas su trouver le point d'où la religion pouvait être présentée à leur siècle; il y a un catholicisme du XVIIᵉ siècle; il y en a un du XIXᵉ; il n'y en a pas du XVIIIᵉ siècle. Ses meilleurs apologistes sont médiocres. — **A consulter** : Bernard, *le Sermon au XVIIIᵉ siècle*, 1901; A. de Coulanges, *la Chaire française au XVIIIᵉ siècle*, 1ʳᵉ partie, 1901.

rable dégénérescence de l'éloquence religieuse trouve son expression parfaite dans l'abbé Maury, le plus fleuri, le plus harmonieux,
le plus froid, le plus vide et le moins sincère des orateurs que, par
habitude, on continue d'appeler chrétiens : Maury est à Bossuet
ce que Fontanes est à Racine.

7. LES PROTESTANTS.

Je n'ai parlé, dans ce chapitre, que de la prédication catholique. Après Calvin, Bèze et Viret, les protestants ont continué
d'avoir de bons, d'utiles prédicateurs [1] : dans la première partie
du siècle, Dumoulin, Le Faucheur, Mestrezat, Daillé, Dalincourt ;
à l'époque de la Révocation, Claude, Du Bosc, Superville. Mais, en
général, les protestants méprisent l'art et s'en défient. Puis ils
sont logiciens, controversistes, plutôt qu'orateurs ; la théologie
déborde dans leurs discours en arides dissertations, en polémiques
ardues.

Le grand orateur du calvinisme est Jacques Saurin, qui, consacré pasteur en 1700, prêcha en Angleterre et en Hollande. Il se
fit une immense réputation. Il voulut être éloquent, et il l'a été
souvent. Profitant des exemples des prédicateurs catholiques, et
surtout de ceux de Bossuet, il renonça aux explications dogmatiques de textes suivis pas à pas, et détaillés phrase par phrase.
Il construisit ses sermons sur une seule idée, dont il développait
les divers aspects. Théologien solide, discutant et démontrant le
dogme avec érudition, il s'étendait surtout sur la morale ; fin et
pénétrant dans ses analyses, rude, tendre, pressant dans ses
exhortations. Son discours est logique, serré, clair, un peu trop
orné de littérature profane, de réminiscences historiques et mythologiques, nourri de philosophie. Saurin s'étudie et réussit à être
pathétique. La sincérité de son zèle et de sa charité unit, fond
tous ces éléments, et maintient la simplicité dans cette éloquence
que l'on sent un peu lourdement voulue. Le style reste terne et
pâteux, parfois négligé et inexact : moins vif, moins spirituel,
moins coloré ou brûlant que l'idée. En somme, Saurin fait honneur à l'Eglise française de Hollande.

---

1. A consulter : A. Vinet, *Histoire de la prédication parmi les réformés de France
au* XVIIe *siècle*, Paris, in-8, 1860. E.-A. Berthault, *J. Saurin et la prédication protestante*, Paris, in-8, 1875.

LIVRE IV

LA FIN DE L'AGE CLASSIQUE

———

CHAPITRE I

QUERELLE DES ANCIENS ET DES MODERNES

Cause profonde du débat. — 1. Vue sommaire des faits. Perrault et
ses *Parallèles*. Fontenelle et sa *Digression*. Boileau et ses *Réflexions
sur Longin*. — 2. Sens et conséquences de cette querelle.

Nous avons vu que le naturalisme classique est le produit d'une
combinaison d'éléments dissemblables : le rationalisme et le goût
esthétique. Issus tous les deux de la Renaissance, le rationalisme
et le goût esthétique étaient pourtant deux courants qui portaient
en sens contraire. Le premier éloignait de l'antiquité, et poussait
la raison moderne à ne compter que sur soi : le second ramenait
à l'antiquité, et invitait le génie moderne à s'appuyer toujours
sur les exemples des Grecs et des Romains. Le culte de l'antiquité
avait barré, contenu l'influence du rationalisme sur la littérature;
et c'est par là que la notion de l'art y avait été maintenue.
Presque tous les chefs-d'œuvre oratoires et poétiques du temps
sont sortis de la petite école des adorateurs de l'antiquité.

Mais le progrès du rationalisme ne pouvait être longtemps
enrayé, et nous assistons à la fin du siècle à la destruction de
l'idéal classique : c'est à cette crise que l'on donne le nom de *querelle des anciens et des modernes* [1].

1. A consulter : F. Brunetière, *Evol. de la crit.*; *Etudes crit.*, V; H. Gillot, *Querelle
des Anciens et des Modernes*, 1914; G. Mongrédien, *Vie litt. au XVII⁰ s.*, 1947.

1. PERRAULT ET BOILEAU AUX PRISES.

Il faut d'abord rappeler les faits sommairement. Nous avons
parlé plus haut de ces épopées prosaïquement emphatiques,
auxquelles le goût précieux avait donné naissance. Les sujets de
ces « romans » en vers étaient presque tous tirés de l'histoire moderne, et ornés d'un « merveilleux » emprunté à la religion chrétienne. Un de ces auteurs, Desmarets de Saint-Sorlin, ayant donné
son *Clovis* en 1657, crut nécessaire, lorsqu'il vit s'élever une école
dont les maximes essentielles allaient, dans tous les genres, à
suivre les anciens et à reprendre les sujets déjà traités par eux,
de justifier le choix qu'il avait fait dans son poème d'un héros
moderne et chrétien. Il multiplia Préfaces et Traités [1], et ne se
défendit pas sans donner plus d'une atteinte aux poètes anciens.
Il tendit ainsi à généraliser la question, et à faire le procès à toute
l'antiquité. C'est contre Desmarets que Boileau, par une malheureuse application de sa doctrine, prohiba au troisième chant de son
Art poétique l'emploi de la religion chrétienne en poésie, et, juste
au moment où Milton venait d'écrire son *Paradis perdu* (ce que, du
reste, il ignorait), nia assurément la valeur poétique de Satan.
Le vieux Desmarets, avant de mourir, légua sa querelle à Charles
Perrault.

Vers le même temps, la lutte s'engagea sur un autre point : il
s'agissait de savoir si l'inscription d'un arc de triomphe dirait la
gloire du roi en latin ou en français. Il se fit de gros volumes pour
et contre l'emploi des deux langues, et là encore la question tendi*t*
à se généraliser : on se mit à comparer le latin et le français, à en
débattre les mérites respectifs, la capacité et l'illustration [2].

Cependant le moment de la grande bataille n'est pas venu
On s'en tenait aux escarmouches, aux actions de détail. C'était la
Préface d'Iphigénie, où Racine s'égayait aux dépens de Pierre Perrault, qui avait critiqué Euripide sans l'entendre (1671). C'était la
Préface d'une traduction du *Seau enlevé* de Tassoni, où Pierre Perrault attaquait les anciens et malmenait Boileau à mots couverts (1678). C'était une fable satirique où Claude Perrault dési-

---

1. *Discours* imprimé dans l'édit. in-8 du *Clovis* de 1673; *Comparaison de la langue
et de la poésie française*, in-12, 1670; *la Défense du poème héroïque*, in-4, 1674; *la
Défense de la poésie et de la langue française*, in-8, 1675.

2. **A consulter** : F. Charpentier, *Défense de la langue fr. pour l'inscript, d'un arc de
triomphe*, 1676; le P. Lucas, *De monumentis publicis latine inscribendis*; F. Charpentier, *De l'excell. de la langue franç.*, 1683 : Cet ouvrage pose nettement la
question des anciens et des modernes. Cf. F. Brunot, *Hist. de la Langue fr.*, V.

gnait Boileau comme l' « Envieux Parfait ». C'était la *Préface du Saint-Paulin* (1686), où Charles Perrault saisissait l'*Art poétique* par son point faible, par l'étroite théorie du merveilleux païen. La force du parti des modernes était dans les Perrault : ils étaient trois frères [1], amateurs de lettres et de sciences, intelligents, présomptueux, actifs, remuants, mondains, pourvus de bonnes places et de la confiance de Colbert. Le plus jeune, qui entra le dernier en ligne, fut l'adversaire de Despréaux.

La querelle des anciens et des modernes éclata par son poème du *Siècle de Louis le Grand*, qu'il lut à l'Académie le 26 janvier 1687,

> Les Régniers, les Maynards, les Gombauds, les Malherbes,
> Les Godeaux, les Racans,...
> Les galants Sarrazins et les tendres Voitures.
> Les Molières naïfs, les Rotrous, les Tristans,

étaient mis au-dessus des poètes grecs et romains. Après cette éclatante affirmation de sa thèse, Perrault en entreprit la démonstration : de 1688 à 1697 il fit paraître ses *Parallèles des anciens et des modernes*, dialogues ingénieux et superficiels, d'un tour léger et mondain et dans lesquels s'étalaient à la fois beaucoup d'assurance et beaucoup d'ignorance. Un abbé, à qui Perrault attribue du génie, et qui le représente lui-même, défend les modernes contre un Président qu'il donne pour savant et idolâtre des anciens, et qu'il fait imbécile : l'abbé est soutenu d'un chevalier, sot à boutades, à qui l'auteur confie le soin de lancer les énormités paradoxales qu'il veut insinuer, et n'ose pourtant avancer sérieusement. A travers les détours du dialogue, et les défaillances ou les lacunes de l'exécution, voici l'argumentation qui se reconnaît : la loi de l'esprit humain, c'est le progrès; dans les arts, dans les sciences, nous faisons mieux, nous savons plus que les anciens; donc dans l'éloquence aussi, et dans la poésie, nous devons leur être supérieurs. Les anciens étaient des enfants en tout : en tout,

---

1. Le quatrième frère, Nicolas Perrault, théologien janséniste, était mort depuis 1661. Pierre, le receveur général, mourut en 1680 : Claude, le médecin, l'architecte, le traducteur de Vitruve, mourut en 1688. Charles, premier commis de la surintendance des bâtiments du roi, de l'Académie française depuis 1670, de l'Académie des belles-lettres depuis la fondation, eut une grande part dans les mesures de protection et d'encouragement que prit Colbert en faveur des sciences et des savants. Il était en disgrâce, et vivait dans la retraite quand il fit *le Saint Paulin* et ses ouvrages postérieurs. Il mourut en 1703.

Éditions : *Parallèles des anciens et des modernes*, 4 vol. in-12, 1688-1697; *les Hommes illustres qui ont paru en France pendant le XVIIᵉ siècle*, 2 vol. in-fol. ; 3ᵉ édit. 2 vol. in-12, 1701; *Mémoires*, p. p. P. Bonnefon, 1909. *Contes de ma mère l'Oye*, petit in-12, 1697. — **A consulter :** A. Hallays, *Les Perrault*, 1926.

les modernes représentent la maturité de l'esprit humain. L'étude des ouvrages littéraires vérifie cette généralisation. M. Le Maître est plus magnifique que Demosthène; Pascal est au-dessus de Platon; Despréaux vaut Horace et Juvénal, et « il y a dix fois plus d'invention dans *Cyrus* que dans *l'Iliade*. » Il y a six causes qui font les modernes supérieurs aux anciens dans la littérature : le seul fait d'être venus les derniers, la plus grande exactitude de leur psychologie, leur méthode plus parfaite de raisonnement, l'imprimerie, le christianisme, et enfin la protection du roi.

Aux côtes de Perrault s'était rangé dès le premier jour Fontenelle, qui avait lancé son exquise et suggestive *Digression sur les anciens et les modernes* [1], où la question était traitée et résolue *a priori*. La nature est toujours la même, inépuisable en sa force, constante en ses effets : donc il naît autant de bons esprits aujourd'hui que jadis. Chaque âge de l'humanité lègue aux suivants ses découvertes : donc les bons esprits d'aujourd'hui possèdent toutes les pensées des bons esprits de l'antiquité, et de plus celles qu'ils peuvent former eux-mêmes. A vrai dire, certains climats sont meilleurs que d'autres pour certaines productions, soit physiques, soit intellectuelles; à vrai dire aussi, il y a des époques de recul, où les circonstances (guerres, etc.) étouffent les semences naturelles du génie : il naît une foule de Cicérons qui ne viennent pas à maturité. Somme toute, et en tenant compte de toutes les conditions, il se peut qu'*en fait* les poètes anciens n'aient pas été dépassés; s'ils ne l'ont pas été, ils peuvent l'être, ils doivent l'être. Voilà la conclusion qu'avec toutes sortes de précautions insinuait Fontenelle : et les modernes le poussaient à l'Académie, où sa réception était la confusion des anciens.

Ceux-ci pourtant avaient leur revanche : après avoir entendu le *Siècle de Louis le Grand*. La Fontaine rimait sa charmante *Epître* à Huet, où il faisait hommage de la perfection de son œuvre aux anciens, où il les proclamait ses maîtres, où il disait nettement leur mérite essentiel, le naturel, et le péché mignon des modernes, l'esprit. La Bruyère, dans ses *Caractères*, soutenait la même cause, et forçait les portes de l'Académie, où son discours de réception était un éclatant hommage aux modernes qui s'étaient mis à l'école de l'antiquité.

Cependant Boileau, qui ne se tenait pas de rage pendant la lecture de Perrault, Boileau n'éclatait pas. Il grognait, lâchait des

---

1. Elle parut en janvier 1688, avant les *Parallèles* de Perrault, dont le 1er vol. est de la fin de l'année. La digression faisait comme suite à un *Discours sur la nature de l'Églogue*, où Fontenelle discutait très librement sur le mérite de Virgile et de Théocrite. Cf. aussi les *Dialogues des morts* (1683) : Socrate et Montaigne, Érasistrate et Hervé, Apicius et Galilée, etc.

épigrammes contre l'Académie des Topinamboux, contre Perrault et ses admirateurs, prenait encore Perrault à partie dans un *discours sur l'Ode* dont il faisait précéder sa misérable *Ode sur la prise de Namur*, entreprise pour justifier Pindare et en faire sentir la manière. Tout cela ne réfutait ni le *Siècle* ni les *Parallèles*. Boileau le sentit et donna en 1694 ses neuf premières *Réflexions sur Longin*, œuvre de mauvaise humeur, d'ironie lourde et brutale, de critique mesquine et puérile. Comme Perrault avait dénigré violemment Homère et Pindare, Boileau, laissant la question générale, se rabattait à défendre Homère et Pindare, en démontrant que leur censeur ne les avait pas entendus. Il y a pourtant d'excellentes choses dans ces *Réflexions*, des vues générales et profondes : mais elles sont enveloppées ; jamais elles ne se présentent franchement, en pleine lumière ; et ce n'est pas une petite affaire de les extraire.

Au fond, Boileau était dans une fausse position : il était très « moderne » lui-même, et la façon dont il a habillé son *Longin* à la française montre la puissance qu'a sur lui le moyen goût de son siècle. Et puis surtout les œuvres de ses amis lui rendaient la tâche difficile : après Racine et La Bruyère, après Bossuet, après La Fontaine et Molière, après Pascal et Corneille, comment soutenir l'infériorité des modernes ? Le xviie siècle qui finissait n'avait-il pas raison de s'admirer dans son œuvre ? Boileau le sentait : car lorsqu'on l'eut réconcilié avec Perrault, il lui écrivit en 1700 une lettre excellente, où, reprenant à son compte la thèse de son adversaire en la limitant, il égalait le xviie siècle non pas à toute l'antiquité, mais à n'importe quel siècle de l'antiquité. Il évitait de mettre les modernes au-dessus des anciens dans tous les genres ; mais il montrait qu'il y avait des compensations, et que, plus faibles ici, les modernes, là, étaient supérieurs. Enfin, avec une étonnante sûreté de goût, il faisait le départ des œuvres immortelles du xviie siècle ; il séparait les Molière des **Sarrazin** : il disait, pour faire valoir son temps, précisément les noms que nous disons encore. Mais Boileau ne battait Perrault qu'avec les propres armes de Perrault.

2. PORTÉE ET CONSÉQUENCES DU DÉBAT.

Ainsi se termina la première phase de la querelle des anciens et des modernes. Il est facile de voir, dans ce simple exposé, le sens et la portée du débat. Les adversaires des anciens, Perrault, Fontenelle, sont des cartésiens : ils appliquent à la littérature l'idée cartésienne du *progrès*, et, au nom de cette idée, ne voyant dans toute la poésie et dans toute l'éloquence que des œuvres de la

raison essentiellement et nécessairement perfectible, ils déclarent
les écrivains modernes supérieurs aux anciens. Il suffit de lire dans
Malebranche [1] les mordants chapitres où il malmène les adorateurs
de l'antiquité, pour comprendre ce que pouvait donner l'esprit
cartésien quand on l'appliquait aux lettres et aux arts [2].

Au rationalisme cartésien s'allia ce que nous avons appelé le
rationalisme mondain. Ce rationalisme mondain tire ses principes de la mode, des convenances, de l'opinion ; il n'admet point
de vérité, de beauté hors des choses qui ont cours dans la société
polie ; et, comme le mouvement général des idées, en France, à
cette date, porte vers l'esprit et vers la science, vers l'exercice
exclusif des facultés intellectuelles et discursives, l'idéal mondain
est forcément l'exagération de cette tendance. De plus, la notion de
l'honnête homme, que la société demandait à chacun de réaliser en
soi, a rendu dans le cours du siècle l'instruction plus légère, plus
superficielle : on a imposé à l'homme du monde de n'afficher
aucune compétence spéciale, et on a fini par l'amener à n'avoir en
effet aucune sorte de compétence. Ainsi l'antiquité, superficiellement effleurée dans les collèges des jésuites, l'antiquité que les
femmes ne peuvent connaître, et qui n'est guère objet de conversation dans un salon, est renvoyée aux pédants des Académies et
aux cuistres de l'Université. Perrault comme Fontenelle, comme
plus tard Lamotte, unit la légèreté décisive de l'homme du monde
à l'indépendance cartésienne. Et les gens du monde n'hésiteront
pas : ils reconnaitront dans ces modernes leurs préjugés, leur
esprit, leur confiance dans la raison de leur temps et de leur classe,
leur penchant à ridiculiser tout ce qui n'est pas conforme à leurs
manières et accessible à leur intelligence, leur incapacité artistique,
leur impuissance à goûter d'autres beautés que celles de l'esprit
de conversation et de la vie élégante. De là le succès de Perrault.
Il eut les salons pour lui. Saint-Evremond, Bussy-Rabutin, les
deux représentants les plus distingués de la société polie, sont
discrètement, mais essentiellement modernes.

Or le succès de Perrault, qui affranchit la littérature moderne
de l'imitation et du respect de l'antiquité, ce n'est rien moins que
l'élimination de l'art, du grand art classique, sévère et noble, ou
du moins la subordination rigoureuse de l'art à l'idée, du souci
esthétique à la curiosité intellectuelle. Mais avec le grand art s'en

---

1. **Biographie :** Malebranche, né à Paris en 1638, entre à l'Oratoire en 1660. Ses
doctrines, suspectes à Bossuet, furent combattues par Arnauld. Fénelon en avait
entrepris aussi une réfutation. Il mourut en 1715.
   Éditions : *De la recherche de la vérité*, Paris, 1674-1675, 2 vol. in-12. *Œuvres*, édit.
J. Simon, Paris, Charpentier, 4 vol. in-12 ; éd. D. Roustan et P. Schrecker, 1938.
2. *Rech. de la vérité*, l. II, 2ᵉ partie, ch. III à VI.

iront la poésie ou l'éloquence, dont la disparition (ou la survivance dans des formes dégénérées et de froids pastiches) constituera une des grandes différences qui sépareront la littérature du XVIIIᵉ siècle de celle du XVIIᵉ. Et l'idée fatale à l'art, cette idée de progrès qui fournit aux modernes leur principal argument, c'est l'idée maitresse de la philosophie du XVIIIᵉ siècle. Ainsi, dans le débat sur les anciens et les modernes, j'aperçois le XVIIIᵉ siècle qui apparaît et qui détruit le XVIIᵉ siècle en s'en dégageant[1].

1. Le XVIIIᵉ siècle se créera, on le verra plus loin, un art à sa mode, indépendant de l'antique et du noble classique, adapté au ton de la société et aux mœurs.

CHAPITRE II

LA BRUYÈRE ET FÉNELON

1. La Bruyère; l'homme. — 2. Les *Caractères* : composition du livre
La peinture de l'homme et la peinture de la société. L'originalité
de La Bruyère : réalisme pittoresque, expression artistique. Le
« philosophe » : le chapitre de *Quelques Usages*. — 3. Fénelon :
il tient au XVIIᵉ siècle par la foi et par l'admiration des anciens.
Divers écrits. Les *Dialogues sur l'Eloquence* et la *Lettre à l'Académie* : la critique d'impression. Le *Télémaque*. La *Correspondance*.
— 4. Esprit et humeur de Fénelon : amour-propre, ambition,
affection. Expansion de la sensibilité. Son œuvre littéraire, expression de son individualité. Séduction du personnage.

Revenons au groupe des grands écrivains, aux disciples et adorateurs des anciens : chez les derniers venus, nous trouvons une
complexité, une incohérence parfois qui annoncent des temps
nouveaux; il y a quelque chose dans La Bruyère et dans Fénelon,
qui n'est pas du XVIIᵉ siècle, et où nous pouvons reconnaître
aujourd'hui une transition vers le XVIIIᵉ.

1. LA BRUYÈRE.

Un seul fait nous intéresse dans la vie silencieuse de La Bruyère [1] :
en 1684, l'amitié de Bossuet le fit entrer à l'hôtel de Condé, pour

---

1. **Biographie** : Jean de la Bruyère, né à Paris, en 1645, d'une famille bourgeoise,
étudie le droit, acquiert un office de trésorier de France et général des finances en
la généralité de Caen(1673), est recommandé par Bossuet au prince de Condé, qui
le charge d'instruire son petits-fils. Il entre à l'Académie en 1693. Il meurt le 11 mai 1696.
Éditions : *Les Caractères de Théophraste, traduits du grec avec les Caractères ou
les Mœurs de ce siècle*, Paris, Michallet, 1688; *Œuvres complètes*, éd. G. Servois,
1923; *Caractères*, éd. G. Servois et A. Rébelliau, éd. G. Cayrou, éd. G. Mongrédien.
— **A consulter** : Allaire, *La Br. dans la maison de Condé*, 1886; P. Morillot, *L. B.*,
1904; M. Lange, *L. B. critique des conditions et des institutions sociales*, 1909; E. Magne, *L. B.*, 1914; G. Michaut, *L. B.*, 1936; F. Tavera, *Idéal moral et idée religieuse
dans les Caractères de L. B.*, 1940; P. Richard, *L. B. et ses Caractères*, 1946.

être précepteur du duc de Bourbon, à qui il enseigna l'histoire, la géographie, la littérature et la philosophie. Cette éducation terminée, La Bruyère resta dans la maison comme gentilhomme de M. le Duc. C'était une terrible race que ces Condé; ils n'étaient pas faciles à vivre. Le grand Condé, avec sa face d'oiseau de proie et son âme de bandit féodal, avait des emportements qui faisaient trembler : encore savait-il en réparer l'effet par l'irrésistible enveloppement d'une délicate séduction. Mais le duc d'Enghien, son fils, était « le fléau de son plus intime domestique »; et son petit-fils le duc de Bourbon, violent, hautain, avare, injuste, était un maître détestable et détesté : il était brutalement mystificateur, et prenait pour plastron les gens de son entourage. Dieu sait ce qu'endura cet inoffensif et original Santeuil par la faveur de M. le Duc !

Mais ces Condé avaient tous quelque chose de supérieur dans l'esprit; ils avaient de vastes connaissances, un goût exquis; ils aimaient le talent sous toutes ses formes. J'imagine qu'ils rendirent la vie dure à La Bruyère, et qu'en même temps ils lui firent trouver impossible de vivre ailleurs. Surtout quel théâtre, quel champ d'observations que cet hôtel de Condé, que ce Chantilly, où tout ce qui comptait en France défilait devant les yeux du philosophe et du peintre! Si sa bonne fortune ne l'eût placé dans ce poste, La Bruyère n'aurait sans doute pas fait son livre. Les principaux éléments lui eussent manqué pour représenter les caractères et pour juger l'organisation de la société contemporaine. Et se fût-il reconnu lui-même; son humeur se serait-elle affirmée dans son livre par une si originale amertume, s'il ne se fût éprouvé au contact de ces princes?

La Bruyère est un bourgeois de Paris : un libre esprit, sans préjugé de caste ni respect traditionnel, très peu révolutionnaire, mais satirique et frondeur, peu porté à l'indulgence envers les puissants et les puissances : un esprit indépendant, ayant horreur de tous les engagements, qui, pour ne pas diminuer sa liberté, a renoncé à tous les biens, à la fortune, aux emplois, même à la famille; car une femme, des enfants, rendent le renoncement difficile : a-t-on le droit de se passer de tout pour eux, comme pour soi?

C'est donc un philosophe que La Bruyère : mais à voir la fière et ombrageuse sensibilité qui perce dans son livre, on se demande s'il est aussi détaché qu'il veut l'être. Il a renoncé à tout, au prix où tout s'obtenait : par flatterie, bassesse, intrigue. Mais il en veut aux grands, de mettre la fortune à ce prix. Il souffre de voir son mérite sans emploi : il y a en lui un ambitieux honnête, qui s'irrite d'être contraint de faire à son honneur le sacrifice de son ambi-

tion. Voilà la plaie incurable de La Bruyère, la source secrète de
son chagrin, de sa misanthropie, de ses colères contre les grands
qui ne préviennent pas le talent, contre la société qui ne fait pas
de place au mérite personnel. Cependant il reste auprès des
princes, où il a tant souffert de la moquerie, et plus encore de
l'indifférence. Il reste, et il veut plaire : il s'évertue gauchement,
lourdement, sans aisance, comme ses contemporains l'ont remarqué ; il a la mauvaise grâce d'un homme fier, qui fait effort pour
plaire et manifeste si sensiblement son intime humiliation qu'il
en perd tout le bénéfice.

L'action lui étant interdite, il se rejeta sur la pensée et sur l'art.
Il publia à la fin de 1687 ses *Caractères*, qui eurent un grand
succès, succès de scandale autant que d'estime.

2. LE LIVRE DES « CARACTÈRES ».

La Bruyère a mis son œuvre sous le couvert des anciens, en faisant précéder ses *Caractères* d'une traduction de ceux de Théophraste. Mais elle a des origines plus modernes et tout immédiates.
Rappelons-nous le goût de la société polie pour les maximes, d'où
était sorti le livre de La Rochefoucauld : et rappelons le goût de
la même société pour les portraits, d'où était sorti le *Recueil* de
Mademoiselle en 1659, et qui, dans les romans ou comédies, et
jusque dans les sermons du siècle, mit tant de descriptions de
caractères individuels. Maximes et portraits sont une sensible
manifestation du goût du siècle pour l'exacte vérité : ce sont deux
genres faits pour la notation précise de la réalité, d'où l'invention
romanesque, dramatique, poétique est exclue, où l'art littéraire
s'approche autant qu'il est possible de l'expression scientifique.

Or, des maximes et des portraits, c'est tout le livre de La
Bruyère : il a repris la forme de La Rochefoucauld ; et il a dégagé,
isolé le portrait, en lui donnant sa forme d'art et sa valeur philosophique. Sa véritable originalité éclate dans le portrait : c'est
là qu'il est sans rival. Il l'a bien senti : car, dans les sept éditions
qu'il a données lui-même de son livre après la première, depuis
la quatrième surtout, il a multiplié les portraits, qui d'abord
étaient assez peu nombreux.

Les réflexions générales de La Bruyère sont bien au-dessous des
maximes de La Rochefoucauld, des pensées de Pascal, même des
saillies de Montaigne. La Bruyère n'est pas un esprit profond ; il
n'a pas un point de vue original et personnel d'où il regarde les
actions humaines. En un mot, il n'a pas de système. C'est une

garantie d'impartialité ordinaire, de vérité moyenne : il évite
ainsi les grandes erreurs et les grandes découvertes.

Il ne faut pas se laisser abuser par le dernier chapitre, une collection de réflexions et de raisonnements philosophiques, où La
Bruyère mêle Platon, Descartes et Pascal dans un vague spiritualisme chrétien. Ce chapitre, sincère évidemment, mais sans personnalité, et qui ne contient que le reflet des pensées des autres,
n'est pas une conclusion où tout l'ouvrage aboutisse. Il masque,
au contraire, le manque de conclusion et de vues générales. De
plus, avec le chapitre du Souverain, placé au milieu du volume, il
est destiné à désarmer les pouvoirs temporel et spirituel, à servir
de passeport pour l'indépendante franchise de l'observation dans
le reste des *Caractères*.

Il n'y a pas à nier qu'il y ait un certain ordre dans la disposition du volume. Un chapitre d'introduction, où l'auteur explique
sa doctrine littéraire ; puis neuf chapitres de description des
diverses classes de la société : le mérite personnel, d'abord,
parce qu'il n'a pas de place marquée dans la hiérarchie ; puis le
monde proprement dit, étudié dans ses principaux éléments et
occupations, *les Femmes* avec *le Cœur* et *la Conversation*; les classes
maintenant, gens de finance, bourgeois et robins, courtisans et
grands ; enfin l'État, les ministres et le roi. Viennent alors deux
chapitres généraux : l'*Homme*, les *Jugements*; la *Mode* nous ramène
aux travers particuliers du siècle ; l'étude de *Quelques usages*
découvre les abus radicaux de la société. Enfin le chapitre de *la
Chaire* nous explique l'état de cette prédication chrétienne qui a
la charge des âmes et la direction morale du siècle ; et le chapitre
des Esprits forts combat le libertinage. Il y a bien dans tout cela
une certaine suite ; de même que, dans chaque chapitre, les jugements et les portraits se groupent, se distribuent selon les objets
auxquels ils s'appliquent.

Mais cet ordre n'est pas dans l'invention, il n'existe que dans le
classement. Les *Caractères* ont été faits au jour le jour ; ce sont
des notes prises devant la réalité. Quand son portefeuille a été
assez rempli, l'auteur a classé ses notes sous différents titres,
trouvés après coup. Ce décousu de la composition a son avantage :
La Bruyère dit tout ce qu'il voit, les nuances les plus voisines, les
contradictions les plus flagrantes ; cela ne l'embarrasse pas, puisqu'il juxtapose sans fondre.

Sa peinture de l'homme est juste, un peu banale ; c'est l'homme
de Montaigne, de La Rochefoucauld et de Pascal : égoïste, léger,
inconstant, toujours en deçà et au delà du vrai, prenant pour
raison sa fantaisie, son habitude et son intérêt, incapable d'un
sentiment profond et durable, plus capable d'un grand effort d'un

instant que d'une vertu moyenne et constante, allant aux belles actions par vanité, ou par fortune, soumis à la mode dans ses mœurs, dans ses idées comme dans son vêtement.

Plus serrée et plus personnelle est la peinture de la société. La Bruyère la voit fondée sur la naissance, idolâtre de l'argent, dont il annonce le règne; les femmes coquettes, menteuses, perfides, êtres d'instinct, meilleures ou pires que les hommes, dominant dans les salons, et y imposant l'esprit futile et banal, attirant autour d'elles l'essaim des fats et des ridicules; les financiers, partis de bas, durs, sans scrupules comme sans pitié, méprisables absolument; la ville, rentiers, marchands, magistrats, commençant à échanger les fortes vertus bourgeoises pour les airs et les vices de la cour; la cour, abjection et superbe, férocité et politesse, où le mobile unique est l'intérêt; les grands, extrait de la cour dont ils manifestent le vice dans sa plus pure et naturelle malice, sans âme sans esprit, tout à l'orgueil et au plaisir, bien pires que le peuple; le souverain — mais ici La Bruyère ne voit plus. Il ne pouvait pas voir. Il peint un idéal.

Rien en somme ne manque que ce qui s'est trouvé en dehors de son observation : la province, sur laquelle il n'a qu'une page, injuste et insuffisante; le peuple des villes, qu'il ne soupçonne pas; le paysan, dont il devine la dure condition, parce qu'il en a aperçu la silhouette courbée sur la terre, et dont il ne pénètre pas le caractère, parce qu'il n'a pas eu de contact, parce qu'il n'a pas vécu avec lui.

Plus la matière de l'observation est, pour ainsi dire, à fleur de sol, plus elle s'éloigne de l'idéale abstraction et s'approche de la réalité concrète et sensible, et mieux La Bruyère sait voir et rendre. Il atteint mieux l'homme du xviie siècle que l'homme, et mieux encore les divers types dans lesquels se résout l'homme du xviie siècle. La raison en est que dans ce moraliste il y a surtout un artiste, qui aime la vie et les aspects de la vie. Il évite le singulier, le monstrueux; il s'applique à saisir et à manifester les caractères généraux, les lois communes et constantes de la vie, à découvrir par conséquent et à peindre des types, mais ces types ne sont pas pour lui des formes abstraites, ce sont des individus réels et vivants, dont la généralité consiste dans leur aptitude à représenter des groupes.

Par ce manque de profondeur philosophique, avec ce tempérament d'artiste sensible aux formes, aux apparences vivantes. La Bruyère transforme le réalisme psychologique des grands classiques en réalisme pittoresque; il fait la transition de Molière à Lesage. S'il ne nous apprend à peu près rien de nouveau sur les passions elles-mêmes, il est un merveilleux observateur des signes exté-

rieurs auxquels les passions sont attachées. **Voilà** son domaine,
voilà son génie; là il est incomparable. Il a recueilli avec une sagacité minutieuse et patiente tout ce qui, dans l'homme qu'on voit,
trahit et découvre l'homme qu'on ne voit pas, port de tête, regard,
démarche, accent, geste, mot, *tics* et *plis*, habitudes physiques,
actions mécaniques ou familières.

A chaque instant les expressions générales et simplement *intelligibles* se résolvent sous la plume de La Bruyère en petits faits
sensibles [1] : ainsi, voulant indiquer le plaisir de faire du bien, il
ne trouve pas de plus forte expression qu'une impression physique,
le choc de deux regards qui se rencontrent et parlent : « Il y a du
plaisir à rencontrer les yeux de celui à qui on vient de donner ».
Veut-il peindre un docteur, il nous montre l'homme « qui a un long
manteau de soie ou de drap de Hollande, une ceinture large et
placée haut sur l'estomac, le soulier de maroquin, la calotte de
même, d'un beau grain, un collet bien fait et bien empesé, les
cheveux arrangés et le teint vermeil » : ce costume, c'est le « caractère »; un peintre qui ferait un portrait n'exprimerait pas autrement le moral. Veut-il nous faire connaître une vieille coquette,
qui se méconnaît, il la fait médire des vieilles femmes qui se
parent; mais à quel moment? L'action physique qui accompagne les
paroles de Lise en fait vigoureusement ressortir le ridicule : Lise se
moque ainsi « pendant qu'elle se regarde au miroir, qu'elle met du
rouge sur son visage et qu'elle place des mouches ». Donnez ce
morceau à traduire à un de nos graveurs du xviiie siècle : sans
rien ajouter, sans rien retrancher au texte de La Bruyère il fera
une délicieuse estampe.

Voilà par où vivent les personnages de La Bruyère : on les *voit*
si nettement, ils sont si particuliers dans leur air et leur action,
qu'on a peine à croire que l'artiste les ait *composés*, et non pas
copiés. On en cherche les originaux : et comme ils sont en général
si intelligemment choisis et si exactement rendus qu'ils ont derrière eux chacun une nombreuse série d'individus, il est rare
qu'on ne trouve pas autour de soi, dans ses connaissances, une
figure capable d'avoir servi d'original au peintre. De là les *clefs*
de La Bruyère : il s'est défendu, comme Molière, et avec raison
aussi dans une certaine mesure, contre la malignité publique
acharnée à nommer les personnes d'après lesquelles il avait travaillé. Cependant, comme, après tout, il avait travaillé d'après
nature, les gens qui vivaient dans son monde avaient chance
parfois de rencontrer juste, et si les caractères d'*Émile*, de *Straton*,

1. Étudier dans le chapitre des *Grands* le morceau : « Pendant que les Grands
négligent de rien connaître », etc.

de *Ménippe*, de *Pamphile*, d'autres encore, ne sont pas des portraits strictement personnels, il est certain pourtant que Condé, Lauzun, Villeroy, Dangeau, etc., ont fourni les éléments principaux de chaque portrait.

La Bruyère avait en lui l'étoffe d'un romancier, et d'un romancier naturaliste. En effet, comme il peint le moral par le physique, la description analytique fait place forcément à la vue synthétique des caractères : il recompose l'homme, et il le force à s'exprimer en vivant. Ce don qu'il a de trouver le geste, le mot qui contiennent tout un homme, résument toute une situation, c'est le don essentiel du romancier naturaliste ou encore, si l'on veut, de l'auteur dramatique. Sans cesse le portrait tourne chez lui en tableau, en chapitre de roman ou en scène de comédie. Le développement manque; l'encadrement d'une action fictive est absent : ce sont des fragments, des motifs de roman vrai, où le *document humain*, comme on dit aujourd'hui, serait seul donné dans sa plus simple formule et sans « extension » poétique.

Le *fleuriste*, l'*amateur de prunes*, sont des « nouvelles » d'un réalisme humoristique, resserrées en une page. Le début du chapitre de la *Ville* est le sommaire d'une description faite bien des fois par nos romanciers, l'indication d'un tableau ou d'une aquarelle que nos artistes nous ont montrée bien des fois : ces lieux mondains où le tout-Paris se rassemble pour se montrer et se voir, au XVIIe siècle, les Tuileries ou le Cours, aujourd'hui un vernissage, une allée du Bois, un retour de courses. Mais je ne sais rien de plus caractéristique que le portrait de *Nicandre*, ou l'homme qui veut se remarier [1] : ce n'est pas un portrait, à vrai dire, c'est l'esquisse d'un dialogue, où il n'y a qu'à remplir les répliques de l'interlocutrice, laissées en blanc par La Bruyère, et faciles à suppléer : tout le rôle de Nicandre est noté avec une précision singulière. Il y a même un caractère qui est devenu une nouvelle en forme et développée : c'est l'histoire d'*Émire*, petit roman psychologique où La Bruyère étudie un jeu complexe de sentiments, qui évoluent et se transforment; on y voit la vie mobile d'une âme, et non plus l'état fixe d'une âme.

Parfois ce peintre si sagace et si exact s'emporte, et, par une sorte d'enivrement d'imagination, dépasse son observation; la description réaliste s'achève alors en fantaisie copieuse, et l'on a une sorte de bouffonnerie très particulière, pittoresque et chargée, qui peut être de fort mauvais goût, mais qui a une saveur originale : elle consiste éminemment à noter l'hypothèse impossible par une collection de petits faits précis et sensibles, tout ana-

1. *De la Société et de la Conversation*, fin.

logues à ceux par lesquels la réalité visible se note Il y a des fragments de La Bruyère qui font penser à des excentricités de dessinateur en gaieté.

Il ne faut pas méconnaître non plus la part que peuvent revendiquer dans les *Caractères* l'homme du monde et l'homme d'esprit. La Bruyère s'est appliqué à dire finement, malignement, spirituellement ce qu'il voulait dire. Et il y avait aussi en lui un honnête homme qui ne se trouvait pas à sa place, et qui en souffrait : de là, le ton satirique, les boutades misanthropiques, la déformation âprement pessimiste de la réalité. Tous ces éléments subjectifs se sont mêlés à la description objective de la vie humaine que nous présente le livre de La Bruyère. Mais en somme l'artiste épris de la vie, le naturaliste impartial prennent le dessus : on trouve chez La Bruyère de ces traits qui ne s'expliquent que par le respect de la nature, par le besoin de rendre ce qui est [1].

Un chapitre du livre contredit à peu près constamment ce que j'ai dit ; ou du moins, pour que l'idée que j'ai donnée de La Bruyère s'y retrouve, il faut renverser les proportions des éléments qui composent son esprit. Je veux parler du chapitre *de Quelques usages*. Les portraits y sont très rares ; l'impassibilité, l'impartialité même ne s'y rencontrent jamais ; l'ironie y est constante, et d'une âpreté cuisante ; d'un bout à l'autre on sent l'homme mécontent de ce qui est. Or que contient ce chapitre? la critique des abus fondamentaux de la société du xviie siècle : abus dans la noblesse, qui s'achète, et qui n'est plus qu'un moyen de ne pas payer l'impôt quand on est riche ; abus dans la religion, tournée en spectacle mondain ; abus dans la famille, où la vanité et l'intérêt ruinent l'institution du mariage, où les filles sont inhumainement sacrifiées à l'orgueil social, et cloîtrées sans vocation ; abus dans la justice, lente, coûteuse, injuste, etc. Remarquons-le bien : les points touchés par La Bruyère sont précisément ceux par où les philosophes du siècle suivant saperont l'ancien régime ; La Bruyère est déjà *philosophe* au sens que Voltaire et Diderot donneront à ce mot.

Le style de La Bruyère est très travaillé, très curieux, très varié. L'auteur a cherché à prévenir la fatigue qui pouvait résulter du décousu de ses observations par la surprise de la forme incessamment renouvelée : maximes, énumérations, silhouettes, portraits, dialogues, récits, apostrophes, tableaux, s'entremêlent et réveillent

---

1. *Des biens de fortune* : « Arfure cheminait seule », etc. ; le trait final, *et le curé l'emporte*, est entièrement objectif.

2. C'est trop dire. La Bruyère souffre des abus et les critique ; mais il ne propose pas encore de réformes ; et il n'attend les remèdes que du roi. Le *philosophe* a l'idée du remède qui guérirait le mal. Il ne sollicite pas le roi, mais il enflamme le public. Il travaille à forcer le roi par l'opinion. La Bruyère marque le moment où le sentiment du mal social va obliger la raison à construire une philosophie sociale (*11e éd.*)

la curiosité. Il s'applique aussi à varier les tours, il multiplie les
figures; il use surtout de l'antithèse, tantôt ramassée en deux
traits rapides, tantôt développée en vastes membres symétriques,
tantôt curieusement inégale, par l'extension du premier membre
et le resserrement du second, qui surprend d'autant plus. Avec
l'antithèse, il prodigue l'ironie où il est maitre : il se plaît à
dérouter le lecteur par l'exposition flegmatique de la pensée contraire à celle qu'il veut enfoncer, jusqu'à ce qu'un mot, un tout
petit mot parfois, tout à la fin du morceau, donne la clef du reste,
et nous découvre qu'il faut renverser tous les termes.

Son vocabulaire est extrêmement riche : il a sous la main toute
sorte d'archaïsmes, de néologismes, de mots délicats ou populaires,
techniques, scientifiques, termes de métier, d'art, de chasse ou de
guerre; en sorte qu'on a pu dire que son livre était un inventaire
des richesses de la langue française. Avec cela, style et langue sont
chez lui complexes, un peu disparates : il a un style spirituel et
une langue d'homme du monde; il a aussi un style objectif, et
une langue d'artiste, à qui tous les mots sont bons, pourvu qu'ils
fournissent de la couleur.

Le défaut de La Bruyère, c'est d'avoir trop d'art. Les raffinements et les exubérances de sa technique d'écrivain ont permis
de dire que parfois la forme chez lui trompait sur le fond. A
certain égard, le style de La Bruyère fait la transition entre les
deux siècles. Quoiqu'il manie la période excellemment, sa forme
préférée, c'est le style aiguisé, incisif, le trait rapide et qui perce :
on n'a pas de peine à passer de là à Montesquieu. Qu'on détende
cette forme, qu'elle devienne l'expression aisée du mouvement
naturel de l'esprit, et l'on aura les petites phrases coulantes et
coupantes de Voltaire.

3. L'ŒUVRE LITTÉRAIRE DE FÉNELON.

Deux attaches retiennent Fénelon [1] dans le XVIIe siècle dont il
est le dernier représentant : la foi, et le goût de l'antiquité. Hors

---

1. **Biographie :** François de Salagnac (mieux que Salignac) de la Mothe-Fénelon, né
au château de Fénelon en Périgord (1651), entra dans les ordres, songea à se consacrer aux missions du Canada et du Levant, fut nommé supérieur des Nouvelles
Catholiques (1678), puis chargé d'une mission en Saintonge et Aunis après la révocation de l'édit de Nantes, et enfin (1689) de l'éducation du duc de Bourgogne. Il entra
à l'Académie en 1693. Il fut nommé à l'archevêché de Cambrai en 1695. L'affaire du
quiétisme était déjà entamée. L'*Explication des Maximes des Saints,* que Fénelon
fit paraître en 1697, fut condamnée à Rome en 1699. Fénelon était exilé dans son
diocèse depuis 1697. Il mourut en 1715, le 7 janvier.

Éditions : *Traité de l'éducation des filles,* 1687; *Dialogues sur l'éloquence* (écrits
vers 1681-1686), 1718; *Lettre à l'Académie,* 1716; *Télémaque* (1699); *Dialogues des
morts,* 4 en 1700, 15 en 1712, 65 en 1718 (éd. de Ramsay); *Traité de l'existence de*

de, là, par l'active et hardie curiosité de son esprit, par l'indépendance essentielle et par les directions spontanées de sa pensée, par tout son tempérament enfin, il est tout près de Voltaire et surtout de Rousseau : chez lui le christianisme masque plutôt qu'il n'entrave la superbe liberté de la raison; mais, de plus, chez lui la raison se dirige à son insu par les suggestions du tempérament.

La plupart des écrits de Fénelon sont trop spécialement théologiques pour qu'il soit possible de les étudier ici. Il en est pourtant quelques-uns qui sont accessibles à tout le monde.

Le *Traité de l'Éducation des Filles* fut écrit pour la duchesse de Beauvillier qui avait cinq filles à élever. Fénelon le fit quand Saint-Cyr n'existait pas encore : il est ainsi l'un des fondateurs chez nous de l'éducation des filles. Son traité est une œuvre exquise de jeunesse, solide et fine, où se révèle une sûre intuition de l'âme féminine, de ses défauts et de ses qualités, et des moyens de la prendre. Les idées abondent dans ce petit ouvrage, souvent justes, parfois chimériques, toujours intéressantes : éducation agréable, leçons de choses, emploi de l'art et du sens esthétique, exclusion de la musique, agent d'exaltation nerveuse, au profit du dessin, subordination du savoir au jugement et à l'utilité pratique, etc. Fénelon fait tout découler d'un principe : la considération du rôle de la femme dans la famille et dans le monde; dès qu'on s'inquiète de former la femme pour son emploi futur, on a un *criterium* infaillible pour dresser le programme de son éducation. A ce principe s'en joint un autre, qui inspire toute la méthode : il faut suivre la nature, l'aider, la redresser au besoin, surtout la développer. Ce prêtre croit à la bonté de la nature.

Les trois *Dialogues* platoniciens sur l'*éloquence* sont pleins d'aisance, de grâce, d'esprit. Fénelon y définit son idéal, qui est l'idéal de son tempérament : une éloquence naturelle, familière, insinuante, qui persuade par sentiment plus que par logique, qui aille du cœur au cœur, et soit faite surtout de ferveur et de tendresse. Les tours et les détours de l'interrogation socratique font

Dieu, 1re partie, 1713, in-12 (2e partie posthume); *Correspondance*, Versailles 1827-29, 11 vol. in-8. *Œuvres*, éd. Gosselin. Versailles, 1820; 22 vol. in-8; éd., de Saint-Sulpice, 1851-2, 10 v. in-8; *Réponse inédite à Bossuet*, 1901; *Explication des Maximes des Saints*, 1911, *Education des Filles*, 1920, éd. A. Chérel; *Avent. de Télémaque*, éd. A. Cahen, 1920; *Ecrits et Lettres polit.*, éd. Ch. Urbain, 1921; *Pages nouvelles*, éd. M. Langlois, 1935. — **A consulter :** F. Brunetière, *Et. crit.*, IX; P. Janet, *F.*, 1892; Crouslé, *F. et Bossuet*, 1894-5; M. Cagnac, *F. directeur de conscience*, 1901, F. *Etudes crit.* 1909, *F. apologiste de la Foi*, 1917; H. Bremond, *Apologie pour F.*, 1910; J. Lemaître, *F.*, 1910; Compayré, *F. éducateur*, 1911; A. Chérel, *F. au XVIIIe s.*, 1918, *F. ou la Religion du pur amour*, 1934, *F.*, dans *Hist. de la Litt. fr.*, de J. Calvet, VI, 1938; E. Carcassonne, *F.*, 1947.

passer devant nos yeux une foule d'idées, que Fénelon tantôt
effleure et tantôt développe : sur les poètes et les orateurs anciens,
sur les Pères de l'Église, sur la poésie biblique qu'il a profondément
sentie, sur l'architecture gothique, dont il parle comme tout son.
temps avec ignorance et dégoût, etc. Remontant, comme fait Platon,
aux principes premiers et évidents, il ramène l'éloquence de la
chaire à l'éloquence en général, et de là il passe aux beaux-arts,
pour chercher son principe dans une théorie contestable et dangereuse : il pense que l'œuvre d'art doit avoir un but moral.
Heureusement il ne sentira nulle part de beauté qu'il ne sache y
trouver assez d'intention morale pour satisfaire au principe.

Un bon nombre des idées des *Dialogues* se retrouvent dans la
Lettre à l'Académie, qui fut composée près de trente ans plus tard.
L'Académie, sur le point d'achever la revision de son dictionnaire, se demanda, et demanda, à chacun de ses membres, ce
qu'elle pourrait bien faire ensuite. Fénelon envoya sa consultation
dans un court mémoire, qui fit tant de plaisir, qu'on lui demanda
de le publier. Il le reprit, et l'étendit pour le rendre plus digne de
l'Académie. Il propose à l'Académie de faire une grammaire, une
rhétorique, une poétique, des traités sur la tragédie, la comédie,
l'histoire ; et à ce propos il dit ses idées, ses impressions, son goût
sur les genres et sur les œuvres.

Il écrit au moment où l'esprit français vient d'acquérir la domination sur le monde civilisé, où la langue française devient universelle : on le sent, à la préoccupation qu'il a de rendre notre langue plus accessible aux étrangers par la simplification de la
grammaire. Mais, dans les pages qui suivent, le voilà qui veut
tout brouiller : il se plaint de la pauvreté de la langue, il regrette
l'épuration à laquelle Malherbe, Vaugelas et leurs contemporains
ont procédé ; il regrette le court, nerveux et pittoresque langage
du xvie siècle. Est-ce un précurseur du romantisme qu'on entend?
Non : Fénelon nous ramène à Ronsard, ou plutôt à Du Bartas,
presque à l'écolier limousin : il rêve d'inutiles synonymes, des
composés de forme grecque ou latine, toute une fabrication artificielle de mots littéraires. Cela nous arrive souvent avec Fénelon :
il a l'air d'un révolutionnaire, et il est effrénément réactionnaire.
Mais il est le premier à voir l'impossibilité de ses rêves : cela ne
l'embarrasse pas ; il passe légèrement sans rien retirer. C'est un
causeur : il use du privilège d'incohérence et de contradiction
qu'on a toujours laissé à la conversation.

Il n'y a qu'à louer son chapitre de la rhétorique : il s'attache
à expliquer l'infériorité de notre éloquence politique et judiciaire
à l'égard de celle des anciens. Il reprend à Fontenelle sa théorie
des climats. Il indique une voie nouvelle et féconde en découvertes,

lorsqu'il établit le rapport des institutions et de la littérature, et qu'il rend compte par la monarchie absolue de l'absence d'éloquence politique en France. Sur l'éloquence, en général, il complète la théorie des *Dialogues* : il ramène l'éloquence au raisonnement; mais il distingue le véritable ordre, naturel et efficace, des divisions scolastiques et sèches; il enveloppe le raisonnement de passion : il montre la puissance de la sincérité et de la simplicité.

Ce sont ces qualités-là qu'il aime aussi dans la poésie. Après une étrange et bien fausse critique de notre système de versification, où apparaissent les limites de son sens artistique, Fénelon signale le défaut général de la poésie moderne : le trop d'esprit. Son idéal, c'est un beau si naturel, si familier, si simple, que jamais il n'étonne en séduisant toujours : il est ravi du pittoresque et du pathétique de la poésie antique. Il nous découvre une délicatesse de goût sensible surtout à la couleur pittoresque et à la grâce élégiaque. Les hautes parties du lyrique et de l'épique le touchent moins. Il semble qu'André Chenier soit venu avec plus de tension et moins d'abandon qu'il n'eût souhaité, réaliser son idéal. Mais n'était-il pas réalisé déjà, et plus purement peut-être? et ne devrait-on pas lui reprocher plus qu'à Boileau, de ne pas nommer La Fontaine si simplement pittoresque et pathétique?

Dans les chapitres de la tragédie et de la comédie, il parle du théâtre très librement, avec une réelle largeur d'esprit pour un archevêque : je le juge un peu sévère dans sa critique de nos tragédies où il trouve trop de pompe, des sentiments faux, de la fade galanterie, et un abus monotone des peintures de l'amour; mais il est à noter qu'il admet Phèdre, et ne blâme qu'Aricie et Hippolyte; au fond, il a raison dans son goût pour la vérité humaine et la pure passion des tragédies antiques. Il est un peu maigre sur la comédie, un peu dur pour Molière : un peu trop académique de goût, et un peu trop homme de salon, dans sa critique du style de Molière et dans son dégoût du bas comique, un peu trop prêtre dans sa condamnation de la morale de Molière. Néanmoins le mot essentiel est dit : ce prélat « admire » Molière et le trouve « grand ». Du chapitre sur la comédie ressort une préférence de Fénelon pour la comédie sentimentale : son admiration pour Térence oriente la comédie vers le genre larmoyant.

Tout est excellent, tout est neuf dans le chapitre de l'Histoire : il veut qu'une histoire soit philosophique par l'explication des causes, par l'étude des institutions et de leurs transformations, dramatique par la peinture des mœurs, des caractères, par la vraie et vive couleur du récit. Ce sera une œuvre d'art par la composition, les proportions, l'unité. Ressusciter le passé, montrer la vie des peuples et le progrès de la civilisation, voilà l'idée que Fénelon se fait de la tâche de l'historien : idée singulièrement originale en un temps où l'on n'avait que Mézeray et le P. Daniel, si originale qu'il faudra attendre Augustin Thierry et Michelet pour l'exécuter.

Au moment où Fénelon dut écrire la lettre à l'Académie, la querelle des anciens et des modernes s'était réveillée : les deux partis en appelaient à lui; il lui fallut bien en parler. Désireux de plaire à tout le monde, il proposa une dizaine de raisons pour et contre l'une et l'autre opinion, encouragea les modernes en approuvant les anciens, et finit par s'échapper sans conclure. Toute sa lettre concluait pour lui : partout il y citait les anciens pour les louer, les modernes pour les critiquer; d'un bout à l'autre, elle exprimait l'impression de la supériorité des anciens.

Cette *Lettre à l'Académie* est, après l'*Art poétique*, le plus important ouvrage que la critique nous présente ; avec elle, nous sommes à la fois tout près et très loin de Boileau : les résultats sont identiques, mais la méthode et l'esprit différent. Fénelon admire les anciens : mais il ne fonde pas son admiration sur des règles absolues et évidentes; il nous donne des impressions plutôt qu'il ne formule des règles; c'est son sens individuel qui admire les anciens. Avec la *Lettre à l'Académie*, la relativité du goût devient secrètement le principe de la critique. Mais la *Lettre à l'Académie* resta à peu près sans influence.

Il faut lire le *Télémaque* à temps, dans l'innocence de la première jeunesse, dans l'étourdissement des premières connaissances, pour sentir le charme de l'ouvrage. Il faut le lire dans la maturité, lorsque l'on connaît bien l'histoire de la société française, pour en comprendre l'importance historique. C'est un roman pédagogique que Fénelon a composé pour donner au duc de Bourgogne un enseignement moral approprié à ses besoins, tout en lui faisant repasser la mythologie et l'histoire poétique de l'antiquité grecque. Il y a dans ce livre un merveilleux assez froid et un mélange incohérent de fictions païennes et d'esprit chrétien. Les continuelles allusions au temps présent diminuent la chaleur et la vraisemblance du récit : il arrive trop d'aventures à point nommé, pour instruire Télémaque et par ricochet le duc de Bourgogne. La langue enguirlandée d'épithètes douceâtres ou pompeuses est un pastiche d'Homère, où l'on sent trop d'élégance aristocratique et d'intelligence spirituelle. Avec tout cela, ce style n'est point factice : il sort naturellement d'une imagination toute pénétrée de la poésie homérique, et échauffée d'une sincère admiration. Le *Télémaque* est le point de départ de la réaction contre le gouvernement de Louis XIV. Fénelon eut beau se défendre de toute intention satirique : spontanément, en suivant sa nature, il avait appris à son élève à haïr la politique de son aïeul; et les principe de gouvernement dont il l'avait imbu, étaient justement le contraire de l'esprit qui animait Louis XIV. Aussi, tout naturellement, les princes que Fénelon voulut rendre odieux au duc de Bourgogne pour le détourner de les imiter, eurent-ils tous quelques traits du grand roi : les ennemis intérieurs et extérieurs de Louis XIV eurent raison d'en être frappés.

Un semblable esprit anime les *Dialogues des morts* : ces dialogues sont encore instructifs et moraux. Il est intéressant d'y voir Fénelon, comme dans les *Dialogues sur l'éloquence* et dans la *Lettre a l'Académie*, jeter un regard vers les beaux-arts, essayer d'intéresser son élève à la peinture, juger Raphaël, ou Titien, ou Poussin. Fénelon se trouve ainsi être presque le premier de nos écrivains qui ait mis en communication la littérature et les arts [1]. Mais les *Dialogues des morts* ont surtout un intérêt historique et politique : Fénelon juge les rois de France, et parfois rudement. Il marque les bornes de la puissance absolue; il enseigne à aimer la paix, la justice, la patrie, l'humanité. L'idée générale du livre est de soumettre la politique à la morale : il n'y avait pas d'autre façon de montrer les choses à un enfant destiné à régner; l'essentiel était qu'il tirât de ses études une bonne règle de conduite.

Dans le *Traité de l'existence de Dieu* [2], dont la première partie est bien antérieure à la seconde, nous retrouvons cette fécondité de vues qui est un des caractères de Fénelon, et cette souplesse d'intelligence qui s'assimile toutes les connaissances. On remarquera surtout la démonstration de l'existence de Dieu par les merveilles de la nature. L'argument est d'une valeur philosophique assez faible : mais sa puissance littéraire est grande. C'est une source de poésie pittoresque et lyrique. L'idée de Dieu sert à faire rentrer, dans une littérature trop exclusivement humaine et intellectuelle, la nature et ses beautés sensibles. Cette partie de l'œuvre de Fénelon est identique, en son fond, au *Génie du Christianisme* : mais Fénelon n'a pas la langue pittoresque, les impressions particulières qui ont fait la puissance de Chateaubriand [3].

Il se pourrait que le chef-d'œuvre de Fénelon, ce fût sa vaste correspondance. Toutes les variétés de sentiments, toutes les sortes d'esprit y sont : et quelle connaissance de l'homme et du monde, des ressorts par lesquels se manient les cœurs! quel exquis ména-

---

1. Les deux dialogues sur les Peintres n'ont été imprimés qu'en 1730, par l'abbé de Monville, avec sa vie de Mignard. — *Sur la critique d'art au* XVIIe *siècle*, cf. Brunetière, *Revue des Deux Mondes*, 1er juillet 1883.

2. Ne pas oublier que ces *Dialogues* sont postérieurs à ceux de Fontenelle (1683), qui pourtant ont un air plus moderne.

3. A noter dans la seconde partie un chapitre sur le spinosisme : Spinosa a scandalisé, mais épouvanté aussi tous les penseurs de son temps.

gement des intérêts légitimes, et quelle délicieuse souplesse pour se couler dans une âme, pour s'établir dans son centre et en régler tous les mouvements! Quelle irrésistible séduction, qui fait l'idéal chrétien aimable, et ne l'abaisse pas! Ces lettres sont l'œuvre où il faut chercher Fénelon tout entier, comme on cherche Voltaire dans les siennes.

4. LE TEMPÉRAMENT DE FÉNELON.

Dans tous les ouvrages que j'ai nommés, dans tous ceux que 'ai laissés, ce qu'il y a de plus intéressant, c'est cette originale, complexe et captivante personne, si enveloppée et si équivoque avec tant de spontanéité, si peu semblable enfin à la candide et innocente figure de la légende.

Saint-Simon, qui l'a connu, a démêlé admirablement le trait essentiel du personnage : de sa gravité d'évêque, de sa politesse noble de grand seigneur, émane une puissance de séduction, dont personne, et pas même ce petit duc pénétrant et jaloux, ne peut se défendre. Fénelon est charmant et coquet comme une femme : toute sa force est dans ce don et ce désir de plaire.

Si l'on descend au fond de son âme, la raison de ce besoin de plaire est un amour infini de soi-même. « Je ne puis expliquer mon fond, écrivait-il un jour. Il m'échappe, il me paraît changer à toute heure. Je ne saurais guère rien dire qui ne me paraisse faux un moment après. Le défaut subsistant et facile à dire, c'est que je tiens à moi, et que l'amour-propre me décide souvent. » Oui, il tenait à soi, à ne s'en pouvoir déprendre jamais. Il était attaché obstinément à sa pensée, à son goût, une fois exprimés, et engageant son amour-propre : il était incapable de dire simplement, sans arrière-pensée : *je me suis trompé, j'ai eu tort.*

Ce caractère se découvre dans l'affaire du quiétisme, qui fut l'écueil de sa fortune et de son ambition. Il se perdit faute de se résoudre à confesser simplement, devant trois amis, une erreur. Il signa les articles d'Issy; tout en disputant pied à pied le terrain, il était souple, humble, « comme un petit enfant », devant Bossuet, qui avait protégé ses débuts, qui avait une entière confiance en lui, avec une grande admiration de son esprit. Il se donnait pour un *écolier*, qui n'aurait d'autre doctrine que celle de son maître. Nommé archevêque de Cambrai grâce au silence des commissaires d'Issy sur ses doctrines, qu'il paraissait avoir rétractées, sacré par Bossuet, le souple abbé, devenu prélat et prince de l'empire, se redresse; il travaille à regagner le terrain perdu, à rattraper ses désaveux : dans ses lettres, il incrimine Bossuet, il se montre persécuté, offensé par lui; et, le gagnant de vitesse, il fait paraître son *Explication des Maximes des Saints* avant les *États d'Oraison*. Son livre fait scandale : le voilà au plus bas.

Tout le monde l'a abandonné, hors le petit troupeau de ses amis. Le roi lui interdit d'aller à Rome se défendre, l'exile dans son diocèse, chasse ses amis de la cour. C'est ici le triomphe de l'art de Fénelon : il plie ; tout en lui est modeste, résigné ; son attitude, ses lettres font voir au public la plus douce des victimes ; on commence à le plaindre, sans le justifier Pendant le procès en cour de Rome, il envoie là-bas le naïf abbé de Chanterac, agent confiant et docile qu'il fait mouvoir de Cambrai, et par qui il lutte contre les intrigues et les emportements de l'abbé Bossuet ; il expédie à Rome mémoire sur mémoire, déplaçant la question, éludant les objections, embrouillant tout à force d'expliquer tout, et, sous prétexte d'expliquer, escamotant les doctrines insoutenables pour en substituer d'autres qu'il dérobera bientôt avec une égale aisance ; c'est un polémiste incomparable, perfide, insaisissable. Ce jeu irrite Bossuet, le logicien ferme et droit, qui fait de son mieux pour fixer les points du débat, pour débrouiller les équivoques : il frappe de plus en plus fort sur cet adversaire qui ne s'avouera jamais touché, tant qu'il ne sera pas assommé. Mais Bossuet, naïvement, publie tous ses écrits en France : Fénelon, plus malin, fait parvenir sans bruit ses défenses à Rome. Il les supprime en France, si bien que Bossuet a l'air de s'acharner sur un adversaire désarmé. Cette apparence, exploitée par les voix de quelques fidèles, retourne l'opinion publique. La légende de la cruauté brutale de Bossuet, de la douce résignation de Fénelon s'établit ; et quand enfin la cour de Rome ne peut se dispenser de condamner les *Maximes des Saints*, Fénelon triomphe et à Rome et en France. Il se soumet tout juste au point de vue des théologiens ; mais il se soumet de façon à saisir le public, avec une humilité glorieuse et irrésistible. Au fond, il se croit victime et martyr pour la *vérité* : il a confessé qu'on avait pu se tromper sur sa pensée ; il n'a pas reconnu que sa pensée se fût trompée ; ses lettres postérieures, son testament affirment que sa doctrine était vraie, et que ses ennemis avaient opprimé en lui l'innocence, la justice et la raison.

Jamais son amour-propre ne se consola de cette défaite : il couvrit mal son aigreur contre Bossuet, qui mourut trop tôt pour en sentir les effets. Mais le cardinal de Noailles survivait : Fénelon le guetta d'une haine paisible, souriante, dissimulée ; il dénonça sous main les doctrines du prélat, excita le P. Tellier contre lui, poussant à le faire condamner publiquement pour jansénisme. C'eût été la revanche des *Maximes*.

Il avait d'autant plus sur le cœur son humiliation, que sa fortune avait sombré dans cette affaire de quiétisme. Tout en élevant le duc de Bourgogne, il songeait que cet enfant régnerait : et dans sa pensée il se réservait le rôle que le médiocre Fleury se donna plus tard auprès de Louis XV. Sa disgrâce éloigna ses espérances sans les détruire : ruiné dans l'esprit de Louis XIV, il continua de gouverner de loin son élève par l'intermédiaire de ses amis, et, au bout de quelques années, le roi autorisa de nouveau leur commerce. L'horizon s'éclaircissait : il s'illumina tout à fait par la mort de Monseigneur. Ce fut un beau temps pour Fénelon que l'année qui sépara les morts des deux dauphins; Cambrai éclipsa Versailles; Fénelon se sentait toucher au but, au ministère.

Un vieux roi de soixante-dix ans l'en écartait encore pour quelques jours : il était sûr de son élève. Cet indomptable, cet orgueilleux, ce féroce, il l'avait maté à force de douceur impérieuse et flegmatique : il avait brisé en lui tous les ressorts de la volonté; il l'avait jeté dans la piété austère, étroite, formaliste, dans des pratiques de moine imbécile; il l'avait fait incapable d'activité et de décision, à tel point que lui-même s'appliqua plus tard à lui refaire un peu d'énergie et de spontanéité. Sous un tel roi, le précepteur aurait régné.

L'éducation du duc de Bourgogne et les lettres de direction de Fénelon nous dénoncent un second trait de cette nature, qui n'est à vrai dire qu'une transformation du premier : l'amour-propre devient esprit de domination. Le *moi* aspire à s'étendre, à envahir le *moi* d'autrui. Sous une grande douceur extérieure, sous la tendresse épanchée, sous la coquetterie attirante, s'exerce une âme impérieuse, qui n'hésite pas à violer les plus intimes secrets de la personnalité : Fénelon veut tout savoir pour tout régler; il veut être le principe unique des pensées, des actions de ses amis; il veut être le guide, l'oracle de tous les instants. Dès qu'une âme a l'air de se libérer, ou simplement de se retrancher, il s'échappe de cette douceur une dureté écrasante, qui se dissimule aussitôt le coup porté.

Le troisième trait qui enveloppe et fond les deux autres, c'est l'amour. Fénelon est tout amour : c'est pour cela qu'il hait si bien. Il aime et s'abandonne; son secret, pour captiver, c'est de se donner. Il a la plus étendue, la plus inépuisable faculté d'aimer qu'on puisse voir. Là est la source de ses erreurs théologiques. Mais il n'est pas de ceux que l'amour de Dieu, même dans son plus mystique excès, détache des créatures. Assuré d'aimer tout en Dieu et comme œuvre de Dieu, il ouvre son âme; et toute beauté le séduit, la beauté de la nature, les arbres, les eaux, les vallées, les jours sereins, les soleils éclatants, la beauté de la poésie païenne aussi, où toute nature se reflète, Homère, Horace, Virgile. Ce prêtre s'abandonne au charme sans scrupule et sans remords.

Sa foi n'a pas de renoncement du côté de l'amour. Il a des ardeurs, des grâces féminines dans ses affections : ce sont des élans, des caresses impétueuses, et puis de douces coquetteries, des diminutifs amicaux, des surnoms familiers par lesquels sa tendresse s'approprie pour ainsi dire son objet.

Médiocrement érudit, point du tout logicien, théologien abondant plutôt que sûr, il s'éprend des idées comme des hommes, de tout ce qui flatte sa nature intime et l'aide à se satisfaire : en tout, le vrai, le bien, c'est ce qu'il aime. De là ses excès et ses aveuglements : il achèterait la ruine du jansénisme de la ruine de la France. Le point particulier qui le passionne, lui cache tout le reste. De là, l'incohérence, les contradictions de ses pensées; mais de là aussi leur intarissable jaillissement, et la nouveauté, la chaleur. Jamais esprit ne s'est mû plus librement : car jamais il ne s'est lié par le respect de la logique ou le sens du possible.

Le *moi* est au fond de toutes ses chimères, comme il inspire ses plus exquises conceptions.

On retrouve, dans ses idées politiques et sociales, un curieux mélange du chrétien, du grand seigneur, et du lettré enivré des Grecs. Les *Tables de Chaulnes* [1] et quelques mémoires complètent le *Télémaque* et les *Dialogues des morts*. Fénelon rêve une royauté féodale, appuyée sur la noblesse qu'on relèverait, et partageant avec elle le gouvernement de l'État, une royauté pacifique, économe, ennemie du luxe et de l'industrie; on établirait des lois somptuaires rigoureuses; à Salente, le costume même de chaque classe est déterminé. Les souvenirs lointains de la féodalité rurale se mêlent aux rêves littéraires d'un retour à la simplicité primitive, de l'âge d'or. Toutes ces vues sont liées par un fort esprit de réaction contre Louis XIV, que Fénelon a vraiment haï : il ne lui pardonne pas, comme chrétien, les guerres, comme noble, l'abaissement de la noblesse, comme philosophe, la misère des peuples, comme Fénelon enfin, sa disgrâce.

Ses idées littéraires procèdent aussi de son tempérament. Contre la critique dogmatique, contre l'application mécanique des règles, il fonde la critique de sentiment. Il est un des deux ou trois esprits qui, au xviie siècle, ont été au delà de Rome, et ont vraiment senti la riche simplicité de l'art grec. Il est le plus charmant, le plus fin, le plus sûr des critiques, partout où sa nature se trouve conforme à l'œuvre dont il parle.

Amour-propre, esprit de domination, intolérance, idées réaction-

---

1. On appelle ainsi le résumé des conversations politiques que Fénelon eut à Chaulnes en novembre 1711 avec le duc de Chevreuse, et d'où sortit tout un plan de gouvernement qui devait être présenté au duc de Bourgogne.

naires en politique, ultramontaines en religion, théories larges et
incohérentes, pratique souvent étroite et dure, raison flottante,
logique douteuse, fureur d'avoir le dessus plutôt que d'avoir
raison : tout cela est dans Fénelon; et cela n'empêche pas de
l'aimer; tout cela n'empêche pas même de lui trouver un certain
air libre et libéral, qui le rapproche de nous. Chrétien, il est mû
par le sentiment, plutôt que soumis à la règle; il est personnel,
indocile, téméraire, hétérodoxe. Féodal, il est révolté — du moins
au fond du cœur et dans le secret de ses écrits — contre l'absolue
domination de Louis XIV. Suivant toujours son sens individuel, il
représente la liberté.

Et ce prêtre mystique, ce grand seigneur porte en lui bien des
germes de l'avenir, de ce xviiie siècle qui va tuer la noblesse et
mettre en péril la religion. Il y a en lui un *philosophe*, et les philosophes ne s'y sont pas trompés, en contribuant à former sa
légende [1] : il aime la paix, la bonne administration, les *lumières*.
Il est *sensible*. Il a l'amour de l'humanité, le sentiment social et
philanthropique; il est *bienfaisant* et prêche la *bienfaisance*. Il
l'exerce aussi : il l'a montré à Cambrai pendant les plus dures
années de la guerre. Il veut plus de bien-être, de tranquillité,
moins de charges pour le menu peuple. Et puis, il se souvient à
peine de la chute; Homère l'emporte sur l'Évangile dans son imagination; il voit la nature innocente, bonne, heureuse en son premier état. Il indique cette thèse du retour à la nature que prêchera Jean-Jacques, avec qui, au fond, il a tant d'affinités. Il a
l'air de regarder le passé : et déjà il fait éclore l'avenir : après
tout, n'est-ce pas ainsi que le monde souvent se renouvelle [2] ?

---

1. M.-J. Chénier. *Fénelon*, tragédie. 1793. — Leur erreur, celle de Voltaire, était de
le croire détaché du dogme et tolérant comme eux. Ils prenaient pour un affranchissement intellectuel son dédain de mystique raffiné pour la science théologique.
Cf. l'App. XVIII), fin.

2. Je voudrais au moins citer parmi les hommes du xviie siècle qui ont vu les
débuts du xviiie, et qui ont contribué à le préparer, l'Écossais Hamilton, l'auteur des
Mémoires de Grammont et des *Contes* : sans valeur aucune de pensée, il a manié le
premier en perfection le *style* du xviiie siècle, style « désinvolte », alerte, aiguisé,
éclairé d'esprit, et parfaitement sec en sa finesse brillante.

CINQUIÈME PARTIE

LE DIX-HUITIÈME SIÈCLE

LIVRE I

LES ORIGINES DU DIX-HUITIÈME SIÈCLE

CHAPITRE I

VUE GÉNÉRALE

1. Caractères généraux du xviie siècle littéraire. — 2. Caractères généraux du xviiie siècle littéraire. Contraste et continuité des deux
époques. — 3. Deux moments principaux dans le xviiie siècle.

Le contraste est saisissant entre le xviie siècle et le xviiie : et
cependant celui-ci sort de celui-là, et le continue. La liaison est
aussi étroite que l'opposition est grande. Pour nous en rendre
compte, il faut nous remettre sous les yeux les traits généraux de
l'une et l'autre époque [1].

1. LE DIX-SEPTIÈME SIÈCLE.

A le prendre dans les œuvres les plus apparentes de sa littérature, le xviie siècle est chrétien et monarchique. Son principe
d'organisation lui est fourni par le souvenir toujours présent du
xvie siècle, et par la volonté de ne pas le recommencer. De là la
reconnaissance des pouvoirs qui règlent, en dominant, la subordination de l'individu à la société.

1. Pour la bibliographie, trop développée par la refonte qu'elle a subie pour être
insérée ici sans remaniement général de la composition, prière de se reporter à
la fin du chapitre, p. 630. — On rappelle que les crochets, que l'on n'a pas
cru devoir supprimer, signalent dans le cours du chapitre les développements que G. Lanson avait refondus ou ajoutés dans la 11e édition de
l'ouvrage.

Le XVIIe siècle est splendidement, peut-être plutôt que profondément, chrétien. La littérature religieuse fournit presque tous les chefs-d'œuvre de notre prose; l'éloquence religieuse est toute notre éloquence. Nos grands poètes tragiques sont chrétiens. La philosophie cartésienne, dont l'esprit est foncièrement hostile à la foi, se développe dans une forme conciliable avec les dogmes de l'Église, chez Descartes, dans une forme hétérodoxe, mais plus chrétienne encore, chez Malebranche. Un courant de libre positivisme, de naturalisme antichrétien traverse bien le siècle, visible dans les œuvres de deux grands écrivains et dans certains cercles mondains. Mais nulle voix ne met directement en question les principes de la foi : nulle voix surtout n'attaque la puissance de l'Église dans l'ordre temporel. La dispute est entre les églises, entre les sectes; il ne s'agit que d'orthodoxie et d'hérésie.

La royauté est maîtresse absolue. Les brouillons féodaux qui essaient de troubler les deux régences, sont mis en demeure de sacrifier à leurs intérêts personnels les prétentions traditionnelles de leur caste. Le peuple, sauf un seul jour, ne paraît pas. Tout cède au roi, incarnation de l'État. Aucun mysticisme politique ne se mêle dans le culte de la personne royale : chez tous les penseurs du temps, la royauté est reçue comme garante et protectrice de l'ordre. Sa fonction la fait sacrée. Écartons la flatterie intéressée des courtisans, les serviles théories des commis. Le culte du roi est la forme du sentiment national : on aime le roi par ce qu'il assure de prospérité, de grandeur, de gloire à la France. Mais Louis XIV absorbe et arrête trop en lui-même ces sentiments, tandis qu'un plus pur patriotisme se faisait sentir chez les écrivains antérieurs à 1660.

Le roi dispensant les hautes classes de travailler au bien public, ce loisir développe les relations sociales, et donne un éclat intense à la vie de société. Les salons, où règnent les femmes, prennent autorité sur la littérature, à qui ils fournissent un public : ils l'obligent à se clarifier en s'étrécissant peut-être.

Cependant, dans ses plus belles œuvres, la littérature échappe à l'exclusive domination des salons. De *précieuse*, elle devient *classique*; et j'ai dit ce qu'était proprement le goût classique, une combinaison de la raison positive et du sens esthétique. Les *règles*, dérivées de la tradition gréco-romaine, sont les conditions d'élaboration de la vérité intelligible en forme d'art.

La vérité, scientifique ou philosophique, est toujours générale. La nature, qui est la même dans l'antiquité et dans le XVIIe siècle (puisque c'est sur cette identité que se fonde l'imitation des anciens), ne peut être aussi qu'une nature générale. Et ainsi l'exceptionnel, le particulier, est, en principe du moins, éliminé. Par là périt l'histoire, et le lyrisme se résout en éloquence. La nature pittoresque, aussi, n'est pas objet de littérature.

Le xvii° siècle, intellectuel, raisonneur, oratoire, s'intéresse surtout à l'homme, et, dans l'homme, à l'âme. Sa littérature est essentiellement psychologique. Les uns analysent les passions, les caractères, les forces, les états de l'âme : d'autres construisent les formes générales qui contiennent et classent l'infinie diversité des tempéraments individuels. Les genres créés par le xvii° siècle, maximes et portraits, sont des appareils enregistreurs de l'observation psychologique.

La littérature n'est pas militante; elle respecte les cadres sociaux, la hiérarchie, les pouvoirs temporels et spirituels; elle tient pour résolues, ou elle écarte les grandes questions métaphysiques, qui sont essentiellement révolutionnaires. Elle exprime sereinement, impartialement, le monde et la vie, dans leur commune réalité, sans aspirer à en changer les conditions actuelles. Mais il ne faut pas croire qu'elle soit dédaigneusement artistique, curieuse de beauté, et indifférente au reste : les résultats pratiques des vérités énoncées l'intéressent. Cela n'a pas besoin d'être démontré pour la littérature religieuse; mais la littérature laïque est imprégnée du même esprit. Corneille, Racine, Molière, La Fontaine, Boileau, chacun a sa « morale », c'est-à-dire une conception des règles qui doivent déterminer la conduite de l'individu, et des fins auxquelles s'adaptent ces règles. La société est faite : ils ne prétendent rien y changer; mais l'individu, qui vivra dans cette société, est toujours à faire : c'est cet individu à qui tous nos écrivains veulent imposer une forme.

La langue s'est façonnée à l'image du siècle : la langue diffuse, riche, colorée, populaire, du xvi° siècle a disparu. La langue littéraire du temps de Louis XIII, encore pittoresque et empanachée, s'est réduite. L'honnête homme des salons se fait une langue selon son besoin. Il se distingue de ce qui est peuple : les termes populaires sont exclus. Il « ne se pique de rien », « n'a pas d'enseigne », de marque de métier : éliminés donc les termes techniques. Il cache son tempérament intime, les mouvements de sa sensibilité, s'il en a : il ne doit offrir à la société que ce qu'il a de commun avec elle, et de communicable, sa raison, ses idées. La langue bannit donc les éléments sensibles, émotifs ou pittoresques; on cherche à parler comme tout le monde; on groupe les éléments du langage selon les lois universelles de l'usage, plutôt que selon la loi particulière de la personnalité. On fait une langue claire, simple, régulière, fine, toute en nuances, et d'une exactitude merveilleuse dans sa précision un peu sèche.

2. LE DIX-HUITIÈME SIÈCLE.

Comment le xviiie siècle, antichrétien, cosmopolite, destructeur de toutes les croyances, négateur de la tradition, révolté contre l'autorité, violemment critique et faiblement artiste, sociologue et point du tout psychologue, est-il sorti de là?

L'Église s'est affaiblie au xviie siècle, et ira s'affaiblissant de jour en jour. D'abord, par les disputes théologiques. L'Église pâtit du petit esprit des sectes, de leur fanatisme injurieux. Dans les querelles des jésuites et des jansénistes, de Bossuet et de Fénelon, le vrai vaincu est la religion. Les théologiens enseignent à la raison laïque, qu'ils prennent pour juge, à prononcer souverainement sur les questions de dogme. Puis, la lourde dévotion des dernières années de Louis XIV développe l'hypocrisie, dont l'impiété et la licence de la Régence seront la revanche. La cour enfonce dans les esprits l'idée qu'un dévot est un habile homme : sinon, il ne serait qu'un niais. Enfin, les manifestations temporelles de la puissance ecclésiastique révoltent les consciences. La destruction de Port-Royal paraît barbare à d'autres que les jansénistes. Tout le monde applaudit à la Révocation de l'édit de Nantes, lorsqu'elle est signée : dix ans, vingt ans après, les esprits les plus éclairés la déplorent comme ruineuse pour la France. Voilà donc où aboutissait l'éclat de la renaissance religieuse, à des cruautés, à des ruines.

Mais où donc aboutissait aussi la restauration du pouvoir monarchique? A la guerre, à la famine, aux lourds impôts, aux vexations financières. Les fautes et les misères du règne font haïr le despotisme. L'idée de la fonction sociale de la royauté tend à s'effacer : on commence à voir l'exploitation de tous par un seul, le sacrifice de tous les intérêts aux passions d'un seul. La noblesse, de plus en plus inutile, s'avilit, et devient plus odieuse quand elle n'est plus qu'un moyen pour les riches d'échapper à l'impôt. A la mort de Louis XIV, on peut dire que la banqueroute de l'Église, de la noblesse et de la royauté, c'est-à-dire de toutes les puissances de l'ancien régime, est faite, ou imminente.

La réaction aristocratique qui se produit alors ne fait qu'empirer les choses. Les nobles essaient de ressaisir le pouvoir, d'envelopper la royauté, et de la séparer, non seulement du peuple, ce qui est fait de longue date, mais de la bourgeoisie. Ils écartent les bourgeois des emplois lucratifs et des charges honorifiques. Ils réveillent ainsi dans la bourgeoisie le sentiment de son infériorité sociale, à l'heure précisément où elle a le sentiment de sa supériorité intellectuelle, morale, économique.

Ils contribuent aussi à la décadence de l'Église et au péril de la religion, en mettant leurs cadets frivoles, ignorants, sans zèle et souvent sans foi, dans les évêchés et les archevêchés, à la place des solides docteurs que la bourgeoisie fournissait à Louis XIV. Ces prélats font sentir à la nation la disproportion des richesses et des services de l'Église. Les disputes religieuses deviennent de plus en plus mesquines et puériles, le sentiment religieux s'atrophie ou dévie ; la littérature religieuse, si abondante, est médiocre. L'Église ne comptera pas parmi les forces intellectuelles du siècle.

La royauté, capricieuse et faible avec Louis XV, bonasse et inintelligente avec Louis XVI, adorée à de courts moments, et trompant toujours les espérances d'où jaillissait l'adoration, rejetant les esprits tour à tour dans la haine et dans le mépris, apparaissant comme égoïste ou confisquée par les égoïsmes de cour, cesse d'être une force dans la nation. Responsable souvent des revers, elle n'est presque jamais pour rien dans les prospérités. Louis XIV avait su être ou paraître le protecteur, le régulateur, l'inspirateur du génie littéraire et artistique : toute l'activité littéraire du XVIIIᵉ siècle se développe loin de la royauté, qui ne se rappelle guère que comme une gêne et un obstacle.

Ces circonstances amenèrent la littérature du XVIIIᵉ siècle à prendre une direction contraire à celle qu'avait suivie la littérature du XVIIᵉ siècle. Mais il n'y eut pas de rupture entre les deux siècles. [Le XVIIIᵉ reçut du XVIIᵉ le principe de la souveraineté de la raison, et il en tira toutes les conséquences. Il supprima les limitations, les tempéraments que le XVIIᵉ siècle avait apportés à l'autorité de la raison. Elle était juge souverain, elle devient juge universel : plus de domaine de la foi réservé, *intangible*. Elle ne laisse plus au roi l'examen des intérêts généraux : elle critique l'ordre social, la tradition. Elle ne consent pas non plus à rendre des arrêts en théorie, pour les voir annulés dans la pratique : elle prononce, et veut que la réalité se conforme à ses conclusions. De spéculative, elle deviendra pratique, réformatrice, enfin révolutionnaire.

On a pensé souvent, et Taine surtout a accrédité cette idée, que le vice de la philosophie du XVIIIᵉ siècle était le mépris de l'expérience et de l'histoire, l'abus de l'abstraction, de la généralisation, des postulats et des déductions *a priori*. En morale, en religion, en politique, dit-on, le XVIIIᵉ siècle légifère pour *l'homme en soi*, pour ce vague résidu qui s'obtient en retranchant toutes les différences que l'on perçoit entre le Français, l'Anglais, le Chinois, etc., et qui ne correspond plus à aucun homme réel. Il proclame des principes qui se déduisent de la définition de cet homme en soi, sans rechercher s'ils sont bons pour le produit particulier des siècles qu'est la société française.

J'ai cru longtemps que ce rej roche était fondé, et dans les précédentes éditions (1-10) de cet ouvrage, j'ai fait, moi aussi, le procès à la manie d'*a priori* qui me semblait avoir égaré la philosophie du XVIIIᵉ siècle. Mes récentes études m'ont prouvé qu'il y avait beaucoup d'exagération et d'injustice dans cette critique.

Au point de départ, il est visible que c'est sous la pression des faits que se forment les états d'esprit que l'on peut appeler *philosophiques*. C'est de l'affaiblissement de la foi, et d'une observation de la manière dont vivent les honnêtes gens, des maximes sur lesquelles se guide leur conscience, c'est d'un désir de rétablir l'accord entre la théorie morale et l'expérience morale, que naissent les morales rationnelles et laïques : morale du bonheur, morale de l'intérêt bien entendu, morale de la bienfaisance et du bien général.

En politique, l'esprit de réforme se remarque d'abord chez Colbert et ses intendants : lorsque Colbert en définitive a échoué, la splendeur ruineuse de Louis XIV, ses guerres continuelles et de plus en plus malheureuses, sa fiscalité odieuse, la misère du peuple, créent chez les hommes qui savent et qui réfléchissent un sentiment de malaise qui force le respect et oblige à l'examen. La condamnation du despotisme est le résultat de l'expérience, non la conclusion d'une théorie Le programme des réformes nécessaires est ébauché par quelques hommes qui ont vu l'état du royaume, ou de leurs yeux, comme Vauban et Boisguillebert, ou par les mémoires des intendants, comme Boulainvilliers, ou qui de toute façon étaient à la source des renseignements sûrs, comme Fénelon et l'abbé de Saint-Pierre. L'*a priori* n'a point de place dans ces débuts de la philosophie politique : elle résulte des faits, et de la réaction de certains sentiments de justice et d'humanité contre ces faits.

L'œuvre de la philosophie du XVIIIᵉ siècle sera d'élaborer les principes qui condamnent de pareils faits. Par un tour d'esprit bien français en effet, il ne suffira pas aux philosophes de constater la misère sociale : il leur faudra trouver que les maux de la France sont contraires à la raison universelle Ce rationalisme est la forme de leur esprit; ils aspirent à des vérités universelles, et ils n'ont la hardiesse d'agir que s'ils croient que la raison commande, la raison de tous les temps et de tous les pays.

Mais, sous leurs formules les plus générales et les plus abstraites, il n'est pas difficile de retrouver les réalités qu'ils visent : il suffit de consulter l'histoire. L'expérience dirige leurs déductions; on le sent dans l'énoncé de leurs principes. Si la Déclaration des Droits de l'homme prononce que « toutes les opinions, *même* religieuses, sont libres », ce *même* assurément n'est

point de l'*a priori* : il n'est explicable que par l'histoire du protestantisme depuis la Révocation et par les brûlements d'ouvrages
déistes ou athées. Le principe que « l'homme est bon » n'a de sens
d'abord que comme négation du dogme révélé de la chute : il signifie
uniquement que l'on ne croit pas à la corruption de la nature
humaine par le péché du premier homme et à la nécessité d'un
secours divin pour faire le bien.

Assurément les philosophes du XVIIIe siècle ne surent point se
défendre des généralisations hâtives, des abstractions vagues, des
déductions téméraires. Ils furent impatients de savoir et de conclure. Ils confondirent leurs préjugés français, philosophiques et
mondains avec la raison universelle. Mais s'ils méprisèrent la tradition, c'est que l'expérience la leur montrait gênante et oppressive
en même temps qu'irrationnelle. Et, loin de mépriser l'histoire,
ils s'en armèrent de leur mieux pour faire le procès du passé.

En un mot, ils tâchèrent de construire, si l'on veut, une doctrine
qui convint à l'homme en soi, à l'homme de tous les temps et de
tous les pays : mais ils la firent à la taille et pour les besoins du
Français de leur siècle.

La généralisation et la déduction ne furent pour eux que des
méthodes d'exposition : mais même quand ils en faisaient une
méthode de recherche ils n'oubliaient guère de quelle réalité ils
étaient partis à la recherche des principes, et quelle réalité ils
voulaient supprimer par l'autorité des démonstrations

Leur erreur est beaucoup plutôt d'avoir cru à la facilité de
manier le réel et de changer la pratique d'un peuple : ils n'ont
pas mesuré à l'avance (et comment l'auraient-ils pu?) la résistance des faits, des habitudes, des intérêts, des instincts]. De
là, résulte l'étonnante innocence de cette philosophie téméraire.
Il n'y a personne, et Rousseau moins qu'un autre, qui puisse
pressentir la puissance de ces explosifs qu'on s'amuse à fabriquer
et à manier; personne ne se doute du ravage qu'ils feront, lorsqu'on les mettra en contact avec la réalité vivante. On croit
bonnement que la société peut se refaire par une opération bien
conduite de raisonnement, et que les faits se mettront tout seuls
d'accord avec les vérités idéales. On croit à la bonne volonté infinie
des hommes.

Ce manque de prévoyance explique la vigueur avec laquelle on
bat en brèche tout l'ancien régime, spirituel et temporel : on met
en doute les principes de la religion et de la société, la révélation
et le privilège. On fait la critique de toutes les institutions, de
toutes les croyances. On croit au progrès, et l'on veut que le
progrès soit un fait; on démolit toutes les autorités qui veulent
encore asservir les esprits, ou qui s'opposent à l'accroissement du

bien-être. La même philosophie décide sur une question de voirie et sur l'existence de Dieu.

L'esprit philosophique n'est autre que l'esprit scientifique : car la science est éminemment la connaissance rationnelle. De là la prépondérance de la science en ce siècle, et la passion avec laquelle il s'y attache. Les savants font concurrence aux écrivains jusque dans la faveur des salons : et tous les grands écrivains s'occupent de science. La science s'est substituée à la religion, pour expliquer à l'homme ce qu'il est, d'où il vient, où il va, ce qu'il doit être. Les sciences morales se détachent de la théologie, et se soudent aux sciences physiques. L'homme est remis dans la nature, soumis à ses lois; c'est avant tout un animal, ayant des sens et des sensations; et la sensation est la source visible d'où tout est sorti, les idées de l'individu, et par suite les institutions de la société. Le malheur fut que les sciences mathématiques étaient incomparablement plus avancées que les sciences physiques et naturelles; et ce furent elles surtout qui imposèrent leur méthode. On ne s'attacha qu'à simplifier, abstraire, analyser, généraliser, déduire. [On ne savait pas encore tout ce qu'il faut de patience, de scrupule, de précaution, pour se procurer une observation bien prise. On crut observer et l'on supposa. On fabriqua des idées, et l'on crut opérer sur des faits. On prit une idéologie pour un corps de vérités d'expérience].

Aussi n'est-il pas difficile de s'expliquer ce qui advint de la littérature. Dans l'universel abatis des traditions autoritaires, la tradition classique ne pouvait subsister. Le culte de l'antiquité n'était plus possible : d'autant que l'antiquité n'avait guère de quoi imposer aux savants par son développement scientifique. Et il fallait que l'antiquité fût écartée pour que le triomphe de la raison fût entier. On nomme encore les anciens avec éloge : c'est que l'éducation classique subsiste dans les collèges, et fait partie des « perfections » nécessaires à l'homme du monde. Sous la discipline des jésuites qui sont les grands éducateurs, l'étude des anciens est un instrument de culture élégante, qui sert à décorer la surface et comme à façonner les manières des esprits. Le sens de l'art antique n'existe ni dans les salons ni chez les écrivains : pour trouver des modèles littéraires, on ne va pas au delà du XVIIᵉ siècle. Perrault a gagné sa cause, sur le fond. On copie donc les chefs-d'œuvre du XVIIᵉ siècle; on en imite les procédés, on en suit les règles servilement, par préjugé; le monde, qui a adopté cette littérature faite pour lui, ne permet pas qu'on change rien aux formes qu'elle présente. On masque par une habileté routinière le défaut du sens artistique. De là la décadence des grands genres et la faiblesse de la pure littérature.

On met l'intelligence partout, et l'on s'imagine qu'elle suffit à tout. La langue, n'étant plus maniée par des artistes, atteint la perfection de son type dans l'étroite fusion de l'esprit scientifique et de la délicatesse mondaine, elle devient absolument intellectuelle. Elle n'exprime plus rien de concret, de naturel. Elle n'a plus couleur ni son; il ne subsiste plus que le mouvement, un mouvement abstrait et comme idéal. La phrase se développe comme une ligne; elle n'a plus de corps, de modelé; rien que des contours, ou des arêtes. De ces conditions, pourtant, le XVIIIᵉ siècle saura tirer un art, un art bien à lui et bien français, intellectuel et mondain, fait d'esprit et d'élégance : art paradoxal en son essence puisqu'il aspire à se passer d'éléments sensibles.

Il reste à signaler un caractère de la philosophie du XVIIIᵉ siècle, qui dépend de tous les autres ou s'y relie : elle est cosmopolite, et elle donne naissance à une littérature cosmopolite. [La société du XVIIIᵉ siècle n'a pas manqué de patriotisme : mais elle a placé le patriotisme dans l'amour du bien public, manifesté par l'esprit de réformes, et dans le culte de la civilisation française. Ne sentant pas l'existence nationale ni la frontière de la France menacées par l'étranger, elle s'est désintéressée des revers militaires : elle a tenu les malheurs de nos armes pour indifférents. Ne sentant pas l'intérêt national engagé dans la politique du roi, elle a pu rire quand, avec lui, la France était humiliée]. Elle voyait dans toute l'Europe ses idées, sa langue, ses œuvres répandues, admirées, imitées : la culture aristocratique était la même chez tous les peuples civilisés, et cette culture était française. Les armées du roi étaient battues par un Prussien : mais ce Prussien parlait français, et il était plus pareil à nous qu'au grenadier qui mourait pour lui. [Ainsi le vainqueur de Rosbach rendait hommage à la civilisation française : notre patriotisme se contentait de cette victoire de l'esprit].

Le moins que le Français pût faire pour reconnaître cette universalité de domination intellectuelle qu'on lui cédait, c'était de tenir les sociétés qui adoptaient sa culture en même estime que celle où il était né. [Il le fit d'autant mieux que son rationalisme lui interdisait les préjugés de couleur et de race]. L'homme digne de ce nom est celui qui n'obéit qu'à la raison : mais cet homme n'est pas Français plutôt qu'Allemand : il est Européen, il est Chinois, il est partout où il y a des hommes; et toutes les vérités que conçoit la raison humaine sont faites pour cet homme universel. Le pays qu'on préfère, c'est celui où la philosophie règne; et, comme on vit en France, on voit aisément qu'elle n'y règne pas : il suffit au contraire de quelques lettres de princes ou de grands seigneurs pour faire croire qu'elle règne ailleurs plus souverainement que chez nous.

3. DIVISION DU XVIIIᵉ SIÈCLE.

Le xviiiᵉ siècle n'est pas uniforme dans son développement. Il se divise naturellement en deux périodes (1715-1750; 1750-1789). Dans la première s'affirme l'insensibilité esthétique de l'esprit philosophique, mais s'épanouit en même temps cet art spécial, unique, qui trouve en Marivaux sa perfection. Dans la seconde se réveillent les facultés oratoires, précédant les facultés poétiques : nous avons vu, au xviiᵉ siècle, le lyrisme se résoudre en éloquence; on refait le même chemin en sens inverse. Des impulsions sentimentales, des besoins imaginatifs commencent à troubler les opérations de la lucide et froide intelligence. Des réalités, des morceaux de nature entrent dans l'esprit de l'homme; des images, des sensations s'infiltrent dans la litterature.

La première période, où dominent Montesquieu et Voltaire, où les purs littérateurs, à peine marqués ou imprégnés à leur insu de l'esprit du siècle, brillent assez nombreux, cette période nous présente une critique encore modérée des institutions établies et des croyances du passé. Dans la seconde, avec Diderot, avec Rousseau, avec Voltaire, qui force le pas pour rester à la tête du mouvement, l'attaque devient plus violente et plus générale. Toutes les forces révolutionnaires — les forces intellectuelles, s'entend — entrent en ligne, et la victoire est complète. L'ancien régime finit en idylle, dans la persuasion où est toute cette société, que rien ne résiste plus à la raison : la diffusion des lumières est accomplie; le règne de la vérité et de la justice va venir[1].

1. **A consulter :** A. Vinet, *Hist. de la Litt. fr. au XVIIIᵉ s.*, 1853 (l'Introduction); F. Brunetière, *Etudes crit.*, V; *Etudes sur le XVIIIᵉ s.*, 1911; E. Faguet, *XVIIIᵉ s.*, 1890; H. Sée, *Idées polit. en France au XVIIIᵉ s.*, 1920; G. Lanson, *Rev. des Cours et Confér.*, 1908-10; D. Mornet, *Origines intellectuelles de la Révolut. fr.*, 1933; *La Pensée fr. au XVIIIᵉ s.*, 1938; P. Hazard, *Crise de la Conscience européenne*, 1935, *Pensée européenne au XVIIIᵉ s.*, 1946; M. Leroy, *Hist. des Idées sociales en Fr.*, 1947. — Cf. *Extraits des philosophes du XVIIIᵉ s.*, par G. Lanson et R. Naves, 1933, G. Dulong, A. Cart et Y. Miroglio, 1935, J. Dedieu, 1936.

CHAPITRE II

PRÉCURSEURS ET INITIATEURS DU XVIII° SIÈCLE

Irréligion foncière du XVIII° siècle. — 1. Les libertins; les sociétés du
Temple et de Ninon. — 2. Les cartésiens : Fontenelle. — 3. Les
théologiens : Bayle.

Dans la critique générale des opinions traditionnelles et des institutions établies qui fut l'œuvre du XVIII° siècle, le point capital
est la destruction du principe de la foi. Il n'y a pas eu de révélation; les lois de la nature n'ont jamais été dérangées par une
intervention divine; tout ce qui est arrivé, arrive, arrivera dans la
vie de l'univers et de l'humanité, est naturel, donc rationnel. Le
surnaturel, le miracle, est une illusion ou un mensonge. Voilà
l'essentielle affirmation du XVIII° siècle; quelques uns des plus
grands esprits qu'il ait produits, l'ont repoussée; mais, à leur
insu, elle a dirigé leur pensée. Car la suppression du christianisme, d'un idéal religieux qui fournit une règle de vie avec
une espérance de bonheur ultra-terrestre, mais infini, cette suppression seule explique la fureur de zèle humanitaire avec laquelle
les philosophes veulent refaire la société pour mettre dans cette
vie toute la justice et tout le bonheur.

Les vrais maîtres du XVIII° siècle sont donc ceux qui lui ont
appris à détruire le système du christianisme. Ces maîtres furent
les cartésiens, et les théologiens, plus que les libertins.

1. LES LIBERTINS.

Nous avons déjà mentionné le groupe des libertins, si apparent
au début et à la fin du siècle : j'ai signalé ces deux foyers de
scepticisme épicurien, la société du Temple et la société de Ninon.

J'ai montré Saint-Evremond, cet esprit curieux et indépendant
qui ne subit de servitude que celle des bienséances mondaines ; ce
douteur paradoxal en qui il y a du Montaigne, et du Voltaire aussi,
parfois du Montesquieu, quand il juge le peuple romain et ses historiens ; ce franc matérialiste, qui, dans sa vieillesse, forcé de
renoncer à tous les plaisirs, éloigna toute espérance indémontrable,
et se consola par deux réalités : l'activité de son esprit et la
solidité de son estomac.

Mais que pouvaient ces libertins contre la religion chrétienne,
telle que l'avaient faite dix-sept siècles de développement continu ?
Au Temple, chez les Vendôme, l'épicurisme était surtout pratique.
On ne raisonnait pas, on ne disputait pas : on n'en voulait pas à
l'Église, pourvu qu'on n'en sentît pas le joug ; et on lui permettait
d'être maitresse ailleurs. On aimait, on buvait, on jouait, on riait ;
on n'en demandait pas davantage.

Plus sérieux étaient les amis de Ninon et Saint-Evremond. L'exercice intellectuel les occupait davantage, ne fût-ce que parce que
ces épicuriens, lorsqu'ils nous parlent, sont hors d'âge, condamnés
à pécher surtout d'intention et de langue. On raisonne donc, on
pose des principes, mais par jeu, pour passer le temps, sans
méthode suivie, sans intention de propagande. Ceux-ci non plus,
avec leurs railleries légères et décousues, leurs conversations de
coin du feu, leurs lettres piquantes, dont ils se divertissent entre
gens convertis d'avance, ne sont pas bien redoutables. Mais ils
manifestent l'état de conscience et les dispositions d'esprit d'une
infinité d'honnêtes gens : et c'est là le fait qui est redoutable.

Mais il fallait d'autres armes et d'autres ardeurs pour jeter à bas
l'édifice théologique. Le doute vagabond de Montaigne ne serrait
pas d'assez près ces dogmes si fortement liés ; il n'était pas de
force à les dissoudre et à les faire écrouler. Il fallait aussi, pour
mettre de la suite dans l'attaque, et pour gagner l'esprit du peuple,
un amour scientifique du vrai, un enthousiaste dévouement à la
raison, qui faisait défaut à ces mondains blasés. Le zèle de la
vérité fut l'apport de l'aimable, du discret Fontenelle : la méthode
critique fut l'apport du savant et solide Bayle. (App. XIX.)

2. FONTENELLE.

Le cartésianisme, à la fin du siècle, en s'éloignant de la doctrine formelle de Descartes, manifestait de plus en plus la puissance
de sa méthode. Le mouvement cartésien aboutit, avec le pieux
Malebranche et ses disciples, à dresser un système hétérodoxe, et

avec le juif hollandais Spinoza, qui inquiéta, épouvanta les penseurs chrétiens, à exclure totalement jusqu'à la possibilité même d'une vérité chrétienne.

Fontenelle [1], qui n'a pas fondé de système, porta sans en avoir l'air un coup violent à la religion : son œuvre ne fut pas théorique, mais pratique. Il révéla au rationalisme mondain son essentielle identité avec l'esprit scientifique : il vulgarisa la science et ses principes. Il acheva d'éveiller dans ces légères intelligences des salons le besoin de tout comprendre, la conviction que l'inexplicable n'est que de l'inexpliqué.

Fontenelle était un neveu des deux Corneille. A l'école de son oncle Thomas, il apprit à écrire facilement et médiocrement dans tous les genres : il fit des vers, une tragédie, des opéras, des pastorales, des lettres galantes; il avait une sécheresse glacée et spirituelle, une pointe aiguë de style, aucun naturel, aucune spontanéité. Tant qu'il ne fut qu'un faiseur de vers et auteur de théâtre, il justifia les satires de La Bruyère et de J.-B. Rousseau : c'était bien le précieux Cydias, et « le pédant le plus joli du monde ». Il y avait pourtant déjà des vues bien fines, une solide indépendance de jugement sous la délicatesse épigrammatique des *Dialogues des Morts* (1683). Mais Fontenelle trouva sa vraie voie lorsqu'il composa ses *Entretiens sur la pluralité des Mondes* (1686), puis lorsque, ayant été nommé secrétaire perpétuel de l'Académie des sciences (1697), il écrivit l'*Histoire de l'Académie* et les *Éloges des Académiciens* : il entra alors tout à fait dans son rôle, qui était d'être le maître de philosophie des gens du monde, d'introduire la science dans la conversation des femmes.

Il fut parfait dans ce rôle. C'était un homme du monde exquis : d'humeur toujours égale, doux, poli, souriant. Un bon fonds d'égoïsme et d'indifférence, l'éloignant de toute passion violente, le faisait souverainement aimable. Il était incapable de s'emporter, de s'échauffer, incapable d'un mouvement spontané, d'un élan irréfléchi. Mais il était intelligent, et à force d'intelligence il

1. **Biographie** : Bernard Le Bovier, sieur de Fontenelle, « membre de l'Académie française, de celle des Inscriptions et Belles-Lettres, membre de la Société royale de Londres et de l'Académie de Berlin », naquit à Rouen en 1657. Son oncle Thomas, qui rédigeait le *Mercure galant* avec de Visé, l'associa à leur travail et à la composition de deux opéras. Fontenelle prit parti pour les modernes dans la querelle soulevée par Perrault (cf. plus haut p. 598), comme il se retrouva aux côtés de La Motte, lorsque le débat se renouvela. Il fit des opéras, des comédies, divers ouvrages de science et de philosophie. Il était très lié avec la marquise de Lambert, et plus tard il fréquenta le salon de Mme Geoffrin. Il mourut en 1757, presque centenaire.

Éditions : *Œuvres*, 1790, 8 vol. in-8; *Histoire des oracles*, éd. crit. Maigron 1908; *Origine des Fables*, éd. J.-R. Carré, 1932. — **A consulter** : A. Laborde-Milaa, F., 1905; L. Maigron, F., l'*Homme*, l'*Œuvre*, l'*Influence*, 1906; J.-R. Carré, *Philosophie de F. ou le sourire de la raison*, 1932; Th. Maulnier, *Langages*, 1950.

évita la petitesse de l'égoïsme. Il suivait en tout la vérité; il était juste, il était bienfaisant par intelligence. Seul à l'Académie, il vota contre l'exclusion de l'abbé de Saint-Pierre, contre cette mesure d'hypocrite servilité. Il était libéral, quand on lui demandait; Madame Geoffrin disposait de sa bourse en faveur des pauvres : il ne refusait jamais, mais il n'offrait pas. Il n'avouait qu'un sentiment, un commencement de passion : « un peu de faiblesse pour ce qui est beau, disait-il, voilà mon mal ». Il devait dire : *pour ce qui est vrai*; mais il était si peu artiste, qu'il ne concevait pas d'autre beauté que celle d'une pensée fine ou d'une démonstration élégamment conduite.

Cette faiblesse ne l'entraîna jamais : il garda toujours une réserve très discrète. « Si j'avais la main pleine de vérités, je me garderais bien de l'ouvrir. » Ce n'était pas timidité intellectuelle, ou prudence personnelle : c'était délicatesse; il haïssait le tapage, le scandale, les luttes brutales; tout cela était de mauvais ton; il était trop bien élevé pour faire l'apôtre ou le tribun. Il était trop aristocrate aussi pour semer la vérité à pleines mains, en plein champ. Il estimait que la masse des esprits, peuple ou grands, n'est pas apte à recevoir la vérité, qu'elle est faite pour un petit nombre d'intelligences, où elle ne se déforme pas, et ne porte pas de mauvais fruits.

Il causa de la science agréablement, avec une légèreté, une grâce, une ironie souvent exquises, et, il faut le dire aussi, avec un excès parfois de gentillesse et de galanterie. Il lui arrive de mettre trop de rubans et de pompons à son style, et de tourner l'astronomie en madrigaux; si la science en est un peu rabaissée, la conquête des salons valait bien quelques sacrifices, et ce n'était pas trop l'acheter que de quelques fadeurs. Mais la grande qualité de Fontenelle, et par où il donna le ton à toute la philosophie du siècle, ce fut la clarté. Il demandait aux dames, pour comprendre sa *Pluralité des mondes*, tout juste la même somme d'attention dont elles ont besoin pour suivre la *Princesse de Clèves*. Il exposa le système de Copernic et les découvertes de tous les académiciens de telle sorte que tout le monde entendait et retenait.

Il s'attacha surtout à faire ressortir les règles fondamentales de la méthode scientifique, à y accoutumer les esprits : ne rien croire que par raison, savoir douter, savoir ignorer. « Je ne vois qu'un grand je ne sais quoi, où je ne vois rien », écrit-il à propos des habitants des planètes. Il ne faut pas craindre les nouveautés : toutes les vérités ont été neuves à leur jour. Par une démonstration ingénieusement hardie, Fontenelle établit que la vraisemblance est du côté du paradoxe contre la tradition. Il enfonce dans les esprits la foi au progrès, par le spectacle de toutes les

découvertes que la raison a faites dans les sciences au siècle précédent. Il n'accorde guère aux anciens que le mérite un peu
négatif d'avoir diminué le nombre des erreurs possibles, d'avoir
en quelque sorte *usé* les plus fausses absurdités, qui auraient eu
chance, s'ils ne les avaient essayées, de retenir quelque temps la
raison moderne.

L'œuvre la plus significative de **Fontenelle** est son *Histoire des
oracles* (1687), qu'il tira d'un ouvrage latin, lourdement érudit, du
Hollandais Van Dale. La thèse est d'apparence inoffensive : Fontenelle y établit irréfutablement que les oracles des anciens n'ont pas
été rendus par les démons. Ce soin pouvait paraître superflu aux
environs de 1700. Mais faisons attention au raisonnement. Fontenelle analyse les causes de la crédulité qu'ont rencontrée les oracles : on y a cru, parce qu'on voulait y croire. L'esprit humain,
dans l'ignorance, aime le merveilleux. Par légèreté et paresse
intellectuelle, on a plus tôt fait d'expliquer que vérifier ; et l'on
interprète des prodiges qui n'existent pas : témoin la charmante
anecdote de la dent d'or, qu'un enfant en Silésie avait, disait-on,
en la bouche. La crédulité de la foule encourage la fourberie de
quelques-uns ; l'intérêt des prêtres les pousse à profiter de l'ignorance populaire. Les oracles n'ont cessé que lorsque l'esprit
humain s'est éclairé : la philosophie les a fait taire.

L'argumentation de Fontenelle dépasse la thèse qu'il a avancée.
Tout ce qu'il dit des oracles pourra se dire des miracles. L'impression qu'on garde du livre, c'est qu'il faut n'accepter le merveilleux
qu'à bon escient, que le merveilleux, en réalité, doit s'évanouir
par un contrôle sérieux des faits. On recueille dans l'ouvrage, çà
et là, négligemment jetés, certains mots sur Platon inventeur de
dogmes, exposant l'idée de la Trinité, et d'autres pareils, qui
achèvent de nous faire saisir la vraie pensée de Fontenelle. Au
fond, cette innocente critique de la foi des anciens à leurs oracles
est la première attaque que dirige l'esprit scientifique contre le
fondement du christianisme [1]. Tous les arguments purement
philosophiques dont on battra la religion, sont en principe dans
le livre de Fontenelle.

3. BAYLE.

La science n'assiégea pas seulement la religion par le dehors,
elle y pénétra pour la mieux ruiner. Elle prit le dogme corps à

---

1. Les **jésuites** avaient raison de **signa**ler l'*impiété* essentielle de l'ouvrage.

corps, elle essaya d'y mettre en évidence toutes les marques de l'invention humaine et d'y rendre inutile l'hypothèse d'une action divine. Ce procédé de critique fut peut-être le plus efficace et le plus fatal à l'Église : et ce furent les théologiens qui l'enseignèrent aux philosophes.

Les protestants, qui prétendaient restaurer la primitive Église, avaient été amenés à faire la part du divin et de l'humain dans le corps des traditions chrétiennes, soit contre le catholicisme romain, soit contre les sectes rivales issues également de la Réforme. Ils avaient appelé à leur aide la philologie et l'histoire, pour discuter telle interprétation des Livres saints, établir l'origine de telle portion du dogme et de la discipline. Les catholiques avaient suivi les réformés sur ce terrain; et l'on avait vu Bossuet, dans son *Histoire des Variations*, démontrer par la méthode historique le développement continu et divergent des doctrines réformées. Il avait montré — avec une pénétration peut-être imprudente — que toutes les pièces de la tradition se tiennent, que l'on ne peut commencer à refuser soumission à l'Église sans aller jusqu'à l'incroyance absolue, que la négation, logiquement, doit gagner de dogme en dogme jusqu'à ce que rien du dogme ne subsiste, et que les seuls sociniens sont conséquents, qui sont arrivés à dépouiller la religion de tous les mystères.

D'autre part, en dehors de toute polémique, de pieux érudits appliquaient à la religion les principes de la méthode scientifique. Les bénédictins, à force de candide soumission, élaguaient de la légende chrétienne une foule de saints apocryphes et de faux martyrs, sans inquiéter l'autorité ecclésiastique. Moins heureux étaient Dupin dans ses recherches sur les Conciles, et surtout Richard Simon dans ses études philologiques sur les deux Testaments et sur les Pères. Ceux-ci ne touchaient plus seulement, comme les bénédictins, aux ornements de la religion, mais à ses fondements, qu'ils ébranlaient par le seul emploi d'une méthode qui écartait la tradition de l'Église comme une idée préconçue.

Tout ce qui, dans l'œuvre des théologiens depuis cent cinquante ans, pouvait servir à la démolition de la religion, se ramasse dans les écrits de Pierre Bayle et surtout dans son *Dictionnaire historique et critique* [1]. C'était un probe et fort esprit, excité plutôt que tourmenté par l'impossibilité de savoir où est la vérité

1. **Biographie** : Pierre Bayle, né en 1647 dans le comté de Foix, meurt à Rotterdam en 1706. On l'y avait appelé en 1681. — **Éditions** : *Diction. histor. et cri*. Rotterdam, 1697, 2 vol.; 3e édit. 1720, 4 vol.; *Œuvres diverses*, La Haye, 172. 4 vol.; *Choix de la Corresp. inéd. de P. B.*, par E. Gigas, 1890; *Pensées sur l. Comète*, éd. A. Prat, 1912. — **A consulter** : A. Cazes, 1905; Devolvé, 190. C. Serrurier, *B. en Hollande*, 1912; E. Lacoste, *B. crit. et nouvell. litt.*, 1929.

Il était né protestant, se fit catholique, se refit protestant. La Révocation le jeta hors de France; il professa à Rotterdam, où le violent Jurieu lui chercha querelle : ses livres furent censurés, sa chaire lui fut retirée. Rien de tragique au reste dans cette âme inquiète et dans cette vie orageuse : Bayle est une figure originale de savant à la vieille mode : paisible, doux, gai, sans ambition, indifférent à la gloire littéraire, il s'enferme dans son cabinet, et ne se croit jamais malheureux, dès qu'il peut lire, écrire, imprimer en liberté. Il travaille assidûment, sans fatigue; c'est sa vie et sa joie [1]. Il a le savoir d'un érudit, le sens d'un critique; il cherche la vérité, d'une affection ferme et sereine, qui a l'air d'une fonction plutôt que d'une passion de sa nature.

Il n'est pas écrivain, pas artiste au moindre degré. Il est aussi incapable de composer que Montaigne. Son *Dictionnaire historique et critique* est un amas d'observations faites sur les erreurs ou les omissions d'un dictionnaire, celui de Moréri. Les notes, « farcies » de citations françaises, latines, grecques, tiennent dix fois plus de place que le texte : on y trouve de l'histoire, de la géographie, de la littérature, de la philologie, de la philosophie, des gaillardises [2], mais surtout de l'histoire religieuse et de la théologie.

Bayle n'a point de système, évite de dresser des théories. Sa méthode est d'alléguer toutes les raisons pour et contre les opinions établies. Ce n'est pas sa faute si les raisons contre paraissent les plus fortes, si, après l'avoir lu, l'on est tenté de conclure pour les hérétiques. Il excelle à faire ressortir que les opinions délaissées pouvaient se défendre, et n'étaient pas plus absurdes en réalité que les opinions victorieuses. Il a peine à ne pas marquer de faveur au manichéisme, dans lequel il trouve beaucoup de raison. Mais il est, en somme, dégagé de tout préjugé religieux ou philosophique. Il enseigne à ne pas croire, à se réserver. Il démolit la foi aux miracles, la foi à la Providence. Il détrompe le monde du préjugé que la moralité dépende de l'orthodoxie religieuse. Il fonde la morale sur la conscience. Il établit le principe de la tolérance, le droit de la conscience, même errante. Ses sentiments directeurs sont la haine de l'intolérance et l'amour de la paix : il n'y a pas de vérité assez certaine pour valoir qu'on s'égorge. Et

---

1. « Divertissements, parties de plaisir, jeux, collations, voyages à la campagne, visites, et telles autres récréations nécessaires à quantité de gens d'études, à ce qu'ils disent, ne sont pas mon fait : je n'y perds point de temps. Je n'en perds point aux soins domestiques, ni à briguer quoi que ce soit, ni à des sollicitations, ni à telles autres affaires. J'ai été heureusement délivré de plusieurs occupations qui ne m'étaient guère agréables; et j'ai eu le plus grand et le plus charmant loisir qu'un homme de lettres puisse avoir. » (*Préface du Dictionnaire.*)

2. Demandées, dit-il, par le libraire pour assurer la vente.

l'homme n'a pas besoin qu'on lui en fournisse des causes : il est par lui-même un animal suffisamment féroce et indisciplinable.

Le Dictionnaire de Bayle fut un des livres essentiels du xviiie siècle ; il fit les délices de Voltaire, de Frédéric II, de tous les incrédules ; c'est le magasin d'où sortit presque toute l'érudition philosophique, historique, philologique, théologique, dont les philosophes s'armèrent contre l'Eglise et la religion. Ils n'eurent qu'à choisir aiguiser et polir. Avec l'indigeste, substantielle, et copieuse pâte que leur fournissait Bayle, ils firent ce qu'on appela en ce temps-là « les petits pâtés chauds de Berlin » ; ils découpèrent dans les effrayants et peu maniables in-folio de petits livres portatifs, amusants, lus de tout le monde.

Ainsi des trois courants, scepticisme mondain, rationalisme scientifique, et critique érudite, se forma un courant unique, qui fut irrésistible.

LIVRE II

LES FORMES D'ART

CHAPITRE I

LA POÉSIE

1. Réveil de la querelle des anciens et des modernes : La Motte-Houdar et ses idées. Éloignement de l'antiquité. Absence de l'idée et du sentiment de l'art. — 2. Faiblesse de la poésie au XVIIIᵉ siècle : littérature morte. Rhétorique, ou esprit.

Le fait général le plus sensible dans la première moitié du XVIIIᵉ siècle, c'est la décadence des genres d'art. Ils ne vivent que d'une vie factice, soutenus par la mode et par l'éducation, réduits à l'application mécanique de règles devenues arbitraires, parce qu'on n'en comprend plus le sens artistique.

1. LES IDÉES DE LA MOTTE-HOUDAR.

Et d'abord la poésie a disparu. La querelle des anciens et des modernes s'est réveillée : c'est le premier épisode de la vie littéraire du XVIIIᵉ siècle. Un homme d'esprit, Houdar de la Motte [1],

---

1. Antoine Houdar de la Motte, né à Paris en 1672, composa des opéras, des tragédies et des comédies ; *Inès de Castro* eut un grand succès en 1723. Il publia ses *Odes* en 1707, ses *Fables* en 1719 ; en 1714, son *Iliade*, qu'il soutint dans ses *Réflexions sur la critique* (1716). Il mourut en 1731. Il était très lié avec Fontenelle et Mme de Lambert, très goûté de la duchesse du Maine. — **Éditions :** *Œuvres*, 10 vol. en 11 tomes, in-12, 1754, Paris ; *Paradoxes littéraires de La Motte*, éd. Jullien, Hachette, in-8, 1859 (réimpression des discours et préfaces critiques de La Motte). — **A consulter :** P. Dupont. *Houdar de La Motte*, 1898.

ami de Fontenelle et l'un des oracles du salon philosophe de
Mme de Lambert, s'est avisé en 1714 de traduire l'*Iliade* en vers.
Son dessein est de manifester par un cas illustre la loi du progrès : il prétend refaire l'*Iliade* telle qu'Homère l'eût écrite s'il
eût vécu en 1714. Il corrige donc les caractères des dieux, des
héros, leurs actions brutales, leurs injurieux discours, la prolixité
des descriptions, la négligence des redites, tout ce qui choque la
morale, la politesse, le goût d'un siècle éclairé. Ainsi perfectionnée,
l'Iliade se réduit à douze chants : et ce qui tombe, c'est tout ce
qui n'est pas la notation sèche du fait, tout ce qui est sentiment,
couleur, poésie. En compensation, La Motte prête à Homère
l'esprit galant et les pointes : il nous donne un Achille fait à souhait pour les *Nuits blanches* de Sceaux. La Motte savait mal le
grec et travaillait sur la traduction en prose de Mme Dacier, une
lourde, honnête et respectueuse traduction. Mme Dacier fut scandalisée de ce travestissement : elle fulmina contre La Motte ses
Causes de la corruption du goût, cédant à son adversaire l'avantage
de la politesse. Il n'avait pas besoin de cela pour mettre de son
côté un public dont il exprimait le goût secret.

La Motte ne répète pas simplement Perrault : il fait un pas de
plus. Ce n'est pas réellement aux anciens qu'il en veut; c'est à la
poésie. La poésie est contraire à la raison. En effet, elle se compose de deux éléments : les *figures audacieuses*, et le *vers*. Elle
consiste à se donner beaucoup de mal pour ne pas parler naturellement ni clairement. On force sa pensée, on la déforme, on l'obscurcit par l'embellissement des figures; on l'estropie, on la mutile,
on la fausse par la contrainte du vers, de la mesure, de la rime.
La Motte ne peut assez s'étonner « du ridicule des hommes qui
ont inventé un art exprès pour se mettre hors d'état d'exprimer
exactement ce qu'ils voudraient dire ». Ne vaut-il pas mieux s'en
tenir à la prose? « La prose dit blanc dès qu'elle veut, et voilà
son avantage. » Les meilleurs vers sont chargés d'impropriétés,
d'incorrections, de louches équivoques : dans leur perfection idéale,
ils doivent être comme de la prose, nets, clairs, précis; pourquoi,
dès lors, ne pas écrire tout de suite en prose? En conséquence, La
Motte fait des tragédies en prose, des odes en prose.

La Motte parle de la poésie comme un aveugle des couleurs. Sa
théorie prouve une inintelligence absolue de la poésie, qu'il réduit
à une forme artificielle. Cependant je suis tenté de lui donner
raison, dans le temps et dans les circonstances où il écrit. Il n'y
avait plus de poètes, plus d'artistes : ne valait-il pas mieux laisser
le vers et les formes d'art, et écrire en bonne, simple et franche
prose? La Motte le pensait, et son ami Fontenelle était tout à fait
de son avis. Ils eurent pour eux Trublet et Terrasson; c'est peu ;

mais ils eurent Duclos, ce qui vaut mieux, et ils eurent Montesquieu ou Buffon, ce qui est considérable. Ces deux grands esprits
condamnaient la poésie, parce qu'ils n'étaient pas poètes, le vers,
parce que, n'étant pas poètes, ils n'en avaient pas besoin; et ils ne
voyaient autour d'eux que des gens qui versifiaient sans nécessité,
qui eussent mieux fait de parler en prose.

Cependant les idées de La Motte choquaient trop les habitude:
d'esprit de la bonne société, les préjugés de l'éducation et di
monde, pour avoir chance d'être reçues. Il s'attira une foule de
répliques, *ode* de M. de la Faye, *épître* de M. de la Chaussée, sans
compter les épigrammes de J.-B. Rousseau. Mais l'homme qui
gagna la cause des vers, et fit perdre la partie à La Motte, ce fut
Voltaire. Voici un des plus beaux cas de l'influence de l'individu
dans l'évolution littéraire. Par la séduction de son esprit, par la
sincérité de sa conviction, par sa facilité brillante de versificateur,
et l'éclat de ses premiers poèmes, Voltaire réduisit les théories de
La Motte à passer pour des paradoxes sans conséquence.

2. LA POÉSIE SANS POÉSIE

Le résultat est connu : les vers et les versificateurs pullulèrent;
on n'en eut pas plus de poésie et de poètes. Il n'est pas utile d'insister : cette partie de notre littérature est une partie morte;
ayons le courage d'en alléger notre exposition [1].

La raison domine dans toute cette production versifiée, et la
raison d'un siècle analyseur, abstracteur, argumenteur et critique;
on ne rencontre pas un éclat de passion, pas une impression,
pas une image : aucune trace fraiche enfin de la nature ou de la
vie.

Les odes de La Motte s'appellent le *Devoir*, le *Désir d'immorta-
iser son nom*, la *Bienfaisance*, l'*Émulation* : ce sont des dissertations
méthodiques, parfois ingénieuses, où la part de la poésie se marque
par l'emphase, la dureté, la cacophonie, l'effort sensible pour ne

---

1. J.-B. Rousseau, *Œuvres lyriques*, éd. Manuel, Paris, in-12 (1852), 1876. —
Lebrun, *Œuvres*, Paris, 1811, in-8, 4 vol. — Thomas, *Œuvres complètes*, 1773,
3 vol. in-8. — Voltaire : *la Henriade* (la Ligue, Genève [Rouen], 1723, in-8), Londres, 1723, in-4; *Discours sur l'homme*, 1738 (éditions séparées), 1739 (recueil); *Poème
sur la loi naturelle*, Genève, 1756, in-8 et in-12. — Bernis, *Œuvres*, 2 vol. in-12,
1776 et 1781. — Dorat, *Œuvres complètes*, 20 vol. in-8, 1764-1780. — Parny, *Œuvres
complètes*, Paris, 5 vol. in-18, 1808. — Saint-Lambert, les *Saisons*, 1769. — Roucher,
les *Mois*, 1779, 2 vol. in-4. — Gilbert, *Œuvres*, Paris, in-8, 1823. — Piron, *Œuvres complètes*, éd. Rigoley de Juvigny, Paris, 1777, 8 vol. in-8. — Delille, les *Jardins*, 1782;
Œuvres, Paris, 1824, 16 vol. in-8, — Lefranc de Pompignan, *Œuvres*, 1784, 4 vol. in-8.
Cf. Allem, *Anthol. poét. fr. du XVIII⁰ s.*, 1919; A. Dumas, *Anthol. des Poètes
fr. du XVIIIⁱ s.*, 1934. — **A consulter** : Faguet, *Hist. de la Poésie fr.*, VI-XI, 1932-
36; D. Mornet, *Le Sentiment de la Nat. de J.-J. Rousseau à Bernardin*, 1907.

pas parler comme tout le monde. Il semble que La Motte gâte, à
les mettre en vers, de bons morceaux de prose. Les odes de Jean-
Baptiste Rousseau, de Voltaire, de Thomas, de Lefranc de Pompignan, de Lebrun — ce ne sont pas les noms qui manquent —
sont des exercices de rhétorique, parfois brillants, jamais sincères : le lieu commun impersonnel en fait le fond.

Faut-il parler de l'épopée? La *Henriade* irait rejoindre *Alaric* et
la *Pucelle*, si Voltaire n'avait entouré son poème, truqué et fardé,
de notes qui sont souvent de curieuses dissertations littéraires et
historiques, si le nom de l'auteur aussi ne constituait pas seul un
intérêt sensible à l'ouvrage.

Les poèmes didactiques sont là pour prouver la supériorité de
la philosophie du siècle, lorsqu'elle s'exprime en prose. Je ne parle
pas de l'ennuyeux Racine ou de l'innocent Delille : les *Discours
sur l'homme* de Voltaire, en s'enveloppant de la dignité du vers,
ont perdu ce trait, ce mordant, ce jaillissement d'idées, d'ironie
et d'esprit, toutes les qualités les plus constantes enfin et les plus
séduisantes de l'humeur voltairienne.

Les élégiaques sont ou des libertins qui s'échauffent par des
images polissonnes, ou des coquets insensibles qui font de l'esprit
sur des idées d'amour.

Ce n'est aussi qu'une *idée* de la nature qui emplit tant de poèmes
sur la nature, *Saisons* de Saint-Lambert, *Mois* de Roucher, *Jardins*
de Delille. La plupart sont écrits par des hommes du monde qui
n'ont vu la nature que dans leurs parcs ou à l'opéra. Ils l'affa-
dissent par toutes les niaiseries qui ont passé en lieu commun sur
l'innocence de la vie champêtre. Mais surtout le vice radical de
leurs descriptions, c'est qu'ils donnent ou suggèrent les noms des
objets naturels : ils n'en procurent jamais la vision. Ils semblent
dresser des inventaires, et non peindre des paysages. Cela est sensible chez Delille, le maître des poètes descriptifs du siècle.

Au fond, toute cette poésie est mort-née; elle ne peut vivre dans
l'atmosphère que lui fait la raison philosophique. On ne recherche
et l'on ne sent que l'exactitude scientifique de la pensée et de
l'expression; on n'a que des idées abstraites à exprimer, et on ne les
rend que par des signes abstraits. Pour mettre de l'art, on recourt
aux figures de rhétorique et aux machines poétiques : personne
n'y croit, mais c'est la mode, et *cela fait bien*. On use de termes
convenus, et d'un langage qui paraît noble, parce qu'il n'est pas
celui de la vie courante. A mesure que le siècle avance, la grande
ressource de la poésie est la périphrase, qui substitue la description de l'objet au nom de l'objet. Mais cette description n'est pas
faite pour susciter une image : c'est un petit problème qu'on offre
à résoudre à l'intelligence du lecteur; et tout est dit quand il a

trouvé — non la chose — mais le mot. Il ne s'agit que de poser
élégamment les termes du problème, de façon que la solution se
présente instantanément à l'esprit. On traite le vers mathémati-
quement, par le compte exact des syllabes. Du *son* des mots, on
n'a cure, et par conséquent on néglige la rime; bonne ou mauvaise, elle indique suffisamment la fin du vers : et n'est-ce pas à
cela qu'elle sert? On ne sait plus ce que c'est que le rythme : il ne
s'agit que de mettre la césure ici ou là.

Pour être justes, disons qu'on a fait au XVIIIe siècle des vers
charmants, et beaucoup : dans les genres où l'esprit suffisait. Je
ne dis rien des *contes*; la polissonnerie froide et concertée y étouffe
l'esprit; il n'y a là pour nous qu'ennui et dégoût. La satire lyrique
du XVIe siècle ou du XIXe ne saurait se rencontrer; mais on trouvera la satire analytique, critique, épigrammatique, le pamphlet
en vers, amusant ou virulent, qui dissout les doctrines ou diffame
les hommes. Un provincial gauche, à qui les salons ne firent pas
fête, Gilbert, a trouvé dans les blessures profondes de son amour-
propre une source d'amertume éloquente : il a vu le faible de son
siècle, les petitesses de ses grands hommes, et sa raillerie s'est
abattue, précise, lourde, assommante. Voltaire est exquis, quand
il lâche la bride à sa verve et se moque de tout ce qui le gêne,
hommes et choses : il arrive dans le *Pauvre Diable*, dans les *Systèmes*, dans la *Vanité*, à égaler sa prose par ses vers.

Il est le maitre aussi dans les stances, les épîtres, dans tous les
genres agréables qui fixent l'esprit de la conversation. Il a été à
bonne école, il a recueilli chez Vendôme et chez la duchesse du
Maine la tradition des Hamilton et des Chaulieu : il a le secret
charmant de ces choses légères, qui s'évaporent à l'examen et
semblent faites de rien. Une pointe d'idée, une ombre de sentiment, c'en est assez, et toute la nature de Voltaire se répand dans
ces petites pièces.

En ce genre, il y aurait bien des noms à citer. Je ne nommerai
que Gresset, chez qui point déjà un air de rêverie mélancolique
étouffé sous la volonté de rire, et Piron, l'intarissable, gaillard et
drolatique Piron, qui n'a jamais rien dit de plus plaisant que les
mots de bonne foi où il se mettait sans rire au-dessus de Voltaire.
Voltaire, même dans la poésie légère, reste infiniment supérieur
à Piron, comme à Gresset, comme à tous les autres : il est au-dessus du genre; il a des idées qui lui donnent corps et substance
Les autres sont trop vides. On est vite fatigué de ce miroitement,
de ces reflets, de ces paillettes, de ces étincelles.

Enfin, je mettrai à part les épigrammes : c'est le triomphe du
siècle. On en faisait si naturellement, si infatigablement en prose,
qu'il n'est pas étonnant qu'on en ait fait en vers de réellement

parfaites. Piron y est d'une bouffonnerie saisissante avec un grain de fantaisie délicieux : Voltaire y porte une justesse aiguë de pensée et d'expression. Mais l'artiste supérieur en cette bagatelle, c'est Lebrun, le faiseur d'odes, celui qu'on appelait Lebrun Pindare. Il a une âpreté qui donne du sérieux à l'épigramme ; et, par la sûreté des applications, par la nerveuse perfection de la forme, il a su agrandir ce jeu d'esprit : il en a fait un appareil de condensation de la critique littéraire ; ses meilleures pièces sont comme des extraits concentrés et mortels. La Harpe en a su quelque chose.

Il y a donc de quoi lire, et où se plaire dans les ouvrages en vers du xviiie siècle. Mais aucune œuvre ne compte dans l'histoire de la pensée[1] ; et cela est grave, en un siècle où la pensée est tout ; surtout, il manque à cette poésie d'être poétique. Il faut franchir tout le siècle : nous verrons reparaître inopinément la poésie et l'art avec André Chénier.

1. Exception faite parfois pour Voltaire. Le *Mondain*, les *Discours sur l'homme*, le *Poème sur le désastre de Lisbonne*, ont compté, ont laissé des traces profondes et multiples. Il y a un peu de dureté dans les jugements qui précèdent sur la poésie du xviiie siècle : l'idée romantique du lyrisme les a trop inspirés. Je crois aujourd'hui qu'il y a une poésie de l'esprit comme il y a une poésie du sentiment, et que cette poésie est conforme au génie national. L'intelligence en France se mêle à tout, ce qui rend plus rare chez nous que chez d'autres la poésie pure, la notation artistique du sentiment séparé de tout élément intellectuel. Mais ce n'est pas une raison pour refuser catégoriquement le nom de poésie à cette combinaison d'intelligence, de sentiment et d'art, que le xviiie siècle a cherchée, et plus d'une fois réalisée, où l'émotion, la vibration sentimentale sont contenues de façon à ne pas troubler la clarté intellectuelle Il ne faut pas oublier après tout que si Lamartine a dépassé Voltaire, il en est sorti (17e éd., 1922).

CHAPITRE II

LA TRAGÉDIE

1. Décadence de la tragédie : ni nature ni vérité. Crébillon ; la tragédie romanesque et horrible. — 2. Voltaire · justesse de la conception, faiblesse de l'exécution. Voltaire et Shakespeare : inventions et artifices qui modifient la forme de la tragédie. Le théâtre philosophique. — 3. Rien autour ni à la suite de Voltaire.

Le XVIIIe siècle a fait effort pour ranimer la tragédie. Ses remèdes ont achevé de la tuer.

1. CRÉBILLON.

Elle était bien malade, dès le jour où elle perdit Racine : par un effort de génie qui ne sera pas renouvelé, il avait su pousser son observation bien au-dessous de la surface polie des mœurs actuelles jusqu'aux explosions immorales, douloureuses, brutales, des passions naturelles. Comme le hasard ne suscite après lui personne qui puisse faire équilibre aux circonstances par son tempérament, la force des circonstances l'emporte, et étouffe la tragédie. La vie de société ne laisse pas aux émotions profondes de l'individu le droit de s'exprimer, et élimine de plus en plus rigoureusement par la tyrannie des formes les manifestations extérieures de sentiment et d'action qui pourraient servir de modèle à la tragédie. Or, en même temps, la condition des gens de lettres se relève ; la considération dont ils jouissent les introduit et les enferme dans le monde ; leur champ d'observation se trouve par là singulièrement restreint, et le rideau des bienséances sociales s'interpose entre leur œil et la nature. L'objet, le don, le goût de l'observation psychologique s'évanouissent également ; et cette connaissance de l'homme qui avait fait l'intérêt de la tragédie au siècle précédent disparaît sans laisser de traces. La forme du genre subsiste, mais la vie s'en est retirée.

La tragédie se fait par procédés : elle consiste dans un système de règles et de moyens que l'on considère comme inamovibles. Les formules des situations, des caractères, des passions se sont fixées. Ce n'est plus qu'un exercice littéraire, un jeu de société, où il ne s'agit que de passer adroitement par les conditions convenues. Tout l'art des auteurs, tout l'intérêt des spectateurs se portent à peu près sur cette unique question : étant donné un sujet tragique, comment les situations tragiques seront-elles ingénieusement esquivées et réduites aux bienséances? On n'a plus à regarder la nature : il suffit de connaître Racine, Corneille et Quinault. Racine est pris pour un maître d'élégance et de noblesse. Corneille enseigne à corser un sujet par l'histoire, les intrigues de palais. Et Quinault, enfin, Quinault montre à bâtir un roman héroïque et galant : car le vide de ces tragédies ne peut être rempli que par les complications romanesques.

C'est ce que nous apprenaient déjà Campistron et Lagrange-Chancel, dont j'ai dit précédemment un mot; et Crébillon n'est pas pour modifier nos conclusions [1]. Crébillon, qui eut un immense succès, est un homme d'imagination active, sans cesse occupée à emmêler et à démêler les fils d'une action romanesque. La qualité des matériaux lui est indifférente : il prend à La Calprenède, à Corneille, à Racine, des situations, des caractères, des sentiments; il amalgame des lieux communs, il invente des férocités ou des héroïsmes sans exemple; peu lui importe; jamais il n'a jeté un regard vers la nature. Il traite la tragédie comme un problème, dont les données sont conventionnelles et ne doivent jamais être discutées. Le tout est de tirer de ces données ce qu'elles comportent de situations surprenantes. Mais qu'est-ce qu'une situation surprenante? Crébillon eut une idée géniale : il comprit que, dans l'état des mœurs, une belle scène était celle qui présenterait la situation la plus contraire aux bienséances, d'une manière conforme à ces bienséances [2]. Des sujets horribles, adroitement affadis, voilà tout son art.

1. Prosper Jolyot de Crébillon, né à Dijon en 1674, fit représenter son *Idoménée* en 1703; puis vinrent *Atrée et Thyeste*, 1707, *Electre*, 1708, *Rhadamiste et Zénobie*, 1711, etc. Il mourut en 1762. Dans sa vieillesse, on chercha à l'opposer à Voltaire; Mme de Pompadour, brouillée avec celui-ci, se déclara hautement pour Crébillon. — Éditions : *Œuvres*, Impr. royale, 2 vol. in-8, 1750; Didot aîné, 1812, 2 vol. in-8; Lebigre frères, 1832; éd. Vitu, 1885. — A consulter : Brunetière, *Epoq. du th. fr.*, 9e conf. M. Dutrait, *la Vie et le Théâtre de Cr.*, Paris, 1896, in-8.

2 Cf. la Préface d'*Atrée et Thyeste*, où la formule est donnée.

Il n'y a qu'un moyen de résoudre l'antithèse du sujet atroce et du goût poli : c'est d'escamoter le sujet, et Crébillon s'y applique. Le moyen le plus simple et le plus ordinaire qu'il ait employé, est l'*incognito*, à des degrés, et, pour ainsi dire, à des puissances diverses, selon l'écart du fait et des bienséances ; cet *incognito* est simple, quand l'un des acteurs est connu de l'autre, réciproque, quand ils se méconnaissent tous les deux, personnel, quand le sujet s'ignore lui-même. Il n'y a pas d'atrocité qui résiste à ce moyen. Prenez un inceste : si la mère et le fils sont inconnus l'un à l'autre, vous avez ôté la substance et gardé l'écorce de l'inceste [1]. Prenez un parricide : vous doserez l'horreur à volonté, selon que la mère connaîtra son fils, ou non, et selon que le fils se connaîtra lui-même, ou non [2]. Autre avantage des *incognitos* : les reconnaissances s'y attachent ; ce sont de bons coups de théâtre, et rien n'est plus commode que d'y emboîter un dénouement.

Lisons *Rhadamiste et Zénobie*, la plus célèbre et caractéristique tragédie de Crébillon. Pharasmane et ses deux fils, Arsame et Rhadamiste, sont amoureux de Zénobie ; mais Zénobie est mariée à Rhadamiste ; l'amour de Pharasmane et d'Arsame est incestueux : voilà l'horreur. Voici l'affadissement : Zénobie se fait nommer Ismênie ; Pharasmane et Arsame ignorent qu'ils l'ont, l'un pour belle-fille, et l'autre pour belle-sœur. Zénobie, qui se connaît, aime Arsame : nous voyons poindre un troisième sentiment incestueux. Mais Zénobie se croit veuve : elle est donc libre de fait. Elle a été jadis assassinée par son mari, qui était aussi l'assassin de son père : aucun souvenir n'a donc à contraindre ses sentiments. Faites venir maintenant Rhadamiste sous le nom et le costume d'un ambassadeur romain : que Zénobie le reconnaisse ; voilà un effet, d'où naîtront : 1° une lutte de sentiments dans l'âme de Zénobie, prise entre le devoir et l'amour ; 2° la jalousie du mari, amoureux de sa femme, et qui, se souvenant de l'avoir assassinée, n'en attend pas beaucoup de retour ; 3° la jalousie de Pharasmane et d'Arsame, que les entrevues de la femme et du mari inquiéteront. L'ignorance d'Arsame et de Pharasmane sera ménagée pour produire le plus d'effets possible. Arsame sera le premier instruit ; et cette révélation lui donnera occasion de développer le caractère du généreux qui se sacrifie. Pharasmane ne saura rien : il est chargé du dénouement. Il tue son fils : atrocité ; — sans le connaître : excuse. Éclairé sur sa victime, il veut se tuer : action horrible — et bienséante. Là-dessus, les amants sympathiques seront unis, pour

---

1. *Sémiramis*. Sémiramis aime son fils Ninias.

2. *Sémiramis* : « Ninias élevé sous le nom d'Agénor ». *Électre* : « Oreste élevé sous le nom de Tydée ».

la satisfaction du public. On voit, par cet exemple, comment Crébillon entend son métier : mais que devient la tragédie ainsi
pratiquée?

2. LA TRAGÉDIE DE VOLTAIRE.

Voltaire employa souvent ces artifices : mais il essaya souvent
aussi d'y échapper. Admirateur enthousiaste et timoré de Racine,
il conservera scrupuleusement les formes léguées par le XVII° siècle ;
il résistera de toutes ses forces aux doctrines subversives de La
Motte qui voulait supprimer de la tragédie les confidents, les
monologues, les récits, les unités, et le vers. (**App. XX.**)

Le grand mérite de Voltaire, d'où découle son incomparable
supériorité sur tout son siècle, c'est d'avoir compris la tragédie. Il
a très bien vu dans Corneille et dans Racine que la tragédie est
une action où se développent les types complets des caractères et
des passions de l'humanité, dans lesquels tous les exemplaires
imparfaits et les mélanges atténués, qui sont la réalité courante, se
trouvent contenus. Voilà ce que Voltaire aperçut nettement, et
ne cessa de répéter pendant soixante années. C'était là le fondement de son aversion pour le drame : il l'estimait surtout inutile,
et, quand on lui parlait d'un certain *Vindicatif* que composait un
des partisans du nouveau genre, il demandait s'il pouvait y avoir
un plus grand « vindicatif » qu'Atrée. Avec une conviction véritablement profonde, il essaya d'exprimer les généralités des caractères et des passions dans toutes les tragédies qu'il écrivit, si
l'on excepte quelques œuvres de ses vingt dernières années, où les
personnages représentent plutôt des opinions philosophiques que
des êtres moraux. Ses deux pièces les plus célèbres sont très
caractéristiques à cet égard : *Mérope* et *Zaïre*. Mérope est « la
mère » ; et Polyphonte, Egisthe, Narbas, tous les autres personnages ont pour fonction d'exciter « la mère » à développer toutes
les agitations, toutes les douleurs, les espérances, les puissances
de souffrir et d'agir d'une âme maternelle. Dans *Zaïre*, trois caractères sont en relation et réagissent l'un sur l'autre : Orosmane,
l'amour jaloux ; Lusignan, la foi fervente ; Zaïre, l'amour passionné
aux prises avec le respect filial.

Voltaire s'était très bien rendu compte aussi de l'affadissement
de la tragédie sous la tyrannie des bienséances mondaines. Il se
plaignait qu'on énervât tous les sujets par la politesse et la galanterie. Il voulait qu'on rendît à l'amour sa fureur, et qu'on n'en
fît pas un échange de douceurs ingénieuses. Il voulait qu'on mît

l'amour à sa place, et qu'on ne le mît pas où il n'avait que faire :
pourquoi l'amour serait-il le seul ressort de la tragédie? Pourquoi
toutes les passions auxquelles peuvent donner lieu les relations
de famille, pourquoi le fanatisme religieux, pourquoi l'ambition
politique ne seraient-ils pas à leur tour les ressorts de l'intérêt
dramatique? Voltaire [1], en conséquence, reprenait les sujets où
l'amour se montre en son plus brutal excès; il traitait le vieux
sujet traditionnel de *Mariamne*; il empruntait aux Anglais leur
Othello qu'il habillait en Orosmane. Dans sa première œuvre, dans
Œdipe, il bannissait l'amour, et n'introduisait l'idylle surannée
de Philoctète et de Jocaste que sur l'ordre des comédiens, trop
jeune encore et trop inconnu pour leur imposer sa volonté. Il ira
jusqu'à faire une tragédie sans femmes, la *Mort de César*. Il ne
mettra point d'amour dans *Mérope*; il n'en mettra pas dans *Oreste*,
qu'il opposera à la trop galante *Électre* de Crébillon.

Il sentait que la crainte d'exposer les signes brutaux des passions aux yeux des spectateurs, et l'habitude de montrer seulement les principes moraux des faits, avaient banni à peu près
toute espèce d'action de nos tragédies, qui étaient devenues
d'assez vides « conversations en cinq actes ». Il ne put s'empêcher
d'être frappé, pendant son séjour en Angleterre, de la sauvage
énergie des pièces de Shakespeare, de l'intensité des passions, de
la rapidité sensible de l'action matérielle : et si barbares qu'il les
jugeât elles lui firent paraître nos tragédies bien languissantes et
bien froides. Il y eut une vingtaine d'années, après son retour
d'Angleterre (1730-1750), pendant lesquelles il subit visiblement
l'influence de Shakespeare. Mais, plus tard, lorsqu'il vit le public
s'intéresser à ce Shakespeare que lui-même avait révélé, le vieux
classique qui était en lui se révolta. Le succès de la traduction de
Letourneur et des adaptations de Ducis le fit éclater de rage [2].

Il se révolta aussi lorsqu'il vit, sous l'influence combinée du
théâtre anglais et du drame, un pathétique grossier et brutal
envahir la tragédie. Il s'emportait contre les comédiens qui voulaient montrer un échafaud tendu de noir dans *Tancrède*. Il se
moquait de la malencontreuse idée que la Comédie eut un jour
de mettre en action le dénouement d'*Iphigénie*. C'est tricherie de
surprendre les yeux au lieu de captiver l'âme.

1. Principales tragédies : *Œdipe* 1718, *Brutus* 1730, *Zaïre* 1732, *la Mort de César*
1731, *Alzire* 1736, *Mahomet* 1742, *Mérope* 1743, *l'Orphelin de la Chine* 1755, *Tancrède* 1760, *les Scythes* 1767, *les Guèbres* 1769. — A consulter : F. Brunetière, *Époques du théâtre français*, 11e conf. ; Lemaître, *Impressions de théâtre*, 2e série ;
H. Lion, *les Tragédies et les Théories dramatiques de Voltaire*, 1896. J.-J. Ollivier, *Voltaire et les Comédiens interprètes de son théâtre*, 1900 ; *Le Kaïn*, 1907.

2. *Lettre à l'Académie française lue en séance publique le 25 août 1776*. Cf. aussi
Du théâtre anglais, 1761, sous le pseudonyme de Jérôme Carré. — A consulter :
J.-J. Jusserand. *Shakespeare en France sous l'ancien régime*, 1899.

Le malheur de Voltaire fut de n'avoir pas assez de génie pour exécuter ses idées. Il manqua d'abord de patience, de méditation ; il écrivit trop vite : *Zaïre* fut bâclée en dix-sept jours ; *Olympie* était « l'œuvre des six jours ». Il lui arriva de refaire trois, quatre fois un acte, une pièce : c'est-à-dire qu'il improvisa trois, quatre actes pour un, trois, quatre pièces pour une. Puis, pour remplir l'idée qu'il se faisait de la tragédie, l'essentiel lui fit défaut, la pratique de l'observation psychologique ou la puissance de l'imagination psychologique. Elève attentif du XVIIᵉ siècle, il a des vues justes, moyennes, peu personnelles, sur le mécanisme de l'âme humaine. Aussi dessine-t-il des caractères vraisemblables, en indications rapides, un peu sommaires ; voilà pourquoi ses tragédies gagnent à être vues plutôt que lues, s'il y a un bon acteur pour **compléter l'esquisse tracée par le poète.**

Voltaire eut surtout l'entente de la scène. Il se rendait compte de ce qui devait faire impression sur le public, et il disposait sa tragédie en conséquence : c'est là encore un vice radical de son théâtre. Il a l'idée de ce que rendront en scène chaque fait, chaque état moral : la douleur chrétienne de Lusignan, par exemple. Jamais je ne trouve dans son théâtre un mot qui soit pour la vérité d'abord ; je sens que ce poète vise toujours un point de l'esprit du public ; la vérité s'y rencontre, si elle peut. Il dirige son action, il donne « le coup de pouce », pour amener telle situation, tel jeu de sentiment, tel tableau, sur lesquels il compte. Une impression inquiétante d'insincérité se dégage de la lecture même de ses meilleures pièces.

Cette habitude d'escompter les effets sûrs, unie au défaut d'invention psychologique, a été cause que Voltaire n'a pu, malgré ses bonnes intentions, se passer des artifices de ses prédécesseurs. Il a beau vouloir rendre aux passions leur énergie, la politesse paralyse ses mouvements. Il use et abuse des *incognitos*, des *quiproquos*, des reconnaissances retardées ou provoquées arbitrairement, de tout ce qui sera plus tard moyen de mélodrame ou de vaudeville. Voyez *Zaïre* : au lieu de garder la belle et naturelle énergie de l'*Othello* anglais, il dispose toute sorte d'artifices à la fois pour amener et pour affadir la violence du dénouement. Zaïre est tendre, Orosmane est tendre : tous les deux sont « sympathiques ». Pour que l'un tue l'autre, il faut absolument qu'il y ait *quiproquo* ; ainsi l'on plaint la victime sans haïr le meurtrier. Le crime est combiné avec bienséance, de sorte qu'il n'y ait pas de criminel. Voilà pourquoi, outre le besoin de faire durer la pièce, Zaïre et Nérestan se cachent si soigneusement d'être frère et sœur.

Asservi donc aux timidités du goût mondain, Voltaire ne pouvait pas non plus mettre dans ses pièces l'action qu'il rêvait. Il s'en tint à des inventions extérieures qui ne modifiaient pas le fond traditionnel et la banale disposition de la tragédie. Il chercha à exciter l'intérêt par des moyens sensibles, par des particularités de décor et de costume. Il croyait avoir fait merveille d'avoir porté l'action dramatique hors du monde mythologique gréco-romain, de l'avoir promenée en Asie, en Afrique, en Amérique, de l'avoir ramenée en France, en plein moyen âge féodal et chré-tien. Toutes les races et tous les siècles sont représentés dans son théâtre. On y voit même des spectres, et Voltaire croit avoir fait du Shakespeare ou de l'Eschyle pour avoir imaginé ces piteuses apparitions d'*Eriphyle* et de *Sémiramis*, si acerbement et si jus-tement critiquées par Lessing. Montrer dans *Brutus* des sénateurs en robe rouge, faire tirer un coup de canon dans *Adélaïde Du Guesclin* et y mettre le bras d'un prince du sang de France en écharpe, costumer Lekain en Tartare avec un grand arc à la main et de farouches plumes ondoyant sur un casque invraisemblable dans l'*Orphelin de la Chine*, voilà les inventions par lesquelles Voltaire remédie à la froideur de la tragédie. Il interprétait Sha-kespeare en librettiste d'opéra.

Il ne faut pas méconnaître un fait important : l'Opéra devient au XVIIIe siècle notre première scène. La pompe du spectacle, les machines, les costumes, tout l'éclat de la mise en scène flatte les yeux et amuse la frivolité du public mondain. Voltaire a subi, lui aussi, dès sa jeunesse, sous la Régence, la fascination de l'Opéra, qui flattait ses secrets appétits de vie heureuse et sensuelle. Il prit alors des impressions qui ne s'effacèrent jamais. De là son attache-ment à Quinault, et de là son effort pour établir à la Comédie-Fran-çaise la singularité des décorations, des costumes, et tout ce qui s'y pouvait transporter de la mise en scène de l'Opéra. (App. XXI.)

'l était à craindre que, la vérité mise à part et la nature, la ragédie n'eût plus d'autre objet que de présenter d'ingénieuses applications des règles. En dépit des inventions de Voltaire, elle e vidait d'idées. Il sentit plus ou moins obscurément le danger : l jeta dans le moule tragique ses idées philosophiques, et toutes es formules analytiques de la pensée abstraite. Il usa de la tra-gédie, comme de toutes les autres formes littéraires, pour répandre lans le public les conclusions de son rationalisme. Il me suffira le rappeler ici les traits d'incrédulité hardie dont *OEdipe* même tait semé, l'esprit de libéralisme politique qui animait certaines arties de *Brutus*, la fameuse sentence de *Mérope*, où le droit divin st nié. Le sous-titre de *Mahomet*, **le Fanatisme**, indique la direc-ion d'intention dont cette tragédie est sortie. Enfin, à quoi bon iter les *Guèbres*, *Olympie*, les *Lois de Minos* ? A partir de 1760, on ompte les pièces qui ne sont pas avant tout des pamphlets phi-

losophiques. Ces intentions doctrinales, cette prédication, ces
maximes, ces personnages qui sont ou des abstractions person-
nifiées ou les porte-parole du poëte, nous refroidissent aujourd'hui
les tragédies de Voltaire. Elles en firent alors le succès, en leur
donnant une brûlante actualité. Voltaire n'eut pas tort de vouloir
exprimer sa conception de la vie, du bien, de la société, par son
théâtre : mais il n'eut pas le génie qu'il fallait pour traduire *dramatiquement* cette conception.

3. FIN DE LA TRAGÉDIE

Voltaire, c'est toute la tragédie du xviiie siècle : hors de lui, il
n'y a rien qui puisse nous arrêter. Il contient et Lanoue, et Lemierre
et La Harpe, et De Belloy, et Saurin, et Chénier : il les contient tous,
et à eux tous ils sont loin de lui équivaloir. L'histoire des mœurs
peut enregistrer la superficielle émotion patriotique qui se manifeste à propos du *Siège de Calais* (1765) : mais De Belloy en lui-
même n'intéresse pas l'histoire littéraire[1]. Un seul homme est à signaler, c'est Ducis, pour ses adaptations des drames shakespeariens
Hamlet (1769), *Roméo et Juliette* (1772), *le Roi Lear* (1783), *Macbeth*
(1784), *Jean Sans Terre* (1791), *Othello* (1792). Mais ces drames qui
réduisent Shakespeare à l'étroitesse de la technique voltairienne
ces drames sont illisibles, et ridicules aujourd'hui. Nous aurons à
y revenir pour indiquer les causes qui ont fait de l'œuvre de Ducis
un remarquable cas d'avortement littéraire.

---

1. Du moins il n'intéresse que l'histoire de la décoration et de la mise en scène.
Les notations du décor dans ses tragédies sont très curieuses et détaillées (*11e éd.*).
— Ce goût du décor est encore une manifestation du besoin de poésie qui travaille
le siècle. Historiques ou pittoresques, et toujours pathétiques, ces décors essaient
de susciter des visions qui remuent l'âme. Le romantisme exclu des tragédies par
le style, y rentre par la mise en scène. Par le costume aussi. (17e éd., 1922).

CHAPITRE III

COMÉDIE ET DRAME

1. Le théâtre de Marivaux : fantaisie poétique, analyse psychologique. — 2. Destouches : la comédie morale. La *sensibilité* dans le public et au théâtre. La Chaussée et la comédie larmoyante. Diderot et la théorie du drame. — 3. Comédie italienne et théâtres de la Foire : le *réalisme* de l'opéra-comique. — 4. Comédie de genre : satire des mœurs mondaines. Essais de polémique philosophique et de satire aristophanesque.

La comédie du XVIIIe siècle est supérieure à la tragédie : elle nous fournit deux talents éminents et singuliers, Marivaux et Beaumarchais; et elle nous présente un grand fait, la naissance du drame.

1. LA COMÉDIE DE MARIVAUX.

L'œuvre de Marivaux [1] est unique dans l'histoire de notre théâtre. Elle est exactement correspondante pour le goût aux

---

1. Biographie : Pierre Carlet de Chamblain de Marivaux, né à Paris en 1688. Il se lie avec Fontenelle, fréquente chez Mme de Tencin et Mme de Lambert. Il débute par de mauvais romans en 1713. En 1720 il aborde le théâtre. Il fait une tragédie, *Annibal*, après l'échec de laquelle il donne aux Italiens son *Arlequin poli par l'amour* (1720). Puis viennent : la *Surprise de l'amour*, 1722, le *Jeu de l'amour et du hasard*, 1734, les *Fausses Confidences*, 1737, l'*Épreuve*, 1740, aux Italiens; le *Legs*, 1736, à la Comédie-Française. Il fut ruiné par le système de Law, et tenta de publier les journaux d'observation morale, le *Spectateur français*, 1722-23, l'*Indigent philosophe*, 1728, le *Cabinet du philosophe*, 1734. La *Vie de Marianne* parut de 1731 à 1741, le *Paysan parvenu* de 1735 à 1736. Sur la fin de sa vie il fréquenta chez Mme du Deffand et Mme Geoffrin. Il mourut le 12 février 1763.

Éditions : *Théâtre complet*, éd. J. Fournier et M. Bastide, 1947; *Œuvres com-*

Entretiens de Fontenelle *sur la pluralité des mondes*, à la peinture de Watteau et de Lancret. Elle représente, dans la poésie dramatique, l'art français du xviiie siècle.

« Moderne » par insuffisance d'éducation et inintelligence de l'antiquité, irrespectueux jusqu'à mettre en style burlesque e[t] insipide l'*Iliade* et le *Télémaque*, Marivaux était qualifié pour se faire bien venir de Fontenelle et de La Motte, pour être accueilli dans les salons de Mme de Lambert et de Mme de Tencin : voilà le groupe où il se classe. Pauvre, sensible, nerveux, pétri d'amour-propre, assez difficile à vivre, abondant en idées, et se dégoûtant dans l'exécution aussi vite qu'il s'était enflammé dans la conception, il créa des journaux d'observation morale qui ne vécurent pas, il écrivit des romans qui n'eurent pas de fin. Avec lui s'établit, à la place de l'imitation des anciens, le commerce littéraire de la France et de l'Angleterre : il y a action et réaction réciproque. Ses journaux, où s'unissait la réflexion philosophique à la description pittoresque des mœurs, étaient dressés sur le plan du *Spectateur*, dont on avait donné des traductions dès 1715 : en revanche, sa *Vie de Marianne* inspirait Richardson.

Au théâtre, Marivaux travailla surtout pour la Comédie-Italienne, qui venait d'être rétablie en 1716. Il s'y trouvait plus libre qu'à la Comédie-Française, plus indépendant des règles et des exemples. Là, il pouvait faire recevoir des pièces qui ne ressemblaient à rien ; et là, le public, venu seulement pour se divertir, se laissait charmer par d'irrégulières inventions qu'il n'eût pas supportées sur la scène de la comédie classique. Ce fut donc aux Italiens que Marivaux donna ses délicates comédies d'analyse, et toute sorte de pièces philosophiques, allégoriques, mythologiques.

Déjà les mêmes comédiens avaient joué quelques ouvrages ingénieusement paradoxaux, où les préjugés et les institutions de la société étaient l'objet de piquantes satires [1]. Marivaux porta dans ce genre la fantaisie originale de son esprit : il attaqua les financiers dans son *Triomphe de Plutus* (1728) ; il établit son *Ile des Esclaves* (1725) sur l'idée de l'égalité de tous les hommes ; et dans sa *Nouvelle Colonie* (1729) il montra les femmes liguées pour l'affranchissement de leur sexe. La comédie semble chargée de familiariser l'esprit public avec les hardiesses de la critique rationnelle, en attendant que s'engage sérieusement la grande mêlée des idées

plètes, éd. M. Arland, 1950. — **A consulter :** G. Larroumet, *M., sa Vie et ses* Œuvres, 1882 ; F. Brunetière, *Etudes critiques*, II et III ; G. Deschamps, *M.*, 1897 ; E. Meyer, *M.*, 1930 ; M. J. Durry, *Quelques Nouveautés sur M.*, 1939 ; Cl. Roy, *Lire M.* ; M. Arland, *M.*, 1950.

1. Delisle, *Arlequin sauvage* et *Timon le Misanthrope* (1722).

et des doctrines. Marivaux est trop près de Fontenelle, pour qu'on s'étonne de le voir prendre ce rôle : il le fait sans violence et sans âpreté, avec une grâce malicieuse, semant les hypothèses et les paradoxes de l'air d'un homme qui n'en soupçonne pas la portée. C'est dans ces pièces philosophiques et dans la sentimentale féerie d'*Arlequin poli par l'amour* (1720) que l'on sent combien Marivaux à sa façon est vraiment poète : il y a en lui une poésie d'une espèce rare, une poésie fantaisiste, ingénieuse, alambiquée, brillante, qui rappelle avec moins de puissance et plus de délicatesse la *Tempête* ou *Comme il vous plaira* de Shakespeare.

Arlequin poli par l'amour, dans son cadre de féerie, est une comédie d'analyse, et nous mène à ce genre où Marivaux est sans rival. Ne songeons pas que Marivaux avait trente-cinq ans à la mort du Régent, et qu'ainsi les années décisives pour la formation de son esprit ont été des années de licence sans frein et de joyeuse corruption : les traits caractéristiques des mœurs du XVIIIe siècle ne se reconnaissent pas dans ses peintures. Il efface la brutalité et la polissonnerie, qui sont le fond des mœurs réelles; il les purifie, il n'en conserve que les apparences de souveraine élégance, l'exquise finesse des manières et du ton; et c'est à son insu que le monde charmant qu'il nous présente révèle sa nature intime par un indéfinissable parfum de sensualité.

Cette réserve faite, les comédies de Marivaux se déroulent dans une société idéale, dans le pays du rêve : ce sont de délicates hypothèses sur l'âme humaine qu'il explique avec une étonnante sûreté. Dans des conditions artificielles, dans un cadre irréel, il place un élément naturel, un sentiment vrai, qu'il oblige à découvrir son essence et ses propriétés par des réactions caractéristiques. Dorante se fait passer pour un domestique, et Silvia pour une soubrette; un homme et une femme se rencontrent, qui ont juré chacun de leur côté de ne jamais aimer; une fée s'éprend d'Arlequin balourd et niais : ces données ne représentent rien, ou pas grand chose, de réel. Mais ces données serviront à mettre en lumière des sentiments de l'âme humaine, des effets de mécanique et de chimie morale, qu'on aurait beaucoup plus de peine à observer dans les conditions fortuites et communes de la vie. Ce que Racine a fait pour l'amour tragique, principe de folie, de crime et de mort, Marivaux le fait pour l'amour qui n'est ni tragique ni ridicule, principe de souffrance intime ou de joie sans tapage, pour l'amour simplement vrai, profond, tendre.

Là est la nouveauté de son théâtre. Molière avait de-ci, de-là marqué le sentiment de l'amour de quelques traits vifs et justes : mais ces esquisses étaient restées très sommaires. Il n'avait pas fait de l'amour le sujet de sa comédie. Il l'avait employé à former le cadre de la peinture des mœurs ou des caractères; ou bien il en avait recherché les effets plaisants et ridicules; ou bien il l'avait fait servir à provoquer des manifestations de l'humeur intime. Après Molière, il semble qu'une convention ait fixé une fois pour toutes le mécanisme de l'amour, qui croît et décroît dans les comédies avec une régularité monotone. Marivaux est le premier qui apporte une observation originale et personnelle, qui isole l'amour, et en fasse toute sa comédie. Il a découvert et décrit tout ce réseau subtil de sentiments entre-croisés qui forme l'unité apparente du sentiment; il a noté toutes ces petites nuances, ces imperceptibles mouvements qui en indiquent les états passagers et les degrés successifs. Il a mis en évidence ce qui entre d'amour-propre, de besoin de dominer, de « pique », et, après tout aussi, de « jeunesse » et de « nature » dans l'amour; il a montré comment l'amour-propre encore et, de plus, la méfiance, la timidité, le préjugé social, certain instinct de liberté, font obstacle à l'inclination naissante. Il a posé en face l'un de l'autre ces deux êtres destinés à s'aimer, qui se sentent disposés à s'aimer avant de se connaître, et qui font effort pour se connaître avant de s'aimer, qui s'observent, s'étudient, se tendent des pièges, tâchent de forcer le mystère de l'âme par laquelle ils se voient pris irrésistiblement. Ce sont deux égoïsmes, prêts à se donner, mais « donnant, donnant », en échange, non gratuitement; on les voit s'avancer, se reprendre, craindre de faire un pas que l'autre n'ait pas fait, estimer ce qu'un *non* laisse encore d'espérance, ce qu'un *oui* contient de sincérité, négocier enfin avec une prudence méticuleuse l'accord où chacun compte trouver pour soi joie et bonheur. Il y a là tout un délicieux marchandage qui exclut le pur amour, le don absolu de soi : c'est ce marchandage même, cette défense du *moi*, qui fait la réalité de la peinture. L'amour des comédies de Marivaux n'est en son fond ni mystique ni romanesque, il est simplement naturel.

On connaît la qualité d'une passion à deux moments principaux : lorsqu'elle commence, et lorsqu'elle finit. La définition de la comédie conduisit naturellement Marivaux à circonscrire son observation au premier de ces moments. Il excelle à marquer les origines insensibles du sentiment, les filets ténus dont le torrent se formera : dans le *Jeu de l'amour et du hasard*, un contraste de l'esprit et de la condition éveille l'attention de Dorante sur Silvia, celle de Silvia sur Dorante. Dans la *Surprise de l'amour*, c'est le heurt de la vanité qui fixe l'attention : chacun des deux personnages est fâché de n'être pas unique en sa bizarrerie, fait effort pour réduire la bizarrerie de l'autre à la banalité des façons universelles, et se prend en voulant prendre. Dans les *Fausses Confi-*

dences, l'artifice des valets force l'attention et la pitié d'Araminte :
de l'attention et de la pitié naissent l'intérêt, qui fait poindre
l'inclination. La vanité d'inspirer une passion, la bonne mine du
passionné, les contradictions de l'entourage mènent Araminte de
l'inclination à l'amour. Dans la diversité des cas particuliers, deux
conditions se trouvent toujours : il faut gagner l'attention; on
est sur le chemin d'aimer quand on *distingue*; et il faut intéresser
la vanité, fût-ce en la blessant; caressée ou irritée, dès qu'elle est
émue, elle fouette le sentiment et fait doubler les étapes.

Il en est du théâtre de Marivaux comme du théâtre de Racine :
l'action est tout intérieure. Il ne s'agit à l'ordinaire que d'un *oui*
à faire dire : mais comment ce *oui* sortira-t-il? c'est toute la pièce.
On y arrive, à ce *oui* considérable, lentement, sinueusement,
mais en marchant toujours.

Marivaux est un peintre délicieux de la femme : ses Silvia, ses
Araminte, ses Angélique sont exquises de sensibilité et de coquetterie, d'abandon ingénu et d'égoïsme en défense, de grâce tendre
et d'esprit pétillant. Elles sont plus franches et plus faibles que
les hommes. Ceux-ci, plus positifs, plus conscients, parce que,
généralement, ils sont chargés de l'attaque, sont aussi sincères.
Ni les uns ni les autres ne sont proprement des « caractères » :
ils représentent des « moments » de la vie, ces moments de
jeunesse heureuse, épanouie, belle de sa plénitude et du sentiment qu'elle en a. Tous les hommes ont été, ou ont pu être,
plus ou moins, Dorante et Lucidor; toutes les femmes ont été, ou
ont pu être, plus ou moins, Angélique, Silvia, Araminte.

Autour de ses couples d'amoureux, Marivaux groupe diverses
figures : les unes qui ont un air de réalité, sans être tout à fait
prises dans la vie contemporaine, des pères indulgents et bonasses,
des mères parfois tendres, plus souvent, et plus exactement,
dures, grondeuses, acariâtres, des paysans trop spirituellement
finauds et lourdauds; les autres, types de fantaisie, des Arlequins,
et des Trivelins, des Martons, et des Lisettes, valets et soubrettes
délurés, à peine fripons, diseurs de phébus, et parodiant en bouffonneries quintessenciées le fin amour des maîtres.

Telle est cette comédie de Marivaux, si peu comique au sens
ordinaire du mot, si solide et si substantielle en son extrême subtilité, d'une pénétrante sentimentalité qui n'est jamais fade ni
fausse, puissante parfois par un pathétique intérieur et contenu,
où l'on ne sent jamais la tricherie d'un adroit faiseur.

2. LA CHAUSSÉE ET DIDEROT : LE DRAME.

Destouches [1] essaya de restaurer la comédie de caractère. Il
avait été chargé d'affaires en Angleterre sous la régence, et il y
avait fréquenté le théâtre : il avait ainsi développé en lui un don
naturel de comique excentrique, qui se retrouve dans diverses
scènes de son théâtre et dans les chaudes caricatures de la *Fausse
Agnès* [2]. Malheureusement il s'appliqua surtout au grand, au noble
genre de la comédie de caractère : il y fut parfaitement ennuyeux.
Il avait peur de faire rire : le rire est vulgaire ; il rêvait un comique
décent, bon seulement à faire « sourire l'âme ». Aussi ne s'in-
spira-t-il pas de Molière, trop vif, trop populaire, même dans ses
hauts chefs-d'œuvre : ses maîtres furent La Bruyère et Boileau. Il
multiplia les portraits : ses Lisette et ses Frontin passent leur
temps à faire les *caractères* satiriques de tous les gens qui paraissent ou qu'on nomme dans la comédie. D'autre part, la description
morale, les couplets, les vers, rappellent à chaque instant les
Epitres de Boileau. On sent que l'auteur travaille à une démonstration édifiante ; la comédie devient un sermon laïque. Il ne s'agit
plus de peindre la vie, mais de faire aimer la vertu et détester le
vice. Chaque personnage est une formule abstraite, et ne semble
occupé que de manifester sa définition ; l'ingrat dit à son valet :
« Écoute, et tu verras ce que c'est qu'un ingrat ». Rien de plus froid,
de plus vide que la comédie ainsi comprise. Si le *Glorieux* (1732)
se laisse lire encore, c'est que l'auteur, ayant renoncé à faire rire
et cherchant un point d'appui pour fonder l'intérêt, s'est décidé à
orienter tout à fait la comédie vers les effets sentimentaux et
pathétiques. Un an après le *Glorieux*, La Chaussée donnait la *Fausse
Antipathie*, et la comédie larmoyante était créée.

Destouches est le témoin d'une modification profonde qui s'est
produite dans le sentiment du public. « D'où vient, disait La
Bruyère, que l'on rit si librement au théâtre, et que l'on a honte
d'y pleurer ? » Quarante ans plus tard, le rire était devenu indé-
cent, et les larmes bienséantes. Ainsi le bon ton exclut la véritable comédie. La faute en est un peu à la comédie elle-même :
avec les successeurs de Molière, avec Regnard, avec Lesage, avec
Dancourt, avec Legrand, elle attache le rire à une fantaisie déréglée

---

1. Destouches (Philippe Néricault, dit), né à Tours en 1680, secrétaire de M. de
Puysieux, ambassadeur de France en Suisse; sa mission à Londres dura de 1717
à 1723. Il mourut en 1754. *Œuvres*, 1757, Impr. royale, 4 vol. in-4; 1758, Prault,
10 vol. in-16; 1811, 6 vol. in-8°. — **A consulter :** P. Bonnefon, *Rev. d'H. litt.*, 1907.

2. Imprimée en 1736, jouée en 1759.

ou à un réalisme dégoûtant; elle se joue avec une sécurité trop
cynique dans l'imitation des mœurs mauvaises et ignobles. Les
honnêtes gens finissent par ne plus rire que du bout des lèvres
et par demander autre chose. Or, au théâtre, dès qu'on ne fait pas
rire, on ennuie, si l'on ne fait pleurer.

En même temps s'éveillaient dans les âmes des besoins nouveaux. La « sensibilité » naissait. On appelle de ce nom au
xviiie siècle la réflexion de l'intelligence sur les émotions, réelles
ou possibles, de la sensibilité : c'est moins le sentiment que la
conscience et surtout la notion du sentiment. Une âme sensible
est celle qui comprend les occasions où elle doit sentir, et qui produit avec le plus de vivacité possible toutes les actions extérieures
qui répondent à ces occasions de sentir. De là cette promptitude,
que nous constatons sans cesse, à s'émouvoir sur des faits hypo-
thétiques, ou sur des idées abstraites.

On voit poindre cette sensibilité à la fin du xviie siècle : la transformation morale et religieuse de la société en favorise le développement. Quand toutes les pensées de l'homme se rabattent vers
la terre, le plaisir prend une valeur infinie. Or dans une société
énervée par l'excès de l'exercice intellectuel et la pratique de la
politesse, le plaisir est dans le sentiment; on ne sait plus agir.
Mais, en même temps, dans cette société le sentiment est rare;
il n'en devient que plus précieux, et transfère sa valeur à l'idée du
sentiment, qui est son substitut ordinaire. Voilà comment aux
environs de 1700 on commence à trouver une singulière jouissance à épier en soi et autour de soi les manifestations sentimentales. C'est d'abord à propos de l'amour, de l'amitié, que ce goût
s'exerce : puis la philosophie inonde les esprits; à la place de
l'amour de Dieu, elle met l'amour de l'humanité; à la place de la
nature corrompue, elle offre la nature toute bonne. L'humanité, la
nature, tous les rapports sociaux, toutes les actions sociales deviennent pour les âmes des occasions de vibrer avec intensité, ou de
s'amollir délicieusement. Mais alors l'observation psychologique
disparaît : la sensibilité commande certaines façons de voir et
d'expliquer l'homme.

Cette explication était nécessaire pour faire comprendre la naissance, le succès, la valeur des genres sérieux issus de la comédie,
et qu'on a nommés *comédie larmoyante* et *drame*. Boursault, Destouches, Piron même avaient déjà mêlé quelques scènes attendries
ou émouvantes dans leurs pièces [1]. Mais personne encore n'avait
posé en principe que le rire peut être absolument éliminé de

---

1. Cf. F. Gaiffe, *Le Drame en Fr. au XVIIIᵉ siècle*, 1910.

l'œuvre comique. La Chaussée [1] fit cette révolution. Dans le *Pré-jugé à la mode* (1735), il mêla encore quelques scènes comiques, assez mauvaises du reste, aux scènes pathétiques. Dans *Mélanide* (1741), le pathétique régna seul. La Chaussée eut un immense succès : les femmes surtout, plus avides de sentiment, se décla-rèrent pour lui. Voltaire, si classique, et qui se moquait de La Chaussée et de son genre bâtard, se mit à faire des comédies larmoyantes [2]; mais il exigeait, assez puérilement, qu'on maintînt le mélange du comique et du pathétique; il ne voulait pas du drame purement larmoyant.

C'était pourtant ce drame purement larmoyant qui se justifiait le plus aisément, et à qui l'avenir appartenait. Car un fait curieux se produisit. Dans les vives polémiques qui s'engagèrent, les par-tisans du nouveau genre et ses ennemis ne le comparaient pas ordinairement à la comédie pure, mais à la tragédie : de La Chaussée à Beaumarchais, le grand argument qu'on fait valoir en sa faveur, c'est qu'il est plus vrai, et plus moral que la tra-gédie, parce qu'il peint des personnages pareils à nous, dans des situations pareilles à celles où nous nous trouvons tous les jours. Si bien que ce genre, qui se détache de la comédie, aspire à rem-placer, non la comédie, mais la tragédie.

Les œuvres de La Chaussée, gâtées par le romanesque des in-trigues, par la fausse sentimentalité des caractères, par la vague boursouflure du style, sont à peu près illisibles aujourd'hui. Mais elles signalent un moment considérable dans l'histoire de notre théâtre; elles marquent le point de départ de la comédie con-temporaine. Les faiblesses, les impuissances de l'exécution n'annu-lent point l'importance de l'idée première. Laissant la peinture du monde et des ridicules mondains, La Chaussée prend pour objet la vie intime, les douleurs domestiques : il développe les tragédies des existences privées, le mari libertin ramené à sa femme par la jalousie, le riche ou noble fils de famille épris d'une pauvre fille, le fils naturel en face de son père, etc. Il pose, dans ces cas émou-vants, les thèses morales qu'impose à son attention le conflit actuel

---

1. P.-C. Nivelle de la Chaussée, né à Paris en 1691 ou 1692, d'une famille de finan-ciers, fit imprimer en 1719 une critique anonyme des *Fables* de Lamotte; ruiné par le système de Law, il eut pourtant de quoi vivre dans l'aisance. Il était des sociétés du comte de Livry, de Mlle Quinault et du comte de Clermont. Il se fit connaître à quarante ans par l'*Épître de Clio* contre les théories antipoétiques de La Motte, et aborda le théâtre en 1733 par la *Fausse antipathie*. Il donna ensuite le *Préjugé à la mode* (1735), *Mélanide* (1741), la *Gouvernante* (1747), l'*Homme de Fortune* (1751, au théâtre de Mme de Pompadour, à Bellevue). Il mourut le 14 mars 1754. — **Édition**: 1762, 5 vol. in-12, Paris, Prault. — **A consulter** : G. Lanson, *Nivelle de la Chaussée et la comédie larmoyante*, Paris, 1887, in-12. F. Brunetière. *Epoq. du th. fr.*, 12⁰ conf.

2. *L'Enfant prodigue, Nanine, l'Écossaise*.

des préjugés sociaux et des instincts ou devoirs naturels. Prise dans ses situations caractéristiques, la comédie de La Chaussée a des affinités singulières avec la comédie d'Augier et de M. Dumas: elle en est l'origine, oubliée, mais authentique.

Le succès de La Chaussée encourage les imitateurs; et, aux environs de 1750, le nouveau genre semble sérieusement établi. Mais il ne produit pas une œuvre où il y ait lieu de s'arrêter aujourd'hui. Les drames de Diderot, ce déclamatoire et insupportable *Fils naturel*, ce *Père de famille* [1] qui porte sa paternité comme un sacerdoce, ne sont soutenus que par le nom de leur auteur. Et qui saurait que Beaumarchais a fait *Eugénie* et les *Deux Amis*, s'il n'avait créé Figaro? Le meilleur modèle du genre sérieux, c'est le *Philosophe sans le savoir* de Sedaine (1765) : ce n'est pas une œuvre supérieure [2]; c'est une comédie sans profondeur et sans déclamation, d'un optimisme aimable sans niaiserie. Un plaidoyer pour le commerce contre la morgue nobiliaire, un plaidoyer contre le duel se dérobent adroitement sous une action vraisemblable et intéressante : c'est une situation touchante que celle de ce père qui, maudissant le préjugé de l'honneur, envoie son fils unique se battre; et c'est un joli tableau de mœurs du xviiie siècle que cet intérieur d'un grand négociant, où éclatent les solides vertus et les douces affections de la famille bourgeoise.

Les théories sont plus intéressantes que les œuvres. Diderot s'empare de la nouveauté mise à la mode par La Chaussée, et il l'agrandit en s'y mêlant [3]. Il fait le procès à tout notre théâtre. S'inspirant des drames anglais, dont le pathétique intense et la violence d'action le frappaient [4], il professe que Molière et Racine, qu'il admire fort, ont pourtant laissé presque tout à faire. Il veut une scène qui *réalise* la pièce. Il réclame plus de vérité : il demande la continuité de l'action et du mouvement scenique, la suppression des tirades, des mots d'auteur, le développement minutieux et progressif des sentiments, l'exactitude du décor, et le naturel de la déclamation. Il y a deux points où il insiste surtout : il veut des tableaux, non plus des coups de théâtre, et qu'on peigne les conditions, non plus les caractères. Sur ces deux points, les idées de Diderot ont été fort attaquées : on ne met pas en général assez en lumière les vérités qu'elles contiennent. Disposer

---

1. Le *Fils naturel*, imprimé en 1757, fut joué en 1771. Le *Père de famille*, imprimé en 1758, fut joué en 1761

2. Michel Sedaine (1719-1797); *Œuvres choisies*, 1813, 3 vol. in-18. — A consulter L. Günther, l'*Œuvre dramatique de Sedaine*, 1908.

3. *Entretiens sur le Fils naturel*, 1757; *De la poésie dramatique*, 1758. — Cf. les t. VII et VIII de l'édition Assezat.

4. Lillo, le *Marchand de Londres*; Moore, *le Joueur*, imité par Saurin dans *Beverley* et par Diderot en 1760.

l'action pour amener une suite de *tableaux*, où tous les personnages se fixent en attitudes expressives, évidemment cela est dangereux : on sent dans ce procédé de composition la tendance d'une
poétique sentimentale, qui fausse la destination naturelle du genre
dramatique. Selon cette conception, le drame, ce sont des Greuze
mis en tableaux vivants. Mais songeons, pour être justes, aux
acteurs campés devant le trou du souffleur, parlant au parterre
sans regarder leur interlocuteur, ronronnant leurs tirades avec
un rythme et des gestes convenus : nous comprendrons le progrès
que représentait un Greuze mis à la scène. Diderot a l'idée d'un
jeu plus vrai que n'était le jeu des comédiens français en son
temps ; et c'est ce qu'il a traduit par sa théorie des *tableaux*. Dans
son triste *Père de Famille*, il note non seulement le décor et le costume, mais la position de chaque acteur en scène, ses changements de place, ses attitudes, ses jeux de physionomie. Il vise
évidemment à nous donner l'illusion de l'action réelle.

Quant à remplacer les caractères par les conditions, il est facile
de réfuter Diderot. Qu'est-ce que le juge en soi ? le père de famille
en soi ? le négociant en soi ? n'est-on pas obligé de donner à la
profession le support d'un tempérament, d'un caractère ? Mais, au
fond, Diderot ne le nie pas. Au lieu des « caractères » abstraits
et généraux, il faut, dit-il, montrer des « conditions », c'est-à-
dire des caractères encore, mais particularisés, localisés, modifiés
par les circonstances de la vie réelle, dont la plus considérable
est l'attache professionnelle. L'étude de l'homme universel est
faite, et bien faite, par les tragédies et les comédies du siècle précédent : il reste à appliquer les résultats de cette étude, à suivre
les variations des types moraux dans les conditions où nous les
rencontrons engagés : ce qui conduit encore à serrer de plus près
la réalité extérieure. Et, par là, Diderot nous éloigne de Destouches ; mais il nous conduit surtout à Balzac et à Augier.

Diderot est indépendant, chercheur ; il n'est pas de parti pris
ennemi du classique. Il n'en veut pas aux genres constitués : il
les établit dans les définitions qui sont leur raison d'être. Mais il
reconnaît autour d'eux d'autres genres dramatiques, et voilà la
liste qu'il dresse : Comédie — Comédie sérieuse — Tragédie bourgeoise — Tragédie. Et il indique même des formes intermédiaires,
et deux formes extrêmes : la farce bouffonne, et le drame philosophique. Il n'y a pas d'objection sérieuse à faire à cette liste.
Chacun de ces genres se caractérise par des conditions d'imitation
et une qualité d'impression particulières : ils sont donc tous légitimes. Ils ont même plus que le droit d'être : ils ont l'être. Ils sont
tous représentés par des œuvres ; il convient seulement de remarquer qu'ils correspondent à des états d'esprit très divers, qui ne

peuvent guère se rencontrer dans une seule race ou un seul siècle.
Mais Diderot a raison de les reconnaître. Il a raison aussi d'insister sur la capacité philosophique du genre dramatique : plus
la forme devient réaliste, plus il est nécessaire qu'une idée profonde et générale des rapports naturels ou sociaux tire hors de
l'insignifiance pittoresque la représentation exacte des apparences.
Il voit même la tragédie *poétique,* celle des Grecs.

Quel malheur que de tant d'idées originales et parfois remarquablement justes, Diderot n'ait su faire que deux pitoyables
pièces! Il ne faut pas en accuser seulement son manque de génie,
et celui de tant d'auteurs qui ne réussirent pas mieux que lui. Les
circonstances n'étaient pas favorables. L'esprit analytique du siècle
était impropre à la création poétique, qui est un acte de synthèse.
Mais surtout, sous peine de n'être qu'une tragédie plus grossière
à l'usage du peuple [1] (ce que fut le mélodrame), pour être une
espèce fixe et viable, le drame devait être un genre réaliste, d'un
réalisme extérieur et sensible. Or nous verrons plus loin que ce
réalisme-là ne put triompher au xviiie siècle des conditions littéraires et sociales qui lui faisaient échec.

Il semble qu'on en ait eu le sentiment : car, vers la fin du siècle,
après les bruyants et multiples succès de la comédie larmoyante
et du drame, on revient tout doucement à la comédie traditionnelle, à celle qui fait rire, ou y prétend. Ce qui semble rester,
c'est un peu plus de largeur dans la conception du genre, et le
droit de pousser l'impression jusqu'au sentiment et au pathétique; ici encore on pourrait dire que Voltaire a exprimé la
moyenne du goût de son temps. *Nanine* et l'*Enfant prodigue* peuvent servir à déterminer ce qui demeure incontestablement acquis
dans les nouveautés qu'on a tentées. Mais, si l'on y regarde de
plus près, il subsiste des idées, des exemples, des aptitudes, des
germes : tout cela reparaîtra à son heure.

3. LES ITALIENS ET LA FOIRE.

La Comédie-Française était seule à jouer des tragédies : elle
maintenait au besoin les auteurs dans la tradition. Mais, pour la
comédie, elle avait des rivales, à qui elle ne put jamais imposer
silence. Il y avait la Comédie-Italienne [2]; et nous avons vu de quelle

---

1. C'est bien ce qu'il devient avec Mercier. *Théâtre,* Amsterdam, 1778, 3 vol. in-8.
2. A consulter : Frères **Parfaict,** *Histoire de l'ancien théâtre italien,* Paris, 1753,
in-12; Desboulmiers, *Histoire du théâtre italien,* 1769, 7 vol. in-12; Gherardi, *le
Théâtre italien* (recueil), 1697-1700; Riccoboni, *Nouveau Théâtre italien,* 1728
2 vol. in-12. *Recueil des parodies du nouveau théâtre italien,* Paris, 1738, 4 vol. in-12.
N.-M. Bernardin, *la Comédie italienne et le théâtre de la Foire,* 1902

liberté y jouit Marivaux. Il y avait les théâtres de la Foire, où le public venait s'amuser sans souci des règles, des traditions et des convenances [1] : bourgeois, seigneurs, princes s'y récréaient dans l'ordure des parades, la bouffonnerie des farces, l'irrévérence des parodies. Jalousés par l'Opéra, la Comédie-Française et les Italiens, qui ne s'entendirent jamais que contre eux, les théâtres des Foires Saint-Germain et Saint-Laurent furent vexés de mille façons, condamnés à ne pas chanter, ou à ne pas parler, ou à ne pas dialoguer, parfois fermés ou démolis, toujours fréquentés; ils eurent leurs auteurs attitrés, diversement et inégalement illustres, Regnard, Lesage, Piron, Dominique, Vadé, Favart [2].

Un genre s'y créa, l'opéra-comique, comédie à ariettes, très analogue à notre vaudeville à couplets. L'opéra-comique sacrifiait forcément à l'actualité. Aussi se modela-t-il sur la comédie larmoyante; et il en emprunta la sentimentalité, la niaise psychologie, l'optimisme attendri. On conçoit que la peinture des mœurs mondaines lui échappe : il se complaît au contraire dans les sujets populaires. Il s'approprie la paysannerie, qu'il traite avec une naïveté de convention, exclusive de la franche et fruste nature. C'est sur ces scènes de la Foire, et précisément en raison de leur humilité qui les soustrait aux lois de la littérature, que paraissent les premiers indices d'un goût nouveau, les premiers essais d'une représentation plus exacte des « milieux », des formes extérieures et des instruments matériels de la vie : dans cette voie, la Comédie-Française alla à la remorque de l'opéra-comique et des Italiens. Mme Favart joua une paysanne en sabots et en jupe courte, avant que Mlle Clairon supprimât les paniers d'Électre. Voyez ces indications scéniques d'une parodie de Vadé :

« Le théâtre change et représente une veillée ou *encreigne*; une vieille est occupée à filer au rouet, et s'endort de temps en temps, pendant lequel (*sic*) deux jeunes personnes quittent leur ouvrage pour jouer au pied de bœuf, et le reprennent quand la vieille

---

1. A consulter : Frères Parfaict, *Mémoires pour servir à l'histoire des spectacles de la Foire par un acteur forain*, 1743, 2 vol. in-12; Desboulmiers, *Histoire du théâtre de l'Opéra-Comique*, 1769, 2 vol. in-12; Lesage et d'Orneval, le *Théâtre de la Foire*, 1721-1737, 10 vol. in-12; Brazier, *Chronique des petits théâtres*, éd. d'Heylli, Paris, 1883, 2 vol. in-16; M. Drack, le *Théâtre de la Foire*, Didot, 1889, in-18. Font, *l'Op.-Com. aux* XVIIe *et* XVIIIe *siècles*, 1894. M. Albert, *les Théâtres de la Foire* (1660-1789), 1900.

2. Charles-Simon Favart, né à Paris (1710), fils d'un pâtissier, auteur, puis directeur de l'Opéra-Comique, directeur des comédiens du maréchal de Saxe; sa femme fut une des plus naturelles actrices du siècle. OEuvres principales : *la Chercheuse d'esprit*, 1741; les *Amours de Bastien et de Bastienne*, parodie du *Devin de village*, les *Trois Sultanes*, une des jolies comédies du temps. Il mourut en 1792. *Théâtre*, 1763-1772, 10 vol. in-8; 1813, 3 vol. in-12 (théâtre choisi); *Mémoires et correspondance littéraire*, Paris, 1808, 3 vol. in-8. Cf. Font, *Favart et l'Op.-Com.*, 1894.

s'éveille.... Une petite fileuse se détache du groupe, et danse une fileuse, tandis que les autres exécutent tout ce qui se pratique dans une veillée de village [1]. »

Cette mise en scène de la vie rustique n'est-elle pas caractéristique en sa minutie? L'opéra-comique, à son heure, satisfit le goût du public pour la précision du décor et du costume; en le satisfaisant, il le fortifia et l'excita.

Quand l'Opéra-Comique fut réuni à la Comédie-Italienne, quand Duni, Grétry, Monsigny eurent transformé le genre en développant la partie musicale, quand il devint ce que nous l'avons vu en notre siècle, les théâtres des boulevards, qui avaient remplacé les scènes de la Foire, ressuscitèrent le primitif et populaire opéra-comique dans le vaudeville à couplets, qui demeura je n'ose dire un genre littéraire, mais enfin ne devint pas un genre musical.

4. COMÉDIE SATIRIQUE.

Revenons à la comédie sans épithète, au genre de Molière, de Lesage et de Dancourt. Comme il est naturel, la création de la comédie larmoyante, en séparant les éléments hétérogènes qui y étaient contenus antérieurement, la rétablit dans la pureté de sa définition. Destouches, qui avait fait le *Glorieux*, protesta que le rire était l'effet unique et nécessaire de la comédie. Piron maudit le genre sérieux en y revendiquant sa part de paternité : il écrivit sa *Métromanie* (1738), peinture trop chargée d'un travers trop spécial, et dont vraiment on a fort exagéré l'agrément.

Après Destouches, il ne faut plus parler de la comédie de caractère. La comédie plaisante se renferme dans la peinture des ridicules mondains : cette peinture est à l'ordinaire sans largeur et sans couleur, sèche, fine, spirituelle. C'est moins une représentation sensible de la vie, qu'une analyse piquée d'épigrammes. De là l'agrément et la froideur de ces pièces. La froideur domine dans les grandes comédies. Le *Méchant* même de Gresset [2] n'en est pas exempt : c'est une piquante satire d'un caractère mondain, de l'homme à bonnes fortunes du milieu du siècle, égoïste, persifleur, se faisant un jeu, par « noirceur », de diffamer et compromettre les femmes. Il ne manque à cet ouvrage finement écrit que la puissance dramatique.

---

1. *La Fileuse*, parodie d'*Omphale* (1752). *Œuvres* de Vadé, Troyes, an VI, 6 vol. in-12.
2. J.-B. Gresset, né à Amiens en 1709, auteur de *Vert-vert* (1733), de *Sidney*, drame moral, et du *Méchant* (1745); il mourut en 1777, *Œuvres*. Paris, Lecointe, 1829. 2 vol. in-12 — **A consulter** : E. Vogue. *Gresset*, 1894.

L'agrément domine dans les petites comédies en un acte, qui sont souvent de vives exquisses des mœurs. Le *Cercle* de Poinsinet (1771) est le type le plus fameu: du genre : on ne saurait mieux exprimer ie vide absolu des cervelles mondaines, la puérilité des engouements, des caquetages, des vanités, toute l'insignifiance de cette vie extérieurement brillante et exquise.

Il y eut encore certaines tentatives intéressantes, sur lesquelles je ne m'arrêterai pas, parce qu'elles ont trop complètement avorté. Palissot [1], dans ses *Courtisanes*, essaya de restaurer la comédie de satire sociale, à laquelle Molière avait touché dans *Tartufe*. Dans ses *Philosophes*, comme Voltaire dans son *Écossaise*, il renouvela la comédie aristophanesque, âpre parodie des idées, satire virulente des personnes. Ce n'était plus comme dans la tragédie, des tirades générales, des allusions indirectes : la polémique s'établissait sur la scène même; et les auteurs y faisaient descendre les hommes et les systèmes qu'ils voulaient honnir, à la fois désignés et reconnaissables sous leurs baroques déguisements.

Tous les genres que j'ai nommés, anciens et récents, déformations et créations, toutes les traditions et toutes les nouveautés, comédie larmoyante, comédie de caractère, comédie de mœurs, bouffonnerie, satire morale, sociale, philosophique, aristophanesque, tout cela se réunit dans l'œuvre supérieure que le théâtre comique nous présente à la fin du siècle, dans l'étincelant et complexe génie de Beaumarchais, qu'il nous faut réserver pour le faire apparaître à sa date [2].

---

1. Charles Palissot de Montenoy (1730-1814), attaqua Jean-Jacques dans sa comédie du *Cercle*, publia en 1757 ses *Petites Lettres contre de grands philosophes*, et les joua dans ses *Philosophes* (1760). Il ménagea toujours Voltaire. Ses *Courtisanes* sont de 1782. — **Édition** : *Œuvres*, 4 vol. in-8, Paris, 1788.

2. **A consulter :** outre les ouvrages déjà indiqués : G. Desnoiresterres, *la Comédie satirique au XVIIIe siècle*, Paris, 1885, in-8; L. Fontaine, *le Théâtre et la philosophie au XVIIIe siècle*; A. Jullien, *Histoire du costume au théâtre*, Paris, 1880, gr. in-8; Lénient, *La Comédie au XVIIIe s.*, 1888; E. Lintilhac, *Hist. générale du Théâtre en Fr.*, IV.

CHAPITRE IV

LE ROMAN

Le développement du genre au xviiiᵉ siècle. — 1. Lesage; son caractère
Le *métier* littéraire : accroissement de dignité, diminution d'art.
Le *Diable boiteux*, *Gil Blas* : la question de Gil Blas est close.
Originalité du livre. Réalisme pittoresque de la description. —
2. Marivaux romancier. Le roman psychologique et *sensible*. Le
réalisme de Marivaux. L'abbé Prévost et *Manon Lescaut*. — 3. Le
roman satirique et philosophique; le roman érudit. Le roman à
thèse : *la Nouvelle Héloïse*. Le roman à la fin du xviiiᵉ siècle.

Le roman est le seul genre d'art qui soit en progrès au xviiiᵉ siècle.
Les grands classiques l'avaient négligé; partant, il n'était ni usé
ni fixé. Abandonné à des écrivains amateurs, à des femmes, il se
trouvait au début du xviiiᵉ siècle libre et souple, sans règles, à
traditions multiples et flottantes, prêt à recevoir toutes les formes,
à contenir toutes les pensées. Il passa au premier plan par la victoire du bel esprit français et mondain sur l'art antique : il fut
naturel alors que le roman, qui avait toujours eu la faveur des
gens du monde, devînt un des grands genres. L'élément proprement romanesque, la particularité des noms, des lieux, des faits
flattaient la frivolité du public, et les besoins d'imagination et de
sensibilité qui commençaient à s'y éveiller.

Le xviiᵉ siècle avait eu des romans nobles et héroïques, des récits
burlesques et satiriques : entre les deux se trouvait le roman
vrai. Partie du genre héroïque, Mme de la Fayette achemina
le roman vers la vérité. Le goût des lecteurs y poussait : les
médiocres romans historiques que donnent les imitatrices de
Mme de la Fayette [1], les méchants mémoires apocryphes que

---

1. Mme de Fontaines, *Histoire de la comtesse de Savoie*. Mme de Tencin, *Mémoires du comte de Comminges*; *le Siège de Calais*; *Anecdotes de la cour d'Édouard II.*

fabrique Sandras de Courtilz [1], plaisent par l'apparence vraie, par la prétention d'être vrais, par la conformité des faits qu'ils racontent avec les faits communs de la vie réelle, et même avec les faits particuliers de l'histoire.

La Bruyère, par ses *Caractères*, développa chez les lecteurs la curiosité du détail extérieur, des signes par lesquels l'homme intime se révèle. La comédie essaya bien de se mettre d'accord avec cette disposition des esprits; mais la difficulté de représenter matériellement les formes de la vie, lieux, meubles, costumes, toutes ces choses où les mœurs générales et les tempéraments individuels mettent leur empreinte, paralysait l'effort des auteurs, dans l'état où était encore l'art de la mise en scène; et tout le siècle s'écoule sans arriver à créer la pièce réaliste. Le roman, qui n'avait pas à figurer les choses, mais à suggérer l'image des choses, n'était pas limité de ce côté dans sa puissance, et ce fut encore une raison de la prépondérance qu'il prit.

Ainsi se prépara le roman de mœurs dont Lesage fut le créateur.

1. LESAGE ET SON « GIL BLAS »

Lesage [2] vécut pauvre, obscur et digne. Il n'eut pas d'ambition. Il ne ressemble guère aux gens de lettres du xviiie siècle, si remuants, si désireux de s'étaler, d'occuper le monde de leurs personnes. Il n'aime pas les beaux esprits de son temps, raison-

---

1. *Les Intrigues amoureuses de la France*; *les Mémoires du marquis de Montbrun*, et surtout les fameux *Mémoires de M. d'Artagnan* (réimpr., Paris, 1896, in-16), d'où sont sortis *les Trois mousquetaires*. Au même genre doivent se rapporter les *Mémoires de la comtesse de M***, par Mme de Murat.

2. **Biographie** : Alain-René Lesage, né à Sarzeau (Bretagne), en 1668, vint faire son droit à Paris, fut reçu avocat, se maria en 1694; il écrivit pour vivre. Il travailla pour la Foire et pour les Italiens, fit des romans, traduits, ou imités, ou inspirés de l'espagnol, et divers recueils de genres très mêlés. En 1743, il se retira à Boulogne-sur-Mer, où il avait un fils chanoine; il mourut en 1747. Il était devenu sourd d'assez bonne heure.

Éditions : *Lettres d'Aristénète* (cette trad. est son premier ouvrage), 1695; *Théâtre espagnol*, 1700; *le Diable boiteux*, Paris, 1707; 3e édit., Paris, 1726; *Turcaret*, Paris, 1709; *Théâtre de la Foire*, 10 vol. in-12, 1737; *Gil Blas*, 2 vol. in-12, 1715; 3e vol., 1724; 4e vol., 1735 : complet, Paris, 1747; *Guzman d'Alfarache*, 1732; *Estevanille Gonzalès*, 1734; *le Bachelier de Salamanque*, 1736. *Œuvres complètes* : Paris, Renouard, 12 vol. in-8, 1821; *Gil Blas*, éd. Dupouy, 1935. — **A consulter :** Barberet, *Lesage et le Théâtre de la Foire*, 1887; L. Claretie, *Lesage romancier*, 1890; E. Lintilhac, *Lesage*, 1893; F. Brunetière, *Hist. et Littér.*, II; *Etudes crit.*, III; Faguet, *XVIIIe S.* Sur le roman au xviiie s., cf. : P. Morillot, *Le Roman, de 1610 à nos jours*, 1894; A. Lebreton, *Le Roman au XVIIIe s.*, 1898; Merlant, *Le Roman personnel, de Rousseau à Fromentin*, 1905; P. Trahard, *Les Maîtres de la Sensibilité fr. au XVIIIe s.*, 1931-33.

neurs et critiques; il ne manque guère une occasion d'égratigner Voltaire. Il n'a pas du tout l'humeur philosophique. Il n'en veut ni à la religion ni à la société; il traite comme travers des personnes et des classes, ce que les autres attaquent comme vices des institutions; il fait le moraliste, et non le sociologue. Il n'a pas confiance dans la raison : il croit qu'elle n'est pas de force à régler la pratique. S'il n'est pas psychologue profond et original, il est du moins observateur attentif des effets réels de la vie morale; par là il est homme du xviie siècle plutôt que du xviiie. Il l'est aussi par la prédominance de l'instinct artistique : il ne vise qu'à rendre ce qu'il a vu; il n'a pas d'intention polémique ni d'esprit de propagande.

Il n'est pas de son temps non plus par le choix de ses modèles, de ses sources et de ses sujets. Il tourne le dos à son siècle, qui regarde vers l'Angleterre : pour lui, c'est à l'Espagne qu'il s'adresse. En cela, il n'était même pas classique. On a beau signaler tout le long du règne de Louis XIV de nombreuses imitations et traductions d'œuvres espagnoles, il n'en est pas moins vrai que de 1660 à 1707 aucune grande œuvre n'accuse cette origine. L'art classique a rejeté les modèles espagnols à la basse littérature; et l'on peut encore rapporter à la défaite du goût classique cette singularité, qu'un disciple de Molière et de La Bruyère se fait l'héritier des Chapelain et des Scarron par sa prédilection pour la littérature de l'Espagne. Il est vrai qu'il y trouvait un avantage : cette littérature était un inépuisable magasin de cadres, de formes, d'aventures, de figures, qui permettait à Lesage de travailler rapidement. C'était pour lui un grand point.

Car il apporte dans la vie littéraire un fait nouveau, considérable en ses conséquences. Jusqu'ici du moins, ce n'étaient que de pauvres diables d'écrivains, sans talent et sans gloire, qui avaient vécu aux gages des libraires. Lesage, par indépendance, par dignité d'homme, n'attend ni les pensions ni les cadeaux ni les sinécures, que procure la faveur des grands. Il entend vivre de son travail. C'est d'une belle âme. Mais l'art y perd. Car la vie matérielle soumet à ses nécessités le travail littéraire; le besoin d'argent règle la production. De là les œuvres bâclées, la *copie* diffuse, les volumes bourrés : chaque *feuille* d'écriture est un *capital* créé. La tentation est grande d'entasser volume sur volume, de délayer, de répéter; il faudra beaucoup de force d'âme pour mûrir pendant dix ans un petit livre. L'ouvrage des écrivains perdra en densité ce qu'il gagnera en volume. Lesage est le premier exemple d'un grand écrivain qui se fait de son talent un moyen d'existence régulier. Aussi, parmi ses nombreux romans, n'y a-t-il que deux œuvres qui comptent : encore ne sont-elles pas sans bourre.

Le *Diable boiteux*, dont le cadre et le titre étaient pris à l'Espagnol Guevara, mais où l'invention devient plus personnelle à mesure que l'ouvrage se développe, gagnerait à être allégé de plusieurs nouvelles et de nombreux portraits. Tel qu'il est, il eut un immense succès; et, en somme, il le mérite. C'est, sous une forme propre à caresser l'imagination, une répétition des *Caractères* de La Bruyère. Lesage fait défiler sous nos yeux un long cortège d'originaux, ridicules ou odieux. Cela n'ajoute pas grand chose, rien du tout même, à ce que les moralistes du siècle précédent nous ont dit des vices, des passions, des travers de l'homme. Mais, si ce n'est neuf, c'est vrai, c'est vif, c'est amusant. Ces vices, ces passions, ces travers, Lesage les habille curieusement, exactement; habillés, il les fait mouvoir, agir; il les explique par leurs effets. Nous *voyons* : là est le mérite original de Lesage. Un degré de moins de profondeur, quelques tons de plus de pittoresque, voilà le *Diable boiteux*, comparé aux *Caractères*.

Gil Blas est identique au *Diable boiteux*, avec la différence d'un vaste tableau à une légère esquisse. Il y a eu pendant plus d'un siècle une « question de Gil Blas », qui a exercé les savants de tous les pays; cette question était : Lesage a-t-il, oui ou non, copié un original espagnol? La question est résolue aujourd'hui, de telle façon qu'il n'y a pas à y revenir. L'original espagnol, qu'on prétend disparu, n'a jamais existé. Lesage a utilisé des sources que nous avons encore. L'idée première de son roman, la préface, le cadre, quelques aventures viennent du *Marcos Obregon* de Vicente Espinel. Ajoutons les autres romans picaresques, *Guzman d'Alfarache*, *Estebanillo Gonzalez*, etc., les innombrables comédies, toutes les richesses enfin de la littérature narrative et dramatique de l'Espagne : ajoutons le *Voyage* de Mme d'Aulnoy, les *Recherches historiques et généalogiques des Grands d'Espagne* d'Imhof, l'*État présent de l'Espagne* de Vayrac, des mémoires politiques et des pamphlets relatifs aux règnes de Philippe III et Philippe IV, des cartes géographiques. Nous trouvons là l'explication de tout ce qu'il y a d'Espagnol dans Gil Blas, exactitude topographique, vérité historique, connaissance des mœurs, couleur locale. Mais rien de tout cela, comme l'a fait remarquer, je crois, M. Brunetière, ne rend raison du succès de *Gil Blas*. Si *Gil Blas* est devenu une des pièces de ce qu'on peut appeler la littérature universelle, et si *Marcos Obregon*, et tous les autres romans picaresques, sont restés purement espagnols, c'est parce que Lesage a mis dans son œuvre de français et d'humain. La meilleure partie de son livre lui appartient en propre.

On a peine à imaginer la bizarrerie extravagante des aventures que les romans picaresques des Espagnols nous offrent, la

grossièreté répugnante des mœurs, l'âcre goût de terroir de la
satire et de la plaisanterie. C'est de là que viennent dans *Gil Blas*
toutes ces insipides histoires de voleurs, ces friponneries longuement machinées et minutieusement narrées, enfin tant d'ennuyeux
chapitres qu'on feuillette avec dégoût. Mais partout où l'on aime
à s'arrêter, partout où l'on trouve une fine satire des sottises
humaines, de chaudes peintures des mœurs du temps, soyez sûr
que les sources de *Gil Blas* doivent se chercher dans la littérature
française, et dans la société française. Ces précieux, ces comédiens, ces gens de finance, auprès desquels Lesage nous introduit,
ont existé chez nous. Dans l'exploitation de ses modèles, puisque
modèles il y a, Lesage se laisse guider par sa connaissance de la
réalité prochaine, de l'homme vu dans le Français.

La première partie du roman, publiée en 1715, a été écrite dans
les derniers temps de Louis XIV : ce ne sont que des scènes de la
vie privée. Le fils de l'écuyer et de la duègne part de la maison
paternelle, chargé d'une science qui n'a rien de pratique, curieux
et candide, gonflé d'espérances et ivre de liberté. La vie va former
ce « niais » et rabattre son vol : un peu d'instinct, beaucoup de
poltronnerie l'écartent de la grosse malhonnêteté ; il cède à l'occasion ou à la nécessité, mais, tout compte fait, il aime mieux faire
fortune sans risquer les galères ni l'infamie. Dans les compagnies
étranges où le sort le jette, il apprend combien Gil Blas est peu
de chose dans le monde, que le monde n'a pas pour principale
affaire de contenter, d'admirer Gil Blas. Sa vanité lui attire de
dures disgrâces : il comprend qu'elle est un piège où nous nous
prenons nous-mêmes ; il s'instruit à la rendre intérieure. Il acquiert
l'habitude de se méfier des autres et de lui. Le hasard d'une
bonne action qu'il n'a pas méditée le fait intendant d'une riche
maison, aimé de ses maîtres. Il y vivra paisiblement, grassement ;
il pourra presque s'enrichir sans voler, et il mourra à peu près
honnête homme.

Mais, en 1724, le troisième volume jette Gil Blas hors de la
maison de don Alphonse, dans de nouvelles aventures, dans un
monde plus relevé : le tableau de genre s'agrandit en tableau d'histoire. Gil Blas devient le favori du duc de Lerme ; et nous pénétrons
à la cour, par la petite porte, il est vrai, et les couloirs dérobés.
Nous voyons l'envers et les dessous de ces imposantes machines
qu'on nomme ministère, administration, gouvernement, les égoïsmes
éhontés, la basse corruption, les intérêts sordides, qui sont les ressorts des grandes affaires. Que s'est-il passé de 1714 à 1725 ? Lesage
a-t-il mis la main sur des documents inconnus ? Non, il y a simplement que la Régence a passé, en son débraillé, dans sa cynique
impudence, étalant ce que la majestueuse personne de Louis XIV

cachait : il y a que Lesage a vu l'abbé Dubois gouverner le Régent, tandis que Philippe V avait Albéroni. Ces scandales s'éloignent : Fleury assoupit les affaires, les remet dans un train de moyenne honnêteté ou de silence discret. Lesage publie en 1735 la fin de son roman : il répète la vie politique de Gil Blas, et le présente avec Olivarès dans les mêmes rapports où il était avec Lerme. Mais tout est changé dans cette répétition ; le ministre est honnête, le favori est honnête ; on tâche de faire le mieux possible les affaires du roi et de l'État. L'égoïsme est réduit au *minimum* nécessaire à la vérité. Il est visible que l'auteur, depuis onze ans, a pris une meilleure idée du personnel qui gouverne.

La composition du roman est faible : il est difficile qu'il en soit autrement dans une œuvre publiée en trois fois, de dix ans en dix ans. Lesage a gardé le procédé de Mlle de Scudéry, celui qui permet de développer un sujet en dix tomes. Chaque personnage raconte son histoire à un moment ou à l'autre ; et il y a bien des aventures où Gil Blas n'est jeté que pour donner occasion à quelqu'un de paraître et de narrer sa vie. On retrancherait la plupart de ces histoires sans dommage pour le roman. Il y a bien des aventures, aussi, dont Gil Blas est le vrai héros, et dont la suppression ne ferait rien perdre à l'ouvrage. Nous touchons ici au grand défaut de la conception de Lesage.

Il est d'usage de louer l'invention du caractère de Gil Blas : ce garçon qui est si peu héros de roman, bon enfant, sans malice, sans délicatesse, sans bravoure, mais admirablement résistant par le manque même de profondeur, qui ne prend jamais la vie au tragique, qui se relève et se console si vite de toutes ses disgrâces, toujours tourné vers l'avenir, jamais vers le passé, toujours en action, jamais rêveur ni contemplatif, que l'expérience mène rudement de la vanité puérile à l'égoïsme calculateur, et qui finit par s'élever assez tard à une solide encore qu'un peu grosse moralité ; ce personnage-là, dit-on, c'est notre moyenne humanité. Il me semble qu'il faut prendre garde de trop louer l'idée philosophique qui a déterminé le caractère de Gil Blas. Ce n'est, si je puis dire, qu'un caractère à tiroirs. Lesage l'a fait assez vaste pour contenir toutes les aventures, assez souple pour relier les plus diverses. Si Gil Blas a tant d'équilibre et de ressort, c'est qu'une fois l'aventure achevée, heureuse ou malheureuse, l'auteur a hâte de l'engager dans une autre. Le personnage s'éparpille dans cette multiplicité d'incidents et d'actions. Gil Blas n'a pas, ou n'a qu'à un degré insuffisant, les deux conditions essentielles d'un caractère, la personnalité et l'identité. A sa définition, il manque ce qu'on appelle la *différence* : il n'a que le nom d'individuel ; autrement, il est tout le monde. Par suite, rien n'avertit,

sauf le nom, que ce soit le même homme qui est dans la caverne
des voleurs et dans le palais d'Olivarès : aucune nécessité psychologique ne lie les diverses aventures du personnage. Comme on
peut en retrancher, on pourrait en ajouter indéfiniment.

La grande affaire de Lesage est de peindre les mœurs : son
roman est une galerie de tableaux, souvent charmants et vrais.
Son originalité est de noter toutes les choses extérieures par lesquelles les hommes se révèlent; ce sont d'abord leurs actes, et
leurs paroles, puis leur geste, leur physionomie, toute leur apparence physique, puis leurs habits et leur train de maison, leur loge-
ment, leurs meubles, leurs repas; c'est leur profession : Lesage,
avant Diderot, n'oublie jamais de faire entrer la condition dans la
composition du caractère. En un mot, Lesage est un réaliste, un
des grands artistes que nous ayons en ce genre. Il est exquis de
vérité pittoresque, en peignant le dîner d'un chanoine ou la figure
d'une duègne. Il pousse plus avant dans la voie indiquée par La
Bruyère : il recule les réalités intérieures et intelligibles, et il amène
en pleine lumière les réalités sensibles. De là la médiocre profondeur de son observation psychologique : le réaliste qui s'attache à
garder aux choses extérieures tous les accidents de leur individualité, est forcé de se tenir aux vérités moyennes de la vie de l'âme.
Pour que ses peintures soient comprises, il faut qu'il soutienne la
particularité physique par la généralité morale. Il se contente
d'utiliser les vérités acquises, et qui sont du domaine commun.

Au réalisme de Lesage se rattache encore la médiocre élévation
de son œuvre : il se dégage du livre une philosophie expérimentale, qui intéresse l'égoïsme dans la moralité, une sagesse terre à
terre, d'autant plus vulgaire qu'elle est moins amère et plus
riante. Lesage n'est pas de ceux que la vision du réel oppresse. Il
voit nombre de coquins, de fripons, de demi-coquins surtout et
de fripons mitigés, parmi lesquels surnagent quelques honnêtes
gens : il voit partout des instincts brutaux ou des vices raffinés,
l'intérêt et le plaisir se disputant le monde, et ne laissant guère de
place au désintéressement et à la vertu. Il sait de quoi est fait ce
qu'on appelle dans le monde un honnête homme, et il ne compose
pas le sien d'éléments bien délicats. Et ainsi, jusque dans la conception morale que semble exprimer la dernière partie du
roman, Lesage ne dépasse pas le possible et le réel : on ne saurait
dire que Gil Blas soit un idéal; il arrive à être à peu près la
moyenne d'un honnête homme, après avoir été un peu au-dessous.

Une chose qu'il faut louer presque sans réserve chez Lesage,
c'est le style, naturel jusqu'à la négligence, et pourtant plus travaillé qu'il ne semble d'abord, léger et fort tout à la fois, piquant,
imprévu, abondant en traits, ayant le relief et le mordant du

style dramatique. Ce style est d'un caractère à peu près constamment satirique : très rarement, il est tout à fait objectif. Mais la satire de Lesage est pittoresque ; elle est une peinture des hommes et de la vie ; et c'est par là que Lesage est au XVIIIᵉ siècle le véritable héritier de Molière et de La Bruyère, à l'exclusion de tous ces auteurs de comédies qui ne savent que diriger des épigrammes pincées contre les mœurs sans les représenter au vif.

2. MARIVAUX ROMANCIER. L'ABBÉ PRÉVOST.

Le réalisme de Lesage était incomplet, limité précisément par le cadre qu'il avait choisi. Plaçant son action en Espagne, il s'obligeait à tout *imaginer* : rien de ce qui était exact n'était « d'après nature », puisque Lesage n'avait pas vu l'Espagne, et ce qui était « d'après nature » ne pouvait être exact, puisque les mœurs françaises ne pouvaient passer dans une action espagnole sans un certain arrangement. Avec Marivaux [1], le roman fait un grand progrès par cela seul que la *Vie de Marianne* et le *Paysan parvenu* se passent en France, à Paris.

Malgré la composition lâchée, et l'inachèvement des deux œuvres, il y a progrès aussi dans la conception et le développement des caractères principaux. Le nombre des aventures est réduit, et toutes les aventures aident le personnage à se caractériser. Ni la personnalité, ni l'identité ne font défaut à Marianne et à Jacob. Marianne est une petite personne, honnête d'instinct, fine d'esprit, sensible, vaniteuse, coquette : un type féminin, mais *une femme*. Et Jacob est un Champenois rusé sous des formes naïves, âpre au gain, sous sa ronde bonhomie, patient, énergique, sensé, d'une grosse probité sans délicatesse, exploitant sans scrupule les vices qu'il méprise. C'est *un homme*, lui aussi, ce n'est plus l'humanité.

Comme Gil Blas, Marianne et Jacob sont chargés de nous montrer les milieux qu'ils traversent, l'une d'enfant trouvée devenant demoiselle de boutique, mise au couvent, lancée dans le monde, s'acheminant à un riche mariage ; l'autre, de laquais s'élevant à la condition de fermier général. Ces deux existences, la dernière surtout, répondent mieux que celle de Gil Blas aux conditions de la vie réelle, et par conséquent à celles du roman réaliste.

La peinture de mœurs, chez Marivaux, est d'une précision très poussée. L'intérieur des demoiselles Habert, dans le *Paysan parvenu*, est un délicieux tableau, d'où se dégage une discrète ironie : il y a là des demi-teintes, un demi-jour assoupi, dont l'effet est

1. Cf. chap. II, 1, et la note 1, . 653.

exquis. Plus violente est, dans la *Vie de Marianne*, la peinture de
la boutique de Mme Dutour. Mme Dutour, bruyante, indiscrète,
sans tact, colère, foncièrement bonne et serviable, est un type
populaire merveilleusement attrapé : sa dispute avec le fiacre est
d'une intensité brutale, d'une vérité *canaille* qui n'ont pas été
dépassées. Le réalisme de Marivaux est bien plus objectif que
celui de Lesage : la satire s'y enveloppe, jusqu'à disparaître dans
l'expression impersonnelle.

Mais, tel que Marivaux nous est apparu dans son théâtre, il est
aisé de deviner que la peinture des mœurs et des milieux ne
l'occupera pas seule dans ses romans. Ce sont en effet des pièces
d'analyse psychologique, des études de mécanisme mental d'une
infinie délicatesse, où la minutie des relevés aboutit parfois, surtout
dans la *Vie de Marianne*, à une prolixité fatigante. Pour se donner
carrière avec vraisemblance, Marivaux a adopté la forme de l'autobiographie. Jacob est plus simple, aussi s'analyse-t-il moins : mais
Marianne, dans sa petite personne, est infiniment compliquée.
Elle nous explique par le menu, délicieusement, ce qu'il y a de
rouerie native dans l'innocence d'une ingénue, et ce qui, dans
une bonne nature, peut s'épanouir de férocité coquette : lisez la
la scène de la première messe où Marianne, en toilette, fixe l'admiration des hommes et la jalousie des femmes. Comme elle lit en
elle-même, Marianne est fine à déchiffrer les autres : elle fait des
portraits, qui feraient honneur à un psychologue; il y a bien
du cailletage féminin dans l'abondance de son développement,
mais bien de la précision fine sous le cailletage. Marivaux, qui
n'aime pas les dévots, démonte leurs manèges d'une main impitoyable : tout le patelinage de M. de Climal, ses ruses pour venir
à bout de Marianne, ses précautions pour assurer et son honneur
et sa conscience, tout cela est peint de main de maître. C'est
peut-être depuis *Tartufe* le seul hypocrite qu'on ait réussi à mettre
debout. Dans le *Paysan parvenu*, rien de plus comiquement humain
que la façon dont l'affection pour un beau garçon s'insinue chez
une vieille fille dévote.

Le roman de Marivaux, dans ces analyses, reste toujours plus
près de la réalité que son théâtre. Sans doute, la liberté des
mœurs du xviiie siècle ne s'y représente pas expressément, et Marivaux — c'est du reste à son honneur — ne tient pas lieu de Crébillon fils ou de Laclos [1]. Cependant l'immoralité foncière du temps

---

1. Claude-Prosper Jolyot de Crébillon, fils du poète tragique (1707-1777),
Contes dialogués, 1879. — Choderlos de Laclos (1741-1803), *les Liaisons dangereuses*, 1782; éd. M. Allem, 1923. — **A consulter :** F. Caussy, *Laclos*, 1905; A.
Augustin-Thierry, *Les Liais. danger. de Ch. de L.*, 1930; E. Dard, *Ch. de L.*
1936. Les *Liaisons dangereuses* sont un chef-d'œuvre d'analyse (*11e éd.*).

se trahit dans son roman par le même parfum de sensualité que nous avons senti dans son théâtre; mais ici il est plus âcre et plus fort. Marianne est une jolie fille qui fera son chemin par sa figure, qui le sait, qui le veut. C'est pis encore pour Jacob : les femmes font la fortune de ce laquais. On ne sent pas une réserve de l'auteur sur ces *moyens de parvenir*.

Marivaux, dans l'ensemble de la littérature européenne, fait la transition d'Addison à Richardson. C'est bien l'homme qui a essayé d'acclimater en France le journal moral à l'imitation du *Spectateur :* Marianne et Jacob sont d'infatigables moralisateurs. Ils ne nous font pas grâce d'une des conclusions de leur expérience. D'autre part, Marivaux a été chez nous un des fondateurs de la sensibilité littéraire : la satire se retire devant l'attendrissement; surtout dans la *Vie de Marianne*, le touchant, le pathétique abondent; l'héroïne est un cœur sensible, et toutes les pages importantes de sa vie sont trempées de larmes. Seulement, chez Marivaux, ce n'est pas un jeu, une rhétorique : c'est la pente de sa nature et de son talent.

Manon Lescaut est une contemporaine de Marianne et de Jacob. L'histoire de Manon est la seule œuvre qui subsiste de l'abbé Prévost[1]. Inutile de raconter la vie décousue, inquiète, désordonnée de l'écrivain. Son œuvre, vaste et improvisée, sent la *copie* entassée pour vivre : ce sont des compilations historiques et géographiques, des romans romanesques, parfois sombres et mélodramatiques, toujours sentimentaux et moralisateurs à outrance. L'abbé Prévost fut un des plus actifs vulgarisateurs de la littérature anglaise. Dans son journal le *Pour et le Contre*, suivant l'exemple des journaux littéraires rédigés par les réfugiés de Hollande, il s'occupe beaucoup de l'Angleterre; c'est lui qui plus tard met en français *Paméla* (1742) et *Clarisse Harlowe* (1751).

Dans toute cette production, malgré l'intérêt de certaines peintures de mœurs et de certaines parties de sentiment (App. XXII), il n'y a vraiment que *Manon Lescaut* qui compte. Ce petit chef-

---

1. A.-F. Prévost d'Ex les (1697-1763), novice chez les Jésuites, volontaire à l'armée, revient aux Jésuites, retourne à l'armée, fait profession et reçoit la prêtrise chez les Bénédictins de Saint-Maur, qui l'emploient à enseigner, à prêcher, puis, à Saint-Germain-des-Prés, au travail de la *Gallia Christania*. Il s'enfuit en 1728 en Angleterre, en Hollande, de là rentre en France en 1734, avec la protection du prince de Conti, dont il devient aumônier. Son premier roman commença à paraître en 1728 : *Mémoires et aventures d'un homme de qualité qui s'est retiré du monde*, autobiographie romancée; puis en 1731, *Cléveland*; en 1735, *le Doyen de Killerine·* *L'Histoire du chevalier Des Grieux et de Manon Lescaut* parut en 1731, pet. in-12 (7ᵉ vol. des *Mém.* d'un h. de qual.). Le journal *le Pour et Contre* parut de 1733 à 1740, 20 vol. in-12. Prévost rédigea aussi *le Journal étranger* en 1755. — **Éditions :** *Œuvres choisies*, Paris, 1783 et suiv., 54 vol. in-18; 1810 et suiv., 55 vol. in-8. — **A consulter :** H. Harrisse, *l'Abbé Pr.*, 1896. V. Schrœder, *l'Abbé Pr.*, 1899; Cl. E. Engel, *Voyages et Découvertes de l'abbé Pr.*, 1939; P. Hazard, *Etudes critiques sur Manon Lescaut*, 1929; E. Lasserre, *Manon Lescaut de Pr.*, 1930.

a œuvre fut écrit en dehors de toute influence anglaise, plusieurs années avant que Richardson eût publié *Paméla*. C'est une œuvre de sincérité échappée à un faiseur, qui oublia ce jour-là ses habitudes de diffusion larmoyante et prêcheuse. Prévost a fait cette simple histoire avec quelques souvenirs de sa vie orageuse : il l'a contée rapidement, sans dissertations et sans gros effets, avec un naturel qui donne la sensation de la vie même.

Et pourtant cet ouvrage contient quelque chose de rare dans la vie, et que le roman avait rejeté depuis Mme de la Fayette comme une pure idée de roman : il y a une grande passion, une passion qui absorbe deux êtres, dévorant leurs âmes et leurs existences. Mais les circonstances de cette passion, les actes des êtres qui en sont possédés, font de cette rare passion une réalité. La passion n'est pas ici quelque chose de mystérieux, de magique, qui élève l'homme au-dessus de l'humanité, qui l'affranchisse des conditions communes de l'existence : la passion, pure et souveraine, est aux prises avec les petitesses des caractères et les misères de la vie. Les nécessités intérieures et extérieures font qu'elle dégrade et Manon et Des Grieux, précisément par son irrésistible puissance. Leur dignité, leur honneur leur commandent de se séparer : ils s'aiment tant qu'ils s'avilissent par la persistance de leur amour. Des Grieux consent à tout, à tout ce qu'un homme devrait refuser, pour garder Manon. Manon est une petite fille sans instinct moral, qui ne sait qu'aimer son chevalier. Il n'y a qu'une chose qu'elle ne puisse faire pour lui : c'est d'être pauvre, mal vêtue. Tout le roman est dans les révoltes de l'honneur chez l'homme, dans l'effort de la femme pour accorder l'amour et la coquetterie.

Autour du couple, mettons les convoitises des hommes qui ont de l'argent, la cupidité brutale d'un soldat ivrogne, joueur, escroc, frère de Manon, qui s'en fait l'exploiteur : nous aurons ce roman réel plutôt que réaliste, pathétique sans déclamation, expressif sans dessein pittoresque, et qui, malgré le sujet, malgré les héros, malgré les milieux, reste chaste; l'auteur n'a eu aucune pensée brutale ou polissonne : il n'a vu que la puissance de la passion qu'il voulait peindre. La lecture de *Manon Lescaut* est plus innocente que celle du *Paysan parvenu*.

3. LE ROMAN PHILOSOPHIQUE.

L'esprit philosophique ne manqua pas de s'emparer du roman et de le faire servir aux intérêts de sa propagande. Pour gagner les gens du monde, aucun genre ne convenait mieux.

La recette du roman philosophique est assez simple : deux

ingrédients, l'esquisse satirique des mœurs, la description libertine de la volupté sensuelle, servent à masquer la thèse philosophique. Quelques chefs-d'œuvre seulement sauront s'élever au-
dessus de la banalité de la formule. On peut dire que Montesquieu
dans ses *Lettres persanes* a créé le genre. L'Orient, Turquie, Perse,
Inde, Chine, deviendra de plus en plus à la mode; et nombre
d'écrivains y placeront leur action romanesque. On y trouve un
double avantage : les mœurs orientales donnent toute liberté à
l'imagination grivoise; de plus, on est dispensé de peindre les
mœurs avec exactitude.

Chaque philosophe met sur le roman l'empreinte de son tempérament comme de sa doctrine : Voltaire y porte son esprit mordant, sensé, léger, charmant, son ironie dissolvante et meurtrière,
peu de sensibilité, peu de tirades; il excelle à trouver les faits menus,
secs et précis, qui font apparaître l'absurdité d'une opinion.
Diderot pense, déclame, argumente, s'abandonne à son imagination fougueuse et cynique, verse pêle-mêle les vues ingénieuses,
profondes, fécondes, sur la littérature, la société, la morale, les
effusions ardentes d'une sensibilité lyrique, les impiétés énormes
et les obscénités froidement dégoûtantes. Saurin, Duclos, Marmontel, une foule d'autres font passer leur esprit aiguisé ou leur
philosophie ronflante dans des récits, dont quelques-uns ont fait
grand bruit en leur temps, et nous paraissent les plus ennuyeux
de tous aujourd'hui. A l'imitation des philosophes, un érudit,
l'abbé Barthélemy, se sert du roman pour vulgariser la connaissance de l'antiquité hellénique; par malheur, la faiblesse de l'invention littéraire fait tort à la solidité de l'érudition, à la probité
des recherches, à l'intelligence des interprétations.

La *Nouvelle Héloïse* [1] est, avant tout, un roman philosophique :
une foule de thèses sociales et morales sont posées, discutées,
résolues dans des lettres particulières; et le roman lui-même,
dans l'ensemble de son développement, démontre une des thèses
favorites de Jean-Jacques. Nous aurons à voir la place qu'il tient
dans l'œuvre et le système du philosophe. Mais, au point de vue
seulement du genre et de la forme d'art, la *Nouvelle Héloïse* est
considérable. On a fait déjà des peintures de la vie intime et
domestique : jamais on n'a représenté avec une gravité si sérieuse
les occupations du ménage, les soins, les devoirs de la maîtresse
de maison, les actes, les aspects de la vie du propriétaire. Il y a
ici une intimité que le roman n'avait pas encore atteinte.

En second lieu, la nature fait ici son entrée. Lesage, Marivaux
ont représenté des *milieux* : mais ils n'y ont cherché que l'homme,

1. Cf. plus bas, l. IV, chap. v.

ils y ont relevé tous les indices caractéristiques d'une vie ou d'une société. Rousseau fait place à la nature pour elle-même : il la montre en face de l'homme, autour de l'homme, douce ou triste à ses sens; il en fait le cadre et l'accompagnement des souffrances et des joies humaines, qui y ressortiront plus puissantes[1].

La composition se serre, devient plus logique, partant plus vraie, puisque la liaison des phénomènes est un élément fondamental de notre croyance à la réalité des choses. Rousseau nous développe une vie. Lesage et Marivaux l'ont fait sans doute; mais Lesage nous donnait une collection d'épisodes, Marivaux une suite d'aventures : Rousseau nous fait assister à l'évolution des consciences. Si peu psychologue qu'il soit, il dépasse ici le psychologue Marivaux. Enfin, parmi tant de romans philosophiques, la *Nouvelle Héloïse* a un caractère particulier : c'est la première fois qu'un romancier exerce à ce titre la fonction de directeur de conscience; et par là Rousseau découvre à ses successeurs une puissance nouvelle du genre.

Sous l'influence de Rousseau, à qui on laissera comme toujours ce qu'il a de meilleur, le roman se fera sensible à outrance, et se remplira de bavardage humanitaire. Restif de la Bretonne[2] délaye les idées du maitre dans des œuvres aussi vulgaires que nombreuses; il n'appartient presque plus à la littérature, et je ne le nommerais pas sans le réalisme intime et sérieux de quelques parties de *Monsieur Nicolas*. Et tandis que Florian dévie vers la fade idylle[3] le goût des tableaux rustiques éveillé par Rousseau, Bernardin de Saint-Pierre offre une nature inconnue et lointaine à la curiosité de ses contemporains : avec *Paul et Virginie*, nous le verrons, commence à s'opérer une révolution esthétique.

1. Cf. D. Mornet, *le Sentiment de la nature en France de J.-J. Rousseau à Bernardin de Saint-Pierre*, 1907.

2. Restif de la Bretonne (1734-1806), ouvrier à l'Imprimerie Royale : *Le Paysan perverti*, 4 vol. in-12, 1776; *Monsieur Nicolas, ou le Cœur humain dévoilé*, 16 vol. in-12, 1796-1797; éd. H. Bachelin, 1930-32. — **A consulter :** Funck-Brentano, *R. de la B.*, 1928; A. Tabarant, *Vrai Visage de R. de la B.*, 1936; A. Bégué, *Etat présent des études sur R. de la B.*, 1949.

3. Le chevalier de Florian (1755-1794), page du duc de Penthièvre, puis officier de dragons : *Galatée*, 1783; *Numa Pompilius*, 1786; *Estelle*, 1788; *Gonzalve de Cordoue*, 1791; *Fables*, 1792. *Œuvres*, Paris, 1820-1824, éd. stéréotype, 20 vol. in-18. — **A consulter :** L. Claretie, *Florian* (Classiques populaires). Lecène et Oudin, 1888.

LIVRE III

LES TEMPÉRAMENTS ET LES IDÉES

CHAPITRE I

UN RETARDATAIRE : SAINT-SIMON

1. Vie, humeur, idées. Composition des *Mémoires*. — 2. L'artiste.

Un des contrastes les plus frappants que présente le xviiie siècle, c'est Saint-Simon contemporain de Voltaire et de Montesquieu : les *Mémoires* sont rédigés dans les années où paraissent les *Lettres Anglaises*, où se forme l'*Esprit des lois*. Jamais homme ne fut moins de son siècle que le duc de Saint-Simon [1] : par ses idées, c'est un féodal; par son tempérament, il est notre contemporain. Ce duc gothique est le plus moderne artiste de la littérature antérieure à la Révolution. Il fait penser à M. d'Epernon et à Michelet.

1. CARACTÈRE DE SAINT-SIMON.

Né en 1675, d'un père très vieux, qui devait sa fortune et son titre à Louis XIII, il grandit loin de la cour de Louis XIV, parmi les souvenirs de l'autre règne, dans une dévotion attendrie au feu

---

1. **Éditions** : *Mémoires*, éd. princeps, 21 vol., 1829-30; éd. A. de Boislisle, J. de Boislisle et L. Lecestre, 1879-1931, 41 vol. et 2 de tables. Des extraits ont été publiés par De Lanneau (*Scènes et portraits*, 1876), Barthélémy, *Saint-S.*, L. Bertrand (*Anecdotes, scènes et portraits*, 1926). — **A consulter** : Chéruel : *St.-S. considéré comme historien de L. XIV*, 1865; H. Taine, *Essais de Critique et d'Histoire*; J. de Crozals, *St-S.*, 1891; G. Boissier, *St-S.*, 1892; A. Le Breton, *La « Comédie humaine » de St-S.*, 1914; R. Doumic, *St-S.*, 1914; P. Adam, *Langue de St-S.*, 1921; duc de Lévis-Mirepoix, *Le Cœur secret de St-S.*, 1935.

roi, au « roi des gentilshommes », qui enveloppait une sourde
aversion pour le roi des commis. Mousquetaire gris à dix-sept ans,
mestre-de-camp de cavalerie, il est démissionnaire en 1702, de
dépit de n'avoir pas passé brigadier : le roi, qui à cette date avait
plus que jamais besoin d'officiers, et qui n'aimait pas les esprits
si prompts à fixer leur droit, ne lui pardonna jamais d'avoir quitté
l'armée. C'est une des caractéristiques de l'organisation sociale de
ce temps, que cet homme mal vu du roi, et qui n'aimait pas le roi,
ait vécu plus de quinze ans près du roi, sans songer à quitter,
sans qu'on songeât à le renvoyer, parce que, étant duc et pair, sa
place était là. Même après sa lettre anonyme à Louis XIV, si éloquente et si dure, soupçonné et, dans l'esprit du roi, convaincu
de l'avoir écrite, il resta à la cour. Il fut de la cabale du duc de
Bourgogne, et put fonder de hautes espérances de fortune sur le
prochain règne : la mort du prince le fit désespérer du bonheur
public et du sien. Mais le duc d'Orléans l'aimait et l'estimait :
Saint-Simon fut appelé au conseil de Régence; son rôle n'y fut
important que dans les circonstances où ses rancunes servaient les
idées ou les intérêts du gouvernement, dans la substitution des
conseils aux ministres, dans la déchéance des princes légitimés.
Le grand acte de la vie publique de Saint-Simon fut son ambassade de 1722 : mission tout honorifique qui consistait à demander
au roi d'Espagne la main de l'infante pour Louis XV. Après la mort
du Régent, Saint-Simon se retire : il vit jusqu'en 1755, dans son
hôtel de la rue Saint-Dominique et dans son château de la Ferté-
Vidame, écrivant avec une activité fiévreuse.

Ce qu'il écrivait, c'était le détail de ses idées et de ses affections : un parallèle des trois premiers rois Bourbons, où Louis XIII
était le grand homme des trois, toute sorte de mémoires sur les
duchés-pairies, sur leurs origines et leurs privilèges, toute sorte
de mémoires historiques et politiques. Ayant eu entre les mains,
vers 1730, le journal de Dangeau, il revit jour par jour la vie du
grand roi et de la cour; tous ses souvenirs, ses froissements, ses
haines d'autrefois, remontèrent à sa mémoire, échauffèrent son
imagination; la sécheresse, la courtisanerie de Dangeau le dégoû-
tèrent; et il se mit à l'annoter, mettant sous chaque fait, sous
chaque nom, tout ce que sa lecture avait remué en lui d'anciennes
impressions. Quand il eut annoté Dangeau, il se sentit seulement
en haleine il éprouva le besoin de rédiger, lui aussi, ses *Mémoires*,
il reprit les notes que, depuis l'âge de dix-huit ans, il avait entassées, et, gardant toujours une copie de Dangeau devant les yeux,
pour lui donner le fil de l'exacte chronologie, il composa [1] cette

1. A partir de 1740.

œuvre volumineuse qui embrasse les vingt dernières années de
Louis XIV, avec toute sorte de digressions sur les parties antérieures du règne, et l'époque de la Régence.

Saint-Simon pensa de bonne heure à être l'historien de son
temps : à l'armée, à la cour, il a ramassé curieusement la plus
ample information. Il a tâché de voir, ou de se faire instruire
par ceux qui avaient vu. Il interrogeait sans cesse, âprement,
avec une insistance de juge d'instruction, femmes, ministres,
généraux, courtisans, diplomates, médecins, et même valets de
chambre : de chacun il tirait une bribe du présent ou du passé.
Il ne les lâchait que vidés. Il a donc eu d'abondants matériaux.
Mais il n'en a pas fait la critique : il n'avait ni l'âme ni la méthode d'un savant. Il n'a pas contrôlé suffisamment les témoignages ; il a négligé les documents écrits qui auraient ruiné bien
des on-dit qu'il a enregistrés ; il a cru à tout ce qui flattait son
désir ou son aversion. Ses *Mémoires* fourmillent d'inexactitudes,
d'erreurs, de mensonges même, de ces mensonges passionnés qui
échappent aux honnêtes gens de petit esprit ; ils ne doivent être
consultés qu'avec précautions comme document historique.

Le marquis d'Argenson définissait notre duc et pair « un petit
dévot sans génie et plein d'amour-propre ». Mettons à part le génie
littéraire que d'Argenson ne pouvait soupçonner : la vie et les
écrits de l'homme démontrent la justesse de ce jugement.

Saint-Simon est un très honnête homme, et très pieux, d'une
ferveur qui le conduisait chaque année faire une retraite à la
Trappe. Cependant il a la piété large et tolérante : ami des jansénistes, il ne s'engage pas dans la secte. Fidèle catholique, il n'a
pas la haine du protestant, et condamne la Révocation de l'Édit
de Nantes. Il a en horreur les querelles ecclésiastiques, les tracasseries, les persécutions. Cette façon d'entendre la religion est
ce qu'il y a de plus intelligent en lui. Car il a du reste l'esprit
médiocre, étréci, déformé par un amour-propre aussi mesquin que
violent. Ce grand seigneur dont la noblesse était mince, est
l'homme d'une idée : il est duc et pair. Tout l'univers se subordonne pour lui à la grandeur des ducs et pairs. C'est le principe
de ses idées politiques, par lesquelles il se rapproche de Fénelon.
Il hait Louis XIV et « ce long règne de vile bourgeoisie », il hait
Richelieu et Mazarin, tous les ouvriers de la monarchie absolue.
Il veut relever la noblesse : il fait un rêve féodal, il remonte jusqu'à Philippe le Bel, au temps où il s'imagine voir les « fiers
légistes » aux pieds des nobles pairs qui composent le Parlement,
la cour du roi. Voilà où il voudrait revenir. Comme au reste il est
honnête homme, il serait patriote, ami du bien public, pitoyable
au menu peuple : du moment que les petites gens se connaîtraient

et ne « prétendraient » rien contre la hiérarchie, Saint-Simon gouvernerait en bon propriétaire et bon père de famille. Il est plein de bonne volonté patronale et nationale.

Le temps ne se prêtait guère à réaliser ses rêves; et il ne s'en aperçut pas. Entre 1715 et 1720, pendant que Montesquieu écrivait ses *Lettres persanes*, il opinait pour la banqueroute, pour la convocation des États généraux, avec la tranquillité d'un contemporain du roi Jean. Rédigeant ses *Mémoires* au temps où le roi de Prusse cajolait Voltaire, il y notait l'envoi en exil d'un certain « Arouet, fils, écrit-il, d'un notaire qui l'avait été de mon père, et de moi » ; il n'eût pas parlé de cette bagatelle, « si ce Arouet n'était devenu une sorte de personnage dans la république des lettres, et même une manière d'important dans un certain monde ». Ces deux lignes, aux environs de 1745, sont d'une belle force.

Son entêtement aux prises avec les circonstances eut un piteux résultat : ne pouvant faire que la noblesse eût un pouvoir réel, il se rabattit sur des apparences, des formes vides : il défendit les prérogatives extérieures, les privilèges de vanité, toutes les distinctions qui mettaient une barrière entre les nobles et les bourgeois, entre les nobles d'épée et les robins, entre les pairs et tout le monde. Il disputa, tracassa, plaida sur l'étiquette, les préséances, les titres, avec une passion puérile qui lassa jusqu'à Louis XIV. « M. de Saint-Simon, disait le roi, ne s'occupe que des rangs et de faire des procès à tout le monde. » C'était vrai : mais le grand roi avait tort de se plaindre. N'était-ce pas faire son jeu que de prendre au sérieux les distinctions dont il amusait l'inutilité de toute cette noblesse ramassée à la cour?

Saint-Simon donna à plein dans le piège tendu par la royauté : trouvant les voies de l'ambition fermées, il se jeta furieusement dans celles de la vanité. Il s'y aigrit, s'y rapetissa dans les mesquines cabales, les pointilleries futiles. Il y perdit, s'il l'eut jamais, la capacité des grandes affaires; il y devint incapable de jugement et de justice. Il enveloppa dans un mépris mêlé de jalousie tous les favoris, ministres, généraux, que leur naissance n'égalait pas à leur emploi, sans distinction de mérite, sans compensation de services. Il lui suffit, pour nier le talent de Villars, que sa noblesse soit courte et douteuse; pour verser l'outrage sur Vendôme, que son origine royale soit illégitime. Ce pieux et vertueux seigneur a des haines folles contre tout ce qui blesse sa conception d'un État féodal où les ducs et pairs seraient la clef de voûte.

Ces idées sont d'un autre temps, surtout parce qu'elles revêtent la forme de théories surannées. Elles prennent aussi une couleur singulière par le tempérament de l'homme qui les exprime. Mais prenons-y garde : il y a au XVIIIᵉ siècle une foule de Saint-Simons

au petit pied, toute une noblesse à l'esprit court, murée dans ses
souvenirs et ses préventions, d'autant plus entêtée de ses vains
privilèges que l'extérieur est tout ce qui lui reste; courtisans,
nobles de province, ce seront ceux-là qui se rendront insupportables au reste de la nation, exaspéreront les plus pacifiques, et
nous condamneront par leur égoïsme inintelligent aux convulsions
d'une révolution violente.

2. L'ARTISTE DANS SAINT-SIMON

La nature avait mis en ce petit duc d'admirables facultés
d'artiste, que son inaction forcée, ses passions rentrées ont développées. Borné du côté de l'intelligence, il a une sensibilité démesurément irritable et vibrante. Il est tout nerfs, toujours secoué
de passion, bouillant et débordant. Mais la nature l'a fait curieux,
elle lui a donné des yeux aigus, qui ramassent tous les ensembles
et tous les détails, une mémoire étonnante pour rappeler les images
dans toute la fraicheur de la sensation première. Il n'est point
écrivain à idées, et ne se soucie guère du monde intelligible. Il
n'est ni philosophe, ni moraliste; il est peintre. Il a le don de
l'intuition psychologique. Plus pénétrant que La Bruyère et que
Lesage, opérant sur la matière vivante, toujours en mouvement et
qui se dérobe à chaque instant, il démonte les actions avec une
sûreté magistrale, dissèque les sentiments, saisit les plus fugitives
traces des forces qui composent la vie morale. Mais il est bien le
contemporain de Lesage et de La Bruyère, par ce don de traiter
toutes les apparences sensibles comme le *chiffre* qui contient
l'homme intérieur.

Ses haines avivent sa curiosité, rendent ses yeux plus prompts
« à voler partout en sondant les âmes »; elles aveuglent son jugement, mais elles éclairent sa vision. Son cas est singulier : injuste
et partial jusqu'à la férocité, il ne voit jamais trouble; la passion
donne à son regard une vigueur plus perçante. Rien ne prouve
mieux qu'il y a en lui un artiste : la réalité le saisit, en dépit
de ses préventions de ses aversions, de ses théories; et il lui est
aussi impossible de ne pas la rendre que de ne pas la voir. De là
vient que ses portraits sont si vivants, si vrais, quoique souvent si
injustes. Son instinct d'artiste trompe ses sympathies d'honnête
homme et jusqu'à ses opinions de duc et pair.

Voilà comment Saint-Simon, qui peut être redressé ou démenti
presque à chaque page, reste pourtant le seul peintre qui nous
rende la cour de Louis XIV. Ce qui est pour l'esprit est souvent

faux : mais ce qui est pour la sensation est toujours réel. Il y a
dans ces *Mémoires* une abondance, une variété de silhouettes, de
croquis, de charges, de portraits en pied, de vastes tableaux, qui
font vivre devant nous, comme réels et tangibles, les contemporains du grand roi, ses courtisans, sa famille et lui-même. En
deux lignes, Saint-Simon vous campe le bonhomme sur ses
jambes, dans son attitude favorite, avec son expression particulière de physionomie : ailleurs il le développe, le fouille, en dévide
les entrailles, n'y laisse rien d'obscur ou d'inexpliqué. Il a le sentiment de la vie, c'est-à-dire du changement : il voit les hommes
s'épanouir ou se dessécher, leur personnalité se fondre et se
refaire; il note ce travail insensible du temps, qui dégrade et
renouvelle les figures. Ses impressions se modifient, il revient au
modèle, il s'y attaque avec une nouvelle rage, pour le fixer dans
son état actuel, qui bientôt ne sera plus. De là vient qu'il nous
donne plusieurs portraits de Fénelon, de la duchesse de Bourgogne, de Mme de Maintenon : et combien d'études du grand Roi!

Avec les individus, il regarde les masses. Tantôt il ramasse toute
une scène en quelques traits, par un dessin large, hardiment simplifié; tantôt il développe d'immenses tableaux, comme ceux de
la mort de Monseigneur, et du lit de justice qui dégrade les
enfants légitimes de Louis XIV. Son récit est grouillant de vie, et
l'impression a cette netteté qu'un art supérieur peut seule donner.
Une foule d'individus, de mouvements, d'actions se mêlent, se croisent, se succèdent; chaque individu est analysé, chaque mouvement décomposé, chaque action détaillée. Rien ne s'embrouille
pourtant et ne se confond; à de certains moments, toutes les particularités reculent et s'effacent; on ne voit plus que les ensembles,
les mouvements généraux, les caractères saillants. Je ne sais où
l'on pourrait trouver une pareille exactitude de vision, unie à une
pareille ampleur.

Saint-Simon a égalé sa puissance d'expression à sa puissance
de sensation : c'est tout dire. Il écrit d'un style heurté, fougueux,
tout plein de contrastes, de disparates, de brusqueries, d'audaces,
de négligences. « Je ne suis point un sujet académique, dit-il de
lui-même; je suis toujours emporté par la matière. » C'est en
effet sa passion qui se dégage, sa sensation qui se réveille. Aucune
intention littéraire n'intervient dans le choix de l'expression. La
métaphore y pullule, mais la métaphore qui n'est pas un procédé
de rhétorique, et qui enregistre la vibration intime de la personnalité au contact des choses. Nul scrupule de grammairien et de
puriste, nulle préoccupation technique d'écrivain ne dirige ou
n'arrête la plume de Saint-Simon : ce duc et pair n'est pas homme
de lettres; et les traditions, les règles, qui emmaillotent l'inspi-

ration des pauvres diables faiseurs de livres, ne sont pas pour
lui. Il écrit avec ses nerfs : il cherche les mots qui équivalent à
son sentiment, mots à la mode, ou du vieux temps, mots de boutique ou de village, et mots de cour, vertes locutions, ou tours
délicats. Il moule sa phrase sur sa pensée, l'étire, l'élargit, la
courbe, la brise, selon son besoin, non selon la grammaire. Sa
crainte, c'est toujours de dire moins qu'il ne sent : il surcharge, il
emmêle d'immenses périodes confuses, touffues, d'où sortent des
éclairs et des flammes : son style, enfin, rend le fourmillement
de la vie, son mouvement immense et multiple, avec l'étrange
agrandissement, l'éclairage violent d'une vision d'halluciné.

Saint-Simon nous paraît, à le lire, en avance d'un siècle. Sans
doute on trouve en ce temps-là, dans la noblesse de la Régence et
de Louis XV, un goût du langage savoureux, cru, pittoresque,
imagé, trivial, populaire, qui explique Saint-Simon. Lisez seulement
le journal du marquis d'Argenson[1]. Mais d'Argenson n'est pas un
écrivain, tandis que Saint-Simon exploite la langue française en
artiste, et en artiste très moderne. Rien ne lui ressemble dans la
littérature proprement dite du XVIIIᵉ siècle : le *Neveu de Rameau*
même n'en approche pas. Ce grand seigneur bouscule règles, goût,
bienséances, pour mettre son tempérament tout à fait à l'aise dans
son style; entre Voltaire et Montesquieu, il écrit comme il faut écrire
pour être admiré au temps de Hugo et de Michelet. Quand la première édition de ses *Mémoires* parut en 1830, nos romantiques lui
firent fête; et c'était justice : le duc de Saint-Simon était des leurs.

1. Cf. Gohin, *les Transformations de la langue française de 1740 à 1789*, 1903.
— A ceux qui, comme Duclos ou Mme du Deffand, purent lire au XVIIIᵉ siècle
le manuscrit de Saint-Simon, il fit l'effet d'être hors de la littérature. On ne songeait pas à lui appliquer les règles du style et du goût : pas davantage à s'en
autoriser.

CHAPITRE II

LA JEUNESSE DE VOLTAIRE

(1694-1755)

Les « années d'apprentissage » de Voltaire. — 1. Jeunesse; prison, exil; succès mondains et littéraires. Séjour en Angleterre. — 2. Voltaire à Cirey, à la cour, en Lorraine. — 3. Voltaire en Prusse : dernière expérience. Illusions et déceptions. Voltaire arrive au port : achat des Délices. — 4. Philosophie de Voltaire avant 1755 : irréligion, mollesse physique, sociabilité. Liberté de penser. Les *Lettres anglaises*. — 5. Voltaire historien. *Le Siècle de Louis XIV*. *L'Essai sur les mœurs*. Recherches et exactitude. Dessein philosophique : élimination de la Providence; guerre à la religion : progrès de la raison, et enthousiasme de la civilisation.

Voltaire [1] commence à faire parler de lui en 1714 : il meurt dans une apothéose en 1778. Ainsi il remplit presque tout le XVIIIe siècle,

1. **Éditions :** Pour les édit. partielles ou complètes de V., voir la *Bibliographie* de Bengesco, 4 vol., 1882-90. Parmi les grandes édit. mod., : Beuchot, 1828-34, 70 v., plus deux de tables; G. Avenel (édit. popul. du *Siècle*), 9 vol.; L. Moland, 1877-83, 50 v., plus un v. de tables. — *Lettres philosophiques*, éd. Lanson, 1909; *Candide*, éd. A. Morize, 1913; *Correspond. 1726-29*, éd. L. Foulet, 1914; *Temple du Goût*, éd. E. Carcassonne, 1938; *Dialogues et Anecd. philosoph.*, éd. Naves, 1939; *Sémiramis*, éd. J.-J. Olivier, 1945; *Zadig*, éd. V.-L. Saulnier, 1946; *Correspond. avec les Tronchin*, éd. Delattre, 1950. — **A consulter :** G. Desnoiresterres, *V. et la Soc. fr. du XVIIIe s.*, 8 v., 1867-76; Maugras, *V. et Rousseau*, 1886; Brunetière, *Ét. crit.* I, III et IV, *Études sur le XVIIIe s.*; Faguet, *XVIIIe S.*, *Volt.* 1892, *Polit. comparée de Montesquieu, Rousseau et Volt.*, 1902; *Hist. de la Poésie fr.*, VII, 1934; Lion, *Tragédies et Théories dramat. de Volt.*, 1895; J.-J. Olivier, *Volt. et les Comédiens interprètes de son Théâtre*, 1900; Lanson, *Volt.*, 1906; *L'Art de la Prose*, 1908; Baldensperger, *Études d'Hist. litt.*, II, 1910; Nourrisson, *V. et le voltairianisme*, 1896; Crouslé, *Vie et œuvres de V.*, 1899; Pellissier, *V. philosophe*, 1918; Vésinet, *Autour de V.*, 1925; Maugras, *Querelles de philos. : V. et J.-J. Rousseau*, 1886; E. Henriot, *V. et Frédéric II*, 1927; Nicolardot, *Ménage et finances de Voltaire*, 1887; Vernier, *Étude sur Voltaire grammairien*, 1889; L. Andrieux, *Mme du Châtelet*, 1927; H. Célarié, *Monsieur de V. sa famille, ses amis*, 1928; L. Francis, *la Vie privée de V.*, 1948; Bellessort, *Essai sur V.*, 1925; J.-G. Prod'homme, *V. raconté par ceux qui l'ont vu*, 1930; A. Lantoine, *Les Lettres philos. de V.*, 1931; J.-R. Carré, *L'Anti-Pascal de Volt.*, 1935; *Consistance de V. philosophe*, 1939; P. Chaponnière, *V. chez les Calvinistes*, 1936; R. Naves, *Goût de V.*, 1938; *V. et l'Encyclopédie*, 1938; *V., l'Homme et l'Œuvre*, 1942; L. Gielly, *Volt.* (doc. iconographiques), 1949.

du lendemain de la mort de Louis XIV à la veille de la Révolution. Il est impossible de prendre en bloc un tel homme. Cette
souple nature s'est développée à travers trois quarts de siècle,
recueillant toutes les influences, frémissant à tous les souffles;
les acquisitions, les transformations, les progrès de cet esprit
sont exactement les acquisitions, les transformations, le progrès
de l'esprit public; et il n'a été si puissant que parce que son
développement interne coïncidait avec le mouvement des idées de
la nation : son rôle fut de lancer aux quatre coins du monde
les pensées fraîchement écloses dans toutes les têtes. Il importe
donc de soumettre à une exacte chronologie l'étude qu'on fait
d'une si vaste et compréhensive personnalité.

Une grande division tout d'abord s'impose. Le xviiie siècle se coupe
à peu près par le milieu : or il en est justement de même chez
Voltaire. Son établissement aux Délices (1755) partage nettement
sa vie et son œuvre en deux, et chacune des parties offre les
caractères généraux des parties correspondantes du siècle. Avant
1755, la littérature pure tient une grande place dans la vie de
Voltaire; il est alors la gloire poétique de la France, l'auteur de
la *Henriade*, de *Zaïre* et de *Mérope*. Dans une existence agitée,
tumultueuse, à travers deux prisons, des fuites, des exils, des
alertes, des triomphes de salon et des faveurs de cour, Voltaire
fait son éducation de philosophe : son séjour auprès de Frédéric
est la dernière expérience qui achève de le former. A son retour en
France, il est mûr, il est armé. Retranché dans sa maison, il laisse
venir à lui le monde : du fond de son cabinet, il le domine par
l'omniprésence de son esprit. Le littérateur, le poète, s'effacent
devant le philosophe, s'y subordonnent : il mène l'assaut général
de l'Église et de l'ancien régime. Le Voltaire idolâtré des libres
penseurs, abhorré des croyants, le maigre vieillard au masque
grimaçant, à l'ironie diabolique, enfin le légendaire « patriarche »,
c'est le Voltaire de la seconde période.

Etudions donc ici d'abord ces quarante années à peu près de
travail littéraire, qui sont en même temps les « années d'apprentissage » de Voltaire (1715-1755).

1. VOLTAIRE AVANT 1734.

M. de Voltaire [1] est de son nom François Arouet, fils de maître
Arouet, ancien notaire au Châtelet et receveur des épices à la
Chambre des comptes. Il fait ses études à Louis-le-Grand, chez les

---

1. Né à Paris, le 21 novembre 1694.

jésuites, où il a pour préfet des études l'abbé d'Olivet : on pourra juger de quelle prise la Société saisit les esprits, si l'on songe que Voltaire même gardera toujours des sentiments de respect et d'amitié pour ses anciens maîtres ; et jamais il ne se défera des principes littéraires qu'ils lui ont donnés, de leur goût étroit et pur.

Au sortir du collège, c'est un grand garçon maigre, dégingandé, à la physionomie vive, aux yeux pétillants d'esprit et de malice, dévoré du désir de jouir et du désir de parvenir, enfiévré de vanité, d'ambition, d'amour du luxe et du plaisir, enragé d'être un bourgeois, et se promettant bien de ne pas languir dans une étude et sur la procédure. Il a eu soin au collège de faire d'utiles amitiés ; il s'est lié avec des camarades de condition supérieure à la sienne, fils de magistrats, de courtisans, La Marche, Maisons, d'Argental et son frère, les deux d'Argenson, Richelieu ; si quelques-uns, comme d'Argental, deviennent absolument dévoués à sa fortune, il retiendra les autres comme protecteurs à force de souplesse et de flatterie ; aucun dégoût, aucune trahison de cet ignoble duc de Richelieu ne le rebutera. Ce qu'il voulait d'abord, c'était vivre dans le grand monde et dans le « monde où l'on s'amuse », souper avec des gens titrés et des comédiennes.

Il avait un parrain, l'abbé de Châteauneuf, qui réalisa ses premiers rêves : par lui, tout enfant, Voltaire entrevit Ninon, qui s'intéressa, dit-on, à ce spirituel gamin et lui légua de quoi acheter des livres. Par lui, plus tard, le fils de Me Arouet devint page d'un ambassadeur : c'était le marquis de Châteauneuf, frère du parrain, qui représentait la France à la Haye. Par lui enfin, Voltaire fut introduit chez le grand prieur de Vendôme, dans cette libre société du Temple, où les mœurs et l'esprit étaient sans règle. Tandis que les Pères Porée et Tournemine avaient formé le goût du petit Arouet, Ninon, Châteauneuf, les libertins du Temple furent les vrais éducateurs de son esprit ; cela promettait un beau docteur d'irréligion.

Chez le grand prieur, Voltaire connut les Sully, les Villars ; on faisait fête à son esprit, il hantait les hôtels des grands seigneurs et leurs petites maisons. Ce fut une griserie : il lâcha la bride à sa malice. Deux pièces satiriques circulèrent sous son nom. Un exil très joyeux [1] à Sully, chez le duc, ne lui enseigna point la prudence. Mais un beau jour il se réveilla à la Bastille (1717), où il resta onze mois [2]. Dans ce séjour, il eut le loisir de penser. Il comprit qu'il fallait asseoir sa vie sur des fondements plus solides que des succès de conversation : il travailla à se placer aux côtés

1. Mai 1716.
2. Il fut arrêté le 16 mai ; cette fois, la pièce coupable n'était réellement pas de lui.

des grands hommes qu'il admirait alors docilement avec le monde :
La Motte, J.-B. Rousseau, Crébillon. Il finit *Œdipe*, il commença la
Henriade. En six ans (1718-1724), il va se faire reconnaître comme
le plus grand poète tragique du temps, comme le seul poète épique
de la France. Il excelle à préparer ses succès. Avant d'imprimer
sa *Henriade*, il la porte de château en château, il en fait des lectures, il fouette la curiosité publique.

Cependant, après l'ombrageux despotisme, il éprouve la ras-
surante faiblesse du gouvernement. Le bonasse Régent, qui l'avait
embastillé, s'était laissé tirer une pension par une dédicace ; et
plus tard, au moment où le ministère venait de le contraindre à
imprimer clandestinement à Rouen sa *Henriade*, dont les exemplaires entraient la nuit à Paris dans les fourgons de la marquise
de Bernière, Voltaire poussait sa première pointe à la cour, il
recevait une pension sur la cassette de Marie Leczinska ; cette petite
dévote se laissait ensorceler par l'esprit du poète, à qui la tête
tournait en s'entendant appeler familièrement par la reine : « mon
pauvre Voltaire ».

Une bourgeoise hérédité de sens pratique l'empêcha pourtant
de se repaître de fumée, et tourna ses pensées vers les solides
acquisitions. Voulant traiter d'égal avec ce monde hors duquel il
ne pouvait vivre, il comprit qu'il ne fallait pas se mettre à la discrétion des grands ni aux gages des libraires ; il voulut être riche
pour ne dépendre que de soi. Utilisant ses relations avec les frères
Pâris, qui l'intéressèrent dans certaines entreprises, appliqué et
entendu aux affaires d'argent, guettant les bons placements, il
commença dès ce temps à se faire la plus grosse fortune qu'on eût
encore vue aux mains d'un homme de lettres.

Ces heureux commencements furent interrompus par un fâcheux
accident. Voltaire se laissait aller à croire qu'il était à sa place naturelle dans le monde aristocratique où l'on accueillait son esprit :
il devenait familier, impertinent. Quand le grand seigneur était
un sot — cela arrivait même en ce siècle — et ne valait rien aux
assauts d'esprit, il ne pardonnait pas à ce petit Arouet d'avoir
pris sa noblesse pour plastron. Un chevalier de Rohan, en 1725,
lui fit donner des coups de bâton à la porte du duc de Sully,
chez qui il soupait. Le duc de Sully n'en fit que rire. Voltaire
appela le chevalier en duel. Cela parut outrecuidant ; et la famille
de Rohan obtint qu'on mît le poète à la Bastille. Voilà encore une
des expériences décisives qui fournirent à Voltaire ses idées sur
le gouvernement de la France.

Au bout de cinq mois, on lui ouvrit la Bastille : mais à condition qu'il ne chercherait pas le chevalier de Rohan, et qu'il irait
habiter l'Angleterre. Les trois années qu'il y passa furent une

contre-expérience qui précisa toutes les notions déjà élaborées
en lui. L'Angleterre n'a pas créé Voltaire : elle l'a instruit. Il aimait
trop les lettres pour ne pas s'apercevoir qu'il y avait là une grande
littérature : il découvrit Shakespeare, et Milton, et les comiques
de la Restauration, Wycherley, Congreve. L'époque de la reine
Anne était faite pour lui plaire : c'est le temps où l'ineffaçable
originalité de l'esprit anglais se déguise le mieux sous le goût
décent et la sévère ordonnance dont nos chefs-d'œuvre classiques donnaient le modèle. Ce que Dryden, Addison avaient de
français, l'induisait à goûter dans une certaine mesure leurs qualités anglaises. Dryden lui donna l'idée d'un drame plus violent;
Addison, par son *Caton*, l'instruisit à moraliser la tragédie, à y
poser nettement la thèse philosophique.

Mais il fut frappé plus encore du développement scientifique
que de l'activité littéraire : sa curiosité vola de tous côtés, se portant de Newton à l'inoculation. Les sciences ne l'avaient guère
préoccupé jusqu'ici : il y reconnut l'œuvre essentielle de la raison
et son arme efficace. D'un philosophisme aventurier, à la Montaigne,
tout en saillies et en ironies, il passa à la réflexion systématique,
aux questions définies, aux recherches méthodiques, en lisant
Bacon, Locke, Shaftesbury, Collins. Il n'avait eu que des instincts :
il se bâtit une doctrine. Il admira dans l'Angleterre un pays où
la liberté de penser était en apparence illimitée, où toutes les
variétés du doute et de la négation se rencontraient : Swift satirique et sceptique, mais croyant; Pope déiste; Bolingbroke brillamment incrédule; Woolston publiant des discours contre les miracles de Jésus-Christ, qu'un jury condamnait, mais où quantité de
gentlemen applaudissaient. Derrière les aimables groupes des sceptiques mondains, il n'aperçut pas les masses compactes, inentamées,
de l'Angleterre brutale, grave, puritaine : ce qu'il en entrevit, ce
furent les contradictions et le fanatisme des sectes protestantes. Le
fanatisme lui fit horreur, les contradictions l'amusèrent : le tout
l'affermit dans son irréligion.

Tous ses instincts de luxe et de richesse furent séduits par l'Angleterre industrielle et commerçante. Son amour-propre d'écrivain
fut flatté, avec d'amers retours sur ses aventures antérieures, à la
vue de Newton enterré à Westminster, de Prior chargé de missions diplomatiques, d'Addison amené au ministère.

Quand le duc de Maurepas termina son exil en 1729, Voltaire
revint en France tout plein de ce qu'il avait vu, armé, excité. Il
déploie une activité étonnante : il fait des tragédies, imprime
Charles XII, entame le *Siècle de Louis XIV*, écrit sa lettre à un Premier Commis, publie en anglais ses *Lettres philosophiques*, où
étaient résumées les impressions de ses trois années de séjour en

Angleterre. En 1734, des exemplaires français des *Lettres* pénétraient dans Paris : le libraire était mis à la Bastille, et Voltaire,
contre qui un ordre d'arrestation avait été lancé, se sauvait en
Lorraine, d'où il revenait au bout d'un mois, avec une permission
tacite du ministère, s'installer à Cirey, chez Mme du Châtelet.

2. VOLTAIRE A CIREY ET A LA COUR.

A Cirey, assez près de Paris pour participer à la vie du siècle,
de la frontière pour être en sûreté à la moindre alerte, sous la
garde despotique et prudente de la *belle Emilie*, Voltaire va résider
pendant dix pleines années, et faire l'apprentissage de la vie qu'il
mènera plus tard à Ferney : il va apprendre à se passer du monde,
et à agir sur lui de loin.

Nous avons un témoin de l'existence qu'on menait à Cirey : cette
« caillette » de Mme de Graffigny, une femme de lettres assez
malchanceuse, y séjourna quelque temps en 1738. Elle inventorie
minutieusement l'intérieur de Voltaire, le luxe de sa chambre,
ses porcelaines, ses tableaux, ses pendules, ses livres, ses machines
de physique, l'élégance somptueuse de ses habits, sa vaisselle d'argent, le cérémonial superbe de sa table. Tous les soirs, à neuf
heures, le souper, que la causerie prolonge jusqu'à minuit : Voltaire y est étincelant. Cirey a un théâtre : on y joue de tout,
depuis les marionnettes où « la femme de Polichinelle fait mourir
son mari en chantant *Fagnana! fagnana!* » jusqu'aux grandes comédies et tragédies. Tous les habitants du château sont requis de
jouer : la fille de Mme du Châtelet, âgée de douze ans, a des rôles;
à peine arrivée, Mme de Graffigny en reçoit un. « En vingt-quatre
heures on a joué et répété 33 actes, tragédies, opéras, comédies. »
Un autre régal, c'est quand Voltaire lit ce qu'il compose : des morceaux du *Siècle de Louis XIV*, *Mérope*, des épîtres, des *Discours
sur l'homme*. Il est « furieusement auteur » : il ne supporte pas
la critique, et démolit tous ses rivaux.

C'est le caractère le plus mobile et le plus extraordinaire qu'il
y ait : sensible, brusque, plein d'humeur, boudant toute une soirée
pour un verre de vin du Rhin que Mme du Châtelet l'a empêché
de boire parce que ce vin lui fait mal, se querellant sans cesse
avec elle, déjà malade éternel, se droguant à sa fantaisie, se gor-
geant de café, mourant et, l'instant d'après, vif et gaillard si
un rien l'a mis en train : avec cela, travailleur acharné, infatigable. Mme du Châtelet travaille de son côté. Elle aime les sciences,
la physique, la philosophie : elle a un laboratoire, fait des expé-

riences, étudie Newton. Elle oblige Voltaire à faire comme elle; ils sont lauréats de l'Académie des sciences, elle pour le prix, lui avec la mention. Voltaire parfois se révolte : « Ma foi, dit-il, laissez là Newton, ce sont des rêveries, vivent les vers! » Elle, au contraire, le persécute pour que ce poète ne fasse plus de vers.

C'est prudence plutôt qu'aversion : elle se souvient du *Mondain*, une apologie du luxe, irrespectueuse de la Bible, pour laquelle Voltaire a dû précipitamment aller voir la Hollande en 1736. Elle tient sous clef la *Pucelle*, arrête le *Siècle de Louis XIV*. En somme, cette influence est bienfaisante : elle « lui sauve beaucoup de folies »; Mme de Graffigny en témoigne : « S'il n'était retenu, dit-elle, il se ferait bien des mauvais partis ». Elle a soin de sa dignité aussi; elle l'empêche de se perdre dans d'avilissantes polémiques contre les Desfontaines [1] et autres folliculaires.

Après dix ans d'absence, Voltaire reparaît à Paris; et soudain une méchante comédie faite pour le mariage du Dauphin le met en faveur à la cour. Coup sur coup, le voilà académicien [2], historiographe du roi et gentilhomme de la chambre, poète officiel, rédacteur politique, négociateur secret : il va réaliser en France ce qui l'avait émerveillé en Angleterre. Des vivacités de langue, exploitées par des envieux, le brouillent avec Mme de Pompadour. Il quitte la cour; on le voit chez la duchesse du Maine, à Sceaux et à Anet, à Cirey de nouveau, à Lunéville chez le roi Stanislas, toujours travaillant, écrivant, jouant la comédie, mais déjà plus grand personnage, indépendant de tous, égal à tous, et ne se gênant pour personne.

Ce fut à Lunéville qu'il perdit Mme du Châtelet (septembre 1749). Il revient à Paris, s'y installe une maison, que Mme Denis, une de ses nièces et veuve, est appelée à tenir. Il a chez lui un théâtre où il essaie ses pièces : c'est là qu'il découvre Lekain, le grand tragédien du temps. A cette date, Voltaire est formé. Le siècle l'avertit de se donner au combat philosophique, s'il veut rester maître de l'opinion. Mais, dès ses premières attaques [3] il sent que le séjour de Paris lui est impossible. Il accepte alors les offres du roi de Prusse, qui lui promet sûreté, faveur et liberté. C'étai' la dernière expérience qui lui restait à faire.

---

1. Voltaire, blessé des critiques de l'abbé Desfontaines, lança le *Préservatif* (1738, in-12), auquel l'abbé riposta par la *Voltairomanie* (1738, in-12).

2. Il est reçu le 9 mai 1746 par l'abbé d'Olivet.

3. Il écrit en 1746 une *Lettre à M. de Machault sur l'impôt du vingtième* (imprimée seulement en 1829); il fait imprimer, en 1750, *le Remerciement sincère à un homme charitable*, contre *les Nouvelles ecclésiastiques*, puis *la Voix du sage et du peuple* (condamnée en cour de Rome et par arrêt du Conseil, en 1751, Voltaire étant déjà en Prusse).

3. VOLTAIRE EN PRUSSE.

La première lettre du prince de Prusse à Voltaire date de 1736.
Frédéric vivait à Rheinsberg, dans la disgrâce : son père, brutal,
dévot, pratique, appliqué à mettre son domaine en valeur et à
former de beaux régiments, ne lui pardonnait pas son esprit, sa
flûte, son goût pour les vers et pour la pensée, ni surtout d'être
l'héritier à qui il faudrait tout remettre.

En 1736, Voltaire est l'auteur de la *Henriade*, de *Zaïre*, des
Lettres anglaises, un homme admiré du public, redouté et parfois
persécuté par le gouvernement. Frédéric est un jeune homme,
connu seulement par une escapade équivoque et la haine de son
père : il est tout petit devant le grand homme, humblement enthousiaste et flatteusement enjôleur. Voltaire est touché : il n'a pas
encore été rassasié de l'hommage des rois. La conversation s'engage entre eux : vers, théâtre, métaphysique, littérature, politique, il n'est rien qu'ils n'effleurent et parfois ne discutent à fond.
Le prince, qui s'est fait traduire Wolf en français pour le lire,
met volontiers la philosophie sur le tapis : il donne à Voltaire
l'exemple de la libre pensée. Un besoin réel d'exercice intellectuel, une sincère admiration pour la belle intelligence de Voltaire
animent Frédéric : mais c'est un homme pratique; il « utilise »
son illustre ami; il fait corriger par lui son orthographe, ses solé-
cismes, ses fautes de versification; il a pour rien le meilleur maître
de langue française qui existe. Voltaire, en quelques années, fera
de ce Prussien un de nos bons écrivains; on voit de jour en jour
dans les lettres de Frédéric l'esprit s'alléger, le goût s'épurer, le
Germain enfin se polir à la française.

En 1740, Frédéric-Guillaume laissa la place à son fils. Justement on imprimait en ce temps-là, par les soins de Voltaire, une
réfutation de Machiavel que le prince avait composée : bien qu'il
n'y eût pas là de quoi gêner le nouveau roi, il préféra arrêter la
publication de l'ouvrage; et Voltaire, un peu interloqué, s'y
employa. Il prit son parti de trouver chez Frédéric moins de philosophie généreuse et plus d'activité intéressée qu'il n'avait cru et
chanté : il se décida à rire du démenti violent que l'invasion de la
Silésie donnait à la réfutation de Machiavel. Ce qui l'y aida, c'est
que le roi continua à vivre avec lui dans les mêmes termes
qu'avant. Au milieu des embarras d'un nouveau règne, un des
premiers soins de Frédéric fut de voir Voltaire; un de ses rêves les
plus ardents d'ambition fut de l'avoir près de lui, à lui. Quand,
en 1743, Voltaire vint à Berlin chargé d'une mission officieuse de

la cour de France qui voulait faire reprendre les armes à son infidèle allié, il fut outrageusement berné comme envoyé de Louis XV,
délicieusement cajolé comme poète et philosophe, et ami personnel
de Frédéric : par une de ces petites perfidies qui ne lui ont jamais
coûté, le roi prodiguait caresses, offres, promesses pour décider
Voltaire à rester, et sous main tâchait de le brouiller avec le
ministère français pour lui rendre le retour impossible. N'ayant
pas réussi, il renouvela ses avances, jusqu'au jour où Voltaire,
sentant qu'il ne pouvait plus vivre à Paris, se décida à essayer
de l'hospitalité du roi de Prusse. Il était content de faire voir au
roi de France comment on le traitait ailleurs. Il n'y a pires sots
que les gens d'esprit, quand la vanité s'y met.

Voltaire arriva à Potsdam le 10 juillet 1750. D'abord ce fut un
enchantement. « Cent cinquante mille soldats victorieux, point de
procureurs, opéra, comédie, philosophie, poésie, un héros philosophe et poète, grandeur et grâce, grenadiers et muses, trompettes et violons, repas de Platon, société et liberté! Qui le croirait? » Ajoutez Voltaire couché dans le lit du maréchal de Saxe,
Voltaire chambellan du roi, ayant la croix de son ordre, et
20 000 livres de pension. Au bruit des tambours et des trompettes,
pendant que le roi fait parader ses régiments, Voltaire travaille
dans un coin. Pour se délasser, il a ces délicieux soupers, où Algarotti, Maupertuis, d'Argens, La Mettrie, le roi faisaient éclater les
plus étranges ou impudents paradoxes, où rien n'était sacré à la
raillerie sceptique, où Voltaire apprit, mieux qu'il n'aurait pu faire
ailleurs, de quel pas il fallait marcher pour rester à la tête du
siècle. Il y avait aussi la comédie, où l'on jouait les pièces de Voltaire; et les acteurs étaient les frères, les sœurs du roi.

A travers cet éblouissement, comment remarquer une ombre
qui passe? Un moment Voltaire sent la piqûre d'un mot du roi,
qui dans une ode l'a traité de *soleil couchant* : et le petit Baculard d'Arnaud était le soleil levant! Mais d'Arnaud fut renvoyé :
et Voltaire s'abandonna à son bonheur. Hélas! la lune de miel
fut courte : en novembre, de secrètes angoisses le travaillent; en
décembre, il écrit à sa nièce « à côté d'un poêle, la tête pesante
et le cœur triste »; il se demande : « Pourquoi suis-je donc dans
ce palais? » il dit : « Comment partir? » et il tire la morale de son
aventure : « J'ai besoin de plus d'une consolation; ce ne sont point
les rois, ce sont les belles lettres qui les donnent. » La désillusion
était complète; la brouille n'était plus qu'une question de temps [2].

1. Pas plus d'ailleurs que les diplomates de profession (*11ᵉ éd.*).
2. Cf. les *Lettres* du 24 juillet 1750 à D'Argental, du 13 octobre, du 6 novembre et
du 26 décembre à Mme Denis, et toute la correspondance des six premiers mois
du séjour à Berlin.

Voltaire, tracassier et chipoteur en affaires, eut avec le juif Hirschel des démêlés bruyants qui indisposèrent Frédéric contre lui. Puis on rapporta au roi des mots un peu libres de Voltaire. Frédéric n'était pas en reste, et l'on avertit Voltaire que le roi avait dit à son sujet : « On presse l'orange, et on la jette quand on a avalé le jus ». Il y eut ainsi pendant quelque temps entre le roi et Voltaire une sourde guerre de mots aigres, toujours colportés et envenimés par des amis communs.

L'affaire de Maupertuis fit éclater la rupture : Maupertuis, orgueilleux et têtu, avait fait exclure de l'Académie de Berlin, comme faussaire, un mathématicien du nom de Kœnig. Voltaire, jaloux de Maupertuis à qui le roi témoignait beaucoup de faveur, prit parti pour Kœnig, et voulut faire chasser Maupertuis. Ayant trouvé de la résistance, il se piqua au jeu, et lâcha la fameuse *Diatribe du docteur Akakia*. Le roi se fâcha qu'on ridiculisât le Président de son Académie : il fit brûler l'insolent libelle. Et, de plus, il y répondit de sa propre plume, sans ménagements pour Voltaire, qui se vit traité de menteur effronté.

Aussi le 1er janvier 1753 [1], Voltaire renvoya-t-il au roi la clef de chambellan et la croix de son ordre. Le roi ne pouvait se décider à le lâcher. Une réconciliation fut tentée. Mais, cette fois, Voltaire fut imprenable : il n'avait plus rien à apprendre. Il obtint permission de partir le 26 mars. Il traversa l'Allemagne, on sait avec quelles aventures héroï-comiques : arrêté à Francfort, il eut de la peine à se tirer des mains d'un agent prussien qui réclamait un volume de poésies du roi son maître. Enfin il atteignit l'Alsace. Il passa quelques mois cruels, fuyant la Prusse, exclu de Paris, osant à peine se risquer en France. Il erra en Alsace, en Lorraine, fit une saison à Plombières, alla travailler à Senones près de dom Calmet, descendit vers Lyon. Là il découvrit la Suisse; il espéra y trouver sécurité, tranquillité et liberté. Il acheta une maison près de Genève, qu'il nomma les Délices, une autre à Monrion, près de Lausanne (1755). « Il faut, dit-il alors, que les philosophes aient deux ou trois trous sous terre contre les chiens qui courent après eux. » La leçon lui a profité. Il n'ira plus chez les rois; et les rois viendront chez lui. Mais il ne s'enfonce pas dans la retraite pour disparaître; c'est au contraire pour agir plus, pour parler plus haut et plus clair. Ici commence le règne du philosophe et l'apothéose du « patriarche ».

1. Cf. la lettre du 18 décembre 1752, à Mme Denis.

4. LES IDÉES DE VOLTAIRE AVANT 1755

Jusqu'à son établissement aux Délices, Voltaire est un poète qui a des sentiments de philosophe. Les traits caractéristiques de sa philosophie, qui correspondent aux instincts les plus déterminés de son tempérament, apparaissent déjà épars dans la riche variété de son œuvre littéraire : elle est déjà, avant tout, et hors de toute doctrine positive, une terrible école d'irrespect et d'incroyance.

Le fond de Voltaire, c'est l'irréligion. Dès *Œdipe* (1718), il dit :

> Les prêtres ne sont pas ce qu'un vain peuple pense;
> Notre crédulité fait toute leur science.

Le poème de la *Ligue* (1723) étale les misères causées par la religion. Dans *Zaïre* (1732) la religion est l'obstacle au bonheur préparé par la nature. *Mahomet* (1742) est la manifestation capitale de cet état d'esprit : la grande scène de la pièce, c'est Mahomet remettant un poignard à Séide pour assassiner Zopire; de la fiction tragique se dégage l'idée générale que la religion — toute religion — est fondée sur la fourberie des uns et l'imbécillité des autres. Il était hardi de faire *Mahomet*, plus hardi de le dédier au pape, un fin compère qui prit la chose comme il faut. Pour la nouveauté, elle était médiocre : Voltaire ne fait que traduire avec une netteté plus âpre l'idée si agréablement enveloppée dans *l'Histoire des oracles* de Fontenelle.

Mais l'irréligion de Voltaire n'est pas fondée exclusivement — ni même primitivement — comme chez Fontenelle sur la foi dans la raison et sur le principe de la science. Elle procède de sa nature avide de jouir, et que toutes les défenses de jouir révoltent. Voltaire est d'abord l'héritier de la tradition épicurienne, qui, depuis le xvie siècle, et à travers le xviie, défend l'instinct et la volupté contre le christianisme. Une religion qui gêne la nature, qui attache du péché au désir et au plaisir, lui fait l'effet d'un monstrueux non-sens. Voilà comment le catholicisme des jésuites si confortable, si élégant, si complaisant aux raffinements, aux plaisirs, parfois aux faiblesses de l'esprit mondain, l'effarouche moins que le jansénisme, cette religion des hautes intelligences, si profonde en ses obscurités pour une raison non prévenue, mais si ascétique, si irréconciliable à toutes les délicatesses, à tous les *péchés mignons* de la vie riche et voluptueuse. L'avilissement du jansénisme au temps des convulsionnaires et des billets de confession, la bigoterie étroite de la secte amusent Voltaire : il se réjouit de voir se décrier les *défenseurs de la morale austère*. L'ennemi pour lui, c'est la morale de l'Evangile, que le jansénisme montre dans sa dureté : c'est Pascal, dont la forte logique l'impose avec le dogme. Aussi l'un des premiers desseins philosophiques de Voltaire sera-t-il de prendre Pascal corps à corps, et de ruiner le raisonnement janséniste par la raison laïque. (App. XXIII.)

Voltaire, l'éternel moribond, est, par sa débile organisation, condamné à n'être qu'un assez piètre débauché. Donc, ne pouvant mieux, il convertit la sensualité en indécence de langage. Il la dérive aussi vers l'amour du *comfort*, du bien-être, du luxe; et les tendances aristocratiques de sa vanité s'unissent à la délicatesse de son tempérament pour lui faire estimer à très haut prix tous les raffinements de la civilisation. Enfin il a des besoins d'esprit, qui lui font mettre les plaisirs sociaux et littéraires parmi les nécessités premières de la vie. Il est aussi peu que possible l'homme de la nature : sa nature à lui, c'est d'être au plus degré l'homme de la société. Aussi sa philosophie sera-t-elle matérialiste, pratique, mondaine : elle se résumera, à ce point de vue, dans le *Mondain* (1736), cri de satisfaction optimiste de l'homme riche, bien vêtu, bien nourri, bien servi, flatté dans tous ses sens par les multiples commodités de la vie civilisée.

> O l'heureux temps que ce siècle de fer!

Il admirera chez les Anglais l'entente de la vie matérielle. Il s'indignera qu'on ne respecte pas les agents et les producteurs des plaisirs : l'excommunication des comédiens, les préjugés mondains sur leur profession seront pour lui des monstruosités. De là son éloquente protestation sur la mort de Mlle Lecouvreur : il louera l'Angleterre autant pour avoir enterré Mrs Oddfields à Westminster que pour y avoir mis Newton. Toujours au même ordre d'idées appartiendront ces préoccupations de Voltaire, si neuves alors et si originales chez un homme de lettres, sur des questions de voirie, d'administration, de finances, de commerce : il se passionne pour *les Embellissements de Paris* [1]. Entre 1740 et 1750 se dessine nettement l'idée qui tiendra tant de place dans la polémique voltairienne : l'idée que le devoir essentiel d'un gouvernement, c'est de procurer le bien-être matériel, le plus de bien-être possible, et que l'humanité a plutôt affaire de sage administration que de glorieuse politique.

Un des besoins impérieux de Voltaire, et qui tient aux racines

---

1. Morceau imprimé dans un recueil de 1750; autre morceau des *Embellissements de Cachemire*, écrit en 1749 ou 1750, imprimé en 1756.

mêmes de son génie, c'est le besoin de dire tout ce qu'il pense.
Il n'y a pas pour lui moyen de vivre sans cela. Si disposé qu'il
soit par sa vanité à être un plat courtisan, jamais il n'a pu
tenir sa langue ni sa plume. Le gouvernement français se chargea
de transformer cette inclination naturelle en un principe réfléchi
de philosophie politique. Quand on songe que ni la *Henriade*, ni
les premiers chapitres du *Siècle de Louis XIV*, ni même l'innocent
Charles XII n'ont eu permission de paraître en France, que ce
pouvoir, qui n'a rien empêché, a tout prohibé, on comprend que
Voltaire, depuis la *Lettre à un premier commis* jusqu'au *Siècle de
Louis XIV*, ait réclamé la liberté de penser et d'écrire.

Il semble bien que ce soit l'Angleterre qui lui ait révélé la science
et le parti qu'on en pouvait tirer. Il l'embrassa surtout comme un
moyen d'atteindre la religion et comme un moyen d'accroître le
bien-être. Par ce dernier côté, il rattache sa curiosité scientifique
à ses tendances épicuriennes; et c'est encore un aspect très original, très moderne de ce complexe génie. Il comprit, avec son
clair génie, les principes de la science et l'esprit de la méthode expérimentale. Mais il ne devint pas, il n'a jamais été véritablement
homme de science, en dépit de ses essais et de ses travaux. Il
était ennemi de la religion : et pourvu qu'une explication fût
rationnelle, il l'acceptait aisément pour vraie, avec plus de fantaisie
que de méthode. D'autre part, il était prompt à repousser sans
vérification les expériences ou les théories qui choquaient ses
multiples préjugés. Au reste, l'activité scientifique de Voltaire ne
fut qu'un court épisode dans sa vie; et l'ascendant de Mme du
Châtelet fut pour beaucoup dans la peine qu'il prit de vulgariser
Newton. Ce n'est pas là qu'il faut chercher le libre, le naturel, le
vrai Voltaire.

Il est, au contraire, authentique et complet dans ses « Lettres
philosophiques, politiques, critiques, poétiques, hérétiques et
diaboliques », comme il les appelait lui-même. L'Angleterre n'a
pas fait Voltaire; elle l'a, pour ainsi dire, allumé, et fait partir
pour la première fois d'un seul coup en un prodigieux « bouquet ».
Dans ces fameuses lettres se mêlent tous les éléments divers
dont le voltairianisme se compose : revendication de la liberté
de penser et d'écrire, souci de la prospérité matérielle et des commodités de la vie, curiosité littéraire, irréligion hardie, philosophie
rationaliste, critique historique ou théologique, ironie qui exalte
ici les vertus singulières d'une secte hérétique pour faire une niche
à l'orthodoxie, et là crible indifféremment hérétiques et orthodoxes de traits meurtriers. Parmi les hardiesses des lettres philosophiques, on ne croirait guère aujourd'hui qu'une des plus
remarquées, et qui fit le plus de scandale, ait été la révélation

du système de Locke : l'abbé de Rothelin, censeur royal, déclara
à Voltaire qu' « il donnerait son approbation à toutes les lettres,
excepté seulement à celle sur M. Locke ». Voltaire, en effet, avait
trouvé dans le sensualisme de Locke, si clair et si superficiel, la
doctrine qui satisfaisait ses instincts. Par elle, il écartait le spiritualisme cartésien, il menaçait le spiritualisme chrétien : n'étant
pas de force à manier l'arme bien autrement terrible qu'avait forgée
Spinoza, il s'emparait de celle-là, plus légère et suffisamment
tranchante ; et il s'empressait de s'en escrimer.

Ces *Lettres philosophiques*, qui étaient une attaque directe contre
le despotisme inintelligent et contre le catholicisme, furent un
accident unique dans la carrière de Voltaire avant 1750. Ayant
retourné son sac, il l'avait vidé d'un coup. Après, il se repose,
contenu par Mme du Châtelet, diverti par ses travaux littéraires ou par ses ambitions de politique et de courtisan. Il ne
donne plus que des manifestations partielles de son esprit : c'est
son newtonianisme, pendant les trois ou quatre premières années
de son séjour à Cirey ; c'est surtout *Mahomet*. De *Mahomet* au
départ pour Berlin, rien : M. de Voltaire est à Versailles ou à
Sceaux. Les premiers romans qu'il écrit, pour amuser la duchesse
du Maine, *Zadig*, ou *Memnon*[1], sont d'un moraliste plutôt que
d'un philosophe, et d'une ironie assez inoffensive. Je sais bien
qu'au fond ces étonnantes liaisons de phénomènes qu'il nous présente, ces ricochets fantastiques d'effets et de causes, ces leçons
de résignation fataliste, cette raillerie de la présomption humaine
qui se croit assurée d'elle-même ou des choses, enveloppent
une assez forte négation de la Providence : mais la moralité terre
à terre dérobe l'audacieuse métaphysique. Vers le même temps,
Voltaire donnait *Nanine* (1749) : le public y applaudissait, dans la
mésalliance généreuse d'un seigneur, une satire des privilèges
sociaux, une apologie de l'égalité naturelle et du mérite personnel ;
mais il n'y a vraiment rien ia de bien méchant, et ce n'est pas
la peine d'être Voltaire pour faire *Nanine*.

Le séjour en Prusse donna l'essor au *voltairianisme* de Voltaire.
De petites pièces, courtes, malignes, dissolvantes, commencent à
s'envoler par le monde, ou détachées en brochures, ou insinuées au
milieu de quelque tome d'œuvres complètes, dans les éditions qui
s'impriment incessamment en France ou en Allemagne. C'est, de
1750 à 1752, la *Voix du sage et du peuple* contre les immunités du
clergé ; ce sont des Dialogues *entre un philosophe et un contrôleur
des finances, entre Marc Aurèle et un récollet, entre un plaideur et un*

---

1. *Zadig* parut en 1747 sous le titre de *Memnon*, l'année suivante sous son titre
définitif. L'autre *Memnon* fut imprimé d'abord en 1749.

avocat; ce sont des *Pensées sur le gouvernement* : c'est le roman de
Micromégas. Avec l'irréligion domine le souci des réformes admi-
nistratives. Mais tout cela est négligeable, au prix de deux grandes
œuvres, que Voltaire acheva en Prusse, et qui sont les expressions
éclatantes de sa philosophie à cette date : je veux parler du *Siècle
de Louis XIV* (1751) et de l'*Abrégé de l'Histoire universelle* (1753).

5. VOLTAIRE HISTORIEN PHILOSOPHE.

L'*Histoire de Charles XII*, que Voltaire publie en 1731, ne procède
d'aucune pensée philosophique[1].Bien au contraire, l'intérêt de l'auteur s'est éveillé sur son héros d'une façon assez frivole ; la singularité des aventures, le cliquetis des batailles, l'énormité des desseins,
le romanesque d'une vie tapageuse et stérile, voilà ce qui a séduit
Voltaire dans l'histoire de Charles XII. En revanche, l'ouvrage a
été solidement préparé, à l'aide des documents originaux. Voltaire
débrouille lestement les faits, et nous donne un récit qui court,
léger et lumineux, rejetant le détail oiseux, et dégageant les
actions caractéristiques. C'est la première histoire (qui ne soit
qu'*histoire*) qui compte dans notre littérature : pour la première
fois, l'érudition et l'art, la méthode et le style concourent, et nous
sortons enfin des compilations sans valeur, des romans sans autorité, et des dissertations doctement illisibles.

Les mêmes qualités se retrouveront dans le *Siècle de Louis XIV*.
Voltaire a utilisé toutes ses relations pour acquérir une ample et
exacte information. Il avait vu les dernières années du grand roi ;
sa vie accidentée le mit à même de consulter nombre de personnes qui avaient touché aux affaires, hanté la cour, ou que leurs
pères avaient instruits de toute sorte de détails originaux et
authentiques. Il me suffira d'énumérer les d'Argenson, Richelieu,
les Châteauneuf, Vendôme, La Fare, Caumartin, l'abbé Servien,
la duchesse du Maine, Villeroi, Villars, le marquis de Fénelon, des
parents de Fouquet, de Mme de Maintenon, Bolingbroke, la duchesse
de Marlborough, lord Peterborough : ces noms suffisent pour
faire apprécier la valeur de l'information orale que Voltaire sut se
procurer. Il eut entre les mains les mémoires encore manuscrits
de Torcy et de Villars, ceux de Dangeau et de Saint-Simon : le
maréchal de Noailles lui communiqua les mémoires de Louis XIV.
Il lut deux cents volumes de mémoires imprimés. Enfin sa charge

---

1. Mais il aboutit à une conclusion philosophique que Voltaire n'avait sans doute
pas prévue *a priori* : Charles XII, ce héros de Plutarque et de Quinte Curce,
a laissé la Suède ruinée. rayée du nombre des grandes puissances. Voilà ce que
rapportent aux nations les rois guerriers (*11ᵉ éd.*).

d'historiographe lui ouvrît les archives d'État. Il faisait avec soin la critique de ses sources, établissait le plus exactement qu'il pouvait l'authenticité, la valeur, la signification de chaque document. En somme, il a préparé son ouvrage de façon à contenter les historiens de nos jours.

D'autre part, dans ce sujet infiniment vaste, il nous fait admirer l'incroyable netteté de son esprit. Il se dirige avec aisance à travers le chaos des faits, débrouille, déblaye, noie le détail, fait saillir l'essentiel, lie les effets aux causes, note les conséquences, définit les rôles, analyse les caractères : chaque chapitre est un chef-d'œuvre de lucidité, de rapidité et d'intelligence.

Il manque cependant quelque chose au *Siècle de Louis XIV* pour nous satisfaire pleinement. Il y manque, d'abord, ce que Saint-Simon, bien moins intelligent, a mis surabondamment dans ses *Mémoires* : la vie. Voltaire est sec. Il abstrait, il analyse, il condense; dans cette manipulation, le réel, le sensible, la couleur s'évanouissent; ce n'est pas seulement le dramatique qui fait défaut à cette histoire[1], malgré la prétention de Voltaire; c'est cette sorte de résurrection du passé qui seule peut le faire connaître. Nous cherchons des sensations où Voltaire ne nous donne guère que des notions. Il épingle sur chaque fait, sur chaque personnage une petite note, précise, topique, substantielle, qui les explique ou les caractérise : il en fait des vérités intelligibles, jamais des réalités prochaines. Puis, l'effronté Voltaire s'enveloppe ici de décence, de mesure, de discrétion : il décolore l'histoire par un parti-pris aristocratique et littéraire; il en atténue la trop fréquente brutalité. Il a fallu Saint-Simon pour lever tous les voiles sous lesquels Voltaire avait coulé son vif regard et qu'il avait ensuite pudiquement ramenés.

On s'accorde à trouver la composition de l'ouvrage défectueuse : Voltaire nous donne vingt-quatre chapitres d'histoire politique et militaire, quatre chapitres d'anecdotes de la cour et de la vie privée du roi, deux chapitres du gouvernement intérieur, quatre des sciences, lettres et arts, quatre des affaires ecclésiastiques, et il termine par un chapitre saugrenu des disputes sur les *cérémonies chinoises*. Ce plan a l'inconvénient d'obscurcir le sujet

1. Pas entièrement. L'histoire politique et militaire du règne est présentée dans un récit qui va d'un mouvement continu : l'auteur essaie de saisir l'imagination, d'exciter l'intérêt, de créer des sentiments d'attente et d'anxiété; il fait succéder les tableaux, les revirements, les péripéties, il établit une progression ascendante d'abord, vers un point culminant de splendeur et d'orgueil, descendante ensuite vers la tristesse désolée d'une fin de règne désastreuse. Mais tout cela trop académiquement, trop finement **pour** le goût d'aujourd'hui, on aime mieux un art plus libre et plus large. De même il y a une sorte de couleur, mais de cette couleur spirituelle et noble qu'on trouve dans la peinture du même temps (*11e éd.*).

à force de le morceler. On lit la guerre de Hollande au chapitre 16, et il faut attendre le chapitre 29 pour connaître la politique commerciale de Colbert, qui fut une des causes principales de la guerre. Dans cet excès de division apparaît une des impuissances capitales du xviiie siècle et de Voltaire : une analyse impitoyable sépare tous les éléments de la réalité; et même un esprit comme celui de Voltaire échoue à rassembler ces fragments, à reconstruire le tissu, l'organisation des choses naturelles, à en remonter le jeu. Toutes les pièces du règne de Louis XIV sont dans les tiroirs de l'historien : il ouvre chaque tiroir à son tour, et nous en détaille le contenu.

Une autre raison, plus profonde peut-être et plus décisive, rend compte du plan du *Siècle de Louis XIV* : c'est l'intention philosophique de l'auteur. La première édition du livre a paru à Berlin en 1751 : la première pensée en apparaît dans une lettre de 1732. Dans ces vingt ans, Voltaire a prodigieusement acquis, il a essayé bien des directions. Chacun de ses progrès a laissé une trace dans la conception générale du *Siècle de Louis XIV*. La base première du livre doit être cherchée dans la sincère passion de Voltaire pour les lettres, les sciences, les arts, pour l'œuvre intellectuelle de l'humanité. La grandeur de la littérature française sous Louis XIV l'attache à ce règne, et l'emplit d'admiration. Mais l'art n'est pas tout pour Voltaire, il ne croit pas que tout aille bien, parce que quelques beaux vers ont été écrits. Il y a en lui un bourgeois très positif : ce bourgeois-là s'intéresse au commerce, à l'industrie; il est partisan d'une administration exacte, qui donne au travail de la sécurité, et qui accroisse le bien-être général. Colbert et Louis XIV, les intendants, la « vile bourgeoisie » par laquelle le grand roi gouverne, lui offrent tout cela.

Ainsi se forme une première idée générale qui sert de base au *Siècle de Louis XIV*. « Je suis las des histoires où il n'est question que des aventures d'un roi, comme s'il existait seul ou que rien n'existât que par rapport à lui : en un mot, c'est encore plus d'un grand siècle que d'un grand roi que j'écris l'histoire. — Ce n'est point simplement les annales de son règne, c'est plutôt l'histoire de l'esprit humain puisée dans le siècle le plus glorieux à l'esprit humain [1]. » Faire l'*histoire de l'esprit humain* au temps de Louis XIV, exposer le progrès de la civilisation générale, depuis les poèmes et les tableaux, jusqu'aux canaux et aux manufactures, il n'y avait pas de conception de l'histoire qui fût plus juste, plus large et philosophique.

---

1. Lettres à milord Hervey (1740) et à l'abbé Dubos (30 oct. 1738). Cf. l'Introduction de M. Bourgeois, dans son édition, Hachette, in-16, 1890.

Cette conception se précisa dans l'esprit de Voltaire sous l'influence des mêmes circonstances qui firent éclater les *Lettres anglaises*. L'Angleterre et la France de Louis XIV lui servirent à faire honte à la France de Louis XV. Comme Newton enterré à Westminster, Molière, Racine, protégés de Louis XIV, feraient voir au public de quelle façon devaient être traités les penseurs, les poètes qui sont l'honneur d'une nation : ce passé jugerait le présent. Voltaire y songea d'autant mieux que depuis quinze ans il assistait à une réaction contre ce grand règne. Malgré ses aristocratiques relations, il ne s'était jamais associé à cette réaction : la splendeur des lettres et des arts compensait tout à ses yeux. Mais, de plus, il ne haïssait pas le despotisme. Ses idées de bonne admistration l'inclinent même plutôt à aimer le despotisme, dès que le despote est vigilant, laborieux, dévoué à la grandeur de l'État. Ainsi se compléta le dessein primitif du *Siècle de Louis XIV*, par l'accession de deux pensées : une pensée satirique fut peut-être l'occasion réelle du livre, et, à coup sûr, dut en être la conclusion secrètement, sourdement insinuée. L'autre pensée s'ajouta à la philosophie du livre : dans le progrès de l'esprit humain, que Voltaire se proposait de peindre, il voyait et voulait montrer comme agent principal un homme, le despote éclairé. Le siècle de Louis XIV était une des grandes époques de l'esprit humain, et ce grand siècle était essentiellement l'œuvre personnelle de Louis XIV : c'est le sens de la fameuse lettre à milord Hervey.

Voilà sous l'empire de quelles idées, en 1735, en 1737, en 1738, Voltaire travaillait fiévreusement. L'ouvrage s'organisait de façon à manifester l'intention philosophique de l'auteur : vingt chapitres esquissaient l'histoire générale de l'Europe. Un chapitre montrait Louis XIV dans sa vie privée. Quatre chapitres représentaient le gouvernement intérieur, commerce, finances, affaires ecclésiastiques. Enfin, cinq ou six chapitres, étalant la grandeur de l'esprit humain dans les lettres et les arts, couronnaient magnifiquement l'ouvrage. Il y avait une trentaine de chapitres à peu près achevés en 1739 : ils forment le premier état du *Siècle de Louis XIV*. C'est alors que l'*Introduction* et le *Premier Chapitre*, glissés dans un *Recueil de pièces fugitives,* furent condamnés par arrêt du conseil. Voltaire laissa dormir le *Siècle de Louis XIV*; il n'y revint sérieusement qu'en 1750, à Berlin, et bientôt il le mit en état de paraître (1751).

Ce n'était plus du tout l'ouvrage de 1739 : au lieu d'une trentaine de chapitres, il y en avait trente-neuf; et surtout l'ordre en était modifié; de cinq à six, les chapitres des lettres, sciences et arts étaient réduits à quatre, et transposés devant les chapitres des affaires ecclésiastiques, qui étaient développées en quatre chapitres au lieu de deux, précédant le nouveau et bizarre chapitre des cérémonies chinoises. Ces remaniements correspondent à une grave et déjà ancienne modification de la pensée philosophique de Voltaire.

Mme du Châtelet n'aimait pas l'histoire : pour vaincre son aversion, Voltaire entreprit de la lui montrer comme une science expliquant les phénomènes de la vie collective de l'humanité; il commença de lui esquisser à grands traits la suite des événements de l'histoire universelle. C'est le point de départ de l'ouvrage qui devint l'*Essai sur les mœurs* : plusieurs des parties rédigées pour Mme du Châtelet parurent dans le *Mercure* en 1745 et 1744. Du moment qu'il entamait une *Histoire universelle*, Voltaire rencontrait devant lui le fameux discours de Bossuet. Bossuet soumettait l'histoire à la conduite de la Providence; le premier soin de Voltaire fut d'éliminer la Providence. Faire éclater l'absence d'une intelligence divine dans le tissu des événements humains, expliquer les faits par des liaisons mécaniques et fatales, mettre en lumière la puissance des petites causes, la souveraineté du hasard, voilà le dessein de Voltaire. Cependant il croit au progrès; il aime la civilisation : la marche inégale, hésitante, de l'humanité sera le résultat de deux contraires, l'ignorance superstitieuse, fanatique, stupide, et la raison éclairée, bienfaisante. Les ouvriers du progrès seront les grands hommes, par qui les lumières et le bien-être se répandent; et les grands siècles de l'esprit humain seront ceux où les circonstances serviront les grands hommes, c'est-à-dire où ils auront l'autorité pour eux, et non contre eux, quand les despotes seront de grands hommes, serviteurs ou protecteurs de la raison.

Cette thèse, qu'il dégageait de ses études sur l'*Histoire universelle*, modifia profondément le *Siècle de Louis XIV*. Faire du christianisme l'obstacle au progrès de la raison, au bonheur de l'humanité, c'était une idée qui devait plaire à Frédéric autant qu'à Mme du Châtelet. De ce point de vue, le *Siècle de Louis XIV* apparaissait comme un grand siècle incomplet : Louis XIV avait un confesseur, il ne pouvait être « philosophe ». Il avait des parties du bon despote : il ne le réalisait pas entièrement, honneur réservé à l'incroyant Frédéric. Le xviie siècle, dans son ensemble, était trop religieux. Voltaire ramena donc le *Siècle de Louis XIV* à son dessein général : l'histoire universelle étant une suite lamentable de folies, erreurs, « butorderies », qu'interrompent de loin en loin quelques glorieuses époques, ce beau siècle eut son dessous et son revers de sottises. Ces sottises, c'est la part des prêtres « remuants et fourbes qui ont gâté le siècle de Louis XIV »; c'est la religion et l'histoire ecclésiastique. Voilà pourquoi Voltaire développe et rejette cette partie à la fin de son livre. La rançon, la contrepartie de la splendeur du règne.

se trouvent dans les querelles du protestantisme, du jansénisme, du quiétisme ; ainsi s'amène la conclusion enveloppée dans le dernier chapitre, et pourtant bien claire, si l'on veut y réfléchir un instant : Voltaire y conte comment un sage empereur expulsa de Chine les missionnaires chrétiens, colporteurs de sottises mensongères et fauteurs de funestes séditions. Culte de la raison, haine de la religion, voilà le sens essentiel du *Siècle de Louis XIV*.

Ainsi établi dans sa forme définitive, il n'eut pas de peine à prendre place en 1756 dans l'*Essai sur l'Histoire générale, et sur les mœurs et l'esprit des nations depuis Charlemagne jusqu'à nos jours*. Après avoir achevé son *Siècle de Louis XIV*, Voltaire avait repris ses esquisses d'histoire universelle, et poussé vigoureusement son travail pendant l'année 1752. En 1753 et 1754 parurent les trois volumes de l'*Abrégé de l'Histoire universelle*. J'en ai dit le caractère ; et l'on voit quel en sera le vice rédhibitoire : il est impossible de se faire l'historien du moyen âge, si l'on est de parti pris, par une détermination rationnelle, l'irréconciliable ennemi du christianisme. La sympathie pour les hommes dont il fait l'histoire lui fait défaut : il les raille dans leurs erreurs, dans leurs sottises, dans leurs misères. Il ne voit pas leur effort vers la vérité, vers le bien ; il ne les comprend pas, parce qu'ils sont autres que lui. A cet égard, par l'impossibilité de sortir de soi et de son siècle, Voltaire n'a pas le sens historique[1].

Il faut pourtant rendre justice à cet essai d'*Histoire universelle*. Une vive curiosité y éclate à chaque page. Voltaire pousse des pointes en tout sens, reconnaît des régions inexplorées : sur l'Arabie, sur l'Inde, sur la Chine, il apporte des études bien incomplètes encore, mais singulièrement neuves pour le temps. Il traite son sujet avec la même largeur que dans le *Siècle de Louis XIV* ; il note les grandes découvertes qui vont révolutionner la civilisation plus volontiers que les batailles et les mariages des princes. Il essaie réellement de faire l'histoire générale de l'esprit humain.

Comme toujours aussi, il travaille sur les documents originaux, ou du moins sur les meilleurs ouvrages qui les ont utilisés, il s'en-

---

1. Ce jugement est beaucoup trop dur, et inexact dans son expression absolue. Voltaire a vu le moyen âge comme le voyaient les hommes du xvii⁰ siècle et du xviii⁰ : il n'a pas jugé l'âge féodal et les croisades autrement que le pieux abbé Fleury. C'était donc moins son irréligion que sa culture et son rationalisme qui l'indisposaient contre ces temps-là. D'autre part, un érudit impartial, M. Luchaire, tout récemment ne les a pas vus plus en beau. Enfin on pourrait citer bien des endroits où Voltaire s'est efforcé d'être juste aux papes et aux moines : il a, en dix lignes, indiqué tous les services qu'ont rendus les couvents à la société du moyen âge. — En consultant le petit volume que j'ai donné sur Voltaire, on verra quelles nuances je croirais aujourd'hui juste et vrai d'atténuer ou d'ajouter dans ce tableau de la jeunesse de l'écrivain, comme dans celui de sa vieillesse qu'on trouve plus loin (*11ᵉ éd.*).

quiert des sources, critique les témoignages. Il tient toute cette manipulation éloignée des yeux du public; mais il la fait. Il condense toute son information en récits courts, clairs, saisissants, qui parfois ont forcé l'admiration de Michelet. Avec un peu de sympathie, il aurait fait un chef-d'œuvre et une œuvre définitive : il n'a fait, malgré sa conscience de travailleur et son génie lucide d'écrivain, qu'une œuvre de parti qui risque souvent de paraître fausse et dure.

[Pourtant il est vrai qu'il a eu le sentiment du devoir de l'historien, et l'intelligence des conditions ou des méthodes principales de la critique historique. Il est vrai qu'il a le premier réalisé la conception moderne de l'histoire, d'une histoire qui est l'explication et le tableau du mouvement de la civilisation. Il est vrai qu'à cet égard nous venons de lui, plus que de Montesquieu.]

CHAPITRE III

MONTESQUIEU

1. Les *Lettres persanes*. Peinture superficielle des mœurs : réflexions graves sur le gouvernement. — **2.** Les *Considérations* : Montesquieu et Bossuet. Défauts du livre : sa portée philosophique. — **3.** L'*Esprit des lois* : collection et chaos d'études, de recherches, d'idées. Éléments et accroissements de la pensée de Montesquieu. Contradiction du point de vue physique et de la théorie politique. Témérité des déterminations et des généralisations. Hardiesse philosophique et politique du livre. Influence de Montesquieu.

Au moment où Voltaire se fixe aux Délices, et va commencer une nouvelle vie, Montesquieu disparaît (1755). Il n'avait pas fait autant de tapage que Voltaire, il s'était moins agité : mais il avait fait plus de besogne, au point de vue de la philosophie du siècle. Rien à cette date, dans l'œuvre de Voltaire, ne saurait contrepeser les *Lettres persanes*, les *Considérations sur les Romains*, et l'*Esprit des Lois* : il y a là une raison qui sait démolir et construire, un esprit qui peut guider son siècle, quand Voltaire en est encore à faire des niches au gouvernement, et à faire partir des fusées pour l'amusement des badauds.

1. LES « LETTRES PERSANES ».

Les *Lettres persanes* [1] parurent en 1721, avec le succès que pouvaient avoir, sous la Régence, de vives satires entrecoupées des

---

1. **Biographie** : Charles-Louis de Secondat, né à la Brède, près de Bordeaux, le 18 janvier 1689, étudia chez les Oratoriens à Juilly, fut reçu, en 1714, conseiller au parlement de Bordeaux, se maria en 1715, prit, en 1716, la charge de président, que lui légua un oncle, et le nom de Montesquieu. Il vint à Paris à 33 ans, après le succès

descriptions voluptueuses. Lorsqu'on sut que l'auteur était un président à mortier du parlement de Bordeaux, la légèreté du livre parut plus amusante encore par le contraste qu'elle faisait avec la gravité de la profession du magistrat. Le fin Gascon n'était pas sans avoir prévu la chose.

L'Asie était à la mode à la fin du xviie siècle. On avait lu avec curiosité les récits de Bernier, de Chardin, de Tavernier. La traduction des *Mille et une Nuits*, que Galland donna en 1708, avait déposé dans les esprits toute sorte d'images des mœurs et des coutumes orientales. L'opposition de ce monde au nôtre sautait aux yeux : de là à choisir un Oriental pour critique de nos travers et de nos préjugés, il n'y avait qu'un pas ; et Du Fresny donna, en 1707, les *Amusements sérieux et comiques d'un Siamois*. Telle est l'origine de la fiction du livre de Montesquieu. Il suppose deux Persans, Usbek et Rica, qui viennent en Europe, à Paris, dans les dernières années de Louis XIV. Mais ils reçoivent des nouvelles de leurs pays, de leurs familles ; et l'on conçoit comment peut là-dessus s'exercer l'imagination d'un jeune Français sous la Régence, avec quelle curiosité libertine il mettra en scène la vie oisive et voluptueuse du sérail, des femmes très blanches surveillées par des eunuques très noirs, des passions ardentes, des jalousies féroces, des désirs enragés. Mais ce n'est là qu'un ornement. L'essentiel, dans le livre, ce sont les impressions des deux Orientaux jetés au travers de notre civilisation. Tout les étonnera, les choquera : je dis *tout*, sans distinction, pêle-mêle ; et la confusion innée à l'esprit de l'auteur y trouvera son compte. Les plus superficielles peintures s'entremêleront aux plus graves études.

Le superficiel, c'est la critique des mœurs. La Bruyère était moins profond que Molière, Lesage moins profond que La Bruyère : Montesquieu est plus loin de Lesage que Lesage ne l'est de Molière.

de ses *Lettres persanes*, fut reçu à l'Académie en 1728, voyagea ensuite en Allemagne, en Autriche, en Hongrie, en Italie, en Suisse, en Hollande, en Angleterre, où il resta près de deux ans (1729-1731). Il mourut le 10 février 1755. **Éditions :** *Lettres persanes*, 1721 (éd. crit. Barckhausen, 1913); *Considérations sur les causes de la grandeur*, etc..., 1734 (éd. Barckhausen, 1900; Jullian, 1900); *De l'Esprit des Lois*, 1748 (éd. G. Truc, 1944; J. Berthe de la Gressaye, 1950); *Œuvres complètes*, éd. Laboulaye, 1875-79, 7 vol. (éd. Caillois, 1950; Masson, 1950). *Correspondance*, éd. Gébelin et Morize, 1914, 2 vol. — **A consulter :** A. Sorel, *M.*, 1887; Faguet, *Politique comparée de M., Rousseau et Volt.*, 1902; Brunetière, *Et. crit.*, IV; Barckhausen, *M., ses Idées et ses Œuvres*, 1907; Dedieu, *M. et la Trad. polit. angl. en Fr.*, 1909 ; *M., l'Homme et l'Œuvre*, 1943; *M.*, 1913; V. Giraud, *Moral. fr.*, 1923; Carcassonne, *M. et le Problème de la constitut. polit. angl. en F.*, 1927; M. Doods, *Récits de Voyages, Sources de l'Esprit des L.*, 1929; Valéry, *Variété*, II, 1930; G. Lanson, *M.*, 1932; Barrière, *M., un grand provincial*, 1946; P. Hazard, *La Pensée europ. au XVIIIe s.*, 1946; J.-J. Chevalier, *Les Grandes Œuvres polit.*, 1948.

C'est un peintre de mœurs charmant, délicat, ingénieux ; c'est un maître écrivain, qui excelle à mettre en scène, comiquement, un travers, un préjugé ; mais son observation a la portée du *Français à Londres* de Boissy, et du *Cercle* de Poinsinet. Montesquieu est tout juste apte à railler la curiosité frivole des badauds parisiens, la brillante banalité des conversations mondaines, à noter que les femmes sont coquettes, et les diverses formes de fatuité qui se rencontrent dans le monde. Il n'y a pas ombre de pénétration psychologique dans les *Lettres persanes*.

Mais elles ont des parties graves : Montesquieu a l'habitude de se mettre tout entier dans chacun de ses livres ; il ne sait pas réserver une partie de sa pensée. Aussi trouvera-t-on dans ce léger pamphlet des réflexions, qui contiennent en puissance l'*Esprit des Lois*. Quand la satire sociale se substitue à la satire des mœurs mondaines, le ton se fait plus âpre ; Montesquieu développe, et cette fois avec la supériorité de son génie, ce qui était seulement en germe dans quelques parties du livre de La Bruyère. Il est vrai qu'il a reçu l'instruction des événements : il a vu s'achever le long et lourd règne de Louis XIV, il écrit dans le fort de la réaction qui suivit la mort du grand roi ; et il y aide, pour son compte, de tout son cœur. Il fait le procès à tout le régime. Il a des mots écrasants pour les financiers, dont le corps, fait-il dire à son Persan, se recrute parmi celui des laquais. Il signale l'abus des privilèges de la noblesse ; il flétrit l'avidité insatiable des courtisans. Il dit son mot sur les affaires actuelles, sur le système de Law, dont il fait la critique. Mais il s'attaque surtout au despotisme de Louis XIV, qu'il hait autant que Saint-Simon ; il expose comment la monarchie dégénère en république ou en despotisme ; il esquisse déjà sa fameuse théorie des pouvoirs intermédiaires. Il remonte, pour nous instruire, jusqu'à l'origine des sociétés ; et, suivant sa fantaisie, il nous développe une sorte de mythe à la façon de Platon, qui est comme le rêve d'une intelligence raisonnable et optimiste. Il conte l'histoire des Troglodytes, qui se sont détruits en s'abandonnant aux instincts naturels. Deux familles avaient échappé : elles fondent un nouveau peuple dont la prospérité sera assise sur les vertus domestiques et militaires, et sur la religion.

Ce mot de religion ne doit pas nous tromper sur la pensée de Montesquieu. Elle est pour lui une institution comme les autres ; c'est une partie de la *police*. Il est foncièrement irréligieux ; il ne comprend pas plus le christianisme que l'islamisme. Le principe intérieur de la religion lui échappe, comme au reste le principe de l'art et de la poésie.

2. LES « CONSIDÉRATIONS SUR LES ROMAINS ».

Montesquieu donna en 1734 ses *Considérations sur la grandeur et la décadence des Romains*. Le contraste est grand avec les *Lettres persanes*. Ici tout est grave; et le style affecte une sévère concision, une simplicité nue, une plénitude substantielle. La phrase est sentencieuse; elle a le relief d'une belle médaille; parfois une image saisissante, une comparaison imprévue y jettent leur clarté. D'admirables portraits enlèvent l'aridité qui pourrait se trouver dans ces dissertations abstraites sur les faits de l'histoire.

Cette tenue du style nous révèle une des faces de l'esprit de Montesquieu. Ce Gascon pétillant a eu la passion de l'antiquité. C'est le legs, en lui, du XVIIe siècle. Il a été idolâtre de la grandeur romaine, de l'éloquence romaine, de la vertu romaine : il a lu Tite-Live et Tacite avec enivrement, il les a longuement médités. Il a admiré les exemples d'énergie, de fierté qu'ont donnés les stoïciens de Rome sous les mauvais empereurs. Réfractaire à la séduction de l'idéal chrétien, la hauteur de la vertu païenne le saisissait. De là est sortie, au milieu de la lente et laborieuse préparation de l'*Esprit des Lois*, cette analyse profonde et subtile du génie politique de Rome, et de son évolution historique. Montesquieu n'a pas, comme on dit, détaché un chapitre de son grand ouvrage pour en donner communication par avance au public. Mais, rencontrant souvent Rome sur son chemin, il n'a pas su résister à la tentation : il s'est détourné pour un temps de son œuvre capitale, pour se donner le plaisir d'embrasser d'une seule vue toute la suite de l'histoire romaine.

Quelqu'un s'était donné ce spectacle avant lui : c'était Bossuet; et Montesquieu, qui du reste n'a rien de commun avec ce grand chrétien, ne pourra nier de l'avoir eu pour maître. Toute une partie des *Considérations* atteste une lecture attentive du *Discours sur l'Histoire universelle*; c'est celle où Montesquieu énumère les causes de la grandeur romaine. Il développe avec toute sa science et sa pénétration les rapides indications de Bossuet, quand il nous expose le fond de l'âme romaine, cet amour de la liberté, du travail et de la patrie, la force des institutions militaires et de la discipline ; l'ardeur des luttes intestines, qui tiennent les esprits toujours actifs, toujours en haleine, et qui s'effacent toujours dans les occasions de danger extérieur; la constance de la nation dans les revers, et cette maxime de ne faire jamais la paix que vainqueurs; enfin l'habileté du sénat, dont la substance se réduit à trois principes : soutenir les peuples contre les rois, laisser aux vaincus leurs mœurs, et ne prendre qu'un ennemi à la fois. Jamais Montesquieu n'a été plus érudit, plus ingénieux, plus pro-

fond que dans ce chapitre VI, où il nous explique le jeu de la politique extérieure des Romains.

Bossuet n'avait presque rien dit de la décadence de l'empire
romain : ici Montesquieu marche seul; et c'est une partie très
neuve, très étudiée, et très originale. La grandeur de l'État romain
qui a pour effet de substituer les guerres civiles aux dissensions
du Forum, les guerres lointaines où périt le patriotisme du soldat,
l'extension du droit de cité à toutes les nations, le luxe qui
corrompt les mœurs, les proscriptions, qui, depuis Sylla jusqu'à
Auguste, brisent par la peur le ressort des âmes et les dressent à
la servitude, la suite des mauvais empereurs, le partage de l'empire, la destruction de l'empire d'Occident par les invasions barbares, et la lente agonie de l'empire d'Orient, voilà les principales
étapes de la décadence du peuple romain.

Le livre de Montesquieu est loin d'être complet et sans défauts.
D'abord la critique y est insuffisante. Montesquieu accepte les dires
des historiens anciens; il ne contrôle pas leurs assertions; il ne
s'embarrasse pas de leurs contradictions. Il ne se doute même pas
des conjectures de Saint-Évremond; il ne soupçonne pas la possibilité de la tâche que s'est donnée en ce moment même un
érudit de Hollande : quatre ans après les *Considérations*, paraîtra
la *Dissertation* de Beaufort sur l'incertitude des cinq premiers
siècles de l'histoire romaine. Montesquieu raisonne sur Numa aussi
intrépidement que sur Auguste. Il ne fait commencer sa tâche
qu'à l'interprétation des textes. Il les commente en juriste, qui
n'a pas à les infirmer, à les corriger, à les rectifier; il les tient
pour établis, authentiques, véridiques; il se borne à en définir le
sens et marquer les conséquences. (**App. XXIV.**)

On pourrait signaler aussi de graves lacunes dans l'ouvrage
de Montesquieu : l'absence complète de l'étude financière et économique, l'oubli constant de la religion romaine. Or les Romains
étaient à la fois le plus pratique, le plus intéressé des peuples, et
le plus religieux. Pour ne parler que de la religion, la *Cité antique*
a fait éclater l'insuffisance de l'œuvre de Montesquieu.

C'est encore un défaut des *Considérations* — et une fâcheuse
tendance du génie de l'auteur — que cet amour des généralisations
qui conduit à ériger témérairement en lois des phénomènes aperçus
une fois dans l'histoire. Ainsi Montesquieu pose ces étranges
maximes : qu'un État déchiré par la guerre civile menace la liberté
des autres, et qu'il se forme toujours de grands hommes dans
les guerres civiles. Vérités de fait et d'occasion, mais non pas
constantes et universelles, ni surtout nécessaires : les propositions contradictoires sont aussi vraies et aussi souvent vérifiées.

Jamais Montesquieu n'a su composer : sa pensée procède par

saillies, non par développement continu. Cela se reconnait dans
la médiocre composition de son livre. Les chapitres y sont des
cadres artificiels, des *formes*, où il réunit autour d'une idée centrale une collection de traits éclatants ou de pensées profondes.

Les *Considérations* sont une œuvre considérable. Cette étude de
l'histoire romaine est une œuvre de philosophie rationnelle et
de pensée laïque : elle n'a devant elle que l'œuvre de Bossuet, toute
théologique. Pour la première fois, la doctrine de la Providence
directrice est rejetée de l'histoire, et la raison des faits est cherchée
uniquement dans les faits mêmes, dans le rapport des antécédents
et des conséquents. L'histoire est traitée par la méthode des sciences
physiques : aucune intelligence n'est supposée conduire le peuple
romain vers un but, et pourtant les choses ne vont pas au hasard ;
le développement de la puissance romaine, sa décadence ensuite
se font nécessairement, logiquement, chaque état passager contenant l'état suivant, que le jeu naturel des circonstances se charge
de dégager. Quelques faits constants et généraux, ou intérieurs,
tels que l'âme du peuple et ses instincts primordiaux, ou extérieurs, tels que des institutions et des constitutions, donnent les
directions et les formes principales de l'évolution historique [1].

Les *Considérations* de Montesquieu élargissent notablement le
domaine de la littérature. Tout à l'heure Fontenelle offrait de l'astronomie aux dames : aujourd'hui Montesquieu leur fait goûter
des réflexions sur l'histoire. Il ne s'agit encore que de l'histoire
romaine, sujet classique, lieu commun de l'éloquence et de la tragédie du siècle précédent : mais la forme est loin d'être oratoire
ou dramatique. C'est le plus ardu et le moins captivant de l'histoire que Montesquieu présente d'emblée : l'explication scientifique
des faits, la philosophie. Et par la gravité de ses *Considérations* il
fraye la voie aux plus sévères études de l'*Esprit des Lois*.

3. L' « ESPRIT DES LOIS ».

L'*Esprit des Lois* fut publié en 1748. Ce qui s'offre à nous sous
ce titre, c'est tout Montesquieu, toutes ses connaissances et toutes
ses idées, historiques, économiques. politiques, religieuses, sociales,
à propos d'une étude comparative de toutes les législations. L'*Esprit des Lois* est pour Montesquieu ce que les *Essais* sont pour
Montaigne : toute la différence est que l'étude de Montaigne, c'est
l'homme moral et les ressorts spirituels; celle de Montesquieu,
l'homme social et la mécanique législative. Chacun *cause* à perte
de vue sur son sujet. « Ce grand livre, dit M. Faguet, est moins un

1 La conclusion philosophique du livre, M. Barckhausen l'a bien montré, c'est
que Rome a décliné et péri pour avoir fait la conquête du monde. Conclusion qui
rejoint celle du *Charles XII* de Voltaire (*11ᵉ éd.*).

livre qu'une existence.... Il y a là non seulement vingt ans de
travail, mais véritablement une vie intellectuelle tout entière.... »
Ce que la lecture de l'*Esprit des Lois* permettait à M. Faguet de
deviner, la publication des *Œuvres inédites* de Montesquieu en
fournit la démonstration. Les principaux passages des opuscules
que l'on vient d'imprimer pour la première fois sont allés se fondre
dans le grand ouvrage, et y former ici un alinéa, ailleurs un chapitre. L'auteur a utilisé pour son *Esprit des Lois* toutes les études
partielles qu'il avait en portefeuille.

Montesquieu est un esprit actif qui a toujours étudié, qui, par
suite, s'est élargi, enrichi, mais aussi modifié, qui a découvert des
points de vue nouveaux, changé son orientation : sa vie intellectuelle comprend plusieurs périodes distinctes. Chacune de ces
périodes a laissé son dépôt dans l'*Esprit des Lois*; des pensées
hétérogènes, qui appartiennent à des états d'esprit différents, y
forment comme des couches superposées, et d'autres fois se pénètrent, s'enchevêtrent, s'amalgament. De là la peine qu'on éprouve
toujours à prendre une vue d'ensemble de l'*Esprit des Lois*.

[La difficulté est accrue par la division de l'ouvrage, par cet
extrême morcellement qui multiplie les chapitres dans les livres,
les alinéas dans les chapitres : dans cette composition, établie pour
soulager l'esprit du lecteur mondain par la fréquence des pauses
et des reposoirs, se révèle aussi la brusquerie pétulante et nerveuse de l'esprit de l'auteur, sautant d'idée en idée, et supprimant,
à la fois par théorie et par tempérament, les idées intermédiaires.
Le résultat est que le livre est presque impossible à dominer.

Ce n'est pas qu'on n'y trouve un ordre. J'en ai désespéré jadis;
et je l'ai dit dans les dix premières éditions de cet ouvrage. Cependant M. Barckhausen et moi-même, de deux points de vue différents[1], nous sommes arrivés à dessiner à peu près de la même
façon le plan du livre. Montesquieu part des idées simples; il pose
d'abord des définitions *a priori*; il étudie les diverses formes de
gouvernement dans l'abstrait et les fonctions fondamentales du
gouvernement dans leur essence, abstraction faite du temps et du
lieu; puis il introduit la notion de l'espace, et il analyse les effets
que la position dans l'espace peut avoir pour les sociétés (climat,
terrain, commerce, religion, etc.). Puis il pose la notion du temps,
et dans les derniers livres, il développe quelques exemples de la
variation des lois, de leur évolution historique dans un même
pays. Il y a aussi, à la fin de l'ouvrage, un livre destiné à éclairer
l'application, le passage de la théorie à la pratique.

---

1. Cf G Lanson, *Revue de Métaphysique*, juillet 1896 (*De l'influence de Descartes
sur la litt française*), Barckhausen, *Montesquieu, ses idées, etc.*

Incontestablement, il y a du désordre et du décousu dans l'*Esprit des Lois* : les derniers livres, de l'aveu de l'auteur, ont été ajoutés après coup à l'ouvrage. Cependant l'ensemble est construit sur un plan méthodique et rationnel. Dans chaque livre, une fois les principes posés, les divers chapitres sont comme des théorèmes où des cas et des problèmes sont ramenés aux vérités précédemment établies.

J'inclinerais d'ailleurs à croire que la méthode déductive a été surtout pour Montesquieu une méthode d'exposition et un procédé de vérification et de confirmation. Il me paraît avoir, dans ses recherches, employé surtout la méthode d'observation : il a étudié les cas particuliers, puis généralisé; sa pensée induit d'abord tout ce qui dans son livre est déduit.

Quoi qu'il en soit, que j'aie raison ou tort de trouver avec M. Barckhausen, dans l'*Esprit des Lois*, un ordre que jadis avec beaucoup d'autres je n'apercevais pas], le meilleur moyen de simplifier et d'éclaircir sera de dissoudre l'unité de l'ouvrage, de refaire en sens inverse le travail de Montesquieu, et de prendre l'une après l'autre les diverses tendances, et les périodes successives de son activité intellectuelle, selon qu'elles affleurent ou s'étalent dans l'*Esprit des Lois*. Cette détermination ne peut se faire d'une façon satisfaisante que par l'étude approfondie des *œuvres inédites*. Je vais tâcher de l'esquisser rapidement.

Prenons Charles de Secondat de la Brède en 1716, au moment où son oncle le baron de Montesquieu lui transmet avec son nom sa charge de président à mortier au parlement de Bordeaux.

Les excellents Oratoriens qui l'ont instruit à Juilly lui ont découvert la riche source d'énergie morale qui jaillit pendant toute la durée des antiquités grecque et romaine; les grands ouvrages de l'esprit, les coups d'héroïsme dans l'action politique ont ravi l'imagination du jeune Gascon, dont le bon sens aiguisé goûte ce qu'il y a toujours de pratique et de mesuré dans les traits les plus étonnants de l'antiquité. Ses propres études, une fois qu'il aura échappé au collège, l'affermiront dans sa passion pour l'histoire ancienne, et particulièrement pour l'histoire romaine : car, peu touché de l'art, c'est des mœurs, des caractères, des actions, de l'histoire par conséquent, qu'il s'éprend. La forme antique, qui lui plaît et qu'il essaie d'imiter, c'est une forme révélatrice d'un caractère antique, de la gravité simple et de la sublimité habituelle. Ce Montesquieu-là n'a pas grand chose à voir dans l'*Esprit des Lois* [1] : après s'être répandu en plusieurs opuscules, il s'est épuisé dans les *Considérations*.

---

1. Notez, au l. X, le portrait d'Alexandre.

De la nature, le jeune magistrat tenait une certaine sensualité que les mœurs contemporaines développèrent en polissonnerie intellectuelle. Après s'être donné toute liberté dans les scènes orientales des *Lettres persanes*, Montesquieu sera calmé par l'âge, la gravité professionnelle, le soin de sa considération. Mais il aimera toujours à disserter, sans rire, avec érudition, sur des matières scabreuses; il aura plaisir, dans l'*Esprit des Lois*, à justifier les lois et les coutumes qui blessent le plus nos idées de la morale et de la pudeur. Ce n'est presque rien dans l'ampleur du livre : et pour nous c'est moins que rien. Mais en ce temps-là, cela faisait lire l'ouvrage.

J'en dirai autant du bel esprit de Montesquieu. Jamais il ne dépouilla tout à fait l'académicien de province. Et il y avait aussi en lui un causeur brillant, coquet, ne voulant pas en société lâcher un mot qui ne fût une saillie ou une pensée. Ainsi l'habitude de penser par épigrammes ou par sentences passe chez lui en nature. De là ce style à facettes, brillanté, enjolivé, que Buffon blâmait : de là ces comparaisons cherchées, ces pointes imprévues, qui faisaient dire à Mme du Deffand que cet *Esprit des Lois* était de l'*esprit sur les lois*. Cela encore était un appât pour le commun des courtisans et des femmes.

Mais venons aux origines des parties essentielles et solides de l'ouvrage. Pendant les dix ans qu'il garda son office de magistrat, Montesquieu se dégoûta du métier de juge, et s'intéressa à la science du droit. La procédure et les formes, les procès particuliers l'ennuyèrent   les principes généraux et les sources historiques du droit captivèrent son attention. L'idée première des recherches qui occupèrent une bonne partie de sa vie vint de là, et la forme définitive de son esprit en resta déterminée : Montesquieu sera toujours un juriste; toutes ses idées historiques, ses vues politiques, ses conceptions philosophiques revêtiront des formes juridiques. L'*Esprit des Lois* se terminera par cinq livres qui sont une œuvre rigoureusement technique d'érudition juridique; ce sont, dit le titre, « des recherches nouvelles sur les lois romaines touchant les successions, sur les lois françaises et sur les lois féodales », qui sont comme le fragment et le début d'une étude d'ensemble sur les origines de la législation française. Nous semblons quitter ici le point de vue politique et philosophique, et n'avoir plus devant nous qu'un professeur de droit. Mais un professeur de droit qui éclaire le droit par l'histoire, et qui dans l'histoire du droit trouve les fondements de sa philosophie politique.

En 1716 et dans les années suivantes, Montesquieu se laisse gagner au goût des sciences physiques et naturelles. On savait qu'il avait communiqué à l'*Académie des sciences, lettres et arts* de

Bordeaux des recherches sur la cause de l'écho, et sur l'usage des
glandes rénales. Mais, sans la récente publication de quelques opuscules inédits, on ne verrait pas bien l'importance réelle de cette
période scientifique de la vie de Montesquieu; on ne se douterait pas de l'absolue domination possédée pendant un temps sur
son intelligence, par l'esprit et les principes des sciences physiques
et qu'une sorte de déterminisme naturaliste a précédé chez lui le
mécanisme sociologique. Qu'on lise en effet les *Réflexions sur la
politique* : le dessein en est moral, et nous révèle ainsi la jeunesse
de l'auteur. Il veut dégoûte᠎ les grands et les hommes d'État de
se mettre au-dessus de la simple morale : comment les y décider?
Par la raison que leurs crimes, leurs injustices, le mal qu'ils justifient par l'utilité et le bien public, que tout cela ne sert à rien :
leurs agitations sont vaines et ne changeront rien à l'action toute-
puissante de causes éternelles. Ce qui arrive est « l'effet d'une
chaîne de causes infinies, qui se multiplient et se combinent de
siècle en siècle ». Il n'y a pas d'individu qui puisse contrepeser
cette force énorme. A quoi bon dès lors s'agiter? Agissons, puisqu'il faut agir, mais croyons que le résultat sera le même, de
quelque façon que nous agissions : et par conséquent agissons
selon les lois de la commune morale, puisqu'il ne servirait à rien
de les violer. La théorie développée dans ce curieux opuscule a
laissé des traces dans l'*Esprit des Lois*, mais des traces éparses et
confuses, recouvertes sans cesse par un système différent, dont
le fond est cette idée chère à Montesquieu que de la construction
de la machine législative dépend la destinée des peuples, et qu'un
rouage ôté ou placé à propos sauve ou perd tout : or qu'y a-t-il de
plus contraire au fatalisme politique que la superstition sociologique, la foi aux artifices constitutionnels [1]?

Au même moment appartient un intéressant *Essai sur les causes
qui peuvent affecter les esprits et les caractères*. Montesquieu y étudie
les influences qui déterminent les tempéraments des individus et
des peuples. Il compose avec infiniment de sagacité et d'originalité les deux *milieux*, dont les pressions, agissant tantôt dans le
même sens et plus souvent en sens contraire, produisent les
humeurs, les volontés, les actes : le *milieu* moral, éducation,
société, profession, et le *milieu* physique, où Montesquieu distingue
comme facteur principal le climat. Le climat ne peut influer sur
les âmes que s'il influe d'abord sur les corps, et si les corps trans-

---

1. La conciliation de cette contradiction est sans doute que l'individu, roi ou
ministre, ne peut rien dans le moment présent contre la force des causes historiques
et physiques, mais que le législateur, individu ou corps, peut introduire dans le
jeu des causes, par les lois, certains facteurs qui à la longue modifieront les conditions
de la vie et par suite l'esprit d'une société (*11ᵉ éd.*).

mettent toutes les influences aux âmes : donc la théorie des climats suppose une liaison nécessaire des faits physiques et des
faits moraux, et conduit à mettre la pure psychologie des penseurs classiques sous la dépendance de la physiologie. C'est ce
que fait Montesquieu, et par certaines réflexions il indique des
voies toutes nouvelles à la littérature. Il y introduit l'étude des
tempéraments à la place de l'analyse des faits spirituels; il met
les *nerfs* à la place des *passions de l'âme*; il baigne les individus
dans les *milieux* qui les forment et les déforment.

La théorie des climats, formulée par Fontenelle et Fénelon,
reprise et étendue par l'abbé Dubos, prend entre les mains de
Montesquieu une ampleur, une précision, une portée singulières.
Elle ne passera dans l'*Esprit des Lois* que mutilée, rétrécie, presque
faussée : car Montesquieu, supprimant à peu près les intermédiaires réels et vivants, l'homme, son âme, son corps, relie les
lois humaines aux causes naturelles par un rapport direct et en
quelque sorte artificiel. Cependant, cette théorie avait en soi tant
de force, que, même glissée d'une manière un peu factice, et
fâcheusement tronquée, elle constitua une des plus efficaces
parties de l'*Esprit des Lois*. En effet, elle faisait faire un grand pas
à l'explication rationnelle des faits historiques; elle écartait les
hypothèses de législateurs fabuleux ou d'une action providentielle,
et commençait à faire apparaître, dans le chaos des institutions
humaines et la confusion des mouvements sociaux, le déterminisme
des sciences naturelles. Elle aboutissait d'abord et surtout à faire
dépendre pour une bonne part du milieu physique le goût des
divers peuples, et le développement de leurs littératures et de
leurs arts : ce qui conduit à Madame de Staël et à la critique du
XIXe siècle.

Mais déjà dans les *Lettres persanes* il se tournait vers l'étude
des gouvernements et des constitutions. [Il avait fait pour l'Académie de Bordeaux] un *Dialogue de Sylla et d'Eucrate*, où l'on voit
d'une part le philosophe politique s'affranchir du moraliste psychologue que l'éducation du collège et des livres avait formé, et
d'autre part s'affirmer la puissance de l'homme aux larges vues,
créateur d'un ordre politique qui détermine l'histoire. [Quand il
vint à Paris, il ne dut pas seulement aller faire briller son esprit
dans les salons de Mme de Lambert et de Mme de Tencin : s'il est
très douteux qu'il ait jamais été admis au *Club de l'Entresol*, cette
société privée qui finit par donner de l'ombrage au Cardinal Fleury
et qui dut se dissoudre, il est difficile de croire qu'il n'ait jamais
causé avec quelques-uns de ces *patriotes* éclairés et sérieux qui
appelaient de leurs vœux une réforme de la monarchie et croyaient
à la possibilité d'un gouvernement rationnel. Travail interne ou

influence du dehors, toujours est-il qu'à un certain moment son point de vue changea. Il crut alors à l'efficacité de l'intervention humaine, individuelle, dans le cours des événements historiques. Il y crut si bien qu'il demanda en 1728 à entrer dans la diplomatie : c'est sans doute qu'il se flattait de pouvoir manier les chaînes infinies des causes et des effets naturels. Il se persuada donc que les institutions artificielles étaient aussi efficaces que les combinaisons naturelles, et qu'une loi bien trouvée pouvait suspendre ou détruire les fatalités historiques. Il arriva enfin à ce qui est le fond. et la chimère [1], de l'*Esprit des Lois*.

On sait la définition, juste autant que vaste, que Montesquieu a donnée de la loi. Les lois sont les rapports nécessaires qui résultent de la nature des choses. Ainsi les lois d'un peuple ne sont ni le produit logique de la raison pure, ni l'institution arbitraire d'un législateur : elles sont le résultat d'une foule de conditions physiques, météorologiques, sociales, historiques. De là, la variété infinie, le chaos contradictoire des lois aux différents siècles, chez les différents peuples. Chaque peuple a ses lois qui lui conviennent. Tout ce début date de la période scientifique que nous avons reconnue tout à l'heure. Montesquieu pouvait à ce commencement attacher une suite d'études positives où chaque ordre de causes naturelles aurait été mis en rapport avec les lois des diverses nations. Il a préféré procéder par la voie de l'analyse cartésienne, et enchaîner par des déductions les vérités qu'il avait trouvées.

Embrassant d'une vue l'histoire universelle, il réduit toutes les formes de gouvernement à trois : république, monarchie, despotisme. Il assigne à chaque gouvernement son principe, qui le fait durer tant que lui-même dure : la *vertu*, principe de la république, l'*honneur*, principe de la monarchie, la *crainte*, principe du despotisme. Dès lors, en possession des définitions nécessaires, Montesquieu va faire une *construction* d'une hardiesse singulière : il va monter pièce à pièce ces trois grandes machines politiques, république, monarchie, despotisme, chacune en son type idéal; il va montrer comment toutes les lois particulières sont en rapport avec le principe fondamental de la constitution, faisant sortir le bonheur et le malheur, le progrès et la ruine des États du plus ou moins de cohésion et de concordance de toutes les institutions, exposant comment, par le manque ou la disconvenance de telle pièce, tel peuple s'est détruit. comment, par l'invention ou le rema-

---

1. *Chimère* n'est peut-être pas juste. Une loi, un ensemble de lois, à condition qu'on les observe, peuvent sans doute à la longue modifier l'esprit et par suite influer sur la destinée d'une nation. Voyez, par exemple, ce qu'a déjà produit chez nous en vingt-cinq ans la loi sur les syndicats professionnels (*11e éd.*).

niement de telle disposition législative, tel autre se serait arrêté sur la pente de sa décadence.

Ce n'est pas qu'au milieu de tous ces calculs de mécanique constitutionnelle, le physicien ne reparaisse souvent; lisez au livre XI l'admirable résumé de la constitution anglaise : Montesquieu l'*engendre* tout entière par le jeu des causes physiques et historiques. Cependant, dans l'ensemble de l'ouvrage, domine le dogmatisme du théoricien politique qui pense lier les événements par des chartes. Montesquieu, qui se souvient parfois des causes physiques, semble oublier trop souvent que la matière sur laquelle travaillent les législateurs, l'humanité vivante, contient en puissance une infinité d'énergies, qu'elle n'est pas seulement le champ de bataille que la loi dispute à la nature, qu'elle peut trancher à chaque instant le différend par ses forces, ses tendances intérieures, et qu'enfin c'est elle, et elle seule, qui fait la loi puissante ou inefficace. Pour Montesquieu, la loi n'est pas par elle-même une forme vide : c'est un ressort, qui, dès qu'il est placé où il faut, produit la sorte et la quantité de travail que le constructeur voulait obtenir. Il fait trop abstraction de l'homme, et le traite comme une matière inerte et passive : si bien que, dans son idée, un système de lois bien conçu, bien adapté, ne peut manquer de mener un peuple, en quelque sorte sans qu'il s'en mêle, à son *maximum* de puissance et de prospérité. Dès le début de son livre, avant la naissance des sociétés, il essaie de se représenter l'homme de la nature. Ce n'est plus le *loup* déchaîné de Hobbes et de Bossuet : c'est un sauvage doux et timide, un être neutre, quantité négligeable dans les calculs sociologiques. Aussi le néglige-t-il tout à fait par la suite, et rien ne donne plus à son ouvrage le caractère d'un système abstrait, qu'aucune réalité vivante ne soutient.

Les ingénieuses constructions de Montesquieu sont fondées sur deux sophismes généraux, que voici : tout ce qui est, devait être; et, tout ce qui est, pouvait ne pas être. Il y a sophisme à dire que ce qui est devait être, quand on prétend expliquer ce qui est : car c'est dire que l'on a trouvé la somme des causes égale à la somme des effets. Or il est impossible d'affirmer que les causes définies et connues sont les véritables causes, nécessaires et suffisantes, des effets, plutôt qu'un inconnu, qu'on néglige; et par suite on se trompe quand on dit que, ces causes étant données, ces effets *devaient* suivre; car ils pouvaient ne pas suivre, si le résidu inaperçu, inexpliqué, n'y avait été joint. On se trompe bien plus dangereusement quand on dit que, ces causes étant de nouveau données, les mêmes effe   suivront : car ils suivront ou ne suivront pas, selon qu'à ces causes sera joint ou non le même inconnu. Il y a sophisme aussi à dire qu'une loi, un acte humain aurait néces-

sairement, dans des circonstances données, changé le cours des
choses. C'est possible; cela n'est pas sûr. Il est impossible, dans
l'infinie complexité des choses humaines qu'une infinité de forces
concourent à produire, quand les causes physiques et les causes
morales se perdent dans les obscures profondeurs de notre organisme et de notre conscience, quand on ne démêle encore — et au
temps de Montesquieu on était loin d'être aussi avancé que nous
sommes — quand on ne démêle que les plus superficielles réactions
et les plus grossiers enchaînements de phénomènes, il est impossible de déterminer ce qu'il aurait fallu ôter ou retrancher
d'énergie humaine ou de travail législatif pour détourner ou barrer
le cours des événements. Montesquieu ne s'embarrasse pas de
cette double difficulté. Son imagination pèse et mesure ce qui ne
peut se peser ni se mesurer.

Il met la méthode expérimentale au service de ses idées pré-
conçues, et généralise — témérairement, excessivement — tous les
faits que ses recherches ont mis en évidence. Il a une ample
information : il a lu, il a voyagé; depuis les anciens Grecs
jusqu'aux Suisses de son temps, depuis les sages Chinois jusqu'aux plus grossiers sauvages, tous les peuples fournissent des
documents à son enquête. Et d'abord on saisit deux défauts à
cette méthode d'information. Pas plus que dans les *Considérations*,
il ne fait la critique de ses sources : il utilise tout ce qui est
imprimé, comme d'égale valeur. Ensuite il met tous les faits au
même plan; il raisonne indifféremment sur une coutume de
Bornéo et sur les lois anglaises, sur un règlement de Berne et sur
une institution de Rome. Il prend tous les cas particuliers comme
équivalents et également significatifs. C'est ainsi qu'il égalera
Berne à Rome, et verra dans ce canton suisse une menace pour
les libertés de l'Europe, parce que Berne se trouve répéter Rome
dans une particularité de son organisation militaire [1].

Pour parler du gouvernement républicain, Montesquieu a étudié
Rome, les cités grecques; il a sous les yeux les cantons suisses,
Venise, Raguse. La conquête du monde a tué la république à
Rome : Montesquieu prononcera que la forme républicaine est
incompatible avec la vaste étendue du territoire. Il ne soupçonne
pas la possibilité d'une démocratie de trente-cinq ou de soixante
millions d'hommes. Pour définir le despotisme, il a la Turquie, et
sur la Turquie des relations de voyageurs plus ou moins complètes
ou exactes. Le sérail et la bastonnade, voilà les caractères saillants
de la société turque, telle qu'il l'aperçoit. Il ne voit que la crainte

1. Il n'importe que cet exemple soit tiré des *Considérations* : c'est toujours la
même méthode.

qui puisse être le ressort du despotisme faute d'avoir eu l'occasion d'étudier la Russie, il ne s'est pas avisé qu'on pouvait aussi bien lui donner l'amour pour principe, et même plus logiquement, si le despotisme est une forme de gouvernement essentiellement patronale, patriarcale, image agrandie de la famille.

Montesquieu, par un usage imprudent de l'induction scientifique, estime avoir le droit de généraliser sur une seule observation · il en résulte qu'il fait entrer dans la formule de ses lois toute sorte d'accidents et de localisations. Il eût mieux fait de présenter chaque observation dans sa particularité, et de n'affirmer ce qu'il voyait en Turquie que de la Turquie, ce qu'il remarquait à Rome que de Rome. Mais il a voulu à toute force trouver des lois et des types. « Montesquieu, dit M. Sorel, peint la République et la Monarchie comme Molière a peint l'Avare et le Misanthrope. » Il y trouve des avantages : d'abord il utilisait ainsi l'histoire selon son goût et selon le goût de ses contemporains. Il offrait des vérités générales, par là toutes préparées pour l'application et la pratique. On n'aime pas alors l'histoire pour elle-même; et il n'est personne, dans ces études, qui ne recherche les remèdes des maux dont souffre la monarchie française. Par les généralisations aussi, Montesquieu donnait du piquant à son ouvrage : il se ménageait la liberté des allusions, la possibilité de faire entrer dans ses types autant d'accidents caractéristiques qu'il fallait pour faire deviner l'individu qui en avait fourni le modèle; il échappait aux sévérités du pouvoir, et donnait au lecteur le plaisir d'entendre à demi-mot.

Car il y avait dans la doctrine de l'*Esprit des Lois* de quoi inquiéter toutes les puissances. Au point de vue politique, Montesquieu se montre fort admirateur de la constitution anglaise, où il voit un chef-d'œuvre d'agencement. Il expose comment toutes les lois de l'Angleterre ont pour objet la protection de la liberté politique des sujets, et comment cette liberté est assurée par le mécanisme de trois pouvoirs qui se complètent, se contiennent, s'équilibrent et marchent ensemble, le pouvoir législatif, le pouvoir judiciaire et le pouvoir exécutif. Il rêverait quelque chose de pareil en France. Il voudrait y détruire le despotisme, y restaurer la monarchie, l'entourer d'une noblesse, d'une magistrature et d'un clergé, qu'on renforcerait et qui serviraient de contrepoids à l'autorité royale . dans les Parlements, il trouverait le pouvoir judiciaire, de la réunion des trois ordres il dégagerait le pouvoir législatif; la royauté ne détiendrait plus que l'exécutif. Ces vues n'étaient pas pour être agréées de ceux qui exerçaient le pouvoir au nom du roi. Le despotisme de Louis XV était peu redoutable, mais dans la perte de sa force oppressive, la royauté s'attachait désespérément à toutes les formes agaçantes, inquiétantes, d'une autorité qui ne pouvait plus être que tracassière. (App XXV.

Au point de vue religieux, Montesquieu tirait poliment son coup de chapeau au christianisme. Il ne soufflait mot des Juifs, et le peuple de Dieu avec ses lois révélées tenait moins de place dans son ouvrage que les sauvages de l'Amérique ou de l'Océanie. Il parlait des jésuites avec des ménagements étudiés, d'un ton moitié figue, moitié raisin. Enfin, et surtout, la religion — toutes les religions — apparaissait manifestement dans son système comme un rouage politique, créé ou manié comme tous les autres par le législateur. Montesquieu est un esprit absolument fermé au sens du divin. De là la sincérité profonde avec laquelle il se prononce contre les persécutions religieuses, et se fait l'avocat de la tolérance. Aussi son livre fut-il attaqué tout à la fois par les jansénistes et par les jésuites [1] : il fit ce miracle de mettre une fois d'accord les *Nouvelles ecclésiastiques* et le *Journal de Trévoux.* Cependant la forme de l'ouvrage était assez modérée pour ne pas soulever de trop gros orages. Montesquieu réussit du moins à isoler les théologiens, à s'assurer la neutralité du pouvoir monarchique. Il obtint la faveur du public. L'*Esprit des Lois* répondait exactement au besoin des intelligences. C'était une œuvre de raison et d'humanité. Une voix grave, modérée et forte, dénonçait les abus de la monarchie française, les taches de la civilisation : elle indiquait un idéal, qui apparaissait comme absolument pratique, de gouvernement libéral et bienfaisant; elle traduisait le sentiment de tous les cœurs en protestant contre les autodafés et contre l'esclavage des nègres. La politesse et l'esprit enveloppaient toute l'œuvre sans lui ôter de sa force.

Dans la suite du xviiie siècle, Montesquieu a semblé perdre du terrain; d'autres l'ont dépassé, ont étouffé sa voix. Cependant, en 1789, c'est la doctrine de Montesquieu qui la première a été mise à l'épreuve, et l'*Esprit des Lois* a fourni avant le *Contrat social* le modèle de la France nouvelle. L'expérience alors fut courte et malheureuse : mais Montesquieu prit sa revanche de 1815 à 1848. Notre monarchie parlementaire fut une réalisation de la théorie des trois pouvoirs; et Montesquieu aurait pu dire, s'il était revenu, que les accidents qui, par deux fois, ont fait éclater la machine, sont venus de ce que les rouages en avaient été faussés, et l'équilibre des forces violemment rompu. Depuis, toutes les tentatives d'orga-

---

1. Montesquieu répondit par sa *Défense de l'Esprit des Lois*, 1750. L'*Esprit des Lois* fut discuté en Sorbonne, dénoncé à l'assemblée du Clergé, mis à l'index. La censure avait prohibé la circulation du livre : Malesherbes leva la défense, quand il prit la direction de la librairie (1750).

nisation parlementaire qui ont été faites ont reposé sur les principes essentiels de sa doctrine.

De nos jours, cependant, l'influence de Montesquieu décline :
ou plutôt il reste un nom, il cesse d'être un maître. Une partie
de son livre est devenue banale, en s'inscrivant dans les faits. Une
autre est devenue fausse ayant été démentie par les faits. Au
point de vue scientifique, l'insuffisance de son observation, les
fantaisies de sa méthode éclatent. Au point de vue politique, notre
démocratie échappe de plus en plus à ses cadres et à ses formules,
et le réduit à n'être que le théoricien d'un passé médiocrement
aimé. Et notre réalisme[1] ne peut s'empêcher d'en vouloir à Montesquieu d'avoir créé l'illusion de tous les faiseurs de constitutions
qui croient changer le monde par des articles de loi.

---

1. Je serais plus idéaliste aujourd'hui. On ne change pas le monde par des articles
de loi ; mais, comme je le disais tout à l'heure, en permettant ou commandant de
nouvelles formes d'activité, les lois nouvelles préparent des modifications, qui pourront être importantes, dans l'esprit et le caractère, comme dans la richesse et la
puissance d'une nation. Il ne faut pas trop croire à la valeur des formules des
codes ; il ne faut pas la nier trop (*11e éd.*). La raison, comme la science, peut quelque chose et ne peut pas tout : comme elle, elle doit tenir compte du réel pour agir
sur le réel. La politique rationnelle est possible, comme la médecine expérimentale
et l'agriculture scientifique (*12e éd.*).

LIVRE IV

LES TEMPÉRAMENTS ET LES IDÉES (suite)

—

CHAPITRE I

LA LUTTE PHILOSOPHIQUE

1. Les défenseurs de la tradition et du passé. Rollin. Daguesseau. Faiblesse de la résistance. Diffusion de l'esprit philosophique. Le marquis de Mirabeau. Vauvenargues. — 2. La grande bataille de la seconde moitié du siècle. L'*Encyclopédie*. — 3. Efforts individuels. Dalembert, Marmontel, d'Holbach, Condillac, Turgot, Condorcet.

La lutte philosophique prend, dans la seconde moitié du XVIIIe siècle, une intensité, une âpreté soudaines. Vers 1750, les espérances d'une restauration rationnelle de la société, qu'on avait cru toucher, se reculent indéfiniment; à ce même moment entre en scène une nouvelle génération de penseurs impatients, audacieux, dévoués à ce qu'ils appellent la vérité, et prêts à renverser tout ce qui y fait obstacle : l'art, l'éloquence, la littérature ne sont pour eux que des instruments de propagande. Ils vont faire de la *philosophie* la matière de tous les livres, la préoccupation de tous les esprits. Diderot, Rousseau, Condillac, Buffon paraissent; Voltaire, un Voltaire épanoui et libéré, revient de Prusse. Tous, directement ou indirectement, par de violentes attaques ou de sereines spéculations, concourent à jeter l'ancien édifice à bas.

1. FORCE ET DIFFUSION DE LA PHILOSOPHIE.

La défense est faible : on peut trouver aux philosophes bien des faiblesses, et leurs personnes comme leurs doctrines sont loin d'être inattaquables; mais il suffit pour les grandir de les comparer à leurs adversaires. Encore, au début du siècle, avait-on Rollin [1] et Daguesseau [2].

C'est un piètre historien que Rollin, et c'est un médiocre orateur que Daguesseau. Mais au moins ce sont des caractères, ce sont deux grands honnêtes gens, avec leur esprit étroit et obstiné; ils savent souffrir pour le bien. Ils forceront l'estime du parti philosophique : d'autant qu'ils sont trop justes, trop modérés, trop scrupuleux pour être dangereux. Et, contre leur vouloir, tous les deux servent les causes qu'ils abhorrent. Daguesseau, gallican, janséniste, parlementaire, respectueux de la souveraineté royale, fait éclater par sa longue disgrâce, par son exil, l'inutilité de la modération : la moralité de cette noble vie, c'est qu'il n'y a plus de milieu entre la révolte et la servitude, et que le despotisme ombrageux des ministres ne tolère même pas la simple indépendance. Pour Rollin, dans ces histoires anciennes qu'il conte à la jeunesse, il y a du moins une chose que ce vieux martyr du jansénisme, ce doux révolté qui se fit chasser de son collège, casser du rectorat, exclure des assemblées de l'Université, plutôt que d'accepter l'abominable bulle, il y a une chose qu'il voit dans l'antiquité, et il la fait voir, sans se douter combien elle est subversive de l'ordre établi : c'est la raide énergie des âmes, le sacrifice volontaire et répété des intérêts, des affections, des existences à une idée de patrie, de liberté ou de vertu. Le cours d'histoire du bon Rollin, avec sa candide inintelligence du passé et son absence de critique, est un cours de morale républicaine; il insinue dans les âmes des sentiments, un besoin d'action libre et généreuse, qui à la longue leur rendront l'ordre social insupportable. L'honnête Université, offrant Plutarque et Tite-Live à l'admiration des jeunes gens destinés à vivre dans une monarchie absolue, a cultivé en toute simplicité de cœur les ferments révolutionnaires dont la puissance apparaîtra après 1789.

Quand Rollin et Daguesseau ont disparu, je cherche ce qui pourra opposer une résistance aux philosophes : je ne trouve rien. Tout ce qui a l'esprit ouvert et généreux est entamé par leurs

---

1. Charles Rollin (1661-1741), recteur de l'Université en 1694, puis principal du collège de Beauvais, destitué en 1702 pour jansénisme, écrivit dans sa vieillesse le *Traité des Études* (1726, 4 vol in-12), l'*Histoire ancienne* (1730 et suiv., 12 vol. in-12 et l'*Histoire romaine* (1738, 9 vol. in-12) Si les écrivains se classaient selon l'honnêteté, il faudrait le mettre au premier rang : mais si notre affaire n'est pas de décerner des prix de vertu, nous devons nous contenter d'un rapide et respectueux salut. — **A consulter** : Vinet, *ouv. cité*, t. I Ferté, *Rollin, sa vie, ses œuvres*, etc., 1902.

2. H.-F Daguesseau (1668-1751), chancelier, fut exilé en 1718 pour avoir combattu le système de Law, rappelé en 1720, exilé de nouveau en 1722, et ne reprit les sceaux qu'en 1737 *Œuvres complètes*, 1759-1790, 13 vol. in-4; *Lettres inédites*, Paris, 1823, 2 vol. in-8.

doctrines, séduit au moins par quelque portion de leur idéal. Des
hommes tels que le ministre d'Argenson [1], le magistrat La Chalotais, ne sont pas des *philosophes* : ils travaillent à côté d'eux et
dans le même sens. Regardez cet original et puissant marquis de
Mirabeau [2] : je le nomme d'autant plus volontiers qu'il a des
parties de grand écrivain, dans son style âpre, tourmenté, obscur,
débordant d'imagination et de passion. Ce gentilhomme qui
abhorre les « philosophicailleries modernes », qui fait de la religion
la base de la société, qui sollicite du despotisme royal des lettres
de cachet contre fils, femmes et filles, cet homme de vieille roche,
ce dur, cet intraitable féodal est l'ennemi des prêtres, des commis,
des financiers, des courtisans, fait des avances à Jean-Jacques,
bénit Quesnay, ne rêve que progrès, améliorations sociales, bonheur
du peuple, et se fait mettre à Vincennes pour le libéralisme de sa
théorie de l'impôt.

Un autre témoin des tendances de l'esprit public nous instruit
combien dès la première moitié du siècle la philosophie avait de
prise sur les nobles âmes : c'est Vauvenargues, mort en 1747 [3].

Le marquis de Vauvenargues était capitaine au régiment du
roi. Il fit la rude campagne de Bohême, qui ruina sa santé, et
donna sa démission au début de 1744. Il n'avait pas assez de
naissance pour se passer de protecteurs, de fortune ou d'intrigue : et
ces trois moyens de parvenir lui faisaient défaut. L'ambition, pour
tant, le dévorait, une ambition héroïque, née du sentiment de sa valeur
et du désir de la faire servir au bien public. Il renonça à l'espoir
de devenir un jour capitaine de grenadiers, et sollicita un poste
diplomatique. Mais il n'avait pas la platitude banale du solliciteur :
il demandait de façon à honorer le ministre qui l'eût nommé. Le

1. Le marquis d'Argenson (1694-1757), esprit original et libéral, a écrit des *Considérations sur le gouvernement ancien et présent de la France* (Amsterdam, 1764). Il a
laissé des *Mémoires* (édit. Rathery, Soc. de l'Hist. de France, 9 vol. in-8, 1859-67).
— La Chalotais (1701-1785), procureur général au parlement de Bretagne, a laissé des
Comptes rendus des constitutions des Jésuites (1761-1762), un *Essai d'éducation
nationale* (1763) et un *Exposé justificatif* (1766-1767) contre le duc d'Aiguillon, gouverneur de la province, qui l'avait fait emprisonner dans la citadelle de Saint-Malo.
Lettres de La Chalotais au duc d'Aiguillon, par H. Carré, 1892.

2. Victor de Riquetti, marquis de Mirabeau (1715-1789) publia en 1756, *L'Ami
des Hommes*, ou *Traité de la population*; en 1760, *La Théorie de l'impôt.* — **A consulter** : Loménie, *Les Mirabeau*, t. I et II, 1889.

3. **Éditions** : *Œuvres* : éd. P. Varillon, 1929; *Lettres inédites*, éd. C. Saintville,
1934; *Réflexions et Maximes*, éd. J.-R. Charbonnel, 1934; *Œuvres choisies*, éd.
H. Gaillard de Champris. — **A consulter** : Prévost-Paradol, *Moralistes français*,
1864; J. Barni, *Moralistes fr. au XVIIIe s.*, 1873; M. Paléologue, *V.*, 1890;
A. Borel, *Essai sur V.*, 1913; J. Merlant, *De Montaigne à V.*, 1914; P. Richard,
Vie de V., 1930; G. Lanson, *Marquis de V.*, 1930; S. Rocheblave, *V. ou la Symphonie inachevée*, 1934; F. Vial, *Une philosophie et une morale du Sentiment, le
marquis de V.*, 1938; P. Souchon, *V., philosophe de la gloire*, 1947; G. Cavallucci,
V. dégagé de la légende, 1947.

ministre ne le nomma pas, et ne parut disposé à s'occuper de
lui que sur la recommandation de Voltaire. Il était trop tard.
Ayant perdu l'espoir d'être employé, réduit à l'inaction par la
maladie, l'ambition qui bout en lui prend un autre cours, et
tend à la gloire par d'autres efforts. Les lettres apparaissent à
Vauvenargues non seulement comme une consolation de son
impuissance, mais comme une promesse d'immortalité. Il mourut
trop tôt pour avoir eu le temps d'être autre chose qu'un
amateur, ne laissant que quelques écrits d'un talent inégal et peu
mûr, des *Discours*, des *Caractères*, des *Réflexions*, que complète
son émouvante correspondance avec le marquis de Mirabeau et
Fauris de Saint-Vincent.

Vauvenargues n'est pas un moraliste détaché qui observe les
hommes pour les peindre. Jusqu'à la fin, l'action fut son but. Il
n'écrit que pour occuper son loisir, tromper son impatience; et
quand il doit se dire qu'il n'y a pas de rôle pour lui en ce monde,
il écrit le rôle qu'il ne jouera pas : c'est un rêve d'action que toute
sa littérature développe. Ce qui remplit ses ouvrages, ce sont
ses désirs, ses aspirations, ses inclinations, ses dégoûts, ses haines,
ses idées de gloire et de combat. Cette âme tendre, fière, ferme,
généreuse, ambitieuse, n'a jamais parlé que d'elle-même, ou des
autres par rapport à elle-même, et pour déterminer l'action qui
lui donnerait prise sur eux. (App. XXVI.)

Vauvenargues fut un homme de son temps : il eut pour Voltaire
une admiration qui toucha profondément le philosophe, étonné
d'abord d'avoir fait la conquête d'un capitaine d'infanterie, saisi
bientôt de ce qu'il y avait d'intelligence, d'activité, d'énergie dans
ce jeune homme, et découvrant peu à peu toute la noblesse de
cette âme. Plus jeune que Voltaire de vingt ans, Vauvenargues
lui imposa le respect. En revanche, son hommage fut pour Voltaire la première aurore de cette popularité qui aboutit à l'apothéose
de 1778 : il n'allait pas seulement au poète, il allait au philosophe,
au précepteur et au bienfaiteur de l'humanité.

Irréligieux sans tapage et sans raillerie, déiste avec gravité,
Vauvenargues ne connaît d'immortalité que celle de la gloire, et
comme il l'a dit, les hommes, la vie présente sont l'unique fin de
ses actions. Optimiste malgré les déboires de sa vie, il croit à la
bonté de la nature; il estime qu'au total l'effort de l'humanité
tend au bien. Agir est la fin de l'homme, et le prix de bien agir
est donné par l'estime des hommes et de la postérité. Mais l'idée
originale de Vauvenargues, où se résume toute sa philosophie,
c'est le respect des passions. Lui qui a l'air d'un stoïcien, il n'y a
pas de doctrine qu'il combatte plus énergiquement, que l'*ataraxie*
stoïcienne. Il ne se contente pas d'aimer la nature dans ses in-

stincts, qui sont les guides de l'action : il l'aime dans ses passions, où il voit les agents, les ressorts de l'action. Il ne cesse de répéter que les passions qui sont en nous donnent la mesure de notre énergie morale, et que tout le secret de la vertu est de savoir utiliser, diriger, canaliser ces forces naturelles.

Vauvenargues n'a pas eu d'action sur ses contemporains, dont trois ou quatre seulement, Mirabeau, Voltaire, Marmontel, l'ont connu [1]. Mais, tel que ses écrits nous le montrent, nous pouvons l'employer à remplir l'espace qui sépare Jean-Jacques de Fénelon. C'est lui, en effet, lui surtout, dans la première moitié du XVIIIᵉ siècle, qui par la nature tendre et passionnée de son âme, par le rôle qu'il assigne dans la vie au sentiment, à la passion, semble continuer Fénelon et annoncer Rousseau ; et l'on pourrait dire que son rôle a été de *déchristianiser* les idées, les tendances de Fénelon. Cependant il faut bien entendre que je n'établis pas là une transmission d'influences, mais seulement des affinités de nature.

2. LA LUTTE PHILOSOPHIQUE.

Deux journaux firent une guerre acharnée à la philosophie : les *Nouvelles ecclésiastiques* parlaient au nom du jansénisme ; le *Journal de Trévoux* était l'organe des jésuites. C'était des deux côtés, sous des formes plus âpres ou plus doucereuses, même étroitesse d'esprit, même inintelligence des besoins intellectuels du temps, même indigence de talent et d'éloquence, que ne compensaient pas suffisamment la violence et la malignité. Les évêques intervenaient de leur personne, et par leurs mandements tâchaient de barrer la route aux mauvaises doctrines : mais l'épiscopat n'avait plus de Bossuet ni même de Massillon ; et Le Franc de Pompignan, l'honnête évêque du Puy, Montazet, l'académique archevêque de Lyon, Beaumont, l'intempérant archevêque de Paris, ajoutez-y tous les Boyer, les Languet, les Montillet, ne pesaient pas, à eux tous, le poids des seuls Voltaire et Rousseau.

Le Parlement n'avait guère plus de force conservatrice que l'épiscopat : le zèle aveugle de ses magistrats le discréditait sans sauver la religion ni la société ; les Gilbert de Voisins, les Omer de Fleury, les Séguier, toujours prêts à requérir contre les *Lettres anglaises*, l'*Encyclopédie*, le *Bélisaire*, l'*Émile*, comme contre l'inoculation, le jésuitisme et l'ultramontanisme, avilirent leur compagnie par

1. A. Bayet et F. Albert, *Écriv. polit. du XVIIIᵉ s.*, 1904 ; M. Roustan, *Philos. et soc. fr. au XVIIIᵉ s.*, 1906 ; D. Mornet, *Orig. intellect. de la Rév. fr.*, 1933 ; P. Hazard, *Pensée europ. au XVIIIᵉ s.*, 1946.

le ridicule qui s'attache aux violences impuissantes; ils décuplèrent
la puissance des œuvres qu'ils faisaient brûler au pied du grand
escalier de leur palais. Il y avait aussi les ministres et le roi : des
lettres de cachet envoyaient à la Bastille, à Vincennes, au For-
l'Évêque, Voltaire, Diderot, Marmontel, Morellet, Beaumarchais :
douces et commodes prisons qui donnaient à peu de frais la gloire
du martyre! L'autorité se détruisait par ses inconséquences : on
cajolait aujourd'hui celui qu'hier on emprisonnait.

Enfin toutes les forces qui devaient concourir à la défense de
l'ordre religieux et politique étaient divisées . les jansénistes
tiraient sur les jésuites, le Parlement faisait échec à la royauté;
dans ces discordes, il était rare que les philosophes n'eussent pas
quelqu'un avec eux. Voltaire avait la joie de voir des *Actes du
clergé*, qui le prenaient à partie, brûlés par arrêt du Parlement
(1764) : ces actes choquaient aussi le jansénisme de nos magistrats. Choiseul flattait les philosophes en s'appuyant sur les Parlements, et liguait pour un moment l'irréligion rationaliste avec le
fanatisme janséniste contre les jésuites. Un peu plus tard, les
Parlements trouvaient Voltaire contre eux du côté du ministère.
Nombre de prélats grands seigneurs se désintéressaient de la
défense de l'Église, coquetaient avec ses ennemis, dont l'esprit
amusait leur esprit, tandis que d'autres ne songeaient qu'à jouir
de la liberté du siècle Souvent, d'autre part, les intentions oppres-
sives du pouvoir civil étaient neutralisées par la politesse des
agents, qui semblaient s'excuser de faire leur devoir par la façon
dont ils le faisaient : des lieutenants de police, des commis de
ministère, des censeurs royaux, des intendants, des avocats généraux, des conseillers de Parlement étaient gagnés aux idées des
philosophes, se faisaient protecteurs de leurs personnes, atté-
nuaient le danger de leurs publications. Un Malesherbes à la direction de la librairie, c'était [presque] la liberté de la presse [1].

Autour des organes officiels et des corps constitués, une foule
d'individus faisaient la guerre de partisans : en général, ils déployè-
rent plus d'animosité que de talent. D'inoffensifs savants, Larcher,
Foncemagne, Guénée, purent avoir raison sur des points particuliers, sans avoir d'influence sur le mouvement général des esprits.
Desfontaines, dans ses *Observations*, Fréron, dans son *Année littéraire*, s'accrochèrent presque au seul Voltaire, y usèrent ce qu'ils
avaient d'esprit, de sens, d'honnêteté même, sans autre résultat
que de l'amener à s'avilir un peu dans des polémiques injurieuses.
Le Président Hénault, homme de confiance de la dévote reine,

---

1. **A consulter** : Brunetière. *Études critiques*, t. II; les *Correspondances* et les
Mémoires du temps; *Mémoires* de Marmontel, *Correspondance* de Voltaire, etc.

ménageait les philosophes sans les aimer, et ils le ménageaient
en s'en défiant. L'excellent Pompignan, le poète, ne réussit qu'à
se faire donner un ridicule immortel, universel. Celui qui eut le
plus de talent, qui marqua inexorablement toutes les petitesses
des philosophes dans ses âcres satires, Gilbert, obtint la faveur de
la cour, des pensions, un nom littéraire qui n'est pas encore
oublié : il n'eut aucune prise sur l'esprit public. Palissot, médiocre
auteur et assez plat personnage, fit plus de bruit, ayant agi par le
théâtre : instrument d'une pieuse coterie, il fit jouer en mai 1760
ses *Philosophes*, où Diderot, Rousseau, Mme Geoffrin étaient personnellement ridiculisés, où Helvétius, Duclos étaient attaqués
dans leurs œuvres. Ce fut une grande clameur dans le camp philosophique, mais Palissot avait eu l'adresse de cajoler Voltaire,
qui vit avec indulgence les coups pleuvoir à côté de lui, sur ses
amis et leurs doctrines. Il leur offrit seulement la consolation de
se venger sur Fréron et d'applaudir dans l'*Écossaise* des personnalités plus injurieuses que celle des Palissot.

L'année 1760, avec ses deux grandes journées théâtrales, marque
le moment où la lutte est le plus envenimée. Le parti philosophique s'est organisé, discipliné ; il a ses chefs, ses mots d'ordre, il
manœuvre d'ensemble, docilement ; opposant intolérance à intolérance, fanatisme à fanatisme, exclusif, étroit, violent, comme
les adversaires qu'il combat, il a pris pied à l'Académie française
avec Dalembert, qui peu à peu l'y installe, et la lui asservit. Enfin
la grande machine qui devait faire triompher la raison, l'*Encyclopédie*, se construisait[1]. Suspendue pendant dix-huit mois après
l'apparition des deux premiers volumes, puis reprise et menée
avec ardeur, la publication de l'*Encyclopédie* venait d'être arrêtée
de nouveau par le Parlement (1757) : l'un des deux directeurs de
l'entreprise, Dalembert, ami de son repos, s'effrayait, se retirait ;
ni Diderot ni Voltaire ne pouvaient le faire revenir sur sa décision.
Diderot s'entêtait : il forçait au bout de huit ans les résistances
de l'autorité (1765), remettait l'édition en bon train avec une permission tacite, intéressait à l'entreprise Mme de Pompadour,
Richelieu, Bernis, Choiseul, Malesherbes, Turgot, atténuait l'effet
fâcheux de la désertion de son collaborateur, abattait à lui seul
une effrayante besogne, écrivait, commandait, arrachait les articles nécessaires, et finissait par vaincre. Le dernier volume de
l'*Encyclopédie* paraissait en 1772 : les tables et les additions étaient
achevées en 1780. En peu de temps l'édition était enlevée en France
et contrefaite à l'étranger.

L'idée première, comme le succès final, était due à Diderot. Des
libraires avaient pensé à une publication sur le modèle de l'*Ency-*

1. L. Ducros, *les Encyclop.*, 1900, in-8 ; Le Gras, *Diderot et l'Encycl.*, 1928.

clopédie anglaise de Chambers : mais ce fut Diderot qui conçut
l'efficacité philosophique de l'entreprise. Il marqua dans son *pro-*
spectus, qu' « en réduisant sous la forme de dictionnaire tout ce
qui concerne les sciences et les arts, il s'agissait de faire sentir les
secours mutuels qu'ils se prêtent, d'user de ces secours pour en
rendre les principes plus sûrs et leurs conséquences plus claires;
d'indiquer les liaisons éloignées ou prochaines des êtres qui composent la nature, et qui ont occupé les hommes,... de former un
tableau général des efforts de l'esprit humain dans tous les genres
et dans tous les siècles ». Il croyait que « la vraie philosophie »
était assez développée pour mener à bien cette vaste entreprise.

N'ayant point encore une grande notoriété, il s'associa un mathématicien déjà illustre, membre de l'Académie des sciences, Dalembert, qui, dans une *Préface* fameuse, donna une classification des
sciences, avec une vue d'ensemble de leur genèse successive et de
leurs principaux progrès. Mais deux hommes ne suffisaient pas
encore : Diderot fit appel à toutes les bonnes volontés, à toutes les
compétences , Voltaire, Montesquieu, Buffon, Condillac, Duclos,
Marmontel, Helvétius, Raynal, Turgot, Necker, des magistrats, des
officiers, des ingénieurs, des médecins, des gens du monde, tout
le ban et l'arrière-ban des écrivains, des philosophes, des savants,
des économistes, gens à talent et sans talent, envoyèrent des
articles. Ce fut un incroyable fatras, une *Babel*, disait Voltaire;
il y eut d'excellentes choses à côté de dégoûtantes platitudes.
Des jésuites, des jansénistes essayèrent d'insinuer les contrepoi-
sons au milieu des poisons. Diderot veilla à tout : il maintint
l'unité générale de l'intention philosophique à travers la diversité
des sujets particuliers, l'incohérence des opinions individuelles.
Par lui, l'*Encyclopédie* resta ce qu'il l'avait destinée à être :
un tableau de toutes les connaissances humaines, qui mit en
lumière la puissance et les progrès de la raison; une apothéose
de la civilisation, et des sciences, arts, industries, qui améliorent
la condition intellectuelle et matérielle de l'humanité. Ce fut une
irrésistible machine dressée contre l'esprit, les croyances, les
institutions du passé. Au fond l'avocat général Omer de Fleury
ne se trompait pas tant quand il dénonçait au Parlement les Encyclopédistes comme « une société formée pour soutenir le matérialisme, pour détruire la religion, pour inspirer l'indépendance, et
nourrir la corruption des mœurs ».

Transposons ces termes violents en langage impartial · il est
très vrai que l'*Encyclopédie* fit des philosophes un parti, et des
idées individuelles un corps de doctrine. Elle fut la *Somme* de la
philosophie rationnelle, et elle la vulgarisa en la rassemblant.
Elle fournit d'opinions, de solutions, de plans, d'espérances sur

tous les objets de la pensée, sur toutes les parties de la société, les hommes qui adhéraient seulement à ce principe général, que la raison est toute-puissante et doit être souveraine.

3. QUELQUES PHILOSOPHES.

L'*Encyclopédie* s'ajouta aux efforts individuels et leur donne plus d'efficacité. Mais, tandis que plus ou moins péniblement, à intervalles plus ou moins longs, ses lourds in-4° s'abattaient sur l'ignorance et les préjugés, les principaux collaborateurs suivaient chacun leur direction, manifestaient leur tempérament, combattaient, instruisaient dans leurs œuvres personnelles.

Nous devrons nous arrêter à Diderot, à Voltaire, à Buffon. Il y a quelques-uns de leurs contemporains qui eurent leur heure de gloire ou de tapage. Leurs personnes presque toujours sont plus intéressantes, plus *représentatives*, que leurs écrits; et l'historien de la société a plutôt affaire à eux que l'historien de la littérature. C'est le cas de Dalembert [1], mathématicien illustre, esprit indépendant, au-dessus de l'ambition et de l'intérêt, ami de son repos jusqu'à l'égoïsme, et jusqu'à renoncer à l'expression publique de ses idées, excitant les autres sous main à se compromettre, et gardant lui-même un silence prudent : critique étroit, fermé à l'art, à la poésie, philosophe intolérant, affolé de haine contre la religion et les prêtres; écrivain lourd et pâteux, sans tact, d'une inélégance innée, et d'une sécheresse qui se dissimule mal par l'emphase et la fausse noblesse. Son œuvre littéraire paraît mince aujourd'hui, et ira, je crois, s'amoindrissant de jour en jour.

C'est le cas aussi de l'universel et médiocre Marmontel [2], l'auteur de *Bélisaire* et des *Incas*, deux insipides romans qui, en attirant sur lui les rigueurs de la Sorbonne et du Parlement, en firent un moment le représentant de la philosophie. Il fut le principal rédacteur des articles littéraires de l'*Encyclopédie*, ni les connaissances ni le goût ne lui manquaient; et le recueil de ces articles, qui forme les *Éléments de littérature*, est l'expression la meilleure que nous ayons du goût moyen du XVIIIe siècle. L'absence de génie est ici une garantie d'exactitude. Mais il n'y a en somme qu'une œuvre de Marmontel qui appartienne aujourd'hui à ce que j'ap-

1. Jean le Rond, dit Dalembert (vers 1717-1783), enfant trouvé qui était fils de Mme de Tencin, fut membre à vingt-trois ans de l'Académie des sciences. Il entra à l'Académie française en 1754, et en devint *secrétaire perpétuel* en 1772. Il refusa les offres de Catherine et de Frédéric. *Œuvres littéraires*, 1821; *Disc. préliminaire de l'Encyclopédie*, éd. L. Ducros, 1895; Picavet, 1894. — Cf. Condorcet, *Éloge de d'A.*, 1784; J. Bertrand, *d'A.*, 1889; M. Muller, *Philosophie de d'A.*, 1926.

2. J.-F. Marmontel (1723-1799). *Mémoires*, Tourneux, 1891. — Lenel, *M.*, 1902.

pellerais la littérature vivante : ce sont ces *Mémoires* si naïfs, où
il nous décrit sa carrière de beau gars limousin lancé à travers la
plus libre société qui fût jamais, où il promène avec un si parfait
contentement de soi-même sa robuste médiocrité parmi les cercles
les plus distingués de ce siècle intelligent : corps, esprit, moralité,
tout est solide, massif, insuffisamment raffiné chez ce *paysan parvenu* de la littérature.

Les livres d'Helvétius [1] et de l'abbé Raynal [2] sont des œuvres
mortes : ils n'eurent jamais qu'une valeur extrinsèque, qu'ils
empruntèrent aux passions de parti. Helvétius, très honnête
homme et très bienfaisant, réduisait toute la morale à l'intérêt
bien entendu. Il faisait dépendre tout le progrès de l'humanité,
tout le développement de la civilisation de la conformation de nos
organes; et par une inconséquence singulière il croyait à la toute-
puissance de l'éducation : il estimait que tous les esprits sont à
peu près égaux, et que toutes les différences intellectuelles résultent de l'inégalité de culture; or, si l'on ramène tout au physique,
c'est le contraire qui est vrai; il n'y a pas d'éleveur qui croie que,
pour avoir un bon étalon, il suffit de bien nourrir n'importe quel
poulain. Raynal est au-dessous d'Helvétius : il a fait un livre à
tiroirs, d'où s'échappent à tous propos toutes sortes de déclamations contre Dieu, la religion et le gouvernement; il invitait ses
amis à lui en apporter, et Diderot s'est fait son fournisseur.

D'Holbach [3] vaut mieux. Ce baron allemand qui traitait les philosophes, peut n'être qu'un écho : c'est un écho intelligent. Il a
compris les idées qui s'échangeaient à sa table; la façon dont il
les réduit en système le prouve. Négation de la métaphysique,
souveraineté des lois physiques, déterminisme, évolution, progrès,
nécessité et efficacité de l'expérience, réduction de la conscience
morale à une disposition organique héréditaire que modifient les
habitudes et les sensations, en théorie poursuite de la jouissance,
en pratique accomplissement du bien : voilà les principales idées
que met en lumière la forte unité du fameux livre de d'Holbach.

Condillac [4] est le philosophe des philosophes. C'est un grand et

---

1. Claude Helvétius (1715-1771), fermier général, et maître d'hôtel de la reine;
De l'esprit, 1758, in-4; *De l'homme*, 1772, 2 vol. in-8. *Les plus belles pages*, 1909.
— **A consulter** : Keim, *Helvétius, sa vie et son œuvre*, 1907. — Helvétius, médiocre
littérateur, marque dans l'histoire des idées. Il a eu l'idée des *sciences morales*,
c'est-à-dire de traiter les choses morales par les méthodes des sciences physiques
et naturelles. L'entreprise était au-dessus de son esprit et de son temps : mais il
est un des ancêtres du positisme anglais et français du XIXe siècle (11e éd.).
2. L'abbé Raynal (1713-1796) : *Histoire philos. et polit. des établissements des
Europ. dans les Deux Indes*, 1780. Cf. Feugère, *Un précurseur, R.*, 1922.
3. D'Holbach (1723-1789) : *le Christian. dévoilé*, 1756; *Système de la nature*, 1770.
R. Aubert, *D'H. et ses amis*, 1928; Naville, *D'H. et la philos. scient. du XVIII[e]s.*, 1943.
4. L'abbé de Condillac (1714-1780), précepteur du prince de Parme. *Essai sur*

lucide esprit qui ne prit point de part aux polémiques violentes
du temps. Son œuvre, comme celle de Descartes au XVIIe siècle,
est l'expression philosophique du même esprit qui a produit la
littérature du temps. Il évite, comme Voltaire, les négations
extrêmes : il ne professe ni athéisme ni matérialisme. Il fait seulement dériver toutes les idées des sensations, sur lesquelles l'esprit
travaille, qu'il clarifie, compare, abstrait, simplifie, généralise, dont
il extrait à la longue des séries infinies de raisonnements rigoureux et limpides. On saisit dans sa méthode à la fois la force et
la faiblesse de l'esprit du XVIIIe siècle, encore trop adonné à
l'analyse. Condillac n'enseigne point à observer les faits, base de
la science, il n'indique pas les moyens de les vérifier, de les interpréter. Il n'opère que sur les idées, quelles qu'elles soient, et de
quelque façon qu'elles aient pénétré dans l'esprit de l'homme. Et
c'est précisément le défaut général de tous les penseurs du temps,
de ne point assurer suffisamment les principes de leurs raisonnements, d'ignorer, de mépriser, de mal voir les faits, de supposer
constamment la réalité adéquate à leur idée. En revanche, ce sont
d'incomparables raisonneurs; et le fort de Condillac est justement
l'art de raisonner. Avant tout il est logicien. Il nous enseigne à
nous faire du monde extérieur des idées claires, précises, ordonnées. Il nous fait suivre la genèse naturelle des idées, le développement parallèle des signes, et nous montre dans le langage « un
merveilleux instrument d'analyse », qui, par ses termes abstraits
où se rassemblent des collections d'idées, par son mécanisme où
s'expriment des séries de rapports, facilite de plus en plus la tâche
de l'esprit [1]. Les opérations de la pensée sont une algèbre, dont
les mots sont les signes. Les jugements sont des équations, et les
termes qu'on assemble sont des objets abstraits, idéaux : nulle
part on n'aperçoit mieux que chez Condillac pourquoi l'esprit français au XVIIIe siècle élimine si souvent toute réalité concrète, les
formes par conséquent de la vie et la matière de l'art, et pourquoi
la poésie ne peut plus être qu'un jeu intellectuel, réglé par des
conventions arbitraires. (App. XXVII.)

Le parti encyclopédiste était assez vaste pour englober les tendances individuelles les plus inconciliables, Mably par exemple
et Turgot. L'abbé de Mably, frère de Condillac, eut une influence
limitée, mais sérieuse et durable : il s'était attaché aux sciences
sociales et politiques; dépassant Rousseau qu'il avait devancé, il
développe hardiment des théories communistes. Rien n'était plus

---

l'origine des connaissances humaines, 1746, 2 vol. in-12; *Traité des sensations,*
1754, 2 vol. in-12; *Œuvres philos.,* éd. G. Le Roy, 1947. — **A consulter :** Taine,
Philosophes classiques, chap. I; G. Lebeau, *C. économiste,* 1903.

1. Je ne fais guère ici que résumer une page de Taine.

contraire aux doctrines libérales et individualistes du groupe économiste auquel appartenait Turgot [1].

Les misères et l'oppression du peuple, à la fin du règne de
Louis XIV, avaient excité des *patriotes* tels que Vauban et Boisguilbert à chercher, en dehors de toute doctrine politique et de toute
intention révolutionnaire, les moyens d'améliorer l'état matériel
du royaume. Ces études faisaient encore l'objet principal du Club
de l'Entresol, où l'on rencontre l'abbé de Saint-Pierre et le marquis
d'Argenson. Quesnay, ce médecin de Louis XV dont la hauteur de
pensée imposait le respect même au roi, s'y appliqua ensuite et fut
le fondateur de l'école économique, à laquelle se rattachent des
esprits aussi divers que le marquis de Mirabeau et Turgot. J'ai parlé
de l'*Ami des hommes*, qui avait voué un culte à Quesnay. Turgot [2] fut
un des plus nobles esprits du temps. Il renonça à l'assurance d'une
grande fortune ecclésiastique, *pour ne point se condamner toute sa
vie à porter un masque sur le visage.* Il ne devint pas pourtant
ennemi du christianisme. Il prenait cette position, originale en son
temps, de respecter le christianisme en n'obéissant qu'à la raison.
Il estimait que toutes les religions ont droit à la tolérance pourvu
qu'elles ne choquent point la morale. Il ne poussa point à démolir
la société : il se contenta de travailler à l'améliorer. Il avait em-
brassé toutes les parties du gouvernement et de la vie nationale :
administration, finances, industrie, commerce, éducation, il avait
tout étudié avec un esprit philosophique, sans rechercher la nouveauté ni respecter la tradition, uniquement mû par l'amour de
l'humanité et réglé par la considération du possible.

Si l'*Encyclopédie* pouvait contenir à la fois des athées et des
déistes, des révolutionnaires et des modérés, des communistes et
des individualistes, c'était au nom de son principe : la souveraineté de la raison. Tout ce qui la reconnaissait était de la maison.
Nous pouvons donc négliger toutes les divergences de doctrine et
les incompatibilités d'humeur : ce qui lie le parti, et caractérise le
mouvement philosophique, c'est la foi dans la raison. En ce sens,
l'œuvre où aboutit toute la pensée du siècle, c'est la fameuse
Esquisse de Condorcet [3]. Proscrit, Condorcet gardait toute sa séré-

---

1. L'abbé de Mably (1709-85) : *le Droit public de l'Europe*, 1748, 2 vol. in-12; *Entretiens de Phocion, sur le rapport de la morale avec la politique*, 1763, in-12; *Doutes
proposés aux philosophes économistes*, 1768, in-12; *Observations sur le gouvernement
et les États-Unis d'Amérique*, 1784, in-12; *Œuvres*, éd. Arnoux, 1794. Cf. W. Guerrier, *L'Abbé de M.*, moral. et polit., 1886.

2. **Biographie.** Jacques Turgot (1727-1781), prieur de Sorbonne en 1749, quitte
l'Église en 1751. Conseiller au Parlement en 1757, il collabore à l'*Encyclopédie*.
Intendant à Limoges en 1761, ministre du 24 août 1775 au 12 mai 1776. —
Éditions : *Œuv. compl.*, édit. Schefl, 1913; *Corresp. inéd. de Turgot et Condorcet*, 1882.
— **A consulter :** L. Say. *Turgot*, 1887. Cf. G. Weulersse, *Le Mouv. physiocrat.*, 1913.

3. Le marquis de Condorcet (1743-1794), mathématicien, économiste et philo-

nité, toutes ses espérances; il traçait rapidement le tableau des progrès de la raison, retardés en vain par les tyrans et les prêtres, et donnait un aperçu des belles destinées que sa victoire promettait à l'homme, indéfiniment perfectible. [S'il y a bien de la candeur et de la chimère dans cet optimisme, l'ouvrage est une esquisse vigoureuse de l'histoire de la culture humaine; le parti pris n'exclut pas l'intelligence. Condorcet est un grand esprit].

On aimerait à s'arrêter sur d'Holbach, Condillac, Turgot, Condorcet : nous sortons d'eux autant que de Voltaire, de Diderot, de Rousseau, de Buffon. Mais leur mérite littéraire est loin d'être toujours égal à la valeur de leurs idées. Il me faut laisser tous ces représentants de la philosophie du dernier siècle, pour regarder seulement les grands littérateurs, ainsi replacés dans leur milieu.

sophe, éditeur des *Pensées de Pascal* (1776), auteur d'une *Vie de Turgot* (1786) et d'une *Vie de Voltaire* (1787), membre de l'Assemblée législative, puis de la Convention, fut proscrit comme girondin, et s'empoisonna en 1794. Il écrivit, pendant qu'il se tenait caché, l'*Esquisse d'un tableau historique des progrès de l'esprit humain*. — **Éditions** : *Œuvres*, 1847-49; *Tableau historique du Progrès de l'Esprit humain*, éd. O. H. Prior, 1933. — **A consulter** : Picavet, *Les Idéologues*, 1901; L. Cahen, *C. et la Révolution fr.*, 1904; E. Caillaud, *Idées économiques de C.*, 1909; H. Delsaux, *C. journaliste*, 1924.

CHAPITRE II

DIDEROT

1. L'homme. — 2. Les idées de Diderot : son retour à la nature. Athéisme; instinct; science. — 3. L'art de Diderot. Impressionnisme. Lyrisme. Substitution d'idéal : le *caractère*, au lieu de la *beauté*. — 4. Les *Salons*, et leur importance littéraire.

1. CARACTÈRE DE DIDEROT.

« La tête d'un Langrois est sur ses épaules comme un coq au haut d'un clocher : elle n'est jamais fixe dans un point; et si elle revient à celui qu'elle a quitté, ce n'est pas pour s'y arrêter. Avec une rapidité surprenante dans les mouvements, dans les désirs, dans les projets, dans les fantaisies, dans les idées, ils ont le parler lent. Pour moi, je suis de mon pays; seulement le séjour de la capitale et l'application assidue m'ont un peu corrigé. » Denis Diderot[1], Langrois devenu Parisien, s'était corrigé en effet, mais non pas de la façon qu'il croyait. Son esprit avait gardé la promptitude à virer : mais il avait égalé l'impétuosité de son élo-

---

1. Biographie : Denis Diderot (1713-1784) refusa de prendre une profession pour s'adonner à la littérature, donna des leçons, fit des travaux de librairie, vécut misérablement souvent, jamais régulièrement, fut chargé en 1745 de la direction de l'*Encyclopédie*, dont le premier volume parut en 1751. Cependant il avait été mis à Vincennes en 1749 pour sa *Lettre sur les aveugles à l'usage de ceux qui voient*. Il ne put entrer à l'Académie : le roi ne voulut pas de lui. Catherine lui acheta sa bibliothèque, dont elle lui laissa l'usage avec un traitement de bibliothécaire. Diderot alla la remercier à Saint-Pétersbourg. Cf. sur le théâtre de Diderot, p. 661-663.

Édition : Éd. Assézat et Tourneux, 1875-1879, 20 vol; *Neveu de Rameau*, éd. Fabre, 1950; *Pensées philos.*, éd. Niklaus, 1950; *Lettres à Sophie Volland*, éd. Babelon, 1938; *Suppl. au Voy. de Bougainville*, éd. Chinard, 1935. **— A consulter :** Brunetière, *Études critiques*, II; Ducros, 1894; Reinach, 1894; Collignon, 1895; Hermand, *Idées morales de D.*, 1923; M. Busnelli, 1925; Thomas, *Humanisme de D.*, 1938; Gillot, 1937; Venturi, *Jeunesse de D.*, 1939; Pommier, *D. avant Vincennes*, 1939; Seillière, 1944; Billy, 1932, *Vie de D.*, 1944; Mornet, 1941.

cution à la rapidité de sa pensée. Il est bavard, conteur, conseil-
leur, raisonneur. Ce fils d'un petit coutelier de Langres n'a jamais
été du monde : il a étalé dans les salons que sa renommée lui
ouvrait, des façons débraillées, vulgaires, mais de toutes les convenances mondaines, s'il y en a une qu'il a bien foulée aux pieds,
c'est celle qui bride la langue. Gros mangeur, gourmand, il ne
nous fait pas grâce de ses indigestions : il est plein de son sujet,
il faut qu'il parle. Il a la gaieté du peuple, énorme, ordurière;
où qu'il soit, devant n'importe qui, il faut qu'il lâche les sottises
qui bouillonnent dans sa tête : il faut qu'il parle. Il a la franchise
du peuple, celle de l'Auvergnat de Labiche plutôt que de l'Alceste
de Molière : il jette au nez des gens leurs vérités; il les pense, elles
jaillissent : il faut qu'il parle. Il a des amis, qu'il voit agir, faire
des projets, arranger leur vie : il se jette à travers leur existence,
à travers leurs plus intimes sentiments, conseillant, disposant,
indiscret, impérieux; c'est la corneille qui abat des noix; et voilà
comment il se brouille avec Rousseau : il veut le retenir à Paris,
l'envoyer à Genève; il décide, il dirige; il faut qu'il parle.

Bonhomme au reste, obligeant, généreux, tout plein de bons
sentiments, bon fils, bon frère, bon père, bon mari même, à la
fidélité près, bon ami, chaud de cœur, enthousiaste, toujours prêt
à se donner et se dévouer : à condition seulement qu'il puisse
s'épancher librement, toujours heureux de se mettre en avant,
d'être d'une négociation, d'une affaire où il y ait à brûler de l'activité, à évaporer de la pensée en paroles. C'est le moins égoïste,
le plus désintéressé des hommes, pourvu qu'il se dépense. Il a
traversé son siècle, constamment dans la fièvre, emballé, débordant, jamais las, grisé de l'incessante fermentation de son cerveau; et plus il disait, plus il avait à dire.

Sa robuste organisation fournissait à toutes les dépenses. C'était
un étourdissant causeur; sa conversation était un feu d'artifice,
où l'on voyait passer avec une vertigineuse rapidité images, idées,
polissonneries, sciences, contes, métaphysique, rêves fous, hypothèses fécondes, divinations étonnantes Au coin du feu dans son
logis de la rue Taranne, au café de la Régence, à la Chevrette chez
Mme d'Épinay, au Grandval chez le baron d'Holbach, Diderot
était toujours prêt, toujours chauffant, partant sur un mot, sur un
signe. Et quand il avait bien conté, disputé, crié, il lui restait du
surplus qui ne s'était pas donné passage : il prenait la plume, et
continuait la conversation tantôt avec le même interlocuteur,
tantôt avec un autre; il écrivait à Falconet ou à Mlle Volland.
Et ces causeries et ces lettres, ce n'était que son trop-plein qui
s'écoulait. J'aurais dit que cela le délassait de ses livres, si ses
livres l'avaient lassé.

Mais il a écrit comme il parlait, facilement, gaiement, sans fatigue et sans relâche : cela *purgeait* son esprit, comme eût dit Aristote. Aussi ne peut-on parler ici de labeur artistique, de lente élaboration, de composition savante et réfléchie : toutes ces simagrées ne sont pas sa manière. Écrire ou parler est une fonction naturelle pour lui ; il n'y fait pas de façon, il se soulage, et il y a de l'impudeur vraiment dans son naturel étalé, dans son improvisation à bride abattue ; tous les endroits lui sont bons, et toutes les occasions. Il s'est attelé à l'*Encyclopédie*, et comme il veut la mener à bon port, il baisse le ton. Rien ne nous permet mieux de mesurer l'énergie déployée par Diderot dans cette affaire, que ce miracle opéré en lui par le désir de réussir : il a tâché d'être décent, de ne rien lâcher sur le gouvernement ou la religion qui fît par trop scandale. Mais aussi comme la langue lui démangeait pendant qu'il travaillait si sagement ! comme cette besogne l'excitait ! Tout ce qu'il n'avait pas pu dire dans ses articles, il le jetait dans d'autres ouvrages ; ce n'était pas pour la gloire, ni pour le gain qu'il écrivait : c'était pour lui, pour évacuer sa pensée. Il publiait ses *Pensées sur l'Interprétation de la nature*, ses drames, son *Entretien d'un philosophe avec la maréchale de* ***, etc. : mais son *Rêve de Dalembert*, son *Supplément aux voyages de Bougainville*, son *Paradoxe sur le Comédien*, sa *Religieuse*, son *Jacques le Fataliste*, son *Neveu de Rameau*, c'est-à-dire le meilleur et le pire, le plus caractéristique en tout cas de son œuvre, tout cela est resté enfoui dans ses papiers. C'était écrit ; il n'en fallait pas plus à Diderot, il avait tiré de son œuvre le plaisir qu'il en attendait. Avec la même indifférence, il semait de ses pages dans les livres de ses amis un traité de clavecin de Bemetzrieder, une histoire de l'abbé Raynal, une gazette de Grimm, tout lui était bon ; l'essentiel, pour lui, c'était d'écrire, y mettre son nom n'aurait rien ajouté à son plaisir ! Et, au bout de trente ans de cette effusion sans relâche, je ne garantis pas que Diderot ne soit pas mort avec le regret d'avoir gardé quelque chose d'inexprimé dans son esprit.

Cette intense restitution de pensée était le résultat d'une active absorption ; sa puissante machine toujours sous pression et qui produisait un travail incessant devait être largement alimentée. Diderot n'est point un génie créateur, apte à tirer un monde de soi ; il est loin de Descartes, loin même de Rousseau. Cela l'oblige d'être un savant et un curieux. M. Faguet l'a très bien dit, il est au courant d'une foule de choses dont la connaissance n'était pas commune en son temps. Quand on s'en tient aux faciles raisonnements de Locke, quand nos gens qui ne s'effraient guère reculent devant Spinoza, non pas devant la hardiesse, mais devant la profondeur de sa doctrine, et craignent de s'y casser la tête.

Diderot, sans façon, sans fracas, s'assimile le dur, le grand système de Leibniz : et il n'y a pas d'autre raison, je le crois bien, qui lui ait donné en France la réputation d'être une tête allemande. Il a fait des mathématiques, il a fait de la physique, il a fait de l'histoire naturelle, il connaît les plus récentes hypothèses, les expériences les plus suggestives des sciences qui actuellement se constituent et s'étendent. Il connaît la peinture, la musique : je ne dis pas qu'il n'en raisonne un peu à tort et à travers ; mais jamais le défaut de connaissances précises ou techniques n'est la source de ses déviations de jugement. En littérature, il a la plus vaste lecture, il regarde l'étranger, et il sait le xviie siècle. Il sait aussi beaucoup sur l'antiquité, et ce ne sont pas de vagues impressions d'une lecture rapide ; il voit le détail, il cherche l'exactitude ; s'il lit Horace, il le lit en philologue, en poète, en historien ; s'il lit Pline, il le lit toujours en philologue, mais en peintre, en archéologue, en chimiste ; il prend chaque ouvrage du côté dont un homme de métier le prendrait, avant d'y appuyer ses rêveries personnelles.

Ainsi procède Diderot : sa fécondité n'est pas spontanée. Il a besoin qu'un choc du dehors mette en mouvement les tourbillons de sa pensée, il ne peut donner lui-même la chiquenaude. Mais vienne la chiquenaude : voilà tout en branle ; la machine siffle, fume, crache, craque ; on est stupéfait de la disproportion de son action vertigineuse et de son infernal tapage avec le simple geste qui leur a donné naissance. Ainsi Diderot trouve dans Sterne une demi-page qui l'amuse : il part là-dessus, et déroule les trois cents pages de *Jacques le Fataliste*. Je ne sais s'il a jamais rien fait qui ne soit à l'occasion de quelque chose, et comme une immense réaction de son être contre une impression extérieure. Mais, dira-t-on, n'en est-il pas toujours ainsi ? Non : car d'abord, chez Diderot, le choc n'est pas une émotion quelconque, un fait de son expérience, c'est le choc d'une pensée qui a essayé de se traduire par la parole ou l'art ; puis le détachement de la cause extérieure et de sa pensée interne ne se fait pas ; son œuvre, si vaste qu'elle soit, reste, si je puis dire, épinglée en marge du livre d'autrui ; Diderot est un étourdissant commentateur, plus intéressant souvent que son texte. Il excelle à refaire les livres d'autrui : il est incapable de les juger. Pendant qu'il a l'air d'écouter, il a pris le point de départ où l'a placé l'auteur, et il voyage pour son compte : quand vous avez fini, il vous dit le livre qu'il aurait fait à votre place, et c'est sa façon d'entendre la critique. Dans la conversation, il est le même : de tout ce que vous lui dites en deux heures, il entend une chose, une seule ; il la prend, la travaille, la grandit ; votre toute petite pensée devient un gros système, et qui vous

révolte parfois, ou vous épouvante. Voilà le mécanisme mental
de Diderot : spontanéité médiocre, réactions prodigieuses.

2. LES IDÉES DE DIDEROT.

Encyclopédie à part, Diderot n'est guère moins considérable dans
le xviiie siècle que Voltaire et Rousseau. Avant Rousseau, et quand
Voltaire était encore tout ligotté de préjugés, de vanités, d'ambitions mondaines, Diderot s'était franchement déclaré l'homme de
la nature. Et voici ce que la nature était pour lui.

Elle était — elle fut du moins de bonne heure — l'athéisme.
Dieu n'est pas dans la nature. Il ne saurait y être, et on n'y a que
faire de lui. Le monde est un vaste billard, où une infinité de billes
roulent, se croisent, se choquent, formant un inextricable réseau
de mouvements nécessaires, qui ne s'épuisent jamais. Mais la
morale? Elle n'en souffrira pas. « Ne pensez-vous pas qu'on peut
être si heureusement né qu'on trouve un grand plaisir à faire le
bien? — Je le pense. — Qu'on peut avoir reçu une excellente
éducation, qui fortifie le penchant naturel à la bienfaisance? —
Assurément. — Et que, dans un âge plus avancé, l'expérience nous
ait convaincus qu'à tout prendre, il vaut mieux, pour son bonheur
dans ce monde, être un honnête homme qu'un coquin [1]? » Instinct,
éducation, expérience : voilà qui suffit pour la morale. Être vertueux pour aller en paradis, c'est *prêter à Dieu à la petite semaine*;
et le malheur est que le prêteur donne des crocodiles empaillés,
non de bonnes espèces; car la vertu des sacristies, c'est d'aller à
la messe, de ne point toucher aux vases sacrés; l'amour du prochain vient après La religion, qui punit le sacrilège plus que l'adultère, est immorale; elle laisse, pour des pratiques, subsister toute
la corruption du monde. Elle est source de crimes, fanatisme,
guerres, supplices, etc. : c'est acheter trop cher un fondement de
la morale, qui ne fonde rien du tout. Dieu existe ou n'existe pas;
s'il existe, il n'existe pas dans la nature; nous n'avons pas à en
tenir compte. Il n'existe pas *pour nous*; si nous disons un peu
imprudemment qu'il n'existe pas du tout, il n'y a pas grand mal
à cela. Qu'un beau jour, hors de la vie, nous nous trouvions face
à face avec lui, dans son monde, eh bien, Dieu n'est pas assez
mauvais diable pour nous en vouloir de l'avoir nié, quand nous
n'avions aucune raison de l'affirmer.

La nature, en second lieu, pour Diderot, c'est le contraire de la
société. Tous les maux, tous les vices de l'homme, viennent de la

---

1. *Entretien d'un philosophe avec la maréchale de* ***.

société, qui a inventé la religion, les puissances, les distinctions, la hiérarchie, la richesse, c'est-à-dire l'oppression des uns, la tyrannie des autres, de la corruption et de la misère pour tous, — qui a inventé surtout la morale. Car voilà la caractéristique de Diderot : hardiment, crûment, tantôt cynique et souvent profond, il s'attaque à la morale. Elle n'est qu'une institution sociale, d'autant plus haïssable que sa contrainte hypocrite s'exerce par le dedans : sous le nom de morale, on instruit les enfants à s'interdire quelques plaisirs légitimes qui résultent des fonctions naturelles.

C'est le naturalisme de Rabelais, celui de Panurge et de frère Jean, qui reparaît chez Diderot, dans ces êtres qu'il a choisis et faits conformes à son idéal, dans le *Neveu de Rameau* et dans *Jacques le Fataliste.* Il supprime toutes les vertus, chrétiennes, stoïciennes, mondaines même, qui n'ont rapport qu'à l'individu, et sont fondées sur le respect de soi-même. Chasteté, pudeur, sobriété, réserve, dignité, sincérité : sottises que tout cela, préjugés et gênes de la société. Le scrupule, la délicatesse sur les moyens sont des grimaces absurdes, quand on est assuré de son intention, et qu'on la sait bonne : voyez le curieux dialogue, *Est-il bon? est-il méchant?* un des chefs-d'œuvre de Diderot. Qu'est-ce donc que la vertu? Elle tient en un mot : c'est la bienfaisance. Tout ce qui est utile à l'humanité est bien ; tout ce qui est nuisible à l'humanité est mal; ce qui ne fait ni bien ni mal à personne est indifférent; que je mente, que je me grise, ou pis, qu'importe, si ces actes sont sans effets, sans prolongements funestes au dehors? Et si, de mon mensonge, ou de mon ivrognerie, il sort un bien pour quelqu'un, j'ai bien fait d'être menteur ou ivrogne. La nature de Diderot l'a sauvé des vices qui avilissent; pauvre, indépendant, généreux, sans convoitise et sans platitude, il est assez honnête homme pour arriver à faire une sorte de morale avec son instinct. Il s'appuie sur le respect, le culte de la nature, c'est-à-dire des phénomènes, car elle n en est que la collection. Aussi ne peut-il s'empêcher d'admirer, presque d'aimer ce superbe jaillissement d'énergies naturelles, d'appétits, qu'offre le neveu de Rameau : il tombe d'accord avec lui que « le point important est que vous et moi nous soyons, et que nous soyons vous et moi : que tout aille d'ailleurs comme il pourra [1] ».

La nature, enfin, pour Diderot, c'est la science. Il en a conçu la méthode, les directions, les résultats. Mais ce mot de nature se détermine pour Diderot dans un sens bien moderne. Il n'y aper-

---

1. Cependant le *Neveu de Rameau* atteste un effort de Diderot pour séparer sa morale de la nature du simple abandon à l'instinct, et pour écarter l'interprétation qui lâcherait les appétits et les passions de l'individu en pleine liberté dans la vie sociale (*12ᵉ éd.*). Et personne n'a plus moralisé que lui (*14ᵉ éd.*).

çoit plus cette nature intérieure que le XVIIe siècle étudiait surtout,
dont Descartes croyait l'existence plus assurée et la connaissance
plus facile que de la nature extérieure. Toutes ses impulsions, à
lui, lui viennent du dehors; sa philosophie, et celle de son temps,
lui dit que toutes ses idées lui sont venues par ses sens : il est
naturel que la nature extérieure, et les sciences qui s'y appliquent,
soient l'objet de son étude. Dès le milieu du siècle, il annonce,
bien témérairement, que le règne des mathématiques est fini : mais
il annonce, par une sûre divination, que le règne des sciences
naturelles va commencer. Physiologie, physique, c'est de ce côté-
là qu'il appelle les jeunes gens, non sans emphase; mais son geste
de charlatan souligne des idées de savant. Avec Diderot, le rapport de la philosophie et des sciences semble se renverser : la
philosophie renonce à leur imposer ses systèmes et elle attend
leurs découvertes pour en extraire une conception générale de l'univers. La philosophie de Diderot, dans ses parties caractéristiques,
est vraiment une philosophie de la nature : ce qu'il tire de Leibniz,
ce sont ces principes de raison suffisante, de moindre action, de
continuité, que l'étude scientifique du monde organisé et inorganique suppose et vérifie constamment; et c'est lui d'abord qui,
avant Helvétius, avant d'Holbach, remet l'homme dans la nature,
et réduit les sciences morales aux sciences naturelles.

3. L'ART DE DIDEROT.

Son art est en harmonie avec son tempérament et avec sa philosophie. Je ne parle pas de l'exécution, souvent lâchée, précipitée,
la perfection du travail ne se rencontre guère chez lui. J'entends
par son art les intentions d'art qu'il exprime.

Donc, il y aura d'abord chez Diderot un art naturaliste, expressif
de la vie telle qu'elle est, des êtres tels qu'on les voit. Sollicité
comme il était par la nature extérieure, il la reçoit, et la rend,
comme mécaniquement, avec une merveilleuse sûreté. Lisez la
Correspondance, et voyez tous ces tableaux, toutes ces anecdotes
dont elle est semée. Lisez le *Neveu de Rameau,* le chef-d'œuvre le
plus égal que Diderot ait composé. Cette excentrique et puissante
figure s'enlève avec un relief, une netteté incroyables : profil,
accent, gestes, grimaces, changements instantanés de ton, de posture, l'identité foncière et toutes les formes mobiles qui la déguisent, tout est noté dans l'étourdissant dialogue de Diderot. Il y a
mis beaucoup du sien, sans doute, et il a prêté de ses idées au
personnage; je ne pense pas que le vrai Rameau fut un bohème
aussi profond. Mais, avec un instinct étonnant d'art objectif, tout

ce qui était sien s'est incorporé à la substance du personnage original dont la vision intérieure guidait sa plume. Dès qu'il conte, il *voit*; figures, mouvements, locaux et accessoires, tout est dans son œil, vient sous sa plume; et son conte est une suite d'estampes.

Mais les estampes ont des légendes et ces légendes sont romantiques : tout au moins Diderot tend au romantisme. De la nature, il respecte surtout *sa* nature; et *pourvu qu'il soit*, et *qu'il soit lui*, il ne lui chaut du reste. Le *Neveu de Rameau* est un heureux accident · ailleurs le subjectif se mêle à l'objectif; aux impressions de la nature extérieure se superposent, s'enchevêtrent, s'accrochent, les élans, les enthousiasmes, les indignations de Denis Diderot, toute une individualité effrénée, bruyante, encombrante. Déjà il porte en lui les germes du lyrisme romantique. En voici la preuve dans deux phrases :

« Le pinson, l'alouette, la linotte, le serin, jasent et babillent tant que le jour dure. Le soleil couché, ils fourrent leur tête sous l'aile, et les voilà endormis. C'est alors que le génie prend sa lampe et l'allume, et que l'oiseau solitaire, sauvage, inapprivoisable, brun et triste de plumage, ouvre son gosier, commence son chant, fait retentir le bocage et rompt mélodieusement le silence et les ténèbres de la nuit [1]. » Ne voilà-t-il pas déjà du Chateaubriand?

« Le premier serment que se firent deux êtres de chair, ce fut au pied d'un rocher qui tombait en poussière; ils attestèrent de leur constance un ciel qui n'est pas un instant le même; tout passait en eux, autour d'eux, et ils croyaient leurs cœurs affranchis de vicissitudes. O enfants! toujours enfants! » Et ce sont textuellement deux strophes de Musset. Mais le plus curieux, c'est d'aller chercher ce jet de lyrisme où il s'est produit, dans *Jacques le Fataliste*. Au milieu de la réaliste histoire de Mme de la Pommeraye, tout d'un coup une déchirure se fait dans l'écorce du récit; une poussée de sentiment jette ces cinq lignes brûlantes, dont nul personnage, ni l'auteur même n'endosse la responsabilité; aussitôt tout se calme; et deux minutes après nous buttons sur une énorme polissonnerie. Voilà l'incohérence de Diderot. Il y a de tout dans son style : analyse, synthèse, idée, sensation, hallucination, réalisme, romantisme; c'est un monde grouillant, qui n'a pas toujours la beauté, qui du moins a souvent la vie.

Cela nous mène à une autre considération : c'est la substitution chez Diderot d'un idéal nouveau à l'idéal classique. Et elle se fait encore, parce qu'il est l'homme de la nature. La nature n'a cure de la beauté, de ce que les hommes conviennent d'appeler ainsi

1. Phrase citée déjà par M. Faguet.

La nature n'a souci que de la vie : voilà ce qui est beau, naturellement beau. Les formes de la vie et l'activité de la vie, c'est cela
que l'artiste doit s'attacher à rendre : plus ces formes auront de
particularité, plus cette activité sera intense, et plus il y aura de
beauté dans l'être. Le *caractère* (et non la régularité, la noblesse,
la généralité, éléments classiques de la beauté) doit être l'objet de
l'imitation, de l'expression littéraires. C'était l'orientation que déjà
Lesage, Marivaux, Prévost avaient donnée au roman : mais jamais
cette nouvelle esthétique ne s'était aussi puissamment dégagée
que dans le *Neveu de Rameau.*

4. LES SALONS DE DIDEROT.

Il faut dire un mot des fameux *Salons* de Diderot (1765, 1766,
1767). Cette critique d'art ne nous satisfait plus aujourd'hui. Elle
est trop littéraire. Elle saisit trop volontiers le *sujet*, l'*idée*, pour
en donner un développement qui substitue le travail de l'écrivain
au travail du peintre ou du sculpteur. Là, comme ailleurs, la
méthode de Diderot consiste à suspendre sa pensée à la pensée
d'autrui, en digressions à perte d'haleine ; les tableaux, les statues
offrent un débouché de plus au bouillonnement interne de sentimentalité, de réflexion, d'imagination qui fermente en lui.

Cependant ne soyons pas trop sévères pour Diderot. Aucune
vérité, d'abord, n'est vraie de ce diable d'homme, que la vérité
contraire ne soit un peu vraie aussi. Avec ce vif sentiment de la
réalité que nous avons déjà vu en lui, il voit le tableau, et le fait
voir. Avant de déclamer, et tout en déclamant, il nous met sous
les yeux la peinture où il accroche ses réflexions ou ses effusions :
en cinq lignes, en une demi-page, il nous en donne la sensation
Ce n'est pas un mince talent pour un critique d'art. Il a, de plus,
celui de sentir, de signaler le *caractère*, la justesse expressive des
physionomies, des gestes, des attitudes ; ses critiques et ses remarques sont d'un goût original, on reconnaît l'homme qui voyait
naturellement dans leur particularité et dans leurs rapports respectifs les formes extérieures de la vie. Mais il a encore une qualité plus précieuse : c'est de juger, en somme, de la peinture en
peintre, de s'intéresser à la lumière, à la couleur, de jouir de
leurs combinaisons délicates ou puissantes. Si sa critique n'est
pas plus technique, n'est-ce pas que le public ne l'aurait pas suivi ?
Et n'est-ce pas aussi que les tableaux, les statues dont il parlait
ne le comportaient pas ? Ces œuvres étaient toutes pleines d'intentions littéraires ; elles voulaient agir sur le public par les sujets et

par les idées que les sujets suggéraient, idées polissonnes chez
Boucher ou Fragonard, idées voluptueuses ou morales chez Greuze,
idées philosophiques chez Bouchardon. Les moyens de la peinture
et de la statuaire étaient un langage par lequel on sadressait à
l'intelligence. Dans la composition même, c'était encore la littérature qui prévalait · le théâtre fournissait des modèles d'arrangement et un principe de coordination des objets naturels. Diderot
eut le tort, sans doute, de pousser dans ce sens. S'il malmena
Boucher, il applaudissait à Greuze, il lui criait : « Fais-nous de la
morale, mon ami! » Et Greuze peignait en effet des drames édifiants et ennuyeux comme le *Père de famille*.

Il reste que les *Salons* de Diderot sont en leur temps une œuvre
considérable. On a le droit de dire qu'il a fondé — sinon la critique d'art — du moins le journalisme d'art. C'est la première
fois que nous rencontrons une œuvre littéraire qui compte, et
qui ait pour objet les beaux-arts. Diderot fait des tableaux, des
statues un objet de littérature, alors qu'antérieurement les arts
et la littérature étaient deux mondes fermés, sans communication,
et qui n'existaient pas l'un pour l'autre. De même les artistes et
les écrivains vivaient à part, chacun de leur côté : Mme Geoffrin
avait son dîner des artistes et son dîner des écrivains, qui n'avaient
pas beaucoup de convives communs. Diderot renverse toutes ces
barrières. Littérateur, il hante les ateliers, il cause, il dispute;
il frotte ses idées contre leurs théories, son esthétique poétique
contre leur esthétique pittoresque ou plastique. Au public enfermé
jusqu'ici dans le goût littéraire, il ouvre des fenêtres sur l'art; à
travers toutes ses expansions sentimentales et ses dissertations de
penseur, il fait l'éducation des sens de ses lecteurs; il leur apprend
à voir et à jouir, à saisir la vérité d'une attitude, la délicatesse
d'un ton. Tout cela se retrouvera plus tard; et cette communication établie entre l'art et la littérature ne sera pas sans contri-
buer à la révolution romantique.

CHAPITRE III

BUFFON

Caractère de l'homme, et valeur littéraire de l'œuvre.

Buffon [1] fait avec Diderot le plus parfait contraste. Quand on lit ses lettres, on est saisi de cette sérénité imperturbable, de cette indifférence aux polémiques et aux passions du temps, de cette régularité laborieuse, de cet esprit d'ordre, qui permirent à Buffon de mener à bonne fin le grand ouvrage qu'il avait conçu. Majestueux dans sa figure, dans ses attitudes, dans son style, il l'était aussi dans son caractère : il avait une vraie noblesse d'âme, beaucoup de bon sens, de solidité, d'honnêteté, point de vanité, aucun sentiment bas ou mesquin. Sa dignité, en un siècle de laisser aller et de débraillé, avait sa source dans l'élévation naturelle de son âme ; il n'affectait rien ; et nous devons nous défier de la légende qui s'est attachée à son nom. Indépendant, paisible, il s'est fait de l'exclusion des passions, de la vie intellectuelle et contemplative une philosophie, une morale, un bonheur : sa carrière nous offre l'unité d'une belle existence de savant, tout dévoué à la science et à son œuvre. Il trouve sa voie en 1739, après qu'il a été nommé intendant du Jardin du roi : il se tourne vers l'histoire naturelle ; il prépare ses matériaux. Ses deux premiers volumes paraissent en 1749 : préparer les volumes suivants, sera

1. **Biographie** : Georges-Louis Leclerc, comte de Buffon (1707-1788), fils d'un conseiller au Parlement de Bourgogne, voyage en Angleterre et en Italie avec un jeune lord anglais, et semble d'abord s'appliquer aux mathématiques. Puis il s'occupe de physique et d'agriculture, et ses travaux lui ouvrent l'Académie des sciences. Il entre à l'Académie française en 1753. — **Éditions** : *Œuvres*, 1749-1804, 44 vol. ; édit. Flourens, 1852, 12 vol. ; *Disc. sur le St.*, édit. Mairu, 1926. *Corr. inéd.*, éd. Nadault de Buffon, 1860. — **A consulter** : Lebasteur, *B.*, 1889 ; Mornet, *Sciences de la Nat. au XVIIIᵉ s.*, 1912 ; Dimier, *B.*, 1919 ; Roule, *B. et la descr. de la Nature*, 1924.

l'unique affaire des trente-neuf années qui lui restent à vivre. Il fuit Paris dès qu'il peut, et se rend à Montbard : là il se lève à cinq heures, il s'enferme dans son cabinet, et dicte jusqu'à neuf heures. A neuf heures, il déjeune, se fait raser et coiffer. A neuf heures et demie, il se remet au travail jusqu'à deux heures; à deux heures, il dîne. Et c'est ainsi tous les jours, jusqu'à la fin.

Le fond de l'œuvre de Buffon n'est pas de notre ressort. Cependant il faut en marquer le caractère. Comme des anecdotes légendaires sur l'homme, il faut se défier des épigrammes banales sur l'œuvre. On peut en croire Cuvier : Buffon est un grand esprit de savant. Il a la netteté et la précision de l'esprit scientifique : il hait les abstractions, les classifications, les causes finales, trois sources inépuisables d'erreur. Il regarde la nature, elle lui montre des individus; et elle lui présente des effets, jamais des intentions. Quoi qu'on ait dit, il la regarde souvent, et de près : il observe, expérimente, avec une méthode rigoureuse. Il produit les espèces comme il les trouve dans la nature, dans la même confusion, dans le même isolement : comme il faut un ordre, il prend la première division venue, *animaux sauvages*, *animaux domestiques*, les gros d'abord, les petits ensuite. Il n'attache pas d'importance à la chose. Cette indifférence est un tort peut-être, et toutes les sciences expérimentales ont pour fin les définitions et les classifications : mais au temps de Buffon on n'en était encore qu'au commencement, et il fallait bien se tenir en garde contre les êtres de raison et les systèmes *a priori*; c'étaient les obstacles qui depuis longtemps retardaient le progrès de la vérité.

Toute la partie descriptive de l'histoire naturelle a ennuyé Buffon; il a eu le tort de le dire. Les grands animaux, cheval, lion, tigre, l'intéressaient encore : mais le chacal, l'hyène, la civette, le pécari, le tamanoir, etc., toute l'interminable file des petits quadrupèdes le désespérait Il la coupait de discours sur la nature : « Nous retournerons ensuite, disait-il, à nos détails avec plus de courage ». C'est que Buffon est avant tout un philosophe : les faits particuliers ne l'intéressent que par le sens qu'ils contiennent, par la lumière qu'ils apportent dans un essai d'explication générale de l'univers. Buffon n'est à l'aise que dans les grandes vues d'ensemble, les hypothèses sur la structure du monde, sur l'organisation graduelle et les transformations successives de la matière inanimée ou vivante. Le premier, il a ramassé, interprété une multitude de faits, il les a complétés par ses hypothèses; et le premier, il a offert une représentation précise, détaillée, scientifique de l'histoire de l'univers; il nous a fait assister aux grandes perturbations géologiques, au développement de la vie, aux humbles commencements, aux étonnants progrès de l'homme. Il y a bien des

erreurs, paraît-il, bien des lacunes, bien des affirmations téméraires
dans son essai d'explication : il y a bien des vérités aussi, bien des
idées neuves et profondes, bien des pressentiments hardis et féconds.
Il a entrevu la doctrine du transformisme : après avoir hésité, il
s'était arrêté à l'hypothèse de la variabilité des espèces vivantes.
Songeons que Lamarck, Geoffroy Saint-Hilaire ont été les disciples, les continuateurs de Buffon, et que le grand précurseur
français de Darwin, c'est Lamarck.

Les vastes théories de Buffon, erronées ou non, ont été obtenues
par des procédés uniquement scientifiques. Il peut abuser des
faits, mal raisonner sur eux : c'est d'eux qu'il part, et par eux
qu'il se guide. Sa théorie des périodes géologiques, il la
cherche dans l'observation de l'état actuel de la terre, où sont
épars quelques vestiges des états antérieurs. Il ne fait intervenir
dans la science aucune influence étrangère. Aucune influence religieuse d'abord : Dieu n'est nulle part dans son œuvre; il n'en a
pas besoin. Il ne cherche pas à s'expliquer l'origine des choses;
il écarte cet insoluble problème. Il lui suffit qu'il y ait eu à un
moment donné de la matière : quels changements relient à l'état
actuel le plus ancien état où puissent remonter l'observation et
l'hypothèse, voilà l'objet des recherches de Buffon. Il écarte le
miracle, l'intervention divine, il affirme le déterminisme des
phénomènes : cela, paisiblement, sans tapage, sans violence. Il
n'est pas irréligieux il est indifférent. La religion n'est pas de
son ressort. Il ne fait pas de son œuvre une machine pour battre
en brèche la religion et l'Église; il expose l'histoire naturelle pour
elle-même, non pour démontrer ceci ou démolir cela. Il demande
à la nature ce qu'elle est, comment elle est, non si Dieu est, et
si elle le connaît. Les philosophes lui en voulurent : ils ne lui
pardonnèrent pas de ne vouloir être que savant dans une œuvre de
science.

Buffon n'écrivait pas davantage pour saper les institutions
sociales ou les croyances morales. Tandis que d'autres réduisaient
l'homme à l'animalité, il se faisait, lui, une haute idée de
l'homme; il le mettait à part dans la nature, au-dessus de tous
les êtres vivants; il l'élevait, grandissait sa puissance et sa
noblesse. Il le montrait seul capable de progrès, ayant seul le privilège du génie individuel qui est l'agent actif du progrès, seul
fait pour la moralité, et pour trouver le bonheur dans l'exercice
continu de ses facultés intellectuelles. Ce n'était pas là le retour à
la nature que prêchaient les philosophes. Il croyait avec eux au
progrès; mais il n'y croyait pas comme eux. Son esprit de savant
accoutumé à considérer l'immensité des périodes géologiques et
la lenteur des transformations de l'univers n'avait pas la fièvre,

l'impatience, les révoltes, les illusions puériles, les faciles espérances qui échauffaient les esprits de ses contemporains : il ne croyait pas aux brusques renversements qui renouvellent le monde, il ne croyait pas surtout toucher de la main l'ère de la raison universelle et du bonheur parfait. Il se représentait le progrès de l'humanité comme un gain certain, mais insensible, dont le calcul ne peut se faire que de loin en loin.

Il rendit deux grands services à la science et à la littérature : à la science, le service de la dégager des aventures irréligieuses, immorales, où les philosophes la compromettaient; à la littérature, le service de lui donner l'histoire naturelle comme une nouvelle province. C'était le plus bel agrandissement qu'elle eût obtenu depuis longtemps.

La science était à la mode déjà : mais Buffon fit aimer une science sérieuse, de première main et d'incontestable valeur; nous sommes loin avec lui de la physique amusante et des expériences d'amateur, qui, depuis Fontenelle, faisaient partie des divertissements de la vie mondaine. Mais, pour faire goûter son œuvre sévère et impartiale, Buffon eut besoin d'un talent d'écrivain de premier ordre. J'abandonne ses descriptions : elles sont décidément pompeuses ou coquettes, frelatées surtout, et enveloppant la vérité scientifique de lieux communs littéraires, de formes nobles ou d'idées morales; les animaux reçoivent des sentiments généreux ou vicieux, tout comme dans les *Fables* de La Fontaine. Mais une bonne partie de ces morceaux, les plus enjolivés et les plus prétentieux, sont dus aux collaborateurs de Buffon : Guéneau de **Montbeillard** est responsable du paon et du rossignol; le dévoué abbé Bexon a lissé les plumes du cygne. Ce n'est pas là qu'il faut chercher Buffon : c'est dans la *Théorie de la terre* et dans les *Époques de la nature*. Ici il est simple, parce que l'idée est grande et contente son imagination. Sa phrase, large, grave, va d'un mouvement régulier et majestueux, sans faux ornements, ni prétention, ni pompe. Il nous offre alors cette éloquence didactique, ordonnée, lumineuse, animée, dont il a donné la formule dans son discours de réception à l'Académie française.

M. Faguet fait justement observer que Buffon est, avec Rousseau, le plus grand poète du siècle. En un sens, il est plus grand, plus haut que Rousseau. Il a retrouvé la poésie de Lucrèce; et ses *Époques de la nature* ont la beauté du cinquième livre du *De natura rerum*. D'autres ont pu peindre quelques apparences de la nature; ils ont offert à nos sensations quelques formes particulières, éparses dans l'immensité de l'espace et de la durée, et qui s'assortissaient à la qualité de leur âme. Mais Buffon seul a donné au sentiment de la nature toute sa profondeur; il en a fait une émotion philoso-

phique où l'impression des apparences s'accompagne d'une intuition de la force invisible, éternelle, qui s'y manifeste selon des
lois immuables, où le spectacle de l'ordre actuel évoque par un
mélancolique retour les vagues et troublantes images des époques
lointaines dont le débris et la ruine ont été la condition de notre
existence. Par Buffon, la description de la nature, qui n'était qu'un
thème pittoresque, pourra devenir un thème lyrique.

Et cependant, cet homme qui voyait d'une si puissante imagination les transformations anciennes de l'univers, retombait
étrangement dans les idées et dans les regards de son siècle, quand
il regardait l'état actuel de la nature. Il faisait de l'utilité sociale,
du goût contemporain, la mesure de tout bien et de toute beauté.
Tout ce qui ne servait pas aux commodités de l'homme lui répugnait : il ne voyait que laideur où la nature s'étalait en sa primitive et sauvage simplicité. Il préférait le champ à la savane et le
jardin à la forêt. Le châtelain de Montbard n'aimait pas la terre
improductive, qui ne donne pas de revenu, ni la vie désordonnée,
dont l'épanouissement n'est pas réglé par la géométrie de l'esprit
humain : il avait, je l'ai dit, la passion de l'ordre. Peut-être est-
il mieux qu'il ait été ainsi : autre, son siècle l'eût moins goûté.

CHAPITRE IV

LE PATRIARCHE DE FERNEY

Voltaire en sûreté. — 1. Voltaire et les Encyclopédistes. Hardiesse de
la critique religieuse de Voltaire. Guerre à l'intolérance. Doctrine
et méthode pratiques. Propagande effrénée et limitée. Affaires
Calas, Sirven, La Barre, etc. Réformes dans la justice et l'administration. Voltaire journaliste : l'art de lancer les idées et
de remuer l'opinion publique. — 2. Les haines et les ennemis de
Voltaire. — 3. Les relations de Voltaire ; la *Correspondance*. Les visiteurs de Ferney ; Voltaire chez lui. Idolâtrie et apothéose. — 4. Jugement d'ensemble sur Voltaire : caractère, esprit ; style ; l'ironie
voltairienne ; l'art de conter. *Irrespect* fondamental et universel.
Ce qu'il y a eu de durable dans son œuvre.

Nous avons laissé [1] Voltaire s'installant aux Délices (1755). Il y
est à peine depuis quelques mois que sa *Pucelle* s'imprime et
court le monde. Voltaire s'effare, écrit à tous ses amis, à l'Académie française : mais rien ne menace même son repos, il se
rassure ; et cette alerte lui fait comprendre tous les avantages de
la position. Dans quelques années (1762), il n'hésitera pas à imprimer
lui-même, à Genève, sous ses yeux, en y mettant son nom, cette
scandaleuse et dangereuse Pucelle, *tenue sous cent clefs* par Mme
du Châtelet. En attendant, il lâche son *Essai sur les mœurs* complété,
renforcé, définitif (1756), et ses discours sur la *Religion naturelle*
(1756) ; deux autres coups droits atteignaient la Providence chrétienne, à travers l'optimisme de Leibniz : le poème du *Désastre de
Lisbonne* (1756), et le roman de *Candide* (1759).

Il se sentait gardé du côté de la France. Mais l'orage vint de
Genève. Genève était restée la ville de la Réforme ; le maintien de
l'austérité morale y était affaire de gouvernement. Voltaire établi
aux portes de la cité de Calvin, conviant les citoyens à s'amuser
chez lui, leur jouant la comédie, la leur faisant jouer, quand
Genève ne tolérait pas encore de théâtre : il y avait là de quoi

1. Pour la bibliographie, cf. p. 68.

scandaliser les rigides calvinistes. Quelques tracasseries décidèrent
Voltaire à compléter son système de défense. Il acquit sur la frontière française, et en France, les deux terres de Tournay et de
Ferney : il y établit son domicile habituel en 1760. Cette fois,
il était absolument indépendant, insaisissable, inviolable : nar-
guant, à leur nez, les Messieurs du Magnifique Conseil, et hors
de la prise du gouvernement français, qui, à la première menace
l'aurait vu installé en terre étrangère.

1. ACTIVITÉ PHILOSOPHIQUE DE VOLTAIRE.

Alors, n'ayant plus rien à ménager puisqu'il n'avait plus rien à
craindre, sentant la nécessité de ne pas se laisser distancer par
les *jeunes*, Voltaire s'épanouit, plus fort, plus actif, plus jeune à
soixante ans passés qu'il n'avait jamais été. Il ouvre toutes ses
écluses et lâche toute sa pensée. L'extrême vieillesse est pour lui
le temps de la pleine fécondité.

La littérature passe au second plan. Deux tragédies [1], le dur
commentaire sur Corneille, un violent réquisitoire contre Shakespeare, voilà la part du poète. Le « vieux Suisse » des Délices, le
patriarche de Ferney est avant tout un philosophe. Il se dit « le
garçon de boutique » de l'*Encyclopédie* : mais à son âge, avec son
nom, sa fortune, son indépendance, offrir ses services, c'était se
déclarer chef. Tout le monde le comprit ainsi, et les « frères »
saluèrent avec joie le maître qui leur venait. A vrai dire, soldats
et chefs n'allaient pas toujours du même pas; le chef était le plus
indiscipliné, tiraillant à sa fantaisie, et parfois sur ceux de son
armée qui s'avançaient trop à son gré. Il prit très mal la profession d'athéisme que fit d'Holbach [2]; et Diderot trouvait que le
vénéré patriarche radotait un peu avec son Dieu rémunérateur
et vengeur dont il ne voulait pas démordre. A l'ordinaire, on faisait bon ménage; on s'entendait au moins sur les négations, sur
les haines, et Voltaire, mettant son esprit endiablé au service de la
cause, avait dans tous les « frères » des prôneurs ardents de ses
louanges; il donnait de l'agrément à leurs idées ils faisaient de
la réclame à ses écrits.

Le point capital de la philosophie de Voltaire est toujours
la guerre à la religion chrétienne. Mais la tactique change, les
attaques deviennent plus directes et plus hardies. Le *Sermon des
Cinquante* (1762) inaugure cette nouvelle manière : dans toute une

---

1. *L'Orphelin de la Chine* (1755) et *Tancrède* (1760).
2. *Lettres de Memmius à Cicéron* (1771); *Hist. de Jenni, ou le Sage et l'Athée* (1775).

suite d'ouvrages importants [1], Voltaire ne met plus en cause les
prêtres ou les croyants, mais la religion elle-même, la *Bible*,
l'*Evangile*. Utilisant avec son esprit aigu une érudition superficielle,
mais étendue, il discute l'authenticité, la véracité des écrits révélés,
l'exactitude des vulgates orthodoxes; il fait de la philologie, de
l'histoire; et sa conclusion est que, quand les Livres saints ne seraient
ni apocryphes, ni menteurs, ni falsifiés, ils devraient être rejetés
comme immoraux et absurdes : la révélation est écartée, attendu
que de pareilles fables répugnent à l'idée que la saine raison doit
se faire de Dieu. C'est là par excellence la polémique voltairienne;
c'est à celle-là, non sans raison, que les générations suivantes,
comme les contemporains, ont attaché le nom de l'homme; c'est
par elle qu'il a fait école, ou qu'il a été haï; et c'est elle qui a été
mise hors d'usage par une critique plus scientifique, plus impartiale, qu'elle avait rendue possible.

Voltaire ne renonce pas, du reste, à juger la religion par ses
effets, dont le plus odieux est l'intolérance [2]. Il poursuit l'intolérance soit dans le passé, quand il signale la rigueur absurde
du dogme qui damne les meilleurs des païens, soit dans le présent,
quand il dénonce les sottises, les cruautés qui s'autorisent du nom
de la religion : excommunication des comédiens, condamnations
de protestants, etc. Il fait des tragédies — fort mauvaises — mais
qui mettent sous les yeux les conséquences du fanatisme.

La philosophie de Voltaire est toute pratique, il poursuit la politique des résultats, il vise à convertir. Son objet est, non l'exposition seule, mais la prédication des vérités utiles à l'humanité.
Les sciences ne l'occupent plus guère : on ne trouve, en plus de
vingt ans, qu'un seul écrit dont elles fournissent le fond [3]. La
métaphysique ne tient pas davantage de place dans son œuvre :
l'affirmation de Dieu, la négation de la Providence et du miracle,
voilà toute la métaphysique de Voltaire; ajoutez-y ce fameux
dada que de longue date il a emprunté à Locke, que Dieu, tout-
puissant, a bien pu attribuer à la matière la faculté de penser.
Mais cette métaphysique est diffuse dans une infinité d'écrits,
elle les soutient ou s'y implique. Pareillement Voltaire n'explique
pas sa politique par principes généraux ni raisonnements complets. Il ne procède pas par volumineux ouvrages, savants et
méthodiques, qu'on ouvre à dessein de s'instruire. Il attaque la

1. *Saül* (1763); *Examen important de milord Bolingbroke* (1767); *Collection d'anciens évangiles* (1769); *Dieu et les hommes* (1769); *la Bible enfin expliquée* (1776); *Un
chrétien contre six juifs* (1776), etc.

2. *Conversation de l'intendant des menus avec l'abbé* *** (1761); *Olympie* (1763)
Traité sur la tolérance (1763); *Questions de Zapata* (1767); *les Trois Empereurs e..
Sorbonne* (1768); *les Guèbres, ou la Tolérance* (1769); *le Cri du sang innocent* (1775).

3. *Les Singularités de la nature* (1768).

distraction des courtisans, la légèreté des femmes : à tout ce
monde intelligent qui aimerait tant à penser, à savoir, s'il n'avait
pas tant peur de s'appliquer et de s'ennuyer, il offre de petits
livrets édifiants, clairs, vifs, amusants, qui ne fatiguent point, qui
retiennent, et qui déposent leur idée substantielle chez les plus
frivoles. De Ferney viennent des catéchismes portatifs, aux titres
caractéristiques : *Dictionnaire philosophique ou la Raison par
alphabet* (1764), *Évangile de la Raison* (1764), *Recueil nécessaire*
(1768), puis, de 1770 à 1772, les neuf volumes de *Questions sur
l'Encyclopédie*, qui ramassent dans toute l'œuvre philosophique
de Voltaire les pages les plus efficaces sur toutes les matières.

Une sorte d'impatience l'a saisi : d'autres se contentent encore
de publier leur pensée, il veut réaliser la sienne, et voilà pourquoi
il fait une propagande effrénée. Voilà pourquoi aussi il limite si
nettement, et si modérément au fond, son effort. Sauf la religion
qu'il combat à outrance, parce qu'il ne voit pas de compromis
possible entre l'Église et la raison, il ne prétend pas changer les
bases actuelles de la société. Bourgeois anobli, propriétaire, capitaliste, il est très conservateur[1]; ni la royauté absolue, ni l'inégalité sociale ne lui semblent incompatibles avec le progrès. Au
lieu de tout jeter à bas pour tout réédifier, il ne touche qu'à certaines parties de l'édifice, aux unes d'abord, puis aux autres; et
c'est en ramassant chaque fois toute sa verve, toute sa popularité sur un détail de l'organisation sociale, sur un cas particulier
d'injustice ou d'oppression, qu'il rend son action efficace.

Sa défiance des systèmes, ses tendances aristocratiques, son
bon sens, tout concourt à lui faire adopter une politique opportuniste, comme nous dirions, et réaliste. Voyons les choses dont
les petits livrets envolés de Ferney entretiennent le public :
ce sont les événements du jour, ceux où apparaît quelque abus,
quelque vice social, quelque effet des vieux préjugés et de la tradition oppressive ou fanatique. Voltaire s'en empare, non pour en
raisonner; il crée un mouvement d'opinion pour produire un
résultat, pour faire triompher la raison dans le règlement définitif de l'affaire, et, s'il se peut, par une mesure générale qui
réponde de l'avenir. Un habitant du pays de Gex a procès contre
son curé : Voltaire dit son mot. On condamne un méchant mémoire
d'avocat qui réclamait contre l'excommunication des Comédiens :
Voltaire lance une satire contre le féroce préjugé (1761). Calas, à

---

1. En ce sens qu'il n'attaque pas certaines institutions. Cependant son effort ne va
pas à conserver, mais à détruire : il est opportuniste plus que conservateur; et si
l'on faisait la somme de tous les changements qu'il a demandés, on se trouverait
en présence d'une France toute renouvelée : l'ancien régime aurait disparu par
toutes ces menues retouches (*11ᵉ éd.*).

Toulouse, est roué comme assassin de son fils, qui s'est pendu : des juges catholiques ont cru, sans preuve valable, que ce calviniste avait mieux aimé tuer son propre enfant que de le laisser convertir. Voltaire ramasse un faisceau de *pièces originales*, d'où l'innocence de la victime ressort (1762); il reçoit chez lui les restes de la malheureuse famille; il fait reviser le jugement; pendant trois ans c'est sa principale affaire, et il finit par arracher la réhabilitation de Calas. C'est l'occasion pour lui d'écrire un *Traité sur la Tolérance* (1763) : mais ce livre même n'est qu'un moyen de frapper l'opinion et les juges. Cependant un autre protestant, Sirven, est accusé aussi d'avoir fait périr sa fille, une faible d'esprit, qui, elle aussi, s'était tuée : Calas réhabilité, Voltaire s'occupe de Sirven (1765).

Ces affaires lui ont révélé les vices de la procédure judiciaire, l'abus absurde et féroce de la question : elles le mènent à réclamer la réforme de l'administration de la justice, et il écrit (1766) le commentaire du livre des *Délits et des peines* que l'Italien Beccaria avait publié. Le chevalier de la Barre est roué à Arras en 1766 pour avoir chanté des chansons impies et mutilé un crucifix : Voltaire élève la voix en 1768; il recueille un des camarades de La Barre, le jeune d'Etallonde; il le fait instruire, recevoir au service du roi de Prusse, et travaille en 1775 à le faire réhabiliter. Puis ce sera la veuve Montbailli (1770), le comte de Morangiès (1773), deux victimes de la justice inégalement intéressantes. Enfin ce sera Lally, pour la mémoire duquel il écrira ses *Fragments sur l'Inde* : il donnera son appui au fils de la victime, et l'un des derniers billets qu'il écrira sera pour se réjouir de l'arrêt qui casse l'arrêt de condamnation. Par la bruyante publicité qu'il donnait à toutes les erreurs de la justice, Voltaire contribua plus que personne à la réforme de la procédure; il fit éclater à tous les yeux les vices du système, il les rendit intolérables. A ses vieux griefs contre les Parlements jansénistes s'ajoutait une haine humanitaire contre les traditions surannées de ces corps, contre leur légèreté, leur présomption, contre leur égoïste indifférence, et la préférence qu'ils donnaient à leurs intérêts collectifs sur l'intérêt de la justice ou des particuliers; aussi applaudit-il des deux mains au coup d'État de Maupeou, à l'institution des nouveaux Conseils qui promettaient une justice plus rapide, plus sûre, plus humaine. Il fit une tragédie, les *Lois de Minos* (1773), sur la suppression des Parlements.

Cependant il écrivait dans son roman de l'*Ingénu* (1767) contre les lettres de cachet, question actuelle, s'il en fut, d'un bout à l'autre du siècle. Il attaquait dans l'*Homme aux quarante écus* (1768

---

1. *Relation de la mort du chevalier de la Barre* (1768); *le Cri du sang innocent* (1775)

les chimères d'un économiste; mais il en prenait occasion d'indiquer l'abus des dîmes, de réclamer la suppression des couvents. Il plaidait pour ses voisins les serfs des chanoines de Saint-Claude (1770). Il appuyait les réformes de Turgot; il applaudissait au libre commerce des blés. Il sollicitait, obtenait la suppression des douanes qui affamaient son petit pays de Gex (1776).

Voltaire est un journaliste de génie : agir sur l'opinion qui agit sur le pouvoir, dans un pays où le pouvoir est faible et l'opinion forte, c'est tout le système du journalisme contemporain; et c'est Voltaire qui l'a créé. Il a l'opinion en main; il en joue, il lui fait rendre tous les effets qu'il veut. Il tient les hommes de son temps par le charme de son esprit, par la surprise aussi; il tient leur intelligence, leur curiosité toujours en éveil, toujours dans l'attente, de ce qui peut venir du côté de Ferney. Et il en vient toujours du nouveau, toujours de l'imprévu.

Voltaire excelle à mettre en scène ses idées, à les habiller d'un costume qui plaise, qui amuse, qui attire l'attention. C'est le naïf Candide et la tendre Cunégonde, flanqués du docteur Pangloss et du philosophe Martin, qui viennent jeter à bas l'optimisme et la Providence : une série de petits faits, secs, nets, coupants, choisis et présentés avec une terrible sûreté de coup d'œil, anéantissent insensiblement dans l'esprit du lecteur la croyance qui console du mal. Ou bien c'est un Huron que le caprice du patriarche jette au travers de notre société, et qui, se heurtant à nos institutions et à nos mœurs, cahoté, tiraillé, ahuri, baptisé, emprisonné, aimé, trompé, nous insinue l'impression qu'il n'y a pas grand chose chez nous qui aille selon la raison. Un autre jour, le philosophe se souvient qu'il est l'héritier de Racine : il dresse ses tréteaux, habille ses marionnettes, et lance des Grecs, des Guèbres, des Crétois à l'assaut de l'Église et des Parlements; ou bien il arrange en farce indécente sa critique biblique : Saül et David détruisent l'idée d'une révélation. Mais le théâtre et le roman, ce sont de trop grands genres, des ouvrages de temps et de patience : il faudra bien six jours pour faire *Olympie*.

Les moyens ordinaires de Voltaire, c'est ce qu'il appelle les *rogatons*, les *petits pâtés*, les brochures de quelques pages. Aujourd'hui s'abat sur Paris une *Conversation de l'Intendant des menus avec l'abbé Grizel*; demain, un *Rescrit de l'empereur de la Chine*. Toute sorte de prédicateurs hétéroclites viennent prêcher la bonne doctrine : ce sont les *Cinquante* d'une grande ville du nord, et le rabbin Akib, et le *révérendissime père en Dieu Alexis, archevêque de Novgorod la Grande*. Des morts sortent du tombeau : le licencié Dominico Zapata, rôti à Valladodid l'an de grâce 1631, pose aux docteurs de l'Église soixante-sept questions subversives de la foi. Nous assistons à un dîner du comte de Boulainvilliers; nous entendons un gardien des capucins de Raguse donner ses instructions au frère Pediculoso qui part pour la Terre Sainte. Nous lisons des lettres « déistes » de Memmius à Cicéron. C'est un étrange défilé de gens de toute nation, de tout costume, de toute couleur, qui viennent déposer en faveur de la raison.

Paris, l'Europe sont inondés de petits livrets signés de noms connus ou inconnus, réels ou fantastiques : Dumarsais, Bolingbroke, Hume, Tamponet, docteur de Sorbonne, l'abbé Bigex, l'abbé Bazin et son neveu, les aumôniers du roi de Prusse, je ne sais combien d'auteurs inattendus, tous différents d'âge et de condition, encore que beaucoup soient d'Église, tous semblables de doctrine et d'esprit. Les malins, à certaines marques, ont vite fait de reconnaître « la fabrique de Ferney » : Voltaire nie comme un beau diable; cela ne trompe personne, et amuse tout le monde. La brochure souvent est brûlée; Voltaire est bien tranquille. Il sait que le gouvernement, qui ne peut rien contre lui et ne tient pas à pouvoir quelque chose, lui demande pour toute concession de ne pas s'avouer l'auteur des plus meurtrières brochures.

2. LES ENNEMIS DE VOLTAIRE.

Voltaire mit souvent ce génie et cette puissance au service de ses passions personnelles. En faisant la guerre au profit de la raison et de l'humanité, il fit le pirate pour son compte. Chargé de tant d'affaires, il trouva toujours le temps de se colleter avec Pierre et Paul, grands ou petits, bons ou mauvais, gens à talent ou sans talent, qui avaient eu le malheur de choquer sa vanité ou d'éveiller sa jalousie. Ses démêlés avec le malin président de Brosses [1], propriétaire de Tournay, qui d'ailleurs l'avait « roulé » dans la transaction, sont une comédie : Voltaire s'est entêté à ne pas payer quelques voies de bois qu'il a prises; et il veut que le président les paie. Ils échangèrent des lettres impertinentes, aigres, injurieuses; le président dit avec esprit de dures vérités à Voltaire. Aussi ne fut-il qu' « un misérable » ; et pour n'avoir pas voulu payer le bois dont son locataire s'était chauffé, il lui en coûta un fauteuil académique, la rancune tenace du philosophe ameuta contre lui la secte encyclopédique.

1. Le président de Brosses (1709-1777), conseiller au parlement de Dijon, en 1730, président en 1841, premier président en 1875, a laissé d'excellentes *Lettres familières écrites d'Italie en 1739 et 1740* (Paris, 1836 ; 4e éd., 1885). — A consulter : Foisset, *Voltaire et le président de Brosses*, 1885.

Cette comédie se passait à huis clos; mais en voici d'autres
qui réjouirent dès ce temps-là le public. La satire du *Pauvre
Diable* (1758) distribua impartialement de larges volées de bois
vert sur les épaules de tous les ennemis du « vieux Suisse », ennemis philosophiques, poétiques, personnels, jansénistes, jésuites,
parlementaires, comique larmoyant, Gresset, Trublet, Pompignan,
Desfontaines, Fréron, Chaumeix · que sais-je? toute la kyrielle
défilait dans un mouvement endiablé et des attitudes drolatiques.
C'était encore de la littérature, et de la meilleure : Voltaire se
gâtera plus tard, par l'excès d'injure et de violence. Il fit pleuvoir
sur la tête de l'honnête Pompignan une grêle de facéties, il l'inonda
de ridicule : le crime du pauvre homme était de ne pas aimer la
philosophie que Voltaire aimait. Pendant vingt ans, c'est son délassement, sa joie, son remède, de prendre par les oreilles, et de fus-
tiger publiquement ou Pompignan, ou Fréron, ou Nonotte, ou
Patouillet. Un coupable lui rappelle les autres; et sur chaque
grief nouveau il repasse toutes ses vieilles rancunes. « En vérité,
disait Grimm après lecture des *Honnêtetés littéraires*, M. de Voltaire
est bien bon de se chamailler avec un tas de polissons et de
maroufles que personne ne connaît. »

Le pis pour Voltaire, c'est que ces « polissons » et ces « maroufles » n'étaient pas les seuls objets de sa colérique humeur.
Elle ne respectait pas les plus vraies gloires du siècle, elle les démolissait à coups d'ironies et d'épigrammes : Voltaire eut la petitesse
d'être gêné par la grandeur de Montesquieu. L'écrivain était mort,
l'œuvre restait. Voltaire s'y cassa les dents. Un beau jour circulèrent des dialogues « traduits de l'anglais [1]», qui démontraient que
l'*Esprit des Lois* est un « labyrinthe sans fil, un recueil de saillies »,
un livre plein de fausses citations, où l'auteur prenait « presque toujours son imagination pour sa mémoire ». Une autre fois [2], le
pauvre chevalier de Chastellux se voyait élevé au-dessus de Montesquieu; il fallait que Condorcet agacé avertit charitablement
Voltaire du ridicule de cette comparaison, et qu'il y avait des
réputations auxquelles on ne pouvait toucher.

Voltaire n'eut pas plus de bonheur avec Buffon. Ses petits mots
perfides n'amoindrirent pas l'*Histoire naturelle,* et il ne parut pas à
son avantage quand il entreprit une lutte ouverte : il essaya de
résister à l'une des plus belles hypothèses de Buffon, qui voyait
dans les coquillages et les poissons trouvés au haut des Alpes une

---

1. *L'A, B, C* (1768).
2. Article paru dans le *Journal de politique et de littérature,* t. II, p. 85-87,
1777 ; *Commentaire sur l'Esprit des Lois,* 1778. Le chev. de Chastellux avait
publié en 1772 un livre de la *Félicité publique* (2ᵉ éd., 1776).

preuve du séjour des eaux de la mer en des temps reculés ; il s'entêta
à soutenir un propos qu'il avait lâché étourdiment avant les travaux de Buffon. Il avait supposé que les coquillages étaient tombés
des chapeaux des pèlerins qui revenaient de la Terre sainte, et que les
arêtes de poissons étaient les restes de leur déjeuner. Il ne se rencontra pas, par malheur, dans le siècle un autre Voltaire pour faire
sur cette grotesque invention une autre *Diatribe du docteur Akakia.*

Avec Jean-Jacques Rousseau, les premières relations furent
cordiales : Jean-Jacques s'inclinait devant Voltaire, et Voltaire
cajolait Jean-Jacques. Mais l'un avait trop de vanité, l'autre
trop d'orgueil. Rousseau réservait jalousement son indépendance,
alors qu'il avait à se faire pardonner son talent. Il écrivit contre
les idées de Voltaire : il réfuta dans une lettre le *Poème sur le
désastre de Lisbonne.* Il écrivit contre Dalembert, qui voulait qu'on
ouvrît un théâtre à Genève, et son ouvrage eut le malheur d'exciter
l'austérité genevoise · il fut pour quelque chose dans les tracasseries qui forcèrent Voltaire de transporter à Ferney son théâtre
et son domicile. Puis Jean-Jacques se brouilla avec Diderot,
avec les Encyclopédistes. Mais ce qui fit déborder la coupe, c'est
qu'il se permit quelque part[1] d'écrire que Voltaire était l'auteur du *Sermon des Cinquante.* Voltaire éclata comme si Rousseau
eût amassé des fagots pour le brûler. Il riposta en accusant Rousseau d'avoir mis ses enfants à l'hôpital[2]. Et dès lors il n'y eut pas
de mépris, d'injure, de diffamation qu'il ne versât sur Rousseau. Il
fit contre lui tout un poème héroï-comique, la *Guerre civile de
Genève*[3] ; il excita sous main les Genevois contre lui. En même
temps il se chamaillait avec les ennemis qui poursuivaient Rousseau, le professeur Claparède, le pasteur Jacob Vernet, l'archevêque d'Auch Montillet : tant leurs causes étaient liées, indépendamment de leurs différends personnels.

Voltaire perdit plus qu'il ne gagna dans ces polémiques ; une
certaine mésestime s'insinua dans l'admiration qu'il inspirait, et
il donna lieu, même à des gens qui tenaient de lui toutes leurs
idées, d'avoir peu de considération pour sa personne.

1. Dans les *Lettres écrites de la Montagne.*
2. Dans le *Sentiment des citoyens* (1764). Cet odieux pamphlet se termine par cette
phrase : « Il faut lui apprendre que, si on châtie légèrement un romancier impie, on
punit capitalement un vil séditieux ». Voltaire prend le masque et le style d'un
pasteur fanatique ; [il en parodie le zèle intolérant : mais bien des lecteurs ont pris
et prendront cette conclusion au sérieux].
3. 1768.

3. LE CULTE DE VOLTAIRE.

Les écrits imprimés de Voltaire ne nous donnent qu'un des aspects, un des moyens de sa prodigieuse influence : par eux s'exerce sa souveraineté sur le public. Mais il agit aussi par sa correspondance. La dernière édition complète de ses œuvres contient plus de 10 000 lettres, dont les trois quarts appartiennent aux vingt-cinq dernières années de sa vie. Cette vaste correspondance est le chef-d'œuvre de Voltaire; si l'on veut l'avoir tout entier, et toujours le plus pur et le meilleur, il faut le chercher là, et non ailleurs. C'est un charme de l'entendre causer librement, avec son infatigable curiosité, son universelle intelligence, avec son esprit pétillant, ce don étonnant qu'il a de saisir des rapports inattendus, ingénieux ou cocasses, avec ses passions aussi toujours bouillonnantes et débordantes, qui ne laissent pas un instant refroidir les choses sous sa plume. La correspondance de Voltaire est un des plus immenses répertoires d'idées que jamais homme ait constitués : elle est en cela l'image de son œuvre; il n'est pas une branche de la culture humaine, pas un ordre d'activité, qui n'ait fourni matière aux rapides investigations de sa pensée. A chacun de ses correspondants, il parlait des choses de son état, de sa condition, de son ressort.

Or la liste des correspondants de Voltaire, c'est le monde en raccourci. Anglais, Espagnols, Italiens, Suisses, Allemands, Russes, rois, impératrices, ministres, maréchaux, grands seigneurs, magistrats, poètes, mathématiciens, négociants, ministres protestants, prêtres catholiques, cardinaux, femmes du monde, comédiennes : quel est l'échantillon de l'humanité qui manque à la collection? il n'y manque même pas un pape. En se faisant tout à tous, Voltaire n'oublie pas ses fins essentielles : il fait servir à la propagation de sa doctrine les relations qui flattent sa vanité. Il cajole, caresse, endoctrine, échauffe tous ses correspondants; il leur inocule la philosophie. Il donne à la France le spectacle de la faveur dont il jouit à l'étranger : il a repris dès 1757 une correspondance amicale avec le roi de Prusse; à partir de 1763, il échange des lettres avec Catherine II; il n'importe que les deux souverains se servent un peu de lui en politiques, pour mettre par son moyen l'opinion de leur côté; le public qui croit voir Voltaire traiter d'égal avec les deux grandes puissances du temps, juge la petitesse du ministère français, qui le tient en exil loin de Paris; il en prend du mépris pour le gouvernement, et du respect pour la philosophie.

Enfin le défilé incessant des voyageurs qui portent leurs hommages à Ferney, achève de consacrer la gloire et la souveraineté de

Voltaire. On en sort amusé, étourdi, et ravi. Sa personne et sa maison offrent tous les contrastes. On le voit mourant, enveloppé dans sa robe de chambre, coiffé de son bonnet de nuit, l'instant d'après se démenant, criant, se disputant avec sa nièce la grosse Mme Denis, s'emportant contre Jean-Jacques ou le président de Brosses qu'un maladroit a nommés, se moquant du Père Adam, un jésuite qu'il a recueilli, disant des douceurs aux dames, à condition qu'elles soient parées et spirituelles, toujours capricieux et inégal comme un enfant, toujours plein d'humeur et de saillies, causant avec cet esprit étincelant qui enivrait le prince de Ligne. Il aimait à faire sentir sa grande fortune, il recevait magnifiquement, il donnait des fêtes, il avait un théâtre, où il jouait très mal et très passionnément, où les gens de sa maison, souvent les visiteurs jouaient; il le démolit, puis il le rétablit par politesse pour Mlle Clairon qui venait à Ferney.

Il faisait avec plaisir le seigneur de village; il tenait aux privilèges, aux droits de ses fiefs. Comte de Tournay, seigneur de Ferney, gentilhomme ordinaire de la chambre du roi, il avait la manie des titres officiels. N'ayant pu avoir celui de directeur des haras dans sa province, il obtint d'être père temporel des capucins du pays de Gex. Il fallait le voir quand il allait à la messe escorté de deux garde-chasse qui portaient des fusils, quand il faisait ses Pâques solennellement dans l'église bâtie par lui, quand il haranguait ses paroissiens au milieu de l'office, à propos d'un vol commis pendant la semaine au village : le curé enrageait, et l'évêque lançait des mandements indignés. Il donnait à rire par ses airs seigneuriaux. Mais on l'admirait, quand on voyait autour de lui tant de gens qui ne vivaient que par lui, et qui ne lui en étaient pas toujours reconnaissants; il élevait Mlle Corneille, une arrière-petite-nièce du poète, la dotait avec le commentaire sur l'oncle, la mariait, se brouillait avec elle; alors il prenait Mlle de Varicourt, à qui il trouvait aussi une dot et un mari. On pouvait railler ses prétentions de propriétaire, la fierté avec laquelle il montrait son haras, son troupeau, ses taureaux, ses charrues : mais on était saisi de son ardeur de réformes, de sa fièvre d'améliorations, de sa bienfaisance épandue largement. On voyait les manufactures d'étoffes, les fabriques de montres qu'il avait créées, et dont il employait sa popularité européenne à placer les produits. On voyait l'air de prospérité de ce village de Ferney, qui comptait 50 habitants son arrivée, et 1200 à sa mort. On avait le sentiment que tout ce pays n'existait que par lui avec ses petitesses, ses travers, ses vices même, il pouvait dire qu'il y avait un petit coin de la France où il avait été un autre Turgot.

Voilà le spectacle qu'il donnait à ses visiteurs, et ceux-ci offraient un autre spectacle, qui n'était pas moins curieux. Tout ce qui pensait ou se piquait de penser passait à Ferney : c'est la même bigarrure de nations et d'états que dans la correspondance. Aujourd'hui Mme d'Epinay, demain le prince de Ligne ; un autre jour le fils de l'avocat général qui requérait contre l'Encyclopédie et les brochures de Voltaire : des princes souverains, des rois venaient en pèlerinage chez M. de Voltaire, décidément sacré dans sa royauté intellectuelle. Ce lui fut une cuisante blessure d'amour-propre, quand le comte de Falkenstein (Joseph II) passa près de chez lui sans daigner s'arrêter.

Dans les dernières années, cette gloire de Voltaire tourna en idolâtrie sentimentale ; l'enthousiasme attendri était la mode du jour, la caractéristique de cette fin du siècle et de la monarchie. Mme Suard vint à Ferney en 1775. On n'imagine pas la dévotion avec laquelle cette jeune femme de vingt ans approcha de Voltaire : « Jamais, dit-elle, les transports de sainte Thérèse n'ont pu surpasser ceux que m'a fait éprouver la vue de ce grand homme ». De tout son maintien, de ses regards, de ses paroles s'échappe une ardeur d'adoration qui chatouille agréablement la vanité du patriarche : c'est une fidèle devant son Dieu. Avant de partir, elle lui demande sa bénédiction. Là comme toujours, l'amour, la foi transfigurent leur objet : ce grand rieur qui passa sa vie à se moquer de tout le monde, devient sous la plume de Mme Suard un apôtre attendri, doux et bénin : c'est un Voltaire idéalisé, le Voltaire des âmes sensibles, à mettre en face de Rousseau sur une console.

Tel apparut aussi **Voltaire aux Parisiens** en 1778. La mort de Louis XV avait levé la défense qui l'éloignait de Paris. Il arriva le 10 février 1778, et logea chez le marquis de Villette : les députations de l'Académie, de la Comédie-Française, nombre de grands seigneurs, des princes du sang vinrent lui rendre hommage. Franklin lui mena son petit-fils, qui fut béni par le vieillard. Le 16 mars, Voltaire assista à la sixième représentation de son *Irène* : ce fut une apothéose. Pendant trois mois, Voltaire se rassasia de sa gloire : c'était trop pour son âge ; l'émotion, la fatigue, le travail le brisèrent ; il mourut dans la nuit du 30 au 31 mai.

4. L'ESPRIT ET L'ŒUVRE DE VOLTAIRE.

Rien n'est plus difficile que de porter un jugement d'ensemble sur Voltaire. Il est tout pétri d'amour-propre ; il en a de toutes les sortes : entêtement de ses idées, vanité d'auteur, vanité de bourgeois enrichi et anobli. Il est tout nerfs, irritable, bilieux, rancunier, vindicatif, intéressé, menteur, flagorneur de toutes les puissances, à la fois impudent et servile, familier et plat. Mais ce même homme a aimé ses amis, même ceux qui le trahissaient, qui le volaient, comme ce parasite de Thieriot. La moitié de ses ennemis étaient ses obligés, *ses ingrats*. Intéressé comme il s'est montré souvent, il abandonnait sans cesse à ses amis, à ses libraires, à ses comédiens, à quelque pauvre hère, le produit de ses œuvres. Jamais gueux de lettres ne trouva sa bourse fermée. Il se fit le défenseur de toutes les causes justes, de tous les innocents que les institutions ou les hommes opprimaient. Amour du bruit, réclame de journaliste, je le veux bien : horreur physique du sang et de la souffrance, je le veux bien encore : mais il a aussi un vif sentiment de la justice, un réel instinct d'humanité, de bienfaisance, de générosité. Au fond, il y eut toujours en Voltaire un terrible gamin; il eut infiniment de légèreté, de malice. Il manqua de gravité, de décence, de respect d'autrui et de soi-même : qui donc en ce siècle avait souci d'embellir son être intérieur? qui donc n'était pas prêt à absoudre les actes *qui ne font de mal à personne, et font du bien à quelqu'un*, mensonges ou autres? Rousseau peut-être, et nul autre.

Il eut des lacunes aussi dans l'esprit. On a pu l'appeler la *perfection des idées communes*. Certaines grandes choses, les plus grandes peut-être, ont été hors de sa portée. Il n'eut pas la tête métaphysique[1]; et le plus mauvais tour qu'on puisse lui jouer est d'exposer sa philosophie transcendentale. Il n'avait pas le sens de la religion, le sens du mystère ou de l'infini. Il n'avait pas le sens de l'histoire, le don de vivre dans le passé et d'être en sympathie avec les générations lointaines[2].De là la fâcheuse étroitesse de sa critique religieuse : il ne sut comprendre ni l'essence du christianisme, ni son rôle consolateur et civilisateur. Il n'avait pas l'imagination scientifique, l'ouverture de pensée qui forme ou qui embrasse les hypothèses fécondes, le détachement de soi qui fait accepter au savant tous les démentis, toutes les surprises des faits, et les plus incroyables résultats de l'expérience; il n'a pas senti suffisamment

---

1. J'inclinerais aujourd'hui à penser qu'il avait jugé la portée de la métaphysique et que, l'estimant toute conjecturale et de nulle bienfaisance pratique, il ne croyait pas qu'il valût la peine d'y dépenser le temps de la vie. Il a pris les solutions métaphysiques qui donnaient le moins de peine et portaient le moins de fâcheuses conséquences dans la pratique. Mais il a souvent d'un mot, d'un trait, dégonflé de gros systèmes, avec une précision et une justesse remarquables (*11° éd.*).

2 Il avait le sens des difficultés et des conditions du travail historique. Son manque de sympathie pour le passé était une impatience de sa raison irritable et pétulante, qui accusait la lenteur du progrès de l'humanité (*11° éd.*).

l'infinité de ses ignorances, et il a témérairement fixé les limites du possible. Il n'a pas eu le grand goût, le sens profond de l'art, de la poésie : il a eu des timidités d'écolier, des répugnances de petite-maîtresse, devant la vraie nature et devant les maîtres qui l'ont rendue. Il n'a cru qu'à la raison : mais il a trop cru que ses habitudes, ses préjugés, ses partis pris étaient la forme universelle, éternelle de la raison.

Mais il a eu pourtant l'intelligence la plus alerte, la plus curieuse : une intelligence toujours en éveil, débrouillarde, lucide, merveilleux filtre d'idées; personne n'a possédé plus que cet homme-là le don de réduire un gros système à une courte phrase, et de choisir le petit échantillon sur lequel on peut juger d'une vaste doctrine. Il n'a pas eu de grandes vues politiques; il n'a pas approfondi l'origine des sociétés, la théorie des pouvoirs publics, les principes du droit et des lois. Mais qui sait si son aversion pour de telles recherches est faiblesse ou droiture d'esprit? Il a pris la société telle quelle, et il a voulu y loger tout le monde le mieux possible. Il y voulait plus de justice, parce que son esprit était choqué d'un manque de justice comme d'un manque de logique. Il avait le sens de la vie matérielle et des affaires, du commode et du pratique : ses idées sur la mise en valeur d'un État par la bonne administration étaient très modernes; il voulait partout plus d'aisance, plus de bien-être, plus de cette activité qui fait la prospérité de l'État en enrichissant les particuliers. Il méprisait les hommes en masse, le peuple, et il a eu des phrases révoltantes sur ce bétail humain que les propriétaires, les rois, doivent engraisser dans leur propre intérêt : il n'estimait pas l'humanité capable de faire elle-même son bien; il ne croyait qu'aux réformes venues d'en haut, et le despote bienfaisant était son idéal [1].

Enfin, le don éminent de Voltaire, ce qui enveloppe tout le reste, c'est l'activité. Cette nature complexe, riche de bien et de mal, mêlée de tant de contraires, dispersée en tous sens, a tendu avec une énergie inépuisable vers tous les objets que ses passions ou sa raison lui ont proposés. Elle a aspiré à exercer tous les modes de l'action, comme d'autres ont recherché tous les modes de la

---

1. Je crois pouvoir affirmer aujourd'hui que si Voltaire se contentait du despote bienfaisant, c'est qu'il ne voyait pas d'autre possibilité pratique pour la France. Idéalement, il concevait la démocratie comme le gouvernement le plus raisonnable; il aimait et admirait la liberté anglaise; il concevait qu'il était juste que les citoyens — au moins toute la classe possédante et éclairée — fussent admis à délibérer de leurs intérêts communs. Il a témoigné de son respect pour l'artisan genevois, instruit, et qui lit : il a souhaité qu'un temps vînt où le peuple — c'est-à-dire en exceptant la masse des journaliers — serait en état de lire les meilleurs chapitres de l'*Esprit des lois*. Dans les « phrases révoltantes » dont je parle, il faut faire la part du tour badin que Voltaire emploie en écrivant aux grands pour leur faire agréer ses idées : il a cru souvent utile de se moquer des clients qu'il recommandait (*11e éd.*).

sensation. Telle qu'elle est, c'est un des exemplaires, je ne dis pas les plus nobles, mais les plus complets et les plus curieux des qualités et des défauts de la race française, de ces Welches dont il a dit tant de mal, et qui se sont aimés en lui.

Si l'on voulait se représenter ce que notre vieille littérature, purement française, aurait pu donner sans la Renaissance, à quelle perfection originale elle aurait pu parvenir sans le secours et les modèles de l'art antique, je crois que le xviiie siècle peut nous le montrer, et, dans le xviiie siècle, Voltaire. Son style est exactement à la mesure de son intelligence, un style analytique, précis, limpide, qui résout ou fond toutes les difficultés, tout en lumière avec très peu de chaleur, merveilleusement adapté à l'expression des *idées*, c'est-à-dire de la nature dépouillée de ses formes concrètes et rendue intelligible par l'abstraction. Ce style manque d'éloquence, de poésie, de pittoresque. Voltaire a peu de sens : du moins il ne fait pas attention aux sensations que lui fournissent les choses extérieures; il les emploie à vivre, à penser; il ne les prend pas elles-mêmes pour matière d'art. Voltaire est tout nerfs, et toujours agité de passion : mais il écoute ses nerfs ou sa passion comme chacun de nous; il ne fait pas des impressions de ses nerfs, des vibrations de sa passion l'objet immédiat d'un travail d'art. En un mot, il n'a pas l'imagination qui utilise les formes sensibles en vue du plaisir esthétique. Son style n'est nullement artiste. Il voit toutes choses du point de vue de la raison : l'idée du vrai est comme la catégorie de son esprit, hors de laquelle il ne peut rien concevoir. Il n'y a pour lui au monde que des sottises, des erreurs, ou des vérités. Toutes les injustices, toutes les oppressions, tous les crimes sont perçus par lui comme effets de jugements infirmes. Ainsi le fondement de l'ironie voltairienne, de ce *ricanement* fameux, est identique à celui du comique moliéresque; cette façon de prendre les choses par la raison plutôt que par le sentiment est éminemment française.

Si l'on essaie d'analyser l'ironie voltairienne, on s'aperçoit qu'elle a un caractère rigoureusement mathématique. Elle consiste surtout en deux opérations : 1° la réduction de l'inconnu au connu; 2° la démonstration par l'absurde Mais tandis que le mathématicien convertit ses formules sous nos yeux, et nous conduit à sa conclusion par une suite de propositions **constamment** évidentes, Voltaire

---

1. J'ai indiqué dans *l'Art de la Prose*, 1909, comment il fallait restreindre ce jugement trop absolu. J'ai montré ce qu'il y avait de jeu sur les sonorités des mots, de correspondances et de parallélismes dans la prose des contes et des facéties de Voltaire, et comment elle amusait l'oreille en saisissant l'intelligence. J'ai montré ce qu'il y avait de réalisme sensualiste dans cette prose : c'est-à-dire que les idées y étaient résolues en notations concrètes, en faits et images qui les symbolisaient Tout demeure subordonné à l'idée, à la démonstration, mais tout est, sinon tableau, du moins dessin, qui traduit aux yeux la pensée de l'artiste (*11e éd.*).

supprime les intermédiaires; il substitue brusquement la vérité connue à la proposition non démontrée, l'absurdité sensible à la proposition non réfutée; et il nous laisse le soin de saisir l'équivalence des termes de chaque couple. L'esprit est brusquement heurté par tant d'évidence de vérité ou d'erreur qu'il trouve à la place de l'obscurité qu'il attendait, et il s'égaie de trouver réduites à des jugements de M. de la Palisse les idées où il croyait se casser la tête. Dans les matières moins ardues, c'est toujours par des substitutions d'idées et des suppressions d'intermédiaires, par des réductions imprévues à l'évidence ou à l'absurde, que l'ironie de Voltaire fait son effet.

Pour la même raison, et par le même procédé, Voltaire est un charmant conteur. A lui aboutit toute cette lignée de conteurs facétieux ou satiriques qui depuis les origines de notre littérature ont si alertement traduit les conceptions bourgeoises de la vie et de la morale : Voltaire a élevé à la perfection leurs qualités de malice, de netteté, de rapidité. Il porte dans ses récits le sens qu'il avait de l'action; il extrait de la confusion des détails le petit fait unique qui contient l'essence de l'acte ou le motif de l'acteur; et les séries de petits faits s'ordonnent vivement, dessinant avec précision la ligne sinueuse de l'action générale. Ses contes et ses romans sont comme des problèmes de mécanique dont ses descriptions seraient les figures : de la réalité copieuse et substantielle, Voltaire ne tire en quelque sorte que des forces abstraites et des mobiles idéaux. Toujours son intelligence se révèle curieuse avant tout du vrai, du vrai rationnel : il juge toutes les actions de ses personnages; il ne les a prises même que pour les juger, comme exemplaires de tous les préjugés ou sottises qu'il combat. Ainsi l'ironie enveloppera le récit : il ne sera jamais impersonnel, objectif, et toujours le substitut évident ou absurde remplacera ou complétera l'expression immédiate et simple du fait. La même ironie apparaîtra dans le choix des faits : chacun d'eux est comme une expérience bien combinée qui dégage instantanément le contenu de vérité ou d'erreur qu'une théorie abstraite dissimule. Voilà par où Voltaire est le maître du conte moral ou philosophique : ses chefs-d'œuvre sont construits, dans leur plan et dans leur style, avec une rigueur mathématique; tout y fait démonstration.

La littérature, à mesure que Voltaire avançait en âge, n'a de plus en plus été pour lui qu'un moyen. Il faut donc nous demander en quoi a consisté son action, quelle est sa part dans l'œuvre de démolition de l'ancien régime, dans la reconstruction de la société moderne.

S'il fallait résumer d'un mot, je dirais que la marque voltairienne, c'est l'irrespect. D'autres ont été plus révolutionnaires que lui : ils n'ont pas autant enseigné le mépris de l'autorité, l'interprétation malveillante et sceptique des actes du pouvoir. Personne n'a plus contribué que Voltaire à mettre au cœur des particuliers l'incurable défiance du gouvernement, à leur donner l'esprit de critique et d'opposition quand même. Il n'a pas fait la démocratie révolutionnaire; il a fait la bourgeoisie ingouvernable. Il n'a pas jeté à bas l'ancien régime, il l'a livré à ceux qui l'ont jeté à bas. Il en a ruiné les défenses, et séché le zèle des défenseurs. Il a été un grand docteur d'individualisme, et il a désagrégé la société.

D'autres ont cru aussi peu à la religion, moins à Dieu : personne n'a été plus foncièrement irréligieux. Il a enseigné à ne pas croire, mais surtout à traiter la croyance comme une sottise, et le croyant comme un imbécile. Son Dieu philosophique était un postulat que son esprit acceptait, et qui n'intéressait pas son cœur[1]. De là son manque de gravité dans la critique religieuse. Il ne saisissait pas le rapport de l'idée métaphysique de Dieu au Dieu réel et sensible des humbles d'esprit, qui ne raisonnent guère, mais qui aiment et qui espèrent.

En fait, sa philosophie est absolument matérialiste; sa morale, sa politique, son économie politique, tous ses désirs de réformes et d'améliorations sociales sont d'un homme qui borne ses pensées à la vie présente. Aussi est-il le philosophe qui peut-être a le plus fait pour préparer la forme actuelle de la civilisation; il eût applaudi aux merveilleux progrès de notre siècle utilitaire et pratique, aux inventions de toute sorte qui ont rendu la vie plus facile, plus douce, et plus active, plus intense en même temps. Le code civil, les machines, les chemins de fer, le télégraphe électrique, les grands magasins l'eussent ravi. Il est le philosophe qu'il faut à un monde de bureaucrates, d'ingénieurs et de producteurs. C'est là surtout qu'il faut chercher l'action et l'esprit de Voltaire.

Dans le mouvement intellectuel, la trace principale de Voltaire est la diffusion de l'incrédulité du haut en bas de la société française. La noblesse a été ramenée par les événements à la foi. Mais la bourgeoisie dans l'ensemble est restée voltairienne, et le peuple l'est devenu. C'est bien Voltaire qui a tué chez nous la reli-

1. Il y a pourtant des endroits où son déisme s'est exprimé avec chaleur et gravité. La bouffonnerie de sa critique religieuse s'explique en partie sans doute par son tempérament, en partie aussi par le sentiment qu'il avait de la puissance effective du ridicule, en partie enfin par l'incroyable naïveté des interprètes traditionnalistes de l'Écriture (dom Calmet, etc.). Il faut enfin tenir compte du fait que l'Église était encore assez forte pour ne pas laisser place en France à la libre, scientifique et sereine critique : il y a de la crainte et de la colère dans l'acharnement railleur de Voltaire (*11e éd.*).

gion : il a révélé à la masse des esprits moyens qu'ils n'avaient pas besoin de croire, qu'ils ne croyaient que mécaniquement, par préjugé, habitude et tradition : et c'était vrai. Ce rationalisme des âmes médiocres et fermées aux grandes conceptions comme aux grandes inquiétudes paraît aujourd'hui à beaucoup de gens, même libres penseurs, bien étroit et bien inintelligent. Une critique plus large, plus profonde, plus juste, qui comprend les religions en dissolvant les dogmes, qui admire la fonction, l'efficacité, la beauté des croyances auxquelles elle retire la réalité de leur objet, une critique non moins rationnelle, plus scientifique et plus savante, plus respectueuse et plus bienveillante précisément à cause de cela, a remplacé la critique voltairienne. Mais il faut dire deux choses à la décharge de Voltaire : d'abord qu'il attaquait, non pas la religion idéale, mais l'Église de son temps ; et il est excusable de n'avoir pas compris celle-là en regardant celle-ci. Ensuite, que, sans Voltaire, Renan était impossible. Il a fallu nier avec colère avant de pouvoir nier avec sympathie. Il fallait que le pouvoir de l'Église fût détruit, pour qu'on pût rendre justice à la religion sans y croire. Il nous est facile d'honorer, parce que notre incroyance ne nous met plus en danger. Par ses indécences, ses injures, ses calomnies, son inintelligence, Voltaire nous a donné notre liberté, et a préparé notre justice.

CHAPITRE V

JEAN-JACQUES ROUSSEAU

Rousseau philosophe et ennemi des philosophes. — 1. Vie de Rousseau. — 2. Unité de son œuvre. Enchaînement de ses divers écrits. — 3. L'individualisme de Rousseau. Origines personnelles des idées de Rousseau. Le fond genevois et protestant. Rousseau religieux et moral. Restauration de la vie intérieure et sentimentale. — 4. Diverses objections aux doctrines de Rousseau : ce qu'il y a de vrai, d'efficace, d'actuel encore dans son œuvre. Le problème de l'inégalité. La *Nouvelle Héloïse*. L'*Emile*. — 5. Influence de Jean-Jacques Rousseau. Réveil du sentiment. Caractère littéraire de son œuvre. Éloquence et lyrisme. Les *Confessions*. Ce qu'il y a de réalisme dans Rousseau. Le sentiment de la nature. La littérature orientée de nouveau vers l'art.

La philosophie du xviiie siècle n'avait trouvé en face d'elle que des adversaires médiocres et méprisables. Un garçon qui faisait des articles sur la musique dans l'*Encyclopédie* se leva contre la secte encyclopédique : *Rousseau le musicien*[1] se fit l'avocat de la

1. **Éditions :** *Œuvres*, éd. Dupeyrou, 1782-90, éd. Musset-Pathay, 1818; *Discours sur les Sciences et les Arts*, éd. G. R. Havens, 1941; *Lettre à d'Alembert sur les Spectacles*, éd. M. Fusch, 1948; *La Nouvelle Héloïse*, éd. D. Mornet, 1925-26; *Émile ou de l'Éducation*, éd. F. et P. Richard, 1939; *Profession de foi du Vicaire Savoyard*, éd. P. M. Masson, 1914; *Du Contrat social*, éd. G. Beaulavon, 1938, M. Halbwachs, 1943; *Confessions* et *Rêveries d'un Promeneur solitaire*, éd. A. Van Bever, 1927, éd. L. Martin-Chauffier, 1935, P. Grosclaude, 1947; *Rêveries*, éd. M. Raymond, 1948, éd. S. Spink, 1948; *Correspondance générale*, éd. Th. Dufour et P. P. Plan, 1924-34; *Pages immortelles*, éd. R. Rolland, 1938. — **A consulter :** Mme de Staël, *Lettres sur le Caractère et les Ouvrages de R.*, 1788; Bernardin de Saint-Pierre, *Vie et Ouvrages de R.*, éd. M. Souriau, 1907; F. Brunetière, *Études critiques*, III et IV; L. Ducros, *R.*, 1888, *R., De Genève à l'Hermitage* (1712-1757), 1908, *De Montmorency au Val de Travers* (1757-1765), 1917, *De l'Ile Saint-Pierre à Ermenonville* (1765-1778), 1918; H. Beaudoin, *Vie et Œuvres de R.*, 1891; A. Chuquet, *R.*, 1893; J. Texte, *R. et les Origines du Cosmopolitisme au XVIIIe s.*, 1895; J. Lemaitre, *R.*, 1907; Höffding, *R.*, 1912; J. Fabre, *R.*, 1912; E. Faguet, *XVIIIe s.*, *Politique comparée de Montesquieu, R. et Voltaire*, 1902; *Vie de R., R. contre Molière, Les Amies de R., R. penseur, R. artiste*, 1912; *R.*, 1912; D. Mornet, *Sentiment de la Nature de R. à Bernardin de Saint-Pierre*, 1907, *Romantisme en Fr. au XVIIIe s.*, 1925, *La Nouvelle Héloïse de R.*, 1929, *Origines intellectuelles de la Révolution fr.*, 1933, *R., l'homme et l'œuvre*, 1950; G. Lanson, *R.* (dans *Grande Encyclopédie*), *Unité de la Pensée de R.*, dans *Annales J.-J. R.*, 1912, *Art de la Prose*, 1908; B. Bouvier, *R.*, 1912; P. P. Plan, *R. raconté par les Gazettes du temps*, 1912; P.-M. Masson, *Religion de R.*, 1916; E. Seillière, *R.*, 1921; L. Dugas, *Les Grands Timides*, 1922; A. Schinz, *Pensée religieuse de R.*,

conscience, le champion de la morale, de la vie future et de la
Providence. Il était pourtant philosophe aussi; il alla tout simplement plus avant que les autres, et fit sortir la négation de leurs
principes du développement de ces principes mêmes : il fut plus
ennemi que personne de la tradition, de la discipline, de la règle;
il fut carrément individualiste, jusqu'à renverser les dernières
barrières qu'on eût respectées, la raison et le savoir-vivre. Ainsi
il contredit les philosophes en les dépassant. Mais la différence
essentielle, la voici : parmi tous les intellectuels qui l'entourent,
Rousseau est un sensitif. Au milieu de gens occupés à penser, il
s'occupe à jouir et à souffrir. D'autres étaient arrivés par l'analyse
à l'idée du sentiment : Rousseau, par son tempérament, a la réalité du sentiment; ceux-là dissertent, il vit; toute son œuvre
découle de là. Aussi, tandis que la leur apparaît surtout comme
analytique, critique, négative, destructive, la sienne fait l'effet
d'être synthétique, poétique, positive, constructive.

Lorsqu'on essaie de définir Rousseau par opposition aux philosophes de son temps, un homme nous gêne : c'est Diderot, cet
adorateur de la nature, cette source d'enthousiasme. Dès qu'on
parle en termes généraux, il semble qu'il recouvre Rousseau, qu'il
le double, et souvent se confonde avec lui. Il y eut en effet entre
ces deux hommes de grandes affinités de nature. Mais Diderot
s'est trouvé être un petit bourgeois français condamné à perpétuité au labeur de bureau, à l'écrivasserie : la société l'a nourri,
élevé, absorbé. Rousseau eut ce bonheur de vivre hors de la société
jusqu'à quarante ans, ou à peu près. L'homme de la nature, le
sauvage, il l'a été, il l'a vécu, avant de le décrire : il a quêté les
plaisirs naturels, physiques ou sentimentaux, tout à la joie de la
quête et de la possession, n'ayant pas une arrière-pensée de convertir les émotions de son cœur en *copie* pour l'imprimeur. Encore
ici, il a l'être, le sentiment effectif et présent. Il faut donc voir
Rousseau vivre avant de l'écouter parler.

1928; A. Monglond, *Vies préromantiques*, 1925, *Histoire intérieure du Préromantisme*, 1929, *Jeunesse*, 1933; L. Proal, *Psychologie de R.*, 1930; M. Moffat, *R. et la
Querelle du théâtre au XVIII* s., 1930; P. Trahard, *Maîtres de la Sensibilité fr.
au XVIII* s., 1931-33; R. Osmont, *Étude psychologique des Rêveries*, dans *Annales J.-J. R.*, 1934; J. S. Spink, *R. et Genève*, 1934; J. Benrubi, *Idéal moral,
chez R.*, 1940; G. Duhamel, *Confessions sans Pénitence*, 1941; A. Schinz, *Etat
présent des Études sur R.*, 1941; A. Ravier, *l'Éducation de l'Homme nouveau,
Essai hist. et crit. sur l'Emile*, 1941; H. Guillemin, *Les Philosophes contre J.-J.,
l'Affaire R.-Hume*, 1942, *Un Homme, deux Ombres* (J.-J., Sophie, Julie), 1943;
G. Faure, *Essais sur R.*, 1948; J.-J. Chevaillier, *Grandes Œuvres politiques*, II,
1948; J. Senelier, *Bibliographie générale des Œuvres de R.*, 1949; J. Guéhenno,
Jean-Jacques, I : *En marge des Confessions*, 1948; II : *Roman et Vérité*, 1950;
B. Groethuysen, *R.*, 1950; H. Roddier, *R. en Angleterre au XVIII* s., 1950;
R. Derathé, *R. et la Science politique de son Temps*, et *Le Rationalisme de R.*, 1950.

1. VIE DE J.-J. ROUSSEAU.

Fils d'un horloger de Genève, orphelin de sa mère que deux bonnes tantes remplacent mal, Jean-Jacques [1] est élevé par un père léger, qui le grise de romans, où tous les deux passent les nuits jusqu'à ce que les premiers cris des hirondelles leur rappellent d'aller se coucher; il se grise ensuite d'héroïsme, en lisant Plutarque. Le père, pour une méchante affaire, est obligé de quitter Genève (1722) : il laisse son fils, dont il ne s'occupera plus guère, à l'oncle Bernard, homme de plaisir, à la tante Bernard, dévote austère, qui mettent l'enfant en pension chez le pasteur Lambercier à Bossey, près de Genève, au pied du Salève. Là se marquent les premiers traits du caractère de Rousseau, l'amour des arbres, de la campagne, de la nature. Ramené à Genève, il est placé chez un greffier qui n'en peut rien faire, puis chez un graveur qui le bat, à qui il vole ses asperges, ses pommes : il est alors enragé de lecture, il se farcit la tête de tout le cabinet de lecture voisin, malgré son maître qui brûle tous les livres qu'il attrape. Jean-Jacques se trouvait misérable : une occasion l'affranchit; un jour qu'il a polissonné dans la campagne, il trouve les portes de Genève fermées. Il accepte l'arrêt que semble lui signifier la Providence : il décide de ne plus rentrer chez son graveur, ni chez son oncle.

Le voilà vagabondant en Savoie (1728) . un curé qui l'héberge une nuit l'adresse à Mme de Warens, une dame qui s'occupait de conversions, échappée elle-même de la Suisse et du calvinisme; elle habitait Annecy. Elle fait bon accueil au jeune huguenot, que sa charmante figure recommande; elle l'envoie à l'hospice de Turin, où il se laisse facilement convertir. Après quoi, on le met dehors, avec une vingtaine de francs en poche; notre catéchumène flâne dans Turin, entend la messe du roi, où ses sens s'éveillent à la musique; et comme il faut vivre, il se fait laquais. Dans sa première place, il vole un ruban, et accuse une servante qu'il fait chasser; dans la seconde, son intelligence, son érudition ramassée au hasard le font remarquer; son maître s'intéresse à lui. Mais il s'ennuie dans la vie régulière : il s'associe avec Bacle, un aventurier pire que lui; les deux drôles courent le monde en montrant *la curiosité*. Annecy et Mme de Warens attirent Rousseau, et il lâche son compagnon : il est reçu cordialement, et l'on essaie de lui ouvrir une carrière. On pense d'abord à le faire prêtre, et il entre au séminaire : puis on le tourne vers la musique, dont il donnera

---

1. Né le 28 juin 1712.

des leçons avant de la savoir. Son inquiétude le promène à Lyon, à Lausanne, à Neuchâtel, à Paris; et toujours quand son imprudence ou sa légèreté l'ont mis sur le pavé, sa pensée se retourne vers la « maman », qui a transporté son domicile à Chambéry : les grands chemins pourtant, les longues marches, les libres horizons, les gîtes incertains, les soupers de rencontre, les nuits à la belle étoile le ravissent, l'enivrent, emplissent son âme d'ineffaçables sensations. Mais il faut vivre : la prévoyante « maman » fait de son vagabond un employé au cadastre, cela ne dure guère : il sera musicien, il aura des élèves. Tout cela entremêlé encore d'absences et de voyages.

Jean-Jacques faisait bon ménage avec le jardinier Claude Anet, qui partageait avec lui la protection de Mme de Warens; mais Claude Anet meurt, et une sorte de majordome, le Suisse Wintzenried, le remplace. Jean-Jacques ne s'entend pas avec le camarade; et c'est au moment où le refroidissement commence entre Mme de Warens et lui, qu'il fait aux Charmettes ce délicieux séjour de trois étés (1738-1740), où il est presque toujours seul, quoi qu'il ait dit, où il refait son éducation, lisant toutes sortes de livres, philosophes, historiens, théologiens, poètes . il en sortira armé et prêt à la lutte. Son tour d'esprit est arrêté : un gentilhomme du voisinage, M. de Conzié, qui le vit souvent vers 1738 ou 1739, nous signale en lui un « goût décidé pour la solitude,... un mépris inné pour les hommes, un penchant déterminé à blâmer leurs défauts, leurs faibles,... une défiance constante en leur probité ». C'est aux Charmettes que Rousseau écrit ses premiers essais. Avant le dernier été qu'il y passa, il fut quelques mois précepteur des enfants du grand prévôt de Lyon, M. de Mably, dont il ne se faisait pas scrupule de « chiper » le bon vin : il n'était pas encore tout à fait assis dans sa moralité.

Enfin il part pour Paris (1741). C'est la rupture définitive avec Mme de Warens, dont les affaires se dérangeaient de plus en plus; désormais dans leurs rares relations les rôles seront intervertis, et Jean-Jacques enverra quelques petits secours à l'amie qui a tant fait pour lui. La pauvre femme, toujours en dettes, en procès, en projets, mourra en 1762 : c'était une détraquée, brouillonne, dévote, un peu aventurière, dont la réputation n'aurait pas eu de trop grave accroc, si Jean-Jacques n'avait eu l'idée de confesser ses fautes, avec toutes celles des gens qu'il avait connus.

A Paris, Rousseau apportait quinze louis, une comédie de *Narcisse*, et un système nouveau de notation musicale qui devait lui donner gloire et fortune. Il fallut vite en rabattre, et l'inventeur se trouva heureux d'aller à Venise comme secrétaire de M. de Montaigu, ambassadeur de France, avec lequel il se brouilla bientôt bruyamment. Rousseau se retrouve sur le pavé de Paris, sans fortune et sans emploi. Il se met à copier de la musique pour vivre. Mais dès son précédent séjour il s'est fait des amis, des amies : il a trente ans, l'œil ardent, la figure intéressante; il aura beau dire plus tard, les sympathies vont à lui. Diderot lui donne à faire des articles de musique pour l'*Encyclopédie*. Il connaît Fontenelle, Marivaux, il se lie avec Condillac. Il retape pour la cour une pièce de Voltaire, un opéra de Rameau; il fait jouer de sa musique chez un fermier général, chez le magnifique M. de la Popelinière. Enfin il devient secrétaire de Mme Dupin, dont le fils, M. de Francueil, fermier général, veut le prendre pour caissier; c'était la fortune. Rousseau a la réelle délicatesse de refuser des fonctions auxquelles il n'était pas disposé à se donner. Il eût toujours un solide et fier mépris de l'argent : ne traitons pas trop facilement d'orgueil une assez rare vertu. Mais voici le contraste : c'est vers ce temps qu'il dépose les enfants de Thérèse Levasseur, malgré elle, aux Enfants-Trouvés.

En 1749, l'Académie de Dijon met au concours la fameuse question : *Si le progrès des sciences et des arts a contribué à corrompre ou épurer les mœurs.* Rousseau choisit le paradoxe qui fait le succès de son discours. Inconnu la veille, en un jour il est célèbre. Le *Discours sur l'inégalité*, qui vint après, fit plus d'effet encore. En deux pas, Rousseau a rattrapé Voltaire. Mais voici le danger pour cette nature immensément orgueilleuse, et fanfaronne de sincérité : du jour où il a pris position par un livre devant le public, il croit son honneur en jeu s'il n'est pas l'homme de sa théorie; il commence à se singulariser à outrance. Il en a pris le parti du reste, dès qu'il s'est trouvé introduit dans les salons. Il ne *sait pas vivre*, il n'a pas le ton, les manières du monde; il souffre dans son amour-propre, et il essaie d'échapper au ridicule par un déploiement volontaire de rudesse et de sauvagerie. Puis il était toujours resté le vagabond à qui il fallait le grand air et le ciel libre, les courses à l'aventure, et les surprises d'un coin de bois ou d'un coucher de soleil. Aussi prit-il, en pleine gloire, la résolution de quitter ce noir, fiévreux, assourdissant et asservissant Paris : ses amis les philosophes, qui n'avaient pas le tempérament bucolique et vivaient aux bougies comme le poisson dans l'eau, ne comprirent rien à cette lubie, essayèrent de le retenir, et n'arrivèrent qu'à le froisser.

La femme d'un fermier général, Mme d'Épinay, qui possédait le château de la Chevrette, mit à la disposition de Jean-Jacques un pavillon de cinq ou six pièces avec un potager et une source vive, qu'elle avait au bout de son parc. Rousseau y transporta ses livres, son épinette, Thérèse et la mère Levasseur; l'installation

eut lieu le 6 avril 1756, aux premières fleurs du printemps. Ce fut
un ravissement : derrière l'Ermitage, c'était la forêt de Montmorency, ses sentiers, ses clairières, ses épaisseurs et ses échappées,
des arbres, des bruyères, des abeilles, des oiseaux, tout un monde
de merveilles enchanteresses. Mais..., mais Mme d'Épinay aimait
son philosophe, son *ours*; elle le dérangeait, quand il aurait aimé
à rester chez lui, elle le faisait venir à la Chevrette, quand il aurait
voulu errer seul au fond des bois. Mais elle alla à Genève se faire
soigner par Tronchin, et l'indiscret Diderot somma Rousseau de
partir avec elle. Mais elle avait un autre ami plus ami, toujours
présent, toujours dévoué, de bon secours et de bon conseil, M. de
Grimm : et Rousseau, qui n'aurait pas voulu prendre la place de
Grimm, était jaloux de Grimm. Mais elle avait une belle-sœur,
Mme d'Houdetot, avec qui Rousseau ébaucha d'innocentes et troublantes amours. Il résulta de tout cela un enchevêtrement de
griefs, d'explications, des tiraillements, des tracasseries : enfin
Rousseau se brouilla avec Diderot, avec Grimm, avec Mme d'Épinay, et déménagea de l'Ermitage.

Il n'alla pas loin : il se logea (déc. 1757) à Montmorency dans
une petite maison qu'on nommait Montlouis. Pendant qu'on réparait sa maison, il se laissa installer au château, chez le maréchal
et la maréchale de Luxembourg. Mais cette fois il avait fait ses
conditions : qu'on ne le dérangerait pas, qu'il verrait les maîtres
du château quand il voudrait, les fuirait quand il voudrait. M. et
Mme de Luxembourg acceptèrent avec mansuétude tous les articles
du pacte proposé par cet affamé d'indépendance, qui ne voulait
pas sentir le lien même des bienfaits qu'il acceptait. A Montmorency, Rousseau passe quelques calmes années : il travaille; il
achève sa *Nouvelle Héloïse*, il fait sa *Lettre sur les spectacles*, son *Contrat social*, son *Émile*. Malgré la bienveillance de M. de Malesherbes,
directeur de la librairie, qui avait l'esprit très large, l'*Émile*
détruisit la tranquillité de l'écrivain. La Sorbonne censura l'ouvrage; le Parlement le fit brûler : Jean-Jacques fut décrété de
prise de corps. M. de Luxembourg le fit partir; et, s'en allant sur
les quatre heures du soir, il fut salué dans son cabriolet par les
huissiers qui venaient l'arrêter (1762).

L'*Émile* était partout poursuivi, partout condamné, à Berne,
en Hollande, à Genève même, dans cette patrie qui avait tant fêté
son glorieux enfant quelques années plus tôt (1754), où il avait
repris sa qualité de citoyen avec la religion de ses pères. Rousseau
alla demander asile au roi de Prusse, souverain de Neuchâtel,
et s'installa à Motiers-Travers dans une maison que Mme Boy de
La Tour mit à sa disposition. Le paysage le ravit; le gouverneur
lui plut : c'était l'aimable Milord Maréchal, qui lui envoyait de

son vin, et le remerciait de l'avoir accepté. Comme toujours, après le rêve de bonheur, le désenchantement : un pasteur intolérant tracassa Jean-Jacques, ameuta les paysans contre lui. Des cailloux furent lancés contre ses vitres : l'imagination du philosophe lui représenta toute une foule ardente à le lapider. Il quitta Motiers, et s'en alla dans l'île Saint-Pierre, au milieu du lac de Bienne. Un décret du sénat de Berne l'en chassa.

Il traversa Paris (1765), et passa en Angleterre, où l'historien David Hume lui procura un asile à Wootton, dans le comté de Derby. Dans ce vallon frais et boisé, Jean-Jacques passa treize mois, herborisant, faisant de la musique, et rédigeant les mémoires de sa vie. Mais il se brouilla avec Hume : c'est le dernier coup, qui déchaîne toutes ses méfiances et ses soupçons. Les germes qu'apercevait M. de Conzié dès 1738, se développent dans sa pauvre tête; et une vraie folie l'envahit Il croit à une vaste conspiration ourdie par Diderot, Hume, Grimm, avec la complicité de tout le genre humain, pour l'humilier, le déshonorer, le calomnier, lui imposer des bienfaits outrageants, ou lui attribuer des ouvrages infamants. Il fuit l'Angleterre, séjourne un an à Trie chez le prince de Conti sous un faux nom, puis, comme traqué, se réfugie en Dauphiné, à Bourgoin, à Monquin. En 1770, il revient à Paris, et se loge rue Plâtrière. Il copie toujours de la musique, pour vivre; les gens qui veulent le voir se déguisent en clients pour forcer sa porte. Il éconduit brutalement les curieux, les admirateurs, les protecteurs qui s'offrent. Il vit solitaire, farouche, flatté malgré tout de la curiosité publique, de l'admiration qu'il sent l'envelopper, mais incurablement ombrageux et persécuté. Les fruitières lui vendent leurs légumes au rabais pour l'humilier d'une aumône; les carrosses se détournent pour l'écraser, ou l'éclabousser; on lui vend de l'encre toute blanche, pour qu'il n'écrive pas sa justification : partout il est espionné, surveillé, même au théâtre. Voilà les misérables visions dont son esprit est hanté : il les consigne dans ses étonnants *Dialogues*, œuvre prodigieuse d'éloquence et de folie, qu'il veut déposer sur le maître autel de Notre-Dame. Il distribue dans les rues une circulaire *à tout Français aimant la justice*.

Il va pourtant en ce temps-là lire ses *Confessions* chez la comtesse d'Egmont; mais ses bons jours, clairs et riants comme ceux de sa jeunesse, ce sont ses longues promenades, ses herborisations dans la banlieue, au bois de Boulogne. Enfin, il accepte en 1777 l'hospitalité du marquis de Girardin à Ermenonville; et c'est là qu'il meurt le 2 juillet 1778. Il n'est pas probable qu'il se soit tué.

Voilà cette vie d'un grand écrivain, où la littérature tient si peu de place : les chefs-d'œuvre s'entassent en une douzaine

d'années, de 1749 à 1762 : dans les trente-sept années précédentes,
rien ou à peu près; dans les seize dernières, les *Confessions* avec
eur complément des *Rêveries*, qui sont moins un livre d'auteur
qu'une vision de vieillard revivant avec délices sa vie inégale
et mêlée. De cette vie l'âme de l'homme se dégage : une âme
candide et cynique, intimement bonne et immensément orgueilleuse, romanesque incurablement, déformant toutes choses pour
les embellir ou les empoisonner, enthousiaste, affectueuse, optimiste de premier mouvement, et par réflexion pessimiste, irritable, mélancolique, malade, et déséquilibrée finalement jusqu'à
la folie; une âme délicate et vibrante, épanouie ou flétrie d'un
souffle, et dont un rayon ou une ombre changeait instantanément
tout l'accord, d'une puissance enfin d'émotion, d'une capacité de
souffrance, qui ont été bien rarement données à un homme.

2. UNITÉ DE L'ŒUVRE DE ROUSSEAU.

Maintenant regardons l'œuvre : Rousseau va nous en donner
lui-même une vue d'ensemble; voici comment le Français des
Dialogues résume les écrits de Jean-Jacques, et en manifeste l'unité :

Suivant de mon mieux le fil de ses méditations, j'y vis partout le
développement de son grand principe, que la nature a fait l'homme
heureux et bon, mais que la société le déprave et le rend misérable.
L'*Emile*, en particulier, ce livre tant lu, si peu entendu et si mal appré-
cié, n'est qu'un traité de la bonté originelle de l'homme destiné à
montrer comment le vice et l'erreur, étrangers à sa constitution, s'y
introduisent du dehors, et l'altèrent insensiblement. Dans ses premiers écrits, il s'attache davantage à détruire ce prestige d'illusion
qui nous donne une admiration stupide pour les instruments de nos
misères, et à corriger cette estimation trompeuse qui nous fait honorer
des talents pernicieux et mépriser des vertus utiles. Partout il nous
fait voir l'espèce humaine meilleure, plus sage et plus heureuse dans
sa constitution primitive; aveugle, misérable et méchante, à mesure
qu'elle s'en éloigne; son but est de redresser l'erreur de nos jugements,
po'r retarder le progrès de nos vices, et de nous montrer que, là où
nous cherchons la gloire et l'éclat, nous ne trouvons en effet qu'erreurs et misères.
Mais la nature humaine ne rétrograde pas, et jamais on ne remonte
vers les temps d'innocence et d'égalité, quand une fois on s'en est éloigné; c'est encore un des principes sur lesquels il a le plus insisté. Ainsi
son objet ne pouvait être de ramener les peuples nombreux, ni les
grands États, à leur première simplicité, mais seulement d'arrêter, s'il
était possible, le progrès de ceux dont la petitesse et la situation les
ont préservés d'une marche aussi rapide vers la perfection de la
société, et vers la détérioration de l'espèce. Ces distinctions méritaient
d'être faites. et ne l'ont point été. On s'est obstiné à l'accuser de vou-

loir détruire les sciences, les arts, les théâtres, les académies, et replonger l'univers dans sa première barbarie, et il a toujours insisté, au contraire, sur la conservation des institutions existantes, soutenant que leur destruction ne ferait qu'ôter les palliatifs en laissant les vices, et substituer le brigandage à la corruption ; il avait travaillé pour sa patrie et pour les petits États constitués comme elle. Si sa doctrine pouvait être aux autres de quelque utilité, c'est en changeant les objets de leur estime et retardant peut-être ainsi leur décadence qu'ils accélèrent par leurs fausses appréciations. Mais, malgré ces distinctions si souvent et si fortement répétées, la mauvaise foi des gens de lettres, et la sottise de l'amour-propre, qui persuade à chacun que c'est toujours de lui qu'on s'occupe, lors même qu'on n'y pense pas, ont fait que les grandes nations ont pris pour elles ce qui n'avait pour objet que les petites républiques ; et l'on s'est obstiné à voir un promoteur de bouleversements et de troubles dans l'homme du monde qui porte un plus vrai respect aux lois et aux constitutions nationales, et qui a le plus d'aversion pour les révolutions et pour les ligueurs de toute espèce, qui la lui rendent bien.

En saisissant peu à peu ce système par toutes ses branches dans une lecture plus réfléchie, je m'arrêtai pourtant moins d'abord à l'examen direct de cette doctrine, qu'à son rapport avec le caractère de celui dont elle portait le nom, et sur le portrait que vous m'aviez fait de lui, ce rapport me parut si frappant, que je ne pus refuser mon assentiment à son évidence. D'où le peintre et l'apologiste de la nature, aujourd'hui si défigurée et si calomniée, peut-il avoir tiré son modèle, si ce n'est de son propre cœur ? Il l'a décrite comme il se sentait lui-même. Les préjugés dont il n'était pas subjugué, les passions factices dont il n'était pas la proie n'offusquaient point à ses yeux, comme à ceux des autres, ces premiers traits si généralement oubliés ou méconnus.... En un mot, il fallait qu'un homme se fût peint lui-même, pour nous montrer ainsi l'homme primitif, et, si l'auteur n'eût été tout aussi singulier que ses livres, jamais il ne les eût écrits... Si vous ne m'eussiez dépeint votre Jean-Jacques, j'aurais cru que l'homme naturel n'existait plus.

Cette page illumine l'œuvre de Rousseau et lève les difficultés qu'on a parfois trouvées dans la liaison des divers écrits qui la composent [1].

La nature avait fait l'homme bon, et la société l'a fait méchant ; la nature avait fait l'homme libre, et la société l'a fait esclave ; la nature a fait l'homme heureux, et la société l'a fait misérable. Trois propositions liées, qui sont des expressions différentes de la même vérité : la société est à la nature ce que le mal est au bien. Là-dessus se fonde tout le système.

Dans l'état de nature, l'homme est bon : comment serait-il mauvais, puisque ni la moralité ni la loi n'existent ? Il ne pèche pas

---

1. A la condition qu'on voie plutôt dans l'œuvre de Rousseau les manifestations successives de tendances profondes et constantes que l'exécution systématique d'un plan réfléchi et arrêté à l'avance (*11ᵉ éd.*).

contre la règle, puisqu'il n'y a pas de règle. Il est égoïste : il suit
l'instinct qui lui dicte de conserver son être. Il est innocent comme
l'animal. Il satisfait son besoin : il ne *veut* le mal de personne;
au delà de son besoin, il ne prend rien. Il a même un instinct de
sympathie, de pitié, qui le porte vers les êtres de son espèce, qui
le fait, quand son être est sauf et pourvu, aider spontanément
au salut, à la satisfaction des autres. Il a des sensations agréables
ou pénibles qui éveillent son activité, et avertissent son instinct.
La corruption commence le jour où sur la sensation s'applique la
réflexion, où la raison se superpose à l'instinct. Car alors l'égoïsme
naturel, légitime et charmant, fait place à l'intérêt, injuste et
odieux; la lutte et la misère naissent de la multiplication des
besoins, par l'invention artificielle de plaisirs d'opinion, par la
prévoyance contre nature des utilités futures. Réflexion, raison,
intérêt, extension des appétits personnels au delà des limites du
nécessaire et du présent, atrophie du sens de la pitié, toute cette
déformation de l'homme naturel s'est faite, s'est accrue dans et
par la société.

Le vice essentiel de la société, c'est l'inégalité. Il y a de l'inégalité dans la nature, mais elle n'empêche personne de satisfaire
son appétit, elle ne dispense personne de travailler à le satisfaire
elle laisse tout le monde bon, libre, heureux. L'inégalité sociale
crée des privilégiés; elle dit à quelques-uns : *Tu auras tout sans
rien faire*; à la masse : *Peine, non pour toi, mais pour eux.* Elle fait
des oppresseurs et des esclaves, des méchants et des malheureux.
L'origine du mal social, c'est la *propriété*, clef de voûte de la
société. Puissance, noblesse, honneurs, tout peut se ramener à
l'inégalité des biens, à la *propriété*. Et ainsi le mal social peut
se définir par l'antithèse de la richesse et de la pauvreté : voilà
comment se pose le problème, dans le *Discours sur l'inégalité*.

Si la société est mauvaise en son principe, et si tout son progrès a été de devenir plus mauvaise, il suit de là que le signe de
l'état social le plus avancé est un indice de corruption plus complète. Or n'est-ce pas à l'éclat des lettres et des arts que se
mesure la civilisation d'une société? Donc ces créations de l'humanité intelligente attestent la perversion de l'humanité : elles sont
nées du mal et l'augmentent. Ne voit-on pas partout les arts et les
lettres en relation étroite avec le luxe, avoir besoin du luxe? Et
le luxe, c'est la richesse de quelques-uns par la misère de tous.
De là sort tout le *discours* qui répond à la question de l'Académie de Dijon.

Mais dans la littérature, le genre lié au plus haut degré de civilisation, c'est le théâtre. Le plaisir dramatique est un plaisir social
et sociable. Le poème dramatique est imitation des mœurs

sociales, et enseignement des qualités sociables. Donc aucun genre
ne favorise les erreurs, les vices, les maux institués par la société,
plus que le genre dramatique. Et voilà le point d'attache de la *Lettre
sur les spectacles* : établir à Genève un théâtre, c'est inoculer d'un
coup à une simple population toute la corruption sociale.

La conclusion des deux discours, c'est qu'il faut revenir à la
nature, mais — et c'est l'idée qu'il faut bien apercevoir pour ne
pas attribuer à Rousseau une inconséquence qu'il n'a pas commise
— mais « la nature humaine ne rétrograde pas »; il y a trop loin
de l'état civil à l'état naturel pour qu'on puisse repasser de celui-ci
à celui-là. Si on le pouvait, on nous rendrait plus malheureux :
car « l'homme sauvage et l'homme policé diffèrent tellement par
le fond du cœur et des inclinations que ce qui fait le bonheur de
l'un réduirait l'autre au désespoir [1] ». On nous rendrait plus
malheureux : mais, de plus, on nous dégraderait. Car l'homme
civil, d'un certain point de vue, est *supérieur* à l'homme de la
nature. « Quoiqu'il se prive dans cet état de plusieurs avantages
qu'il tient de la nature, il en regagne de si grands, ses facultés
s'exercent et se développent, ses idées s'étendent, ses sentiments
s'ennoblissent, son âme tout entière s'élève à tel point que, si les
abus de cette nouvelle condition ne le dégradaient souvent au-
dessous de celle dont il est sorti, il devrait bénir sans cesse l'instant heureux qui l'en arracha pour jamais, et qui, d'un animal
stupide et borné, fit un être intelligent et un homme [2]. »

Rousseau se garde donc bien de nous inviter à restaurer en nous
l'*orang-outang*, primitif exemplaire de notre humanité. Mais, conservant l'agrandissement de l'être intellectuel, l'ennoblissement de
l'être moral, il nous propose de rendre à cet être perfectionné la
bonté, la liberté, le bonheur qui furent les attributs naturels de
l'homme primitif : voilà en quel sens nous pouvons refaire en
nous l'homme de la nature.

Cette œuvre de restauration comprend deux parties : la restauration de l'individu, la restauration de la société.

La restauration de l'individu se fera, d'abord, par l'éducation [3].
La nature est bonne et la société mauvaise; laissons faire la nature,
et écartons la société : tâchons de soustraire l'enfant à son
influence. La nature a fait le sauvage : faisons de notre élève un
sauvage; fortifions son corps, développons ses sens. Exerçons l'instinct; aidons la réflexion à se dégager des sensations; attendons,

---

1. *Disc. su l'inégalité*, éd. Lefèvre, t. IV, p. 186.
2. *Contrat ocial*, l. I, chap. VIII.
3. On voit s'amorcer aussi la doctrine de l'*Émile* sur le *Discours de l'inégalité*,
éd. Lefèvre, t. IV, p. 133.

sans la prévenir, que la raison apparaisse. L'humanité s'est instruite par le besoin, par l'expérience : faisons sentir le besoin, apprêtons de l'expérience à l'enfant. La forme éminente de la corruption sociale, c'est actuellement la littérature : supprimons les livres, même les *Fables* de La Fontaine, ce délicieux catéchisme de la dépravation autorisée. Ne faisons lire notre élève qu'à l'âge où sa raison saura rejeter le vice et saisir la beauté. La nature ne connaît que Dieu : les dogmes des religions sont des inventions de la société; ne montrons à notre élève que Dieu, et attendons pour le lui montrer qu'il puisse le voir, dans la pureté et l'infinité de son essence. Émile sera fort, adroit, bon, franc, intelligent, raisonnable, religieux, heureux : l'homme naturel, développé en lui, et non dévié, aura saisi tous les avantages, sans les vices, de l'homme civil.

Mais chacun de nous, dans la vie même, peut refaire en lui l'homme naturel. C'est le sens de la *Nouvelle Héloïse*. Rien de plus innocent selon la nature que les amours de Julie et de Saint-Preux : mais ils ont oublié que la vie selon la nature est actuellement impossible. La société n'autorise pas leurs amours, elle les sépare; elle marie Julie à un homme qu'elle n'aime pas, quand elle aime un autre homme; elle pousse doucement Julie à l'adultère. Le mensonge, en effet, est un produit social; la nature est franche. Julie, éclairée par la religion, par le sentiment de l'omniprésence de Dieu, conçoit l'idée d'une vie absolument franche. Elle exclut l'adultère, auquel la société est si indulgente. Par la franchise égale de son procédé, M. de Wolmar l'aide, la soutient, la dirige. Tous les deux font régner la vérité dans leur commerce : avec la vérité, la liberté, la vertu, le bonheur. Par une vie de devoirs chéris, d'affections saines, où le premier amour même conserve sa place légitime, Julie réalise la restauration des rapports naturels dans la forme que comporte l'état civil.

Deux moyens aussi s'offrent pour rapprocher la société de la nature : le premier nous est fourni encore par la *Nouvelle Héloïse*. Julie ne refait pas seulement son individu, elle rétablit la famille; et la famille est « la plus ancienne des sociétés », « le premier modèle des sociétés politiques [1] ». Sur l'exclusion du mensonge et du servage, au milieu d'une civilisation avancée, s'édifie la famille *naturelle*, où les intelligences s'épanouissent sans que les cœurs se corrompent.

Mais surtout la société se rétablira en revenant à son principe, à sa raison d'être . et c'est l'objet du *Contrat social* [2]. Il faut se

---

1. *Contrat social.*
2. Dans l'*Inégalité* encore se trouve l'amorce du *Contrat social*, t. IV, p. 172 et 179.

représenter le contrat constitutif de toute société. Tous les hommes, antérieurement égaux et libres, renoncent également à leur liberté : ils soumettent tous leur volonté individuelle, antérieurement souveraine pour elle-même, à la volonté de tous, qui devient l'unique souverain. Pourquoi? pour que la volonté de tous procure le bien de tous. Ainsi, selon le contrat primitif, tous les hommes restent égaux dans la société; ils cessent d'être libres; car s'ils sont souverains collectivement, ils sont individuellement sujets. Mais ils sont libres pourtant, car être libre, c'est être soumis à sa volonté propre; or la volonté constante de l'homme civil, c'est que la volonté générale soit obéie de tous, et de lui-même. Ainsi l'individu s'aliène tout entier et n'est pas esclave. Il n'a pas un droit qu'il ne tienne de la société, et il n'est pas opprimé : car l'oppression, c'est l'exploitation de tous par quelques-uns, c'est l'inégalité. Le magistrat n'est pas souverain, il est agent du souverain. Voilà les principes naturels de l'état social; et tout l'effort doit tendre, non pas à détruire les sociétés actuellement existantes, mais à les réduire au type idéal; tous les abus, toutes les misères, toute l'oppression disparaîtraient dans cette réduction, et l'organisation politique, avec les mœurs qui en découlent, ne pervertirait plus l'homme naturel.

Est-ce là tout le système? Non, il y manque encore une pièce considérable : Dieu. On s'est souvent étonné de cette affirmation hardie : l'homme est bon, dans l'état primitif, tel que la nature l'a fait. Qui le prouve? dit-on. Dieu, qui n'a pu faire l'homme mauvais. Mais si l'homme s'est rendu mauvais, comment peut-il redevenir bon? Par Dieu, présent en lui, source d'énergie morale, appui de la volonté, garant et témoin des engagements intérieurs. Sans Dieu, tout s'écroule : et de là l'admirable lettre de Julie sur la célébration religieuse de son mariage; de là l'ample *Profession de foi du vicaire savoyard.*

On voit comment les chefs-d'œuvre de Rousseau s'attachent entre eux et dans leurs diverses parties : mais ils s'attachent aussi fortement à la personne de leur auteur. On ne s'attendrait pas que cette œuvre si une, si logique, si ramassée en un petit nombre de principes, fût la transcription d'une vie si éparse, si aventureuse, si agitée; et cela est pourtant. Rousseau nous l'a dit: l'homme naturel, c'est lui. La société l'a détruit ailleurs, en lui seulement opprimé : de sorte que le modèle d'après lequel l'homme civil et l'état civil doivent être restaurés, c'est Jean-Jacques Rousseau lui-même. Ainsi s'ajoute un dernier chef-d'œuvre à la liste déjà offerte : les *Confessions*, où l'homme de la nature s'expose en sa réalité, meilleur que tous par la vertu de la nature, plus malheureux que tous par le vice de la société. Il n'a qu'à se raconter, et

il condamne la société, il venge la nature : il fait croire surtout à
la possibilité de refaire l'homme naturel dans l'homme civil : il
est possible, puisqu'il est.

3. LES SOURCES DES IDÉES DE ROUSSEAU.

L'œuvre de Jean-Jacques est éminemment individualiste. Toute
sa doctrine sort de la constitution particulière de son *moi*, et des
conditions où ce *moi* a pris le contact de la société. L'homme que
la nature l'avait fait s'est trouvé impropre à la vie sociale telle
que ce siècle l'entendait, par conséquent froissé, révolté : il s'est
replié sur lui-même, et il a trouvé la raison des choses. Son
homme de la nature, c'est l'être d'instinct qu'il a été, sensuel,
égoïste, pitoyable, incapable de suivre une autre loi que l'impulsion présente de son cœur : c'est l'ancien bohème, ignorant du
savoir-vivre, gauche, timide, dépaysé dans le monde, dupe des
formes qui adoucissent le frottement des égoïsmes, et y attachant à contresens une monstrueuse hypocrisie. La société selon
la nature, c'est celle que peut rêver un homme du peuple, ennemi
du luxe et des aises dont il se passe, heureux dans sa vie simple,
mais humilié par l'opinion qui en fait une vie inférieure : un
homme du peuple qui a pâti, a vu pâtir autour de lui, jalousement
égalitaire pour ces deux causes, et reduisant tout à l'antithèse de
la richesse et de la pauvreté. Un immense orgueil enfle ses théories : amour-propre de sensitif, suffisance d'autodidacte, vanité
de timide, fierté aussi d'une conscience qui s'est faite péniblement, et de chute en chute s'est élevée toute seule à la moralité.
Les événements de sa vie lui ont fourni les formes où la doctrine
s'est coulée. Il a vu lever le soleil au *Monte* en face de Turin,
en 1728 ; et l'abbé Gaime qui l'y a mené, lui a fourni, avec l'abbé
Gâtier, le professeur du séminaire d'Annecy, les traits du *Vicaire
savoyard* ; sa passion pour Mme d'Houdetot a pénétré la *Nouvelle
Héloïse* [1] : les amours de Julie et de Saint-Preux, ce sont les leurs,
brutalement tranchés dans la réalité, délicieusement achevés par
le rêve ardent de son désir ; les paysages où s'encadrent ces amours,
ce sont les bords du lac de Genève, de son lac ; et les sensations de
ses personnages dans cette charmante nature, ce sont les siennes,
ses profondes émotions d'enfance.

Assurément on peut saisir hors de Jean-Jacques, dans la société
et la littérature, des influences qui se sont imposées à lui, qui ont
déterminé les formes de sa pensée. Diderot, dans leurs première

---

1. Le roman était commencé avant la deuxième visite de Mme d'Houdetot, où
Jean-Jacques s'en éprit.

relations, a pu l'aider à extraire de son tempérament sa théorie :
la guerre à la société, le retour à la nature, c'est le mot d'ordre
de Diderot. De Condillac, et du temps où ils dînaient ensemble au
cabaret, Rousseau a pu retenir le point de départ de l'*Émile*, le
principe de la méthode : partir toujours de faits sensibles, aller
du concret à l'abstrait, faire découvrir à l'enfant toutes les idées
au lieu de les lui enseigner. A Buffon, qu'il admira toujours profondément, il a demandé les notions capables de préciser, de
soutenir son hypothèse de l'homme naturel, et l'idée de la lente
évolution par laquelle l'univers et les êtres qu'il porte se transforment. Montesquieu lui offrait son sauvage timide et innocent, et
lui montrait l'inégalité s'établissant avec la société : de lui aussi,
et de Bossuet, et de Hobbes, Rousseau emportait la doctrine que
tous les droits ont leur origine, leur fondement dans la société,
que l'homme les tient tous de son consentement, et n'en a point
d'antérieurs ou de supérieurs. Il n'est pas jusqu'à Pascal à qui
Rousseau ne pût être redevable : une de ses plus saisissantes pensées n'est-elle pas la condamnation de la propriété? n'en fait-il
pas une *usurpation*? Et avec les livres des grands esprits, c'étaient
les idées de tout le monde, les lieux communs de l'esprit public
qui pouvaient instruire Rousseau; depuis longtemps, depuis Montaigne même, flottaient dans les esprits, circulaient dans les livres,
l'antithèse du civilisé et du sauvage, et le paradoxe qui met du
côté de celui-ci la supériorite de raison et de vertu : ces idées ne
s'étaient-elles pas produites jusque sur la scène de la Comédie
Italienne, avec l'*Arlequin sauvage* de Delisle, et l'âne de son *Timon*?
N'y avait-il pas vingt ans que la société tournait à la sensibilité? le succès de La Chaussée en est la preuve. La mode française
l'encouragea à étaler toute sa nature, si profondément sentimentale.
Enfin l'idée de progrès, la grande idée du siècle, anime toute
l'œuvre de Jean-Jacques; il ne semble en nier la réalité que pour
en proclamer plus hautement la possibilité, plus impérieusement
la nécessité.

Rousseau s'adaptait donc à son temps, et en ramassait les tendances éparses. Cependant le caractère et la puissance de son
œuvre viennent de lui-même : elle n'a pas été façonnée du dehors,
elle s'est organisée intérieurement, absorbant ce qui pouvait la
nourrir. Elle a ses origines dans le tempérament, je l'ai dit : mais
des origines plus lointaines encore, et visibles pourtant, dans certains facteurs du tempérament, dans le sang et dans le milieu,
dans l'hérédité et l'éducation.

Rousseau est Genevois, d'une famille française établie depuis
cent cinquante ans dans la ville. Ainsi il a échappé à l'éducation
française, aux conventions mondaines, aux règles littéraires

qui falsifient chez nous les tempéraments dès l'enfance; il y a
échappé non en lui seulement, mais en ses ascendants : le fond
français qu'ils lui ont transmis, c'est celui qui n'avait pas été travaillé encore par la culture classique. Il sera donc libre absolument de tous les préjugés que notre xviie siècle était apte à créer.

En revanche, les dépôts que cent cinquante ans de la vie genevoise auront laissés dans une suite de générations, se retrouveront
dans Rousseau; toute cette lignée de bourgeois de Genève qui se
termine à lui, le rendra apte à concevoir la liberté politique, l'activité municipale, un peuple de citoyens égaux exerçant réellement
la souveraineté et s'administrant par des magistrats élus. Il en
aura conscience lui-même : les théories de son *Contrat social* seront
calquées sur la constitution de Genève, non sur l'état actuel de
corruption, mais sur la pureté de l'organisation primitive, ou sur
l'idéal plus ou moins représenté par la réalité. Des souvenirs
d'antiquité, au hasard de ses lectures, imprégneront ses réminiscences patriotiques, et la bourgeoisie genevoise prendra dans son
esprit la couleur des démocraties antiques. Mais, toujours Genevois
dans l'âme, il gardera de son origine une indéracinable sympathie
pour les petits États, où la vie nationale se réduit aux proportions
de la vie municipale. Et son maître de droit politique, autant
que Montesquieu, ce sera le professeur de Genève Burlamaqui,
qui enseignait la liberté et l'égalité naturelles.

Mais Genève, c'est le calvinisme : il est l'âme de la cité et des
citoyens; la Réforme a été le modificateur essentiel de ce fond
français que le premier des Rousseau de Genève transmettait à
ses descendants. Jean-Jacques est l'héritier de cent cinquante ans
de calvinisme. Il n'importe qu'il se soit fait catholique, qu'il ait
été dévot à un moment, qu'il ait cru aux miracles : tout cela est
superficiel. Il a l'âme foncièrement protestante. Sa doctrine politique n'exprime pas seulement la république de Genève : elle
représente les positions prises par les docteurs de la Réforme
contre les théologiens catholiques qui s'appuyaient sur le pouvoir
temporel. La réfutation du *Contrat social* est dans les *Avertissements* de Bossuet, dans les écrits politiques de Fénelon : c'est que
le pasteur Jurieu avait développé la théorie de la souveraineté du
peuple, pour légitimer les révoltes des protestants du xvie siècle.

Le protestantisme intime de Jean-Jacques s'affirme surtout dans
sa philosophie morale et religieuse. Si elle « sonne » si différente
de celle de Voltaire ou de Diderot, c'est uniquement parce que
Rousseau vient de l'Église Réformée. Cette différence d'origine
diversifie étrangement des doctrines qui, abstraitement, sont à peu
près identiques. Voltaire réimprimait dans un de ses catéchismes
la profession de foi du Vicaire savoyard : il y reconnaissait l'idée

de sa religion; et cela n'empêche pas qu'en fait, entre la religion de Voltaire et celle de Rousseau, il y a un monde. D'abord, Rousseau, protestant, n'a jamais pu pousser le cri de guerre : *Écrasez l'infâme*. Le protestant ne saurait être *anticlérical* absolument, sans réserve, et contre sa propre Église. Chez les catholiques, le dogme étroitement défini, maintenu par une autorité souveraine, oblige celui qui ne croit plus tout à fait selon l'orthodoxie, à devenir ennemi radical et irréconciliable. Le protestant qui cesse de croire peut se chamailler avec quelques ministres, il ne se heurte point au même dogme compact, à la même autorité intraitable : il n'est pas mis hors de son Église; il fait un parti avancé, il peut faire une nouvelle Église, en restant membre de la grande et multiple Église chrétienne. Nous voyons tous les jours le libre penseur catholique en vouloir à mort aux prêtres et aux dévots catholiques; le libre penseur protestant, sauf exception, garde le respect de Calvin et des sympathies étroites pour l'Église de Calvin. Rousseau, déiste, en guerre avec les pasteurs, incrédule à la révélation, est tout simplement un protestant libéral.

De là résulte, ensuite, la façon très différente dont Dieu se présente chez Voltaire et chez Rousseau. Pour le premier, Dieu est une *idée*, produit du raisonnement philosophique, ou suggestion de l'utilité sociale : pour Rousseau, Dieu *est*. Voltaire démontre Dieu, et Rousseau croit en Dieu. Il n'y a chez les catholiques que les prêtres, qui, cessant de croire, puissent garder le sens religieux : mais, a-t-on dit, tout protestant est prêtre, et Rousseau plus qu'aucun autre. Sa philosophie n'est pas renoncement à la foi, mais élargissement de la foi. En rejetant les dogmes, la révélation, tout l'irrationnel embarrassant et insoutenable des livres saints et des églises, il garde tout le positif, tout le consolant, toute l'essence religieuse du christianisme; pour lui, pour son âme protestante, le mot de religion naturelle n'est pas le déguisement d'une froide philosophie. Il a la foi; avec la foi, l'amour, l'espérance. Son Dieu est Providence, et, comme tel, j'ai dit quel rôle actif Rousseau lui attribuait dans son système. Il n'est pas excessif de dire, avec M. Brunetière, que la philosophie de Jean-Jacques est une philosophie de la Providence. Cela est vrai de lui autant que de Bossuet. Jean-Jacques raisonne tout comme Bossuet, quand de l'inégale répartition des biens et des maux, de l'injustice et du mal qui sont sur terre, il tire la nécessité de l'âme immortelle, et la certitude d'une vie future.

Je reconnais encore le protestant dans la puissance du sens moral chez Jean-Jacques. Il n'y a pas à nier que les nations protestantes ne soient morales : cela ne veut pas dire qu'il y ait plus de vertu chez elles que chez les catholiques; mais l'autonomie morale y est plus grande; avec l'indépendance croît la responsabilité, avec la responsabilité l'énergie. Nulle autorité, nulle direction ne viennent de l'extérieur entraver l'action du principe intérieur. Voilà pourquoi je dis de Rousseau que la puissance de son sens moral révèle ses hérédités protestantes.

On l'a nié, ce sens moral de Jean-Jacques : et l'on a eu beau jeu à le nier. Ni les fautes, ni les hontes, ni le crime même n'ont manqué à cette vie. M. Faguet a pu dire qu'il s'était élevé sur le tard à la moralité. Mais qui donc l'y a élevé? Ce n'est pas l'éducation paternelle. Serait-ce Mme de Warens? Seraient-ce les catéchistes de métier de l'hospice de Turin? Ils baptisaient, et ne s'inquiétaient pas de régénérer. A quelle influence Rousseau a-t-il été soumis, qui l'ait tiré de ses turpitudes, qui lui ait donné la conscience, qui l'ait élevé enfin à la moralité? On n'en voit pas. Il s'est refait lui-même et tout seul.

Ainsi, voilà un homme qui, contre le train ordinaire des choses, se soustrait à la tyrannie du fait, de l'habitude, que la vie a poussé dans l'immoralité et qui aboutit à la moralité, qui devrait être perdu sans ressource, s'engager à fond dans le mal, et qui se sauve, au contraire, et s'améliore. Cette création de la moralité, en soi et par soi, ne saurait s'expliquer que par la puissance de l'instinct moral intérieur, faussé d'abord ou amorti, et que les fautes mêmes, au lieu de l'oblitérer davantage, réveillent avec intensité. Il y a bien de l'orgueil dans le mot fameux : « Qu'un seul dise, s'il l'ose : *Je fus meilleur que cet homme-là* ». Il y a du vrai pourtant aussi : il a fallu que Rousseau fût supérieurement moral, pour n'avoir pas mal fini, après ses commencements. Il avait le droit, après ses propres expériences, de chanter ses hymnes à la conscience et à la liberté, par lesquelles il s'était relevé.

Tandis que toute la morale se réduisait pour les autres aux vertus de bienfaisance et d'humanité, Jean-Jacques eut le sentiment profond de la perfection ou de la dégradation intime de l'être : il prêcha les vertus personnelles, l'âpre poursuite de la pureté, de la bonté, de la beauté intérieures, indépendamment du service et de l'utilité d'autrui. Ainsi est restaurée la vie intérieure avec ses durs efforts et ses austères joies. C'est là qu'est l'originalité et la grandeur de sa morale. Et voilà ce qui la différencie de la morale philosophique, ce qui lui donne un caractère hautement religieux. La cause et la fin de ce travail par lequel l'être s'embellit au dedans c'est Dieu, le Dieu qui juge et récompense. Ce Dieu devient le ressort de la moralité : Julie, mariée à l'homme qu'elle n'aime pas humiliée, désespérée, commence l'œuvre de son renouvellement en présence de Dieu, devant « l'œil éternel qui voit tout ».

Enfin la moralité et la religiosité des nations protestante

font encore sentir leur action dans la façon dont Rousseau a peint la vie de famille, les occupations domestiques. Il a répandu sur les vulgaires détails du ménage une gravité, une beauté, une dignité qui nous saisissent. L'ardente intensité de la vie intérieure ne laisse rien d'indifférent : l'âme sérieuse se verse tout entière dans les moindres de ses actions, les relève par une haute pensée de devoir ou d'affection. Elle n'oublie jamais qu'elle agit devant « l'œil éternel qui voit tout ». Ajoutons à cette disposition la sensibilité débordante de Rousseau : pour elle, tout prend un sens, tout acquiert de la valeur; toutes les bagatelles ou les vulgarités de la vie domestique et des rapports familiers deviennent la représentation symbolique du drame pathétique qui se joue en son cœur. Et ainsi un jupon de flanelle que lui envoie Mme d'Épinay devient un événement dans sa vie, par le retentissement de ce petit fait jusqu'aux profondeurs de son être moral

Nous tenons donc les causes déterminantes de la doctrine de Rousseau, du caractère surtout et des propriétés de cette doctrine : elles se résument dans le tempérament sentimental et dans l'indélébile protestantisme de l'homme. Essayons maintenant de juger sommairement cette doctrine

4. PORTÉE DE LA DOCTRINE.

On dit communément que cette doctrine est fondée sur des postulats non nécessaires, qu'elle est souvent sophistique en ses enchaînements, outrée ou fausse en ses conséquences. Et l'on a, si l'on veut, raison de le dire. Il n'est pas difficile de demander de quel droit Rousseau affirme la bonté originelle de l'homme dans l'état de nature : cependant, à bien prendre les choses, cette bonté dont il parle est à peu près celle de l'orang, qui ne capitalise pas des revenus, qui ne fait pas travailler d'autres orangs, ne les affame pas, et ne leur fait pas communément la guerre.

Permis aussi de discuter, si tout le mal qui est dans le monde est imputable à la société. La société n'est-elle pas un fait naturel, donc bonne si la nature est bonne? et la société n'a-t-elle pas été fondée pour remédier à des maux déjà existants? Mais Rousseau ne contredirait pas ces objections.

L'aliénation totale de l'individu par le contrat social est dure à accorder, et nous aimons mieux nous représenter que l'individu aliène le moins possible de sa liberté, et ce qu'il faut seulement pour que la société fasse sa fonction. Ce n'est pas un axiome non plus que la propriété soit la pierre angulaire de la société, et la cause de tout le mal : ni la vérité théorique, ni l'efficacité pratique du socialisme ou du communisme, ne sont incontestables.

A prendre le premier discours à la lettre, il paraît douteux que les ettres et les arts soient des agents de corruption; et la lettre à Dalembert provoque bien des objections, soit dans ses conclusions générales, soit dans ses jugements particuliers, comme lorsque Molière est convaincu d'avoir rendu la vertu ridicule par le personnage d'Alceste. Et si Rousseau a été dans l'ensemble un éloquent défenseur de la morale, on peut trouver que, dans la *Nouvelle Héloïse*, et dans les *Confessions*, il décerne parfois bien singulièrement des brevets de vertu, ou qu'il appelle de ce nom des actes que nous appellerions de noms contraires.

Pour l'*Emile*, enfin, on sait que d'objections il a soulevées, et l'on n'a qu'à lire les lettres très suggestives du spirituel allé Galiani pour se faire une idée des obstacles où se heurte la théorie de Jean-Jacques : si l'*innocence originelle* n'est pas une vérité, l'éducation négative est une absurdité. Le refus d'employer les livres, la suppression de l'autorité paternelle et de l'idée du devoir, la conservation de l'ignorance jusqu'aux douze ans de l'élève, comme si l'intelligence pouvait se fortifier sans s'exercer et comme si elle ne se remplissait pas d'erreurs lorsqu'on n'y fait pas entrer la vérité : tout cela choquait Galiani, et peut choquer encore de bons esprits. Mais surtout, disait Galiani, l'*Emile* est faux parce qu'il ne prépare pas à la vie : qu'est-ce que la vie? effort et ennui. Peiner au lieu de jouir, et peiner, non à son heure, mais à l'heure qu'il plaît à autrui, ou au hasard, voilà la vie. L'éducation doit donc nous habituer à faire ce qui nous ennuie, au moment où il nous ennuie le plus. Il y a bien du vrai dans cette piquante contradiction. Nous pourrions y ajouter la considération de l'hérédité : réelle peut-être à l'origine, l'innocence naturelle est disparue aujourd'hui; la corruption des pères se prolonge dans les enfants; et l'éducation doit être positive, par la substitution de motifs moraux aux instincts dépravés, et par la création d'habitudes vertueuses qui contre-balancent les impulsions vicieuses.

Tout cela, et bien d'autres choses, peut être dit à Rousseau. Je suis pourtant plus frappé de tout ce qu'il y a d'excellent, de profond, de vrai dans son œuvre, de ce qu'elle garde surtout de vivant, d'actuel, qui intéresse nos âmes jusqu'au fond. Voltaire nous touche moins à fond : il regarde le passé, qu'il combat, et nous avons à faire effort pour lui rendre la justice qu'il mérite!

---

1. Je sentais ainsi il y a quinze ans J'ai moins de peine aujourd'hui à rendre justic. à Voltaire Forme et fond, il me convient mieux. Je ne diminue rien d'ailleurs de ma sympathie et de mon admiration pour Rousseau. Il n'est pas nécessaire que leur guerre se continue dans nos esprits (*11ᵉ éd.*)

Rousseau est de notre temps; et il est probable que bien des générations encore auront de lui le même sentiment.

Je ne m'arrête guère à l'objection souvent répétée que les théories de Rousseau n'ont jamais été réalisées et ne sont pas réalisables. Il le sait, et il l'a dit souvent : qu'il ne prétend pas représenter ce qui est ou a été, mais, d'une part, ce qui a pu être et seul explique ce qui est ; d'autre part, ce qui doit être. En un mot, il se tient dans la spéculation, et il construit un idéal absolu. Il n'y a pas à s'étonner que cet idéal n'ait jamais passé et ne puisse encore passer tel quel dans le monde des réalités. L'essentiel est que cet idéal jamais atteint contienne assez de vérité et de vertu pour améliorer notre pauvre présent.

Je ne ferai pas honneur à Jean-Jacques de ses idées évolutionnistes. Ces réflexions saisissantes « sur la manière dont le laps de temps compense le peu de vraisemblance des événements, sur la puissance surprenante de causes très légères, lorsqu'elles agissent sans relâche [1] », il faut en rendre l'honneur à Buffon, lu intelligemment. Mais Rousseau a hardiment, fermement appliqué le principe évolutionniste à l'histoire des sociétés. Il a cru au progrès; mais il a dissocié ces deux idées de progrès et de changement, trop souvent liées par ses contemporains : il a en somme travaillé pour substituer à la foi au progrès continu la notion de l'évolution continue, pouvant éloigner l'humanité de son idéal pendant d'immenses périodes de durée, pouvant ensuite l'orienter vers lui par l'entrée en jeu d'une force nouvelle antérieurement inactive. Il a hardiment fait sortir l'humanité de l'animalité par une lente évolution : c'est lui, non pas Darwin, qu'on peut accuser d'avoir fait descendre l'homme du singe; et quand on saisit sa vraie pensée, on s'aperçoit qu'il n'exclut pas du tout de notre histoire « l'homme loup pour l'homme », la brute féroce et avide de Hobbes; mais il n'y voit pas l'homme primitif : c'est l'homme déjà homme, apte et condamné à la société. Son homme de la nature se perd dans un lointain plus obscur : c'est le pur animal, tout à l'instinct, qui n'est pas féroce quand il est repu. La moralité est une acquisition de l'humanité, éloignée déjà de ses origines animales et hors d'état d'y retourner : idée purement évolutionniste. Dans toutes ces hypothèses, jadis paradoxales, il y a pour nous plus à réfléchir qu'à mépriser.

Il n'y a, quoi qu'on en dise, rien de sophistique à faire sortir le socialisme de l'individualisme, et il n'y a aucune contradiction entre le *Contrat social* et le tempérament de Rousseau. Au contraire, historiquement et logiquement, l'enchaînement est réel et

1. *Inégalité.*

nécessaire. La dissolution des groupes naturels ou artificiels qui
contenant l'individu et se contenant les uns les autres, sont enfin
contenus dans l'État, est le triomphe de l'individualisme, et du
même coup, replaçant l'individu dans la situation hypothé-
tique d'où sort le *Contrat social*, ne lui laisse d'autre ressource
que le despotisme de tous sur chacun, le socialisme d'État.

Si Rousseau a été inconséquent, ce n'a pas été, individualiste,
d'attaquer la propriété individuelle, et d'écraser l'individu sous
l'omnipotence de la communauté. L'inconséquence, c'est de pousser
l'individualisme en deux sens aussi différents que le sont la *Nouvelle Héloïse* et le *Contrat*. Car, en premier lieu, le don absolu que
les citoyens font d'eux-mêmes à l'État semble être incompatible
avec la forte constitution de la vie morale intérieure; jamais la
conscience de Wolmar ou de Julie ne saura donner à la volonté
générale, à la loi, un droit absolu de lui prescrire et de la régler :
les dogmes de la religion civile ou l'oppriment, s'ils parlent autrement qu'elle, ou n'existent pas, s'ils parlent comme elle. En second
lieu, la famille restaurée sur la vérité par les belles âmes de Julie
et de Wolmar forme un groupe qui s'interpose entre l'État et
l'individu, et la doctrine du *Contrat* ne subsiste plus dans sa pureté.
Et enfin, le type de société auquel appartient la famille restaurée
de Wolmar et Julie, c'est le régime patronal, essentiellement différent du socialisme égalitaire du *Contrat*. Cependant il ne faudrait
point trop presser cette contradiction[1]. Dans le détail de son système, dans la pratique, Rousseau nous fournit de quoi la lever.
« Le droit que le pacte social donne aux souverains sur les sujets
ne passe point les bornes de l'utilité publique [2]. » Cette sage restriction lève bien des difficultés, si l'on prend dans un sens très
étroit et très haut le mot d'*utilité*.

Le principe du *Contrat*, en lui-même, est excellent. Rousseau a
raison : quand jamais un contrat de ce genre n'aurait été fait
entre les hommes, il resterait vrai que ce contrat idéal régit toute
société sans exception. La société, les sociétés sont des associations pour la conservation et la protection des membres qui les
composent : d'où il suit que jamais gouvernement n'est légitime,
s'il ne prend le bien public pour sa fonction et sa fin uniques.

---

1. Les deux œuvres ne se déroulent pas sur le même plan. Dans la *Nouvelle
Héloïse*, Rousseau fait abstraction de l'État, et ne regarde que l'individu, la famille,
et la société domestique. Sa fable lui fournit le moyen de le faire avec vraisemblance, puisque l'action se déroule dans le pays de Vaud; les Vaudois, sujets de
Berne, n'ont pas de vie politique. Enfin Wolmar, Saint-Preux et Julie seraient les
citoyens qu'il faudrait souhaiter à la république idéale, pour que la volonté générale y fût toujours pure (*11ᵉ éd.*).

2. *Contrat social*, l. IV, ch. VIII.

Ainsi tout despotisme, toute tyrannie, toute oppression sont exclues; aucune forme de gouvernement n'est condamnée, mais seulement des procédés de gouvernement. Et en ce sens, la doctrine de la souveraineté du peuple est une vérité incontestable, comme condamnant et supprimant l'exploitation de tous par quelques-uns ou par un seul.

Je ne puis m'empêcher aussi d'estimer neuve et féconde la façon dont Rousseau a posé la question sociale : luxe et privation, richesse et misère, jouissance égoïste et travail pour autrui, tout cela dépendant d'un *fait* général, la propriété, voilà les deux termes du problème où Rousseau nous ramène constamment. Je cherche, parmi les philosophes du XVIIIe siècle, quel est celui qui a posé aussi nettement, aussi crûment la question. La plupart de nos Français s'attardent dans la guerre aux *priviléges,* où ces bourgeois réduisent l'inégalité; à Rousseau appartient d'avoir crié : le luxe, la richesse, la jouissance sans travail, la propriété, voilà les vrais privilèges, ou plutôt le privilège fondamental. Et le temps lui a donné raison · car il a vu bien au delà de notre bourgeoise révolution, qui, à cet égard, n'a été qu'une consolidation de la propriété. De quelque façon que la question doive se résoudre, il reste qu'actuellement le problème de l'inégalité n'est plus politique mais social, et tout entier contenu dans le régime de la propriété.

Rousseau a vu aussi de quels éléments psychologiques se compliquait le problème : d'un côté, mépris, insolence, élégance, supériorité intellectuelle; de l'autre, envie, amertume, grossièreté, dégradation intellectuelle. Et ici apparaît la vérité profonde enfermée dans le paradoxe qu'il soutient contre les arts et les lettres. Les arts et les lettres, s'ils ne sont pas des agents de corruption, sont des facteurs importants de l'inégalité [1]. Ils mettent entre les deux portions de l'humanité une telle différence de culture, que les uns et les autres ne se sentent plus de la même nature. Leur influence va de pair avec celle des habitudes extérieures, des manières, des façons de vivre; elle est pire encore, parce qu'elle crée chez les uns une réelle supériorité d'intelligence. Rousseau a raison : toutes les inégalités politiques et sociales sont peu sensibles, tant que l'égalité des mœurs et des esprits subsiste. Là où le noble, le chef, vivent de la même vie, ont les mêmes idées, la même âme que le vilain ou le sujet, le problème de l'inégalité ne se pose pas.

Mais il nous faut passer rapidement. J'effleurerai donc seulement la *Nouvelle Héloïse*, et, négligeant tant de thèses suggestives,

1. Voir p. 880 et la citation de Mme de Staël (note 2).

j'indiquerai seulement les vérités capitales du livre. Rien de plus
profond, au point de vue de la vérité, de plus efficace, au point de
vue de la moralité, que l'idée du renouvellement intégral de l'être
moral, sur laquelle pivote toute l'action du roman. Dans une crise
douloureuse de sa conscience, Julie se relève de sa faute, purifie
son âme, et la crée à nouveau : elle sort de l'église, où on la mène
malgré elle, avec une volonté prête à l'effort moral. Dans la profondeur de son sens religieux, Rousseau a trouvé cette fois le sens
psychologique, qu'il n'avait guère à l'ordinaire. A cette crise tient
toute la vérité du caractère de Julie, si solide sous la phraséologie
du temps : ses luttes, son progrès, ses rechutes, sa quiétude endolorie, font une admirable histoire d'âme. L'autre vérité du livre,
c'est la guerre déclarée au mensonge social : notre société vieillie
vit d'une vie factice, elle s'est fait des sentiments, des jouissances,
un honneur, une morale hors de la vérité; ses préjugés autorisent
le mépris de la vertu plutôt que des convenances. Et le pis est
qu'après avoir demandé à l'homme le sacrifice de sa conscience,
de sa pureté, de sa droiture, elle ne lui tient pas la promesse de
bonheur par où elle l'a séduit. C'était une pensée originale et haute
d'essayer de fonder les relations de deux êtres unis par la société
sur la franchise absolue de tous les deux, à l'égard de l'autre et
à l'égard de soi-même.

L'*Émile*, avec toutes les corrections qu'il nécessite, est le plus
beau, le plus complet, le plus suggestif traité d'éducation
qu'on ait écrit. Nous devrons y revenir, toutes les fois que nous
voudrons organiser l'ensemble ou réformer une partie de l'éducation. La forme seule est raide, mécanique, artificielle : elle
semble diviser l'âme et la vie en compartiments symétriques par
des cloisons étanches qui ne laissent point de pénétration réciproque. Mais il ne faut pas s'arrêter à l'aspect du livre. L'idée
première en est rigoureusement scientifique : si le développement
de l'individu répète sommairement l'évolution de l'espèce, l'éducation de l'enfant doit reproduire largement le mouvement général
de l'humanité. Et ainsi l'âge de la sensation précédera l'âge de la
réflexion; l'éducation physique précédera l'éducation intellectuelle; d'abord on fortifiera le corps, on aiguisera les sens, et l'on
n'exercera l'esprit qu'au service des sens et du corps : Émile sera
un petit sauvage, robuste, adroit, rusé. L'intelligence aura son
tour : mais on ne peut rien faire de mieux pour elle que de lui
préparer d'abord de bons organes, qui puissent lui fournir toutes
les impressions, exécuter toutes les actions dont elle aura besoin.

On a coutume de critiquer les scènes machinées par le précepteur pour l'acquisition des idées morales et la formation de la
raison; on trouve un peu puérils les moyens sensibles par où Émile

est conduit aux idées abstraites et aux notions scientifiques. Cependant de là encore on peut tirer d'excellentes vérités. Rousseau fait ici une très ingénieuse et, je crois, très juste application de la logique de Condillac : on peut le chicaner sur ses exemples, mais il serait à souhaiter souvent que nous prissions modèle sur lui. Ne pas se contenter de montrer l'objet, mais conduire l'enfant de la sensation brute à la notion réfléchie, à la connaissance abstraite ; l'exercer à débrouiller, analyser, interpréter ses impressions, il n'y a pas de meilleure méthode pour former de bons esprits. Quant aux expériences machinées, ici encore regardons plutôt le mécanisme en lui-même que les applications fournies par le tour d'esprit romanesque de Rousseau. L'expérience a été le grand maître de l'humanité ; et si l'enfant doit parcourir seul toutes les étapes de l'humanité, il faut l'abandonner aux leçons de l'expérience. Mais parmi les lenteurs, les incohérences, les maladresses du hasard, il vivrait toute sa vie avant de s'être instruit. S'il est légitime de le faire bénéficier des expériences des hommes qui l'ont précédé, n'est-il pas légitime aussi de régler, de diriger son expérience à lui, de l'aider à dégager des résultats plus rapides et plus certains ? Dans l'éducation comme dans la science, et dans la morale comme dans la médecine, la substitution de l'expérimentation à l'empirisme est un immense progrès. Il n'importe que l'enfant sache l'expérience combinée par le maître : si elle est simple, sérieuse, claire, concluante, l'enfant se laissera saisir par la vérité des choses mises sous ses yeux, et en tirera de bon cœur la conclusion pratique.

Enfin je suis tout à fait de l'avis de M. Faguet, qu'à de certains moments, dans les civilisations avancées, riches de chefs-d'œuvre littéraires, la meilleure maxime de pédagogie qu'on puisse donner, c'est d'écarter les livres. Fatalement l'acquisition du « savoir » tend à prendre dans l'éducation la place que doit tenir la formation du jugement et du caractère : il est bon qu'un Montaigne et un Rousseau nous remettent sous les yeux les fins essentielles de l'éducation. Nous finissons par oublier d'habituer l'enfant à penser, à force d'étaler devant lui les pensées des autres ; nous l'écœurons de littérature, et nous n'en faisons même pas un lettré.

La *Profession de foi du vicaire savoyard* est une partie intégrante de l'*Émile*. Il a paru bien bizarre que Rousseau attendît si tard pour parler de Dieu à son élève, tout à la fin de l'éducation. Et dans la forme absolue de son système, ce parti pris est injustifiable. Mais regardons la réalité des choses : ne faut-il pas attendre que l'enfant soit un homme, qu'il sache et comprenne déjà bien des choses, pour poser devant lui la question de croire et de ne pas croire ? Alors seulement il pourra se faire librement sa croyance ou son incrédulité. Jusque-là il ira dans le sens de ses

impressions d'enfance, de ses traditions de famille. Sans doute,
pour le croyant des anciennes églises, la question est inutile, ou
dangereuse. Mais, de plus en plus, pour notre âme nourrie de science,
et à qui la science aura dit loyalement ses limites, il n'y aura pas
le culture complète, si une fois au moins en la vie n'a été posé et
résolu le problème religieux : et ce sera en effet l'acte final de
l'éducation.

5. INFLUENCE DE ROUSSEAU.

Il nous reste à nous rendre compte de l'influence que Rousseau
a exercée. Il a agi sur son siècle à la fois par ses idées et par son
tempérament, et il a déterminé des mouvements considérables,
soit dans la société, soit dans la littérature.

Nous avons vu déjà quelle trace profonde ont laissée ses doctrines
politiques et sociales. A mesure que la Révolution usait les systèmes,
dépassait Montesquieu et Voltaire, Rousseau émergeait. Il a gou-
verné avec Robespierre. Depuis un siècle, tous les progrès de la
démocratie, égalité, suffrage universel, écrasement des minorités,
revendications des partis extrêmes, qui seront peut-être la société
de demain, la guerre à la richesse, à la propriété, toutes les conquêtes, toutes les agitations de la masse qui travaille et qui souffre
ont été dans le sens de son œuvre.

Et ce même homme a été le vrai restaurateur de la religion :
hier encore on pouvait s'en étonner; mais nous savons aujourd'hui
qu'il n'y a pas d'incompatibilité entre le socialisme et l'idée chrétienne. Le théisme de Robespierre, le culte de l' « Être Suprême »,
la reconnaissance légale de l'immortalité de l'âme, c'est le *Contrat
social* tout pur. Mais c'était chimère d'espérer faire vivre la religion
civile. Le réveil du sentiment religieux ne pouvait se faire qu'au
profit d'une religion traditionnelle.

Jean-Jacques nous apparaît aussi comme le restaurateur de la
morale. Il a très bien senti qu'il était prématuré d'essayer de
fonder une morale indépendante de l'idée de Dieu; et il a repris
son point d'appui sur la religion. Il a rendu aux hommes le
respect d'eux-mêmes, le souci de la perfection intérieure. Mais,
de plus, il a tenté une réforme sociale de la plus grande conséquence. La famille se dissolvait : il a travaillé à la resserrer. Il a
prêché la sainteté du mariage, le devoir réciproque des époux. On
riait de l'adultère, il a osé en faire une grosse affaire. Les enfants
étaient élevés hors de la présence des parents, sans affection, sans
soin, sans surveillance. Il a rappris aux mères à aimer, à se donner :
il en a fait des nourrices. Il a dicté aux pères comme aux mères
leur devoir : il leur a proposé l'éducation des êtres qui leur de-

vaient la vie et en qui reposait la destinée de l'humanité future
comme une matière de graves soucis et de constante attention. Il
a mis le bonheur dans la vie de famille, sérieuse et tendre. Les
autres, philosophes prenaient aisément leur parti de toutes les
atteintes que la mode et les mœurs donnaient à l'éternelle morale :
c'est l'honneur de Jean-Jacques d'avoir jeté les hauts cris.

Rousseau s'est défié de la raison, il a donné cours à son sentiment. Il a fondé toute sa politique, toute sa religion, toute sa
morale sur l'instinct et l'émotion. Et ce qu'il était, il a aidé le
public à le devenir. Il a aidé les âmes de nos Français à opérer
une conversion dont ils avaient le besoin et qu'ils n'arrivaient
pas à faire : rassasiés de raisonnement, d'abstraction et d'analyse, desséchés, vidés par un excès de vie intellectuelle, ils ont
senti revivre leur cœur au contact du cœur de Rousseau ; ils ont
demandé au sentiment les certitudes et les jouissances, que l'intelligence n'était pas capable de leur donner. (App. XXVIII.)

Avec Jean-Jacques, notre littérature refait en sens inverse le
chemin qu'elle avait parcouru depuis le XVIᵉ siècle : du lyrisme
elle avait passé à l'éloquence, et de l'éloquence à l'abstraction scientifique. Rousseau la ramène à l'éloquence, et dans l'éloquence
même il fait éclore des germes de lyrisme.

C'est un merveilleux orateur, comme il n'y en a pas eu depuis
Bossuet. Il a la logique serrée, impérieuse, qui pousse le raisonnement aux dernières et plus surprenantes conséquences, et nous
impose les conclusions qui nous révoltent. Mais cette logique n'a
pas la froideur de l'argumentation scientifique. Les objets auxquels
elle s'applique ne sont pas, d'abord, susceptibles de preuve rigoureuse ; les faits y échappent à la vérification, les principes à la
démonstration. Et puis, ils sont objets de foi et d'amour. De là
l'émotion, la passion ; elle enveloppe le raisonnement, elle est le
véhicule de la persuasion. Cette flamme, cette fougue font la
puissance de Jean-Jacques : il est notre grand, notre unique sermonnaire du XVIIIᵉ siècle. Il a la phrase oratoire, ample, réson-
nante, qu'il faut lire ou entendre lire à haute voix, et voilà la première fois que nous avons à faire cette remarque sur un écrivain
du XVIIIᵉ siècle. Notre goût fait aujourd'hui quelques réserves · il y
a trop de tension, trop d'élan, trop d'effusion ; l'émotion est trop
complaisamment projetée au dehors, filée ou soufflée. C'est la
mode du siècle, et Rousseau n'y a pas échappé. Cependant, dans
l'ensemble, son éloquence est sincère et chaude, son style est d'une
matière solide et d'un beau timbre. Rousseau n'est pas un improvisateur ; les phrases s'arrangent lentement dans sa tête : il travaille, corrige, polit avec un soin d'artiste qui achève de le
mettre à part parmi ses contemporains.

Mais cette éloquence n'a tant de prise sur les âmes que par ce qu'elle enveloppe et communique d'émotion lyrique. Si la caractéristique du romantisme est d'être lyrique, et si l'essence du lyrisme est l'individualisme, nous voyons du même coup d'où sort le lyrisme de Rousseau, et comment le romantisme y a en quelque sorte sa source. Ce grand orateur, au lieu de chercher dans la raison universelle les matières de son raisonnement, les extrait de son *moi* le plus intime et le plus singulier : il transpose en arguments, en systèmes toutes les passions, toutes les vibrations de son cœur. Il serait facile de dégager des écrits de Rousseau les thèmes éternels du lyrisme : à l'occasion de sa vie, il agite tous les problèmes de la destinée humaine, il ressent toutes les inquiétudes métaphysiques que les hasards de l'existence font surgir au fond des cœurs. En laïcisant la religion, il laïcise du même coup l'inspiration lyrique, jusque-là presque enfermée chez nous dans la méditation religieuse. Son roman de la *Nouvelle Héloïse* est tout à fait lyrique de conception et d'exécution. Julie et Saint-Preux, c'est Mme d'Houdetot et Jean-Jacques; mais c'est aussi une jeune fille, un jeune homme quelconque, ce sont moins des caractères, que des états d'âme très généraux. « Un jeune homme d'une figure ordinaire, rien de distingué; seulement une physionomie sensible et intéressante », une jeune fille « blonde; une physionomie douce, tendre, modeste, enchanteresse », voilà les figures, et voilà les caractères. Et leurs amours se développent en émotions poétiques plutôt qu'en analyses psychologiques : rien de plus édifiant à cet égard que la promenade à la retraite de Meillerie [1]; les impressions des deux amants sur ce lac, parmi ces rochers qui ont été témoins de leur passion maintenant assagie, épuisée, toujours délicieuse, cette joie mêlée d'un sentiment mélancolique de l'irréparable écoulement des choses et de l'être, c'est le thème, et plus que le thème, du *Lac* de Lamartine. Diderot nous offrait quelques saillies : mais ici dans cette lettre, Rousseau a écrit d'un bout à l'autre l'un des plus émouvants poèmes d'amour que nous ayons en notre langue, le poème des souvenirs et des regrets.

Rousseau, on le sait, fut incurablement romanesque. Mais cette forme romanesque de son âme, c'est un subjectivisme effréné, qui le rend incapable de s'asservir à aucune réalité, de la regarder de sang-froid pour la rendre telle quelle. Rousseau s'assimile tout le monde extérieur, il voit tout selon son humeur du moment, et il ne cherche pas à saisir l'objet à travers sa sensation : il ne peut présenter que cette sensation même. Il a noté que la nature changeait avec lui, c'est-à-dire que, restant la même, elle lui apparaissait dif

1. 4e partie, lettre 17.

férente lorsqu'il n'était plus le même : et ainsi il a été un grand docteur de relativité. Mais cette tyrannie de la sensation personnelle fait une nature de poète; et les *Confessions* où Rousseau a prétendu faire l'histoire de sa vie sont un pur poème, par la perpétuelle transfiguration du réel. Lamartine n'a pas été plus impuissant à se raconter exactement que Rousseau ne l'est dans les *Confessions*. On l'y surprend à chaque page en flagrant délit de mensonge, je dis de mensonge et non pas d'erreur; et le livre, à tout prendre, est d'une brûlante sincérité. C'est que cette sincérité ne tient pas aux faits, elle est dans l'émotion même qui les altère ou les suppose : avec des débris incomplets de réalité, des traces confuses de sentiments, Rousseau reconstruit le poème de son existence. Jamais âme n'a plus superbement joui d'elle-même, par une étrange et illimitée puissance d'objectiver toutes les représentations qu'elle excitait tumultueusement en elle. D'un bout à l'autre de ce livre écrit en prose, la « préparation » ou, si je puis dire, la « manutention » des réalités extérieures ou mentales est précisément la même que nous retrouverons chez les lyriques de notre siècle.

Comment se fait-il donc qu'un art réaliste puisse se réclamer aussi de Jean-Jacques, même de sa *Nouvelle Héloïse*, et surtout de ses *Confessions*?

Il est certain qu'il y a dans certaines parties de son œuvre une poésie domestique, telle que peut l'aimer un réalisme non pas « cruel », comme le nôtre s'est trop souvent piqué de l'être, mais sympathique au contraire à l'homme, comme l'ont été plus que nous les étrangers, Anglais, Russes, Norvégiens. Il a certainement passé quelque chose de Rousseau dans George Eliot. Rousseau peint avec attendrissement la simplicité de la vie de famille dans les classes moyennes, tout le tracas vulgaire et charmant du ménage, les tâches journalières de la maîtresse de maison et de son monde, la propreté, l'ordre, l'aisance large et hospitalière d'une maison bourgeoise [1], la gaieté des vendanges, l'intimité des veillées. Cet intérieur de Julie, cette maison champêtre, avec son pressoir, sa laiterie, ses noyers, sa basse-cour, toute cette vie bruyante et joyeuse, les coqs qui chantent, les bœufs qui mugissent, les chariots qu'on attelle, les ouvriers qui rentrent, voilà du réel, que Rousseau détaille complaisamment dans sa pittoresque familiarité. Une bonne partie des sujets d'estampes qu'il a indiqués pour l'illustration du roman, sont des scènes de la vie bourgeoise, curieusement exactes bien que sentimentales. Il a souvent rêvé d'une « petite maison blanche aux contrevents verts », avec

1. *Nouvelle Héloïse*, 4e partie. l. 11 : 5e p., l. 2 et 7.

des vaches, un potager, une source : voilà où son âme respi-
rerait avec délices. Son séjour à l'Ermitage est une idylle réaliste
et les *Confessions* abondent en petites scènes du même goût, un
dîner chez un paysan, le passage d'un gué, une cueillette de
cerises : ce sont les faits les plus insignifiants de l'ordre commun,
dont le sentiment de Rousseau fait des tableaux exquis.

Mais Jean-Jacques a été surtout un grand peintre de la nature.
Il en a rendu certains aspects avec puissance. Il avait en face d'elle
la plus délicate sensibilité, et d'elle il a tiré les plus vives, les plus
pures joies de son âme. Aussi l'a-t-il mise dans son œuvre à la
place d'honneur; et, dans le sens particulier où nous prenons ici
le mot, on peut dire qu'il a ramené son siècle à la nature. Il lui a
dit la splendeur des levers du soleil, la sérénité pénétrante des
nuits d'été, la volupté des grasses prairies, le mystère des grands
bois silencieux et sombres, toute cette fête des yeux et des oreilles
pour laquelle s'associent la lumière, les feuillages, les fleurs, les
oiseaux, les insectes, les souffles de l'air. Il a trouvé, pour peindre
les paysages qu'il avait vus, une précision de termes qui est
d'un artiste amoureux de la réalité des choses.

Il a découvert à nos Français la Suisse et les Alpes, les profondes vallées et les hautes montagnes; tantôt il a peint les vastes
perspectives, tantôt les paysages limités. Il ne s'est pas élevé jusqu'aux glaciers : il a l'âme tendre et douce; il aime la belle, non
l'effrayante nature, il aime surtout la nature que son âme peut
absorber ou contenir, celle qui la réjouit et ne l'écrase pas.

Avant Rousseau la nature n'avait guère tenu de place dans la
littérature. Il l'y établit en souveraine : elle y devient objet d'étude
et d'expression[1]. C'est l'indice d'un grave changement : c'est
fini de la littérature psychologique. Tant que l'homme seul était
la matière du livre, on le prenait par le dedans : maintenant la
nature partage avec lui l'attention de l'écrivain, et il s'ensuit que,
le prenant avec la nature, on le prend dans la nature, c'est-à-dire
par le dehors. La littérature sera donc pittoresque désormais
plutôt que psychologique : même pour décrire l'âme, elle regar-
dera le corps. Rousseau *voit* Julie blonde, et Claire brune; qu'on
change la couleur des cheveux de ces femmes, toute la conception
du roman est brouillée. Cette forme de vision artistique est étroi-

---

1. M. D Mornet a montré que le mouvement qui ramène la société à la nature
était antérieur à Rousseau. Le premier, il a traduit puissamment en expressions
littéraires les aspirations et les goûts qui déjà modifiaient les habitudes pratiques
de la vie. Mais surtout le premier, avec une intensité extraordinaire, il a lié la
nature à l'âme, il a projeté dans ses paysages tous les frissons et les transports de
sa sensibilité. Il a exprimé et amplifié ses états de conscience par ses tableaux du
monde extérieur. Il a créé en un mot le *paysage sentimental* (*11º éd.*).

tement dépendante du sentiment de la nature : car celui qui s'arrête à noter les formes des choses extérieures, les fines impressions qu'elles apportent à l'âme, est un homme en qui la sensation prévaut sur l'intelligence, un homme au moins qui n'estime pas l'activité des sens inférieure en dignité à celle de l'esprit. Ainsi la représentation du monde sensible devient la fin immédiate du travail littéraire, de préférence au monde intelligible, qui s'exprimera lui-même à travers le premier, et en relation avec lui.

L'imagination de Rousseau, qui déforme tout, n'a point, en somme, déformé la nature. Il a *romancé* les faits de sa vie, les sentiments de son cœur, il a *romancé* sa vision de la société : il a représenté fidèlement la nature. C'est qu'elle le satisfaisait pleinement ; elle n'avait besoin que d'être, pour lui donner des jouissances : ici, par conséquent, sa sensation coïncidait toujours avec l'objet, et la diversité de ses sensations successives ne faisait l'effet que d'un changement d'éclairage.

Par le lyrisme et par le pittoresque, Rousseau rétablit l'art dans notre littérature : ces émotions qu'il rend, ces tableaux qu'il peint, cela n'est plus soumis à la loi du *vrai* ; tout cela doit s'ordonner selon la loi du beau, du caractère esthétique. Les moyens s'approprient à la fin ; le style algébrique n'est plus de mise, il faut que par-dessus les valeurs intelligibles il recharge les valeurs sensibles : on s'achemine ainsi à une révolution dans la langue[1].

Tout se mêle encore dans Rousseau, le *moi* et la nature, l'abstraction et la sensation, la logique et la passion, l'éloquence, le roman, la poésie, la philosophie, la peinture. Il nous prend par toutes nos facultés : en politique, en morale, dans la poésie, dans le roman, on le trouve partout, à l'entrée de toutes les avenues du temps présent.

1. Sur le rythme de la phrase dans *la Nouvelle Héloïse*, voyez G. Lanson, *l'Art de la Prose*.

CHAPITRE VI

« LE MARIAGE DE FIGARO »

1. Diffusion de l'esprit philosophique : salons, gens du monde et femmes. Mélanges de doctrines et de tendances. Indices de l'opinion publique : le coup d'État Maupeou ; le *Mariage de Figaro*. — 2. Beaumarchais : l'homme : les *Mémoires* contre Goëzman. — 3. Le *Barbier de Séville* ; banalité du sujet, originalité de la pièce. L'esprit de Beaumarchais : verve et réflexion. Impertinence provocante. — 4. Le *Mariage* : développement des types du *Barbier*. Valeur et sens politique de la pièce : image de l'état d'esprit de la société française après la prédication philosophique. Importance littéraire de la forme de Beaumarchais.

1. DIFFUSION DE L'ESPRIT PHILOSOPHIQUE.

La diffusion des doctrines philosophiques à travers la société française se fait avec une prodigieuse puissance. Nous n'avons qu'à jeter un regard sur la société, pour constater le progrès des idées nouvelles.

La maréchale de Luxembourg donne le ton au grand monde : elle protège Rousseau. Mme du Deffand [1] a un salon très aris-

---

1. Mlle de Vichy Chamrond (1697-1780) épousa le marquis du Deffand. Elle fut de la petite cour de Sceaux, et très liée avec Mme de Staal. En 1747, elle prit un appartement au couvent de Saint-Joseph, rue Saint-Dominique. Devenue aveugle, elle prit pour lectrice Mlle de Lespinasse, à qui elle ne pardonna point d'avoir charmé par son esprit beaucoup de ses amis. En 1766, elle rencontra Horace Walpole, qui avait vingt ans de moins qu'elle, et qui se sentit un peu embarrassé de cette profonde tendresse qu'il inspirait à une septuagénaire. Elle eut avec Voltaire, qui redoutait son esprit, et dont elle aimait l'esprit, une très intéressante correspondance. — **Éditions :** *Corresp. avec la duch. de Choiseul*, marquis de Saint-Aulaire, 1859 ; *Corresp. complète*, De Lescure, 1865 ; *Lettres à Walpole*, Mrs. Paget Toynbee, Londres, 1912. — **A consulter :** De Ségur, *Mme du D.*. 1908 ; G. Rageot, *Mme du D.*, 1937.

tocratique; surtout depuis 1763, où Mlle de Lespinasse emmène
Dalembert et les autres philosophes; elle hait la secte encyclopédique. Sa grande amie, la délicieuse duchesse de Choiseul, vit
à la cour, et ne fait pas des gens de lettres sa société. Ces
femmes, pourtant, sont « philosophes » : elles se passent de Dieu
avec sérénité. Le xviiie siècle a créé le type de la femme absolument, paisiblement irréligieuse.

Mme Geoffrin [1] donne de petits soupers aux duchesses : elle
a un dîner pour les artistes, un dîner pour les littérateurs. Ceux-
ci avaient parfois d'inquiétantes conversations; elle y coupait
court d'un sec « Voilà qui est bien ». Mais cette bonne bourgeoise,
esclave de la mode, s'estimait obligée d'ouvrir son salon à la philosophie : tant la philosophie était puissante alors.

Il y avait plusieurs maisons où elle se trouvait chez elle : chez
Mme d'Épinay [2], chez le baron d'Holbach, qui encourageaient
toutes les hardiesses, chez Mme Necker [3], une bonne et intelligente
femme sous son air un peu gourmé d'institutrice protestante, chez
Mme Suard, la dévote de Voltaire. Mais le plus célèbre et le plus
influent des salons philosophiques fut celui de Mlle de Lespinasse [4], l'ancienne lectrice de Mme du Deffand. Après leur brouille
en 1763, elle se retira dans son petit appartement de la rue de
Bellechasse, où elle *donnait à causer* tous les jours Dalembert,
Turgot, Condillac, Condorcet, Suard, le duc de la Rochefoucauld,
étaient ses amis particuliers et assidus. Une foule de grands seigneurs, tous les étrangers illustres la visitaient : mais il fallait, pour
être accueilli, être homme de progrès, détester le despotisme,
adorer l'Angleterre et la liberté.

Dans les salons, cela se conçoit, domine l'influence encyclopédique et voltairienne; Mme du Deffand écrit à Voltaire : « Il
n'y a que votre esprit qui me satisfasse », et Mme de Choiseul
le pense. Elles ne voient dans Rousseau qu'un charlatan et un

1. Mme Geoffrin (1699-1777) est une bonne bourgeoise qui, mourant d'envie
d'avoir un salon, réussit à capter celui de Mme de Tencin, dont elle hérita. *Correspond. inéd. du roi Stan. et de Mme Geoffrin*, Paris, in-8, 1878. — **A consulter :**
A. Tornezy, *Le Salon de Mme G.*, 1896; De Ségur, *Mme de G. et sa Fille*, 1897.

2. Mme de la Live d'Epinay (1726-1783), femme d'un fermier général, logea
Jean-Jacques à l'Ermitage; Grimm remplaça Rousseau dans son amitié.
A consulter : L. Perey et G. Maugras : *la Jeunesse de Mme d'E.; les dernières
années de Mme d'E.*, 1883.

3. Suzanne Curchod de Nasse (1739-1794) épousa Necker en 1764. — Mme Suard
née Panckoucke (1750-1830), eut un salon très fréquenté par les encyclopédistes.

4. Mlle de Lespinasse (1732-1776). Il faut noter le goût de cette âme passionnée
pour la musique. — **Éditions :** *Lettres*, éd. Asse, 1876; *Lettres inédites à Dalembert
et Condorcet*, publ. par Ch. Henry, 1887; *Corresp. avec le comte de Guibert*, éd. de
Villeneuve-Guibert, 1906. — **A consulter :** Marquis de Ségur, *J. de L.*, 1906;
A. Beaunier, *Vie amoureuse de J. de L.*, 1925; G. Truc, *J. de L.*, 1942.

rhéteur. Cependant Rousseau pénètre dans les âmes, en dépit de
l'obstacle que lui oppose l'incurable esprit du monde. La plupart
des esprits mêlent confusément, sans distinguer, Diderot, Voltaire,
Rousseau, et se font un amalgame d'idées hétérogènes, dont l'unité
réside dans la commune propriété de dissoudre l'état présent de
la société. Dans ce mélange, la part de Rousseau est belle. Il a eu
l'estime du marquis de Mirabeau : il sera le maître de son fils,
qu'il enivrera de ses principes et de son éloquence. Le premier acte
d'écrivain et de penseur que fit Mme de Staël fut un hommage
à Rousseau (1788). De son vivant même, Rousseau dirige des consciences; ses lettres en font foi. Un abbé, une actrice de l'Opéra,
une bourgeoise de province le consultent sur la façon et les
moyens de régler leur vie. Des mères emmènent leurs poupons à
l'Opéra, et s'étalent dans leur fonction grave de nourrices.

De Jean-Jacques surtout procède cet enthousiasme, cet attendrissement universels qui embellissent les derniers jours de l'ancien régime, et semblent fondre toutes les haines, tous les égoïsmes
dans une commune ardeur de réforme et de philanthropie; la vie
mondaine devient plus intime, moins cérémonieuse, élimine la
représentation au profit du plaisir [1]. Le siècle tournera à l'idylle :
notre beau monde traduira en sentiments et en pittoresque d'opéra-
comique le goût de l'innocence rustique et de la belle nature que
lui aura inoculé Rousseau. Ce ne seront plus, au lieu de nos
sévères jardins français, que parcs à l'anglaise, pelouses, perspectives adroitement ménagées, ponts rustiques, grottes artificielles,
lacs et rivières d'ornement, montagnes en miniature couronnées
de temples grecs dédiés à l'amour ou à l'amitié, propres bosquets
dans l'ombre desquels se dérobe une statue sentimentale ou quelque
autel symbolique. Marie-Antoinette, dans son cher Trianon, en robe
de linon, en fichu de bergère, vaque aux travaux de sa laiterie,
de sa bergerie. Une fraîcheur réelle de sentiment s'épanouit à travers toutes les niaiseries de ce rococo.

Mais à mesure que l'on sort du grand monde, et que l'on descend vers le peuple, les choses deviennent plus sérieuses. On ne
joue plus avec le sentiment : il emplit l'âme, il la brûle. Là-haut
les idées sont le divertissement des esprits : ici, elles en sont la
nourriture, l'espérance; elles donnent une raison de vivre; ici,
Voltaire perd, et Rousseau gagne. C'est Rousseau qui est le consolateur de toutes les âmes fières du Tiers État que l'inégalité a
froissées : d'un Barnave, qui se souvient d'un affront fait à sa
mère au théâtre par un gentilhomme, du temps qu'il était tout

_____

1. Voir le petit tableau d'Olivier au Louvre, *Une réunion chez le prince de Conti
au Temple*.

enfant, d'un Marat qui réfute Helvétius et Condillac, et qui commente le *Contrat social* dans les promenades publiques devant des auditeurs enthousiastes. Nous avons un témoin de cette prodigieuse pénétration de Rousseau jusqu'aux dernières limites de la bourgeoisie : la fille d'un maître graveur pour bijoux, Mlle Phlipon, celle qui sera Mme Roland [1], s'en va rue Plâtrière avec sa bonne pour essayer de voir l'écrivain éloquent qu'elle adore, et se fait éconduire rudement par Thérèse Levasseur. Une amie lui fait cadeau des œuvres complètes de Jean-Jacques : elle passe la nuit à relire ces chefs-d'œuvre qu'elle connaît si bien, et se retrouve au matin dans son fauteuil, baignée de larmes délicieuses. Et, toute sa vie, Mme Roland sera la femme selon Jean-Jacques, aussi bien dans sa façon de faire la lessive ou la vendange, que dans ses plans de réforme et de gouvernement. Mirabeau, Mme de Staël, Marat, Mme Roland, ces quatre noms nous font mesurer l'action effective de Rousseau.

Quelques événements indiquent à quel ton les esprits sont montés. Le « coup d'État Maupeou », qui supprime les Parlements, nous découvre jusque dans les cercles les plus aristocratiques une singulière exaltation de libéralisme politique. Nous avons des lettres de Mme d'Épinay, de la comtesse d'Egmont et de Mme Feydeau de Mesmes, qui respirent la haine du despotisme, et presque de la royauté. Le mépris de Louis XV et de ses tristes enfants est plus profond chez de grandes dames comme Mmes d'Egmont et de Boufflers qui écrivent à un roi, que chez la petite bourgeoise, Mlle Phlipon. Mais il y a un jour où se ramassent dans une explosion unique tous les sentiments de toute nature, moraux, politiques, sociaux, que l'œuvre des philosophes avait développés dans les cœurs, joie de vivre, avidité de jouir, intense excitation de l'intelligence, haine et mépris du présent, des abus, des traditions, espoir et besoin d'*autre chose* : ce jour de folie intellectuelle où toute la société de l'ancien régime applaudit aux idées dont elle va périr, c'est la première représentation du *Mariage de Figaro* (27 avril 1784).

---

1. **Marie-Jeanne Phlipon** (1754-1793), fille d'un maître graveur pour bijoux, étuis et dessus de montre, épouse en 1780 Roland de la Patière qui fut ministre de l'intérieur en 1792, va habiter Lyon où elle collabore au *Courrier de Lyon*, revient à Paris en 1791, et meurt sur l'échafaud le 8 nov. 1793. — **Éditions :** *Lettres*, éd. Cl. Perroud, 1900-02; *Mémoires*, éd. Cl. Perroud, 1905; *Roland et Marie Phlipon, Lettres d'amour*, éd. Cl. Perroud, 1909; *Voyage en Suisse*, éd. G. R. de Beer, 1937. — **A consulter :** C. Dauban, *Etude sur Mme Roland et son temps*, 1864; Mme Clemenceau-Jacquemaire, *Vie de Mme R.* 1929; E. Bernardin, *Idées religieuses de Mme R.*, 1933.

2. BEAUMARCHAIS.

L'auteur de la pièce [1] est lui-même une des plus extraordinaires
expressions du siècle. Dans un monde assujetti à la hiérarchie, où
tous les compartiments sociaux subsistent encore, Beaumarchais
nous fait assister au puissant et drolatique jaillissement de son
individualité, qui passe par-dessus toutes les barrières et s'ouvre
tous les mondes. Il part d'une boutique de la rue Saint-Denis;

1. **Biographie** : Pierre-Augustin Caron, né à Paris le 24 janvier 1732, fils d'un horloger, applique d'abord son esprit d'invention à l'horlogerie. Il acquiert en 1755
une charge de contrôleur dans la maison du roi, devient maître de harpe de Mes-
dames filles de Louis XV, puis s'anoblit en achetant le titre de secrétaire du roi (1761).
Pâris-Duverney l'intéresse dans quelques affaires, notamment dans une exploitation
de forêts en Touraine. Il achète l'office de lieutenant général des chasses au bailliage
et capitainerie de la Varenne du Louvre. Il était allé en Espagne (1764) pour défendre
une de ses sœurs abandonnée par un certain Clavijo : de cette aventure il tire son
premier drame, *Eugénie* (1767), suivi bientôt des *Deux Amis* (1770). Il s'était marié
deux fois, avec deux veuves, en 1757 et en 1768, et les avait perdues après un an et
deux ans de mariage. En 1770 commencent les procès qui vont lui donner la gloire :
à propos de son règlement de comptes avec Pâris-Duverney, mort le 17 juillet 1770,
le comte de la Blache, petit-neveu et héritier du vieux banquier, accuse Beaumarchais de faux et lui réclame 139 000 livres : il perd en première instance, gagne en
appel, et enfin, après cassation de l'arrêt d'appel, perd définitivement · il est débouté,
condamné sur tous les points, et en outre à des dommages-intérêts pour raison de
calomnie. Entre temps Beaumarchais s'est mis sur les bras une affaire avec le duc
de Chaulnes, qui l'a insulté, assommé, et qui, pour éviter un duel, le fait envoyer au
For-l'Évêque. Il se fait un autre procès contre son rapporteur dans l'affaire La
Blache, contre le conseiller Goëzman (1773). Cependant il fait jouer son *Barbier de
Séville* (1775), écrit son *Mariage de Figaro*, qui ne sera joué qu'en 1784. Il court
tous les chemins de l'Europe, chargé de missions secrètes en Angleterre, en Hollande, en Allemagne, pour procurer la suppression de pamphlets injurieux à Louis XV
ou à Marie-Antoinette. Il entre en querelle avec les comédiens sur la question de
ses droits d'auteur (1776), et provoque l'union des auteurs dramatiques pour la
défense de leurs intérêts. Il est à la tête de l'édition des œuvres de Voltaire qui se
publie à Kehl. Il se charge, avec l'assentiment et l'appui du ministère français, de
fournir des armes aux *insurgents* américains, et reste, pour de fortes sommes, créancier des États-Unis. Après le succès du *Mariage*, il est mis pour quelques jours à
Saint-Lazare, sans raison sérieuse, et relâché de même. Il entre dans une *Compagnie
des eaux de Paris*, affaire qui le met aux prises avec Mirabeau ; puis il se lance
en chevalier généreux dans l'affaire Kornman, où il ne retrouve pas le succès des
Mémoires contre Goëzman. Il fait jouer en 1787 l'opéra philosophique de *Tarare*,
en 1792 la *Mère coupable*. La Révolution le trouble, le dépasse, le ruine, le
persécute : on le trouve chargé d'un achat de fusils en Hollande, puis emprisonné
à l'Abbaye ; il est à la fois agent du comité de Salut public et traité comme émigré ;
sa famille est arrêtée, ses biens confisqués. Il vit quelque temps à Hambourg,
rentre en France en 1796, et meurt en 1799. — **Éditions** : *Œuvres complètes*, éd. Gudin
de la Brenellerie, 1809. *Œuv. compl.* : Gudin de la Brenellerie, 1809, E. Fournier,
1876. — **A consulter** : J. Lemaître, *Impr. de Th.*, III, 1888; G. Lanson, *Hom. et
Liv.*, 1889; F. Brunetière, *Ép. du Th.* 1892; A. Hallays, *B.*, 1897; Gaiffe, *Drame
au XVIIIᵉ s.*, 1910, *Le Mar. de Fig.*, 1928; L. Latzarus, *B.*, 1930; A. Bailly, *B.*, 1945.

et le voilà tour à tour horloger, musicien, officier de la maison du
roi, gentilhomme, agent demi-policier demi-politique, homme de
finance, négociant, homme de lettres : égal à toutes les affaires
par son esprit, à toutes les conditions par son impertinence, emprisonné, calomnié, déshonoré, réhabilité, applaudi, populaire, illustré, envié, plaint, jamais sérieusement respecté, ni simplement
considéré. C'est une nature complexe, agissante, sensible, joyeuse,
courageuse, tapageuse, un mélange inimaginable de polissonnerie
et de fierté, de rouerie et de générosité, de *puffisme* et de candeur,
de bouffonnerie et d'enthousiasme, l'original authentique de Figaro,
mais un original plus intéressant, plus riche, plus sympathique
enfin que la copie et plus estimable. Car Beaumarchais, en vrai
fils de son siècle, trouva le secret d'unir l'excellence du cœur à l'immoralité foncière. Il eut la vraie bonté, la vraie sensibilité, celle
qui ne s'évapore pas en phrases et en larmes, qui est dans le
cœur, arme le bras, délie la bourse : il fut le meilleur des fils, des
frères, des pères. Il donnait son argent comme il le gagnait. Ce
maître intrigant, ce hardi brasseur d'affaires, peu scrupuleux sur
les moyens, fut mêlé dans bien des scandales, et n'y parut jamais
que comme dupe : c'est cela qui le relève; et il le savait bien, le
drôle, il avait assez d'esprit pour cela.

Dans cette vertigineuse existence, les succès littéraires sont
de courts épisodes. Le hasard d'un procès, un incident ridicule
révèlent au public le génie de Beaumarchais, que ses médiocres
drames n'avaient pas fait percer. L'affaire La Blache venait en
appel devant le Parlement Maupeou (1773) : le rapporteur était
le conseiller Goëzman, mari d'une assez jolie femme qui aimait les
cadeaux. Beaumarchais donna donc 100 louis, une montre enrichie
de diamants, et il ajouta quinze louis qu'on lui demandait pour le
secrétaire. Malgré ces raisons, Goëzman conclut contre lui : la
dame alors restitua les 100 louis et la montre, mais, par une fantaisie bizarre, elle s'obstina à retenir les quinze louis du secrétaire,
à qui elle ne les avait pas remis. Beaumarchais réclame;
Mme Goëzman nie d'avoir reçu les quinze louis. Beaumarchais se
fâche; le conseiller apprend l'affaire, essaie de faire mettre le plai-
gnant à la Bastille par lettre de cachet, et, n'y ayant pu réussir,
lui intente un procès en tentative de corruption et calomnie.

Beaumarchais est alors dans une situation critique : il sort à
peine du For-l'Évêque; l'arrêt d'appel dans l'affaire La Blache l'a
condamné; ce n'est pas la ruine, c'est l'infamie, puisqu'il ne peut
perdre son procès sans être reconnu pour faussaire. Il semblait
un homme fini : il se relève par quatre merveilleux *Mémoires*, qui
sont des chefs-d'œuvre d'adresse et d'audace, de dialectique,
d'ironie, de toutes les sortes d'esprit. Je ne veux pas écraser cette

jolie chose sous le souvenir des *Provinciales* : la disproportion est
trop forte, et la gaieté des *Mémoires* a plus de mousse que de
corps; ils manquent par trop d'intérêt universel et humain. Beaumarchais a pris le public par son faible, par l'amour des personnalités, de la satire anecdotique et individuelle. C'est là, mieux que
dans ses deux larmoyants drames, que son génie dramatique se
révèle. Il invente des dialogues qui sont d'un excellent style
de comédie. Surtout quand il raconte ses confrontations avec
Mme Goëzman, une jolie petite sotte, étourdie, impudente, men-
teuse, frivole au point de ne pas se douter de l'importance morale
de l'escroquerie qu'elle s'est permise, se fâchant dès que son adversaire lui rive son clou ou la force à se couper, soudain radoucie
par un madrigal dont elle ne sent pas la secrète impertinence :
ces scènes sont charmantes, et d'une irrésistible drôlerie. D'autre
part, il n'y a pas de satire plus ingénieuse, plus cinglante que la
prière à l' « Être des êtres », lorsque le malheureux plaideur lui
demande précisément les plats et maladroits adversaires que sa
Providence lui a donnés. L'effet des *Mémoires* fut immense. Collé,
qui n'a pas le tempérament admiratif, fait de l'auteur à la fois
un Horace, un Juvénal, un Fénelon, un Démosthène. Beaumarchais
fut *blâmé* par le tribunal, c'est-à-dire dégradé de ses droits civils :
mais l'opinion publique lui fit un véritable triomphe. Il avait eu
la chance de venir à point : on lui savait un gré infini d'avoir été si
amusant contre les juges du chancelier Maupeou, et les nouveaux
Conseils en restèrent absolument déconsidérés.

3. « LE BARBIER DE SÉVILLE. »

Quand éclata l'affaire Goëzman, Beaumarchais avait une pièce
reçue à la Comédie-Française : c'était le *Barbier de Séville*, parade
écrite pour la société d'Étioles, puis opéra-comique, et enfin
comédie en quatre actes. Dans le succès de ses *Mémoires*, enivré
d'être l'homme qui occupe tout Paris, il étire sa pièce en cinq
actes, il y verse toute sorte d'épigrammes et de bouffonneries; il
en met tant, que la pièce tombe, le 27 février 1775 : rapidement
il retranche toute cette végétation parasite, et la pièce, ramenée à
ses quatre actes, se relève. Il avait pris un vieux sujet, le sujet
pour ainsi dire essentiel et primitif de la Comédie-Italienne : le
tuteur faisant office à la fois de père et de rival, la pupille, l'amoureux, le valet. Il était remonté jusqu'à Scarron, et il avait recueilli
de Molière à Sedaine une foule de traits, de mots, d'effets appartenant à ce thème excellent et banal. Il avait fait une pièce char-

mante et originale. Enfonçant dans la voie indiquée par l'*École des femmes*, il avait fait du tuteur tout le contraire d'une ganache, un homme alerte, rusé, défiant, impossible à tromper. Son ingénue, sa Rosine, tendre, malicieuse, innocente, rouée, créature délicieuse et inquiétante, est une vraie femme de ce siècle, qui sait où elle aspire, où elle va. Lindor et Rosine contre Bartholo, c'est Horace et Agnès contre Arnolphe, l'amour qui va à la jeunesse, selon la bonne, la sainte loi de nature, en dépit de la jalouse vieillesse armée par la société de droits tyranniques. La lutte pourrait se compliquer ici par l'introduction d'un élément social qui donnerait à la pièce un actualité plus sensible. La jolie Rosine triomphe sur Bartholo, mais elle triomphe aussi de Lindor, du comte Almaviva, grand seigneur et courtisan, qui va se tenir heureux d'épouser cette orpheline de petite noblesse, d'une condition si inférieure à la sienne. Ainsi le sujet de *Nanine* s'appliquerait sur le thème de l'*École des femmes*. Il était facile à Beaumarchais de faire de la pupille de Bartholo une bourgeoise. Il n'a pas songé à le faire, ou n'a pas voulu; il s'est refusé ce moyen facile de caresser les goûts philosophiques du public. La comédie en reste plus simple et plus humaine.

Reste le valet : et voici la trouvaille de génie de Beaumarchais. Figaro, c'est Mascarille, si l'on veut; c'est Gil Blas aussi, ou Trivelin [1] : mais c'est plus, et autre chose. Le monde a marché depuis Molière, Lesage et Marivaux. Figaro n'est plus seulement le valet qui sert son maître : il « vole à la fortune », mais, argent à part, il y a de la protection dans son service; c'est l'homme sensible, heureux de remplir *le vœu de la nature* en rapprochant des amoureux. Et puis il est sorti déjà de la valetaille, il a eu un emploi, il est homme à talents, gazetier, poète, auteur sifflé, entrepreneur de tous métiers, pour le profit, et pour la joie d'agir; l'auteur lui a soufflé sa fièvre, son audace, son esprit aventurier. L'intrigant se fait familier avec les grands qui l'emploient, insolent avec le bourgeois qui le méprise : les temps sont proches où son mérite aura la carrière ouverte et libre.

Enfin l'on sortait des ridicules de salon, des fats, des coquettes, du cailletage. On en sortait par un retour hardi à la vieille farce, à l'éternelle comédie. Un franc comique jaillissait de l'action lestement menée, des *quiproquos*, des *travestis*, de tous ces bons vieux moyens de faire rire, qui semblaient, ici, tout neufs. Sur tout cela, l'auteur, se souvenant de sa course romanesque au delà des Pyrénées, avait jeté le piquant des costumes espagnols. Mais le dialogue était la grande nouveauté, la grande sur-

1. Dans la *Fausse Suivante* de Marivaux

prise de la pièce : il en faisait une fête perpétuelle. C'est la perfection suprême de l'esprit de conversation : un pétillement de
mots ingénieux, mordants, drôles, un éclat de tirades qui se
déploient, un cliquetis de répliques qui s'opposent ; l'esprit en est
empli, ébloui, étourdi, émerveillé. Tous les personnages sont de
prodigieux causeurs, jusqu'à ce grave coquin de Basile. Mais il ne
faut pas s'y tromper : cette verve de Beaumarchais n'est pas un
jet naturel de belle humeur ; le jet est réglé, dirigé, dispersé,
ramassé, par une réflexion très consciente qui calcule l'effet. Beaumarchais garde toujours la lucidité d'esprit du faiseur d'affaires :
il administre posément sa fantaisie, son exubérance, sa griserie.
Toutes ces riches accumulations de mots qui tombent dru comme
grêle, ces brusques oppositions, ces trouvailles d'images délicieuses
ou cocasses, ces bouquets ou ces fusées d'épigrammes, tout cela
est préparé, mesuré, ajusté. Il recueille dans les rognures de
son *Barbier* tout ce qui a prix, et le pique sur son *Mariage*.
Par malheur, l'impatience de plaire, la rage de doubler l'effet lui
ont parfois alourdi la main et fait forcer la dose. A examiner
de près la qualité de ce style, on la trouve plus grosse et plus
mêlée qu'elle ne paraît d'abord.

Beaucoup d'autres, avant et après Beaumarchais, ont usé de ce
style à facettes, perpétuellement éclatant ou spirituel. Mais il y a
mis son empreinte, la marque de sa personnalité. L'originale propriété de son esprit pourrait, je crois, se définir par l'impertinence.
Il y a dans les saillies de Beaumarchais, dans son dialogue, quelque
chose de hardi, de provocant, de cinglant : c'est tantôt l'agressive
polissonnerie du gamin à qui rien n'impose, tantôt le scepticisme
ironique de l'homme d'affaires qui a vu les coulisses du monde,
tantôt la clairvoyance hostile du parvenu qui s'est senti méprisé,
et se venge. De tout cela se dégage un parfum d'universelle irrévérence, qui, se mêlant dans toutes les fantaisies, les gaietés, les
folies de l'esprit de Beaumarchais, leur communique une saveur
unique.

4. « LE MARIAGE DE FIGARO. »

Le *Mariage de Figaro* fut présenté aux comédiens en 1781. Il
fut joué le 27 avril 1784. Pendant trois ans, le pouvoir refusa
l'autorisation de jouer la pièce : cette résistance en décupla la
portée. La « folle » comédie avait effrayé les censeurs ; le lieutenant de police, le garde des sceaux, le roi la déclarèrent impossible à jouer. Beaumarchais avait pour lui tous les esprits curieux,
avides de plaisir, de nouveauté et de scandale, c'est-à-dire tout le

public, la cour, le comte de Vaudreuil, la princesse de Lamballe,
le comte d'Artois, la reine même. Il se lança avec une superbe
confiance dans la lutte où la royauté le défiait. Il fut admirable
d'activité, de persévérance, d'impudence. Ses mots, qu'on colpor-
tait, faisaient autant de mal qu'en aurait pu faire la pièce défendue.
« Le roi ne veut pas qu'on la joue, disait-il, *donc* on la jouera. »
On va la jouer sur le théâtre des Menus, quand un ordre du
roi l'interdit. Mais Beaumarchais a sa revanche : le *Mariage* est
joué chez le comte de Vaudreuil, à Gennevilliers, devant 300 personnes de la cour (1783). Enfin, après que six censeurs successifs
y eurent passé, les comédiens eurent le droit de jouer la pièce
dans leur nouvelle salle (l'Odéon actuel). Cette première représentation fut un délire *général*; on s'écrasait aux portes du théâtre;
trois personnes y furent étouffées. Le public, surchauffé, fiévreux,
débordait d'enthousiasme, applaudissait également à leur entrée
dans la salle le bailli de Suffren et Mme Dugazon [1]. Devant cet
auditoire, tous les mots de la pièce portèrent : ce fut un succès
insolent, gonflé de scandale. L'auteur fouettait énergiquement et
succès et scandale : il faisait servir la bienfaisance au succès
de sa comédie, qu'il poussait vers la *centième*, mettant en avant
aujourd'hui les pauvres mères nourrices, demain une veuve d'ouvrier du port Saint-Nicolas. Le *Journal de Paris* relevait vertement
ce mélange de charité et de réclame : Beaumarchais répondait, et
derrière le gazetier il atteignait le comte de Provence, frère du roi.
Cela lui faisait d'abord passer six jours à Saint-Lazare, et rendait
ensuite le ministère plus coulant avec lui sur leurs règlements de
comptes. Et surtout cela soutenait la comédie.

Le *Barbier* est une œuvre plus délicate, plus parfaite. Mais le
Mariage est plus puissant, plus original. Les réminiscences abondent encore, mais fondues et perdues dans l'invention personnelle.
L'action est touffue, pressée, d'un mouvement haletant et lent à
la fois, avec beaucoup de trépidation et de piétinement. Toute sorte
de tons et de couleurs, la comédie, la farce, le drame, la satire
se succèdent et se heurtent; nous sommes cahotés de Scarron à
Marivaux, de Diderot à Voltaire [2], et sur cette incohérente profusion de tous les effets et moyens scéniques, surnage toujours la
personnalité de l'auteur.

---

1. Cf. le récit de cette représentation dans Porel et Monval, *l'Odéon*, Paris, 2 vol.
in-8, 1876-1882, au t. I.
2. Voici les principaux ouvrages auxquels Beaumarchais a fait des emprunts :
Scarron, la *Précaution inutile*; Molière, *Georges Dandin*; Sedaine, *Gageure imprévue*;
Rochon de Chabannes, *Heureusement*; Vadé, le *Trompeur trompé*; Favart, *Ninette
à la cour*; Marivaux, la *Fausse Suivante*; Voltaire, le *Droit du Seigneur*, etc. (cf.
Lintilhac).

Tout le *Barbier* se retrouve dans le *Mariage*, mais singulièrement monté de ton. Bartholo passe au second plan, et va rejoindre
Basile, toujours grave et toujours plat, Marceline, l'aigre duègne,
d'où sortira bizarrement « la plus bonne des mères », Antoine,
l'ivrogne têtu et sentencieux, Bridoison, le sot immense et profond. L'action s'engage ici entre Rosine, le comte et Figaro,
auxquels s'ajoutent Suzanne et Chérubin : le comte, un mari
décent d'ancien régime, détaché de sa femme, et jaloux pourtant,
parce que, l'amour n'étant qu'un accident, l'amour-propre est le
fond de sa nature, libertin blasé qui répète avec toutes les femmes
la comédie du sentiment, par habitude et par curiosité ; la comtesse, une charmante femme qui a tenu toutes les promesses de
Rosine, encore amoureuse de son mari, mais en train de devenir
amoureuse de l'amour, parce qu'elle approche de la trentaine,
parce qu'elle est délaissée, parce qu'elle s'ennuie, toute disposée
déjà par de troublantes rêveries aux expériences dangereuses, et
glissant langoureusement du marrainage à l'adultère. Suzanne
fait contraste avec la mélancolique douceur de la comtesse :
« riante, verdissante », pétillante, joyeusement élancée de toute
sa nature vers l'amour et vers le plaisir. Chérubin est l'enfant en
voie de passer homme, qui ne connaît pas la femme, et que la
pensée de la femme obsède, tout bouillant de désirs effrontés et
timides. Mais le héros de la comédie, c'est Figaro, le sémillant
barbier, un Figaro singulièrement élargi et grandi. Il n'est plus
serviteur des amoureux ; l'amoureux, c'est lui : le mariage qu'il
procure, c'est le sien ; et dans cette affaire, les subalternes, les
comparses, ce sont ses maîtres. Il travaille pour lui ; il traite
d'égal avec le comte, qui s'est fait son rival, il lui rend menace
pour menace, crainte pour crainte. Aussi est-il superbe d'entrain,
d'audace, et d'effronterie.

Une sensualité inquiète émane de toute la pièce. L'argent,
l'intérêt y ont leurs rôles, mais secondaires : ce qu'on se dispute,
c'est l'amour. Depuis la duègne ridée jusqu'à la petite niaise de
Fanchon, la commune affaire de tous les personnages, c'est la
chasse au plaisir ; une ardeur fiévreuse les emporte tous. Mais
tandis que la maturité mélancolique de la comtesse et l'âcre pré-
cocité de Chérubin se rapprochent, tandis que la dépravation
invétérée du comte le promène de tous côtés, parmi ces déviations
et ces perversités, cet intrigant Figaro et sa gaillarde Suzanne
représentent la robuste, la saine, la droite nature, ils courent
honnêtement sur le grand chemin du mariage. Leur couple, autant
que le peut faire l'auteur, est chargé des intérêts de la morale,
pour la honte de la noblesse et pour la gloire du Tiers État.

Et cela nous conduit à examiner le sens politique de la pièce.

Il y avait dans le *Barbier* quelques épigrammes : mais ici toute la comédie est une effrontée dérision de l'ordre établi. Le comte Almaviva met la justice au service de ses caprices amoureux : à travers son grand air, sa dignité de façade, on l'aperçoit immoral et berné. Figaro se dresse devant lui, ayant le mérite, le droit, l'honnêteté relative : il a même la popularité, grand signe des temps. Dans ce Figaro, Beaumarchais a mis tous ses instincts de révolte ; par la bouche de Figaro, il verse le ridicule sur tout ce qui soutenait l'ancien régime : noblesse, justice, autorité, diplomatie ; il fait une revendication insolente des libertés de penser, de parler et d'écrire, il réclame contre l'inégalité sociale ; d'un côté, la nullité et la jouissance ; de l'autre, le mérite et la peine. « Parce que vous êtes un grand seigneur, vous vous croyez un grand génie ;... vous vous êtes donné la peine de naître, rien de plus ;... tandis que moi, morbleu ! » Lui, morbleu ! n'avait-il pas aussi tous les goûts pour jouir ?

Beaumarchais n'a pas inventé une idée : il n'est qu'un écho : il ne fait que recueillir la quintessence des doctrines encyclopédiques, ramasser les aspirations du public, aiguiser en mots coupants ce que tout le monde pense. Il lâche ses épigrammes meurtrières contre les privilèges et les privilégiés : même dans ce fameux monologue, qui ne sert de rien à la pièce et sans lequel la pièce perdrait sa valeur, Figaro fait le procès à la société avec une amertume d'ironie, une âpreté de colère, qui donnent à l'explosion de ses rancunes personnelles une singulière ampleur.

Le public prit Figaro comme Beaumarchais le lui donnait, pour le défenseur de la liberté contre le despotisme, de l'égalité contre les privilèges. De là l'enthousiasme universel qui l'accueillit, et pour achever de donner sa signification à ce succès unique, les privilégiés eux-mêmes, qui remplissaient la salle le 27 avril 1784, furent les plus bruyants, les plus forcenés dans leurs applaudissements. Ils révélaient leur impuissance : une société est perdue quand elle n'a plus foi en son droit, et se moque des principes qui la soutiennent. Si bien qu'à distance, Figaro nous paraît le représentant de l'esprit révolutionnaire, et son monologue semble annoncer les cahiers de 1789. Mais prenons garde : le drôle est-il bien qualifié pour représenter le laborieux, l'honnête Tiers État ? et les hommes, la nation de 1789, ne pourraient-ils s'estimer calomniés par le rapprochement ? En vérité, ce que représente Figaro, c'est le monde des faiseurs de tout ordre, hommes d'État, littérateurs ou financiers, ambitieux, intelligents, effrontés, qui courent à l'assaut des places et à la conquête de l'argent : je ne vois pas qu'il travaille véritablement pour le peuple. Son monologue se résume en un énergique : « Ote-toi de là, que je

m'y mette ». Quand il y sera, tout ira bien. Cependant la légèreté morale, l'illusion puissante des spectateurs les firent complices de l'auteur, et transfigurèrent Figaro : le public se vit en
lui, et ce coquin fit vibrer tous les plus généreux sentiments,
échauffa toutes les plus ardentes espérances qui remplissaient
alors les âmes. Mais la pièce est surtout négative et destructive;
il suffisait de ne plus vouloir du présent, pour en être transporté :
et qui donc alors voulait du présent? pas même ceux qui en jouis-
saient. Beaumarchais a si vigoureusement manifesté dans sa
comédie le mécontentement général et son indisciplinable individualité, qu'elle est restée dressée contre tous les gouvernements, à
l'usage de toutes les oppositions.

Outre l'importance que lui donne sa signification politique,
la pièce a encore par sa forme un intérêt d'un autre genre, et
de premier ordre. Elle restera comme un patron, sur lequel les
écrivains postérieurs tailleront leurs conceptions. Tandis que la
comédie classique en vers ira s'évanouir dans les pâles œuvres
des Collin d'Harleville et d'autres plus oubliés encore, le *Mariage*
et le *Barbier* offriront le modèle d'une comédie en prose, plus
vivante, plus colorée, plus intéressante. Le *Barbier* surtout est une
merveille d'agencement, et l'on y apprendra à construire, à
emboîter toutes les parties d'une intrigue, à renoncer aux dénouements postiches. Dans les deux pièces se fixe le type de la
comédie, gaie en ses débuts, progressivement élevée ou détournée
vers quelques scènes sentimentales ou pathétiques. Les deux
pièces donnent l'idée d'un dialogue rapide et nerveux, collé sur
l'action et agissant lui-même, d'un style apte à passer la rampe,
pas très naturel, mais condensé, saisissant, réveillant. Beaumarchais sera pour quelque chose, très diversement, mais très réellement, dans l'œuvre de Scribe et de M. Sardou, dans celle
d'Augier et dans celle de M. Dumas.

CHAPITRE VII

LA LITTÉRATURE FRANÇAISE ET LES ÉTRANGERS

Fin des influences italienne et espagnole. La littérature française et
l'Angleterre à la fin du xviiᵉ siècle. — 1. L'imitation française dans
les littératures méridionales. La France et l'Angleterre au xviiiᵉ siècle : actions et réactions réciproques. Influence de nos écrivains
sur l'Allemagne. — 2. La vie de société en France et en Europe.
Les étrangers à Paris. Les *Correspondances littéraires* : Melchior
Grimm Les étrangers qui écrivent en français : Frédéric II, le
prince de Ligne, Galiani.

La Renaissance des lettres s'était faite en France sous l'influence
immédiate de l'Italie, et, après l'effort tenté par Ronsard pour
reproduire la beauté des modèles antiques, la poésie était, à la
fin du siècle, retournée insensiblement à l'imitation des Italiens.
Dans le xviiᵉ siècle, cette influence avait encore sévi avec un
redoublement d'intensité à l'époque de la préciosité : Boileau et
les purs classiques nous en affranchissent, à partir de 1660.

L'Espagne, entrée plus tardivement en scène, n'eut qu'une
action intermittente et limitée au xviiᵉ siècle : il fallut que notre
théâtre se fût constitué pour qu'elle dominât chez nous, par l'irrésistible attraction du riche répertoire de sa *comedia* nationale.
Nos goûts romanesques trouvèrent aussi à se satisfaire dans la
vaste collection des *nouvelles* pathétiques ou picaresques. Depuis
le début du siècle, mais surtout de Scarron et Rotrou jusqu'à
Lesage, cette influence se fit sentir, plus apparente avant 1660,
masquée ensuite par les chefs-d'œuvre d'inspiration gréco-romaine :
Gil Blas en est le dernier éclat. Le costume de *Figaro* est un accident dû au hasard d'un voyage de Beaumarchais. Après *Gil Blas*,
en somme, l'Espagne se retire de chez nous pour ne revenir
qu'avec le romantisme.

L'Angleterre subissait notre influence après celle de l'Italie. La
révolution, qui fit séjourner en France nombre de grands seigneurs, eut pour résultat le triomphe du goût français après la

restauration. La littérature du temps de la reine Anne, avec
Addison, Pope, Dryden, est gagnée aux idées d'ordre, de méthode,
de raison, d'imitation fidèle et correcte de la nature, qui sont les
caractères sensibles de nos œuvres classiques. Le fond anglais
subsiste toujours : mais il s'accommode de son mieux aux principes de l'art français. Les traductions de Boileau se multiplient,
et le P. Le Bossu même, le P. Rapin font autorité. Ainsi c'est par
l'Angleterre que commence cette universelle domination de l'esprit
français, qui sera l'un des faits les plus considérables de notre
histoire littéraire et sociale au xviiie siècle.

1. LA LITTÉRATURE FRANÇAISE A L'ÉTRANGER.

Pour les nations méridionales, d'abord, les rôles sont renversés :
elles, nous empruntent et nous imitent. L'Italie échappe par le
goût français aux fadeurs et aux affectations du *marinisme*. Corneille et Racine donnent des modèles à Zeno; et, malgré ses fureurs
de *misogallo*, Alfieri leur doit, ainsi qu'à Voltaire, plus qu'aux
Grecs. Molière offre à Goldoni l'idéal où il essaie d'élever la comédie
de son pays. Enfin l'esprit de nos philosophes, de Montesquieu,
de Voltaire, imprègne ces vives intelligences italiennes; un Français, Condillac, est appelé à instruire le prince de Parme, et l'on
peut dire que les premiers pays où des essais de gouvernement
libéral et bienfaisant fassent passer dans les faits un peu des
rêves de notre philosophie humanitaire sont de petits États
d'Italie. L'Espagne, avec son Charles III qui a d'abord régné à
Naples, le Portugal, entrent dans la même voie : dans ces pays,
le gouvernement même se met à la tête du mouvement philosophique. Littérairement aussi, notre influence s'établit. Boileau
jadis était tout fier d'avoir trouvé un traducteur portugais, le
comte d'Ericeyra. Depuis que le marquis de Luzan a mis en castillan l'*Art poétique* de Boileau et le *Préjugé à la mode* de La
Chaussée, la plupart des écrivains sont *afrancesados* : à la *comedia*
nationale succèdent le drame larmoyant, la tragédie pompeuse,
la comédie à la façon de Molière, ou plutôt de Destouches ou de
Picard [1].

L'Angleterre s'est francisée autant qu'elle pouvait l'être : cela la
met en état de nous rendre l'équivalent de ce que nous lui avons
prêté. Addison, Pope, Otway n'effaroucheront pas nos Français amateurs d'élégance et de bonne tenue. Dès la fin du règne de
Louis XIV, cette réaction de la littérature anglaise sur la nôtre se

---

1. Voyez les pièces de Jovellanos et de Moratin.

produit par l'intermédiaire des journaux de Hollande[1], très
curieusement rédigés par des réfugiés français que leurs idées
politiques et religieuses disposent à prêter grande attention à
toutes les œuvres qui viennent d'Angleterre. Puis s'établissent
les rapports directs entre les pays, voyages d'écrivains anglais
en France, français en Angleterre[2]. On continue de traduire
nos œuvres en anglais, nous traduisons les œuvres anglaises
en français. Le pamphlet de J. Collier[3], le *Spectateur* d'Addison
encouragent le goût de moralisation par lequel l'esprit laïque
cherche à compenser le vide que laisse l'abolition de l'influence
chrétienne. Marivaux, qui s'inspire d'Addison dans ses journaux,
fournit par sa *Vie de Marianne* un modèle à Richardson, qui, traduit en français par l'abbé Prévost, sert à son tour de modèle à
nos romanciers. L'originalité de Sterne fait une impression sensible sur Diderot. Notre théâtre subit l'action du théâtre anglais :
Shakespeare peu à peu force les barrières de notre goût; Voltaire
l'abbé Leblanc, Laplace, Letourneur, Ducis le font connaître[4], et
il arrache parfois l'admiration d'une mondaine renforcée comme
Mme Du Deffand. Il tire notre vide et froide tragédie vers l'action animée, pittoresque, violente. Le drame anglais[5], à qui La
Chaussée ne doit pas grand'chose, exerce une sensible influence
sur Diderot, Saurin et d'autres : il donne l'idée et le goût d'effets
plus intenses, plus brutaux, d'un pathétique plus nerveux et plus
matériel, d'une action plus familière, liant l'impression sentimentale à la minutieuse reproduction des détails de la vie domestique.
Au moment où Rousseau remue si profondément les âmes de nos
compatriotes, et celles de ses contemporains par toute l'Europe,
l'Angleterre nous envoie Thomson, Young, Macpherson[6] : les
Saisons de Thomson réveillent le goût de la nature chez nos mondains; et nos spirituels peintres des choses champêtres, les Saint-

1. Les *Nouvelles de la République des Lettres* de Bayle, l'*Histoire des ouvrages
des savants* de Basnage de Beauval, les *Bibliothèques* de Leclerc, la *Bibliothèque
anglaise* de M. de la Roche. Cf. Texte, *ouvr. cité.*

2. Addison, Prior viennent en France. Voltaire, Montesquieu vont en Angleterre.
Le Suisse Muralt publie en 1725 ses *Lettres sur les Français et sur les Anglais*
(son voyage avait eu lieu en 1694-1695). L'abbé Leblanc écrit de Londres ses *Lettres
d'un Français*, 1745, 3 vol. in-12.

3. Tr. par le P. de Courbeville, 1715, in-12; *le Spectateur* était traduit dès 1714.

4. Le *Théâtre anglais* de Laplace paraît de 1745 à 1748, 8 vol. in-12 (les 4 premiers consacrés à Shakespeare); le *Shakespeare* de Letourneur paraît de 1776 à
1782, 20 vol. in-8.

5. Steele, Colley Cibber, surtout Lillo et Moore.

6. Les *Saisons*, poème trad. de l'anglais de Thomson par Mme Bontemps, 1760,
in-12; *les Nuits* d'Young, tr. Letourneur, 1769; *Ossian*, de Macpherson, tr. Letourneur, 1776 ; les *Méditations* d'Hervey, tr. Letourneur, 1770. Le *Paradis Perdu* de
Milton est traduit en 1729 (Dupré de Saint-Maur), et 1755 (L. Racine).

Lambert, les Roucher, sont de mauvais copistes d'un bon original
La mélancolie des *Nuits* d'Young, les effrénées et vagues effusions
de l'*Ossian* de Macpherson donnent à la fois une satisfaction et
un stimulant aux besoins intimes qui portent les cœurs vers les
nobles rêveries et les ardents enthousiasmes. C'est d'un bout à
l'autre du siècle un chassé-croisé d'influences entre la France et
l'Angleterre. Cependant il serait vrai, je crois, de dire que si
beaucoup d'œuvres particulières des écrivains anglais furent chez
nous en crédit, aucun mouvement considérable n'a son réel point
de départ en Angleterre : nous trouvons dans le courant de notre
littérature même, dans les transformations de l'esprit public et
des mœurs sociales, dans l'apparition enfin de certaines originalités
individuelles, les raisons essentielles de l'évolution du goût et des
formes littéraires. Notre xviiie siècle s'est servi et autorisé de
l'Angleterre, mais pour abonder en son propre sens, et réaliser
ses intimes aspirations. La querelle des anciens et des modernes,
Marivaux et Lesage, La Chaussée, Diderot et Rousseau nous font
passer de Boileau à Chateaubriand, du goût classique au romantique, sans peine, sans heurt et sans lacune

Dans le progrès des idées, ce chassé-croisé ne semble pas se
produire. Nous entamons peu l'Angleterre : cependant Hume et
Gibbon relèvent de nos philosophes, dont l'influence se fera sentir
surtout en ce siècle sur le positivisme anglais. Mais, au xviiie siècle,
l'Angleterre nous donne sans comparaison plus qu'elle ne nous
emprunte. Shaftesbury, Bolingbroke sont des maîtres de pensée
indépendante, de doute curieux et libre. Locke fournit à Voltaire
son *dada* métaphysique, la possibilité pour un Dieu tout-puissant
d'attacher la pensée à la matière. J'ai dit quelle impression la vie
anglaise tout entière avait laissée en Voltaire. Montesquieu n'est
pas loin de voir dans la constitution anglaise l'idéal du gouvernement. L'idée de la liberté anglaise devient un lieu commun de
l'opinion publique; le type de l'Anglais franc, indépendant, original jusqu'à l'excentricité, devient un type banal du théâtre et du
roman. L'anglomanie se répand dans nos salons à la faveur de la
philosophie, et les mœurs françaises s'imprègnent des usages et
des goûts de nos voisins : on importe d'outre-Manche les courses
de chevaux; on établit la mode des *thés* à l'anglaise. Mais ici
encore, je crois, la pensée de nos philosophes a été chercher en
Angleterre plutôt des soutiens, des exemples, des vérifications que
des principes et l'impulsion initiale : c'est chez nous et de nous
surtout que les inventions particulières par lesquelles les Anglais
avaient mis leurs intérêts intellectuels et matériels, privés et
nationaux, dans les meilleures conditions qu'ils pouvaient, ont
reçu la valeur rationnelle et générale qui en a fait l'efficacité et

assuré la diffusion. Fontenelle ne devait rien à l'Angleterre, et
tout le xviiie siècle français est déjà dans Fontenelle.

L'Allemagne nous prend beaucoup, nous rend tard et peu[1]. Gottsched fonde l'école de l'imitation française. Lessing combat Gottsched.
mais les maîtres de Lessing sont Bayle, Voltaire et Diderot.
Diderot est le véritable créateur du théâtre allemand : les théories
et les drames de Lessing en viennent. Voltaire est celui qui révèle
Shakespeare à Lessing. Wieland porte dans toutes ses œuvres
et toute sa vie l'empreinte profonde des idées et de l'esprit français. Montesquieu est le docteur des hommes d'État. Mais l'idole
des Allemands, celui qui laisse la trace la plus profonde dans la
pensée allemande, c'est le sérieux et sensible, le Suisse et protestant Rousseau. Son influence se retrouve partout pendant un
demi-siècle. Kant avouera qu'il lui doit sa morale. Fichte en procède, et Jacobi. C'est Rousseau qui développe en Allemagne un
libéralisme exalté, la haine effrénée du despotisme, des privilèges
nobiliaires, de l'oppression sociale : du *Discours sur l'inégalité*, du
Contrat social sont sortis les *Brigands* (1780) et *Intrigue et Amour*
de Schiller. Il favorise l'expansion de la littérature sentimentale,
du lyrisme romanesque ou pittoresque. Sans doute, à la fin du
siècle, les œuvres des Allemands commencent à pénétrer chez
nous : on adapte, on traduit leurs drames, on s'enthousiasme pour
le *Werther* de Gœthe[2], pour les idylles de Gessner. Il y a harmonie
parfaite entre le goût Louis XVI et la sensibilité allemande. Mais
le mouvement de notre littérature n'en est aucunement modifié :
ces succès ne sont pas des influences; ce ne sont que des aliments
où notre appétit trouve à se satisfaire.

Dans les littératures scandinaves, dans les littératures slaves,
on trouvait à signaler encore l'influence de nos écrivains français,
plus ou moins combattue ou limitée à la fin du siècle par celle
des Anglais et des Allemands, prépondérante surtout en Russie
avec Lomonosof et Soumarokof.

1. A consulter : L. Crouslé, *Lessing et le goût français en Allemagne*, in-8, 1863.
E. Crucker, *Lessing*, 1896, in-8. Joret, *Essai sur les rapports intellectuels de la
France et de l'Allemagne avant 1789*. L. Lévy-Bruhl, *l'Allemagne depuis Leibniz*,
Paris, 1890, in-12 ; *la Philosophie de Jacobi*, in-8, 1894. V. Rossel. *Histoire des
relations littéraires entre la France et l'Allemagne*, Paris, 1897, in-8. J. Texte,
les Origines de l'influence allemande sur la littérature française au XIXe siècle, Rev.
d'Hist. litt., 15 janv. 1898; P. Hazard, *La Pensée européenne au XVIIIe s.*, 1946.
2. Traduit en 1776. — N. de Bonneville, *Choix de petits romans imités de l'allemand*, 1786, in-12; Mme de Montolieu, *Caroline de Lichtfield*, 2 vol. in-12. —
Haller, *Poèmes suisses*, tr. Racine. Klopstock, *Messiade*, ch. I-IX, 1769, 2 vol. in-12
(tr. d'Antolmy, Junker, etc.). Gossner, tr. diverses par Huber, Turgot, Meister, de
1760 à 1773, tr. générale, 1786-93, 3 vol. in-8. *Choix de poésies allemandes*, par
Huber, 4 vol. in-8, 1766. Ramler, *Poésies lyriques*, 1777. — *Théâtre allemand*, tr.
Junker et Liébaut, 1770-1785, 40 vol. in-8. *Nouveau théâtre allemand*, tr. Friedel et
Bonneville, 1782 et suiv.

2. L'ESPRIT FRANÇAIS CHEZ LES ÉTRANGERS.

Plus universelle encore et plus absolue est la souveraineté qu'exerce l'esprit français par les formes sociales où il s'exprime. Notre vie de société possède un don de séduction infinie. Elle devient le modèle sur lequel toutes les cours, toutes les classes polies de l'Europe se règlent, et c'est à son prestige, à l'autorité de nos modes et de nos opinions mondaines que notre littérature doit la moitié de son crédit. L'Angleterre seule, encore ici, se défend et garde plus sensiblement son originalité : mais que d'individus pourtant elle nous envoie qui subissent le charme subtil de nos salons et de nos conversations! Je ne citerai qu'Horace Walpole, l'ami de Mme du Deffand. Paris attirait les étrangers, qui ne venaient pas seulement en dévorer les beautés extérieures et les plaisirs publics : ils voulaient vivre de sa vie, être admis dans ces salons que toute l'Europe connaissait, et dont ils gardaient toute leur vie l'éblouissement. Paris leur faisait fête au reste : un large cosmopolitisme que ne troublaient pas les conflits des gouvernements, ouvrait les portes et les cœurs. Le comte de Creutz, ambassadeur de Suède, le marquis de Caraccioli, ambassadeur de Naples, l'abbé Galiani, le prince de Ligne, le prince de Nassau, Stedingk, Fersen sont tout Français de goûts, de langue, d'intelligence : Caraccioli est désespéré quand sa cour le rappelle pour le faire ministre et vice-roi; il semble qu'il s'enfonce dans la nuit. Qui ne sait les éternelles lamentations du pauvre abbé Galiani, exilé dans sa patrie, loin de la Chevrette, de Grandval et des *vendredis* de Mme Necker?

Ceux qui ne pouvaient venir ou revenir vers le commun centre de tous les esprits, la France allait les trouver. Il y avait d'abord les *correspondances littéraires*, manuscrites comme celles de Grimm, imprimées comme celles de Métra. La *Correspondance* de Grimm [1] est le chef-d'œuvre du genre : les princes qui s'y étaient abonnés sous la promesse du secret absolu, recevaient chaque mois toutes les nouvelles littéraires, dramatiques, philosophiques, politiques, mondaines, le jugement et l'analyse de toutes les publications importantes, le journal détaillé en un mot

---

1. Melchior Grimm, né en 1723 à Ratisbonne, mort en 1807 à Gotha. L'abbé Raynal avait commencé une correspondance que Grimm continua de 1753 à 1773. Depuis 1768, Diderot et Mme d'Épinay le remplacent souvent. A partir de 1773 jusqu'en 1790, le rédacteur est Meister, souvent aidé ou inspiré par Mme d'Épinay. La *Correspondance* resta secrète, et ne fut connue qu'en 1812, où on en fit une éd. (peu correcte) en 16 vol. in-8. Il faut la lire dans l'éd. de M. Tourneux, Garnier, in-8, 1877 et suiv. *Corresp. inéd. au comte de Finlater*, 1934. — A consulter : A. Cazes, *Grimm*.

de la vie de Paris, avec laquelle ils restaient ainsi en communication constante. Nombre d'autres écrivains ou écrivassiers français furent alors les correspondants particuliers de souverains, de princes, de gentilshommes dont la France était la patrie intellectuelle. Et puis il y avait les correspondances intimes : tous ces étrangers qui passaient à Paris y laissaient des amis avec qui le commerce ne se rompait jamais, et dont les lettres leur portaient le parfum du monde enchanteur qu'ils regrettaient d'avoir quitté. Le roi de Suède, Gustave III, instruit dans la lecture de *Bélisaire*, enragé de tolérance, de haine anti-jésuitique, sentimental, enthousiaste, illuminé, despote avec cela, et voltairien de fait avec des exaltations à la Rousseau, avait pour correspondantes les comtesses d'Egmont, de Brionne, de La Mark, de Boufflers, tout un groupe de femmes intelligentes et franches. Les lettres de la bonne Mme Geoffrin faisaient la consolation du pauvre roi Poniatowski au milieu de la ruine de sa patrie ; et, quand elle alla le voir, cette bonne bourgeoise qui représentait l'esprit français fut reçue comme en triomphe. Les pays et les cours de l'Europe étaient inondés de Français, artistes, penseurs, poètes, précepteurs, lecteurs, secrétaires. Partout des comédiens français jouaient notre répertoire. Ce fut une grande époque dans la vie du pauvre Galiani quand Aufresne vint donner des représentations à Naples. Le théâtre Michel à Saint-Pétersbourg est dans l'Europe actuelle le dernier vestige des mœurs de l'autre siècle.

Les deux plus grands souverains du siècle, Frédéric II et Catherine II, se distinguèrent par leur goût pour les productions de l'esprit français. Frédéric II [1] est à peine allemand de langue et d'intelligence : il ne parle que français, il fait venir Maupertuis, La Mettrie, d'Argens ; il tâche d'attirer Dalembert. On a vu avec quelles ruses et quelle opiniâtreté il a fini par enlever Voltaire. Il est vrai qu'il ne peut ni ne veut le retenir. Mais telle est la séduction qu'exercent l'un sur l'autre ces deux grands et lucides esprits, qu'ils ne pourront rester brouillés.

La Russie se francise si bien sous Catherine II [2], que de nos jours seulement la langue russe se mettra sur le pied d'égalité avec la langue française dans les cercles de l'aristocratie. L'impératrice parle un français bizarre, brusque, incorrect, original ; elle

1. *Œuvres*, éd. de l'Acad. de Berlin, 1846-1857, 31 vol. in-4 ; une éd. populaire in-8 a été donnée par le Dr Preuss, qui a dirigé l'autre. — **A consulter** : E. Lavisse, *la Jeunesse de Frédéric II*, 1 vol. in-8.

2. *Correspondance de Catherine II et de Falconet*, Saint-Pétersbourg, in-4, 1878 ; *Lettres de Catherine II à Grimm*, Saint-Pétersbourg, in-4, 1878 (Publication de la Soc. Imp. d'Hist. russe, sous la direction de M. Grote). *Joseph II et Cath. de Russie*, leur corresp., publ. p. le Chev. d'Arneth, Vienne, 1869. — Cf. dans la *Corr. de Voltaire* les lettres de l'Impératrice.

écrit des comédies en français ; elle traduit *Bélisaire* en russe.
M. de Ségur, le prince de Ligne sont en grande faveur auprès
d'elle. Elle fait venir Diderot à Pétersbourg ; elle correspond avec
Galiani, Grimm, Voltaire. Sans doute elle n'oublie jamais son rôle
et ses intérêts d'impératrice ; elle se sert de Voltaire pour tromper
le monde. Pourtant elle est profondément sincère ; elle est philosophe, éprise de bonne administration, d'ordre, de progrès économique. Elle aime les *idées* de Diderot, de Voltaire, leur esprit,
leur style. Elle marque la mort de Voltaire comme un malheur
public et un chagrin personnel : par ses soins, les papiers de
Diderot et de Voltaire sont expédiés à Pétersbourg.

Ainsi par la littérature et par la société, la langue française se
répand, devient vraiment la langue universelle : elle est reconnue
pour le plus parfait instrument qui puisse servir à l'échange des
idées. Jamais dans un autre siècle on n'a eu à compter tant
d'étrangers parmi les plus exquis de nos écrivains. Les lettres de
Gustave III, de Stedingk, du roi de Pologne valent celles de leurs
correspondants français ; et il y a même trois étrangers qui ont
écrit supérieurement notre langue : le prince de Ligne, l'abbé
Galiani, et le roi de Prusse Frédéric II. Les Français même, au
temps de Louis XVI, n'auraient pu indiquer personne autre que
le prince de Ligne [1] qui représentât la perfection de nos qualités
mondaines . on aperçoit encore dans ses lettres cette souplesse
d'esprit, cette universalité de connaissances, ce tact délicat, ce badinage aisé, cette grâce piquante qui séduisaient tour à tour Paris,
Versailles, Joseph II, Frédéric II, Catherine. Son seul défaut est de
s'abandonner trop : il est prolixe jusqu'à nous étourdir d'un excès
de jolis propos où la substance est trop diluée.

Galiani [2] a plus de fond et une forme plus « réveillante ». Il est
érudit, liseur, penseur, paradoxal avec délices, prophète tour à
tour lucide et saugrenu : esprit fin, plaisant, bouffon, ayant gardé
dans son style un peu de cet accent napolitain, de cette gesticu-
lation effrénée, qui rendaient sa conversation si amusante.

Mais Frédéric II est un grand écrivain : le mot n'a rien d'excessif.
A l'école de Voltaire, il s'est formé, dépouillé de ses germanismes
d'esprit et de langue, il a trouvé la forme française et personnelle
à la fois de son génie : un style fermé, éclairé de formules vigou-

---

1 Le prince de Ligne (1735-1814), lieutenant général dans l'armée autrichienne
en 1771, feld-maréchal en 1808. — *Œuvres*, 1755-1811, 34 vol.; *Lettres et pensées*,
publ. p. Mme de Staël, 1809; *Œuvres* (éd. du Centenaire) et *Œuvres Posthumes*,
éd. F. Leuridant, 1914 et 1919 — Cf F. Leuridant, *Une Éducation de Prince
au XVIIIᵉ s* , *Ch.-J. de Ligne*, 1923.

2. L'abbé Galiani (1728-1787), né à Chieti, secrét. d'ambass. à Paris, écrivit
contre les économistes ses *Dialogues sur les blés* qui enchantaient Voltaire. *Corresp. avec Mmes d'Epinay, Necker*, etc., L. Perey et G. Maugras, 1884.

reusement nettes ou familièrement pittoresques. Un fond de très sérieuse philosophie, une pensée libre, active, pénétrante, font de tous ses écrits, mais surtout de sa vaste correspondance une des plus intéressantes lectures que le xviiie siècle puisse fournir, même en négligeant l'intérêt historique. C'est à regret que je passe outre, mais il faut me contenter ici d'une sommaire indication.

LIVRE V

INDICES ET GERMES D'UN ART NOUVEAU

<hr>

CHAPITRE I

BERNARDIN DE SAINT-PIERRE

1. Caractère et philosophie : causes finales et sentimentalité philanthropique. Harmonies pittoresques et rapports de tons : Bernardin
de Saint-Pierre coloriste. — 2. *Paul et Virginie.*

Par le goût littéraire, le XVIIIe siècle est, ou se croit classique,
continue, ou croit continuer le XVIIe siècle. Il s'en éloigne si bien,
en réalité, qu'il aboutit à une révolution, et suscite le romantisme.
Nous y avons déjà rencontré bien des choses qui étaient comme
la préparation d'un avenir nouveau. Voici un écrivain qui semble
se détacher tout à fait du passé. Bernardin de Saint-Pierre tient à
Rousseau : mais il lui tient par tout ce qui séparait Rousseau de
Voltaire et de l'école classique, par tout ce qui faisait de Rousseau
l'ancêtre du romantisme. Bernardin de Saint-Pierre nous porte au
point même où nous rencontrons Chateaubriand.

1. L'ORIGINALITÉ DE B. DE SAINT-PIERRE.

Ceux qui se figurent Bernardin de Saint-Pierre [1] d'après ses
œuvres, se le représentent comme un suave bonhomme, au sourire angélique, à l'œil humide, les mains toujours ouvertes pour

----

1. **Biographie** : Bernardin de Saint-Pierre naquit au Havre en 1737. Élève de l'École
des ponts et chaussées, dès son premier emploi il se fait destituer pour son insu-
bordination et sa susceptibilité. Il va servir à Malte, puis en Russie, d'où il passe en
Pologne, manque d'aller en Sibérie, revient en France assiéger le ministère de solli-

bénir : c'était un nerveux, inquiet, chagrin, pétri de fierté et
d'amour-propre, ambitieux, aventureux, toujours mécontent du
présent, et toujours ravi dans l'avenir qui le dégoûtait en se réalisant, un solliciteur aigre, que le bienfait n'a jamais satisfait,
mais a souvent humilié, un égoïste sentimental, qui aimait la
nature, les oiseaux, les fleurs, et qui a sacrifié à ses aises, à ses
goûts, les vies entières des deux honnêtes et douces femmes qu'il
épousa successivement : il accepta ces dévouements béatement,
sereinement, comme choses dues, sans un mouvement de reconnaissance, sans même les apercevoir. Jamais caractère d'écrivain
ne fut plus en contradiction avec son œuvre.

Et cependant cette œuvre s'explique par son caractère. La société
le froisse : il se rejette vers la nature. Il la regarde et l'interprète
selon le besoin de son cœur; il y réalise son rêve d'ordre, d'harmonie, de bonté universelle, que la société avait trompé. Le
malheur, c'est que le pauvre homme veut expliquer la nature sans
être savant, et en se passant de la science. A chaque page des
Études de la nature, son ineptie scientifique éclate : il n'y a que
lui qui à cette date puisse douter de la puissance des méthodes.
Il n'y a que lui aussi qui puisse trouver des arguments en faveur
du mouvement du soleil autour de la terre. Il est désolant de suffisance sentimentale, quand il rejette sans la comprendre la théorie
du renflement de la terre vers l'équateur, et rend compte du flux
et du reflux, ou du déluge, par la fonte des glaces polaires. Compagnon des dernières promenades de Rousseau, il répète les leçons
de son maître comme un élève inintelligent. Cette haute doctrine
de la Providence que Rousseau avait relevée, Bernardin de Saint-
Pierre la compromet dans de ridicules applications, dans des raisonnements niais. Tout l'univers est une machine artistement
montée par la Providence pour procurer le bien-être de l'homme :
ce ne sont qu'harmonies, concerts, convenances, consonances,
prévoyances, sans parler des compensations qui sont encore des

citations. Toute sorte de plans politiques l'occupent, il envoie mémoires sur mémoires
aux ministres, sans oublier les mémoires de ses services et de ses droits, se fâche
des gratifications pécuniaires qu'on lui accorde, et les empoche après s'être fâché.
La misère le décide à écrire : son *Voyage à l'île de France* (1773), ses *Études de la
nature* (1784) le font célèbre, et Louis XVI le nomme Intendant du Jardin des
Plantes. La Révolution lui enlève ses places et ses pensions : elle en fait un professeur à l'Ecole Normale. Napoléon et le roi Joseph lui rendent plus qu'il n'a perdu.
Marié deux fois, père d'un Paul et d'une Virginie, il jouit de sa gloire aussi paisi-
blement que son caractère quinteux le lui permet. Il meurt en 1814, à Éragny-sur-
Oise, où il avait sa campagne.

Éditions : *Œuvres complètes* et *Corresp.,* éd. A. Martin, 1818-20 et 1826; *Paul
et Virginie,* éd. M. Souriau, 1930. — A consulter : A. Barine, 1891; De Lescure,
1892; F. Maury, 1892; M. Souriau, *B. de S.-P., d'après ses manusc.,* 1905; D. Mornet, *Sent. de la nat. en Fr.,* 1907; G. Lanson, *Art de la Pr.,* 1908; *Ét. d'hist. litt.,* 1930;
H. d'Alméras, *Paul et Virg.,* 1937; L. Roule, *B. de S.-P. et l'Harmonie de la Nat.,* 1930.

convenances, et des contrastes qui sont des harmonies. Savez-vous
pourquoi la Providence a mis les volcans au bord des mers? « Si
la nature n'avait allumé ces vastes fourneaux sur les rivages de
l'Océan, ses eaux seraient couvertes d'huiles végétales et animales... La nature purge les eaux par les feux des volcans... Elle
brûle sur les rivages les immondices de la mer. » Savez-vous
pourquoi « la vache a quatre mamelles quoiqu'elle ne porte qu'un
veau et bien rarement deux »? Non? le voici : « Parce que ces
deux mamelles superflues étaient destinées à être les nourrices du
genre humain. » Vous doutiez-vous que « la nature oppose sur la
mer l'écume blanche des flots à la couleur noire des rochers, pour
annoncer de loin aux matelots le danger des écueils [1] »? Ceci est
exquis : « Les insectes qui attaquent nos personnes mêmes,
quelque petits qu'ils soient, se distinguent par des oppositions
tranchées de couleur avec celle des fonds où ils vivent! » Louange
au Seigneur qui fait vivre la puce noire sur la peau blanche, pour
être plus aisément attrapée!

A Rousseau encore, Bernardin de Saint-Pierre a pris sa philosophie sociale, dont les effusions, mêlées sans cesse aux descriptions
de la nature, font des *Études* un étonnant chaos. Mais là encore l'essentielle imbécillité de ce disciple apparaît : c'est un Rousseau
affadi, radotant, affecté d'une sécrétion surabondante des glandes
lacrymales. Pour lui, athées, riches, savants, ces trois termes se
tiennent; et c'est l'égoïsme des privilégiés qui a inventé les idées
impies de force centripète ou centrifuge. La clef de la méthode
scientifique, c'est la maxime : *faites fortune*. Jamais la haine de
l'inégalité sociale, du luxe, de l'aristocratie, l'amour de l'humanité, des humbles, de la simplicité, l'enthousiasme de la vertu
n'ont revêtu des formes plus faussement, plus béatement, plus
niaisement attendries : dès qu'on regarde la *pensée* de ce pauvre
homme, hélas! le mot *niais* est celui qui revient toujours à nos
lèvres. Le malheureux! il est responsable en grande partie du
cours qu'a pris pendant vingt ou trente ans la religiosité excitée
puissamment par Rousseau. C'est lui qui a créé les symboles de la
religion philosophique, le culte laïque des grands hommes et des
bons hommes, dont un *Élysée* national rassemblerait les cendres,
les bustes, les monuments à côté des bienfaiteurs du genre
humain, y seraient reçus le laborieux *pêcheur* et le *charbonnier*
vertueux. C'est lui qui a placé au milieu d'une pelouse, dans une île,
agréable, un temple en forme de rotonde, entouré de colonnes
dédié à *l'amour du genre humain*, et tout enguirlandé d'inscriptions

---

1. Étude X, *passim*.

morales [1]. Soyons juste pourtant : il a demandé des arbres sur nos boulevards, et de la musique pour les aliénés.

A travers l'incohérence et la puérilité des *Études de la nature*, on y découvre la matière d'un chef-d'œuvre, qui s'est fait : le *Génie du christianisme*. Lisez dans l'*Étude* onzième une page sur les migrations des animaux [2] : vous verrez où Chateaubriand a pris la méthode et l'idée de son livre. Parcourez ces titres : *du Merveilleux — Plaisir du mystère — du Sentiment de la mélancolie — Plaisir de la ruine — Plaisir des tombeaux — Plaisir de la solitude*; vous vous demanderez ce que Chateaubriand a trouvé [3]. Il n'a eu à trouver que l'idée très simple, l'idée de génie par laquelle la niaiserie philosophique est devenue efficace et profonde.

Bernardin de Saint-Pierre a encore ceci de commun avec Chateaubriand, que sa puissance de retenir et de renvoyer les images dépasse infiniment sa capacité de comprendre et de rendre les idées. Ce piteux philosophe est un grand peintre. Si on ne lit ses *Études de la nature* que pour y chercher de pures notations d'impressions sensibles, des images de sons, de couleurs, de mouvements, on sera souvent charmé. Il explique ridiculement la création : mais il a bien regardé les créatures. Et il nous habitue à les regarder. Prises comme enseignement d'art, ces études sont étonnantes par la justesse des indications qu'elles donnent sur les formes que l'univers offre pour matière à l'artiste. Ses descriptions ont cette précision serrée des détails qui en révèle l'origine : elles s'appuient sur une sensation première, qui se réveille sans être affaiblie ni déformée. Il a dans l'oreille les forêts agitées par les vents, dans l'œil les nuages colorés des tropiques. Ses tempêtes [4] sont d'un rendu étonnant : tel sifflement du vent, tel craquement du mât, tel aspect, telle hauteur, telle écume des vagues, telles formations ou fuites de nuages, telle rougeur ou noirceur du ciel, tout est relevé, évalué, déterminé. Le bonhomme a disparu, avec son optimisme, son humanité et sa Providence : il n'y a plus qu'un artiste en face de la nature.

Sans y penser il nous achemine vers une révolution du langage : car il lui faut des mots propres, des mots techniques, les seuls équivalents à ses sensations et significatifs de leurs objets [5]. Il n'hésitera pas à nommer les *convolvulus*, les *scolopendres*, les *champignons*, les *francolins*, les *oies sauvages*, les *palétuviers*, les *cocotiers*, les *calebassiers*, les êtres les plus humbles et les plus vulgaires, les

---

1. Étude XIII.
2. Éd. de 1833, t. I, p. 364.
3. Étude XII.
4. *Lettres; Voyage à l'île de France; Études de la nature; Paul et Virginie.*
5. Étude I, *le Fraisier*; Étude X, *la Tempête.*

plus étranges et les plus inconnus du monde végétal et du monde
minéral. Aux épithètes littéraires qui qualifient, il substituera
l'épithète pittoresque qui montre : il nous fait voir l'*ouara* rouge
et noir au milieu du « feuillage glauque des palétuviers », le *savia*
jaune et gris perché sur le poivrier aux fleurs ternes, dont il mange
les graines [1]. La langue des couleurs est très riche chez lui :
il ne nous donne pas simplement du *rouge*, comme la plupart des
écrivains avaient fait avant lui; mais il a toute une gamme de
rouges : incarnat, ponceau, carmin, pourpre, vermillon, corail. Il
a plusieurs jaunes aussi : jaune soufre, jaune citron, jaune d'œuf,
orangé, safran, or, etc. Lisez le chapitre des *couleurs* [2] : il y décrit
des positions et des rapports de tons dans un lever ou un coucher
de soleil, des colorations de nuages, blanc sur blanc, ombres sur
ombres, avec une exactitude qu'envierait un peintre. J.-J. Rousseau voyait le ciel bleu, comme tout le monde : Bernardin de
Saint-Pierre y a trouvé du vert, même « sur l'horizon de Paris »,
par une « belle soirée de l'été ».

Voilà les vraies découvertes qu'il a faites, et pour lesquelles la
littérature lui est redevable. Du sentiment de la nature introduit
par Rousseau, il nous fait passer à la sensation de la nature, à la
pure sensation sans mélange d'idées ni même de sentiment. De la
poésie il nous mène à la peinture, et il tente une hardie transposition d'art : il rend avec les moyens de la littérature, avec des
m ts, des effets qui semblaient exiger la couleur.

2. PAUL ET VIRGINIE

L'œuvre la plus populaire de Bernardin de Saint-Pierre est
Paul et Virginie [3]. C'est la même puérilité de philosophie que dans
les *Études de la nature*, avec une psychologie étonnamment courte.
Deux enfants s'aiment ingénument depuis leur naissance. Ignorants et pauvres, loin de toute civilisation, sans contact avec la
société, affranchis des usages tyranniques, des préjugés corrup-
teurs, des faux besoins, des vaines curiosités, ils sont heureux et
vertueux. La société les sépare : Virginie est appelée en France
par une parente riche, donc égoïste. Notre monde effraie, dégoûte
sa pauvre âme : elle revient, et meurt dans un naufrage, sous les
yeux de Paul. Paul et les deux mères meurent bientôt. Nul enjoli-
vement, pas d'esprit, pas d'intrigue, pas de peinture de mœurs.
Une promenade de Paul et Virginie, une averse torrentielle, la

1. Étude XI.
2. Ce chapitre étonnant et alors absolument original est dans l'étude X.
3. G. Lanson, *Un manuscrit de Paul et Virginie*, Revue du Mois, 1908.

crise du départ, la tempête où se perd le *Saint-Géran* : voilà les
événements et les ressorts de l'émotion.

Le cadre est séduisant : c'est la nature des tropiques avec sa
richesse éclatante et ses étranges violences. Deux ou trois paysages
de l'Ile de France, deux ou trois états du ciel : rien de plus, et cela
suffit. Pas de rhétorique, mais un impressionisme sincère et puissant. Des mots propres, inouïs, bizarres, *palmistes*, *tatamaques*,
papayers, dressent devant les imaginations françaises toute une
nature insoupçonnée et saisissante. A peine quelques fausses notes
que la sentimentalité philosophique du temps ne remarquait pas :
« les pâles violettes de la mort se confondaient sur ses joues avec
les roses de la pudeur ». Ailleurs « ces paisibles enfants de la
nature » sont des singes qui se balancent dans les hauts cocotiers.
Rousseau nous montrait Montmorency, la Savoie, la Suisse : une
nature connue et familière. Ici, nous sommes dépaysés; et l'étrangeté de ce monde exotique a une force particulière pour exciter en
nous le sentiment des beautés naturelles.

L'effet de ce petit roman fut immense en 1787. Les beaux esprits
avaient bâillé quand l'auteur l'avait lu chez Mme Necker : ils ne
comprenaient pas qu'ils étaient dépassés. Sur le monde malade
d'un abus d'esprit, lassé de la vie la plus artificielle qui fut jamais,
disposé déjà par Jean-Jacques à goûter le sentiment plus que la
pensée, cette églogue rafraîchissante tomba. L'innocence naïve, la
nature sauvage, cela reposait du raffinement extrême des idées et
des mœurs; cela remplissait le vide secret, consolait le profond
ennui des cœurs.

Nous en rabattons un peu aujourd'hui. L'églogue paraît mince
et fade. Il ne faut pas comparer ce couple de Paul et Virginie
aux amoureux de Dante ou de Shakespeare, à Paolo et Francesca,
à Roméo et Juliette. Cependant Bernardin de Saint-Pierre a créé
deux types, qui vivent : ce n'est pas peu sans doute. Ce ne sont
pas deux caractères, ce sont deux noms, quelques sentiments élémentaires, simples, larges, plus rêvés qu'observés, quelques attitudes gracieuses ou touchantes; c'est un doux et triste songe
d'amour pur, par lequel l'humanité se repose des réalités rudes.
Paul et Virginie sont d'irréelles et suaves figures de poème; un
sentiment élégiaque et lyrique les a créées. Ils sont de la famille
des êtres que créeront Chateaubriand, Byron et Lamartine. Mais
ils sont tout détachés de l'auteur qui les a formés, indépendants
aujourd'hui de sa certaine personnalité, élevés à l'infinie récepti-
vité des légendaires symboles Et enfin, grande nouveauté, ils sont
très sensiblement conçus selon un idéal précis de beauté formelle :
nous verrons bientôt d'où cette influence féconde a soufflé.

Voilà comment Bernardin de Saint-Pierre a puissamment con-

tribué chez nous au renouvellement de la littérature. L'insignifiance de l'idée fait ressortir plus fortement l'impression poétique
ou pittoresque. Avec une philosophie moins niaise, il représente-
rait moins bien un moment décisif de l'évolution du goût en
France [1].

1. Bernardin de Saint-Pierre a inventé la mer. Elle n'avait pas sa place encore
dans la littérature française, à part quelques vers de Saint-Amant. Elle fait une
entrée triomphale par le *Voyage à l'île de France* et par *Paul et Virginie*.
Byron, en Angleterre, n'est venu qu'un quart de siècle plus tard.

Vers le même temps, Ramond découvrait la grande montagne, la beauté des
hautes cimes nues, la poésie des glaciers et des neiges éternelles (W. Coxe, *Voyage
en Suisse*, trad. par Ramond de Carbonnières, 1789; *Observations faites dans les
Pyrénées*, 1789; *Voyage au Mont Perdu*, 1801. Cf. J. Reboul, *Ramond*, 1910).
Sénancour ensuite, dans son *Obermann*, acheva d'initier la littérature à ces tableaux
(17e éd., 1922).

CHAPITRE II

SIGNES DE LA PROCHAINE TRANSFORMATION

1. Préparation du romantisme dans la littérature : sensation, sentiment ; thèmes lyriques. — 2. Préparation du romantisme dans la
société. Types d'âme romantique : Mlle de Lespinasse, Mme Roland.
— 3. Obstacles au renouvellement de la littérature : le monde, le
goût, la langue. Exemple de Ducis.

Bernardin de Saint-Pierre nous introduit au romantisme. Tout
le siècle est prêt avec lui, semble-t-il. Et cependant trente ans
encore s'écouleront après *Paul et Virginie* (1787) ; une grande intelligence et un génie supérieur, Mme de Staël et Chateaubriand, se
dépenseront sans que l'on aperçoive encore le port où l'on paraissait toucher. D'où vient cette suspension du mouvement, cette lenteur d'éclosion des germes ?

1. TENDANCES NOUVELLES DE LA LITTÉRATURE.

Mais d'abord ces germes existaient-ils bien ? Nous n'en doute-
rons pas si nous ramassons sous nos yeux tous les indices de
renouvellement prochain que la littérature et la société nous présentent[1].

Le genre en apparence le plus conservateur, le plus lié par les
traditions et les règles, c'est le genre dramatique. Regardez ; de
toutes parts la forme classique craque, et ne se soutient plus. De
toutes parts, elle est en contradiction avec l'esprit qui l'emploie.
Un goût singulier de représentation des choses sensibles, concrètes,
particulières s'y insinue. On ne peut plus supporter les spectateurs sur la scène[2] : et cette scène rendue libre appelle l'action, le

---

1. Voir la bibliogr. à la fin du chapitre.
2. Le comte de Lauraguais donne 20 000 livres en 1759, pour les exclure.

décor, la figuration. De l'Opéra et de la Foire, le souci de la mise
en scène, des accessoires exacts et pittoresques, gagne la Comédie-
Française : les princesses grecques quittent leurs paniers, les héros
romains rejettent leurs perruques. Mlle Clairon, qui montre Électre
en haillons, fraye la voie à Talma, qui, au début de notre siècle,
fera Cinna « laid comme une statue antique ». Regardez les costumes des méchants drames qu'on joue dans les dernières années
de l'ancien régime : une curiosité réaliste s'y fait sentir : voyez
notamment Préville en menuisier travaillant à son établi [1]. Lisez
les indications si précises, si détaillées des drames de Diderot et
de Beaumarchais : il y a là des effets tout extérieurs qu'on n'a pas
dépassés. Nous ne sommes pas même encore arrivés à cette suppression de l'entr'acte, que Beaumarchais tentait pour la continuité de l'illusion. Comme avec cela l'action se complique, se charge
d'incidents, elle se ramasse plus difficilement dans un seul lieu,
en un seul jour. Beaucoup d'œuvres sont librement ordonnées selon
les nécessités locales du sujet : ainsi le *Barbier* et le *Mariage*. Il est
impossible que les unités continuent à tyranniser notre théâtre : la
mise en scène, la structure des pièces, la curiosité physique des
spectateurs réclament des cadres moins étroits. Même la forme du
vers est menacée : la comédie, le drame l'abandonnent ; on tente
la tragédie en prose. Les sujets se renouvellent : l'histoire de
France, les histoires modernes s'emparent de la scène ; et ces
sujets ne se contentent pas d'un vague décor sans caractère ; ils
amènent infailliblement le pittoresque exact, les essais de restitution historique dans la composition littéraire et dans la représentation théâtrale.

Partout l'éveil des sens se fait sentir dans notre littérature jusque-
là tout intellectuelle. Le roman se charge d'impressions, de descriptions du monde extérieur ; il substitue les silhouettes aux types, il
indique les formes, les milieux, les fonds. Jean-Jacques fait de la
beauté des campagnes, des bois, des cieux, un des objets nécessaires de l'art littéraire. Diderot abat la barrière qui séparait la
peinture, l'architecture de la littérature ; il fait des œuvres des
artistes une matière d'activité et de plaisir littéraires. Les littérateurs hantent les peintres, les sculpteurs, les architectes ; les uns
et les autres font échange de pensées, de goût, d'idéal [2] Les littérateurs même seront au premier rang dans les vives polémiques
auxquelles donneront lieu les *Bouffons* d'abord, et plus tard la riva-

---

1. A consulter · A. Guillaumot fils, *Costumes de la Comédie-Française*, album in-fol.
1884.
2. Lettre de Voltaire au comte de Caylus sur Bouchardon ; *Correspondance* de Diderot et de Falconet,

lité de Gluck et de Piccinni. De ces commerces tend à se dégager
une esthétique générale, qui rétablira la littérature au nombre
des *arts*.

Dans le même sens agit l'influence de la littérature anglaise
fortement physique et réaliste. Mais elle est sentimentale aussi et
lyrique, et par là, comme la littérature allemande, elle correspond à des caractères nouveaux que notre littérature est en train
de développer. Depuis La Chaussée, mais surtout depuis Diderot
et Rousseau, les types littéraires ont changé : d'actifs, raisonneurs,
et conscients, ils sont devenus sentimentaux, imaginatifs, enthousiastes, mélancoliques. L'écrivain lui-même renonce aux exactes
et fines analyses : il déborde de sensibilité comme ses personnages, il s'abandonne à des transports délirants; son inspiration
est fiévreuse, troublée, intempérante. On ne recherche plus la connaissance par la raison, mais la jouissance par le sentiment. Et
l'on identifie par surcroît la vérité avec le désir ou l'amour. L'écrivain prend sa règle dans son tempérament personnel. Nous avons
vu que la littérature, chez Diderot, chez Rousseau, chez Bernardin
de Saint-Pierre, devient décidément individualiste : faut-il rappeler que Voltaire même, dans sa forme classique, est constamment tyrannisé par son individualité, que ses théories religieuses
et politiques tiennent aux plus secrètes inclinations de son moi,
et qu'enfin il n'a pas craint d'appliquer la grave, l'impersonnelle
tragédie à la représentation de sa personne, de son ménage et de
ses goûts? Nous avons vu avec Diderot, avec Rousseau, les thèmes
lyriques se constituer : les caractères propres du romantisme,
l'infini des aspirations et des lamentations, le goût des larmes,
des ruines, de la tristesse et de la mort, la recherche des contrastes touchants ou terribles, tout cela apparaît entre Rousseau
et Volney [1].

Enfin quel mot décisif que ce cri de Beaumarchais : « Si quelqu'un est assez barbare, assez classique...! »

2. TENDANCES NOUVELLES DE LA SOCIÉTÉ.

Et la société est en parfait accord avec la littérature. Sous sa
brillante surface, ce monde est triste. Il s'est trompé quand il a
cru s'assurer le bonheur par la morale facile. Il a permis avec
une douce indulgence la libre poursuite du plaisir sensuel, sous

---

1. Le comte de Volney (1757-1820), donne en 1791 les *Ruines* : mélange singulier
de philosophisme (haine des tyrans et des prêtres; foi au progrès et à la raison) et de
notation pittoresque des choses extérieures (costumes, mœurs, traits locaux, etc.).

la seule condition de respecter les convenances sociales, du reste singulièrement élargies; et voici que de la sensation physique toute pure, dans laquelle il avait simplifié l'amour, est sortie la satiété; la vanité même, par où on en relevait la saveur, n'a pas suffi à dissiper l'impression de langueur accablante, d'écœurante monotonie, que dépose à la longue dans les cœurs le libertinage du siècle. Par un chemin tout opposé, par l'intensité de la vie intellectuelle, on est conduit au même point. Un amour profond de la vérité, une noble foi dans la raison et dans la science soutiennent les savants adonnés aux plus âpres études. En ce temps-là même, les hommes qu'anime le véritable esprit scientifique embrassent avec bonheur les objets de leur pensée, fussent-ils bien creux et chimériques : un Dalembert, un Condorcet se satisfont par leur pensée. Mais le monde dont l'inquiète analyse est excitée par la vaine peur de paraître dupe, qui dissout par jeu la foi, l'autorité, la tradition, et ne tend qu'à mouvoir son intelligence, sans poursuivre de solides ou bienfaisants résultats, le monde s'épuise dans la continuité de l'action intellectuelle, sans but et sans passion. Les étincelantes conversations qui éblouissent par le dehors ne laissent au fond de l'âme qu'une désespérante sensation de vide et d'inutilité. Cette spirituelle société meurt de sécheresse et de froid : le trop d'esprit la tue. De là la maladie mondaine du siècle : l'ennui. On ne sait où se prendre. Un triste « A quoi bon ? » monte aux lèvres à tout propos.

Où chercher le remède? Dès la fin du règne de Louis XIV, quelques fines natures l'ont entrevu La vie sensuelle et la vie intellectuelle ont besoin d'être illuminées, réchauffées par la participation du cœur. L'intérêt sentimental qu'on prend aux choses, voilà le bonheur. Ainsi s'oriente le monde vers la « sensibilité », vers l'idée d'abord et le désir, peu à peu vers la réelle capacité des plaisirs du sentiment. L'imagination développe, multiplie, amplifie les impressions de l'âme et leurs résonances. Si bien que cette société, la plus intelligente, la plus sceptique, la plus raisonnable qui ait jamais été, finit dans les mélancolies sans cause et les espoirs sans mesure, dans les vagues attendrissements et les transports effrénés : elle ne croit plus au merveilleux de la religion; mais Cagliostro la séduit, et elle court au baquet de Mesmer. Elle a soif de mystère et d'infini. Alors commence le règne de la musique, où l'on savoure le maximum de puissance émotionnelle uni au minimum de détermination intellectuelle.

Quelques types mondains nous représentent très nettement la transformation intime des âmes.

Mme du Deffand, qui a connu toutes les excitations de la vie sensuelle et de la vie intellectuelle, agonise dans l'ennui le plus aigu.

le plus douloureux dont jamais âme humaine ait été torturée. Elle
redouble son mal en l'analysant, elle en trouve la formule : c'est
la privation du sentiment, avec la douleur de ne pouvoir s'en passer.
Elle a trouvé le remède aussi : dans l'extrême vieillesse, elle
apprend à aimer, à pleurer; elle guérit l'ennui par la souffrance.
Dans la crise salutaire de sa vie, la littérature ne fut pour rien.
Profondément indifférente à toutes ces œuvres de l'esprit français
qui ne parlaient qu'à son esprit, secouée par instants et réveillée
au contact de Shakespeare, elle a le goût incurable cependant :
son intelligence n'est ouverte qu'à Voltaire. La vie seule l'a renouvelée et guérie. Elle a senti d'abord le besoin d'être aimée; puis
elle a aimé, d'un amour absurde, ridicule, tourmenté; toutes les
sécheresses de son cœur se sont fondues : jamais elle n'a plus vécu,
et plus délicieusement, que depuis qu'elle est hors de la raison,
hors de toutes les convenances, depuis qu'elle a ouvert en elle
d'intimes sources de tendresse et de douleur.

Il n'y a de salut que dans l'amour, et dans l'amour-passion.
Cette conclusion, où Mme du Deffand n'arrive que péniblement,
par une affection sénile, Mlle de Lespinasse s'y réfugia de bonne
heure. Elle ne laissa point dessécher son âme de feu dans les bienséances mondaines, ni dans l'exercice intempérant de l'esprit.
« Il n'y a que la passion, disait-elle, qui soit raisonnable. » Et il
n'y avait que l'infini qui la satisfît : « Je n'aime rien de ce qui est
à demi, de ce qui est indécis, de ce qui n'est qu'un peu. » Elle
manifesta magnifiquement l'essentiel idéalisme de l'amour, par la
disproportion de ses inassouvibles passions aux éphémères ou
médiocres objets qui en étaient l'occasion. Quand elle eut perdu
M. de Mora, quand elle eut mesuré M. de Guibert, l'univers, l'art,
pas même la musique n'offrirent rien à son âme qui la contentât;
elle ne sentit plus de raison de vivre, et elle aima la mort. « J'ai
souffert. J'ai haï la vie; j'ai invoqué la mort; mais, depuis le
bûcheron, elle est sourde aux malheureux; elle a peur d'être encore
repoussée. Oh! qu'elle vienne! et je fais serment de ne pas lui
donner de dégoût, et de la recevoir au contraire comme une libé-
ratrice [1]. » Ne voyons-nous pas se former dans les cœurs et déborder
sur les lèvres les sentiments romantiques, le lyrisme éperdu de
l'amour ou du désespoir? L'amour et la mort, c'est le thème que
Leopardi, que Musset chanteront : Mlle de Lespinasse l'a vécu. Les
âmes aussi élevées, aussi désespérées sont rares. Mais de tous les
côtés nous rencontrons les dispositions enthousiastes ou rêveuses,
le bouillonnement sentimental du désir ou de la tristesse, je ne

1. Lettre du 17 octobre 1775.

sais quelle inquiète projection des sentiments intérieurs sur l'univers environnant.

Une petite bourgeoise qui demeure sur le quai, au coin du Pont-Neuf, se met à sa fenêtre au soleil couchant : « On eût dit, écrit-elle à une amie, que le roi du jour, descendu de son char derrière ces hauteurs, avait laissé suspendu au-dessus d'elles son manteau de couleur rouge et orangée. Cette couleur enflammant un large espace de la voûte céleste allait s'affaiblissant par degrés insensibles jusqu'à ce point de l'orient, où elle était remplacée par la teinte sombre des vapeurs élevées, qui promettaient une rosée bienfaisante [1]. » Et la même, de sa petite chambre, écrivait encore : « Alexandre souhaitait d'autres mondes pour les conquérir : j'en souhaiterais d'autres pour les aimer [2] ». Qui croirait qu'on attendra encore près d'un demi-siècle pour que Lamartine, Hugo, Musset répondent à cette voix?

Et voici le prince de Ligne écrivant à une marquise française : d'un haut promontoire de la Crimée, le soir, il regarde la mer immobile, il reporte sa pensée sur tous les hommes, tous les peuples qui sont venus par cette mer, ont passé sur cette côte, ont vécu dans ces villes dont il vient de fouler les ruines. Il se demande ce qu'il est, où il va, le but et la fin de son agitation. Il voit tous les ravages du temps dans les œuvres et dans les cœurs des hommes. «Je juge le monde et le considère comme les ombres chinoises... Je pense au néant de la gloire... Je pense au néant de l'ambition. » Et la nuit descend, enveloppant le songeur; les Tartares font rentrer leurs moutons; une voix tombe du haut minaret : recueillant ses pensées, l'homme s'enfonce dans la nuit sur un cheval tartare [3]. Qui reconnaîtrait là l'aimable héros de salon que fut le prince de Ligne? Cette lettre, où l'émotion intime s'encadre dans une vision de paysage, c'est une *méditation* lyrique.

3. OBSTACLES AU RENOUVELLEMENT LITTÉRAIRE.

Quels furent donc les obstacles qui, en dépit de toutes ces dispositions et de tous ces indices, retardèrent l'évolution de la littérature et la constitution d'un art nouveau? Ces obstacles, c'étaient le monde, le goût, la langue.

Le monde ne peut subsister sans les convenances; les convenances interdisent la libre expansion de l'individualité; l'émotion

---

1. Lettre du 6 juillet 1776 à Mlle Cannet.
2. Lettre du 9 mai 1774 à Mlle Cannet.
3. De Parthenizza, à la marquise de Coigny.

intense, l'émotion sincère est de mauvais ton. Ne pas se *distinguer*,
voilà la règle suprême. Or individualité, intensité, sincérité, *distinction* (au sens étymologique, et non au sens mondain), tout
cela, c'est où l'on tend; et, si l'on y arrive, ce sera la défaite, même
la fin du « monde ».

Le goût est fixé par des règles traditionnelles, qui sont concertées pour l'expression des *idées*, pour la facilité de l'analyse,
du raisonnement, pour l'acquisition de la connaissance abstraite.
Les règles barrent le passage à la sensation, l'excluent de l'œuvre
littéraire. Elles ne reçoivent le sentiment, la passion que comme
objet d'étude analytique. Elles imposent des formes fixes, rigides,
immuables, à la matière dramatique ou poétique, et nul n'a droit
de s'affranchir des procédés connus, de renoncer aux moules usés,
aux répliques sans fin des mêmes modèles : le monde a adopté les
règles et en fait une partie intégrante de ses convenances.

Enfin la langue des livres et des salons est un système délicat
de signes aptes à représenter des idées; elle est indigente de
formes figuratives des choses concrètes, vide de propriétés évoca-
trices des émotions. Elle est exacte, sèche, fine, agile, incolore.
Elle est réfractaire à la poésie, tout au plus susceptible d'éloquence.
Dès qu'on veut l'employer à représenter des sensations, des passions, plutôt que des idées, des impressions plutôt que des déductions, elle sonne faux; elle se tend, et craque; elle se boursoufle,
et bâille. Elle ne peut éviter l'emphase. Elle ne sert qu'à l'analyse :
ses qualités les plus exquises la rendent impuissante aux synthèses.

Pour que le renouvellement de la littérature s'accomplisse, il
faudra que la vie mondaine disparaisse, que les règles soient
détruites, que la langue soit bouleversée.

N'avons-nous pas vu Rousseau, en qui est la source du romantisme,
pénétrer plus profondément dans les âmes qui vivent hors du
monde, comme Mlle Phlipon? Dans le monde, il faut des âmes
d'exception, et de rares passions, pour forcer l'obstacle qu'il
oppose : le cas de Mlle de Lespinasse est unique. Lisez la lettre
du prince de Ligne que je résumais tout à l'heure; et vous verrez
comment l'habitude des relations mondaines, de la pensée abstraite,
du langage élégant et analytique a dégradé l'admirable thème
lyrique que la disposition momentanée de son âme lui avait ouvert.
Mme du Deffand n'a jamais pu se défaire de sa lucidité cruelle,
de son spirituel sang-froid d'intelligence, de son sec, conscient et
critique langage. Voltaire est resté d'un bout à l'autre du siècle le
grand, l'incomparable poète, le modèle unique et inimitable. Ceux
qui méprisent l'homme, ceux qui contestent la doctrine, ceux que
Rousseau enfièvre, tous sont unanimes à répéter avec Mirabeau :
« Voltaire fut au théâtre un génie de premier ordre, dans tous ses

vers un grand poète ». Et le type de la poésie voltairienne, avec les règles et la langue qu'elle impliquait, pesait sur la littérature, scrupuleusement maintenu par l'opinion du monde, bien qu'en contradiction avec ses secrètes aspirations.

Voltaire mort et devenu l'intangible idéal, l'abbé Delille représenta la plus haute forme du génie poétique que le public fût capable de concevoir. Le cruel abbé! son implacable esprit réduisait à la connaissance abstraite toutes les occupations de la vie, tous les produits de l'industrie ou de la nature, tous les êtres de la création. Il était didactique et descriptif à jet continu : et il a réussi à exprimer les notions de toutes les choses sensibles, sans en avoir ni en donner peut-être une seule fois l'impression. Il a mis toutes ces notions en vers réfléchis, exacts, ingénieux, froids, il a su par ses épithètes et ses périphrases prévenir en nous toute velléité de sensation, et nous retenir aux *idées* sans jamais atteindre la nature. Le triomphe de son art, c'est l'expression indirecte qui oblige l'esprit à résoudre une petite équation; il n'est suggestif que de *signes*, qu'il s'agit de substituer à d'autres par une rapide opération, pour déterminer la valeur intelligible du vers ou de la phrase. Et ce bel esprit qui n'a jamais su faire que des inventaires ou des catalogues, à sa mort mit la France en deuil : ses funérailles furent une apothéose, et l'on croyait enterrer avec lui la poésie!

Un écrivain, à la fin du XVIII⁰ siècle, nous aide à mesurer de quel poids le monde, le goût et la langue pesaient sur les esprits. Jamais génie ne fit un plus triste naufrage que le bon Ducis [1]. Il avait l'âme idyllique et héroïque, tendre et enthousiaste. Delille ne le satisfaisait pas . il ne lui rendait pas « le charme de la nature qui est à elle, et que tout l'esprit du monde ne peut saisir ». Shakespeare l'enchantait, le vrai Shakespeare, et tout Shakespeare. Eh bien! il n'a pas pu, pas su rendre les impressions de son âme, les conceptions de son esprit, emprisonné qu'il était dans le respect des convenances, des règles et du style. Il nous fait rire quand il nous parle des « jeux de tonnerre », unis aux « jeux de flûte » dans son « clavecin poétique », ou de « ce je ne sais quoi d'indompté » qui soulève son âme honnête : il ne se flattait pas pourtant; mais il ne s'est pas répandu dans son œuvre. Il nous apparaît vaguement confondu dans la troupe des versifica-

1. J.-F. Ducis (1733-1816), fit jouer *Hamlet*, en 1769; *Roméo et Juliette*, en 1772; *Macbeth*, en 1784; *Othello*, en 1792; *Abufar*, en 1795. Il eut en horreur les scènes sanglantes de la Révolution. Il refusa sous le Consulat une place de sénateur, et sous l'Empire la Légion d'honneur. « Je suis catholique, poète, républicain et solitaire, disait-il : voilà les éléments qui me composent et qui ne peuvent s'arranger avec les hommes en société et avec les places. » — *Œuvres*. Paris, 1827. 6 vol. in-18

teurs, à peine distinct par un air original de bonté attendrie, sans
emphase et sans fadeur : voilà pour ses poésies; pour son théâtre,
il ne s'est sauvé de l'oubli que par le ridicule.

Il a rogné les drames de Shakespeare avec d'impitoyables
ciseaux sur le patron de Voltaire : il y a retaillé des tragédies à la
française, creuses, sentencieuses, sentimentales, avec tous les agréments traditionnels, billets, travestis, méprises, conspirations,
songes, confidents. Ophélie est une princesse de tragédie, fille de
Claudius, afin que l'amour et la nature déchirent le cœur du sensible Hamlet. Un banal édit forme un obstacle pour séparer les
deux amants, avant les révélations du spectre. Plus de comédiens,
bien entendu, et plus de pantomime : presque plus de monologue; à peine quelques traits de cette admirable méditation
surnagent. Plus de fossoyeurs ni de crânes. Au dénouement, une
sédition où Hamlet tue Claudius : et Gertrude se tue, pour éviter
un parricide au sympathique jeune premier. Et *Roméo*! Plus de
frère Laurent, plus d'alouette aussi : en revanche Dante est appelé
à corser Shakespeare : Montaigu en prison dévore ses quatre fils!
Juliette et son Roméo sont un couple quelconque, des amis d'enfance; Roméo élevé près de Juliette sous un faux nom : et quand
nous le voyons, le doux, le tendre, le poétique enfant de Shakespeare est un « guerrier redoutable », un général vainqueur, enfin
l'insipide héros cent fois revu. Il semble même que nous rétro-
gradions à *Timocrate* : Roméo, en sa vraie qualité de Montaigu,
tue le fils de Capulet, et Capulet, pour venger son fils, s'adresse à
Roméo, son fils adoptif sous le nom de Dolvedo. Voltaire ici est
dépassé. Voici lady Macbeth : elle s'appelle Frédégonde. Selon la
poétique établie depuis Crébillon, Malcolm, fils de Duncan, est
cru fils d'un simple montagnard. Pas de sorcières, sauf dans une
timide variante. *Othello* s'expédie en vingt-quatre heures. Othello
et Hédelmone (nom plus classique sans doute que Desdémone) ne
sont pas mariés. Un amoureux qui a en effet des entretiens secrets
avec Hédelmone donne de la jalousie à Othello : l'action est réduite
à une rivalité d'amour, et l'intrigue est un long quiproquo, comme
dans *Zaïre*. Iago, ce terrible Iago que Ducis admirait, a disparu.
Le teint d'Othello est éclairci. Plus de mouchoir, mais un billet.
Un noble poignard remplace le trivial oreiller. Enfin le dénouement
est à volonté : une variante marie les deux amants, pour la satisfaction des âmes sensibles.

Pour le style de Ducis, en voici le son :

    C'est un de ces mortels qui, dans l'obscurité,
    Par de mâles travaux domptent l'adversité,

> Qui, près de leurs enfants, de leurs chastes compagnes,
> Coulent des jours heureux au sein de ces montagnes [1].

Cet échantillon suffit, je pense.

Ducis avait du génie, l'âme haute, l'esprit large : et voilà où le respect du public, l'observance des règles, les scrupules de style l'ont mené.

Rien ne pourra se faire tant que le monde gardera sa souveraineté ; le monde ayant disparu, les règles ne se soutiendront plus : mais rien n'aboutira tant que la langue littéraire ne sera pas refondue[2].

---

1. *Macbeth*, acte I, sc. 1.

2. Sur le « préromantisme », cf. : D. Mornet, *Romantisme en Fr., au XVIIIe s.*, 1912; E. Estève, *Études de Littérature préromantique*, 1923; P. Van Tieghem, *Le Préromantisme*, 1924 et suiv.; A. Monglond, *Vies préromantiques*, 1925, *Hist. intérieure du Préromantisme fr.*, *de l'abbé Prévost à Joubert*, 1930; P. Trahard, *Maîtres de la Sensibilité fr. au XVIIIe s.*, 1931; A. Bellessort, *XVIIIe s., et Romantisme*, 1941.

CHAPITRE III

RETOUR A L'ART ANTIQUE

1. L'Académie des inscriptions; le comte de Caylus. Barthélemy et l'*Anacharsis*. Réveil du goût de la beauté antique. — **2.** André Chénier : par où il est du xviii° siècle. Les *Églogues*, les *Iambes* : art classique, inspiration antique.

Il se produit vers la fin de l'ancien régime un fait assez considérable, qui modifie la littérature : on voit l'antiquité gréco-romaine reparaître, et ramener, comme il était naturel, un idéal de beauté formelle et plastique[1]. Cela est sensible, quand on passe de Rousseau à Bernardin de Saint-Pierre : Julie et Saint-Preux n'ont que la grâce française, l'expression des physionomies; Paul et Virginie ont la noblesse antique, la pureté des lignes; les premiers font un couple qui intéresse nos âmes, les autres un groupe qui séduit nos yeux. Que s'est-il donc passé?

1. RÉVEIL DU GOUT DE LA BEAUTÉ ANTIQUE.

En dehors du mouvement philosophique s'est formé un courant d'études d'archéologie et d'art, qui avaient pour objet les monuments antiques, ruines d'architecture, fragments de peintures, statues, vases, débris de toute sorte et de tout âge. Ce courant avait sa source dans l'érudition bénédictine, qui nous a donné l'*Antiquité figurée* du Père Montfaucon : là comme dans les autres matières d'érudition, l'Académie des Inscriptions et Belles-Lettres recueillit l'héritage des Bénédictins et se substitua à eux pendant le xviii° siècle; en elle fut le centre, d'elle partit la direction des recherches d'érudition critique, philologique, historique, archéologique, auxquelles notre siècle doit tant.

1. Cf. L. Bertrand, *La Fin du Classicisme et le Retour à l'Antique*, 1897.

La société et la littérature, depuis la querelle des anciens et des modernes, s'étaient désintéressées de l'antiquité. On n'enseignait plus le grec dans la plupart des collèges; l'étude en était facultative dans les autres. On étudiait le latin : mais dans Cicéron et dans Tacite, dans Virgile et Lucrèce, on ne cherchait qu'une rhétorique, ou une philosophie. On n'essayait pas de voir, par l'histoire, la vie de ces grands peuples; on oubliait totalement quelle place l'art avait tenue dans leur civilisation. Ceux des littérateurs qui parlent des Grecs et des Romains en parlent avec une connaissance bien superficielle, ou même avec une inintelligence grossière : lisez les jugements de Voltaire et de La Harpe. L'Académie des Inscriptions et Belles-Lettres entretint le goût sérieux et l'exacte connaissance de la Grèce et de Rome.

Tandis que d'autres travaillaient sur les langues, sur l'histoire, sur la religion, sur la science de l'antiquité, le comte de Caylus [1], un original de vif esprit et de puissante curiosité, faisait de l'archéologie son domaine. Il avait voyagé en Italie et dans le Levant; il était en correspondance avec tous les savants et tous les antiquaires de l'Europe. Il étudiait infatigablement les débris de l'art antique, les procédés, les matériaux, la signification, l'usage, etc. : toutes ces études partielles tendaient à restaurer dans les esprits une représentation plus fidèle de la vie antique. Il s'enfermait volontairement dans la technique et le détail, et méprisait les philosophes qui parlent de tout sans rien savoir : les philosophes le lui rendaient bien, et sa réputation en a souffert. Mais Caylus n'était pas un érudit seulement, c'était un artiste; dans l'archéologie il cherchait des leçons pour nos peintres et nos sculpteurs. Ce fut là son idée originale. Il servit de trait d'union entre l'Académie des Inscriptions et celle de Peinture et Sculpture. Il essaya de ramener nos artistes de l'idéal spirituel et galant à l'idéal sévère de la Renaissance et de l'antiquité. Il leur offrit les sujets antiques dans ses *tableaux d'Homère et de Virgile* (1757). Personne plus que lui ne contribua à changer la direction de l'art français : Vien procède de lui, et David est l'élève de Vien (*Serment des Horaces*, 1784). L'architecture avec Soufflot revient aussi aux formes antiques. Cette révolution n'est pas sans conséquence pour la littérature : car les artistes et les littérateurs ne sont plus deux mondes fermés, inconnus l'un à l'autre. De plus, l'institution des *Salons* donnait aux artistes un puissant moyen d'action sur la

1. Le comte de Caylus (1692-1765), voyagea en Italie et en Orient, entra en 1731 à l'Académie royale de Peinture et de Sculpture; en 1742, à l'Académie des Inscriptions, publia de 1752 à 1767 son *Recueil d'antiquités égyptiennes, étrusques, grecques, romaines et gauloises*, 7 vol. in-4. — A consulter : S. Rocheblave, *Essai sur le comte de Caylus*, Paris, in-8, 1887.

société; et désormais, dans la formation du goût général, entrera
une certaine dose de tendances et de jugements esthétiques.

Tout concourait alors à élargir l'importance de la révolution
qui se faisait dans l'art. Les voyages [1] se multipliaient en Italie,
en Grèce, dans le Levant; et les relations des voyageurs rendaient
un intérêt aux œuvres de la poésie antique, en faisant connaître
tous ces pays où étaient nés les chefs-d'œuvre qui en étaient le
cadre ou la matière, en décrivant les ruines de ces monuments
dont l'antiquité avait parlé, ou dans lesquels elle s'était survécu.
La découverte d'Herculanum et de Pompéi [2] frappa vivement les
imaginations : cette réapparition de villes enfouies depuis dix-sept
siècles fut le fait saisissant qui captiva l'esprit mondain, et mit le
gréco-romain à la mode. Cette mode se marque par le caractère
du style Louis XVI, dans l'ornementation et l'architecture : au
rococo commence à succéder le *pompéien*; on reprend les motifs de
décoration que les fouilles récentes ont fait connaître; des lignes
plus simples, plus sévères commencent à rappeler la noblesse des
formes antiques.

Un savant [3] peut alors concevoir le projet de ramasser dans un
ouvrage de vulgarisation toute la civilisation grecque, telle que la
science du temps l'a restituée, vie publique et vie privée, religion et philosophie, poésie et art, monuments et paysages. Il
propose au public de lire cela : et le public lit, le public est
charmé. La clarté de l'exposition, l'agrément facile que l'abbé
Barthélemy répand sur sa solide érudition, sont pour quelque
chose dans le succès du *Voyage du Jeune Anacharsis* : mais le goût
du public y a été pour beaucoup aussi; le livre est venu à son
heure. Par lui, l'antiquité sort de l'abstraction : on la *voit*, un
peu molle et sensible, vraie pourtant et surtout réalisée dans des
formes plastiques qui en représentent bien le caractère le plus
original, et le moins considéré jusque-là par les littérateurs.

De ce mouvement est sorti le changement que nous signalions
dans la facture des œuvres littéraires. Une élégance un peu

---

1. Voyage de Nointel, avec le peintre J. Carrey, à Athènes en 1674. Spon, *Voyage
d'Italie, de Dalmatie, de Grèce et de Levant*, 1677, 3 vol. in-12. Paul Lucas, trois
Voyages, publ. en 1704, 1712 et 1719. Caylus va en Italie (1714-1715), en Levant
(1716-1717). Wood, *Ruines de Palmyre* (1753), *Ruines de Balbec* (1757). Leroy,
Ruines des plus beaux monuments de la Grèce (1758 et 1770). Choiseul-Gouffier, *la
Grèce pittoresque*, 1792-1824 (voyage en 1776). Guys, *Voyage littéraire en Grèce* (1771).

2. Herculanum fut retrouvée en 1711; les fouilles de Pompéi datent de 1755. Les
Antichità di Ercolano, de l'Acad. de Naples, paraissent de 1755 à 1792.

3. L'abbé Barthélemy (1716-1795) accompagna en 1755 le duc de Choiseul en
Italie. Il s'attacha aux Choiseul, et leur sacrifia ses espérances de gloire scientifique;
il a fait pourtant d'utiles travaux sur la numismatique, sur l'alphabet phénicien, etc.
L'*Anacharsis* parut en 1788. Cf. Badolle, *L'Abbé B. et l'Hellénisme*, 1927.

douceâtre et convenue, une noblesse un peu creuse et de décadence se remarquent très aisément dans les conceptions poétiques
ou dramatiques des écrivains de la fin du siècle. Il y a un style
Louis XVI dans la littérature, et le groupe de *Paul et Virginie*
nous en présente la plus harmonieuse création. Ce sera ce goût
antique qui ira se développant sous la Révolution, favorisé par
les événements politiques et par le mouvement des idées : dégagé
de plus en plus des éléments mondains, élégants, spirituels, auxquels il s'est allié d'abord, il créera des formes pures et froides;
il réalisera l'harmonie sans la vie, et la beauté par l'effacement
du caractère; il suscitera la correcte poésie des Fontanes, des
Luce de Lancival et des Chênedollé; il imposera même à l'imagination brûlante de Chateaubriand les idéales figures de Cymodocée et d'Atala, qui ressemblent à l'antique tout juste comme
des marbres de Canova.

Il était important de signaler le courant qui porte les esprits
de nouveau vers l'art gréco-romain : nous découvrons ainsi les
origines, la place d'un génie original que, sans cette étude préalable, on ne sait où loger dans l'histoire de notre littérature. L'antiquité, je pourrais dire l'archéologie et l'art grec, ont leur poète
à la fin du xviiie siècle, le plus grand, le seul grand de tout le
siècle : et nous voici conduits à André Chénier.

2. ANDRÉ CHÉNIER.

André Chénier [1] ne fut connu de son vivant que par quelques
odes et dithyrambes qui le classent à côté de Lebrun : son lyrisme

1. Né en 1762 à Constantinople, Chénier fut amené tout jeune en France (1765); il
se lia, au collège de Navarre, avec les frères Trudaine. Il fut 6 mois cadet au régiment d'Angoumois, en garnison à Strasbourg. En 1784, il voyage en Suisse et en
Italie, avec les Trudaine (1784-1785). De 1785 à 1791 datent la plupart des idylles et
élégies de Chénier. En 1787, il partit pour l'Angleterre, comme secrétaire d'ambassade. Il s'y ennuya cruellement, et revint en France en juin 1791. Il avait déjà
publié quelques écrits politiques. Il entra dans la *Société de 1789*. Après le 10 Août,
André Chénier, qui s'indignait du cours des événements, et qui était en désaccord
avec son frère Marie-Joseph, l'auteur tragique, quitta Paris. Au commencement
de 1793, il se fixa à Versailles, venant de temps à autre à Paris. Le 7 mars 1794,
il fut arrêté près de la Muette, sans qu'il y eût de mandat contre lui. Il fut mit
à Saint-Lazare, transféré le 6 thermidor à la Conciergerie, jugé et exécuté le 7.
Marie-Joseph fit en vain tous ses efforts pour le sauver.
 Éditions : *Poésies*, 1819; Becq de Fouquières, 1862 et 1872; *Œuvres en prose*,
éd. Becq de Fouquières, 1872, *Commentaire sur Malherbe*, 1842; *Œuvres complètes*,
éd. P. Dimoff, 1908-1919, éd. G. Walter, 1950. — **A consulter :** F. Brunetière,
Études critiques, VI; J. Haraszti, *La Poésie d'A. C.*, 1892; P. Morillot, *Ch.*, 1894;
E. Faguet, *XVIIIe s.*, *Ch.*, 1902; *Hist. de la Poésie fr.*, X, 1936; P. Dimoff,
Vie et Œuvre de Ch., 1936; J. Galzy, *Vie intime de Ch.*, 1947; G. Walter, *Ch., son
milieu et son temps*, 1947.

est une éloquence vigoureuse, travaillée, non exempte d'emphase
et de rhétorique. Il n'a été révélé qu'après sa mort : la *Jeune Captive*, la *Jeune Tarentine* furent imprimées dans la *Décade* et le
Mercure; les *Œuvres* ne parurent qu'en 1819. Le succès fut considérable, mais l'heure était passée où Chénier pouvait exercer une
influence par ses propres et réelles qualités. Les vers étaient
beaux : donc ils n'étaient pas *classiques*. Les romantiques qui se
cherchaient partout des précurseurs, l adoptèrent, et l'originalité
de Chénier se fondit dans le grand courant romantique.

Il était tout le contraire d'un romantique. Il appartient au
xviiie siècle, et il est tout classique, le dernier des grands classiques : ce qui a trompé sur lui, c'est qu'il était poète, en un
siècle qui avait ignoré la poésie; et c'est qu'il avait retrouvé, parmi
les pseudo-classiques de son temps, le secret du véritable art classique. Le moyen âge ne l'a jamais préoccupé; il a été indifférent
même au xvie siècle : le maître où il allait étudier, c'était Malherbe; ses modèles, c'étaient les Latins et les Grecs. Jamais homme
ne fut plus éloigné de la religiosité mélancolique ou enthousiaste
des Chateaubriand et des Lamartine : « athée avec délices »,
selon le mot de Chênedollé, le xviiie siècle dont il était n'était
pas celui de Rousseau; c'était celui de Voltaire, de l'*Encyclopédie*,
de Buffon, le xviiie siècle irréligieux, sensualiste, et scientifique.
Il appartient, par sa pensée, au même groupe que Condorcet et
Volney : il a le culte et l'ivresse de la raison, et son rêve a été
de donner une expression poétique aux conquêtes de la raison.
Il a formé des plans de grands poèmes qui s'appelaient la *Superstition*, l'*Astronomie*, l'*Amérique*, l'*Hermès* : l'*Amérique* devait contenir « toute la géographie du globe » et « le tableau frappant et
rapide de toute l'histoire du monde », considérée du point de vue
de la tolérance et de la philosophie; c'était un *Essai sur les mœurs*
en vers. L'*Hermès* aurait exposé le système de la terre, sa formation, l'apparition des animaux et de l'homme, la vie de l'homme
primitif avant la constitution des sociétés, le développement des
sociétés, politique, moral, religieux, scientifique : en somme, le
cinquième livre de Lucrèce, refait, agrandi, développé au moyen de
l'*Histoire naturelle* de Buffon. Cette poésie-là, avec plus de force
de pensée, plus de génie et d'art dans l'expression, n'est encore
que la poésie des Delille et des Esménard : elle est essentiellement
didactique, analytique, intellectuelle; elle ne dépasse pas le ton
oratoire.

Dans ses *élégies*, il se découvre encore le vrai fils de son siècle.

Le Chénier qu'elles nous offrent est un homme du monde,
qui n'a que des sens, qui court après « le plaisir », et ne spiritualise point l'amour. Sa Camille « aux yeux noirs », sa « Julie

au rire étincelant », sa Rose « dont la danse molle aiguillonne aux plaisirs », sont de faciles créatures; et ce qu'il espère, ce qu'il se promet de ses vers, c'est qu'ils soient un code d'amour et de volupté; c'est qu'ils échauffent les désirs dans les jeunes âmes, et qu'ils éloignent « du cloître austère » la pensée des vierges [1]. Ce Chénier-là est tout proche de Parny.

Mais il a fait les *Églogues* et les *Iambes*, et c'est par là qu'il semble se séparer de son temps.

Par ses *Églogues* gréco-latines, il se rattache au groupe des savants qui, derrière la littérature bruyante des salons et de l'*Encyclopédie*, retrouvaient l'antiquité, et la représentaient aux artistes. Chénier a connu ce mouvement; il y a participé; il l'a propagé dans la poésie. Guys, l'auteur d'un *Voyage de Grèce*, était des amis de sa famille. Il avait rencontré le philologue Brunck, dont les *Analecta veterum Græcorum* [2] furent une de ses lectures favorites. A Londres, il se procura les poètes latins de la Renaissance italienne, Sannazar et autres : ces reproductions artistiques de la forme antique le ravirent. Son *hymne* à David sur le *Serment du Jeu de Paume*, n'est pas seulement une manifestation de libéralisme politique, il y célèbre le génie et le goût du peintre.

Il avait un avantage sur tous ceux qui étudiaient ou imitaient l'antiquité : il était né a Constantinople, et sa mère, une Santi l'Homaca, de la nation Franque, était toute grecque d'éducation. Il avait dans le sang, il reçut parmi ses premières impressions d'enfance, quelque chose qui lui permit de comprendre la beauté antique : il la sentait toute voisine de lui et dans une parfaite harmonie avec son intime organisation ; où les autres ne voyaient que des souvenirs de collège ou des décors d'opéra, il saisissait sans effort les réalités concrètes. A ces origines, sans doute, il doit un caractère unique chez nous : réfractaire au génie proprement romain, et dans la poésie romaine incapable de saisir autre chose que les reflets de son aimable Grèce, la vraie patrie de son esprit, ses auteurs préférés, avec les purs Grecs, sont les poètes de l'alexandrinisme latin.

Ainsi s'explique qu'il ait pu faire ses églogues, qui sentent si peu le pastiche. L'*Aveugle*, le *Jeune Malade*, la *Jeune Tarentine*, la *Liberté*, d'autres pièces encore, une foule de fragments inachevés, d'inspirations inemployées sont des œuvres absolument sans pareilles dans notre littérature. Cela a l'air des choses antiques, sans rien d'artificiel : c'est une poésie légère, limpide, plastique, baignée de lumière, aux formes harmonieuses et faciles, qui sem_

1. Cf. Élégies 23 et 30.
2. Strasbourg, 1776.

blent spontanément écloses, un art sûr et sobre, qui se dérobe
partout, et jamais ne défaut. Mais comment cette perfection a-t-elle
été possible? Parce que Chénier n'a pas vu les œuvres grecques
par l'extérieur; il a senti l'âme qui s'y réalisait. Et il a senti que
son âme s'y trouvait réalisée aussi. Les thèmes, les idées, les
images de ses poètes favoris ont été employés artistement par lui
à exprimer sa propre nature, ses propres émotions. Lisons un
petit fragment, le n° 29 de l'édition de M. de Chénier : rien dans
le ton ni la couleur ne le distingue des imitations de Théocrite ou
de Moschus; on reconnaîtrait dans ces huit gracieux vers une
inspiration antique, sans cette note autographe du manuscrit :
« Vu et fait à Catillon près Forges le 4 août 1792, et écrit à
Gournay le lendemain ». L'expérience de Chénier se fond dans
son érudition; et dans ses « vers antiques », ce qu'il met, ce sont,
non pas toujours « des pensers nouveaux », du moins des sensations personnelles et de la nature observée. Voilà par où il se distingue des « fabricants d'antiques » de l'époque révolutionnaire et
impériale.

C'est pour cela qu'il a fait un choix si restreint, si exclusif dans
l'immense richesse de l'hellénisme. Il laisse les graves poètes
et les penseurs profonds ; Aristote, Thucydide ne l'inquiètent
guère. Il ne s'arrête pas à la sublimité de Pindare : de Sophocle
il retiendrait surtout les rossignols de Colone. La Grèce qu'il
aime, où il vit, c'est la Grèce aimable, légère, joyeuse de vivre,
absorbant avidement de ses sens subtils tout ce que la nature a
répandu de beautés et de plaisirs dans l'air, dans la lumière, dans
les lignes des monts et la mobilité des flots; la Grèce des joies
physiques et des passions naturelles, primitivement sensuelle ou
voluptueuse avec raffinement, la Grèce homérique, alexandrine
ou gréco-romaine, épique, idyllique, élégiaque. Homère, Aristophane, Théocrite, Bion et Moschus, Callimaque, Anacréon, l'Anthologie, ceux des Latins ou des Italiens qui ont exprimé ces
parties exquises et peu profondes de l'hellénisme, c'était ce qui
convenait à Chénier pour représenter sa propre nature. L'homme,
en effet, ne change pas quand on passe des Élégies aux Églogues :
mais ici l'épicurien mondain du xviiie siècle enveloppe sa conception matérialiste de la vie des sensations fines d'un artiste grec :
il traduit en païen son amour de la nature, de la jeunesse, de la
vie riante et facile, des beaux corps gracieux et fermes.

Les Iambes sont aussi, par leur forme, d'inspiration antique :
Archiloque et Horace ont fourni ce rythme inégal, pressant et
vigoureux. Chénier les écrivit pendant les quatre mois et vingt
jours qui séparèrent son arrestation de son exécution. Il avait
accueilli la Révolution avec joie, confiance, enthousiasme; mais il

ne tarda pas à s'inquiéter, à s'indigner : il était monarchiste
constitutionnel, il avait Jacobins et Girondins en exécration. Il donna
cours à ses sentiments dans les *Iambes* : la haine de ceux qui
gouvernaient, l'horreur des massacres et des supplices, le mépris
de la légèreté égoïste des victimes, la révolte d'une âme qui aspire
à vivre et à agir encore, d'âpres malédictions, d'amères défiances,
des fiertés hautaines, de douloureux désespoirs, tout le contenu
de ces poèmes, comme leur forme, nous mène bien loin de la
satire didactique de Boileau, de la satire épigrammatique de Voltaire, de la satire oratoire de Gilbert. Par les *Iambes*, la satire
retrouve son caractère lyrique.

André Chénier a un rôle particulier dans l'histoire de la versification française. On en a fait parfois à tort l'inventeur des
rythmes romantiques. Non : pas plus ici que par l'inspiration,
il n'est romantique. Mais il n'est pas non plus un pur classique :
l'art de Boileau, les règles de Voltaire ne lui suffisent pas ; et voici
ce qu'il fait : il répète pour son compte la tentative de Ronsard,
sans s'en douter, pour la même raison et de la même manière
que Ronsard. Il est grec lui aussi, et grand humaniste : aussi
tente-t-il une imitation serrée de la technique des anciens. On
peut reconnaître à chaque moment dans son style, dans le choix
d'une épithète, dans certaines métaphores et figures, un emploi
systématique des procédés d'élocution qui sont familiers aux
poètes grecs et latins.

Il a fait de même dans sa versification. Il a même, comme
Ronsard, et avec le même succès, tenté l'ode pindarique ; une de
ses odes offre la strophe, l'antistrophe et l'épode. Son ode sur *le
serment du Jeu de Paume*, avec ses 22 strophes de 19 vers, toutes
identiques par la succession des mètres, et présentant toutes le
même dessin compliqué, est une pièce massive et manquée,
comme l'*ode à l'Hôpital*. L'humanisme de Chénier l'a conduit aux
mêmes excès qui avaient perdu Ronsard. Il a été mieux inspiré
quand il a importé l'ïambe : à vrai dire, ce n'était pas une forme
tout à fait nouvelle ; à ne compter que le nombre des syllabes, les
Adieux de Gilbert à la vie offrent précisément le même mètre.
Mais Gilbert distribue ses ïambes en distiques, et assemble les distiques en quatrains. Dans André Chénier, le rythme est libre et
délié : la pensée se déroule à travers les alexandrins et les octosyllabes, sans autre loi ni mesure que leur régulière alternance.

Nous touchons ici à la grande innovation qu'il a tentée dans
la versification. Avant lui, les poètes classiques ont tendance à
faire coïncider les coupes rythmiques et les coupes grammati-
cales : ils évitent l'enjambement, soit de vers à vers, soit de strophe
à strophe ; autant que possible ils enferment un sens complet

dans chaque élément métrique, vers, partie de strophe, ou strophe.
Leurs alexandrins se distribuent naturellement en unités indépendantes, vers sentencieux, ou distiques : le distique est l'élément
constitutif de leur période poétique. Les stances, strophes, couplets
s'organisent semblablement par assemblage de couples ou de
triades de vers : quatre, six, huit, dix, voilà les nombres qui en
déterminent ordinairement la composition; et dans chaque forme
sont ménagés des repos fixes, où le sens s'arrête avec le vers.
Chénier, entraîné par l'exemple des Grecs, substitue l'harmonie
à la symétrie. Au lieu de tenir toujours à l'unisson le mètre et
la phrase, d'en faire coïncider le dessin et le développement, il
pose le principe de la discordance : il multiplie l'enjambement,
même l'enjambement d'une syllabe, de vers à vers, de strophe
à strophe, à l'imitation des lyriques grecs, des chœurs de tragédie,
des odes d'Horace. Il évite les distiques, quatrains, sizains; quand
le distique est la forme métrique, il a soin que les arrêts du sens
ne correspondent pas aux divisions du mètre. Le développement
de la phrase dans les pièces *monomètres* est aussi varié, aussi
inégal que possible, de façon à rendre impossible une découpure
symétrique. Tantôt le sens emporte une longue suite d'alexandrins, tantôt très peu, jamais des nombres égaux, ou liés par des
rapports simples et sensibles; toujours il désarticule le vers, s'arrêtant partout ailleurs qu'à l'hémistiche, sur la troisième, sur la
quatrième, sur la neuvième, sur la dixième syllabe, se terminant
parfois à l'intérieur du vers. De temps en temps, à intervalles
inégaux, le sens et le vers se ferment ensemble, et l'accord se
fait de la structure grammaticale et de la structure rythmique [1].

Il y a là quelque chose d'analogue à la *dislocation* du vers classique que les romantiques ont réalisée. Le désavantage de Chénier,
c'est que son essai ne vient pas d'une étude directe du vers français, et du sentiment de ses propriétés intimes : il fait une application extérieure de la technique gréco-romaine à notre versification
nationale; et de là vient, malgré son art infini, ce qu'il y a parfois
de dureté, d' « arrythmie » dans certains prolongements des
périodes, dans certaines hachures des mètres.

---

1. Cf., par ex., le combat des Centaures et des Lapithes dans l'*Aveugle*.

SIXIÈME PARTIE

LE XIXe SIÈCLE[1]

LIVRE I

LA LITTÉRATURE PENDANT LA RÉVOLUTION
ET L'EMPIRE

CHAPITRE I

INFLUENCE DE LA RÉVOLUTION SUR LA
LITTÉRATURE

1. Destruction de la société polie. Médiocrité de la littérature révolutionnaire. — 2. Expansion et puissance du journalisme. Le journalisme révolutionnaire : Camille Desmoulins.

L'époque où nous arrivons est une époque de transition : on
peut hésiter si l'on doit la rattacher au passé ou à l'avenir. La littérature de la Révolution et de l'Empire appartient au xviiie siècle,
par toutes ses basses œuvres : par tout ce qu'elle a de considérable, c'est le xixe siècle qui s'ouvre. J'ai donc dû rattacher cette
période plutôt à la littérature contemporaine.

La production littéraire fut alors abondante [2]. A parler en général,
elle n'a jamais été plus insignifiante, de forme plus vulgaire ou

---

1. A consulter : Hugo P. Thieme, *La littérature française au XIXe siècle*, bibliographie. Paris et Leipzig, 1908 ; Lanson, *Manuel bibliograph.*, 2e éd., 1921.
2. A consulter : Th. Muret, *l'Histoire par le théâtre*, 1865 (t. I). H. Welschinger,
Théâtre de la Ré., 1881 ; *Censure sous le 1er Emp.*, 1886, G. Merlet, *Tableau de
la litt. fr. de 1800 à 1815*, 1883. Potez, Bertrand, *ouvr. cités* ; Albert, *Littér. fr. sous
la Rév.*, 1891 ; P. Trahard, *Sensibilité révolut.*, 1936.

plus factice, plus médiocre ou plus fausse de pensée. Écartons donc toute cette masse d'ecriture inutile, qui n'ajoute qu'un poids mort à notre littérature. Venons à l'essentiel : cette période nous présente trois faits considérables qui intéressent la littérature : la destruction de la société polie, le développement du journalisme, l'épanouissement de l'éloquence politique. Elle nous offre trois grands noms : **Mira**beau, Mme de Staël, Chateaubriand. (App. XXIX)

1. RUINE DE LA SOCIÉTÉ POLIE.

La Révolution a fermé les salons. En suspendant pendant dix ou douze ans la vie mondaine, elle a soustrait la littérature aux conventions de pensée et aux élégances de diction que celle-ci imposait. Même lorsque les salons se rouvrirent et que la vie de société reprit son cours, jamais l'ancienne tyrannie du goût des gens du monde ne fut rétablie : même sous la Restauration, et à plus forte raison depuis, les plus célèbres salons n'eurent jamais qu'une influence très limitée. Alors que, depuis le xviie siècle, le monde était comme le *milieu* naturel de l'espèce des écrivains, alors que les ouvrages devaient, pour réussir et vivre, lui être et destinés et adaptés, il arrivera rarement désormais que les écrivains les plus illustres, les plus à la mode même, soient des hommes du monde, et y prennent l'esprit, la couleur de leur œuvre. Cela aura pour premier et sensible effet de reporter du dehors au dedans la règle, la loi de la création littéraire, de rendre l'écrivain dépendant de son seul tempérament, de son propre et personnel idéal : à moins — ce qui arrivera aussi — qu'à la tyrannie du monde ne se substitue la tyrannie des écoles, des ateliers, des sociétés professionnelles, imposant d'absolus mots d'ordre, d'exclusives formules, et décriant la concurrence. En tout cas, jamais depuis 1789 la littérature n'a reçu du public mondain ni impulsion ni direction. Et cela revient à dire que les femmes ont perdu leur empire presque deux fois séculaire. Je crois, en effet, qu'un des caractères généraux de la littérature qui s'est développée en ce siècle, orientée tantôt vers la science et tantôt vers l'art, c'est d'être une littérature d'hommes, faite surtout par et pour des hommes.

Avec le monde, la Révolution emporta le goût classique. Ce n'est pas parce que les collèges, comme les salons, furent fermés : on les rouvrit. Mais ce qui soutenait le goût classique, c'était le monde, une aristocratie de privilégiés si bien dispensée des spécialisations et des actions professionnelles qu'elle en regardait la marque comme disqualifiant l'honnête homme : alors l'éducation pouvait n'avoir pour fin que l'ornement et le jeu de l'esprit. Mais la constitution démocratique de notre société a donné place à l'éducation scientifique, aux études techniques et spéciales, à côté, même au-dessus des lettres pures : le public qui juge les livres n'est plus homogène, et surtout, en dépit de nos programmes d'instruction, ne renferme qu'un bien petit nombre d'esprits qui aient réellement reçu leur forme de l'antiquité. L'imitation classique des œuvres grecques ou latines n'a plus de raison d'être : un écrivain perdrait son temps à se donner des mérites que presque personne ne sentirait.

La Révolution produisit d'abord un avilissement inouï de la littérature. Les œuvres où se continuait la précédente époque nous apparaissent noyées au milieu du fatras, des platitudes, des grossièretés, des violences sans caractère et sans décence, par où toute sorte d'écrivassiers flattèrent les passions du peuple, et les entretinrent honteusement sous prétexte de se mettre à sa portée. Je parle surtout du théâtre, plus asservi que tous les genres proprement littéraires à toutes les modes, à tous les états passagers de l'opinion. Lorsqu'un nouvel ordre s'établit, la littérature n'est plus tout à fait au point où elle était en 1789 : plus affranchie du goût mondain, de l'esprit, de l'analyse, de la finesse piquante, moins intelligente, elle s'est vidée de pensée en harmonisant ses formes. Le mouvement des idées et des passions politiques, l'imitation prétentieuse et sincère de la fermeté spartiate, de l'héroïsme romain, ont renforcé le courant artistique qui, dès le temps de Louis XVI, ramenait le goût antique dans la peinture comme dans les lettres. Malheureusement il semble qu'on ait seulement changé de joug : la délicatesse mondaine était au moins une forme d'esprit nationale, au lieu que l'élégance antique de la littérature du premier Empire n'est qu'un froid pastiche, une inintelligente copie de formes étrangères. Au reste, c'était bien là la littérature que pouvait encourager une autorité despotique, défiante de toute pensée indépendante, et de la pensée elle-même en son essence.

2. LE JOURNALISME; CAMILLE DESMOULINS.

Le second fait, c'est l'avènement du journalisme. Il y avait eu antérieurement des journaux [1] : la puissance du journalisme date

1. Voici, par exemple, comment, en 1769, la *France littéraire* établit la liste des « journalistes et auteurs d'écrits périodiques » : GAZETTE DE FRANCE, MM. l'abbé Arnaud et Suard. — JOURNAL DES SAVANTS, une société de Gens de lettres.— MER-

de la Révolution. C'est donc ici qu'il faut rechercher de quelle
façon l'étonnant développement de la presse en notre siècle a pu
affecter la littérature. Je ne prétends pas juger le journalisme en
lui-même. Je ne l'envisage que dans son rapport à mon sujet.

Il se peut que dans les matières d'ordre politique ou social, le
journal soit l'expression de l'opinion publique : en littérature,
comme en art, comme en fait de finances et dans toute matière
trop spéciale pour qu'une opinion générale se forme spontanément, les journaux sont les guides de l'opinion, les porte-parole
des écoles, les agents de la réclame esthétique ou commerciale.
C'est par leur intermédiaire que les professionnels agissent sur le
public. On a beau dire qu'il est impossible de persuader à un individu qu'il a du plaisir quand il n'en a pas : c'est possible; mais il
n'est pas du tout impossible de lui persuader qu'il faut avoir du
plaisir, sous peine d'être un imbécile. Et il est très facile de lui
persuader qu'il doit lire ce livre, voir cette pièce, de l'induire à
connaître, et surtout à ignorer. Combien y a-t-il de gens qui, réellement, ne font pas dépendre leur plaisir ou leur désir de la mode :
et la mode, à qui la demandent-ils? à leur journal. Le journal est
le véritable héritier de la puissance des salons, pour la direction
du goût littéraire.

Voici un second et plus grave effet de la même cause : le journal
périodique, quotidien surtout, a singulièrement développé la légèreté, la curiosité du public; il l'entretient dans un état d'excitation, de fièvre; en lui présentant toujours du nouveau, il le rend
plus avide de nouveauté. Il tire constamment l'âme et l'esprit au
dehors ; il ne laisse pas l'homme rentrer en lui-même, élaborer
une lente et solide pensée. Il se lit vite, et il déshabitue des lectures qui exigent l'attention. C'est un fait que les subtils écrivains,
les graves penseurs, sont illisibles dans un journal   les uns nous
impatientent et les autres nous fatiguent. Mais le journal, dit-on,
s'est adapté au public, voilà tout. Voilà tout, en effet, et qui ne

CURE DE FRANCE, M. de la Place (*addition* : pour le *Mercure*, mettez M. Lacombe,
libraire, avec une société de Gens de lettres, au lieu de M. de la Place. Le même
M. Lacombe fait *l'Avant-Coureur*). — JOURNAL DE TRÉVOUX, MM. l'abbé Aubert et
Castillon. — JOURNAL DE VERDUN, M. Bonamy. — JOURNAL ÉCONOMIQUE, une société
de Gens de lettres. — PETITES AFFICHES DE PARIS, M. l'abbé Aubert. — PETITES
AFFICHES DE PROVINCE, M. de Querlon. — ANNÉE LITTÉRAIRE, M. Fréron. — JOURNAL
DE MÉDECINE, M. Roux. — JOURNAL ENCYCLOPÉDIQUE, MM. Rousseau, Castillon, à
Paris, et Castillon, à Bouillon, les deux frères. — JOURNAL DU COMMERCE. M. (N).
— GAZETTE DU COMMERCE, M. (N). — GAZETTE COMESTIBLE, M. (N). — AVANT-
COUREUR, M. de Lacombe. — JOURNAL DES DAMES, MM. Mathon de la Cour et Sau-
treau. — JOURNAL ECCLÉSIASTIQUE, M. l'abbé Dinouard. — Aucun de ces journaux
n'était quotidien. La *Gazette de France* était hebdomadaire, le *Mercure* mensuel. —
A consulter : Aulard, *Ét. sur la Rév. fr.*, I, 1893; d'Avenel, *Hist. de la Presse fr.
depuis* 1789, 1900; G. Weill, *Le Journal*, 1934; Mitton, *La Presse fr.*, I, 1944.

sait que, si le besoin crée l'organe, l'organe fixe et développe le besoin ? Le journalisme nourrit les défauts dont il est né.

L'essence du journalisme, tel qu'on le comprend de plus en plus, c'est l'information exacte, précise, particulière. Et, par suite, la littérature est condamnée à s'engager dans la voie du réalisme et de la brutalité. Imaginez *Bajazet* venant au lendemain de la publication qu'un journal aurait faite des circonstances de la mort du vrai Bajazet : la pièce de Racine n'était plus possible. L'écrivain, pour ne point donner une impression plus faible que le fait réel, est astreint à la reproduction des circonstances, accidents, qui entourent et déterminent le fait; il est poussé vers le réalisme extérieur. Et enfin, il lui faut égaler la violence de ses effets à la violence des événements réels. Même quand la littérature ne répète pas une réalité particulière, elle n'est pas plus libre. Les comptes rendus des tribunaux, les faits divers assouvissent chaque jour et entretiennent en nous un besoin d'émotions et de sensations brutales : tout ce qu'on craignait jadis de montrer dans les livres ou sur la scène, s'étale là; et la littérature serait vite insipide à nos palais, si elle ne nous offrait le ragoût auquel les journaux nous ont habitués. De plus, cette exhibition de la réalité brute, non déformée ni préparée par l'art, telle que l'offrent les *reporters*, a été pour quelque chose dans le souci de moins en moins grand que le public pendant longtemps a semblé prendre des formes d'art. Même aujourd'hui, l'art qu'on aime est un art si simple, si naturel, si éloigné d'être un artifice ou une tricherie, qu'il ne peut convenir qu'à un public exercé à dégager lui même ses sensations esthétiques de la matière brute : si les journaux ont contribué à nous amener là, leur action cette fois a été bienfaisante.

En troisième lieu, le journalisme a l'inconvénient de dévorer une foule d'esprits, les plus agiles souvent et les plus ouverts, auxquels il offre une carrière en apparence facile et séduisante. Il fait une effroyable consommation de talents, qui pourraient s'employer à des œuvres durables. Comme il habitue le public à lire vite, le journal oblige l'auteur à écrire vite. La pire erreur, en un sens, que puisse commettre un homme de lettres, c'est de prendre un métier qui le condamne à l' « écriture ». Mieux vaudrait, comme Spinoza, polir des verres de lunettes : au moins, cela laisse l'esprit intact, et il gagne même au repos.

Je ne puis faire l'histoire du journalisme : ce n'est pas par le détail qu'elle intéresse la littérature, et je signalerai en leur lieu les noms à retenir. Pour la période révolutionnaire et impériale, il faut s'arrêter surtout à la *Décade philosophique*, fondée en floréal an II : elle est l'organe des « idéologues », admirateurs et continuateurs de Locke et de Condillac, de Condorcet et de Volney, apôtres de la perfectibilité de la raison humaine. Mais les rédacteurs sont des esprits curieux, très au courant du mouvement scientifique ou littéraire, en France et à l'étranger. Par la *Décade* se propageront le goût et la connaissance des littératures anglaise et allemande : elle entretient ses lecteurs d'Young, Gibbon, Ossian, de Gœthe, Schiller, Kotzebue, Wieland. Elle leur parle d'Alfieri, elle leur présente Melendez Valdez. Et ainsi ce journal aura sa part d'influence dans la formation du courant romantique, qui apportera un goût si contraire à ceux de ses rédacteurs ordinaires. Le *Journal des Débats*, créé en 1789, prit un grand développement à partir de 1799, où il passa aux mains des Bertin; il fit une large place à la littérature, et là, comme en politique, il représenta surtout les opinions, le goût, les aspirations de la classe bourgeoise. Il fut libéral et classique.

Certains journalistes apportèrent dans leur besogne de belles qualités littéraires. Ce sont d'abord quelques survivants de l'ancienne société et de la philosophie encyclopédique, qui écrivent en général dans les feuilles contre-révolutionnaires : Suard, Rivarol, Mallet du Pan [1] surtout, qui a plus de pensée sous sa forme nette et mordante. André Chénier écrivit au *Journal de Paris* des articles vigoureux, où l'on voit qu'à ses dons de poète il unissait une réelle puissance oratoire. Mais le talent original et personnel qui appartient uniquement au journalisme révolutionnaire et qui le représente dans la mémoire du public, c'est Camille Desmoulins [2].

Ce journaliste était né écrivain. Ses *Révolutions de France et de Brabant*, son *Histoire des Brissotins*, son *Vieux Cordelier*, ses lettres offrent un intérêt littéraire qu'on trouve rarement parmi les *écritures* de ce temps-là. Cela vaut par l'ironie acérée, par la netteté des formules dans le décousu du développement et l'incertitude de la pensée générale, par l'esprit qui revêt la violence, par un accent de passion sincère où la déclamation emphatique et les souvenirs classiques mettent seulement la date.

---

1. J.-B.-S Suard (1733-1817), journaliste, censeur dramatique, académicien en 1774 proscrit au 18 Fructidor, revint à Paris après le 18 Brumaire. — A. Rivarol (1753-1801) se fit connaître par son *Discours sur l'Universalité de la langue française* (1784). Il combattit la Révolution dans le *Journal politique national* et dans les *Actes des apôtres*. Cf. A. Lebreton, *Rivarol, sa vie, ses idées, son talent*, Paris, 1896, in-8. — J. Mallet du Pan (1749-1800), Genevois, collabora au *Mercure* de Panckoucke. Il était royaliste constitutionnel. Il émigra après le 10 août 1792. *Mémoires et correspondance pour servir à l'hist. de la Rév. franç.*; publ. p. A. Sayous, 1851.

2. C. Desmoulins (1760-1794), né à Guise, fit son droit, prit une part active aux mouvements populaires de la Révolution, se fit journaliste, fut élu député de Paris à la Convention, et devint secrétaire général de Danton, ministre de la justice. Il fut guillotiné le 5 avril 1794, avec Danton et ses amis. — *Œuvres*, éd. J. Claretie. 1874, Despois, 1886; *Le Vieux Cordelier*, éd. A. Mathiez-H. Calvet, 1936. — Cf. J. Claretie, *D.*, 1908; R. Arnaud, *Vie turbulente de D.*, 1928.

Tous ces écrits sont des documents d'histoire : mais le plus instructif document, historique et humain tout à la fois, est celui que fournit le propre tempérament de l'écrivain. Camille Desmoulins est une nature généreuse, sensible, aimante, une vraie nature de femme par la tendresse, que la passion politique a pu rendre violente et féroce jusqu'à applaudir aux pires excès, à réclamer les plus cruelles vengeances : une âme avide de bonheur, d'affection, de vie, affolée par la peur et les approches de la mort. Je ne sais pas de lecture plus poignante que les lettres écrites de la prison du Luxembourg : ni romancier, ni poète n'ont jamais noté plus minutieusement, plus énergiquement toutes les convulsions, les tumultueuses angoisses, imprécations, effusions, affectations de courage, espérances folles, forcenés désespoirs, révoltes de tout l'être contre le néant entrevu, tout ce qui compose le terrible drame des *derniers jours d'un condamné.* Ces pages sont uniques dans notre littérature.

CHAPITRE II

L'ÉLOQUENCE POLITIQUE

L'éloquence au xviii⁰ siècle : écrite, plutôt que parlée. — 1. L'éloquence
révolutionnaire, défauts que la littérature lui communique dès sa
naissance. — 2. Mirabeau : caractère, idées, éloquence. — 3. Autres
orateurs de la Constituante : Barnave. Orateurs de la Législative :
Vergniaud. Orateurs de la Convention : Danton. — 4. Napoléon :
son goût et son imagination.

Il n'y a pas eu lieu pour nous de consacrer une étude particulière aux œuvres oratoires du xviii⁰ siècle. Il n'y a plus d'éloquence
religieuse après Massillon, du moins dans l'Église catholique :
car lorsque Rousseau parle sur la Providence et la conscience, sur
la religion et sur la morale, nous avons reconnu dans sa parole
une inspiration protestante; notre grand orateur philosophique
est un prêcheur de Genève. L'éloquence judiciaire est bien médiocre encore, bien verbeuse, bien prétentieuse, reflet tantôt pâle
et tantôt criard des styles et des idées dont la littérature enivrait
le public : et plutôt que de feuilleter les mémoires d'Élie de Beaumont, de Linguet, de Loyseau de Mauléon, des avocats de métier,
on fera mieux de relire ce que Voltaire écrivit pour les Calas et
ses autres protégés, ou les *Mémoires* de Beaumarchais, ou les mémoires ou plaidoyers de Mirabeau dans le procès en séparation
qu'il soutint contre sa femme : les écrits de ces avocats d'occasion
sont les vrais chefs-d'œuvre de l'éloquence judiciaire.

L'éloquence politique n'existe pas encore : les institutions ne
lui font point de place. Cependant, comme aux deux siècles précédents, les agitations parlementaires font parfois appel ou donnent
issue aux facultés oratoires des magistrats : dans les querelles
religieuses de la première moitié du siècle, on distingue l'âpre
fermeté du janséniste abbé Pucelle, dans les luttes du Parlement
contre la cour et les ministres qui précèdent la Révolution, les
fougueux emportements de Duval d'Epréménil. Mais cela est bien

peu de chose. La véritable éloquence politique de ce temps doit
se chercher dans les écrits : dans tous ces petits libelles par lesquels Voltaire, par exemple, excite l'opinion publique, dans toutes
ces déclarations virulentes que, sous un titre ou sous un autre,
Rousseau, Diderot, Raynal lancent contre les institutions de l'ancien
régime. Et dans les lettres qui furent écrites depuis 1760 il serait
facile de noter toute sorte de commencements, comme des poussées et des jets d'éloquence politique, même chez des femmes. A
mesure que la Révolution approche, l'intérêt passionné qu'on prend
aux affaires publiques, aux principes, aux réformes, fait éclore de
toutes parts, dans toutes les sociétés, des facultés oratoires qui se
dépensent dans les conversations et dans les correspondances.

On peut rattacher encore à l'éloquence politique ce que l'on
pourrait appeler l'éloquence administrative : les discours, les rapports, par lesquels des avocats généraux ou présidents de Parlement, des intendants, des ministres indiquent des abus, tracent
des plans de gouvernement, s'associent selon le caractère de leurs
emplois à la direction des affaires publiques. La Chalotais, dans
son *Essai d'éducation nationale*, Servan, dans son *Discours sur l'administration de la justice criminelle*, mais surtout Turgot, dans son
admirable lettre au roi, qui est ce que sont les *déclarations minis-
térielles* de notre république parlementaire, nous offriraient les
modèles du genre.

Mais enfin nous ne pouvons nous arrêter à toutes ces promesses,
germes, équivalents de l'éloquence politique. L'année 1789 arrive,
et nous apporte les institutions nécessaires au développement de
cette éloquence : et c'est un des faits considérables de l'histoire
littéraire du temps.

1. L'ÉLOQUENCE RÉVOLUTIONNAIRE.

L'éloquence révolutionnaire occupe un espace de dix années
(1789-1799) : dans toutes les assemblées qui se succèdent, dans les
États Généraux devenus bientôt Assemblée constituante (1789-1791),
dans l'Assemblée législative (1791-1792), dans la Convention
(1792-1795), partout, sauf dans les deux Conseils juxtaposés des
Anciens et des Cinq-Cents (1795-1799), elle est représentée par de
brillants et vigoureux talents. Dans les plus mémorables *journées*
des luttes parlementaires, elle fait sentir sa domination : elle
force les convictions qui résistent, elle fait reculer les haines qui
menacent, elle donne même parfois d'éclatants triomphes à ceux
qui étaient montés à la tribune suspects, accusés et déjà plus

qu'à demi proscrits. Mais elle se lie trop intimement à notre histoire politique, et l'on ne pourrait exposer les facultés oratoires des Constituants, des Girondins, des Montagnards, sans raconter toute la Révolution.

Car le véritable intérêt des monuments de l'éloquence révolutionnaire est dans le terrible drame dont on suit jour à jour pour ainsi dire les péripéties : drame national, où s'explique une des grandes crises qu'ait traversées notre pays, drame individuel, où des caractères énergiques défendent à chaque instant leur autorité, leur honneur, leur vie. Tout cela est d'un intérêt brûlant. Mais, séparée des faits de l'histoire, saisie seulement dans ses formes littéraires, l'éloquence révolutionnaire perd singulièrement de sa valeur. D'abord, à mesure que l'on avance, les polémiques personnelles et les rivalités de parti y tiennent plus de place; les passions qui se donnent cours sont intenses, mais communes et sans finesse; le spectacle n'en est pas très nécessaire à notre éducation psychologique. En second lieu, les discours de la période révolutionnaire n'apportent pas un bien grand nombre d'idées originales ou de théories neuves : qui connaît Montesquieu, Voltaire, Diderot, Rousseau, l'Encyclopédie, n'a pas grand'chose à recueillir des orateurs; ils répètent ce que les philosophes ont écrit.

Et enfin, ils le répètent moins bien : le malheur de l'éloquence révolutionnaire est que sa puissante expansion coïncide avec une période d'affaiblissement littéraire. De là la générale médiocrité des formes oratoires. La langue est molle, pâteuse, diffuse, elle se défait jusque chez les plus vigoureux orateurs; le vocabulaire n'est pas pur, et je ne parle pas des néologismes nécessaires, des noms d'institutions ou d'opinions nouvelles, des abréviations pratiques du jargon politique : je parle de l'emploi des termes courants et communs de la langue française. Un Mirabeau parle de citoyens *peu moyennés*, d'*idées subverties*, de gens qui *se routinent*; un Vergniaud nous entretient de la *répulsion* des ennemis, pour faire entendre qu'il faut les repousser. Les pires défauts de la littérature philosophique ont passé à nos orateurs : les grands mots vagues, les formules abstraites, les déclamations ronflantes, la sentimentalité débordante; ils nous apparaissent comme de mauvais copistes de Diderot et de Rousseau. Un faux goût d'antiquité décore les discours de toute sorte d'ornements mythologiques, grecs, romains; on n'entend plus retentir que les noms de Catilina, de Marius, de Lysandre, de Thémistocle. Une détestable rhétorique semble apporter des collèges à la tribune tout l'arsenal des métaphores, comparaisons, allusions, citations qui servaient depuis deux siècles aux discours latins des écoliers. En général aussi, le dédain superbe des faits que nous avons remarqué dans

la philosophie du xviiie siècle, se retrouve chez nos orateurs : ils
les écartent de leurs discours, ils construisent *a priori*, posent des
principes et tirent des conséquences; le solide soutien des faits
manque à leurs vastes compositions.

Si bien que, littérairement, notre éloquence politique manque
son entrée : elle revêt précisément les formes qui vont mourir.
Elle s'embarrasse à ses débuts des traditions qui peuvent le plus la
gêner. Plus simple, plus naturelle, elle aurait été plus près du
véritable art, elle eût plus facilement rencontré les formes qui ne
passent pas. Elle se fût aussi plus facilement détachée de l'histoire : telle qu'elle est, elle a besoin d'être encadrée dans les circonstances, rapportée aux actions et aux intérêts qui lui ont
donné lieu. Par là seulement elle redevient vivante. Réduite par le
goût du temps à tendre vers la noblesse et l'élégance, elle est
moins expressive que la réalité brute, qu'elle enveloppe de verbiage et délaye dans le lieu commun. En un mot, elle n'est pas du
tout l'équivalent littéraire des caractères et des faits de la Révolution.

On comprendra donc que nous nous contentions d'esquisser rapidement les physionomies des principaux orateurs qui se distinguèrent du commun : à la Constituante, Mirabeau et Barnave; à la
Législative et à la Convention, Vergniaud; à la Convention, Danton
et Robespierre. Aux Cinq-Cents, nous n'aurions à nommer que deux
débutants, Royer-Collard et Camille Jordan, que le 18 Brumaire
mit brutalement en disponibilité, et qui se retrouveront quinze ans
plus tard parmi les orateurs de la Restauration [1].

2. MIRABEAU.

Le comte de Mirabeau [2] sortait d'une forte et fière race. Ces
Riquetti, transplantés de Florence en France au xiiie siècle,

1. A consulter : A. Aulard, *Les Orateurs de l'Assemblée Constituante*, 2e éd., 1905;
les Orateurs de la Législative et de la Convention, 2e édit., 1907; *Les Grands
Orateurs de la Rév.*, 1914; Ch. Moulins, *Hommes et Paroles de 1792*, 1948.

2. Biographie : Mirabeau (1749-1791) fut mis par son père chez l'abbé Choquard
qui tenait une pension pour les enfants indisciplinés; sous-lieutenant à Saintes, il
est emprisonné à l'île de Ré par lettre de cachet pour dettes et intrigues amoureuses; de là envoyé en Corse, puis marié en Provence (1772), interdit pour dettes,
incarcéré au château d'If pour voies de fait sur un gentilhomme qui a insulté sa
sœur; d'If, on le transfère au fort de Joux, d'où s'évade, et fuit avec Mme de
Monnier. On les arrête en Hollande, et Mirabeau est enfermé à Vincennes (1777-
1780). Député du Tiers en 1789, il devient président de l'Assemblée en 1791.

Éditions : *Lettres originales écrites du Donjon de Vincennes*, Paris, 1792, 4 vol.
in-8; *Corr. de Mirabeau avec Cerutti*, 1790, in-8; *Lettres de Mirabeau à un de ses*

intelligents, énergiques, peu maniables, de bon service et d'indépendante humeur, ennemis-nés des commis, des courtisans et les
ministres, nous expliquent la monstrueuse nature de leur dernier
descendant. Gabriel-Honoré était né avec une intelligence prompte
et souple, capable de tout recevoir et de tout garder, avec des
appétits démesurés : il avait d'effrayants besoins d'action et de sensation, il lui fallait se dépenser et jouir plus que les autres hommes.
Pour son malheur, il eut affaire au père le plus absolu, le plus
pénétré des droits de son autorité paternelle, qui se soit jamais
rencontré : dès les premières résistances de l'enfant, le marquis
s'irrita et voulut le briser rudement. Une pension qui était comme
une maison de correction, quatre prisons, dont une de trois ans et
demi, une sentence d'interdiction, quinze lettres de cachet : tous
ces moyens ne servirent qu'à exaspérer la haine du père, à raidir
le fils dans sa révolte, et à diffamer le nom de Mirabeau dans le
public. Mirabeau porta toute sa vie le poids de son passé : il eut
la gloire, jamais l'estime et la confiance. Quelles étaient ses fautes ?
Une vie désordonnée, des dettes, des duels, des séductions : tout
ce que de charmants seigneurs faisaient communément sans perdre
leur réputation de galants hommes, tout ce qui valait à un Lauzun
sa royauté mondaine. Mais le monde ne pardonna pas à Mirabeau
cette sorte de férocité, d'exaspération physique qui remplaçait
chez lui la légèreté du libertinage à la mode : une fougueuse
nature éclatait dans ses vices, au lieu de la gracieuse corruption
qu'on était accoutumé à admirer. Et surtout le monde ne saurait
pardonner au scandale. Or le père et le fils remplirent pendant
quinze ans la France du bruit de leurs débats. Et après le père,
ce fut la femme : Mirabeau plaida lui-même contre sa femme
devant le Parlement d'Aix (1782) ; il ne put empêcher la séparation d'être prononcée ; et il ne resta de ce procès tapageur que
les imputations également diffamatoires des deux parties.

Au milieu de tous ces désordres et de tous ces scandales, Mirabeau travaillait, s'instruisait, s'assimilait une prodigieuse variété
de connaissances. Il arrachait par son intelligence et sa capacité
de travail l'admiration de son oncle le bailli et, pendant leurs
rares trêves, celle même de son père. Les trois années qu'il passa
au donjon de Vincennes furent de fécondes années d'études et de
méditations. Les facultés oratoires s'éveillaient en lui ; ce qu'il

amis en *Allemagne* (le major Mauvillon), Brunswick, 1792 ; *Lettres de Mirabeau à
Chamfort*, 1796 ; *Lettres inédites*, etc., 1806 ; *Corresp. de Mirabeau et du comte
de la Mark*, 1854 ; *Œuvres or at. de Mirabeau*, 1819 ; *Écrits et disc.*, éd. Lumet, 1912 et
1921. — A consulter : Lucas Montigny (de Loménie), *Mémoires de M., les M.*,
1889-1892 ; E. Rousse, *M.*, 1891 ; L. Barthou, *M.*, 1914 ; D. Meunier, *Autour de M.*,
1926 ; A. Vallentin, *M. dans la Révol.*, 1947 ; J.-J. Chevalier, *M.*, 1947.

apprenait, il avait besoin de le rendre; il lui fallait dégorger toutes
les idées qui encombraient son cerveau. Déjà dans une de ses
précédentes prisons il avait fait un *Essai sur le despotisme* : à Vincennes, il écrivit d'éloquentes réflexions sur *les prisons d'État et les
lettres de cachet*; il écrivit surtout ses fameuses *Lettres à Sophie*,
incroyable mélange de déclamations sincères et de renseignements
exacts, où l'amour déborde parmi la philosophie, la politique, la
morale, où tout Mirabeau se découvre, avec la grandeur et les
bassesses de sa nature, avec sa violence de tempérament et son
immoralité foncière, mais aussi avec ses généreuses aspirations,
son information encyclopédique, et l'éclat de sa forme oratoire :
c'est du Rousseau, si l'on veut, du Rousseau plus trouble, plus
débraillé, plus tumultueux, et toutefois aussi plus raisonnable,
plus avisé, plus pratique.

Libre, il voyage en Angleterre, en Prusse ; ses lettres à Chamfort, sa *Monarchie prussienne* nous témoignent de sa curiosité et
de sa clairvoyance. Partout il porte sa netteté de conception et
la vigueur de son éloquence : Beaumarchais en apprend quelque
chose, lorsqu'ils représentent des intérêts opposés dans l'affaire
des eaux de Paris. En quelques mois, sous la direction de Panchaud
et de Clavière, Mirabeau s'était fait financier. Il avait servi, puis
combattu Calonne. Il attaque Necker. La question financière était
la grande question politique du temps : elle conduit Mirabeau,
avec bien d'autres, à réclamer la convocation des États Généraux.

Il espérait y trouver sa place. La noblesse de Provence le
repoussa; il fut député du Tiers : son éloquence, déjà révélée par
son procès en séparation, se déploya avec éclat dans tous les débats
auxquels les élections donnèrent lieu. Il arriva à Paris précédé
d'une réputation que justifièrent ses débuts : il fut bientôt reconnu
pour le premier orateur de l'Assemblée. Mais dans cet orateur il
y avait un homme d'État. Il guida admirablement le Tiers dans sa
lutte contre les deux autres ordres, contre la cour et le roi. Mais
dès qu'il voulut retenir la majorité, enrayer le mouvement révolutionnaire, la mésestime et la défiance qu'avait voilées un moment
sa popularité, reparurent; on l'accusa de trahison, de vénalité.
Sa correspondance avec le comte de la Mark le justifie en partie :
il reçut en effet une pension de la cour; écrasé de dettes, ayant
d'immenses besoins d'argent, il trouva le salut dans cette combinaison : c'était une indélicatesse, qu'avec son immoralité radicale
il ne sentit pas. Mais il ne trahissait pas, il ne se vendait pas : car
il se fit payer pour défendre ses propres opinions, qu'il eût défen-
dues gratuitement, et quand même. Mais ceux qui le payaient ne
croyaient pas en lui; ceux qui l'écoutaient n'y croyaient plus : la
cour perdit son argent.

« Il était laid, nous dit un contemporain [1] : sa taille ne présentait qu'un ensemble de contours massifs; quand la vue s'attachait sur son visage, elle ne supportait qu'avec répugnance le teint gravé, olivâtre, les joues sillonnées de coutures; l'œil s'enfonçant sous un haut sourcil,... la bouche irrégulièrement fendue; enfin toute cette tête disproportionnée que portait une large poitrine.... Sa voix n'était pas moins âpre que ses traits, et le reste d'une accentuation méridionale l'affectait encore; mais il élevait cette voix, d'abord traînante et entrecoupée, peu à peu soutenue par les inflexions de l'esprit et du savoir, et tout à coup montait avec une souple mobilité au ton plein, varié, majestueux des pensées que développait son zèle. » Et Lemercier nous montre « les gestes prononcés et rares, le port altier » de Mirabeau, « le feu de ses regards, le tressaillement des muscles de son front, de sa face émue et pantelante ». A travers le barbouillage du style, il nous fait bien voir l'orateur.

Mirabeau avait l'éloquence qui enlève les foules et les assemblées, les puissants mouvements, les amples phrases, l'élan imprévu et impérieux : il était superbe pour menacer ou maudire. Ses répliques foudroyantes, ses adjurations pressantes fleurissent toutes les anthologies. A vrai dire, il y a dans ces grands effets, à notre goût, un peu d'emphase, un geste trop magnifique, trop de son; c'était le goût du temps. Mirabeau y a donné complaisamment, et dans les théâtrales banalités dont la pauvre antiquité faisait les frais, *la poussière de Marius, Catilina aux portes* : c'était là que jadis on admirait le grand orateur. Heureusement il a d'autres mérites pour se faire estimer : il a la logique serrée, vigoureuse, sophistique parfois avec un air de franchise, toujours sûre et saisissant en tout sujet les arguments essentiels ou les preuves efficaces. Il est de ceux qui savent voir les faits, et les présentent : s'il raisonne souvent sur la théorie et les principes, c'est la nécessité du temps qui l'y force; l'assemblée travaille, et il travaille avec elle à établir une constitution en France. Ses discours sont substantiels, solides, faits véritablement pour instruire ceux qui les entendent. Il faut se défier de l'orateur, mais on peut apprendre du publiciste. Il drape son éloquence sur d'excellents mémoires, très précis et très nourris.

Ces mémoires n'ont pas toujours été préparés par lui. Il joignait à ses grands dons celui de savoir utiliser le travail d'autrui. Tous ses ouvrages sont remplis de pages simplement transcrites de quelque livre. Dans un de ses plaidoyers contre sa femme, il introduisait de belles phrases émues, qui étaient d'un sermon de

---

1. N. Lemercier, *Du second théâtre français.*

Bossuet. Dans d'autres, il répétait mot pour mot ce que lui avait fourni l'avocat Pellenc Pour ses discours à l'Assemblée nationale, le même Pellenc, le Genevois Étienne Dumont, Clavière, Duroveray lui fournissent des matériaux, des plans, des développements entiers : il utilisait même, dit-on, les billets qu'on lui faisait passer à la tribune, et qu'il lisait tout en parlant. « Mais, disait Dumont, qu'importe d'ailleurs? S'il sait mettre à contribution ses amis, s'il sait leur faire produire ce qu'ils n'auraient jamais fait sans lui, il en est véritablement l'auteur. » Du moins, nous sommes assurés par ses travaux antérieurs de la capacité de son esprit, de l'étendue de ses connaissances : si, accablé d'affaires, il dut recourir à des secrétaires pour la préparation de ses discours, c'était une économie de temps, et non un supplément de génie qu'il y cherchait. Il dirigeait leur travail, le contrôlait, le gardait ou le modifiait selon ses vues, l'animait de son éloquence.

Après tout, c'est par l'intelligence que vaut Mirabeau. Il a des appétits, des passions physiques; il a des facultés oratoires, le don de brûler et de passionner : mais nulle sensibilité de l'âme, au fond; toujours de sang-froid, maître de lui, l'esprit net, agile, subtil, un esprit à la Montesquieu, comme l'a très bien vu M. Faguet, qui s'enveloppait d'une éloquence à la Rousseau. Regardez-le dans sa carrière politique : jamais le sentiment ne lui a arraché un discours, inspiré un acte; tout en lui est d'un politique qui observe et calcule. Il a un tempérament d'homme d'État parlementaire, un souci de la légalité, des formalités même et des règlements, qui le fait patienter, temporiser, négocier avec une prudence incroyable, lorsqu'il s'agit d'amener les deux premiers ordres à se réunir au Tiers. Les phrases retentissantes qu'on cite de lui n'y font rien : il n'a rien du révolutionnaire, que les circonstances qui le produisent; c'est un homme du centre gauche, et il excelle à la politique de couloirs. Il croit aux fictions constitutionnelles, aux contrepoids qui assurent le délicat équilibre des pouvoirs : il sait exactement le point jusqu'où l'exécutif doit aller, la ligne que le législatif ne doit jamais franchir. Il a vu que la Révolution ne pouvait se sauver que par une translation de propriété qui intéresserait des milliers d'individus à garantir l'ordre nouveau : mais les biens du clergé vendus, les privilèges de la noblesse supprimés, l'égalité civile et politique établie, la liberté assurée, la royauté devenue constitutionnelle, Mirabeau fut content; il ne s'occupa plus que de conserver cet ordre qu'il estimait conforme au gouvernement idéal; et comme pour le fonder il avait fallu vaincre la royauté, tout son soin tendit à fortifier la royauté. Il espérait y trouver le frein capable de retenir l'État sur la pente où il glissait, sur la pente du despotisme parlementaire. C'est l'idée qui lui a dicté son discours sur le droit de paix et de guerre, le dernier de ses grands triomphes oratoires. Il avait l'esprit monarchique, et absolument opposé à la démocratie.

3. GIRONDINS ET MONTAGNARDS.

Nous n'avons pas à nous arrêter aux défenseurs de l'ancien régime contre lesquels lutta Mirabeau : le cynique et violent Maury, le sincère et mesuré Cazalès [1]. Mais lorsqu'il voulut marquer le point d'arrêt de la Révolution, parmi ceux qui le dépassaient et devinrent ses adversaires se rencontre un orateur de premier ordre, Barnave [2], qui avait été avocat au barreau de Grenoble. Nature généreuse et sensible, passionné pour la tolérance, l'humanité, la liberté, il avait adopté une éloquence nette, sobre, sévère, volontairement un peu froide. On peut en prendre une idée dans son *Discours sur le droit de paix et de guerre*, où il combattait Mirabeau et la prérogative royale : c'est un rappel aux principes, une déduction serrée, sans écarts et sans éclats; aucune emphase, ni métaphores, ni comparaisons, ni allusions ambitieuses, seulement parfois il allègue une autorité, telle que « l'autorité bien imposante de M. de Mably ». Il y a là une sorte de raideur doctrinaire qui est d'un assez puissant effet.

A l'Assemblée législative se font remarquer les représentants du département de la Gironde, Vergniaud, Guadet, Gensonné, et, à leurs côtés, Isnard, venu du Var; ils se retrouvent à la Convention, où les joignent Barbaroux, député de Marseille, Louvet envoyé par le Loiret, et Buzot, qui arrive d'Évreux [3]. Isnard eut d'éclatants

1. Maury (1746-1817), né à Valréas (Vaucluse), lauréat académique, académicien, prédicateur, député à l'Assemblée constituante, émigré, rentre en 1804, est fait par Napoléon archevêque de Paris, et meurt à Rome. — J.-A. de Cazalès (1752-1805) ancien officier de cavalerie.

2. Barnave (1761-1793), député aux États Généraux, fut un des membres chargés de ramener Louis XVI et sa famille après son arrestation à Varennes.

3. Guadet, né en 1755 à Saint-Émilion, avocat à Bordeaux, député de la Gironde à la Législative et à la Convention, fut arrêté à Bordeaux le 29 prairial an II, condamné et exécuté. — Gensonné, né à Bordeaux en 1758, avocat, puis juge à la cour de Cassation, député de la Gironde à la Législative et à la Convention, fut arrêté et exécuté à Paris en 1793. — Isnard, né à Draguignan entre 1750 et 1760, député du Var à la Législative et à la Convention, se déroba à la chute de son parti, rentra en 1795 à la Convention, fut député aux Cinq-Cents, et applaudit en 1804 à l'Empire : il mourut en 1830. — Barbaroux, né en 1767, député de Marseille à la Convention, décapité en 1794. — Louvet, né à Paris en 1760, publia son *Faublas* de 1787 à 1790, fut député du Loiret à la Convention, se cacha dans le Jura, et rentra à Paris après le 9 Thermidor; il fut élu aux Cinq-Cents, et mourut en 1797. — Buzot, né en 1760, député à la Constituante, président au tribunal d'Évreux sous la Législative, député à la Convention, ami de Mme Roland, essaya de soulever la Normandie, passa dans la Gironde, et s'empoisonna.

débuts; Buzot, en ses derniers temps, trouva dans la violence parfois inintelligente de ses haines une éloquence singulièrement nerveuse et vibrante. Mais puisque Mme Roland, qui était l'âme du parti, n'eut pas accès à la tribune, puisqu'elle fut réduite à verser les passions et les idées qui la brûlaient dans ses *Mémoires* rédigés en prison, c'est à Vergniaud qu'il appartient, mieux qu'à personne, de représenter l'éloquence girondine [1]. C'était un avocat bordelais, nonchalant, inappliqué, sans connaissances précises, sans netteté pratique. Il avait des tendances plutôt que des idées. Mêlant Montesquieu, Voltaire et Rousseau, il rêvait une république aimable, qui donnât du bien-être et du plaisir, qui développât le luxe et les arts. Il était égalitaire, contre la cour et la noblesse; absolument indifférent et irréligieux, sans hostilité contre les prêtres; aristocrate, en face du peuple, moins par conviction politique que par répugnance d'homme bien élevé. Il avait la parole facile, fluide, animée cependant et ardente : il n'était ni profond ni précis, mais il s'échauffait au son de sa propre parole, et il devenait entraînant. Paresseux comme il était, il dressait avec un souci méticuleux les plans de ses discours, numérotant les idées, marquant les paragraphes, piquant ici une image, là un souvenir antique, s'aidant en un mot de tous les secours de la rhétorique classique. Il aimait les effets de répétition : dix fois il ramenait le même mot au début d'une phrase, la même proposition au début d'un paragraphe : il tirait parfois de ce procédé de pathétiques effets. Il excellait à étendre les vastes lieux communs, à remuer les grands sentiments généraux : c'était l'homme qu'il fallait pour discourir sur le danger de la patrie.

En face des Girondins, à la Convention, parmi la foule des Montagnards se détachent Danton et Robespierre [2]. L'éloquence de Robespierre est une prédication, un long enseignement de vertu, un catéchisme verbeux de religion civile, où la théologie édifiante s'entremêle d'aigres diatribes contre les méchants et les impies. Ce Picard bilieux, haineux, pontifiant me fait penser à son compatriote Calvin, à qui il est de toutes façons inférieur, intellectuellement, moralement, littérairement. Il s'acharna à fonder une religion d'État, à formuler en un *credo* légal le déisme de Jean-Jacques. Il poursuivit sa chimère théocratique, et immola avec sérénité comme ennemis de Dieu et de la vertu tous les hommes qui faisaient ombrage à sa vanité, échec à son ambition.

1. P.-V. Vergniaud, né à Limoges en 1753, avocat à Bordeaux, député à la Législative et à la Convention, arrêté le 2 juin 1793, guillotiné en octobre.

2. G.-J. Danton, né en 1759 à Arcis-sur-Aube député à la Convention, guillotiné en avril 1794. — M. Robespierre, né en 1759 à Arras, député aux États Généraux et à la Convention, guillotiné en juillet 1794. Bibliogr. à la fin du chapitre.

Danton fait avec lui le plus parfait contraste : celui-ci sort
grandi des plus récentes études sur la Révolution française[1].
C'était un robuste Champenois, aux formes athlétiques, au masque
vulgaire et puissant, sensuel, débraillé, actif, hardi, d'intelligence
claire et réaliste : il n'était pas grand discoureur, et il passa pour
ignorant parce qu'il ne citait pas l'antiquité, et ne faisait pas
d'amplifications creuses. Mais c'est pour cela qu'il nous plaît. Il a
une éloquence pratique et technique, familière, courant au fait,
se ramassant en mots brefs, saccadés, énergiques, qui se gravent
dans les esprits ou mordent les cœurs : son discours échappe au
verbiage et au jargon ampoulé du temps; il n'y a personne dont
la forme ait moins vieilli; et il a chance d'être avec Mirabeau le
plus véritable orateur de la période révolutionnaire.

4. NAPOLÉON.

Le 18 Brumaire fit taire les orateurs. Pendant quinze ans, une
seule voix s'élèvera, impérieuse, mais éloquente. L'éloquence était
un moyen de gouvernement, presque une nécessité pour ce parvenu
qui, régnant par l'admiration et la confiance, devait entretenir
la foi en son infaillible génie : il fallait que dans chacune de ses
paroles il fît sentir la supériorité dont il tenait son droit. Napoléon s'y étudia, et y réussit. Il fut le dernier des grands orateurs
révolutionnaires. Formé à l'école des Montagnards, il continua
leurs traditions : mais un juste instinct l'avertit de condenser le
verbiage de la tribune, et de se régler plutôt sur la nette concision
des rapports et la fermeté saisissante des proclamations, où certains Jacobins avaient donné de curieux modèles d'éloquence
administrative ou militaire. Il se fit une forme courte, brusque,
tendue, nerveuse, admirablement expressive et de sa nature réelle
et de l'idée qu'il voulait donner de lui, admirablement adaptée
à l'âme élémentaire des foules ou des armées.

On voit cette éloquence se former à travers la verbosité et la
médiocrité de ses premiers écrits[2]. On la voit se déployer dans
toute sa correspondance, où il n'y a pas à vrai dire de lettres familières. Et ce qu'il a dicté à Sainte-Hélène, ce sont des mémoires
oratoires; ces récits de ses campagnes et de ses victoires sont de
l'histoire tout juste comme le tableau de la politique athénienne

.1. M. Mathiez, récemment, a réagi contre le culte de Danton. De ses troublantes
études ressort au moins un doute sur la probité de cet homme d'État. J'ai peur en
revanche d'avoir été trop dur pour Robespierre : sa politique a peut-être mieux
valu que sa littérature (*14e éd.*).

2. A consulter : A. Guillois, *Nap. orat.*, 1889; V. Cambon, *Comment parlait N.*, 1921.

dans le *Discours pour la Couronne*, de l'histoire arrangée pour persuader. Dès qu'il ouvre la bouche, Napoléon est orateur; car il
règle sa parole pour enlever à ceux à qui il parle, individus ou
peuples, contemporains ou postérité, la liberté de leur jugement,
pour asservir leurs esprits ou leurs volontés. Mais là où cette puissante faculté oratoire apparait le mieux, c'est dans les proclamations nombreuses qu'il adresse aux soldats et au peuple français,
depuis la première campagne d'Italie jusqu'après Waterloo. On
comprendrait mal sa domination, si on ne voyait l'appui qu'elle
trouva dans sa parole : à cet égard, l'éloquence a été pour lui ce
qu'elle était pour les chefs des démocraties anciennes [1].

Cette éloquence a sa rhétorique et ses procédés. Sous son apparente brusquerie, elle est très ordonnée, très classique. La lettre
de condoléances du général Bonaparte à la veuve de l'amiral
Brueys est une véritable dissertation sur un plan soigneusement
concerté : les lettres de l'Empereur aux veuves des maréchaux
Bessières et Lannes, plus courtes, d'un ton de maître, sont des
réductions du même plan. Les proclamations sont divisibles par
articles et paragraphes comme des discours de *Conciones*. Au début,
les origines révolutionnaires de cette éloquence sont très sensibles :
les *phalanges* républicaines, les *vainqueurs de Tarquin*, les *descendants de Brutus, de Scipion*, les *légions romaines, Alexandre*, tous ces
souvenirs antiques rattachent Napoléon aux orateurs de nos assemblées. Puis, dans les harangues du Consul, de l'Empereur, ces
ornements emphatiques se font rares.

Dans la première campagne, aussi, entre les *phalanges* et les
Tarquins je note des *hommes pervers* qui viennent tout droit de
la prédication de Robespierre.

Je note même des réminiscences d'auteurs latins. Du Lucain :
« Vous n'avez rien fait, puisqu'il vous reste à faire. »

Nil actum reputans, si quid superesset agendum.

Le futur César se fait l'esprit de César, Du Tite-Live : « Dira-t-on
de nous que nous avons su vaincre, mais que nous n'avons pas su
profiter de la victoire? » *Vincere scis, Hannibal, victoria uti nescis.*
Certaines formes théâtrales rappellent les déclamations de la tribune : « Mais je vous vois déjà courir aux armes... Eh bien! par-
tons!... » Et voici des clichés : « Vous rentrerez alors dans vos
foyers et vos concitoyens diront en vous montrant : Il était de
l'armée d'Italie. » — « Il vous suffira de dire : J'étais à la bataille

---

1. *Correspondance de Napoléon*, 28 vol. in-4 et in-8, 1858-1869. (Les proclamations
y figurent.)

d'Austerlitz, pour que l'on réponde : Voilà un brave. » — « Vous
pourrez dire avec orgueil : Et moi aussi je faisais partie de cette
grande armée, qui », etc. Le cliché est magnifique, et saisissant :
et l'on voit l'effet s'élargir de proclamation en proclamation jusqu'à
ce dernier mouvement.

Dans ces brèves harangues, deux parties sont capitales, le premier
mot et le dernier : l'attaque est merveilleuse de brusquerie et de
sûreté. « Soldats, vous êtes nus, mal nourris.... Soldats, je suis
content de vous.... Soldats, nous n'avons pas été vaincus. » On est
secoué et pris. Et la fin, comme elle laisse l'âme vibrante! « Soldats d'Italie, manqueriez-vous de courage et de constance? » —
«.... Et alors la paix que je ferai sera digne de mon peuple, de
vous et de moi. »

Le fond est ce qu'il faut qu'il soit : des idées nettes, simples,
immédiatement accessibles, des sentiments communs, réels,
immédiatement évocables; l'honneur, la gloire, l'intérêt; de
vigoureux résumés des succès et des résultats obtenus, de rapides
indications des résultats et des succès à poursuivre, des communications parfois qui semblent associer l'armée à la pensée du
général et la flattent du sentiment d'être traitée en instrument
intelligent : toutes les paroles qui peuvent toucher les ressorts de
l'énergie morale, sont là, et sont seules là.

Parfois, au lieu des images banales du répertoire commun, la
nature originale de l'individu éclate. L'allocution du 1er janvier 1814
aux députés du Corps Législatif est d'un ton singulier : volontairement l'orateur lâche sa colère en petites phrases hachées, brutales, même triviales : « M. Lainé, votre rapporteur, est un méchant homme.... Je suis de ces hommes qu'on tue, mais qu'on ne
déshonore pas.... Qu'est-ce que le trône au reste? Quatre morceaux de bois revêtus d'un morceau de velours. Tout dépend
de celui qui s'y assied.... Il faut laver son linge en famille. »
Remettez tout cela à sa place, écoutez cette sortie si curieusement
violente, et vous sentirez quelle science de l'effet il y avait chez
cet homme-là.

Vous avez noté l'image grandiose qui nous montre le trône :
elle sort d'une imagination qui n'est plus celle du xviiie siècle, ni
formée à l'école de l'antiquité. Cela, c'est du Shakespeare — tel
que le comprenait Hugo et qu'il en faisait. Même dans les bulle-
tins, malgré la tension plus solennelle du style, dans ceux surtout
des dernières campagnes, je note quelques pensées d'une imagination pareille. On se sent tout près de Hugo, bien plus près de
Hugo que des Montagnards et du *Conciones* quand on lit des phrases
comme celles-ci : « La victoire marchera au pas de charge;
l'aigle... volera de clocher en clocher jusqu'aux tours de Notre-

Dame. » Ou bien : « J'en appelle à l'histoire : Elle dira qu'un
ennemi qui fit vingt ans la guerre au peuple anglais, vint librement, dans son infortune, chercher un asile sous ses lois.... Mais
comment répondit l'Angleterre à une telle magnanimité? *Elle fei-
gnit de tendre une main hospitalière à son ennemi, et, quand il se fut
livré de bonne foi, — elle l'immola.* » Ce petit mot qui fait comme
cabrer la phrase dans un brusque arrêt, après l'ample mouvement
qui en développe le début : c'est un procédé habituel de V. Hugo.
En général, sans avoir changé sa forme ni renouvelé ses moules,
il me semble que Napoléon est pourtant moins classique, moins
asservi au goût révolutionnaire dans ses dernières années, et qu'il
exprime son tempérament par des effets plus personnels.

(Note de la page 869. — Vergniaud : lire E. Lintilhac, *V., le Drame des Girondins*,
1920.

Danton : *Discours*, éd. A. Fribourg, 1910. — Cf. A. Aulard, *D.*, 1881; L. Madelin, *D.*, 1914; A. Mathiez, *Autour de D.*, 1926; L. Barthou, *D.*, 1932.

Robespierre : *Œuvres complètes*, éd. de la *Rev. hist. de la Révol. fr.*, 1910. — Cf.
A. Mathiez, *R. terroriste*, 1921, *Autour de R.*, 1925; H. Béraud, *Mon ami R.*, 1927;
F. Sieburg, *R.*, 1936; L. Jacob, *R. vu par ses contemporains*, 1938.)

CHAPITRE III

MADAME DE STAEL

1. Caractère et esprit. Intelligence cosmopolite. Médiocrité du sens artistique. — 2. Idées politiques de Mme de Staël : libéralisme bourgeois. Idées religieuses. — 3. La critique de Mme de Staël. La *Littérature* : idée de la relativité du goût. Le livre de l'*Allemagne* :
principes du romantisme. Insurrection contre les règles. Cosmopolitisme littéraire.

Mme de Staël et Chateaubriand ont cru n'avoir pas grand'
chose de commun. En réalité, malgré l'opposition de leurs tempéraments et de leurs principes, ils ont poussé tous les deux la littérature dans le même sens. Mme de Staël a fourni aux romantiques des idées, des théories, une critique : de Chateaubriand ils
ont reçu un idéal, des jouissances et des besoins; elle a défini, il
a réalisé.

1. CARACTÈRE ET ESPRIT DE Mᵐᵉ DE STAEL.

Mme de Staël[1] appartient au xviiiᵉ siècle, elle est le xviiiᵉ siècle
vivant, le xviiiᵉ siècle tout entier : car les courants les plus contraires se rassemblent en elle sans s'affaiblir. Elle est fille de Rousseau, par l'intensité de la vie sentimentale. Elle a l'imagination
troublée et fiévreuse, le cœur ardent, tumultueux, d'où jaillit une
inépuisable source de passion. Elle a l'égoïsme généreux, une soif

1. **Biographie** : Germaine Necker, née en 1766, figure dès l'âge de onze ans aux
réceptions de sa mère. Son esprit se forme à entendre Raynal, Thomas, Grimm,
Morellet, Suard, Buffon, etc. Elle épouse en 1786 le baron de Staël, ambassadeur de
Suède. Elle accueille d'abord la Révolution avec joie et avec foi; son salon est le
lieu de réunion des amis de la constitution anglaise, Mounier, Malouet, Clermont-
Tonnerre, Montmorency; mais, en sept. 1792, elle est forcée de se réfugier à Coppet,
au bord du lac de Genève. Elle rentre à Paris en 1795, et son salon est très fréquenté : Daunou, Cabanis, Garat, Rœderer, M.-J. Chénier, B. Constant surtout, y
sont assidus. Suspecte au Directoire, elle est obligée de retourner à Coppet, d'où
elle revient en 1797. Elle vit d'abord en paix avec Bonaparte; elle ne rompt pas encore
après le 18 Brumaire; mais c'est chez elle que B. Constant prépare en janvier 1800
le discours où il dénonce au Tribunat l'aurore de la tyrannie. Dès lors, la rupture est
certaine quoique dans sa *Littérature* (1800) elle semble mêler encore les avances
aux allusions malignes. Son salon est le premier de Paris en 1802 : autour d'elle

furieuse de bonheur pour elle et pour les autres; de là, pour les
autres, la pitié, l'appel énergique à la justice, la haine de l'oppression ou du despotisme; pour elle, l'expression violente de l'individualité, la révolte contre toutes les contraintes et les limites;
elle veut le plus possible se développer en tout sens; elle veut
jouir d'elle-même. Mais la suprême jouissance, c'est de jouir de
soi en autrui, de voir sa perfection reflétée dans une âme qui
s'en éprend : elle veut donc être, se développer, afin d'être digne
d'être aimée. Là est le bonheur, et ce n'est que faute de ce bonheur
qu'elle se rabattra sur la gloire : elle le fera dire à Corinne, et elle
est Corinne. Mais elle aura peine à en prendre son parti; aucune
de ses expériences ne vaincra son optimisme sentimental. Le
désaccord de son rêve et des réalités n'aboutira qu'à fortifier la
disposition romanesque qui est en elle. *Clarisse Harlowe* et *Werther*
ont transporté sa jeunesse; Walter Scott charmera ses derniers
jours : à travers toute son existence, elle persistera à croire que
le roman a raison contre la vie, et que la vérité, c'est le roman.
Par un hasard singulier, sa foi fut récompensée : elle finit par se
reposer dans un amour absurde et un mariage ridicule, qui fut
heureux.

sont Mme Récamier, Mme de Beaumont, B. Constant, C. Jordan, Fauriel. On y
fait à Bonaparte une guerre d'épigrammes; on cabale avec Bernadotte et Moreau.
En octobre 1803, Mme de Staël reçoit ordre de se tenir à 40 lieues de Paris. Elle
s'en va visiter l'Allemagne, puis revient à Coppet, de là, elle va en Italie. En 1805,
elle est de retour à Coppet, où elle écrit *Corinne*, dont le succès est immense. Tous
ceux que Napoléon ne domine pas la visitent ou séjournent auprès d'elle. Elle
retourne en Allemagne en 1807; après ce voyage, elle se convertit à la religion.
Elle écrit son livre *De l'Allemagne*, dont toute l'édition française est détruite par
la police impériale; elle-même reçoit ordre de sortir du territoire français (1810).
Elle est surveillée et comme internée à Coppet. Elle s'évade en 1812 et se réfugie
à Pétersbourg, puis en Suède, et de là en Angleterre. La Restauration l'attriste
par le tour qu'elle prend. Elle meurt en 1817. Elle avait épousé en 1811 M. de
Rocca, beaucoup plus jeune qu'elle.

Éditions : *De la littérature considérée dans ses rapports avec les institutions sociales*, an VIII, 2 vol. in-8; *Delphine*, roman, 1802; *Corinne*, roman, 1807; *de l'Allemagne*, Londres, 1813; *Considérations sur la Révolution française*, publ. par le duc
de Broglie et le baron de Staël, 1818; *Dix années d'exil* (publ. par le baron de Staël,
1821); éd. P. Gautier, 1904. *Œuvres complètes*, Paris, Didot, 3 vol. *Des circonstances actuelles qui peuvent terminer la Révolution*, éd. J. Viénot, 1906. *Lettres à
B. Constant*, éd. De Nolde et Léon, 1928. — **A consulter** : Lady Blennerhassett,
Mme de St. et son temps, 1890, 3 vol.; A. Sorel, *Mme de St.*, 1890; F. Brunetière,
Évol. de la crit., VIe leçon; Faguet, *Polit. et moral. du XIXe s.*, 1re série, 1891;
Dejob, *Mme de St. et l'Italie, avec une biblio. de l'infl. fr. en Italie*, 1890; E. Ritter
Notes sur Mme de St., 1899. P. Gautier, *Mme de St. et Nap.*, 1903. D. Glass, Larg
Mme de St., 1924, *Mme de St.*, *I. La Vie dans l'Œuvre*, *II. La Seconde Vie*, 1926-
28; comte d'Haussonville, *Mme de St. et l'Allem.*, 1928; Ctesse J. de Pange, *De
l'Allem. de Mme de St.*, 1929; J. A. Henning, *L'Allemagne de Mme de St., et la
Polém. romanti.*, 1929; M.-L. Pailleron, *Mme de St.*, 1931; P.-E. Schazmann,
Bibliogra. de Mme de St., 1938; J. de Lacretelle, *Mme de St. et les hommes*,
1939; J. Benrubi, *Idéal moral chez Rousseau, Mme de St. et Amiel*, 1940.

Elle a l'âme de Rousseau : mais par l'esprit elle est fille de Voltaire, fille du xviiie siècle raisonnable et mondain. La religion du siècle est sa religion : elle croit au progrès, à la perfectibilité nécessaire et indéfinie de l'humanité. Jamais elle ne doutera de la raison, ni ne la répudiera, comme Rousseau : et toute sa vie sera un exercice assidu de la raison qui est en elle, virile, ferme, vaste, curieuse, capable de toutes les vérités. Elle ne conçoit rien de plus beau que la faculté de former et de formuler des idées : il n'y a pas de supériorité qu'elle admire plus en autrui, et dont elle soit plus fière en elle. Aussi cette romanesque sentimentale est-elle une mondaine spirituelle et séduisante. Elle ne peut vivre qu'à Paris. Dès qu'elle est à Coppet, elle tâche d'y refaire son salon de Paris. Elle a la plus enivrante conversation, un jaillissement de pensée à la fois éblouissant et fort. Son admiration va naturellement à des « gens du monde », à Guibert, à Talleyrand, à Narbonne, à B. Constant, en qui elle aime un causeur digne de lui fournir la réplique. Si elle ne comprend pas tout à fait Napoléon, c'est qu'il est mal élevé, qu'il n'y a pas moyen de « causer » avec lui. Il glace, ou il assomme. Elle n'est pas faite pour la solitude, elle en a peur : elle ne pense bien que dans le monde, devant un auditoire ou contre un interlocuteur; ses livres sont une perpétuelle causerie, la causerie d'un vaste et agile esprit qui fait lever les idées avec une étonnante facilité. Elle a l'air de se moquer de d'Erfeuil, dans *Corinne* : mais il y a beaucoup d'elle encore dans ce Français qui ne saurait se passer de la société, et pour qui causer, c'est vivre.

Elle résume donc en elle les deux aspects de notre xviiie siècle; elle y ajoute pourtant quelque chose. Elle est cosmopolite. Nos Français l'avaient été d'idées, de désir, en théorie : en fait, ils n'ont pas été capables de sortir d'eux-mêmes; leur cosmopolitisme n'est qu'une prétention de réduire toute l'humanité à leur forme. Mais Mme de Staël n'est pas Française en ce sens, et cela parce qu'elle n'est pas Française d'origine. Les Suisses, en contact avec la France, avec l'Italie, avec l'Allemagne, qui les conduit à l'Angleterre, semblent avoir des facilités et des aptitudes particulières pour comprendre les formes d'esprit de ces quatre nations : ils ont l'intelligence naturellement cosmopolite. C'est le trait commun des Suisses qui ont écrit en français : on doit excepter Jean-Jacques, nature trop intérieure; mais voyez Mme de Staël, Marc Monnier, M. Cherbuliez, M. Rod : ce sont des « esprits européens », comme disait la première. La vie poussa encore Mme de Staël en ce sens : chassée de Paris, elle vit à Coppet, où son salon donne pour ainsi dire par trois portes sur la France, sur l'Italie et sur l'Allemagne. De

Coppet elle sent mieux que de Paris l'attrait de l'Italie et de l'Allemagne : Paris est le lieu du monde où l'esprit s'enferme le plus facilement. Chassée de Coppet, la Russie, la Suède, l'Angleterre la reçoivent. Elle aura couru toute l'Europe, mais elle aura compris toute l'Europe.

Nous verrons l'importance de cette aptitude dans l'évolution des doctrines littéraires. Remarquons seulement ici que Mme de Staël a créé une littérature cosmopolite, peinture des types nationaux. Avant elle on n'a guère su chez nous que dessiner des caricatures. Mme de Staël, avec une impartialité intelligente, note les caractères distinctifs de chaque peuple : elle voit l'âme allemande, la vie allemande même, elle distingue la vie de Vienne et la vie de Berlin, l'âme allemande du Sud et l'âme allemande du Nord. Pour n'avoir fait que traverser la Russie en calèche, elle a pourtant démêlé très finement les traits originaux du peuple russe, elle a saisi la complexité de l'esprit des classes supérieures, le fond national jeune, vierge, riche sous le vernis d'une civilisation raffinée : par un flair plus singulier encore chez une femme qui ne savait pas la langue, elle a deviné le moujik, au moins quelques parties essentielles de sa nature. *Corinne*, entre autres caractères, a celui d'être un roman international : l'Anglais, l'Italien, le Français y sont définis en formules un peu sèches, dont la réalisation actuelle a quelque chose d'abstrait et mécanique. Mais ces formules, développées et complétées par d'abondantes dissertations, sont exactes : du moins elles doivent l'être, car je ne vois pas que nos écrivains y aient beaucoup changé depuis quatre-vingts ans.

Enfin, et c'est le dernier facteur du génie de Mme de Staël qu'il nous faille considérer, elle n'a pas du tout une nature artiste. Elle a l'imagination très sentimentale, nullement esthétique. De là vient qu'elle est incapable de prendre ses propres émotions comme matière d'art, de les réaliser directement dans une forme expressive. Elle ne peut que les faire passer dans son esprit, y appliquer sa réflexion, les analyser, les définir, les noter : il faut, pour qu'elle les traduise, qu'elle en ait fait des idées; tout, pour elle, son cœur comme le reste, n'est que matière de connaissance. Elle n'a pas le sentiment de la nature : elle la voit quand elle veut regarder; alors elle élabore ses perceptions en notions dont elle donne la formule intelligible : mais pour ce qui est de *peindre*, elle n'y peut arriver. Rapprochons-la de Chateaubriand : elle a compris la campagne romaine, elle nous dit clairement ce dont Chateaubriand nous donne la sensation intense[1]. Elle quitterait

---

1. Comparez *Corinne*, l. I, ch. v, et l. V, ch. i, avec la *Lettre à M. de Fontanes.*

la vue de la baie de Naples et du Vésuve pour aller causer dans une chambre avec un ami. L'art antique ne lui dit rien; comparez encore les descriptions de *Corinne* à certains passages des *Martyrs* et de l'*Itinéraire* : ici les visions d'un artiste puissant, là les notes d'un touriste curieux. Elle n'a pas de « sensations d'art » : ce qui l'attache, ce sont les souvenirs historiques, les idées auxquelles les choses servent d'appui ou d'occasion. Ou bien encore, c'est la signification sentimentale des œuvres d'art, des ruines, des paysages : *Corinne* est tantôt un *guide* exact et sec, tantôt un rêve lyrique. Dans ce voyage d'Italie, l'art italien lui échappe : elle raisonne froidement, rapidement sur la peinture et la sculpture; mais vraiment de Brosses et Dupaty [1] en parlaient mieux. En littérature, son goût et sa faculté de comprendre se satisfont en raison inverse de la beauté formelle et de l'objectivité, en raison directe de la richesse sentimentale et de la subjectivité. Elle ne comprend pas la littérature grecque, elle ne comprend pas notre littérature du XVIIe siècle; elle se satisfait au contraire complètement dans les littératures du Nord, si métaphysiques et si lyriques, si subjectives de sens et si irrégulières de forme.

Et de là le peu de valeur esthétique de son œuvre. Elle n'a pas l'invention artistique : dans *Delphine* et dans *Corinne*, tout ce qui n'est pas autobiographie sentimentale ou connaissance positive, est médiocre et banal. Ces romans ne valent que si l'on y cherche les passions et les idées de Mme de Staël : si on les considère dans leur objectivité d'œuvres d'art, ce sont de purs *poncifs*. Léonce et Delphine, Oswald et Corinne ne vivent pas, ils sont vagues et fades. Mais si, écartant ces pâles figures, on se croit en face de Mme de Staël, si on ne demande qu'à « causer » avec elle, on reprend du plaisir, surtout dans *Corinne*. Impuissante à créer, elle excelle à noter; et si elle a le style le moins artiste du monde, comme *écrivain d'idées* elle est supérieure. Ne lui demandons ni couleur ni énergie sensible, ni rythme expressif, ni *forme* en un mot : mais une parole agile, souple, claire qui forme d'ingénieuses combinaisons de signes, qui dégage avec aisance des idées toujours intéressantes, souvent nouvelles ou fécondes, voilà ce que Mme de Staël nous offre : son style, c'est de l'intelligence parlée.

2. LA POLITIQUE ET LA RELIGION DE Mme DE STAEL.

Si viril que soit son esprit, la femme en elle se retrouve par le peu de souci qu'elle a de systématiser sa connaissance ou ses idées, et par l'influence que la sensation, l'affection exercent à son insu sur ses conceptions les moins sentimentales.

En politique, elle fut constamment libérale, et là est l'unité de sa pensée. Mais il s'en faut que le développement de cette pensée ait été constant et uniforme. Ses intérêts de cœur ou d'esprit en rendirent la marche irrégulière et inégale. Une tendresse respectable pour son père a faussé sa vue des hommes et des choses : M. Necker devient le héros de la Révolution française, le centre où tout se ramène; et quand elle veut raconter son rôle, elle se trouve conduite à faire l'histoire de l'Europe, de Louis XVI à Napoléon : cette substitution de sujets lui semble nécessaire. Ses amis lui insinuent leurs convictions : elle en change, quand ils se renouvellent. Elle a débuté par adorer la monarchie anglaise : Benjamin Constant la convertit à la République des États-Unis. Elle juge les événements du point de vue de son amour-propre : le régime où elle pourrait parler librement, qui enverrait ses hommes d'État chez elle, qui ferait de son salon un Conseil officieux, n'aurait sans doute pas trop de mal à la gagner. En 1789, en 1795 et 1800, sous la royauté parlementaire, sous le Directoire, sous le Consulat, elle essaie de réaliser ce rêve, de placer chez elle le foyer et le centre de l'action gouvernementale.

Sa souple intelligence est comme paralysée par ses sympathies et ses ambitions : elle qui comprenait si bien et si vite tous les peuples, elle ne comprend pas la France révolutionnaire. De là ses illusions et ses mécomptes. De là l'insuffisance de ses *Considérations sur la Révolution*, où l'on trouve tant de jugements pénétrants et d'idées intéressantes : elle voit très bien beaucoup de détails, elle attribue trop aux individus, à leur action bonne ou mauvaise; mais d'où vient cette Révolution? qui l'a préparée? que transformera-t-elle ou que manifestera-t-elle? c'est ce que Mme de Staël ne dit pas. Elle donne des explications un peu courtes. Elle se restreint trop exclusivement aux considérations politiques : elle s'obstine à ne voir que des *constitutions*; tout ira bien, si l'on a la constitution anglaise, puis la constitution américaine, puis de nouveau la constitution anglaise. Et jamais cela ne va bien : c'est la faute de quelques hommes, ignorants et impatients en 1790, intrigants et ambitieux en 1795 et 1799, égoïstes et rancuniers en 1814 et 1815. Mais elle croit toujours que tout aurait été bien, facilement, par l'exacte application d'une constitution[1].

On peut dire qu'elle est la mère, ou du moins la marraine, du libéralisme parlementaire et doctrinaire. Elle modifie d'une curieuse façon la théorie de Montesquieu; on ne l'a pas assez

1. Disons pourtant qu'elle faisait appel à la bonne volonté des hommes. Un républicanisme large et généreux, exclusif de toute haine, et qui ne demandait le remède aux maux de la liberté que dans le développement des principes de liberté, respire dans ce livre des *Circonstances qui peuvent terminer la Révolution*, récemment publié, qu'elle n'eut pas le temps de terminer. Le *18 brumaire* la prévint (*11ᵉ éd.*).

remarqué. « La division du corps législatif, l'indépendance du
pouvoir exécutif, et avant tout la condition de propriété : telles
sont les idées simples qui composent tous les plans de constitution possible. » Le premier article et le troisième sont surtout
importants. Par le premier, l'existence de deux chambres est érigée
en dogme : avec le troisième s'introduit dans le régime parlementaire un esprit fâcheux, par lequel la classe bourgeoise déviera
la Révolution à son profit, et, substituant au privilège de la naissance le privilège de la fortune, fera de la haine ou de la peur de
la démocratie la première maxime d'une politique égoïste. Selon
Mme de Staël, « la fonction de citoyen accordée seulement à la propriété », c'est « l'idée à laquelle tout l'ordre social est attaché [1] ».
Si elle a raison, le suffrage universel aurait détruit le régime parlementaire, et mis en danger la propriété : mais alors cette
opinion justifierait les attaques des socialistes contre le « parle-
mentarisme bourgeois ». Cet article, en effet, résout la question
sociale par le droit politique et contre la démocratie. De cette
idée vient la facilité avec laquelle Mme de Staël a passé de la
monarchie à la république : elle fait de la conservation sociale,
identifiée à l'intérêt des propriétaires, l'objet principal du gouvernement; et ainsi, roi ou président, peu importe ce que sera
l'exécutif, pourvu que ceux qui possèdent soient protégés contre
la masse des « hommes qui veulent une proie », et que « tous
leurs intérêts portent au crime », dès qu'on leur permet d'agir.

Il ne faut pas méconnaître que Mme de Staël a été inspirée dans
son libéralisme par un ardent amour de l'humanité, par un désir
généreux de liberté, de justice et d'égalité, par une bonté large,
dont les libéraux et les doctrinaires ne se sont pas toujours inspirés. Mais je ne sais ce qui a offusqué son clair esprit, retenu son
âme affectueuse : elle qui savait, dans la Russie de 1812, deviner,
aimer le moujik, elle n'a regardé, compté en France que les classes
supérieures. Elle n'a institué qu'une doctrine étroite, égoïste. Je
ne sais si ce n'est pas un mauvais tour que lui a joué son trop
sociable esprit : elle n'admet à partager les bénéfices de la Révolution que les gens bien élevés, les « messieurs » qu'on peut recevoir dans un salon. C'est l'aristocratie des mains gantées [2].

---

1. *Réflexion sur la paix intérieure* (1795), 2ᵉ part., ch. I.

2. Elle écrit au début de sa *Littérature* ces lignes funestes : « L'égalité politique,
principe inhérent à toute constitution philosophique, ne peut subsister que si vous
classez les différences d'éducation avec encore plus de soin que la féodalité n'en
mettait dans ses distinctions arbitraires ». Il y a là en germe la lutte des classes;
et ce conseil porte la bourgeoisie libérale à répéter la faute de la noblesse pri-
vilégiée du xviiiᵉ siècle. Cela aboutit à rendre suspect au peuple l'homme bien élevé
autant que le propriétaire et le capitaliste : il sent peut-être plus le mépris qui le tient
la distance, que la richesse dont il est exclu.

Quant à la religion, Mme de Staël a commencé par l'indifférence, par le voltairianisme : elle n'a pas du tout l'accent religieux de Rousseau. Ce qui lui fera comprendre Rousseau, ce seront les Allemands : elle deviendra, dix ans avant sa mort, une chrétienne fervente, hors de toute église et de toute confession : le duc de Broglie définira son état « un latitudinarisme piétiste », c'est-à-dire un protestantisme libéral, très indépendant, très peu théologique, plutôt mystique; cette religion est à la fois très rationnelle et très sentimentale. Toute son âme s'intéresse dans sa croyance, et la crise d'où elle sort « convertie » l'achève plutôt qu'elle ne la change. Son acte de foi est un acte hardi d'idéalisme romanesque : elle objective son enthousiasme. Dieu lui est nécessaire, afin que son effort vers le bonheur n'ait pas été vain. Dieu, en son infinité, est bien cet objet d'amour infini qu'elle a cherché à travers tant d'expériences douloureuses. Puis elle s'est aperçue que sa philosophie était insuffisante : que l'art d'ennoblir la vie par des passions nobles n'était pas une règle suffisante de vie, que le plaisir, même le plaisir de la pitié, n'était pas la vertu ni un fondement solide de vertu; et Kant lui a offert son postulat du devoir. Mais, en femme qu'elle reste toujours, l'impératif catégorique ne peut rester en elle à l'état de commandement intérieur, abstrait et formel : il faut qu'il se réalise; et du devoir, Mme de Staël passe à Dieu. Du jour où son esprit au-dessus du sentiment, conçoit la loi morale, elle est chrétienne. Et la foi, chez elle, donne satisfaction à la raison : Dieu est pour elle la lumière qui éclaire l'univers et la rend intelligible. Dieu donnait à son esprit l'infini de la science comme à son cœur l'infini de l'amour.

3. IDÉES LITTÉRAIRES DE Mme DE STAEL.

Le rôle de Mme de Staël, en littérature, fut de comprendre, et de faire comprendre. S'adressant à l'intelligence de ses contemporains, elle l'oblige à s'instruire, elle lui apporte des idées qui l'élargissent; elle légitime par toute sorte de fines considérations les aspirations nouvelles dont les âmes étaient tourmentées, et auxquelles le goût traditionnel refusait le libre passage dans la littérature. Elle pose ainsi les principes d'un goût nouveau, conforme aux nouveaux états de sensibilité dont nous avons parlé.

L'ouvrage intitulé *De la littérature considérée dans ses rapports avec les institutions sociales* (1800) est un curieux livre, confus, plus clair dans le détail que dans l'ensemble, naïf parfois jusqu'à la puérilité, mais, à tout prendre, original, suggestif, un livre intelligent enfin : il y a des chefs-d'œuvre auxquels on hésiterait à donner cette simple épithète. Il y aurait fort à dire sur le dessein philosophique de l'essai : Mme de Staël entreprend de prouver, ou du moins affirme avec constance que *la liberté, la vertu, la gloire, les lumières ne sauraient exister isolément* : elle tient pour acquis que les grandes époques littéraires sont des époques de liberté. Mme de Staël prétend aussi, « en parcourant les révolutions du monde et la succession des siècles », manifester la loi de « la perfectibilité de l'espèce humaine ». Elle « ne pense pas que ce grand œuvre de la nature morale ait été jamais abandonné ; dans les périodes lumineuses, comme dans les siècles de ténèbres, la marche graduelle de l'esprit humain n'a jamais été interrompue ». Comme on voit, c'est la thèse de Perrault qu'elle reprend dans toute sa largeur. Et cela la mène aux mêmes raisonnements forcés, aux mêmes jugements arbitraires. Elle affirme, en vertu de sa thèse, l'infériorité des Grecs, qu'elle ne connaît pas, à l'égard des Romains, qu'elle ne connaît guère. Naturellement elle reprend l'idée de la supériorité du siècle de Louis XIV sur le siècle d'Auguste ; nous avons vu Boileau même la concéder. Mais elle fait un pas de plus, un pas décisif : les littératures modernes sont des littératures chrétiennes, et la littérature française s'est placée dans des conditions désavantageuses en s'imposant les formes et les règles des œuvres anciennes et païennes. Il y a des littératures qui, mieux que la nôtre, ont rencontré les véritables conditions de la beauté littéraire, parce qu'elles ont été franchement nationales et chrétiennes.

Nous voici conduits au principe nouveau, large, fécond, dont Mme de Staël a voulu donner la démonstration par son livre, et qui contient tout le développement postérieur de la critique : « Je me suis proposé, dit-elle, d'examiner quelle est l'influence de la religion, des mœurs, des lois sur la littérature, et quelle est l'influence de la littérature sur la religion, les mœurs et les lois.... Il me semble que l'on n'a pas suffisamment analysé les causes morales et politiques qui modifient l'esprit de la littérature.... En observant les différences caractéristiques qui se trouvent entre les écrits des Italiens, des Anglais, des Allemands et des Français, j'ai cru pouvoir démontrer que les institutions politiques et religieuses avaient la plus grande part à ces diversités constantes. » Il semble qu'elle ne tienne pas trop, pour la poésie, à sa doctrine du progrès, et qu'elle se contente de constater des différences : si c'est sa pensée, la correction est heureuse. Cherchant donc des différences, elle classe les littératures en littératures du Midi, en littératures du Nord, Homère d'un côté, Ossian de l'autre : d'un côté Grecs, Latins, Italiens, Espagnols, xviie siècle français ; de l'autre, Anglais, Allemands, Scandinaves. Elle aime dans les littératures du Nord la mélancolie, la rêverie, l'exaltation dans la tristesse,

« le sentiment douloureux de l'incomplet de la destinée », la position des problèmes métaphysiques dans les âmes angoissées. Comme elle n'est pas artiste, elle voit dans la perfection artistique presque un inconvénient, une infériorité : la beauté formelle lui rend plus difficile à saisir la personnalité de l'œuvre.

Ainsi à l'idéal absolu de Boileau se trouve substituée une pluralité de types idéaux, relatifs chacun au caractère national et au développement historique de chaque peuple : la tyrannie des règles éternelles est rejetée. Au reste, Mme de Staël est encore fort modérée. Elle condamne, dans les littératures du Nord, dans Shakespeare même, le manque de goût, le pathétique ou le merveilleux matériels ou grossiers, etc. Elle professe encore que « la poésie est de tous les arts celui qui appartient de plus près à la raison ». Mais elle essaie de persuader à l'esprit français qu'il peut admettre l'essentiel de Shakespeare, *le recevoir*, si l'on veut, à *correction*, y trouver à s'éclairer ou se réjouir. Avec sa lucide intelligence, elle parle des Anglais et des Allemands comme personne encore n'en avait parlé chez nous; elle laisse à leurs œuvres la coupe et l'aspect étrangers. Mais ce ne sont en somme que des indications sommaires : quand elle aura deux fois visité l'Allemagne, quand elle aura inventorié quelques-unes des meilleures têtes allemandes, elle nous donnera des jugements bien plus réfléchis, plus approfondis, plus lumineux.

Le livre de *l'Allemagne* (1810) est vraiment un beau et fort livre, si on ne cherche dans un livre que de la pensée : c'est le livre par lequel Mme de Staël vivra. Il se divise en quatre parties : 1° *De l'Allemagne et des mœurs des Allemands*; 2° *De la littérature et des arts*; 3° *La philosophie et la morale*; 4° *La religion de l'enthousiasme*. Les deux premières parties se rapportent plus étroitement à l'Allemagne; elles sont plus précises, plus objectives en un sens, d'un intérêt plus général et plus efficace : la seconde fonde la critique romantique.

Mme de Staël a vu une Allemagne sentimentale, rêveuse, loyale, sincère, fidèle, un peuple de doux métaphysiciens sans caractère, sans patriotisme, impropres à l'action, capables d'indépendance, et non de liberté. Cette Allemagne, qui n'est pas celle de Henri Heine, qui n'est pas celle dont nous avons eu la révélation en 1870, a été vraie à une certaine date : ce qui nous intéresse ici, c'est que, malgré Henri Heine, elle est restée jusqu'en 1870 l'Allemagne de nos littérateurs et de nos artistes. Ici encore, la formule que Mme de Staël a réussi à fixer, est celle d'un type étranger : elle nous a fourni pour soixante ans un *poncif*, dont l'adoption est un hommage à la liberté de son esprit cosmopolite. Dans cette peinture de l'Allemagne, elle insiste beaucoup sur un caractère dont l'importance est de premier ordre pour la littérature : en France, la vie de société absorbe tout l'homme ; l'Allemand n'est pas homme du monde, pense plus qu'il ne cause, et préserve son originalité. Puisque le rapport est étroit entre la littérature et les mœurs, cette différence devra produire en Allemagne et en France des littératures tout à fait dissemblables.

Dans sa seconde partie, Mme de Staël reprend son idée de l'opposition du Nord et du Midi : et cette fois, elle la caractérise par les mots qui ont fait fortune : le Nord est romantique et le Midi classique. Elle affirme que « la littérature romantique est la seule qui soit susceptible encore d'être perfectionnée, parce qu'ayant ses racines dans notre propre sol, elle est la seule qui puisse croître et se vivifier de nouveau : elle exprime notre religion ; elle rappelle notre histoire... ; elle se sert de nos impressions personnelles pour nous émouvoir [1] ». Et dans ces phrases fécondes vous voyez se lever l'idée du romantisme français avec ses effusions pseudo-chrétiennes, ses restitutions historiques, et son individualisme lyrique. Cette fois, Mme de Staël a tout à fait échappé au goût du XVIIIe siècle : elle ne veut plus y faire rentrer ce qu'elle admire, elle veut y substituer un idéal nouveau. Elle dispute finement sur la différence du bon goût de la société et du bon goût de la littérature : elle montre que l'un est essentiellement négatif, et que l'autre est funeste, s'il ne contient un élément positif ; elle affranchit ainsi tout à fait l'art littéraire des convenances mondaines.

On voit qu'elle a beaucoup causé avec des hommes qui étaient au courant des plus récentes découvertes, des hypothèses les plus hardies de la philologie ou de l'histoire. Elle dit un mot sur l'épopée, de façon à ruiner l'idée française, née à la Renaissance, que l'épopée est un roman allégorique et mythologique : l'*Iliade* et l'*Odyssée* n'étaient originairement que des contes de nourrice.

Par l'Allemagne, elle arrive à comprendre, presque à sentir la poésie, poésie de la nature et poésie de l'âme. Elle est trop mondainement aristocrate pour ne pas être effarouchée de *Hermann et Dorothée*, de *Guillaume Tell*, trop réfractaire à l'art objectif pour ne pas goûter froidement *Iphigénie*. Elle entend, elle aime surtout ce qui est complexe, ce qui alimente la pensée, exerce l'intelligence en émouvant l'âme : le sentiment imprégné de philosophie. Lessing, Herder, Schlegel la captivent : la richesse symbolique et pathétique du premier *Faust* la transporte.

Mais, bien Française en cela, elle porte son effort principal sur le théâtre. Elle ruine les unités, en plaçant ailleurs la vraisemblance ;

1. Chap. XI.

elle recommande les sujets historiques; elle goûte le mélange du lyrique au dramatique : « Le but de l'art n'est pas uniquement de nous apprendre si le héros est tué, ou s'il se marie ». Avec Shakespeare, à qui elle revient toujours, elle offre pour modèles Schiller et Gœthe, dont elle étudie longuement les œuvres. On peut dire que ces chapitres de Mme de Staël ont décidé de la forme et des intentions du drame romantique.

Elle secoue énergiquement le joug des règles. « Les uns déclarent que la langue a été fixée tel jour de tel mois, et que depuis ce moment l'introduction d'un mot nouveau serait une barbarie. D'autres affirment que les règles dramatiques ont été définitive-ment arrêtées dans telle année, et que le génie qui voudrait main-tenant y changer quelque chose a tort de n'être pas né avant cette année sans appel, où l'on a terminé toutes les discussions littéraires passées, présentes et futures. Enfin dans la métaphysique surtout, l'on a décidé que depuis Condillac on ne peut faire un pas de plus sans s'égarer [1]. » Voici Cousin même introduit par ce dernier article. Ainsi révolte générale de l'individualité contre les règles qui la compriment et les formules qui la contrarient : nous sommes en pleine insurrection.

Le rêve de Mme de Staël, c'est une littérature européenne, un concert où chaque nation apporterait sa note originale, un com-merce aussi où chaque nation s'enrichirait de ce qu'elle ne saurait produire. Le passage est curieux, d'autant qu'il relie l'*Allemagne* à l'idée maîtresse de *la Littérature* :

« Les nations doivent se servir de guides les unes aux autres, et toutes auraient tort de se priver des lumières qu'elles peuvent mutuellement se prêter. Il y a quelque chose de très singulier dans la différence d'un peuple à un autre; le climat, l'aspect de la nature, la langue, le gouvernement, enfin surtout les événements de l'histoire, puissance plus extraordinaire encore que toutes les autres, contribuent à ces diversités; et nul homme, quelque supé-rieur qu'il soit, ne peut deviner ce qui se développe naturellement dans l'esprit de celui qui vit sur un autre sol et respire un autre air : on se trouve donc bien en tout pays d'accueillir les pensées étrangères; car, dans ce genre, l'hospitalité fait la fortune de celui qui reçoit [2]. »

Le conseil était bon et pratique : nous nous en sommes aperçus plus d'une fois en ce siècle, nous autres Français. D'une façon générale, les grands courants de la littérature au XIXe siècle ont été des courants européens.

1. L. III, ch. VII.
2. L. II, ch. XXXJ.

CHAPITRE IV

CHATEAUBRIAND

1. Sa vie; enfance et formation du caractère. — 2. Caractère et esprit :
orgueil, rêve, ennui; médiocrité des idées : puissance d'imaginer
et de sentir. — 3. Le *Génie du christianisme* : son opportunité; faiblesse de l'idée philosophique et du raisonnement; comment l'ouvrage fut efficace. — 4. *Atala*, *René*, les *Martyrs*, l'*Itinéraire*. Conception générale des *Natchez* et des *Martyrs*. Le style et le goût
empire dans Chateaubriand. Manque de psychologie et d'objectivité. — 5. Les paysages de Chateaubriand : précision, couleur;
puissance de l'effet. — 6. Influence de Chateaubriand : le romantisme; la poésie lyrique; l'histoire.

1. VIE DE CHATEAUBRIAND.

Le 4 septembre 1768, naissait à Saint-Malo, dans la sombre rue
des Juifs, le chevalier François-René de Chateaubriand : le *mugis-
sement des vagues étouffa ses premiers cris, le bruit de la tempête berça
son premier sommeil*. Des neuf enfants nés avant lui, un frère et
quatre sœurs survivaient, lorsque *la vie lui fut infligée*. Il était
d'une branche cadette d'une famille ancienne de Bretagne, fils d'un
cadet qui, embarqué comme mousse, s'enrichit en Amérique par
d'assez rapides voies, que les *Mémoires d'outre-tombe* ne daignent
point expliquer.

Le petit chevalier, qu'on n'avait désiré que pour suppléer à la
perte possible de l'aîné, poussa comme il plut à Dieu, sur le pavé
de Saint-Malo, au bord des grèves, plus rudoyé que surveillé, polis-
sonnant tout le jour, rentrant au logis les vêtements en loques
et l'oreille parfois déchirée. Il reçut une instruction assez décousue,
aux collèges de Dol, de Rennes, de Dinan : on le destinait à l'état
de marin, puis il déclara vouloir être prêtre. Cependant il passait
ses vacances, et, lorsqu'il eut échappé aux collèges, il fit un long
séjour au triste château de Combourg; le paysage avec ses forêts,

ses landes, ses marais, était âpre et désolé ; le château était une
autre solitude, plus écrasante : le soir, après avoir couru dans la
campagne sauvage, le chevalier écoutait passer les heures, dans la
vaste salle à peine éclairée, que son père parcourait en silence
d'un pas invariable : puis il allait coucher dans une tourelle isolée,
tout seul, face à face avec les terreurs de la nuit. Sa compagnie,
sa joie, son amour, c'était sa sœur Lucile, nature exaltée, nerveuse,
avec qui il rêva de vies merveilleuses, de courses lointaines, et de
sensations toujours renouvelées.

Ainsi se forma, dans l'effroi de ce père farouche, dans l'ennui de
cette vie vide, dans l'amitié de cette sœur mal équilibrée, ainsi se
forma le Chateaubriand qui séduisit le monde : incapable de choisir
une action limitée, mais aspirant à tous les modes de l'action en
vue d'obtenir tous les modes de la sensation, fuyant le réel mesquin ou blessant pour s'enchanter de rêves grandioses et doucement amers, évitant surtout d'approfondir, d'analyser, ne demandant à la nature que des apparences où il pût loger ses fantaisies,
timide, orgueilleux, mélancolique, éternellement inassouvi et las.
Dans de rares lectures il ne cherchait pas une provision d'idées,
une extension de sa connaissance, un exercice de son jugement,
mais une direction de rêverie, des matières de sensations, des
modèles d'images. Des sermons de Massillon même, il tirait des
troubles et des plaisirs sensuels ; d'un amalgame de souvenirs
littéraires et de visages entrevus, il forma son idée de la femme,
un « fantôme d'amour » qu'il devait exprimer dans tous ses livres,
chercher en toutes ses amies.

Enfin il fallut choisir une carrière ; il choisit d'aller explorer
l'Amérique, de servir aux Indes : c'était le lointain, l'indéterminé.
Le père, sensément, substitua à ces vagues élans un très réel
brevet de sous-lieutenant au régiment de Navarre. Et voici le chevalier menant la vie de garnison, tâtant de Paris, présenté à la
cour, suivant, effaré, la chasse du roi, versifiant dans l'*Almanach
des Muses*. La Révolution éclate ; son père était mort : il réalise
un de ses rêves anciens, et débarque à Baltimore, en 1791 [1]. Le
prétexte était de chercher le passage du Nord-Ouest : il partait
sans études préalables, sans renseignements, sans préparatifs, en
touriste. Il alla au Niagara, descendit l'Ohio jusqu'à sa rencontre
avec le Kentucky : on peut croire, si l'on tient à lui faire plaisir [2],

1. Il partit vers le 10 avril, et se rembarqua le 10 décembre pour le Havre, où il
arriva le 2 janvier 1792.
2. Mais il ne faut pas lui faire ce plaisir. Il a beaucoup hâblé sur ce voyage
d'Amérique. M. Bédier a démontré qu'il n'avait pas eu matériellement le temps de
faire le trajet qu'il a prétendu avoir fait, et qu'il avait copié (à sa manière, en les
élevant au style) divers voyageurs (11e *éd.*). Cf. Bédier, *Études critiques*, 1903.

qu'il descendit le Mississipi et vit la Floride; les lambeaux de son
journal de voyage, mêlés d'extraits de ses lectures, laissent entendre
qu'il parcourut d'immenses espaces.

Rentré en France, il se laissa marier avec une fille riche, qui
fut plus tard une bonne et courageuse femme, toute dévouée au
grand homme sans illusion et sans effacement : mais d'abord les
événements les séparèrent. Le 15 juillet 1792, le chevalier de Chateaubriand crut se devoir à lui-même d'émigrer et de rejoindre
l'armée des princes : il servit sans illusion, sans fanatisme,
recueillant des impressions de la vie militaire, du service d'avant-
postes, de tout le détail extérieur, pittoresque ou poétique de la
guerre. Blessé au siège de Thionville, malade, il se traîne jusqu'à
Bruxelles, passe à Jersey, et de là en Angleterre, où il connaît la
misère affreuse, la faim aiguë. Un peu d'argent qui lui arrive de
sa famille, des travaux de librairie, des traductions, des leçons de
français qu'il donne (son orgueil s'est refusé à l'avouer)[1], le sauvent,
le font vivoter, pendant qu'il compose et fait imprimer son
indigeste *Essai sur les Révolutions* : c'est alors, et pour cet
ouvrage qu'il complète son instruction; il lit les historiens de
l'antiquité; surtout il se nourrit de Rousseau, de Montesquieu, de
Voltaire : il a encore l'esprit du siècle qui finit. La mort de sa
mère (1798), celle d'une sœur, le refont chrétien; il n'a pas besoin
de raisons pour croire; il lui suffit que la religion soit un beau,
un doux rêve; elle participera au privilège que tous les rêves de
M. de Chateaubriand possèdent, d'être à ses yeux des réalités.

Dès qu'il croit, il se prépare à combattre l'irréligion : il fait
commencer à Londres l'impression du *Génie du Christianisme*. Cependant la Révolution s'apaisait : il rentrait en France, détachait du
volumineux manuscrit où s'étaient entassées ses impressions amé-
ricaines, l'épisode d'*Atala* (1801) dont le succès était très vif, et
publiait en 1802 son *Génie*, qui semblait donner à la fois un chef-
d'œuvre à la langue et une direction à la pensée contemporaine.
Autour du grand homme se formait un petit groupe d'amis discrets et dévoués : Fontanes, pur et froid poète, Joubert [2], penseur
original et fin, tous les deux utiles conseillers, sans envie et sans
flatterie; et puis ces femmes exquises, dont Chateaubriand humait
le charme, l'esprit, l'admiration, faisant passer ces « fantômes

---

1. Cf. Lebraz, *Chateaubriand professeur de français*, Revue de Paris, 1907.
Au pays d'exil de Chateaubriand, *ibid.*, 1908; Dick, *le Séjour de Chateaubriand en
Suffolk*, Revue d'Hist. litt., 1908. J. Deschamps, *Ch. en Anglet.*, 1934.

2. Joubert (1754-1824) inspecteur général de l'Université. Il avait l'esprit fin,
chercheur, cet esprit qui souvent fatigue le lecteur, parfois aussi l'illumine. *Pensées*, éd. Giraud, 1909; *Carnets*, éd. Mme et A. Beaunier, 1937; *Corresp. avec
Fontanes*, éd. R. Tessonneau, 1943. — Cf. R. Tessonneau, *J. éducateur*, 1944.

d'amour » à travers son ennui, sans se douter assez que c'étaient
là des êtres de chair et de sang qui le berçaient dans leur angoisse :
Mme de Beaumont, Mme de Custine, Mme de Mouchy.

Bonaparte le vit, et voulut en décorer la France qu'il recons-
truisait : Chateaubriand se prêta au bien qu'un autre grand homme
lui voulait; il se laissa nommer premier secrétaire à l'ambassade
de Rome, puis ministre dans le Valais. Le duc d'Enghien est fusillé :
il envoie sa démission le 20 mars 1804; et bientôt, ayant formé le
dessein des *Martyrs*, il part pour l'Orient (1806), il visite la Grèce,
Jérusalem, il revient par Carthage et Grenade. A peine rentré, il
se rappelle à Napoléon par un article du *Mercure*, qui fait supprimer le journal. Il imprime ses *Martyrs* (1809) et bientôt l'*Itinéraire*. Son cousin Armand de Chateaubriand, fusillé en 1809 comme
agent royaliste, et qu'il n'a pu sauver, le rend plus irréconciliable
à l'empire; quand l'Académie l'a élu, il écrit un discours que
Napoléon ne consent pas à laisser prononcer (1811).

A cette date la vie littéraire de Chateaubriand est finie : sa vie
politique va commencer[1]. Ambassadeur, ministre, polémiste, il servira à sa mode la Restauration, sans complaisance pour la royauté,
méprisant pour les courtisans, gênant pour les ministres, dédaignant d'allonger la main pour saisir le pouvoir, voulant mal de

---

1. Voici les principaux faits : 1814, *De Bonaparte et des Bourbons*, brochure
écrite avant l'abdication; 1815, il suit Louis XVIII à Gand, et il est ministre de
l'intérieur par intérim; la seconde Restauration le fait pair de France; 1816, il
publie la *Monarchie selon la Charte*, dont l'édition fut saisie, après quoi l'auteur
fut rayé de la liste des ministres d'État et sa pension supprimée (elle lui fut rétablie en 1821); 1818, il fonde le *Conservateur*; 1821, il devient ambassadeur à Berlin,
puis à Londres; 1822, il représente la France au Congrès de Vérone; 1823, ministre
des affaires étrangères, il fait décider la guerre d'Espagne; 1824, il est renvoyé
du ministère; 1828, sous le ministère Chabrol et Martignac, il va en ambassade
à Rome, et donne sa démission au ministère Polignac. Il donne sa démission de
pair de France en 1830. Ayant distribué 12 000 francs aux victimes du choléra de
la part de la duchesse de Berry, il fut arrêté et emprisonné. En 1832, il fut poursuivi devant le jury, qui l'acquitta, pour son *Mémoire sur la captivité de la duchesse,*
Des embarras d'argent le contraignirent à *hypothéquer sa tombe*, c.-à-d. de vendre
à une société la propriété de ses *Mémoires* qui ne devaient paraître qu'après sa
mort.

Éditions : *Atala*, 1801 (éd. G. Chinard, 1930); *Génie du Christianisme*, 1802;
Atala et *René*, 1805 (éd. G. Chinard, 1930, A. Weil, 1935); *Voyage au Mont-
Blanc*, 1806 (éd. G. Faure, 1920); *les Martyrs*, 1809; *Itinéraire de Paris à Jérusalem*, 1811 (éd. E. Malakis); *Œuvres complètes* (contenant la 1re éd. des Natchez),
1826-31, éd. Garnier, 1859-61; *Aventures du dernier Abencérage*, 1826 (éd. P. Hazard et M. J. Durry, 1926); *Vie de Rancé*, 1844 (éd. Bossard, 1923); *Mémoires
d'Outre-Tombe*, 1848-1850 (éd. E. Biré, 1898-1900, E. Biré et P. Moreau, 1947,
M. Levaillant et G. Moulinier, 1948, M. Levaillant, 1948); *Corresp. générale*, éd.
Thomas, 1912-25; *Lettres à la comtesse de Castellane*, éd. comtesse J. de Castellane,
1927; *Corresp. inéd. avec Neyde de Neuville*, éd. M.-J. Durry, 1929; *Lettres à Mme*

mort à tous ceux qui le saisissent, et portant de rudes coups parfois au régime qu'il prétend servir. Après 1830, il s'estima lié à
la dynastie légitime par un devoir d'honneur. Il méprisait l'orléanisme, ses princes, sa politique, ses appuis : égoïsme partout et
matérialisme. Il se plut à prédire, à remarquer l'essor de la démocratie qui allait venger la légitimité. Il acheva sa vie dans une
noble attitude, en grand homme désabusé. Il mourut le 4 juillet
1848 : il avait pris ses mesures à l'avance pour être enterré près
de Saint-Malo, sur la pointe du rocher du Grand-Bé; il voulait
dormir du sommeil éternel au bruit des mêmes flots qui avaient
bercé son premier somme, séparé même dans la mort de la commune humanité, et visible, en son isolement superbe, à l'univers
entier.

2. LE CARACTÈRE ET L'ESPRIT.

M. de Chateaubriand est une âme solitaire : il l'est et par nature
et par éducation et par vocation artistique. Dans une âme solitaire,
il y a d'abord presque toujours une personnalité féroce, incapable
de se limiter, de se subordonner, de renoncer à soi. La bizarre
enfance de Chateaubriand l'a accoutumé à ne rien compter
au-dessus de son sentiment propre. Il ignorera toujours la douceur
de se donner et de se dévouer. Il aura des tendresses délicieuses :
il aimera ses amitiés et ses amours, c'est-à-dire lui-même ami et
amant, infiniment plus que ses amis ou ses aimées; il s'aimera

Récamier pendant son ambassade à Rome, éd. E. Beau de Loménie, 1929; *Amour
et Vieillesse*, éd. V. Giraud, 1922; *Lettres à Mme Récamier*, éd. M. Levaillant et
E. Beau de Loménie, 1951. — **A consulter** : Sainte-Beuve, *Ch. et son Groupe littéraire sous l'Empire*, 1860 (éd. M. Allem, 1948); De Lescure, *Ch.* 1892; F. Brune-
tière, *Évolution de la Poésie lyrique*, I, 1894; E. Faguet, *XIXᵉ s.*; G. Bertrin,
Sincérité religieuse de Ch., 1900; E. Herriot, *Mme Récamier et ses Amis*, 1904;
V. Giraud, *Ch.*, *Études littéraires*, 1904, *Nouvelles Études sur Ch.*, 1912; *Le Chris-
tianisme de Ch.*, 1925-28; A. Cassagne, *Vie politique de Ch.*, 1911; J. Lemaitre,
Ch., 1912; G. Chinard, *Exotisme américain dans l'œuvre de Ch.*, 1918; G. Lanson,
L'Art de la Prose, 1908; Comtesse de Saint-Roman, *Le Roman de l'Occitanienne
et de Ch.*, 1925; P. Moreau, *Ch., l'homme et la vie, le génie et les livres*, 1927, *Conver-
sion de Ch.*, 1933; E. Beau de Loménie, *Carrière politique de Ch.*, 1929; Y. Le
Febvre, *Le Génie du Christianisme de Ch.*, 1929; Dr Le Savoureux, *Ch.*, 1930;
A. Dollinger, *Études historiques de Ch.*, 1932; M.-J. Durry, *Vieillesse de Ch.*, 1933;
H. Gillot, *Ch., ses idées, son action et son œuvre*, 1934; M. Levaillant, *Ch., Mme Ré-
camier et les Mémoires d'Outre-Tombe*, 1936, *Splendeurs et Misères de Ch.*, 1948;
Ph. A. Vincent, *Idées politiques de Ch.*, 1937; M. Duchemin, *Ch.*, 1938; A. Maurois,
Ch., 1938; F. Brunot, *Hist. de la Langue fr.*, X, 1943; L. Martin-Chauffier, *Ch. ou
l'Obsession de la Pureté*, 1944; G. Faure, *Ch.*, 1946; M. Robida, *Ch.*, 1948; E. Her-
riot, *XIXᵉ s.*, I, *Autour de Ch.*, 1948; *Ch., le Livre du Centenaire* 1948; Martial-
Piéchaud, *Ainsi vécut Ch.*, 1951.

effrénément dans l'image splendide que d'ardentes affections lui renverront de son être : une de ses voluptés choisies fut de se mirer dans un cœur qu'il remplissait. Il servit la cause des Bourbons avec désintéressement; mais il appartient à Chateaubriand d'avoir le désintéressement égoïste : il sert pour l'honneur, ce qui revient, dans la pratique, à se détacher du succès de la cause, à se satisfaire des actes ou des gestes qui dégagent son honneur. Services, fidélité, présence au jour du danger, absence au jour des récompenses, toute cette réelle noblesse de sa conduite, il ne la donne pas à la légitimité, pour aider au triomphe de la justice, il se la donne à soi-même, pour agrandir sa personnalité. Il donne libéralement des attitudes magnifiques, des renoncements hautains, de fières inactions : tout un dévouement stérile et décoratif.

L'orgueil est le fond de Chateaubriand : on le retrouve dans toutes les manifestations de son être. Peu porté et peu exercé à observer, n'ayant dans ses longues journées de Combourg presque point de créatures humaines à voir, sensible aux dehors surtout, il ne connaîtra guère des autres que les masques et les silhouettes. Lui, il se voit par le dedans, il plonge en son fond, il sent immédiatement ses émotions et ses désirs. Presque jusqu'à son entrée dans la vie politique, il n'est pas mis dans la nécessité d'étudier son semblable, de le pénétrer, d'y saisir les mobiles, les ressorts, les modes d'action : et alors il sera trop tard pour faire le métier de psychologue. A cette date le pli est pris. Il s'est concentré : un seul homme l'intéresse, qui est M. de Chateaubriand. Comme il sent en soi, et ne sent pas en autrui les passions humaines, il s'estime différent, unique, donc supérieur. Il n'y a que lui qui ait ces joies, ces douleurs, ces désirs, ces dégoûts. Personne n'aura plus que lui ce que M. Faguet appelle « le grain de sottise nécessaire au lyrique moderne » : la persuasion qu'il ne se passe rien en lui qui n'intéresse l'univers, ou qui se passe comme ailleurs dans l'univers. L'orgueilleux enfantillage de son pessimisme a même source : il croit pleurer des larmes que nul homme n'a pleurées, pour des plaies dont nul homme n'a saigné. Le mal qui est dans la création, il ne le sent que dans son éphémère personne, et se croit la victime élue entre les créatures pour la souffrance [1].

M. de Chateaubriand eut tous les orgueils, depuis l'orgueil vertu jusqu'à l'orgueil sottise. Sa démission après la mort du duc d'Enghien, son dépouillement en 1830, sa fidélité gratuite aux Bourbons, voilà l'orgueil vertu. L'orgueil l'a élevé au-dessus de la niaise rancune des émigrés. Il se pique de rendre justice à Napoléon : il le mesure dans sa hauteur. Mais lisons les *Mémoires d'outre-tombe*;

---

1. La *Préface* de l'éd. de 1826 est un curieux document de cet orgueil.

ce titre, *Bonaparte et moi sous-lieutenants ignorés*, cette phrase, *mon article remua la France*, cette autre, *ma brochure* (De Buonaparte et des Bourbons) *avait plus profité* à Louis XVIII *qu'une armée de cent mille hommes*, cette autre, *ma guerre d'Espagne était une gigantesque entreprise*, cette autre encore, *j'avais rugi en me retirant des affaires*, M. *de Villèle se coucha* : voilà l'orgueil sottise. Il y a quelque chose de risible dans la gravité de cette question, qui revient à la fin de maint chapitre : *Et si j'étais mort à ce moment-là; s'il n'y avait pas eu de Chateaubriand? quel changement dans le monde!*

L'orgueil le prémunit contre l'ambition. Il voulait être au pouvoir : il ne voulait pas le demander, ni descendre aux moyens de l'obtenir. Il ne voulait rien devoir qu'à l'ascendant de son nom et de son génie. Il attendait dans son coin qu'on lui offrît le monde; il enrageait d'attendre, mais il n'eût pas allongé la main pour le saisir. L'orgueil guérit les mécomptes de sa vie politique : quand on ne lui donnait rien, *si je voulais*, disait-il; quand on lui avait retiré, *si j'avais voulu*; et la certitude qu'il avait pu tout prendre, tout garder, et qu'il avait tout méprisé, le consolait. Il n'avait pas l'étoffe d'un ambitieux : il ne savait pas mettre l'orgueil bas.

Cet orgueil sans limite s'accompagnait d'un manque absolu de volonté : effet, ou cause, ou l'un et l'autre. Il a rêvé, désiré, jamais voulu : s'il était originellement capable de vouloir, je l'ignore, mais on ne l'a pas exercé à vouloir; on l'a tantôt contraint, le plus souvent lâché, abandonné à la folie de ses impulsions spontanées. Je ne crois pas qu'il y ait à tirer de sa vie un seul acte de volonté : des élans d'instinct, des sursauts de passion, tout au plus. Son action est surtout négative : elle consiste en général à choisir des modes d'inaction. La réserve dédaigneuse de son orgueil, dans la quête du pouvoir, le dispense d'exercer sa volonté, de choisir des voies où il engagera son effort : elle couvre superbement un éternel *rien faire*. Il n'est volontaire à aucun degré : pas même impulsif. Il n'est pas de ceux que l'exaltation des sentiments sollicite aux actes. Toute son énergie fuse en idées et en rêves.

Nul n'a plus vécu par l'imagination : son orgueil et son inertie y trouvaient également leur compte. La réalité ne se laisse pas pétrir à notre gré; et il faut une rude main, une âpre volonté, pour lui imposer l'apparence qui nous flatte. Il y a dans cette lutte, même quand elle se termine par notre succès, de durs moments pour l'amour-propre; la victoire est toujours partielle et passagère : elle coûte à l'orgueil et ne le satisfait guère. Chateaubriand, dès l'enfance, trouva dans le rêve d'immédiates et d'absolues jouissances, des conquêtes faciles et complètes; il se fit un monde en idée, et se sentit maître du monde. Il se donna toutes les joies, toutes les grandeurs, sans avoir besoin de personne : et il se sentit au-dessus de l'humanité. Son orgueil et son imagination l'emportèrent dans l'infini.

Que peut-il sortir de tout cela? Une poignante sensation de vide, un long bâillement, un ennui sans mesure. Chateaubriand avait attaché toute sa vie à son *moi*. Il avait pris pour fin la sensation, et non l'action. Il demandait la jouissance au rêve, et non à la réalité. Mais la sensation s'émousse; il faut la renouveler sans cesse. Le rêve atteint en un moment, épuise aussitôt la jouissance : il dispose de l'infini, mais il faut qu'il crée incessamment des infinis nouveaux. Renonçant à réaliser dès qu'il avait rêvé, Chateaubriand retombait dans son néant, l'âme vide et désoccupée. L'éternelle adoration de son *moi* grandiose l'accablait à la longue . il n'y a que l'égoïsme actif qui soit un égoïsme content. L'égoïsme sensitif est triste. Chateaubriand passa dans la vie « chargé d'ennui », éternellement mélancolique, ne trouvant nulle part à fixer le vague, ou remplir le vide de son âme. Cette disposition devint une attitude; il la reporte, dans ses *Mémoires*, à l'instant même de sa naissance : « Je n'avais vécu que quelques heures, et la pesanteur du temps était déjà marquée sur mon front ».

Pour amuser sa douleur, il se plut à s'en exagérer les causes : son orgueil ne voulait pas avoir de communes misères. Il développa fantastiquement les contretemps, les disgrâces de sa vie, les succès aussi et les prospérités : dans toute la première partie des *Mémoires*, une disposition artistique fait alterner la lumière et l'ombre, l'éclat du présent et la tristesse du passé. Il amplifie ses expériences de la fragilité des choses, des caprices de la fortune, de l'injustice des hommes; il amplifie les effets et les retentissements de son génie. Il amplifiera même parfois ses passions, ses désirs, et il ne lui déplaira pas de paraître courbé sous un mystérieux remords. Il dramatise enfin toute son existence extérieure et intérieure sans pouvoir éteindre cette soif d'émotion qui le brûle. Et toujours la même plainte monte à ses lèvres, et toujours il recommence à « bâiller sa vie. »

A ce caractère était jointe une intelligence, en somme, distinguée. Il a eu de grandes prétentions au génie politique : si l'on doit en rabattre, il me paraît pourtant qu'il n'a pas été plus médiocre que bien des hommes d'État de la Restauration, dont le mérite politique est plus illustre parce qu'ils n'en avaient pas d'autre. Chateaubriand n'a pas mal compris la France et l'Europe de son temps. Il a écrit tel mémoire sur la question d'Orient qu'on citerait partout s'il était d'un diplomate de carrière. Il a mieux jugé que la plupart des conseillers de Charles X la situation créée par la Révolution : nécessité de rassurer les acquéreurs de biens nationaux, impossibilité de supprimer la presse, et nécessité, si

C'est un mal, de vivre avec ce mal. De cette intelligence résultait un libéralisme, relatif et limité, mais réel. Si, malgré ses prétentions, il n'a pas eu un rôle politique de premier ordre, la faute en est à son caractère et à son esthétique, qui l'ont écarté du pouvoir.

Il avait de l'esprit. Il a dessiné dans ses *Mémoires* d'amusantes silhouettes d'ambassadeurs, de ministres, de courtisans; le corps diplomatique à Rome est une jolie collection de grotesques lestement enlevés. Voici M. de Bourmont avec sa *physionomie spirituelle, son nez fin, ses beaux yeux doux de couleuvre.* Voici La Fayette toujours enchanté de promener sa figure populaire à travers les mouvements dont il n'était pas le maître : « il humait le parfum des révolutions ». Voici M. de Polignac : il « me jurait qu'il aimait la Charte autant que moi, mais il l'aimait à sa manière, il l'aimait de trop près ». L'anecdote de M. Violet, le maître à danser des sauvages, est tout à fait dans le goût de Diderot ou de l'abbé Galiani.

Mais l'intelligence et l'esprit restèrent toujours des parties secondaires de sa nature, tout à fait sous la domination du caractère et de l'imagination. Si l'on prend Chateaubriand hors de sa vie politique, hors des *Mémoires d'outre-tombe,* dans ses œuvres de création littéraire seulement, à peine le soupçonnera-t-on spirituel, et moins encore, peut-être, intelligent. Il nous paraît doué d'une singulière inaptitude à saisir les idées, à former des raisonnements. Son éducation, la vie à Combourg ne lui ont pas appris à penser. Il a lu Voltaire, Diderot, Rousseau, l'*Encyclopédie* : voilà d'où il tire toutes ses idées, par un très simple procédé de conversion : il tourne leurs affirmations en négations, et inversement. Il nie la perfectibilité indéfinie de l'humanité, la bonté de l'homme, le prix de la vie; il affirme la religion, l'impuissance de la raison, le mystère, le surnaturel. De raisonnement, il n'y en a pas, ni d'analyse, ni de vérification, ni d'appareil critique ou logique. Il ne s'est pas appliqué davantage à la psychologie; et là-dessus il a des ignorances, des conventions qui dépassent toutes celles des « philosophes ». En un mot, avec une intelligence au-dessus de la moyenne, il n'a que des idées médiocres, superficielles et surtout arbitraires. C'est que ses idées ne sont que des reflets, des prolongements de ses sentiments. En leur médiocrité, elles correspondent à des sentiments intenses, profonds, originaux. Il a eu les idées qui aidaient son humeur à se manifester.

En vertu même de ce caractère, la forme de l'intelligence, en Chateaubriand, n'est pas philosophique ou scientifique, mais artistique. Il produit des émotions et des images, non des idées : et il ordonne, il exprime ces émotions et ces images, non pas selon la loi du vrai, mais selon la loi du beau. On comprendra à

l'étude de ses chefs-d'œuvre que nous avons affaire, avant tout,
à un artiste.

3. LE GÉNIE DU CHRISTIANISME.

Le *Te Deum* qui célébrait la conclusion du Concordat fut chanté
le 18 avril 1802 : le même jour le *Moniteur* reproduisait l'article de
Fontanes sur le *Génie du Christianisme*, qui venait de paraître. Bonaparte et Chateaubriand semblaient s'unir pour relever la religion.
L'effet, à distance, est beau.

Il résulte pourtant de récents travaux que, dès 1795, sous le
régime de la séparation de l'Église et de l'État, le clergé avait
repris le culte public. Les clefs de Notre-Dame avaient été remises
à une société catholique, et 25 000 curés en 1796 desservaient
36 000 paroisses. Partout le peuple s'était porté avec empressement
à ses églises. Si Bonaparte donc ne fut pas le restaurateur du
culte, Chateaubriand ne fut pas le restaurateur de la foi. Il y a un
peu d'illusion dans la belle phrase qu'il écrit : « Ce fut au milieu
des débris de nos temples que je publiai le *Génie du Christianisme* ».
Il n'appartient guère, fût-ce à un livre de génie, de créer de pareils
courants : et, comme je l'ai dit de la *Satire Ménippée*, ces ouvrages
qui paraissent avoir brusquement retourné l'opinion, doivent leur
succès même à ce que l'opinion est déjà, plus ou moins secrètement, changée. Ils révèlent, enregistrent et consacrent. Ils aident,
si l'on veut, des tendances à se fixer, et donnent une impulsion
vigoureuse aux esprits dans une voie déjà ouverte.

Chateaubriand garde le droit de dire de son livre : « Il est venu
juste et à son heure ». Car le premier, avec éclat, il a signalé
l'orientation nouvelle du siècle qui commençait. Il y a plus : il est
très certain que le christianisme avait besoin d'être réhabilité. La
noblesse du XVIIIᵉ siècle était irréligieuse; la bourgeoisie qui se
piquait de « lumières » ne l'était pas moins. Un préjugé créé par
les philosophes faisait le christianisme barbare, absurde, ridicule,
il n'y avait que des petits esprits, des imbéciles pour y croire. Il
fallait créer un préjugé contraire, rassurer l'amour-propre du
Français, affranchir les classes éclairées de la peur du ridicule
attaché à la religion, la leur représenter respectable, décente et
belle. C'est ce que vit très bien Chateaubriand : et il réussit à
opérer cette conversion de préjugé.

Son dessein était de « prouver que, de toutes les religions qui ont
jamais existé, la religion chrétienne est la plus poétique, la plus
humaine, la plus favorable à la liberté, aux arts et aux lettres;
que le monde moderne lui doit tout;… qu'il n'y a rien de plus
divin que sa morale, rien de plus aimable, de plus pompeux que

ses dogmes, sa doctrine et son culte;... qu'elle favorise le génie,
épure le goût, développe les passions vertueuses, donne de la
vigueur à la pensée, offre des formes nobles à l'écrivain, et des
moules parfaits à l'artiste [1].... » Ce vaste dessein d'apologie se
développait à travers quatre parties : *Dogmes et doctrines, Poétique,
Beaux-Arts et Littérature, Culte.*

Au point de vue philosophique et logique, le *Génie du Christianisme* est singulièrement faible. On y trouve des raisonnements
étonnants, fondés sur une érudition plus étonnante encore. Chateaubriand dérive *foyer* de *foi*; et là-dessus nous fait admirer dans
la *foi* la source de toutes les vertus, de toutes les joies domestiques. Sur les difficultés de la chronologie universelle il élève la
certitude de la chronologie hébraïque avec une aimable aisance
qui fait sourire. Il a un chapitre prodigieux sur le rôle du serpent dans la chute de l'homme, et, nous racontant la rencontre
qu'il a faite d'un Canadien charmeur de serpents, il en tire une
induction en faveur de la vérité de l'Écriture. Il croit remarquer
qu' « on ne s'avise pas de peindre le *beau idéal* d'un cheval, d'un
aigle, d'un lion », et ce privilège de l'homme, seul *idéalisable*,
lui est une preuve de l'immortalité. Aux arguments baroques, il
mêle de rares maladresses. Il trouve la Trinité au Thibet, à
Otaïti; dans une dévotion populaire, il aperçoit une trace du
culte des Dieux *lares* : il croit donner des appuis à la religion par
ces rapprochements, et il ne se doute pas que, pour en ôter le
ridicule, il en ruine la divinité. Il va jusqu'à écrire : « Plus on
approfondira le christianisme, plus on verra qu'il n'est que le
développement des lumières naturelles, et le résultat nécessaire de
la vieillesse de la société [2] ». Voyez un peu où mène un beau
zèle! L'historien athée et déterministe ne parlerait pas autrement.

Les deux livres intitulés *Existence de Dieu prouvée par les merveilles de la nature*, et *Immortalité de l'âme prouvée par la morale et
le sentiment* [3] sont d'une incomparable candeur dans le maniement des preuves. Que les nids des oiseaux sont bien faits! *Donc
Dieu existe.* Certains oiseaux ont des migrations régulières. *Donc
Dieu existe* Le crocodile pond un œuf comme une poule. *Donc Dieu
existe* J'ai vu une belle nuit en Amérique. *Donc Dieu existe.* Un beau
coucher de soleil en mer. *Donc Dieu existe.* L'homme a le respect
des tombeaux. *Donc l'âme est immortelle.* Un père, une mère s'at-
tendrissent au bégaiement du nouveau-né. *Donc l'âme est immortelle.* « Nous penserions faire injure aux lecteurs en nous arrêtant

---

1. P. 1, l. I, *Introd.*
2. P. IV, l. I, ch. **VI**.
3. P. I, l. V et VI.

à montrer comment l'immortalité de l'âme et l'existence de Dieu se prouvent par cette voix intérieure appelée conscience [1] » : une citation de Cicéron par là-dessus, et voilà qui est fait. En vérité, cela est tout juste de la force de Bernardin de Saint-Pierre.

Mais voici qui n'est plus de Bernardin de Saint-Pierre : le Dieu dont parle Chateaubriand n'est pas le Dieu abstrait d'une idéologie, c'est le Dieu vivant du catholicisme. Et cette différence est immense. Les *Études* et les *Harmonies de la nature* n'étaient que puériles, au lieu que le *Génie du Christianisme* est puissant. Car, du moment qu'il s'agit du catholicisme et non du déisme, la démonstration baroque devient une association d'idées singulièrement efficace, lorsque du domaine de l'abstraction on passe aux réalités concrètes, lorsque l'on considère l'homme vivant, le Français de 1800. Celui-ci, par de lointaines héréditéss, par quarante ou cinquante générations d'aïeux chrétiens, par d'indéracinables souvenirs de jeunesse, par toutes les habitudes de sa civilisation, était catholique. Il avait cessé de l'être récemment : pour qu'il le redevînt, il y avait plutôt à ranimer qu'à démontrer la foi. Ainsi le procédé qui consiste à éveiller par des tableaux pittoresques ou pathétiques toutes les vagues religiosités endormies dans nos âmes, à escompter rapidement ces émotions au profit du catholicisme, avant qu'on ait eu le temps de se reconnaître, ce procédé, au point de vue pratique, s'est trouvé souverain : il répondait exactement au besoin en ne visant qu'à créer de nouvelles associations dans les âmes. Le christianisme était associé depuis un siècle à des idées ridicules, grossières, odieuses : le nouveau livre l'associait à des idées touchantes, grandioses, vénérables. Le courant se rétablissait entre l'idée du Dieu catholique desséchée au fond des cœurs et tous les éléments actifs de la vie morale : l'escamotage logique devenait une suggestion puissante.

Je ne sais si Chateaubriand a choisi librement ses moyens. J'ai peur que, s'il n'a pas prouvé plus solidement, ce n'ait été impuissance : car nous voyons Joubert le supplier de laisser là ses in-folio et décharger toute sa théologie. « Qu'il fasse son métier, écrivait-il, qu'il nous enchante [2]. » Faute de mieux, Chateaubriand s'y rabattit : il trouva le chemin des cœurs, parce qu'il suivit la méthode de son cœur. Cette communication entre le dogme catholique et toutes les parties vivantes de l'âme, il l'avait rétablie en lui-même : il offrait au public les remèdes dont il avait usé.

Mais, si la faiblesse philosophique du livre n'en empêcha point l'efficacité pratique, elle le condamnait à n'avoir qu'une efficacité momentanée. En un sens, Chateaubriand rétablissait la religion

·1. P. I, 1. VI, ch. ii.
2. Lettre du 12 sept. 1801. Toute la lettre est à lire.

sur une équivoque et un malentendu; il fondait la croyance sur des émotions de poète et d'artiste, et triomphait par un prestige qui éblouissait les esprits. De là ce qu'a eu de superficiel, de peu durable, d'insincère chez les uns, et d'un peu puéril chez les autres, le nouveau christianisme dont Chateaubriand a été l'apôtre. Il devait forcément tourner en cérémonie de bon ton ou en dilettantisme indifférent. Un siècle a passé, et, même dans le christianisme, surtout dans le christianisme, le chef-d'œuvre de Chateaubriand ne compte plus.

Il compte dans la littérature par deux titres considérables. Les tableaux d'abord. Tous ces chapitres d'une misérable argumentation sont les *impressions* d'un grand artiste. Paysages de Bretagne ou du Nouveau Monde, scènes maritimes, scènes religieuses, il y a là toute une suite de tableaux par lesquels le livre vivra, en dépit des idées [1]. Mais nous y reviendrons.

En second lieu, une poétique nouvelle apparaît dans le *Génie du Christianisme* [2]. Ce n'est pas que les *idées* littéraires de Chateaubriand valent beaucoup mieux que ses idées philosophiques. Il y a parfois d'étranges méprises dans les jugements qu'il porte sur les œuvres. Tout ce qui a été fait depuis Jésus-Christ dans la littérature et les arts est chrétien, œuvre du principe chrétien, et preuve de la vérité chrétienne. Il reconnaît des chrétiennes dans l'Andromaque et dans l'Iphigénie de Racine. Mais, la part faite aux erreurs de goût et de logique, il reste assez de vues originales et fécondes dans ces deux parties du *Génie du Christianisme*, pour faire du livre une date dans l'histoire de la critique et des doctrines esthétiques.

Tirer la conclusion définitive de la querelle des anciens et des modernes, montrer qu'à l'art moderne il faut une inspiration moderne (Chateaubriand disait chrétienne), ne pas mépriser l'antiquité, mais, en dehors d'elle, reconnaître les beautés des littératures italienne, anglaise, allemande, écarter les anciennes règles qui ne sont plus que mécanisme et chicane, et juger des œuvres par la vérité de l'expression et l'intensité de l'impression, mettre le christianisme à sa place comme une riche source de poésie et de pittoresque, et détruire le préjugé classique que Boileau a consacré avec le christianisme, rétablir le moyen âge, l'art gothique, l'histoire de France, classer la *Bible* parmi les chefs-d'œuvre littéraires de l'humanité, rejeter la mythologie comme *rapetissant la nature*, et découvrir une nature plus grande, plus pathétique, plus belle, dans cette immensité débarrassée des petites

1. Surtout dans les parties I et IV.
2. P. II et III.

personnes divines qui y allaient, venaient, et tracassaient, faire de la représentation de cette nature l'un des deux principaux objets de l'art, et l'autre de l'expression des plus intimes émotions de l'âme, ramener partout le travail littéraire à la création artistique, et lui assigner toujours pour fin la manifestation ou l'invention du *beau*, ouvrir en passant toutes les sources du lyrisme comme du naturalisme, et mettre d'un coup la littérature dans la voie dont elle n'atteindra pas le bout en un siècle : voilà, pêle-mêle et sommairement, quelques-unes des divinations supérieures qui placent ce livre à côté de l'étude de Mme de Staël sur l'Allemagne. C'était en deux mots la poésie et l'art que Chateaubriand ramenait à la place de la rhétorique et de l'idéologie : c'était le sentiment de la nature et l'inquiétude de la destinée qu'il offrait comme thèmes d'inspiration, pour remplacer la description des mœurs de salon et la mise en vers de toutes les notions techniques. Il n'avait pas la netteté de conception de Mme de Staël; ses idées étaient plus confuses, mais elles étaient plus vastes. Il y avait surtout plus d'harmonie entre ses idées et son tempérament; elles n'en étaient que le reflet. Il les sentait avant de les penser, au lieu que Mme de Staël pensait plus qu'elle ne sentait. Aussi fit-il des œuvres plus claires, plus complètes, plus expressives que sa théorie.

4. ATALA, RENÉ, LES MARTYRS, L'ITINÉRAIRE.

Chateaubriand eut en sa vie deux vastes conceptions épico-romanesques : les *Natchez* et les *Martyrs. Atala* et *René* ne sont que des débris des *Natchez*; ces deux récits étaient allés d'abord grossir le *Génie du Christianisme : Atala* s'en détache avant l'impression; *René* y reste incorporé jusqu'en 1805. L'*Itinéraire* appartient aux *Martyrs* : ce sont les notes du voyage entrepris par Chateaubriand pour se suggérer la vision précise des lieux où se passait l'action de son poème. Le *Dernier Abencérage* est une transposition poétique des impressions d'Espagne, qui n'avaient pu trouver place dans le cadre des *Martyrs*, et c'est de plus une réplique ou réduction d'une des idées fondamentales de la grande épopée : musulman et chrétienne, chrétien et païenne, au fond des deux récits est l'antithèse de deux religions.

Dans les *Natchez* comme dans les *Martyrs*, Chateaubriand a voulu poser deux mondes face à face, et deux types historiquement opposés de la mobile humanité. Dans les *Natchez*, œuvre de jeunesse, bien que publiée tardivement, le Nouveau Monde et l'Ancien Monde, l'homme de la nature, le sauvage, et l'homme de a civilisation, l'Européen; il semble que la première idée de l'œuvre soit née d'une lecture de Rousseau. Dans les *Martyrs*, encore un ancien monde et un nouveau monde, le monde païen et le monde chrétien, la beauté gracieuse et la sainteté sublime : où Corneille n'avait vu que deux âmes (dans *Polyeucte*), faire voir deux sociétés, deux civilisations, deux morales, deux esthétiques. ce que Bossuet avait indiqué d'un trait sobre et sévère, en prêtre qui instruit (dans le *Panégyrique* de saint Paul, et ailleurs), le développer en artiste, pour la beauté et pour l'émotion : cette conception-là, seule, est un coup de génie.

On ne peut dire que Chateaubriand ait tout à fait réussi. Il n'a malheureusement pas su secouer tout à fait le goût de son temps, et je retrouve à chaque page ce qu'on pourrait appeler le style empire, un froid pastiche des formes antiques, une déplorable recherche de la noblesse banale et de la pureté sans caractère. Il y a trop de Fontanes dans Chateaubriand, et trop de Canova. Il a voulu réunir le classique et le romantique. Ses *Natchez*, dans la partie récrite en épopée, sont ridicules. Un *tube enflammé* pour un fusil, un *glaive de Bayonne* pour une baïonnette, des *centaures au vêtement vert* pour des *dragons*, un *Cyclope* pour un *artilleur*, voilà les artifices où il fait consister le style épique : et ces étonnantes expressions alternent avec des *calumets de paix*, des *tomahawks*, et tout le bric-à-brac du pittoresque local. Il demande à *Calliope*, dans un mouvement virgilien, de lui dire le nom du premier *Natchez* qui périt dans une mêlée. Il multiplie les comparaisons livresques, tirées le plus souvent des poèmes homériques : *tel Achille*, etc. Il tourne les dieux des sauvages américains en machines poétiques, et il les rend insipides comme la vieille mythologie elle-même.

Les *Martyrs* aussi nous offrent des élégances épiques qui font regretter le naturel de *Télémaque*. Toutes les fioritures et tous les artifices, périphrases, épithètes, invocations, s'y rencontrent [1]. Il est curieux de les comparer aux parties de l'*Itinéraire* qu'ils emploient: on préférera souvent le style simple des impressions de voyage aux beautés *écrites* du roman. Chateaubriand a reconnu lui-même que son *merveilleux* était manqué : son ciel et ses enfers, ses démons et ses anges sont d'insupportables *machines*.

A ces défauts de forme s'ajoutent les insuffisances du fond. Pour les *Natchez*, mais surtout pour cet admirable sujet des *Martyrs*, il eût fallu l'invention psychologique, l'analyse impersonnelle d'un Racine. Chateaubriand est incapable de créer une âme

---

1. Très caractéristique est la page qui ravissait Fontanes (*Mémoires d'outre-tombe*, IIe partie, livre V, édit. Biré, tome III, p. 15).

qui ne soit pas la sienne. Tous les personnages secondaires de ses
deux poèmes sont sommaires et conventionnels, étoffés à force de
rhétorique, tout juste aussi vivants que des héros de Luce de Lancival ou de Legouvé le père. Et ses héroïnes, ses amoureuses,
Céluta, Mila, Atala, Cymodocée, les indiennes et la grecque sont
de jolies statuettes d'albâtre, dont l'élégance molle écœure vite :
Chateaubriand ne connaît pas la femme; il nous présente toujours des variantes du même type irréel; toujours il a logé son
fantôme d'amour[1], vague et insubstantiel, dans des corps charmants,
entrevus un jour par lui en quelque lieu des deux mondes, et qui
ont caressé ses yeux ou fait rêver son âme, sans qu'il ait jamais
su ou daigné pénétrer la personnalité réelle qui s'y enveloppait.
De là le vide de ces formes, psychologiquement nulles, délicieux
modèles de chromolithographie.

Les héros ne sont aussi qu'un seul type : Chactas jeune dans
Atala, René dans l'épisode qui porte son nom et dans les *Natchez*,
Eudore des *Martyrs*, c'est M. de Chateaubriand, *lui*, *toujours lui*,
vu par lui-même. Ici encore nulle psychologie, beaucoup de rhétorique, et à travers tout cela, par moments, une vérité profonde,
une mélancolie poignante. Car c'est sa maladie qu'il décrit, c'est
de sa maladie que vivent Chactas, Eudore et René; et partout où
l'expression ne dépasse pas la réalité des malaises moraux de
l'auteur, un charme douloureux s'en dégage. Je n'aime guère
l'épisode de *René* qui eut tant de succès : c'est une amplification
sentimentale, la pire des amplifications. Chateaubriand s'y donne
le plaisir de noircir dramatiquement les émotions de sa jeunesse :
d'une amitié fraternelle, toute simple, innocente et commune,
encore qu'ardente et nerveuse, il fait un gros amour incestueux;
il donne à René, masque transparent de lui-même, le fastueux
et malsain prestige de la passion coupable, contre nature, et il
invente la sublimité poétique des monstruosités morales[2].

C'est la formule même de son tempérament que fournit Chateaubriand dans cette étonnante lettre de René à Céluta, qui, du point
de vue objectif, est bien de la plus extravagante inconvenance :
imaginez une jeune sauvage, puérile et tendre, écoutant ces confidences : « Depuis le commencement de ma vie, je n'ai cessé de
nourrir des chagrins : j'en portais le germe en moi, comme l'arbre
porte le germe de son fruit. Un poison inconnu se mêlait à tous

---

1. *Mémoires*, Iʳᵉ partie, livre III, édit. Biré, tome I, p. 150.
2. Je me reprocherais de ne pas citer cette phrase de la lettre de René à Céluta :
« Je vous ai tenue sur ma poitrine au milieu du désert, dans les vents de l'orage,
lorsque, après vous avoir portée de l'autre côté du torrent, j'aurais voulu vous
poignarder pour fixer le bonheur dans votre sein et pour me punir de vous avoir
donné ce bonheur! »

mes sentiments.... Je suis un pénible songe.... Je m'ennuie de la vie ; l'ennui m'a toujours dévoré ; ce qui intéresse les autres hommes ne me touche point.... En Europe, en Amérique, la société et la nature m'ont lassé. »

Eudore nous révèle encore et toujours la même personnalité, assez délicatement localisée à l'aide des *Confessions* de saint Augustin, où Chateaubriand trouvait une forme historique appropriée à son âme inquiète : mais à chaque instant la fiction se déchire, et Eudore découvre l'auteur. Ouvrons cet admirable sixième livre : « Plusieurs fois, pendant les longues nuits de l'automne, je me suis trouvé seul, placé en sentinelle, comme un simple soldat, aux avant-postes de l'armée. Tandis que je contemplais les feux réguliers des lignes romaines et les feux épars des hordes des Francs, tandis que, l'arc à demi tendu, je prêtais l'oreille au murmure de l'armée ennemie, au bruit de la mer et au cri des oiseaux sauvages qui volaient dans l'obscurité, je réfléchissais sur ma bizarre destinée.... Que de fois, durant les marches pénibles, sous les pluies ou dans les fanges de la Batavie ; que de fois à l'abri des huttes des bergers où nous passions la nuit ; que de fois autour du feu que nous allumions pour nos veilles à la tête du camp ; que de fois, dis-je, avec des jeunes gens exilés comme moi, je me suis entretenu de notre cher pays. » Et voilà à quoi sert d'avoir servi dans l'armée de Condé, septième compagnie bretonne, couleur bleu de roi avec retroussis à l'hermine[1] ! Chateaubriand n'avait pas besoin de nous le dire ; on sent que cette vie militaire a été vécue.

5. LES PAYSAGES DE CHATEAUBRIAND.

En lui, il trouve pourtant quelque chose qui n'est pas lui, une représentation du monde extérieur ; et traduisant toutes les sensations de son œil comme il traduisait les sentiments de son cœur, il a écrit les plus belles pages de son œuvre. Il n'était pas sans s'en douter, et il disait bien que si sa *bataille des Francs* et sa description de Naples et de la Grèce ne sauvaient pas les *Martyrs*, ce n'était pas son ciel ni son enfer qui les sauveraient[2]. Il jouissait par les yeux, il avait cette sensibilité du peintre qui perçoit des beautés invisibles à la foule dans le dessin d'une attitude ou d'un mouvement, dans les transparences et les brumes de l'air, dans l'harmonie des tons et des lignes d'un paysage immobile ou d'une

1. *Mémoires*, Iʳᵉ partie, livre VII, édit. Biré, t. II, p. 56-86.
2. *Mémoires*, IIᵉ partie, livre V, édit. Biré, t. III, p. 15.

foule grouillante. Si sa psychologie est insuffisante, c'est qu'il voit seulement ses personnages; il ne les analyse pas. Et leur vision ne se forme pas en lui selon l'idée d'un certain rapport du physique au moral, mais selon l'idée de beauté. Au lieu de décrire des états moraux (sauf le sien), il dessine des attitudes, aimables, touchantes, tragiques; il fait des groupes et des tableaux. Ainsi les funérailles d'*Atala*. Rousseau était encore bien orateur; Bernardin de Saint-Pierre un peu maigre, et plus délicat d'impression que puissant d'expression. Ici nous tenons un grand peintre : dans ses tableaux, les cadres ou les prolongements sentimentaux se décollent d'eux-mêmes; il ne reste que la nature fortement saisie, fidèlement rendue en sa beauté originale et locale. L'enfant rêveur qui dressait avec Lucile des itinéraires prodigieux [1] a parcouru le Canada et la Louisiane : l'artiste rêveur dont la fantaisie promenait René à travers l'Italie et la Grèce a visité Sparte, Athènes, Jérusalem, Carthage, Grenade; et les feuillets de ses carnets de voyage sont épars dans tous ses livres.

Le *Génie du Christianisme* vaut surtout par là. Il n'y a que cela qui sauve les *Natchez* ou *Atala*. L'*Itinéraire* est une galerie de paysages d'Orient et du Midi. Les *Martyrs* sont une transposition de ces paysages directs en *paysages historiques*, selon le goût qui prévalait encore en peinture. Et les *Mémoires d'outre-tombe*, si mêlés, à travers tant de fatras, n'ont guère pour se relever, outre l'intérêt documentaire, qu'un certain nombre de tableaux où le vieux maître s'est retrouvé tout entier : la vie de Combourg, le camp de Thionville et le marché du camp, la garde de Napoléon faisant la haie à l'impotent Louis XVIII, les impressions de Rome [2], etc.; tout ce qui est sensation pittoresque n'a pas vieilli d'un jour dans toute son œuvre.

Il a cette espèce d'ivresse devant la nature qui fait la peinture chaude, sans altérer la lucide précision de l'œil. Regardez toutes ses *nuits* : on en ferait une galerie; il n'y en a pas deux qui se ressemblent : nuit en mer, nuit d'Amérique, nuit de Grèce, nuit d'Asie, nuit du désert [3]. Le ton local, le caractère singulier est partout attrapé avec une délicatesse puissante. Le sublime de la forêt américaine, la grâce nette des montagnes grecques, la grandeur du cirque romain, le tohu-bohu bariolé du campement oriental, les ciels bas et brumeux de la Germanie et les riants soleils d'Italie, les architectures exquises et les vierges solitudes, toutes

---

1. *Mémoires*, Ire partie, liv. III, édit. Biré, t. I, p. 153; *René*, au début.
2. Ajoutez la *Lettre à M. de Fontanes*, avec cette incomparable description de la Campagne romaine.
3. *Génie*, I, v, 12; *Martyrs*, I, I; *Itinéraire*.

les formes que la nature et l'homme ont offertes à ses yeux, il a tout su voir et tout su rendre. Avec quelle exactitude, je ne puis le dire : il faut regarder ses tableaux pour le sentir. Je ne puis que rappeler ici les canards sauvages, *le cou tendu et l'aile sifflante, s'abattant tout d'un coup* sur quelque étang, lorsque *la vapeur du soir enveloppe la vallée* — le *jour bleuâtre et velouté de la lune descendant dans les intervalles des arbres*, et ce *gémissement de la hulotte* qui avec *la chute de quelques feuilles* ou le *passage d'un vent subit* remplit seul le silence nocturne — les *premiers reflets du jour glaçant de rose les ailes noires et lustrées des* corbeaux de l'Acropole — ces Arabes accroupis autour d'un feu dont les reflets colorent leurs visages, tandis que *quelques têtes de chameaux s'avançaient au-dessus de la troupe et se dessinaient dans l'ombre*[1]. A vrai dire, ces choses-là ne sont presque plus de la littérature : on en est enchanté dans la mesure justement où l'on est sensible à la peinture.

6. L'INFLUENCE DE CHATEAUBRIAND.

Il y a des parties mortes dans l'œuvre de Chateaubriand : ses idées philosophiques, son style empire, et — ce qu'il faut regretter — son romantisme classique, sa vision pittoresque de la civilisation grecque et romaine. On laissera tomber tout cela : et l'on ne prendra que les parties franchement modernes de son inspiration. De celles-ci coulera tout le romantisme, histoire et poésie.

Il a donné des leçons d'individualisme, dont nos romantiques s'inspireront; et à travers Byron, ce sera encore Chateaubriand qui leur reviendra. Le héros romantique, victime de la destinée sombre par état et désespéré, est sa création. Il y a même dans René un *dilettante* de la révolte et du crime qui se fait une volupté d'être seul contre toute la société : « Se sentir innocent et être condamné par la loi était dans la nature des idées de René une espèce de triomphe sur l'ordre social ». L'ennui, la mélancolie, tout le vague de l'âme de Chateaubriand, séparé de sa puissance pittoresque, formera le courant lamartinien[2]. A chaque instant, dans une lecture rapide, se notent les thèmes auxquels il ne manque que le vers de Lamartine. Et quand Chateaubriand écrit en vers, il semble remplir l'intervalle entre Fontanes ou Chênedollé

---

1. *Génie*, I, v, 7 et 12; *Itinéraire*, I, éd. Garnier, p. 193; *Martyrs*, l. XIX (éd. G., p. 263), et *Itinéraire*, III.

2. Dans *René* et les *Natchez*, l'inspiration de l'*Isolement* et en général des *Méditations*. La méditation de René voyageant, et la pièce de l'*Homme*, adressée à Byron. *Jocelyn* s'attache au *Génie*, p. IV, l. I, ch. 7, 8, 9, et l. III, ch. 2, et à *René*. Les *Mémoires d'outre-tombe* sont tout pleins de thèmes lamartiniens, mais, vu la date de leur publication, il y a ici seulement harmonie, et non influence.

et Lamartine. La tristesse pessimiste, séparée du sentiment chrétien, se retrouvera dans Vigny : sans compter qu'un chapitre du
Génie du Christianisme me paraît bien lui avoir indiqué *Éloa* [1].

De Chateaubriand aussi procède Hugo, par les descriptions
pittoresques [2], par les visions épiques, par l'usage de l'érudition
historique. Il ne me paraît pas douteux que Chateaubriand n'ait
fourni à Hugo le premier modèle de ces énumérations prestigieuses,
de ces narrations grandioses où il se plaît [3]. Il y a dans la conception même des *Martyrs* et des *Natchez* l'idée d'une *Légende
des siècles*, et V. Hugo la dégagera par l'élimination du romanesque. De ce romanesque enveloppant l'épique, il fera *Notre-
Dame de Paris* ou les *Misérables*, le monde du moyen âge et le
monde contemporain, et deux mondes dans chaque monde,
truands et seigneurs, pauvres et riches. La destination première
des *Mémoires d'outre-tombe* me paraît même avoir suggéré à Hugo
l'idée de cette résurrection périodique qu'il s'est préparée en
réglant la publication de ses œuvres posthumes.

Le bas romantisme, le romantisme orgueilleusement atroce ou
scandaleux, peut aussi, je l'ai indiqué, se réclamer de lui.

D'une façon générale, la place que, dans le roman, dans la
pensée, dans l'histoire même et les ouvrages de philosophie ou
d'érudition, tient aujourd'hui la peinture de la nature, de Sand à
Loti et de Michelet à Renan, cette place a été marquée par Chateaubriand [4].

Avec les motifs d'inspiration, il a révélé la forme : il a rétabli
l'art et la beauté, comme objets essentiels de l'œuvre littéraire. Il
a offert sa phrase artiste, harmonieuse, expressive, simple, tantôt
nerveuse, tantôt onduleuse, tantôt large et calme; et sa prose a
fait entendre ce que pouvaient être des vers. Il a indiqué des
modèles, Dante, Milton, surtout la Bible, qui par lui a été classée
définitivement comme un des « classiques » de la littérature universelle, qu'on n'a plus le droit d'ignorer.

---

1. *Génie*, II, iv, 10.
2. A V. Hugo et à tous les autres, le *Génie* a révélé le moyen âge, le gothique.
3. Comparer l'énumération des tribus indiennes, chacune avec sa particularité pittoresque, et les énumérations de V. Hugo (l'armée de Sennachérib dans *Cromwell*,
l'armée de Xerxès dans la *Légende*, etc.). Comparer le Waterloo des *Mémoires*
(IIIᵉ partie, liv. V., édit. Biré, t. IV, p. 24), au Waterloo des *Châtiments* (*Expiation*). La manière historico-dramatique et historico-pittoresque de Chateaubriand
(*Mém.*, t. VII, p. 65) est celle de V. Hugo. Je ne sais si la lecture des *Mémoires
d'outre-tombe* (la partie postérieure à 1815), n'a pas été pour quelque chose dans
la conception historico-sociale des *Misérables*. En général, il me semble que Chateaubriand, dans sa personne, dans sa vie, a été le modèle que V. Hugo a voulu
répéter et dépasser.
4. De Chateaubriand (après une lettre du Pr. de Ligne et les *Ruines* de Volney)
date le *voyage*, pittoresque, sentimental et philosophique à la fois.

Enfin, l'histoire, l'histoire qui est évocation et résurrection, est
sortie de lui. Aug. Thierry est devenu historien en lisant le livre VI
des *Martyrs*. Au temps où l'on estimait Anquetil, Chateaubriand a
vu ce qu'il fallait chercher, ce qu'on pouvait trouver dans les
textes, les documents originaux : le détail caractéristique, qui contient l'âme et la vie du passé [1]. Sans Chateaubriand, qui sait si
l'on eût eu Michelet?

---

[1] Voir une page curieuse, dans les *Mémoires*, t. II, 230. Cette page, écrite en 1822,
est une critique du manque de vérité et de couleur de l'historien Velly.

LIVRE II

L'ÉPOQUE ROMANTIQUE

CHAPITRE I

POLÉMISTES ET ORATEURS

1815-1851

1. Polémistes et pamphlétaires : Joseph de Maistre; Paul-Louis Courier; Lamennais; P.-J. Proudhon. — 2. Orateurs parlementaires : B. Constant; Royer-Collard; Guizot; Thiers; Berryer; Lamartine. — 3. Orateurs universitaires : Guizot; Cousin; Jouffroy; Villemain; Quinet et Michelet. — 4. Orateurs religieux : Lacordaire.

Il s'est trouvé au xviii⁰ siècle que les plus grands noms de l'histoire littéraire sont en général aussi les plus considérables dans l'histoire des idées. Cette concordance ne se rencontre plus au xix⁰ siècle. La littérature n'atteint qu'incidemment les grands courants d'idées, par quelques orateurs, polémistes et penseurs; et les hommes en qui s'est rencontré le talent littéraire n'ont souvent pas été — tant s'en faut — les intelligences directrices du siècle. En philosophie, il nous faut prendre Cousin, et laisser Maine de Biran; surtout il nous faut écarter la plus puissante et, en tout cas, la plus féconde pensée philosophique de ce demi-siècle : je parle d'Auguste Comte; et quelque fâcheux sort a voulu que l'école positiviste ne fournît aucun écrivain. Dans les sciences politiques et sociales, Saint-Simon et l'école saint-simonienne restent également en dehors de notre étude, avec toutes les sectes communistes, à l'extrémité seulement desquelles le capricieux hasard a placé un beau tempérament littéraire, dans le théoricien de l'anarchie, P.-J. Proudhon. Pour la politique même et le gouvernement, ni les plus hauts esprits, ni les volontés les plus efficaces n'ont été toujours servis par le talent oratoire, et les partis eux-mêmes seront loin d'être représentés ici selon leur force ou leur influence. Mais il ne faut chercher ici qu'une histoire littéraire.

Je ne puis prétendre à tracer même une sommaire esquisse du mouvement politique et social. Il me suffira de rappeler que les principaux débats engagés dans les Chambres de la Restauration ont porté sur la liberté des cultes et toutes les questions particulières qui y tenaient, sur les biens nationaux et l'indemnité des émigrés, sur la liberté de la presse, sur l'organisation du système électoral, sur les majorats, sur la guerre d'Espagne, sur toutes sortes d'applications ou d'interprétations de la Charte, et, au fond, toujours sur la question de savoir qui l'emporterait, de la Révolution, ou de l'« absolutisme ». Sous la monarchie de Juillet, il s'est agi encore de lois électorales et de lois contre la presse, puis de lois sur les associations, et sur la liberté de l'enseignement, de l'Algérie et de la question d'Orient, etc.

En même temps que les orateurs des Chambres, une foule de pamphlétaires et de journalistes agitaient les mêmes questions, pour exciter et diriger l'opinion. Mais les plus graves questions peut-être se discutaient hors des Chambres, ou ne prenaient toute leur ampleur que dans des écrits théoriques et polémiques : ainsi la question religieuse ou la question sociale.

1. POLÉMISTES.

De tant d'hommes qui essayèrent par le journal ou le livre de combattre ou de développer les conséquences de la Révolution, quatre surtout, me semble-t-il, se distinguent par des dons originaux d'écrivains : Joseph de Maistre, Paul-Louis Courier, Lamennais et Proudhon.

Magistrat, d'une vieille famille de magistrats de Savoie, jeté hors de chez lui par la Révolution française qui annexa son pays, Joseph de Maistre [1] s'en alla à l'autre bout de l'Europe représenter

---

1. **Biographie** : J. de Maistre (1754-1821), fils du président du sénat de Savoie, sénateur en 1788, se retira en 1792 à Lausanne, quand la Savoie devint française, résida de 1802 à 1816 à Saint-Pétersbourg comme ministre du roi de Sardaigne, dont il avait été d'abord grand chancelier en 1799. — Son frère Xavier de Maistre (1763-1852) a écrit le *Voyage autour de ma chambre* (1794) et le *Lépreux de la cité d'Aoste* (1811).

Éditions : *Considérations sur la France*, Neuchâtel, 1796, in-8 (éd. R. Johannet et F. Vermale, 1935); *Du Pape*, Lyon, 1819 et 1824, 2 v. in-8; *Soirées de Saint-Pétersbourg, ou Entretiens sur le gouvernement temporel de la Providence*, Paris, 1821, 2 vol. in-8; *De l'Eglise gallicane dans son rapport avec le souverain pontife*, Paris, 1821, in-8. *Œuvres*, Lyon, 8 vol. in-8, 1864. *Lettres et opuscules inédits*, 1851;

son maître le roi de Sardaigne : il passa quatorze ans de sa vie
(1802-1816) dans cet exil de Saint-Pétersbourg, vivant pauvrement,
stoïquement, jugeant de haut les événements et les hommes, et
composant dans son loisir ses principaux ouvrages. Avec plus de
netteté, de logique et de vigueur que Chateaubriand, il nie tout
ce que le xviiie siècle avait cru, et d'où la Révolution était sortie.
Il balaye pêle-mêle Montesquieu, Voltaire, Rousseau. Il veut la
royauté absolue, sans limite et sans contrôle : la limite est dans la
conscience du roi, le contrôle dans la justice de Dieu. Pas de pouvoirs intermédiaires, ni de division des pouvoirs, ni de constitution
écrite : pas de droit, hors et contre le droit du roi. Pareillement
dans la religion, un seul pouvoir, le pape : plus d'Église gallicane,
plus de libertés gallicanes ; le pape souverain et infaillible. Le roi,
au temporel, le pape au spirituel, sont les vicaires de Dieu, commis
au gouvernement des hommes par la Providence qui dirige visiblement les affaires du monde. La passion de l'*unité* anime de
Maistre ; il hait tout ce qui sépare, tout ce qui distingue ; il ne conçoit pas l'harmonie d'éléments multiples ; il y a unité où il y a
volonté unique, et elle n'existe que dans l'absolu despotisme.

J. de Maistre emploie toute son imagination, tout son esprit,
toute sa logique à rendre révoltante cette âpre doctrine. C'est un
lieu commun théologique, que le problème du mal est en corréla-
tion avec le dogme de la Providence, qui en fournit la solution :
J. de Maistre prend un malin plaisir à exagérer atrocement le
règne du mal sur la terre. La Providence a créé tous les êtres
pour s'égorger. La société n'a pu changer la loi divine de la nature :
afin que le sang coule, elle a la guerre, et elle a le bourreau [1]. On
dirait qu'il a peur de séduire : il s'attache à saisir chaque idée par
la face paradoxale ou choquante ; nous ne pouvons le lire sans
nous sentir constamment taquiné, bravé, dans toutes les affirmations de notre raison.

Et ce légitimiste renforcé, en fait, était assez libéral, à la façon
de nos anciens magistrats du Parlement : il haïssait, ou méprisait
les émigrés ; il tenait la Révolution pour un fait providentiel,
comme tous les autres [2], et, ce qui est plus méritoire, comme un
fait historique, qui devait changer les maximes du gouvernement

---

Mémoires politiques, 1858 ; *Correspondance diplomatique*, 1860. — **A consulter :**
E Faguet, *Politiques et Moralistes*, I, 1891 ; G. Cogordan, 1894 ; E. Grasset, 1901 ;
G. Goyau, *Pensée relig. de J. de M.*, 1921 ; R. Johannet, 1932 ; F. Holdsworth,
J. de M. et l'Angleterre, 1936 ; F. Bayle, *Idées polit. de J. de M.*, 1945 ; E. Der-
meghen, *J. de M. mystique*, 1946.

1. *Considérations sur la France*. Il tenait l'idée de morceler et de détruire la
France pour une idée absurde, et le fait, s'il se réalisait, pour un des plus grands
maux qui pussent arriver à l'humanité. (Lettre du 28 oct. 1794, à Vignet des Étoles.)

royal; il lui semblait absurde qu'on pût prétendre à biffer tout
bonnement vingt ans d'histoire, et quelles années! Il s'était hautement déclaré pour le comité de Salut public, dont, admirablement guidé cette fois par sa logique, il avait aperçu le grand
rôle historique : conserver la France, indépendante et une, contre
les convoitises de l'étranger et les factions de l'intérieur. Ce théori
cien de l'absolutisme faisait à son parti l'effet d'un jacobin.

Ce dur logicien était un très bon homme, doux, aimable, le
plus respectable et le plus tendre des pères, qui écrivait à ses
enfants des lettres charmantes, pleines de fine raison et de sensibilité délicate. Il n'y avait en lui de féroce que ses principes.
Il avait l'esprit abstrait et raisonneur du xviii⁰ siècle : il n'a été
qu'un philosophe ennemi des philosophes, dénué, comme ils le
furent en général, de sens artistique, et réduisant, comme ils faisaient, le réel aux formes de ses idées *a priori*. Il ne doit guère
moins à Voltaire, qu'il contredit, que Courier, qui le continue.

Un officier indiscipliné, qui s'absente de son corps sans congé,
grognon et grincheux, médisant du métier, dont il sent la servitude
et pas du tout la grandeur, un *soldat* qui ne voit de la guerre que
l'horreur, la misère, la brutalité, la face laide et mesquine : voilà
Courier au régiment [1]. Et notez qu'il est brave et patient; ce n'est
pas le manque de cœur, c'est le tour d'esprit qui en fait un mauvais officier. Il est essentiellement garde national; c'est un bourgeois sous les armes. Bourgeois il reste dans ses campagnes
de plume sous la Restauration : type achevé du bourgeois de
1820, libéral, voltairien, d'esprit étroit, jaloux, hargneux : bonapartiste, lui qui sous l'Empire avait si peu d'enthousiasme, bonapartiste renforcé, sauf quand il est fervent orléaniste; car l'essentiel, c'est de n'être pas légitimiste, et de taquiner les légitimistes. Il a en abomination *le trône et l'autel*, et leurs défenseurs,
émigrés, curés, magistrats, gendarmes : il est propriétaire, et
représente éminemment toutes les passions, toutes les défiances
des propriétaires acquéreurs de biens nationaux.

---

1. **Biographie**: P.-L. Courier de Méré (1772-1825), lieutenant d'artillerie en 1793, servit
sur le Rhin, puis en Italie; chef d'escadron démissionnaire en 1809, il rentre au service
presque aussitôt, et le quitte de nouveau au milieu de la campagne d'Autriche. Il se
maria à la fille de l'helléniste Clavier. Il vivait sous la Restauration dans son domaine
de la Chavonnière, à Veretz en Touraine : il fut assassiné en 1825 par son garde.

Éditions : *Pastorales de Longus, ou Daphnis et Chloé*, Florence, 1810; *Pétition
aux deux Chambres*, 1816; *Procès de Pierre Clavier-Blondeau*, 1819, édit. R. Gaschet,
1911; *Simple discours de Paul-Louis, vigneron de la Chavonnière, à l'occasion d'une
souscription pour l'acquisition de Chambord*, 1821; *Pétition pour des villageois qu'on
empêche de danser*, 1822; *Gazette du village*, 1823; *Pamphlet des Pamphlets*, 1824;
Œuvres : éd. R. Gaschet, 1925. — **A consulter**: R. Gaschet, *Aventures d'un Écrivain, P.-L. C.*, 1928; P. Arbelet, *Trois Solitaires*, 1934.

Tandis qu'à la Chambre on discute sur les lois, au village on s'échauffe sur l'application des lois; et voilà la matière des *pamphlets* de Courier, aussi mesquins en leur sens que les tracasseries mêmes auxquelles ils doivent leur naissance. Un paysan qui a envoyé *promener* son maire, un curé qui empêche ses paroissiens de danser, une souscription qu'on organise, un procès de presse sont les sujets dont Courier s'empare pour faire une guerre à mort à la monarchie légitime.

Tout cela serait oublié, comme les passions de ce temps-là, si ce bourgeois n'était un fin écrivain. Il était nourri de nos meilleurs classiques, et du XVIe siècle. Il a dérobé à La Bruyère son art d'aiguiser l'épigramme, à Pascal l'ironie mordante et légère. Aux vieux conteurs, il a pris la narration aisée, lumineuse, teinte d'un comique délicieux. Du fond de la Calabre, entre deux combats, il s'amusait à refaire un conte de la Reine de Navarre [1], et il en faisait un bijou : dans ses pamphlets il sème à chaque page les récits exquis et les dialogues plaisants. On le lira, comme on lit l'*Heptaméron* ou les *Joyeux devis*, sans y chercher un sens plus grave, et cela suffira pour le faire lire.

Il y a même dans la netteté lumineuse de son style quelque chose qui n'est pas uniquement français, qui donne l'impression de la grâce grecque : tel conte des gendarmes venant arrêter des paysans fait songer à Lysias [2]. Et en effet notre voltairien est un helléniste de première force. Pendant ses campagnes, il a porté son Homère dans sa poche; dans ses loisirs de garnison, il traduisait Xénophon [3]. Dès son arrivée en Italie, les bibliothèques, les musées, les ruines, les marbres, l'ont enivré; les pillages des soldats, les mutilations d'œuvres d'art lui percent l'âme : c'est un Grec parmi les Barbares. Dès qu'il a quitté le service, il s'enferme à la bibliothèque de Florence [4] pour copier un passage inédit d'un roman grec, de ce *Daphnis et Chloé*, dont il a fait une traduction en français archaïque d'une naïveté un peu laborieuse.

Courier est le dernier et authentique représentant de l'art classique chez nous, le dernier des écrivains qui se rattachent au mouvement déterminé par les travaux de l'Académie des Inscriptions : il a droit d'être nommé après André Chénier. Car, dans ces *grogneries* de bourgeois libéral, il y a des coins délicieux d'idylle, des coins de poésie rustique à la façon de certaines scènes d'Aristophane. A travers une gazette de village, toute pleine de médi-

1. Lettre du 1er nov. 1807 à Mme Pigalle; cf. *Héptaméron*, nouvelle 34.
2. *Pétition aux deux Chambres.*
3. *Du commandant de la cavalerie*, et *de l'Équitation.*
4. C'est alors qu'il fit sur le manuscrit de Longus la fameuse *tache d'encre*, qui donna lieu à tant de débats.

sances sur M. le Maire et de taquineries au curé, éclate cette jolie
note champêtre : « Les rossignols chantent et l'hirondelle arrive.
Voilà la nouvelle des champs. Après un rude hiver et trois mois
de fâcheux temps, pendant lesquels on n'a pu faire charrois ni
labours, l'année s'ouvre enfin, les travaux reprennent leur cours. »
Ses paysans, ses vignerons, amoureux de la terre, laborieux, rudes
et simples, ont une sorte de grâce robuste qui évoque l'image des
laboureurs attiques de la *Paix* : et lui-même s'est composé son
personnage à demi idéal de *vigneron tourangeau*, tracassier,
processif et bonhomme, d'une façon qui rappelle le talent des *logo-
graphes* athéniens à dessiner les figures de leurs clients. Le défaut
de Courier, c'est qu'on sent trop cet art, et l'effort de l'écrivain :
nous aimerions un peu plus d'abandon ; et pourtant, en son genre,
il fut un vrai artiste, et tout à fait original.

J. de Maistre et P.-L. Courier sont diversement, mais également
classiques : Lamennais [1] est un romantique, fils de Rousseau et de
Chateaubriand ; le baron de Vitrolles lui disait que son génie était
enfant de la tempête. Au milieu de l'incrédulité révolutionnaire,
Lamennais avait gardé sa foi : à vingt-deux ans, il faisait sa première communion, avec une grave simplicité de petit enfant. Mais
s'il se sentait chrétien, il ne voulait pas être prêtre ; il se fit
ordonner sous la pression de son directeur et de son frère, dans une
angoisse profonde. Il se révéla par un livre qui le plaça pour son
début aux côtés de Chateaubriand et de J. de Maistre : l'*Essai sur
l'indifférence en matière de religion*. Il y combattait avec une âpre
éloquence, à grands coups de logique et d'imagination, l'athéisme
politique, celui qui fait de la religion un instrument de despotisme
pour lier le peuple, le déisme, qui croit fonder une religion dite
naturelle sur la seule raison, le protestantisme et toutes les doc-

1. **Biographie :** Hugues-Félicité-Robert de La Mennais (1782-1854), né à Saint-
Malo, prêtre en 1816, fonda avec Chateaubriand, Villèle et Bonald *le Conservateur*.
Il avait, en 1824, refusé le chapeau de cardinal ; en 1832, Grégoire XVI le condamna. Les *Paroles d'un croyant* furent écrites en 1833, en quelques jours, à la Chesnaie,
près de Dinan, où il s'était retiré. Il eut sous la Restauration et sous la monarchie
de Juillet de retentissants procès de presse. Après la révolution de 1848, il fonda
un journal, *le Peuple constituant*, et fut élu député : il n'eut pas d'influence. Il
mourut sans se réconcilier avec l'Église. — **Éditions :** *Essai sur l'indifférence en
matière de religion*, 4 vol. in-8, 1817-1823 ; *Paroles d'un croyant*, 1834, in-8 ; *Affaires
de Rome*, 1836, in-8 ; *Esquisse d'une philosophie*, 4 vol. in-8, 1841-1846 ; *Amschas-
pands et Darvands*, 1843, in-8. *Œuvres complètes*, Paris, 1836-1837, 12 vol. in-8 ;
Correspondance, publ. par E. Forgues, 1865, 2 vol. in-8 ; *Œuvres posthumes*, publ·
par A. Blaize, 1866, 2 v. in-8. *Lettres inédites à Montalembert*, publ. par G. Forgues,
1898. *Lettres à Benoît d'Azy*, p. p. Aug. Laveille, 1898. — **A consulter :** Bou-
tard, *Lamennais, sa vie et ses doctrines*, 1905-1908, 2 vol. ; Feugère, *L. avant
l'Essai sur l'Indiff.*, 1906 ; C. Maréchal, *Jeunesse de L.*, 1913 ; *La Dispute de
l'Essai sur l'Indiff.*, 1925 ; Duine, *L., sa vie, ses idées, ses ouvr.*, 1922 ; *Essai de
Bibliogr. de Lamennais*, 1933 ; P. Vulliaud, *Les Paroles d'un croyant*, 1928 :
Poisson, *Le Romant. social de L.*, 1931 ; V. Giraud, *La Vie tragique de L.*, 1934 ;
Cl. Carcopino, *Doctr. sociales de L.*, 1934 ; Y. le Hir, *L'écrivain*, 1949.

trines latitudinaires, qui, reconnaissant une révélation, croient
avoir le droit de choisir parmi les dogmes, de rejeter ceux-ci et
de prendre ceux-là. Lamennais, attaquant l'individualisme et le
principe de l'évidence cartésienne sur lequel il repose, plaçait la
vérité dans le consentement universel, accord merveilleux dont une
révélation de Dieu peut seule être cause, dont la tradition seule est
la manifestation; et de la tradition, l'Église est dépositaire, le pape
interprète et gardien. Tout s'attache à l'autorité du pape, et c'est
une théocratie que Lamennais entend constituer.

Au contraire de J de Maistre, légitimiste avant tout, Lamennais
est avant tout catholique. Il avait le gallicanisme en horreur, parce
que, le voyant dans son temps, il n'y apercevait qu'un instrument
de règne : cette Église d'État n'était à ses yeux qu'un athéisme
politique. Quand il s'aperçut que l'ultramontanisme aussi se mettait au service du pouvoir, que le pape agissait en souverain temporel et liait sa cause à celle des rois, quand il vit par toute
l'Europe le clergé se faire le gardien des principes légitimistes
plutôt que des principes évangéliques, Lamennais rompit d'abord
avec la légitimité; il devint libéral; il lui sembla que le règne de
Dieu par l'autorité était actuellement impossible; il tâcha d'y
revenir par la liberté[1], il chercha dans le développement complet
de la liberté des garanties contre le despotisme et l'anarchie, et
les conditions de l'ordre et de la vie sociale.

Il conçut l'idée hardie et féconde d'un catholicisme démocratique[2]; il voyait dans les idées libérales et égalitaires un fruit lointain de l'Évangile, et si l'Église semblait actuellement tourner le
dos à la société moderne, il croyait pouvoir l'en rapprocher par
une originale conception de l'évolution du dogme[3], toujours
immuable en son essence et en ses formules, mais susceptible de
divers sens et d'applications diverses, selon les époques et les
esprits. Il fonda en 1830, avec Montalembert et Lacordaire, un
journal, l'*Avenir*, pour défendre le catholicisme contre la monarchie bourgeoise, matérialiste et athée selon la formule de l'*Essai*.
Il venait soixante ans trop tôt. L'Église ne le comprit pas.
Lamennais, Montalembert et Lacordaire allèrent à Rome : un
beau livre, les *Affaires de Rome* sortit de ce voyage, et la rupture
définitive de Lamennais avec l'Église. Le pape l'avait reçu froidement et finalement le condamna : il était souverain temporel,
et l'on était trop près de la révolution qui avait interrompu le
culte. Lamennais se laissa circonvenir, se soumit, se rétracta; puis,

1. Article de l'*Avenir*, du 9 nov. 1830 (t. X, p. 179).
2. *Affaires de Rome*, XII, 26; cf. aussi p. 302.
3. *Avenir*, 30 juin 1831 (X, 338).

se relevant aussitôt, il lança ses admirables *Paroles d'un croyant*.
qui firent une sensation profonde. C'était un livre apocalyptique.
écrit en versets, tour à tour violent et tendre, sombre et serein,
où nulle doctrine positive ne se formulait, mais où éclataient
toutes les tendances démocratiques et socialistes de l'esprit évangélique, une charité passionnée, douloureuse, révoltée contre
l'État et l'Église oppresseurs des faibles.

Lamennais est un grand poète [1] : il est peintre et prophète;
tous ses écrits sont éclairés de paysages sobrement, puissamment
décrits, avec un frémissement étrange de vie et de sensation.
Lamennais, avant Hugo, et avec une profondeur de pensée, une
flamme de passion, où Hugo n'a pas atteint, a été un étonnant
visionnaire [2], un grandiose créateur de symboles, de formes tantôt
pathétiques et tantôt fantastiques, qui donnent une force incroyable
de pénétration à l'idée abstraite qu'elles revêtent.

P.-J. Proudhon [3] traversa le catholicisme : il en sortit vite. Il
subit plus profondément l'influence de Rousseau et, semble-t-il,
celle de Hegel. Je ne sais s'il étudia directement l'œuvre du philosophe allemand : du moins lui doit-il sa méthode. Dans tout sujet,
Proudhon pose la *thèse* et l'*antithèse*, et cherche la *synthèse*. *Thèse*,
communauté; *antithèse* propriété : la *synthèse* se fera en retenant
les éléments utiles de la thèse et de l'antithèse, par la doctrine de
l'auteur. Pareillement, *thèse*, liberté; *antithèse*, autorité; *synthèse*,
fédération. Ainsi procède Proudhon, faisant une œuvre qui avait
chance de déplaire à tous les partis parce qu'il conservait quelque
chose de toutes les doctrines : logicien vigoureux, écrivain passionné et parfois déclamatoire, théoricien réputé inconsistant,
encore que sur les choses essentielles il ait suivi une direction
assez constante.

1. On aura une idée de son tour d'imagination par ce seul passage : « Les Bourbons
reviennent, ils reparaissent au milieu d'un peuple nouveau, entourés des solennelles
antiquailles de l'ancien régime, de prélats anti-concordataires pleins des idées serviles
d'autrefois, ennemis de tout ce qu'avait pas vu leur jeunesse, fiers de n'avoir rien
appris depuis quarante ans; de vieux abbés dont l'ambition moisie dans l'exil infectait
les antichambres du Château; de valets aux genoux d'autres valets : tout cela se
remuait et fourmillait à la cour des fils de Louis XIV, *comme des vers dans un cadavre.* » (XII, 262.)

2. *Des maux de l'Église*, Épilogue (XII, 269).

3. **Biographie** : Pierre-Joseph Proudhon (1809-1865), né à Besançon, collabore a
une *Encyclopédie catholique* et fait un mémoire sur la célébration du dimanche. Il
écrit en 1840 le mémoire sur *la Propriété* pour répondre à une question de l'Académie
de Besançon. Il donne ensuite son *Système des contradictions économiques* (1846). Il
fonde de 1848 à 1850 quatre journaux : *le Représentant du Peuple, le Peuple, la Voix
du peuple* et de nouveau *le Peuple*. Il fut député de la Seine en 1848. La Banque du
Peuple, créée en 1849, échoua. — **Éditions** : *Œuvres complètes*, éd. C. Bouglé et
H. Moysset, 1923-47. — **A consulter** : Sainte-Beuve, *P., sa vie et sa corresp.*, 1827
et 1947; D. Halévy, *P. d'après ses carnets inédits*, 1944; *Vie de P.*, 1948.

Il est très respectueux du droit de l'individu; mais, comme les droits de tous les individus sont égaux, il ne peut trouver que dans l'association les solutions satisfaisantes de tous les problèmes. Son premier mémoire : *Qu'est-ce que la propriété?* a fait beaucoup de fracas. « La propriété, c'est le vol. » Mais après ce début vient une analyse très forte des fondements et des conditions de la propriété, aboutissant à une conception que les collectivistes d'aujourd'hui estiment bien timide, conservatrice, et bourgeoise : Proudhon établit au lieu de la propriété la possession individuelle, transitoire, acquise par le travail, et répartie selon de plus justes proportions. Pour son *anarchie*, au fond, ce n'est rien d'effrayant; pour chimérique, actuellement du moins, c'est autre chose : abolition de la tyrannie, démocratique aussi bien que monarchique; plus de souveraineté; association des individus, formation d'individus collectifs qui se juxtaposeront et s'associeront à leur tour. C'est un système d'organisation fédérale, mais qui a pour caractère l'abolition des divisions et par conséquent des intérêts politiques, l'établissement d'un ordre purement économique.

Un vaste orgueil de chef de secte, qui lui rendit l'accord impossible avec les autres groupes socialistes, une indifférence choquante en son temps pour les théories politiques, au point que, se détachant de la forme républicaine, il se montra tout prêt à réaliser sa doctrine par l'empire, contrepesèrent l'influence que le talent littéraire aurait pu donner à Proudhon ; il occupa le public, inquiéta le pouvoir, et ne fit pas école. (App. XXX.)

2. ORATEURS PARLEMENTAIRES.

Il y eut sous les deux monarchies constitutionnelles un grand développement d'éloquence. Le système électoral, souvent modifié dans ses détails par des lois de circonstance, demeurait en général organisé, de façon qu'il ne laissait arriver à la Chambre que des bourgeois de la classe aisée, gens de belle tenue et d'intelligence cultivée, qui avaient le goût des idées claires et prenaient plaisir à suivre les exercices de la parole : la Chambre des pairs était, par définition même, une sélection des classes supérieures [1]. Le

---

1. Inutile de distinguer les nobles des bourgeois ; le savoir-vivre et l'éducation, établissent, en dépit des préjugés et des rancunes, l'assimilation de la noblesse et de la bourgeoisie, en face du peuple. Au reste, les orateurs des prétentions nobiliaires, sont presque toujours des robins, c'est-à-dire des bourgeois, d'origine ou d'éducation. — A consulter : Chabrier, *les Orateurs polit. de la Fr.*, 1888; J. Reinach, *le Conciones français*, Delagrave, 1893; Cormenin, *le Livre des Orateurs*, 1836; M. Pellisson, *Orateurs polit. de la Fr. de 1830 à nos jours*, 1905.

romantisme ne pénétra guère dans l'éloquence parlementaire
avant 1848 : sous la Restauration, Chateaubriand apporta parfois
à la tribune ses vastes images, le superbe étalage de son *moi*
mélancolique. Sous la monarchie de Juillet, Lamartine fit chanter
son âme en harangues lyriques. Mais la plupart des graves et
sérieux bourgeois qui abordaient la tribune, les libéraux notamment, étaient des hommes de goût classique, formés à l'école du
xviiie siècle et des idéologues, nourris de Voltaire et de Montesquieu, philosophes, juristes, dialecticiens, de sensibilité médiocre
ou restreinte, d'imagination froide, et plus que modérément
artistes.

Les débats parlementaires eurent plus d'ampleur sous la Restauration : en toutes circonstances éclatait le conflit de deux mondes,
de deux sociétés; il s'agissait de conserver ou de détruire l'œuvre
de la Révolution. Sans cesse, il fallait recourir aux principes de
l'ancien droit, ou du droit nouveau, les expliquer, les fondre, les
dissoudre, rechercher le sens des grands événements d'où le présent était sorti, et dresser comme des inventaires de leurs résultats moraux ou sociaux. Il se faisait journellement à la tribune
de vastes leçons de philosophie historique ou politique.

Les orateurs légitimistes n'ont pas de quoi nous retenir : et pour
certains, je le regrette. J'aurais aimé à présenter cet admirable
Hyde de Neuville, si héroïque, si dévoué et, ce qui est plus rare,
si clairvoyant dans son dévouement aux Bourbons [1] : mais il ne
fut pas orateur. Au contraire, parmi les libéraux, les orateurs illustres sont en nombre. Je sacrifie sans regret celui que V. Hugo
appelle « l'éloquent Manuel » : il serait, je pense, oublié, avec son
éloquence pâteuse, si les « mains auvergnates » du vicomte de Foucauld ne l'avaient « empoigné » dans un jour de scandale [2]. M. de
Serre et le général Foy [3] valent mieux : M. de Serre, avec ses précisions subtiles et pressantes, ses audacieux raisonnements de légiste,
son froid jugement d'homme de gouvernement, savait user à

---

1. *Souvenirs*, Plon, in-8, t. III, 1894.
2. Séance du 4 mars 1823. Manuel (1775-1827), répondant à Chateaubriand sur la
guerre d'Espagne, avait paru faire l'apologie de la condamnation de Louis XVI.
L'expulsion fut discutée les 2 et 3 mars, et votée. Le vicomte de Foucauld commandait les gendarmes requis pour faire exécuter le vote.
3. Le comte de Serre (1776-1824), Lorrain, émigré, officier de l'armée de Condé,
rentré en 1802, avocat à Metz, puis magistrat impérial, suivit Louis XVIII à Gand,
fut président de la Chambre en 1817, ministre de la justice en 1818 et 1821, ambassadeur à Naples en 1822. Il s'était séparé des libéraux en 1820. *Discours*, 2 vol. in-8,
1865. — Le comte Max.-Séb. Foy (1775-1825), général de division en 1810, député
de l'Aisne en 1819, de Paris en 1829 : il se donna pour rôle principal de défendre
dans leur réputation et leurs intérêts collectifs ou individuels les anciens
soldats de la Révolution et de l'Empire, *Discours*, 2 vol. in-8, 1826.

l'occasion des effets sentimentaux, et produire cette éloquence
ronflante ou grondante que trop souvent les magistrats sont
enclins à prendre pour le sublime. Le général Foy, sous un luxe
d'images dont l'éclat a fané, et sous de grands mouvements dont
l'accent paraît ampoulé aujourd'hui, cachait une remarquable
force d'esprit, une rare audace d'invention oratoire qui se marquait surtout dans la position des questions : on peut voir, à
propos du milliard des émigrés, avec quelle franchise d'attaque il
établit son argumentation sur le terrain le plus dangereux.

Laissons aussi Camille Jordan [1], un survivant de la Révolution,
le clair et prolixe orateur des Cinq-Cents, qui n'apprit jamais à
être court, mais dont l'abondance était souvent relevée d'une
alerte ironie; laissons le duc de Broglie qui faisait à la Chambre
des Pairs son apprentissage de doctrinaire. Nous retrouverons
bientôt Guizot, qui fournissait au maréchal de Gouvion Saint-Cyr
le beau discours sur la loi militaire de 1818. Deux orateurs
dominent l'éloquence parlementaire de la Restauration : Benjamin
Constant et Royer-Collard.

Benjamin Constant [2] fut de ces hommes à qui le public ne marchande pas l'admiration, et qui n'obtiennent jamais pleinement sa
confiance ou son respect. Il avait l'âme inquiète, profondément personnelle, avide de plaisirs et de sensations, l'imagination ardente
et mobile, l'esprit souple, vaste, actif, lucide : joueur incorrigible,
amant toujours passionné et prompt à changer, causeur étincelant,
homme d'État inconsistant, déroutant l'opinion par de soudaines

1. Camille Jordan (1771-1821), Lyonnais. *Discours*, in-8, 1826. — Le duc Victor de
Broglie (1785-1869), gendre de Mme de Staël, fut un des principaux doctrinaires,
plusieurs fois ministre sous Louis-Philippe : *Écrits et Discours*, 1863, 2 vol. in-8;
Souvenirs, 4 vol. in-8, C. Lévy.

2. **Biographie** : B. Constant de Rebecque (1767-1830), né à Lausanne, reprit la natio-
nalité française comme descendant de famille française réfugiée en Suisse après la
révocation de l'édit de Nantes, membre du Tribunat après le 18 Brumaire, exclu
comme opposant avec Chénier et d'autres, fut très lié avec Mme de Staël et l'accompagna en Allemagne et en Italie; ministre de Napoléon aux Cent-Jours, journaliste libéral sous la Restauration, député en 1819. Louis-Philippe lui donna, en 1830,
100 000 francs pour payer ses dettes. — Ses grands ouvrages sur la religion ont été
sans influence.

Éditions: *Adolphe*, 1816 (préf. Sainte-Beuve, 1861; P. Bourget, 1888; A. France,
1889; éd. crit. Rudler, 1919; J. Bompard, 1929). *Discours*, 1828, 2 vol. *Mélanges
de litt. et de polit.*, 1829. *Œuvres polit.*, 1874. J.-H. Menos, *Lettres de B. Constant
à sa famille*, Paris, 1888. (Mme Lenormant), *Lettres de B. C. à Mme Récamier*,
1821. *Lettres à Mme de Charrière*, Rev. de Paris, 15 oct. 1894; *Correspond. avec
Anna Lindsay*, 1933; *Journal Intime, Cahier Rouge et Adolphe*, éd. J. Mistler,
1946; *Cécile*, éd. A. Roulin, 1951. — **A consulter** : E. Faguet, *Polit. et Moral.*,
I, 1891; G. Rudler, *Bibliogr. crit. de C.*, 1908, *Jeunesse de C.*, 1909, *Adolphe*,
1935; P. Kohler, *Adolphe et la Vie de C.*, 1918; J. de la Lombardière, *Les
Idées polit. de C.*, 1928; L. Dumont-Wilden, 1930; A. Romieu, *C. et l'Esprit
européen*, 1933; A. Fabre-Luce, 1939; Ch. Du Bos, *Grandeur et Misère de C..*
1946; A. de Kerchove, *C. ou le Libertin sentimental*, 1950.

volte-face. Il avait une redoutable faculté d'analyse, qu'il exerçait sur lui comme sur les autres : il est impossible de s'observer soi-même plus exactement, de se juger d'une vue plus nette qu'il n'a fait dans son *Journal intime* et dans ce roman d'*Adolphe* qui est un des chefs-d'œuvre du roman psychologique.

Cette clairvoyance aiguë ne lui a pas servi à mettre plus d'unité dans sa vie : mais, en dépit de ses incohérences, il avait des principes très arrêtés. Sous tous les gouvernements, depuis le consulat de Bonaparte jusqu'à la monarchie de Louis-Philippe, il apporta le même programme. Il était foncièrement individualiste : son libéralisme était une défense de l'individu contre l'État. Il voulait un gouvernement fort, pour protéger l'individu contre toutes les forces capables d'en gêner l'expansion, mais un gouvernement limité, si je puis dire, pour ne pas gêner lui-même ou opprimer l'individu. C'étaient les droits de l'individu qu'il défendait dans les principes de la Révolution, dans les libertés et les garanties octroyées par la Charte. Il mettait au service de son irréductible individualisme une parole incisive, nerveuse, volontiers insolente, dissolvante des idées et meurtrière aux personnes.

Royer-Collard [1] réservait ses coups de boutoir pour les conversations de couloir et les relations personnelles. D'un mot il décousait les réputations et les amours-propres. A la tribune, sérieux, austère, calme, il ne connaissait que les idées. Il avait débuté dans l'éloquence politique aux Cinq-Cents : le Consulat l'avait réduit au silence, et l'Empire en avait fait un philosophe. Il avait inventé le nouveau spiritualisme, philosophie oratoire, libéralisme philosophique, juste et commode doctrine bien taillée sur l'intelligence et les intérêts du bourgeois français. Cette philosophie, si cruellement analysée par Taine, éleva Royer-Collard au-dessus du niveau commun des bons orateurs, lorsque la Restauration le rendit à la vie politique. Sous la monarchie légitime, il professa la Charte avec un remarquable talent. Il avait une rare puissance de raisonnement, une clarté et une précision de termes qui rappelaient les maîtres du xviie siècle, une plénitude de développement qui saisissait les esprits; et parfois son austère parole était illuminée de sobres images. Il ne remuait pas les passions, il n'enchantait pas

---

1. **Biographie** : Pierre-Paul Royer-Collard (1763-1845), né à Sompuis (Marne), avocat, secrétaire de la première Commune de Paris, député aux Cinq-Cents, exclu au 18 Fructidor, fut nommé en 1811 professeur d'histoire de la philosophie moderne à la Sorbonne. Il combattit l'école de Condillac et le sensualisme, et suivit Reid et les Écossais. Député de la Marne sous la Restauration, élu en 1827 par sept collèges électoraux à la fois, il s'effaça après 1830. — A consulter : *Vie politique de M. Royer-Collard, ses discours et ses écrits*, publ. par M. de Barante, 1861, 2 vol. in-8. H. Taine, *Philosophes français du xixe s.* Faguet, *Politiques et moralistes du xixe s.* L. Seché, *les Derniers Jansénistes.* Spuller, *Royer-Collard*, 1895, in-16.

les fantaisies : il emplissait les esprits. Il avait, à force de certitude
intime et de lumière épandue, l'autorité.

Inventeur en théorie politique comme en philosophie spéculative, il était chef d'École à la Chambre, et ses élèves s'appelaient
les *Doctrinaires*, d'un mot qui peint à merveille leur esprit commun.
De cette école sortirent les principaux hommes d'État de l'orléanisme. Mais le maître était irrémédiablement légitimiste : la légitimité est une pièce essentielle de la doctrine. Il lui faut une
dynastie séculaire pour avoir un droit royal avéré, indiscutable :
autour de ce droit, le limitant et le soutenant de leurs droits, il
dresse les deux Chambres, et il forme ainsi le gouvernement, en
qui, et en qui seul, il place la souveraineté [1]. De chaque côté
de cette souveraineté, pour en assurer le jeu et en restreindre
l'abus, il institue l'inamovibilité des juges [2], représentation de
l'éternelle morale, et la liberté de la presse [3], représentation de
l'irrésistible démocratie. Voilà ce que Royer-Collard expliquait en
nettes formules, dans d'incomparables leçons, rappelant toujours
toute discussion aux principes, et déduisant de la Charte toute
doctrine, comprenant bien au reste son temps, et les deux grands
faits, non pas créés, mais dégagés par la Révolution [4] : la lourde
centralisation administrative, et la vigoureuse expansion de la
démocratie. Enfin, il est du petit, bien petit nombre des orateurs
qui n'ont pas vieilli, et qui se lisent vraiment avec plaisir : cela
tient à la belle fermeté de son style, aussi grave et moins triste que
celui de Guizot.

L'éloquence parlementaire eut de beaux jours sous la monarchie de Juillet. Mais, en général, les discussions s'abaissent. Le
libéralisme, en triomphant, se dépouilla de sa générosité, et se
fit le défenseur des intérêts, de l'influence, des préjugés d'une classe,
avec laquelle il identifia le pays. « L'esprit particulier de la classe
moyenne, écrit M. de Tocqueville [5], devint l'esprit général du gouvernement ; il domina la politique extérieure aussi bien que les
affaires du dedans : esprit actif, industrieux, souvent déshonnête,
généralement rangé, téméraire quelquefois par vanité et par
égoïsme, timide par tempérament, modéré en toute chose, excepté
dans le goût du bien-être, et médiocre... » L'éloquence se ressentit,
ainsi que le gouvernement, de cet esprit étroit et positif. Trop souvent même, les intérêts personnels passèrent au premier plan ; et

---

1. *Discours du 17 mai 1820, sur la loi électorale.*
2. *Discours du 21 nov. 1815, sur l'inamovibilité des juges.*
3. *Discours à propos de la loi sur la presse* (janvier 1820) : c'est, je crois, la plus
belle composition de Royer-Collard.
4. *Ibid.*
5. *Souvenirs*, C. Lévy, 1893, in-8.

les orateurs de l'orléanisme nous apparaissent comme occupés surtout de saisir ou de retenir le pouvoir, divisés par leur ambition seule, et montant à l'assaut du ministère, sans s'inquiéter de discréditer la bourgeoisie qu'ils représentent tous au même titre, ou d'ébranler la dynastie dont ils sont tous également serviteurs. Dans ces compétitions, deux hommes surtout font briller leur talent, M. Guizot et M. Thiers.

M. Guizot [1] fut un grand caractère, énergique, autoritaire, un puissant esprit, étroit, dogmatique, d'une certitude sereine et inébranlable : les idées utiles à sa classe lui apparurent toujours dans une lumineuse évidence, comme la forme même de la raison; et il ne les trouva jamais réalisées suffisamment dans la politique gouvernementale que par lui-même. Il voyait, comme par une direction providentielle, toute l'histoire européenne depuis l'invasion des barbares tendre partout, et particulièrement en France, à former, élever, éclairer, enrichir une classe moyenne : son œuvre d'historien a consisté à dessiner ce mouvement. Il estimait la religion nécessaire à l'ordre et à la conservation de la société; elle était partie intégrante de sa raison : il voulait des Églises fortement organisées, Église catholique, Église calviniste, Église spiritualiste, excluant ou matant les têtes ardentes ou indisciplinées, les *ultras* de toute couleur, unies entre elles par une bonne confraternité administrative et par une coopération journalière. Ce que ce protestant estime le plus dans la religion, ce n'est pas le sentiment religieux, c'est l'Église, l'autorité, l'énergique oppres-

1. **Biographie**: François-Pierre-Guillaume Guizot, né à Nîmes en 1787, protestant, élevé à Genève, professeur d'histoire moderne à la Sorbonne en 1812, suivit Louis XVIII à Gand; conseiller d'État sous la Restauration, il reprit son cours en 1821 après la chute du ministère Decazes ; ce cours fut suspendu de 1822 à 1828. Après la révolution de 1830, Guizot fut ministre de l'intérieur (1830), de l'instruction publique (1832-1834, 1834-1836, 1836-1837), ambassadeur en Angleterre (1840), ministre des affaires étrangères (1840-1848). Sa carrière politique fut terminée en 1848 : il écrivit quelques brochures sur la situation de 1849 à 1852. Ses travaux littéraires l'occupèrent jusqu'à sa mort (1874), avec le gouvernement de l'église calviniste française, où il se montra sévèrement orthodoxe. — Il épousa en 1812 Pauline de Meulan (1773-1827), en 1828 Mlle Dillon (1804-1833), nièce de sa première femme.

Éditions : Pour l'œuvre historique de Guizot, cf. p. 1000. *Nouveau Dictionnaire des synonymes français*, 1809, 2 vol. in-8. *Vies des poètes français du siècle de Louis XIV*, t. I, 1813, in-8 (devenu en 1852 *Corneille et son temps*, in-8). *Du gouvernement représentatif et de l'état actuel de la France*, 1816, in-8; *Washington*, 1811, in-18; *De la démocratie en France*, 1849, in-8; *Mémoires pour servir à l'histoire de mon temps*, 1858-67, 8 vol. in-8; *Discours académiques*, 1861, in-8; *Histoire parlementaire de la France* (discours prononcés aux Chambres de 1819 à 1848), 5 vol. in-8, 1863; *Méditations sur l'état actuel de la religion chrétienne*, 1866, in-8; *Lettres de Guizot à sa famille et à ses amis*, 1884, in-8. M. et Mme Guizot, *le Temps passé* (Mélanges de critique), 1887, 2 vol. in-12. — **A consulter :** J. Simon, *Thiers, Guizot, Rémusat*, 1885; E. Faguet, *Politiques et moralistes*; A. Bardoux, *Guizot*, in-16, 1894; CH, H. Pouthas, *G. pendant la Restauration*, 1923.

sion des individualités. Les revendications féodales des légitimistes
n'étaient pas à craindre : ce fut contre la démocratie que M. Guizot
tourna tous ses efforts. Il est admirable et irritant dans sa politique de résistance, identifiant obstinément la bourgeoisie avec la
France, les intérêts de la bourgeoisie avec la raison, et, cinquante
ans après cette révolution qui avait cru faire place au mérite
personnel en ruinant le privilège de la naissance, établissant
durement, hautainement le privilège de l'argent : jamais il n'était
plus bel orateur, jamais son raisonnement n'a été plus serré,
sa parole plus animée, que lorsqu'il allait superbement contre
la justice et contre la nécessité, lorsqu'il maintenait, au risque
d'abîmer tout, l'iniquité d'une société chancelante. Un des plus
grands monuments de son éloquence, c'est le discours par lequel
il refusait d'admettre dans le corps électoral les avocats, les médecins, les *capacités*, comme on disait, qui n'avaient pas le *cens*
obligatoire, c'est-à-dire cette partie même de la bourgeoisie qui
n'avait que les lumières, le travail, sans l'argent.

M. Thiers [1], aussi souple que M. Guizot était rigide, était Mar-
seillais et journaliste. Il avait la plus vive intelligence, la plus nettement bornée aussi. Moins métaphysicien encore que M. Guizot,
il avait cet esprit de mesure et cet amour de la clarté, qui écartent les inquiétudes troublantes et les trop hautes questions : il
était à l'aise dans la sphère des choses finies, matérielles et tau-
gibles, des intérêts et des faits. S'il voulait philosopher et moraliser, il avait la profondeur de Scribe, son contemporain, une autre
incarnation du même esprit. Très curieux d'art, il n'était pas
artiste ; et le grand mouvement littéraire de son temps s'accomplit
sans qu'il y comprit rien. Il le disait sur ses vieux jours : *Le romantisme, c'est la Commune* ; il l'abhorrait comme une insurrection ; il
n'y sentait pas l'explosion puissante de l'art et de la poésie. Il n'eut

1. **Biographie :** Adolphe Thiers (1797-1877), né à Marseille, avocat, arriva à
Paris en 1820 ou 1821, avec Mignet, son ami de toute la vie ; de 1823 à 1827, il
publia son *Histoire de la Révolution française*, œuvre facile et brillante, réhabilitation de l'esprit révolutionnaire contre la réaction légitimiste. Rédacteur au
National en 1830, il rédigea la protestation des journalistes contre les ordonnances. Député, puis ministre de l'intérieur en 1832 et en 1834, président du conseil
en 1836, il se ligua avec Guizot pour renverser M. Molé. Il redevint président du
conseil et ministre des affaires étrangères en 1840 ; il passa les huit dernières
années du règne dans l'opposition. Député de 1848 à 1851, il soutint la candidature
de Louis Bonaparte contre Cavaignac : puis il se prononça contre le prince pour
l'Assemblée et les institutions parlementaires. Pour la fin de sa carrière, cf. p. 1018.

Éditions : *Histoire de la Révolution française*, 10 vol., 1823-27 ; *Histoire du Consulat et de l'Empire*, 20 vol., 1845-1862 ; *De la propriété*, 1848 ; *Discours parlementaires*, 16 vol., 1879-1889. — **A consulter :** P. de Rémusat, *A. Thiers*, 1889 ; Aulard,
Les Premiers Histor. de la Rév. fr., dans la revue *La Rév. fr.*, 1901 ; M. Reclus,
Monsieur Thiers, 1929 ; G. Lecomte, *Th.*, 1933 ; J. Lucas-Dubreton, *Monsieur Th.*,
1948 ; G. Roux, *Th.*, 1948 ; Ch. Pomaret, *Monsieur Th. et son temps*, 1948.

jamais le sens du style : toutes les qualités de propriété, de sobriété,
de finesse, de couleur, de proportion dans le maniement des mots,
lui sont étrangères. Il parle et il écrit une langue lâchée, négligée,
toute pleine d'à-peu-près, molle et prolixe surtout, qui délaye la
pensée et ne la serre jamais. Mais il est clair : voilà sa qualité
éminente et la clef de ses succès; histoire, économie politique,
Révolution, Empire, plans de campagne, finances, question d'Orient,
il inonde de clarté tous les sujets : il donne à toutes les incom-
pétences qui l'entendent, la joie de ne plus rien trouver d'obscur
dans les plus difficiles et spéciales affaires. Il n'obtient cette inimaginable clarté que par des retranchements et des liaisons
arbitraires : il est forcément inexact et superficiel. Voyez ses campagnes de l'Empire : il a et il nous donne l'illusion de lire à tout
moment toute la pensée de l'Empereur, et de conduire le monde
avec elle; son récit est ordonné comme un budget où tout est
prévu. Il n'a supprimé le hasard, l'aventure, les poussées ingou-
vernables des événements, qu'à force d'affirmations téméraires et
de grosses approximations.

Cette *Histoire du Consulat et de l'Empire* [1] est d'un homme d'État
bien imprudent et aveugle : avec Béranger et Victor Hugo, Thiers a
créé le grand mouvement d'idolâtrie napoléonienne d'où devait
sortir le second Empire; il s'imaginait un peu trop aisément que
toute la gloire de Napoléon s'escompterait au profit de la monarchie de Juillet, qui avait ramené les trois couleurs. Il fut emporté
par son imagination : ce petit homme positif avait la religion du
succès; indulgent aux triomphateurs, la grandeur militaire l'éblouissait, et la gloire militaire l'enivrait. Il était peuple par un côté :
il aimait les soldats, les uniformes, le tapage des tambours, l'idée
des charges furieuses et des héroïques carnages; toute la poésie
de son âme se ramassait dans ces émotions belliqueuses : il aima
la guerre d'Algérie pour son *scenario* d'épopée militaire, encore
plus que pour les résultats. Et puis il était patriote, non pas à la
façon de Guizot qui mettait le patriotisme à faire triompher deux
ou trois principes abstraits dont la collection représentait pour
lui la patrie, mais plus populairement, mieux par conséquent,
d'une façon un peu grossière et chauvine, mais de façon qu'il
était capable de ressentir profondément l'honneur de la France,
et de tout faire, au risque de l'intérêt, pour l'honneur. Cela le

---

1. Je parle ici de cette œuvre, pour n'en point parler ailleurs. C'est une œuvre
remarquable d'éloquence narrative : une œuvre de science et de philosophie médiocre,
une œuvre d'art médiocre. Mais c'est un grand mérite d'avoir osé débrouiller un aussi
vaste et redoutable sujet, et d'avoir si lestement parcouru une carrière où dix scrupuleux savants auraient usé leur vie. Cette vive intelligence ne pouvait pas ignorer,
comprenait tout, décidait tout, et ne se sentait jamais écrasée, ni dépassée.

met au-dessus de Guizot, encore qu'à tout prendre, jusqu'en 1850,
il n'ait guère joué qu'un rôle assez mesquin d'ambitieux égoïste
L'avenir se chargeait de le grandir.

Les orateurs de l'orléanisme étaient pris entre deux oppositions :
l'opposition légitimiste et l'opposition démocratique, assez peu
fortes toutes les deux. Dans leur défaite, les légitimistes avaient
retrouvé la largeur de leur principe, qui leur permettait, contre
la bourgeoisie triomphante, de se faire les défenseurs de la liberté,
du peuple, de tout ce qu'enfin jadis leurs adversaires défendaient
contre eux. Ils avaient pour représenter leurs idées deux orateurs
de haute valeur, le comte de Montalembert [1], un pur catholique,
beau caractère, esprit véhément et brillant, sans originalité ni
profondeur, et Berryer [2], un avocat à la parole chaude, amplement
déclamateur, et sincèrement éloquent. Dès sa jeunesse il s'était
efforcé d'épargner à la Restauration les iniquités capables de la
rendre impopulaire ; il avait défendu Ney et Cambronne (1815 et
1816) ; maintenant il défendait dans un autre esprit les accusés
de la monarchie de Juillet, Chateaubriand (1833) et Louis Bonaparte (1840). Dans la Chambre la politique étroite, apeurée, matérialiste du gouvernement lui donnait beau jeu pour faire retentir
les grands principes et les beaux sentiments : il y avait du reste
bien de l'habileté et de la finesse sous les éclats de sa parole.

Sans s'être classé dans aucun parti, et *siégeant*, comme il disait,
au *plafond*, Lamartine s'était donné le rôle de jeter, au travers de
la discussion des intérêts, toutes les nobles idées de justice, d'humanité, de générosité, sans esprit et sans ambition de parti, faisant simplement sa fonction de poète, tâchant d'élever les consciences, et versant sur les politiciens toute la noblesse de son âme
en larges nappes oratoires. Lorsque les tendances de la monarchie
se précisèrent dans la résistance égoïste, les instincts de Lamartine
se déterminèrent aussi vers l'opinion démocratique : il écrivait son
Histoire des Girondins (1847), si peu historique, toute chaude d'éloquence, illuminée de portraits prestigieux, et qui emplit les âmes
d'un vague et puissant enthousiasme révolutionnaire.

1848 vint, et ce fut un moment unique, que celui où Lamartine,
pendant des semaines, fut à lui seul tout le gouvernement, et gou-

---

1. **Biographie** : Le comte de Montalembert (1810-1870), né à Londres, fondateur de
l'*Avenir* avec Lamennais, pair de France, se fit sous la monarchie de Juillet le défenseur de l'intérêt catholique, des Jésuites, de l'Irlande, des chrétiens de Syrie, de la
Pologne, de la Grèce, etc. Député en 1848, il soutint Louis Bonaparte jusqu'au coup
d'État. Il ne fut pas réélu en 1857. — *Œuvres*, 1861-68, 9 vol. ; *Lettres à un ami
de collège*, 1873 et 1884 ; *Lettres à Lamennais*, éd. Goyau et Lallemand, 1933. —
Cf. P. de Lallemand, *M. et ses amis*, 1927 ; Trannoy, *M.*, 1947.

2. Pierre Antoine Berryer (1790-1868), député de 1830 à 1851. — **Édition** :
Œuvres, 9 vol. 1872-78. — **A consulter** : E. Lecanuet (de l'Oratoire), *B.*, 1893.

verna par son éloquence de poète, calmant, maniant, purifiant les passions populaires, contenant la révolution qu'il avait faite, faisant acclamer le drapeau tricolore par l'émeute qui apportait le drapeau rouge. Puis les choses reprirent leur cours : mais le suffrage universel avait changé l'aspect de la Chambre et par contre-coup la forme de l'éloquence parlementaire : il y eut moins de correction, de politesse, de logique, plus de violence et de passion déchaînée, des voix plus grosses et plus populaires; la tradition emphatique ou solennelle de l'éloquence jacobine, le rugissement et le laconisme reparurent à la tribune. V. Hugo déployait ses vastes images, assénait ses antithèses sentencieuses; et sa volumineuse éloquence, abondante en grands effets et théâtralement machinée, soutenait des combats fréquents contre la parole unie et savante de Montalembert.

3. ORATEURS UNIVERSITAIRES.

L'organisation de l'enseignement supérieur ouvre aux orateurs une carrière nouvelle. Les cours d'histoire, de philosophie et de littérature sont des occasions d'éloquence : là peut-être se font jour les manifestations les plus puissantes de l'esprit libéral, et trois professeurs, Guizot, Cousin, Villemain, deviennent, par leurs brûlantes leçons, les chefs de l'opposition d'aujourd'hui, les ministres du gouvernement de demain. Guizot, Cousin, tracassés, écartés par le pouvoir qu'ils inquiétaient, Villemain, plus paisible et moins redouté, se trouvèrent réunis dans les derniers temps de la Restauration (1828-30), développant, chacun en sa chaire et dans sa spécialité, la diversité de leurs tempéraments.

Guizot, toujours froid, maître de lui-même, le même dans sa chaire et dans ses livres, se représentera bientôt à nous quand nous étudierons le mouvement historique.

Victor Cousin [1], tempérament imaginatif, passionnait l'histoire

---

1. **Biographie** : V. Cousin (1792-1867), successeur de Royer-Collard à l'École normale, et suppléant du même à la Sorbonne (1815), enseigna d'abord la philosophie écossaise; puis il découvrit l'Allemagne, qu'il visita en 1817 et 1818, se liant avec Hegel, Jacobi et Schelling. En 1820 son cours fut suspendu. Il retourna en Allemagne en 1824, et fut emprisonné six mois pour carbonarisme. Il reprit son cours en 1827. La révolution de Juillet le fit pair de France, membre du conseil supérieur de l'instruction publique, directeur de l'École normale, ministre de l'instruction publique.
Éditions : *Cours de philosophie professé à la Faculté des Lettres pendant l'année 1818*, 1836, in-8 (*Du vrai, du beau et du bien*, 1853, in-8); *Cours d'histoire de la philosophie*, 1826 (revu 1840 et 1863); *Cours d'hist. de la phil. moderne*, 1841, in-8; *Cours d'hist. de la phil. morale au XVIIIᵉ s.*, 1840-41; *Fragments philosophiques*, 1826, in-8; édition de *Descartes*, 11 vol. in-8, 1826; traduction de *Platon*, 1825-1840, 13 vol. in-8. *Œuvres*, 1846-47, 22 vol. in-18. *Rapport sur la nécessité d'une nouvelle édition des Pensées de Pascal*, 1842, in-8; *Jacqueline Pascal*, 1844, in-18; *la Jeunesse*

de la philosophie par de vives allusions que l'auditoire saisissait au vol. Il déroulait tous les systèmes, et l'infini, en belles
phrases harmonieuses et nobles, parfois élégamment nuageuses;
il inventait l'éclectisme, et coulait doucement dans le panthéisme.
La révolution de 1830, qui le porta au pouvoir, l'arrêta sur cette
pente, et, comme dit M. J. Simon, il changea de fièvre : il devint
le philosophe de la bourgeoisie, gardien sévère des convenances
morales, de la religion et de la propriété. La peur de la démocratie le *jeta dans les bras des évêques*, ce sont ses termes; elle fit
plus, elle en fit un évêque, impérieux catéchiseur et pasteur autoritaire. Expurgeant bravement ses cours et sa doctrine, il organisa
le spiritualisme en Église philosophique ou philosophie d'État :
têtu, jaloux, despotique, enveloppé de phrases magnifiques, dressant, à son profit, ses disciples au travail et à l'abstinence, il
mena les philosophes de l'Université comme des moines, ou, selon
son mot, comme un régiment; il les rangea durement à leur office
de conservation sociale, et fit d'eux les gendarmes chargés d'arrêter les idées subversives. Par lui, la philosophie cessa pendant
un demi-siècle d'être un libre exercice de la pensée. Sur le tard,
dans les loisirs que lui fit l'Empire, son imagination se réveilla,
voluptueuse, et l'on vit ce vieux prédicateur du catéchisme spiritualiste s'éprendre des jolies pécheresses du temps de Louis XIII
et de la Fronde. Il écrivit sur la société du XVIIe siècle des études,
toujours oratoires et passionnées, souvent arbitraires et inexactes,
qui eurent le grand mérite de faire connaître bien des documents
ignorés et curieux. Il était bibliophile, amoureux de rares bouquins, fureteur de paperasses inédites; il dut à ce goût une trouvaille précieuse : il aperçut le vrai texte des *Pensées* dans le manuscrit jusque-là négligé, et, le premier, il nous rendit tout
Pascal.

Moins éclatant et moins tapageur fut l'enseignement de Jouffroy [1], disciple de Cousin, et tout le contraire de Cousin : grave,
sobre, précis, intérieur, contenant son émotion, détaché du christianisme avec angoisse, et reconquérant douloureusement les

---

de *Mme de Longueville*, 1853, in-8; *Mme de Sablé*, 1854, in-8; *la Duchesse de Chevreuse*, 1856, in-8; *Mme de Hautefort*, 1856, in-8; *la Société française au XVIIIe s.*,
1858, 2 vol. in-8; *Mme de Longueville pendant la Fronde*, 1859, in-8; *la Jeunesse de
Mazarin*, 1865, in-8. — A consulter : P. Janet, *V. C.*, 1887; J. Simon, *V. C.*.1887;
H. Taine, *Philosophes français au XIXe s.*, 1857; L. Dumas, *C. et le Mysticisme*,
1901; V. Alaux, *C., sa philosophie*, 1921.

1. **Biographie** : Th. Jouffroy (1796-1842), suppléant de Royer-Collard à la Sorbonne en 1830, professeur au Collège de France, député de 1831 à 1838. —
Éditions : *Mélanges philos.*, 1833, *Nouveaux Mélanges*, 1842, *Cours de droit naturel*,
1835-42. *Cours d'esthét.* 1843. *Corresp.*, éd. Lair, 1901. — **A consulter** : H. Taine,
Philosophes français au XIXe siècle, 1857; Ollé-Laprune, *J.*, 1899.

grandes vérités chrétiennes par la philosophie, il recherchait, avec
une sincérité profonde et une réelle force de pensée, le problème
de la destinée humaine, ou posait les principes du droit naturel et
de l'esthétique. C'était une autre éloquence que celle de Cousin,
mais c'était encore de l'éloquence.

M. Villemain [1], lauréat académique, suppléant de Guizot, passa
de la chaire d'histoire dans celle d'éloquence française. Malgré les
malignes allusions qu'il ne se refusait pas, il était surtout professeur de littérature : son cours n'était pas, comme celui de Guizot
une profession de doctrine libérale, comme celui de Cousin un
jaillissement de passion politique. Et ce fut lui peut-être qui réalisa
pour les contemporains l'idéal de l'orateur universitaire : il avait
la parole vivante et brillante, la phrase ample et facile, relevée de
traits fins ou spirituels. Il déroulait de vastes tableaux qui capti-
vaient l'imagination, historien plutôt que critique, et plus large
que profond. Il avait renouvelé l'étude de la littérature selon l'esprit de Mme de Staël ; il développait le principe, que *la littérature est l'expression de la société*, et il avait choisi les deux cas les
plus favorables peut-être qu'il y ait à la démonstration de ce principe : il faisait l'histoire de la littérature du xviiie siècle, et l'histoire de la littérature du moyen âge. En ceci encore il s'inspirait
de Mme de Staël, lorsque, se détournant des œuvres classiques
de goût antique et païen, il étudiait les œuvres romantiques du
moyen âge chrétien. Il se plaisait à rapprocher les littératures
des nations européennes, à faire ressortir les différences que la
diversité des circonstances historiques et des institutions sociales
avait mises entre elles, à suivre les actions et réactions d'un pays
sur l'autre : il faisait une grande place à l'Angleterre dans son
etude de notre xviiie siècle, et pour le moyen âge il suivait le
développement parallèle de la littérature en France, en Italie, en
Espagne, en Angleterre. Il était nécessairement un peu superficiel,
et prenait un peu extérieurement les œuvres ; il avait cependant
beaucoup de lectures et de connaissances, plus d'idées que son
expression trop peu serrée n'en montre : c'était enfin un orateur
littéraire, très agréable et suffisamment solide, qu'on peut encore
aujourd'hui écouter avec profit.

1. **Biographie** : Abel-François Villemain (1790-1870) fut couronné pour ses éloges
de Montaigne et de Montesquieu (1812 et 1816). Appelé en 1816 à la chaire d'éloquence française, il fut sous Louis-Philippe député, pair de France, deux fois ministre
de l'Instruction publique (1839-40, 1840-44). En 1832, il devint secrétaire perpétuel
de l'Académie française, dont il était depuis 1821.

Éditions : *Cours de littérature française* (Tableau de la litt. fr. au xviiie s.), 4 vol.
(Tableau de la litt. au moyen âge), 1828. *Tableau de l'éloq. chrét. au IVe s.*, 1849 ;
Essais sur le génie de Pindare et sur la poésie lyrique, 1859 ; *Souvenirs contempo-
rains*, 2 vol., 1862. — **A consulter** : G. Vauthier, *V.*, 1913.

Sous la monarchie de Juillet, la vie et le bruit passèrent de la Sorbonne au Collège de France : Quinet et Michelet prirent la direction de la jeunesse en soufflant les passions démocratiques : on mangeait du jésuite à leurs cours. Nous retrouverons Michelet ailleurs [1]. Edgar Quinet [2], mêlant Herder à Chateaubriand, jugeant parfois très bien son temps et son parti, connaissant et pressentant l'Allemagne comme peu de Français ont fait, anticlérical et religieux, savant et poète, prophète par-dessus le tout et faiseur d'apocalypses, esprit large et intelligent, avec quelque chose d'incohérent et de nuageux, artiste insuffisant en dépit ou en raison des placages de sentiment ou de couleur par lesquels il croyait se donner un grand style, — Quinet n'a pas réussi à faire une œuvre on peut lire ses *Lettres*.

L'Empire chassa Quinet et Michelet de leurs chaires, et bannit de l'enseignement l'éloquence polémique : ce ne fut pas, malheureusement, pour favoriser la science.

4. ORATEURS RELIGIEUX.

La restauration du catholicisme fut suivie d'un renouvellement de l'éloquence religieuse. Mais peut-être est-ce surtout la révolution littéraire qui donna l'essor aux orateurs chrétiens : le goût pseudoclassique leur retranchait tout l'essentiel de la religion, le surnaturel, le mystère et l'infini, toute la poésie aussi, le pittoresque séduisant, le pathétique prestigieux.

Comme Lamennais dans le livre, Lacordaire [3] à la tribune fut un

1. Michelet fut nommé professeur au Collège de France en 1838 : son cours fut fermé en 1851.

2. **Biographie** : E. Quinet (1803-1875), né à Bourg en Bresse, fut nommé en 1842 à la chaire de langues et littératures de l'Europe méridionale au Collège de France. Il la perdit au coup d'État et se retira en Suisse. Député en 1870 à l'Assemblée nationale. **Éditions** : Traduction des *Idées sur la philosophie de l'histoire* de Herder, 1827, 3 vol. in-8; *Ahasverus*, 1833, in-8; *Napoléon*, poème, 1836, in-8; *Prométhée*, 1838, in-8; *Allemagne et Italie*, 1839, 2 vol. in-8; *Des Jésuites*, 1843, in-18 (avec Michelet); *Révolutions d'Italie*, 1848, in-8; *Œuvres complètes*, 30 vol., 1857-81; *le Livre de l'exilé*, 1875, posthume; *Lettres d'exil*, 4 vol., 1884-88. *Cinquante ans d'amitié*, (Lettres de Quinet et de Michelet, 1900). Cf. P. Gautier, *Un Prophète, E. Q.*, 1917. — Si l'on tenait compte de l'intelligence, de l'activité, de la générosité, plus que des *réussites* littéraires, Quinet mériterait une étude plus détaillée (*11e éd.*).

3. **Biographie** : Henri-Dominique Lacordaire (1802-1861), commença en 1835 ses conférences de Notre-Dame (1835, 1843-1851). Il se fit entendre aussi à Bordeaux, Grenoble, Nancy, etc. Député en 1848; académicien en 1860. Il mourut au collège de Sorèze, qu'il dirigeait. — **Éditions :** *Œuvres complètes*, 9 vol. 1872-73; *Correspond. inéd.*, 1870, in-8; *Lettres à la Cᵐᵉ E. de la Tour du Pin*, 1863, in-8; *Lettres à des jeunes gens*, publ. p. l'abbé Perreyve, in-8, 1862; *Correspond. du P. Lacordaire et de Mme Swetchine*, publ. p. M. de Falloux, 1864, in-8. — **A consulter :** d'Haussonville, *Lacordaire*, 1895; Pautlé, *L*, 1912; R. Zeller, *L.*, 1929; E. Vaast, *L. et les Confér. de Notre-Dame*, 1938; Zeller, *L. et ses Amis*, 1940.

grand romantique. Il était Bourguignon, de la province qui nous
a donné saint Bernard et Bossuet. Il appartint d'abord au monde,
il se fit recevoir avocat; il professa le voltairianisme. A vingt-deux
ans, il entra à Saint-Sulpice, et se fit prêtre. Par une inspiration
poétique autant que chrétienne, il prit en 1840 l'habit blanc de
Saint-Dominique et fut en France le restaurateur de l'ordre :
cela fournit à Guizot, en le recevant à l'Académie, l'occasion d'un
éloquent morceau, sur le caractère du temps qui réunissait dans
une paisible confraternité l'inquisiteur et l'hérétique.

Lacordaire, un instant l'allié de Lamennais, se soumit sans
réserve, et resta ferme dans une obéissante orthodoxie. Mais il ne
renonça point à ses tendances, à son désir de réconcilier l'Église
et le monde moderne, le dogme et la liberté. Il avait compris que
de lier le prêtre à l'autel, à ses offices en latin, à son cérémonial
séculaire, à sa prédication traditionnelle des lieux communs sans
date, c'était l'éloigner du peuple, c'était inutiliser, tuer l'Église et
la religion, sous prétexte de ne pas les compromettre. Dans ses
conférences de Notre-Dame et dans celles qu'il prêcha un peu
partout, il jeta hardiment le catholicisme en pleine actualité. Il
aborda toutes les questions politiques, sociales, philosophiques
qui passionnaient les esprits, il parla de la démocratie, des nationalités, de la Pologne, de tous les sujets brûlants. Plus clairvoyant
que les prélats qui s'inquiétaient de ses discours, il tâchait, en
saisissant le plus vif des consciences, de rendre à l'Église la direction des consciences. Il essayait, plus modérément que Lamennais, et serrant toujours plus étroitement les liens qui l'unissaient
au Saint-Siège à mesure qu'il effarouchait davantage le clergé
français, il essayait de montrer que la solution chrétienne de tous
les grands problèmes était libérale et démocratique.

Il n'était point profond; ni l'exacte psychologie, ni la logique
sévère n'étaient son fort. Il n'avait ni la richesse d'idées, ni l'ampleur de poésie de Lamennais; son style avait plus de chaleur que
de perfection artistique. Par son éloquence imagée, pathétique,
abondante en grands mouvements, il remuait de forts et vagues
sentiments au fond des cœurs : ses sermons faisaient des effets
analogues à ceux que produisaient nos grands lyriques, lorsqu'ils
entreprirent d'agiter, à l'aide de la poésie et du roman, les inquiétudes morales et sociales de leurs contemporains.

Lacordaire ressuscita aussi l'oraison funèbre, si avilie au
xviiie siècle : il sut encore la réchauffer par l'actualité, unir, pour
parler d'O'Connell ou du général Drouot, le sentiment national ou
patriotique à la ferveur catholique.

Il y eut autour de Lacordaire, il y eut après lui d'éminents prédicateurs : le P. de Ravignan, un fin et séduisant jésuite; l'abbé

Dupanloup, plus tard évêque d'Orléans, véhément et diffus, de
plus d'éclat que de portée; le P. Hyacinthe, orateur souvent
emphatique, qui n'ayant pas pu rester catholique, n'a été ni
protestant ni philosophe, douloureusement suspendu entre toutes
les doctrines, et déchiré entre les jugements de sa raison et les
exigences de son cœur : d'autres encore, élégants parleurs ou rhéteurs romantiques, politiques cléricaux, ou démocrates chrétiens, ou
orthodoxes sans date et sans couleur, adversaires ou exploiteurs
de la science, gens de beaucoup d'esprit parfois, de forte conviction toujours, d'idées souvent peu profondes ou mal assises.

Je m'arrêterais de préférence au P. Didon [2], dominicain, qui a
donné d'éclatants exemples de hardiesse oratoire et de foi
soumise. C'est un beau prédicateur, grave, pressant, solidement
instruit, et qui a l'intelligence de son temps. Sa parole claire,
nerveuse, chaude, s'adapte finement à l'état des consciences
contemporaines; comme Lacordaire, le P. Didon cherche à faire
apparaître dans le catholicisme le remède aux misères sociales,
la réponse aux incertitudes morales de l'heure actuelle : de tous
les prédicateurs qui veulent faire de la religion une chose
vivante, efficace, pratique, il n'y en a pas qui soit mieux informé,
plus habile et plus fort. Plus audacieusement, suivant le mouvement qui, dans la seconde moité du siècle, poussait à introduire
les procédés de la science dans tous les ordres de la pensée, ce
moine a voulu employer les méthodes de l'exégèse contemporaine
à démontrer la vérité de la religion; il a essayé de refaire, dans
un esprit opposé, pour une conclusion contraire, l'œuvre de
Renan, une *Vie de Jésus*. La tentative a été plus intéressante
qu'heureuse : une certaine faiblesse de pensée s'y découvre, et
plus de prétention à la science que de rigueur scientifique. Mais
l'affaire du P. Didon, ce n'est pas le livre : c'est le discours,
l'action directe et personnelle sur les âmes.

1. Le P. de Ravignan (1795-1858), avocat, puis jésuite. *Conférences*, 1849, 4 vol. in-8.
— Félix Dupanloup (1802-1878), supérieur du petit séminaire de Paris, prof. d'éloquence sacrée à la Sorbonne, év. d'Orléans en 1849; après 1871, député et sénateur.
Gallican ardent, il se soumit pourtant après le concile de 1869. *Œuvres choisies*,
4 vol., 1861; *Nouvelles Œuvres choisies*, 7 vol., 1873-5; *Lettres choisies*, 1888. — Le
P. Hyacinthe Loyson (né en 1827), prêtre, puis carme, débuta à Paris en 1864,
fut très attaqué par Veuillot, rompit en 1869 avec l'ordre des carmes, puis avec le
pape, qui l'excommunia : il prétendit rester catholique malgré tout. L'occasion de
la rupture, très honorable pour lui, fut une déclaration libérale et philosophique
dans une séance de la Ligue internationale de la paix (juin 1869) : il mettait le
judaïsme, le catholicisme et le protestantisme sur le même pied, comme « les trois
grandes religions des peuples civilisés ». Il n'a pas eu le génie qu'il aurait fallu,
pour le rôle qu'il prenait : noble esprit d'ailleurs et belle âme.
2. Né en 1840. *L'Homme selon la science et la foi*, 1875; *la Science sans Dieu*,
1878; *Vie de Jésus-Christ*, 2 vol. in-8, 1890; *la Divinité de Jésus-Christ*, 1894.

CHAPITRE II

LE MOUVEMENT ROMANTIQUE

1. Définition du romantisme : individualisme, lyrisme, sentiment et
pittoresque; destruction du goût, des règles, des genres; refonte
générale de la littérature et de la langue. — 2. Origines françaises
et étrangères. Influences artistiques. Circonstances favorables ou
déterminantes. — 3. Premières manifestations poétiques : Lamartine; Vigny. Premiers théoriciens et champions : le Cénacle et la
Muse française. V. Hugo : *Préface* de Cromwell.

Dans l'histoire de l'art littéraire au xixᵉ siècle, deux faits généraux dominent : vers 1830, la littérature est romantique, vers 1860
elle est naturaliste; deux grands courants semblent l'emporter
successivement en sens contraire.

1. DÉFINITION DU ROMANTISME.

Qu'est-ce que le romantisme [1]? A cette question difficile, on
peut répondre, en regardant le trait apparent et commun des
œuvres romantiques : le romantisme est une littérature où domine
le lyrisme. Mais alors, qu'est-ce que le lyrisme?

Le lyrisme est d'abord l'expansion de l'individualisme : or par
où sommes-nous facilement et constamment individuels? non pas
sans doute par les idées de notre intelligence, bien plutôt par les
phénomènes de notre sensibilité. Ces phénomènes sont de deux
sortes : des sentiments d'amour et d'espérance, de haine et de
désespérance, d'enthousiasme et de mélancolie; ou bien des sensations. Parmi nos sensations, les unes sont représentatives de l'univers, et sont les matériaux avec lesquels nous construisons le monde

---

1. *L'abondance des ouvrages sur le romantisme publiés dans les cinquante
dernières années nous oblige à rejeter la bibliographie en fin de chapitre,* p. 941.

extérieur dont nous portons en nous l'image ; les autres ne sont pas (directement du moins et facilement) représentatives, comme certaines sensations musculaires, et, pour la plupart des hommes, les sensations d'odorat et de goût : ces dernières, les romantiques en abandonneront l'expression à leurs successeurs, et ils se contenteront des premières. Ils s'attacheront à rendre leurs affections intimes et leurs impressions de la nature : leur lyrisme sera sentimental et pittoresque.

Mais si nous nous intéressons aux émotions qui ne sont pas les nôtres, c'est que nous sommes hommes, et le poète est homme : nous avons en commun avec lui la nature et la source des émotions. La qualité seule, l'intensité, les formes accidentelles et causes occasionnelles sont à lui. « Les passions de l'âme et les affections du cœur, disait Hegel, ne sont matière de pensée poétique que dans ce qu'elles ont de général, de solide, et d'éternel. » Aussi le grand, le puissant lyrisme n'est-il pas celui par où le poète se distingue de tout le monde, mais celui qui en fait le représentant de l'humanité. Le lyrisme qui nous prend, est celui où transparaît sans cesse l'universel : il trouve au fond des tristesses et des désirs de l'individu, il aperçoit à travers les formes multiples de la nature, il pose et poursuit partout les problèmes de l'être et de la destinée. Que sommes-nous ? où allons-nous ? Dans tous les accidents du sentiment, dans l'amour par exemple, le poète aperçoit les conditions de l'être éphémère et borné. Sous le perpétuel écoulement de notre vie phénoménale, qu'est-ce que ce *moi* qui se dérobe ? Et la mort, qui arrête cet écoulement, est-ce une fin, un arrêt, un passage ? Qu'y a-t-il *au delà* ? Enfin la cause ? la cause de ce *moi* que je suis, la cause de cet univers que je reflète en moi ? si je suis capable de création lyrique, je la cherche dans tous les battements de mon cœur, dans tous les aspects de la nature. Le romantisme (et c'est là sa grandeur) est tout traversé de frissons métaphysiques [1] : de là le caractère éminent de son lyrisme, qui, dans l'expansion sentimentale, et dans les tableaux pittoresques, nous propose des méditations ou des symboles de l'universel ou de l'inconnaissable.

Entre ces émotions particulières de l'individu et ces conditions essentielles de l'humanité, qui, réunies, forment l'objet du lyrisme

1. La religion, jadis, drainait, canalisait dans la vie individuelle et dans le domaine littéraire, l'émotion et la pensée métaphysiques : quand, par le progrès de la philosophie, elle a cessé de faire son office pour les classes supérieures de la nation, alors tous les sentiments qu'elle enfermait dans certains actes de la vie et certains genres de littérature, ont inondé toute la vie et toute la littérature. Le classique s'inquiète de sa destinée à l'église, ou bien en lisant ou faisant un sermon ; le romantique mêle cette inquietude dans tous ses actes (d'où il perd vite la faculté d'agir), et ne peut exprimer aucune pensée qui ne la contienne (d'où la pente rapide vers le lyrisme).

romantique, restent l'intelligence avec la réflexion et les facultés discursives, et les vérités universelles d'ordre rationnel : deux choses que le romantisme laisse de côté. Psychologie et science, art de penser et art de raisonner, méthode exacte et logique serrée, c'est ce dont il ne s'inquiète guère, et c'était précisément tout ce qui faisait l'intérêt, la valeur, l'originalité du xviiie siècle, la meilleure moitié de ce qui faisait l'intérêt, la valeur, l'originalité du xviie siècle.

Mais ceci nous rappelle que quelque chose existait avant le romantisme, a été détruit par lui : nécessairement le romantisme s'est déterminé par rapport au classicisme. Pour être lui, il a dû se distinguer de ce qui était avant lui. Il s'est différencié, d'abord par négation, puis par antithèse.

Par négation, en supprimant les règles qui régissaient le travail littéraire. Ces règles étaient de trois sortes : les définitions des genres nettement séparés entre eux et sans communication; les lois intérieures de chaque genre, qui faisaient prévaloir l'unité du type sur la diversité des tempéraments; les préceptes du goût, qui limitaient l'artiste dans le choix des objets d'imitation et des procédés d'expression.

Par antithèse, en faisant le contraire de ce qu'avaient fait les classiques [1]. La littérature du xviiie siècle prenait pour modèles les anciens et le xviie siècle français : le romantisme leur substitue le moyen âge et les étrangers.

Ainsi le romantisme sera, en premier lieu, un élargissement, ou plutôt un déplacement du domaine littéraire; ensuite, une refonte des formes littéraires, chaos d'abord, mais chaos d'où sortira vite une organisation nouvelle. Il nous donnera une poésie lyrique, une littérature pittoresque, une histoire vivante. Il brisera les formes trop arrêtées, trop fixes, qui ne se laissent plus manier par la pensée de l'artiste, ces habitudes tyranniques de composition et de style qui filtrent pour ainsi dire l'inspiration et éliminent l'originalité : en brisant les genres, les règles, le goût, la langue, le vers, il remettait la littérature dans une heureuse indétermination, dans laquelle le génie des artistes et l'esprit du siècle chercheraient librement les lois d'une reconstitution des genres, des règles, du goût, de la langue, du vers. En deux mots, le romantisme nous fait repasser de l'abstraction à la poésie, et, quoiqu'il ait pu sembler d'abord faciliter l'invention aux dépens de l'art, il ramène l'art à la place du mécanisme.

---

1. Il faut noter que les classiques et les romantiques ne distinguent ni les uns ni les autres Boileau de Voltaire et Voltaire de Viennet : les classiques du xixe siècle se croient les représentants de l'art de Racine, et les romantiques jugent nécessaire de démolir Racine pour écraser M. de Jouy.

2. ORIGINES ET INFLUENCES DÉTERMINANTES.

Les origines du romantisme nous sont déjà partiellement connues. Nous avons vu, à travers le XVIIIe siècle français, croître l'individualisme, sous la double forme d'expansion sentimentale et d'amour de la nature, et se faire la liaison des images du monde extérieur et des dispositions intimes de l'âme. Nous avons vu, en Rousseau puis en Chateaubriand, les facultés discursives, le raisonnement, les *idées* s'atténuer, l'émotion grandir et la puissance poétique. Des curiosités, des tentatives qui ne se rapportent plus aux modèles classiques apparaissent; et Mme de Staël, avec un style tout classique, a fait la théorie d'une littérature romantique. (App. XXXI.)

Aux origines françaises se joignent les origines étrangères[1]. Ces influences se sont depuis trente ans, précisées, étendues; des œuvres considérables ont pénétré chez nous, apportant une force nouvelle aux instincts romantiques. L'Angleterre a eu Byron, comme Chateaubriand désolé et voyageur, pathétique et pittoresque, mais de plus ironique, satanique, et surtout poète *en vers*; elle a eu Walter Scott, qui, rejetant le costume épique et les sujets antiques, vulgarisait toutes les nouveautés des *Martyrs*, le romanesque historique, le paysage historique, la couleur locale. Elle a eu ses *lakists*, Wordsworth, Southey, Coleridge, dont les tempéraments originaux, repoussant toutes les entraves classiques, font de la poésie une libre création où leur âme se révèle.

En Allemagne, Schiller (mort en 1805) avait produit toute son œuvre, et Goethe avait donné son premier *Faust* : puis avaient poussé les fantaisies romantiques, sentimentales, vagues, déconcertantes souvent pour l'esprit et troublantes pour le cœur, avec Novalis, Tieck, et autres. L'Italie introduisait avant nous la révolte contre les unités classiques, et Manzoni publiait en 1820 son *Comte de Carmagnola* : mais l'Italie surtout avait Dante, toute la pensée et toute l'âme du moyen âge ramassées dans la *Divine Comédie*. L'Espagne, attardée dans l'imitation française, nous aidait pourtant à repous-

---

1. Cf. J. Texte, *Rousseau et les Orig. du cosmopolit. littér.*, 1895; *Etudes de litt. européenne*, 1898; F. Baldensperger, *Etudes d'Hist. litt.*, 1907-1910; L. Maigron, *Le Roman histor. à l'époque romant.*, 1898; Estève, *Byron et le Romant. fr.*, 1907; A. B. Thomas, *Moore en Fr.*, 1911; P. Van Tieghem, *Ossian en Fr.*, 1917; M. A. Smith, *Influence des lakists sur les romant. fr.*, 1920; A. M. Killen, *Le Roman noir et son Infl. sur la Litt. fr.*, 1924; F. Baldensperger, *Goethe en Fr.*, 1904; L. Reynaud, *Le Romant., ses origines anglo-german.*, 1920; *L'Infl. allemande en Fr.*, 1922; E. Eggli, *Schiller et le R. fr.*, 1927; E. Duméril, *Le Lied allemand et ses traductions poétiques en Fr.*, 1933; A. Béguin, *L'âme romantique et le rêve*, 1947. — R. Noli, *Les romantiques fr. et l'Italie*, 1928. — E. Martinenche, *L'Espagne et le Romantisme fr.*, 1922; J. Sarrailh, *Enquêtes romantiques : France-Espagne*, 1933.

ser les modèles qu'elle nous empruntait encore : elle nous offrait
son *romancero* [1], qui faisait voir un moyen âge héroïque et parfois
féroce, ardemment ou durement chrétien, pittoresque et familier
dans le sublime et l'extraordinaire.

Il faut tenir compte surtout d'un certain nombre d'ouvrages qui,
dans les premières années de la Restauration, aidèrent l'imagination de nos artistes et de nos poètes à sortir de l'antiquité classique et du xviiᵉ siècle, à renouveler les idées et les formes de la
littérature. C'étaient des traductions d'ouvrages étrangers, des
recueils de chants populaires ou d'anciennes poésies, des études
d'histoire littéraire, des voyages : toute l'Europe, pour ainsi dire,
de la Grèce à l'Écosse, et toutes les œuvres modernes, des troubadours à Byron, investirent l'idéal classique et le dépossédèrent [2].
Nos littérateurs, qui n'étaient pas en général des érudits, ni très
savants aux langues étrangères, eurent ainsi pour instructeurs les

1. J. Grimm, *Selva de romances viejos*, 1815; Depping, autre *romancero*, 1817; Bohl
de Faber, autre, 1821; A. Duran, *romancero general*, 1822 (réimp. et augm., coll.
Ribadeneira, Madrid, 1854, 2 vol. gr. in-8).

2. Voici une simple liste qui nous aidera à comprendre sous quelle pression du
milieu a éclaté la poésie romantique :

1809. B. Constant, *Wallenstein*, tragédie, avec *Quelques réflexions sur la pièce de
Schiller et le théâtre allemand*, in-8.

1814. A.-G. Schlegel, *Cours de littérature dramatique*, trad. par Mme Necker de
Saussure, 3 vol. in-8.

1814 et 1823. Creuzé de Lesser, *Romances du Cid* (en vers).

1816-21. Raynouard, *Choix de poésies originales des troubadours*, 6 vol. in-8.

1817. W. Scott, *Des troubadours et des cours d'amour*, in-8.

1821. Guizot, trad. de Shakespeare (revision de Letourneur).

1821. Barante, *Théâtre* de Schiller, 6 vol. in-8.

1822-1825. Pichot, trad. de Byron.

1822. Abel Hugo, *Romances historiques* (en prose), in-12.

1823. Fauriel, trad. des *tragédies* de Manzoni, in-8.

1824. Lœve-Veimars, *Mélanges littéraires, politiques et morceaux inédits de Wieland*
in-8.

1825. — trad. *d'Obéron* du même, in-32.

1824-25. Fauriel, *Chants populaires de la Grèce moderne*, 2 vol. in-8.

1825. Pichot, *Essais sur lord Byron*, in-8.

1825. Lœve-Veimars, *Ballades, légendes et chants populaires de l'Angleterre et de
l'Écosse*, in-8.

1825. Pichot, *Voyage historique et littéraire en Angleterre et en Écosse*, 3 vol. in-8
(réimpr. 1826, 3 vol. in-12); il y a des chapitres sur le pays, les peintres, le théâtre
depuis Shakespeare, Cowper, les Lakistes, Moore, Byron, W. Scott, Shelley, etc.

1826. J. Cohen, *Tableau de la Grèce en 1825*.

1827. E. Quinet, *Idées sur la philosophie de l'histoire de Herder*, 3 vol. in-8.

1828. Villemain, *Tableau de la littérature au moyen âge*, leçons faites précédemment
en Sorbonne.

1828. Sainte-Beuve, *Tableau de la poésie française au XVIᵉ siècle*, in-8.

1828. Nodier, *Faust*, drame en trois actes.

1828. Gérard de Nerval, le *Faust* de Gœthe.

1828. E. Deschamps, *Études françaises et étrangères* (la *Cloche* de Schiller, le
Romancero de Rodrigue, etc.).

1829. A. Deschamps. *la Divine Comédie* de Dante.

Guizot et les Barante, les Fauriel et les Raynouard, les Lœve-Veimars et les Pichot : avant qu'ils eussent voyagé, les paysages du
Nord et de l'Orient vinrent les troubler de sombres ou radieuses
visions. N'oublions pas la Bible, que Vigny et Lamartine feuillet-
tent, et dans laquelle Hugo cherchera non pas seulement une
matière de poésie, mais d'abord et surtout des procédés de style,
des coupes, des figures, des épithètes. La Bible devient un des
livres de chevet du poète.

Nous n'avons pas fini encore : il nous faut regarder hors de la
littérature. La barrière qui séparait écrivains et artistes a été,
comme je l'ai dit, abattue par Diderot. Écrivains et artistes ont
conscience d'être un même monde, de poursuivre pareilles fins
par des moyens divers; et ces rapports tendent à rendre aux écrivains le sens de l'art, leur rappellent qu'ils sont créateurs de
formes et producteurs de beauté. Or la peinture quitte la voie où
David l'a engagée. Bonaparte, par les épiques promenades de ses
armées, offre à Gros des sujets modernes : Aboukir, Jaffa, Eylau,
les Pyramides; et sous la contrainte de la réalité prochaine, le
peintre est conduit à caractériser les types ethniques, à s'inquiéter
d'une *couleur locale*. Il porte ce goût dans des sujets plus lointains,
et la vérité familière, avec l'histoire de France, fait son entrée dans
la *Visite de Charles-Quint et de François Ier à Saint-Denis*. Puis c'est
Géricault avec son héroïque et si peu pompeux *Cuirassier blessé*
(1814), avec son violent *Radeau de la Méduse* (1819); Delacroix
apparaît en 1822 avec sa fantastique *Barque de Dante*; le *Massacre
de Scio* (1824) ouvre la série des *Orientales*; et Gœthe trouve ses
visions surpassées dans les illustrations dont Delacroix précise son
Faust[1]. Delaroche paraît avec son *Saint Vincent de Paul* et sa *Jeanne
d'Arc* (1824), et Eug. Devéria étale en 1827 le bariolage provocant
de sa *Naissance de Henri IV*. Tout cela précède la *Préface* de *Cromwell* et les *Orientales* : pour le romantisme historique et pittoresque,
les peintres ont donné des modèles aux poètes. Aussi ne faut-il
pas s'étonner si ce sont les ateliers qui fournissent la *claque* de
Henri III et de *Hernani*.

Certaines circonstances favorisèrent la révolution littéraire. J'ai
signalé déjà comment la Révolution avait enlevé aux salons,
momentanément fermés, la souveraine autorité qu'ils exerçaient
depuis près de deux siècles sur le goût et le style. Il faut noter
aussi les conséquences de la suspension passagère de l'instruction
universitaire et ecclésiastique : par les collèges s'entretenaient
l'esprit classique, l'admiration des anciens, l'amour des élégances
littéraires et des ornements oratoires. Pendant qu'ils furent fer-

---

1. Gœthe en parle à Eckermann le 29 novembre 1826.

més et leur personnel dispersé, et plus tard avant que l'Université
impériale eût solidement renoué la tradition, s'éleva librement la
génération qui, vers 1820, commença d'écrire; au reste, il était
impossible de vivre au collège, comme autrefois, absorbé dans
l'antiquité : et le présent disputait victorieusement au passé les
âmes des enfants. Ni Hugo, ni Lamartine, ni Vigny[1], qui reçurent
une instruction plus ou moins régulière ou décousue, n'en restèrent profondément marqués : rien de pareil, en eux, à l'empreinte
que Racine garda de Port-Royal, ou même Voltaire des jésuites.
Musset et Gautier[2], d'une autre génération de collégiens, furent,
selon la diversité de leurs natures, plus imprégnés, l'un de classicisme et l'autre d'antiquité; et si le moment vint, après le débordement des fantaisies *moyen âge*, où l'on se reprit à traiter des
sujets grecs ou romains selon l'art romantique, la restauration des
études universitaires y fut pour quelque chose. A l'heure où nous
sommes, leur ruine momentanée produit un résultat contraire.

Les deux circonstances que je viens d'indiquer aidèrent les jeunes
esprits à s'affranchir des règles classiques, à briser surtout les
formes de la langue et de la versification. Ce n'est pas sans doute
un hasard si l'inspiration individualiste et lyrique, qui est le fond
du romantisme, n'a paru encore que chez des prosateurs, Rousseau,
Chateaubriand. Le romantisme, dans son invasion des formes littéraires, a été du moins déterminé au plus fixe, de la prose au
vers, pour finir par le théâtre, où il trouvait la plus grande résistance dans l'extrême rigidité de conventions multiples. Échappant
aux influences du monde et du collège, nos poètes se trouvèrent
affranchis de cette crainte du ridicule, qui paralyse toutes les originalités dans la vie mondaine, et dotés, sur les petits secrets de
l'art d'écrire, de certaines ignorances favorables à la spontanéité
de l'expression. Il fallait avoir vécu loin des salons, et n'avoir pas
subi le joug du discours latin, pour faire des mots la sincère et
simple image de l'émotion ou de la sensation.

Nous devons enfin considérer comme circonstance favorable la
chute de l'Empire qui, fermant brusquement la réalité aux activités inquiètes et aux ambitions énormes, les dériva vers le rêve et
l'exercice de l'imagination. Les enfants élevés entre 1804 et 1814,
n'ayant pas senti les misères et n'ayant éprouvé que la fascination des victoires impériales, gardèrent sous la paix des Bourbons
des exaltations qui cherchèrent à se satisfaire par les passions
lyriques et les aventures romanesques des livres[3].

1. Nés en 1802, 1790 et 1797.
2. Nés en 1810 et 1811.
3. Il y a un fond de vérité dans ce qu'ont dit Vigny (*Servitude militaire*, ch. I)
et Musset (*Confession d'un enfant du siècle*).

Le romantisme, à ses débuts, fut surtout monarchique et chrétien : Chateaubriand avait établi entre l'idéal artistique et les principes pratiques une confusion qui égara les premiers romantiques : épris du moyen âge chrétien et féodal, ils s'estimèrent obligés d'être en leur temps, réellement, catholiques et monarchistes. Ils le furent aussi, par opposition aux disciples du xviiie siècle, qui, retenant le goût de Voltaire ou de Condorcet, en professaient les idées; comme le même siècle avait produit *Mérope* et le *Dictionnaire philosophique*, on le haïssait ou l'aimait en bloc : les libéraux se croyaient tenus d'être classiques, et les romantiques chantaient le trône et l'autel. En réalité, ce classement résultait d'un malentendu. Le romantisme en son fond était révolutionnaire et anarchique : on ne tarda pas à s'en apercevoir. Nous assisterons à l'évolution politique de V. Hugo et de Lamartine; et même avant 1826, l'abbé de Frayssinous avait reconnu la liaison des doctrines classiques aux principes conservateurs [1]. **App. XXXII.)**

3. LE CÉNACLE. LA PRÉFACE DE « CROMWELL ».

On ne saurait aussi s'empêcher de dire que l'explosion du romantisme fut la conséquence de ces causes insaisissables qui firent apparaître presque simultanément de puissants talents. Ce qu'on appelle le hasard donna alors Hugo, Lamartine et Vigny. Casimir Delavigne venait de rimer ses *Messéniennes* et N. Lemercier venait de manquer sa colossale *Panhypocrisiade*, quand Lamartine, du fond de sa province, apporta ses *Méditations* où l'on reconnut d'abord un grand poète (1820). Cependant Vigny, dans ses loisirs de garnison, composait ses *Poèmes*, qui parurent en 1822. Le romantisme élégiaque et fiévreux, le romantisme philosophique et symbolique étaient nés. Mais il n'y avait pas d'école romantique : c'étaient deux manifestations isolées du génie poétique, et aucun des deux poètes, à cette heure, pas même Vigny, ne songeait à se poser en théoricien novateur ou révolté.

Victor Hugo donnait ses *Odes* (1822), toutes classiques dans leur éclatante rhétorique qui en faisait l'achèvement splendide du lyrisme selon la formule de J.-B. Rousseau, chefs-d'œuvre de virtuosité sans sincérité. Combinaison et facture des vers, choix d'images et artifices de construction, rien dans ce premier recueil

1. Je trouve ce détail dans Pichot (*Voyage hist. et pitt. en Angl.*), Avant-Propos, t. I, p. 14. éd. de 1826.

ne rompait avec la tradition, sinon la puissance du talent.

Le premier manifeste fut lancé par Stendhal en 1822 : dans sa brochure sur *Racine et Shakespeare*[1], il semblait faire de l'ennui le signe éminent du classicisme. Étrange confusion des temps, qui fait de ce bonapartiste, fidèle disciple des sensualistes et des analyseurs du xviiie siècle, le premier porte-drapeau du romantisme, dont tout semblait plutôt l'éloigner! Mais le romantisme, pour Stendhal, se réduit à ce qu'un disciple de Montesquieu peut accepter : il combat l'imitation qui empêche une littérature d'être l'expression exacte du climat et des mœurs.

L'école romantique se forme vers 1823, autour de Ch. Nodier[2], dans le fameux salon de l'Arsenal. Nodier, fureteur et voyageur, est épris de sentimentalité, de fantastique, d'exotisme, possédé du besoin de *romancer* l'histoire; avec lui, Émile et Antony Deschamps[3], Vigny, Soumet, Chênedollé, Jules Lefèvre, forment le premier Cénacle[4]. Victor Hugo y tient par d'amicales et fréquentes relations : il se réserve. Il refuse encore, dans une *Préface* de 1824, le nom de romantique comme celui de classique : il encense Boileau et vénère les règles. Il se pose entre les deux partis. Il laisse ses amis guerroyer dans la *Muse française* et dans le *Globe*[5]. Il se déclare seulement dans sa *Préface* de

---

1. *Racine et Shakespeare*, éd. **P.** Martino, 1925. — Sur le groupe Stendhal-Mérimée-Delécluze, cf. R. Baschet, *E. J. Delécluze, témoin de son temps*, 1942 et *Journal de Delécluze*, R. Baschet, 1948.

2. Ch. Nodier (1783-1844) fut nommé le 1er janvier 1824, directeur de la Biblioth. de Monsieur (Arsenal). Il a fait *les Proscrits* (1802), *le Peintre de Salzbourg* (1803), dans le genre allemand sentimental, les *Essais d'un jeune barde* (1804), l'*Histoire des Sociétés secrètes de l'armée* (1815), des nouvelles et romans, de *Jean Sbogar* (1818) à *Trilby* (1822), *Bertram ou le Château de Saint-Aldebrand*, trag. imitée de l'anglais (1821), etc.. — **A consulter :** M. Salomon, *Ch. Nodier et le groupe romant.* 1908; J. Larat, *Trad. et E. dans l'Œuvre de N.*, et *Bibliogr. des Œuvres de N.*, 1925; M. Henry-Rosier, *Vie de N.*, 1931; P. C. Castex, *Le Conte fantast. en Fr.*, 1951.

3. E. Deschamps (1791-1871) traduira en 1839 *Roméo et Juliette*, puis *Macbeth* en 1844. *Œuvres complètes*, Lemerre, 6 vol. *Préface des Études fr. et étrangères*, éd. H. Girard; 1923. Cf. H. Girard, *Un Bourgeois dilettante à l'époque rom. E. D.*, 1921. — Son frère, *Antony Deschamps* (1800-1869), traduisit *Dante*.

4. Sur le 1er Cénacle, cf. H. Girard, *Centenaire du 1er Cénacle romant. et de la Muse fr.*, 1926. Le second Cénacle est celui de 1829, d'où on disparu les demi-classiques, où les artistes se mêlent aux poètes; chez Nodier se réunissent Hugo, Vigny, Sainte-Beuve, Dumas, les deux Devéria, L. Boulanger, David d'Angers, le jeune Musset.

5. La *Muse française* fut fondée en 1823 (Réimpr. J. Marsan, 1907-1909); le *Globe* en 1824. Le *Globe* était libéral, il accueillit pourtant les idées littéraires des romantiques (cf. P. Trahard, *Le Romant. défini par le Globe*, 1924). Sur le *Conservateur litt.* (déc. 1819-mars 1821), fondé par V. Hugo, cf. éd. J. Marsan, 1935. — Les articles de Deschamps dans la *Muse française* furent réunis en 1829 (*le Jeune Moraliste du XIXe siècle*). Cf. l'article : *la Guerre en temps de paix*, t. II de la *Muse fr.*, p. 293, 1824. « Vous appelez *romantique* ce qui est *poétique.* » Voilà le mot essentiel. — **A consulter :** J. Marsan, *Notes sur la bataille romant.* Rev. d'Hist. litt., 1906; L. Séché, *le Cénacle de la Muse franç.* 1908.

1826, où il fait une sortie contre les limites des genres, revendique le nom de romantique, attaque l'imitation, et, demandant à l'art d'être avant tout inspiration, pose la formule de *la liberté dans l'art*[1].

En même temps, il publiait ses *ballades*, pour donner une idée de la poésie des *troubadours*, ces *rapsodes chrétiens* qui savaient manier *l'épée et la guitare*[2]. Il dépouillait les formes classiques de l'ode; il essayait des rythmes plus simples, plus souples, plus personnels; il cherchait des combinaisons fantaisistes, où éclatait sa prodigieuse invention rythmique ou verbale. Enfin, il se faisait lui, le tard-venu, il se faisait du droit du génie le chef du mouvement romantique par la *Préface* de *Cromwell* (1827).

Avec un grand fracas de formules hautaines, et de métaphores ambitieuses, à travers de prodigieuses ignorances et des audaces inouïes d'affirmation arbitraire, faisant défiler magnifiquement tous les âges, et se grisant de la couleur ou du son des noms propres, Hugo posait l'antithèse du beau et du laid, du sublime et du grotesque; et, en les opposant, il les unissait dans l'art. Cela revenait à mettre la beauté dans le *caractère*, comme avait indiqué déjà Diderot. Il se réclamait de l'Arioste, de Cervantes et de Rabelais, ces « trois Homère bouffons », et surtout de Shakespeare. Il établissait que « tout ce qui est dans la nature est dans l'art » : ainsi le romantisme devenait un retour à la vérité, à la vie. Il démolissait les lois du goût, les règles des genres, leur division surtout et leur convention, tout ce qui s'opposait à la libre et complète représentation de la nature, saisie en ce que chaque être possède de caractéristique, beau ou laid, il n'importe. Mais dans ce bouleversement de toutes les traditions, Hugo maintenait la nécessité d'une interprétation artistique, d'un choix, d'une concentration, de certaines conventions enfin, qui sont les moyens de l'art, et sans lesquelles l'art ne saurait subsister.

Ces restrictions font honneur à son jugement : tout le monde ne les faisait pas alors; et, avec cette frénésie qui scandalisait ou effrayait les classiques, un journaliste converti de la veille donnait en deux phrases le credo romantique :

« Vivent les Anglais et les Allemands! Vive la nature *brute et sauvage* qui revit si bien dans les vers de M. de Vigny, Jules Lefèvre, V. Hugo[4]! »

---

1. Hugo ne dit pas, comme les autres, *la liberté* DE *l'art*, mais *la liberté* DANS *l'art*, c'est-à-dire *la liberté* ET *l'art*, être libre, *à condition* de respecter l'art comme il dit *la liberté* DANS *l'ordre*, pour *l'union de la liberté et de l'ordre*, son idéal politique à cette époque.

2. Préface de 1826.

3. Cf. édit. M. Souriau, 1897.

4. L. Thiessé, *Mercure du XIXe siècle*, 1826 (cité par Dorison, cf. p. 953, n. 1). — J. Lefèvre-Deumier (1797-1857) se plaça aux côtés de Vigny et de Hugo par le recueil

A côté de Victor Hugo, se plaçaient Deschamps et Sainte-Beuve.

Deschamps[1], romantique de la première heure, essayait de concilier le principe de l'originalité personnelle, et celui de l'imitation des Espagnols, Allemands et Anglais. Il insistait sur la nécessité de faire du nouveau, en cultivant les genres où les classiques étaient restés inférieurs, l'épique surtout et le lyrique. Il affirmait que la raison d'être, l'essence du romantisme, c'était d'être la *poésie*, dont la littérature française s'était déshabituée au siècle précédent. Il développait enfin l'importance de la technique.

Sainte-Beuve, venu au romantisme en 1827, s'attachait à deux idées principalement dans son *Tableau de la poésie au* XVIᵉ *sicèle*[2] et dans ses *Pensées de Joseph Delorme*[2]. Il s'efforçait de légitimer le romantisme, en lui donnant une tradition et des ancêtres : Chénier, depuis 1819, était trouvé ; Sainte-Beuve exhuma le XVIᵉ siècle; entre Régnier et Chénier, il enserrait l'âge classique, qui avait interrompu le développement spontané du génie français. En outre, Sainte-Beuve s'appliquait à faire du romantisme une révolution surtout artistique : depuis Chénier, on avait « retrempé le vers flasque du XVIIIᵉ siècle ». Et ici, il avait de la peine à faire rentrer Lamartine dans le cadre où il enfermait la poésie contemporaine Mais il n'en restait pas moins dans sa doctrine une grande part de vérité : surtout prise comme conseil et leçon, elle était excellente.

Contre ces romantiques, bataillaient les critiques de l'école classique. Un seul doit nous arrêter : Désiré Nisard[4], qui donna, en 1833, son violent *manifeste contre la littérature facile*, où il prenait à partie la brutalité convenue des romans, et le pittoresque plaqué des drames. L'*Histoire de la Littérature française*[5], que Nisard publia de 1844 à 1849, est d'un bout à l'autre une réponse aux théories romantiques. C'est une œuvre de combat, venue après la défaite : œuvre d'un esprit vigoureux et pénétrant, mais systématique, partial, fermé à tout ce que son parti pris ne l'autorise à comprendre, juge délicat des œuvres qu'il se reconnaît le droit d'admirer. Sur un point, Nisard convient avec ses adversaires : il fait la guerre au XVIIIᵉ siècle. Mais c'est l'individualité qu'il y pour-

qui contenait le poème du *Parricide* (1823) : bel exemple du naufrage complet d'une grande réputation littéraire.

1. Muse française : *Sur les romances du Cid* (1823); *la Guerre en temps de paix* (1824). *Préface* des *Études françaises et étrangères* (1828). *Sur la nécessité d'une prosodie.*

2. 1828.

3. 1829.

4. D. Nisard (1806-1884) écrivit aux *Débats* et au *National*, professa au Collège de France et à la Sorbonne, et fut, de 1857 à 1867, directeur de l'École normale supérieure. Il avait d'abord été favorable à V. Hugo.

5. 13ᵉ éd., 4 vol. in-18, 1886, Didot. — Le 4ᵉ volume a été ajouté en 1861.

suit ; et s'il sent la perfection artistique de la forme chez les écrivains du xvii⁰ siècle, il réduit la littérature à l'analyse psychoïo-
gique et au discours moral. Il entend la poésie de telle façon qu'il
en élimine l'élément poétique. Cette forte histoire est la démonstration historique d'un dogme : ce qui y manque le plus, c'est le
sens historique.

A consulter pour le mouvement romantique : Ch. Baudelaire, *L'Art romant.*,
1868; Th. Gautier, *Hist. du Romant.*, 1874; Brunetière, *Evol. de la Poésie lyr.*,
t. I, 1894; R. Canat, *Du Sentiment de la Solit. morale chez les Romant.*, 1904;
P. Lasserre, *Le Romant. fr.* 1907; L. Séché, *Le Cénacle de la Muse franç.*, 1908;
E. Seillière, *Le Mal romant.*, 1908; L. Maigron, *Le Romant. et les Mœurs*, 1910; —
et la Mode, 1911; G. Pellissier, *Le Réalisme du romant.*, 1912; Marsan, *La Bataille
romant.*, 1912 et 1925; Bremond, *Pour le Romant.*, 1923; P. Trahard, *Le
Romant. défini par le Globe*, 1924; H. Girard, *Centenaire du premier Cénacle
romant.*, 1926; L. Reynaud, *Le Romant. Ses origines anglo-german.*, 1926;
Girard et Moncel, *Pour et contre le Romant.* (bibliogr.), 1927; M. Souriau, *Hist.
du Romant. en Fr.*, 1927-1928; J. Giraud, *L'Ecole romant. fr.*, 1927; A. Viatte,
Sources occultes du Romant., 1928; Jacoubet, *Le Genre troubadour et les orig. fr.
du romant.*, 1928; Girard, Maurras et de la Tailhède, *Un Débat sur le Romant.*,
1929; R. Bray, *Chronologie du Romant.*, 1932; P. Moreau, *Le Classicisme des
Romant.*, 1932; R. Leslie-Evans, *Les Romant. et la Musique*, 1934; E. Eggli
et P. Martino, *Le Débat romant. en Fr.*, I, 1934; H. J. Hunt, *Socialisme et
Romant. en Fr.*, 1935; A. Béguin, *L'Ame romant. et le Rêve*, 1937; P. Jourda,
L'Exotisme depuis Chateaubriand : le Romant., 1938; R. Picard, *Le Romant. social*,
1944; Ch. Van Tieghem, *Le Romant. fr.*, 1944; P. Martino, *L'époque romant. en
Fr.*, 1945; J. Bertaut, *L'Epoque romant.*, 1948; A. de Meeüs, *Le Romant.*, 1948;
P. Van Tieghem, *Le Romant. dans la littér. européenne*, 1948; *Cahiers du Sud*,
n⁰ spécial sur *Les Petits Romant. fr.*, 1949.

CHAPITRE III

LA POÉSIE ROMANTIQUE

1. Réforme de la langue et du vers. La langue redevient matérielle,
sensible, pittoresque. Réveil de la sonorité et du rythme. L'alexandrin romantique. — 2 Lamartine : sa jeunesse. Les *Méditations* :
naturel, négligence, sentiment. L'abstraction sentimentale dans
Lamartine. Philosophie : spiritualisme et symbolisme. *Jocelyn* :
comment il peint la nature. — 3 Alfred de Vigny : un penseur.
Pessimisme; solitude, honneur et pitié, amour. La forme de
Vigny. — 4. V. Hugo avant 1850. Caractères particuliers des recueils
qu'il donne, des *Orientales* aux *Rayons et Ombres* (1829-1840). —
5. Alfred de Musset; romantique, puis indépendant. Son naturel :
sensibilité et ironie. Les *Nuits* : l'élégie lyrique. — 6. Th. Gautier :
un tempérament de peintre. *L'art pour l'art.* — 7. Autres poètes
romantiques : Gérard de Nerval. Marceline Desbordes-Valmore.
Maurice de Guérin. — 8. Béranger : le « poète national ». Raisons
de son succès.

L'œuvre commune des poètes romantiques fut de recréer la
langue, instrument littéraire, et le vers, instrument poétique.

1. RÉFORME DE LA LANGUE ET DU VERS.

Nous avons vu que la langue opposait un très fort obstacle à la
révolution qui se préparait. Elle avait paralysé Ducis, elle faisait
avorter Lemercier [1].

Ce fut l'affaire du romantisme de détruire cette langue d'idéologues et de beaux esprits, de la refaire de philosophique, pittoresque, d'académique, artistique, de signe, forme, de l'organiser

---

1. Nep. Lemercier (1771-1840), auteur d'*Agamemnon* (1797), de *Pinto*, comédie historique (1800), de la *Panhypocrisiade* (1819), épopée symbolico-comico-satirique, d'un
Cours de Litt. (1817, 4 v. in-8) Ce fut un esprit original et chercheur, un artiste
insuffisant. Cf. M. Souriau, *Nep. Lem. et ses Correspondants*, 1908.

à nouveau pour la transmission du sentiment et de la sensation.
V. Hugo n'a pas tort, quand il donne tant d'importance à la révolution qui jetait à bas l' « ancien régime » de la langue [1].

Toutes les conventions mondaines, d'abord, disparurent. Plus de
mots bas, ignobles : tous les mots sont égaux, à la disposition de
l'écrivain. Partant plus de périphrases, plus de figures, qui cachent
ou fardent la pensée. Plus de termes généraux, où elle se fond. Il
n'y aura plus rien que l'expression propre, aussi intense, aussi
« extrême », aussi « locale » que possible : l'association, le groupe
des mots a pour objet de manifester la particularité, l'individualité,
même la singularité de l'objet. La métaphore est condamnée : à
sa place vient l'image, qui n'est pas procédé d'écriture, mais façon
de sentir. Car tout revient là toujours : mettre dans le style tout
le concret possible. Nous pouvons saisir le résultat de l'effort
romantique, nous qui aujourd'hui ne pouvons guère écrire même
sur des idées, sur des matières de raisonnement, sans essayer de
retenir ou de projeter dans nos mots nos sensations [2].

Au début, le parti pris de contredire et scandaliser les classiques
est évident : de là des outrances, des éclats, des brutalités, des
fantaisies, manifestations puériles qui sont inséparables de toute
insurrection. Et avec cela, jusque dans V. Hugo, traînent pendant
longtemps des lambeaux de langage classique, des oripeaux d'élégance banale; tous, même le maître, ont peine à dépouiller ce
vêtement suranné, fripé, qui se colle à leur pensée [3]. Puis tout se-
règle, et la transposition de la langue continue de s'opérer régulièrement, par le moyen surtout des deux tempéraments les plus
livrés à la sensation : V. Hugo et Th. Gautier. Les vers, les périodes,
les couplets ne sont pas rares chez eux, où les mots ne représentent plus aucune idée, absolument rien d'intellectuel, mais chez
l'un des frémissements de la sensibilité, ou des perceptions de
l'œil, chez l'autre seulement des perceptions de l'œil [4].

Le dernier terme de cette transformation est la conversion du
mot abstrait en évocateur sensible. Il est très réel que dans la
poésie contemporaine, les mots abstraits sont devenus un des
moyens les plus puissants de représentation des formes de la vie [5] :

1. Hugo, *Contemplations* (*Réponse à un acte d'accusation*).
2. Ex. le style de Taine.
3. *Feuilles d'automne*, II (*la Glaneuse*), XIII (au début), XVIII (au milieu). *Voix
intérieures*, XXVIII (passim). Notez, par ex, *les étoiles des chars*, pour *les lanternes
des voitures* (*F. d'aut.*, 35)
4. Cf. *F. d'aut.*, 34 : par habitude, par tradition, le poète s'astreint à commencer
et finir par une *pensée* · au reste les mots ne sont plus pour lui que des *couleurs*.
5. Ils servent à accuser plus vigoureusement la qualité de l'objet, l'accident sur
lequel l'artiste veut fixer notre regard. Maupassant s'est moqué du procédé, qui ne
doit pas se juger par l'abus (Préf. de *Pierre et Jean*).

on s'en est servi pour des effets larges, mais précis, d'une puissance singulière. Rien ne permet mieux de mesurer le chemin parcouru.

Les romantiques s'arrêtèrent au vocabulaire : ils l'élargirent, réintégrèrent tous les éléments populaires et techniques que le goût classique avait exclus [1]. Ils groupèrent ces éléments avec les anciens sans nul souci des traditions et des bienséances qui liaient autrefois l'imagination : leurs images furent insolites, hardies, déconcertantes. Mais ils respectèrent la syntaxe : sans purisme, ils eurent soin d'être corrects. Ils déposèrent leurs sensations dans les mêmes phrases, qui avaient contenu les idées des classiques : ils dressèrent exactement comme leurs devanciers l'appareil des conjonctions et des relatifs, des propositions subordonnées et coordonnées; ils composèrent selon les règles les groupes des sujets, des verbes et des régimes. V. Hugo se contentera longtemps de multiplier les épithètes et les appositions : à la fin seulement, dans les œuvres de la période postérieure à 1850, la notation impressionniste, sans phrase faite, par juxtaposition de mots expressifs, se rencontrera chez lui; et ce sera par exception [2].

Parallèlement à la restauration de la beauté formelle de la langue se poursuit celle de la versification [3]. A travers la grande variété de rythmes que les romantiques innovent ou restaurent, on aperçoit que leurs préférences vont à l'octosyllabe et à l'alexandrin : l'alexandrin, tantôt continu, tantôt assemblé en quatrains ou sizains, tantôt alternant avec le vers de six ou de huit; ou bien quatre alexandrins suivis d'un vers de huit; ou cinq alexandrins suivis d'un vers de six; ou deux alexandrins, un vers de six ou de huit, deux alexandrins encore suivis d'un vers de six ou de huit, ces six vers formant une stance [4], etc.; l'octosyllabe, tantôt disposé en quatrains, sizains, dizains ou douzains, tantôt mêlé selon diverses lois au vers de quatre [5] Mais en ce genre, la caractéristique du premier âge romantique, que conservera V. Hugo dans presque toute son œuvre, c'est, me semble-t-il, la préférence donnée à l'harmonie sur la symétrie

Les romantiques d'arrière-saison et les parnassiens sont revenus

---

1. Ils ont tenté de faire revivre quelques archaïsmes. Th. Gautier s'applique à dire *navrer* pour *blesser*. Cf. F. Brunot, *Hist. de la Langue fr.*, t. XII 1948.

2. Cf. *Art d'être grand-père* (Fenêtres ouvertes. Le matin en dormant).

3. A consulter : W. Tenint, *la Prosodie de l'École moderne*, 1844 Becq de Fouquières, *Traité de versification française*, 1879. G. Pellissier, *Essais de litt contemporaine*, 1893 (p. 117-157). Faguet, *XIX⁰ siècle* (*V. Hugo*, p. 237-55). M. Grammont, *le Vers français*, 1904. On se reportera à ces études pour les exemples que les limites de cet ouvrage ne me permettent pas de donner.

4. Formules (le nombre des syllabes étant représenté par les chiffres) : 12, 6, 12, 6. — 12, 8, 12, 8. — 12, 12, 12, 12, 8. — 12, 12, 12, 12, 6. — 12, 12, 6, 12, 6, etc.

5. Formules : 8, 8, 4, 8, 8, 4. — 8, 4, 8, 4, 8, 4. — Pour le vers de 6 syll. : 6, 4, 6, 4 et des quatrains ou sizains. — Pour les vers de 7, des sizains, des huitains, et la forme : 7, 3, 7, 7, 3, 7 (l'*Avril* de Belleau).

aux formes fixes, unitaires, ou variées selon une loi constante.
C'est précisément ce que les premiers romantiques avaient fui. Ils
ont aimé les suites indéfinies d'alexandrins, ou les couplets inégaux, pareils aux *laisses* de nos chansons de geste, mesurés par
l'idée ou l'inspiration [1]. V Hugo se plaît à changer le mètre dans
l'intérieur d'un poème : il fait alterner les vastes couplets alexandrins avec les strophes agiles de petits vers; et dans ces diverses
parties, aucune égalité, aucun souci de tomber sur un nombre
uniforme de vers ou de strophes [2]. Dans chaque pièce, et dan-
chaque partie, la pensée est génératrice du rythme, qui s'y colle
étroitement, se resserrant, s'étendant, variant avec elle.

Lorsque l'on passe de Delille ou même de Casimir Delavigne à
Lamartine et Hugo, on sent d'abord une extrême différence, qui
ne tient pas à la structure du vers : car elle subsiste dans les vers
les plus classiques des *Méditations* ou des *Feuilles d'automne*. Le
vers de Lamartine et de Hugo *chante*. En dehors de toute modification des règles de la versification, il y a là une différence considérable. De ce vers qui n'était plus qu'un mécanisme, une simple
loi de combinaison des mots pour produire, avec des difficultés en
plus, les mêmes effets qu'on cherchait dans la prose, de ce vers
atone, les romantiques ont fait une volupté de l'oreille. Ils ont
rappelé les mots à leur fonction de sons, et dans la qualité de ces
sons ils ont cherché un caractère, une expression, un plaisir. Ils
ont assorti les sonorités aux sens, leurs successions et leurs rapports aux mouvements et aux phases de la pensée : ils ont senti et
révélé la valeur sentimentale des syllabes graves ou aiguës, lourdes
ou légères, traînantes ou rapides.

Dans ce réveil des sonorités du vers, la rime a été reconstituée
pleine, riche, éclatante à la fois par le sens et par le son du mot
qui la porte : de sorte qu'elle est devenue pour eux l'élément pré-
pondérant du vers [3].

En réalité, ils ont pourtant donné tout autant d'importance au
rythme; et ils ont fait faire un progrès décisif à l'alexandrin. Ce
grand vers en était resté où Malherbe, puis Racine l'avaient laissé :
séparé en deux hémistiches égaux qui eux-mêmes, théoriquement,
se divisaient en deux éléments encore égaux, assemblé en distiques que liait la rime [4]. Dans la pratique ce type trop carré et
symétrique était voilé par de fréquents prolongements de la

1. Lamartine, 2e *Méditation*. Vigny, *Moïse*, etc Hugo, *Pensar, dudar; Sagesse;
Ce qui se passait aux Feuillantines.*
2. Hugo, *Navarin, Prière pour tous, Dicté après Juillet 1830, A la Colonne*, etc.
Lamartine, *les Laboureurs* dans *Jocelyn*.
3. Sainte-Beuve, *la Rime*. Th. de Banville, *Traité de prosodie française* (1872).
4. C'est Vénus | tout entière ‖ à sa proie ! attachée. (Racine.)

période, **par** d'assez fréquents déplacements ou affaiblissements
de la césure, plus rarement par l'enjambement. La variété venait
surtout **de** l'inégalité des éléments qui composaient chaque hémistiche : **tantôt** une syllabe d'un côté et cinq de l'autre, ou deux et
quatre, ou quatre et deux, ou cinq et une ; et d'un hémistiche à
l'autre, d'un vers à l'autre, le groupement se faisait différemment.

Si dans un vers classique on lie le second élément du premier
hémistiche et le premier du second de façon à supprimer la césure
médiane par le sens, on obtient un vers qui se coupe en trois parties, non plus en quatre.

> N'avait-on — que Sénèque et moi — pour le séduire ? (Racine.)
> Toujours aimer — toujours souffrir — toujours mourir. (Corneille.)

Ce type, rare chez les classiques, déformation accidentelle de la
forme pure du vers, fut l'alexandrin romantique : il est composé
de trois éléments égaux $(4 + 4 + 4)$, qui sont remplacés par des
éléments inégaux, de façon que la mesure ternaire subsiste [1].
Jamais les romantiques n'abusèrent de ce vers : ils le mêlèrent
discrètement à l'alexandrin classique, pour le diversifier ; ils le
ménagèrent précisément en raison des effets qu'on en peut tirer.

Puis ils prolongèrent le sens de l'alexandrin dans une partie
du vers suivant, ils enjambèrent. Enfin, à l'aide des déplacements
de césure, des enjambements, ils assouplirent la période, ils évi-
tèrent le distique et le quatrain où l'alexandrin classique retombait comme de lui-même, et, par le mélange des phrases, jetant
ici un vers de sens complet, là ramassant une idée en moins d'un
vers, ailleurs arrêtant le développement grammatical au milieu,
aux trois quarts d'un vers, ils donnèrent à leurs alexandrins une
diversité de rythmes qui en décupla la puissance expressive. [C'est
par la phrase plutôt que par la facture du vers que Victor
Hugo renouvela la poésie dans ses premiers recueils. Il construisit
de bonne heure de larges périodes rythmiques où les alexandrins,
ne se faisant plus sentir comme unités distinctes, se suivent dans
un mouvement continu dont l'uniformité est rompue par la diversité des pauses et des accents. Il a soin de séparer par le sens les
vers qui riment ensemble dans les pièces en rimes plates, de façon
que chacune des deux rimes appartienne à des membres différents de la phrase].

---

1. On trouve : $3 + 5 + 4$, $4 + 5 + 3$, $3 + 4 + 5$, $2 + 6 + 4$, $1 + 6 + 5$, etc.

> De la fleur, | de l'oiseau chantant, | du roc muet. $(3 + 5 + 4)$
> Car partout | où l'oiseau vo | le, la chèvre y grimpe. $(3 + 4 + 5)$
> On entendait | aller et venir | dans l'enfer, etc. $(4 + 5 + 3)$

La transformation se fit plus lentement qu'on ne croit, quand on se rappelle l'*escalier-dérobé* de Hernani et certaines gamineries de Musset. C'étaient des pétards qu'on tirait pour effarer les classiques et les bourgeois. En réalité, il n'y eut de révolution rapide qu'au théâtre, parce que le drame, violent et pittoresque, nécessitait la dislocation du vers tout comme Racine dans les *Plaideurs*, Molière, dans les *Fâcheux* et ailleurs, avaient dû altérer fortement le type classique. Hors du théâtre, le vers romantique *chante* : mais sa structure reste presque classique. Le rythme ternaire est rare; la dislocation, l'enjambement sont des effets exceptionnels. Les alexandrins de Gautier sont romantiques par la couleur, non par la structure interne. Hugo même, jusqu'en 1840, ne fait guère usage que des rythmes égaux du vers classique [1].

Ceux qui ont étudié le vers romantique ont pris leurs exemples presque exclusivement dans les *Châtiments* et la *Légende des siècles* : c'est là seulement en effet que le poète a dégagé tout à fait ses rythmes originaux. Là sont les déplacements hardis de césure, là les enjambements expressifs, les plus puissants surtout et les plus audacieux, les enjambements d'adjectifs. Et voilà pourquoi beaucoup de vieillards n'ont pu suivre le poète au delà des *Rayons et Ombres* : jusque-là l'oreille habituée à la musique de Racine pouvait ne pas trouver l'harmonie de Hugo trop discordante. Il faut une autre éducation pour jouir des recueils suivants.

Dans leur recomposition de l'alexandrin, les romantiques, et Hugo même, n'ont pas été jusqu'au bout de leur principe. Supprimant la césure de l'hémistiche, ils ont continué d'y exiger un accent tonique, c'est-à-dire qu'ils ont continué de séparer le vers pour l'œil en deux parties égales, tandis que pour l'oreille ils le coupaient en trois. Ils n'ont jamais consenti à faire tomber la sixième syllabe du vers au milieu d'un mot, ce que leurs successeurs ont pu faire sans grande difficulté, en conservant dans sa pureté la forme rythmique qu'ils en avaient reçue.

Dans la double transformation de la langue et du vers, que je viens de décrire sommairement, tous les romantiques n'ont pas eu un rôle égal. Lamartine est trop amateur, Vigny trop penseur, Musset trop indifférent : Hugo et Gautier sont les grands ouvriers de ce travail, Hugo surtout, mais Gautier aussi, et Sainte-Beuve à qui son sens critique faisait sentir la valeur de tous les détails de facture dans l'œuvre d'art.

---

1. M. Pellissier évalue à un sur dix le nombre des vers romantiques dans V. Hugo. Pour la période antérieure à 1850, il faut en rabattre sensiblement. — Pour les enjambements, cf. *Feuilles d'aut.*, II

2. LAMARTINE.

Dans l'héritage de Chateaubriand, Alphonse de Lamartine [1]
recueillit le don des tristesses infinies. Mais elles se dépouillèrent
de toute amertume en passant par cette âme douce. Quand on
regarde dans quelles impressions s'écoula l'enfance de Lamartine,
on ne trouve rien autour de lui que d'aimable, de bon, de gracieux, père, mère, sœurs; et pour cadre Milly, les coteaux du
Mâconnais. La terre natale lui est clémente, apaisante : elle lui
semble l'aimer, et il lui rend un fort amour. Il étudie chez l'abbé
Dumont, au petit séminaire de Belley, au lycée impérial de Lyon,
n'acquérant pas de lourde science, n'effeuillant pas une aussi de
ses chères illusions. Il revient chez lui; il fait de grandes courses
à cheval, il rêve, il lit : les anciens, les Romains du moins, ne
l'attirent guère ; il y a trop de raison et de raisonnement chez
eux; il y a trop de réalité dans nos classiques ; et La Fontaine
lui renvoie une trop laide image de la vie et de l'homme. Il

1. **Biographie :** Né en 1790 à Mâcon, élevé à Milly. Secrétaire d'ambassade à
Florence (1821), il donna sa démission en 1830. Il s'était marié en 1822; il partit
en 1832 avec sa femme et sa fille pour un *Voyage en Orient* (Grèce, Syrie, Palestine,
Liban). Député en 1833, sans s'affilier à aucun groupe, il est hostile en général
au gouvernement. En 1848, il fut chef du gouvernement provisoire. L'Empire
le chassa de la politique. Il n'avait jamais eu le sens bourgeois de l'économie :
il se trouva à soixante ans ruiné et endetté. Il dut écrire pour vivre. Le gouvernement impérial lui fit voter par les Chambres en 1867 la rente viagère d'un
capital de 500 000 francs. Il mourut en 1869 et fut enterré à Saint-Point.

Éditions : *Méditations poétiques*, 1820, (éd. Lanson, 1915). *Nouvelles Méditations*, 1823. *Harmonies poétiques et religieuses*, 1830. *Voyage en Orient, souvenirs,
impressions, pensées, paysages*, 1835 (éd. Ch. Maréchal, 1908). *Jocelyn*, 1836, *La
Chute d'un ange*, 1838. *Recueillements poétiques*, 1839. *Histoire des Girondins*,
1847. Les *Confidences*, 1849, *Raphaël*, 1849. *Nouvelles Confidences*, 1851, *Graziella*,
1852. *Œuvres* : 1860-63, 40 vol. in-8; Hachette, 23 vol. in-8, et 37 vol. in-16;
Lemerre, 12 vol. in-16, 1885-87. *Poésies inédites*, publ. p. Mlle Valentine de Lamartine, 1873. *Correspondance*, publ. p. Mlle Valentine de Lamartine, 6 vol.,
1872-75; *Lettres des Années sombres et Lettres inéd.*, éd. H. Guillemin, 1942 et
1944, *Corresp. générale* (1830-1848), éd. M. Levaillant, 1943-49; *Saül*, éd. J. des
Cognets, 1918; *Les Visions*, éd. H. Guillemin, 1936. — **A consulter :** Ch. de Po-
mairols, *L.*, 1890; E. Deschanel, *L.*, 1893; E. Rod, *L.*, 1893; E. Zyromski, *L. poète
lyrique*, 1897; L. Séché, *L. de 1816 à 1830*, 1905; P. M. Masson, *L.*, 1911; R. Doumic, *L.*, 1912; L. Barthou, *L. orateur*, 1916; P. Hazard, *L.*, 1925; L. Larguier,
L., 1929; M. S. Hinrichs, *Le Cours familier de Littér. de L.*, 1930; G. Fréjaville,
Les Méditations de L., 1931; J. Baillou et E. Harris, *Etat présent des Etudes lamart.*,
1933; J. des Cognets, *Vie intérieure de L.*, 1934; Cl. Grillet, *La Bible dans L.*,
1938; H. Guillemin, *Le Jocelyn de L.*, 1936; *L., l'homme et l'œuvre*, 1940; *Connaissance de L.*, 1942; *L. et la Question sociale*, 1946; *L. en 1848*, 1948; A. de Luppé,
Les Travaux et les Jours de L., 1948.

aime les ardents, les tendres, les indisciplinés : et les tristes qui
voient tout en beau en pleurant sur tout Il s'exalte dans la
Bible et s'attendrit dans *Paul et Virginie*. Un voyage à Naples
en 1811, un séjour aux gardes du corps en 1814, des excursions
en Savoie et dans les Alpes, et le voici aux eaux d'Aix en 1816 :
là il fait la connaissance de Mme Charles, la jeune femme d'un
vieux physicien, phtisique et nerveuse, point vaporeuse ni exaltée, semble-t-il, charmante « avec ses bandeaux noirs et ses
beaux yeux battus »; elle mourut en 1818, chrétienne, le crucifix
aux mains. Voilà celle qui fut *Elvire*, la figure de rêve autour de
laquelle se ramassèrent les plus profondes impressions, les plus
fiévreuses aspirations, les plus languissantes mélancolies de Lamartine. De cet amour éphémère, si vite rompu par la mort, et
des états de sensibilité qu'il détermina sortit le recueil des *Premières Méditations* [1] (1820).

Ni dans la langue, ni dans le vers, ni dans les thèmes, il n'y
avait là rien de bien nouveau. Ce qui était nouveau, c'était cette
intense spontanéité, cette sincérité qui, à chaque page, découvrait
l'homme. On sentait que ce n'était pas là un ouvrage d'écrivain.
Lamartine, en effet, ne voulut jamais être un *homme de lettres* :
non par dédain d'aristocrate, mais par respect de son âme. Il fut
poète, comme plus tard orateur et homme d'État, par inspiration,
par besoin du cœur : ce fut une fonction de sa vie morale, d'ennoblir par le vers ses émotions intimes; jamais il ne voulut en
faire un exercice professionnel, jamais même un pur jeu d'artiste.
Ni gagne-pain [2], ni amusement, sa poésie fut l'épanchement nécessaire d'une âme noble, belle et, si j'ose dire, fondante.

Et voilà pourquoi cette poésie fut si peu travaillée. Il se soula-
geait, se complétait en créant son œuvre; et il se trouvait doué
par malheur d'une facilité qui le dispensait de l'effort. Il improvisait trop brillamment pour revenir sur ses improvisations : elles
satisfaisaient pleinement à son besoin. Il ne se sentait pas sollicité
à faire ce dur labeur de gratte-papier, à enlever patiemment, douloureusement, les négligences, incorrections, longueurs, répétitions,
monotonie, prosaïsme [3] : toutes les inégalités de l'œuvre n'étaient-
elles pas, elles aussi, des produits spontanés de son âme? Par ce

---

1. A noter le titre, qui mettait ces poèmes hors des genres consacrés, définis, figés,
et laissait toute indépendance au poète. De la littérature mystique, le mot avait été
appliqué par Malebranche à la philosophie : plus récemment Volney avait qualifié
ses *Ruines de méditation*. Par ce mot Lamartine signalait l'intimité de sa poésie.

2. Il ne donna guère aux libraires, dans sa besogneuse vieillesse, que de la prose.

3. Quand le sentiment ne le soulève pas, Lamartine versifie dans le style de la
Henriade, dit M. Faguet; dans le style de Delille, dit M. Guyau. Ils ont tous les
deux raison.

laisser-aller qui n'est au fond que la volupté paresseuse d'une âme
trop richement douée, il priva ses vers de la souveraine perfection :
il a compromis son nom et leur durée, et s'est exposé à n'être que
le délicieux berceur des molles somnolences.

Pourtant c'est un grand poète, le plus naturel des poètes, *le plus
poète*, si la poésie est essentiellement le sentiment. Ce vaporeux,
cette indétermination, qu'on trouve chez lui, cela vient justement
de ce qu'il rend surtout le sentiment, autant que possible épuré
des idées, des perceptions, des faits, qui le produisent ou l'accompagnent chez tous les hommes. Et cette épuration se fait spontanément en lui, par un instinct, une loi de sa nature : il est la
poésie absolue; ni penseur, ni peintre, ni historien. Ce n'est pas
qu'il ne sache comprendre, regarder, raconter[1]; mais je tâche de
saisir ici la disposition fondamentale de son âme.

Elle apparut dès les premières *Méditations* : c'était un flux égal
et large de poésie élégiaque, délicate, élevée, gracieusement, nonchalamment et profondément mélancolique. On y lisait les impressions, comme les vibrations et les colorations successives d'une
âme tendre et noble. Pas un paysage arrêté; pas un fait précis.
Lisons l'*Isolement* : une montagne, un vieux chêne, un fleuve, un
lac, des bois, une église gothique, un crépuscule, un angélus, où
situer tout cela dans l'univers? Dans la suite,

> Un seul être vous manque et tout est dépeuplé :

quel est cet être? Par quel lien tenait-il l'âme du poète? Ni hors
de lui, ni en lui, il ne nous montre rien : rien que sa profonde
désespérance, et ses aspirations vagues vers un lieu qui n'a pas de
nom. Dans le *Lac*, une barque, un couple : où? qui? On n'*apprend*
rien que le sentiment du poète : « Hélas sur nos amours qui durent
peu! sur nous qui durons peu! aimons donc, aimons vite. » Et
ainsi de toutes les pièces : ont-elles un sujet? Il s'enfonce dans
une brume légère et brillante, qui noie tout. Tout ce qui est *circonstance*, *réalité*, *forme visible de l'être* s'efface : chaque *Méditation*
n'est guère qu'un soupir, et Lamartine gagne cette gageure impossible d'établir *par des mots* son lecteur inconnu et lui ces
intimes communications qui se forment dans la vie réelle *par le
silence* entre deux âmes sœurs. De là, la pénétration singulière
de cette pensée presque immatérielle.

---

1. Il est capable d'idées, capable même de connaissance exacte. Mais à l'ordinaire il ne se soucie pas d'être exact. Lorsqu'il parle de lui, en prose, il rêve encore
et poétise : faits, lieux, dates, il brouille tout. Il faut croire à ses vers qui coulent
de son âme, et se défier de sa prose qui prétend nous instruire de sa vie.

De ces engourdissements exquis, de ces délicieuses lassitudes, de ces soupirs suaves, on peut faire un chef-d'œuvre : est-il possible de le recommencer? Ce fut la question qui se posa pour Lamartine. Il berça ses douleurs encore et murmura ses torpeurs dans quelques *Nouvelles Méditations*, et puis dans quelques *Harmonies* : mais il sentit lui-même le besoin de trouver autre chose si peu de corps ou d'idée qu'il fallût à son sentiment, il en fallait pourtant. Il s'arrêta au problème imprécis par excellence : qu'est-ce que l'homme? L'amour l'y mena : c'est dans l'amour qu'il sent l'homme éphémère, par le sujet et par l'objet. Mort, immortalité, Providence, optimisme universel, louanges de Dieu, spiritualisme platonicien et christianisme diffus : voilà dès les *Premières Méditations* les notions et les tendances qui fournissent la molle et vaste charpente de plusieurs poèmes. Lamartine ne voit guère le mal dans l'ordre naturel :

Tout est bien, tout est bon, tout est grand à sa place [1].

La nature donc n'a rien qui le blesse : elle « est là qui l'invite et qui l'aime ». C'est qu'il y voit l'image de la Providence. De cette religiosité, et du commentaire éperdument confiant de la parole, *Cœli enarrant Dei gloriam*, il remplira ses *Harmonies*.

Par là il s'achemina vers la poésie philosophique; il y fut poussé par une influence générale qui porta tous les nobles esprits de ce temps à souffrir, à espérer, à vivre enfin pour l'humanité tout entière: un large courant d'amour social se répandit après 1830 dans la littérature. Puis Lamartine sentit le besoin d'*objectiver* son sentiment : du lyrisme personnel il tâcha de passer à l'épopée symbolique, où les émotions d'ordre universel se dépouillent des expressions trop directement subjectives de l'élégie ou de l'ode, et s'élargissent en s'apaisant. Vigny lui avait montré la voie : il s'y engagea [2] hardiment, et fit *Jocelyn* et la *Chute d'un ange*. Ce sont comme deux fragments, le terme et le début, d'une immense épopée spiritualiste sur la destinée humaine; la *huitième vision* de la *Chute d'un ange* nous explique la conception du poète : l'homme fait sa destinée, monte ou descend par son propre mérite, supprime le mal en s'élevant à Dieu, raison de l'être, et terme de l'aspiration de toute créature.

La *Chute d'un ange* offre bien des longueurs; *Jocelyn* aussi, mais elles y sont rachetées par de grandes beautés. L'idée, c'est cette

---

1. 2ᵉ *Méd.*
2. Il s'y était essayé dans la *Mort de Socrate* (1823), récit platonicien, parfois incohérent, souvent admirable, et dans le *Dernier Chant de Childe-Harold* (1825), où il a tiré le héros révolté de Byron vers sa propre ressemblance.

ascension de l'âme humaine vers Dieu par la douleur librement
acceptée : Jocelyn se fait prêtre sans vocation pour doter sa sœur,
souffre d'un douloureux amour qui entre en lui par surprise au
bout d'un dévouement généreux, sacrifie ce pur amour au devoir
que son premier sacrifice lui a imposé; toute sa vie est l'immolation des légitimes désirs, des belles passions de son cœur; mais
il trouve au bout de cette continuelle immolation la paix sereine
et l'engourdissement délicieux.

Un incurable optimisme emplit ce poème : tout passe, et nous
passons; nous souffrons, nous saignons; et la nature est impassible. Rien ne blesse Lamartine : il aime, il admire, il croit; tout
est harmonie et beauté [1]. Le mal et la laideur n'existent que pour
l'esprit qui ne sait pas, pour l'œil qui ne voit pas : ainsi va-t-il,
imprégnant la nature et l'humanité des couleurs splendides de son
âme. Nul ne fut mieux fait pour chanter l'hymne de l'espérance;
et l'on ne peut s'étonner des accents que firent entendre son éloquence et sa poésie, lorsqu'il éleva jusqu'à lui nos misères sociales et nos inquiétudes politiques. Il chanta, avec plus de force
et de fougue qu'on n'aurait cru, les grandes idées démocratiques,
la fraternité des peuples, le cosmopolitisme humanitaire, et c'est
ainsi qu'aux premiers jours de 1848 il fut maître de la France
il en exprimait toutes les illusions naïvement généreuses, en laissant tomber sur les foules les consolantes idées dont il avait toujours vécu.

Mais il faut bien reconnaître que cet optimisme a besoin de vague
pour subsister : à trop rigoureusement analyser les idées, à regarder
de trop près la nature, il faut que le désenchantement, que le pessimisme apparaissent; et la ressource suprême de l'optimisme,
c'est d'abandonner ce monde et cette vie au mal, pour s'attacher
aux infinies compensations que la foi chrétienne promet. Lamartine n'a pas voulu sacrifier le présent ni l'univers : il a tout effacé
en idéalisant tout; il n'a mis la beauté partout qu'en émoussant
le caractère.

Là est la cause de l'impression que donnent les paysages de
Jocelyn. Ce n'est plus l'extrême simplification des *Méditations*, cette
élimination de l'accident et de l'individuel, pour ne laisser paraître
qu'une sorte de type irréel et universel des choses, support du sentiment pur. Ici Lamartine a voulu peindre : il a prodigué les couleurs, et ses descriptions pourtant ne sortent pas. Elles ne s'organisent pas en tableaux. Je ne vois pas ces Alpes [2], neigeuses ou
fleuries; dans l'ample écoulement de la poésie, mon impression

---

1. Cf. *Jocelyn*, 4e époque ; *Médit.* 5e.
2. *Jocelyn*, 4e époque.

reste indécise, et si j'essaie de fixer en visions ces formes, ces teintes, cette lumière, ces mouvements, ces bruits, je ne sens qu'une confusion fatigante; les objets me fuient. Mais j'entends la voix d'une âme qui chante à l'occasion de ces objets : elle ne me les montre pas, elle se montre par eux à moi, et le paysage est **un hymne**. C'est ce que vous trouverez encore dans cette *Neuvième Époque* de *Jocelyn* qui, à elle seule, serait un des plus beaux poèmes de notre langue : l'épisode des *Laboureurs* n'est pas un tableau de la vie rustique, c'est une ode magnifique au travail, distribuée largement en six couplets d'alexandrins, qui alternent avec des strophes lyriques; la continuité sereine et forte du travail champêtre est partagée par le poète en six moments, où son regard se pose sur l'effort des hommes; et, embrassant d'une vue leur œuvre, son âme s'envole aussitôt dans la méditation ou la prière. En réalité, Lamartine est impuissant (par indifférence peut-être) à objectiver même sa sensation du monde extérieur : sa description reste toute subjective, toute lyrique, musicale plutôt que pittoresque, son de l'âme au choc des choses plutôt que réfraction des choses au travers de l'âme.

Et voilà le secret du retour de faveur dont il est l'objet depuis quelques années. Sa tristesse vaporeuse, son symbolisme imprécis, son invincible idéalisme devaient tenter les jeunes gens après la violente objectivité de certains naturalistes, comme ses rythmes flottants, ses molles harmonies, ses nappes de poésie lentement étalées devaient caresser les sens endoloris par les vers métalliques. aux arêtes nettes, de certains Parnassiens; son frottis léger et brumeux reposait des couleurs éclatantes et des durs reliefs.

3. ALFRED DE VIGNY.

Le comte Alfred de Vigny [1], d'une maison de Beauce qu'il ima-

---

1. **Biographie :** Le comte A. de Vigny, né en 1797 à Loches, sous-lieutenant en 1814, démissionnaire en 1828, il mourut en 1863. — **Éditions :** *Poèmes*, 1822, *Eloa*, 1824; *Poèmes antiques et modernes*, 1826 (éd. Estève, 1914); *les Destinées*, 1864 (éd. Estève, 1924; Saulnier, 1947); *Journal d'un poète*, 1867, M. Lévy. *Œuv. compl.*, C. Lévy, 1868-70, Lemerre, 1883-85, Delagrave, 1904-12, La Girouette (éd. P. Gaxotte, 1948), L. Conard (éd. F. Baldensperger), 1914-41, Gallimard (Pléiade) (éd. F. Baldensperger, 1949-50). *Corresp.*, éd. E. Sakellaridès, 1905; *Lettres à Hugo*, éd. L. Barthou, 1929; *Lettres à Sainte Beuve*, L. Gillet, 1929. — **A consulter :** Dorison, *A. de V., poète philos.* 1891; Paléologue, 1891; L. Séché, *A. de V. et son temps*, 1902; E. Dupuy, *V., ses amitiés, son rôle litt.*, 1910-12; F. Baldensperger, *V., contrib. à sa biogr. intell.*, 1912, *V.*, 1929, *V., nouvelle contrib. à sa biogr. intell.*, 1933; E. Dupuy, 1913; L. Séché, *V.*, 1913; E. Estève, *V., sa pensée et son art*, 1923; M. Citoleux, *V., persistances class. et infl. étrang*, 1924; P. Flottes, *V.*, 1925, *Pensée polit. et soc. de V.*, 1927; R. de Traz, *V.*, 1928; P. Moreau, *Les Destinées*, 1936; B. de la Salle, *V.*, 1939; E. Lauvrière, *V.*, 1946; G. Bonnefoy, *Pensée relig. et mor. de V.*, 1946.

ginait plus ancienne et plus illustre qu'elle n'était, commença à
écrire ses poèmes en 1815, étant lieutenant aux gardes. Il publia
un petit recueil en 1822. Il le remania, le compléta en 1826, en
1829 et en 1837. Puis il lâcha de loin en loin quelques pièces, qui
formèrent avec trois ou quatre autres le recueil posthume des *Destinées* (1864) : en tout, une trentaine de poèmes, qui tiennent en un
petit volume. Quarante années s'écoulent entre *Moïse* et la conclusion du *Mont des Oliviers*; nous pouvons cependant ramasser
toute l'œuvre de Vigny en une seule étude : la philosophie des
Destinées est déjà dans les poèmes bibliques de 1822 et 1826. Et le
pire contresens qu'on pourrait faire serait de chercher dans les
faits de sa vie silencieuse l'explication de son œuvre. Ce que la vie
lui a donné ou ôté ne lui a pas dicté ses vers, mais bien plutôt ses
vers ont décidé de quelle façon la vie, bonne ou dure, l'affectait :
ses vers, c'est-à-dire le *moi* profond et inaltérable dont les vers
étaient la confidence.

Confidence hautaine et discrète, s'il en fut. « Personne n'a vécu
dans la familiarité de M. Alfred de Vigny », disait-on à l'Académie [1];
s'il en excluait ses amis, ce n'était pas pour y admettre le public,
et laisser déborder son cœur dans ses livres. Ce poète lyrique, un
des trois ou quatre grands de notre siècle, n'a presque jamais parlé
de lui. Il y a quelque chose de singulier dans son cas : il compte
comme un génie lyrique, et il a toujours employé les formes
impersonnelles de la littérature. Il a écrit des romans : *Cinq-Mars*
(1826), où l'histoire embrouille le symbole, et où le symbole fausse
l'histoire, bariolage romantique de psychologie insuffisante, de
description trop littéraire, et de mélodrame brutal, *Stello* (1832),
Servitude et grandeur militaire (1835), où se trouvent des récits
poignants et sobres, dignes pendants des poèmes; il a composé
des drames : un *Othello* (1829), une *Maréchale d'Ancre* (1830) et
ce *Chatterton* surtout (1835), si sobrement pathétique, dont je
ferais volontiers le chef-d'œuvre du théâtre romantique. Comme
toutes ces formes narratives et dramatiques lui servaient à enfermer, à révéler son intime état de souffrance ou de volonté, ainsi
ses poèmes, où il semblait devoir s'exprimer plus directement,
ne sont lyriques aussi que par l'émotion subjective qui les a fait
germer : ce sont des légendes mystiques, des contes épiques, des
récits dramatiques. Partout le poète prend un objet hors de lui pour
y diriger notre émotion; il fait élection d'un héros, Moïse, un loup,
Jésus, une bouteille que l'océan jette au rivage. Il n'y a guère que
deux ou trois pièces où il s'exprime sans l'aide d'une fiction.

Est-ce pour se dérober, par orgueil ou timidité? n'est-ce pas

---

1. Au successeur de Vigny, M. C. Doucet.

plutôt qu'il n'y a de réel, de précieux pour lui que sa pensée, détachée des accidents de sa personne et de sa fortune? Il la recueille toute pure dans des symboles où elle transparaît.

Le fond de Vigny, c'est la solitude et la détresse amère qui accompagne le sentiment de la solitude [1]. La vie aggrava cette solitude et cette amertume : mais à vingt-cinq ans il se sentait déjà solitaire, et souffrait. Il n'avait pas la ressource de la fuite dans le rêve comme Chateaubriand : il manquait d'imagination et d'égoïsme. Et il avait l'intelligence : de tous nos romantiques, Vigny est le plus, peut-être le seul penseur. Il n'a pas construit de système, mais il a disposé dans ses romans, ses drames, ses poèmes, son *Journal intime*, toutes les pièces d'un système original et triste.

Il est seul : il sent les hommes indifférents, ou hostiles, la nature froide, impassible, dédaigneusement belle [2], les cieux immenses et déserts : Dieu, s'il existe, muet, aveugle et sourd au cri des créatures [3]. Le Père éternel, le Dieu consolateur, n'est pas : s'il y a un jour du jugement, ce sera le jour où Dieu viendra se *justifier* devant ceux qu'il a dévoués au mal par la loi de la vie.

Car « il n'y a que le mal qui soit pur et sans mélange de bien. Le bien est toujours mêlé de mal. L'extrême mal ne fait pas de bien. » Il y a du Pascal dans Vigny, un Pascal venu très tard, quand le jansénisme et peut-être toute la religion ne guérissent plus [4].

Tout ce qui est souffre; tout ce qui est supérieur souffre supérieurement. Le génie, qu'il s'appelle Moïse ou Chatterton, a un privilège de souffrance. Que faire donc? « Il est bon et salutaire de n'avoir aucune espérance.... Un désespoir paisible, sans convulsion de colère et sans reproche au ciel, est la sagesse même. »

> Le juste opposera le dédain à l'absence
> Et ne répondra plus que par un froid silence
> Au silence éternel de la divinité [5].

Est-ce une bravade, un défi jeté au ciel? Non; il y a là plus que de l'orgueil : c'est de l'honneur. Ce sentiment de l'honneur ennoblissait à ses yeux la servitude militaire; et il a aimé à dire ce

1. *Moïse*, 1822.
2. La *Maison du berger*. — Le symbole de cette pièce paraît suggéré par une phrase de Chateaubriand, *Martyrs*, 1 X.
3. *Mont des Oliviers*.
4 On lit encore dans son *Journal* : « Je sens sur ma tête le poids d'une condamnation que je subis toujours, Seigneur ! mais ignorant les fautes et le procès, je subis ma prison. J'y tresse de la paille, pour oublier. » C'est le *divertissement* de Pascal.
5 *Mont des Oliviers*.

qu'il voyait dans l'obéissance passive. Le soldat obéit à un commandement venu d'en haut, qui peut être absurde, inique, cruel,
qu'il peut ne pas comprendre : il obéit, il tue, ou se fait tuer, sans
rien dire. Toute sa vie est *résignation* et *abnégation*. Un commar-
dement pareil pèse sur nous : l'honneur est de se taire, et de subir :

> Fais énergiquement ta longue et lourde tâche,

Puis après

> .... Souffre et meurs sans parler [1].

L'honneur du soldat est le type de la noblesse morale : il enseigne
à agir pour une idée, qui nous dépasse, pour un bien qui n'est
pas le nôtre. Il dresse toutes les fières vertus, toutes les hautes
croyances, dans le vide.

Vigny a observé souvent la naïveté, la candeur, la tendresse,
le dévouement de ces âmes rudes que broie la discipline. Il y
retrouvait un autre principe directeur et consolateur, qu'il énon-
çait dès ses premiers essais : l'amour, ayant pour essence la pitié,
pour effet le sacrifice. La nature n'a pas besoin d'amour; elle est
insensible : ce qui passe et ce qui pleure a besoin d'amour.

> Aimez ce que jamais on ne verra deux fois...
> J'aime la majesté des souffrances humaines [2].

Ainsi un obscur soldat promène à travers tous les champs de
bataille de l'Empire une pauvre folle dont il a fusillé le mari; il se
dévoue par pitié à celle que par devoir il a désespérée. Ainsi Eloa
aime Satan, l'innocence se dévoue au péché, parce que, comme dit
M. Faguet, « pour l'innocence le péché n'est que le plus grand des
malheurs ». L'homme est plus grand que Dieu, car l'homme, au
moins, peut se donner et mourir pour ce qu'il aime.

Un stoïcisme actif et tendre, voilà où aboutit le pessimisme
de Vigny. Il se dit que tout cet effort, toute cette bonté, toute
cette pensée ne seront pas en vain. Il croit au règne du *pur
esprit*, et ce règne se prépare par l'*écrit* [3]. Il lègue, fier et rassé-
réné, son œuvre à l'attention de la postérité, au moment même
où il va s'en aller en Dieu ou au néant. Il a écrit d'abord pour
amuser l'ennui de sa prison, puis pour illuminer l'humanité.

Cette pensée grave et profonde germa parfois en poèmes don
une dizaine sont égaux à tous les chefs-d'œuvre [4]. Pour l'ex-

---

1. *Mort du loup.* — Byron a suggéré ce symbole. (Childe Harold, IV, 21.)
2. *Maison du berger.* Byron disait au contraire : « J'ai pitié de toi, qui aimes c‹
qui doit périr » (Lucifer, dans Caïn, II, 2.)
3. *L'Esprit pur. La Bouteille à la mer* est aussi un acte de foi aux *idées.*
4. Aux *poèmes* déjà mentionnés ajouter la *Colère de Samson.*

primer, il créa (à peu près en même temps qu'Émile Deschamps) la forme du *Poème*; et, classant ses *Poèmes*, il fit un *livre mystique*, un *livre antique (Biblique, Homérique)*, un *livre moderne* : ne voit-on pas là le modèle et l'esquisse d'une *Légende des siècles*? Et ainsi, dans le chef-d'œuvre où il se renouvela, Hugo reprenait les traces de Vigny.

Chaque poème est né d'une image : un livre qu'on publie, c'est une *bouteille jetée à la mer*. L'image se développe, s'assimile tous les éléments qui peuvent la compléter, s'organise, devient une réalité vivante, qui reste le symbole d'une pensée profonde. La composition est sévère, de proportions très calculées, de coupe et de structure soigneusement étudiées; le développement est d'une sobriété puissante : les images, choisies, précises, fortes, sortent en pleine lumière; Vigny a l'expression pittoresque, qui dessine de vastes paysages avec ampleur et netteté : voyez-le nous mener au haut d'une montagne d'où

> Les grands pays muets longuement s'étendront.

Ce n'est qu'un trait : voulez-vous le tableau? Lisez l'admirable début de Moïse, toute la Terre Promise vue du Nébo. Cela est d'un éclat sobre, dont nulle orgie de couleurs n'égalerait l'impression.

Vigny n'avait pas précisément le génie de l'écrivain. La rareté même de sa production poétique suffirait à nous mettre en défiance sur la richesse de son invention verbale. Où il est médiocre, il rappelle Delille. Il a l'expression maigre, un peu terne, fibreuse, si je puis dire, plutôt que nerveuse, ou fâcheusement élégante, partout où la pensée et le sentiment ne sont pas de premier ordre. Mais que la pensée soit haute, le sentiment puissant, l'expression s'enlève, acquiert une plénitude, une beauté incomparables. On peut dire que chez Vigny le penseur crée à chaque instant l'écrivain.

4. VICTOR HUGO AVANT 1850.

Lamartine ne daignait, Vigny ne pouvait faire un chef d'école. Hugo [1] avait, pour ce rôle, puissance et volonté. Il avait l'orgueil adroit, l'art d'imposer son génie, de le présenter en beau jour. Moins sensible que Lamartine, moins penseur que Vigny, il avait la fécondité, le labeur acharné, la création incessante qui écrasait

---

1. Pour la biographie et bibliographie, cf. p. 1051.

à la fois le public et les vanités rivales. Il multipliait sa pensée par une invention verbale à l'aide de laquelle son immense personnalité occupait toutes les avenues de la littérature.

Entre l'élégie de Lamartine et la philosophie de Vigny, dès qu'il fut décidé à être romantique, il fit éclater le propre et sensible caractère du romantisme français : c'était de faire de la poésie une forme, et la peinture des formes. Il emplit ses vers de sensations, et ses vers mêmes, colorés et sonores, furent des sensations. Malgré la prétention annoncée déjà de rétablir la vérité dans l'art, Hugo rêva d'abord plutôt qu'il ne vit, et de fragments d'images ajustés, complétés, agrandis par sa fantaisie, il construisit un monde (1829); il fit un Orient prestigieux, n'ayant vu que l'Espagne en son enfance [1]. Mais il utilisait, comme il fit toujours, l'actualité : actualité littéraire du *romancero*, actualité politique de la guerre de l'indépendance grecque. D'inspiration personnelle, de sentiment original et profond, il n'y en a guère plus dans ces étincelantes *Orientales* que dans les *Odes* : l'intensité des images, la puissance des rythmes firent, avec raison, le succès du livre. Dans une dernière pièce l'auteur dénonçait lui-même la fantaisie créatrice de sa poésie, il disait adieu à son *beau rêve d'Asie*, et remisait pour ainsi dire tout le bibelot oriental qu'il avait déballé : il annonçait une poésie plus intime et plus personnelle. *Novembre* était déjà une *Feuille d'automne*.

Les *Feuilles d'automne* (1831) contiennent les pièces qui correspondent peut-être le mieux à la sensibilité intime du poète : c'est la sensibilité d'une nature saine et solide, très suffisamment satisfaite par la vie bourgeoise et domestique. Point de mélancolies maladives, point de passions orageuses, point d'inquiétudes douloureuses. Le poète parle avec effusion, avec amour des enfants : ils sont le pivot de sa conception sentimentale de la famille. Il parle avec attendrissement de son père, et de lui-même. Souvent l'émotion, très douce, s'atténue au point que la poésie retournerait au ton de l'épître classique, n'étaient l'ampleur sonore des vers et la splendeur rayonnante des images. Visiblement, le sentiment, dans cette âme robustement équilibrée, n'est pas une source suffisante de poésie; et son débit ne suffit pas à emplir les formes que prépare incessamment l'imagination. Le poète se laisse aller à causer, là où le sentiment ne l'emporte pas, et ainsi se fait le passage, indiqué déjà dans les *Feuilles d'automne*, vers un lyrisme moins subjectif et plus universel. Il va se faire *écho* : il

1. Plusieurs des *Orientales* ne sont au reste que des *Espagnoles* : une même est une *Espagnole de Paris* (Fantômes).

va refléter en ses vers, mais immensément agrandis et parés, les sujets d'actualité; il prendra son thème dans les inquiétudes journalières de l'opinion publique; c'est ainsi qu'il se donnera mission de prêcher

Napoléon, ce dieu dont tu seras le prêtre.

Il fera effort pour être la *pensée* du siècle : il battra puissamment l'air autour des grands problèmes, des lieux communs éternels, il nous étourdira d'un froissement tumultueux de métaphores et de symboles. Il s'essaie encore gauchement à la poésie « visionnaire », sans y réussir aussi bien que dans certaines amplifications largement touchantes où il enseigne la charité, celle qui aime et celle qui donne. En même temps, il fait quelques études pittoresques d'après nature : lâchant l'ombre de l'Asie pour la réalité prochaine, il nous donne des paysages parisiens, des bords de Bièvre, des soleils couchants; ailleurs il indique l'usage qu'il fera plus tard de la nature pour l'expression symbolique de l'idée [1].

Les *Feuilles d'automne* se terminent par une promesse de poésie satirique, que tient la première moitié des *Chants du crépuscule* (1835). Un bal de l'Hôtel de Ville, un vote de la Chambre, un suicide, le tombeau de Napoléon Ier, Napoléon II, la Pologne, voilà sur quoi se déchaîne le puissant souffle du poète : demi-journaliste et demi-prophète, il s'évertue à juger, à prédire ou maudire; il travaille visiblement à transformer la vieille satire en satire lyrique et apocalyptique [2]. Il obtient de saisissants effets de contraste par l'irréalité fantastique du sujet général et par la trivialité réaliste de certains détails. La seconde partie du recueil, plus intime, nous offre un peu de pittoresque avec beaucoup d'amour ou d'amicale affection : aucun sentiment bien profond ni original, une virtuosité souvent exquise d'expression. Ce qu'il y a de plus caractéristique, est l'allégorie large de la Cloche.

Les *Voix intérieures* mêlent toutes les inspirations des deux recueils précédents : pensives méditations sur les faits du jour, délicieux appels à l'enfance, banales leçons aux épicuriens et aux riches, paysages précis et pittoresques, graves consultations sur le mal du siècle. Mais ici apparaît le premier chef-d'œuvre du symbolisme de Hugo : *la Vache*. Ce n'est pas une action comme chez Vigny, c'est un tableau que V. Hugo nous présente, un tableau qui se suffirait à lui-même par son immédiate objectivité, mais au

1. *Pan.*
2. *Noces et festins; l'Aurore.*

travers duquel le poète nous fait surgir quelque vaste conception
de sa philosophie personnelle.

Les Rayons et les Ombres (1840) nous offrent un pareil mélange.
Ce recueil nous fait rétrograder jusqu'aux *Orientales* ou aux *Ballades* par certaines pièces ; d'autres font pressentir la grande
inspiration humanitaire des *Misérables* [1]. Car le poète, plus que
jamais, affirme sa mission : il est l'étoile qui guide les peuples
vers l'avenir. Il se remet à prêcher sur les événements du jour,
tantôt gravement moral, ou amèrement satirique, et penché sur
les petitesses du monde. Çà et là quelques chefs-d'œuvre : des
souvenirs des Feuillantines, charmants de pittoresque ému ; la
Tristesse d'Olympio, si paisible en somme et si peu désespérée
dans l'antithèse de nos joies éphémères et de l'éternelle impassibilité de la nature, presque consolée par le déploiement

des formes magnifiques
Que la nature prend dans les champs pacifiques,

et surtout par l'inépuisable douceur du souvenir, enfin cette
fantaisie, *Écrit sur la vitre d'une fenêtre flamande* où l'artiste se
plaît à montrer par un court et triomphal exemple ce que son
imagination sait faire des mots et du rythme.

Après 1840, le poète se tait pour treize ans. Incertitude dans
l'inspiration, maîtrise de la facture, réelle mais étroite sensibilité,
inaptitude et prétention à penser, puissance de suggestion et
d'ébranlement, don des sensations originales et précises, don
d'agrandissement fantastique de la sensation réelle, voilà ce que le
poète a révélé jusqu'ici. Il a fait assez pour être un maître :
aujourd'hui que nous voyons se dérouler toute son œuvre, nous
apercevons qu'il tâtonne encore et cherche ses voies. Il n'est pas
encore la *voix* du peuple : il n'a pas encore capté, pour remplir sa
poésie, un des grands courants du siècle. De catholique légitimiste
il est devenu libéral : mais à peine le souffle démocratique de 1830
l'a-t-il effleuré : ses instincts humanitaires restent hésitants, sus-
pendus, épars ; il s'est laissé attacher à la dynastie de Juillet, il a
accepté d'être pair de France. En 1848, sous la République, il
fera bonne figure à droite, soutenant d'abord le prince Louis
Bonaparte : il viendra à l'idée républicaine et démocratique très
tard, presque à la dernière heure, en 1850. Alors il tient l'inspiration qu'il lui faut pour soutenir son imagination et pour être par
surcroît l'idole d'un peuple pendant trente ans.

---

1. Les *Deux Guitares, Rencontre*. Et *Oceano nox* est l'abstraction sentimentale qui deviendra le récit épique des *Pauvres Gens*.

Avant 1850, il faut bien noter que V. Hugo donne peut-être moins sa caractéristique par la poésie que par le roman et le théâtre. Dans le roman, il était un romantique de la première heure par *Han d'Islande* (1823), contemporain des *Odes* classiques : puis il avait fait *Notre-Dame de Paris*. Mais la poésie dramatique surtout l'avait mis en renom : de *Cromwell* (1827) aux *Burgraves* (1843) on peut dire qu'il lui consacra les plus vigoureux efforts de son génie. Enfin, dans le *Rhin* (1842), il avait donné par la prose un pendant aux *Orientales* : sensation cette fois, et non plus rêve, vision réelle des choses, et suggestion d'images par leur immédiate impression. Dans toutes ces œuvres, les grandes facultés de l'artiste trouvaient leur exact emploi : toutes les formes du monde extérieur, nature et histoire, se laissaient évoquer par son imagination vigoureuse, ordonner en vastes ou pittoresques tableaux, où sa « pensée » profonde élisait des symboles, sans que la médiocrité, le vague ou la banalité de cette pensée eussent de l'importance. Les genres ou thèmes objectifs convenaient à ce tempérament plus riche de formes que de fond ; ces romans, drames, voyages, mettaient V. Hugo sur la voie du lyrisme épique. En un sens, *Notre-Dame de Paris* et les *Burgraves* sont les deux premiers chapitres de la *Légende des siècles*.

V. Hugo s'achèvera, s'épanouira précisément à l'heure où le naturalisme recueillera la succession du romantisme : c'est alors qu'il donnera la mesure de son génie, et que nous essaierons de le définir tout entier.

5. ALFRED DE MUSSET.

L'*Orient* était à la mode avant les *Orientales* : après, ce fut une fureur. Que pouvait faire en 1830 un enfant qui se sentait poète? Alfred de Musset [1] fit ses *Contes d'Espagne et d'Italie*. V. Hugo

---

1. **Biographie** : Alfred de Musset, né en 1810, fut introduit dans le *Cénacle* en 1828, publia en 1829 ses *Contes d'Espagne et d'Italie*. Il se sépara presque aussitôt du Cénacle (*Secrètes Pensées de Rafaël*, juillet 1830). En 1832, il donna le *Spectacle dans un fauteuil*; en 1833, *Rolla*. La rencontre avec G. Sand est de 1833; le voyage en Italie, de déc. 1833 à avril 1834, où Musset rentre à Paris. La rupture définitive eut lieu en 1835. De ses souvenirs, Musset fait la *Confession d'un enfant du siècle*, roman (1836). De 1835 à 1838 il donne la *Lettre à Lamartine*, l'*Espoir en Dieu*, et surtout les *Nuits*, de mai et de décembre (1835), d'août (1836), d'octobre (1837); le *Souvenir* est de 1841. Il mourut en 1857. Pour le théâtre, *Lorenzaccio* est de 1834; les *Caprices de Marianne*, de 1833; *Fantasio*, de 1834, comme *On ne badine pas avec l'amour*; le *Chandelier*, de 1835; *Il ne faut jurer de rien*, de 1836. Presque tout l'œuvre de Musset a paru d'abord dans la *Revue des Deux Mondes*. — **Éditions** : Charpentier, 11 vol. in-18 et 5 vol. in-8; Lemerre, 10 vol. in-16, et, **depuis** 1886, in-4; Conard (éd. Baldensperger), 1923-41; *Correspond. de George Sand et d'A. de M.*, 1904; *Correspond. d'A. de M.*, p. p. L. Séché, 1907. *Théâtre complet,*

l'avait établi : le Midi, c'était de l'Orient encore. Tout le romantisme tapageur et commun se trouvait dans ces essais : le forcené
dans les passions, l'immoralité dans les mœurs, l'étrangeté insolente dans la couleur locale. Et par endroits perçait une originalité certaine de tempérament, dans quelques mots de passion
profonde, dans quelques poussées de mélancolie simple ou de
moquerie gouailleuse.

Musset ne s'attarda pas dans le romantisme : les disputes littéraires ne l'intéressaient guère. Il avait fait des niches aux classiques à perruque de 1830 ; il aimait les grands classiques de 1660,
y compris Racine, la bête noire en ce temps-là des esprits larges;
il ne se gêna pas pour se moquer des romantiques, du pittoresque
plaqué, des désespoirs byroniens, des pleurnicheries lamartiniennes [1]. Affectant un certain mépris de la forme et de l'art, il
posa que toute l'œuvre littéraire consiste à ouvrir son cœur, et
pénétrer dans le cœur du lecteur : émouvoir en étant ému, voilà
toute sa doctrine ; et si l'émotion est sincère, communicative, peu
importe quelle forme l'exprime et la convoie. « Vive le mélodrame
où Margot a pleuré. » Il n'eut donc souci que de dire les joies et
les tristesses de son âme. Il a vécu sa poésie : elle est comme le
journal de sa vie. Non qu'elle enregistre les faits, elle note seulement le retentissement des faits dans les profondeurs de sa sensibilité.

Il n'y a rien en somme que de commun dans la vie de Musset :
beaucoup de folie, beaucoup de plaisir, beaucoup de passion, à la
fin le naufrage dans l'habitude insipide et tenace, avec l'amertume
de la désillusion impuissante. L'absurde rêve que firent George
Sand et lui de réaliser l'idéal romantique de l'amour, aboutit pour
l'un et l'autre à d'orageux éclats, à de cruels déchirements : Musset
y connut la souffrance profonde, aiguë, incurable.

Jusqu'à cette grande crise, c'est un enfant, et un enfant gâté,
sensible, égoïste, prêt à aimer, et surtout avide d'être aimé, léger
et fougueux, joyeux de vivre et insatiable de plaisir, vite déçu,
jamais lassé, et recommençant toujours sa course au bonheur,
sans se douter qu'il s'est trompé non pas d'objet, mais de méthode :
entre vingt et vingt-cinq ans, il est tout pétillant, tout bouillant
de vie et d'espérance. Avec cela, intelligent, spirituel, finement

---

éd. M. Allem, 1934, éd. Ph. Van Tieghem, 1948; *Comédies et Proverbes*, éd. P.
Gastinel, 1934. — **A consulter :** P. de Musset, *Biogr. d'A. de M.*, 1877; *Lui et Elle*,
1859; G. Sand, *Elle et Lui;* Mme C. Jaubert, *Souvenirs*, 1881 ,A. Barine, 1893; L.
Séché, 1907. Ch. Maurras, *Les Amants de Venise*, 1902; M. Donnay, 1914; E. Hen-
riot, 1928; P. Gastinel, *Romant. de M.*, 1933; P. Dimoff, *Genèse de Lorenz.*, 1936;
A. Adam, *Secret de l'Avent. vénit.*, 1938; Ph. Van Tieghem, 1945; M. Allem, 1948.

1. *Mardoche, Namouna, Lettres de Dupuis à Cotonet.*

sensé [1], le plus ou le seul homme du monde qu'il y ait parmi nos
romantiques, saisissant mieux qu'aucun autre la grâce spéciale ou
l'agrément de la vie de salon : très séduisant par ce mélange
d'émotion frémissante et d'exquise ironie, par son rayonnement
de jeunesse surtout; car il faut songer qu'à trente ans, presque
tout son œuvre était achevé.

Sa poésie est une causerie charmante où vibre toute son âme;
tout s'y mêle, tristesse et rire, sentiments intimes et impressions
du dehors; par un aisé passage et d'indéfinissables nuances, elle
hausse, baisse, change le ton [2]. Des « mots de tous les jours »
notent délicatement d'originales émotions; au hasard de la causerie sortent spontanément des profondeurs de l'âme toutes
sortes d'images des choses, fraîches et comme encore parfumées
de réalité : une physionomie d'homme, une scène de la vie, un
aspect de la nature, mille formes apparaissent ainsi, en pleine
lumière, sobrement indiquées, d'un trait à la fois large et précis.
La sensibilité du poète y répand une teinte délicate qui, sans en
altérer la vérité, les enrichit d'une puissante séduction [3].

L'artiste n'est pas impeccable : aux impuissances naturelles de
son talent, Musset ajouta les dédains de son dandysme. Rimes
négligées, insuffisantes, à-peu-près de style, impropriétés, incorrections, obscurités et parfois non-sens, rhétorique sincère, je le
veux, chez un si jeune poète, mais enfin par trop copieuse [4], verve
un peu courte et haletante : voilà quelques-unes des imperfections de Musset. Il se moque de la composition, et en effet il lui
est à peu près impossible de composer une grande œuvre : au
fond, le manque de composition se ramène à un défaut d'invention. Musset est exquis dans l'œuvre courte, libre, où sa fantaisie
peut errer à l'aise, se reposant et repartant quand il lui plaît : le
conte, l'épître (tournée en méditation, ou distribuée en strophes
lyriques), voilà où il excelle. Nous verrons aussi qu'il a su faire un
usage original et charmant de la forme dramatique.

Il y aurait trouvé même ses chefs-d'œuvre, si la grande souffrance de sa vie n'avait tiré de lui les *Nuits* : Musset est un grand
poète dans l'élégie lyrique. Éliminant les faits, laissant l'histoire
anecdotique du cœur, où s'étaient complu tous les élégiaques
jusque-là, Musset fait apparaître dans son amour à lui les propriétés éternelles et l'immuable essence de l'amour. Voilant dans

1. Il écrivait une **très jolie** prose, alerte, limpide, toute voisine du xviiie siècle. Voir
ses *Contes et Nouvelles*
2. *Une bonne fortune*, *Après une lecture*, *Soirée perdue*, *la Mi-Carême*, etc.
3. Notons aussi ses visions, rêvées et charmantes, d'une Grèce antique, aimable et
lumineuse.
4. Cf. *Rolla*, mélange de rhétorique juvénile et d'amertume byronienne, qui produit parfois une impression profonde.

un lointain délicieusement embrumé toutes les formes de la réalité qui l'a blessé, il prend pour matière de poésie la souffrance qu'il a ressentie d'avoir aimé : toutes les nuances et toutes les phases de la douleur se distribuent entre ces pathétiques *Nuits* de *mai*, de *décembre*, d'*août*, d'*octobre*, que complète le *Souvenir* où se repose son cœur encore endolori. Il y a là une délicate analyse des plus fines expériences de l'âme [1], d'où se dégage l'originale philosophie de Musset, jusque-là assez peu heureux dans ses essais de pensée.

Le monde alors lui apparaît comme un rêve; aucune réalité ne se laisse retenir. L'homme appartient à la douleur : toute poursuite du bonheur se termine en douleur; et le remède à la douleur, c'est l'anéantissement, celui tout au moins de notre être passé par l'oubli. Mieux vaut le souvenir, qui seul est à nous et dure avec nous : le bonheur fuit, et le souvenir du bonheur reste; le malheur passe, et le souvenir du malheur persiste, intimement doux, et plus doux que le souvenir même du bonheur.

> Le seul bien qui me reste au monde
> Est d'avoir quelquefois pleuré.

Voilà bien la philosophie qui convient à la vie de Musset, plutôt que la banale religiosité de l'*Espoir en Dieu*. L'amour trompe, mais il n'y a de bonheur que dans l'amour : il faut le chercher toujours, sans espérer de le conserver; il faut le chercher non pour l'avoir, mais pour l'avoir eu : car l'avoir est une misère, mais de l'avoir eu, là est le délice.

6. THÉOPHILE GAUTIER.

Celui-ci [2] est un génie étroit, absolument original et de prèmier

---

1. Musset est le seul romantique qui ait eu l'intuition psychologique.
2. **Biographie** : Théophile Gautier, né à Tarbes en 1811, amené à Paris en 1814, entra dans l'atelier de Rioult, fit paraître ses premières *Poésies* en 1830, puis *Albertus* (1832); les *Jeune France* (1833), et *Mlle de Maupin* (1835), romans. Il fit de 1836 à 1855 la critique d'art, puis la critique dramatique à la *Presse*; d'où il passa au *Moniteur universel*, remplacé ensuite par le *Journal officiel*. Il publia la *Comédie de la Mort* et autres poésies en 1838; *España* en 1845, après avoir fait en 1840 le *Voyage d'Espagne*; en 1850, il alla en Italie; en 1852, à Constantinople et à Athènes; en 1858, en Russie. Il publia en 1852 ses *Émaux et Camées*; de 1861 à 1863, le *Capitaine Fracasse*, roman commencé depuis vingt-cinq ans. Il mourut en 1872.

Édition : Charpentier, 34 vol. in-18. *Poésies*, éd. Jasinski, 1932; *Émaux et Camées*, éd. Pommier-Matoré, 1947; *Préf. de Mlle de Maupin*, éd. Matoré, 1946; *España*, éd. Jasinski, 1929. — **A consulter** : Spœlberch de Lovenjoul, *Hist. des œuv. de Th. G.*, 1887; *Lundis d'un chercheur*. M. Du Camp, 1890. E. Richet, 1873. R. Jasinski, *Les années romant. de Th. G.*, in-8, 1929. A. Boschot, 1923; H. Van der Tuin, *Ev. psych., esthét. et litt. de G.*, 1934; L. Larguier, *G.*, 1948.

orđre dans les limites de sa puissance. Ni lyrique, ni orateur, il a
le souffle court, l'invention pauvre : la sensibilité nulle, l'intelligence[1] médiocre.Les idées le fuient. Le principe de son inspiration,
c'est l'horreur de la banalité, qui le mène à toutes les excentricités : ses idées seront le contrepied des idées communes de son
temps. Qu'il s'agisse de s'habiller ou de vivre, Gautier a peur de
ressembler à tout le monde : il arbore le gilet ou la morale qui
peuvent étonner le bourgeois. C'est sa maladie.

Il était venu à la poésie par un atelier de peintre : et il ne fut
jamais qu'un peintre fourvoyé — par bonheur — dans la littérature. Il se définissait « un homme pour qui le monde extérieur
existe ». Et de fait, sans idées ni émotions, il a rendu les fragments
du monde extérieur qui tombaient sous son expérience. Il fait ce
qu'il a si bien appelé lui-même des « transpositions d'art » : c'est-
à-dire donner par les mots l'exacte et propre sensation qu'un
tableau donnerait. Des ses débuts, parmi la rhétorique insincère
du romantisme flamboyant, une puissance originale apparaissait :
il donnait un paysage soigneusement encadré, un coin de banlieue,
un jour de pluie, il copiait une naïade du parc de Versailles,
un vieux portrait au pastel [2]. Et le plus singulier, c'est qu'il ne
donnait pas autant la vision de l'objet que celle de la peinture de
l'objet : sa littérature nous fait repasser par un autre art avant
d'atteindre le modèle lui-même. On a justement remarqué que
naturellement il voit chaque aspect de la nature comme correspondant au style, à la manière d'un maître : et sa description se fait
dans le goût de ce maître. « C'était un parc dans le goût de Watteau [3]. » Aussi excellera-t-il à reproduire des tableaux : ses poésies
sont comme un *Musée de copies*. Voici des primitifs allemands :

> Les Vierges sur fond d'or aux doux yeux en amande,
> Pâles comme le lis, blondes comme le miel,
> Les genoux sur la terre et le regard au ciel [4].

Son progrès consistera à abonder dans le sens de son talent et à
dépouiller la sentimentalité romantique. Son voyage en Espagne
l'y aida puissamment : jusque-là enfermé dans Paris, c'était la
première fois qu'il voyait largement la nature. Mais les musées,
les églises l'attirent autant que la nature; il rapportera d'Espagne
des paysages vus, admirablement nets et objectifs, mais aussi de

1. Entendez l'intelligence philosophique, le pouvoir d'abstraction (*11ᵉ éd.*).
2. *Poésies*, 1, 12, 21, 85, 87, 206, 207.
3. *Ibid.*, I, 208.
4. *Ibid.*, I, 215.

curieuses impressions d'art, des *copies*, à sa manière, de Ribera, de Valdès Leal, de Zurbaran [1].

Dès lors il se plaira de plus en plus à ces traductions : toujours incomparable dans l'expression directe de la nature, il n'aura jamais plus de décision et de vigueur que lorsqu'il travaillera d'après une œuvre d'art, que ce soit un tableau de Vanutelli, une eau-forte de Leys, ou une aquarelle de la princesse Mathilde [2]. Il est comme ces graveurs qui aiment mieux rendre un tableau qu'un paysage naturel [3]. Et c'est peut-être parce que Gautier n'est pas créateur; il aime à trouver le sujet composé, l'impression et le caractère dégagés par un artiste : alors il comprend l'intention, et il rend les effets avec une surprenante sûreté d'œil et de main. De là sa théorie absolue et provocante de *l'art pour l'art* [4] : elle affranchit l'art de la morale, elle l'affranchit même de la pensée. La *forme* seule importe : il n'y a pas besoin d'idées. C'est tout simplement la formule du tempérament de Gautier.

Il n'avait jamais eu l'invention rythmique très riche : très bon ouvrier pourtant, très patient et très habile, des mètres peu nombreux, qu'il avait choisis Il finit par s'arrêter au quatrain d'octosyllabes, répété autant de fois que le sujet l'exigeait : dans cette forme étroite et précise, il est maître. Il en avait toujours usé avec goût et succès il en composa (sauf deux pièces) tout son recueil d'*Émaux et Camées*. Ce titre est expressif et très juste. Gautier ne fait plus de tableaux ici : il peint sur émail, il grave en pierres fines; le travail est minutieux et large; chaque pièce est d'un fini qui étonne. Plus que jamais, rien pour la pensée ni pour le cœur, tout pour les yeux; cela s'appelle *Etudes de mains*, ou *Symphonie en blanc majeur* : une aquarelle, un bibelot, une statue du musée, un aveugle jouant du basson, l'obélisque, Paris sous la neige, voilà ses modèles; ou bien il grave la vision que Nodier ou Mérimée donnent de leurs héroïnes, Inès de las Sierras ou Carmen. Sa fantaisie n'est pas d'un penseur, mais d'un artiste : il associe aux formes présentes des formes éloignées, à l'obélisque de Paris, les obélisques de Louqsor, à la bande des hirondelles sur les toits de Paris, les corniches ou les terrasses de Grèce et d'Orient où elles hiverneront : plus raffiné, mais de même ordre, le procédé par lequel il réalise des idées abstraites ou transpose des sensations. Les quatre

---

1. *Poésies*, II, 215, 147, 152. — Ces lignes s'appliquent mieux aux descriptions en prose de *Tra los montes*, qu'aux poésies d'*España*, encore imprégnées souvent de sentiments et de préjugés romantiques. (Cf. Jasinski, l'*España* de Th. G., éd. critique, in-8, 1929), mais dont la valeur et la nouveauté ne consistent point dans ces survivances.

2. *Ibid.*, II. 266, 221, 256.

3. « J'ai toujours préféré, disait-il, la statue à la femme, et le marbre à la chair. »

4. Sur l'ensemble du mouvement qui a pour devise cette formule fameuse, voyez Cassagne, *la Théorie de l'art pour l'art*, 1906.

saisons deviennent un quatuor, et dès lors l'hiver est un musicien
qui chante des airs vieillots, « le nez rouge, la face blême ».

> Et, comme Hændel dont la perruque
> Perdait sa farine en tremblant,
> Il fait envoler de sa nuque
> La neige qui la poudre à blanc [1].

Et vous avez là une peinture symbolique de l'hiver. Voilà par où,
toujours en vertu de sa précise sensation de peintre, Gautier a pu
faire de la poésie symbolique. Ce n'est rien de pareil à Hugo ni
à Vigny, mais qu'on lui donne un lieu commun, une idée, il en
fera le « tableau », et c'est ce tableau que son vers décrit : voyez
sa *Caravane* [2]; ici encore avant d'atteindre l'objet, nous devons
repasser par la peinture.

Dans tout ce qu'a fait Gautier, se retrouve le talent qui fait
sa personnalité. La moitié de son *Capitaine Fracasse* est une suite
d'estampes sur l'époque Louis XIII Ses voyages sont des *carnets*
où les dessins sont écrits. Sa critique littéraire ou artistique
consiste à reproduire les œuvres par son procédé, et, sans les
juger, à nous en communiquer l'impression. (App. XXXIII.

L'importance de Gautier est grande dans notre littérature :
d'une part, par sa haine du bourgeois, il a dégagé le romantisme
excentrique, malsain, nauséabond, qui pose pour la férocité et
l'immoralité : il a engendré Baudelaire. D'autre part, son exactitude
de peintre ou de graveur l'a fait sortir du romantisme : il a renoncé
au lyrisme subjectif pour s'asservir à l'objet, au modèle C'est le
commencement de la littérature impersonnelle. Et enfin sa finesse
de sens esthétique lui a de bonne heure révélé le juste prix de la
couleur locale des romantiques : il a vu ce qu'il y avait de *toc* et
de *bric-à-brac* dans leur moyen âge. Dès 1833 il s'en disait dégoûté.
Quand il vit Athènes, il acheva d'abjurer le gothique, il médit
même de Venise : le Parthénon l'avait conquis. Il était trop artiste,
trop objectif, pour ne pas enfermer au fond de lui-même un classique. Et ainsi c'est sur Gautier en quelque sorte que pivote notre
littérature pour se retourner du romantisme vers le naturalisme.

7. AUTRES POÈTES ROMANTIQUES.

Voilà les maîtres, les chefs de 1830. Mais d'autres poètes romantiques, pour être moins grands, nous touchent aussi profondément.

Il ne s'agit pas de Sainte-Beuve, qu'il serait cependant injuste
d'omettre : non pour la poésie moribonde de son *Joseph Delorme*,

---

1. *Émaux et Camées, Fantaisies d'hiver*, I.
2. *Poésies diverses (1833-1838)*.

ni pour un certain goût des choses singulières, malsaines ou
avortées, mais pour avoir fait circuler, entre les superbes lieux
communs de l'école, une veine de poésie intime, parisienne, trop
prosaïque et très réaliste; par là il a été précurseur, à sa façon.
De même Barbier [1], auteur de deux chefs-d'œuvre d'éloquence
satirique, la Curée et l'Idole, a droit d'être nommé. Il a dénoncé
avec une verve si puissante l'égoïsme des vainqueurs de 1830 et
l'imprudence des thuriféraires de Napoléon, que tout ce qu'il fit
depuis parut terne.

Par contre le rayonnement de Gérard de Nerval, de Marceline Desbordes-Valmore, de Maurice de Guérin n'a cessé de s'accroître.

Gérard de Nerval [2] est un être mystérieux, dont la psychologie
échappe encore. Il a gardé toute sa vie la nostalgie de son enfance,
passée au milieu des jeunes filles, dans les doux paysages du
Valois; à ces souvenirs s'est mêlée la hantise de la beauté d'une
femme entrevue un instant, qu'il s'imagina avoir aimée dans
une vie antérieure (Fantaisie) et qu'il para de tous les attraits des
femmes qui lui ressemblaient : Jenny Colon, Adrienne, Sylvie.
A cette créature idéale, devenue sa Béatrice sous le nom d'Aurélia, il abandonna la conduite de son âme. Autour de ces thèmes
essentiels s'agrégèrent les apports de ses lectures et de ses
recherches, toutes orientées vers les problèmes de l'au-delà : survivance des esprits, rédemption, réincarnation. Ses lectures lui
ont révélé le romantisme allemand, alors ignoré en France. Quant
à ses recherches, dominées par la volonté de retrouver l'unité foncière de toutes les religions, elles le conduisirent à unir dans
un vaste syncrétisme l'Isis égyptienne, Orphée, Moïse, Pythagore,
le Christ.

Si l'objet que se proposait Gérard de Nerval est obscur, l'expression, chez lui, est la limpidité même : rien de plus clair, de
mieux lié, de plus gracieux que Sylvie, chef-d'œuvre de la littérature du souvenir, et même qu'Aurélia, où il analysait avec lucidité
la crise démentielle d'où il sortait à peine; il est vrai qu'à l'en
croire, il s'agissait, non de folie, mais d'un épanchement du rêve
dans la vie. Et si les vers des six sonnets des Chimères, composés,
a-t-il dit, « dans un état de rêverie super-naturaliste », se succèdent
sans plus de liens apparents qu'une suite d'éclairs sur fond de

---

1. Auguste Barbier (Paris 1805-1822 Nice), Iambes et Poèmes, 1831. — A consulter : L. Séché, Annales Romant., 1905.

2. Gérard Labrunie, dit de Nerval (Paris 1808-1855 Paris). Les Filles du
Feu (dont Sylvie), suivies des Chimères, 1854; la Bohème galante, 1855; Aurélia, ou le Rêve et la Vie, 1855; Voyage en Orient, 1856 (édit. crit. G. Rouger,
1951). — A consulter : Aristide Marie, G. de N., 1914; P. Audiat, l'Aurélia de
G. de N., 1925; A. Béguin, G. de N., 1937; J. Moulin, les Chimères, exégèses, 1949.

ténèbres, une exégèse minutieuse[1] a montré qu'il s'agissait là, non de confusion mentale, mais d'une densité extrême de pensée, ordonnée selon une logique secrète réduite à ses points lumineux.

Nos contemporains, de plus en plus enclins à considérer la poésie comme un moyen de connaissance irrationnelle, ont salué un maître dans ce génie complexe, à la fois obscur et ingénu, qui vivait, avec délices semble-t-il, dans un « état second » où se mêlaient l'inquiétude sentimentale et la recherche mystique ; et ils ont justement admiré, dans le langage si neuf des *Chimères*, allusif, nuancé, harmonieux, un exemple parfait de vers symbolistes.

Marceline Desbordes-Valmore[2] ne fut à aucun degré une femme de lettres, mais simplement une femme douée d'instinct musical, qui mettait spontanément en vers les effusions de son âme meurtrie ; sa vie n'a été qu'une longue épreuve, assombrie par la misère, des deuils répétés, le regret d'un grand amour de sa jeunesse ; cependant elle est restée jusqu'au bout sans dureté ni amertume, femme et mère admirable. Son œuvre est très inégale : facture molle ou mièvre, facilité lassante du développement qui brusquement s'embarrasse ou s'obscurcit ; ces défaillances sont la rançon d'une culture insuffisante et d'une indifférence totale au métier. Elles sont compensées par la sincérité de l'émotion ; sa force — ou sa grâce, comme dans les berceuses si populaires, écrites pour ses enfants — crée alors la beauté de la forme. Pas d'idées ; peu de pittoresque ; par contre un sens inné de la musique et des rythmes qui lui a suggéré des innovations audacieuses (rythmes impairs). Verlaine en a imité quelques-unes ; il a fait aussi son profit, en artiste rusé, des effets émouvants que Marceline obtenait sans les chercher par la gaucherie même de son style.

Maurice de Guérin[3], âme ardente et pure, est cher à tous

1. Celle de Jeanine Moulin, *les Chimères*, Droz, 1949.

2. Marceline Desbordes-Valmore, Douai 1785-1859 Paris. *Élégies, Marie et romances*, 1819 ; *Élégies et poésies nouvelles*, 1825 ; *les Pleurs*, 1833 ; *Pauvres fleurs*, 1839. *Bouquets et prières*, 1843. *Poésies inédites*, 1860. *Œuvres poétiques*, 3 vol., Lemerre, 1886-7 ; *Œuvres complètes*, 4 vol., Trianon, 1931 ; *Choix de poésies*, Lemerre, 1929. — **A consulter :** J. Boulenger, *M. D.-V.*, 1926 ; L. Descaves, *La vie douloureuse de M. D.-V.*, 1910 ; *La vie amoureuse de M. D.-V.*, 1925.

3. Maurice de Guérin, né et mort au Cayla (Tarn) 1810-1839. Ses œuvres sont posthumes ; *le Centaure* et la *Bacchante*, composés entre 1835 et 1838, on été publiés, le premier en 1840, l'autre en 1862 ; le *Journal intime*, écrit de 1832 à 1835, a paru en 1861 ; la *Méditation sur la Mort de Marie* ou *Pages sans titre*, écrite en 1835, a paru en 1910. — En 1947, B. d'Harcourt a publié les *Œuvres complètes*. — **A consulter :** Abel Lefranc, *M. de G.*, 1910 ; Zyromski, *M. de G.*, 1921 ; Decahors, *M. de G., essai de biographie psychol.*, 1932 ; B. d'Harcourt, *M., de G. et le poème en prose*, 1932. — Sur Eugénie de Guérin, voir Barthès, *E. de G.*, 2 vol., 1929 ; et l'édition du *Journal* et des *Lettres*, par le même, 5 vol., Gabalda, 1929-1942.

ceux pour qui la vie intérieure compte avant tout. Son *Journal intime* (ou *Cahier vert*) et sa *Correspondance* sont la confidence d'une âme tourmentée. Né comme Lamartine « au milieu des pasteurs », dans une famille rigoureusement chrétienne, il a essayé de concilier l'adoration de la croix et l'adoration de la nature; il a voulu se persuader, comme Lamennais son maître, que la nature était une perpétuelle effusion de Dieu. Ses deux poèmes en prose[1], *le Centaure* et *la Bacchante*, sont l'expression splendide d'une ivresse cosmique pour qui Dieu, l'homme et la nature ne font plus qu'un; l'accent en est grave, comme religieux. Mais cette religion est plus proche de celle du Grand Pan que de celle du Christ. Son admirable sœur, Eugénie, l'en avertit, sans qu'il en fût besoin; car Guérin le sentait, et en souffrait. Il semble que ces deux hymnes panthéistes lui aient été comme dictés, tant la puissance et l'aisance en sont souveraines; pas de souvenir livresque, aucune recherche de l'effet : et la merveille, c'est de sentir, dans cette phrase équilibrée, bien rythmée, de facture toute classique, palpiter une imagination et une sensibilité romantiques (App. XXXVI.).

8. BÉRANGER.

Hugo lui-même ne pouvait rivaliser, aux environs de 1830, avec la gloire de Béranger[2]. Ignorés du peuple, étonnant le bourgeois, les romantiques n'avaient conquis que les ateliers et quelques cercles littéraires. Le poète populaire, national, c'était le chansonnier.

Pourquoi cela, puisque, de toute évidence, la philosophie et la sensibilité de Béranger sont assez basses, et qu'il rapetisse ou enniaise tous les sujets qu'il touche? Sans doute parce qu'il s'ajustait admirablement à cette moyenne assez vulgaire de l'esprit français qu'on appelle l'esprit bourgeois : esprit positif, jouisseur, gausseur; mais aussi parce qu'il donnait une voix à tous les sentiments populaires que froissait la Restauration : sa grêle poésie disait tous les regrets, toutes les rancunes, tous les espoirs de la France de la Révolution, libérale ou bonapartiste. Et encore parce que ses chansons, très platement écrites mais très bien rythmées, étaient tout action; chaque couplet met en lumière un moment du récit, ou du drame; c'est précisément ce qui avait fait la popularité des fabliaux au Moyen Age, puis des fables de La Fontaine. Béranger se rattachait ainsi à une très ancienne et très puissante tradition.

---

1. Les poésies en vers de Guérin sont très inférieures à ses poèmes en prose.
2. Pierre-Jean Béranger, né et mort à Paris, 1780-1857. *Œuvres complètes*, 1857, 3 vol. — A consulter : Sainte-Beuve, *Lundis*, II, XV; *Nouveaux Lundis*, I, S. Strowski, *Béranger*, 1913.

CHAPITRE IV

LE THÉÂTRE ROMANTIQUE

Premiers essais. — 1. La théorie du drame romantique : abolition des unités; mélange des genres. Histoire et symbole : disparition de la psychologie. Énorme et confuse capacité du drame. — 2. Les auteurs : Dumas; la couleur locale; l'action; le pathétique brutal et physique. V. Hugo : le type byronien du héros romantique; médiocrité psychologique et invraisemblance dramatique des drames de Hugo; l'érudition historique et les visions poétiques; le lyrisme du style; le comique. Alfred de Vigny; *Chatterton*, drame symbolique. Alfred de Musset : fantaisie lyrique; idées générales et philosophie de son théâtre : le *moi* toujours présent, cause de vérité et de sincérité; sens du dialogue, de la psychologie et de la caricature. — 3. Les résultats du théâtre romantique : la tragédie est impossible. Delavigne et Ponsard. Racine restauré par Rachel. Avortement du drame romantique. — 4. Comédie et vaudeville. Scribe : insignifiance et dextérité; médiocrité morale. La farce.

Le premier drame romantique qui fut joué fut le fameux *Henri III et sa cour*, en prose, d'Alexandre Dumas (11 février 1829). « Je ne me déclarerai pas fondateur d'un genre, parce que, effectivement, je n'ai rien fondé. MM. Victor Hugo, Mérimée, Vitet, Lœve-Veimars, Cavé et Dittmer ont fondé avant moi, et mieux que moi; je les en remercie; ils m'ont fait ce que je suis. » Ainsi écrivait Dumas dans sa *Préface* : il aurait pu allonger la liste de ses précurseurs et de ses maîtres [1]. Mais, en somme, il n'y a pour nous à tenir

---

1. Voici une liste un peu plus complète :

1809. B. Constant, cf. p. 934, n. 2.

1813. Mme de Staël, *Allemagne*, part. II, ch xv-xxvi.

1820. Rémusat, *la Révolution du théâtre*, dans le *Lycée Français*, t. V (*Critiq. et litt.*, Paris, 1857, 2 vol. in-12), à propos du *théâtre* du comte J.-R. de Gain-Montagnac.

1821. Le *Shakespeare* de Guizot et le *Schiller* de Barante (cf. p 934, n. 2); la *Notice* de Guizot sur Shakespeare.

1823. Fauriel, trad. du *théâtre de Manzoni* (contenant un article de Goethe, un

compte que de Mérimée et de V. Hugo : l'un, dans le *Théâtre de
Clara Gazul* (1825), puis dans la *Jacquerie* (1828), offre un drame
familier, pittoresque, coulé dans les formes de la vie actuelle ou
de l'histoire, et dégagé des conventions traditionnelles. L'autre,
dans la *Préface* et dans le *Drame* de *Cromwell*, dressa la théorie
complète et le *spécimen* monumental du théâtre romantique.

Il nous faut, avant de regarder les œuvres, étudier les doctrines,
les formules nouvelles ou prétendues telles : V. Hugo nous servira
de guide, Vigny et Dumas [1] nous aidant à dégager chez lui ce qui
est la pensée commune de l'école.

1. THÉORIE DU DRAME ROMANTIQUE.

Au théâtre comme partout, le romantisme se détermine d'abord
par opposition au goût classique : le premier article de la doctrine
est de prendre le contre-pied de ce qu'on faisait avant.

Aussi est-il facile de définir le drame romantique un drame où
ni les règles ni les bienséances de la tragédie ne sont observées.
Plus d'*unités* : sous prétexte, comme dit Vigny [2], de donner « un
tableau large de la vie, au lieu du tableau resserré de la cata-
strophe d'une intrigue ». Plus de distinction des genres : « des
scènes paisibles sans drame, dit Vigny, mêlées à des scènes comiques et tragiques ». Plus de style noble : « un style familier,
comique, tragique, et parfois épique », toujours selon les termes
de Vigny. La *Préface* de *Cromwell* nous dit la même chose en plus
de mots. Mais il n'y a pas grand'chose en tout cela de nouveau :
le mélange des genres, des styles, nous connaissons cela par

dialogue de H. Visconti *sur l'Unité de temps et de lieu*, une lettre de Manzoni.

1824. Vigny, *Muse française*, p. 62 (sur les *Œuvres posthumes* du baron de Sorsum).

1825. Mérimée, le *Théâtre de Clara Gazul*.

1826. Brugnière de Sorsum, *Chefs-d'œuvre de Shakespeare*, 1826.

1827. V. Hugo, *Cromwell*.

1827. (Dittmer et Cavé), *les Soirées de Neuilly*, esquisses *dramatiques et historiques*, par M. de Fongeray, in-8 (lire *Malet ou une conspiration sous l'Empire*).

1827-1829. Vitet, *les Barricades* (*Préface* intéressante de la 4e éd., 1830).

1827-1830. (Lœve-Veimars). *Scènes contemporaines et scènes historiques*, par
le vic. de Chamilly (*Le 18 brumaire*).

1828. Mérimée, *la Jacquerie*.

1. V. Hugo : *Préface* de *Cromwell* (éd. Souriau, Paris, 1897, in-16); *Préfaces*
des autres drames, Dumas, *Un mot* (en tête de *Henri III*); *Préface* de *Charles VII
chez ses grands vassaux*. Vigny, *Dernière Nuit de travail* (*Préface* de *Chatterton*);
Avant-Propos de la *Maréchale d'Ancre*; *Avant-Propos* de l'éd. de 1839 et *Lettre
à Lord**** (avant le *More de Venise*). — **A consulter :** P. Nebout, *le Drame romantique*, Paris, 1897, in-8. F. Brunetière, *Epoques du Théâtre fr.*, 1896; A. Le Breton, *Le Théâtre romantique*, 1923; A. Séché et J. Bertaut, *La Passion romantique*, 1927; R. de Smet, *Le Théâtre romantique*, 1929.

Diderot et par le drame bourgeois du XVIIIe siècle; et pour les unités de temps et de lieu, elles manquent déjà à plus d'une pièce : souvenez-vous seulement de Beaumarchais

Il y a même un genre qui réalise toutes les conditions requises par le romantisme : c'est le mélodrame, qui a pris un superbe essor depuis 1800. Le mélodrame ne reste « classique » que par la rectitude rapide de son action et par la grosse honnêteté bourgeoise de sa morale : au reste, par ses effets de pathétique brutal, par sa prose tour à tour triviale ou boursouflée, par le mélange des genres, par les sujets modernes ou exotiques, par l'exploitation du répertoire allemand ou anglais, il semble bien être un romantisme de la veille [1]. Aussi peut-on dire que, dès la première heure, le mélodrame guettait les romantiques : et V. Hugo s'en est avisé. Tandis qu'il s'efforce de s'éloigner de la tragédie, il prend toutes ses précautions aussi pour éviter le mélodrame, et c'est pour cela qu'il s'attache si soigneusement à conserver le *vers* comme une convention nécessaire, comme la convention artistique par excellence. Il garde aussi le *ramassé* vigoureux de l'action, la concentration qui fait du drame une *crise*. Ainsi V. Hugo pour *Cromwell* ne prend que deux jours; deux suffisent à Dumas pour *Henri III*, deux à Vigny pour la *Maréchale d'Ancre*; on ne saurait être plus discrètement révolutionnaire.

Artistique aussi sera la conception du drame. La foule ne demande qu'une action, les femmes de la passion. Le drame romantique offrira de plus une évocation pittoresque du passé. Avec une curiosité que ni la tragédie classique ni le mélodrame populaire ne connaissent, il fera revivre l'humanité disparue . le poète se fera historien. Il conservera à chaque personnage les marques de son individualité singulière, à chaque époque, à chaque pays les traits de leurs mœurs locales. Il montrera l'*individu* Cromwell, l'*individu* Louis XIII, les accidents, bizarreries, difformités par lesquels s'altère en se réalisant tel ou tel type humain, plutôt que ce type pur. Il fera connaitre des états précis de civilisation : *Ruy Blas* sera la monarchie espagnole vers 1695. Dans les *Burgraves*, nous aurons un rêve d'archéologue, une vision du moyen âge allemand, conçue aux bords du Rhin devant les ruines des vieux burgs Pour la couleur locale, le poète détendra la raideur de l'action : il y coulera des scènes désintéressées de contem-

---

1. L'*Homme à trois visages* (1801), de Pixérécourt, d'après *Abellino*, trag. romantique de Zschokke; le *Belvédère* (1818) du même, d'après *Jean Sbogar*; la *Sorcière* (1821) de Ducange, d'après *Guy Mannering*; *Trente ans ou la Vie d'un joueur* (1827), du même, d'après *Le 24 février* de Z. Werner. Notez que les deux grands acteurs romantiques, Frédérick Lemaître et Mme Dorval, sont des acteurs de mélodrame, formés par les pièces de Ducange.

plation, des tableaux de mœurs sans autre but qu'eux-mêmes,
comme l'étonnante conversation littéraire du temps de Louis XIII
que nous inflige Hugo dans *Marion de Lorme*.

Mais ce n'est pas tout : le simple pittoresque n'est pas le but du
poète, et l'on ne saurait se réduire, dit dédaigneusement V. Hugo,
à découper tout simplement les romans de W. Scott : il songe au
mélodrame encore, lorsqu'il parle ainsi. Il a toujours combattu
le drame historique qui ne vise qu'à être une chronique colorée
et émouvante Le drame romantique sera l'œuvre d'un penseur :
il contiendra une philosophie. L'action historique, les individus
réels et connus, seront des *symboles*, par où il enseignera l'humanité. Ruy Blas, c'est *le peuple*; la reine, c'est *la femme*; don
Salluste et don César, les deux faces de *la noblesse* Dans *Angelo*,
Catarina, la Tisbe, c'est « la femme dans la société, la femme
hors de la société », donc en deux types, « toutes les femmes,
toute la femme »; en face, deux hommes, le mari et l'amant, le
souverain et le proscrit, symboles de « toutes les relations que
l'homme peut avoir avec la femme d'un côté, et la société de
l'autre ». Au-dessous, l'envieux (Homodéi); au-dessus, le crucifix.
Les *Burgraves* sont « le symbole palpitant et complet de l'expiation »; ils posent devant les yeux de tous une « abstraction philosophique », la « grande échelle morale de la dégradation des
races ». Pour tirer l'enseignement, deux grandes figures inter-
viennent : la « servitude », qui personnifiera la « fatalité », la
« souveraineté », qui personnifiera la « Providence »; et « la rencontre de la fatalité et de la Providence » sera la crise du drame.

Entre l'individualité historique et le symbolisme philosophique
disparaît la psychologie, l'étude des caractères généraux, vrais et
vivants. C'était le fort du théâtre classique du xviie siècle ; et l'on
peut dire que le squelette du drame romantique sera la maigre
tragédie voltairienne, avec sa sèche et conventionnelle psychologie,
avec ses raides abstractions et ses simplifications excessives, étoffée
seulement, rembourrée et masquée à force d'érudition historique
et de prétentions philosophiques.

Ces deux éléments, au reste, suffisent pour faire éclater le cadre
étroit du poème dramatique. Le drame devient quelque chose
d'énorme, de gigantesque, d'encyclopédique : l'homme, la femme,
tout un siècle, tout un climat, toute une civilisation, tout un
peuple, voilà le simple contenu d'*Angelo*. Et voici les *Burgraves* :
« l'histoire, la légende, le conte, la réalité, la nature, la famille,
l'amour, des mœurs naïves, des physionomies sauvages, les
princes, les soldats, les aventuriers, les rois, des patriarches
comme dans la Bible, des chasseurs d'hommes comme dans
Homère, des Titans comme dans Eschyle, *tout s'offrait à la fois à*

l'imagination éblouie de l'auteur ». On arrive ainsi à l'étrange formule de la *Préface* de *Marie Tudor* : « tout regardé à la fois sous toutes ses faces [1] ». Le drame romantique aspire à embrasser l'infini. Aussi lui faut-il d'autres proportions que celles de la tragédie classique : il débute par *Cromwell*, qui est injouable; et lorsqu'il se resserre selon les nécessités de la représentation, il a encore en général une durée presque double de celle des tragédies.

Avec le démesuré, l'incohérence : histoire et philosophie se gênent; ou l'individu périt, ou le symbole s'obscurcit L'un des éléments fait obstacle à l'autre, si le poète n'intervient sans cesse pour dégager le sens du spectacle : et l'on a ainsi un poème épico-lyrique plutôt que dramatique.

En somme, nous apercevons dans la théorie du drame romantique un double caractère : 1° les barrières des genres dramatiques sont retirées; tragédie, comédie, drame, tout se mêle; 2° les barrières qui séparent le genre dramatique des autres genres, sont abattues aussi; et l'épique, le lyrique, l'histoire, le symbole envahissent le théâtre. Une vaste synthèse fait entrer toutes les formes littéraires les unes dans les autres, synthèse si vaste, qu'elle est en effet plutôt une confusion générale, un retour à la primitive indétermination.

En sorte que, dès les premiers essais qu'ils feront, les romantiques en arriveront tout simplement à organiser le drame chacun selon son tempérament et son génie. Dans ce chaos où tout se mêle, où rien n'est fixé, chacun choisira la matière et la forme qui lui plairont. De la pièce romantique qui, étant tout, n'est rien, l'un tirera le mélodrame, un autre la tragédie, un autre la comédie larmoyante; l'un trouvera le drame philosophique, un autre le spectacle historique. Tous les genres reparaîtront, en vertu de leur essentielle distinction, plus ou moins déformés ou masqués. Dès 1830, et dans le seul V. Hugo, les espèces diverses se caractérisent : *Marie Tudor* ou *Lucrèce Borgia* sont des *mélodrames*; *Hernani* et *Marion de Lorme* ont des ossatures de *tragédies*; et les *Burgraves* sont un poème dialogué de *Légende des siècles*.

2. LES AUTEURS : DUMAS, HUGO, VIGNY, MUSSET.

Quelques mois après *Henri III et sa cour*, la Comédie-Française donna le *More de Venise* d'Alfred de Vigny : c'était l'*Othello* de Shakespeare, fidèlement rendu, sans voile et sans fard, avec le

---

1. V. Hugo, *Œuvres*, éd. définitive Hetzel et Quantin, *Drame*, t. III, p. 435. Lire toute la page, qui finit ainsi : « Ce serait le rire, ce serait les larmes; ce serait le bien, le mal, le haut, le bas, la fatalité, la Providence, le génie, le hasard, la société, le monde, la nature, la vie; et au-dessus de tout cela on sentirait planer quelque chose de grand ! »

mouchoir et l'*oreiller*, et Yago (24 oct. 1829). Puis ce fut la grande journée du 25 février 1830, la bataille d'*Hernani* : la censure laissant passer la pièce pour faire exécuter le romantisme par le public, tant elle estimait impossible le succès d'une telle extravagance ! les acteurs nourris de classique, défiants, hostiles, Mlle Mars ne consentant pas à nommer Firmin son *lion superbe et généreux*; les défenseurs de l'art nouveau recrutés dans les écoles et les ateliers, Théophile Gautier, superbe, truculent, chevelu, arborant le légendaire pourpoint rouge pour la terreur des bourgeois; la représentation houleuse, terminée en triomphe de V. Hugo et déroute des *perruques* : tous les incidents de cette journée épique sont depuis longtemps connus [1]. Pendant une quinzaine d'années (1829-1843) le romantisme est maître de la scène : trois hommes l'y ont établi et l'y soutiennent : Dumas, Vigny, Hugo.

On sait quel intarissable conteur fut Alexandre Dumas [2] : quelle prodigieuse et un peu puérile invention s'est développée dans les 257 volumes de ses romans, mémoires, voyages, etc. Toute cette écriture, si vulgaire de pensée et de forme, a bien vieilli. Les 25 volumes de pièces de théâtre qui s'y ajoutent, ont vieilli aussi : c'est pourtant par eux que Dumas mérite une place dans la littérature. Le cadre dramatique a contenu son imagination, ailleurs portée à multiplier la *copie* : elle a obligé ce grand délayeur à faire (relativement) court, serré, nerveux.

Il a préludé à ces fameux romans historiques qui devaient surtout rendre son nom populaire, par des drames historiques. Sans dédaigner les sujets exotiques, Dumas fut le premier à deviner l'attrait que pouvait avoir l'histoire de France pour le public, et le premier se mit à exploiter les vastes recueils de *chroniques* et de *mémoires* que Guizot, Buchon, Petitot venaient de publier. Il trouvait dans Anquetil le sujet de son *Henri III* : mais le *Journal de l'Estoile* lui fournissait la copieuse enluminure du sujet. C'était une orgie de couleur locale ; chaque mot était un renseignement d'histoire : état des partis, état des finances, intérêts des princes, passions des bourgeois, topographie du vieux Paris, astrologie, nécromancie, jurons, bilboquets, sarbacanes, sabliers, pourpoints tailladés, les quatre sous que l'on payait au spectacle des Gelosi,

---

1. **A consulter** · Th. Gautier, *Histoire du romantisme.* A. Royer, *Histoire du théâtre contemporain*, 2 vol. in-8; Paris, 1878.

2. A. Dumas (1803-1870), né à Villers-Cotterets, fils d'un général de la Révolution, petit-fils d'un créole et d'une négresse : *Henri III*, 1829 *Christine*, 1830. *Antony*, 3 mai 1831 *Charles VII chez ses grands vassaux*, *Richard Darlington*, 1831. *La Tour de Nesle* (avec Gaillardet), 1832. *Kean*, 1836. *Mlle de Belle-Isle*, 1839. Romans : le *Comte de Monte Cristo*, 1841-1845, 12 vol.; *les Trois Mousquetaires*, 1844, 8 vol.; *la Reine Margot*, 1845, 6 vol. — **Édition** : Calmann-Lévy, in-12. — **A consulter** : H. Parigot, *Le drame d'Al. Dumas*, 1898.

toute l'histoire politique et toute la chronique de la mode pour l'année 1578 sont là. Rien d'artistique au reste dans la mise en œuvre, pas de vision poétique : une multitude de menus faits précis et secs, patiemment recueillis et juxtaposés, qui laissent une impression de confusion fatigante et d'enfantine érudition.

Après ce beau début, ce ne furent plus, à la Comédie-Française, à l'Odéon, à la Porte-Saint-Martin, que leçons sur l'histoire de France : Dumas donna *Christine, Charles VII chez ses grands vassaux*; enfin cette *Tour de Nesle*, la plus joyeusement fantastique évocation du moyen âge qu'on ait jamais faite. Cependant *Marion de Lorme, Le roi s'amuse*, la *Maréchale d'Ancre, Louis XI*, complétaient l'éducation du peuple. Il n'est que trop facile aujourd'hui de railler la fausseté criarde et théâtrale de ces peintures. Songeons, pour en comprendre l'effet, qu'elles s'adressaient à des gens qui n'avaient lu qu'Anquetil et Velly : de sèches, froides et décolorées annales, où rien ne parlait à l'imagination.

Selon la formule romantique, Dumas n'hésite pas à jeter ses cours ou ses tableaux d'histoire à la traverse de l'action dramatique, sans souci de la ralentir ou de la refroidir. Ainsi le baron de Saverny arrête une intrigue violente pour faire une longue leçon à Charles VII. Même dans les sujets modernes, où la couleur locale nécessairement tient moins de place, on trouve dans *Richard Darlington* tout un tableau consacré à la description pittoresque des élections en Angleterre; dans *Antony*, en plein quatrième acte, une conversation littéraire, intéressante du reste et instructive, mais qui devait être plutôt dans la préface que dans le drame.

Sous l'étalage de la couleur locale, sous le déploiement des tirades emphatiques, Dumas trouve moyen de révéler le tempérament d'un dramaturge. Il a le sens de la scène, l'instinct des combinaisons qui font effet : cet art très particulier du théâtre, qui n'a rien de commun avec la littérature, qui n'a besoin ni de la poésie ni du style pour valoir, aucun romantique ne l'a possédé comme Dumas. Ses drames historiques sont des modèles de découpage adroit, et ses drames d'invention sont machinés à merveille pour la scène. Surtout Dumas a le sens de l'action : en dépit de la sentimentalité romantique, il fait agir plus encore que parler ses personnages; les situations s'accumulent, les intrigues se croisent, les coups de théâtre se chassent. Point de caractères : des passions élémentaires, sans nuances, banales en leur formule, mais monstrueuses d'intensité, et agissantes : quand les curiosités de la couleur locale et les débordements de la rhétorique ne lui imposent pas trop d'arrêts, le drame va d'un mouvement violent, haletant, avec une raideur brutale, vers son dénouement. *Antony* est à cet égard un modèle. Ce drame est, avec *Chatterton*, la *pièce* la plus

caractéristique du théâtre romantique. Dumas y a exprimé, sous
la forme dramatique, avec une réelle puissance, l'exaltation forcenée, sauvage de cet amour que le romantisme faisait supérieur
à tous les devoirs, à toutes les lois, à toute morale.

Antony tue son Adèle. La femme de Saverny, répudiée par lui,
le fait assassiner par le Sarrasin Yacoub le soir de ses noces avec
une autre femme. Richard Darlington, fils du bourreau, devenu
membre du Parlement, jette sa femme par la fenêtre pour épouser
une femme plus riche. Voilà les atrocités où se plaît Dumas. Il a
inventé, ou exploité plus qu'on n'avait fait avant lui un certain
genre de pathétique : celui qui naît d'une angoisse physique,
devant la souffrance physique. Voyez la fin de *Christine* : Monal-
deschi a peur, peur de la mort, peur de la blessure, de la douleur,
du sang qui coule, du fer froid qui entre dans la chair; il a la
fièvre, il tremble; puis il est blessé, il se traîne saignant, il supplie,
on l'achève. Il n'y a pas là dedans une idée morale, un sentiment :
rien que l'horreur physique. De même dans *Henri III*. Le duc de
Guise meurtrit le bras de sa femme pour lui faire écrire la lettre
qui attirera Saint-Mégrin dans le guet-apens; la duchesse de Guise
se fait briser le bras pour tenir sa porte fermée, pendant que
Saint-Mégrin fuit par la fenêtre et qu'on entend le tumulte des
assassins qui le reçoivent. Cela est féroce. Ce bon, ce grand enfant
de Dumas a, dans son théâtre, une énergie de boucher ou de
cannibale.

Shakespeare était le maître qu'invoquaient les romantiques :
en réalité Byron leur fournit plus que Shakespeare. Le jeune premier du drame romantique vient tout droit de ses poèmes. Ténébreux, fatal, amer, il sort on ne sait d'où, il passe enveloppé
d'un triple prestige de mystère, de crime et d'amour : le Giaour,
Lara, le Corsaire, ces incarnations de la sensibilité misanthropique
de Byron, sont les modèles d'après lesquels nos robustes et bien
portants poètes, le joyeux Dumas, le solide Hugo, ont dressé le type
de leur héros, bâtard ou enfant trouvé, victime ou ennemi de la
société, désespéré, magnanime et tout débordant de tendresses
séduisantes : Antony est plus brutal, Didier plus pleurard Ils ne
s'aperçoivent pas de l'absurdité qu'il y a à loger ce type poétique
dans une époque historique connue et caractérisée. Encore y a-t-il
plus de bon sens à montrer un Antony dans la vie contemporaine,
parce qu'Antony représente au moins un état de l'imagination
française en 1830. Mais un Didier au temps de Louis XIII, entre
Richelieu et Marion de Lorme, voilà qui est fort ! Et V. Hugo ne
s'est pas lassé de répéter ce type qui n'était même pas une expression sincère de sa propre personnalité : le laquais Ruy Blas, le
bandit Hernani, l'aventurier Gennaro, le chevalier Otbert, le pro-

scrit Rodolfo, ne sont que des variantes, les deux premières originales, les autres assez décolorées de Didier. Sur neuf drames, six
répliques du même type [1].

Cela suffirait à marquer combien l'invention psychologique de
V. Hugo est pauvre. Tous ses caractères sont d'une simplicité
élémentaire; ils tiennent dans de sèches formules, qui sont en
général des antithèses Tout le génie et toute la vertu dans la
plus grande bassesse sociale : voilà Ruy Blas. Toutes les laideurs,
la morale avec la physique, et dans cette dégradation de tout l'être
humain, un sentiment ingénu, l'amour paternel : voilà Triboulet.
Toute la beauté et tous les vices, tous les vices et une vertu,
l'amour maternel : voilà la double antithèse qui constitue Lucrèce
Borgia. Et ce seront là des caractères compliqués . les caractères
simples sont de raides et monotones abstractions, celui-ci la haine,
celui-là l'ambition, cet autre l'envie, un autre la royauté, etc. Au
fond, V. Hugo ne compose pas ses caractères autrement que les
tragiques du xviiie siècle.

Il masque la maigreur psychologique de ses personnages par
les mêmes procédés : l'incognito d'abord, la reconnaissance, les
conspirations, l'émeute à la cantonade, etc. Hernani, Gennaro,
Otbert, Rodolfo ont une « fatalité » de contrebande . ils ne sont pas
mystérieux, ils ne sont que déguisés. Les *Burgraves* sont une cascade de reconnaissances. Job, l'Empereur, Guanhumara, Otbert se
retrouvent comme dans une tragédie de Crébillon. Voici dans les
mêmes *Burgraves* la voix du sang, et dans *Angelo* la *croix de ma
mère*, empruntée à *Zaïre*. Aux moyens de tragédie s'ajoutent tous
les *trucs* du mélodrame : portes secrètes, caveaux, poisons, les six
cercueils de Lucrèce Borgia, tout un matériel d'effets pathétiques
pour les nerfs et pour les yeux.

Abstraits dans les caractères, les drames de V. Hugo sont enfantins par l'action Il est loin d'avoir l'instinct scénique de Dumas.
Il dresse gauchement son intrigue; il ne sait pas la conduire. A
chaque moment, il intervient pour la soutenir et la faire durer.
A qui fera-t-on croire, si Ruy Blas est parvenu à être favori de la
reine et premier ministre, qu'il ne puisse supprimer don Salluste,
ou le mater? Au prix de quelles invraisemblances s'obtient le
dénouement de *Hernani*? Les méprises de Triboulet sont d'une puérilité grotesque. Ces malheureux drames ne tiennent pas sur leurs
pieds. On sent que tout y arrive par la volonté du poète, en vue
d'un effet pittoresque ou poétique.

1. Consulter : P. et V. Glachant, *Essai crit. sur le Th. de H.*, 1902-3; Levaillant, Ed. *d'Hernani* (1933), de *Ruy Blas* (1934); G. Lote, *En préf. à Hernani*,
1935; M. Blanchar, *Marie-Tudor.*, 1934 ; P. Souchon, *Autour de Ruy Blas*, 1939.

La plus complète inintelligence — le mot n'est pas trop fort —
de la vérité et de la vie y éclate. Un gentilhomme rebuté par une
femme, déguise son valet en seigneur et lui donne ordre de se faire
aimer de cette femme : il y a là un *scénario* de farce. Que Molière
en fasse les *Précieuses ridicules*, rien de mieux : mais d'en faire
Ruy Blas, d'espérer sur cette donnée de haute fantaisie élever une
action sérieusement attendrissante et tragique, c'est vraiment
manquer de sens commun. Nulle part l'action n'est vraie, directement tirée de la réalité commune, simplement fondée sur les passions universelles : les Grecs et les Turcs de Racine sont bien plus
près de nous, et par leurs actes, et par leurs sentiments, que les
Espagnols et les Français de V. Hugo.

Les bizarres romans qu'il imagine pour corser son intrigue, les
fantastiques passions dont il enfle ses caractères, sont presque toujours en complet désaccord avec les mœurs des temps où il localise
son drame. Aussi a-t-il beau dresser pédantesquement toute la
bibliographie d'un sujet; la couleur historique jure avec le thème
poétique; elle fait l'effet d'être plaquée; elle s'écaille Nos seigneurs
du xvi⁰ et du xvii⁰ siècle, tels que V. Hugo les voit, nous paraissent d'une fausseté ridicule; et si l'honneur espagnol nous paraît
mieux dépeint dans *Hernani*, c'est peut-être simplement parce que
nous sommes Français. Les Espagnols s'en égaient ou s'en indi-
gnent, et ne trouvent pas plus de bon sens dans *Hernani* que nous
n'en trouvons dans *Marion de Lorme* [1].

Il faut pourtant reconnaître que dans deux pièces au moins
V. Hugo nous a donné avec puissance la vision poétique du passé :
en dépit des extravagances de l'action, *Ruy Blas* évoque devant nos
yeux l'effondrement de la monarchie espagnole, l'épuisement de
la dynastie autrichienne à la fin du xvii⁰ siècle; et les *Burgraves*
ressuscitent dans notre imagination l'effrayante, la confuse grandeur de l'Allemagne féodale.

Les drames de V. Hugo ont été sauvés par le lyrisme du style.
Ils seraient plus oubliés que les tragédies de Legouvé, ou les mélodrames de Pixérécourt, sans les vers, qui sont d'un grand poète.
Et si on les considère seulement comme des poèmes[2], on doit
accorder qu'ils sont admirablement agencés pour ménager au
poète les occasions de se donner carrière. Hugo amène n'importe
comment les situations, les sentiments sur lesquels son inspiration
lyrique pourra librement partir : il fait pour lui-même ce que

---

1. Par ex. : M. J. de Larra (Figaro), *Obras*, Garnier Hermanos, 4 vol. in-12.

2 Il y a dans le théâtre de Hugo un drame lyrique, pathétique et pittoresque,
qui n'a pu se réaliser, opprimé par la préoccupation que le poète avait d'obéir à
la tradition de l'intrigue, par les surprises et les péripéties du mélodrame qu'il
se croyait obligé d'inventer (*11⁰ éd.*).

le librettiste fait pour le musicien. Ses drames équivalent aux
recueils lyriques qu'il a donnés : toute la différence est qu'ici le
fil d'une intrigue réunit les fragments de l'inspiration. Nous y
trouvons d'admirables couplets, de délicieux dialogues d'amour :
il n'importe qui parle, Hernani et Dona Sol, Ruy Blas et la Reine,
Didier et Marie ; c'est toujours *lui* et *elle*, le couple romantique.
Puis de vastes amplifications, des merveilles d'invention verbale :
comme la scène des portraits d'*Hernani*, réalisation d'une figure
banale de l'art oratoire. Puis, comme il faisait sur l'histoire de
son temps, sur les faits divers de la vie contemporaine, le poète
médite sur ses lectures, sur les histoires des temps disparus; et
sous les noms de ses acteurs, c'est lui qui parle. Dans le monologue de Charles-Quint, dans les tirades de Saint-Vallier ou de
Nangis, dans maints dialogues, il ne faut voir que le poète *pensif*
qui nous dit sa pensée. Lorsque Ruy Blas foudroie les courtisans
de son indignation grandiloquente, c'est un exercice de satire
lyrique qui continue certaines pièces des *Chants du Crépuscule*, et
annonce les *Châtiments* [1].

Il y a quelque chose dans ces drames, qui ne s'était pas étalé
encore dans la poésie de V. Hugo, s'il se rencontrait déjà dans
Notre-Dame de Paris : un comique d'imagination, sans esprit, sans
finesse et sans idées, robuste, vulgaire, un peu lourd, tout renfermé
dans les éléments sensibles du style et du vers, dans l'image et
dans la rime, quelque chose de copieux et de coloré dont on ne
saurait nier la puissance. Le quatrième acte de *Ruy Blas* (le *quatrième*, notez-le, l'acte critique du drame, pour mieux narguer les
classiques) appartient tout entier à don César de Bazan; sous le
nom de ce gueux pittoresque, V. Hugo a lâché sa fantaisie, et
nous a donné un chef-d'œuvre de comique énorme et truculent.

De Vigny, une seule pièce compte, *Chatterton* (12 février 1835) :
mais elle est supérieure. Point d'histoire, point de particularités
singulières : Vigny ne s'intéresse pas à ce que fut son héros dans
la réalité. Il écarte les « faits exacts de sa vie »; Chatterton n'est
pour lui qu' « un nom d'homme ». Il ne prend de sa destinée que
ce qui en fait un type. Point d'intrigue, un minimum d'action :
« C'est l'histoire d'un homme qui a écrit une lettre le matin, et
qui attend la réponse jusqu'au soir; elle arrive, et le tue [2] ». Ici,
dit le poète, « l'action morale est tout ». On voit combien cette

---

1. L'imagination du décor et de la figuration qui égare parfois Hugo, s'accorde
parfois avec l'imagination lyrique : le poète crée alors une beauté scénique
originale; ainsi quand le duo d'amour de Dona Sol et d'Hernani se déroule et se
termine dans le cadre de Saragosse incendiée (*11ᵉ éd.*).

2. *Dernière Nuit de travail.* — **A consulter :** E. Sakellaridès, *A. de Vigny auteur
dramatique*, 1902; *Chatterton*, éd. Ségur, 1933.

pièce romantique se rapproche du système classique. Mais voici
la différence. L'objet de Vigny n'est pas une étude de caractère,
une analyse de sentiments : c'est de manifester une idée philosophique. « J'ai voulu montrer l'homme spiritualiste étouffé par
une société matérialiste, où le calculateur avare exploite sans
pitié l'intelligence et le travail. » Chatterton est le *symbole* (le mot
est de Vigny) du poète. Bell et Beckford symbolisent la bourgeoisie
orléaniste, qui n'estime que l'activité industrielle et l'argent; le
poète, délaissé, raillé, inutile, affamé, sent dans un tel monde une
impossibilité de vivre. Sur cette idée, qui ne nous étonne pas chez
l'auteur de *Moïse* et de *Stello*, Vigny a écrit un drame émouvant
et sobre, d'une amertume concentrée. Comme dans ses poèmes, il
a su donner aux figures symboliques une précision intense, qui
les fait vivre : Beckford, avec sa sottise bouffie, Bell, avec sa vulgarité dure, le quaker, qui enseigne la vertu sans niaiserie et sans
bavardage, et surtout cette exquise Kitty Bell, si pieuse, si dévouée,
si pure, si tendre, que la pitié mène à l'amour, et qui n'avoue son
amour que par sa mort, tous ces caractères sont fortement conçus,
vrais à la fois comme réalités et comme symboles. Il n'y a que
Chatterton qui soit manqué : et il était difficile qu'il ne le fût
pas. Dès qu'il est individuel, il perd les raisons de mourir, et sa
plainte dépasse son mérite ou sa misère : tant qu'il reste une
abstraction philosophique, il n'est pas vivant, et qu'importe alors
qu'il meure? Il faut donc qu'il se dégrade, ou se refroidisse. Voilà
le danger du symbole au théâtre. Vigny, du reste, a réussi, autant
qu'il était possible, à masquer ce vice de la conception; et son
œuvre a une force pathétique à laquelle on n'a peut-être pas
toujours assez rendu justice.

Aux trois héros des combats de 1830, à Dumas, Hugo, Vigny,
nous devons ajouter ici Alfred de Musset. Dégoûté par une expérience malheureuse [1], il ne voulut plus affronter la scène, et il
écrivit librement ses comédies, sans souci des nécessités scéniques;
il les imprima dans la *Revue des Deux Mondes*. On sait comment
ces fantaisies parurent d'abord sur la scène du théâtre français de
Saint-Pétersbourg, d'où Mme Allan les rapporta : le *Caprice* fut
joué d'abord (nov. 1847); et peu à peu le reste suivit.

Ce théâtre de Musset est exquis, et de la plus pure essence
romantique : il est lyrique sans mélange; et toutes les formes que
se plaît à créer l'imagination du poète, formes d'actions et formes

1. *La Nuit Vénitienne*, à l'Odéon, 1830. — **A consulter :** Lafoscade, *Le Théâtre
d'A. de M.* 1901. H. Lyonnet, *Les Premières de M.* 1926; A. Cella, *La Tragédie
de la Femme dans le théâtre de M.*, 1927; P. Gastinel, *Le Romantisme d'A. de
M.*, 1933; P. Dimoff, *La Genèse de Lorenzaccio*, 1936; J. Pommier, *Variétés sur
M. et son Théâtre*, 1944; Ph. Van Tieghem, *M.*, 1944.

de caractères, ne sont pas autre chose que l'exacte représentation
des divers états de sensibilité qu'il a lui-même traversés. Nulle
préoccupation étrangère au drame sentimental de sa propre existence ne vient modifier ou compliquer son théâtre. Il ne se pique
pas de ressusciter des époques historiques : il ne nous offre ni visions
archéologiques, comme Hugo, ni cours d'histoire comme Dumas.
Il use des temps et des lieux selon sa fantaisie, pour assortir la
forme de son action à la qualité de son rêve triste ou joyeux. Et
ce sont aussi des pays de rêve, qu'il nous montre, c'est son rêve
d'une Allemagne, d'une Italie, d'un xviiie siècle, d'une Renaissance,
qu'il imagine tour à tour comme le milieu le plus en harmonie
avec la disposition actuelle ou la crise récente de sa sensibilité. Il
se compose ainsi une atmosphère idéale, où l'être qu'il est aujour-
d'hui lui semble plus complet, plus à sa place.

On ne trouve pas chez lui les amas de symboles dont V. Hugo
charge ses restitutions historiques : il n'a pas non plus cette précision serrée d'écriture symbolique que l'on remarque dans *Chatterton*. Il n'était pas assez penseur pour y réussir, et *la Coupe et
les lèvres* est un grand effort manqué. Cependant la réflexion de
Musset attachée sur les états de sensibilité dont il avait fait
l'épreuve, sur ceux auxquels la pratique ou la poursuite de l'amour
donne lieu, en a dégagé certaines idées générales, qui constituent,
comme nous avons vu, sa philosophie personnelle : et ces idées
transparaissent surtout dans son théâtre. Mais elles sont tellement liées à la vie sentimentale du poète, à ses expériences, à ses
aspirations, qu'elles circulent dans l'œuvre sans la dessécher.
Lorenzaccio, la plus symbolique de toutes ces comédies, et qui
contient peut-être le dernier mot de la philosophie de Musset, est
une œuvre délicate, touchante, parfois puissante.

Le héros de ces comédies, c'est toujours Musset ; et nous voilà
débarrassés du héros byronien à formule fixe. Fortunio, Valentin,
Perdican, Fantasio, Lorenzaccio, autant d'épreuves du même portrait ; c'est Musset vu par lui-même, à des moments divers, en des
états passagers d'exaltation, de renouvellement, de confiance, de
lassitude ou de dégoût : parfois il se dédouble, et, dans Octave
et Célio, pose face à face les deux âmes qu'il sent en lui, l'âme
légère du libertin, l'âme grave de l'amant idéaliste. Ou bien il se
pose devant lui-même, il prend ses jours de raison pour juger ses
jours de folie, et habillant sa fugitive sagesse du costume qui lui
sied, il appelle l'oncle Van Buck, bedonnant, grisonnant, positif,
chapitrer l'incorrigible Valentin.

D'une matinée de bon sens lucide, où il s'est dit ses vérités, le
premier acte de *Il ne faut jurer de rien* est sorti ; la réalité a fourni
le point de départ, l'imagination fera le reste ; elle organisera une

actíon, un dénouement conformes à cette situation première où
le poète s'est trouvé Ailleurs il n'y a rien de réel, qu'une certaine
disposition sentimentale. Alors la comédie crée un univers de la
couleur de ce sentiment, et la vérité morale est entière dans
l'absolue fantaisie de la construction scénique.

Les *Nuits* à part, Musset n'a rien fait de supérieur à cinq ou six
de ses comédies. D'abord la forme dramatique épure l'inspiration
lyrique en l'objectivant, et surtout quand le thème éternel est
l'amour, le lyrisme direct devient trop facilement agaçant ou
ennuyeux. Puis Musset a précisément les qualités auxquelles la
forme dramatique peut donner toute leur valeur. Son théâtre est
exquis par la fine notation d'états sentimentaux très originaux et
très précis : il s'analyse lui-même sous ses noms divers avec une
acuité poignante. Il a présenté aussi, avec une singulière ingénuité de sentiment, ses rêves d'innocence et de pureté, des âmes
délicieuses, inaltérables en leur candeur, ou frissonnantes d'indé
cises inquiétudes; ses jeunes filles sont d'exquises visions, Cécile
Rosette, et la petite princesse Elsbeth qui va être sacrifiée à la
raison d'État [1].

Musset a le sens du dialogue : il voit les interlocuteurs comme
personnes distinctes, et il entend manifestement le timbre de
chaque voix, l'accent, la réplique, qui manifestent chaque âme
en son état et qualité. Il n'est guère possible de conduire sûrement
un dialogue sans avoir en quelque degré le sens psychologique :
Musset l'a eu plus qu'aucun romantique. Autant les modes généraux de sensibilité qui constituent les personnages de premier
plan sont délicats et compliqués, autant les caractères attribués
aux personnages accessoires sont sommaires et peu profonds. Là
l'étude est minutieuse et fouillée : ici l'esquisse est sobre et simplifiée, le trait franc et juste Voyez l'oncle Van Buck, et la tante
de Cécile, et l'abbé : ces gens-là ne sont pas compliqués, mais
ils vivent. Même Musset a eu dans un degré supérieur le sens de
la caricature artistique, qui ramasse et déforme un type par une
simplification vigoureuse : dame Pluche, Blazius, Bridaine, le
prince de Mantoue, le podestat Claudio sont de charmants grotesques. Ainsi s'étend la comédie fantaisiste de Musset, précieuse
et naturelle, excentrique et solide, sentimentale et gouailleuse,
plus poétique que la comédie de Marivaux, moins profonde que la
comédie de Shakespeare, œuvre unique en somme dans notre
littérature, et d'une grâce originale qui n'a pu être imitée.

---

1. Et toute la comédie *A quoi rêvent les jeunes filles?*

3. LES RÉSULTATS DU ROMANTISME AU THEATRE.

Les romantiques n'ont pas réussi peut-être à faire vivre leur drame : ils ont réussi du moins à empêcher la tragédie de vivre. Ils ont dégoûté le public du « palais à volonté » où s'enferme une action abstraite, où des tirades pompeuses tombent lourdement de la bouche de personnages qui, en dépit de leurs noms, ne sont ni d'aucun temps ni d'aucun pays. Il faut désormais du spectacle, de l'action extérieure, du pittoresque, des détails locaux et individuels : il n'y a plus de succès que par l'emploi plus ou moins large des moyens romantiques.

C'est ce que nous montre Casimir Delavigne [1], que, dans vingt ou trente ans, il sera sans doute permis de ne plus nommer dans une histoire comme celle-ci. Après avoir suivi docilement la tradition dans les *Vêpres Siciliennes* (1819), il habille d'oripeaux romantiques la maigreur de la tragédie pseudo-classique ; et par ses drames vides de psychologie, d'une sentimentalité fausse ou banale, d'un pittoresque criard et plaqué, par son *Marino Faliero* (1829), son *Louis XI* (1832), ses *Enfants d'Edouard* (1833), il escamote d'assez bruyants succès. Il se donne parfois le mérite de la vigueur par des brutalités gratuites ou forcées [2]. Il fait aimer Hugo, qui n'est pas sensiblement moins humain, et qui du moins est poète : le style de Delavigne est cruel, là surtout où il fait effort pour teindre son vers de poésie. Toute la vogue de ce dramaturge est venue de son prosaïsme renforcé : les spectateurs réfractaires à la fougue lyrique des pièces romantiques se sont retrouvés dans sa platitude, qui leur a paru la raison même.

J'en pourrais presque dire autant de Ponsard [3], dont le succès sembla donner le coup mortel au théâtre de la nouvelle école. La même année 1843 a vu les *Burgraves* tomber et *Lucrèce* aller aux nues. Mais ensuite Ponsard revient aux sujets modernes : il rise de l'histoire les scènes saisissantes de *Charlotte Corday* (1850) et du *Lion amoureux* (1866). Encore ici, point de psychologie, point de poésie ; et dans l'intrigue, de méchantes inventions sentimentales ou romanesques. Mais le style est solide dans son prosaïsme, la pensée concentrée, ramassée en couplets vigoureux, en vers d'une belle venue. L'absence d'imagination a laissé aux scènes historiques

---

1. C. Delavigne (1793-1843), né au Havre, fit des odes classiques qu'il réunit sous le nom de *Messéniennes* (1818-1819). — **Édition** : 4 vol. in-18, 1870, Paris, Didot.
2. *Une famille au temps de Luther*, 1836.
3. F. Ponsard (1814-1867), né à Vienne (Isère). — **Édition** : 3 vol. in-8, C. Lévy. —
A consulter : C. Latreille, *La fin du théâtre romantique et François Ponsard*, 1899.

une apparence d'exacte vérité, dont la vibration oratoire du discours
a doublé l'effet. On eut pendant quelque temps l'illusion que le
théâtre français comptait deux ou trois chefs-d'œuvre de plus.

Un fait plus important se produisit : Rachel [1] débuta à la
Comédie-Française; et de 1838 à 1845, Camille, Pauline, Hermione,
Monime, Esther, Bérénice, Roxane, Phèdre, Athalie reparurent.
C'était la tragédie qui ressuscitait, mais la vraie tragédie, la
vivante, l'humaine, celle de Corneille et celle surtout de Racine.
il suffit que Rachel montrât dans toute la violence de leurs passions les « raisonnables » héroïnes du théâtre classique, pour
rabattre l'extravagante excentricité du drame romantique.

Mais le romantisme avait nettoyé la scène : unités, conventions,
style, il avait tout bousculé. Rien ne devait plus faire obstacle
au poète qui aurait quelque chose à dire sur l'homme, et qui
saurait le dire par les moyens spéciaux du drame. Mais, si tout
était démoli, rien n'était fondé. La tragédie était impossible. Le
drame historique ne vivait pas. Le drame de passion rejetait le
vêtement littéraire, et s'en allait chercher les scènes populaires, où
le public n'a pas besoin de style.

La place à prendre fut prise par la comédie; le mouvement que
nous avons observé au XVIIIe siècle dans l'apparition de la comédie
larmoyante et du drame bourgeois, se reproduisit vers 1850, où
l'on voit Augier et M. Dumas fils tirer de la comédie l'unique
forme littéraire du drame sérieux qui ait été réellement vivante
en ce siècle

4. COMÉDIE ET VAUDEVILLE : SCRIBE.

Depuis la fin du XVIIIe siècle, la comédie se traîne : la gaieté de
Beaumarchais est perdue, la profondeur de Molière se retrouve
encore moins La comédie, quand elle ne reste pas un exercice
littéraire, aimable et puéril, dans le style des *Epîtres* de Boileau
plus ou moins mouillé de sentimentalité, tourne au *vaudeville*, et
cherche à forcer l'intérêt ou le rire par l'ajustement d'une intrigue
curieuse ou par la cocasserie des mots, des types et des situations.

Sous le premier Empire, le grand homme du genre est Picard [2]
qui dessine avec quelque verve d'assez grossières caricatures de
caractères sans portée : comme ce tâtillon qu'il a nommé Monsieur
Musard (1803). Lorsqu'il veut peindre les mœurs, et faire la satire

---

1. Elisa-Rachel Félix (1820-1858) : Barthou, 1926; Lucas-Dubreton, 1936.
2. L.-B. Picard (1769-1828) : *Médiocre et rampant* (1797); le *Collatéral ou la Diligence à Joigny* (1799); *Duhautcours ou le Contrat d'Union* (1801), les *Marionne''es*
(1806); la *Vieille Tante* (1806). — **Édition** : *Théâtre*, 1821, 8 vol. in-8.

des vices de son temps, il est superficiel, étriqué, vulgaire, parfois puéril. Rien de plus anodin que sa *Petite Ville* (1801), délayage d'un mot de La Bruyère; et quant aux trop fameux *Ricochets* (1807), le ressort « psychologique » joue avec la précision d'un jouet mécanique : il n'y a pas là ombre de vie ni de vraisemblance.

De la tentative de La Chaussée et de Diderot, il n'était guère resté, conformément au sentiment de Voltaire, que la comédie mixte, où des scènes attendries et pathétiques alternent avec les scènes plaisantes. Les gens qui écrivent en vers pour la Comédie-Française retiennent cette forme; l'œuvre la plus célèbre en ce genre est l'*Ecole des vieillards* de C. Delavigne (1823), pièce morale en vers maussades.

Le xviiie siècle avait connu une sorte de comédie historique : on sait le succès qu'obtint Collé avec son ennuyeuse *Partie de chasse de Henri IV*. Lemercier dans *Pinto* (1800) avait indiqué une façon assez originale de traiter en comédie les grands événements historiques, en montrant l'envers, les dessous, et comme les coulisses de la politique. Les comédies historiques se multiplièrent dans la première moitié du siècle, favorisées par le mouvement romantique et par la publication de tant de *Mémoires* et de *Chroniques* qui renouvelaient l'histoire. Le vaudeville même fit une consommation inouïe de personnages historiques, et les pièces anecdotiques ou plaisantes atteignirent, parfois dépassèrent l'extravagante fantaisie du drame romantique; qui veut s'en assurer lira les comédies de Mme Ancelot. A ce genre se rattachent, dans l'œuvre de Dumas et de Scribe, des pièces telles que *Mademoiselle de Belle-Ile* et le *Verre d'Eau*. La comédie de C. Delavigne *Don Juan d'Autriche* (1835) est un compromis entre ce genre et le drame romantique : c'est un mélange de scènes pathétiques, invraisemblables ou fausses, et de gaietés vaudevillesques où l'esprit est laborieux et lourd, mais les effets faciles et sûrs.

La comédie ne devait guère tenter les romantiques : ils avaient l'âme trop sombre, et prenaient trop au sérieux leur mission ou leurs souffrances. Dumas y vint, après que sa fièvre de 1830 fut calmée, lorsqu'il fut rendu à son naturel de bon enfant qui aimait à conter des histoires, et à son tempérament d'homme de théâtre, apte à faire jouer tous les trucs qui tirent le rire et les larmes. Musset nous a donné la seule comédie qu'on puisse nommer romantique, celle de Dumas n'étant autre chose que le vaudeville agrandi ou le drame dégradé, comme on voudra, selon les formules et par les procédés de Scribe.

Voilà le grand nom du théâtre comique dans la première moitié du siècle[1]. Scribe inonde toutes les scènes de son infatigable pro-

1. E. Scribe (1791-1861), fils d'un marchand de la rue Saint-Denis, eut la grande

duction pendant cinquante ans (1811-1862). Fournisseur ordinaire
du Gymnase depuis sa fondation (1820), applaudi souvent à la
Comédie-Française, il offre à la bourgeoisie exactement le plaisir
et l'idéal qu'elle réclame : elle se reconnaît dans ses pièces, où rien
ne déroute son intelligence.

Scribe est un artiste : en ce sens d'abord que ses combinaisons
dramatiques n'ont d'autre fin qu'elles-mêmes. Le théâtre, pour
lui, est un art qui se suffit; il n'y a pas besoin de pensée, ni de
poésie, ni de style . il suffit que la pièce soit bien construite Le
métier, la technique sont tout à ses yeux; et il y est maître. Les
faits et les caractères ne sont pour lui que des rouages dont il
compose sa machine : il ne cherche ni à représenter la vie, ni à
étudier les passions, ni à proposer une morale [1]. Vraies ou fausses,
invraisemblables ou banales, il prend indifféremment toutes
données; il n'a souci que de les ajuster, de les emboîter, de les
lier, de façon qu'à point nommé se décroche la grande scène du
III, et que le dénouement s'amène sans frottement. Il a le génie
des *préparations*, si l'on entend par là, non les préparations morales
qui font apparaître la vérité des effets dramatiques, mais les
indications de faits qui doivent servir à faire basculer soudainement l'intrigue.

Au reste, tirez-le de là; essayez de le prendre hors de ses combinaisons de vaudeville. Il est plus maigre, plus plat, plus superficiel que Picard dans la comédie de mœurs : rien de plus enfantin
que cette *Camaraderie*, où ce favori de la bourgeoisie a voulu flageller
les mœurs de son public, que ce *Bertrand et Raton*, où il a cru tirer
la philosophie des révolutions. Ses pièces pathétiques sont des
vaudevilles lamentables. *Adrienne Lecouvreur*, *Une chaîne* sont inférieures à *Michel et Christine* et au *Mariage de raison* de toute la
supériorité de leurs prétentions.

Le type parfait de cette comédie, c'est *Bataille de Dames* : cela
ressemble aux petits jeux de société, où l'on fait trouver un objet
caché : il s'agit d'escamoter, ou de découvrir un proscrit politique.
Sera-t-il pris? ne sera-t-il pas pris? tout l'intérêt est là, dans le fait
douteux, dans la recherche, dans la devinette, car on ne s'intéresse même pas au personnage, qui n'est qu'un mannequin [2].

vogue entre 1815 et 1850. De 1820 à 1830 il travaille surtout pour le Gymnase :
Michel et Christine (1820), le *Mariage de raison* (1826). A la Comédie-Française,
Bertrand et Raton (1833); la *Camaraderie* (1837); la *Calomnie* (1840); le *Verre d'eau*
(1840); *Une chaîne* (1841); *Adrienne Lecouvreur* (1849). — **Édition :** Dentu, 76 vol.
in-12, 1874-85 (9 vol. de *comédies et drames*; 33 vol. de *comédies et vaudevilles*).

1. *Le Colonel* : une jeune fille déguisée en colonel du 12e hussards est acceptée
pour telle par les officiers du régiment; la vue d'un pistolet la fait évanouir et
reconnaître

2. Voyez encore la cascade de quiproquos du *Diplomate*.

Tous les agents de change, colonels, baronnes, ingénues, que Scribe a fabriqués si abondamment, sont des mannequins, que l'auteur tourne, ramène, emmène, selon l'utilité de son intrigue. Il a pourtant, quoi qu'il n'y songeât guère, mis une morale dans ces vaudevilles de mince portée; ils reflètent naïvement une conception de la vie, celle de l'auteur et de son public, leurs maximes courantes, selon lesquelles ils réglaient leur activité et jugeaient celle des autres. Cette morale est de la plus vulgaire médiocrité : partout l'argent, la *position*, la *carrière*, la *fortune*, le plus bas idéal de succès positif et d'aise matérielle, voilà ce que Scribe et son public appellent la raison. Pour qu'un jeune homme se marie sans amour, 25 ou 50 000 livres de rente chez une veuve, 500 000 francs de dot chez une ingénue sont des arguments sans réplique; et le devoir de rompre un amour coupable est impérieusement dicté par la nécessité de ne pas *nuire à sa carrière* : cela dispense de pitié, de délicatesse et d'honneur. On ne peut s'empêcher d'être dégoûté de voir tout acte de probité, de bonté, de dévouement, inévitablement payé en argent, d'une grosse dot ou d'un bel héritage. Scribe ferait aimer les excentricités morales de la passion romantique.

Aux froides sentimentalités, aux adroites intrigues de Scribe, je préfère le vaudeville cocasse, les caricatures énormes, les farces folles que Duvert et Lauzanne [1], et d'autres auteurs apportent aux Variétés, au Palais-Royal, au Vaudeville. Il y a de la franchise au moins, et une certaine vigueur comique dans l'excentricité des types et des situations, qui même à la lecture, et sans le jeu des Potier, des Arnal, des Odry, font encore leur effet. Et je ne sais si Scribe même a jamais rien fait qui vaille, littérairement, l'*Ours et le Pacha* [2], cette pure folie, dont il se passa un jour la fantaisie.

---

1. *Théâtre*, Charpentier, 6 vol. in-18, 1876-78. *Harnali ou la Contrainte par Cor* (1820); un *Scandale* (1834); le *Mari de la Dame de Chœurs* (1837); la *Sœur de Jocrisse* (1840), etc.

2. L'*Ours et le Pacha*, aux Variétés, 1820, avec Odry, qui jouait aussi dans les *Saltimbanques* (1830), de Dumersan et Varin, autre type fameux du genre.

CHAPITRE V

LE ROMAN ROMANTIQUE

Le roman au début du xixᵉ siècle : *Obermann, Adolphe.* — **1.** Roman historique : V. Hugo. *Notre-Dame de Paris.* Les *Misérables.* — 2. Roman lyrique et sentimental : George Sand. Ses quatre manières. L'imagination de George Sand. Idéalisme et observation. Ses paysages. — 3. Passage du romantisme au réalisme : Balzac. Caractère de l'homme. Lacunes de l'œuvre : sa puissance. Peinture de caractères généraux dans les conditions bourgeoises ou populaires. Détermination individuelle des types. Description des groupes sociaux. — 4. Roman psychologique : Sainte-Beuve, Stendhal. L'homme. Son idée de l'énergie. Sa curiosité psychologique. — 5. La nouvelle artistique : Mérimée. Objectivité réelle de son œuvre. — 6. Un disciple du xviiiᵉ siècle : Claude Tillier.

Le roman romantique[1] avait été préparé de longue date. Après Rousseau et Bernardin de Saint-Pierre, Mme de Staël et Chateaubriand avaient opéré la transformation ou le développement du genre. Thèses philosophiques, autobiographie sentimentale, impressions pittoresques, ces trois éléments, ajoutés parfois, et le plus souvent substitués à la description des mœurs et à la psychologie analytique, avaient à peu près détruit l'objectivité du roman.

Ainsi Senancour[2] s'est défini dans *Obermann* (1804), qui est déjà le roman parfait selon le type romantique : il n'y manque que le style, qui est celui des idéologues dont Senancour est le contemporain et le disciple. Sur ce fond d'expression analytique, grise et sèche, s'appliquent des paysages tournés en états d'âme et des couplets lyriques où l'émotion intime déborde : Senancour à son heure, entre Rousseau et Lamartine, a fait un « Lac ». L'œuvre est

---

1. A consulter : P. Morillot, *Le Roman en Fr.*, 1892 ; A. Le Breton, *Le Roman fr. au XIXᵉ s.*, 1901 ; J. Merlant, *Le Roman personnel de Rousseau à Fromentin*, 1905 ; L. Maigron, *Le Roman hist. à l'époque romantique*, 1898 ; Ch. Brun, *Le Roman social en Fr. au XIXᵉ s.*, 1910 ; J. Hytier, *Les Romans de l'individu*, 1928 ; D. O. Evans, *Le Roman social sous la monarchie de Juillet*, 1936.

2. **Éditions** : *Rêveries*, éd. J. Merlant, 1910 ; *Obermann*, éd. G. Michaud, 1912-3, A. Monglond, 1948. — **A consulter** : *Bibliographie du roman romantique et de Sénancourt*, en fin de chapitre (p. 1012) ; J. Merlant, *Bibliographie des Œuvres de S.*, 1905, S., *sa vie, son œuvre, son influence*, 1907 ; G. Michaut, S., *ses amis et ses ennemis*, 1910 ; A. Monglond, *Journal intime d'Obermann*, 1948.

très riche de pensée : voisine de Cabanis et de Destutt de Tracy par certaines théories, par d'autres elle touche à Sainte-Beuve et à Sand, et par d'autres enfin elle nous semble devancer Gautier et Baudelaire. On y trouve de l'ennui délirant, du socialisme, de l'exotisme, de curieux essais de domination sur le moral par le choix des états physiques ou l'emploi des stimulants et des liqueurs, d'originales déterminations de la valeur symbolique des diverses sensations et comme une esquisse d'un symbolisme des couleurs et des parfums. Mais l'essentiel est une théorie fondamentale qui marque l'originalité de Senancour à égale distance de Sand et de Stendhal. Profondément irréligieux, Obermann sent, avec une extrême acuité, l'angoisse des problèmes métaphysiques. Le monde et la vie n'ont pas de sens : et comment vivre sans savoir pourquoi l'on vit ? Pour Chateaubriand et pour la plupart des romantiques, l'inquiétude est d'ordre sentimental : chez Senancour, c'est l'intelligence surtout qui est tourmentée ; il s'agit moins de jouir que de savoir. Mais s'il veut savoir, c'est pour agir. Être, c'est être soi; la vertu, comme le bonheur, c'est de conserver, de concentrer, de cultiver le *moi*; il faut empêcher le monde extérieur de pénétrer ce moi, de l'altérer, de le dissoudre; et il faut développer toutes les puissances de ce moi, toutes légitimes, dès lors que naturelles. La vertu, c'est l'effort de l'être pour réaliser sa loi; c'est l'effort vers l'ordre. Mais où prendre cette loi? La volonté dépend de l'intelligence : pour vouloir, il faut comprendre; pas d'énergie sans connaissance. Le mal d'Obermann, c'est que, ne croyant plus à la religion, ne pouvant rien par sa raison, il s'épuise, se ronge, use sa vie dans l'ennui; il n'agit point, parce que la vie et le but de la vie lui sont incompréhensibles. Il ne trouve enfin d'autre action possible que l'action littéraire, qui consiste à décrire son mal. Cette singulière peinture d'une volonté impuissante pour des raisons métaphysiques n'eut aucun succès en 1804 : le roman de Senancour dut attendre 1830 pour être en vogue, je ne dis pas pour être compris, car les romantiques y virent surtout l'inertie désespérée qu'ils sentaient en eux, sans regarder aux doctrines et au tempérament qui faisaient Obermann tout à fait distinct de René ou de Lélia.

Il y a de tout dans le roman de Senancour; mais la traditionnelle observation de psychologie s'y produit sous le sentiment et la métaphysique.

Dans un chef-d'œuvre plus récent, on retrouvait des qualités que, depuis Marivaux, les romanciers semblaient avoir délaissées. *Adolphe* (1816) est un roman d'analyse, d'une précision aiguë et puissante, où Benjamin Constant a noté toutes les phases d'un amour douloureux, les palpitations et les sursauts d'un amour qui

s'éteint : jusque-là on avait plutôt étudié l'éveil et les lents progrès de la passion. Rien de plus classique que ce roman à deux
personnages, où les sobres indications de cadre et de milieu laissent
la crise morale s'étaler largement. Mais Adolphe et Ellénore, c'est
B. Constant et Mme de Staël ; et s'il a eu la délicatesse de ne pas
faire d'Ellénore un portrait cruellement applicable, il n'a pas
essayé de peindre un autre que lui-même dans Adolphe. Par là,
ce roman est à la vie sentimentale de l'auteur exactement dans le
même rapport que *René* pour Chateaubriand ou *Delphine* pour
Mme de Staël. L'art et le talent restent classiques.

Sous le débordement de l'invention romantique, les principales
directions du genre vont subsister : le roman individualiste va se
charger de lyrisme ; le roman analytique et objectif se maintiendra
cependant, et le roman de mœurs se réveillera Mais à la première
heure, une nouvelle forme du roman s'épanouira, qui semblera
devoir éclipser ou étouffer toutes les autres : c'est le roman historique.

1. ROMAN HISTORIQUE : V. HUGO.

Le roman historique n'avait jamais été tenté chez nous : je ne
puis appeler de ce nom les contrefaçons de l'histoire, les simples
falsifications de faits que l'on avait parfois essayées [1]. Avec les
romantiques, l'intérêt passe des faits aux mœurs, à la couleur :
de récit apocryphe le roman historique devient ou prétend
devenir peinture exacte, évocation : c'est l'éveil du sens historique.

Les restitutions de mœurs lointaines et de civilisations disparues faisaient souvent éclater l'étroitesse de la forme dramatique .
nos romantiques se trouvèrent plus à l'aise dans la forme indéterminée du roman, qui se resserrait ou s'étendait selon la matière
ou la fantaisie. Ils furent d'autant plus ardents à se porter vers
ce genre que W. Scott venait de lui donner en Angleterre un
incomparable éclat.

Les romans historiques pullulèrent, plus fantastiques souvent
qu'historiques, et mêlant les plus excentriques aventures au plus
criard bariolage de couleur locale : ce ne sont souvent que de
noirs ou extravagants mélodrames, mis en forme narrative. *Han
d'Islande* (1823) est le modèle du genre, où l'on peut classer
aussi quelques-unes des œuvres de jeunesse de Balzac.

Mais entre les mains de quelques grands artistes, le genre
s'éleva, et des œuvres puissantes naquirent. *Cinq-Mars* (1826) a

---

1. Cf. pp. 667-668.

bien vieilli, et poussé au mélodrame : les caractères historiques, dont les originaux sont trop voisins et trop connus, sont d'une fausseté choquante; les intentions sentimentales et philosophiques jurent avec la date et le costume du sujet, les inventions pathétiques sont outrées et grimaçantes; le style est trop appliqué et ronflant, de qualité médiocre au fond sous l'éclat travaillé des images. C'est l'œuvre la plus manquée d'Alfred de Vigny.

La *Chronique de Charles IX* (1829), d'une facture sobre et serrée, a gardé une couleur plus fraîche : c'est d'un homme qui a le sens de l'archéologie, qui sait la valeur et l'emploi du petit fait unique, documentaire, apte à représenter toute une série. Mais nous retrouverons ailleurs Mérimée.

L'œuvre maîtresse de la grande époque romantique, en ce genre, c'est *Notre-Dame de Paris* (1831). Le roman est bourré de digressions, de dissertations, où l'auteur s'étale sur tous les sujets qui l'intéressent autour et à propos de son sujet : cette composition est caractéristique du goût romantique : et par là, comme par tant d'autres aspects de son génie, V. Hugo est le romantisme incarné. L'histoire est mince et quelconque, très factice en même temps dans sa contexture : une bohémienne aime un beau capitaine, est aimée d'un prêtre sombre et d'un grotesque difforme. Ce sont les épisodes et les tableaux qui font l'intérêt du livre : il faut y voir comme une suite d'estampes, où sont rendues, avec de saisissantes oppositions de blanc et de noir, des scènes tour à tour amusantes, fantastiques ou terribles. Les individus sont peu vivants, d'essence banale, tout en surface, et, si l'on peut dire, en silhouette : mais ces silhouettes sont souvent d'une précision pittoresque qui charme. Plus vivantes sont les foules, les foules populaires surtout, le grouillement des gueux et des truands : plus vivante est la ville même, le Paris du xve siècle, noir, infect, fourmillant, curieusement ressuscité dans sa topographie compliquée et dans sa physionomie bizarre. Mais vivante surtout est la cathédrale dont l'ombre couvre la ville; Notre-Dame de Paris est le seul individu qui ait vraiment une âme dans le roman; ce monstre terrible et séduisant, où le poète a saisi un « caractère », est le vrai héros de l'œuvre. En somme, psychologie nulle, drame insignifiant, tableaux curieux, art original et puissant, vision presque hallucinatoire du vieux Paris et de son immense cathédrale, voilà ce que V. Hugo nous présente dans un roman qui peut-être n'est pas une restauration certaine, mais qui du moins est une évocation prestigieuse.

Le *Rouge et Noir* (1831), la *Chartreuse de Parme* (1839) et diverses *Nouvelles* de Stendhal, quelques romans de Balzac et de George Sand se rattachent par certains côtés au genre du roman histo-

rique. Puis Dumas s'en empare[1] et le dérive hors de la littérature, hors de l'art, pour l'amusement de la foule. Le roman littéraire s'est engagé dans d'autres voies; le temps du romantisme
est passé.

C'est pourtant un roman historique que donne Flaubert dans
Salammbô (1862), un roman archéologique et scientifique, purgé
de lyrisme, tout objectif et impersonnel. Mais le romantisme
survit, puisque V. Hugo est toujours là : et cette année 1862
voit paraître avec le petit volume de *Salammbô* les dix volumes
des *Misérables*[2].C'est un monde, un chaos que ce roman, encombré
de digressions, d'épisodes, de méditations, où se rencontrent les
plus grandes beautés à côté des plus insipides bavardages. V. Hugo
a réalisé là cette vaste conception que le drame étouffait : *Tout
dans tout*. Il a mêlé tous les tons, tous les sujets, tous les genres.
Il y a des parties de roman historique : Waterloo, Paris en 1832,
la barricade, etc. L'ensemble est un roman philosophique et symbolique : d'abord c'est le poème du repentir, du relèvement de
l'individu par le remords et l'expiation volontaire. Puis c'est un
poème humanitaire et démocratique : en face du bourgeois égoïste
et satisfait, le peuple opprimé, trompé, souffrant, irrité, mourant,
l'éternel vaincu; en face des vices des honnêtes gens, les vertus
des misérables, des déclassés, d'un forçat, d'une fille. C'est un
roman lyrique où s'étalent toutes les idées du penseur, toutes
les émotions du poète, toutes les affections, haines, curiosités,
sensations de l'homme : lyrique aussi par l'apparente individualité
de l'auteur, qui s'est représenté dans son héros. L'insurgé Marius,
fils d'un soldat de l'Empire, race de bourgeois, c'est bien visiblement le fils du général comte Hugo, le pair de France de Louis-
Philippe, qui est allé au peuple, et qui s'est fait le serviteur glorieux de la démocratie. Enfin, il y a même des chapitres de roman
réaliste dans les *Misérables* : on y trouve des descriptions de
milieux bourgeois ou populaires, de mœurs vulgaires ou ignobles,
des scènes d'intérieur ou de rue, qui sont d'une réalité vigoureuse.
Les vraies origines de M. Zola doivent se chercher bien plus dans
les *Misérables* que dans *Madame Bovary*.

Cette œuvre immense, fastidieuse ou ridicule par endroits, est
souvent admirable. L'idée morale que V. Hugo veut mettre en
lumière, donne aux premiers volumes une grandeur singulière :
et cette fois, le poète, si peu psychologue, a su trouver la note
juste, marquer délicatement les phases, les progrès, les reculs, les

---

1. Cf. p. 976. Cf. Simon : *Hist. d'une Collaboration, A. Dumas et A. Maquet,*
1919; H. d'Alméras, *A. D. et les Trois Mousquetaires,* 1929.
2. Cf. Benoist-Lévy, *Les Misérables de H.,* 1929.

angoisses et les luttes d'une âme qui s'affranchit et s'épure : Jean
Valjean, depuis sa rencontre avec l'évêque, jusqu'au moment où
'l s'immole pour empêcher un innocent d'être sacrifié, Jean Valjean est un beau caractère idéalisé, qui reste vivant et vrai.

Autour de lui, le poète a groupé une innombrable foule de
figures poétiques ou pittoresques, angéliques ou grimaçantes, amusantes ou horribles : la psychologie est courte, souvent nulle;
mais ici encore les profils sont puissamment dessinés, les costumes
curieusement coloriés. Comme dans *Notre-Dame de Paris*, les
tableaux d'ensemble sont supérieurs à la description des individus : si les amours de Marius et Cosette sont de la plus fade et
banale élégie, l'insurrection fournit une large narration épique.
Par malheur, le symbolisme prétentieux de l'œuvre y répand souvent une fade ou puérile irréalité. Les individualités s'évanouissent
dans l'insubstantielle abstraction des types, et Enjolras, l'idéal
insurgé, Javert, l'idéal policier, Jean Valjean, l'idéal *racheté*, dégradent la pathétique peinture de la barricade.

2. ROMAN LYRIQUE : GEORGE SAND.

Le romantisme lyrique, considéré comme l'expansion d'une
sentimentalité effrénée et de tous ces états extrêmes dont Chateaubriand et Byron donnèrent les modèles, s'exprima surtout
dans le roman par George Sand [1].

Aurore Dupin commence à écrire vers 1831, lorsque, séparée
de son mari, elle doit se procurer des ressources pour vivre.
Elle rend vite célèbre son pseudonyme de George Sand : *Indiana*
paraît en 1832 et *Lélia* en 1833 Dès lors, elle ne s'arrête plus :
chaque année, pendant quarante ans, elle donne un ou deux
romans, des nouvelles, des récits biographiques ou critiques. Sa

---

1. **Biographie :** Aurore Dupin, arrière-petite-fille du maréchal de Saxe, née en
1804, est élevée en Berry, puis au couvent des Anglaises, d'où elle revient à Nohant.
Mariée à M. Dudevant, elle s'en sépare, ayant deux enfants. En 1831, elle vient
vivre à Paris (cf. p. 961, n. 1). En 1839, elle se fixe à Nohant,, d'où elle ne sortira
plus que pour quelques voyages. Elle mourut en 1876. — **Éditions :** *Romans et
nouvelles,* Calmann-Lévy, 84 vol. *Mémoires, souvenirs, impressions, voyages (Histoire de ma vie,* 1855, etc.), 8 vol. *Théâtre,* 4 vol. *Théâtre de Nohant,* 1 vol. *Correspond.,* 1882-84, 6 vol. — **A consulter :** Caro, *S.,* 1887; W. Karénine, *S., sa vie et
ses œuvres,* 1889-1926; R. Doumic, *S.,* 1909; L. Buis, *Les Théories sociales de
S.,* 1910; Spoelberch de Lovenjoul, *S., Et. bibliogr. de S.,* 1914; L. Vincent,
Langue et Style rustiques de S. dans ses Rom. champ., 1916, *S. et l'Amour,*
1917, *S. et le Berry,* 1919; E. Seillière, *S. mystique de la Passion, de la polit. et
de l'amour,* 1920; M. T. Rouget, *S. socialiste,* 1931; D. Fahmy, *S. auteur dram.,*
1939; M. L. Pailleron, *S.,* 1938, *Années glorieuses de S.,* 1942; P. Chanson, *Le
Droit, l'Amour selon S.,* 1944; M. L'Hôpital, *La Notion d'artiste chez S.,* 1946;
D. O. Evans, *Le Social. romant.,* 1948; J. Larnac *S. révolutionnaire,* 1948.

vie n'est plus qu'un prodigieux labeur d'écrivain. J'ai tort de dire labeur . elle s'est découvert, quand elle s'est mise à écrire, une inépuisable facilité. Souvent elle ne sait pas où elle ira, lorsqu'elle s'assied à sa table pour commencer un roman : les incidents, les sentiments naissent les uns des autres, se suscitent et s'engrènent dans son imagination; elle n'est que le spectateur et le rédacteur d'une action qui se développe en elle, sans elle.

Ce système, qui n'en est pas un, a ses inconvénients : le pire est la prolixité, quand on n'a pas marqué d'avance le terme où l'on doit arriver, il n'y a pas de raison pour s'arrêter; il n'y en a pas non plus pour borner l'étendue de chaque partie, par son rapport à un ensemble qui n'existe pas. Il arrive aussi que les caractères se déforment au courant de l'histoire, ou qu'un récit entamé d'enthousiasme avec une robuste allégresse se traîne péniblement après les premières étapes, sans que l'auteur, qui a marché au hasard, puisse naturellement ni continuer ni finir.

A son exercice littéraire George Sand apportait une intelligence plus vive qu'originale, plus apte à refléter qu'à produire des idées, toute soumise aux impulsions de la sympathie et de l'imagination. Aussi, selon ses lectures, ses fréquentations et ses états de sentiment, distingue-t-on dans son œuvre trois courants, ou trois sources d'inspiration, qui y caractérisent trois périodes successives.

Élève de Rousseau, gagnée par la fièvre romantique, blessée par la dure expérience de son mariage, elle fait l'amour souverain et sacré, sans mesure et sans frein; elle condamne la société qui opprime la passion par l'intérêt, la raison et la loi. Elle écrit des romans débordants de lyrisme, d'idéalisme, de romantisme, *Indiana* (1832), *Lélia* (1833 ; éd. complétée 1839), *Jacques* (1834). Dans *Mauprat* (1837), le thème lyrique s'enveloppe et se tempère d'une sorte de restitution historique : dans ce décor xviiie siècle, le romantisme de 1830 semble retourner à ses origines, à la sensibilité de la *Nouvelle Héloïse*; il y a plus d'objectivité, de calme impersonnel dans cette peinture de l'amour matant, polissant, affinant une brute sauvage.

Puis la vue de George Sand s'élargit : un peu apaisée par sa liberté reconquise, elle regarde hors d'elle-même, et sa sympathie cherche d'autres objets que les affaires ou les états de son propre cœur Lectrice des philosophes du xviiie siècle, amie de Barbès, de Michel (de Bourges), de Pierre Leroux, de Jean Reynaud [1], et surtout bonne, d'une bonté immense et profonde, elle adopte la religion de l'humanité. Elle se fait socialiste, à la façon de ce

---

1. Très liée aussi avec Ledru-Rollin, elle rédige en 1848 le *Bulletin de la République*, journal du Ministère de l'Intérieur.

temps-là, d'un socialisme doux, sensible, déclamatoire, volontiers
mystique. Elle écrit alors le *Compagnon du tour de France* (1840),
Consuelo (1842), le *Meunier d'Angibault* (1845), *le Péché de Monsieur
Antoine* (1847); elle crée un roman social et humanitaire, où elle
expose son rêve d'un âge d'or, entrevu dans l'avenir, établi par
l'égalité et la fraternité, et par la fusion des classes. Le difficile
problème de cette fusion est résolu — avec une facilité un peu
naïve — par l'amour : un beau et génial jeune homme, ouvrier
ou paysan, aime une belle et parfaite demoiselle, noble et riche;
ils se marient, et voilà les classes fondues. Rien de plus romanesque, parfois de plus fantastique que ces histoires d'amour, traversées de déclamations philosophiques et d'exposés souvent bien
verbeux de théories égalitaires.

Enfin, élevée à courir par les *traines* du Berry, elle a appris
de toute la littérature depuis Rousseau la valeur littéraire des
impressions qu'on ramasse au contact de la nature. Déjà, dans
tous ses romans précédents, on trouvait des paysages charmants,
et George Sand s'était révélée comme un grand peintre de la
nature. En pleine éruption de roman socialiste, par une évolution
imprévue, elle revient à son Berry, s'y renferme, et se met à décrire
les aspects de sa chère province, des scènes rustiques toutes simples,
sans éclats de passion ni tapage de doctrines : elle écrit la *Mare
au Diable* (1846), la *Petite Fadette* (1848), *François le Champi* (1850),
qui sont les chefs-d'œuvre du genre idyllique en France, avec
leurs paysans idéalisés, et pourtant ressemblants, leurs dialogues
délicats, et pourtant naturels[1]. Ce n'est pas la réalité : mais c'est
une vision poétique qui transfigure la réalité sans la déformer.

A ces trois périodes de la vie littéraire de George Sand est
venue s'en ajouter une quatrième, dans sa vieillesse sereine et souriante. Elle se met à conter des histoires, comme une aimable
grand'mère qu'elle est : elle traite le public comme son enfant;
elle lui offre *Jean de la Roche* (1860), le *Marquis de Villemer* (1861),
des idylles bourgeoises ou aristocratiques, de beaux récits d'amour
sans brutalité, encadrés dans des paysages qu'elle va étudier sur
place, d'après nature, prenant plaisir à sortir de son Berry et à
caractériser d'autres provinces. Parfois elle s'enfonce dans le
passé, et elle nous conte avec bonheur, un peu verbeusement,
son rêve d'un XVIIᵉ siècle précieux, galant, et généreux, un rêve
formé d'après l'*Astrée* : ce sont les *Beaux Messieurs de Bois-Doré* (1858).

Nous pouvons laisser de côté les théories politiques, sociales et
philosophiques de George Sand : elles attestent la force de ce
grand courant d'idées humanitaires, démocratiques et socialistes

---

1. Du même genre sont les comédies *Claudie* et le *Pressoir*.

qui a traversé la société et la littérature après 1830, et surtout
entre 1840 et 1850. Mais ces idées manquent d'originalité et de
précision : ce ne sont que des reflets, et de vagues reflets, dont la
générosité intime de l'âme de George Sand s'enchante aux dépens
souvent de la perfection littéraire.

La faculté la plus forte de George Sand, c'est l'imagination, et
elle en a toutes les formes, toutes les qualités, de la plus vulgaire
à la plus fine. Elle s'est complu parfois aux combinaisons mélodramatiques, fantastiques, qui ont l'intention d'être terrifiantes
ou merveilleuses, et qui ne sont aujourd'hui que déconcertantes et
ridicules. Mais ce n'est pas dans l'intrigue à l'ordinaire qu'elle met
l'intérêt de ses romans. Théories à part, elle est curieuse surtout
des âmes et de la vie.

On l'oppose ordinairement à Balzac, comme l'idéalisme au réalisme; mais cette antithèse, ainsi que beaucoup d'autres du même
genre, est fausse dans ses deux termes. De même qu'il y a en Balzac
autre chose qu'un réaliste, ainsi George Sand ne s'est pas confinée
dans le pur idéalisme. Sans doute, dans les deux premières périodes
de sa vie littéraire, le parti pris dogmatique, la foi romantique
ont souvent faussé sa vue, et déformé les personnages que la
réalité lui présentait. Sans doute aussi, dans les deux autres
périodes, son optimisme féminin, son besoin d'aimer les gens dont
elle disait l'histoire, lui ont fait peupler ses romans d'êtres plus
généreux, de passions plus nobles, de plus belles douleurs qu'on
n'en rencontre selon la loi commune de l'humanité; elle forme des
idées de pures ou hautes créatures sur qui sa large sympathie
puisse se reposer sans regret.

Cependant elle sait que les modèles dont son art a besoin sont
dans la vie; elle professe que, pour trouver des sujets de roman,
il n'y a qu'à regarder autour de soi; elle prend son point de départ
dans la réalité. Mais elle ne s'astreint pas à la suivre; elle s'en
éloigne insensiblement par le développement des situations et des
caractères; et c'est encore une raison qui fait que ses commencements sont souvent ce qu'il y a de meilleur dans ses œuvres, ils
retiennent plus de réalité et de vie. Il arrive aussi que ses héros, ses
personnages de premier plan sont plus vaporeux, plus insubstan-
tiels — plus faux, pour parler brutalement — que les comparses et
caractères accessoires : c'est qu'elle embellit, et déforme les types
réels, selon l'intérêt, la sympathie qu'ils lui inspirent. Elle laisse les
personnages secondaires tels qu'elle les a observés.

Elle ne se pique pas d'observation scientifique : Mme Sand a su
éviter toutes les poses littéraires; elle a fait simplement, avec
bonhomie, son œuvre d'écrivain, sans plus d'embarras que si elle
eût raccommodé du linge. Mais elle voit juste, et son œil retient

fidèlement l'impression des choses. Intelligente et fine, elle saisit les dessous des actes, les mobiles, les passions et les réactions internes. Sans affectation de profondeur, elle a des analyses pénétrantes, comme, sans jouer à l'artiste, elle sait esquisser de pittoresques silhouettes. George Sand a plus de psychologie que Balzac.

Voilà comment à côté des fantaisies furibondes du lyrisme, dans *Indiana*, dans *Jacques*, on rencontre soudain des coins de réalité prochaine et précise, une figure, une scène, un bout de dialogue ou de description, qui donnent la sensation de la vie telle qu'elle est. Dans les romans de sa vieillesse, les dénouements, et toutes les pièces de sentiment ou d'intrigue qui servent à les faire sortir, portent la marque de l'optimiste illusion de l'auteur : mais les données, et leur développement, jusqu'à ce tournant qui va les rabattre vers la fin souhaitée, sont souvent d'une fine exactitude. Ainsi, dans *Jean de la Roche*, cette famille anglaise : le père, un savant, doux, distrait, ayant peur de vouloir; le fils, un enfant intelligent, débile, égoïste, despote, et la sœur sacrifiée à ce malade, qui est jaloux d'elle, l'empêche de se marier, et confisque sans scrupule toute cette existence · dans le *Marquis de Villemer*, la peinture d'un amour réciproque qui naît insensiblement, se révèle par de fines nuances jusqu'à devenir une ardente passion : voilà des parties vraies et bien vues.

Un mérite de George Sand, et qui tient à sa facilité même, c'est qu'elle n'emprisonne pas ses caractères dans des formules : elle les laisse ondoyants, inachevés, capables de se compléter et de se compliquer; en sorte que, par la négligence de sa composition, elle imite plus exactement le perpétuel devenir de la vie. Elle a su faire des personnages qui évoluent, dont le caractère se défait et se refait. Voyez dans *Mauprat* la peinture de ce brigand qui se civilise comme un cheval qu'on dresse, cent fois cabré et ruant, doux à la fin et soumis. Étant femme, elle a évité l'ordinaire écueil des romans et du théâtre, la jeune fille; elle est sortie des formules banales et convenues. Ses jeunes filles sont plus nuancées, plus compliquées, et — malgré leur idéale perfection — plus finement vivantes que les imaginations d'hommes ne savent les faire.

Elle est aussi un des rares écrivains qui aient su peindre le grand monde : elle en était, elle en avait la tradition par sa grand'mère Mme Dupin. Elle en a le ton, les manières, l'esprit, quand il faut que ses personnages les aient. Mais hors de ce nécessité du dialogue, elle n'est mondaine que par l'exquise distinction de son style naturel. Elle est toute bonne, toute sensible, rêveuse, enthousiaste, « bête », comme elle disait; elle ne se plaît nulle part

autant que dans son Nohant, au milieu de son Berry, dont elle
a si complaisamment décrit les aspects.

Elle voit le détail et l'ensemble du paysage; elle en sent l'âme
comme la forme. Elle ne le traite ni comme un symbole, ni comme
un tableau. Mais elle s'unit à la nature par une sympathie profonde et mêle son âme aux choses : sa description, pittoresque et
poétique tout à la fois, emplit l'œil et le cœur, nous livre à la fois
l'objet et le sujet, le peintre ajouté et comme fondu dans son modèle.

3. DU ROMANTISME AU RÉALISME : BALZAC.

Balzac[1] eut des parties d'admirable artiste : c'est une nature
vulgaire, robuste, exubérante. Il a un besoin fiévreux d'activité.
D'abord clerc de notaire, c'est là qu'il prend l'idée et le goût de ces
plaisanteries odieuses qu'il a si prolixement étalées dans ses
romans; puis il s'associe avec un imprimeur. Il a l'imagination des
affaires : il passe son temps à inventer des combinaisons qui contiennent des fortunes. Un ou deux ans avant sa mort, il s'enflamme
pour l'idée d'amener 60 000 chênes de Pologne en France : il voit

1. **Biographie :** Honoré de Balzac, né à Tours en 1799, clerc de notaire, puis
imprimeur, fait de mauvaises affaires; il publie divers romans sous des pseudo-
nymes de 1822 à 1825. Il donne en 1829 la première œuvre qui fera partie de
la *Comédie humaine :* ce titre général ne paraît qu'en 1842. Balzac avait établi en
1845 un plan qu'il n'a pas eu le temps d'exécuter complètement. Il mourut en 1850.

Éditions : *Œuvres complètes*, 24 vol. in-8, Calmann-Lévy, 1869-76; éd. M. Bouteron et H. Longnon, 1912-1941 (40 vol.); éd. M. Bouteron, 1935-1951. *Le Catéchisme social*, éd. B. Guyon, 1933; *Les Illusions perdues*, éd. G. Mayer; *L'Eglise*,
éd. J. Pommier; *Traité de la Prière*, éd. Ph. Bertault, 1942; *La Duchesse de Lan-
geais* et *Un début dans la vie*, éd. G. Mayer, 1949; *Falthurne*, éd. P. Castex,
1951. — *Lettres à l'Etrangère*, éd. M. Bouteron, 1899-1950; *Lettres à sa Famille*,
éd. W. S. Hastings, 1950; *Correspond. avec Zulma Carraud*, éd. M. Bouteron, 1949.
— **A consulter :** H. Taine, *Nouveaux Essais de Critique et d'Hist.*; E. Faguet,
*XIX*e *s.*, B., 1913; Spoelberch de Lovenjoul, *Hist. des Œuvres de B.*, 1888, *Etudes
balz.*, 1896-7, *Autour de B.*, 1899. A. Cerfbeer et J. Christophe, *Répertoire de la
Comédie humaine*, 1887; M. Barrière, *L'Œuvre de B.*, 1890; F. Brunetière, *Etudes
critiques*, VII, *B.*, 1906; E. Biré, *B.*, 1897; A. Lebreton, *B.*, 1905; G. Hanotaux et
G. Vicaire, *Jeunesse de B.*, 1921; E. Seillière, *B. et la Morale romantique*, 1922;
L.-J. Arrigon, *Débuts litt. de B.*, 1924; *Les Années romantiques de B.*, 1927; A.
Bellessort, *B. et son Œuvre*, 1924; E. Preston, *Recherches sur la Technique de B.*,
1927; F. Baldensperger, *Orientations étrangères chez B.*, 1927; J. Bertaut, *Le Père
Goriot de B.*, 1928; P. Barrière, *B. et la Tradition litt. class.* et *Romans de jeunesse
de B.*, 1929; P. Abraham, *B., Recherches sur la Création intellectuelle*, 1929. *Créa-
tures chez B.*, 1931; E. R. Curtius, *B.*, 1933; S. de Korwin-Piotrowska, *B. et le
Monde slave* et *B. en Pologne*, 1933; Ferguson, *La Volonté dans la Comédie humaine*, 1935; Alain, *En lisant B.*, 1935, *Avec B.*, 1937; A. Prioult, *B. avant la
Comédie humaine*, 1936; R. Bouvier et E. Maynial, *Comptes dramatiques de B.*,
1938; M. Bardèche, *B. romancier*, 1940; Ph. Bertault, *B. et la Religion*, 1942,
B., l'homme et l'œuvre, 1947; R. Fernandez, *B.*, 1944; A. Billy, *Vie de B.*, 1948;
Cl. Mauriac, *Aimer B.*, 1945; A. Béguin, *B. visionnaire*, 1946; B. Guyon, *Pensée
sociale et politique de B.*, 1947, *Création litt. chez B.*, 1951; St. Zweig, *B., le roman
de sa vie*, 1950.

1 200 000 francs à gagner là-dedans. Il lui manquait le sens pratique : il ne réussit qu'à s'endetter pour une partie de son existence. Cette imagination, périlleuse dans la réalité, devint une grande qualité littéraire pour représenter par le roman une société où les affaires et l'argent tenaient tant de place.

Pour solder ses dettes et vivre, Balzac dut produire incessamment. « On met bien du noir sur du blanc en douze heures, petite sœur, écrivait-il, et, au bout d'un mois de cette existence, il y a pas mal de besogne de faite. » Il se couche à six heures, « avec son dîner dans le bec », il se lève à minuit, prend du café, et travaille jusqu'à midi. Ainsi se fait en vingt ans (1829-1850) la *Comédie humaine* : œuvre puissante, comme le siècle en offre peu ; non pas parfaite à coup sûr. Les défauts sont énormes et sautent aux yeux.

D'abord le style manque : de ce côté-là, Balzac n'est pas du tout artiste ; dès qu'il se pique d'écrire, il est détestable et ridicule ; il étale une phraséologie pompeuse, ornée de métaphores boursouflées ou banales. Cela lui rend impossible les notations délicates de sentiments poétiques, les fines analyses de passions tendres, d'exaltations idéalistes : là Balzac s'enfonce dans le pire *pathos*, étale un pâteux galimatias, lisez, si vous pouvez, le *Lys dans la vallée*. Son impuissance éclate cruellement partout où la perfection du style est nécessaire à la valeur de l'idée.

Puis, Balzac est un *penseur* : il exerce sa *fonction* de romancier comme V. Hugo sa *fonction* de poète. Il se croit une lumière des esprits, tout au moins un médecin qui, gravement, tâte le pouls au siècle. Il réfléchit, disserte, expose, coupe son récit de tirades sociales ou philosophiques, où il affaiblit et délaie les observations justes dont l'action même du roman fournissait une expression concrète

Puis, Balzac, comme George Sand, manque de sobriété. Même où il excelle, il en met trop, sans goût et sans mesure. Au délayage du penseur succède l'intempérance de l'artiste, qui ne se lasse pas de ce qui l'amuse, qui s'efforce d'embrasser ou d'égaler toute la réalité, tous les détails avec tout l'ensemble : descriptions de mobiliers et de propriétés, conversations de portiers ou d'employés ; là-dessus Balzac est intarissable.

Puis, absence totale du sentiment de la nature : ses paysages sont de l'écriture quelconque, des inventaires d'homme du métier qui applique sa vision ; devant les champs et les bois, ce grand peintre a des émotions de commis-voyageur.

En un sens, il est de la tradition classique : il n'y a que l'homme qui l'intéresse, et tout ce qui accompagne ou révèle l'homme. Si on le prend où il est lui-même, il est exclusivement peintre des relations sociales et des natures humaines.

Mais, ici encore, il faut d'abord marquer des défauts et des
lacunes. Balzac est déplorablement romanesque : la moitié de son
œuvre appartient au bas romantisme, par les invraisemblables
ou insipides fictions qu'il développe sérieusement ou tragiquement.
Mélodrame, roman-feuilleton, tous les pires mots sont trop doux
pour caractériser l'écœurante extravagance des intrigues que combine lourdement la fantaisie de Balzac. Il fait concurrence à
Eugène Sue, et à Dumas père, dans *Ferragus*, et les *Treize*, dans *la
Dernière Incarnation de Vautrin*, dans *Une ténébreuse affaire*, dans
la *Femme de Trente Ans*, dans maint épisode ou incident des meilleurs romans. Une seule fois peut-être il a tiré d'une donnée
extraordinaire un pathétique puissant : c'est dans la nouvelle du
Colonel Chabert.

Balzac, avec son génie robuste et vulgaire, est incapable de
rendre les caractères et les mœurs dont la caractéristique est la
délicatesse Son aristocratie de la Restauration, ses grandes
dames, douairières ou coquettes, nous mettent en défiance, sans
que l'on connaisse l'original. Elles nous font l'effet de cabotines
jouant des rôles de duchesses dans un théâtre de sous-préfecture :
elles ont des grâces épaisses, et un étrange sans-façon, sous prétexte d'aristocratique désinvolture. Ses jeunes filles sont des répliques de l'ingénue banale; il les a tirées de la même armoire que
Scribe · de fades poupées, modestes, patientes, aimantes : la vertu,
comme la grâce, réussit mal à Balzac; son génie commence à la
vulgarité et au vice.

Nous avons ainsi les limites de notre romancier : dans son
domaine, rien ne l'égale; et ce domaine, c'est la peinture des caractères généraux dans les classes bourgeoises et populaires. Il a une
rare puissance d'imagination synthétique; il met comme personne
un personnage sur pied; il lui donne une vie intense, par la netteté de sa vision, par la conviction de sa description. Sans doute,
il ne fait pas de psychologie profonde, il ne s'attache pas au travail intérieur qui fait ou défait une âme; il n'essaie pas d'isoler et
de peser tous les éléments qui se mêlent dans une volonté, dans
un désir. Il compose solidement son personnage intérieur; il y
met une passion forte, qui sera le ressort unique des actes, qui
forcera toutes les résistances des devoirs domestiques ou sociaux,
des intérêts même. Il lui faut, en somme, pour modèles des maniaques. Mais jamais on n'a plus vigoureusement représenté le ravage
de toute une vie, la destruction de toute une famille par l'incoercible manie d'un individu. Jamais de l'identité immuable d'un
tempérament on n'a tiré plus logiquement des effets plus variés
et plus saisissants. C'est l'avarice chez Grandet, la débauche chez
Hulot, la jalousie chez la cousine Bette, l'amour paternel chez

Goriot, la tyrannie d'une invention chez Balthazar Claës; partout un irrésistible instinct, noble ou bas, vertueux ou pervers; le jeu est le même dans tous les cas, et la régularité toute-puissante de l'impulsion interne fait du personnage un monstre de bonté ou de vice.

Mais ces types énormes sont réels, à force de détermination morale et physique. Voyez l'avare : c'est le bonhomme Grandet, le paysan de Saumur, avec telle physionomie, tel costume, tel bredouillement ou bégaiement, engagé dans telles particulières affaires. Voyez l'envieuse : c'est la cousine Bette, une vieille fille de la campagne, sèche, brune, aux yeux noirs et durs. Tout le détail sensible du roman, descriptions et actions, traduit et mesure la qualité, l'énergie du principe moral intérieur.

L'homme d'affaires qu'il y avait en Balzac a rendu un inappréciable service au romancier. La plupart des littérateurs ne savent guère sortir de l'amour, et ne peuvent guère employer que les aventures d'amour pour caractériser leurs héros. Balzac lance les siens à travers le monde, chacun dans sa profession. Il nous détaille sans se lasser toutes les opérations professionnelles par lesquelles un individu révèle son tempérament, et fait son bonheur ou son malheur : le parfumeur Popinot lance une eau pour les cheveux, voici les prospectus, et voilà les réclames, et voilà le compte des débours. Le sous-chef Rabourdin médite la réforme de l'administration et de l'impôt : voici tout son plan, comme s'il s'agissait de le faire adopter. Ce ne sont que relations de procès, de faillites, de spéculations; mais, à la fin, *on croit que c'est arrivé.*

Balzac est incomparable aussi pour caractériser ses personnages par le milieu où ils vivent. On peut dire que sa plus profonde psychologie est dans ses descriptions d'intérieur, lorsqu'il nous décrit l'imprimerie du père Séchard, la maison du bonhomme Grandet, la maison du *Chat qui pelote*, un appartement de curé ou de vieille fille, les tentures somptueuses ou fanées d'un salon; c'est sa méthode, à lui, d'analyser les habitudes morales des gens qui ont façonné l'aspect des lieux. Balzac était extrêmement scrupuleux sur toutes les parties de la vraisemblance extérieure. Il se promenait au Père-Lachaise pour chercher sur les tombes des noms expressifs; il écrivait à une amie d'Angoulême pour savoir « le nom de la rue par laquelle vous arrivez à la place du Mûrier, puis le nom de la rue qui longe la place du Mûrier et le palais de Justice, puis le nom de la porte qui débouche sur la cathédrale; puis le nom de la petite rue qui mène au Minage et qui avoisine le rempart [1] ». Et il exigeait un plan. Il était collectionneur, amateur

1. Lettre à Mme J. Carraud, juin 1836.

de bibelots et de curiosités, et bien qu'il ait un peu trop complaisamment donné dans l'étalage du bric-à-brac, il assortit en
général très finement les mobiliers à la condition et au moral des
personnages.

Il distingue très bien aussi les groupes sociaux, monde élégant,
bourgeoisie riche, petit commerce, peuple de Paris, aristocratie et
bourgeoisie provinciales ou campagnardes, paysans, fonctionnaires,
employés, journalistes, toutes les coteries, toutes les professions,
toutes les conditions : dans chaque groupe, les individus-types, qui
accusent un des travers, un des instincts, un des manèges spéciaux du groupe. Voici les paysans âpres au gain, chez qui la passion de posséder de la terre, et d'en posséder toujours plus, affine
la lourdeur de la nature brute. Voici les employés, et la stupide
vie de bureau : l'employé vaudevilliste, l'employé loustic, l'employé abruti, le plat intrigant qui avance, l'honnête imbécile ou le
travailleur naïf qui marquent le pas, les « potins », les protections,
la collaboration des femmes à l'avancement des maris, et la cour
obligatoire aux femmes des chefs. Voici les salons ou les sociétés
de petites villes, médisances, calomnies, prétentions, jalousies,
espionnages, marches et contremarches pour le gain d'un héritage, la conclusion d'un mariage, le succès d'une élection, la
nomination d'un fonctionnaire. *Le curé de Tours*, *César Birotteau*,
des parties d'*Ursule Mirouet*, de la *Vieille Fille*, certains morceaux
des *Paysans*, de *Un grand homme de province à Paris*, etc., sont
de curieuses scènes de mœurs locales ou professionnelles : même
dans cette extravagante *Femme de Trente Ans*, ou dans ces fastidieux *Employés*, il y a quelques tableaux d'une réalité intense.

Balzac est le peintre vigoureux et fidèle d'un moment et d'une
partie de la société française : il a représenté la bourgeoisie, qu'en
bon légitimiste il détestait, cette bourgeoisie parisienne et provinciale, laborieuse, intrigante, servile, égoïste, qui voulait l'argent
et le pouvoir, qui allait à la fortune par le commerce et l'industrie, qui à la seconde génération se décrassait par les titres et les
places. Une fois faites toutes les réserves qu'il faut faire, on reste
saisi de cette puissance créatrice : tous ces romans qui se tiennent
et se relient, ces individus qu'on retrouve d'une œuvre à l'autre à
toutes les époques de leur carrière, ces familles qui se ramifient,
et dont on suit l'élévation ou la décadence, tout cela forme un
monde qui donne la sensation de la vie. Tous les défauts disparaissent dans la grandeur de l'ensemble, et lorsqu'on feuillette le
Répertoire de la comédie humaine, on a besoin de faire effort pour
distinguer les personnages fictifs des individus historiques qui
sont mêlés parmi eux. L'œuvre de Balzac, par cette cohésion et
par la puissance d'illusion qui en résulte, est unique.

On voit aisément par où Balzac a pu passer pour le père du réalisme contemporain. Il a été effrénément romantique : mais comme il manquait de sens artistique, de génie poétique et de style, les romans et les scènes d'inspiration romantique sont justement aujourd'hui les parties mortes, ayant été toujours les parties manquées de son œuvre. Au contraire il a représenté en perfection les âmes moyennes ou vulgaires, les mœurs bourgeoises ou populaires, les choses matérielles et sensibles; et son tempérament s'est trouvé admirablement approprié aux sujets où il semble que l'art réaliste doive toujours se confiner chez nous. Ainsi, par ses impuissances et par sa puissance, Balzac opérait dans le roman la séparation du romantisme et du réalisme. Il reste cependant dans son œuvre quelque chose d'énorme, une surabondance et une outrance qui en trahissent l'origine romantique.

4. LE ROMAN PSYCHOLOGIQUE : SAINTE-BEUVE, STENDHAL.

Sainte-Beuve n'a donné qu'un roman, *Volupté* (1834) : cette œuvre très moderne, plus facile à goûter aujourd'hui qu'il y a soixante ans, est lyrique par certains détails d'exécution, par des couplets effrénés, fort ridicules aujourd'hui, mais surtout par le caractère strictement intime et personnel de l'étude morale. Si l'on veut comprendre comment Sainte-Beuve passa de *Joseph Delorme* à *Port-Royal* et aux *Lundis*, il faut lire *Volupté*. L'analyse psychologique y est d'une finesse, d'une pénétration étonnantes : nous y retrouvons le Sainte-Beuve que nous connaissons, expert à démêler toutes les traces d'influences physiques et sociales dans la composition d'un caractère, curieux surtout des formes d'âmes imprécises et complexes, des états mêlés, morbides, anormaux, extrêmes, sentant avec une sûreté singulière le travail invisible des consciences, les effondrements, les crises, les agonies internes, sous les apparences unies et paisibles de la santé morale. L'art est analogue à l'observation : un art *flou*, souple, insinuant, enveloppant surtout, où l'expression à chaque instant diffuse ou entortillée finit par donner le sentiment des plus fines nuances.

La psychologie de Sainte-Beuve s'exerçait, dans son roman, surtout sur lui-même. Pour trouver des études vraiment impersonnelles il nous faut venir à Stendhal.

En 1842 mourait un homme à demi célèbre, Henri Beyle [1]. Il avait

---

1. **Biographie** : Henri Beyle, né en 1783 à Grenoble, va en Italie en 1800 comme attaché à l'intendance, puis devient sous-officier et sous-lieutenant au 6e dragons. Plus tard il rentre dans l'intendance (1806-1814). De 1814 à 1821, il se fixe à Milan.

publié ; sous le pseudonyme de Stendhal, des romans, des nouvelles, des récits de voyages, des impressions d'art : il passait pour un esprit paradoxal, ironique, froid, qui aimait à mystifier et scanda-liser les gens. Il disait de lui-même : « Je serai compris vers 1880 ». Et grâce à Taine, malgré Sainte-Beuve, il l'a été.

L'homme est assez vulgaire, un peu déplaisant, tour à tour gros-sier ou prétentieux : on lui a fait tort en étalant indiscrètement ses paperasses, ses notes les plus plates ou les plus sottes. (App. XXXIV.) Il a dit ce qu'il avait à dire dans deux ou trois romans, et dans quelques nouvelles : il faut le chercher là, et non ailleurs.

Disciple du XVIIIᵉ siècle, de Condillac, de Cabanis, des encyclo-pédistes et des idéologues, il a pour principe que les hommes ten-dent au bonheur ; et la peinture de la vie, c'est pour lui la peinture des moyens qu'ils choisissent pour s'y diriger. Sa méthode est l'*analyse* : il décompose l'action de ses personnages en idées et en sentiments par une opération délicate et précise. Tout ce qui est peinture extérieure ne tient guère de place dans les romans de Stendhal : sa profession, c'est d'être « observateur du cœur hu-main » ; et il est en effet de première force dans l'observation, dans l'imagination psychologique.

Cependant cet analyste est un homme d'action : les plus rares jouissances de sa vie lui sont venues de l'action. Il s'est rappelé toujours avec délices le temps où il était dragon à l'armée d'Italie. Plus tard il fait la campagne de Russie dans l'intendance : il y donne la preuve d'une fermeté plus rare que le courage, lorsque,

d'où il est expulsé par la police autrichienne. Nommé consul à Trieste, puis à Civitavecchia, il meurt en 1842. — **Éditions** : *Œuvres complètes*, éd. E. Champion et P. Arbelet, 1913-36 (14 ouvrages parus en 30 vol.), H. Martineau, 1926-37. — *Vie de Haydn, Mozart et Métastase*, 1814 ; *Hist. de la Peint. en It.* 1817 ; *Rome, Naples et Florence*, 1817 et 1826 ; *De l'Amour*, 1822 (éd. Henriot, 1924, Martineau, 1938) ; *Racine et Shakespeare*, 1823-25 (Martino, 1925) ; *Vie de Rossini*, 1824 ; *Armance*, 1827 (Blin, 1947, Martineau, 1950) ; *Promen. dans* Rome, 1829 ; *Le Rouge e le Noir*, 1830 (éd. Jourda, 1929, Debraye, 194, Martineau, 1939) ; *Lucien Leuwen*, 1835 et 1894 (Martineau, 1946) ; *Mémoires d'un Touriste*, 1838 ; *La Chartreuse de Parme*, 1839 (Jourda, 1933, Martineau, 1942, H. Debraye, 1949) ; *Chron. ital.* 1855 ; *Corresp.*, 1855 (Paupe et Chéramy, 1908) ; *Vie de Napoléon*, 1876 ; *Journal*, 1888 (Debraye et Royer, 1936) ; *Lamiel*, 1889 (Martineau, 1933) ; *Vie de Henri Brulard*, 1890. (Martineau, 1949) ; *Souv. d'Egotisme*, 1892 (Martineau, 1950). — **A consulter**, H. Taine, *Nouv. Essais de Crit. et d'Hist.* ; P. Bourget, *Essais de Psychol. contemp.*, 1883 ; E. Rod, 1892 ; E. Faguet, *Polit. et Moral.* III, 1899 ; A. Paupe, *Vie litt. de St.*, 1914 ; H. Delacroix, *Psychol. de St.*, 1918 ; P. Arbelet, *Jeunesse de St.*, 1914-20 ; P. Hazard, 1927 ; M. Leroy, *St. politique*, 1929 ; P. Valéry, *Variété*, II, 1930 ; A. Thibaudet, 1931 ; P. Martino, 1934 ; H. Jacoubet, *Romans de St.*, 1934, *St.*, 1942 ; P. Jourda, 1935 ; Alain, 1948 ; R. Bosselaers, *Le Cas St.*, 1938 ; J. Prévost, *La Création chez St.*, 1951 ; L. Blum, *St. et le Beylisme*, 1947 ; M. Bardèche, *St. romancier*, 1947 ; H. Martineau, *Petit Diction. stendhal.*, 1948, *Calendrier de St.*, 1950, *L'Œuvre de St.*, 1951 ; V. del Litto, *Bibliogr. stendhal.*, 1948 ; A. Caraccio, 1951.

dans la désastreuse retraite, il se présente chaque jour à son chef dans la tenue la plus correcte, n'ayant jamais omis de faire sa barbe Avec son sang-froid, il garde ses curiosités de psychologue, dont nul péril, nulle fatigue ne le détournent : il observe, dans les deux armées, les soldats des diverses nations pour y saisir les caractères propres à chacune. (App. **XXXV**.)

La préoccupation principale de Stendhal, dans son œuvre littéraire, se rattache à ce goût de l'action et de la volonté. Classique de discipline comme il était, il sort du xviiie siècle, par son horreur de l'atonie où deux cents ans de politesse et de mœurs de salon avaient réduit les âmes Il voyait distinctement cet effet, et c'est lui qui a fourni à Taine l'idée de l'*Ancien Régime* : par la vie mondaine, le ressort de l'énergie a été si bien détruit que la noblesse s'est trouvée, en 1792, incapable d'une résistance active · elle n'a su que mourir avec une grâce passive. En 1789 et en 1825, il n'y a d'énergie que dans le peuple : la justification de la Révolution est là, et la condamnation de la Restauration. Car il aime l'énergie plus que tout. Ainsi s'explique le culte qu'il a voué à Napoléon : Napoléon représente à ses yeux la plus grande somme d'énergie qu'il lui ait été donné de voir ramassée dans un individu. Les héros qu'il expose sont à l'ordinaire des natures énergiques, qui ont suivi leur volonté jusqu'au crime. M Faguet reproche à Stendhal de confondre l'énergie volontaire avec la passion impulsive qui en est tout juste le contraire : il a tort, je crois. Car cette apparente confusion repose sur une fine observation : ces passions brutales ou forcenées dont il nous étale les effets dans l'Italie du xvie siècle, c'est bien de l'énergie, non pas de l'énergie volontaire, si l'on veut, mais de l'énergie apte à devenir énergie volontaire Le réservoir des forces qu'emploie la volonté est dans la sensibilité : la volonté maîtrise et manie l'impulsion, mais, l'impulsion défaillant, la volonté n'a plus où s'exercer.

L'étude de l'*énergie* est l'âme des romans de Stendhal : mais sous cette idée maîtresse il a saisi, expliqué bien des caractères individuels et divers états sociaux.

Il a aimé passionnément l'Italie · dans son passé et dans son présent. Il a voulu qu'on mit sur sa tombe : *Henri Beyle, Milanais*. Le secret de cette sympathie, c'est peut-être la place que l'amour — toutes les qualités d'amour — tient à ses yeux dans la vie italienne : c'est surtout le tempérament italien lui semble plus impulsif, plus énergique que le français. Voilà pourquoi il a souvent traité des sujets italiens.

L'une de ses deux œuvres maîtresses, la *Chartreuse de Parme*, est presque entièrement une étude de l'âme et de la vie italiennes. A peine touche-t-elle à la France par le fameux récit de la bataille

de Waterloo : récit d'un homme d'expérience, original et saisissant par la médiocrité voulue et l'insignifiance expressive du détail.
A quoi se réduit la plus grande bataille du siècle pour un conscrit
qui la traverse! Stendhal a vraiment donné là un modèle d'art
réaliste, ou plutôt d'art vrai. Mais, après ce début, nous revenons
en Italie, et nous y restons. Beaucoup de lecteurs s'en plaignent :
toutes ces aventures et toutes ces analyses les surprennent, les
laissent incrédules et étourdis. Cependant il y a dans ce roman
une peint re fine et serrée de l'Italie après 1815, de ces petites
principautés, où l'intrigue, la tyrannie, toutes les passions et
tous les manèges s'offraient à l'observateur dans un champ borné,
où la course au bonheur se faisait avec moins de scrupules,
plus d'habileté et plus d'énergie qu'en France. On sent que
Stendhal a été idolâtre de son modèle : il donne l'impression
d'être entré dans l'âme italienne plus avant qu'aucun Français.

On est moins dérouté quand on lit *le Rouge et le Noir*. Cette fois
nous sommes en France, et nous reconnaissons la France issue de
la Révolution. D'une vulgaire affaire de cour d'assises, Stendhal a
fait une étude profonde de psychologie et de philosophie historiques. En cinq cents pages, il nous apprend autant que toute
la *Comédie humaine* sur les mobiles secrets des actes et sur la
qualité intérieure des âmes dans la société que la Révolution a
faite. Balzac nous montrait les faits : l'effort universel, la lutte
brutale pour la fortune, pour les places, pour le pouvoir. Il
prenait comme une hypothèse fondamentale l'appétit du succès,
le déchaînement des convoitises. Stendhal va plus au fond des
choses. Il regarde dans le secret des âmes comment se forme la
disposition d'où sortent tous les effets qui donnent à la société
contemporaine sa physionomie : il trouve que la Révolution a
établi l'égalité entre tous les Français, et, supprimant tous les
privilèges, a proportionné les droits au mérite. On inculque ce
beau principe aux individus dès le bas âge; ils apprennent que le
talent mène à tout: ils ont le talent; ils apprennent que la supériorité sociale suit la supériorité intellectuelle : ils sont des esprits
supérieurs.

Et quand, à vingt ans, ils sont lâchés à travers la société, avec
l'ambition et avec l'assurance d'arriver à tout, ils trouvent toutes
les places prises ; les parentés, les protections, l'argent, l'intrigue
ont poussé et poussent devant eux des médiocrités dans tous les
emplois Nos esprits supérieurs crèvent de faim : il faut suivre
la filière, restreindre son appétit, s'user dans de petits emplois
pour de maigres résultats, s'aplatir, servir, pour arracher peut-
être bien péniblement après vingt ans d'un travail de forçat, ou
pour manquer finalement, malgré tout le talent et toutes les

bassesses, ce que l'on s'estimait légitimement dû. La société faiξ
une honteuse banqueroute aux meilleurs des enfants qu'elle
élève. Ceux qui sont artistes ou philosophes, se réfugient dans
le rêve. Ceux qui sont d'honnêtes natures, douces et veules, se rési-
gnent à vivre mesquinement, à avancer lentement ou à marquer le
pas dans leur carrière, contents du lopin qu'on leur abandonne,
ou bien découragés par les compétitions, abrutis par l'effort. Mais
les natures énergiques — et nous revenons à l'idée favorite de Stendhal, — les forts, qui n'ont ni protecteurs ni parents pour leur aplanir
la route, que feront-ils? Ils ne renonceront pas, ils mettront habit
bas, bas aussi toutes les délicatesses de sentiment, toutes les idées de
moralité dont l'éducation les ligotte, et ils entreront dans la mêlée,
la tête haute et le poing levé : ils feront leur trou, hardiment, brutalement [1]. Ils seront assommés, ou ils seront maîtres : rien de
médiocre ne leur convient. L'homme supérieur redevient un animal
de proie. Par malheur le gendarme est là, et l'homme supérieur
finit parfois sur l'échafaud, comme Julien Sorel, le héros de *Rouge
et Noir*, un caractère d'une autre envergure que tous les ambitieux
de Balzac, à qui il n'a manqué qu'un peu de chance pour faire
agenouiller devant lui la société qui le condamne.

La forme, dans Stendhal, est indifférente; elle n'existe pas comme
forme d'art, elle n'est que la notation analytique des idées. Notre
romancier a appris à écrire dans l'*Art de raisonner*, l'*Art de penser*,
et la *Grammaire* de Condillac.

5. LA NOUVELLE ARTISTIQUE : MÉRIMÉE.

On a souvent donné Mérimée [2] comme un disciple de Stendhal :
les deux hommes furent liés d'amitié Il y avait entre eux des sym-

---

1. A moins que l'état social ne leur recommande plutôt l'hypocrisie, comme c'est
le cas de Julien Sorel sous la Restauration, qui fait la *Congrégation* toute-puissante.
2. **Biographie** : Prosper Mérimée (1803-1870), né à Paris, secrétaire du comte d'Argout
en 1830, puis chef de bureau au ministère de la Marine, devient en 1831 inspecteur des
monuments historiques; il se lie en 1840, en Espagne, avec la famille Montijo; ami
particulier de l'impératrice Eugénie, il devient sénateur en 1853. Il fut un des
premiers chez nous à s'intéresser à la littérature russe.
Éditions : *Œuvres compl.*, Calmann-Lévy, 21 vol., s. d.; éd. crt. Champion
et Trahard (12 ouvr. parus en 13 vol.); *Correspond. génér.* (éd. Parturier), en
cours; *Théâtre de Clara Gazul*, 1825 (éd. P. Martino, 1929); *Chron. du Règne de
Charles IX*, 1829 (éd. G. Dulong, 1933); *L'Occasion*, éd. P. Valde, 1949; *Mosaïque*,
1833; *Colomba*, 1841; *Carmen*, 1845. — **A consulter** : A. Filon, *M.*, 1893, *M. et ses
amis*, 1894; Ch. du Bos, *Notes sur M.*, 1921; P. Trahard, *M. et l'Art de la Nouvelle*,
1923, *Jeunesse de M.* (1803-1834), 1923, *M. de 1834 à 1853*, 1928, *Vieillesse de
M.*, (1854-1870), 1931; Hovenkamp, *M. et la Couleur locale*, 1928; A. Dupouy,
Carmen de M., 1930; P. Arbelet, *Trois Solitaires*, 1934; M. de Luppé, *A propos de
M.*, 1945.

pathies de tempérament, des communautés d'antipatnie; quelques
idées littéraires aussi les rapprochaient. Ils aimaient tous les deux
à bousculer la morale bourgeoise; ils étaient tous les deux flegma-
tiques, observateurs, ils se moquaient des beaux enthousiasmes
romantiques; ils avaient tous les deux l'esprit de la psychologie.
Mais bien des différences aussi les séparaient. Stendhal reprochait à Mérimée de n'avoir pas lu Helvétius ni Condillac; il lui
reprochait son ironie cruelle et son manque de tendresse Mérimée
est le moins humanitaire des hommes, et son pessimisme est ce
qu'il y a de plus opposé au rationalisme optimiste des encyclopédistes; il méprise trop l'homme pour avoir foi au progrès.

Il ne tient au xviii° siècle que par certaines audaces et certaines
crudités de pensée : par l'aspect extérieur aussi de sa personne
intellectuelle. Et il ne se rattache guère qu'au xviii° siècle sceptique et sec; Mérimée est un homme du monde, de tenue parfaite,
d'esprit aigu et mordant, sans illusion, sans élan, volontiers
cynique, avec la plus exquise correction de langage. Il a peut-être
plus de sensibilité qu'il n'en montre : il est capable d'affection;
mais il craint extrêmement le ridicule; il pose pour l'homme fort
et détaché.

Il tient beaucoup à ce qu'il écrit, mais il ne veut pas paraître y tenir.
Il fait effort pour n'avoir pas l'air d'un écrivain de profession. Il s'est
donné une spécialité, l'histoire, et surtout l'archéologie; volontiers il présente ses nouvelles comme des propos d'archéologue qui
évoque quelque souvenir de ses voyages. Aussi son œuvre est-elle,
extérieurement, moins objective que celle de Stendhal : il parle de
lui, des objets qui l'intéressent, des recherches pour lesquelles il
s'est mis en route. Il mêle des réflexions, des dissertations d'archéologue à ses récits; il nous rappelle ainsi de temps à autre, de peur
que nous ne l'ignorions, que ce n'est pas son affaire de faire un
roman, et qu'il ne s'est mis à conter que par accident, pour nous
faire plaisir. La même coquetterie se fait paraître par d'autres procédés; ainsi quand dans la *Chronique de Charles IX* il laisse au
lecteur le soin de choisir le dénouement qui lui plaira : grossier
défaut, mais défaut voulu.

Cependant, il ne faut pas s'arrêter aux accessoires ni à la surface de l'œuvre. En réalité le roman de Mérimée est essentiellement
objectif : il se répand autour de son sujet, mais le récit lui-même
est impersonnel. Lisez ses chefs-d'œuvre : les parties principales
de la *Chronique de Charles IX*, *Colomba*, *Tamango*, *Matteo Falcone*,
le corps du récit de *Carmen*, etc.; Mérimée s'efface; ce n'est plus
qu'un scrupuleux artiste qui s'efforce à faire sortir le caractère
du modèle naturel. Personne ne s'est, en notre temps, plus rapproché que lui du réalisme classique.

D'abord il compose, très solidement, très soigneusement , dans
la moindre nouvelle, il pose ses caractères, il établit son action
initiale, et tout se déduit, s'enchaîne; le progrès est continu, et
les proportions exactement gardées. Puis, il est sobre, il ne s'étale
pas. Il sait faire vingt pages, où les romantiques s'évertuent à
souffler un volume. Aussi quelle plénitude dans cette brièveté! Un
paysage est complet en cinq ou six lignes. Les caractères se des-
sinent par une action significative, que le romancier a su choisir
en faisant abstraction du reste. Il ne se perd pas en longues analyses : il se place entre Balzac et Stendhal : comme le premier, il
indique le dedans par le dehors, mais il indique avec précision des
états de conscience perceptibles seulement au second.

Il est simple aussi : ni sensibilité ni grandes phrases; un ton
uni, comme celui d'un homme de bonne compagnie qui ne hausse
jamais la voix. On peut imaginer l'effet de cette voix douce et
sans accent, quand elle raconte les pires atrocités. Car Mérimée
est « cruel » . il conte avec sérénité toutes sortes de crimes, de
lâchetés et de vices, les histoires les plus répugnantes ou les plus
sanglantes; ne croyant ni à l'homme ni à la vie, il choisit les
sujets où son froid mépris trouve le mieux à se satisfaire.

Il se plaît à déconcerter nos intelligences, à troubler nos nerfs,
par des récits étranges, qui nous laissent dans le doute si nous
avons affaire à un mystificateur ou réellement à un miracle. Ce
sont des aventures singulières, qui à la rigueur se peuvent expliquer par un concours de circonstances naturelles, qui laissent
pourtant une sorte de saisissement dont on ne peut se défendre,
comme devant une apparition authentique du surnaturel.
Quelque sujet qu'il ait choisi, Mérimée le traite avec une puissance singulière d'expression. Il n'y a guère dans la littérature
de personnages plus complets et plus vivants que Colomba, que
Carmen : nous les voyons pleinement, dans toutes leurs particularités morales et physiques; et leur individualité singulière n'en
fait pas des êtres d'exception : nous en sentons la solide humanité,
revêtue d'une forme unique.

Il n'y a pas de réalisme plus expressif que certaines parties de
la *Chronique de Charles IX* : les propos de soldats, et d'autres scènes
vulgaires ont une intensité pittoresque, qui dépasse peut-être ce
qu'on trouve dans le *Camp de Wallenstein*, le modèle littéraire du
genre. Il n'y a pas de morceaux d'art où l'imitation soit plus adéquate que dans l'*Enlèvement de la redoute* à la vue même des
choses. Le style de Mérimée, propre, précis, objectif, plus fin et
moins abstrait que celui de Stendhal, concourt à l'illusion.

Mérimée appartient à la grande période romantique : son œuvre
de romancier tient à peu près toute dans une vingtaine d'années,

elle est achevée en 1847. V. Hugo faisait du roman tantôt une vision
historique, tantôt un poème symbolique. George Sand l'inondait
de lyrisme. Balzac y poursuivait une enquête sociologique. Stendhal l'employait comme un instrument d'observation psychologique. Mérimée, lui, est purement artiste : son œuvre relève de
la théorie de l'*art pour l'art*. Morale, philosophie, histoire, il a
tout subordonné à l'effet artistique. Ainsi en un sens il tient dans
le roman la place que tiennent au théâtre Scribe, Gautier dans
la poésie. Mais il est infiniment supérieur à Scribe; et il ne donne
jamais cette sensation de perfection vide que Gautier nous procure
parfois. C'est ici que l'on voit combien les théories valent par les
hommes qui les appliquent. Mérimée est un homme d'une intelligence très distinguée, doué d'une réelle aptitude à former des idées:
cela suffit. Il peut ne penser qu'à l'art; il évitera la niaiserie ingénieuse de Scribe, le néant intellectuel de Gautier.

6. UN DISCIPLE DU XVIIIᵉ SIÈCLE : CL. TILLIER.

Cl. Tillier[1] n'est romantique que par l'époque où il a vécu. Son
œuvre principale, *Mon oncle Benjamin*, est un récit de pur goût
voltairien, alerte, narquois et mordant. Mais il vivait en Niver-
nais : Paris ne le distingua pas. Très oublié en France, Cl. Tillier
nous est revenu d'Allemagne où son culte par hasard s'était conservé. Il mérite en effet de ne pas rester inconnu. Il y a eu d'un
bout à l'autre du XIXᵉ siècle beaucoup de ces lettrés qui, sans renoncer à être de leur temps, ont fait l'éducation de leur goût et
de leur plume chez Voltaire. Tillier se place, esthétiquement comme
par sa date, entre Courier et About, mais il n'est à aucun degré
attique ou parisien, et il garde de sa province une verdeur un peu
sauvage.

1. Né à Clamecy, mort à Nevers (1801-1840). *Mon oncle Benjamin*, 1843.
Œuvres complètes, 1846, 4 vol. *Pamphlets*, éd. critique par M. Gérin, 1906. —
A consulter : M. Gérin, *Études sur Cl. Tillier*, 1902. F. P. O'Hara, *Cl. T.*, 1939.

CHAPITRE VI

L'HISTOIRE

Le romantisme suscite un grand mouvement d'études historiques. — 1. L'histoire philosophique. Guizot : il soumet son érudition à sa foi politique. Tocqueville : catholique et légitimiste, il étudie avec impartialité la démocratie et la Révolution. — 2. Passage de l'histoire philosophique à l'expression de la vie : Thierry. Ses vues systématiques. Étude des documents, récolte des petits faits. — 3. La résurrection intégrale du passé : Michelet. Son idée de l'histoire : le moyen âge retrouvé dans les archives. Michelet prophète de la démocratie : influence de ses passions sur son histoire. Œuvres descriptives et morales de Michelet.

L'histoire[1] et la poésie lyrique, voilà les deux lacunes apparentes de notre littérature classique. En trois siècles, de la Renaissance au romantisme, le genre historique est représenté par le *Discours sur l'Histoire universelle* de Bossuet, qui est une œuvre de théologie, par l'*Histoire des Variations*, du même, qui est une œuvre de controverse, par l'*Esprit des Lois*, de Montesquieu, qui est un essai de philosophie politique et juridique : restent l'*Essai sur les mœurs* et le *Siècle de Louis XIV* de Voltaire, qui sont vraiment de l'histoire, malgré la thèse antireligieuse de l'auteur. C'est peu pour trois siècles de production intense.

Voltaire avait donné une esquisse de l'histoire de France : en dehors de ses ouvrages, les Français ne pouvaient rien lire de passable sur leur histoire. Fénelon, déjà, s'en plaignait. On sentit vivement ce manque au commencement de notre siècle; « Existe-t-il, demandait A. Thierry en 1827, une histoire de France qui reproduise avec fidélité les idées, les sentiments, les mœurs

---

1. Sur l'histoire au XIXᵉ s., cf C. Jullian, Introd. aux *Extraits des historiens fr. du XIXᵉ s.*, 1897; Ch. Langlois et Seignobos, *Introd. aux études histor.*, 1897; Lacombe, *L'Histoire considérée comme une Science*, 1894; L. Halphen, *L'Histoire en Fr. depuis cent ans*, 1914; P. Moreau, *L'Hist. en Fr. au XIXᵉ s.*, 1935.

des hommes qui nous ont transmis le nom que nous portons, et dont la destinée a préparé la nôtre? » Et il passait en revue tous ces prétendus historiens de France, depuis les *Chroniques et Annales* de Nicole Gilles, secrétaire de Louis XI, du Haillan, Dupleix, Mézeray, Daniel, Velly, Anquetil, etc. · il montrait combien l'ignorance des sources, le manque de science et de critique, l'inintelligence de la vie du passé, le goût romanesque, la rhétorique, l'esprit philosophique, avaient partout déformé l'histoire : combien froides et fausses étaient toutes ces annales, où avortaient vite quelques bonnes intentions d'exactitude.

Chateaubriand, avec son sixième livre des *Martyrs* et ses Franks sauvages, fut l'initiateur : A. Thierry, en le lisant, se sentit historien. Combien ces Franks à cheveux roux, à grandes moustaches, serrés dans leurs habits de toile, et maniant la francisque, ressemblaient peu aux Franks incolores d'Anquetil! *Quentin Durward* et *Ivanhoe* s'ajoutèrent aux *Martyrs*. Le romantisme vulgarisa le sens de l'histoire dont les éléments fondamentaux sont la curiosité des choses sensibles et extérieures, la recherche de l'individualité, de la singularité, de la *différence*. Pour l'histoire de France, le grand réveil du patriotisme que la Révolution provoqua lui donna un intérêt qui attira de ce côté auteurs et lecteurs. Puis la lutte des partis, après la Restauration, profita aux études historiques ; les libéraux s'efforcèrent de fonder leurs revendications et les droits nouveaux sur le développement antérieur de la nation ; ils allèrent chercher jusqu'aux temps féodaux et aux invasions barbares les germes de l'État contemporain, ou les titres de la souveraineté populaire et surtout de la suprématie bourgeoise. Cette influence politique devança même l'influence romantique.

L'essor que va prendre le genre historique s'annonce par les publications de documents originaux, par les collections de *Mémoires* et *Journaux* authentiques [1], qui séduisent souvent les littérateurs et le public par le pittoresque des tableaux et le dramatique des événements. Outre les vastes recueils de *Mémoires sur l'Histoire de France*, qui furent une mine de romans et de drames. il faut signaler tout particulièrement la publication des *Mémoires de Saint-Simon*, qui renouvelèrent dans les esprits l'image du siècle de Louis XIV et de la cour de Versailles.

---

1 Petitot et Monmerqué, *Collection des Mémoires relatifs à l'Histoire de France, depuis le règne de Philippe Auguste jusqu'à la paix de Paris de 1763*, 1819-29, 131 vol in-8. Guizot, *Coll. des Mém. relatifs à l'Hist. de Fr., depuis la fondation de la monarchie jusqu'au XIIIe siècle*, trad. et annotés, 1823-1827, 29 vol. in-8; *Coll. des Mém. relatifs à la Révolution d'Angleterre*, trad. et annotés, 1823 et suiv., 26 vol. in-8. Buchon. *Coll. des Chroniques nationales écrites en langue vulgaire, du XIe au XVIe s.*, 1824-29, 47 vol in-8. Michaud et Poujoulat, *Nouvelle Coll. de Mém. relatifs à l'Hist. de Fr.*, 1836 et suiv., 32 vol. in-8.

Les œuvres originales ne se firent pas attendre. Dès le premier moment, deux courants se distinguent dans le genre historique : les uns s'appliquent à **dégager la philosophie de l'histoire** et ne sont en somme que les continuateurs du xviiie siècle, de Montesquieu et de Voltaire; les autres s'efforcent de **ressusciter la forme du passé**, de représenter les mœurs et les âmes des générations disparues; ceux-ci sont la lignée de Chateaubriand, proches parents des lyriques. Les deux rénovateurs des études historiques en notre pays, Thierry et Guizot, représentent ces deux tendances : Guizot, plus philosophe, opère sur des idées; Thierry, plus imaginatif, essaie d'atteindre les réalités.

1 LE PASSAGE DE L'IDÉE A LA VIE : THIERRY.

Lorsque Augustin Thierry, en 1817 [1], donna au *Censeur Européen* et au *Courrier Français* ses premières études sur l'Histoire d'Angleterre et sur l'Histoire de France, il avait de grandes ambitions philosophiques : il prétendait trouver la loi suprême, unique, du développement national de chaque peuple [2]. Il esquissait l'histoire de l'Angleterre depuis l'invasion normande au xie siècle jusqu'à la mort de Charles Ier, et « la révolution de 1640 s'y présentait sous l'aspect d'une grande réaction nationale contre l'ordre des choses établi six siècles auparavant, par la conquête étrangère » Quand il abordait l'histoire de France, il voyait dans l'affranchissement des communes « une véritable révolution sociale, prélude de toutes celles qui ont élevé graduellement la condition du Tiers État » : remontant plus haut, il crut trouver dans l'invasion franque « la racine de quelques-uns des maux de la société moderne : il *lui* sembla que, malgré la distance des temps, quelque chose de la conquête des barbares pesait encore sur notre pays, et que des souffrances du présent on pouvait remonter, de degré en degré, jusqu'à l'intrusion d'une race étrangère au sein de la Gaule, et à sa domination violente sur la race indigène » Ainsi, occupé à chercher des armes « contre les tendances réactionnaires du gouvernement », Thierry ne voulait encore que faire l'histoire

---

1. Il a précédé Guizot et Villemain : il est le prem er. — Augustin Thierry (1795-1856), au sortir de l'École normale, fut quelque temps saint-simonien. Plus tard il fut lié avec Auguste Comte. — **Éditions :** *Hist. de la conquête de l'Angleterre par les Normands*, 1825, dern. éd. préparée par l'auteur, 1858, *Lettres sur l'Histoire de France* (10 publiées en 1820 dans le *Courrier Français*), 1827, *Dix Ans d'études historiques* (1817 à 1827), 1834; *Récits des Temps mérovingiens*, 1840; *Essai sur l'histoire de la formation et des progrès du Tiers État*, 1853. Cf F. Valentin, *Th.*, 1895; F. Brunetière, *L'Œuvre de Th.*, *Revue des Deux Mondes*, 15 nov. 1895; C. Jullian, *Th. et la Méthode hist.*, *Revue de Synthèse hist.*, 1906; A. Augustin Thierry, *Th. d'après sa corresp.*, 1922, *Les Récits des Temps mérovingiens*, 1929.
2. Préf. de *Dix Ans d'ét. hist.* Cf la Préf. des *Lettres sur l'Hist. de Fr.*

« à la manière des écrivains de l'école philosophique, pour extraire du récit un corps de preuves et d'arguments systématiques ».

Tout cet effort aboutissait en somme à faire de 1789 et de 1830 la revanche de la conquête franque : 1830 devenait le complément nécessaire de 1789, le terme glorieux de tout le développement national. Par le triomphe de la classe moyenne, nos pères, « ces serfs, ces tributaires, ces bourgeois, que des conquérants dévoraient à merci », étaient vengés. Jamais Augustin Thierry n'a su s'affranchir assez de cette philosophie par trop orléaniste et bourgeoise : elle éclate surtout par son exposition de la révolution communale, dans ses *Lettres sur l'Histoire de France* (1827) et ses *Dix Ans d'études historiques* (1834), plus sensiblement encore d'un bout à l'autre de son *Histoire du Tiers État* (1853).

Cependant, lorsqu'il se mit à étudier les documents originaux, il s'aperçut que « l'ordre des considérations politiques où il s'était tenu jusque-là » était « trop aride et trop borné », que par ses vues systématiques il « obtenait des résultats factices », enfin qu'il « faussait l'histoire ». Il sentit alors « une forte tendance à descendre de l'abstrait au concret, à envisager sous toutes ses faces la vie nationale » : alors se fit la complète éclosion de son génie d'historien [1].

Dans ces longues séances aux bibliothèques qu'il a racontées, il préparait son *Histoire de la conquête de l'Angleterre par les Normands*, qui parut en 1825. Il recueillait « les détails les plus minutieux des chroniques et des légendes, tout ce qui rendait vivants pour *lui ses* vainqueurs et *ses* vaincus du XIᵉ siècle, toutes les misères nationales, toutes les souffrances individuelles de la population anglo-saxonne ». Dans tous ces petits faits, dans les plus mesquines avanies, il prenait « la forte teinte de réalité » qui devait faire l'intérêt de son ouvrage. Il réussit en effet remarquablement à représenter la vie des vainqueurs et des vaincus; la thèse, s'exprimant toujours par des faits, n'en diminue pas la valeur pathétique ou pittoresque.

Dès 1820 il avait commencé à appliquer la même méthode à l'histoire de France . il s'était mis à lire la grande collection des historiens de France et des Gaules et une indignation l'avait saisi en voyant comment les historiens modernes avaient « travesti les faits, dénaturé les caractères, imposé à tout une couleur fausse et indécise », combien de niaises anecdotes, de fables scandaleuses s'étaient substituées à la savoureuse simplicité de la vérité [2]. Il

---

1. Alors, comme il dit, il se mit à aimer l'histoire « pour elle-même » (Préface des *Lettres sur l'Hist. de Fr.*).

2. Cf. les *Lettres* I-V *sur l'Hist. de France*, et les *Notes sur quatorze historiens antérieurs à Mézeray* dans *Dix Ans d'études historiques*.

s'était alors donné une mission : « guerre à Mézeray, guerre à Velly, à leurs continuateurs et à leurs disciples! » A son dessein politique de réhabiliter les classes moyennes se superposèrent heureusement une large passion scientifique, un amour désintéressé de la vérité, un absolu besoin de la connaître et de la dire. Il commença, dans ce double esprit, ses *Lettres sur l'Histoire de France* : mais son chef-d'œuvre, ce sont les *Récits mérovingiens* (1840). Le parti pris politique s'y fait peu sentir, par la vertu du sujet; l'état d'esprit orléaniste s'élargit en pitié des vaincus, en sentiment douloureux des misères individuelles ou collectives; l'historien est tout à la joie de faire sortir des vieilles chroniques, dans toute la barbarie de leurs noms germaniques hérissés de consonnes et d'aspirations, les Franks et leurs chefs, les Chlodowig, les Chlother, les Hilderik, les Gonthramm, de montrer par de petits faits significatifs ce qu'était un roi franc, comment étaient traités les Gaulois, de substituer dans l'imagination de son lecteur, à la place des dates insipides et des faits secs qu'on apprend au collège, une réalité précise, dramatique, vivante. Il est tout occupé à son œuvre de résurrection, qu'il mène avec une rare intelligence : ses idées générales ne lui servent plus qu'à distinguer sûrement les détails aptes à figurer comme types.

Aug. Thierry chercha une forme pour l'histoire ainsi comprise. Il rêvait d'allier « au mouvement largement épique des historiens grecs et romains la naïveté de couleur des légendaires, et la raison sévère des écrivains modernes ». Je n'oserais dire qu'il ait absolument réussi. Il saisit très adroitement dans les documents originaux l'expression colorée qui date et caractérise le récit, qui contient comme l'âme du passé : mais, malgré tout, il n'est pas suffisamment artiste. Le fond de style est du temps de Louis-Philippe : on sent qu'il écrit entre Béranger et Thiers. Par un certain manque de poésie et de beauté, la forme est inférieure à la matière comme à l'intention de l'auteur. Malgré cette insuffisance, il lui reste d'avoir été le premier qui ait su chercher et lire dans les faits le caractère particulier d'une époque, mettant ainsi l'histoire d'un seul coup dans sa véritable voie.

2. L'HISTOIRE PHILOSOPHIQUE : GUIZOT, TOCQUEVILLE.

Thierry a écrit des *Récits mérovingiens* : en une page, Guizot nous en donne toute la substance. Thierry raconte la *Conquête de l'Angleterre par les Normands* : une demi-page de Guizot ramasse toutes

les idées de ses quatre volumes. C'est dire que Guizot [1] élimine
les faits, les hommes, la vie. Il connaît les sources : il établit
solidement sur les documents originaux les bases de son travail.
Mais il ne s'intéresse qu'aux idées, aux idées générales, qu'il fait
sortir avec une rare puissance. Il discipline les faits, pour qu'ils
montrent leurs lois, et pour qu'ils donnent un enseignement par
ces lois : mais entendez qu'ils donnent un enseignement orthodoxe, c'est-à-dire selon l'orthodoxie doctrinaire. L'*Histoire de la
Révolution d'Angleterre* [2], l'*Histoire de la Civilisation en Europe*,
l'*Histoire de la Civilisation en France*, ces grandes œuvres froides
et fortes, sont la démonstration, impartiale et scientifique en
apparence, systématique et passionnée au fond, de ces deux vérités :
qu'une royauté même légitime n'a pas de droits contre les représentants de la nation; et que le gouvernement doit appartenir aux
classes moyennes qui ont la richesse et les lumières, qui, par
intérêt et par capacité, assureront la prospérité du corps social. Il
faut voir avec quelle sûreté d'analyse, et quelle subtilité habile à
se déguiser sous une sévère exactitude, Guizot étudie les quatre
éléments de la société du moyen âge : aristocratie féodale, Église,
royauté, communes, en conduit les relations et les progrès, de façon
à faire apparaître le régime de 1830 comme le couronnement nécessaire et légitime de toute l'Histoire de France.

M. de Tocqueville [3] est plus réellement impartial; il a l'esprit
plus large et plus profond que Guizot. Ses deux grands ouvrages,
la Démocratie en Amérique (1835-39), *l'Ancien Régime et la Révolution*
(1850), sont vraiment en notre siècle les chefs-d'œuvre de la philosophie historique. M. de Tocqueville, légitimiste et chrétien, a
tâché de comprendre son temps, cette France nouvelle qui rejetait
la légitimité et faisait la guerre à l'Église. La haute conception
qui jadis avait permis à Bossuet d'étudier si librement les sociétés
païennes de l'antiquité, et de rechercher les causes physiques
ou morales des événements, la croyance au gouvernement de la
Providence, a mis Tocqueville à l'aise : assuré que la France allait

---

1. Cf. p. 920. **Éditions** : *Histoire de la Révolution d'Angleterre*, 1827-28, 2 vol.
in-8; *Cours d'Histoire moderne*, 1828-30, 6 vol. in-8 (dédoublé en *Hist. gén. de la
Civilisation en Europe* et *Hist. gén. de la Civilisation en France*).

2. L'histoire d'Angleterre est mise presque au même plan que l'histoire de France;
la révolution d'Angleterre est la première étude qui occupe Guizot et Villemain.
Ce fait montre bien l'influence des idées politiques sur les travaux historiques.

3. Alexis de Tocqueville (1805-1859), magistrat, député, ministre en 1849 sous la
présidence de Louis Bonaparte. — **Éditions** : *La démocratie en Amérique*, 1ʳᵉ partie,
1835, in-8; 2ᵉ partie, 1839, in-8 (Mayer et Laski, 1951, Roz et Gain, 1951); *l'Ancien
Rég. et la Rév.* 1856, *Correspond. et œuv. inéd.* 2 vol., 1860. *Œuvres compl.* 1864-8.
Souvenirs, 1893. (L. Monnier, 1942). — **A consulter** : Faguet, *Polit. et Mor.*, 3ᵉ
série; G. d'Eichthal, *T. et la démocr. libér.* 1897; Mayer, 1948; Roland Marcel,
Essai polit. sur T., 1910; Ch. Cestre, *T., témoin de la civilis. améric.*, 1933.

où Dieu la menait, il a regardé sans haine et sans désespoir la civilisation issue de la Révolution. Il a observé partout, dans les idées, dans les mœurs, et dans le gouvernement, la plus étrange confusion : les législateurs occupés à détruire ou neutraliser les effets de la Révolution, à restreindre la liberté, borner l'égalité; l'autorité méprisée et redoutée, l'administration centralisée et oppressive; le riche et le pauvre en face l'un de l'autre, se haïssant, ne croyant plus au droit, mais à la force; les chrétiens épouvantés de la démocratie, qui est selon l'Évangile; les libéraux hostiles à la religion, qui est essentiellement libérale; les honnêtes gens en guerre contre la civilisation dont ils devraient diriger la marche : dans tout cela, le progrès évident, irrésistible, de l'éga-lité, partant de la démocratie. Ce progrès a frappé Tocqueville comme le fait caractéristique de la société nouvelle. Et comme le triomphe de la démocratie était récent en France, et encore incom-plet, il a été étudier la démocratie là où elle était pure et maltresse, aux États-Unis : il est allé regarder ce qu'elle est là-bas, pour tâcher de deviner ce qu'elle peut ou doit devenir chez nous. *La Démocratie en Amérique* est une « consultation » sur la nature, le régime, la marche de la démocratie, une œuvre de philosophie expérimentale, qui repose sur une intelligente et sérieuse enquête de la civilisation américaine.

S'appuyant solidement sur la configuration géographique du pays, et sur l'histoire des colonies anglaises, il recherche les ori-gines de l'esprit démocratique en Amérique : il expose l'organisa-tion des États de l'Union et de l'État fédéral, leurs relations et leurs attributions; il montre comment le peuple gouverne, et tous les effets de la souveraineté de la majorité. Tout le système politique de la république américaine apparaît dans cette première partie. Dans une seconde partie, plus originale et plus profonde encore, Tocqueville nous découvre l'influence de la démocratie sur le mou-vement intellectuel, sur l'état moral et sentimental, sur les mœurs, et la réaction des idées, des sentiments et des mœurs sur le régime politique. Cet admirable ouvrage n'est pas aussi lu chez nous qu'il devrait l'être : et la raison en est qu'il y a trop de pensée pour le commun des lecteurs : jamais de saillies, rien pour l'amusement ni le délassement : c'est un enchaînement austère et vigoureux de faits, de jugements, de prévisions.

L'autre œuvre de Tocqueville, *l'Ancien Régime et la Révolution*, a pour base une idée d'historien. Tocqueville, comme les histo-riens orléanistes, voit dans la Révolution la conséquence, le terme d'un mouvement social et politique qui a son commencement aux origines mêmes de la patrie au lieu que presque toujours, pour les légitimistes et pour les démocrates, la Révolution était une rupture violente avec le passé, une explosion miraculeuse et soudaine que les uns maudissaient, les autres bénissaient, tous persuadés que la France de 1789 et de 1793 n'avait rien de commun avec la France de Louis XIV ou de saint Louis. Mais les orléanistes faisaient servir leur vue de l'histoire aux intérêts d'un parti : Tocqueville, plus philosophe en restant strictement historien, se contente d'établir la continuité du développement de nos institutions et de nos mœurs · la Révolution s'est faite en 1789, parce qu'elle était déjà à demi faite, et que, depuis des siècles, tout tendait à l'égalité et à la centralisation; les dernières entraves des droits féodaux et de la royauté absolue parurent plus gênantes, parce qu'elles étaient les dernières. Il explique l'influence de la littérature et de l'irréligion sur la Révolution, et la prédominance du sentiment de l'égalité sur la passion de la liberté.

Ayant ainsi rendu compte de la destruction des institutions féodales et monarchiques, Tocqueville avait projeté de montrer comment la France nouvelle s'était reconstruite des débris de l'ancienne : c'est à peu près le vaste dessein que Taine a réalisé dans ses *Origines de la France contemporaine*. Mais Tocqueville n'eut pas le temps de donner ce complément de son ouvrage.

Les deux œuvres austères dont nous avons parlé, ne montrent pas toute la physionomie de Tocqueville. Ce n'est pas par impuissance qu'il n'y a mis ni esprit ni saillies : c'est par convenance; mais dans ses *Lettres* et ses *Souvenirs*, où il s'abandonne à son impression, on est tout surpris de trouver chez cet homme grave tant de vivacité et tant de mordant.

3. LA RÉSURRECTION DU PASSÉ : MICHELET.

Ce qu'Augustin Thierry voulut être et ne fut pas pleinement, Jules Michelet le fut avec une incomparable puissance.

Michelet [1] eut ses erreurs, ses préjugés, ses haines; âme infiniment tendre, il a détesté furieusement certaines idées, et les hommes aussi qui les représentaient. La vérité, la sérénité de son œuvre en ont été diminuées. Son excuse, c'est tout ce qu'il a souf-

---

1. **Biographie** : Jules Michelet (1798-1874), fils d'un imprimeur ruiné par le Consulat et l'Empire, répétiteur dans une pension en 1817, professeur au collège Sainte-Barbe en 1822, maître de conférences à l'École normale en 1827, supplée Guizot à la Sorbonne (1833-1836), puis est désigné pour la chaire de morale et d'histoire du Collège de France (1838).

Éditions : *Principes de la philosophie de l'histoire*; *Précis d'histoire moderne*, 1828; *Histoire romaine*, 1831; *les Mémoires de Luther*, 1835. 2 vol. in-8: *Du Prêtre, de la*

fert : dans sa douloureuse enfance de misère et de lutte, son caractère s'est aigri, sa sensiblité s'est surexcitée, son intelligence s'est aiguisée, son imagination s'est enfuie éperdument loin des réalités qui blessent.

Son père qui, dans sa pauvreté, avait foi à l'instruction, le mit au collège Charlemagne : et l'enfant comprit; obstinément, virilement, il s'efforça jusqu'à ce qu'il fût des premiers de sa classe. Les récits d'une tante, une promenade au musée, lui révélèrent sa vocation : à peine sorti du collège, il s'appliqua à l'histoire. Vico lui fournit une philosophie, pour débrouiller et classer les faits. Après divers essais, il entreprit son *Histoire de France* qui, pendant près de quarante ans, de 1830 à 1868, sera sa vie.

L'œuvre de Michelet est née « dans le brillant matin de juillet », de l'immense espoir, sitôt déçu, dont la révolution de 1830 enflamma son âme populaire. C'est alors qu'il vit la France « comme une âme et une personne » : et il voulut être l'historien de cette âme et de cette personne. Le problème historique se posa pour lui comme une *résurrection de la vie intégrale*.

Thierry se contentait de regarder les races : Michelet sentit qu'aux races il fallait donner « une bonne, forte base, la terre » qui les porte et les nourrit[1]. Le climat, la nourriture, toute sorte de causes physiques, déterminent le caractère des populations : « telle la patrie, tel l'homme ». Dans l'admirable morceau où, dès le début, il assied son histoire sur la géographie, il saisit comme autant de personnes distinctes toutes les unités provinciales

Femme, de la Famille, 1844, le *Peupie*, 1846, le *Procès des Templiers*, 1841-52; l'*Oiseau*, 1856; l'*Insecte*, 1857, l'*Amour*, 1858, la *Femme*, 1859, la *Mer* 1861, la *Sorcière*, 1862, la *Bible de l'humanité*, 1864, la *Montagne*, 1868, *Histoire de France* (Moyen Age, 1833-43, 6 vol. Révolution, 1847-53, 7 vol.; Renaissance et Temps modernes, 1855-67, 11 vol.), 1878-80, Marpon, 28 vol. 1885 et suiv. Lemerre, 28 vol. pet. in-12. — *Œuvres posthumes : Histoire du* XIXe *siècle*, 1876, *Ma Jeunesse* (publ. p. Mme Michelet). 1884, Calmann Lévy, *Mon Journal* (*id.*) 1888, *Un hiver en Italie*, 1879, 2e éd., Marpon et Flammarion, 1893, *Sur les chemins de l'Europe*, 1893; *Lettres à Mlle Mialaret*, 1899. — *Œuvres complètes*, 1893-1899; *Jeanne d'Arc*, éd. Rudler, 1925; *Tableau de la Fr.* éd. Refort, 1934; *Le Peuple*, éd. Refort, 1936. — **A consulter :** Corréard, 1886; Monod, *Maitres de l'Histoire*, 1894; M., 1905; *Vie et Pensée de M.*, 1924; J. Brunhes, 1898; A. Sorel, Introd. à *Hist. et Philos.* (recueil d'art. de M.). 1900; Lanson, *Formation de la Méth. hist. de M.*, *Rev. d'Hist. moderne*, 1905; Van der Elst, *M. naturaliste*, 1914; L. Refort, *Art de M.*, 1923; G. Rudler, *M., histor. de Jeanne d'Arc*, 1926; J.-M. Carré, *M. et son temps*, 1926; J. Guéhenno, *L'Evangile éternel*, 1927; D. Halévy, 1928; Aulard, *M. histor. de la Rév. fr.* (dans la revue *Rév. Fr.*, 1928); G. Lanson, *Le Tableau de la Fr.*, dans *Et. d'Hist. litt.*, 1930; A. Dupouy, *M. en Bretagne*, 1947.

1. Voilà pourquoi il va en Italie avant d'écrire son *Histoire Romaine* : il veut avoir l'impression, le contact du sol, du climat, du paysage.

dont la France est la somme; il marque puissamment la physionomie de chaque région, au physique et au moral.

Thierry posait l'antagonisme des races comme donnée primor-
diale et comme loi supérieure de l'histoire, en Angleterre, en
France : les races étaient pour lui des *entités* irréductibles, indes-
tructibles; et il lui semblait, au bout de six ou de dix siècles,
retrouver les vainqueurs et les vaincus face à face. La fausseté de
cette conception absolue choque Michelet; il a reçu de Vico son
« principe de la force vive, de l'*humanité qui se crée* ». Ce qu'il
aperçoit, au lieu de races immuables, « c'est le puissant travail de
soi sur soi, où la France par son progrès propre va transformant
tous ses éléments bruts ». Au début, il y a des races, et dans les
temps barbares, la race est un facteur considérable de l'histoire :
plus on va, plus la race est faible et plus elle s'efface. Michelet
veut voir comment la France est née, comment elle a formé sa
personnalité morale, de quelle vie elle a vécu.

Mais « la vie a une condition souveraine et bien exigeante. Elle
n'est véritablement la vie qu'autant qu'elle est complète ». Il fallait retrouver tous les organes et toutes les fonctions de la France,
en saisir la formation et le jeu. L'abstraction systématique des
doctrinaires ne suffisait pas ici. Il ne fallait pas non plus s'arrêter
aux surfaces, au décor de l'histoire : un *imagier*, comme M. de
Barante, qui ne s'attache qu'à reproduire l'éclat extérieur de la
narration des vieux chroniqueurs et qui étale aux yeux comme
une suite magnifique de tapisseries à sujets historiques, manque
au devoir essentiel de l'historien. Il s'agit, en montrant la vie,
d'expliquer la vie : loin de chercher l'effet dramatique, loin d'emplir
le public de stupeur par l'étrangeté ou l'énormité des choses,
l'historien doit réduire tout à la nature, faire la guerre au miracle,
découvrir la simplicité du prodige sans en diminuer la grandeur.
Ainsi Jeanne d'Arc expliquée sera toujours Jeanne d'Arc, et plus
admirable que jamais : « le sublime n'est point hors nature, c'est
au contraire le point où la nature est le plus elle-même, en sa
hauteur, profondeur naturelles ».

Voilà comment Michelet a conçu sa tâche : il fallait, pour en
venir à bout, deux conditions difficiles à réunir, la science et la
poésie. Michelet réunit ces conditions. Il sut rassembler laborieusement les fragments de la vérité, et saisir par intuition la vérité
totale. Il eut cette force de sympathie qui seule atteint et ressuscite
l'âme des siècles lointains.

Thierry avait tenté de retourner aux sources : Michelet élargit
la méthode et la complète. Aux documents imprimés il joint les
inédits; aux chroniques, les actes, chartes, diplômes de toute
sorte; il interroge les œuvres de la littérature et de l'art; une

pièce de procédure ou un livre de dévotion révèlent la vie d'une époque, et mieux que les témoignages, si souvent falsifiés, des annalistes et des historiographes. Michelet eut une grande joie en 1831 : il fut nommé chef de la section historique aux Archives nationales; c'était, pour ainsi dire, tout le dépôt de notre histoire nationale qu'on lui confiait : il avait désormais sous la main, à sa discrétion, dans cette masse de documents, le dossier authentique, inconnu, de la vieille France. Il en tira parti avec une allégresse, une activité, une intelligence admirables.

Les vues systématiques et politiques, qui menaient Guizot ou Thierry à forcer le sens des faits, étaient étrangères à Michelet. Il n'était pas bourgeois[1]; il était peuple et poète. Il aborda son travail d'historien dans un élan d'amour pour les masses anonymes dans lesquelles la France avait successivement vécu, et par qui elle s'était faite. Il avait « le don des larmes », une âme frémissante, qui partout aimait, partout sentait, partout mettait la vie. A cette sensibilité extrême il unissait tous les plus rares dons de l'artiste : la puissance d'évocation, l'imagination « visionnaire », qui obéissait à toutes les suggestions d'une sympathie effrénée, l'expression intense et solide, qui fixait le caractère en dégageant la beauté. Ce style de Michelet, âpre, saccadé, violent, ou bien délicat, pénétrant, tendre, en fait un des deux ou trois écrivains supérieurs de notre siècle.

Michelet a cru s'éloigner des romantiques autant que des doctrinaires. En réalité, son histoire est un chef-d'œuvre de l'art romantique. [Comme les romantiques, il a l'âme obsédée de conceptions métaphysiques et l'imagination symbolique. Philosophe avant de devenir historien, sous l'influence des Allemands et de Vico, Quinet et Cousin aidant, il voit dans l'histoire le grand duel de la matière et de l'esprit, de la fatalité et de la liberté. Tout fait manifeste à ses yeux une idée, et il ne peint si puissamment le réel que parce qu'il y lit et nous y fait lire l'invisible[2]. Mais sa métaphysique et ses symboles sont commandés par ses affections et ses haines : son cœur mène sa pensée, et par là encore il est bien romantique.] Depuis l'invasion barbare jusqu'à la révolution française, il nous donne moins l'histoire objective, impersonnelle, scientifique de la France, que les émotions de Jules Michelet lisant les documents originaux qui peuvent servir à écrire cette histoire '

---

1. Les doctrinaires aiment l'Angleterre : Michelet la hait Il adore l'Allemagne une Allemagne idéaliste, poétique, sentimentale, métaphysicienne et religieuse.

2. La première manifestation de ce symbolisme se trouve dans la curieuse *Introduction à l'histoire universelle*, admirable poème philosophique plutôt qu'histoire Dans l'*Histoire de France*, on pourra étudier le *Tableau de la France*, au tome II : on en apercevra sans peine la signification symbolique *(11e éd.)*

on entend ses cris de joie, de douleur, d'amour, de haine, d'espérance, de dégoût, tandis que les pièces qu'il dépouille font passer
sous ses yeux les passions, les actes de nos ancêtres. Nous regardons notre histoire se refléter dans l'âme lyrique de Michelet, et
nous n'atteignons les faits qu'à travers les réactions fiévreuses du
narrateur.

Selon les sujets et les époques, cette méthode personnelle a plus
ou moins d'inconvénients ou d'avantages. Les inconvénients sont
presque nuls, et les avantages immenses, quand Michelet écrit
son moyen âge (1833-1843). Il s'abandonne, avec une joie d'artiste, comme il l'a dit, à l'impression des documents qu'il est le
premier à consulter : il atteint à la vérité par la force de sa sympathie; il a voulu « retrouver cette idée que le moyen âge eut
de lui, refaire son élan, son désir, son âme, avant de le juger »;
il se fait à lui-même une âme du moyen âge : de sorte que les
obscurs instincts des masses populaires deviennent, dans sa conscience d'érudit, une claire notion du rôle de l'Église et du rôle
de la royauté.

Il n'avait pas grand effort à faire pour comprendre la puissance
du christianisme au moyen âge. Il ne croyait pas; il n'était pas
soumis à l'Église. Mais il avait l'âme toute religieuse, mystique
même. En lisant l'*Imitation*, tout enfant il avait « senti Dieu » : il
resta toute sa vie un inspiré, et les livres qui parlèrent le plus à
son cœur furent toujours les livres des voyants et des prophètes,
l'*Imitation*, la *Bible*, les *Mémoires de Luther*; même il sera tendre
à Mme Guyon. Il avait le sens des symboles, et la grandeur poétique, la plénitude morale du symbolisme chrétien l'ont saisi : à
mesure que la religion du moyen âge se matérialisera, se dessé-
chera, il pleurera cette grande ruine ; il cherchera de tous côtés
les illuminés, les indépendants, les révoltés, qui ont gardé la vue
de l'Idée et le contact de Dieu : il mettra en eux son amour et sa
joie. Il sera toujours avec les plus effrénés chrétiens.

Michelet eut la faiblesse de se repentir d'avoir rendu justice au
catholicisme. Il a traité de *mirage*, d'*illusion poétique* son tableau
du moyen âge. Il a essayé d'y mettre après coup tout le contraire
de ce qu'il y avait mis d'abord, il a voulu rattraper, il a rétracté
ses jugements [1]. Son livre se défend contre lui, et ne se laisse
ni diffamer ni travestir. Heureusement un scrupule d'artiste a
empêché Michelet de retoucher ses premiers volumes, pour les
imprégner de ses nouvelles idées.

La même année 1843, où il termine son moyen âge, Michelet
publie avec Quinet son livre des *Jésuites*. C'est fini de sa sereine

---

1. Préface de 1869, et *Introduction* à la Renaissance.

activité de savant. Les passions contemporaines l'ont saisi : l'historien se surcharge d'un démocrate forcené, qui a les prêtres et
les rois en abomination. Michelet, désormais, se voue à la prédication démocratique; et pour commencer, laissant là l'histoire de
l'ancienne France, il court à la Révolution. Il en fait la légende
plutôt que l'histoire, malgré ses très sérieuses recherches : maudissant, invectivant, embrassant, bénissant, dressant au-dessus
de tous ses ennemis, amis et serviteurs, la sainte figure du peuple,
du peuple idéal, terrible, fécond et généreux comme la Nature,
toujours grand et toujours pur, quoi qu'il fasse.

Lorsqu'il reviendra de là au xvie siècle, Michelet se posera
devant les rois, les prêtres et les nobles comme un justicier :
Qu'avez-vous fait du peuple? Qu'avez-vous fait pour le peuple? A
chaque individu, à chaque époque, il posera la terrible question,
ayant déjà prononcé la sentence. Il lira dans les textes tout ce qu'il
voudra, avec une subtilité féroce d'inquisiteur; il n'y aura bassesse, ou crime, qu'il ne prête à ceux qu'il n'aime pas. Il exprimera aussi des faits tout ce qu'il voudra, par le plus outré, le
plus intempérant symbolisme qu'on puisse voir. Son imagination
dominée par sa foi et ses haines devient une machine à déformer
toute réalité. Son histoire, dès lors, débordant de diffamations et
de calomnies fantaisistes, tournant à l'hallucination délirante, nous
donne à chaque instant l'impression d'être du même ordre que la
Légende des siècles ou les *Châtiments.*

Cependant Michelet écrira encore d'admirables pages, toutes
pleines d'idées profondes et suggestives, sur la Renaissance, sur la
Réforme, sur les guerres de religion : il nous donnera en tableaux
merveilleux une vision précise, colorée du xvie siècle. Puis les
défauts, l'injustice, la folie iront en s'accusant [1], jusqu'à ce que
Michelet regagne la Révolution : çà et là, le penseur et le poète,
l'historien de génie se retrouvent. Malgré tout, d'un bout à l'autre,
l'œuvre est étrangement vivante. On a beau se défier, se défendre :
cette passion brûlante vous prend.

Michelet restera surtout comme l'historien du moyen âge : c'est
à la partie vraiment éternelle de son œuvre, où s'équilibrent l'érudition et l'imagination, où la sensibilité vibrante devient un instrument d'exactitude scientifique. C'est là qu'il a touché le but qu'il
avait fixé à l'histoire : la *résurrection intégrale du passé.* Dans cette
partie, il n'y a rien peut-être de plus beau que le tableau du xive
et du xve siècle. Michelet assiste, avec une pitié immense, à la

---

1. Importance donnée à la santé de François Ier, de Louis XIV, pour l'explication
de la politique française; interprétation du sens historique des œuvres littéraires du
xviie siècle (l'*Amphitryon* par exemple), etc.

naissance du sentiment de la patrie dans l'âme obscure des masses
populaires, pendant l'horrible guerre de Cent Ans; il voit éclore ce
sentiment dans la dévotion chrétienne et monarchique, il le voit
s'incarner dans la douce voyante qui sauve la France, dans Jeanne
d'Arc; et jamais la pieuse fille n'a été mieux comprise que par ce
féroce anticlérical. Les pages qu'il lui consacre, où il analyse les
causes de tout ordre qui ont produit et fait réussir la mission de
Jeanne d'Arc, peuvent être étudiées comme contenant tout le génie
de Michelet.

[Sa pensée sur la France, Michelet l'a dite tout entière dans le
Peuple (1846). Dans sa forme enthousiaste et fiévreuse, ce livre est
une merveille de lucidité et d'équilibre. Réconcilier les classes populaires et les classes dirigeantes, l'instinct et l'intelligence, le nationalisme et l'humanitarisme, réaliser la communion de tous les
Français dans l'amour de la France et le culte de sa tradition
généreuse, faire surgir l'unité à travers les divisions de classe, de
culture et de religion par l'idée de la patrie, et, dans la religion de
la patrie, quand la patrie c'est la France, inclure la religion de
l'humanité, voilà l'esprit de cet admirable écrit qui mérite encore
aujourd'hui de rester comme le vrai catéchisme du Français.]
17e éd., 1922.)

Dans la dernière période de sa vie, Michelet, chassé du Collège
de France, chassé de ses chères Archives, pour refus de serment après le coup d'État de 1851, se retire aux environs de
Paris, puis près de Nantes, puis, pour sa santé, près de Gênes.
Là, son âme de poète, plus tendre, plus enthousiaste, plus juvénile
que jamais, s'ouvre à la grande et divine nature, qui toujours, du
reste, avait été la religion de son intelligence, la joie de ses sens.
Il fixe ses impressions, ses visions, ses frissons, ses suggestions
dans des livres étranges, difficiles à classer, souvent délicieux,
l'*Oiseau*, l'*Insecte*, la *Montagne*, la *Mer* : le lyrisme y déborde, mais
un lyrisme nourri de fortes idées, pénétré de science solide. On
comprendrait moins bien le génie historique de Michelet, si l'on
n'avait vu dans ces ouvrages à quel point la poésie de son style
et ce don d'évocation qui rend ses récits si vivants résultent d'une
communion d'âme avec toutes les manifestations de la vie. Les
descriptions qu'ils renferment, paysages, ou phénomènes naturels, ou bien actes des êtres vivants, nous aident aussi à reconnaître la singulière acuité de sa vision : son œil reçoit l'impression
des plus fines modifications de la nature sensible, et sa mémoire
les rend en leur fraîcheur première.

La nature, si dure et si immorale au sentiment de beaucoup de
nos contemporains, est pour Michelet une inépuisable source de
joie, de force et de foi : il y renouvelle sa vie morale. Spiritualisée

par lui, elle est la grande consolatrice de son âme délicate; il s'y plonge, et il revient à l'humanité, avec un espoir plus fort, une pitié plus large.

Il mêle parfois à ses enseignements une indiscrète physiologie, une politique ou une philosophie d'apocalypse; il exagère jusqu'à la dureté les reliefs de son style. Mais il rachète tous ses défauts par l'ardente virilité, par la générosité foncière des prédications dont il essaie de fortifier les générations nouvelles. A force de vibrante et candide sincérité, il est un des rares laïcs à qui il ait été donné de catéchiser sans ridicule.

On a publié depuis sa mort quelques carnets de notes de voyage, où les belles descriptions, les fortes émotions ne manquent pas : on sait ce que Michelet peut en ce genre. Mais que d'idées! et quelle rare, large, vive intelligence avait ce romantique enragé, quelle abondance aussi de remarques prises sur le vif, saisissantes de justesse! et comme il apparaît que cet éperdu visionnaire avait le sens de l'observation, le discernement instantané des réalités suggestives!

Michelet est un des écrivains de notre siècle qui me semblent destinés à grandir dans l'avenir, quand dans son œuvre trop riche on aura fait une part à l'oubli, à la mort : le reste, et un reste considérable, une fois allégé, n'en montera que plus haut.

LIVRE III

LE NATURALISME

1850-1890

CHAPITRE I

PUBLICISTES ET ORATEURS

Le mouvement des idées sous le second Empire. Esprit scientifique.
Progrès industriel. Luttes politiques. — 2. Publicistes et journalistes :
Veuillot, Paradol, About. — 3. Orateurs politiques : Thiers, Jules
Favre, Gambetta. Évolution de l'éloquence politique. — 4. Éloquence
universitaire : Caro, Brunetière. La *conférence* : Sarcey.

L'essor du naturalisme est le grand fait littéraire qui domine,
presque jusqu'à sa dernière décade, la seconde moitié du
XIXe siècle[1]. Ce mouvement de réaction contre le romantisme
fut en fait un effort souvent impuissant, malgré l'incompatibilité
théorique des formules d'art, pour échapper au romantisme,
qui contenait en sa vaste confusion tous les éléments dont la
nouvelle école allait s'emparer pour le détruire et le nier : elle eut
beau faire, elle mit quelque chose de lui dans presque tous ses
chefs-d'œuvre. Et le symbolisme, qui lui succéda, devait en mettre
davantage encore dans les siens.

1. ESQUISSE SOMMAIRE
DU MOUVEMENT POLITIQUE ET SOCIAL.

Le développement de la littérature se lie à l'histoire générale
de la société française entre 1850 et 1890, et la correspondance
est assez facile à saisir. Sans élargir outre mesure le cadre de cette

---

1. A consulter : Martino, *Le Naturalisme français*, Colin, 1923. Et sur la plupart des écrivains de cette époque : J. Lemaître, *les Contemporains*, 7 vol. in-16.

étude, nous pouvons, comme pour la période précédente, tâcher de définir en deux mots le milieu social où va se produire le naturalisme.

Ce qui donne à ce demi-siècle sa physionomie, c'est d'abord la prédominance du positivisme scientifique sur la foi religieuse, en second lieu la prédominance des intérêts matériels sur les intérêts moraux, enfin la prédominance des questions politiques sur les questions sociales.

Il semble que l'influence de Rousseau et de Chateaubriand soit épuisée : la forme religieuse, enthousiaste, qu'ils avaient rendue aux âmes, s'efface. L'Église, par une fausse manœuvre qui lui a coûté cher, s'était laissé lier aux partis politiques : elle apparaissait comme la grande ennemie de la liberté et de l'égalité. L'hostilité à l'Église était le premier principe, la première nécessité de tout libéralisme. Mais, dans la génération de 1830, beaucoup avaient séparé le christianisme du catholicisme, et l'on avait vu des républicains évangéliques, des socialistes épris de Jésus. Ceux qui ne gardaient aucune attache avec la religion portaient dans le culte de l'humanité, dans l'amour du progrès même industriel, un enthousiasme d'apôtres, des dons étranges d'attendrissement sentimental et de ravissement mystique. La pensée se réalisait alors naturellement sous forme de religion : le chef d'école était un prêtre, l'École une Église[1]. Vers 1850, les âmes se dessèchent. Les nouvelles générations croient à la science — ce sont les hauts esprits; au succès, au bien-être — c'est le grand nombre. Positivisme scientifique, scepticisme voluptueux, matérialisme pratique, voilà les formes d'âme de très inégale valeur que la période où nous entrons offre le plus souvent.

Le second Empire a été, pour notre malheur, idéaliste dans sa politique extérieure, sans l'être d'ailleurs avec suite et clairvoyance : dans le gouvernement intérieur, il a capté les égoïsmes, séduit les intérêts, poussé toutes les parties de la nation vers l'exclusive recherche des avantages matériels. De la doctrine saint-simonienne, si large et généreuse à l'origine, il n'est guère resté l'utopie tombant, que la forte impulsion donnée à l'activité industrielle; du grand rêve humanitaire sort un accroissement prodigieux de richesse pour les classes moyennes. Le peuple, cependant, le paysan propriétaire surtout, mais aussi l'ouvrier salarié reçoivent leur part dans l'accroissement du bien-être universel : mais cette part est si justement mesurée par un calcul de politique plutôt que par un élan de justice ou de charité, que les appé-

---

1. Religion saint-simonienne, religion positiviste; Michelet, G. Sand. P. Leroux, J. Reynaud, etc.

tits s'y aiguisent au lieu de s'y satisfaire, du moins chez l'ouvrier.

L'Empire s'efforçait ainsi de durer : mais son origine lui rendait la chose malaisée. Il eut contre lui tous les partis qui représentaient les formes antérieures du gouvernement : légitimistes, orléanistes, républicains. Mais voici la vraie cause de sa faiblesse : au lieu qu'en 1830 la victoire du peuple sur la royauté violatrice de la Charte avait opéré la séparation du libéralisme et de la démocratie, en 1851 la restauration du pouvoir personnel réunit toutes les formes du libéralisme avec la démocratie dans une opposition irréconciliable : derrière les défenseurs de la légalité parlementaire se rangèrent les masses populaires des grandes villes, qui avaient foi encore à la République, au droit, à la liberté. Ainsi le second Empire fit repasser au premier plan les questions politiques et interrompit pour vingt-cinq ou trente ans en France le progrès des idées socialistes, si violemment déchaînées de 1830 à 1848. Les revendications sociales s'effacèrent, et pendant tout le second Empire, l'objet de l'opposition, dans la nation comme à la Chambre, fut la restauration du régime parlementaire.

Le coup d'État du 2 décembre avait supprimé l'éloquence politique. Elle reparut peu à peu au Corps Législatif et au Sénat, à mesure que le droit de discussion, le droit d'interpellation, la publicité des débats furent rétablis. De 1860 à 1870, les orateurs des partis coalisés pour l'opposition ne donnèrent pas de répit aux ministres de l'Empire, qui n'avaient pas pour eux la supériorité du talent. Exploitant avec une passion adroite toutes les fautes, toutes les iniquités, toutes les incohérences de la politique extérieure et intérieure du gouvernement, ils ne lui laissèrent d'autre soutien que l'intérêt de la masse rurale, à qui l'Empire paraissait une garantie de paix et de bien-être.

L'Empire renversé, la lutte fut entre les partis, monarchistes contre républicains d'abord, et « cléricaux » contre « anticléricaux ». Puis l'écrasement des partis monarchiques, la retraite de l'Église hors du champ de bataille politique, donnèrent au régime républicain une assiette solide : mais au lendemain de la victoire s'est produit, comme on pouvait s'y attendre, la dislocation de la majorité. Derrière les rivalités politiques et les divisions parlementaires, une séparation plus grave s'est faite, celle du libéralisme bourgeois et de la démocratie socialiste. La situation redevient, sous la Troisième République, ce qu'elle était sous la monarchie de Juillet, avec cette différence que le socialisme, grâce au suffrage universel, n'est plus seulement dans la rue, mais à la Chambre. Dès lors, la politique repasse au second plan. Une guerre sociale s'ouvre, et ce que les uns défendent, ce que les autres attaquent, c'est la propriété, base et symbole à la fois de tout l'ordre établi.

Il s'en faut, encore ici, que tous les directeurs de ces divers mouvements aient droit de figurer dans une histoire littéraire : elle ne doit tenir compte que de quelques hommes, qui ne sont pas toujours les plus grands par la pensée ou les actes.

2. PUBLICISTES ET JOURNALISTES.

La presse du second Empire, soumise à un dur régime de censure, d'amendes et de procès, nous offre trois remarquables tempéraments d'écrivains : Veuillot, Prévost-Paradol, About.

Louis Veuillot[1], d'origine populaire, et qui se cultiva sans s'éloigner du peuple, homme de volonté forte et d'ardente charité, devint catholique en visitant Rome : le catholicisme lui apparut comme l'unique croyance où les misérables pouvaient se consoler, comme l'unique autorité qui devait guérir les misères. Rédacteur (1843), puis directeur (1848) de l'*Univers*, il se fit le serviteur de l'Église catholique, serviteur sans défaillance et sans complaisance, impérieux aux amis, injurieux aux adversaires. Il fit une rude guerre à l'Université, foyer d'athéisme et de corruption, aux études classiques, à tous les libéralismes, à toutes les libres pensées, ne séparant pas les modérés des révolutionnaires, ni les spiritualistes des matérialistes; il fit la police de l'Église française, interdit par Dupanloup, appelant à Pie IX, défendant le pouvoir temporel, poursuivant l'extermination du gallicanisme, lançant l'anathème et l'invective contre tous ceux qui contestaient l'infaillibilité du pape. Ce fut un superbe pamphlétaire, dont l'absolu désintéressement, l'humilité profonde, mirent à l'aise le tempérament; écrivain puissant, nourri des grands maîtres au commerce desquels il a développé son originalité, ayant une rare intelligence littéraire, il a écrit des pages qui vivront par la vivacité mordante de l'esprit ou par l'éclat violent de la passion.

Prévost-Paradol[2], normalien, esprit brillant, inquiet, ambitieux,

---

1. Biographie : Veuillot (1813-1883), fils d'un ouvrier tonnelier, travailla d'abord dans les journaux de province, et fut un moment secrétaire du maréchal Bugeaud (1842). Sa conversion date de 1838. L'*Univers* fut suspendu de 1861 à 1867. — **Éditions :** Soc. générale de librairie catholique, Paris et Bruxelles, in-8 et in-12. Je citerai : *les Odeurs de Paris* (1866), 1 vol. in-12; *Rome pendant le concile*, 2 vol. in-8; *les Libres penseurs*, 1 vol. in-12; *Dialogues socialistes* (*l'Esclave Vindex*, 1849), 1 vol. in-12; *Historiettes et fantaisies*, 1 vol. in-12; *Molière et Bourdaloue* (1877), in-12, etc. *Correspondance*, 6 vol. in-8. — **A consulter :** J. Lemaître, *les Contemporains*, 6ᵉ série, 1896, in-16; E. Veuillot, *Louis Veuillot*, 3 vol., 1899-1904; Vallet, *L. V.*, 1913; Tavernier, *L. V.*, 1913.

2. Biographie : Prévost-Paradol (1829-1870), sort de l'École Normale en 1851. Un de ses articles fait supprimer le *Courrier du Dimanche* en 1866. Il accepta le

entra aux *Débats* en 1856 : là, et dans le *Courrier du Dimanche*, il harcela l'Empire autoritaire de son ironie hautaine, plus désagréable aux gouvernants que dangereuse aux gouvernements, si ce n'est qu'elle tournait l'opposition politique en volupté intellectuelle, chose toujours de conséquence en France. Il est le plus remarquable de tous ces libéraux sortis des écoles, qui combattirent par la presse le régime impérial en attendant que la tribune leur fût rouverte. Paradol donna en 1868 un livre de la *France nouvelle* qui fit grand bruit : il y disait, avec une précision poignante de clairvoyance, la désorganisation et la faiblesse militaire de la France impériale, le conflit prochain et redoutable de la France et de l'Allemagne; mais il voyait aussi, avec une douleur non moins profonde[1], le mouvement démocratique qui emportait les masses, les aspirations égalitaires qui ne représentaient pour lui qu'une terrifiante anarchie. Paradol, qui ne put être député, était un pur parlementaire : le salut était pour lui dans certaines formes constitutionnelles. Lorsque l'Empire s'en revêtit, les instincts conservateurs de Paradol, étouffant ses défiances patriotiques, le rallièrent au régime qu'il avait ruiné, à la veille des désastres qu'il avait prédits, et auxquels il ne survécut pas.

Un autre normalien, tout voltairien d'esprit et de style, conteur exquis et charmant causeur, d'intelligence plus agile que forte, et plus en surface qu'en profondeur, impertinent, tapageur et gamin, Edmond About[2], fut un indépendant agréable à l'Empire, qui le

poste de ministre de France à Washington. Il se tua en juillet 1870; de tout temps il avait, dit-on, considéré le suicide comme un moyen de sortir des situations sans issue.

Éditions : *Du rôle de la famille dans l'éducation*, 1857, in-8; *les Anciens Partis* 1860, in-8; *Quelques Pages d'histoire contemporaine*, 4 séries, in-18, 1862-66; *Études sur les moralistes français*, 1864, in-18; *la France nouvelle*, 1868, in-18. **A consulter :** O. Gréard, *Lettres de P.-P.*, in-16, 1894.

1. Il en voulait aussi à l'empereur et à ses gens de tenir le pouvoir et l'argent, c.-à-d. la source des jouissances.

2. **Biographie :** E. About (1828-1885), Lorrain, au sortir de l'École Normale alla à l'École d'Athènes, d'où il a rapporté cette satire plus amusante que juste ou charitable, *la Grèce contemporaine* (1855). Pour *Tolla* (1855), il fut violemment accusé de plagiat. Il eut au théâtre des chutes éclatantes : *Guillery*, au Théâtre-Français (1856), et surtout *Gaëtana*, à l'Odéon (1862). Il écrivit au *Figaro*, au *Moniteur*, à l'*Opinion Nationale*, au *Gaulois*. Après la guerre, il fonda *le XIXᵉ siècle*, journal républicain.

Éditions : Romans et nouvelles : *Tolla*, Hachette, in-16; *Mariages de Paris* (1856), in-16; *le Roi des Montagnes* (1856), in-16; *Trente et Quarante* (1858), in-16; *l'Homme à l'oreille cassée* (1861), in-16; *le Nez d'un notaire* (1862), in-16; *les Mariages de province* (1868), in-16. — Pamphlets et articles de journaux : *la Question romaine*, Bruxelles, gr. in-8, éd. française 1861; *Rome contemporaine* (1860), in-8; *le XIXᵉ siècle*, publ. par J. Reinach. — Divers : *Alsace* (1871-72). in-16.

protégea, le décora. Il y avait un point pourtant sur lequel About ne transigeait pas, c'était la question religieuse; il représentait l'opinion *anticléricale* dans le parti bonapartiste, et il combattit toujours vivement le gouvernement lorsqu'il voulut se servir de l'Église ou parut la servir. La guerre de 1870 fit de cet Alsacien un républicain : il se jeta alors avec passion dans le journalisme, où il n'avait été jusque-là qu'amateur. Mêlant ensemble républicanisme, anticléricalisme et patriotisme, il écrivit de brillants articles, où tout l'esprit, toute la sincérité de l'écrivain ne masquent pas certaine maigreur ou étroitesse de la pensée, depuis que l'actualité ne les soutient plus[1].

Après 1870, la presse, débarrassée de toutes les entraves, s'est transformée. Les écrivains politiques, n'ayant plus à ruser avec un pouvoir fort, ont pu s'exprimer en toute sincérité, et d'autres mérites de style — la fougue, l'émotion, la rigueur logique — se sont substitués à ceux, plus discrets, dont devait nécessairement user la presse sous l'Empire. Mais surtout l'information sous toutes ses formes a sans cesse occupé plus de place dans les journaux, au détriment de la pensée.

3. LES ORATEURS POLITIQUES.

Dans le grand nombre des orateurs et des hommes d'État qui soutinrent à la tribune les croyances ou les intérêts de leurs partis, il faut distinguer trois hommes, comme représentant les formes supérieures de l'éloquence politique : Thiers, Jules Favre et Gambetta.

Thiers[2] doit beaucoup au second Empire. Par sa politique et par sa chute, l'Empire fournit à Thiers la plus belle situation que jamais homme d'État puisse rêver : celle où tous les intérêts personnels coïncident avec le bien public et le devoir patriotique, celle où il suffit de s'oublier pour s'élever, de penser à soi pour bien mériter de tous. Tout ce qu'il y avait de petit, d'étroit, d'égoïste dans Thiers disparut par le bénéfice des circonstances; et il faut dire qu'il ne leur faillit point. Il saisit de toute son intelligence, de tout son cœur le rôle qui lui était présenté; et tout en lui, défauts et qualités, y servit. A la clarté de sa parole s'évanouis-

---

1. Bien d'autres noms seraient à citer, notamment Arthur Ranc, écrivain âpre et incisif, âme vaillante et inflexible, qui occupait une grande place dans la presse pendant les premières années de la Troisième République, et Henri Rochefort, le fondateur de *la Lanterne* (1868) qui fit tant de mal à l'Empire en appliquant la blague du boulevardier et l'esprit du vaudevilliste aux questions politiques.

2. Cf. p. 921. — Thiers, banni en 1851-52, redevint député en 1863.

saient les budgets, se découvraient les fautes politiques de l'Empire. Son expérience diplomatique, ses connaissances militaires, son réel patriotisme lui faisaient dénoncer dès 1864 l'imprudence d'un gouvernement qui laissait grandir la Prusse et n'avait pas d'armée. Jusqu'en 1870, il ne cessa de prophétiser sans être cru. Après le désastre, il lui suffit de s'attacher à sa place pour réduire à l'impuissance les minorités monarchiques; il lui suffit de rester le président de la République pour fonder la République : quand il se retira (le 24 mai 1873), il était trop tard, l'heure d'une restauration avait passé. Dans ce rôle encore, il fut admirable de souplesse, de netteté d'esprit, d'éloquence dans toutes les occasions qu'il eut de parler ou d'écrire.

Jules Favre[1], Lyonnais, républicain dès 1830, avocat des procès politiques de la monarchie de Juillet, démocrate un peu incohérent dans la Seconde République, défenseur d'Orsini[2], rentra au Corps législatif en 1858. Orateur ardent, parlant une belle langue, étoffée, ample, ferme, correcte, il fut le chef de l'opposition. La déconsidération profonde que la lointaine expédition du Mexique jeta sur le gouvernement, est due en grande partie à l'éloquence passionnée de Jules Favre, qui pendant quatre sessions ne laissa passer aucune faute, aucun scandale de cette malheureuse entreprise. Chrétien, mystique, sentimental, il laissait parfois déborder dans son éloquence des effusions un peu troubles; il n'évitait pas toujours la déclamation ni le *pathos*, lorsqu'il se laissait aller à son émotion. Ce grand orateur fut dix ans dans le Parlement de la Troisième République, sans éclat, sans crédit, sans récompense.

Un procès politique fit connaître Gambetta[3] tout à la fin de l'Empire; c'était un fougueux Méridional, à la parole éclatante et large, très avisé, très intelligent, très maître de sa volonté, capable de voir plus haut que les intérêts et les haines de parti : un véritable homme d'État. Je laisse son grand rôle dans la guerre de 1870 : l'orateur seul nous appartient. Il disciplina le parti républicain, en calma les impatiences, lui imposa la confiance en

1. **Biographie** : Jules Favre appartint au barreau de Lyon de 1831 à 1836. De 1848 à 1851, il vota tantôt avec la droite, tantôt avec la gauche. Député de Paris en 1858, de Lyon en 1863 (élu aussi à Paris), de Paris en 1869. Membre du gouvernement de la Défense Nationale en 1870. Il meurt en 1880, sénateur. — **Éditions** : *Discours parlementaires*, 4 vol. in-8, 1881; *Plaidoyers politiques et judiciaires*, in-8, 1882, Plon et Cie. — **A consulter** : M. Reclus, *J. Favre*, 1912.

2. Italien, qui avait jeté une bombe sous la voiture de l'empereur.

3. **Biographie** : Léon Gambetta (1838-1882), de Cahors, plaide en 1868 pour Delescluze; élu député en 1869 à Paris et à Marseille. Membre du gouvernement de la Défense Nationale en 1870, chef de la délégation de Tours. Président du conseil en 1881. — **Éditions** : *Discours et plaidoyers politiques*, Charpentier, 11 vol. in-8, 1881-85. P. B. Gheusi, *Gambetta par Gambetta* (*Lettres*), 1909.

Thiers. Il classait les problèmes, les réformes, marquant toujours un but principal, mais ne fixant jamais de terme où l'on n'aurait plus rien à faire : il voulait que le progrès de la démocratie se fît par un mouvement régulier et continu. Sa hauteur d'esprit et son patriotisme lui représentaient l'union morale des Français comme un objet désirable; déposant les rancunes après la victoire de ses principes, il ne voulait pas maintenir indéfiniment les mots d'ordre et les moyens de combat qu'imposaient les nécessités provisoires de la politique. Mais c'étaient là de trop grandes vues. On ne le laissa pas gouverner; et quand il fut mort, on revint peu à peu aux idées pour lesquelles on avait renversé son ministère. Quel malheur qu'avec cette éloquence puissante, cette pensée forte et généreuse, Gambetta ait parlé une mauvaise langue, trouble, incorrecte, abondante en jargon! On souffre dès aujourd'hui à le lire; et pourtant, si médiocre que soit la forme, le mouvement y est encore, parfois la flamme.

L'éloquence politique, dont le commencement remonte presque aux débuts du régime parlementaire, a subi, pendant les années 1880-90, une modification momentanée. Ce qui maintient et produit la grande, la retentissante éloquence, ce sont les luttes de principes, les questions universelles : inversement la multitude des intérêts nombreux, pressants, divers auxquels se heurtait maintenant l'organisation du nouveau régime incitait les orateurs à se muer en hommes d'affaires, capables surtout d'exposer clairement, de discuter précisément, sans bruyants éclats, sans gestes violents, qui troublent l'intelligence et distraient l'attention. En même temps, le goût littéraire évoluait en tout vers la simplicité[1], vers la familiarité, parfois même le débraillé : la causerie sans-façon s'introduisait à la tribune; insensiblement les magnifiques rhéteurs se démodèrent, parurent un peu ridicules. L'éloquence sembla devenir une chose d'un autre âge. Tout devait revenir en l'état quand s'affrontèrent d'abord deux conceptions de la justice, puis de l'ordre social, puis de l'ordre européen. Les principes étant remis en cause, on a vu renaître la grande éloquence, le goût de l'ample développement oratoire avec Waldeck-Rousseau, Millerand, Briand, Poincaré, Jaurès : celui-ci plus ample, plus cicéronien, à la fois plus poète, plus philosophe et plus rhéteur; les autres de forme plus simple et plus pratique, plus hommes d'action et hommes d'affaires[2].

1. Entendez le dédain des ornements : mais cette simplicité moins parée est souvent plus compliquée.

2. De la génération antérieure, il faut citer Challemel-Lacour, orateur sobre, sévère et nerveux, qui parut trop rarement à la tribune.

4. ORATEURS UNIVERSITAIRES ET CONFÉRENCIERS LITTÉRAIRES.

J'ai parlé précédemment, pour n'y pas revenir, de l'éloquence religieuse : force est bien de constater que nul, malgré l'orientation démocratique de l'Église, n'a remué les masses comme faisait Lacordaire, — pas même le père Samson.

L'éloquence judiciaire, comme toujours, se subordonne à l'éloquence parlementaire. Les grands avocats sont d'ordinaire les meneurs des Chambres; les grands procès sont des affaires politiques[1]. Au reste, l'éloquence du barreau échappe de plus en plus à la littérature : elle se place ou bien hors de l'art, par la controverse juridique, ou au-dessous de l'art, par les gros effets. — Il convient toutefois d'excepter de ce reproche certains membres illustres du barreau, Raymond Poincaré, Waldeck-Rousseau, Millerand, qui ont donné au Palais l'exemple d'une éloquence moins pompeuse et plus réaliste.

Reste l'éloquence d'enseignement. La période qui nous occupe n'a pas l'éclat de la précédente. L'esprit scientifique, ici encore, est victorieux aux dépens du talent oratoire : le dédain de l'éloquence est sensible chez Taine et Renan; celui-ci même donne un sens défavorable aux mots *littérateur* et *littérature*. La mode n'est plus aux amples expositions qui émerveillent un auditoire nombreux, peut-être incompétent. Après l'inertie que l'Empire a favorisée, l'activité, le travail reprennent, mais les maîtres s'enferment dans leurs laboratoires avec quelques élèves. La tradition des cours publics est relevée avec éclat par Caro[2]; elle paraît si lointaine que son succès étonne, scandalise, et permet de le couvrir de ridicule.

C'était pourtant un homme de réelle valeur, instruit, intelligent, d'une rare probité intellectuelle, plus apte à expliquer les systèmes qu'à les réfuter, et ne dissimulant rien des doctrines qu'il ne réussissait pas à détruire : il avait la parole un peu trop ronde et fleurie, élégante et chaude. Ses dons d'orateur lui firent la réputation de ne point penser.

A partir de 1891, un orateur puissant se révéla en Brunetière, dont la sévère méthode, le rigoureux enchaînement de doctrine

---

1. Jules Favre (procès d'Orsini); Gambetta (procès de Delescluze); avec eux, Dufaure.

2. E.-M. Caro (1826-1887), professeur à la Faculté des Lettres de Paris en 1864. — **Éditions :** *Œuvres*, Hachette, 17 vol. in-16 (*Études morales sur le temps présent*, 2 vol.; *l'Idée de Dieu et ses nouveaux critiques*, 1 vol.; *le Pessimisme au XIXe s.*, 1 vol.; *le Matérialisme et la science*, 1 vol.; *M. Littré et le positivisme*, 1 vol., etc.).

saisirent fortement le public : sans nulle concession à la frivolité
des auditeurs, il les gagnait par l'ardente conviction que son action,
sa voix, toute sa personne dégageaient. (Cf. p. 1186).

A l'éloquence universitaire doit s'annexer une autre forme de la
parole publique qui s'est développée surtout depuis 1870. Je
veux parler de la conférence. Littéraires, politiques, économiques,
scientifiques, anecdotiques, humoristiques, quelles conférences
n'a-t-on pas eues depuis lors? Tout le monde s'y est mis : avocats,
professeurs, députés, comédiens, femmes. Et chaque conférencier
y a porté la distinction ou la médiocrité qui lui appartenait dans
l'exercice de ses fonctions ordinaires. Je ne vois qu'un homme à
signaler, qui vraiment fît de la conférence autre chose qu'un
discours ou une lecture, et s'y créa une forme originale de parole.
C'est Sarcey[1]. Comment définir ses conférences? Était-ce de l'éloquence? était-ce du théâtre? Je ne sais trop. Ne pourrait-on pas
dire qu'il a inventé une variété de *monologue*, le *monologue* à
sujet littéraire, joué par l'auteur? Il est certain que ni les idées
— et il y en a beaucoup — ni l'esprit — et il y en a plus encore —
ni tous les dons du critique, de l'écrivain, de l'orateur même, ne
suffisent à expliquer le plaisir complexe et complet que donnait,
à la foule comme aux délicats, Sarcey mettant en scène les idées
de Sarcey sur Corneille ou sur Racine.

1. Cf. p. 1191.

CHAPITRE II

LA CRITIQUE

Vinet, Schérer. — 1. Sainte-Beuve; la critique biographique. L'*histoire naturelle des esprits*. Réalisme psychologique des *Lundis* et de l'*Histoire de Port-Royal*. — 2. Taine; la psychologie scientifique. Influence de sa doctrine. Déterminisme littéraire : la race, le milieu, le moment. Principes de l'imitation artistique de la nature; principes de la classification des œuvres. Caractères généraux de l'œuvre de Taine. — 3. Fromentin : la critique d'art fondée sur le métier; définition, mais non détermination de l'individualité.

La critique, dans la seconde moitié du xixe siècle, a exercé une très forte action sur la création littéraire. C'est qu'elle n'imposait plus aux écrivains un idéal absolu, un « canon » de beauté, sur lequel ils devaient « patronner » leurs œuvres : elle était comme le canal qui amenait en leur conscience les résultats, les hypothèses ou les méthodes de l'histoire, de la philosophie, de la science. La direction de l'esprit public n'appartenait plus à la littérature, qui demandait à la critique les moyens de se mettre en harmonie avec les besoins nouveaux des intelligences.

La première partie du siècle appartient à Villemain[1], qui met à l'épreuve les idées de Mme de Staël, et aux théoriciens du romantisme, qui, plus ou moins confusément, expliquent ou justifient la révolution accomplie dans les œuvres. Le plus avisé, le plus fin de ces apologistes fut Sainte-Beuve, qui, comme je l'ai dit plus haut, joua aux classiques le bon tour de leur escamoter la poésie du xvie siècle qu'ils avaient eu le tort d'oublier, pour l'annexer au romantisme désireux de se créer une tradition et des ancêtres. C'est Sainte-Beuve que nous retrouvons d'abord dans la période qui nous occupe : de 1840 à 1865 environ, il est le maître incontesté de la critique.

Mais je dois, avant de me tourner vers lui, nommer deux hommes de grand talent, qui sont en dehors du courant principal

1. Cf. p. 926.

des idées littéraires, et que pourtant l'on ne saurait oublier.
A. Vinet[1], un Suisse, un protestant, a mêlé de fortes préoccupations morales à l'étude des œuvres littéraires : esprit grave,
solide, ingénieux, fécond en idées et en vues sur toutes les parties
de notre littérature qui posent le problème moral ou religieux.
E. Schérer[2] enfin, d'origine suisse aussi, protestant aussi, mais
protestant libéré, critique subtil et hardi, théologien devenu
philosophe, très au courant des choses d'Angleterre et d'Allemagne, a ainsi exercé une réelle, bien que restreinte, influence.

1. SAINTE-BEUVE.

Une puissance de création médiocre; un peu de jalousie, de
malignité à l'égard des grands contemporains, où l'on sent un
dépit de n'avoir pas percé soi-même au premier rang; un excès
de sévérité pour les vaincus du combat politique qui ne sont pas
satisfaits de leur défaite, une insistance à les convertir, où le journaliste payé et protégé par le pouvoir se découvre trop, et qui
fait que des *Lundis*, à les lire tout d'une suite, émane un déplaisant
parfum d'officiosité; certain goût de commérages et d'investigations scabreuses, où l'on devine que, sous prétexte d'exactitude
historique, se satisfait une imagination inapaisée de vieux libertin : voilà le mal qu'on peut dire de Sainte-Beuve[3]. C'est, au reste,

1. Alexandre Vinet (1797-1847) professa à Bâle, puis à Lausanne. — Édi-
tions : *Histoire de la litt. fr. au XVIIIe s.*, 2 vol. in-8, 1853; *Études sur B. Pascal*,
1848, in-8; *Moralistes des XVIe et XVIIe s.*, 1849, in-8.

2. Edmond Schérer (1815-1889), né à Paris, étudia en Angleterre et à Strasbourg, professa l'exégèse religieuse à Genève, et donna sa démission en 1850. —
Éditions : *Mélanges d'histoire religieuse*, in-18; *Études sur la litt. contemporaine*,
9 vol. in-18; *Diderot*, 1881; *Melchior Grimm*, Calmann-Lévy, in-8, 1887.

3. Biographie : Aug. Sainte-Beuve (1804-1869), né à Boulogne-sur-Mer, étudia
la médecine, puis se lia avec les romantiques, et fit paraître, en 1828, son *Tableau
de la poésie au XVIe s.* (éd. nouvelle, 1843). Il donna ses *Poésies de Joseph Delorme*
(1829) et ses *Consolations* (1830), fut un moment saint-simonien sous l'influence
de Pierre Leroux, puis, après avoir défendu l'irréligion du XVIIIe s., subit l'influence de Lamennais et de l'abbé Gerbet. En 1834 parut le roman de *Volupté*.
D'un cours fait en 1837 à Lausanne sortit l'*Histoire de Port-Royal* (1840-1860);
d'un cours professé à Liège en 1848, l'ouvrage intitulé *Chateaubriand et son
groupe littéraire* (1860). Professeur au Collège de France, puis à l'Ecole Normale,
il fut nommé sénateur en 1865. Il avait dès 1829 commencé à faire des *Portraits
littéraires* : en 1850, il entreprit dans la série des *Causeries du
lundi*; il passa ensuite au *Moniteur* et au *Temps*. — Éditions : *Port-Royal*,
Hachette, 7 vol. in-18; *Poésie au XVIe s.*, 1 vol. in-18, Charpentier; *Portraits
contemporains*, Calmann-Lévy, 5 vol. in-12; *Causeries du lundi*, Garnier, 15 vol.
in-18; *Premiers Lundis* et *Nouveaux Lundis*, 13 vol. in-18, C.-Lévy. Une édition
des principales études littéraires, regroupées par auteur, a paru chez Garnier,
par les soins de M. Allem. *Correspondance*, C.-Lévy, 2 vol. in-12, 1877-78; *Nouv.*

l'intelligence la plus fine, la plus souple, la plus curieuse, la plus « soupçonneuse » de problèmes et de difficultés, qui ait jamais été appliquée à la critique.

Très agile et très mobile, Sainte-Beuve a traversé tous les milieux, romantisme chrétien, xviiie siècle sceptique, sciences médicales, saint-simonisme : rien ne l'arrête; dès qu'il a compris, il échappe. Les impuissances de l'auteur servent au développement du critique : il essaie le roman et la poésie, de façon à connaître le métier. Il n'est d'aucune spécialité, d'aucune école, d'aucune église. Ce voluptueux matérialiste parle gravement, dévotement du jansénisme. Son esprit est plus compréhensif que toute doctrine : il ne veut que comprendre et expliquer; et comprendre, pour lui, c'est aimer; expliquer, c'est justifier. Il n'est guère capable de tenir rigueur à ce qui exerce son intelligence.

Malgré ses allures de dilettante, il a couvert sa curiosité d'une intention de philosophie et de science. Il semble d'abord qu'il continue l'œuvre de Villemain, qui avait été de réduire la critique littéraire à l'histoire. Villemain, largement, un peu lâchement, en orateur, avait établi les relations de quelques grands mouvements littéraires aux faits sociaux correspondants : Sainte-Beuve pousse plus loin, cherche des correspondances plus fines, des déterminations plus rigoureuses. Villemain traçait les lignes générales, les grandes directions d'une vaste période : il laissait flotter dans ces larges cadres les individus, de qui émanent immédiatement les œuvres. Sainte-Beuve s'attache aux individus : et par là il introduit d'abord une relativité plus grande dans la critique. Il cherche, dans l'œuvre littéraire, l'expression, non plus d'une société, mais d'un tempérament : tous ses jugements sur un livre sont des jugements sur un homme. Il remet cet homme sur pied, en pleine réalité, il le rattache par tous les côtés à la terre, selon son expression; il suit dans son origine, dans son éducation, dans ses fréquentations, dans toute sa vie intime et domestique, la formation, les agrandissements, les abaissements du caractère et de l'esprit. A la fin de ces minutieuses enquêtes, l'homme, et par l'homme le livre, se trouve relié à quelque courant connu et défini de la civilisation générale.

Mais l'histoire n'est pas, pour Sainte-Beuve, le terme ou le but de la critique : il a la prétention d'être un philosophe, un savant;

Corr. 1880, in-12; *Lettres à la princesse*, 1873, in-18. **A consulter :** Levallois, *Sainte-Beuve*, 1872, Nicolardot, *Confession de Sainte-Beuve*, 1882; Brunetière, *Évolution de la critique*, 8e leçon; E. Faguet, *Politiques et Moralistes*, 3e série, G. Michaut, *S. B.* Hach. 1921; Bellessort, *S. B. et le XIXe siècle*, 1927, Perrin; V. Giraud, *le « Port-Royal » de S. B.* Mellottée, 1929; Allem, *Volupté*, 1932, Malfère.

il cherche des lois générales. Il donne ses études sur les individus pour une « série d'expériences » qui forment « un long cours de physiologie morale ». Il se piquait de faire « l'histoire naturelle des esprits ». Il pensait qu'il y a des familles d'esprits, comme en histoire naturelle il y a des races et des variétés. Mais on ne voit pas que Sainte-Beuve ait constitué ces familles d'esprits : il a poursuivi partout l'individualité en ce qu'elle a de plus distinct. Je ne lui en ferai pas un reproche; mais cette méthode est juste le contraire de la science.

En réalité, Sainte-Beuve, se couvrant de quelque dessein scientifique, a poursuivi son plaisir. Et ce plaisir, c'était le spectacle de l'individu vivant. Il n'y a pas tant à raffiner sur son cas : c'est un homme que le jeu des réalités morales a prodigieusement intéressé. Regardez les deux grandes masses qui constituent son œuvre : les *Lundis* et l'*Histoire de Port-Royal*. Ces *Lundis* sont une incohérente collection d'âmes individuelles : Sainte-Beuve ne s'emprisonne pas dans la littérature; il suffit qu'un homme ou une femme ait écrit quelques lettres, quelques lignes, pour lui appartenir : le général Joubert aussi bien que Gœthe, et Marie Stuart avec Mlle de Scudéry; généraux, ministres, gens de lettres et gens du monde, français, anglais, allemands, toutes sortes d'individus l'arrêtent; il extrait de leurs accidents biographiques toutes les particularités psychologiques et physiologiques qui les définissent en leur unique caractère. L'admirable *Port-Royal*, où revit toute une partie de la société française du xviie siècle, où se dessine une des grandes forces qui ont agi sur la littérature de ce temps, ce *Port-Royal* est surtout un chef-d'œuvre de restitution psychologique. Dans l'identité de la doctrine janséniste, Sainte-Beuve suit l'irréductible distinction des tempéraments, marque les formes et les valeurs très diverses qu'ils ont imprimées aux communes idées : au bout du livre, on a moins retenu l'évolution du jansénisme que des physionomies de jansénistes. L'auteur nous a présenté un groupe historique, nullement une espèce morale : il y a là autant d'espèces que d'individus.

Sainte-Beuve a donné — rien de plus, rien de moins — d'étonnantes biographies d'âmes. Sa critique est purement réaliste, d'une grande valeur artistique par l'expression des caractères individuels, d'une insignifiante portée scientifique, parce qu'il n'y a pas de science de l'individu.

2. TAINE.

Hippolyte Taine[1] a été le théoricien du naturalisme, et en général de la littérature à intentions ou prétentions scientifiques. Son influence, depuis 1865 environ, a été immense. Son œuvre se distribue en trois masses principales : philosophie, critique, histoire.

Le livre *de l'Intelligence* parut en 1870 : il y avait vingt ans que Taine l'avait dans la pensée. C'est un puissant effort pour faire de la psychologie une science dans toute la rigueur du mot. Je n'ai pas à discuter ni même à exposer la valeur philosophique de ce système original, où Taine, utilisant et dépassant certaines théories de Condillac et des philosophes anglais contemporains, Stuart Mill, Bain, Spencer, réduisait l'esprit à être « un flux et un faisceau de sensations et d'impulsions, qui, vus par une autre face, sont aussi un flux et un faisceau de vibrations nerveuses[2] », faisait de la faculté d'*abstraction* l'unique faculté qui distingue l'intelligence humaine de l'intelligence des animaux, et engendrait toutes les idées, l'idée même du *moi*, par une série d'opérations d'abstraction. Je ne veux ici qu'indiquer les points saillants ou simplement apparents qui saisirent l'attention des littérateurs, des artistes, du public cultivé, et par lesquels, à l'exclusion du reste ou à peu près, s'exerça l'influence du système hors de la philosophie.

La méthode d'abord, sévèrement expérimentale : « de tout petits faits bien choisis, importants, significatifs, amplement circonstanciés et minutieusement notés, voilà aujourd'hui la matière de toute science[3] ». Et voilà l'origine du document humain : de là les carnets de notes que remplissent fiévreusement

---

1. **Biographie** : H. Taine (1828-1893), né à Vouziers, entre à l'Ecole Normale en 1848, professe peu de temps, étant très suspect pour ses opinions philosophiques. Outre les ouvrages que je nomme ci-dessous, il a écrit un *Voyage aux Pyrénées* (1855), des études sur les *Philosophes français du XIX*ᵉ *siècle* (1855-56), la *Vie et les opinions de Thomas Graindorge* (1863-65), des *Notes sur l'Angleterre* (1872). — **Éditions** : Hachette, in-18 : *De l'Intelligence*, 1870; *Histoire de la Littérature anglaise*, 1863; *Philosophie de l'art*, 1881; *Essais de critique et d'histoire*, 1858; *Nouveaux Essais*, 1865; *Origines de la France contemporaine*, 1875-90 (*Ancien Régime*, 1 vol.; *Révolution*, 3 vol.; *Empire*, 2 vol.); *Derniers Essais*, 1894; *Carnets de voyage*, 1896. — **A consulter** : F. Brunetière, *Evolution de la critique*, 9ᵉ leçon; G. Monod, *Renan, Taine, Michelet*, 1894, in-18; in-8; V. Giraud, *Essai sur Taine, son œuvre et son influence*, 1901; E. Faguet, *Politiques et Moralistes*, 3ᵉ série; Aulard, *Taine historien de la Révolution française*, 1907; *Taine, sa vie et sa correspondance*, 4 vol., Hachette, 1901-1907; Chevrillon, *Taine, formation de sa pensée*, 1932, Plon.

2. Préface de l'*Intelligence*.

3. *Ibid.*

nos romanciers, et qui se déversent dans leurs œuvres; de là l'usage du fait divers, judiciaire ou médical, et ce *reportage* acharné qui est la forme vulgaire de la chasse aux *petits faits.* D'autant que par Taine s'est vulgarisée une notion qui a donné aux romanciers une haute idée de leur fonction : la base de l'histoire doit être la psychologie scientifique, et « ce que les historiens font sur le passé, les grands romanciers et dramatistes le font sur le présent[1] ». Quel est le romancier qui refuserait d'être un *grand* romancier, en s'abstenant de faire de la science?

Taine liait tous les faits psychologiques à des faits physiologiques : toutes nos idées et sensations sont conditionnées par des mouvements moléculaires des centres nerveux. Il ramenait l'idée à l'image et l'image à la sensation. Ces fines observations, ces exactes analyses se traduisent grossièrement en littérature par cette notion : il n'y a dans l'homme que des sensations et des instincts : tout le reste est mensonge, sottise, spiritualisme, indigne de l'attention d'un savant. Puis — comme, pour obtenir le grossissement des faits sans lequel l'observation, partant l'explication auraient été impossibles, Taine recueillait les cas anormaux, singuliers, extrêmes, somnambulisme, hypnotisme, hallucination, aliénation mentale, — nos littérateurs ont estimé que le propre objet du roman sérieux était le *moi* détraqué, jamais le moi normal, et qu'il n'y avait point de psychologie sans *névrose.* Enfin, en regrettant de n'avoir pas de mémoires où Poe, Dickens, Balzac, Hugo, « bien interrogés », auraient livré le secret de leur mécanisme mental, Taine a indiqué aux psychologues un curieux sujet d'études; mais il a donné à nos romanciers une fâcheuse idée de leur importance, il les a provoqués à des examens, des étalages de leur *moi,* qui n'apportent guère de lumières à la science, sinon peut-être sur la vanité du type « littérateur ».

Taine, à l'analyse, n'aperçoit plus, dans l'univers moral et physique, que des sensations et des mouvements : chaque être est « une ligne d'événements dont rien ne dure que la forme »; selon notre perception des choses, « un écoulement universel, une succession intarissable de météores qui ne flamboient que pour s'éteindre et se rallumer et s'éteindre encore sans trêve ni fin, tels sont les caractères du monde », et la nature est « comme une grande aurore boréale[2] ». Par ces mots et par sa théorie de l'*hallucination vraie,* Taine définit la presque constante position de la poésie en face de la réalité, depuis la fin du romantisme jusqu'à la fin du siècle : l'universel écoulement, l'universelle illusion, n'est-ce pas là le thème commun?

1, 2. Préface de l'*Intelligence.*

L'*Essai sur La Fontaine et ses fables* (1853[1]), l'*Essai sur Tite-Live* (1856), mais surtout l'*Histoire de la littérature anglaise* (1863) et les études sur la *Philosophie de l'art* (1865-1869), voilà les maîtresses pièces de la critique de Taine. Cette critique procède de sa philosophie : elle en fait même partie intégrante; toutes les études littéraires de Taine sont des « observations » de psychologie scientifique. « L'homme, dit Spinoza, n'est pas dans la nature comme un empire dans un empire, mais comme une partie dans un tout, et les mouvements de l'automate spirituel qui est notre être sont aussi réglés que ceux du monde matériel où il est compris. » Voilà le principe, formulé dans la *Préface* de l'*Essai sur Tite-Live*. Déterministe, puisqu'il veut faire de la science, Taine professe que les œuvres littéraires sont des produits nécessaires dont une bonne méthode peut expliquer les éléments et la formation. Sainte-Beuve a fait des « cahiers de remarques[2] »; on doit aller plus loin que lui, pour avoir une connaissance complète. La littérature est déterminée par trois causes générales, la *race*, le *milieu* (physique ou historique), le *moment* (poids du développement antérieur, pression de ce qui est sur ce qui veut être). « Il n'y a ici comme partout qu'un problème de mécanique : l'effet total est un composé déterminé tout entier par la grandeur et la direction des forces qui le produisent[3]. »

Ainsi la littérature anglaise est le produit de la race anglaise, sous tel climat, dans telles circonstances historiques, telles croyances religieuses : Shakespeare, Milton, Tennyson, sont des « résultantes », qui représentent diverses forces appliquées en divers points. Les *Fables* de La Fontaine s'expliquent par le caractère de la Champagne, patrie de l'auteur, par la vie qu'il a menée, et par les habitudes intellectuelles et morales de la société du XVIIe siècle. La tragédie française est ce que, dans notre race, devait donner la tradition antique à la cour de Louis XIV.

Cette forte doctrine a le défaut de tout expliquer : elle ne fait pas apparaître les éléments encore inexplicables de l'œuvre littéraire. Elle ne tient pas compte de la nature individuelle : non pas du caractère, qui est résolu en influences composées de la race, du milieu et du moment; mais du génie, de la précision de la vocation, et de l'intensité de la création. Je comprends bien pourquoi il y a eu une tragédie française : mais pourquoi l'individu Corneille, pourquoi l'individu Racine ont-ils fait des tragédies? La Fontaine, écrivant, devait manifester l'originalité analysée par Taine; devait-

---

1. Refait en 1860.
2. Préface de la *Littérature anglaise*.
3. *Ibid.*

il la manifester par des *Fables*? Je ne le vois pas clairement. Sans
faire intervenir la liberté, il y a là un effet dont les trois causes de
Taine ne rendent pas compte. Puis, la théorie explique Pradon et
Racine : elle explique même, je le veux bien, pourquoi Racine,
helléniste, janséniste, a mis dans son œuvre ce que Pradon, ignorant et galant, ne mettait pas dans la sienne; mais la différence
d'intensité, d'énergie dans les esprits, de beauté dans les ouvrages,
d'où vient-elle? Pourquoi le niveau de Pradon et de Racine n'est-il
pas le même? Voilà ce que la théorie ne fait pas voir. Tout ce qui
fait Shakespeare pouvait faire un Shakespeare médiocre aussi
bien qu'un Shakespeare puissant; l'écrivain est déterminé, la
grandeur de l'écrivain ne l'est pas. Il y a là un résidu inexplicable,
qu'il faut, en bonne critique, soigneusement dégager.

Dans ses belles études sur la *Philosophie de l'art*, Taine, procédant toujours, comme il a dit, en *naturaliste*, suit dans la sculpture
grecque, dans la peinture et la sculpture italiennes, dans la peinture des Pays-Bas, l'action déterminante de la race, du milieu et
du moment. Il donne les formules d'un art objectif, impersonnel,
classique, sinon de méthode, du moins d'effet : l'imitation de la
nature est posée comme l'objet de l'art, mais non pas l'imitation
exacte; ce que l'art imite, « ce sont les rapports et les dépendances des parties »; encore les altère-t-il souvent. Il a pour objet
les caractères *essentiels, dominateurs*; il les dégage, suppléant
à la nature partout où elle les fait insuffisamment saillir. Ainsi
l'œuvre d'art vaut plus ou moins, selon qu'elle exprime des traits
superficiels ou profonds, passagers ou permanents, du modèle
naturel : ce qui revient à dire, en fin de compte, selon sa plus ou
moins grande généralité. Au principe de classification des œuvres
d'art, Taine en ajoute deux autres. Elles se hiérarchisent selon que
le caractère exprimé est plus ou moins bienfaisant : principe
équivoque et dangereux, qui ferait Aricie supérieure à Phèdre,
Eugénie Grandet au père Grandet. En second lieu, elles se hiérarchisent selon « le degré de convergence des effets », entendez :
selon que l'auteur a réussi plus ou moins à réduire la diversité
des détails à l'impression d'ensemble. Par cette dernière considération, Taine arrive à faire enfin une place dans sa critique au
jugement du « style », de la « forme », de la « technique ».

En histoire, Taine a repris le sujet qui avait tenté Tocqueville :
faire comprendre, par la description de l'ancien régime, de la
Révolution, du régime nouveau, ce qu'est la France contemporaine. Il s'est placé devant ce vaste sujet « comme un naturaliste
devant la métamorphose d'un insecte ». M. Monod a dit plus justement, comme un médecin devant un malade intéressant. Étalant
à nos yeux son ample collection de *petits faits significatifs*, il a

encore ici fait jouer ses trois forces, *race, milieu, moment*, avec une étonnante vigueur d'imagination philosophique mise, à son insu, au service de sa passion. Car c'est ici, plus qu'ailleurs peut-être, qu'on peut constater chez Taine l'influence d'une idée préconçue sur l'enquête qu'il a cru mener objectivement. Il écrivait au lendemain de la Commune qui l'avait rempli d'horreur et d'effroi[1]. La Révolution lui parut une Commune plus vaste, dont il mit en relief les traits grotesques, tragiques, démentiels, tandis que (des historiens qualifiés, Aulard, Jullian, l'ont montré) il a laissé dans l'ombre l'énorme travail d'organisation et l'héroïsme militaire. Et il a tranché, à coups de déductions sèches et de formules brèves, dans la complexité des problèmes et des âmes. C'est, a dit Jullian, « le plus admirable réquisitoire à dossier historique que possède notre littérature. » Mais c'est d'un puissant artiste, et, lu avec les réserves qui conviennent, l'ouvrage est prodigieux de vigueur et de couleur.

Taine est un des grands esprits de ce siècle : il a eu au suprême degré l'intelligence et la volonté. La faculté d'*abstraction* était sa faculté maîtresse; c'est peut-être en lui-même qu'il a trouvé qu'elle était toute l'intelligence. Appliquant à la science des facultés de métaphysicien et de logicien, il a enfermé l'univers, extérieur et intérieur, dans des formules abstraites. De bonne heure, sans doute, il a passé de la déduction à l'induction; et il s'est imposé de procéder toujours par la méthode expérimentale, la seule scientifique, à son gré, hors des mathématiques.

Mais il a changé ses procédés, non son esprit. Il a retenu ses idées *a priori* à titre d'hypothèses directrices; et, à son insu, elles ont déterminé ses observations. Il avait plus de volonté que de spontanéité : il a regardé la réalité le jour où il s'est fait un principe de la regarder; mais elle ne le sollicitait pas d'elle-même, elle n'avait pas de séduction puissante sur son être intime. Or le sens exquis de la vie ne va pas sans l'amour de la vie, sans la capacité de jouir des formes particulières de la vie. L'intuition, chez Taine, est insuffisante. Il ne voit que ce qu'il veut voir; s'il va en Angleterre, ses impressions seront celles que comportent ses idées : Michelet était bien autrement capable d'être assailli par des sensations étrangères ou hostiles à son système intellectuel. Ces *petits faits significatifs* dont Taine compose ses œuvres m'apparaissent comme des échantillons soigneusement recueillis pour une démonstration voulue; ces fragments de réalité font l'effet d'une collection de minéralogie. Il y a des morceaux de toute la nature, et je ne sens pas la nature, la vie de la nature, comme les

---

1. Le premier volume des *Origines de la France contemporaine* parut en 1875.

apportent parfois les impressions irraisonnées d'une âme. Sous son style de grand artiste, sous ce style nerveux, coloré, intense, Taine ne fait circuler que des abstractions.

Il a été toute sa vie ce qu'il était à ses débuts : il s'est épanoui, développé, élevé; il n'a pas changé. Immuable ainsi et identique à lui-même, il n'a pas eu le sens du changement. Les forces qu'il manie s'appliquent diversement, tantôt ensemble, et tantôt séparées : elles restent toujours distinctes et inaltérables. Dans Tennyson entre en composition l'Anglo-Saxon, dont la formule a été fixée au début de l'ouvrage; et cette formule s'est retrouvée à chaque siècle comme élément de tous les écrivains. Le fond de l'homme, c'est, pour Taine, aujourd'hui comme aux temps préhistoriques, « le gorille féroce et lubrique »; des éléments multiples se sont superposés à celui-là, mais ne s'y sont pas mêlés, ne l'ont pas altéré : que, dans un de nos contemporains, on détache une enveloppe, puis une autre, l'on rencontre enfin le noyau, le *gorille*. Dans son effort pour constituer la psychologie scientifique, Taine s'est comparé souvent au naturaliste, botaniste ou anatomiste; d'autres fois, au chimiste; parfois il a donné ses recherches comme des problèmes de mécanique : ces comparaisons ne laissent pas de révéler quelque incertitude sur le caractère de l'objet étudié. Ce qu'il y a de sûr, c'est que sa science suppose l'immuabilité des substances, l'identité des forces que son analyse distingue : pour mieux dire, sa synthèse n'est qu'une analyse retournée. Cela vient encore de ce qu'il opère en réalité sur des abstractions, et, dans la synthèse comme dans l'analyse, les facteurs, les signes qui représentent les choses, restent les mêmes, gardent une valeur constante.

Nous touchons ici à un dernier caractère par où l'œuvre de Taine entre en étroite relation avec le mouvement de la pensée contemporaine : ce grand esprit, qui, par sa théorie des signes, n'estime avoir prise que sur un monde abstrait et irréel, équivalent intelligible des réalités insaisissables, ce grand esprit a voulu se faire un style sensible et coloré. Qu'on y réfléchisse un peu, et l'on verra que son procédé d'expression est essentiellement symbolique, lorsqu'il adapte si artistement à ses concepts un vêtement de sensations choisies.

Toutes les générations arrivées à maturité depuis 1865 lui doivent plus qu'à personne, sauf (pour une minorité) à Renan : c'est dire assez que toutes les réserves que je puis faire ici ont pour objet de le définir, et point de l'amoindrir.

3. FROMENTIN.

Je crois être strictement juste en faisant ici une place à Fromentin[1], ce peintre exquis de l'Algérie et de l'Orient, cet esprit inquiet, intelligent, qui comprit, sentit, conçut plus qu'il ne sut exécuter, et qui fut par là éminemment un critique. Il a fait la critique de lui-même, dans ce roman de *Dominique* (1863) qui est, en dehors de toutes les écoles, une des œuvres excellentes du roman contemporain : dans une forme impersonnelle, avec une délicate psychologie, il a mis les doutes, les amertumes, le renoncement final de l'homme, qui a essayé de créer et qui a jugé sa création médiocre. Les deux volumes où il a consigné ses impressions du Sahara et du Sahel contiennent des tableaux étonnants, dont la couleur intense fait pâlir les finesses charmantes de sa peinture : ces descriptions sont en un sens de la critique, *la critique des sujets*, si je puis dire; car on y voit la réflexion de l'artiste analyser à l'aide des mots des sensations pittoresques dont sa main ne saurait rendre la puissance.

Fromentin, enfin, a laissé, dans ses *Maîtres d'autrefois* (1876), un remarquable essai de critique d'art. Ce sont les notes d'un voyage en Belgique et en Hollande : le livre n'a rien de systématique. L'auteur dit ses surprises, ses découvertes, ses dépits, ses ravissements devant des tableaux : c'est un peintre qui saisit la facture, les procédés, et qui, dans la technique, atteint le génie des maîtres. Il n'a pas de prétentions d'historien ni de penseur : mais il utilise l'histoire et il est philosophe toutes les fois qu'il le faut pour comprendre.

Il note très finement les caractères généraux que la race, le milieu, le moment déterminent; il explique la nette opposition de l'art flamand et de l'art hollandais; il voit dans chaque groupe les éléments communs, ce qui rapproche, par exemple, Paul Potter, Ruysdaël et Rembrandt. Mais il aperçoit surtout ce qui les distingue, la singularité personnelle de leur œuvre. Par l'étude du métier et de la technique, il réintègre dans la critique ce que Taine en éliminait trop, l'originalité de l'individu. Comme Sainte-Beuve dans un livre, Fromentin, dans un tableau, retrouve l'auteur, son

---

1. Eugène Fromentin (1820-1876). — **Éditions :** *Un été dans le Sahara*, 1 vol. in-18, 1857; *Une année dans le Sahel*, in-18, 1859; *Dominique*, in-18, 1863; *les Maîtres d'autrefois*, in-18, 1876. *Lettres de jeunesse*, p. p. G. Blanchon, 1909, in-16. — **A consulter :** L. Gonse, *Fromentin, peintre et écrivain*, 1881, Quantin; Thibaudet, *Intérieurs*, Plon, 1924; V. Giraud, *Fromentin*, 1945.

développement personnel, ses hésitations, ses recherches, ses acquisitions, toutes les influences qui l'ont modifié, mais aussi et d'abord l'irréductible fond de l'individualité. Devant une *Adoration des mages*, c'est Rubens; devant la *Leçon d'anatomie*, c'est Rembrandt que ce délicat critique découvre : eux-mêmes, en ce qui les fait être eux et non autres, eux-mêmes, et non seulement la définition de l'art flamand ou de l'art hollandais.

CHAPITRE III

LA POÉSIE : V. HUGO ET LE PARNASSE

V. Hugo après 1850. — 1. V. Hugo et son œuvre. Caractère de l'homme.
Sa sensibilité morale et physique; son intelligence. Les idées de
V. Hugo : il pense par images. L'imagination créatrice de mythes.
Les épopées symboliques de la *Légende des siècles*. Composition,
langue, rythmes. — 2. Fin du romantisme. Évolution du lyrisme
vers l'expression impersonnelle. Bouilhet. Leconte de Lisle : archéologie, pessimisme, objectivité. Les Parnassiens. Sully Prudhomme :
poésie scientifique; généralisation de l'émotion personnelle par
l'intelligence philosophique. Essais de poésie réaliste. — 3. Baudelaire. Caractère de l'homme. Idéalisme et sensualité : un « frisson nouveau ». Renouvellement des thèmes : une nouvelle conception de la
poésie. Renouvellement de la technique.

Après 1850 il n'y a plus de classiques. Musset est fini; Lamartine écrit pour vivre. Sans adversaires et sans rivaux, V. Hugo
règne; il prolonge d'un quart de siècle le romantisme. Grandi par
l'exil, déifié par la passion politique, il gagne bien sa gloire, qu'il
sait administrer : c'est un robuste ouvrier aux forces intactes, et
dans les huit années qui suivent le coup d'État, il donne trois
grands recueils de poèmes, définitive expression de son talent.

L'Empire, qui l'a jeté hors de France, lui fournit la matière des
Châtiments (1853) : explosion puissante de satire lyrique. Toutes
les variétés d'émotions et de pensées intimes sont réunies dans les
Contemplations (1856) : copieux épanchement de poésie individualiste, et journal, pour ainsi dire, du *moi* poétique de l'auteur. La
philosophie humanitaire de V. Hugo, enfin, s'objective dans la
Légende des siècles (1859) : pittoresque galerie de tableaux symboliques. Tout Victor Hugo est dans ces trois recueils : toute son
œuvre antérieure s'y ramasse et s'y termine. Son œuvre postérieure en est, sauf exception, la répétition, l'approfondissement
ou le déchet.

V. Hugo est maintenant complet : c'est le moment d'essayer,
à l'aide surtout de ces trois grandes œuvres, de caractériser
l'homme et d'en définir le génie.

1. V. HUGO ET SON ŒUVRE.

L'homme[1] a été passionnément discuté. Un érudit qui lui fut violemment hostile (Biré) a prétendu démontrer qu'il était moralement assez médiocre : immensément vaniteux, toujours quêtant l'admiration du monde, toujours occupé de l'*effet*, et capable de toutes les petitesses pour se grandir, n'ayant ni crainte ni sens du ridicule, rancunier impitoyablement contre tous ceux qui avaient une fois piqué son *moi* superbe et bouffi, point homme du monde, malgré cette politesse méticuleuse qui fut une de ses affectations, grand artiste avec une âme très bourgeoise, sensuel plutôt que tendre, laborieux, rangé, serré, peuple surtout par une certaine grossièreté de tempérament, par l'épaisse jovialité et par la colère brutale, charmé du calembour et débordant en injures : nature, somme toute, vulgaire et forte, où l'égoïsme intempérant domine.

Il faut aujourd'hui retoucher sérieusement ce portrait. La publication de documents et surtout de lettres qui a été faite ces dernières années a en général tourné à l'avantage de Hugo, dont il n'est du reste pas niable qu'il ait eu, comme tout homme,

---

1. **Biographie** : Victor Hugo, fils du général Hugo, né à Besançon en 1802, suivit son père en Italie, en Espagne, fut quelque temps élevé au séminaire des nobles à Madrid; à Paris, il vécut avec sa mère dans cette maison des Feuillantines qu'il a chantée. Lauréat aux Jeux Floraux de Toulouse en 1819, pensionné par Louis XVIII après les *Odes*, il se maria jeune. Pair de France sous Louis-Philippe, député de Paris en 1848, exilé au 2 Décembre, il devint républicain et démocrate vers 1850; il avait été d'abord légitimiste, puis libéral, très bien vu de la maison d'Orléans. Ses changements d'opinions sont tout à fait légitimes : il eut le tort de vouloir les dissimuler et de recourir à toute sorte de falsifications de ses propres écrits pour mettre après coup l'unité dans sa vie et dans ses convictions. Rentré en France après le 4 septembre 1870, il mourut en 1885 : ses funérailles furent une apothéose. Ses principales œuvres poétiques sont les *Odes* (1822), autre éd. (1826); les *Orientales* (1829), les *Feuilles d'Automne* (1831); les *Chants du Crépuscule* (1835); les *Voix intérieures* (1837); *les Rayons et les Ombres* (1840); de 1853 à 1859, les trois recueils cités ci-dessus; les *Chansons des rues et des bois* (1865); l'*Année terrible* (1872); deux nouveaux recueils de la *Légende des siècles* (1877 et 1883); *l'Art d'être grand-père* (1877); les *Quatre Vents de l'esprit* (1881).

Éditions : *Œuvres complètes*, éd. définitive, Hetzel-Quantin, in-8; Hetzel-Fasquelle, in-16; Flammarion, in-16; Edit. Nation., pet. in-4. Edit. critique des *Châtiments* (Berret) 1932; des *Contemplations* (Vianey) 1922; de la *Légende des Siècles* (Berret) 1920-28, Hachette, les Grands écrivains de la France.

A consulter : E. Biré, *V. H.*, 4 vol. 1883-94; E. Dupuy, *V. H., l'homme et le poète*, 1887; L. Mabilleau, *V.H.*, 1893; Renouvier, *V. H., le poète, le philosophe*, 2 vol., 1893-1900; Rigal, *V. H. poète épique*, 1900; G. Simon, *les Tables tournantes de Jersey*, 1923; Berret, *V.H.*, 1927; Saurat, *la Religion de V. H.*, 1929; Bellessort, *V. H.*, 1930; Gregh, *L'œuvre de V. H.*, 1933; Audiat, *Ainsi vécut V. H.*, 1947; A. Maurois, *Olympio ou la vie de V. H.* 1954.

ses défauts et ses petitesses. Mais il y a en lui autre chose que la pose et le panache. Il est certain qu'il n'a pas la simplicité aisée des propos et des manières. Mais pourquoi voir une affectation dans sa grande politesse? Il semble bien qu'il était poli par éducation et par un goût sincère. Sans doute il se plaît trop à décrire, de sa hauteur de poète pensif, l'amour de la femme « comme un chien à ses pieds[1] ». Mais peut-être fut-il surtout gauche dans l'expression des sentiments tendres, plutôt qu'insensible. On ne peut douter de la sincérité des *Lettres à la Fiancée*, si verbeuses pourtant et emphatiques.

Dans ses rapports avec Sainte-Beuve, qui travaillait sournoisement à ruiner son bonheur, il a mis — avec quelque apprêt — une vraie noblesse. Et son orgueil, tout humain jusqu'à l'exil mais excusable après tout par le sentiment intime de sa force, trouve ensuite sa justification, nous le savons maintenant[2], dans les révélations des tables tournantes de Jersey, qui avaient salué en lui le Messie d'une religion nouvelle, un esprit par qui Dieu parlait. Il n'était donc plus lui-même, mais, comme la Pythie antique, l'organe de la divinité. A ce degré de dépersonnalisation, observe M. Saurat, « l'orgueil est-il encore de l'orgueil? »

Qu'il ait eu, avec cela, l'âme d'un bourgeois, c'est possible; mais il en a eu aussi les vertus, et notamment le sentiment très puissant des joies de la famille. Ce qu'il y a de meilleur en lui, c'est son affection de père ou grand-père. Il a dit avec un accent pénétrant la douceur intime du foyer, la séduction ingénue des enfants. Il y a bien de l'ostentation, de la puérilité dans l'*Art d'être grand-père*; ce grand-père exerce sa fonction comme un pontificat, avec une niaiserie solennelle qui agace. Mais, dans les *Feuilles d'Automne* et les premiers recueils, avec quelle simplicité charmante il parle des enfants! Surtout, lorsqu'il eut perdu en 1843 sa fille et son gendre, nouveau-mariés, qui se noyèrent à Villequier, il dit son désespoir, ses souvenirs douloureux, ses appels au Dieu juste, au Dieu bon en qui il crut toujours, dans un livre des *Contemplations*[3], où la perfection du travail artistique n'enlève rien à la sincérité poignante du sentiment.

Il n'est que juste aussi d'ajouter que l'amour collectif de l'humanité, des humbles, des misérables, fut très réel chez V. Hugo. Parce qu'il donna à cette passion des expressions parfois bizarres et

---

1. *Contemplations*, liv. II, 17 : *Sous les arbres*.
2. *Les Tables tournantes de Jersey*, 1923; D. Saurat, *La Religion de V. Hugo*, 1929.
3. Liv. IV, *Pauca meœ*.

déraisonnables[1], parce que surtout elle servit fortement à son apothéose et qu'il l'exploita certainement pour sa popularité, il ne faut pas méconnaître le vif sentiment de pitié sociale qui est antérieur en lui à sa conversion politique. De tout temps il a cru aux grands lieux communs de clémence et de bonté qu'il annonçait; il a essayé de les vivre; il a eu des gestes généreux.

Sur un autre plan, il a une puissance illimitée de sensation, une acuité rare des sens, et particulièrement du sens de la vue. Sa vision est une des plus nettes qui se soient jamais rencontrées chez un poète; son œil garde à la fois le détail et l'ensemble des choses. Il voit moins les couleurs que les reliefs; il est sensible surtout aux oppositions de l'ombre et de la lumière, qui lui fournissent l'antithèse fondamentale de sa poésie.

Je ne sens pas qu'il soit uni par une sympathie morale à cette nature extérieure dont il reçoit si fortement toutes les valeurs : nul autre lien entre elle et lui que la sensation physique. De là, l'usage qu'il en fait. Les simples tableaux, les paysages à la plume d'après nature, sont beaux, mais assez rares dans son œuvre. Il se fait de la nature un vaste magasin d'images, où sa pensée se fournit tantôt de thèmes à variations verbales pour l'exercice de sa prodigieuse invention, tantôt de formes à vêtir les idées; et c'est parce que nulle affection permanente de son âme n'est engagée dans sa perception du monde extérieur qu'il dispose si librement de toutes ses sensations pour les transformer en métaphores ou en symboles au service de ses conceptions intellectuelles.

Mais quelle intelligence a-t-il? Hélas! Il faut avouer que ce très grand poète est incapable de définir et de raisonner. Il lâche d'énormes contresens quand il veut faire le critique, d'énormes contradictions quand il veut faire le théoricien. Et trop souvent il s'abandonne aux sollicitations de la rime, à l'attraction des images qui s'appellent les unes les autres, à l'attirance d'une érudition bizarre dont le *Dictionnaire* de Moreri constitue la principale source. Enfin la tension perpétuelle de son esprit, son penchant à la grandiloquence qui lui fait entasser et gonfler ses métaphores en s'imaginant qu'il élève par là ses idées, pardessus tout peut-être ses allures solennelles de prophète (sincère du reste) qui entoure ses révélations de ténèbres apocalyptiques lui ont attiré de Veuillot pour certaines méditations délirantes le mot cruel que l'on sait : *Jocrisse à Pathmos.*

Mais ce mot est injuste : prenons garde d'aller trop loin. V. Hugo a réellement le respect, la religion de la pensée; il a l'ambition d'être un penseur : n'est-ce pas un devoir du poète d'être l'ins-

---

1. Symboliques déclarations d'amour à l'araignée, à l'ortie, au crapaud.

tructeur des peuples, le « phare » de l'humanité? Mais nous devons reconnaître que l'intelligence qui définit et raisonne n'est pas l'unique forme de l'intelligence. V. Hugo est intelligent à la manière d'un primitif ou d'un mystique, pour lesquels le principe de contradiction n'importe guère : le premier, parce qu'il croit à l'intervention perpétuelle des esprits; le second, parce qu'il pense que la logique humaine ne peut atteindre la vérité dans son essence, et que les contraires se concilient dans l'unité transcen- dantale de l'Être. V. Hugo « éprouve » fortement les problèmes qu'il médite. Après tout c'est un poète, non pas un philosophe. Son affaire n'est pas d'apporter des idées claires, des formules exactes, des solutions sûres. Il suffit qu'il tienne la curiosité en éveil sur de grands problèmes, qu'il entretienne des doutes, des inquiétudes, des désirs. Une idée abstraitement insuffisante peut déterminer un sentiment efficace. Et voilà par où l'œuvre de V. Hugo est excellente et supérieure : à défaut d'*idées* nettes, il a des *tendances* énergiques, et il *agite* en nous certaines angoisses sociales et métaphysiques. Dieu, l'inconnaissable, l'humanité, le mal dans le monde, la misère et le vice, le devoir, le progrès, l'instruction et la pitié comme moyens du progrès, voilà quelques idées centrales que V. Hugo ne définit pas, ne démontre pas, mais qui sont comme des noyaux autour desquels s'agrègent toutes ses sensations. Ces idées hantent son cerveau : il ne les critique pas, il s'en grise. Elles lui dictent des hymnes admirables de mouve- ment et d'ampleur, *discours* imprécis sans doute, mais *visions* improvisées et lucides d'un idéal obsédant : *Ibo, les Mages, Ce que dit la bouche d'ombre*. Et cela ne vaut-il pas mieux, après tout, que d'avoir dit éternellement Sarah la baigneuse ou le pied nu de Rose? N'est-ce pas en somme de là que la poésie de V. Hugo, dans l'égale perfection de la forme, tire sa plus haute valeur? Et où trouvera-t-on, si ce n'est chez lui, l'expression littéraire de l'âme confuse et généreuse de la démocratie française dans la seconde moitié du xixe siècle? Par sa philosophie sociale, et juste- ment parce qu'il renferme peu d'idées originales, le lyrisme de V. Hugo devient largement représentatif de certains courants généraux de l'opinion de son temps.

C'est du reste un fait que la pensée philosophique de V. Hugo a été méprisée surtout par les purs lettrés : des philosophes tels que Guyau et surtout Renouvier l'ont estimée. Des études si originales de Renouvier il résulte que V. Hugo se sert des idées et des systèmes pour donner des expressions à ses sentiments : il incarne successivement ses états de conscience dans les doctrines les plus diverses, christianisme, spiritualisme, panthéisme, mani- chéisme, etc., selon que chacune d'elles fournit plus justement une formule à l'émotion ou à l'aspiration intérieure du poète. Il n'adhère à aucune philosophie, il les emploie toutes à manifester les tendances de son esprit et de son cœur. Renouvier admire la sûreté avec laquelle V. Hugo a trouvé les images capables de représenter les conceptions abstraites des philosophes.

Il faut nous défaire pour juger ses *idées* de toutes nos habitudes d'abstraction et d'analyse. Impropre à la pensée pure et à la logique idéale, il a philosophé avec sa faculté dominante, à grands coups d'imagination. Mais par là même il a moins gâté les idées que s'il avait essayé de les versifier en philosophe : il a évité la sécheresse de la poésie raisonnablement didactique. Des doctrines, il ne garde que quelques mots, les mots essentiels dont chacun connaît le sens en gros, où chacun peut mettre toute la richesse de sa pensée personnelle : et à ces mots il associe des images que la nature lui fournit.

V. Hugo ne pense que par images : l'idée, ramassée en un seul mot, lui apparaît liée à une forme sensible qui la manifeste ou la représente, qui par ses affinités propres en détermine les relations, en sorte que les associations d'images dirigent le développement de la pensée.

Une *chose vue* éveille l'idée qui sommeillait en lui, ou l'idée inquiète se projette dans l'objet qui frappe ses yeux. Dès lors le poète est délivré de l'embarras des opérations intellectuelles : il a fait passer dans sa sensation son idéal ou sa doctrine; il n'a que faire d'analyser; il n'a qu'à utiliser son admirable mémoire des formes, et ce don qu'il a de les agrandir, déformer ou combiner sans les détacher de leur soutien-réel, ce don aussi de suggestion qui lui fait trouver des passages inconnus entre les apparences les plus éloignées. Ainsi la pensée devient hallucination, le raisonnement description : au lieu d'un philosophe nous avons un visionnaire. Mais, ainsi, les propriétés intellectuelles des idées restent intactes, et les formes que déploie le poète sont éminemment réceptives : le lecteur, selon sa puissance d'esprit, remplit ces symboles, aptes à contenir tout ce que le poète n'a pas pensé.

En réalité, V. Hugo a les gaucheries et les spontanéités de l'humanité primitive : sa raison obscure, troublée de mille problèmes qu'elle ne peut résoudre ni manier en leur abstraction, les pose en images concrètes : il crée des mythes. Ce que les races lointaines ont fait dans les temps qui précèdent l'histoire, V. Hugo, au siècle de Comte et de Darwin, le répète avec aisance; le mythe est la forme essentielle de son intelligence. Sa volonté candide de penser ne laisse dans la nature aucun phénomène où il n'aperçoive la transcription sensible de quelque redoutable énigme ou d'une auguste vérité : toute sensation tend à devenir symbole, tout symbole à se développer en mythe. Absolument dénué du sens psychologique, il ne peut voir l'individu : un pauvre qu'il rencontre devient tout de suite *le pauvre*[1]. Toute métaphore dans une telle organisation évolue, s'organise, s'étend : l'objet propre ou l'idée première reculent; et naïvement, spontanément, il retrouve, dans ce *pâtre promontoire* qui garde *les moutons sinistres de la mer*[2], la forme d'imagination qui, sur les côtes tourmentées de la Sicile, avait animé l'informe Polyphème et la blanche Galatée.

Cette faculté fait que V. Hugo, le plus lyrique des romantiques, est aussi le plus objectif[3]. Par ces aspirations au progrès, par ces revendications sociales, par ces élans de bonté, de pitié, de foi ou de colère démocratiques, sa poésie prend un autre objet que le *moi*. Elle exprime les émotions d'un homme, mais des émotions d'ordre universel. Cela donne à son œuvre un air de grandeur et de noblesse qu'il serait injuste de méconnaître.

Il y a bien des violences, et des plus grossières, dans les *Châtiments* : mais comme le sujet efface ou atténue les petitesses de l'auteur! On croit entendre les clameurs d'un Isaïe ou d'un Ezéchiel : protestation du droit contre la force, affirmation de la justice contre la violence, espérance superbe de la conscience qui, blessée du présent, s'assure de l'éternité. Les plus belles pièces sont les plus impersonnelles, les plus largement symboliques[4].

La *Légende des siècles* traduit dans une forme objective et mythique la même conception humanitaire et démocratique dont les deux derniers livres des *Contemplations*, par leurs fougueuses apocalypses, donnaient l'expression lyrique.

On a parlé d'épopée à propos de la *Légende des siècles* : il faut s'entendre. Ces épopées n'ont rien de commun avec l'*Iliade* ou l'*Enéide*; il faudrait les comparer plutôt à la *Divine Comédie* : la forme épique enveloppe une âme lyrique. Une idée philosophique et sociale soutient chaque poème : ici affirmation de Dieu ou de la justice, là dévotion au peuple, haine du roi et du prêtre. Le recueil, complété par deux publications postérieures, forme comme une revue de l'histoire de l'humanité, saisie en ses principales (ou soi-disant telles) époques; c'est une suite de larges tableaux ou de drames pathétiques, où s'expriment les croyances morales du poète. Toutes ces épopées symboliques, non historiques, sont réellement des mythes, où les formes de la réalité, imaginée ou vue, ancienne ou contemporaine, s'ordonnent en visions gran-

1. *Contempl.*, liv. V, 9, *Le Mendiant.*
2. *Ibid.*, liv. V, 23, *Pasteurs et troupeaux.*
3. Il intéresse plus les philosophes que n'ont fait Lamartine et surtout Musset. Cf. Guyau et Renouvier.
4. *Après la bataille, la Caravane, l'Expiation.*

dioses et fantastiques. La précision pittoresque de certaines descriptions ne doit pas nous faire illusion : la plus simple, la plus
vraie, la plus réaliste, est toujours une « légende morale[1] », le sujet
apparent n'étant que l'équivalent concret du sujet fondamental.

V. Hugo, évidemment, a manqué de mesure, comme il a manqué
d'esprit : visant toujours au grand, il a pris l'énorme pour le
sublime, et il a été extravagant avec sérénité. Mais, hormis ce vice
essentiel de son tempérament, il a été l'artiste le plus conscient,
le plus sûr de lui. Il n'a pas toujours voulu sainement : il a toujours fait ce qu'il a voulu : son exécution n'a jamais trahi sa
conception.

Cette maîtrise se marque bien dans la composition de ses poèmes.
Regardons les *Châtiments* : évidemment la table des matières est
un trompe-l'œil. En donnant des titres à ses sept livres, comme il
les donne, le poète veut nous faire croire à un ordre intelligible,
qui s'évanouit dès qu'on feuillette le recueil. Il n'y a pas là de
critique méthodique du programme politique et social de l'Empire : et c'est tant mieux. Mais laissons les formules qu'il attache
comme des étiquettes sur chaque paquet de satires. La composition poétique est admirable. Le mélange des formes lyriques et
narratives, des apostrophes directes et des symboles objectifs,
la variété des tons et des rythmes préviennent le dégoût ou la
fatigue du lecteur : avec quel art parmi tant d'invectives virulentes, développe-t-il le vaste poème de l'*Expiation*! avec quel art
jette-t-il, au milieu des tableaux de meurtre, de persécution et de
servitude, comme de larges taches de nature, claires dans cette
ombre, et gaies dans cette horreur! Comme il nous repose adroitement du Deux-Décembre tant de fois maudit par la vision sereine
de Jersey, par la vision grandiose du désert[2]!

L'antithèse est le principe de la forme de V. Hugo, dans la
composition d'un recueil ou d'un poème comme dans le détail du
style. Il aime à dresser l'une contre l'autre deux parties symétriques, contraires de sens ou de couleur[3]. Une scène réaliste se
termine en hallucination fantastique : un fait familier, trivial,
s'élargit en symbole de l'infini ou de l'incompréhensible. Tout
s'équilibre, et l'on sent partout une volonté consciente qui a déterminé les relations et les proportions des parties[4].

Même sûreté dans le maniement de la langue. V. Hugo a l'un des

1. *Les Pauvres Gens* (cf. le thème directement traité dans *Oceano Nox*.)
2. *Châtiments*, liv. VI, 5, Éblouissements, liv. VII, 8, la Caravane.
3. Dans les *Châtiments* : Toulon; A un martyr, Dans les *Contempl.*, Magnitudo
parvi.
4. *Contempl.*, Mendiant; *Chansons des rues et des bois*, le Semeur; *Art d'être
grand-père*, Mise en liberté.

plus riches vocabulaires dont poète ait usé. Aucun mot technique
ne l'effraie. Il aime les mots étranges, inconnus, pour les effets
d'harmonie qu'on en peut tirer. Il sent le mot comme son, d'abord ;
et de là son goût pour les noms propres, qui, avec un minimum
irréductible de sens, font tout leur effet par leurs propriétés sensibles, par la sensation auditive qu'ils procurent. De là ces énumérations écrasantes dont il nous étourdit : sa vanité, de plus, s'y
délecte dans une apparence de science qui produit l'impression
d'un monstrueux pédantisme.

Il y a bien de la finesse et parfois de la profondeur dans ses
idées littéraires : si l'on prend la peine d'analyser les métaphores,
d'ouvrir les symboles sans lesquels il ne peut penser, on y trouve
souvent de très précises et très intéressantes intuitions sur l'esthétique du style ou du vers. Toutes les valeurs, toutes les associations, toutes les combinaisons des mots lui sont connues. Il a la
phrase tantôt plastique et nettement élégante, tantôt robustement sentencieuse et ramassée. Mais sa forme originale, c'est la
métaphore continue. Seulement la métaphore chez lui n'est pas un
procédé d'écrivain laborieux, c'est, comme je l'ai dit, l'allure spontanée de la pensée. Aussi, du moins dès qu'il est maître de son
talent, la métaphore n'est-elle jamais banale chez lui : toujours
rafraîchie à sa source, renouvelée par une sensation directe, elle
peut être bizarre, ridicule, elle est toujours vraie et naturelle.

S'étant fait une loi rigoureuse de la propriété, de la particularité des termes, possédant le plus riche vocabulaire d'expressions
locales et pittoresques, V. Hugo fait une dépense curieuse des
adjectifs emphatiques, à sens indéterminé : *étrange*, *horrible*,
effrayant, *sombre*, etc. Il les mêle aux mots techniques : c'est un
moyen d'agrandir la réalité, de développer des images finies en
symboles fantastiques. Il exécute cette opération avec une incontestable sûreté de main.

A signaler encore un autre procédé qui s'étale dans les trois
recueils donnés après 1850 : c'est l'emploi du substantif en appo-
sition : la *marmite budget*, le *bœuf peuple*, le *pâtre promontoire*, etc.
Ordinairement respectueux de la langue, V. Hugo s'est obstiné
pourtant dans cette tentative : c'est qu'elle répond à la constitution intime de son génie. Cette construction supprime le signe de
comparaison, elle établit l'équivalence, l'identité des deux objets
dont l'un va prendre la place de l'autre dans l'imagination et la
phrase du poète. Cette opération verbale est le principe même de
la création mythique.

Enfin, la puissance d'invention rythmique de V. Hugo apparaîtra aussi dans les trois recueils : on y verra comment les mots
sonores se groupent en vers expressifs, avec quelle science la dis-

tribution des coupes dans le vers, l'ordonnance des strophes ou
des parties dans la pièce règlent le mouvement selon la nature
du sentiment ou de la pensée, avec quelle justesse se fait presque
toujours l'adaptation d'une certaine structure métrique au caractère du sujet. Il faudrait trop d'exemples pour mettre en lumière
cette partie du génie de V. Hugo, et je ne puis ici que l'indiquer.
On devra étudier la première *Légende des siècles* presque vers par
vers, pour comprendre la délicatesse, la puissance et la variété
des effets que le poète fait rendre à toutes les formes de vers, et
particulièrement à l'alexandrin : c'est là qu'on devra chercher, en
leur perfection, les types variés du vers romantique.

2. LA POÉSIE PARNASSIENNE.

Derrière le magnifique déploiement de V. Hugo, la poésie se
transforme et suit le mouvement général de la littérature.

Le temps des exaltations passionnées est si bien fini que le plus
impénitent des romantiques n'a pas plus de sentiment que les
autres. Ame égale, sans fièvre et sans orages, esprit moyen, sans
idées ni besoin de penser, Théodore de Banville[1] jongle sereinement avec les rythmes. C'est un charmant poète et bien original, chez qui sens, émotion, couleur comique, tout naît de
l'allure des mètres et du jeu des rimes : bref un pur artiste, dont la
place est certes importante dans l'histoire de la technique du
vers. Mais il faut bien convenir que chez ce fervent, le romantisme aboutit à la plus étincelante et stérile fantaisie. Gautier
mettait encore dans ses vers des sujets de tableaux : Banville n'y
met rien, que des souplesses étonnantes de versification. Ce délicieux acrobate finit le romantisme. Après lui, rien : rien du moins
que le délire d'invention verbale de Richepin, dont les prodigieux effets de vocabulaire et de métrique, dans le néant brutal du
sens, représentent le dernier état du pur romantisme[2].

Vers 1850, la poésie est devenue moins personnelle, elle s'est
imprégnée d'esprit scientifique; elle veut rendre les conceptions

---

1. **Théodore de Banville** (1823-91), *Cariatides* (1842); *Stalactites* (1846); *Odelettes* (1857), *Odes funambulesques* (1857); *les Exilés* (1867); *Gringoire* (en prose,
1866), *Socrate et sa femme* (1885), comédies; *Petit traité de poésie française* (1872);
Mes souvenirs. — **Éditions :** Lemerre, pet. in-12, 9 vol. *Poésies complètes*, Charpentier, 3 vol. in-18, 1878-79; *Mes souvenirs*, Charpentier, 1882. — **A consulter :**
Fuchs, *Théodore de Banville*, 1912. — **Carpentier**, *Th. de B., l'homme et l'œuvre*,
1925.

2. **Jean Richepin** (1849-1926) a donné *la Chanson des Gueux* (1876); *les Blas-
phèmes* (1884); *la Mer* (1886); *Mes paradis* (1894); des romans, des comédies et
des drames. — Édition : Fasquelle, in-12.

générales de l'intelligence, plutôt que les accidents sentimentaux de la vie individuelle. La direction de l'inspiration échappe au cœur, est reprise par l'esprit, qui fait effort pour sortir de soi et saisir quelque ferme et constant objet[1]. Au reste, le maître lui-même rend témoignage du changement des temps par les recueils qu'il envoie de son exil. Sa poésie, bien personnelle, enveloppe une poésie impersonnelle que d'autres dégageront. Bientôt aussi reparaîtra de Vigny avec les symboles épiques de ses œuvres posthumes (1864), qui enseignent à effacer le *moi* et la particularité de l'expérience intime.

Nous saisissons encore l'évolution du romantisme chez Louis Bouilhet[2] : vestiges de passion orageuse, exotisme effréné dans l'orientalisme et la chinoiserie, fantaisie capricieuse des rythmes, voilà le romantisme; mais essai de restitution érudite de la vie romaine, effort pour saisir la vie contemporaine en sa réalité pittoresque, et surtout sérieuse tentative pour traduire en poésie les hypothèses de la science, voilà les directions nouvelles vers l'art objectif et impersonnel. Le petit volume de Bouilhet est un témoin curieux des impulsions incohérentes auxquelles obéissaient entre 1850 et 1860 les talents secondaires qui n'avaient pas la force de s'affranchir et de s'orienter une bonne fois.

Venons aux maîtres en qui s'exprime le besoin nouveau des esprits. Dès 1853, Leconte de Lisle[3] a trouvé sa voie dans les *Poèmes antiques* que suivront les *Poèmes barbares* (1862). Ce poète est un érudit; il traduit Homère, Eschyle, Sophocle, Horace, et il est intéressant de constater ce retour à l'antiquité grecque qui

---

1. Cela est très sensible chez Victor de Laprade, philosophe autant que poète, tour à tour platonicien spiritualiste, naturaliste mystique, idéaliste chrétien, et partout subordonnant l'émotion à la pensée. *Psyché* (1841); *Odes et poèmes* (1843); *Poèmes évangéliques* (1852); *Symphonies* (1855); *Idylles héroïques* (1857); *Voix du silence* (1865); *Pernette* (1868); *Poèmes civiques* (1873); *le Livre d'un père* (1876). — Entre 1830 et 1840, la tendance à échapper au lyrisme personnel s'était marquée par les épopées symboliques, *Ahasvérus, Jocelyn, la Chute d'un ange* : la métaphysique servit de transition entre l'égoïsme passionnel et le naturalisme. Le *moi* se masque au moins, s'il n'est pas supprimé, dans la forme épique.

2. Louis Bouilhet (1822-1869). *Mélænis*, conte romain, paru en 1851; *Festons et Astragales*, 1859; *Dernières chansons* avec préface par G. Flaubert, 1872; *Œuvres* (poésies), Lemerre, pet. in-12. — **A consulter** : L. Letellier, *L. Bouilhet*, 1919.

3. Leconte de Lisle (1820-1894), né à la Réunion, s'arrêta un moment dans le Fouriérisme. *Poèmes antiques* (1853); *Poèmes barbares* (1859); *Poèmes tragiques* (1884); *Derniers poèmes* (1895); *Premières poésies et lettres intimes* (1902). — Édition : Lemerre, in-8, et pet. in-12. — **A consulter** : Marius, Ary Leblond, *Leconte de Lisle*, 1906; Vianey, *les Sources de Leconte de Lisle*, 1907; Elsenberg, *le Sentiment religieux chez Leconte de Lisle*, 1909; J. Dornis, *Leconte de Lisle*, 1909; Estève, *Leconte de Lisle*, 1922; J. Vianey, *Les Poèmes barbares*, 1933.

coïncide avec l'effort pour objectiver le sentiment lyrique. Il demande à l'érudition la matière de sa poésie : ses poèmes sont une histoire des religions. Il raconte toutes les formes qu'ont prises dans l'humanité le rêve d'un idéal, la conception de la vie universelle, de ses causes et de ses fins : légendes indiennes, helléniques, bibliques, polynésiennes, scandinaves, celtiques, germaniques, chrétiennes, tous les dieux et toutes les croyances défilent devant nous et se caractérisent avec une étonnante précision[1].

Le poète n'est pas, comme on l'a dit, un impassible. C'est un désespéré. Il regarde la vie avec une tristesse qui naît d'un absolu, d'un incurable pessimisme. Tout est illusion, écoulement sans fin de phénomènes; rien ne s'arrête, rien n'est, pas même Dieu. Il n'y a que la mort. En certains endroits, un accent personnel se laisse sentir, et certain appel à la mort, certaine effusion de pitié sur les vivants, nous découvrent l'âme douloureuse du poète. Mais ces élans de sensibilité sont aussitôt comprimés qu'aperçus.

Au lieu de crier en pur lyrique ses incertitudes ou ses angoisses, Leconte de Lisle a préféré les dérober derrière les incertitudes et les angoisses de toute l'humanité, dont son mal est le mal. De là, ce défilé des dieux et des religions qui sont les formes par où l'humanité tente toujours de tromper son ignorance et d'éterniser sa brièveté; mais ces formes elles-mêmes passent, portant témoignage de l'universel écoulement et de l'éternelle illusion, démasquant le néant dans leur mélancolique succession.

Comme Vigny, et par un effet analogue du pessimisme, Leconte de Lisle aime les fugitives apparences de l'être. Il regarde, il saisit la vie universelle en tous ses accidents. De chaque phénomène, il fixe la particulière beauté; et ainsi le poète des religions se double d'un peintre de paysages et d'animaux. Les descriptions de Leconte de Lisle sont puissamment objectives, d'une intensité de couleurs, d'une énergie de reliefs[2] à quoi rien dans la poésie contemporaine ne saurait se comparer. La personnalité du poète ne s'affirme plus que par l'élection de la forme : une forme belle et large, impeccable et précise, aveuglante parfois à force

---

1. A côté de Leconte de Lisle, comme son ami, et son introducteur au panthéisme, à l'antichristianisme, à l'hellénisme, il faut signaler cet original et parfois délicieux Louis Ménard, trop philosophe pour un poète et trop poète pour un philosophe, érudit plus que ne le sont à l'ordinaire les poètes et les philosophes, esprit un peu encombré de sa richesse, et ployant sous son originalité : il ne sut pas créer la forme souveraine qui l'eût mis au premier rang dont sa fine intelligence était digne. — **Édition** : *les Rêveries d'un païen mystique*, 1870, réimp. p. Massis, 1909. — **A consulter** : Ph. Berthelot, *Louis Ménard et son œuvre*, 1902; M. Barrès, *L. M., le dernier poète de l'hellénisme*, 1909; H. Peyre, *L. M.*, 1932.

2. *Midi. Le Sommet du Condor. Les Eléphants*, etc.

d'éclat, dure aussi à force de fermeté. Cette poésie, en sa continue perfection, a des reflets, un grain, une solidité de marbre.

V. Hugo était absent : Leconte de Lisle, après ses deux admirables recueils, fut le maître incontesté de la poésie française; autour de lui se groupèrent un certain nombre de jeunes poètes qui prirent le nom de Parnassiens, lorsque l'éditeur Lemerre publia leurs vers dans le recueil du *Parnasse contemporain*[1]. Chacun y apporta son tempérament original, sa force de sentiment ou de pensée : le trait commun de l'école fut le respect de l'art, l'amour des formes pleines, expressives, belles. Tous ont une remarquable science de la facture, et si parfois la matière semble maigre ou vile dans leurs œuvres, il faut reconnaître que presque tous ont dit en perfection ce qu'ils avaient à dire. Il n'en est guère qui, grâce à la probité du métier, n'aient eu la bonne fortune de donner la forme qui dure à quelque sujet bien rencontré; et l'on formera, l'on a formé déjà de charmantes anthologies, où tout est de premier ordre, parce que chacun fournit très peu.

Mais nous ne pouvons regarder ici que les chefs de file pour ainsi dire, ceux qui se distinguent par une énergique originalité, ou dont l'impérieux exemple indique des directions nouvelles.

Sully Prudhomme[2] est un philosophe, et il a voulu donner à la poésie philosophique plus de rigueur, plus d'exactitude qu'elle n'en a jamais eu. Il a en effet apporté dans l'expression des idées une netteté, dans la suite des raisonnements un ordre, dans l'exposition des doctrines une précision qu'on ne retrouverait pas ailleurs. Et la philosophie qu'il présente, tout imprégnée de science, attentive aux découvertes, aux hypothèses de l'histoire naturelle, de la physique, est bien une philosophie d'aujourd'hui. A la métaphysique joindre la science, cela est d'un poète que la difficulté n'effraie pas.

Après avoir traduit le premier livre de Lucrèce pour se faire la main, Sully Prudhomme a fait un poème sur la *Justice* : il la cherche dans l'univers, qui lui montre partout la lutte, la haine, la faim; il ne la trouve enfin que dans la conscience de l'homme. Pour ces hautes conceptions, le poète a choisi une forme étriquée et raffinée : d'un bout à l'autre s'égrènent des sonnets alternant

---

1. *Le Parnasse contemporain*, 1866, 1869 et 1876, 3 séries : cf. Th. Gautier, *Rapport sur le progrès de la poésie depuis 1830.*
2. Sully Prudhomme (1839-1908). *Stances et poèmes*, 1865; *Solitudes*, 1869; *Vaines tendresses*, 1875; *la Justice*, 1878; *le Bonheur*, 1888; *Testament poétique*, 1901; *la Vraie Religion selon Pascal*, 1905. — **Éditions :** Lemerre, in-18, et pet. in-12. — **A consulter :** Zyromsky, *Sully Prudhomme*, 1907; C. Hémon, *La philosophie de S. P.*, 1907; Estève, *S. P.*, *poète sentimental et poète philosophe*, 1925.

avec quatre quatrains. Plus heureuse est l'épopée symbolique du *Bonheur* : ni les sens, ni la pensée, ni la science ne donnent le bonheur; il est uniquement, absolument, dans le sacrifice. Sans doute la force de l'idée, la logique du raisonnement font obstacle parfois à la poésie et imposent aux vers une précision de prose scientifique. N'était la valeur de la pensée philosophique, on croirait par endroits lire un discours de Voltaire. Cependant il y a dans ces poèmes d'admirables choses; surtout dans le *Bonheur*, l'idée se fond dans le sentiment, s'enveloppe dans le symbole; une poésie subtile, vaporeuse sans être nuageuse, précise sans être abstraite, saisit à la fois l'imagination et l'intelligence.

Cependant Sully Prudhomme a réussi plus constamment dans la courte méditation qui réalise par une image gracieuse ou touchante quelque vérité philosophique, un fait de notre vie morale, une loi de la vie universelle. Rien de plus achevé, de plus neuf que ces petites pièces, la *Mémoire*, l'*Habitude*, les *Chaînes*, la *Forme* : il faudrait citer presque tout le recueil. Sully Prudhomme a de profondes tendresses et d'abondantes pitiés, qui naissent en lui d'un pessimisme délicat et pénétrant. Ni cri, ni révolte, ni tension même : une tristesse douce et discrète, toute en demi-teintes, un vif sentiment de l'humaine misère, une déploration sans violence des êtres et des formes qui passent. Quelles sont les expériences intimes qui donnent un tel accent de sincérité à cette poésie raffinée? Je ne sais, et le poète ne laisse guère entrevoir sa vie dans son œuvre. Il a un esprit de généralisation qu'il applique même aux faits de sa sensibilité; il ne s'arrête qu'aux émotions où transparaît quelque servitude ou quelque aspiration de l'impersonnelle humanité; mais ces généralités sentimentales ne sont pas des lieux communs, et ces poèmes exquis notent je ne sais combien de fines nuances d'impressions, font apparaître je ne sais combien d'invisibles forces morales.

Avec Leconte de Lisle, la poésie fuyait vers l'archéologie et l'histoire : avec Sully Prudhomme, elle s'alliait à la philosophie et à la science[1]. Une troisième direction s'offrait, qui pouvait mener vers l'objectivité à peu près totale : elle consistait à peindre la réalité extérieure, en sorte que *le moi* ne se manifesterait plus qu'indirectement, par sa représentation du *non-moi*. Parallèlement au roman naturaliste pouvait se développer une poésie

---

1. Mme Ackermann (1813-1890) a exprimé avec plus d'énergie que d'art l'amer pessimisme d'une âme qui ne peut ni échapper ni se résigner à une conception irréligieuse et positive de l'univers. *Poésies*, Lemerre, 1874, petit in-12. — **A consulter** : Citoleux, *La poésie philosophique au XIXᵉ siècle; Mme Ackermann*, 1906.

naturaliste, tout appliquée à rendre les aspects de la vie familière, de la réalité vulgaire, même triviale, même laide.

C'est cette troisième voie, jadis ouverte par Sainte-Beuve dans ses poésies « humbles et bourgeoises », que prit Coppée[1]. Moins artiste que Gautier, sans être plus penseur, il avait débuté par des mièvreries sentimentales, dont les formes travaillées ont je ne sais quel aspect de bijouterie fausse. Puis il a visité les faubourgs, les usines, les gares, la banlieue parisienne; il a frôlé la vie populaire; il s'est constitué le poète des formes humbles de la nature et de l'humanité. La tentative était intéressante : par malheur, on ne trouve dans les vers de Coppée ni la sincère énergie ni la large pitié que de tels sujets exigent. Le souffle est court; l'artifice littéraire est trop sensible; l'émotion tourne le plus souvent en sentimentalité populaire. L'œuvre reste laborieusement prosaïque, et l'intensité de l'impression réaliste n'y compense pas la sécheresse poétique.

La poésie réaliste, si elle est possible, n'a pas rencontré d'homme : il faut en chercher les esquisses éparses un peu partout, surtout dans quelques pièces de Maupassant[2], de Verlaine[3], de Verhaeren, de Francis Jammes : disons aussi, pour être juste, çà et là, par hasard, chez Richepin dans *sa Chanson des Gueux.*

3. BAUDELAIRE.

Le plus profond poète de cette époque, nous le savons maintenant, car ses contemporains ne s'en sont pas avisés tout de suite, c'est Charles Baudelaire[4]. Appartient-il vraiment au Parnasse?

---

1. François Coppée (1842-1908), *Reliquaire* (1866); *Intimités* (1868); *la Grève des forgerons* (1869); *les Humbles* (18 72); *Promenades et intérieurs* (1872); *Poésies* (1879); *Contes en vers* (1881 et 1887); dans le théâtre de Coppée, *le Passant* (1869), où se révéla Sarah Bernhardt. — **Éditions :** Lemerre, in-18 et pet. in-12; éd. in-4, éd. illustrée in-8. — **A consulter :** Le Meur, *La vie et l'œuvre de F. C.,* 1932.

2. « Au bord de l'eau » (le début), dans *Des vers.*

3. « Le Pitre » ou « l'Auberge », dans *Jadis et Naguère.*

4. Charles Baudelaire (1821-1865), né et mort à Paris. — **Éditions :** *les Fleurs du Mal* (1857 et 1861); *l'Art romantique, Curiosités esthétiques, Petits poèmes en prose* (*le Spleen de Paris*), *les Paradis artificiels, Trad. d'Edgar Allan Poe*; L. Conard (avec notice et éclaircissements de Jacques Crépet). Autres éd. : N. R. F., Calmann-Lévy. — **A consulter :** Th. Gautier, *Souvenirs romant; P.* Bourget, *Essais de psychol. contemp.,* I, 1883; Eug. et Jacques Crépet, *Ch. B.,* 1907; De Reynols, *B.,* 1920 : P. Flottes, *B., l'homme, le poète,* 1922; E. Raynaud, *Ch. B.,* 1922; Thibaudet, *Intérieurs,* 1934; A. Ferran, *Esthét. de B.,* 1936; Rivière, *Études* 1926; P. Valéry, *Var. II,* 1930; Soupault, *B.,* 1931; Porché, *B., hist. d'une âme,*1943; Sartre, *B.,* 1947; Ruff, *L'Esprit du Mal et l'esthet. baudel.,*1955.

Il en partage les antipathies et la doctrine : mépris des confidences romantiques, des élégies à la Musset, de la politique, de la morale; culte de l'art pour l'art; recherche d'une technique savante et raffinée. Mais son originalité l'emporte bien au-delà : il engage la poésie dans des voies nouvelles, vers des terres inexplorées. C'est à peine un parnassien et déjà un symboliste.

L'homme, impulsif, nerveux, n'appelait pas la sympathie dont il avait secrètement soif. Il a vécu en marge de la société, révolté contre elle, contre l'existence en général, attentif à se composer un personnage qui scandaliserait le bourgeois par son dandysme, son cynisme, ses paradoxes amers. C'est par là qu'il peut passer pour continuer le romantisme et même, à certains égards, le « bas romantisme », prétentieusement brutal, macabre, immoral : dans cette volonté d'être et de paraître malsain, ce « caïnisme », ce « satanisme », il y a sans doute beaucoup de pose. Toutefois il faut noter que l'obsession de la mort, que l'on trouve au fond de ces imaginations délirantes, est absolument sincère chez Baudelaire : sincère aussi, comme elle l'était chez les chrétiens du xve siècle, la hantise du cadavre et des décompositions qui préparent; les deux sens exaspérés chez lui — le toucher, l'odorat[1], — les lui rendaient affreusement présentes. Baudelaire pense à la mort toujours et partout, il la voit partout, elle le tente toujours : non comme solution à ses malheurs personnels, mais comme unique issue à la méditation qu'il poursuit sur la destinée humaine.

Car c'est là le vrai sujet de son livre : l'angoisse métaphysique le remplit. Baudelaire, après Pascal, constate la dualité de l'homme. Il sent en lui-même deux tendances qui le déchirent : l'une qui le porte vers l'idéal, l'autre vers la matière. Entre les deux, il reste immobile, avec le sentiment désespéré que l'art, la beauté, l'amour ne retiendront qu'un instant sa volonté trop faible, — qu'il ne trouvera qu'un oubli passager dans les villes fiévreuses et leurs paradis artificiels, vin et débauche, — et que seule la Mort peut lui ôter « le spectacle ennuyeux de l'éternel péché ».

Tel est le drame humain de Baudelaire et la matière de son livre, mélange étonnant d'idéalisme ardent et de sensualité parfois fétide, en quoi Hugo salua la création d'un « frisson nouveau ». Mais cette poésie était nouvelle aussi parce qu'elle renouvelait les thèmes et la technique.

Elle rompait avec les thèmes du romantisme dont le Parnasse avait repris la plupart en les administrant plus sagement : des-

---

1. Cf. ses « chats » définis par le contact et le parfum. Et toutes les nôtations d'odeurs, *Parfum exotique*, *la Chevelure*, etc...

criptions, évocations des civilisations disparues, foi en l'humanité devenue foi en la science, et toujours recours à l'effet plastique. Elle leur substituait des thèmes résolument modernes, et la recherche, par des moyens nouveaux, d'une émotion épurée en quoi résiderait spécifiquement toute poésie.

Baudelaire puisait ses sujets — comme allait bientôt faire Manet — dans son expérience immédiate, qui le mettait surtout en rapport avec des bohèmes, des filles, de libres artistes : pour décor unique, Paris, surtout dans ses bas quartiers. Et l'homme qu'il montrait était, a dit justement Verlaine, « essentiellement l'homme moderne, tel que l'ont fait les raffinements d'une civilisation excessive, l'homme moderne avec ses sens aiguisés et vibrants, son esprit douloureusement subtil, son cerveau saturé de tabac, son sang brûlé d'alcool, en un mot le bilio-nerveux par excellence, comme dirait Taine[1] ». Cet exemple éclatant donnait désormais pleine licence aux poètes pour peindre les spectacles les plus crus, les sentiments les plus compliqués ou les plus étranges : la note proprement baudelairienne restant constituée par le mélange perpétuel de la sensualité et du remords, — survivance de la sensibilité chrétienne chez ce chrétien qui avait cessé de croire, tout en blasphémant Dieu et en craignant Satan.

De tels éléments auraient pu donner une poésie réaliste traversée de nostalgie et d'angoisse. Mais — voici l'apport capital de Baudelaire, — le poète, s'inspirant étroitement d'Edgar Poe (dans lequel il s'est retrouvé et qui lui fut un garant plutôt qu'un maître) prétend décanter son inspiration, en dégager le principe pur : l'aspiration à la Beauté transcendante dont nous portons l'instinct en nous. Il rejette la poésie « enseignante » sous toutes ses formes (didactique, descriptive, historique) parce qu'elle s'adresse à l'intelligence; la poésie passionnelle, parce qu'elle s'adresse à la sensibilité; alors que la vraie poésie doit s'adresser, selon lui, par-delà la sensibilité et l'intelligence, à notre « moi profond », à notre âme; elle y parvient en pénétrant les éléments bruts (notions, sentiments) qui entrent nécessairement dans la composition de toute pièce de vers, à la façon d'un « fluide spirituel », d'un « courant à haute tension » qui les dénature et les spiritualise[2]. Elle est ainsi tout près de devenir — et deviendra chez les lointains disciples — un moyen de connaissance métapsychique que certains (l'abbé Bremond) infléchiront vers la prière et d'autres (les surréalistes) vers une métaphysique du rêve[3].

1. *Œuvres posth.* II, p. 8.
2. Raymond, *De Baudelaire au Surréalisme*, pp. 19-20.
3. Il faut citer ici le passage essentiel de la préface que Baudelaire a placée en

A ce dessein difficile, il fallait des moyens appropriés. Baudelaire en indique plusieurs, notamment le symbolisme de l'image
et la suggestion musicale. Un sonnet célèbre, *Correspondances*,
nous incite à saisir, par-delà les apparences sensibles, les rapports
mystérieux qui créent la « ténébreuse et profonde unité » de
l'univers : la voie est ouverte vers le symbolisme. Quant à la
musique, elle sera le moyen d'élection du poète qui doit désormais
suggérer l'indicible plutôt que montrer le concret. Telle poésie
de Baudelaire, — *Harmonie du soir, l'Invitation au voyage*, — agit
comme une incantation grâce au triple pouvoir du sens étrange,
du rythme insolite et de la mélodie admirablement pure.

Baudelaire, écrit Gautier, était une nature « subtile, compliquée, raisonneuse, plus philosophique que ne l'est en général
celle des poètes[1] ». Son œuvre critique atteste la sûreté de son
jugement : il a su mettre à leur vraie place, avec une rare assurance, Delacroix, Corot, Manet, Daumier, Wagner, très con-
testés en leur temps. « L'esthétique de son art l'occupait beaucoup ; il abondait en systèmes qu'il essayait de réaliser, et tout ce
qu'il faisait était soumis à un plan. Selon lui la littérature devait
être *voulue* et la part de l'*accidentel* aussi restreinte que possible[1] ».
Mallarmé, puis Valéry furent fortement attirés par cette concep-

tête de sa traduction des *Histoires extraordinaires* de Poe. Il considérait si bien
cette déclaration comme sienne qu'il a omis d'indiquer qu'il s'agissait là d'une
traduction du *Principe poétique* de Poe ; il a répété la citation — et l'omission —
dans son article sur Th. Gautier (*L'Art Romantique*) : « La poésie ne peut pas,
sous peine de mort ou de déchéance, s'assimiler à la science ou à la morale.
Elle n'a pas la vérité pour objet, elle n'a qu'Elle-même. Les modes de démonstration des vérités sont autres et sont ailleurs....

C'est cet admirable, cet immortel instinct du Beau qui nous fait considérer
la terre et ses spectacles comme un aperçu, comme une *correspondance* du ciel.
La soif insatiable de tout ce qui est au-delà et que voile la vie, est la preuve la
plus vivante de notre immortalité. C'est par la poésie et *à travers* la poésie, par
et *à travers* la musique que l'âme entrevoit les splendeurs situées derrière le
tombeau. Et quand un poème exquis amène les larmes au bord des yeux, ces
larmes ne sont pas la preuve d'un excès de jouissance, elles sont bien plutôt le
témoignage d'une mélancolie irritée, d'une postulation des nerfs, d'une nature
exilée dans l'imparfait et qui voudrait s'emparer immédiatement, sur cette
terre même, d'un paradis révélé.

Ainsi le principe de la poésie est, strictement et simplement, l'aspiration
humaine vers une beauté supérieure, et la manifestation de ce principe est dans
un enthousiasme de l'âme, enthousiasme tout à fait indépendant de la passion,
qui est l'ivresse du cœur, et de la vérité, qui est la pâture de la raison. Car la
passion est chose *naturelle*, trop naturelle même pour ne pas introduire un ton
blessant, discordant dans le domaine de la beauté pure ; trop familière et trop
violente pour ne pas scandaliser les purs Désirs, les gracieuses Mélancolies et
les nobles Désespoirs qui habitent les régions naturelles de la poésie. »
Ce texte peut passer pour la charte de la poésie symboliste.
1. Th. Gautier, *Souv. romant.*, p. 297.

tion intellectuelle et volontaire de l'œuvre d'art et s'efforcèrent, le dernier surtout, d'introduire, comme l'avait souhaité le maître, « une sorte de mathématique dans l'art[1]. » Baudelaire, heureusement, n'y était point parvenu : et la puissance de ses *Fleurs du Mal* tient en partie au drame humain que l'on sent palpiter, malgré « l'alchimie lyrique » qu'ont subie ses angoisses et ses douleurs, sous la magie incantatoire de ses vers[2].

1. *Ibid.*, p. 337.
2. Lettre à Ancelle : « Faut-il vous dire, à vous qui ne l'avez pas deviné plus que les autres, que dans ce livre *atroce*, j'ai mis *tout mon cœur, toute ma tendresse, toute ma religion* (travestie), *toute ma haine*? Il est vrai que j'écrirai le contraire, que je jurerai mes grands dieux que c'est un livre d'*art pur*, de singerie, de jonglerie, et je mentirai comme un arracheur de dents. » (18 février 1866).

CHAPITRE IV

LA COMÉDIE

1. Vaudeville : Labiche. Opérette : Meilhac et Halévy. — 2. Comédie :
Émile Augier. Portée morale de l'œuvre. Relief des caractères;
vérité des peintures de mœurs. — 3. Dumas fils. Prédication morale :
pièces à thèses; personnages symboliques. Fragments d'études réalistes.

Au théâtre comme ailleurs, et presque plus qu'ailleurs, éclate
l'opposition des deux parties du siècle : avant 1850, les enthousiasmes, les fureurs, l'idéalisme gonflé du drame romantique;
après 1870, le triomphe de la comédie, qui étale toutes ses formes,
vaudevilles drolatiques, copieuses bouffonneries, peintures réalistes des mœurs.

1. VAUDEVILLE ET OPÉRETTE.

Le vaudeville eut de beaux jours entre 1850 et 1870, avec
Labiche[1], qui donna, principalement au théâtre du Palais-Royal,
les chefs-d'œuvre du genre. Ce serait une lourde sottise de prendre
trop au sérieux cette fantaisie fertile en inventions cocasses, ces
cascades de situations folles qui tombent si aisément des données
initiales d'un sujet. Mais si Labiche a pris la place qu'il tient au-
dessus de tous ses rivaux, dont quelques-uns ne lui cèdent pas
en gaieté, il la doit au grain de bon sens qui presque toujours
relève ses drôleries. Tantôt un solide lieu commun d'observation
morale sert de thème et de conclusion à la pièce, comme dans
le Voyage de M. Perrichon (1860); tantôt derrière les gestes, les
attitudes, les propos des plus grotesques bonshommes, on aperçoit
nettement les mouvements des pantins réels que la caricature
amplifie comme dans *Célimare le bien-aimé* (1863), et tantôt — ce

---

1. Émile Labiche (1815-1888). Sa première œuvre caractéristique est le *Chapeau de paille d'Italie* (1851). — **Édition** : Calmann-Lévy, 10 vol. in-8, 1878-79.

qui est mieux — la charge s'amortit, s'affine en un joli tableau de mœurs, comme dans cette soirée sous la lampe, en province, qui fait le premier acte de *la Cagnotte* (1864). Sans poser au moraliste, sans avoir de mots amers ni cruels, le bon Labiche nous donne assez souvent l'inquiétante sensation que ces imbéciles, ces ahuris, ces détraqués qui nous réjouissent, ne sont pas loin de nous.

Je mets plus haut, pour ses chefs-d'œuvre, un genre qui appartient spécialement au second Empire, et qui en est, à certains égards, l'originale expression : je veux parler de l'opérette telle que la comprit Offenbach[1], surtout lorsque ses rythmes échevelés coururent sur les livrets de Meilhac et Halévy. Dans ces livrets d'une bouffonnerie énorme et pourtant fine[2], dont la fantaisiste irréalité semble se rapprocher parfois de la comédie de Musset, dans cette « blague » enragée qui démolit tous les objets de respect traditionnel, en politique, en morale, en art, et qui ne reconnaît rien de sérieux que la chasse au plaisir, revit ce monde du second Empire que les romans et les comédies, plus brutalement ou plus sévèrement, s'efforceront de représenter : monde effrénément matérialiste, si vide de conviction qu'il ne croyait même pas à lui-même, se moquant du pouvoir et de l'argent qu'il détenait, et se hâtant, avant de les perdre, d'en acheter le plus possible de plaisir. La plus démoralisante séduction émane de ces œuvres légères, où se mêlent subtilement la froide ironie et la griserie sensuelle. Hors de là, les livrets d'opérette ne sont que vulgaire polissonnerie ou fadeur sentimentale.

2. LA COMÉDIE : ÉMILE AUGIER.

La comédie proprement dite, étouffée entre le vaudeville à prétentions de Scribe et le drame à grand fracas des romantiques, reparut avec éclat vers 1850, quand Augier donna sa *Gabrielle* (1849) et Dumas fils sa *Dame aux Camélias* (1852) : non point la comédie classique, joyeuse et générale, mais une comédie dramatique, enveloppant quelque thèse morale dans une peinture exacte

---

1. Offenbach (1819-1881), né à Cologne. H. Crémieux lui donna le livret d'*Orphée aux Enfers* (1861).

2. Ludovic Halévy (1834-1908), a écrit, avec Meilhac (né en 1832), la *Belle Hélène* (1865), la *Vie parisienne* (1866), la *Grande-Duchesse de Gerolstein* (1867), les *Brigands* (186 9). Ils ont fait quelques comédies, dont *Froufrou* (1869) et la *Petite Marquise*. — De L. Halévy on a des études satiriques, des nouvelles et des romans qui sont d'un écrivain délicat; de Meilhac, diverses comédies d'une fantaisie originale.

des mœurs contemporaines, une comédie émouvante et réaliste, qu'influençait fortement le voisinage du roman de Balzac.

Deux noms caractérisent de 1850 à 1880 ou 1885 l'évolution de la comédie : les noms d'Augier et de Dumas. Si l'on n'écoutait que le bruit des succès, il faudrait leur joindre Sardou[1]. Mais ce vaudevilliste éminent, à qui n'a pas manqué une verve amusante, encore qu'un peu grosse, de caricaturiste[2], n'a apporté dans la pièce sérieuse que le goût des effets qui forcent l'applaudissement, le génie des trucs et des ficelles. Peinture des mœurs, description des caractères, invention du pathétique, tout est machiné, artificiel, « insincère », dans ces œuvres dont le brillant déjà s'écaille de toutes parts. Elles jouent à la grande comédie, et l'on n'y sent rien qu'un faiseur qui spécule sur la vulgarité intellectuelle et morale de son public, sans donner d'autre but à son art que de faire cent ou deux cents fois salle comble. Nous nous tiendrons aux vrais artistes, à Augier et Dumas.

Émile Augier[1] a fait des pièces en vers et des pièces en prose : celles-là sont la partie morte de son œuvre. Augier, esprit solide et bourgeois, fait le vers en bon élève de Ponsard qui serait nourri de Molière ; son style poétique a quelque chose de lourd, de pénible, rien du poète. Mais sa prose est ferme, nette, toute pleine de pensée, chaude de sincérité. C'est par son œuvre en prose qu'il faut le mesurer, non par l'éloquence gauche de l'*Aventurière* (1848) ou les grâces vieillottes de *Philiberte* (1853).

Augier est un bourgeois : et son théâtre exprime les idées d'un bourgeois de 1850, qui aurait l'âme saine, sens droit, volonté ferme, moralité intacte. Le romantisme d'abord le révolte : il démasque dans *Gabrielle* (1849) la fausseté de l'idéal romantique, le danger de la passion effrénée et souveraine. Aux sentimentalités issues du romantisme, aux réhabilitations hypocritement ou naïvement attendries de la courtisane, il oppose le *Mariage d'Olympe* (1855). Mais ce n'est pas pour mettre à l'aise le matérialisme bourgeois qui fait passer l'intérêt et l'argent avant tout : contre ce qu'on pourrait appeler le *scribisme*, contre l'immoralité décente des classes moyennes, il maintient la nécessité de fonder le mariage sur l'amour. La dot devient la misère des jeunes

---

1. Victorien Sardou (1831-1908) a donné sa première pièce en 1854. Principales pièces : *Nos Intimes* (1861); la *Famille Benoiton* (1865); *Séraphine* (1868); *Patrie*, drame (1869); la *Haine*, drame (1875); *Daniel Rochat* (1880); *Fédora*. — Édition : Calmann-Lévy, in-18. (Pièces séparées; celles des dernières années non imprimées.)

2. *Rabagas* (1872); *Oncle Sam* (1875); *Divorçons* (1883), etc.

3. Émile Augier (1820-1889), né à Valence (Drôme), fit jouer en 1844 la *Ciguë*. Les *Fourchambault* (1878) sont sa dernière œuvre. — Édition : Calmann-Lévy. 7 vol. in-18. — A consulter : P. Morillot, *Émile Augier*, 1901.

filles riches, l'obstacle au bonheur, dans *Ceinture dorée* (1855), dans *Un beau mariage* (1859), dans les *Fourchambault* (1878), déjà dans *Philiberte* (1853).

Mais Augier regarde le mouvement de la société contemporaine et, avec indignation, il en dénonce les vices. Deux surtout : la fièvre des spéculations, la poursuite enragée de la fortune par le mélange de l'adresse et de l'effronterie, par l'alliance de la Bourse et du journal (*les Effrontés*, 1861) : puis la « blague », l'ironie dissolvante qui tourne les scrupules de conscience en ridicules gothiques, et nettoie le terrain pour l'âpre et sec matérialisme (*la Contagion*, 1866; *Jean de Thommeray*, 1873). A ces deux traits de la société du second Empire, Augier, en pur bourgeois libéral, en ajoutera un troisième : le jésuitisme. Ennemi déclaré du parti religieux, au point qu'il lancera son *Fils de Giboyer* (1862) contre Veuillot et le journalisme catholique, il aura surtout l'horreur des jésuites, dont il dénoncera l'effrayante politique avec une violence ingénue dans *Lions et Renards* (1869).

Toutes ces œuvres, robustes et saines dans leur philosophie un peu courte, sont d'excellentes études de mœurs[1]. Un vigoureux sens des réalités soustrait l'œuvre aux dangers de la thèse, et l'empêche de s'évanouir dans l'abstraction comme de se dessécher dans le symbole. Les caractères sont d'un relief remarquable, d'une analyse un peu sommaire, mais bien vivants et dramatiques en leurs énergiques raccourcis. Il est fâcheux qu'une conception grossière du personnage sympathique ait peuplé la comédie d'Augier de jeunes savants vertueux et de polytechniciens candides, qui valent les beaux colonels de Scribe. Mais, sauf le fantastique agent des jésuites, Augier a bien réussi les coquins, les demi-coquins, les honnêtes gens entamés, tout ce qui a tare ou vice, jusqu'à l'égoïsme inconscient et la veulerie pernicieuse.

Ses grandes qualités ressortent surtout dans ces admirables pièces, où, sans thèse, il ne s'est attaché qu'à exprimer les mœurs qu'il voyait, en leur ridicule ou navrante corruption : dans le *Gendre de M. Poirier* (1854), qui met aux prises deux types si vrais de bourgeois enrichi et de noble ruiné; dans les *Lionnes pauvres* (1858), où l'honnête Pommeau et sa femme forment un couple digne de Balzac, et nous offrent le tableau des ravages que l'universel appétit de richesse et de luxe peut faire dans un modeste ménage; dans *Maître Guérin* (1864), enfin, qui, malgré son sublime colonel, est peut-être l'œuvre la plus forte de l'auteur par le dessin des caractères : ce faux bonhomme de notaire, qui

---

1. Ajoutez *Mme Caverlet* (1876) : la question du divorce.

tourne la loi et qui cite Horace, gourmand et polisson après les
affaires faites; cette excellente Mme Guérin, vulgaire, effacée,
humble, finissant par juger le mari devant qui elle s'est courbée
pendant quarante ans; cet inventeur à demi fou et férocement
égoïste, qui sacrifie sa fille à sa chimère, ces trois figures sont
posées avec une étonnante sûreté; Guérin surtout est peut-être
le caractère le plus original, le plus creusé que la comédie française nous ait présenté depuis Molière : Turcaret même est dépassé.

3. ALEXANDRE DUMAS FILS.

Alexandre Dumas[1] était encore tout imprégné de romantisme, lorsqu'il débuta en 1852 par la réhabilitation de la courtisane, dans la *Dame aux Camélias* : c'est l'idée même de *Marion de
Lorme*. Il sembla changer de voie quand il donna le *Demi-Monde*,
étude réaliste de certaines parties gâtées de la société. La contradiction des deux œuvres n'est qu'apparente; si l'auteur semble
changer de principe, c'est que les espèces ne sont pas les mêmes :
l'amour absent dans un cas, présent dans l'autre, détermine la
sévérité ou l'indulgence de l'auteur. Dumas me semble n'avoir
jamais répudié la moralité de sa première œuvre : comme j'y
retrouvais *Marion de Lorme*, je retrouverais dans les *Idées de
Madame Aubray* quelque chose des *Misérables*, la thèse même
qu'implique l'histoire de Fantine. Cette thèse restera une des idées
fondamentales de l'œuvre de Dumas. Mais au romantisme sentimental des premiers temps s'est substituée en lui une austérité
évangélique d'un goût singulier, qui s'est épanchée surtout en
éloquentes préfaces.

Dumas est un moraliste visionnaire, qu'obsède et qu'enfièvre
la décomposition sociale qui résulte de la mauvaise organisation de la famille. Il s'est donné pour tâche de reconstituer la
famille sur l'égalité, la justice et l'amour. Il attaque l'argent
comme viciant l'institution du mariage; il attaque les mœurs qui

---

1. A. Dumas (1824-1895), fils du fameux dramaturge et romancier, a commencé par des romans. Il a publié aussi diverses brochures sur des questions
morales et sociales. Comédies : *la Dame aux Camélias* (1852); *le Demi-Monde*
(1855); *la Question d'argent* (1857); *le Fils naturel* (1858); *le Père prodigue* (1859);
l'Ami des Femmes (1864); *les Idées de Mme Aubray* (1867); *la Visite de Noces*
(1871); *la Princesse Georges* (1871); *la Femme de Claude* (1873); *Monsieur
Alphonse* (1873); *l'Etrangère* (1876); *la Princesse de Bagdad* (1881); *Denise*
(1885); *Francillon* (1887).

Éditions : *Théâtre complet*. Calmann-Lévy, 7 vol. in-18; *Théâtre des autres*
(pièces refaites par M. Dumas), t. I et II, 1894-95. — **A consulter :** P. Bourget.
Essais de psychologie contemporaine.

dissolvent la famille en autorisant ou excusant l'inconduite de l'homme; il attaque l'éducation qui ne prépare pas plus l'homme que la femme à son devoir domestique; il attaque les préjugés qui, dans l'estimation des fautes, accablent l'ignorance et n'absolvent pas le repentir; il attaque les lois qui, avec la femme, sacrifient l'enfant à l'égoïsme, au vice de l'homme.

Cette prédication sévère s'est exercée dans des pièces brillantes, contre la séduction desquelles il est difficile de se mettre en garde. Une construction très solide, qui fait ressortir la thèse, qui dresse les situations comme des arguments et nécessite le dénouement par une pressante logique, un dialogue éclatant d'esprit, trop ingénieux parfois et trop pétillant, mais d'une singulière précision dramatique, d'incroyables tours d'adresse pour éviter les difficultés en paraissant les aborder de front, autant de romanesque qu'il en faut pour amorcer ou désarmer le public, des brutalités voulues et mesurées, et, par un contraste piquant, les plus rigides conclusions préparées par les plus scabreuses situations; au milieu de tout cela, des coins de scènes qui donnent la sensation immédiate de la vie, des parties de caractères qui éclairent fortement certaines profondeurs de l'âme contemporaine : voilà l'impression mêlée et puissante que donnent les comédies de Dumas.

Le danger du genre qu'il a créé, et dans lequel nul jusqu'ici n'a pu le suivre, c'est que la thèse ne détruise le drame. Parfois, en dépit du très habile emploi de tous les ressorts dramatiques, on croit n'avoir pas devant soi une image de la vie : l'abstraction l'emporte, et la pièce s'écoute, en dépit des acteurs, comme un dialogue moral; l'accent de l'auteur domine dans toutes les voix des personnages. Il y a quelques œuvres surtout où les caractères semblent vidés de toute réalité, à l'état de purs symboles : toute la *Femme de Claude* et le principal rôle de l'*Étrangère* nous laissent l'impression de dessins apocalyptiques sous lesquels il ne faut chercher que des idées. Dans beaucoup de personnages, le symbole s'efface sous la substantielle réalité de l'imitation, qui parfois est très délicatement et minutieusement poussée : il s'efface, mais il subsiste. Et je n'en veux pour preuve que le jugement porté par l'auteur sur les actes de ses personnages : il s'en faut que nous en estimions comme lui la valeur morale; l'écart est précisément d'autant plus grand que nous les prenons davantage comme individus réels, astreints aux infirmités, aux incertitudes, aux délicatesses des réelles consciences. Pour l'auteur, ils sont des symboles, purs représentants de l'absolu; reprochera-t-on à des symboles d'être arrogants, indiscrets, brouillons, brutaux?

La dernière œuvre de Dumas atteste la souplesse toujours

jeune de son talent : il est, cette fois, tout à fait purgé de Scribe ;
il semble que, sous certains souffles venus de loin, sa dureté ait
fondu. Plus de factice roman, plus de raide logique : la comédie
de *Francillon* ne nous offre que réalité et humanité. La moitié du
rôle de la femme, une détraquée honnête, mais surtout les trois
rôles d'hommes qui sont de vivantes expressions de la veulerie
contemporaine, chacun avec sa physionomie propre, font de la
pièce une des excellentes études de mœurs que nous ayons. Et
de plus, une sorte de tristesse philosophique imprègne certaines
scènes, où la désillusion pessimiste apparaît à la suite de la ruine
de la volonté. L'œuvre, sans fracas de morale, sans étalage de
pitié, est large et profonde[1].

---

1. **A consulter**, pour tout le chapitre : J. Lemaître, *Impressions de théâtre*,
7 vol. in-18; J.-J. Weiss, *le Théâtre et les Mœurs*, in-18; R. Doumic, *Portraits
d'écrivains*, in-8; *De Scribe à Ibsen*, in-18; Parigot, *le Théâtre d'hier*, in-18.

CHAPITRE V

LE ROMAN

1. Un dernier tenant du romantisme : Barbey d'Aurevilly. — 2. Gustave
Flaubert : sa place entre le romantisme et le naturalisme. Objectivité,
impersonnalité, impassibilité de l'œuvre. — 3. Le chef de l'école naturaliste : Émile Zola. Prétentions scientifiques, tempérament romantique. Puissance descriptive. — 4. Romanciers naturalistes. Edmond
et Jules de Goncourt : naturalisme, nervosité, impressionnisme.
Alphonse Daudet : sensibilité et sympathie dans l'effort pour
atteindre l'expression objective; le peintre des humbles; vastes
tableaux de mœurs. Guy de Maupassant : un vrai, complet, pur
réaliste. — 5. Hors du naturalisme : Anatole France : le roman
artiste et satirique. Paul Bourget : le roman psychologique et analytique. Pierre Loti : le roman subjectif, pittoresque et sentimental.

Le genre dominateur de la littérature, entre 1850 et 1890, a été
le roman, comme, dans la première moitié du siècle, la poésie
lyrique. Et ce déplacement de la supériorité est à lui seul le
signe d'une nouvelle orientation littéraire : par définition, le
lyrisme est l'expression du *moi*, et le roman doit être la perception du *non-moi*.

1. UN DERNIER TENANT DU ROMANTISME : BARBEY D'AUREVILLY.

Le roman romantique, forme hybride où l'imagination et la
sensibilité de l'écrivain prédominaient souvent sur l'étude de
l'objet, se perpétuera cependant pendant toute la période naturaliste par l'œuvre somptueuse et singulière de Barbey d'Aurevilly[1], « ce duc de Guise de notre littérature » (Lamartine, cité
par Lalou). Nature violente, passionnée, amie du faste vestimen-

---

1. Barbey d'Aurevilly, 1808-1889, né à Saint-Sauveur-le-Vicomte (Manche).
Éditions : *Une Vieille Maîtresse*, 1851; *l'Ensorcelée*, 1854; *le Chevalier des
Touches*, 1864; *Un Prêtre marié*, 1865; *les Diaboliques*, 1874; *Une Histoire sans
nom*, 1882. La plupart des vingt-trois volumes de critique ont paru sous le
titre : *les Œuvres et les Hommes*. — **A consulter :** E. Grelé, *Barbey d'Aurevilly*
(1902-04); H. Bordeaux, *B. d'A.* (1925); Aristide Marie, *le Connétable des lettres
B. d'A.*, 1938; Le Corbeiller, *les Diaboliques*, 1939.

taire et verbal, dédaigneux de l'humble réalité qui n'était à ses
yeux que médiocrité et platitude, le « connétable des lettres »,
comme on l'appelait encore, ne s'intéresse qu'aux héros démesurés,
mystiques ou criminels, maniaques ou despotiques, — femmes
damnées, prêtres athées, génies foudroyés. Il les fait agir, il ne les
explique guère. Son époque favorite est la période troublée,
pleine de remous formidables, où se heurtèrent l'Ancien Régime
et la Révolution; son décor préféré, la campagne du Cotentin où
il avait grandi et qu'il décrit avec une amoureuse exactitude
comme George Sand a fait pour le Berri. Ainsi se préparait incidemment le roman régionaliste de l'avenir.

A ses romans certains préfèrent sa critique, toute d'humeur, où
se manifeste en exécrations féroces, en excommunications forcenées, le même tempérament outrancier. Aucun souci d'équité
dans les jugements de Barbey : catholique inflexible, monarchiste intransigeant, il couvre de son corps les principes de Joseph
de Maistre et pourfend quiconque paraît y attenter. Le réalisme
et le positivisme sont également ses bêtes noires : contre eux, il
défend l'enthousiasme, le lyrisme, la fantaisie dont il donne
parfois, quand il abandonne le ton de la polémique, de bons
exemples. En dépit de ses partis pris, il a du reste le flair artistique, l'instinct des beautés neuves. Il sait dégager d'un mot le
sens profond d'une œuvre originale : ainsi fit-il pour les *Fleurs
du Mal.*

Romancier ou critique, Barbey d'Aurevilly est un écrivain
puissant, créateur d'images inoubliables, styliste tantôt contourné,
tantôt incisif et coupant, tantôt ample au point que le goût des
belles cadences semble alors conduire le développement de sa
pensée. Mêlant parfois la crudité de l'image au mysticisme de la
pensée, il a ébauché une manière nouvelle que développeront
après lui Huysmans, Bloy, Bernanos.

2. GUSTAVE FLAUBERT.

Entre les deux écoles romantique et naturaliste se place Gustave Flaubert, qui procède de l'une et annonce l'autre, corrigeant
l'une par l'autre, et mêlant en lui les qualités de toutes les deux :
d'où vient précisément la perfection de son œuvre. Au moment
unique où le romantisme devient naturalisme, Flaubert écrit deux
ou trois romans qui sont les plus solides qu'on ait faits en ce siècle[1].

---

1. **Biographie :** G. Flaubert (1821-1880), né à Rouen, fils d'un chirurgien,
passa la plus grande partie de sa vie à sa propriété de Croisset, près de Rouen.
Il était grand travailleur; très bourgeois d'habitudes et de vie pratique, avec
sa haine romantique du bourgeois.

Il se disait romantique, et il l'était par son éducation, par ses admirations littéraires : Hugo était son Dieu. Il avait des préjugés, des manies de romantique échevelé : cet excellent homme professait candidement, avec une féroce truculence de paroles, la haine du bourgeois, de la vie et de la morale bourgeoises; il avait soif d'étrangeté, d'énormité, d'exotisme. On le sent tout voisin de Gautier et de Baudelaire. Puis le romantisme a fait l'éducation artistique de Flaubert : du romantisme, il a retenu le sens de la couleur et de la forme, la science du maniement des mots comme sons et comme images; de la seconde génération romantique, de Gautier et de l'école de l'art pour l'art, il a pris le souci de la perfection de l'exécution, la *technique* scrupuleuse et savante. Le choix d'un adjectif le faisait suer d'angoisse; il tournait et retournait sa phrase, la faisant passer par son *gueuloir*, jusqu'à ce qu'elle satisfît son oreille par d'expressives harmonies.

Mais voici par où il sort du romantisme : il a senti le besoin de dompter son imagination, et il s'est mis à la rude école de la nature. Docilement, patiemment, il s'applique à la copier pour la rendre en son propre et singulier caractère. Il travaille à s'éliminer de son œuvre, c'est-à-dire à n'y rester que par la maîtrise de sa facture. Il veut que le roman soit objectif, impersonnel, « impassible »; et, malgré les violences ou les gaucheries des formules dont il use dans sa *Correspondance*, il a raison lorsqu'il veut que l'émotion, la pitié sortent, s'il y a lieu, des choses mêmes et non pas d'une pression directe de l'auteur sur le lecteur, lorsqu'il défend au romancier de forcer pour ainsi dire la carte de la sympathie ou de l'attendrissement par une intervention indiscrète. Le roman, ainsi, ne sera plus la confidence d'un individu et souvent le jeu de sa fantaisie : il sera ce que sa définition veut qu'il soit, un miroir de l'âme humaine, un tableau de la vie. Par ces théories, Flaubert se rapproche sensiblement de la doctrine classique et son *impassibilité* ressemble fort à la *raison* du xviie siècle[1].

Éditions : Charpentier, 11 vol. in-18 (*Corresp. avec G. Sand*, 1 vol.; *Corresp. générale*, 4 vol.); Lemerre, 10 vol. in-16 (9 vol. de *Romans*; 1 vol. de *Théâtre*); Quantin, 8 vol. in-16. *La première Tentation de Saint-Antoine*, p. p. Le Bertrand, 1908. — **A consulter :** Notices de G. de Maupassant et de Mme Commanville, en tête des deux recueils de *Correspondance*; Max. Du Camp, *Souvenirs littéraires*, 2 vol.; P. Bourget, *Essais de psychologie contemporaine*; G. Doublet, *la Composition de Salammbô*, d'après la *Correspondance* de Flaubert, Toulouse, 1894; E. Faguet, *Flaubert*, 1899; E.-W. Fischer, *Études sur Flaubert*, 1908; R. Descharmes, *Flaubert, sa vie, son caractère et ses idées avant 1857*, 1909; R. Dumesnil, *G. Flaubert, l'homme et l'œuvre*, 1932; *l'Éducation sentimentale de G. F.*, 1936.

1. Mais cette impassibilité est surtout dans la forme et dans le travail. L'analyse retrouve sans cesse tout Flaubert, ses passions et ses souffrances, dans son œuvre, mais il s'est caché, non étalé. Il a fait effort pour atteindre la vérité

De fait, il a abdiqué les haines littéraires des romantiques : il admire jusqu'à Boileau, dont il ne souffre pas qu'on dise du mal, parce qu'enfin *il a fait ce qu'il a voulu*. Il sent dans Boileau un art impersonnel et la perfection d'une certaine *technique*.

Madame Bovary (1857) a chance d'être le chef-d'œuvre du roman contemporain : c'est une œuvre d'observation minutieuse et serrée dans une forme tout à la fois éclatante et sobre. Le réalisme de Flaubert n'est jamais une servile et plate copie des apparences superficielles. Tous ses personnages sont si patiemment étudiés qu'en faisant saillir tous les détails de leur individualité, il dégage les traits profonds qui en font des types puissants et compréhensifs. L'œuvre a paru brutale en son temps; dans l'ensemble, elle n'est que forte et triste. Il est permis aujourd'hui de dire que, si Flaubert avait en horreur les prédications morales comme les effusions sentimentales, cependant ces vies étalées impassiblement devant nous laissent à la fin de la pitié et dégagent une leçon. La leçon, grave et profonde, c'est le danger du romantisme : nous voyons ce que les grandes aspirations lyriques, les vagues exaltations, transportées dans la vie pratique par des âmes vulgaires, peuvent produire d'immoralité, de chutes et de misères sans grandeur. Le romantisme incurable de Flaubert a rendu son analyse plus pénétrante et plus sûre; il n'a pu donner cette admirable description du *morbus* lyrique que parce qu'il en observait certains effets en lui-même. Et ces êtres vulgaires, formes dégradées de l'humanité, nous blessent dans notre amour-propre; ils nous affligent, et nous les méprisons : pourtant ils sont si réels, si vivants, ils souffrent avec une si énergique intensité, qu'ils prennent droit de représenter la pauvre humanité, et qu'un peu de notre pitié, une pitié loyalement, rudement gagnée par eux sans complaisance ni tricherie de l'auteur, adoucit nos dégoûts, notre tristesse et notre révolte. L'ironie impitoyable de l'auteur s'abat seulement sur ceux que la vie ne châtie pas, qui fleurissent en leur sottise et leur bassesse, sur l'heureux, hilare et décoré Homais.

Plus navrante et plus grise est l'impression que laisse l'*Éducation sentimentale* (1869) : *Madame Bovary* prenait une grandeur tragique par les convulsions passionnées et par la mort de l'héroïne.

---

extérieure et générale; et par là il s'oppose aux romantiques et s'apparente aux classiques. Mais il n'y a pas de vrai artiste qui puisse et qui veuille neutraliser réellement sa personnalité, supprimer cette expérience interne que lui fournissent les réactions de sa sensibilité. Dans toutes les « idées », qui ne peuvent être contrôlées rigoureusement par une méthode scientifique, il entre une part d'imagination, d'émotion et de volonté objectives. Ce qui revient à dire que la distinction de l'art impersonnel et de la poésie personnelle n'est pas absolue, mais relative; et qu'ici comme en morale, il faut juger l'écrivain sur ses tendances et ses efforts, sur sa volonté.

Ici, plus rien de grand dans le modèle : c'est l'aplatissement lent et progressif d'une âme par la vie; ce Frédéric Moreau est un médiocre, un faible, qui manque l'existence rêvée dans la fièvre idéaliste de ses vingt ans; par une suite d'expériences sans éclat, minutieusement décrites en leur terne réalité, se rabattent peu à peu toutes les ambitions, s'évanouissent toutes les chimères. La profondeur et la tristesse de l'œuvre, c'est cet écoulement d'une vie, *où il n'arrive rien*, et, *sans qu'il arrive rien*, la submersion finale de toutes les espérances juvéniles dans la niaise, stupide et mono-tone existence du bourgeois de petite ville. Et que surnage-t-il? un souvenir, pas même un souvenir de bonheur, le souvenir d'une velléité sans effet; mais il suffit que ce soit un souvenir de la pre-mière montée de sève virile, pour que l'âme en soit à jamais ensoleillée et réjouie.

Triste encore, mais d'une tristesse plus tendre, est le premier des trois *Contes* que Flaubert donna en 1877 : cette histoire d'un *cœur simple* — il s'agit d'une pauvre servante de province — est d'une sobriété puissante et d'un art raffiné; dans l'insignifiance des faits, dans l'absolue pauvreté intellectuelle du sujet, dans la bizarrerie ou la niaiserie de ses manifestations sentimentales, transparaît constamment l'essentielle bonté d'un cœur qui ne sait qu'aimer et se donner; quelque chose de grand et de touchant se révèle à nous par des effets toujours mesquins ou ridicules; et ces deux sentiments qui s'accompagnent en nous donnent une saveur très particulière à l'ouvrage.

En face de ces études réalistes sur la vie contemporaine, Flau-bert nous présente de hardies, d'étranges tentatives de restitution de mœurs ou d'âmes bien lointaines : la *Légende de Saint Julien l'Hospitalier*, *Hérodias* dans les *Trois Contes*, la *Tentation de Saint Antoine* (1874), et surtout le roman carthaginois de *Salammbô* (1862). En réalité, il n'y a pas de contradiction entre les deux parties de l'œuvre de Flaubert. Il a tout simplement « appliqué à l'antiquité les procédés du roman moderne », et la *Tentation* ou *Salammbô* ne sont pas construits autrement que *Madame Bovary* ou le *Cœur simple*. Seulement, l'observation directe étant impos-sible ici, il y a suppléé par l'étude des documents qui permettaient de reconstituer la réalité disparue.

La *Tentation de Saint Antoine*, qui paraît une si prodigieuse fan-taisie (et qui l'était dans sa première rédaction, nettement roman-tique) est aussi strictement objective que l'*Éducation sentimentale*, — du moins dans l'intention de son auteur. Cette hallucination fantastique est sortie tout entière d'une patiente étude de docu-ments; de là, justement, la froideur de l'œuvre et la fatigue qu'elle laisse : tellement l'auteur s'est mis en dehors de la vie contempo-

raine, tellement il s'est appliqué à éliminer toute idée personnelle,
toute conception philosophique, morale ou religieuse, qui eussent
donné direction, sens et portée à ce splendide cauchemar. — Y a-
t-il réussi? C'est une autre question. L'exécution est indiscutablement objective. Mais Flaubert est resté de son temps plus qu'il
ne l'a cru. Sa vision historique est en même temps une représentation symbolique, et le triomphe de l'atome de matière, de la
cellule, sur lequel s'achève l'ouvrage, n'est certainement pas une
caractéristique de la civilisation du ive siècle : c'est le terme du
développement philosophique et scientifique de l'humanité tel
que le comprend un poète de la fin du xixe siècle. Toutefois
Flaubert semble ne s'en être pas rendu compte, et l'effort sincère
qu'il a fourni pour s'abstraire totalement de son œuvre l'a
refroidie. L'âme qui anime la *Légende des Siècles* manque ici.

Pareillement la couleur historique de *Salammbô* est tout à
fait différente de la couleur locale des romantiques. Je ne sais
quelle estime un archéologue peut avoir pour le roman de Flaubert : pourtant il est sûr que l'œuvre n'est ni symbolique ni philosophique, mais strictement historique. Flaubert n'a rien voulu
exprimer de lui-même, ni sa conception ni son rêve de la vie. Il a
essayé de comprendre, de voir et de faire voir comment avaient
pu vivre des Carthaginois, ainsi qu'il avait montré des Normands.
Il a essayé de déterminer sa vision par une solide et vaste érudition,
de diriger et limiter son imagination par tout ce qui pouvait con-
tribuer à former la connaissance exacte de la vie carthaginoise :
visite des lieux et vue de tous les débris de l'art punique, étude de
textes anciens et modernes, examen de toutes les formes analogues ou voisines de civilisation.

Au reste, il prétendait faire œuvre, non pas d'archéologue, mais
d'artiste. Il suppléait à toutes les lacunes de l'érudition : il allait
chercher à travers les siècles et les races de quoi compléter ses
textes, cueillant ici un trait du Sémite biblique, et là faisant concourir sainte Thérèse à la détermination du type extatique de
Salammbô. « Je me moque de l'archéologie, écrivait-il; si la
couleur n'est pas une, si les détails détonnent, si les mœurs ne
dérivent pas de la religion et les faits des passions, si les caractères ne sont pas suivis, si les costumes ne sont pas appropriés aux
usages, et les architectures au climat, s'il n'y a pas, en un mot,
harmonie, je suis dans le faux. Sinon, non[1]. » Il n'était pas dans
le faux. Il a fait ce qu'il voulait, et cette œuvre, en son éclat
étrange, est forte comme *Madame Bovary*. La psychologie, naturel-

---

1. *Lettre à M. Frœhner*, à la suite de *Salammbô*. Cf., *ibid.*, la lettre à Sainte-
Beuve.

lement, est moins intérieure, plus sommaire; les passions, bizarres parfois en leurs effets, ou monstrueuses, sont élémentaires en leur principe. Mais c'était une condition du sujet. Tout l'intérêt va aux manifestations extérieures par lesquelles cette humanité lointaine se représente à nous, formes de meubles ou de palais, formes de sentiments ou d'actes. Un peu lourd, quoi qu'en ait pensé Flaubert, en sa richesse descriptive, ce roman est supérieur à tout ce qu'on a pu tenter en ce genre, par la largeur pittoresque et l'énergie dramatique des tableaux.

Il serait injuste de juger comme une œuvre achevée le roman posthume de *Bouvard et Pécuchet* (1881). Ces expériences incessamment renouvelées de la bêtise bourgeoise deviennent vite fastidieuse et fatigantes. L'accumulation des petits faits, vraisemblables ou vrais chacun isolément, a quelque chose d'artificiel, de mécanique : ces bonshommes sont des caricatures sèches et tristes. C'est là surtout que l'ironie s'alourdit jusqu'à la cruauté : précisément parce que Flaubert prend son point de départ dans son préjugé personnel, c'est là qu'il y a le moins de vérité objective, et, sous la platitude réaliste du détail, le plus de fantaisie arbitraire : cette étude n'est qu'un vieux paradoxe romantique traité par le procédé naturaliste.

Une dizaine de volumes, dont trois ou quatre sont des chefs-d'œuvre, voilà l'œuvre de Flaubert, et il faut lui compter cette sobriété, qui révèle l'artiste difficilement satisfait de sa production. Aussi se faisait-il de l'art la plus haute idée : c'était sa religion, le remède au mal métaphysique, la raison de vivre. Par l'art seul, l'intelligence et la volonté saisissent leurs objets qui, partout ailleurs, leur échappent : dans l'art seulement, l'homme peut connaître et créer; hors de l'art, il n'y a qu'illusion et impuissance. Le fanatisme artistique de Flaubert n'est pas griserie d'imagination ni expansion de sympathie : c'est la dernière étape d'une pensée philosophique qui n'a point voulu s'arrêter dans le scepticisme pessimiste. Par là encore, il clôt l'âge romantique et remet la littérature sous la direction de la réflexion critique. (Appendice XXXVII.)

2. LE CHEF DE L'ÉCOLE NATURALISTE : ÉMILE ZOLA.

L'école naturaliste s'est constituée à la fin du second Empire, sous l'influence de *Madame Bovary* et des théories littéraires de Taine, sous l'influence plus lointaine et d'autant plus prestigieuse des grands travaux des physiologistes et des médecins. Flaubert se défendait de l'avoir fondée. Elle trahissait en effet la doctrine de l'art pour l'art, qui était la sienne, en mettant l'art au service d'une conception scientifique : le déterminisme, — et même d'une conception politique : la démocratie. Le maître qui a fourni les formules les plus impérieuses, les applications les plus éclatantes de cette nouvelle doctrine, est Émile Zola[1].

Flaubert n'était encore qu'un artiste : Zola est, prétend être un savant. Il s'inspire, outre Taine, de Claude Bernard. Un roman n'est plus seulement pour lui une observation qui décrit les combinaisons spontanées de la vie : c'est une expérience, qui produit artificiellement des faits d'où l'on induit une loi certaine et nécessaire. Il n'y a pas lieu de nous arrêter à cette théorie du « roman expérimental » : elle repose sur la plus singulière méprise. Zola n'a jamais aperçu la différence qui existe entre une expérience scientifiquement conduite dans un laboratoire de chimie ou de physiologie, et les prétendues expériences du roman où tout se passe dans la tête de l'auteur, et qui ne sont en fin de compte que des hypothèses plus ou moins arbitraires[2]. Zola ne nous a-t-il pas confié lui-même, dans une lettre rendue publique, que son roman du *Rêve* était une « expérience scientifique » conduite « à toute volée d'imagination »?

Passons donc condamnation sur les prétentions scientifiques de Zola : toute la série des *Rougon-Macquart*, cette *histoire naturelle d'une famille sous le second Empire*, ne nous apprend rien sur la loi de l'hérédité, ne la démontre ni ne l'explique. Dans l'hypothèse de la parenté qui unit tous les héros de ces romans, je ne puis voir qu'un artifice littéraire, assez inutile du reste : les œuvres ne perdraient rien à rester isolées dans leurs titres, comme elles le sont de fait. Car toutes les branches de la famille des Rougon-Macquart poussent de tous côtés, à toutes hauteurs, et la série ne me donne pas même cette impression générale que produit la *Comédie humaine* de Balzac : les récits divergents ne concourent pas à former en moi l'idée d'un vaste ensemble social où les diverses parties se tiendraient et se raccorderaient.

La faiblesse de la conception scientifique de Zola apparaît assez curieusement dans le caractère particulier de chacun des

---

1. Émile Zola (1840-1903). Principales œuvres : *Contes à Ninon* (1864). *Thérèse Raquin* (1867). *Les Rougon-Macquart* (1871-1893) : *la Conquête de Plassans, la Curée, l'Assommoir* (1877), *Germinal* (1885), *la Débâcle* (1892). *Les Trois villes : Lourdes* (1894), *Rome* (1896), *Paris* (1898). *Les Quatre Évangiles : Fécondité* (1889), *Travail* (1901), *Vérité* (1903); *Justice* n'a pas paru. *Correspondance*, 1907-1908, 2 vol. — **Édition :** Charpentier, 51 vol. in-18 dont 20 vol. des *Rougon-Macquart*; 8 vol. de *Critique*; 1 vol. de *Théâtre*; 2 vol. de Correspondance. — **A consulter :** E. Zola, *le Roman expérimental*, 1 vol.; F. Brunetière, *le Roman naturaliste*, 2ᵉ éd. 1892; R. Doumic, *Portraits d'écrivains*; Larroumet, *Nouvelles Études de litt. et d'art*; Massis, *Comment Émile Zola composait ses romans*, 1906.

2. Taine (Préface des *Essais de critique*) invitait à commettre cette erreur.

romans qui doivent l'exprimer. Il semblerait que l'objet principal
du romancier devrait être l'étude de l'individu en qui se continue
la névrose héréditaire : mais pas du tout. L'individu s'efface : et
les *documents* qu'apporte Zola sont relatifs à une spécialité
professionnelle, ici les chemins de fer, là les mines, là la broderie,
ailleurs la finance. C'est Gervaise qui est une Rougon-Macquart,
mais c'est à l'alcoolisme de Coupeau que l'auteur s'attache; et
Gervaise, avec son hérédité, n'aurait pas déraillé, si Coupeau
n'avait bu.

Au reste, expérimentations scientifiques ou explications techniques, tout le scientifique et tout le technique se valent chez
Zola : il n'est même pas vulgarisateur comme Jules Verne.
Ce n'est chez lui qu'agitation confuse, étalage incohérent de mots
savants ou spéciaux qui étourdissent sans éclairer. C'est de la
science en trompe-l'œil.

La psychologie des romans de Zola est bien courte. Sa doctrine lui disait — et son tempérament ne protestait pas contre
sa doctrine — que l'observation scientifique est extérieure, non
intérieure. Il ne s'est pas douté que ce n'est qu'en soi qu'on
connaît les autres. Il a vu passer des gens en blouse ou en redingote, gesticuler des bras, étinceler des yeux, râler ou saigner des
corps : et il s'est demandé ce que cela signifiait. Ou plutôt il l'a
demandé à sa science : ses manuels de médecine lui ont montré
des cas pathologiques; ses manuels de physiologie lui ont expliqué
les fonctions de la vie animale. Persuadé qu'il tenait tout l'homme,
il n'a rien cherché dans la vie humaine au-delà des accidents de
la névrose et des phénomènes de la nutrition. Des agitations de
fous ou des appétits de brutes, voilà tout ce qu'il nous offre :
de là, l'indigence psychologique, le vide inquiétant de ses bonshommes : de là, la mécanique brutale et grossièrement conventionnelle de leurs actes. Ce sont des fous ou des brutes, de qui, au
bout de quatre cents pages, après qu'ils ont étalé leur vie, on n'a
rien à dire, sinon que ce sont des brutes ou des fous.

Malgré ses ambitions scientifiques, Zola est avant tout un
romantique. Il fait penser à V. Hugo. Il a un talent vulgaire
et robuste où domine l'imagination. Ses romans sont des poèmes,
de lourds et grossiers poèmes, mais des poèmes. Les descriptions
sont intenses, éclatantes, écrasantes, et tournent en visions
hallucinatoires[1] : l'œil de Zola, ou sa plume, déforme et agrandit

---

1. Cf. ce prodigieux Paradou, dans la *Faute de l'abbé Mouret* : il n'y a pas un
exemple, même chez Victor Hugo, d'un aussi fantastique agrandissement de la
réalité; cependant cf. *les Misérables* (le jardin de la rue Plumet) et les *Chansons
des rues et des bois*. Pour le principe de ce procédé descriptif, voir la « personne »
de la cathédrale dans *Notre-Dame de Paris*.

tous les objets. C'est un rêve monstrueux de la vie qu'il nous
offre : ce n'en est pas la réalité simplement transcrite. Sa fantaisie
effrénée anime toutes les formes inertes; Paris, une mine, un
grand magasin, une locomotive, deviennent des êtres effrayants
qui veulent, qui menacent, qui dévorent, qui souffrent; tout cela
danse devant nos yeux comme dans un cauchemar. La pauvreté
et la raideur des caractères individuels les inclinent à devenir
des expressions symboliques[1], et le roman tend à s'organiser en
vaste allégorie, où plus ou moins confusément se déchiffre quelque
conception philosophique, scientifique ou sociale, de mince valeur
à l'ordinaire et de nulle originalité. Tout cela est bien d'un romantique, et l'on a pu qualifier de *réalisme épique* le genre de Zola.
Des épopées sociologiques, voilà bien en effet ce qu'il a donné, et
j'y trouve à peu près autant de *document humain* que dans les
épopées humanitaires de la *Légende des siècles*.

Mais c'est précisément ce romantisme, cette puissance poétique
qui font la valeur de l'œuvre de Zola : cinq ou six de ses romans
sont des visions grandioses qui saisissent l'imagination. Surtout
incapable, comme il est, de faire vivre un individu, il a le don de
mouvoir les masses, les foules : il est sans égal pour peindre tout
ce qui est confus et démesuré, la cohue des rues, une réunion
de courses, une grève, une émeute. Toutes les parties de *Germinal*
qui expriment la vie et l'âme collectives des mineurs sont étonnantes de largeur épique.

Avec ce *Germinal*, qui est l'épopée du mineur du Nord, l'œuvre
maîtresse de Zola est l'*Assommoir*, l'épopée de l'ouvrier parisien. Par un heureux accord de ces sujets vulgaires et de son
talent brutal, Zola a mis dans ces deux romans plus de vérité,
une observation plus serrée et plus précise que dans les autres;
là aussi, plus de sincérité et moins d'artifice verbal. Ce sont les
deux maîtresses œuvres qui resteront de ce laborieux ouvrier.
La Débâcle, qui touchait à des plaies toujours saignantes, a été
plus contestée, en dépit — peut-être en raison — de l'immense
talent qui a su rendre de façon saisissante le désarroi, l'incohérence, le piétinement, la désagrégation, le va-et-vient des masses;
cependant les spécialistes ont reconnu que c'était là « l'exact
tableau de cette fatale époque[2] ». Tout au plus peut-on regretter

1. Les *gras* et les *maigres*, du *Ventre de Paris*. Le *paysan* et le *bourgeois*,
dans la *Débâcle*. Ailleurs une femme qui devient la Femme, et son vice le
Vice universel. Même dans le couple de l'*Assommoir*, peu d'individualité et
au contraire, puissante vérité typique.

2. Alfred Duquet, historien de la guerre de 1870 et adversaire politique de
Zola. Il ajoutait : « Non, *la Débâcle* n'est pas un mauvais livre, car on ne saurait
guérir une plaie sans la voir, sans la sonder; c'est une œuvre forte et saine. »

que tant de vigoureuses évocations, qui valent par elles-mêmes, aient été rattachées à une fiction romanesque qui nécessairement en amoindrit l'effet.

Les derniers romans de Zola ont délivré, en l'orientant, le lyrisme tumultueux qui gonflait son œuvre antérieure. A partir de 1885 (*Germinal*), le socialisme gagne sans cesse dans sa pensée sur le naturalisme de ses débuts; l'Affaire Dreyfus, où il joua un rôle capital, acheva d'en faire un militant. Dès lors il cesse de peindre avec férocité le présent (comme il a fait dans les *Rougon-Macquart*) pour imaginer les félicités à venir. Les *Trois Villes*, description de Lourdes, Rome, Paris, mêlée de méditations et d'effusions, indiquent cette transformation de son talent; elle éclate dans les *Quatre Évangiles* où sur un ton volontiers messianique, Zola célèbre les vertus cardinales qui fonderont la société de demain : *Fécondité, Travail, Vérité, Justice*[1]. Le fondateur du naturalisme s'en est donc délibérément évadé vers la fin. Ainsi feront ses disciples les plus notoires, Maupassant, Huysmans. Cette triple évasion est pleine d'enseignements.

3. ROMANCIERS NATURALISTES : E. ET J. DE GONCOURT, DAUDET, MAUPASSANT.

Edmond et Jules de Goncourt[2] ont inventé trois choses, ils le disent du moins : le naturalisme, la vogue du XVIIIe siècle, et le japonisme. Pour nous en tenir à la littérature, ils se flattent un peu; cependant *Germinie Lacerteux* est de 1865, et suivait *Renée Mauperin*, qui est de 1864. Or tant par l'une que par l'autre de ces deux œuvres, ils indiquaient trois caractères du naturalisme : d'abord l'usage du document, de la *note* prise au vol dans les rencontres de la vie; traduisons : la substitution du *reportage* à la psychologie; en second lieu, la superstition ou la prétention scientifique, la fréquentation de la clinique, l'étude de l'hystérie ici, là de la maladie de cœur, donc la substitution de la pathologie à la psychologie; enfin, dans *Germinie Lacerteux*, le principe si contestable que les faits vulgaires et les *milieux* populaires sont le propre domaine de l'art réaliste, qu'il y a plus de réalité dans l'œuvre quand il y a plus de grossièreté dans la matière.

---

1. *Justice* est resté à l'état de projet.
2. Edmond (1822-1896) et Jules (1830-1870) de Goncourt. **Éditions :** *Les Hommes de Lettres* (Charles Demailly), 1860; *Renée Mauperin*, 1864; *Manette Salomon*, 1867; *Madame Gervaisais*, 1869; *Idées et sensations*, 1866, in-8; *la Femme au XVIIIe siècle*, 1862, in-8; *l'Art au XVIIIe siècle*, 1859-75. Edmond de Goncourt, après la mort de son frère, a donné seul quelques romans (*les Frères Zemganno*, 1879) et leur *Journal* (3 séries, en 9 vol., publiés 1887-96). — **A consulter :** P. Bourget, *Essais de psychologie*; F. Fosca, *E. et J. de Goncourt*, 1945.

Les Goncourt ont conscience d'avoir été « des créatures passionnées, nerveuses, maladivement impressionnables »; ils ont été en effet des maniaques littéraires. Sur leurs terribles carnets ils ont couché tout ce que leurs yeux et leurs oreilles ont rencontré, choses et hommes, meubles et idées; plus sensitifs qu'intelligents, ils ont à l'ordinaire curieusement fixé l'aspect des choses, cruellement aplati les idées des hommes. Surtout ils ne se sont jamais doutés combien cette féroce application à tout convertir en notes pour des livres pouvait fausser les justes proportions, altérer la vraie couleur de la vie. Dans leur œuvre laborieuse, ils ont réussi surtout à exprimer certains types de détraqués et de déclassés, gens de lettres, artistes, acrobates; ils ont rendu avec une singulière originalité les formes d'âmes les plus factices qu'une civilisation trop raffinée fait éclore, la jeune fille du grand monde parisien, par exemple, dans ce roman de *Renée Mauperin*, qui demeurera, sans doute, l'une des œuvres caractéristiques de cette époque.

Enfin, par leur style tourmenté, raffiné, souvent extravagant ou alambiqué, souvent aussi d'une intense et originale précision, les Goncourt ont exercé une grande influence sur leurs contemporains. Ils ont créé vraiment le style *impressionniste* : un style très artistique, qui sacrifie la grammaire à l'impression, qui, par la suppression de tous les mots incolores, inexpressifs, que réclamait l'ancienne régularité de la construction grammaticale, par l'élimination de tout ce qui n'est qu'articulation de la phrase et signe de rapport, ne laisse subsister, juxtaposés dans une sorte de *pointillé*, que les termes producteurs de sensations.

Alphonse Daudet[1], un fin Méridional, nature souple, nerveuse, séduisante, a subi l'influence de Zola et des Goncourt. Ce n'a pas été toujours pour son bien : mais le mal, en somme, n'est pas grave, et son œuvre met suffisamment en lumière son originalité. Lui aussi, il a eu des calepins noirs de notes; lui aussi, il a déversé ses notes dans ses romans; on y a trouvé le fait divers, le procès scandaleux de la veille ou de l'avant-veille. Lui aussi, il a pris une gravité de médecin consultant, il a tâté le pouls à la société;

---

1. Alphonse Daudet (1840-1897), débute par un volume de vers, *les Amoureuses* (1858); *Lettres de mon Moulin* (1869); *Contes du lundi* (1873); *Fromont jeune et Risler aîné* (1874), le *Nabab* (1877), *Sapho* (1884), Charpentier, in-18; *Jack* (2 vol., 1876); les *Rois en exil* (1879), l'*Évangéliste* (1883), Dentu, in-18; le *Petit Chose* (1868), Hetzel, in-18, et Lemerre, pet. in-12; l'*Immortel* (1880), Lemerre, in-18; *Théâtre*. Charpentier, 2 vol. in-18, 1880-1896. Collection Guillaume illustrée, Flammarion, 13 vol. in-18. — A consulter : A. Daudet, *Trente Ans de Paris* (1880), *Souvenirs d'un homme de lettres* (1888), Coll. Guillaume; F. Brunetière, *le Roman naturaliste*; Doumic, *Portraits d'écrivains*; L. Daudet, *A. Daudet*.

on l'a vu déposer en justice comme un expert en psychologie, dont la consultation fait preuve.

Mais A. Daudet avait trop de spontanéité pour que ses théories pussent gâter son talent : et il nous a donné quelques-uns des plus touchants, des plus séduisants romans que nous ayons. Tout ce qui est dans son œuvre impression personnelle et vécue, non pas seulement chose vue, mais chose sentie, ayant fait vibrer son âme douloureusement ou délicieusement, tout cela est excellent : il a été supérieur dans la description de tout ce qui intéressait sa sympathie. L'impersonnalité du savant n'a jamais été son fait : mais il a su objectiver sa sensation, remonter à la cause extérieure de son émotion, et, domptant le frémissement intérieur de son être, que l'on sent toujours et qui prend d'autant plus sur nous, il s'est appliqué à noter exactement l'objet dont le contact l'avait froissé ou caressé. Il est arrivé à faire une œuvre objective, et point du tout impersonnelle. Provençal, il a décrit la Provence, son soleil, ses paysages, depuis le caricatural Tartarin jusqu'au très réel Roumestan. Ayant vécu à Lyon et à Paris, dans les quartiers populeux, parmi la petite bourgeoisie, ayant peiné et longtemps coudoyé les gens qui peinent, commerçants, employés, ouvrières, il a représenté les vieilles maisons, les rues bruyantes de Lyon et de Paris, la vie laborieuse et tumultueuse des fabriques, les durs combats pour arriver aux échéances ou atteindre le jour de paye, l'effort journalier, épuisant, contre la misère : le *Petit Chose*, *Jack*, *Fromont jeune et Risler aîné*, des coins du *Nabab* et de l'*Évangéliste* sont d'exquises et fortes peintures de la vie bourgeoise et presque populaire. A. Daudet a l'intuition psychologique et la bonne méthode : il a su fabriquer son œuvre avec son expérience intime, sans étaler son *moi*. Il se pourrait bien que la vraie poésie réaliste, que nous cherchions précédemment, ce fût lui qui l'eût trouvée.

Enfin A. Daudet a tenté aussi de grandes études historiques de mœurs contemporaines : le monde du second Empire dans le *Nabab*, le monde des souverains en déplacement ou en disponibilité dans les *Rois en exil*, le monde de l'Institut dans l'*Immortel*. Ce dernier roman est une complète erreur, mais les précédents, dans le décousu et l'incohérence de leur composition, présentent d'admirables parties. A. Daudet, finement et nerveusement, a su rendre certains aspects d'un Paris vieux maintenant de presque un siècle, aspects de la ville, aspects des âmes; il a dessiné de curieuses et vivantes figures : il a décrit aussi, en scènes touchantes ou grandioses, les conditions déjà difficiles où évoluaient les dernières existences princières, menacées d'une disparition survenue depuis. Mais il a donné des analyses plus serrées et plus poignantes, dans ce roman de l'*Évangéliste*, où il a dépeint le ravage du fanatisme religieux dans certaines âmes contemporaines. Dans son *écriture*, comme on dit, un peu hâtive, trop voisine parfois des documents du calepin, c'est là vraiment une œuvre forte. Il a réussi peut-être encore mieux dans *Sapho*, sujet scabreux et navrant, qu'il a traité avec une délicatesse, une force, une sûreté incomparables.

La répression de la sensibilité, l'étude sévère de l'objet, ne coûtaient aucune peine à Guy de Maupassant[1] : aussi est-ce chez lui, après Flaubert, qu'il faut chercher la plus pure expression du réalisme artistique, bien qu'il soit usuel de le classer au nombre des naturalistes ses contemporains. Talent robuste plutôt que fin, sans besoin d'expansion sympathique, sans inquiétude intellectuelle, Maupassant n'avait ni affections ni idées qui le portassent à déformer la réalité : ni son cœur ne réclamait une illusion, ni son esprit ne cherchait une démonstration. Flaubert lui apprit à poursuivre le caractère original et particulier des choses, à choisir l'expression qui fait sortir ce caractère. Une fois formé au gré de son maître, Maupassant se mit à écrire des nouvelles et des romans remarquables par la précision de l'observation et par la simplicité vigoureuse du style.

Dans tout cela, pas de philosophie profonde : dans l'air ambiant, Maupassant a pris la doctrine de l'écoulement incessant des phénomènes; elle dispense de philosopher, et il s'en tint là. Il voit l'homme assez laid, médiocre, brutal en ses appétits, exigeant en son égoïsme, fort ou rusé selon son tempérament et sa condition, et, par force ou ruse, chassant au plaisir ou au bonheur : les satisfactions physiques et les biens matériels sont presque toujours les objets de cette chasse. En somme, le gorille méchant ou polisson de Taine, tel que le peuvent habiller les classes moyennes ou populaires en notre France. Dans cette vue de l'homme, rien de systématique, aucun parti pris : Maupassant s'est regardé, jugé dans sa soif de bien-être, de jouissances, d'active expansion de son être physique et sensible; il a regardé, jugé nombre d'individus, paysans et bourgeois, en qui il n'a rien trouvé de plus.

Dans le développement de ses caractères, point d'outrance philosophique, point d'exclusion *a priori* de la psychologie. C'est des corps, mais aussi des esprits et des âmes qu'il parle : il ne se

1. Guy de Maupassant (1850-1893), filleul de G. Flaubert. — **Éditions :** *Des vers* (1880), Charpentier; *Une vie* (1883), *Bel Ami* (1885), *la Petite Roque* (1886), etc., en tout 9 vol., V. Havard, in-18; *Pierre et Jean* (1888), *Fort comme la mort* (1889), *Notre cœur*, etc., en tout 8 vol., Ollendorff, in-18. — **A consulter :** G. Maynial, *La vie et l'œuvre de Maupassant*, 1906; R. Dumesnil, *Maupassant*, 1933; Vial, *M. et l'art du Roman*, 1954.

prononce pas sur la cause des phénomènes, mais il lui suffit que tout le monde s'entende sur les ordres de faits désignés par les noms d'*idées, désirs, affections, volontés*. Il fera au tempérament sa place, rien que sa place.

Mais il n'a point de goût et peut-être peu d'aptitude aux fines études psychologiques, tout au moins pendant la première partie de sa vie. Dans la seconde, les relations plus relevées où l'engageait son succès même, l'approche de la maturité, l'inquiétude sourde devant la lente aggravation de la maladie semblent avoir développé en lui les préoccupations de cet ordre : *Bel-Ami* (1885), *Pierre et Jean* (1838) et surtout *Fort comme la Mort* (1889) où Maupassant peint les ravages d'un double amour dans un seul cœur, l'attestent de façon croissante. Mais il n'ira jamais jusqu'au roman psychologique pur. Sa manière est synthétique et c'est par les apparences de la vie, par les mouvements, les actes, qu'il exprime les ressorts et les forces intimes de la conscience. Il en résulte que sa psychologie, si juste soit-elle, a quelque chose de court et de sommaire; en revanche, rien d'abstrait, rien de purement logique : tout est solide et réel.

L'œuvre de Maupassant nous représente tous les milieux et tous les types qui sont tombés successivement sous son expérience : paysans de Normandie, petits bourgeois normands ou parisiens, propriétaires ou employés, il a dessiné des types vulgaires avec une puissante sobriété, sans férocité, sans sympathie aussi, parfois avec une sorte de dédain concentré qui donne à son récit un accent d'ironie âpre. Cette dérision est surtout sensible dans les premières œuvres (*Boule-de-Suif*), toutes proches par leurs dates de nos désastres, alors que le pessimisme, la dénonciation des vilenies et hypocrisies sociales étaient de rigueur chez les jeunes écrivains. Mais cette nuance de comique un peu dur s'est atténuée à mesure que s'élargissaient sa vision des choses, son expérience de la vie : il a parfois repris, en les transposant sur le mode de la sympathie, d'anciens thèmes jadis traités avec quelque cruauté. La maladie qui le minait l'inclinait à compatir maintenant avec toutes les formes de la misère humaine. Vint un moment où il se sentit glisser vers la folie. Il écrivit alors « avec le sang de son âme » (Lemaitre) ces nouvelles étranges sur la peur, où il notait, avec une précision qu'ont admirée les médecins aliénistes, les hallucinations nées du détraquement progressif du système nerveux.

Si l'on veut avoir une idée de la simplification hardie par laquelle Maupassant dégage le caractère de la réalité complexe et touffue, on devra prendre de préférence *Une vie* : une pauvre vie de femme, vie de courtes joies et de multiples déceptions, de misères médiocres et communes qui font de profondes blessures, vie d'espérance obstinée, indéracinable, qui, trompée par un mari, trompée par un fils, se reporte avec une navrante candeur sur le petit enfant destiné peut-être à lui fournir la dernière leçon de désillusion, si la mort ne vient pas avant. Cette vie, très particulière en son détail, est si vraie, d'une vérité si moyenne en sa contexture et qualité, qu'elle en prend une valeur générale : à sa tristesse s'ajoute toute la tristesse des innombrables vies que nous apercevons derrière ce cas unique, et la puissance douloureuse de l'œuvre en est infiniment accrue.

4. HORS DU NATURALISME : FRANCE, BOURGET, LOTI.

Le roman a été, depuis 1870, le plus heureux et le plus fécond des genres : c'est celui aussi où les tempéraments ont été le moins comprimés par les traditions ou les théories.

La tradition du roman idéaliste s'est continuée par Octave Feuillet[1] qui, grâce à son expérience du monde, a mis dans ses combinaisons romanesques plus de réalité qu'on ne croit. Certaines parties aristocratiques de notre société n'ont été vues et bien rendues que par lui. A mesure qu'il vieillissait, il a marqué de traits plus forts, presque brutalement, la décomposition, la démoralisation de certain grand monde, exquis gentilshommes aux âmes vides ou dures, délicieuses jeunes filles aux propos cyniques.

Le roman psychologique s'est également perpétué par Ferdinand Fabre[2] qui a fait quelques tableaux remarquables de la dévotion rustique et populaire dans les Cévennes méridionales, mais surtout de vigoureuses études des caractères ecclésiastiques, des formes très spéciales que l'Église impose aux passions, aux convoitises, aux haines des hommes; son *abbé Tigrane* est un petit chef-d'œuvre. Rien n'est plus savoureux aussi et sincère que les paysages où Ferdinand Fabre fait mouvoir ses personnages.

Les trois œuvres les plus considérables que nous rencontrions, en marge du naturalisme et tout à fait indépendantes de lui, sont celles de France, Bourget et Loti.

Anatole France[3] a fait passer, semble-t-il, dans le roman, l'in-

1. Octave Feuillet (1821-1890); *Monsieur de Camors* (1867); *Julia de Trécœur* (1872).

2. Ferdinand Fabre (1830-1898) : *l'abbé Tigrane* (1873).

3. A France (1844-1924) : *le Crime de Silvestre Bonnard* (1881); *le Livre de mon ami* (1885); *Thaïs* (1890); *la Rôtisserie de la reine Pédauque* (1893); *le Lys rouge* (1894); *Histoire contemporaine* (*l'Orme du Mail*, etc.), 4 vol. (1897-1900);

fluence de Renan, « cet adorable esprit ». Elle s'est fondue dans son propre tempérament, qui était profondément épicurien : il en est résulté une œuvre où se combinent, de façon plus ou moins immorale ou excentrique, la sensualité et l'intelligence. La sensualité affleure souvent : A. France est essentiellement un artiste, curieux de toutes les formes de la beauté, surtout harmonieuses et voluptueuses. Poète parnassien à ses débuts, humaniste, bibliophile, il promène cette curiosité de l'alexandrinisme au Paris du xviiie siècle, de la Thébaïde à la rue Saint-Jacques, de Paris à Florence, en homme qui voit dans la contemplation, dans l'art, dans l'amour les seules raisons de vivre. Ce sentiment délicat de la beauté pénètre à la fois son imagination qui stylise volontiers — un peu trop peut-être — la matière qu'elle façonne, et son style, plastique sans effort, séduisant sans coquetterie, harmonieux, modéré, conforme en tout à la plus pure tradition classique : ce n'est pas un des moindres mérites de France que d'avoir « maintenu » la langue française en un temps où elle menaçait de se défaire, et d'avoir donné comme la fleur suprême du classicisme provisoirement défaillant. Il est vrai qu'il l'a cultivée en serre demi-close : « on ne sent pas la brise », a dit un poète[1].

L'intelligence circule dans toutes les pages de cette œuvre discrètement sensuelle; le plus souvent sous la forme de l'humour, qui isole le détail saugrenu, ou de l'ironie qui dégonfle, sans avoir l'air d'y toucher, toutes les baudruches, — inconséquences ou pharisaïsmes. Philosophie purement négative et sceptique? On l'a prétendu. Cependant il a proclamé l'utilité du scepticisme qui « ne nie que des négations, qui libère l'intelligence de ce qui l'abêtit, qui lutte contre l'erreur, la haine, la cruauté ». Et il a montré, quand il a fallu, que cet apparent détachement cachait un amour passionné de la raison et de la justice; notamment quand il se fit le peintre des mœurs politiques de la France dans l'*Histoire contemporaine*, ou quand il conta l'histoire de *Crainquebille*, marchand-des-quatre-saisons victime d'une erreur judiciaire comme Dreyfus. Sa phrase alors a pris une tension, un nerf, une âpreté inattendus : les préoccupations et les passions de la lutte sociale ont élargi la facture de l'artiste.

Par-dessus tout, France a en horreur tous les fanatismes, religieux ou politiques : il n'a pas craint, dans son plus beau roman, *les Dieux ont soif*, de dénoncer, au risque de scandaliser ses amis

Crainquebille (1901); *Les Dieux ont soif* (1912); *Le Petit Pierre* (1918). **A consulter :** A. Roujon, *La vie et les opinions de F.*, 1925; Carrias, *A. F.*, 1931; Braibant, *Le Secret d'A. F.*, 1935; J. Suffel, *A. F.*, 1946.

1. A. Angellier.

politiques[1], les conséquences sanglantes de l'idéologie jacobine.
Le fond de sa pensée est sans doute un scepticisme à la Montaigne,
fondé sur notre impuissance à connaître l'au-delà, sur l'horreur
des souffrances que les hommes s'infligent mutuellement au lieu
de s'entraider, ou s'imposent à eux-mêmes au lieu de savourer
les joies de la vie, qui servent du moins à leur masquer la mort.
Bonté et beauté, semble-t-il dire, sont de suffisants « buts de vie ».
Quelques-uns de ses livres sont tout attiédis par cette chaleur
humaine qu'on lui refuse parfois : le Crime de Sylvestre Bonnard,
le Livre de mon Ami, le Petit Pierre, les Dieux ont soif. Et sans
elle, on conçoit mal comment certains de ses personnages auraient
pu se détacher de ses livres et vivre maintenant d'une vie indépendante : ainsi Sylvestre Bonnard, l'abbé Jérôme Coignard,
Monsieur Bergeret, Crainquebille.

Paul Bourget[2] s'est fait le peintre du high-life : c'est le côté
déplaisant de son talent. Mais il a été, depuis Stendhal, le plus
grand maître du roman psychologique que nous ayons eu. Lourdement, minutieusement, prolixement, mais enfin avec puissance
et profondeur, il a décrit des âmes, des états d'âmes, des formations
et des transformations d'âmes; ce que peut donner dans une âme
contemporaine la situation d'Hamlet (André Cornélis), ce que
peut être l'amour d'une femme du monde ou l'amour d'une
coquine dans notre société contemporaine (Mensonges), ce que
peut produire telle doctrine philosophique dans une âme résolue
à conformer sa pratique à son idée (le Disciple), etc. Et il y a bien,
dans ce dernier roman, les cent cinquante pages d'analyse les
plus étonnantes qu'on ait écrites, lorsque Bourget fait l'éducation
de son « disciple », notant toutes les circonstances et influences
qui déterminent le caractère, de la première enfance à l'âge
d'homme. Là, le roman redevient vraiment ce que Taine souhaitait, un document d'histoire morale.

Mais le Disciple est aussi autre chose : c'est une protestation
contre les droits illimités de la recherche scientifique proclamés
par Taine et Renan : on doit l'interrompre, suggère Bourget,

---

1. Les événements (Affaire du Panama, Affaire Dreyfus), l'influence de Jaurès
et de Mme Arman de Caillavet, le développement de ses propres tendances (voir
Braibant, le Secret d'A. France) avaient amené France à professer des opinions de plus en plus avancées.

2. Paul Bourget (1852-1935). Principaux romans : Cruelle Énigme (1885);
Crime d'amour (1886); André Cornélis (1887); Mensonges (1887); le Disciple
(1889); Un Cœur de femme (1890); la Terre promise (1892); Cosmopolis (1893);
l'Étape (1902). Autres ouvrages : Essais de psychologie contemporaine, 2 séries,
1883-85; Études et portraits, 2 vol., 1888; Sensations d'Italie, 1891. — Édition :
Lemerre, 17 vol. in-18, De plus, 2 vol. pet. in-12 de Poésies. — A consulter :
R. Doumic, Écrivains d'aujourd'hui.

quand elle risque de désorganiser la vie. Il y a donc ici un jugement moral impliqué dans l'étude de psychologie. Ce « moralisme » s'accusera toujours davantage dans les œuvres ultérieures :
aux inquiétudes et désordres contemporains, les seuls remèdes,
selon Bourget, sont la monarchie, la religion, la hiérarchie, bref
toutes les formes traditionnelles de l'autorité. Il reprend et
retouche en ce sens les *Essais de Psychologie contemporaine* qui
avaient été l'œuvre éclatante de ses débuts. Son roman le plus
remarquable, dans cette dernière période où il est devenu le
théoricien mondain de la France conservatrice, est assurément
l'*Étape*.

Pierre Loti (pseudonyme du lieutenant de vaisseau Julien
Viaud[1]) est un écrivain sensitif et subjectif à la façon de Chateaubriand. Il en a l'intensité d'impressions pittoresques, la
profondeur de mélancolique désillusion; mais Loti, au reste, est
très personnel et tout moderne. Détaché de toute croyance religieuse, il n'essaie pas de colorer en sentiment chrétien son incurable pessimisme de sensuel mélancolique : il sent l'être, en lui,
hors de lui, s'écouler incessamment dans les phénomènes, et il
poursuit la jouissance passagère de la sensation attachée aux
apparences; mais il savoure, dans le moment même où il jouit,
l'amertume de l'inévitable anéantissement de l'apparence hors
de lui, de la sensation en lui. Sa carrière de marin lui a fourni le
moyen de développer, d'achever son tempérament : elle l'a promené par le monde, à travers toutes les formes de la nature et
de la vie; elle a rendu plus aiguës ses perceptions et ses mélancolies. Sa vocation littéraire est née de l'idée que le livre seul pouvait fixer en une réalité durable quelques parcelles de ce *moi*
et de ce monde toujours en fuite.

Dans des œuvres sincères, en un style étrangement vibrant et
intense, Loti a dit quelques-unes des impressions qu'il a recueillies
au cours de ses campagnes : dans le *Spahi*, les soleils du Sénégal;
dans *Mon frère Yves*, les vastes paysages de pleine mer, quand le
vaisseau fuit et que « l'étendue miroite sous le soleil éternel », des
coins de Bretagne pluvieuse rendus avec une singulière délicatesse;
dans *Pêcheur d'Islande*, la Bretagne encore, et la mer boréale, et
le Tonkin, et les mers tropicales. Loti est un des grands peintres

1. Julien Viaud (1850-1923) : *le Mariage de Loti* (1880), d'où il prit son
pseudonyme; *le Roman d'un spahi* (1881); *Mon frère Yves* (1883); *Pêcheur
d'Islande* (1886); *Fantôme d'Orient* (1892); *le Désert* et *Jérusalem*, impressions
de voyage (1895); *Ramuntcho* (1897); *l'Inde sans les Anglais* (1903); *Vers
Ispahan* (1904). — **Édition** : Calmann-Lévy, 14 vol. in-18. — **A consulter** : Loti,
le Roman d'un enfant (1890); *Prime Jeunesse* (1919); Serban, *P. Loti*; R. de
Traz, *P. Loti*; Barthou, *Pêcheur d'Islande*.

de notre littérature : il se place à côté de Chateaubriand par la
fine et forte justesse des tons dont il fixe les plus mobiles, les
plus étranges aspects de la nature.

Nulle psychologie, du reste, dans les bonshommes qui peuplent
ses tableaux : quelques états de sensibilité, les siens, aspirations
vagues et douloureuses, désirs de l'impossible, regrets de l'écoulé,
nostalgie de la foi, désespérances, toutes les nuances enfin de cette
disposition élémentaire qu'on peut appeler l'égoïsme sentimental
bien qu'il ait largement dispensé la pitié à ses frères de misère.

Avec ce tempérament, Loti était l'écrivain le moins fait pour la
fabrication mécanique des productions littéraires. Le subjectivisme, à ce degré, ne se sauve que par l'absolue spontanéité.

CHAPITRE VI

SCIENCE, HISTOIRE, MÉMOIRES

1. Science et philosophie : Claude Bernard. Nos moralistes. — **2.** Érudition et histoire : Fustel de Coulanges. — **3.** Ernest Renan : morale
idéaliste et science positive. L'esprit de l'homme et l'influence de
l'œuvre. — **4.** Mémoires, lettres, voyages : Mme de Rémusat, Marbot,
Pasquier, Doudan, etc.

Il est très difficile de marquer aujourd'hui où s'arrête la littérature : l'intelligence est devenue curieuse de plus de choses; un
vaste public, qui juge sans compétence particulière, qui ne reche.-
che aucune instruction technique, accueille volontiers, à côté des
ouvrages qui lui promettent des impressions d'art, des ouvrages
spéciaux d'érudition, de science, de philosophie, qui lui sont
aussi des moyens de culture générale et de plaisir intellectuel.
Il est donc nécessaire de marquer approximativement l'extension que la littérature a reçue de là, en se bornant naturellement
à signaler ceux de ces ouvrages qui valent par des qualités proprement littéraires.

Taine, Renan, Darwin[1], voilà les trois grands esprits qui ont
agi, entre 1850 et 1900, sur la pensée française : c'est d'eux, de
l'un plus, de l'autre moins, assez souvent de tous les trois tant
bien que mal amalgamés et fondus, c'est d'eux que ce demi-
siècle a tenu la plupart de ses idées générales. Darwin surtout
— plus mal compris à mesure qu'il était moins directement
étudié — était devenu presque populaire.

Signalons un grand nombre de traductions d'ouvrages étrangers, devenues matières de lecture courante : avec le naturaliste
Darwin, l'Angleterre nous a fourni ses philosophes, Stuart Mill,

---

1. **Charles Darwin (1809-1882)** : *De l'origine des espèces par voie de sélection
naturelle* (Londres, 1859; trad. de Mlle Royer, 1862). *La Descendance de l'homme
et la sélection sexuelle* (trad. par J.-J. Moulinié, 1872). *Vie et Correspondance,*
publ. par son fils Fr. Darwin, trad. 1888, 2 vol. in-8.

Herbert Spencer, Alexandre Bain[1]. De l'Allemagne, nous avons connu surtout, de première ou de seconde main, le matérialisme scientifique de Büchner[2], l'évolutionnisme systématique de Hæckel; le pessimisme de Schopenhauer nous a conquis. De Hartmann a dénoncé dans toutes les manifestations de la vie, intellectuelles ou physiques, le même principe actif, destiné à faire depuis une belle fortune : l'Inconscient. Enfin Nietzsche[3], destructeur du kantisme, du christianisme, restaurateur — à l'en croire, — de la vraie morale par la déification du Moi et de sa volonté de puissance, établit sur nos milieux littéraires un règne qui durera jusqu'aux premiers coups de canon de 1914.

Mais rentrons en France. Nos savants se sont, en général, rigoureusement renfermés dans les études spéciales, et n'ont pas cherché à élargir leur popularité par la séduction des hypothèses générales et des vastes perspectives systématiques. Des plus fameux, comme Pasteur, on sait les travaux, mais on n'a rien à lire. Cuvier, Arago s'étaient, dans la première moitié du siècle, fait une réputation, comme autrefois Fontenelle, par les éloges académiques : le genre a passé de mode, ou bien leurs dons d'exposition littéraire n'ont pas passé à leurs successeurs. Il y a toutefois une œuvre qu'il faut tirer hors de pair, c'est l'*Introduction à l'étude de la Médecine expérimentale* de Claude Bernard[4], œuvre de science pure qui est une œuvre maîtresse de la philosophie contemporaine, et qui joint au large intérêt du fond la solide simplicité de la forme.

Pour la métaphysique et la psychologie, un homme resté amateur en philosophie pouvait choisir, parmi la multitude des essais historiques, dogmatiques ou critiques, les forts écrits de Renouvier, les rigoureuses recherches de Ribot, les ingénieuses, parfois aventureuses, et toujours littéraires études de Fouillée, les très suggestives discussions de Guyau sur les plus troublants problèmes de l'heure présente[5]. De moralistes à l'ancienne mode,

1. Stuart Mill : *Logique, Principes d'économie politique, Auguste Comte et le positivisme.* — Herbert Spencer : *Premiers principes; les Bases de la Morale évolutionniste; Introduction à la science sociale; Justice.* — Bain : *la Science de l'éducation.*

2. Büchner : *Force et matière.* — Hæckel : *Histoire de la création des êtres organisés d'après les lois naturelles; Anthropogénie.* — Schopenhauer : *le Monde comme Volonté et comme Représentation* (trad. Burdeau, 3 vol. in-8, 1888-90). — De Hartmann : *la Philosophie de l'Inconscient.*

3. Nietzsche (1844-1900) *Ainsi parlait Zarathoustra. Par-delà le Bien et le Mal. La Généalogie de la Morale. La Volonté de Puissance.*

4. Cl. Bernard (1813-1878), professeur au Collège de France. Son livre est de 1865. *La science expérimentale,* 1878.

5. Renouvier (1815-1903) : *Essais de critique générale,* 4 vol. in-8, 1854-64. — Th. Ribot (1839-1916) : *Psychologie de l'attention,* 1888, in-12; *les Maladies de*

nous n'en avons plus : les *maximes* sont devenues un jeu innocent, sans conséquence et sans portée. Les écrivains qui se sont senti le don de l'observation morale ont émigré en masse vers le roman et le théâtre, pour mettre en action et en drame leur expérience. Quelques-uns ont coulé tout doucement leurs remarques personnelles, leurs conceptions de l'homme et de la vie, dans les formes de l'histoire ou de la critique : ce que Prévost-Paradol avait fait pour les moralistes français, C. Martha[1] l'a fait, très délicatement, pour les moralistes latins.

Reste la forme du journal, où le moraliste note une à une chaque acquisition de son expérience. Ainsi du Suisse Amiel, dont le journal intime nous a été révélé (fragmentairement, car le texte intégral couvre 14 000 pages) après sa mort : type remarquable d'impuissance pratique et d'activité interne, esprit tout occupé à l'analyse de soi, perdant à s'étudier le temps et la faculté d'agir, subtil, pénétrant, triste de clairvoyance aiguë, et, il faut bien le dire, quelquefois insupportable par sa manie de tout compliquer pour décomposer tout[2].

2. ÉRUDITION ET HISTOIRE : FUSTEL DE COULANGES.

Mais c'est toujours l'histoire, avec ses sciences auxiliaires, qui enrichit le plus notre littérature. Par les grands historiens romantiques, l'histoire a été vraiment réunie à la littérature qu'elle ne touchait jusque-là qu'accidentellement. A la suite de l'histoire, toute l'érudition, toutes les parties de l'archéologie et de la philologie, apportent leur contribution. La valeur littéraire des œuvres d'érudition se mesure à deux caractères : la quantité de pensée philosophique impliquée ou suggérée; l'intensité de vie concrète exprimée ou dégagée.

Je mets à part Renan, dont toute l'œuvre est sortie en somme de la philosophie sémitique : j'y reviendrai tout à l'heure. A l'archéologie appartient la vaste *Histoire de l'art dans l'antiquité* de

la Mémoire (1881); *les Maladies de la Volonté* (1883); *les Maladies de la Personnalité*, 1885, in-18, F. Alcan. — A. Fouillée (1838-1912) : *la Philosophie de Platon* (1869); *la Liberté et le déterminisme* (1873 et 1884); *l'Idée moderne du droit* (1878); *la Science sociale contemporaine*, 1880, in-18, Hachette. — Guyau (1854-1888) : *Esquisse d'une morale sans obligation ni sanction*; *l'Art au point de vue sociologique* (1889); *l'Irréligion de l'avenir* (1886), etc.

1. C. Martha (né en 1820) : *les Moralistes sous l'empire romain* (1854); *le Poème de Lucrèce* (1869); *Etudes morales sur l'antiquité* (1833); *la Délicatesse dans l'art* (1884), Hachette, in-18.

2. H.-F. Amiel (1821-1881) : *Fragments d'un journal intime*, avec étude de Schérer, 2 vol., 1883-84, Genève; le même, avec étude de B. Bouvier, 2 vol., Paris, 1927.

Perrot[1], qui — je néglige toujours le mérite spécial — nous fait voir dans ses expressions artistiques le mouvement général des civilisations anciennes et saisir la vie même des siècles lointains dans tous les débris qu'elle a laissés, depuis le temps ou la forteresse jusqu'aux bijoux et aux vases; c'est aussi comme une ample leçon d'esthétique expérimentale. A la philologie se rattache la fine et suggestive *Histoire de la littérature grecque* d'Alfred et Maurice Croiset, modèle de forme sobre et simple autant que de science exacte. Parmi tant de remarquables travaux qui font concourir la philologie, l'histoire et la critique à l'explication des œuvres grecques ou romaines, il faut nous arrêter aux études diverses de Gaston Boissier[2] sur la littérature latine. Très au courant de la science allemande comme de l'érudition française, fortement influencé par Renan, mais s'interdisant d'aborder directement les controverses brûlantes comme de discuter abstraitement les questions philosophiques, Boissier s'est enfermé dans son rôle d'historien : historien non des faits, mais des âmes, des idées, des croyances, dont il a recherché de préférence l'expression dans les monuments écrits, dans l'épigraphie et la littérature. Dans son œuvre impartiale et objective, il a porté un fin sentiment de l'originalité des hommes, des nations et des époques, une sûre intuition des mouvements intimes qui transforment incessamment les réalités en apparence les mieux fixées. Des textes et de la sèche érudition, il extrait la vie, vie de Cicéron, ou d'Horace, ou de Virgile, vie de la société romaine aussi en ses divers états, à ses diverses étapes : son style translucide atteint avec une égale aisance les formes sensibles et les invisibles forces, l'être individuel et l'âme collective. Il ne faut pas omettre non plus le remarquable et solide ouvrage de Havet sur *le Christianisme et ses origines*. Cette savante et fine recherche des influences helléniques dans le développement du dogme chrétien ne doit pas être oubliée, même à côté des études de Renan.

L'histoire elle-même a subi depuis le milieu du siècle les mêmes influences que nous avons retrouvées dans toutes les parties de la littérature : romantique effrénément avec Michelet, elle est devenue objective, c'est-à-dire ou scientifique ou réaliste, souvent les deux à la fois. Pour se faire scientifique, elle n'a eu qu'à se pénétrer d'érudition : à mesure que s'imposait le document, à mesure que

1. En dix vol. Perrot (1832-1914) a eu pour collaborateur Chipiez, architecte.
2. G. Boissier (1823-1908), professeur au Collège de France et à l'École normale supérieure; *Cicéron et ses amis* (1865); *l'Opposition sous les Césars* (1875); *la Religion romaine d'Auguste aux Antonins* (1874); *Promenades archéologiques* (1880-1896); *la Fin du paganisme en Occident* : 9 vol. in-18, Hachette. *Mme de Sévigné, Saint-Simon* (coll. des Gr. Écriv.), 2 vol. in-16.

la critique des sources et des témoignages se faisait plus rigoureuse, à mesure aussi que les ambitions se restreignaient, que
passait la mode des conceptions universelles et des symboles
immenses, les historiens, ne prétendant qu'à faire fonction d'historiens, s'attachèrent à reproduire exactement, par une recherche
minutieuse, l'enchaînement des faits, à en définir le caractère et
la signification. Il était à craindre que l'histoire ne versât dans
l'abstraction, et ne tournât à une sorte de mécanique morale. Mais
l'esprit dominant ne portait pas à l'abstraction; la science expérimentale, le naturalisme littéraire maintinrent dans l'histoire le
goût de la réalité concrète et le sens de la vie : d'autant que le
développement des sciences auxiliaires, diplomatique, épigraphie,
archéologie, faisait sans cesse jaillir une multitude de faits précis,
individuels, sensibles, qui menaçaient même d'inonder l'histoire
et de noyer toutes les idées; ces matériaux, du moins, facilitaient
la restitution intégrale de la vie et donnaient aux plus forts esprits
la tentation de l'essayer.

Cette histoire dégagée de toute philosophie *a priori* comme de
toute fantaisie subjective, j'en trouve les premiers traits dans les
excellents travaux de Mignet[1], non pas sa *Révolution française*,
œuvre de jeunesse et trop voisine de 1830, mais son *Charles-Quint*,
sa *Succession d'Espagne*, où malheureusement l'impersonnalité
scientifique de la forme tourne en insignifiance littéraire : puis
dans les exactes et sévères études de A. Sorel[2], où les faits bien
choisis, bien contrôlés, bien évalués, conduisent d'eux-mêmes la
réflexion du lecteur à saisir les états moraux collectifs ou individuels qui s'y révèlent. Sorel est un remarquable historien qui n'est
qu'historien. Il y a plus de « littérature », au sens esthétique du
mot, chez E. Lavisse[3], dans ce style nerveux de psychologue
réaliste que réjouit le spectacle des volontés déployées dans les
faits, (voir notamment son *Louis XIV*, qui marque l'apogée de
son talent) — et surtout dans Fustel de Coulanges.

1. Fr.-Aug. Mignet (1796-1884) : *Négociations relatives à la succ. d'Espagne*,
4 vol. in-8, 1836-44; *Antonio Perez et Philippe II*, 1845, in-8; *Histoire de Marie
Stuart*, 1851, 2 vol. in-8; *Charles-Quint, son abdication, son séjour et sa mort au
monastère de Saint-Just*, 1854, in-8. Divers recueils de *Notices* et *Éloges historiques*.

2. A. Sorel, né en 1842, à Honfleur, mort en 1906. *Histoire diplomatique de la
guerre franco-allemande*, 2 vol. in-8, 1875; *La question d'Orient au* XVIIIe *siècle*,
1878, in-8; *L'Europe et la Révolution française*, 8 vol. in-8, 1885-1904).

3. E. Lavisse (1842-1922) : *Origines de la monarchie parisienne*, in-8; *Études
sur l'Hist. de Prusse*, in-18, 1879; *Essai sur l'Allemagne impériale*, in-8, 1887; *la
Jeunesse de Frédéric II*, in-8, 1889. Son *Louis XIV* fait partie d'une grande *Histoire de France* (1900-1919) en vingt-six volumes (plus un vol. de tables), rédigés
par différents collaborateurs, qui représente, littérairement comme historiquement, un ensemble de premier ordre.

Un grand historien, celui-ci, et un grand écrivain[1]. Quand ce qu'il a apporté d'idées neuves et justes aura passé dans les manuels élémentaires, et que les historiens souligneront surtout les témérités ou les erreurs de ses livres, il demeurera entier dans la littérature, comme Montesquieu et comme Michelet. Il a réduit au *minimum* la subjectivité, impossible à éliminer absolument de tous les travaux où l'intelligence ne peut se substituer l'automatisme des instruments. Il y a bien quelque réaction du sentiment français à l'extrême point de départ de ses travaux sur les origines de la féodalité. Dans cette *Cité antique*, qui révèle la force des institutions religieuses parmi les sociétés antiques, je sens passer le même courant d'idées contemporaines que dans les études de Renan sur le christianisme ou de Boissier sur le paganisme : je dirais presque le même que dans la poésie mythologique de Leconte de Lisle. Mais toutes les suggestions de la personnalité, les pressions du milieu prennent vite chez Fustel de Coulanges la forme scientifique : elles deviennent des idées d'enquêtes historiques qu'il poursuit méthodiquement, sans parti pris, cédant aux textes critiqués, contrôlés avec la dernière rigueur; et s'il reste une cause d'erreur, elle est dans l'infirmité humaine, dans la complaisance dont le plus sévère esprit ne peut se défendre pour les pensées qui sont sa conquête ou sa création, dans la facilité avec laquelle il laisse écouler toujours un peu de lui-même dans les choses, et sollicite l'imprécise élasticité des textes.

Mais enfin je ne sais rien de plus pénétrant et de plus fort que les études de Fustel sur les institutions d'Athènes, de Sparte, de Rome, sur la monarchie franque et la transformation de la société gallo-romaine en féodalité française. Il y a là une étendue d'informations et une sobriété puissante d'exposition, une force d'idées dans l'enchaînement et l'interprétation des faits, cette plénitude concentrée enfin et cette fermeté robuste de style qui font les chefs-d'œuvre. Cela est parfaitement simple et beau. Fustel de Coulanges est un philosophe, ou plutôt un homme de science : ce qu'il poursuit, c'est la réduction du réel à des lois; tous ses travaux sont des généralisations. Et il serait faux d'estimer son œuvre abstraite. Sans dépense de couleur, sans collection de petits faits ni défilé d'anecdotes, avec le plus sobre usage des textes dont il extrait l'essence, il nous fait sentir la vie. On voit bien qu'il l'atteint en ses sources profondes, en ses organes essen-

---

1. **Fustel de Coulanges** (1830-1889), professeur à la Faculté des Lettres de Paris : *la Cité antique*, in-18, 1864, Hachette; *Recherches sur quelques problèmes d'histoire*, in-8, 1885; *Nouvelles recherches sur quelques problèmes d'histoire*, in-8; *Histoire des institutions politiques de l'ancienne France*, Hachette, 6 vol. in-8 (1875-1892).

tiels. Mais, de plus, la précision extrême de son étude exprime toute la réalité : il sait obtenir les plus grands effets par les plus simples moyens, et quelques types compréhensifs, quelques faits caractéristiques — très peu nombreux, mais très soigneusement choisis — nous rendent la Grèce présente, en sa vivante originalité, ou Rome, ou la France des Mérovingiens.

Fustel de Coulanges ne cherche rien au-delà de la représentation explicative du passé; Taine, nous l'avons vu[1], emploie l'histoire à faire la psychologie et la sociologie, et Renan y fait tenir toute la philosophie.

3. ERNEST RENAN.

Renan[2] a le charme, la grâce, l'imagination, l'ironie, la souplesse délicieuse de l'intelligence, la richesse éblouissante des idées : peintre exquis de paysages, pénétrant analyseur d'âmes, penseur profond; ce sont qualités et séductions que nul ne conteste à son œuvre. Mais on lui fait injustice de ne vouloir souvent voir en lui qu'un incomparable amuseur, un *dilettante* prestigieux, et comme le plus fort acrobate de l'esprit qui ait existé : en bref, le type même de l'égoïsme intellectuel. Ce fut au contraire un

---

1. Cf. p. 1046.

3. **Biographie** : Ernest Renan (1823-1892), né à Tréguier, étudia au collège de sa ville natale, puis aux séminaires de Saint-Nicolas-du-Chardonnet, d'Issy et de Saint-Sulpice. Il sortit de ce dernier en 1845. Il suivit les cours de l'École des langues orientales et du Collège de France. Il se fit recevoir agrégé de philosophie, puis docteur ès lettres. Il eut des missions en Italie (1849), en Syrie (1860). Il fut nommé professeur d'hébreu au Collège de France (1861), puis destitué : il reprit sa chaire en 1870. — **Éditions** : *L'Avenir de la science, pensées de 1848*, Calmann-Lévy, 1890, in-8; *Averroès et l'averroïsme*, 1852, in-8; *Histoire générale et système comparé des langues sémitiques*, 1855, in-8; *Études d'histoire religieuse*, 1857, in-8; *Essais de morale et de critique*, 1859, in-8; *les Origines du Christianisme*, comprenant : *Vie de Jésus* (1863), *les Apôtres* (1866), *Saint Paul* (1869), *l'Antéchrist* (1873), *les Évangiles* (1877), *l'Église chrétienne* (1879), *Marc Aurèle* (1881) et un index général (1883) : 8 vol. in-8, Calmann-Lévy. *Histoire du peuple d'Israël*, 1888-1894, 5 vol. in-8, Pendant la publication de ces deux grands ouvrages : *Questions contemporaines*, 1868, in-8; *Dialogues philosophiques*, 1876, in-8; *Nouvelles Études d'histoire religieuse*, 1884, in-8; *Mélanges d'histoire et de voyages*, in-8, 1878; *Drames philosophiques (Caliban, l'Eau de Jouvence, le Prêtre de Némi, l'Abbesse de Jouarre*, 1878-1886), in-8; *Conférences d'Angleterre*, in-18, 1880; *Souvenirs d'enfance et de jeunesse*, in-8, 1883; *Feuilles détachées*, in-8, 1892; *Discours et Conférences*, in-8, 1887, etc.; E. Renan, Henriette Renan : *Lettres intimes*, in-8, 1896; E. Renan et M. Berthelot, *Correspondance*, in-8, 1898. — **A consulter** : S. Reinach, *E. Renan* (Revue archéologique), 1893; l'abbé d'Hulst, *E. Renan*, Paris, 1894, 4ᵉ éd. G. Séailles, *Essai de biographie psychologique, E. Renan*, 1895, in-12; E. Faguet, *Politiques et Moralistes*, 3ᵉ série; J. Pommier, *Renan*, 1923; P. Lasserre, *La jeunesse de Renan*, 3 vol., 1925-1932; Ph. Van Tieghem. *Renan*, 1948.

homme de haute conscience, dévoué à la recherche scientifique et
qui n'admettait pas qu'on fît de la science un moyen de parvenir :
il sut le dire rudement à certains. Il n'y a qu'une incurable frivolité ou un violent parti pris qui puisse s'y méprendre.

Pour bien juger ce maître incomparable, il faut se souvenir que
l'œuvre de sa vie est une histoire de la religion : *Histoire des origines du Christianisme, Histoire d'Israël*. Cette histoire est telle, en
ses deux parties, qu'elle est rigoureusement et tout entière déterminée par les solutions des problèmes philologiques. Elle n'a pu
être écrite que par un philologue. Libre aux spécialistes d'être
sévères à la science de Renan. Un doute me reste : dans quelle
mesure ne lui font-ils pas expier ces dons littéraires par où il
était si loin lui-même de chercher le succès? Je ne suis pas sûr,
après toutes les critiques des gens du métier, que la même science,
sans aucun soutien de talent littéraire, n'eût pas obtenu davantage
leur estime. Si souvent qu'on le prenne en faute, si nombreuses
qu'aient été ses erreurs certaines et ses hypothèses téméraires — je
m'en rapporte absolument aux gens compétents, — il reste que
nous n'avons en France aucun travail synthétique qui se compare
à ces deux ouvrages.

Mais, ici, l'intérêt philosophique dépasse l'intérêt d'érudition ou
d'histoire. Une conception de l'univers et de la vie s'affirme dans
ces œuvres maîtresses qui ont rempli l'existence de Renan : la
même qui nous est renvoyée par ces essais de toute sorte, où sa
pensée se reposait, où se jouait sa fantaisie, études d'histoire, de
critique ou de morale, dialogues ou drames philosophiques, et
toutes ces allocutions, confidences, propos, où d'un mot le maître
donnait le contact et le secret de son âme.

Et d'abord, Renan n'a pas séparé la théorie de la pratique :
sans fracas, sans ostentation, si aisément que l'on n'y fait pas
attention, Renan a conformé sa vie à sa croyance. Il a agi, plus que
bien d'autres qui se sont bruyamment agités. Toute sa vie de
savant, d'écrivain, d'homme de cabinet, est le résultat d'un acte,
d'un acte volontaire et libre qui représente une belle dépense
d'énergie. Pour des raisons philosophiques, il a cessé de croire à
la tradition catholique, et il est sorti du séminaire. Il a pris la
voie dure, périlleuse, incertaine, au lieu de la voie facile. Cet acte
suffit à une vie. Je ne lui ferai pas honneur du fameux *Pecunia
tua tecum sit* : d'autres l'eussent fait. Cela montre seulement avec
quelle douce inflexibilité cet homme savait pratiquer le respect
de sa pensée.

L'originalité de Renan dépend principalement de sa rupture
avec l'Église : en d'autres termes, de sa double culture. Il a reçu
l'éducation ecclésiastique, et il a gardé l'âme ecclésiastique : une

âme de douceur, de finesse, de nuances, et surtout — ce qui est le grand point — dans la perte de la foi, le sens de la foi, le respect de la foi. Puis il s'est livré à la science, il en a tenté les deux voies maîtresses, les sciences de la nature et l'érudition philologique ; celles-là pour en comprendre l'esprit, les méthodes, la portée, et pour compléter sa culture, celle-ci pour y chercher la matière de sa pensée et l'aliment de son activité. Il a cru à la science plus ardemment que personne, et il lui a remis avec confiance l'avenir de l'humanité. Du principe fondamental de la science, de l'affirmation du déterminisme des phénomènes, il a fait sortir toute son œuvre.

Mais ce savant, qui n'a jamais cessé de pratiquer et de recommander la recherche méthodique du vrai, la poursuite courageuse de la connaissance rationnelle, savait les limites de la raison et de la science. Du christianisme de sa jeunesse il avait retenu une certitude que toute son expérience de savant confirma : que la morale n'est point affaire de science, mais article de foi, que le bien et la vertu tirent leur valeur de ce qu'on les choisit librement, gratuitement, et qu'enfin, si on ne courait chance d'être dupe en se désintéressant, en se sacrifiant, ni le désintéressement ni le sacrifice n'auraient grand mérite. Et il a toujours affirmé que celui-là ne se trompe pas, qui déclare en vivant sa foi à l'idéal. Faire de la vérité le but de la pensée, du bien la fin de l'action, le vrai étant l'exclusion du miracle, et le bien l'exclusion de l'égoïsme : on peut juger comme on voudra cette philosophie, on n'a pas le droit d'y voir un jeu de *dilettante* indifférent.

Toutes les précautions que ce loyal esprit a prises pour éviter le parti pris, les vues étroites ou exclusives, pour saisir toutes les parties et manifester tous les aspects de la vérité, ont donné le change aux esprits superficiels ou prévenus : en même temps notre grossière façon d'entendre l'opposition théorique de la science et de la foi nous faisait mal juger tous ces fins sentiments, ces expansions affectueuses ou enthousiastes, qui se mêlaient sans cesse chez Renan aux affirmations du déterminisme scientifique. On hésitait à prendre au sérieux un savant qui tirait tant de révérences à l'idéalisme, un critique qui ne semblait occupé qu'à donner de l'eau bénite.

C'était lui qui avait raison. C'était lui qui était dans le vrai, aisément, largement, sereinement. Et son esprit qui lui survit prouve par l'excellence de son action la bonté de sa doctrine. Renan n'a pas été populaire : il offre peu de prises, par sa richesse et sa souplesse, aux moyens esprits. Mais il a agi sur quelques intelligences, quelques âmes d'élite, et par elles passe, par elles surtout passera dans le domaine commun de la pensée le meilleur de l'œuvre du maître.

Il a refait, d'abord, l'œuvre du XVIIIe siècle, et il a dissipé les équivoques créées par Chateaubriand. Quelles que soient les réserves des érudits, il a établi sur des raisons d'ordre purement scientifique, historique, philologique, la relativité, l'humanité des religions. Je ne veux pas dire qu'il ait tué la religion; mais il a réduit la question à ses termes essentiels, à sa forme extrême : il faut choisir entre le déterminisme et la révélation. Et ce choix est une affaire de foi. Contre la foi, nulle critique ne vaut : mais dès qu'on ne croit pas « comme un petit enfant », inutile de se monter la tête, inutile de se griser d'esthétique, de s'inventer des raisons de croire : de l'affirmation déterministe sort la dissolution des religions. A ceux qui ne croient pas, il fournit l'explication rationnelle du phénomène de la croyance, donnant ainsi une base solide à l'incrédulité.

Mais il a fait religieusement cette œuvre de science irréligieuse. Dieu est pour lui « la catégorie de l'idéal »; et la religion, c'est « la beauté dans l'ordre moral ». Par la religion se satisfait l'instinct moral de l'humanité; ainsi, aucune religion n'étant vraie, toutes les religions sont vraies; et toutes sont bonnes — quand on ne les applique qu'à leur office. L'idéalisme philosophique n'est pas à l'usage de toutes les intelligences : l'idéalisme religieux est accessible aux plus humbles esprits. Des raisons d'ordre intellectuel ont éloigné Renan de l'Église : mais il est parti sans colère, sans rancune, le cœur tout pénétré au contraire et parfumé pour la vie de la vertu fortifiante, consolante, ennoblissante du catholicisme, reconnaissant de tout ce qu'il lui avait dû de pures joies et de bonnes directions, tant que son progrès intellectuel n'en avait pas détruit l'efficacité.

De là cette curieuse conséquence : pour nombre d'esprits, Renan a rendu la foi impossible, et il a rendu impossible aussi la guerre à la foi. Il a radicalement détruit ce que Voltaire avait ébranlé, mais il a aussi radicalement détruit l'esprit voltairien : il a affranchi de l'*anticléricalisme*[1] les cœurs qu'il a retirés pour jamais au christianisme. Ni croyants, ni hostiles, témoins sympathiques au contraire de la croyance, et conscients de la bonté morale de la croyance pour ceux qui peuvent croire, voilà ce que Renan nous a faits. On a vu surtout, de son vivant, combien il menaçait

---

1. Dans la mesure où l'anticléricalisme n'est pas un mouvement purement politique. Renan enseigne à distinguer la résistance à l'Église et aux partis qu'elle sert ou qui s'en servent de la guerre aux croyances religieuses. On peut dire qu'il a gain de cause aujourd'hui dans la société française.

l'Église : de jour en jour, on sentira davantage ce que le sens religieux, la tolérance et la paix lui doivent.

Dans le domaine de la littérature, son influence est assez imprécise, parce qu'il n'a pas eu de théorie littéraire. Cependant, je saisis trois traces de son passage : c'est d'abord la curiosité si universellement éveillée sur les choses religieuses, le goût des artistes et du public pour les restitutions des plus singuliers effets de la foi, pour les analyses psychologiques de la sainteté ou de la dévotion. Puis, d'une façon plus générale, il nous a encouragés à ne pas nous arrêter dans le *dilettantisme* artistique ou dans l'impassibilité scientifique, à considérer la littérature comme une collection d'actes humains, libres et moraux; c'est-à-dire qu'il nous amène à poser toujours la question de la valeur morale, des propriétés morales de chaque œuvre. Enfin, il a rendu à la critique l'essentiel service de lui donner l'exemple de la sympathie : personne n'a enseigné plus hautement, plus constamment à aimer l'homme, l'effort vers le vrai et vers le bien, même dans les formes qui répugnent le plus à notre particulière nature.

A tous, littérateurs ou autres, il nous a donné cette générale leçon, d'avoir trouvé la paix de la conscience et le bonheur en cette pauvre vie, simplement parce que la vérité toujours l'a conduit. J'aimerais mieux, à vrai dire, qu'il nous ait laissé le soin de le constater; et dans ses exquis *Souvenirs de jeunesse*, l'optimiste contentement de soi, enveloppé d'une douceur un peu dédaigneuse, contriste par endroits les plus amicaux lecteurs. Mais ce sont là des impressions fugitives, qu'il faut vite chasser pour être juste[1].

4. MÉMOIRES, LETTRES, VOYAGES.

Il y a du romantisme dans Renan : c'est-à-dire qu'il a souvent mêlé sa personne dans son œuvre, et jeté des impressions toutes subjectives à travers l'objectivité de sa science. Par là, comme

---

1. Il convient de mentionner ici, puisque ses idées n'ont pas été sans influencer Renan, le comte de Gobineau (1816-1882). Ses écrits sont de deux sortes : sociologue plutôt qu'historien, il a révélé l'Asie centrale, ses religions et ses philosophies; surtout il a fondé, dans son *Essai sur l'inégalité des races humaines* (1853-1855) la théorie raciste en proclamant la supériorité de la race aryenne, qu'il n'identifiait du reste pas avec la race germanique actuelle. Mais celle-ci, dès 1880, l'a salué comme un prophète. En France, ses idées ne se diffusèrent qu'après 1900, dans les milieux d'extrême-droite. Il est permis de leur préférer ses œuvres romanesques, d'un tour aisé et rapide, à la Stendhal : les *Pléiades, Nouvelles Asiatiques*, et ses *Souvenirs de voyage*. — **A consulter :** R. Dreyfus, *la Vie et les Prophéties du comte de Gobineau*, 1905; Lange, *Le Comte de G.*, 1924.

par ces *Souvenirs* que je rappelais, il nous conduit à des ouvrages qui sont tout juste l'opposé de ceux dont je me suis occupé au commencement de ce chapitre, aux *mémoires*, aux *lettres*, aux récits et impressions de *voyages*. Ces écrits, pourtant, peuvent se considérer dans leur rapport à l'histoire : ils sont documents d'histoire et la matière d'où la science méthodique extraira plus tard son œuvre.

Un bon nombre de *Mémoires* ont été publiés pendant ces cent dernières années. Beaucoup de ces *Mémoires* se rapportent à des périodes lointaines, XVIIIe, XVIIe siècles. Toutefois certains ont été écrits par quelques personnages plus proches de nous à l'intention de leurs contemporains mêmes, et ceux-là sont presque toujours des apologies : ainsi des *Mémoires* de Chateaubriand, Guizot, Tocqueville.

Mais ce qu'il y a de caractéristique en ce genre, c'est l'éclosion, à la fin du XIXe siècle, des *Mémoires* relatifs au premier Empire. Il y en a de toute sorte, de toute origine et de toute qualité : hommes et femmes, civils et militaires, soldats et généraux, c'est à qui nous rendra, plus ou moins complète ou frappante, l'image de l'Empereur et de son immense aventure[1]. Trois de ces *Mémoires* me paraissent se distinguer dans la foule : ceux de Mme de Rémusat[2], qui a pour ainsi dire donné le branle, une femme intelligente, curieuse, un peu commère; ceux de Marbot[3], un soldat, très brave et pas du tout paladin, qui nous donne la note très juste et très réelle de l'héroïsme militaire du temps, mélange curieux

---

1. *Les Cahiers du Capitaine Coignet*, publ. p. L. Larchey, 1883, in-12; *Mémoires du général Thiébault*, 6 vol., 1893-96; *du général Bigarré*, 1893; *Souvenirs militaires du baron Seruzier*, 1894; *Mémoires de Constant* (premier valet de chambre de l'Empereur), 4 vol. in-8°, 1894; *Mémoires du maréchal Macdonald*, in-8°, 1892; *Souvenirs du baron de Barante*, 8 vol. in-8. 1891 et suiv. *Souvenirs du baron Hyde de Neuville*, 3 vol. in-8, 1892; *Souvenirs de Chaptal*, 1 vol., 1893; *Mémoires de Barras*, 4 vol. in-8. 1895-96; *Mémoires de la comtesse de Boigne*, 1907-1908, 4 vol. in-8. Voir encore, pour la période Révol.-Restaur., les mémoires et souvenirs de Mme Cavaignac, de Mme de la Rochejacquelein, de Moreau de Jonès, du commandant Parquin, du général de Ségur (*Histoire de la Grande Armée*), de Brifaut; et pour la fin du XIXe siècle, les souvenirs et journaux de Mme d'Agout, du maréchal de Castellane, du docteur Véron, du comte d'Hérisson, d'Eugène Loudun, de Rothan, d'Horace de Vielcastel, de Delécluze, de Mme Jaubert, de Maxime du Camp, de Lud. Halévy, de Francisque Sarcey, de Mme Adam, de Marie Bashkirtseff, etc... Naturellement il faut ajouter tout ce qu'ont laissé dans ce genre les grands écrivains : les *Mémoires d'Outre-Tombe* de Chateaubriand, les *Dix Années d'exil* de Mme de Staël, le *Journal* de Vigny, l'*Histoire de ma vie* de G. Sand, les *Confidences* et *Mémoires* de Lamartine, le *Journal* des Goncourt, etc.

2. Mme de Rémusat (1780-1824), fille du comte de Vergennes. Son mari fut préfet du palais sous l'Empire. — **Editions** : *Mémoires*, 3 vol. in-8, 1879-1880. *Lettres*, 1881, in-8, Calmann-Lévy, 2 vol.

3. Le général baron de Marbot (1782-1854) : *Mémoires*, 4 vol. in-8°, 1891.

de naturelle énergie, d'amour-propre excité et d'ambition d'avancer; ceux enfin de Pasquier[1], un honnête homme sans raideur, excellent serviteur de tous les régimes pour des motifs légitimes, fidèle à ses maîtres sans servilité, à sa fortune sans cynisme, et très clairvoyant spectateur de toute l'intrigue politique ou policière qui se machinait derrière le majestueux tapage des batailles[2].

Pour les lettres, des écrivains comme Constant d'abord, et Sand, Flaubert ou Mérimée, des artistes comme Delacroix et Regnault, en ont laissé d'intéressantes. Parmi les gens du monde, Mme de Rémusat, avec quelque diffusion et sans grande force de pensée, en a écrit de charmantes, qui sont d'un esprit éclairé, agile, fin connaisseur du monde : mais les plus originales, je crois, sont celles de ce Doudan[3] qui vécut précepteur, puis ami, dans la famille de Broglie. Il a ses limites et ses préjugés : mais que de pénétration, quel jugement sain et droit, quelle abondance de vues personnelles! C'est un des meilleurs moralistes que nous ayons eus en ce siècle[4].

Pour les récits de voyages, qui se rattachent tantôt aux *Lettres* et plus souvent aux *Mémoires*, les meilleurs sont des œuvres d'art, comme les deux livres de Fromentin sur l'Algérie, ou le *Voyage aux Pyrénées* de Taine, ou ces exquises *Sensations d'Italie* qu'a données Bourget. A côté de ces œuvres consciemment composées pour un effet esthétique, se rencontrent de vrais journaux écrits au jour le jour, au hasard des rencontres : ainsi, les notes posthumes de Michelet.

Excellents ou médiocres, ces écrits chargés de réalités ont été

1. Pasquier (1767-1852), maître des requêtes, puis conseiller d'État, et préfet de police sous l'Empire; ministre et pair de France sous la Restauration; président de la Chambre des pairs, chancelier et duc sous Louis-Philippe : *Souvenirs* Plon, 1893-95, 6 vol. in-8.

2. Toutes ces œuvres, écrites depuis un siècle ou un siècle et demi, pourraient être ramenées à la date de leur rédaction. Il a paru préférable de les maintenir à celle de leur publication, qui est celle à laquelle elles ont agi sur les esprits.

3. Ximénès Doudan (1800-1872), précepteur du feu duc de Broglie : *Mélanges et lettres*, 4 vol. in-8. Calmann-Lévy, 1876-77. *Pensées*, in-8°, 1880.

4. Citons les lettres des généraux de la Révolution ou de l'Empire, Hoche, Marceau, Joubert, Kléber, La Fayette, celles de Napoléon et de sa famille, celles de Marie-Antoinette et de Fersen, celles d'Ampère, de Berlioz, de Delacroix, d'Ingres, de Victor Jacquemont, du duc d'Aumale, d'Hortense Allart, d'Eugénie de Guérin, d'Henri Regnault, etc.; comme pour les *Mémoires*, il ne faut pas oublier les correspondances des grands écrivains qui sont souvent des plus attachantes : Mme de Staël, B. Constant, Chateaubriand, Hugo, Lamartine, Vigny, Stendhal, Balzac, Flaubert, G. Sand, Baudelaire, et combien d'autres. Les journaux et les lettres (écrits sous l'impression immédiate des événements) nous rendent mieux la vie, et dans un jour plus vrai, que les mémoires où l'auteur, après coup, répare les insuffisances de sa mémoire ou vient au secours de sa réputation.

bien accueillis par un public que les fictions semblaient avoir
lassé. Peut-être prenait-il plaisir à extraire lui-même de cette
matière brute les possibilités de plaisir littéraire qu'elle renferme.
Peut-être aussi la frivolité d'esprit, l'inaptitude à penser trou-
vaient-elles leur compte à ces lectures qui ne présentent que des
choses particulières.

LIVRE IV

L'ÉPOQUE SYMBOLISTE ET L'AVANT-GUERRE

(1890-1914)

CHAPITRE I

ÉTAT GÉNÉRAL DU MILIEU LITTÉRAIRE ET SOCIAL

Les deux moments successifs; leurs différences. — La « faillite de la science » et la banqueroute du naturalisme. — Les influences étrangères. — Retour au mystère et au symbole. — L'échec du symbolisme; ses causes. — Les luttes politiques et sociales; leur action sur la littérature.

Le grand fait, le fait dominateur dans l'histoire littéraire des vingt dernières années du XIXe siècle, est l'explosion du symbolisme. Le mouvement symboliste est un mouvement essentiellement poétique, mais il s'est fait sentir dans tous les genres : on peut dire qu'il les a tous mis sous la domination de l'inspiration poétique.

Les premières années du XXe siècle, au contraire, constituent une période confuse, occupée par la liquidation du symbolisme et le retour à la tradition, ou par des tentatives diverses pour réaliser par différents procédés ou dosages l'accord entre la tradition et la nouveauté. Des problèmes urgents s'élèvent de toute part, qui poussent l'écrivain à s'engager dans la mêlée politique ou sociale.

Le naturalisme s'était donné comme l'expression littéraire du positivisme scientifique, support de la pensée moderne, s'il fallait en croire Taine, maître à penser de cette génération. Or, à partir de 1880, ce support est de plus en plus fortement ébranlé. Des

philosophes[1] et des savants[2] considérables proclament l'insuffisance des conceptions mécanistes de la nature, le caractère conventionnel des théories, la relativité de toute connaissance
humaine. La science d'autre part a déçu, non pas les savants, mais
la foule qui attendait d'elle ce qu'elle ne s'était jamais flatté
d'apporter : la certitude absolue, le bonheur. La voyant demeurer
inadéquate aux rêves et aux désirs, certains proclament sa
« faillite[3] ». En outre le naturalisme, dont les appuis chancelaient,
est discrédité par l'école de Zola, qui s'inspire plus de ses théories que de ses œuvres et se perd dans l'insignifiance et la grossièreté. Tout caractère d'art et toute poésie disparaissent des écrits
des disciples. Un moment est venu (en 1887, après *la Terre*) où
les meilleurs parmi les jeunes naturalistes ont senti le besoin de
lâcher le maître. La « banqueroute du naturalisme » accompagnait la prétendue « faillite de la science ».

Mais si le naturalisme n'existait plus, rien ne le remplaçait
encore. Chacun allait de son côté, innovait, imitait, selon son
tempérament intime ou son affection actuelle. Des symptômes de
religiosité apparaissaient, une certaine soif de mystère, d'incompréhensible[4]. Les uns allaient se satisfaire aux confins de la
science, dans les phénomènes anormaux, d'apparence irration-

1. Notamment Boutroux, puis Bergson, qui fut son élève. En 1874, dans son
livre *De la Contingence des Lois de la Nature*, Boutroux montre que l'existence ne
dérive pas analytiquement du possible, que le mécanisme universel est une illusion
et que nos théories scientifiques ont un caractère conventionnel. Cette thèse
devait être renforcée et élargie par Henri Bergson (1859-1942), dont l'influence
fut prédominante dans la pensée française jusqu'à la guerre de 1914 et se prolonge
même au-delà. Cf. p. 1204.

2. Notamment Henri Poincaré (1854-1912), un des plus grands mathématiciens
de tous les temps. Il montrera dans la *Science et l'Hypothèse* (1902), et dans *la Valeur
de la Science* que la géométrie est une construction conventionnelle qui néanmoins rejoint la réalité, puisqu'elle nous permet d'ajuster notre action aux forces
qui nous pressent; mais elle ne nous permet pas de les connaître. Duhem, Le Roy
pousseront plus loin le scepticisme : pour le premier, notre science est une
construction symbolique; pour le second, c'est le savant qui crée le déterminisme
qu'il croit voir en toute chose.

3. Le mot est de Brunetière : *la Faillite de la Science*, 1895. Il lui reproche surtout
d'avoir failli au rôle de directrice de conscience, qu'elle n'avait jamais revendiqué : mais d'autres l'avaient fait pour elle.

4. En 1891, Loti note, dans son discours de réception à l'Académie française, un
réveil religieux : « L'idéal... est éternel... Déjà, sur la fin de notre siècle, il est
certain qu'il reparaît, avec le mysticisme son frère; ils se réveillent ensemble, ces
deux berceurs très doux de nos âmes; ils ne sont plus tout à fait tels qu'autrefois,
ils sont plus troublés, pris de vertige et ne sachant guère où se rattacher dans le
désarroi de tout, mais ils vivent toujours, et on recommence à plus nettement les
voir, derrière ce nuage de fumée du réalisme, qui s'est levé sur eux, des bas-fonds
effroyables. » Une première vague de conversions accompagna ce réveil de l'idéalisme : Huysmans, Coppée, Brunetière, Bourget. Une deuxième devait suivre :
Claudel, Péguy, Francis Jammes, Léon Bloy...

nelle, insuffisamment expliqués ou établis : hallucination, hypnotisme, maladies de la personnalité, télépathie, etc. D'autres
exploitaient — avec quelle sincérité? — les sciences occultes,
astrologie, magie. D'autres prenaient pour thèmes les phénomènes psychologiques du mysticisme et de l'extase religieuse. Par
réaction contre le naturalisme, on fuyait maintenant les réalités
finies, les idées définies.

A la dissolution du naturalisme et au trouble qui suivit, se
lie cet autre fait qu'on est allé chercher au-dehors des formules
et des modèles d'art. Des infiltrations se produisent dans tous les
domaines et vont s'élargissant : la musique de Wagner, la peinture des préraphaélites anglais, la philosophie anglaise et allemande et surtout les romans et les pièces de théâtre de tous les
pays européens sont accueillis avec une curiosité ardente qui n'a
plus cessé. L'Angleterre nous a donné d'abord George Eliot[1],
puis Rudyard Kipling[2], H. G. Wells[3], Thomas Hardy[4], Bernard
Shaw[5]; la Russie, Tolstoï[6] et Dostoïevski[7], puis Gorki[8]; les Scandinaves, Ibsen[9], Bjœrnstierne Bjœrnson[10], Strindberg[11], puis
Selma Lagerlöf[12]; l'Allemagne, Sudermann[13], Hauptmann[14],
Nietzsche[15]; l'Italie, d'Annunzio[16] et Fogazzaro; l'Espagne,
Pereda[17], Perez Galdos[18], Pardo Bazan[19] et surtout Blasco Ibañez[20]; la Pologne, Sienkiewicz[21]. Tous ces écrivains étaient si
différents, tant par le caractère individuel que par le tempérament national qu'ils ne pouvaient concourir à établir en France
une doctrine d'art ou favoriser la domination d'une école. Nous
recourions à eux, comme il arrive toujours quand notre littérature, momentanément figée dans des formes surannées, ne correspond plus à l'état présent de nos âmes, pour leur demander les
satisfactions esthétiques ou morales que nous ne trouvions plus
chez nous. Eliot et Tolstoï nous ont servi à manifester certaines
tendances évangéliques qui nous travaillaient. Tolstoï encore,
Hauptmann et Biœrnson ont donné une nourriture aux esprits
avides de fraternité et de justice sociale; Ibsen appuyait les défenseurs du droit individuel de la conscience et maintenait l'indépendance de la personne humaine contre toutes les contraintes
sociales. D'Annunzio offrait à l'admiration de ˙nos esthètes
l'exemple immoral et lyrique du libre épanouissement, et Kipling
exprimait la fière énergie d'une race qui s'affirme supérieure et
faite pour régenter le monde, juste au moment où la concentration
violente du sentiment national semblait menacer chez nous la
longue tradition humaine et généreuse de la France.

1. *Prière de se reporter à la fin du présent chapitre* (p. 1117) *pour les notes relatives
aux auteurs étrangers.*

Cependant tous ces étrangers s'accordaient sur un point : ils portaient le coup de grâce au naturalisme français, dont nous avons dit plus haut la dégénérescence. Il y avait parmi eux d'assez puissants naturalistes pour nous affermir dans le respect du principe essentiel, excellent, de l'observation serrée et de l'expression intense de la nature, dans le goût de la vérité objective de l'imitation : mais leur naturalisme était psychologie, poésie, pitié. Ils montraient de l'âme dans les choses, et leur âme en sympathie avec les choses. Dans les rouages du mécanisme social et dans les phénomènes physiologiques, ils voyaient et faisaient voir des créatures humaines : et même impure, même dégradée, même mesquine, ils nous faisaient aimer la vie; ils nous faisaient respecter la souffrance, même méritée et avilissante. Un souffle de charité évangélique, de solidarité humaine passait sur nous et achevait de fondre l'orgueilleuse dureté de notre naturalisme.

Prenons l'exemple d'Ibsen. Il a rappelé notre théâtre, qui se perdait dans l'insignifiance dégoûtante ou féroce, dans la « rosserie » plate ou grimaçante, il l'a rappelé au souci des idées, à l'expression de la lutte des volontés affirmant leurs diverses conceptions de la vie ou du bien. Il a représenté l'individu travaillant à se libérer des servitudes intérieures de l'hérédité ou de l'éducation, ou de l'oppression extérieure de la société et de l'opinion. Son symbolisme, dans ses meilleures œuvres, se traduit en formes vivantes d'action et de sentiment. Bjœrnstierne Bjœrnson et Hauptmann, si éloignés d'Ibsen par la philosophie de leurs œuvres, ont par leur forme renforcé son influence : ils ont fait la guerre au vaudeville, à l'intrigue bien faite, aux « joujoux » dramatiques de Scribe et de Sardou. Ce qui importait pour notre théâtre, c'était qu'on lui rappelât que la forme dramatique pouvait, devait exprimer de la pensée et de la vie.

On a reproché à tous ces étrangers de nous rapporter seulement ce que nous avions trouvé il y a soixante ou quatre-vingts ans, ce que nos romantiques, Victor Hugo, George Sand, nous avaient donné. Il y a du vrai dans ce reproche : mais ce que les étrangers nous rapportaient, pourquoi l'avions-nous perdu?

Ils nous rendaient en effet le meilleur du romantisme, l'inquiétude métaphysique, la sensibilité lyrique, la générosité sociale, la pitié et la sympathie pour les humbles et les déclassés. Mais ils nous le rendaient, du moins la plupart d'entre eux, dépouillés de ce fâcheux esprit que le romantisme avait transmis aux Parnassiens et aux naturalistes : je veux dire le mépris insolent du rapin pour le bourgeois, l'orgueil insociable de l'homme de lettres qui, même médiocre et raté, regarde de très haut toutes les façons de vivre, de sentir, de souffrir de la commune humanité, et se fait une loi artistique de n'y montrer que la plus ridicule et dégoûtante floraison de platitude, de bêtise ou d'égoïsme. La satire même de la société se pénétrait d'amour. De là l'impression de fraîcheur et de nouveauté, et non de déjà vu.

Bref, ce qui reparaissait, dans le déclin du positivisme et par le jeu des influences étrangères, c'était le goût des choses de l'âme. Les jeunes, lassés d'une littérature à prétentions scientifiques et des effets plastiques auxquels elle se bornait, se mirent à aimer tout ce que leurs prédécesseurs rejetaient : le mystère, le rêve, le symbole, — ainsi que les écrivains méconnus de l'époque précédente : Baudelaire, Verlaine, Mallarmé, puis Rimbaud. Le symbolisme impliqué dans leurs œuvres se dégagea comme doctrine et envahit tout.

Au bout de quinze ans, il déclinait à son tour. Il s'était heurté à la résistance de l'ancienne technique élaborée au cours des siècles en fonction même des exigences de notre langue. Il n'avait pu vaincre l'incompréhension persistante de la foule, qui réservait son enthousiasme aux *Trophées* parnassiens de Heredia (1893) ou au *Cyrano* romantique de Rostand (1898). Et les luttes politiques et sociales, particulièrement ardentes pendant les vingt-cinq années qui précédèrent la première guerre mondiale, le submergèrent et l'engloutirent.

Ce fut d'abord l'affaire Dreyfus et ses suites, expulsion des Congrégations, séparation de l'Église et de l'État; puis les tentatives de coup d'État, les poussées révolutionnaires des foules ouvrières socialistes et syndicalistes, l'antimilitarisme, les grèves générales; et sur tout cela la menace sans cesse grandissante de l'impérialisme allemand. Dès l'affaire Dreyfus, deux grands partis antagonistes se constituèrent : le parti de la conservation sociale, attaché à certains principes qu'il estimait intangibles (monarchistes, conservateurs, une partie des catholiques et des libéraux jadis voltairiens mais maintenant hostiles à toute subversion) et le parti de la révolution sociale, qui travaillait à leur en substituer d'autres (néo-chrétiens, intellectuels, socialistes, syndicalistes). Devant ces deux tendances contraires, tout le reste ne fut plus ou ne parut plus être que nuances. Mais bientôt, dans chacune, se manifestèrent quelques grandes forces qui résistaient à la simplification : à droite, les catholiques ne pouvaient abandonner certaines positions où les libéraux ne pouvaient se laisser amener; et les uns et les autres étaient durement bousculés par un petit groupe monarchiste dirigé par un vigoureux doctrinaire, Charles Maurras. A gauche, pareillement, l'unité socialiste, l'infiltration dans le socialisme des éléments libertaires et anarchistes, l'adhésion ou la résistance insuffisante du parti unifié à l'internationalisme antipatriote et antimilitariste — à un moment où la politique allemande devenait agressive —, tendirent à isoler le groupe socialiste dans le camp des républicains et démocrates de toute nuance. D'autre part, la défiance croissante des syndicats ouvriers et de leur principal organe, la C. G. T., à l'égard de la politique et des politiciens du Parlement introduisait au cœur même du parti révolutionnaire un principe de division et de conflit.

Ce n'étaient que groupes se dénonçant, se diffamant, d'autant plus violents et haineux qu'ils étaient plus voisins par les principes et se disputaient les mêmes clientèles. Au début de 1914, on pouvait croire que notre pays était rongé de guerre civile et d'anarchie. Cet état de choses agit profondément sur la littérature. Dans l'état de division et d'excitation des consciences, l'écrivain dilettante disparut presque. Les gens aimables qui prêchaient la retraite dans l'étude, dans le culte fervent et solitaire des lettres ou de la science, firent l'effet d'hommes d'un autre âge et, pour dire le mot, d'égoïstes obstinés. Savants, historiens, romanciers, dramaturges, poètes, il n'y eut presque personne qui ne se crût le devoir de prendre parti, de dire dans quel camp il combattait, et pour quel idéal. La neutralité déshonora. Zola, Barrès, Brunetière, Lemaitre, Anatole France sortirent de leurs cabinets de travail pour s'exposer aux coups dans la mêlée politique et sociale. Vers 1900, la littérature désintéressée, indifférente ne se trouvait plus guère : il y avait un élément de polémique dans presque toutes les œuvres d'art et de critique. Même où la polémique faisait défaut, l'actualité se laissait discerner, une préoccupation inquiète ou enthousiaste des problèmes sociaux dont la France réclamait la solution.

Parmi ces derniers, il en est un qui retint plus particulièrement les jeunes écrivains. Jusqu'ici, notre littérature n'atteignait guère le peuple : classique, elle s'adressait aux salons; romantique, aux cénacles; parnassienne et réaliste, aux artistes. Le roman et le théâtre, les genres dont l'extension est la plus ample, recrutaient leurs lecteurs dans la bourgeoisie parisienne et européenne. Il s'agissait maintenant pour beaucoup d'écrivains et non les moins artistes, d'être entendus non plus seulement par une élite, mais par toute la France. Le problème d'une poésie populaire, d'un théâtre populaire, en un mot d'une littérature populaire — toujours artistique en sa forme, mais populaire par sa diffusion — était posé. Et sans doute cette préoccupation nouvelle a été pour quelque chose dans le choix de plus d'un sujet de pièce, de poème ou de roman : elle contribua à détourner certains littérateurs des éternels thèmes de l'adultère et du lyrisme *égotiste* vers les cas d'un intérêt humain, national et social.

Mais le romantisme, le symbolisme, la doctrine de l'art pour l'art n'avaient pas abdiqué pour autant. Ils reprirent faveur, à mesure que se calmaient les passions de l'Affaire. Dans beaucoup de chapelles qui se fondèrent après 1900 prévalurent le dégoût de la politique et de l'actualité et la volonté hautaine de mettre la littérature au service d'un idéal uniquement artistique. Il y eut là comme un reflux, qui vint se heurter aux courants nouveaux, et toutes sortes de remous s'ensuivirent, qui rendirent singulièrement complexe la période de l'immédiate avant-guerre (1900-1914). Notons pour finir que ceux mêmes qui renonçaient à plaire au public bourgeois ne quémandaient pas le succès populaire. Le raffinement de la technique interdisait cette ambition autant qu'il la faisait mépriser; et la littérature des années qui précédèrent 1914 fut moins que jamais une littérature pour le peuple, même quand elle procédait d'une inspiration sociale, nationale ou humaine.

(*Notes relatives aux auteurs étrangers cités page 1113*).

1. George Eliot (1819-1880) : *Adam Bede*, tr. 1861 et 1886; *le Moulin sur la Floss*, tr. 1887; *Silas Marner*, trad. 1885 et 1889, etc.

2. Rudyard Kipling (1865-1936) : *le Livre de la Jungle*, deux séries, trad. 1899; *La Lumière qui s'éteint*, tr. 1900; *Kim*, tr. 1901; *Stalky et Cie*, tr. 1903, etc.

3. H. G. Wells (né en 1868) : *la Machine à explorer le temps*, tr. 1899; *la Guerre des Mondes*, tr. 1900; *l'Homme invisible*, tr. 1901; *Anticipations*, tr. 1904, etc..

4. Thomas Hardy (1840-1927) : *Barbara*, tr. 1901; *Jude l'Obscur*, tr. 1901; *Tess des d'Uberville*, tr. 1901, etc.

5. Bernard Shaw (né en 1856) : *l'Homme aimé des femmes, Candida, la Profession de Mme Warren*, tr. 1908-1912; *Pièces plaisantes et déplaisantes*, tr. 1913, etc...

6. Tolstoï (1828-1910) : *la Guerre et la Paix*, tr. 1880 et 1885; *Anna Karénine*, tr. 1885; *les Cosaques, Souvenirs de Sébastopol*, tr. 1887; *la Puissance des ténèbres*, drame, tr. 1887; *Souvenirs*, tr. 1887; *la Sonate à Kreutzer*, tr. 1890; *Résurrection*, tr. 1900, etc.

7. Dostoïevski (1821-1881) : *Crime et Châtiment*, tr. 1884; *Souvenirs de la Maison des Morts*, tr. 1886; *Krotkaïa*, tr. 1886; *les Possédés*, tr. 1886; *l'Idiot*, tr. 1887; *les Frères Karamazov.*, tr. 1888, etc.

8. M. Gorki (1869-1936) : *les Petits Bourgeois*, pièce, tr. 1902; *Dans les Bas-Fonds*, pièce, tr. 1903; *les Vagabonds*, tr. 1901; *Thomas Gordeief*, tr. 1901; *la Mère*, tr. 1901, etc.

9. Henrik Ibsen (1828-1906) : *les Revenants*, tr. 1889; *Maison de Poupée :* 1889; *Le Canard sauvage*, tr. 1891; *Hedda Gabler*, tr. 1891; *La Dame de la Mer*, tr. 1892; *Un ennemi du peuple*, tr. 1892, etc.

10. Bjœrnstierne Bjœrnson (1832-1910) : *Synneuve Solbakken*, tr. 1880; *Arne*, tr. 1883; *Au-delà des Forces*, tr. 1894; *Une faillite*, tr. 1894, etc.

11. Strindberg (1849-1912) : *Père*, tr. 1888; *Mlle Julie*, tr. 1893; *Créanciers, le Lien, On ne joue pas avec le Feu*, tr. 1894, etc.

12. Selma Lagerlöf (1859-1940) : *Jérusalem en Dalécarlie*, tr. 1903; *La Légende de Gösta Berling*, tr. 1904; *Les Liens invisibles*, tr. 1909, etc.

13. Sudermann (1857-1928) : *la Femme en gris*, tr. 1895; *l'Indestructible Passé*, tr. 1897, etc.

14. Hauptmann(né en 1862): *les Tisserands*, tr. 1893; *Ames solitaires*, tr. 1894, etc.

15. F. Nietzsche (1844-1900) : *A travers l'œuvre de N.*, extraits, tr. 1893; *Ainsi parlait Zarathoustra*, tr. 1898; *Humain, trop humain*, tr. 1899-1901; *le Crépuscule des Idoles*, *le Cas Wagner*, tr. 1893, *Par-delà le Bien et le Mal*, tr. 1898, etc.

16. Gabriel d'Annunzio (1863-1937) : *l'Intrus*, tr. 1893; *Episcopo et Cie*, tr. 1893; *l'Enfant de Volupté*, tr. 1895; *le Triomphe de la Mort*, tr. 1896; *les Vierges aux Rochers*, tr. 1897; *la Ville Morte*, tr. 1898, etc.

17. Pereda (1834-1906) : *Sotileza*, tr. 1899.

18. Perez Galdos (1845-1920) : *Marianela*, tr. 1884; *Dona Perfecta*, tr. 1886.

19. Pardo Bazan (1851-1921) : *le Naturalisme*, tr. 1886; *Miséricorde*, tr. 1900.

20. Blasco Ibañez (1867-1928) : *Terres Maudites*, tr. 1902; *Boue et Roseaux*, tr. 1905; *Fleur de Mai*, tr. 1906; *Dans l'Ombre de la Cathédrale*, tr. 1907; *Arènes sanglantes*, tr. 1910

21. Sienkiewicz (1846-1916) : *Quo vadis*, tr. 1900.

CHAPITRE II

LA POÉSIE

Un parnassien attardé : de Heredia. — Les précurseurs du symbolisme : Verlaine, Rimbaud, Mallarmé. — Le décadentisme et J. Laforgue. — Le mouvement symboliste et sa signification. — La première génération symboliste : Moréas, H. de Régnier, Verhaeren, Samain. — La réaction naturiste : F. Jammes, Ch. Guérin, Anna de Noailles. — (La seconde génération symboliste : Claudel, Valéry.) — Un isolé : Ch. Péguy.

C'est dans la poésie que se produisit, pendant les vingt dernières années du xixᵉ siècle, l'évolution la plus rapide et la plus sensible : elle prit même, un moment, l'apparence d'une révolution.

Sans doute il se faisait encore de bons vers, des vers délicats et parfois puissants, dans les formes traditionnelles. Le Parnasse se perpétue par les *Trophées* de Heredia[1], un excellent faiseur de sonnets, qui procède même autant de Gautier que de Leconte de Lisle. Son éclatante poésie semble moins reproduire la nature vivante que des pièces d'orfèvrerie. Chaque sonnet est comme un plat somptueux, où, dans un champ limité, la fantaisie d'un puissant artiste aurait enfermé des sujets historiques ou mythologiques. De ces petits tableaux, pourtant, se dégage souvent une émotion fine, et même une émotion large : mais Heredia veut la suggérer, sans paraître en être lui-même agité, par la précision de la vision. Ce maître ciseleur a réussi par la perfection de son art : toutefois c'est un art qui s'attarde, qui n'innove en rien.

La réaction contre les formes dures, arrêtées, métalliques ou marmoréennes de la poésie parnassienne, et contre les photographies prétendues impassibles des scènes naturelles et sociales, a commencé à devenir sensible aux environs de 1885. On a repris goût aux idées et aux émotions dans lesquelles s'expriment les lois du monde ou de la vie et l'intime essence de l'individualité. Vigny et Lamartine sont revenus à la mode concurremment. Des jeunes, groupés en écoles ou en coteries, auteurs de quelques

---

1. José-Maria de Heredia, né à Cuba (1842-1906). — **A consulter :** Miodrag Ibrovac, *José-Maria de Heredia*, 1923. *Les Trophées* ont paru en 1893 (Lemerre, in-8 et in-16). Beaucoup de ces sonnets étaient connus depuis longtemps.

revues batailleuses[1], ont déclaré la guerre à la tradition de la
poésie française et annoncé l'aurore d'une poésie nouvelle. Le
public a connu cette agitation par les étiquettes voyantes de poésie
décadente, ou *symboliste*, ou *romane*; il a entendu parler de vers
libérés, *libres*, ou *polymorphes*. Il a entendu porter aux nues, avec
Baudelaire, qui était mort, deux vivants, Mallarmé et Verlaine :
les vers énigmatiques de l'un, la vie scandaleuse de l'autre l'ahu-
rissaient. La bizarrerie et l'obscurité des œuvres, le fracas fumeux
des doctrines, le nombre des noms étrangers qu'on rencontrait
parmi ces restaurateurs de la poésie française[2], la légèreté railleuse
des informations des journaux, plus occupés d'amuser le lecteur
que de l'éclairer, tout, pendant un temps, fit croire qu'il n'y avait
là qu'une immense mystification ou une immense prétention,
une furieuse réclame, et un magnifique avortement. En réalité le
mouvement était sérieux et fécond, et la révolution tumultueuse
enveloppait une très raisonnable évolution[3].

A l'origine, trois maîtres, qui dérivent tous de Baudelaire.
Baudelaire avait essayé de saisir les résonances du monde
moderne dans son âme et de les exprimer par la suggestion musicale : c'est la voie du lyrisme pur, que suivra Verlaine[4]. Mais
surtout Baudelaire avait assigné à la poésie une mission transcendantale, la révélation d'une surréalité « dont notre univers stable

---

1. La *Décadence*; le *Décadent*; la *Cravache*; la *Vogue*; le *Scapin*; la *Wallonie*;
le *Banquet*; la *Plume*; l'*Ermitage*; la *Revue Blanche*, etc. Le *Mercure de France*,
né en 1890, est devenu l'une des grandes revues françaises. Plus tard est venue la
Phalange où la tradition symboliste s'est maintenue. Cf. Remy de Gourmont, les
Petites revues, essai de Bibliographie, 1900; et *Promenades littéraires*, I, p. 191-
197; IV, p. 58-69, et 81-91.

2. Mockel, Mæterlinck, Rodenbach, Verhaeren, Wallons ou Flamands; Viélé-
Griffin, Stuart Merrill, Américains; Marie Krysinska, Polonaise; Moréas, Grec.
Et puis Kahn, de Souza, etc. (Je ne parle que des noms, de leur physionomie et
consonance. Plus d'un de ces écrivains est un bon et excellent Français, d'esprit
et de cœur : pour le public qui voyait du dehors, les noms étaient exotiques.)
Cependant Baudelaire, Verlaine, Rimbaud, Mallarmé, les quatre maîtres du
symbolisme, sont des Français de race. Et après tout, le naturalisme avait Zola,
Italien d'origine, et Huysmans, Flamand. Tous les mouvements de la littérature
française sont français; les influences étrangères ne comptent que dans la mesure
où des cerveaux français les assimilent et en font de la pensée française.

3. Sur le symbolisme, consulter : Poizat, *le Symbolisme*, Bloud, 1924; Martino,
Parnasse et Symbolisme, Colin, 1928; M. Raymond, De *Baudelaire au Surréalisme*,
Corréa, 1933; A. Schmidt, la *Littérature Symboliste*, Presses Univ., 1942; Guy
Michaud, *Message poétique du Symbolisme* (4 vol.) Nizet, 1947. — Nombreux
textes dans : Van Bever et Léautaud, *Poètes d'aujourd'hui* (3 vol.), Mercure de
France.

4. Paul Verlaine (1844-1896) : *Poèmes saturniens*, 1866; *Fêtes galantes*, 1869;
Romances sans paroles (1874); *Sagesse* (1881); *Jadis et naguère* (1884); *Parallèle-
ment* (1889); *Œuvres complètes*, Messein, 7 vol. — A consulter : P. Martino,
Verlaine, Boivin, 1924; F. Porché, *Verlaine tel qu'il fut*, Flammarion, 1933.

n'est que la caricature » : c'est la voie qu'exploreront Rimbaud et
Mallarmé, le premier en s'entraînant à l'hallucination systématique, le second en procédant par concentration de pensée et
purification du langage.

Verlaine est un vrai poète : et plus d'une fois il a été un grand
poète. Naïf et compliqué, très savant et très spontané, il a exprimé
avec un art raffiné et sincère le duel de l'esprit et de la chair, les
furieuses joies du corps vautré dans sa corruption et les douloureuses angoisses de l'âme élancée vers son Dieu. Il retournait
au romantisme, en faisant de la poésie la confession ingénue d'une
âme.

Cette âme était singulièrement complexe : aucune curiosité
intellectuelle; une sensualité brutale, encline aux pires turpitudes, mais associée à une imagination rêveuse qui transmuait
les tristes expériences en fantaisies délicates, légères, comme
aériennes : l'union presque impensable de Caliban et d'Ariel. Dans
les dernières années, la sensualité s'étale plus largement comme
si le poète, traqué par la misère et la maladie, ne demandait plus
à la vie que les jouissances immédiates de la chair. Néanmoins
il conserve presque jusqu'à la fin cette grâce ailée et cet accent
mystérieux, à la fois enjoué et confidentiel, si profondément original qu'il faut bien renoncer à le définir pour se contenter de
l'éprouver. C'est lui qui fait l'unité profonde de l'œuvre, en dépit
de l'évolution de l'auteur. Les *Poèmes saturniens* et *les Fêtes galantes*, écrits en un temps où Verlaine se proclamait impersonnel et
impassible, sont à peine moins « verlainiens » que les recueils ulté-
rieurs, où s'étalent une liberté et une spontanéité croissantes,
finalement érigées en théorie :

L'art, mes amis, c'est d'être absolument soi-même.

Théorie périlleuse, si l'artiste n'est pas d'abord pleinement
maître de son métier, car elle conduit droit au verbiage et au
prosaïsme. Le talent de Verlaine ne versa dans ces tristes fon-
drières que très tard, à l'époque où, lassé de tout sauf des jouissances charnelles, il n'écrivit plus que pour gagner de l'argent;
mais jusqu'alors il a consciemment fait effort d'artiste, et il a
réalisé ce paradoxe de couler des émotions ingénues dans une
forme très concertée d'où l'art semble absent. Beaucoup s'y sont
mépris, mais il est certain que la « gaucherie », la « délicieuse
maladresse » de Verlaine sont des légendes. Il emploie souvent des
tours populaires, il feint la négligence, il pousse la familiarité, le
réalisme de l'expression plus loin qu'on ne les avait jamais portés;
mais son vers désarticulé, détendu, ne perd jamais la distinction

de l'art. Les rythmes imprévus, les rimes atténuées, les coupes insolites, — quand ils ne sont pas pure espièglerie —, sont toujours fondés en raison; en assouplissant la forme, le poète l'empêchait de figer la pensée et de glacer le sentiment : la vie circule toujours librement dans les vers de Verlaine, où « rien ne pèse ni ne pose ». De même les notations brèves, imprécises et mal liées, dénoncées parfois comme des défaillances de l'expression, marquent simplement l'intention très arrêtée de suggérer plutôt que de dire : Musique et suggestion, c'est tout l'*Art poétique* de Verlaine (1874) qui s'oppose ainsi à l'*Art* tout plastique de Gautier (1857).

Verlaine, stylisant les émotions de sa vie, reprenait en somme la formule romantique. Au contraire Rimbaud[1], usant résolument de la poésie comme d'un moyen magique pour découvrir les réalités occultes, ouvrait toutes grandes les portes de l'avenir, déjà entrebâillées par Baudelaire.

L'homme et l'œuvre sont également mystérieux. « Enfant aux semelles de vent », prompt aux fugues, révolté, intraitable, cynique, du reste prodigieusement doué et réussissant sans effort, Rimbaud a traversé la littérature comme un météore, — à dix-neuf ans il cessa d'écrire —, mais l'ébranlement que causa ce passage fulgurant dure toujours. Il avait commencé par des vers fortement marqués par l'influence de Hugo et de Baudelaire. Très vite, son originalité s'affirma; dans son poème le plus célèbre, *Bateau ivre*, écrit à dix-huit ans, abondent les visions étranges, coulées en vers d'un seul jet, énergiques, ou délicats, ou nostalgiques. Mais c'est assurément par la frénétique *Saison en Enfer*, par les « vers nouveaux et chansons » qui ouvrent les *Illuminations* et surtout par les poèmes en prose qui constituent l'essentiel de ce dernier livre, que Rimbaud fait figure d'initiateur.

Le conformisme des poètes parnassiens qu'il avait entrevus à Paris, pendant un court séjour, l'avait exaspéré. Lui rêvait d'une poésie visionnaire susceptible de révéler à l'homme son moi le plus profond, c'est-à-dire la puissance mystérieuse qui conditionne et alimente son moi conscient. « *Je* est un autre », a-t-il écrit. C'est ce *je*, radicalement distinct de l'homme social et même de l'homme qui pense et même de l'homme qui « se pense »,

---

1. Arthur Rimbaud, 1854-1891. *Une Saison en Enfer*, 1873 (publié en 1895); *Illuminations*, 1873-1875 (publié en 1886) ; *Œuvres complètes*, 1 vol., Merc. de France. — **A consulter** : J. M. Carré, *Vie de Rimbaud*, Plon, 1926; R. Clauzel, *Une Saison en Enfer*, Malfère, 1931; Daniel-Rops, *Rimbaud, le drame spirituel*, Plon, 1936; Etiemble et Gauclère, *Rimbaud*, Gallim., 1936; H. de Bouillane de Lacoste, *Rimbaud et le problème des Illuminations*, Merc. de Fr., 1949 : ce dernier ouvrage infirme les conclusions des précédents sur l'évolution littéraire de Rimbaud, fondées sur une chronologie qui semble erronée.

qu'il voulait découvrir : par là, il atteindrait l'Absolu. Mais comment y parvenir? En se faisant *voyant*. « Le poète se fait *voyant*, affirmait-il[1], par un long, immense et raisonné dérèglement de tous les sens, » lesquels rivent en effet notre activité spirituelle au monde qui nous entoure et font écran devant notre clairvoyance. C'est à cet effort qu'il convia le faible Verlaine, pour qui la méthode n'avait que trop de séduction. Mais la bonne foi de l'impétueux Rimbaud n'est pas douteuse. Et s'il se lança délibérément dans le désordre, ce fut, non parce qu'il était attiré par le vice, mais parce qu'il l'avait choisi librement comme un instrument de libération. Il s'agissait là d'une véritable ascèse démoniaque, instituée par une ambition luciférienne qui s'acharnait à faire tomber toutes les barrières pour pénétrer jusqu'au grand secret.

L'expérience le conduisit au bord de la folie. Il s'en arracha au prix d'une crise atroce dont il a jeté les affres sur le papier en phrases saccadées, elliptiques, coupées de cris de rage, de détresse et d'horreur : ce livre étrange, sans analogue, c'est *Une Saison en Enfer*[2].

On discute encore sur les causes profondes de ce retournement violent. Pourtant lui-même aurait confié plus tard à sa sœur : « Je ne pouvais pas continuer. Je serais devenu fou, et puis... c'était mal. » La *Saison en Enfer*, chargée d'imprécations et de fureur, ne contient pas encore de condamnation aussi moralisante. Elle se borne à constater avec rage l'impossibilité pour une âme christianisée dès l'enfance d'accéder aux joies de l'Eden ou de connaître l'Absolu : la seule issue est donc le positivisme intégral, l'étreinte de la « rugueuse réalité », à laquelle Rimbaud semble devoir s'attacher farouchement désormais, en « paysan » : c'est presque le dernier mot du livre. Pas trace de repentir : le ferme propos catholique ne devait lui venir que tardivement, à l'heure de sa mort.

On a cru longtemps que la *Saison* marquait l'adieu définitif de l'écrivain à la littérature. Elle marquait tout au moins le renoncement à ses ambitions demesurées. Dans les *Illuminations* (qu'il faut entendre au sens anglais de *enluminures*), il se bornait à jouir du pouvoir combinatoire de son esprit, en formant, ou en laissant se former, les associations les plus étranges entre les images les plus inouïes. Il obtint ainsi, à défaut de la clef de l'Univers, un univers bien à lui, qui est comme la projection métaphorique de

---

1. Lettre à P. Demeny, 15 mai 1871.
2. La critique avait admis jusqu'en 1949 que les *Illuminations* avaient précédé la *Saison en Enfer*, qui semblait sceller la renonciation définitive de Rimbaud à la littérature. Mais M. H. de Bouillane de Lacoste a renversé cet ordre par des arguments qui paraissent irréfutables (*Rimbaud et le problème des Illuminations*).

la part la plus inconnaissable de lui-même. Après quoi, sans plus
se soucier de ces poèmes qui restèrent longtemps inédits, il
poursuivit fougueusement sa prodigieuse aventure dans d'autres
voies, — tour à tour vagabond, trafiquant, explorateur.

Au point de vue strictement littéraire, l'importance de Rimbaud, dont l'œuvre n'atteignit le public qu'après son exil volontaire et sa mort[1], s'est accrue sans cesse. Il avait écrit, avant Laforgue, les premiers vers libres. Il avait montré, avant les symbolistes, comment la libre disposition des images restituait au poète
son privilège de créateur. Il avait surtout enseigné, avant les
surréalistes, que la poésie devait cesser d'être expression de la
beauté pour devenir prospection de l'inconnaissable. « Le poète
est vraiment voleur de feu... Si ce qu'il rapporte de là-bas a forme,
il donne forme; si c'est informe, il donne de l'informe[2]. » La suggestion était trop profitable pour que maint esprit déréglé ne
l'adoptât pas comme une incitation à faire éclater librement
son propre génie. Mais ici l'art cesse, et quand le génie manque
aussi, la littérature cesse avec lui[3].

On ne saurait juger équitablement l'œuvre de Mallarmé[4] si
l'on ignorait qu'elle aussi représente avant tout un effort surhumain pour percer jusqu'au mystère de l'Être : « la métaphysique,
chez lui, commande la poésie ». (G. Michaud.)

Parnassien à ses débuts — il gardera toujours la marque de
l'Ecole — et pénétré de la haute dignité de la poésie, Mallarmé

1. Rimbaud avait eu des velléités de publier la *Saison* : à peine fut-elle imprimée qu'il détruisit ses exemplaires d'auteur, moins sept déjà distribués. Le
reste de l'édition, bloqué chez l'éditeur qui en attendit vainement le paiement,
fut retrouvé en 1901 dans un grenier. Pour les *Illuminations*, Rimbaud avait
quitté la France depuis douze ans quand elles parurent par les soins de Verlaine,
qui croyait son ami mort depuis longtemps.

2. Lettre à P. Demeny, 15 mai 1871.

3. Rimbaud balayait du reste (même lettre) deux mille ans de littérature
où tout a été « prose rimée, un jeu, avachissement et gloire d'innombrables générations idiotes » et notamment toutes les œuvres de « cet odieux génie qui a inspiré Rabelais, Voltaire, Jean La Fontaine », Musset. « Français, c'est-à-dire haïssable au suprême degré. » Seuls obtenaient grâce quelques poésies de Lamartine,
du dernier Hugo et tout Baudelaire, « le premier voyant, roi des poètes, un vrai
Dieu. »

4. Stéphane Mallarmé (1842-1898) : *L'Après-midi d'un Faune*, 1876; nombreux
poèmes, en vers et en prose, dispersés dans des revues et signalés au public en
1884 par Huysmans dans *A Rebours*; *Vers et Prose*, florilège, 1893; *Divagations*
(prose), 1897; *Poésies complètes*, 1899; *Un coup de dés jamais n'abolira le hasard*
1914; *Igitur*, 1925. A consulter : Thibaudet, *la Poésie de Stéphane Mallarmé*
Gallimard, 1921; J. Royère, *la Poésie de St. Mallarmé*, Emile-Paul, 1921; E. Noulet, *l'Œuvre poétique de Mallarmé*, Droz, 1940; *Dix poèmes de Mallarmé*, Droz,
1948; Mondor, *Vie de Mallarmé*, Gallimard, 1941; F. de Miomandre, *Mallarmé*,
Bader-Dufour, 1948; C. Soula, *La poésie et la pensée de M.*, 3 vols, Champion
1926-1931.

a commencé par entourer la sienne de mystère : comme toute chose sacrée, l'Art, selon lui, ne doit être accessible qu'aux seuls initiés. A ce mystère, qu'on pourrait appeler formel puisqu'il s'obtient par des artifices de technique, Mallarmé en ajoutera bientôt un autre, essentiel celui-là, car il viendra de l'objet que le poète se propose : atteindre, par le dépouillement total et la dépersonnalisation complète, l'Absolu, c'est-à-dire le lieu où se situent tous les rapports virtuels, toutes les « analogies » (Baudelaire disait : « les correspondances ») qui constituent la structure véritable de l'univers[1]. *Le Démon de l'Analogie* nous montre que les lois de cette architecture secrète sont irréductibles à notre étroite raison, — bien que Mallarmé semble n'avoir jamais désespéré de trouver le maître-mot qui les commande. Et la poésie, forme suprême de la Beauté, sera l'expression nécessairement symbolique de ces virtualités incompréhensibles.

Pour servir de si hauts desseins, Mallarmé a essayé de créer une langue poétique distincte de la langue courante et pratique : celle-ci évoque les réalités immédiates; l'autre vise à dégager de tout la « notion pure ». Les mots étant les mêmes dans les deux, le poète s'efforce de couper de leur signification « commerciale » ceux auxquels il veut recourir : il y parvient en les employant dans un sens inusuel, avec une imprécision calculée, en les associant à d'autres mots auxquels ils n'ont jamais été rattachés, — surtout en tenant compte des qualités suggestives de leurs sonorités. Ils « s'allumeront ainsi de reflets réciproques », perdront à demi le sens que leur affecte le dictionnaire, deviendront « les transitions d'une gamme » : le vers entier, où la syntaxe aura subi pareille distorsion, formera « un seul mot neuf et comme incantatoire ». Ajoutons que Mallarmé compose souvent à la façon d'un musicien, en entrelaçant plusieurs thèmes qu'il est malaisé de distinguer.

Une tentative aussi prométhéenne, servie par des moyens aussi ésotériques, devait nécessairement échouer, bien que Mallarmé l'ait poursuivie avec une abnégation admirable : il n'a finalement réalisé que deux épisodes de la Somme qu'il avait rêvée : *Igitur* et *Un coup de dés jamais n'abolira le hasard*; tous deux hermétiques, le second surtout, qui se rapproche, par sa disposition typographique, des partitions musicales. En fait, la musique aurait peut-être mieux répondu aux ambitions de Mallarmé que le langage. Lui-même a eu, vers la fin, le sentiment qu'il s'était

---

1. C'est uniquement sur le plan de l'intelligence pure que Mallarmé poursuit ses recherches métaphysiques. Il n'y mêle aucun mysticisme, c'est-à-dire aucun besoin d'aimer. L'Absolu auquel il s'efforce de parvenir est aussi glacé et vide que le Néant.

fourvoye : « Mon œuvre est une impasse », a-t-il déclaré[1]. Il reste que dans diverses pièces qui ne se rattachent pas toujours à son grand dessein (ainsi *l'Après-Midi d'un Faune*, *le Cygne*, *le Tombeau d'Edgar Poe*) mais qu'il a consacrées à des sujets moindres et plus humains tout en gardant sa technique raffinée, Mallarmé a écrit quelques-uns des très beaux vers de la poésie française : beaux, soit par leur étrangeté inoubliable,

> Ses purs ongles très haut dédiant leur onyx,
> L'Angoisse, ce minuit, soutient, lampadophore,

soit par leur lyrisme contenu,

> Le vierge, le vivace et le bel aujourd'hui

soit par leur sensualité secrète,

> Chaque grenade éclate et d'abeilles murmure.

Il reste aussi que par son exemple, par sa conversation — exquise, paraît-il, et qui a exercé une action considérable — Mallarmé a affirmé, plus vigoureusement encore que Baudelaire, la nécessité d'éliminer toutes les scories et de rechercher l'essence propre de la Poésie, qui doit désormais, plutôt que de décrire les choses, suggérer leur notion épurée ou l'impression que nous en recevons : ce qui sera l'objet même du Symbolisme[2].

Verlaine, Mallarmé, Rimbaud avaient écrit au cours d'une période assombrie par la défaite et par le désarroi des consciences; ce trouble n'est nullement sensible dans leurs œuvres vraiment intemporelles, auxquelles le grand public ne prêta sur le moment aucune attention; par contre il est partout dans les vers ironiques ou désolés de l'école décadente qui préceda le Symbolisme, — comme s'il était nécessaire de démolir avant de reconstruire. La forme supérieure de l'esprit décadent est représentée par Jules Laforgue.

Laforgue[3] avait un cœur tendre, une sensibilité fine et frémis-

---

1. A Louis le Cardonnel. Mondor, *Vie de Mallarmé*, p. 242, note.

2. Le maître en idéalisme de Mallarmé semble bien avoir été Villiers de l'Isle-Adam (1838-1889), gentilhomme breton en révolte perpétuelle contre les turpitudes de son siècle (*Tribulat Bonhomet*), catholique fervent, curieux d'occultisme et de rites initiatiques (*Axel*). « Exorciseur du réel et portier de l'idéal... il a rouvert les portes de l'au-delà closes. » (Rémy de Gourmont). Son influence sur le Symbolisme a été considérable. — **A consulter :** Max Daireaux, *Villiers de l'Isle-Adam*, Desclée, 1936.

3. Jules Laforgue (1860-1887) : *les Complaintes*, 1885; l'*Imitation de Notre-Dame la lune*, 1886; *Derniers vers*, 1890; *Moralités légendaires* (six contes en prose,) 1887. — **A consulter :** L. Guichard, *J. L. et ses poésies*, 1950.

J. Laforgue doit beaucoup à Tristan Corbière (1845-1875), «bohème de l'Océan »,

sante mais une intelligence précocement désenchantée par son expérience de la misère et par ses lectures : il pensait, avec Schopenhauer et Hartmann ses maîtres, que l'Inconscient mène le monde et que notre intelligence, dont nous sommes si vains, nos sentiments bons ou mauvais (surtout les bons) ne sont que des épiphénomènes qui nous donnent la dérisoire illusion de la liberté, de la science ou de la vertu. Illusion qu'il eût partagée volontiers, mais il savait se reprendre : d'un mot gouailleur, sarcastique ou faussement emphatique, il coupe net l'élan et le désir; sur un sujet sentimental, il plaque les accords d'une rengaine populaire ou développe ironiquement un sujet grave sur un rythme sautillant; il encanaille l'un par l'argot, il affuble l'autre d'une terminologie métaphysique qui le ridiculise. Et toujours le sourire de coin, l'air de celui qui ne veut, à aucun prix, être dupe; mais c'est souvent un pauvre sourire, qui dissimule beaucoup d'amertume et d'angoisse, — un sourire qui est une pudeur. Cette poésie nonchalante, ironique et navrée, prompte à passer de la prose qu'elle rase au plus haut lyrisme qu'elle abandonne aussitôt, pleine de dissonances, de ricanements et de détresse inavouée, pénètre assez loin dans certaines sensibilités, surtout chez les intellectuels. C'est Laforgue qui le premier chez nous a rompu avec la tradition de l'unité de ton du poème, ouvrant ainsi toutes les possibilités à la fantaisie moderne qui mêle si volontiers la confidence, la *blague*, la nostalgie. Henri Heine en avait déjà donné des exemples; Giraudoux s'en souviendra.

Laforgue, considéré par ses contemporains comme le prince de sa génération (mais il mourut jeune, à vingt-sept ans), a-t-il créé le *vers libre* dont vont user les symbolistes? On ne saurait l'affirmer. Le désir d'un vers assoupli, libéré de certaines conventions désuètes, était dans l'air; plusieurs y venaient, qui se disputèrent l'honneur de cette invention[1]. Mais le vrai précurseur semble bien avoir été Rimbaud, par certains poèmes des *Illuminations*.

Le « décadentisme », poésie de la raillerie et de l'universelle négation, dura peu. Le symbolisme qui l'évinça en 1886, était, lui, constructeur : il apportait une interprétation du monde et une technique nouvelles. A vrai dire, cette interprétation était celle de Baudelaire, Rimbaud, Mallarmé; la technique s'inspirait

poète abrupt et fantasque des gens de mer. Il définissait ainsi l'unique recueil de Corbière, les *Amours jaunes* (1873) : « Pas de la poésie et pas des vers... A peine de la littérature, — un métier sans intérêt plastique — l'intérêt est dans le cinglé, la pointe sèche, le calembour, la fringance, le haché romantique. » — **A consulter :** René Martineau, *T. C.*, 1904; L. Rousselot, *T. C.*, 1951.

1. Notamment Gustave Kahn, théoricien incontesté de cette nouvelle technique, Moréas, Marie Krysinska. Voir Guy Michaud, II, p. 358-361.

des exemples donnés par Verlaine; et il ne paraît pas, malgré ses manifestes retentissants, que le symbolisme ait beaucoup progressé dans la voie des hautes spéculations métaphysiques où ces hardis précurseurs avaient haussé la poésie. Il s'en tint aux résultats qu'ils avaient obtenus, les transposa sur le plan de l'esthétique et se complut aux effets d'art que lui permettaient les thèmes nouveaux, ou renouvelés.

Sans doute il affirma vigoureusement son idéalisme. Il ne fit pas à la réalité l'honneur de la combattre, comme avait fait le « décadentisme » : il l'ignora, simplement. Tout pour lui était représentation : nous ne connaissons la nature perpétuellement mouvante qu'à travers notre sensibilité perpétuellement changeante. Rien n'est fixe : la vérité est dans le reflet fugitif de l'heure ou de la saison, du temps qui passe, dans le rythme ininterrompu de la vie qui décompose et recompose. Par là se manifeste en effet le travail incessant des forces mystérieuses qui mènent le monde. Mais cet aspect changeant des choses reflète en même temps la complexité mouvante de ma vie psychique : les choses en effet ne me sont données que par mes sensations; elles sont en moi, elles sont moi. Ma vision de la nature est la vie même de mon esprit; et c'est moi que je sens, que je trouve dans les choses. Peindre les paysages que je vois, en la nuance que je vois, assembler en mes vers les fragments des choses qui coexistent ou s'attirent dans ma pensée, c'est — sans indiscrétion biographique — raconter le secret de mon âme; c'est dire la saveur de la vie à mes lèvres, et comment les lois de la destinée humaine se réfractent en mon individuelle singularité. Toute la nature est le symbole de mon être et de ma vie. Elle me fournit le moyen de détacher mes émotions des faits incidents qui les ont provoquées, et d'exprimer mon *moi* pur, mon *moi* essentiel, sans faire le détail des circonstances de son activité : l'artiste ne redevient pas un montreur. Au contraire, l'absence de toute réalité anecdotique confère au cri individuel une portée plus largement humaine.

Ainsi, entre la fluidité des apparences, l'éternité des causes et les jeux de ma sensibilité, le volume massif des choses matérielles, que le Parnasse s'était appliqué à peindre, se dissout et s'évapore : le peu qui subsiste donne quelque consistance à une image symbole, où les uns, verlainiens sans le savoir, verront une projection de leur sensibilité, les autres, mallarméens convaincus, une figuration des Idées-Mères. Du même coup, la traduction artistique des choses de l'âme et celle des choses du dehors se trouvent renouvelées.

Mais pour qu'il en fût vraiment ainsi, il aurait fallu que le jeu fût joué loyalement, c'est-à-dire que la spontanéité du poète demeurât entière et qu'il eût été réellement surpris par telle image mystérieuse ou telle correspondance étrange. Partir de telle idée ou de tel sentiment pour l'insérer dans telle apparence imaginée à dessein, et où l'on feindrait ensuite de retrouver ce qu'on y aurait mis, est tout autre chose : c'est le mécanisme même de l'allégorie. Il arrive aussi que le poète ait choisi l'image pour sa beauté, sa singularité, quitte à gloser ensuite en termes abscons pour y « ajouter du mystère » : dans les deux cas, il y a simulation et artifice.

En fait il arrive souvent que la présentation de l'image, si dématérialisée soit-elle, constitue l'essentiel du poème. C'est tantôt un symbole antique, nymphes, faunes, sirènes; tantôt (et surtout) des personnages tirés de l'imagerie médiévale, fées et magiciens, géants et nains, reines de songe habitant des châteaux de mystère, — ou détachés des légendes germaniques que la musique wagnérienne avait mises en honneur : Lohengrin, Parsifal, Tristan; tantôt encore un décor mélancolique, parc abandonné, miroir d'eau semé de feuilles mortes, crépuscules et clairs de lune. Il fallait bien réagir par la nostalgie, la langueur et la recherche des nuances assourdies contre la force, la couleur éclatante, les lignes précises du Parnasse.

Le symbolisme ainsi compris pour substituait un « esthétisme » nouveau à l'ancien et déviait vers les questions formelles. Il faudra l'intervention de Claudel, puis de Valéry, et en un autre sens, des surréalistes, pour le remettre dans la voie qu'avaient ouverte Mallarmé et Rimbaud. C'est justement autour de la forme du vers que le symbolisme livra sa plus retentissante bataille. Il bouleversa les rapports grammaticaux et syntaxiques déjà bousculés par Verlaine. Jusqu'à lui, les lois qui président aux relations des mots avaient eu pour fin l'intelligible; il voulut que dorénavant elles eussent pour fin le sensible. Le groupement des mots se fit donc non plus selon la logique, qui est compréhensible pour tous, mais selon la sensation ou l'impression qui sont ce qu'il y a de plus individuel en chacun. Et le vers devint *libre*. Verlaine et Mallarmé (Mallarmé surtout) avaient respecté la versification traditionnelle, bien que le premier eût dénoncé « les torts de la rime ». Les symbolistes la supprimèrent, et avec elle, toutes les règles de la métrique : numération arithmétique du vers, césures, interdiction de l'hiatus, etc. Les nuances subtiles et élusives de la nouvelle poésie ne pouvaient, selon eux, s'accommoder des mètres classiques préforgés qu'elles n'auraient emplis qu'en se dilatant ou en se resserrant outre mesure. La seule règle poétique devint la soumission absolue à l'émotion intime qui crée les coupes, les repos, règle la longueur des vers, lesquels ne sont plus liés entre eux que par de vagues assonances, souvent absentes. La distinction individuelle des vers s'est abolie dans la continuité fluide du poème, où les pauses et les accents tombent hors de toutes les places connues et régulières : on s'installe ainsi aux antipodes de l'art classique qui, avec Malherbe et Maynard, avait appris à faire des « vers détachés ». Victor Hugo, qui se vantait d'avoir disloqué ce « grand niais d'alexandrin », n'avait pas soupçonné jusqu'où pouvait aller cette dislocation.

En réalité, on peut condamner le nombre, on ne le supprime pas. Le vers fut composé d'un nombre variable de syllabes : quelconque pour le profane, mais déterminé pour le poète par les lois mystérieuses du rythme. C'est cet instinct du rythme qui distribuait les temps forts, les temps faibles, de façon à réaliser l'accompagnement musical strictement adapté à chaque poème, mieux, à chacune des vibrations intimes dont la succession constituait le poème. Le risque évident était que le lecteur ne pût saisir cette modulation trop subtile, ou la jugeât arbitraire : ce qu'elle fut souvent quand le poète n'était pas un excellent musicien, habile à distinguer entre les valeurs sonores du français, langue peu accentuée. De nombreux poètes étrangers, attirés par les facilités que semblait leur promettre cette révolution prosodique, achoppèrent contre l'*e* muet qui constitue à lui seul toute une gamme, allant de l'annulation presque totale jusqu'à la plénitude de son de la voyelle normale. Les réussites parfaites sont rares[1]. Mais les discussions acharnées sur la phonétique — poussées jusqu'à un rare degré de pédantisme —, le furent moins.

Qu'il y ait eu beaucoup de fracas, de présomption, d'incohérence dans cet assaut livré à toute la tradition poétique de la France; que l'on se soit exagéré l'importance du *vers libre* dont certains prétendaient imposer l'emploi exclusif à tous les poètes dans tous les sujets; que l'ancienne facture garde ses droits et ses vertus — dont la moindre n'est pas de renforcer l'inspiration en la resserrant par la contrainte, comme l'ont montré Alain et Valéry —, cela ne fait plus aucun doute. On peut aussi reprocher au symbolisme d'avoir exaspéré l'arbitraire du sens individuel, d'avoir par suite introduit dans la littérature le désordre et l'anarchie, et d'avoir finalement, sous prétexte de la purifier, détaché la poésie de l'expérience humaine qui seule peut lui communiquer vie et chaleur. Mais il ne faut pas nier que cette remise à la

---

1. Citons Henri de Régnier, *Odelette* (*les Jeux rustiques et divins*); Van Lerberghe, *Ma sœur la pluie* (*Chanson d'Eve*); Verhaeren, *Le Passeur d'eau* (*les Villages illusoires*).

fonte des formes traditionnelles de notre poésie ne soit venue à
son heure et n'ait eu d'excellents effets. Après un grand siècle de
production lyrique intense et glorieuse, cette vérification s'imposait. D'ailleurs les romantiques, moins révolutionnaires qu'ils
ne le disaient, avaient reçu sans discussion un grand nombre
d'usages de la versification classique qui n'étaient ni très rationnels ni bien efficaces. Plus d'un procédé, plus d'une règle sortirent
déconsidérés de cette revision : par exemple la proscription des
hiatus, l'interdiction de faire rimer des singuliers avec des plu-
riels, la rime pour les yeux, l'alternance rigoureuse des rimes
masculines et féminines, etc. Mais les parties excellentes de la
technique traditionnelle sortirent de l'épreuve plus solides et plus
aptes à marquer des effets de simplicité, d'émotion, que jadis, au
temps où le vers ronronnait.

Au total, le symbolisme a libéré les esprits de la tyrannie du
positivisme sous sa double forme parnassienne et naturaliste;
il a achevé, avec quelque excès, l'assouplissement du vers, dont il
a accru le pouvoir de suggestion. Enfin il a produit de beaux et
grands poètes. Citons, dans la première génération symboliste,
Moréas, Henri de Régnier, Verhaeren; dans la seconde, Claudel,
Valéry; car le symbolisme a déferlé en deux vagues successives
que sépare un creux, vers 1900, date à laquelle, devant l'incompréhension du public qui acclamait les drames romantiques de
Rostand (*Cyrano*, 1897; *L'Aiglon*, 1900) ou se passionnait pour
l'Affaire Dreyfus et ses suites, le mouvement avait paru en
régression.

Moréas[1] avait été, paraît-il, le parrain du symbolisme[2]; il devait
être le premier dissident du mouvement. Grec de naissance,
Français par choix, nourri dans l'admiration de nos poètes, il
adopta d'abord nos modes littéraires, en les outrant, selon la règle.
Il fut décadent dans ses *Syrtes*, où se mêlent les influences de
Baudelaire et de Verlaine; il fut symboliste dans ses *Cantilènes*
et surtout dans son *Pèlerin passionné* où, en guise de symboles, il
multiplie les allégories surchargées, obscurcies par un vocabulaire
archaïque et au demeurant, creuses; il ne devint lui-même qu'en
fondant en 1891 « l'école romane » qui rompait net avec le symbolisme et préconisait le retour à l'inspiration et à la versification
traditionnelles. Charles Maurras (cf. p. 1197) en devint naturelle-

---

1. Jean Moréas (Papadiamantopoulos), 1856-1910 : *les Syrtes*, 1884; *les Cantilènes*,
1886; *le Pèlerin passionné*, 1891; *Les Stances*, 1899-1905; le 7ᵉ livre parut en 1920.
— **A consulter :** R. Georgin, *Moréas*, 1929; E. Raynaud, *Moréas et les Stances*, 1929.
2. En 1885, dans *le XIXᵉ siècle* (G. Michaud, *Message poét. du Symbolisme*,
p. 331). Et aussi dans le Manifeste publié par le *Supplément du Figaro*, 18 septembre 1886.

ment le théoricien. C'est alors que Moréas élabora lentement les sept livres des *Stances* qui sont son chef-d'œuvre. Un sentiment assez amer les remplit : solitude de l'homme, écoulement de la jeunesse, approche de la mort. Cependant le poète surmonte courageusement son désespoir secret; stoïque comme Vigny, il promène sur le monde un regard à la fois ferme et triste, et prend tranquillement appui sur la conviction de son propre génie. Tous sentiments romantiques, si l'on y songe, mais que Moréas a sublimés par la méditation et disciplinés par le style, démontrant ainsi, selon l'opinion que lui prêtait Barrès, « qu'un sentiment dit romantique, s'il est mené à un degré supérieur de culture, prend un caractère classique. » Ce fut une grande détente, en ces temps de littérature abstruse et guindée, d'entendre le timbre naturel d'une voix humaine, exposant sans emphase nos secrètes mélancolies. La forme des *Stances* est simple, sobre, doucement musicale, un peu monotone; les images, trouvées sans effort, n'éclatent pas et restent à leur plan; le mouvement a souvent la grâce et la pureté des vers de La Fontaine et de Chénier.

L'évolution d'Henri de Régnier[1], en qui l'on salue souvent le prince du symbolisme, reproduit en tout point celle de Moréas. Ses premiers recueils, jusqu'en 1892, sont parnassiens. Les suivants, jusqu'en 1897, sont symbolistes; méditations et paysages psychologiques s'y succèdent, en laisses irrégulières d'une harmonie complexe et subtile, dans une atmosphère de légende et de rêve; cependant beaucoup de poèmes et de vers demeurent réguliers, et tous sont d'une langue très pure[2]. Il est certain que tout, sa nature, ses goûts, son éducation — et bientôt son mariage[3] — poussait H. de Régnier à s'écarter du mouvement. Il le fit insensiblement, sans hostilité ni fracas, pour revenir aux formes tra-

1. Henri de Régnier (1864-1936) : *Lendemains*, 1885; *Apaisement*, 1886; *Sites*, 1887; *Episodes*, 1888; *Poèmes anciens et romanesques*, 1887-1888; *Tel qu'en Songe*, 1892; *Jeux rustiques et divins*, 1897; *Les Médailles d'argile*, 1900; *La Cité des Eaux*, 1902; *La Sandale ailée*, 1906; le *Miroir des Heures*, 1910; *Vestigia flammae*, 1921; *Flamma tenax*, 1928. — Prose : *La Double Maîtresse*, 1900; *Le Bon Plaisir*, 1902; *Les Vacances d'un jeune homme sage*, 1903; *Les Rencontres de M. Bréot*, 1904; le *Passé vivant*, 1905; la *Pécheresse*, 1920; l'*Altana*, 1928. — **A consulter** : J. de Gourmont, *H. de Régnier et son œuvre*, Mercure, 1921; R. Honert, *H. de Régnier*, Nouvelle Revue Crit., 1923.

2. H. de Régnier fait un contraste complet avec René Ghil (1862-1925) qui amorça sans succès, mais non sans fracas, une déviation du symbolisme. Ghil avait érigé en dogme la théorie fantaisiste de Rimbaud sur la couleur des voyelles; lui-même avait construit une théorie sur la valeur instrumentale des consonnes. Il prétendit les combiner pour aboutir à « l'instrumentation verbale » qu'il mettrait au service de la pensée scientifique moderne. Ce fut la doctrine « évolutive-instrumentale » (*Traité du Verbe*, 1886), qu'il pratiqua toute sa vie, mais tout seul.

3. Il épousa en 1896 Marie de Heredia, fille du poète et poète elle-même sous le pseudonyme de Gérard d'Houville.

ditionnelles qu'il enrichit des meilleures conquêtes du vers libre :
souplesse et musicalité. De plus en plus, surtout à partir de *La
Sandale ailée* (1906), il s'exprime directement : ses confidences
restent néanmoins voilées et comme contenues, — effet possible
de la doctrine symboliste, mais conséquence certaine d'un tempérament aristocratique et réservé. L'œuvre d'Henri de Régnier
est une synthèse harmonieuse où se sont fondues les influences
de Ronsard, Chénier, Hugo, Leconte de Lisle, Verlaine, Mallarmé,
Heredia, Anna de Noailles; toutefois sa personnalité domine,
faite de discrétion, d'élégance, de nostalgie, et d'un immense
amour pour toutes « les choses de beauté ».

« Vivre avilit », déclara-t-il un jour. Donc il faut se tenir à
l'écart de la vie et se retirer dans le « bosquet de Psyché[1] » —
refuge idéal que chacun peut se constituer avec ses souvenirs et
ses rêves. La poésie d'Henri de Régnier est délibérément tournée
vers le passé, dont elle ne retient que les aspects les plus nobles,
les plus somptueux et les plus stylisés : les fontaines, les cyprés,
les roses, les grands parcs d'autrefois, les paysages antiques, Versailles, Venise dont il a parlé inépuisablement, avec ravissement
et mélancolie. Peu d'idées dans ses vers, où palpitent seulement
une sensualité amoureuse, le goût charnel des choses et le regret
de les savoir périssables « dans le temps éternel ». Tristesse de
l'homme moderne qui n'attend plus rien au-delà de la vie : c'est
d'elle que procèdent la révolte de Leconte de Lisle, le désenchantement de Loti, le désespoir d'Anna de Noailles. H. de Régnier
l'éprouve aussi fortement qu'eux, mais il se maîtrise davantage :
sauf dans quelques brefs poèmes (*Sentence, la Voix*), il semble
accepter le destin et vouloir, épicurien mélancolique, savourer
malgré tout « la forme, l'odeur et la beauté des choses », bien qu'il
les sache transitoires; ce qui insinue une fine amertume au cœur
de la volupté.

H. de Régnier a peint l'amour dans ses poésies, où, même dans
les nudités, il garde, comme on l'a observé, la grave et chaste
manière des statues grecques. Ainsi Keats dans *Endymion* ou
The Graecian Urn[2]. Mais dans ses romans, il peint le plaisir.
L'action se passe tantôt dans les temps modernes, tantôt aux
XVIIe et XVIIIe siècles. Ce sont ses romans « historiques » qui sont
les meilleurs. Il y place, dans une atmosphère déjà poétisée, des
aventures cocasses, romanesques, coupées de galanteries assez
lestes et semées de types originaux qu'il excelle à dessiner d'un

---

1. 1894. Réimprimé dans *Figures et Caractères.*
2. Amy Lowel, dans *Six French poets.* Cité par Strowski, *Tableau de la littérature aux* XIXe-XXe *siècles,* p. 525.

trait caricatural. Le naturel du récit est parfait, encore que l'ironie du conteur demeure perceptible.

H. de Régnier est vraiment « le produit raffiné d'une très ancienne culture ». Il l'est même à un double titre, par la distinction naturelle de son caractère et par son art nonchalant, merveilleusement souple et toujours juste. On ne peut lui reprocher qu'un certain narcissisme qui le confine dans ses propres souvenirs, quelque égalité de ton, et l'absence d'élan, encore que l'élan existe souvent, mais maîtrisé.

Entre H. de Régnier et Verhaeren[1], l'opposition est complète. Nous avons vu le premier, épris du passé sous ses formes les plus gracieuses et les plus stylisées, reprendre, en l'assouplissant, le vers classique. Par contre le second exploite toutes les possibilités du vers libre pour célébrer — avec quelle fougue! — les forces tumultueuses qui préparent l'avenir. Son inspiration est tellement véhémente qu'elle l'eût peut-être conduit à inventer le vers libre si nos symbolistes ne l'avaient devancé: car elle exige une expression sans contrainte, une poétique sans moules préalables; le rythme imitatif ou émotionnel décide de tout, de la longueur des vers, de la longueur des laisses, de la syntaxe même; dans son jaillissement éruptif, il entraîne souvent des dissonances, des rugosités, des heurts pénibles de temps fort contre temps fort, ou des archaïsmes, des provincialismes, des néologismes : l'essentiel étant pour le poète de lui garder sa pleine impétuosité, Verhaeren est le moins puriste et le moins académique des artistes. L'aisance manque parfois à cette force : on sent l'ahan, l'effort pour enlever le tourbillon des idées et des mots. Mais il n'y a pas eu, depuis Victor Hugo — dont il était, a dit quelqu'un[2], « l'enfant sauvage » — d'imagination plus riche et plus forte, avec le même penchant aux visions hallucinées, aux griseries verbales, avec aussi, dans cette ivresse, quelque chose de frénétique et d'indompté qui lui est propre.

Verhaeren a commencé dans ses *Flamandes* et ses *Moines* par un réalisme violent à la Franz Hals ou à la Ribera. Puis, au moment même où toutes les formes de la douleur l'assaillaient (deuils, maladie, doute métaphysique), il découvrit le décaden-

---

1. Emile Verhaeren (1855-1916) : *les Flamandes*, 1883; *les Moines*, 1886; *les Soirs*, 1887; *les Débâcles*, 1888; *les Flambeaux noirs*, 1890; *les Campagnes hallucinées*, 1893; *les Villages illusoires*, 1895; *les Villes tentaculaires*, 1895; *le Visage de la Vie*, 1899; *les Forces tumultueuses*, 1902; *la Multiple Splendeur*, 1906; *les Rythmes souverains*, 1910; *les Blés mouvants*, 1913; *les Ailes rouges de la Guerre*, 1916; *Toute la Flandre*, 1904-1911; *les Heures claires, d'après-midi, du soir*, 1896-1911. — **A consulter :** Estève, *Un grand poète de la vie moderne, Verhaeren*, Boivin, 1928; A. Fontaine, *Verhaeren et son œuvre*, Mercure, 1929.

2. Albert Mockel.

tisme français : cette littérature amère et neurasthénique s'accordait avec son mal; elle acheva de le précipiter au fond du désespoir. Car Verhaeren en tout va à l'extrême : il est vraiment « le poète du paroxysme ». Ses trois nouveaux recueils (*Soirs, les Débâcles, les Flambeaux noirs*) composent une trilogie funèbre, pleine de cris de plus en plus angoissés, de visions de plus en plus démentielles où se traduisent des complexes refoulés; il arrive ainsi au bord de la folie. Il s'en tire par un coup de volonté et grâce à l'influence apaisante d'un grand amour qu'il rencontre alors (1890). L'atmosphère de cauchemar fut lente à se dissiper : elle assombrit encore les titres des recueils suivants (*les Apparus dans mes chemins, les Campagnes hallucinées, les Villages illusoires, les Villes tentaculaires*) mais ces titres indiquent une orientation nouvelle. C'en est fini de la subjectivité malsaine où Verhaeren avait failli laisser sa raison; il se déprend de lui-même, il s'intéresse de plus en plus à l'humanité qui souffre et combat autour de lui : la Belgique, en 1895, était en proie à des crises économiques et politiques. Verhaeren entre dans la lutte, reprend goût à la vie, élargit encore son inspiration, s'enivre du déploiement joyeux de sa force au milieu des forces joyeuses de la nature : toute son œuvre devient une ode formidable à la joie (*le Visage de la Vie, les Forces tumultueuses, la Multiple Splendeur, les Rythmes souverains*).

L'œuvre, en apparence, est descriptive, mais un lyrisme intense la gonfle et la porte. Ce qui passionne Verhaeren, c'est l'énergie sous toutes ses formes; il ne peint guère les choses qu'en pleine action : le vent « cornant Novembre », le galop fou des nuages, la mer et ses furies, l'arbre « au travail muet, profond et acharné », le lierre conquérant qui fait de l'arbre « son support et sa proie ». Dans ces forces inépuisables, il reconnaît la force inépuisable qu'il sent en lui, et les confond avec ivresse :

> Je ne distingue plus le monde de moi-même.

Ce sentiment enthousiaste de la vie, il l'étend à la société humaine. Déjà, au sortir de son pessimisme, il regardait avec une ardente sympathie les faits sociaux qui caractérisaient son temps. Maintenant il communie pleinement avec lui, avec les forces en travail qu'il décèle partout, dans le faubourg ouvrier, dans l'usine, dans le port, dans l'émeute sociale, le meeting, le hurlement des foules et l'invective des tribuns, partout où s'agite la rude humanité qui aspire à plus de lumière et plus de joie. Un navire, une locomotive, un marteau-pilon sont d'admirables réalisations de l'énergie humaine et vont à leur tour décupler ses moyens d'action : ainsi, à coups de « victoires mécaniciennes », se prépare le bonheur de l'humanité... On le croyait du moins avant 1914, et Verhaeren est le poète épique de cette mystique industrielle.

Son tempérament de visionnaire et sa véhémence naturelle le poussent à tout agrandir jusqu'au démesuré : les formes, chez lui, deviennent hallucinantes et plus encore que les formes, les forces qui les animent. Comme Hugo, par l'effet d'une imagination semblable, Verhaeren nous fait entrevoir, à travers les plus simples aspects de la nature, la vie énorme et mouvante de l'univers. (Cf. *la Vache*, dans *les Voix intérieures*.) Mais ces symboles, pratiqués de tout temps par les poètes, n'ont rien de commun avec les recherches ésotériques de Mallarmé. Loin de dissoudre le monde réel en un jeu d'apparences et de rapports abstraits, ils cherchent au contraire à l'exprimer dans sa plénitude et pour ainsi dire, dans son épaisseur.

Deux autres courants d'inspiration sont à signaler dans l'œuvre de Verhaeren : il aima sa Flandre, *toute sa Flandre*, il en peignit les paysages et les mœurs, il en conta les légendes dans des recueils d'un lyrisme réaliste tout à fait original, où sa puissante rudesse atteint à des mouvements et à des effets d'une légèreté charmante. On imagine le choc que fut pour lui l'agression de l'Allemagne et le martyre de son pays. Et il aima celle qu'il unit à sa vie : il lui a consacré les trois recueils des *Heures*, et c'est là qu'on peut voir ce qu'il y avait chez le poète de tendresse intime et douce. S'il chante triomphalement l'amour jeune et radieux de son matin lumineux, rien n'est plus émouvant, plus délicatement attendri que la peinture de l'après-midi de la vie, de plus apaisé que celle du soir : la beauté déclinante de l'aimée, l'affection qui suit jour par jour ce déclin, et qui, loin de s'éteindre, s'avive, s'accroît de toutes les années vécues ensemble. Ces trois recueils composent un des plus beaux livres d'amour qui aient jamais été écrits[1].

On a coutume, sans doute parce que certains poèmes élégiaques l'apparentent à Charles Guérin et à Francis Jammes, de rattacher Samain[2] à la deuxième vague symboliste, celle de 1905. Non seulement les dates s'y opposent, mais Samain, par les influences qu'il reflète, par la couleur de son inspiration, se rat-

---

1. Verhaeren a aussi composé quatre pièces de théâtre, d'un pathétique violent, mais qui ne peuvent éclipser son œuvre lyrique. La plus connue est *le Cloître* (1900).

2. Albert Samain (1858-1900) : *le Jardin de l'Infante* (1893); *les Flancs du Vase* (1893); *le Chariot d'Or* (1900); *Polyphème*, drame (1901). — **A consulter :** L. Bocquet, *Albert Samain*, 1921; G. Bonneau, *A. S.* 1925.

tache au décadentisme plus qu'au symbolisme et même plus encore, au Parnasse et au romantisme.

C'était une « âme-femme[1] », noble, délicate, nostalgique et langoureuse, qui sentait sa faiblesse et préférait s'isoler dans le rêve plutôt qu'affronter la vie. Il aimait les mélodies subtiles, les grâces surannées (« le ciel qui s'angélise », « l'heure qui s'énamoure »), les tons de pastel, les crépuscules, les déclins : c'est cette mélancolie incoercible qui le rattache au décadentisme. Elle pénètre et dans une certaine mesure transforme les influences qu'il a subies; influences nombreuses, car Samain était éminemment réceptif : on les retrouve toutes, — Leconte de Lisle, Baudelaire, Heredia, Mallarmé, Verlaine, — transposées en mineur dans le Jardin de l'Infante, son premier livre, tant admiré alors, et qui nous paraît aujourd'hui bien factice. Les vers en sont trop suaves, trop jolis, et surtout d'un esthétisme trop chargé ou d'une perversité trop appliquée. Tout cela n'est que « littérature ». L'auteur lui-même, dans le sonnet final de la première édition, en convenait, avouait l'artifice de ces « fleurs suspectes, miroirs ténébreux, vices rares », et promettait de « rentrer dans la vérité de son cœur ».

C'est dans son lyrisme intime qu'il faut chercher le meilleur Samain, et non dans ses imaginations décoratives ou dans ses sentiments affectés : dans l'Élégie du Jardin, dans les élégies si émouvantes du Chariot d'Or où par la grâce d'un vers délicieusement musical, avec les mots les plus simples, il rend pathétiques des rêveries sincères, des émotions vraies : ainsi jadis Musset. Et la perfection n'est pas moindre dans la suite de menues scènes familières, inspirées de l'Anthologie grecque mais dépouillées de tout archaïsme, dont la beauté harmonieuse fait penser à Chénier. Il semble que Samain, dégagé des prestiges fallacieux qui avaient inspiré le Jardin de l'Infante, allait se renouveler en recourant aux Grecs, quand il mourut. Néanmoins les Grecs, Chénier, Musset, les symbolistes, les parnassiens, cela fait bien des maîtres. Et Samain n'a pas essayé de faire illusion par des innovations techniques : il se conforme rigoureusement à la prosodie traditionnelle : il y montre seulement un sentiment exquis de la mélodie du vers. Médiocrement original, Samain a facilité au grand public l'accès de poésies plus hautes que la sienne, non sans en atténuer la force et l'accent.

« Et maintenant il nous faut des barbares », écrivait en 1897 Charles-Louis Philippe. Il fallait tout au moins quelqu'un qui rompît avec une inspiration trop intellectualisée et osât montrer de nouveau les choses naturelles dans leur simple vérité. C'est

---

1. « Il y a des âmes-femmes. » (Samain, Carnets, 1939).

précisément ce que fit l'année suivante un poète qui vivait loin de Paris et ne devait jamais s'éloigner longtemps de ses Pyrénées natales, Francis Jammes, dans un recueil tout de suite admiré : *De l'Angélus de l'aube à l'Angélus du soir*[1].

Ce fut comme si l'on avait largement ouvert les fenêtres à l'odeur fraîche des eaux, des herbages, des libres espaces. Ce poète inconnu ne se réclamait d'aucune école; il n'aspirait qu'à « dire sa vérité », — non la vérité de sa pensée, car nul n'a été moins penseur —, mais la vérité de ses sensations, de ses sentiments et de ses rêves. Ses sensations étaient celles d'un artiste qui adorait la campagne où il vivait, chassait, pêchait, herborisait, flânait au gré de sa fantaisie. Ses sentiments étaient d'une âme douce et pitoyable, qui s'intéressait naturellement à toutes les formes de la souffrance, surtout aux plus humbles et aux plus méconnues : de cette source devaient jaillir plus tard les admirables *Élégies*[2]. Quant aux rêves, ils mêlaient les souvenirs recueillis sur les Antilles où avaient vécu les ancêtres de Francis Jammes, le décor suranné des vieilles demeures provinciales, les images puisées dans de vieux livres romanesques — coquillages, daguerréotypes, jeunes filles d'autrefois aux chapeaux de paille à longs rubans —, et composaient un petit univers charmant et nostalgique qui est proprement une création du poète.

Aucune fadeur dans ce premier livre : une ironie faussement candide affleure, si exactement dosée que souvent le lecteur hésite : ingénuité ou mystification? Il ne sait trop. La naïveté de Jammes est souvent intentionnelle; il l'entretient savamment, il la force même : « un Coppée roublard », a-t-on dit. Ce n'est un des moindres charmes de Jammes, que de nous mettre dans l'impossibilité de trancher : le ton est d'un pince-sans-rire, l'image est néanmoins ravissante de sincérité et de fraîcheur. Il gardera jusqu'à la fin le bénéfice de ce doute, même lorsqu'il ne le méritera sans doute plus.

Pour conserver à ses notations toute leur spontanéité, Jammes avait eu besoin d'une prosodie et d'une métrique qui ne le contraignissent en rien. Le symbolisme avait affranchi le vers : Jammes lui emprunta son vers libre, et c'est sans doute en raison de cet emprunt, de pure commodité technique, qu'on a souvent rangé le poète au nombre des symbolistes; or il n'y a chez lui ni

---

1. Francis Jammes, né à Tournay (Htes-Pyr.), 1868-1938. Poésie : *De l'Angélus de l'aube...* 1898; *le Deuil des Primevères*, 1901; *le Triomphe de la Vie*, 1902; *Clairières dans le Ciel*, 1906; *les Géorgiques chrétiennes*, 1911-1912. — Prose : *le Roman du Lièvre*, 1903; *Mémoires*, 3 vol., 1922-1923. — **A consulter :** L. Moulin, en tête du *Choix de poèmes* de Jammes, Mercure, 1922.

2. Dans le *Deuil des Primevères*.

symbole, ni allégorie, ni pensée d'aucune sorte. De ce vers libéré, il a usé et abusé, moins pour en tirer des effets musicaux que pour lui faire rendre, sous prétexte de naïveté, des effets de gaucherie qui ne sont pas toujours très heureux.

Les recueils suivants marquèrent à la fois un assagissement de la prosodie, un approfondissement de l'inspiration (sans que Jammes nous ait jamais fait la confidence d'une expérience vraiment personnelle, joie ou douleur) et notamment une aspiration sans cesse renouvelée vers la foi, malgré la persistance d'un naturalisme assez sensuel dont témoignent les deux récits réunis sous le titre commun de *Triomphe de la Vie* (*Jean de Noarrieu*, narration rustique délicieusement naturelle; *Existences*, charge assez dure et très appuyée). Claudel avait entrepris la conversion de Jammes; il l'obtint en 1905. On ne peut dire que la poésie y gagna; car Jammes répandit dorénavant sur ses écrits une couleur dévote uniforme qui les affadit, en même temps qu'il atténuait leur malice ou la tournait en comique de séminaire : il en vint même à bêtifier, soit qu'il eût abdiqué tout respect humain par humilité chrétienne, soit qu'il crût pouvoir tout se permettre par certitude orgueilleuse de son génie, car Jammes croyait en lui-même autant qu'en Dieu. La solidité de sa foi religieuse, de nuance évangélique et franciscaine, n'est pas suspecte : il l'a prouvée, comme Huysmans, par le courage avec lequel il a supporté une longue agonie; on peut regretter que l'expression en confine parfois à la niaiserie, alors qu'il a su trouver aussi pour la dire des accents simples et profonds. Fort heureusement son amour de la nature persiste, plus épuré, plus serein, et relève l'intérêt de ses œuvres désormais assez languissantes. La principale, où abondent du reste les très beaux vers, parut en 1912 sous le titre *les Géorgiques Chrétiennes*. Par respect des convenances, Jammes y était revenu à l'alexandrin classique et procédait par distiques, chacun enfermant un sens complet : ainsi laboure lourdement, front contre front, un couple de bœufs. Cette monotonie, après tout, convenait au sujet.

Le prosateur, chez Jammes, vaut le poète et a évolué exactement comme lui. Ses premiers récits en prose sont des nouvelles d'un grand charme à la fois naturel et romanesque; ils sont écrits dans une langue pure et simple, sans aucune des affectations qui agacent parfois dans ses vers. Joignons-y les *Mémoires*, pleins de notations fraîches ou cocasses. Converti, Jammes jugea sans doute que le roman était la seule forme digne de l'apostolat qu'il entreprenait, et que les seuls personnages dignes de ces romans étaient les belles âmes auxquelles, psychologue médiocre, il n'a pas su donner la complexité et la puissance. Toutefois ces œuvres trop édifiantes valent encore par la poésie de la nature où, par bonheur, elles continuent à baigner largement.

Aussi sensible que Jammes à la nature, mais inquiet, tourmenté et sans cesse ramené à ses problèmes intérieurs, Charles Guérin[1] fut essentiellement un poète élégiaque. Simple, profond, tendre, obsédé par l'amour et attiré par la spiritualité, il était sans force pour opter et s'abîmait dans l'immobilité d'une mélancolie discrète et d'autant plus douloureuse. Ses trois recueils sont le drame d'un faible que la vie, la force et l'espérance séduisaient et qui ne voyait dans sa destinée que désespoir, impuissance et mort : tant il avait la certitude lucide de sa misère! Mais sa vive et délicate sensibilité d'artiste recueillait avec une volupté contenue toute la beauté de la nature et de la vie autour de lui : il en illuminait et en apaisait sa douleur. On a noté avec finesse que ses jours ont surtout été des soirs; de même ses saisons sont surtout des automnes. Ce qui décline et ce qui finit, voilà ce qui dans l'univers s'assortit à son cœur. Il mourut au moment où il atteignait une sorte de résolution âpre, de stoïcisme hautain, qui se refusait à la plainte; au moment aussi où pointaient çà et là l'inquiétude de n'avoir pas su régler ni diriger sa vie, l'idée que la vie ne trouve un sens — et des joies — que dans le dévouement à autrui, et dans l'élan héroïque vers les cimes : quelles cimes, il ne l'a pas dit, et peut-être il n'aurait pas su le dire.

Le symbolisme dont il avait essayé dans ses débuts, ne l'a guère influencé par sa partie doctrinale. Il en a aimé la souplesse musicale, certaines libertés, notamment les assonances qu'il a transportées dans son premier recueil. Mais dès le deuxième, le plus beau — *le Semeur de Cendres*, dédié à Heredia, — il est revenu aux formes traditionnelles : mouvement oratoire, fréquent chez les romantiques; vers directs où les termes les plus simples désignent les choses les plus familières et les mouvements les plus naturels du cœur; et cependant leur spontanéité et leur grâce sont telles qu'ils restent dans la mémoire auprès de ceux de Chénier, de Musset, du Jammes des *Élégies* et du Moréas des *Stances*. Le troisième recueil de Guérin a même souffert, dans sa dernière partie, de l'effort que le poète a fait pour resserrer le jaillissement de sa poésie dans la rigueur d'une forme parfaite : cela n'allait pas toujours, il le sentait lui-même, sans quelque dessèchement; et l'on peut préférer l'art déjà sûr et moins surveillé de sa précédente manière. Quoi qu'il en soit, il est certain

---

1. Charles Guérin, né à Lunéville (1873-1907); *Le Cœur Solitaire*, 1898; *Le Semeur de Cendres*, 1901; *L'Homme intérieur*, 1905. — **A consulter :** Hanson, *Le poète Charles Guérin*, Nizet, 1935.

que la mort prématurée de Guérin a été une très grande perte pour les lettres françaises.

Avec lui disparut la poésie mélancolique, désespérée, pessimiste, qui fut en somme toute la poésie du XIXe siècle : il semblait alors qu'en dehors des désolations et des amertumes, il n'y eût que la prose. Verhaeren avait fait individuellement sa conversion à la confiance et à la joie : l'évolution parut se généraliser après 1900. On put être poète et avouer la joie de vivre. Francis Jammes, nous l'avons vu, et surtout la comtesse de Noailles la firent éclater dans leurs vers.

Combien de fois, à propos de ses premiers recueils, n'aura-t-on pas comparé la comtesse de Noailles[1] à une jeune bacchante, ivre de toute la vie sensuelle de la nature, de tous les instants, de tous les aspects du monde éblouissant! Il s'agit vraiment ici d'inspiration pure, au sens étymologique du mot : d'une aspiration impétueuse, sans cesse renouvelée, vers toutes les formes de la volupté, d'une plénitude d'enthousiasme qui s'épanouit spontanément en sentiment panthéistique de l'univers. Jamais l'hymne à la vie n'aura été chanté avec cette ferveur. Il s'amplifie de tous les souvenirs et de tous les rêves que sa vaste culture suggère au poète : la Perse, Venise, Sylvie à Chantilly, Julien Sorel à Grenoble... Dans cette religion de la sensualité et de l'exaltation, l'amour apparaît un jour et lui arrache les cris les plus passionnés, bientôt les plus angoissés : vain espoir que d'espérer retenir la créature adorée, « car rien qu'en vivant, tu t'en vas... » Avec ce deuil, tôt survenu, et la disparition de quelques êtres chers, s'installe définitivement dans la poésie de la comtesse de Noailles la pensée de la mort qui jadis, au temps de son éclatante jeunesse, l'avait étonnée, puis révoltée, et qui va envahir ses derniers recueils, *les Vivants et les Morts*, *l'Honneur de Souffrir* : ils sont comme la confrontation tragique de cette vivante entre les vivantes, détachée de toute croyance et maintenant minée par une affection mystérieuse, avec l'idée du néant qui se resserrait de toutes parts sur elle. A la maladie s'ajouta l'isolement moral : ses meilleurs amis mouraient, la jeunesse d'après-guerre se détournait d'elle. Elle fit face, courageusement, mais la nature même de sa poésie en fut profondément modifiée : cette poésie, autrefois chargée de sensations capiteuses, se dépouilla progressivement jusqu'à devenir presque abstraite et l'élan lyrique, refoulé dans quel-

1. Comtesse Mathieu de Noailles, née Anna de Brancovan, Paris, 1876, Paris, 1933. — *Le Cœur Innombrable*, 1901; *les Eblouissements* (1907); *les Vivants et les Morts*, 1913; *les Forces éternelles*, 1920; *l'Honneur de Souffrir*, 1927. — A consulter : Larnac, *la Comtesse de Noailles*, Sagittaire, 1931; Ch. du Bos, *la Comtesse de N. et le climat du Génie*, 1949.

ques formules pathétiques et brèves qui rappellent Pascal, fit place
à un rationalisme qui affectait la sérénité.

La Nature, l'Amour, la Mort : ce sont les thèmes éternels du
lyrisme, retrouvés par les romantiques, mais qu'aucun d'eux n'a
traités avec cette force et cette richesse. Pas plus qu'elle n'avait
cherché à renouveler l'inspiration poétique, la comtesse de
Noailles n'a innové dans la technique : cette passionnée n'avait
cure de recherches mineures, et sa prosodie est conformiste.
Uniquement attentive à orienter le mouvement lyrique qui la
soulève et à en achever harmonieusement la courbe — le caractère propre de la poésie française est, disait-elle, le « lyrisme modé-
rateur » — elle dédaigne trop souvent de condenser sa pensée et
d'en retoucher l'expression. Ses plus beaux vers sont trouvés de
génie et ne doivent rien à l'agencement lucide préconisé par
Valéry. De là, il faut bien le dire, une abondance parfois trop
facile, des inégalités, des mollesses. Mais le jaillissement torrentiel de ce lyrisme tantôt nietzschéen, tantôt pathétique, toujours admirablement musical, emporte tout.

Nous avons déjà indiqué que le symbolisme poussa une
seconde vague à partir de 1905. On l'avait cru mort; en réalité, il
était bien terminé en tant que crise révolutionnaire; mais l'essentiel de ses conquêtes était maintenant mêlé à la tradition qu'il
avait prétendu détruire et qu'il avait seulement élargie. Une
poésie nouvelle allait sortir de cette fusion : ce fut d'abord celle
de Claudel qui s'est surtout manifestée sous forme dramatique
et que nous étudierons, afin de ne pas en morceler l'étude, au chapitre du théâtre (cf. p. 1181); et, révélée beaucoup plus tard, celle
de Valéry (cf. p. 1215).

Nous arrivons à une personnalité hors série, à un inclassable,
qui fut poète dans tous les sens du mot : homme d'action, il a
voulu créer, ou plutôt recréer — à l'époque du combisme et de
l'internationalisme — « la paroisse française du xve siècle »,
unanime dans sa foi religieuse et patriotique. Mais au-delà de
ce devoir civique qui l'accapara si longtemps, il demeurait obstinément attentif au chant intérieur, à la ferveur intime qui lui
avaient dicté son premier ouvrage (la *Jeanne d'Arc* de 1897) et
que vers la fin de sa vie brève il épancha largement dans des
poèmes de plus en plus amples.

L'action civique de Péguy[1] s'exerça par les *Cahiers de la Quin-*

---

1. Charles Péguy, né à Orléans en 1873, tué à Villeroy en 1914. Essais : *Notre
Patrie* (1905); *Notre Jeunesse* (1910); *Victor Marie, comte Hugo* (1911); *l'Argent*

zaine. Il avait milité ardemment pour la revision de l'Affaire Dreyfus : il fonda les *Cahiers* en 1900 pour servir la vérité et la justice
partout où elles sembleraient menacées. Les *Cahiers* furent donc
initialement un instrument de bonne propagande, que Péguy
retourna avec irritation contre ses anciens alliés quand il crut
voir que la « mystique » qui leur avait été commune était en train
de se muer, entre les mains de quelques habiles, en une « politique »
très profitable, leur assurant les places et les honneurs. Cette
amère déception, aggravée par la menace étrangère (1905, affaire
de Tanger), ramena Péguy dans les voies traditionnelles du patriotisme et de la foi : il brisa ses anciennes amitiés et attaqua avec
une violence effrénée tous ceux qu'il soupçonnait de compromissions sur ces principes, ou de conspiration sournoise à son égard.
Il a toujours été dans ces attaques d'une bonne foi absolue et
souvent d'une injustice éclatante : tant sa nature généreuse était
véhémente, sa susceptibilité ombrageuse, son imagination prompte
à s'enfiévrer sur le moindre indice. C'est un fait qu'il était
dépourvu d'esprit critique, incapable de distinguer entre la vérité
et sa passion. Sa pensée varia; mais le monde se partagea pour
lui en deux parts : les bons, ceux qui pensaient actuellement
comme lui, et les mauvais, ceux qu'il croyait volontairement
aveugles à la lumière dont il était ébloui. Ses haines lui semblaient des arrêts de la conscience universelle. Jamais depuis
Jean-Jacques, avec lequel il avait tant de rapports, on n'a
diffamé et calomnié avec plus d'acharnement et de conviction.
Comme Rousseau il méritait d'ailleurs d'inspirer à ses victimes
plus de pitié que de colère. Son âme soupçonneuse était candide
dans ses erreurs, et plus souffrante, plus meurtrie que ceux
qu'elle voulait atteindre. La beauté foncière de ce tempérament
tourmenté et fier se dégagea au dernier jour, en septembre 1914,
quand le lieutenant Péguy, debout sur un terrain rasé par les
mitrailleuses, trouva la mort héroïque qu'il semble avoir pres-
sentie et d'avance acceptée.

Ces réserves faites, on ne peut qu'admirer le désintéressement
courageux de cet homme qui a vécu dans la pauvreté et frôlé
la misère pour maintenir pendant quinze ans une publication
indépendante où tant d'écrivains renommés ont pris leur départ

et l'*Argent suite,* 1913; *Clio* et *Note conjointe sur M. Descartes* (posthumes).
Poèmes : *Le Mystère de la Charité de Jeanne d'Arc* (1910); *le Porche du Mystère
de la deuxième Vertu* (1911); *la Tapisserie de Sainte-Geneviève et de Jeanne d'Arc*
(1912); *Présentation de la Beauce à Notre-Dame de Chartres* (1913); *Ève* (1914).
— **A consulter :** R. Johannet, *Itinéraires d'intellectuels* (1921); Tharaud, *Notre cher
Péguy* (1926); Halévy, *Péguy et les Cahiers de la Quinzaine* (édit. de 1940); R. Rolland, *Péguy* (1945); Rousseaux, *le Prophète Péguy* (1947).

(Romain Rolland, Suarès, les Tharaud, etc.). Il excellait à découvrir, dans le plus humble événement, une signification immense, des horizons et des profondeurs; il y mêlait l'inquiétude du lendemain et de l'avenir de l'humanité, de la civilisation, de la patrie et toujours cette aspiration revendicatrice vers la vérité et la justice qui était une de ses noblesses. Sur quelque position qu'il s'arrêtât, il avait, parmi les plus étranges et sophistiques partis pris, des intuitions étonnantes qu'il masquait de réflexion et de logique : anticipations de prophète, mais souvent aussi coups de sonde qui touchaient le fond des réalités. Polémiste, il avait la satire truculente et verveuse, tour à tour burlesque et furibonde, populaire en somme : son tempérament plébéien et combatif y faisait merveille.

A qui en avait-il? Jadis il avait été socialiste, d'un socialisme français, antérieur à la lutte des classes qu'il rêvait au contraire de résorber dans « la cité harmonieuse » : notre socialisme, dira-t-il plus tard, a été une sorte de christianisme du dehors. Il ne pardonnait pas à ses anciens amis, nous l'avons vu, d'avoir déçu son idéalisme. D'autre part les intellectuels, professeurs de Sorbonne et autres, trahissaient selon lui leur mission en substituant à l'intuition bergsonienne (Bergson n'a pas eu de plus fervent disciple que Péguy) les méthodes allemandes d'investigation par fiches auxquelles échappe le sens profond des réalités et des textes. Où menaient cette dégradation de toute « mystique », cette mécanisation de l'intelligence? Aux platitudes du monde moderne qui n'admet plus qu'une valeur : l'Argent. Péguy ne voyait de salut que dans le retour à la foi, laquelle n'impliquait selon lui aucun abandon du temporel et du charnel, mais une collaboration active avec Dieu pour les promouvoir en sainteté : ainsi la chrétienté serait sauvée, et la France, qui en est l'âme, — une France que Péguy rêvait réconciliée, ne reniant ni ses rois ni sa Révolution, et poursuivant en tête des nations une mission pour laquelle elle a seule qualité. La tradition, pour Péguy, n'était pas un rebroussement mais indiquait au contraire le sens des développements futurs, interrompus provisoirement par la bassesse des temps présents. La mission de la France, nation élue, le hantait. On a remarqué[1] que les grands poèmes religieux de Péguy retombaient immanquablement vers la France, ou vers les trois saints français qu'il préférait : Sainte Geneviève, Saint Louis, Sainte Jeanne d'Arc.

Cette dernière héroïne surtout l'a hanté toute sa vie, sans qu'il ait épuisé son admirable histoire. Peu de temps avant sa mort,

1. M. D. Halévy.

il projetait de lui consacrer plusieurs poèmes dramatiques. Sans doute y avait-il entre la bergère lorraine et le fils de paysan qu'était Péguy des affinités d'origine et de tendances : la même foi, la même intrépidité, le même goût de l'héroïsme guerrier, le même amour du petit peuple et du grand pays, le même désir de « sauver ». La *Jeanne d'Arc* de 1897 était une reconstitution historique du drame entier. Mais la deuxième (1910), dépouillée de tout historicisme et comme illuminée par le retour récent de Péguy à la foi, retient seulement l'épisode initial et le commente en profondeur. Jeanne s'interroge avec angoisse sur elle-même, sur son avenir, sur les exigences de sa conscience qui semblent outrepasser les intentions de Dieu même : c'est vraiment le mystère de la charité de Jeanne qui se joue devant nous. De Jeanne ou de Péguy? A vrai dire, l'accent est si juste, les propos si conformes au comportement connu de Jeanne que rien ici ne détonne. Mais Péguy mêle son angoisse propre à la sienne, et c'est par là que le récit est si vivant, si actuel. Est-ce elle, est-ce lui qui médite anxieusement sur la vie, qui accueille avec confiance les récits évangéliques mais résiste aux décisions des théologiens, qui s'inquiète des menaces étrangères, qui s'épuise à concilier la charité de Dieu avec la souffrance éternelle et inutile des damnés? Ce long poème lyrique, riche de beautés de premier ordre et dont plus d'un couplet, plus d'une phrase angoissée et pensive retentit longuement dans la mémoire, recèle donc un drame personnel. Bien des éléments personnels ont aussi passé dans le *Mystère du Porche de la Deuxième Vertu*, qui « enchaîne » sur les derniers mots du précédent et présente la plus fraîche, la plus gracieuse et aussi la plus profonde apologie de l'espérance. Dieu le père parle ici. Péguy traite avec une familiarité confiante ce patriarche majestueux et débonnaire qui s'émerveille de sa propre création, de la petite fille Espérance entraînant ses deux grandes sœurs, d'un bûcheron dans la forêt, du peuple français, si prompt à se relever de ses chutes et de ses fautes; le finale, le salut adressé par Dieu à la Nuit, « sa fille au grand manteau », est un des sommets de la poésie de Péguy, et de la poésie tout court. Après le *Porche*, sculpté de ces grandes images, Péguy projetait de nous introduire dans la nef de la cathédrale, dans le *Propre de l'Espérance* : il devait y décrire le Paradis, sans tout l'appareil conceptuel de Dante, — un Paradis où il eût mis Notre-Dame, Chartres, « tout ce qui est réussi » sur la terre. Mais il écrivit d'abord le *Mystère des Saints Innocents*, puis cette *Ève*, poème immense et souvent monotone, plein de trouvailles géniales : le salut de Jésus à « l'aïeule aux longs cheveux », la douleur d'Ève ensevelisseuse de ses fils, la résurrection des corps, les dix-huit strophes si souvent

citées (« Heureux ceux qui sont morts pour la terre charnelle »)
que Péguy, par l'effet d'une étrange prémonition, a isolées du
contexte par deux tirets.

Il n'a manqué à Péguy que de savoir se borner. Il était désordonné, surabondant, diffus, non par négligence, mais de propos
délibéré. Le plus souvent, il rédigeait sans plan préalable, docile
aux impulsions les plus divergentes, comme s'il eût craint, en
composant et en raturant, d'altérer la vérité de sa pensée. Pareillement il répugne au développement dialectique de l'idée; il s'est
créé, pour l'exposer, une manière dont la répétition est la base :
il la reprend sous quatre, cinq formes différentes, où reparaissent
les mêmes mots, parfois assonancés. Il semble que Péguy, plus
bergsonien que Bergson lui-même dont le style, pour nuancé et
délicat qu'il soit, est du type normal, ait voulu suggérer par ces
approximations successives ce quelque chose d'indicible qui est
le caractère spécifique de la chose exprimée[1]. Quoi qu'il en soit,
cette réitération obsédante, toujours soutenue par un mouvement
oratoire énergique et passionné, produit souvent des effets puissants. Il arrive aussi qu'elle fasse penser à un moteur qui
« bafouille », notamment quand il s'agit de pensées purement
abstraites, sans prise sur l'imagination ou le cœur de l'écrivain;
par contre Péguy redevient excellent quand il met en scène des
êtres vivants, des réalités « charnelles », ou les réalités spirituelles qu'il n'aborde jamais par le côté doctrinal, mais par le
côté affectif; il est incomparable quand il évoque son enfance, son
expérience vécue. Sa ponctuation est aussi très personnelle et se
conforme au mouvement passionné de la pensée plus qu'à la syntaxe. On l'a remarqué bien des fois : le style de Péguy est un style
parlé, qui s'éclaircit quand on le lit à voix haute : il frappe alors
par sa puissance.

Les poèmes en prose présentent naturellement les mêmes
caractères, mais débrouillés par la présentation typographique : la
phrase, souvent détachée en une sorte de verset, y tombe d'a-
plomb; les images y fleurissent en belle lumière. Les poèmes en
vers se conforment rigoureusement à la prosodie classique et de
ce fait, sont plus disciplinés encore; mais la rime, fondée sur le
principe même de la répétition et de l'association des idées, devait
fatalement induire Péguy en tentation : trop souvent il a succombé. Le lecteur se détourne alors de ces exercices de virtuosité
où un vers inlassablement répété sert de barre d'appui, comme
au gymnase, à trente, quarante strophes qui n'ont d'autre raison
d'être que d'épuiser systématiquement toutes les rimes du

---

1. La remarque est de René Johannet.

dictionnaire. Le lecteur a tort, car il lui suffirait de patienter pour découvrir tout à coup des vers vigoureusement frappés ou une succession de strophes inoubliables. Mais qui voudrait constater sans tâtonner les effets puissants que peut produire cette poésie pédestre, moins colorée que rythmée, robuste et vivante dans son prosaïsme souvent voulu, doit lire le finale de la *Tapisserie de Sainte Geneviève* et surtout la *Présentation de la Beauce à Notre-Dame-de-Chartres* : le ton direct, la ferveur simple, le symbolisme spontané relevé parfois de malice populaire, les trivialités même que le poète franchit insoucieusement nous reportent cinq ou six siècles en arrière : c'est ainsi qu'écrivaient nos trouvères chrétiens avant la Réforme, avant le jansénisme, alors qu'il était aussi naturel de croire que de respirer.

Péguy avait les dons les plus rares de l'écrivain et du poète : l'invention inépuisable de l'expression, le don de créer des images et des symboles, la sensibilité exaltée et fière, surtout la vie : une vie intense, brûlante, tumultueuse qui le rend présent, despotiquement présent dans tout ce qu'il écrit. C'est pourquoi son art, fortement marqué de sa personnalité exceptionnelle, n'a pas eu d'imitateur. Mais sa pensée a été et est restée fortement agissante. Elle consiste au fond en une sorte de syncrétisme qui associe la soumission aux mystères religieux et la défense des droits de l'homme, le respect des traditions et le culte de la liberté, la fidélité à l'antiquité classique et l'exaltation de la France, la charité évangélique et la passion de l'héroïsme, l'honneur de l'artisan et l'honneur du soldat. Influence morale et sociale qui a contribué, avec celles, en bien des points différentes, de Barrès, de Claudel, de Maurras, à regrouper les jeunes intellectuels de 1914 devant la menace allemande et à maintenir chez ceux de 1940, quelque édulcoration ou déviation qu'on lui ait fait subir, la passion de la liberté.

CHAPITRE III

LE ROMAN

Diversité et nouveaux caractères du roman : affaiblissement de l'élément purement romanesque. — Les derniers naturalistes : Jules Vallès, Jules Renard, Charles-Louis Philippe, Huysmans. — Les romanciers post-naturalistes. Visionnaires : les Rosny, Paul Adam. Psychologues : Abel Hermant, René Boylesve, Édouard Estaunié. Artistes : les Tharaud. — Deux types nouveaux de roman : le roman social et le roman régionaliste. — Deux maîtres de la jeunesse : Maurice Barrès, Romain Rolland.

Le roman a toujours été le genre le moins fixé et le plus libre. Il n'est pas étonnant que dans la période complexe qui a précédé le premier conflit mondial, il ait paru le plus anarchique et le plus incohérent. Toutes les influences s'y rencontrent, celles des grands ancêtres (Balzac, Hugo, Stendhal, Flaubert), celles aussi des romanciers anglais et russes, qui sont abondamment traduits; sans parler des infiltrations symbolistes qui n'ont rien arrangé. Aucune doctrine n'exerce plus d'empire universel ni, sur ceux-là même qui se réclament de quelqu'une, continu. On peut toutefois signaler de façon générale que les vrais tempéraments de romanciers, croyant à leurs créations et nous imposant leur foi, se font rares; de même l'affabulation romanesque faiblit au profit d'idéologies diverses dont elle n'est plus que le support. Ce dernier trait devient toujours plus sensible chez les quatre maîtres de l'époque précédente, — sauf chez Loti qui persiste dans sa rêverie nostalgique et du reste indique ainsi une orientation de plus en plus suivie : l'autobiographie. Mais chez les autres le roman s'intellectualise; le sujet tourne à la thèse ou au mythe : à la thèse chez Bourget, et sous une forme moins rigoureuse, chez le France de l'*Histoire contemporaine*; au mythe chez le Zola des *Quatre Evangiles*. La tendance s'accentue chez des écrivains plus récents qui semblent, en écrivant des romans, céder moins à l'exigence de leur imagination créatrice qu'au désir de répandre plus largement, par la fiction, des idées qu'ils exposent aussi dans des essais, articles, etc.... Tel est le cas de Maurice Barrès et, à un degré moindre, de Romain Rolland.

Le naturalisme se défaisait lentement. Nous avons vu que le maître de l'école lui-même avait évolué vers une sorte d'apostolat socialiste. Les derniers tenants du mouvement s'en évadent aussi par des voies diverses : Jules Vallès (qui n'en était qu'un franc-tireur) par le lyrisme, Jules Renard par l'ironie, Charles-Louis Philippe par la pitié, Huysmans par la foi.

Jules Vallès[1], romancier occasionnel, appartient au romantisme par son tempérament et au naturalisme par ses haines et son cynisme. Il a été le réfractaire par excellence, travaillant à démolir toutes les formes, traditions et vénérations établies, — ordre social, famille, religion, morale, littérature ancienne et moderne, jusqu'aux gloires révolutionnaires elles-mêmes, — sans trop savoir ce que serait cette « Sociale » qu'il appelait de tous ses vœux. Il n'aurait laissé que le souvenir d'un journaliste véhément et mordant si, dans l'exil de Londres où l'avait relégué la répression qui suivit la Commune (il avait été membre du Comité central et avait échappé de justesse à la fusillade), il n'avait fait retour sur son enfance et écrit un chef-d'œuvre d'évocation pittoresque et d'émotion contenue, relevé d'amertume et d'ironie : *l'Enfant* (1879). Ce Jacques Vingtras dont deux autres volumes achèveront de dérouler la vie, c'est lui-même; cette enfance, c'est la sienne, qu'il a poussée au noir, semble-t-il, comme il a poussé à la caricature féroce le portrait des siens. De tout il tire motif pour ridiculiser ou injurier une société imprévoyante qui organise la course aux diplômes sans plus se soucier des diplômés. Mais la rancune la plus secrète de Vallès est autre : c'est de se sentir, par cette éducation qu'il a reçue, différent du peuple aux côtés duquel et pour lequel il combat; c'est de porter une redingote au milieu des blouses. Ses moyens d'expression même, il les doit à l'éducation classique qu'il a reçue, donc à cette bourgeoisie exécrée qui lui colle à la peau plus qu'il ne pense. Son style fiévreux, emporté, coloré, plein de mots qui font image ou qui font balle, est d'une fermeté qui ne se dément jamais, malgré les saccades, les tressaillements, les élans qui en renouvellent et en relancent sans cesse le mouvement.

Ce lyrisme de l'apostrophe, de l'invective, de l'enthousiasme ou du souvenir est totalement absent de l'œuvre de Jules Renard[2]

---

1. Jules Vallès (1832-1885). Éditions : *L'Enfant* (1879) auquel font suite *Le Bachelier* (1881), *L'Insurgé* (1886). — **A consulter :** P. Bourget, *Etudes et Portraits*, I (1889); A. Zévaès, *J. V.*, 1932; Gille, *J. V.*

2. Jules Renard, 1864-1910. — Éditions : *L'Ecornifleur*, 1892; *Poil de Carotte*, 1894; *Le Vigneron dans sa vigne*, 1894; *Histoires Naturelles*, 1896; *Nos frères farouches*, *Ragotte*, 1908; *Journal inédit*, 5 vol., 1927. Théâtre : *Le Plaisir de rompre*, 1898; *Le Pain de ménage*, 1899; *Poil de Carotte*, com. 1900. —

que l'on rapproche parfois de Vallès, parce que tous deux ont
eu en commun la haine de la bêtise et de l'hypocrisie, le trait
rapide et caustique, l'imagination visuelle, le sens de la caricature; aussi parce que, quinze ans après que Vallès eut raconté
son enfance sous le couvert de Jacques Vingtras, Renard a
raconté la sienne sous le couvert de Poil de Carotte; et dans les
deux cas, il s'agit d'une satire cruelle du milieu familial. Mais le
cadre, l'entourage, l'enfant lui-même diffèrent singulièrement
d'un ouvrage à l'autre et dans le second, fait de brèves saynètes
ou de courts récits, l'observation psychologique est plus amère
et va plus profond : M. Lepic, énigmatique, Mme Lepic,
méchante femme, le petit souffre-douleur, crédule et sournois,
ingénument cruel, quémandant inconsciemment une affection
qui se refuse, — ne sortent plus de la mémoire. Un pessimisme
total est latent dans ce récit, conduit avec une froide ironie.
Il en est de même des autres romans de Jules Renard, tirés de
son expérience immédiate et consacrés soit à la toute petite
bourgeoisie où le cynisme exploite la bêtise (*l'Ecornifleur*), soit
aux toutes petites gens des villages qu'il montre brutaux, bornés,
aigris (*le Vigneron dans sa Vigne, Ragotte, Nos Frères farouches*).
Renard, orgueilleux et timide, mal à l'aise dans le monde, conscient de cette gaucherie et d'autant plus amer, se contraignait
à n'étudier que des destins médiocres et des vies manquées, ce
qui serait de peu d'intérêt sans la précision du trait, concis,
toujours exact et toujours inattendu. C'est sans doute là l'originalité de Jules Renard : il voit juste et il voit cocasse. Il a joué
avec ce don dans ses *Histoires Naturelles*, où chaque animal est
peint par une image neuve et saugrenue. Il en a même abusé : trop
souvent, dans le reste de son œuvre, le relief de l'image, à quoi
l'on sent que l'écrivain s'est complu, rompt la suite de la pensée,
elle-même plutôt fragmentaire. Renard pousse — très consciemment — le goût du trait cerné et de la perfection sèche jusqu'au
discontinu. « Ma littérature de furet », dit-il dans son *Journal.*

Ce *Journal*, fidèlement tenu de 1887 à 1910, fit événement
quand il parut. Jules Renard l'avait entrepris afin de se contraindre à un examen de conscience quotidien, « à la loupe »,
qui lui permettrait de se mieux connaître. Il a tout noté, avec
sa lucidité et sa sincérité coutumières, et l'on y trouve des aveux
assez effarants, dans le genre de ceux de Samuel Pepys. N'y
cherchons pas de vues intéressantes sur les grands problèmes :
si Jules Renard les effleure, c'est pour les ramener à sa mesure,

A consulter : H. Bachelin, *Jules Renard et son œuvre*, 1909; *J. R.*, 1930;
L. Guichard, *L'œuvre et l'âme de J. R.*

qui est très étroite. Mais c'est un document sans prix pour les curieux de réalisme psychologique, pour les psychanalistes, pour ceux qui veulent explorer une mentalité de pur homme de lettres, ou simplement connaître les dessous de la vie littéraire au temps du symbolisme, puis de l'avant-guerre. Bien qu'introspectif en son principe, le *Journal* fourmille d'anecdotes, de portraits, de jugements qui sont souvent des rosseries. Jules Renard, impitoyable pour lui-même, pensait sans doute avoir acquis par là le droit de l'être à l'égard des autres.

Il a transporté au théâtre ses dons d'observateur pénétrant et de styliste net et concis, en atténuant toutefois l'ironie qui aurait décelé l'auteur : ses deux meilleures pièces, *le Plaisir de rompre* et *le Pain de ménage*, sont simplement et douloureusement humaines. *Poil de Carotte* reprend, en le resserrant, le sujet du petit roman qu'il est permis de préférer pour son atmosphère villageoise et la diversité piquante de ses personnages. Mais ces trois pièces — trois actes — comptent parmi les meilleures du théâtre d'avant-guerre.

Où Jules Renard réagissait par l'ironie, Charles-Louis Philippe[1] a réagi par la pitié, et le naturalisme subit avec lui une nouvelle transformation. Zola avait introduit le peuple dans le roman, mais il le voyait du dehors; Philippe, lui, le vit du dedans : fils d'un sabotier, il en était. Il avait, disait-il, « une impression de classe qui le laissait froid devant les crises morales décrites dans la littérature, parce que ce sont là les crises morales de la bourgeoisie ». Né pauvre et maladif, avec le don des larmes, ayant végété toute sa vie dans de petits emplois et de médiocres logis, il décrivit avec une tendresse apitoyée, d'après son expérience propre et suivant l'exemple de Tolstoï et de Dostoïevski, l'existence des gens qui peinent et qui souffrent; c'est par lui que la sentimentalité russe a pénétré dans la littérature française. — Mais Philippe a subi une autre influence, celle de Nietzsche. Il a voulu peindre aussi « des hommes forts... des hommes d'un grand courage » satisfaisant librement tous leurs appétits. Et « l'impression de classe » mentionnée plus haut, les fréquentations sentimentales et littéraires auxquelles elle l'avait incliné, un certain anarchisme d'époque l'amenèrent à chercher ses héros parmi les hors-la-loi : il raconta, avec une sympathie complice, les exploits de Bubu de Montparnasse et des brutes qui lui font obstacle ou cortège. Le livre est vigoureux, comme il se doit; les sentiments, pour

---

1. Charles-Louis Philippe, né en 1874 (à Cérilly, dans l'Allier), mort en 1909. *Bubu de Montparnasse*, 1901; *Le Père Perdrix*, 1903; *Charles Blanchard*, 1913. — **A consulter :** *N. R. F.*, n° spécial, 15 févr. 1910; H. Bachelin, *Ch.-L. Ph.* 1929.

élémentaires qu'ils soient, sont humains. Ainsi les gens du
« milieu » entraient glorieusement dans la littérature; on sait quelle
place ils s'y sont taillée depuis. Sans s'arrêter au style de ces
romans, souvent affecté, ampoulé, alourdi par la matérialisation
systématique de l'idée, certains écrivains raffinés[1] ont salué en
Philippe un Dostoïevski français. Sa mort prématurée (à 34 ans) a
coupé court à leurs espoirs. Mais l'espace à parcourir restait considérable, pour s'élever de *Bubu de Montparnasse* jusqu'à l'*Idiot*.

Voici maintenant un écrivain singulier qu'ont revendiqué à
la fois les naturalistes, les symbolistes, les occultistes, les surréalistes, — et les chrétiens : Joris-Karl Huysmans[2], dont l'œuvre
complexe et curieusement ramifiée se prête en effet à ces multiples interprétations. Pourtant elle n'enregistre, sous des noms
divers (Folantin, Des Esseintes, Des Hermies, Durtal) que le
développement d'une seule personnalité : la sienne. Huysmans,
romancier dépourvu d'invention romanesque, a tiré de ses expériences successives la matière de tous ses romans : romans naturalistes du début (*En ménage*, *A vau l'eau*) où il note avec un
dédain hargneux toutes les platitudes, turpitudes et bêtises dont
la vie commune lui semble faite; puis romans de l'évasion, quand
il eut compris que le naturalisme, en se vouant à la peinture de
la médiocrité, aboutissait à une impasse : il raconte alors, tantôt
la vie d'un esthète blasé qui s'enferme dans une solitude absolue
pour y raffiner sur ses sensations et ses plaisirs (*A Rebours*),
tantôt les recherches sacrilèges d'un esprit curieux de toutes
les pratiques sataniques (*Là-Bas*); enfin romans d'une conversion dont les étapes difficiles sont décrites avec une sincérité
totale et minutieuse dans *En Route*, le chef-d'œuvre de cette nouvelle série. Mais Huysmans converti restait Huysmans : c'est-à-dire
un artiste attiré par les parties obscures du culte, le symbolique
(*la Cathédrale*), la liturgie (*l'Oblat*), la thaumaturgie (*Sainte
Lydwine*); et repoussé par les formes niaises de la dévotion et
de l'art chrétien : rhétorique dévote et statues de saindoux. C'est
au Moyen âge qu'il voulait tout ramener. Il entreprit donc de
faire la police esthétique du temple et du culte, et il la fit rudement. Beaucoup s'en offusquèrent et lui reprochèrent de songer

---

1. Gide, Giraudoux, Valery Larbaud.
2. Georges-Charles Huysmans (1848-1907), né et mort à Paris, après une vie
modeste et régulière de petit fonctionnaire. C'est pour rappeler ses origines septentrionales (il descendait par son père d'une famille de peintres hollandais)
qu'il germanisa ses prénoms. — Edit. : *En ménage*, 1881; *A Rebours* (1884),
Là-bas, 1891; *En Route* (1895); *La Cathédrale*, 1898. — **A consulter :** Bachelin
J. K. H., 1926; Seillière, *J. K. H.* 1931; Dumesnil, *la Publication d'En Route*,
H. Trudgian, *l'Esthétique de J. H. K.*

moins à approfondir sa foi qu'à vitupérer le siècle. Pourtant l'assainissement dont il s'était chargé était nécessaire, et la fin de Huysmans, lentement détruit par un cancer, fut aussi chrétienne qu'on pouvait le souhaiter.

Il eût moins choqué certains fidèles s'il avait, en écrivant, adouci sa manière. Mais son humeur était restée pessimiste et sarcastique, son imagination vigoureusement réaliste, comme celle de ses ancêtres hollandais; et il adorait l'expression forte, excessive. Il appliqua donc crûment les procédés naturalistes à l'évocation de la vie religieuse et traduisit en images matérielles, voire charnelles, les réalités spirituelles. Toutefois l'accent était désormais sur celles-ci, et par là l'ancien naturalisme s'emplissait d'une âme nouvelle qui allait le défaire au profit du symbolisme.

L'importance de Huysmans apparaît tous les jours davantage. Par ses premiers romans, ennuyés et dégoûtés, il a contribué à diffuser la maladie décadente; dans les suivants, il a étalé le baudelairianisme foncier de sa nature (goût de l'artificiel, recherche du bizarre, obsession sexuelle et satanisme) et préparé l'éclosion du symbolisme auquel il a révélé ses grands précurseurs, Villiers, Verlaine, Mallarmé; en même temps (car c'était un excellent critique d'art) il découvrait avant tout le monde Degas, Cézanne, Whistler, Rops; par ses derniers livres, il a remis en honneur le problème religieux et fait entrer dans la littérature l'étude des drames psychologiques qui en dérivent : *En Route*, qui relate uniquement les étapes d'une conversion, est un livre sans précédent, mais non sans postérité. Enfin les lecteurs d'aujourd'hui, si avides de confessions, sont attirés par le caractère autobiographique à peine voilé de l'œuvre entière.

Le style de Huysmans, nerveux, brutal, saccadé, et cependant curieusement travaillé, insérant le mot rare dans le tour populaire, rappelle celui des Goncourt, ses maîtres, avec plus de solidité et plus d'élan. Son arythmie, son « empâtement » peuvent déplaire. C'est lui pourtant qui a définitivement « déflaubertisé » la phrase et communiqué aux écrivains ce goût du tour libre, incisif, et du mot éclatant, qui s'est épanoui entre les deux guerres.

Les romanciers abondent dans la période post-naturaliste; mais, alors que les poètes et les philosophes s'engagent dans des voies nouvelles, eux s'en tiennent pour la plupart aux anciennes formules — restitutions historiques, études de mœurs, romans psychologiques, — sans en modifier ni l'esprit ni la technique. La psychologie notamment reste traditionnelle; elle dédaigne de s'intéresser à ce fond mystérieux de l'homme qui fascine les poètes et que tentent d'explorer les penseurs. Ce conformisme de l'analyse, presque toujours renforcé d'un conformisme du style, paraît aujourd'hui insuffisant, superficiel même (à tort parfois) et retire à la plupart des œuvres de cette époque l'audience à laquelle leurs mérites indéniables — puissance d'évocation, observation exacte, notations souvent délicates, — leur donneraient droit. Peut-être la retrouveront-elles, quand le recul du temps aura poétisé cette époque, à la fois différente et trop proche de nous.

Quelques-uns de ces romanciers sont de puissants évocateurs : en premier lieu J.-H. Rosny[1] dont le vigoureux tempérament de visionnaire, associé à une forte culture scientifique et philosophique[2], tantôt ressuscite le puis lointain passé historique (*Vamireh, la Guerre du Feu*), tantôt peint en traits énergiques le présent (*Nell Horn, Daniel Valgraive*), tantôt évoque l'extrême avenir (*les Xipéhuz, la Mort de la Terre*). Il est regrettable que cette œuvre considérable, qui embrasse les différentes formes de la destinée humaine à travers les âges, soit desservie par un style tumultueux, mêlé, souvent détestable. Même remarque pour Paul Adam[3], improvisateur génial, mais hâtif et fougueux, qui n'a pas su discipliner une imagination que tout attirait à la fois et une expression affectée, surchargée, qui roule sur nous comme un torrent. Paul Adam, capable de peindre largement les masses et de noter minutieusement les plus intimes détails, avait la force créatrice des Zola et des Balzac. Sa « quadrilogie » *le Temps et la Vie* est un de nos meilleurs romans historiques.

Abel Hermant, René Boylesve, Édouard Estaunié s'intéressent plus particulièrement à la psychologie. A vrai dire, le premier[4] a fait la satire plutôt que la peinture des milieux aristocratiques

---

1. Pseudonyme collectif des deux frères Boex. Joseph-Henry, dit Rosny aîné, Bruxelles, 1856-1940; Séraphin-Justin, dit Rosny jeune, Bruxelles, 1859-1948; *Nell Horn*, 1886; *les Xipéhuz*, 1887; *Daniel Valgraive*, 1891; *Vamireh*, 1892; *la Guerre du Feu*, 1911; *la Mort de la Terre*, 1912.

2. Cf. une bonne étude de Rosny aîné sur le pluralisme.

3. Paul Adam, Paris, 1862, Paris, 1920. *La Bataille d'Udhe*, 1897; *Le Temps et la Vie*, 4 vol.; *la Force*, 1899; *l'Enfant d'Austerlitz*, 1902; *la Ruse*, 1903; *Au Soleil de Juillet*, 1903; *Le Serpent noir*, 1905; *le Trust*, 1910. — **A consulter** : Batilliat, *P. A.*, 1903; C. Mauclair *P. A.*, 1921.

4. Abel Hermant, Paris 1862-1950, Chantilly. *Confidences d'une aïeule*, 1893; *Mémoires pour servir à l'Histoire de la Société* : *Souvenirs du Vicomte de Courpière par un témoin*, 1901; *M. de Courpière marié*, 1905; *Chronique du Cadet de Coutras*, 1909; *Confession d'un enfant d'hier*, 1903; *Confession d'un homme d'aujourd'hui*, 1903; *Confidences d'une Biche*, 1909; *D'une Guerre à l'autre* (*L'Aube ardente*, 1919; *la Journée brève*, 1920; *le Crépuscule tragique*, 1921); *le Cycle de Lord Chelsea* (4 vol., 1923-1924). — **A consulter** : Peltier, *A. H.*, 1924; Thérive, *Essai sur A. H.*, 1928.

et bourgeois que Proust allait bientôt explorer en profondeur. Mais la manière d'Hermant est tout autre : impassible et sèche, froidement impertinente, elle égratigne en passant et s'apparente à l'ironie voltairienne, avec plus de hauteur. Il est visible que l'écrivain se tient en dehors et comme au-dessus de ses sujets. Son style, dont des tours désuets, volontairement conservés, accentuent le purisme légèrement affecté, manque trop souvent de naturel et d'abandon. Toutefois, dans ses derniers romans, *D'une Guerre à l'autre*, le *Cycle de Lord Chelsea*, Hermant accorde une place grandissante à l'émotion et à la poésie. — C'est par elles que vaut surtout René Boylesve[1]. Bien qu'il se soit attardé un temps dans le libertinage gracieux, selon l'exemple d'Anatole France, Boylesve est essentiellement le peintre de la vie provinciale. Il a su rendre en termes délicats le charme des vieilles demeures de sa Touraine natale et la grandeur des vertus sans éclat qui s'y cachent. La douceur des paysages, la tristesse des résignations et des sacrifices silencieux, thème fondamental de l'œuvre, lui confèrent une tonalité mélancolique qui rappelle *Dominique*. (Voir notamment *Madeleine jeune femme*). Nature nerveuse et sensible, Boylesve fut incité par la lecture de Proust à peindre dans son dernier livre (*Souvenirs du jardin détruit*) les contradictions et les illogismes de notre vie sentimentale. Sa prose élégante et discrète, sa psychologie pénétrante éloignée des grands effets lui valurent en son temps une faveur que le nôtre, en raison de ces mêmes qualités, lui marchande.

Malgré son style terne et cursif, aussi peu artiste que possible, Estaunié[2] est sans doute, de tous les romanciers de cette époque, celui qui s'est le plus avancé dans les voies nouvelles. A travers la vie sociale de ses héros, qui n'importe guère (ce sont le plus souvent des gens de condition modeste que rien ne distingue), il cherche à percer jusqu'à leur vie secrète et particulière : *la Vie Secrète*, titre d'un de ses livres. Entendez par là non pas les profondeurs irrationnelles où elle s'élabore — Estaunié n'est pas un romancier de l'inconscient — mais les mobiles qui affleurent à la conscience de chacun et qui constituent son bien propre, sa retraite et son tourment : désirs refoulés, ambitions combattues,

1. René Boylesve, la Haye-Descartes 1867-1926, Paris. *Mlle Cloque*, 1899; *la Becquée*, 1901; *la Leçon d'Amour dans un parc*, 1902; *l'Enfant à la Balustrade*, 1903; *Mon amour*, 1908; *la jeune fille bien élevée*, 1912; *Madeleine jeune femme*, 1912; *Souvenirs du Jardin détruit*, 1924. — **A consulter :** Gérard-Gailly, *le Souvenir de Boylesve*, 1931; E. Lefort, *la Touraine de B.*, 1949.

2. Édouard Estaunié, Dijon, 1862-1942. *L'Empreinte*, 1895; *le Ferment*, 1899; *la Vie secrète*, 1908; *les Choses voient*, 1913; *l'Ascension de M. Baslèvre*, 1921; *l'Infirme aux mains de lumière*, 1924; *le Labyrinthe*, 1925. — **A consulter:** J. Charpentier, *Estaunié*, 1932.

exaltations maîtrisées. Estaunié ressent vivement le tragique de ces contraintes ignorées qui sont l'essentiel de l'homme. Certains de ses personnages meurent sans que nul n'ait soupçonné leurs souffrances muettes. D'autres, sous la pression d'une crise que l'auteur agence parfois avec un soin trop visible, se révèlent par des actes inattendus, violents chez les violents qu'on prenait pour des pacifiques, bons et généreux chez les meilleurs qu'on tenait pour des simples; mais le sacrifice même ne leur apporte pas la joie. Où donc est le sens de cette vie profonde et douloureuse? Elle paraît à l'auteur postuler l'existence d'un Dieu. Ses premiers romans (*l'Empreinte, le Ferment*) étaient foncièrement rationalistes; ses derniers (*l'Ascension de M. Baslèvre, l'Infirme aux mains de lumière, le Labyrinthe*) sont fermement spiritualistes.

Il peut paraître arbitraire de classer parmi les purs romanciers les deux frères Tharaud[1], car leur œuvre participe à la fois du roman, du grand reportage, de la restitution historique, de la poésie même, — une poésie très secrète, très discrète, qui n'est peut-être que le charme du souvenir. Les Tharaud se sont voulus essentiellement témoins de leur époque, mais ils ne travaillent jamais « à chaud » sur les choses vues — ou vécues — qui constituent l'essentiel de leur œuvre. Ils laissent décanter leurs impressions pour que se dégagent mieux les traits caractéristiques; et ce sont ceux-là seuls qu'ils mettent tout leur soin à bien rendre, avec netteté, sobriété et force, poursuivant l'exactitude d'une épithète ou d'un verbe à travers des refontes minutieuses, à la façon du graveur qui recherche la perfection au moyen d'états successifs. Péguy, qui les a lancés, aimait chez les Tharaud cette passion du travail bien fait, qui est la probité de l'art.

Artistes plutôt que romanciers, — voilà ce que sont surtout les Tharaud. Sans doute pensent-ils qu'il est vain d'imaginer en un temps qui regorge d'événements tragiques et pathétiques; il suffit de peindre. Mais ils choisissent leurs sujets et ceux qu'ils retiennent sont étranges, ou pittoresques, ou violents : étranges et pittoresques, les mœurs et les coutumes des Juifs de Galicie et d'Orient (cinq volumes) ou des musulmans d'Afrique du Nord (quatre volumes); violentes à souhait, les péripéties de la récente histoire : la guerre des Boërs, la première guerre balkanique, la

1. Ernest Tharaud (pseud. Jérôme), Angoulême 1874-1953, Varangeville; Charles (pseud. Jean), Angoulême 1877-1952 Paris. *Dingley*, 1902; *la Maîtresse servante*, 1911; *la Fête arabe*, 1912; *la Bataille à Scutari d'Albanie*, 1913; *la Tragédie de Ravaillac*, 1913; *l'Ombre de la Croix*, 1917; *Un Royaume de Dieu*, 1920; *Quand Israël est roi*, 1921; *l'An prochain à Jérusalem*, 1923; *Rabat*, 1918; *Marrakech*, 1920; *Fez*, 1930; *Notre cher Péguy*, 1926; *Mes années chez Barrès*, 1928; *les Bien-aimées*, 1932; *Cruelle Espagne*, 1938. — **A consulter :** Bonnerot, *J. et J. Tharaud*, 1927.

Grande Guerre, la révolution en Europe centrale, la guerre civile espagnole leur ont fourni chacune la matière d'un ou deux volumes. Et sans doute ont-ils une secrète prédilection pour les sujets dramatiques, comme Mérimée jadis, en vertu d'un romantisme intime analogue au sien; mais ils ont appris de leur formation, de leur époque, de leur maître Barrès à le maîtriser par l'intelligence et à le couler dans une forme purement classique. Cette domination de la raison, qui commande l'architecture de leurs ouvrages, la distribution des parties, le choix des éclairages et des perspectives, est partout sensible, sans être gênante; cependant elle exclut la fièvre communicative des croquis rapides jetés à la diable sur le papier, en pleine émotion.

Psychologues, les Tharaud le sont assurément, et c'est même à saisir l'âme des communautés juives ou des tribus berbères qu'ils s'appliquent à travers leurs études, animées par une fiction légère. Leur pénétration n'est pas moindre quand il s'agit d'âmes individuelles dans de véritables romans, dont ils ont composé deux ou trois, d'un type tout traditionnel, consacrés aux problèmes de l'amour; mais il s'agit plutôt de sondages opérés à des moments particuliers du récit que de l'explication d'âmes éclairées de façon continue dans leur complexité et leur profondeur. De telles réussites — celles d'un Balzac, d'un Stendhal — exigent sans doute que l'élaboration des caractères se soit faite dans une seule pensée et s'accommodent mal d'une collaboration, si fraternelle soit-elle.

Vers la fin du xixᵉ siècle et dans les premières années du xxᵉ, deux formes nouvelles de roman apparaissent et connaissent une vogue grandissante : le roman social et le roman régionaliste.

Dans le roman social, la psychologie et la peinture des mœurs sont subordonnées à l'exposé ou à la démonstration d'un problème social : décomposition morale de l'aristocratie, toute-puissance de l'argent[1], relèvement de la femme par le féminisme[2], misères et injustices nées du régime économique, réformes nécessaires[3], etc.... Une œuvre est même née tout entière de l'inquiétude sociale, de la volonté de peindre le malaise qui en résulte pour en chercher le remède : celle de Pierre Hamp[4], ancien ouvrier autodidacte que les *Cahiers de la Quinzaine* ont fait

---

1. *Peints par eux-mêmes*, 1893; *l'Armature*, 1895, par Paul Hervieu.
2. *Les Vierges fortes*, 1900, par Marcel Prévost.
3. *La Force du Mal*, 1896; *Cœurs nouveaux*, 1910; *le Trust*, 1910, par Paul Adam.
4. Pierre Hamp, pseud. de Henri Bourillon, Nice 1876. — *Marée fraîche*, 1908; *le Rail*, 1912; *le Travail invincible*, 1918; *les Métiers blessés*, 1919; *la Victoire mécanicienne*, 1920; *Un Nouvel Honneur*, 1922; *le Cantique des Cantiques*, 1922.

connaître. Pierre Hamp s'est voué, comme Péguy lui-même en toute occasion, à réveiller chez l'ouvrier l'amour et l'orgueil de son travail, tout en réclamant pour lui la justice. « Rappelle-toi, il faut aimer deux choses : la justice et ton métier. » C'était la première fois qu'un ouvrier entreprenait une œuvre littéraire sur les ouvriers. Chacun des romans documentaires de Hamp étudie un métier particulier avec une extrême précision technique et une sympathie chaleureuse, née des souvenirs de l'auteur autant que de ses opinions. L'ensemble porte un titre général : *la Peine des hommes.* Malheureusement la fiction romanesque apparaît parfois comme un artifice d'exposition, et le style, excellent, ferme et dru quand il est direct, verse trop souvent dans un lyrisme ampoulé, voire dans le pur pathos.

En même temps que le roman social, une autre forme du roman se développait amplement : le roman régionaliste. Beaucoup de littérateurs se tournaient vers leur province préférée et découvraient avec ravissement le caractère de grâce ou de grandeur qui lui était propre. C'était là l'une des suites les meilleures de ce mouvement un peu vague qu'on a appelé le *régionalisme* et qui résultait de la fusion d'éléments hétérogènes : réaction contre une centralisation jugée excessive (Comte, Taine, Maurras), théorie de Taine sur les milieux, renaissances provinciales (Félibrige provençal, plus tard Celtisme breton), développement du tourisme qui rendait sensible la diversité de la France. Ce nouveau type de roman différait absolument du roman « provincial » tel que l'avait conçu le XIXe siècle, au temps de l'hégémonie indiscutée de Paris, — roman dédaigneux, ou dénigrant, ou caricatural. (Voir *les Paysans* de Balzac ou ses *Scènes de la vie de province.*) Le roman régionaliste, au contraire, est animé d'une curiosité bienveillante, toute prête à la pitié et à l'admiration devant le labeur des hommes et la beauté des paysages. George Sand avait déjà décrit dans cet esprit son Berry natal, mais elle idéalisait trop les êtres et les choses. Le roman régionaliste sympathise aussi avec son modèle, mais il prétend le peindre avec exactitude. Tantôt il s'intéresse surtout à la nature : l'homme n'est alors qu'un élément de la vie universelle. Tantôt la nature est le fond sur lequel se détache la vie humaine : les caractères, les mœurs se colorent et s'expliquent par le milieu local, par les lentes influences du ciel et du sol.

En groupant par provinces les romans que ces provinces ont inspirés, on obtient un vaste tableau de la France qui complète les esquisses passionnées de Michelet et illustre les savantes descriptions de Vidal de la Blache. Beaucoup d'écrivains en renom y ont participé, soit par un roman, soit par plusieurs :

Loti a peint la Bretagne et le pays basque, Barrès la Lorraine, Daudet la Provence, Francis Jammes le Béarn, Boylesve la Touraine, Mauriac les Landes.... Bien d'autres écrivains seraient à citer pour des romans « de terroir » dont beaucoup offrent des parties supérieures, dont quelques-uns sont précisément des chefs-d'œuvre[1]. Il y a là une variété de notre littérature romanesque dont les étrangers comme les Français ont intérêt à s'enquérir : on y apprend de quelles originalités toujours persistantes est faite l'unité si complexe, mais infrangible, de la France.

J'ai réservé pour la fin de ce chapitre les deux écrivains qui ont le plus fortement agi sur la jeunesse pendant les années immédiatement antérieures à la Grande Guerre, en sens opposés d'ailleurs, chacun d'eux incarnant l'une des deux tendances qui se partagent en permanence l'âme française : Barrès champion du traditionalisme et Romain Rolland apologiste de la Révolution.

Déconcertant, hautain, réservé, plein de contradictions, alliant le lyrisme contenu et la fantaisie ironique, et malgré ses écrits et ses actes, assez énigmatique, Maurice Barrès a vraiment dominé la littérature française pendant vingt-six ans (1888-1914). Il a modelé les sensibilités, excité et orienté les imaginations, suscité des enthousiasmes et des haines également frénétiques, — vrai « prince de la jeunesse » que Gide, parti dix ans plus tard, ne put déposséder de ce titre qu'au lendemain du premier conflit mondial. Ses admirables *Cahiers* (posthumes) ont encore grandi l'homme, mais cette fois sans accroître son public : une partie de son œuvre est liée à des événements dépassés et qui n'ont pas encore été transfigurés par la poésie de l'histoire; les questions qu'elle agite ne sont plus — du moins en apparence — celles d'aujourd'hui; et la mode actuelle veut qu'on s'attache aux bassesses de l'homme, alors que Barrès s'efforçait d'en montrer les grandeurs; de plus, elle dédaigne la perfection formelle que Barrès mettait très haut; l'étranger enfin n'a pas de motifs de s'intéresser à des problèmes qu'il estime — et que Barrès a voulus — strictement français. Autant de raisons qui expliquent que la

---

1. Citons du moins le *Crucifié de Kéraliès* (1892), roman breton, par Le Goffic; *Jacquou le Croquant* (1899), où Eugène Le Roy évoque le Périgord; *la Maison du Péché* (1902), où Marcelle Tinayre décrit les fins paysages de l'Ile-de-France; *la Vie d'un Simple* (1904), consacré par Gui lemin aux paysans du Bourbonnais; *Nono* (1910), par Roupnel, qui nous présente la figure haute en couleur d'un vigneron bourguignon; *Gaspart des Montagnes* (1922) d'Henri Pourrat; *la Brière* (1924) d'A. de Chateaubriant; *Raboliot* (1925), braconnier de Sologne, par Genevoix; et, pour l'Union française, *Batouala*, par R. Maran (1921).

renommée de cet admirable écrivain soit actuellement en veilleuse.

Maurice Barrès[1] n'est pas essentiellement romancier, au sens balzacien du mot. La plupart de ses personnages incarnent ses inquiétudes ou ses idées, et s'il en détache quelques-uns de l'actualité ou de l'histoire, c'est que ceux-là lui ont paru symboliques. En général il compose assez mal l'ouvrage de longue haleine, et le ton qu'il emploie alors est celui du conteur qui demeure extérieur à son récit, plutôt que celui du créateur qui vit le drame en même temps que ses créatures. Le genre où il excelle est le recueil d'essais, de longueur inégale, où se mêlent anecdotes romanesques, introspection, commentaires lyriques.

Nouvelle marque de la rébellion des jeunes contre un positivisme devenu oppressif : l'accueil enthousiaste fait aux trois volumes du *Culte du Moi* (1888-1891), au moment même où s'épanouissait le symbolisme, — cette autre protestation. Rompant absolument avec le naturalisme régnant, le jeune écrivain ne s'intéressait qu'à l'âme, et à son âme particulière, seule réalité qu'il pût saisir directement : comment en sauvegarder la diversité et même l'enrichir « sous l'œil des Barbares », c'est-à-dire des conformistes qui prétendent imposer à tous une vision uniforme du monde? Un seul moyen : prendre conseil des parties obscures de son être — on dira bientôt de son *inconscient*, — libérer son émotivité au lieu de la contraindre, — et l'entraîner méthodiquement à l'enthousiasme. Pour cela il convenait de chercher des « motifs » appropriés qui susciteraient l'exaltation, la renforceraient, la diversifieraient et la prolongeraient : tels le jardin de l'ingénue Bérénice ou, plus tard, Venise, Tolède, le Vinci, le Greco. Comprenons bien que Barrès ne prétendait pas s'enrichir par l'annexion d'éléments étrangers, mais voulait seulement découvrir son fond propre en analysant ses réactions intimes, puis les connaissant mieux, leur chercher de nouvelles nourritures : les traits de Venise, de Tolède ou du Greco qu'il retient sont ceux-là seuls qui sont en concordance avec sa sensibilité et lui en présentent en quelque sorte la figuration symbolique. Pas d'écrivain plus subjectif que celui-là, peintre admirable

---

1. Maurice Barrès, Charmes (Vosges) 1862-Paris, 1923. — *Sous l'œil des Barbares*, 1888; *Un Homme libre*, 1889; *Le Jardin de Bérénice*, 1891; *Du Sang, de la Volupté et de la Mort*, 1894; *les Déracinés*, 1897; *Amori et Dolori sacrum*, 1902; *les Amitiés françaises*, 1903; *Au Service de l'Allemagne*, 1905; *Colette Baudoche*, 1909; *la Colline Inspirée*, 1913; *le Mystère en pleine lumière*, 1926; *Mes Cahiers*, en cours de publication depuis 1929. 13 vol. parus, Anth. : *Vingt-cinq années de vie littéraire* anthol. (Brémond), 1908; *l'Esprit de B.* (Cauët), 1938. — **A consulter :** Thibaudet, *la Vie de M. B.*, 1921; V. Giraud, *M. B.*, 1922; J. Dietz, *M. B.*, 1927; Miéville, *la Pensée de M. B.*, 1934; P. Moreau, *M. B.*, 1946; Lalou, *M. B.*, 1950.

pourtant, mais dont les paysages, où les traits les plus nets
s'accompagnent toujours d'une qualification qui les spiritualise,
sont vraiment des états de son âme. Et pas de meilleur disciple
de Stendhal, son maître en *égotisme*, qui recommandait de rester
lucide dans la passion afin d'accroître la jouissance.

Non moins que ce retour à la psychologie pure, intuitive et
légère, la manière de ces premiers livres enchanta. Le style,
raffiné et musical, tout imprégné de la préciosité symboliste,
nous paraît singulièrement désuet aujourd'hui; mais l'allure
de l'écrivain a gardé tout son piquant, — très peu doctrinale,
malgré une affectation de didactisme sans cesse démentie par
la fantaisie, l'impertinence, la rêverie; et si une complaisance
marquée pour la morbidesse, pour les agonies délicates des êtres
et des choses, pour les amertumes secrètes savourées comme des
voluptés peuvent sembler un reflet de l'époque, nous savons
que cette note persistera jusqu'au bout, comme une dominante,
dans l'œuvre de Barrès. Effet probable, sur une nature prédis-
posée, du scepticisme de Renan aggravé par le pessimisme de
Taine, ses deux maîtres, dont l'influence directe ira néanmoins
s'atténuant, celle de Renan surtout.

Cependant Barrès constatait que l'égotiste est condamné à
s'épuiser dans un narcissisme stérile ou à se disperser dans trop
de jouissances. Il voulut désencombrer sa vie « en se repliant sur
ses minima », l'unifier, lui donner un sens. C'est alors qu'il s'engagea dans la politique et qu'il « inventa » la Lorraine, plus exactement qu'il découvrit dans sa Lorraine natale l'image de ce
dépouillement, de cette austérité, de cette discipline vers quoi
il tendait. Et comme la terre ne serait rien sans les générations
qui l'ont modelée, il « s'enracina » parmi ses morts qui lui paraissaient commander les parties les plus vivantes de son âme, c'est-
à-dire cet inconscient tout chargé des plus lointaines hérédités,
dont il avait fait jouer jusqu'ici toutes les possibilités mais qu'il
entendait désormais explorer en profondeur. « La Terre et Les
Morts » : formule excellente, à condition de ne pas l'ériger en un
nouveau déterminisme qui paralyserait toute initiative et voue-
rait l'être à une stagnation perpétuelle aux lieux mêmes de sa
naissance. C'est cependant ainsi que Barrès semblait l'entendre
dans les *Déracinés*, un de ses grands livres, où il dénonçait du
même coup l'éducation rationaliste donnée à la jeunesse, oubliant,
lui qui acceptait tout notre passé, que le rationalisme fait à ce
point partie de la tradition française qu'on l'a parfois présenté
comme la marque propre de notre civilisation. Il y a mieux, ou
pire : Barrès refuse de croire à la valeur universelle de la vérité :
pour lui la vérité lorraine n'est pas la vérité provençale, et à

plus forte raison la vérité française ne saurait être la vérité allemande : toutes également irréductibles d'ailleurs, sauf dans
l'intérieur d'une même nation où « leur accord a été ménagé par
les siècles ». On voit assez où risquerait de conduire ce pragmatisme, s'il devait régler les rapports entre les peuples. On l'a vu,
du reste. Pour nous en tenir au plan littéraire, il est certain que la
formule « la Terre et les Morts » a donné une impulsion vigoureuse à la littérature régionaliste, et contribué, en multipliant
dans le cœur de plus d'un jeune homme les raisons qu'il avait
d'aimer son pays, à préparer le magnifique élan de 1914. C'est
par elle encore que Barrès expliquait l'indéfectible attachement
de l'Alsace et de la Lorraine à la communauté française ; cette
démonstration opportune rappela au monde que la protestation de
1871 n'était point périmée et facilita sans doute en 1919 la restitution des deux provinces sans discussion ni referendum.

Vint la guerre. Barrès en entreprit le commentaire quotidien
avec une volonté de servir qui commande le respect, mais non
l'admiration sans réserve. Si le recueil de ses articles (quatorze
volumes) contient d'admirables pages de journaliste lyrique,
trop souvent ce lyrisme est inadéquat aux effroyables ou sordides réalités que l'écrivain ne pouvait connaître, ou tourne
même, à son insu (car telle était sa pente), en stylisations d'art
que l'homme des tranchées ne lisait pas sans colère. Pourtant
Barrès s'est efforcé d'être utile : il a signalé très vite l'existence
chez l'ennemi de « tireurs d'officiers », il a préconisé le casque
d'acier, la croix de guerre ; et il a rendu un hommage impartial
aux sacrifices des « *Diverses familles spirituelles de la France* »
dont il avait jadis combattu quelques-unes (protestants, juifs,
socialistes) avec âpreté.

La guerre terminée, il continua à se dépenser pour toutes les
causes françaises : l'autonomie rhénane, les difficultés de nos
laboratoires, l'influence de nos missions dans les pays du Levant.
Cependant, dans les intervalles du « service », il revenait irrésistiblement à ses rêves : la mort le prit sans qu'il eût achevé
le Mystère en pleine lumière, un de ses recueils les plus riches,
les plus variés et, dans sa forme détendue, un des plus exquis.

Ses *Cahiers intimes*, publiés depuis sa mort, ont élargi l'idée
que beaucoup se faisaient de l'homme, souvent traité par eux de
dilettante de la pensée et de l'action : Barrès prêtait à ce reproche,
ayant jadis fait profession de s'intéresser à l'élan plutôt qu'à
l'idée, à la « ferveur » plutôt qu'à l'objet, ainsi que le recommandait, vers le même temps, A. Gide. Certains, en le remerciant
d'avoir réveillé dans la jeunesse française la nostalgie de l'absolu,
lui reprochaient de s'être délecté dans cette nostalgie sans avoir

lui-même cherché l'absolu[1]. Or les *Cahiers*, faits de notes en désordre qu'il destinait à ses *Mémoires*, ont révélé un Barrès vraiment pénétré de la gravité de la vie humaine, anxieux en toute chose de spiritualité, mais retenu au seuil de la religion par la nécessité de certains abandons auxquels il ne pouvait se résoudre : en particulier celui des petits dieux celtiques, formes confuses du sentiment du divin, qu'il eût voulu voir accueillis par le sentiment religieux catholique, comme il avait souhaité que les phalanges romantiques prissent rang dans la tradition classique française « avec leurs bannières assez glorieuses ». Rien du passé ne lui paraissait devoir être rejeté, qui fût encore une source possible de poésie et de noblesse. Car c'est à cela, au fond, qu'il s'est attaché essentiellement, pour les autres comme pour lui-même; pour lui-même surtout, en définitive : « mes cinquante ans de poésie », disait-il.

Le style de Barrès a beaucoup évolué depuis les temps du symbolisme où ce style était contracté, concerté, avec une complaisance du reste ironique pour les tours raffinés et les cadences subtiles; les nécessités du roman, de la tribune, du journal l'ont progressivement détendu; mais il est resté toujours surveillé, — avec quelque excès sans aucun doute, — reconnaissable entre tous, — qu'il se fasse, selon l'opportunité, ramassé comme du Saint-Simon, nerveux comme du Michelet ou mélancolique comme du Chateaubriand, — à sa musique frémissante et à son accent un peu distant.

Romain Rolland[2] est en tout l'antithèse de Barrès. Ils n'ont en commun que la haine du matérialisme qui a pesé sur leur jeunesse et la volonté de relever la France, mais par des moyens combien différents! Romain Rolland part, non de l'*égotisme*, mais de l'altruisme; au lieu de se réserver, il se donne; au lieu de raffiner, il surabonde; au lieu de se replier sur le passé, il ne songe qu'à l'avenir; la vérité pour lui n'est pas relative, mais universelle, et l'Allemand comme le Français sont des Européens que rien ne doit séparer.... Rolland est essentiellement une personnalité morale; il veut qu'on soit sincère, brave, prêt au sacrifice pour défendre ce que l'on juge être la vérité. et lui-même a donné

1. Ainsi H. Massis, *Jugements*, I.
2. Romain Rolland, né à Clamecy (Nièvre) en 1866; mort à Vézelay (Yonne) en 1944. — *Beethoven*, 1903; *Michel-Ange*, 1905; *Tolstoï*, 1901; *Jean-Christophe*, 1904-1912; *Musiciens d'aujourd'hui*, 1908; *Musiciens d'autrefois*, 1909; *Au-dessus de la mêlée*, 1915; *Mahatma Gandhi*, 1926; *Beethoven, les grandes époques créatrices*, 6 vol., 1928-45; *Ch. Péguy*, 1945. — **A consulter :** Seipel, *R. R. l'homme et l'œuvre*, 1913 ; Jouve, *R. R. vivant (1914-1919)*, 1920 ; Bonnerot, *R. R.*, 1921 ; Sénéchal, *R. R.*, 1933 ; Cheval *R. R., l'Allemagne et la France* 1964.

l'exemple. On songe en le lisant au mot de Pascal : « On s'attendait de voir un auteur et on trouve un homme. » C'est pourtant des mérites de l'auteur seul que nous avons à juger ici.

A la suite d'un demi-échec au théâtre, dont il avait tenté de relever le niveau et d'élargir le public en célébrant les héros qui ont vécu dans l'exaltation religieuse (*Saint-Louis*), patriotique (*Aert*), révolutionnaire (trois pièces sur la Révolution française), il résolut, avec plein succès cette fois, d'écrire des vies exemplaires, tantôt réelles comme les biographies émouvantes et précises qu'il a consacrées à Beethoven (1903), à Michel-Ange (1905), à Tolstoï (1911), tantôt imaginées comme celle de Jean-Christophe, musicien de génie; *Jean-Christophe*, dont la rédaction s'étale sur huit années (1904-1912) et bénéficia, chemin faisant, des enseignements dégagés des biographies réelles, est comme un prototype des romans-fleuves; il présente aux Français trop enclins à resserrer le roman autour d'une crise, le déroulement lent, sinueux, imprévisible d'une existence; ainsi faisait Tolstoï, que Rolland revendique comme son maître.

Comme Tolstoï aussi, il mêle à son récit des commentaires tantôt lyriques, tantôt didactiques et satiriques : ces derniers, consacrés à flétrir méthodiquement le faux art sous toutes ses formes, encombrent un peu le centre du roman, heureusement allégé par un touchant épisode (*Antoinette*). Mais la vraie leçon de l'ouvrage est ailleurs : Romain Rolland a voulu montrer que l'art véritable procède de la vie, se nourrit, non de rêves et de mirages, mais des souffrances et des échecs qu'il faut surmonter, qu'il faut aimer même : car c'est la part de l'action humaine dans la lutte que l'homme mène aux côtés d'un Dieu imprécisé contre le mal qui tend à submerger le monde. Tous les hommes de bonne volonté participent à ce combat. Ce qui déconcerte, c'est que Romain Rolland, dans son désir d'élargir sans cesse son étreinte, célèbre également tous les composants du monde, « le scepticisme et la foi, le bien et le mal, la vérité et l'erreur[1].... » C'est peut-être de l'Empédocle[2]; c'est aussi le jugement d'un musicien dont l'art souverain se situe « par-delà le mal, par-delà le bien[3] » : mais à ce compte, toute morale se dissout dans un enthousiasme qui ne condamne aucune forme de la vie, même celles qu'il combat, parce qu'elles aussi sont de la vie, et que la Vie tout entière est admirable. En définitive *Jean-Christophe*, comme toute l'œuvre

---

1. Fin de *Jean-Christophe*.
2. Empédocle d'Agrigente, philosophe pré-socratique, auquel Romain Rolland avait voué un culte.
3. Prologue de *la Nouvelle Journée*.

de Romain Rolland du reste, nous apporte une chaleur plutôt qu'une clarté; il enseigne moins une doctrine qu'une attitude : il faut lutter pour la sincérité, la liberté, l'amour, ne jamais s'avouer vaincu, surmonter ses joies et ses souffrances, et atteindre par là à la sérénité, à la joie même qui récompense ceux qui sont vraiment grands. Ainsi la vie douloureuse de Beethoven aboutit aux chœurs de la IXᵉ Symphonie : *Durch Leiden Freude*[1].

Trop de prolixité, il faut bien le dire, et de prolixité senti-mentale. La sentimentalité — disons l'aptitude à s'émouvoir — est la marque propre de Romain Rolland, qui sent et pense en musicien; bien des caractères de son œuvre — la reprise des thèmes, le recours aux forces profondes, la conciliation aisée des contraires, l'exaltation dans l'imprécision, — s'expliquent sans doute par ce dernier trait. Mais cette même sentimentalité qui tantôt noie, tantôt gonfle le style, en lui-même assez ordi-naire (ainsi l'a voulu Romain Rolland, dédaigneux, comme Tolstoï, de toute virtuosité), le rend singulièrement pénétrant dans les parties de tendresse et de simplicité, où elle trouve son juste emploi : ainsi en est-il de *l'Aube*, où Romain Rolland raconte l'enfance de son héros dans une petite ville allemande, au bord du Rhin; de *l'Adolescence*, avec l'idylle de Sabine; de l'épisode d'*Antoinette*. Cependant on ne doit point méconnaître la vigueur avec laquelle Romain Rolland a su rendre le caractère de son Jean-Christophe, auquel il a donné ses propres vertus, avec la force et le génie qu'il rêvait d'avoir. Il est toujours difficile d'amener le lecteur à croire au génie d'une créature imaginaire; Jean-Christophe, dont l'esprit transpose sans cesse et naturel-lement sur le plan de la musique ses joies et ses douleurs, gagne-rait peut-être la partie si Romain Rolland ne parlait trop souvent et trop visiblement par sa bouche.

Quand survint la guerre, Romain Rolland était en Suisse; non mobilisable, il y resta, pour garder sa pensée libre « au-dessus de la mêlée ». Dans le livre qui porte ce titre[2], il dénonçait la carence des autorités intellectuelles et morales qui n'avaient pas osé faire obstacle à la lutte fratricide où sombraient tous ses espoirs d'une Europe unie; il flétrissait les États qui fomentent le fanatisme guerrier; il condamnait, au nom d'un Évangile tolstoïen de paix et de fraternité, la participation à la guerre. Le livre publié en France en 1915, alors que l'Allemagne occupait

---

1. Par la souffrance à la joie.
2. C'est un recueil d'articles publiés pour la plupart dans le *Journal de Genève* entre sept. 14 et août 15.

dix de nos départements, fit naturellement scandale; peu de Français acceptaient pour la France le rôle de Christ des nations[1].

L'action de Romain Rolland se poursuivit dans le même sens après la guerre, et même s'accentua : il soutint à la fois les pacifistes (*Clérambault*) et les révolutionnaires, approuva simultanément Gandhi, apôtre de la non-violence, et Lénine, instaurateur de la dictature du prolétariat, parce qu'à son jugement tous deux travaillaient à la libération de l'individu. Il s'efforça d'y travailler lui-même en bouffonnant (assez gauchement) sur la condition humaine et la conduite des guerres (*Liluli*) et en remettant en question, dans le cadre de la famille, les notions morales, les rapports traditionnels, qualifiés de préjugés, superstitions, lois mortes : *l'Ame enchaînée* est un long roman assez monotone, qui déçut. Ses dernières œuvres marquent un retour vers les amitiés et les admirations de sa jeunesse : un *Péguy*, un *Beethoven* (*les Grandes Œuvres*, 6 vol.).

Au total une âme très pure et très noble, croyant à l'Esprit en dehors de tout dogme, fervent de la vie intérieure et de toutes les hautes valeurs humaines, individualiste par conséquent mais individualiste humanitaire qui voulait travailler au bonheur de tous : par quelles voies pratiques, il ne l'a guère indiqué, en sorte qu'il oriente plutôt qu'il ne conduit, peut-être parce qu'il ne voyait pas clairement comment se dénouerait la crise où la civilisation se débat, et qu'il estimait que l'essentiel était, en attendant d'y voir clair, de sauvegarder la sincérité, l'enthousiasme et l'espérance.

---

1. Que Romain Rolland semblait prêt à accepter pour elle. « Pensiez-vous que la non-résistance s'accompagnât de la victoire matérielle? Il faut choisir : César ou Dieu.... Ce serait trop beau, si Christ abattait César.... » (Lettre du 22 février 1918, citée par Jouve, *Romain Rolland vivant*, p. 80)

CHAPITRE IV

LE THÉÂTRE[1]

Essai d'un théâtre naturaliste. Henri Becque. Antoine et le Théâtre-Libre. — Réaction contre le naturalisme au théâtre : le Théâtre d'Art. Lugné-Poë et l'Œuvre. — Théâtre idéaliste : De Curel; psychologique : Porto-Riche, Bataille, Bernstein; comique : Courteline; poétique : Rostand. — Le symbolisme au théâtre : Maeterlinck, Claudel.

Au théâtre, le renouvellement nécessaire s'est fait lentement, comme toujours : il n'est pas de genre où la tradition, les habitudes, la routine aient plus de puissance. Or le public et la critique en étaient insensiblement venus à juger d'une pièce sur l'habileté technique dont elle témoignait plutôt que sur son degré de vérité humaine : le métier faisait oublier l'art. L'art lui-même, — entendu comme observation exacte de la vie — était souvent altéré par les tendances moralisatrices mises à la mode par Augier et surtout par Dumas fils. Tout était à reprendre. Il fallait notamment, sans se soucier de préparations adroites, de scènes « à faire », de dialogues étincelants ou de prêches édifiants, — revenir à l'étude de la vie vraie, saisie directement dans ses profondeurs, soit pour en dégager la poésie, soit pour en analyser la complexité.

Le naturalisme s'y est essayé. Sans succès. Rien ne survit de ces « tranches de vie » minutieusement exactes, brutalement pessimistes, servies toutes crues à un public facile alors à scandaliser mais vite blasé. Rien, sinon le théâtre d'Henri Becque[2], qui rejetait d'ailleurs l'appareil doctrinal du naturalisme (hérédité, évolution, primauté de la physiologie), se déclarait indépendant et prétendait peindre la simple vérité comme il la voyait. Mais il la voyait sombre : par là, il rejoignait le pessimisme des naturalistes, d'autant que, comme eux, il couvrait de sarcasmes, dans

---

1. A consulter : J. Lemaître, *Impressions de théâtre*, 10 vol., 1899-1920; E. Sée, *Le théâtre français contemporain*, 1928; G. Pillement, *Anthologie du théâtre français contemporain*, 3 vol., 1945.
2. Henri Becque, Paris 1837-1899. *Les Corbeaux*, 1882; *la Parisienne*, 1885. A consulter : A. Got, *H. Becque, sa vie et son œuvre*, 1920; Eric Dawson, *H. B., sa vie et son théâtre*, 1923; Arnoutovitch, *H. B., vie et théâtre*, 3 vol., 1927.

la vie courante, l'ordre établi et les mœurs du moment; et il la
peignait sans indulgence, avec une ironie froide, qui le plus souvent naît du contraste entre les situations ou les paroles, également naturelles, — et le fond secret des âmes. L'hypocrisie, la
sécheresse de cœur, la concupiscence affleurent dans tous les
propos des *Corbeaux*, — entendez des hommes d'affaires et de
rapine qui dépouillent une malheureuse veuve et ses filles, au
lendemain même de leur deuil. Clotilde, *la Parisienne*, a beau
avoir tous les préjugés de son milieu : son amoralité, dont elle
n'a pas conscience, est totale. L'intrigue existe à peine dans ces
pièces, qui progressent par l'interaction des sentiments, comme
les pièces classiques. Becque s'est inspiré, paraît-il, de drames
véritables. Lui-même convenait qu'il n'avait pas d'imagination,
ce qui était plutôt un avantage puisqu'il voulait reproduire la vie
sans la déformer. Dans cette même intention, il prête à ses personnages le langage de tous les jours, — trop plat, a-t-on dit.
Mais on doit prendre garde que cette simplicité, strictement
dépouillée, est faite de raccourcis nets et vigoureux, et qu'il
fallait une grande habileté pour agencer dramatiquement les
scènes ou trouver le mot saisissant sans jamais forcer le naturel.
Voir le début de *la Parisienne*, ou la fin des *Corbeaux*.

   La Parisienne, admirable étude psychologique et, par son
ironie diffuse, premier exemple de la « comédie rosse », est d'une
moindre portée pour l'évolution du genre dramatique que *les
Corbeaux*, qui ont vraiment balayé toutes les conventions théâtrales, morales et sociales. De cette dernière pièce dérive tout
le *Théâtre-Libre*, fondé en 1887 par Antoine pour ouvrir la scène
aux œuvres réalistes[1]. Grossièreté allant jusqu'à l'obscénité,
(puisque c'est notre erreur favorite, à nous autres Français, de
croire que plus le modèle est répugnant, plus l'imitation est
réelle), et d'autre part, minutieuse exactitude du décor, de la
mise en scène, du jeu et du débit des acteurs, voilà les deux caractères apparents qu'a présentés d'abord le *Théâtre-Libre*. Antoine
n'a pas réussi comme il voulait : il a réussi peut-être autrement
qu'il ne voulait, et plus utilement. On s'est blasé sur le genre

---

   1. Une des plus caractéristiques, — et qui ne mérite aucunement les critiques
qui vont suivre — est certainement le *Poil de Carotte* de Jules Renard, déjà
signalé plus haut (voir p. 1151). Ce petit chef-d'œuvre fut composé trop tard pour
être joué au Théâtre-Libre, dont l'existence fut brève (1887-1896); mais ce fut
tout de même Antoine qui le créa au Théâtre Antoine, en 1901.
   Un autre exemple de ces pièces naturalistes est donné par *Les Affaires sont
les Affaires* (1903), où Octave Mirbeau, polémiste fougueux, a peint avec un
relief saisissant le portrait d'un manieur d'argent, égoïste, dur, que le malheur
même ne peut détacher du sens aigu de ses intérêts.

brutal, ou amer, ou immoral : c'est un « poncif » qui ne vaut pas mieux que celui de Scribe. Mais Antoine a certainement inoculé à quelques-uns de ses acteurs, à beaucoup de ses spectateurs, le sens de la vérité de l'imitation dramatique. Sa mise en scène, à quelques détails près, avait le mérite d'être toujours expressive, de traduire, donc de renforcer le sentiment, l'idée, la couleur de la pièce. Son jeu et celui de quelques acteurs qu'il était parvenu à instruire n'avait rien qui étonnât : mais, après, les meilleurs comédiens ne paraissaient que des comédiens. Ce jeu avait un tel caractère de naturel que les défauts de l'acteur collaient, pour ainsi dire, au personnage : ils faisaient l'effet d'en être les *tics* ou les imperfections, et en augmentaient l'originale individualité : *c'était un homme qui parlait vite, ou sourdement,* voilà tout; on ne songeait pas que c'était *un rôle débité vite ou sourdement.*

Il est remarquable que, du réalisme, insensiblement, par la force des choses, le *Théâtre-Libre* ait passé au symbolisme. Les œuvres étrangères qu'il nous présentait l'engageaient dans cette voie : le naturalisme cru et sans signification idéale ne s'y rencontrait guère, et le réalisme qu'offraient Tolstoï, Ibsen, Hauptmann était gonflé de pensée et de poésie. Naturellement le Théâtre-Libre s'est ouvert aux Français téméraires qui voulaient faire comme ces étrangers : dans la guerre entreprise pour détruire la religion du vaudeville, pour ruiner le *machinisme* dramatique, le genre Scribe, le genre Sardou, les pièces poétiques ou sociales n'étaient pas moins utiles que le simple naturalisme. Le Théâtre-Libre a donc contribué aussi à faire aimer les idées au théâtre, idées psychologiques, morales, sociologiques, traduites lyriquement et dramatiquement en états de conscience, en résonances de la sensibilité, en tensions de la volonté.

C'est ainsi que le Théâtre-Libre, créé pour imposer le naturalisme au théâtre, prépara à son insu l'éclosion de son contraire : le *Théâtre d'Art*, fondé par Paul Fort en 1890 pour faire connaître les œuvres idéalistes, poétiques, symbolistes : c'est là que fut créé *Pelléas.* Sous la direction de Lugné-Poë, le *Théâtre d'Art* devint en 1893 le *Théâtre de l'Œuvre*, plus éclectique puisqu'il s'ouvrit largement aux deux tendances contraires et accueillit les étrangers les plus divers et les poètes[1], à côté d'écrivains néoréalistes qui avaient hérité du naturalisme sa méthode d'observation précise mais l'appliquaient sans étroitesse.

---

1. Il faut mentionner ici, en raison de l'action qu'il exerça sur le goût du public, le *Théâtre du Vieux-Colombier*, fondé en 1913 par Jacques Copeau. Au milieu de l'avilissement général du théâtre (pièces boulevardières ou à grand spectacle,

De ces théâtres « à côté » affranchis de la servitude de la recette et du grand public, du *Théâtre-Libre* et du *Théâtre de l'Œuvre*, sont sortis la plupart des auteurs marquants qui se sont imposés par la suite, sinon toujours à la faveur, du moins au respect du grand public sur les autres scènes : François de Curel, Georges de Porto-Riche, Bataille et Bernstein, Maeterlinck, Claudel[1].

François de Curel et Georges de Porto-Riche ont vraiment dominé la scène française entre 1890 et 1905, pendant que Maeterlinck écrivait ses drames symbolistes; Bataille et Bernstein ont tenu ce rôle entre 1905 et la Grande Guerre, pendant que la renommée de Claudel ne cessait de s'étendre. Deux théâtres ont donc coexisté : celui des observateurs et celui des poètes.

François de Curel a presque droit à ce dernier titre, tant il a vu large, noble et grand. Riche, retiré dans ses terres de Lorraine loin des gens de lettres et de leur public, il a écrit, avec une indifférence totale pour les trucs de métier et les bienséances mondaines, quelques-unes des plus fortes pièces de ce temps. Toutes portent sur la scène de vastes problèmes, de ceux que la conscience humaine n'a pas fini de se poser : mentalité de l'aristocratie traditionnelle dans la société contemporaine (*les Fossiles*); rôle d'une nouvelle aristocratie (*le Repas du Lion*); droits du savant, rapports de la science et de la foi (*la Nouvelle Idole*); cycle de l'évolution humaine (*la Fille sauvage*); le patriotisme et la gloire (*le Coup d'Aile*), etc... C'est donc à un théâtre d'idées que nous avons à faire, ou plus exactement à un théâtre qui se propose de suivre le retentissement des idées dans les âmes, comme faisait Ibsen, mais qui le fait avec une précision et une vigueur dialectique qui n'ont rien de nordique. Le spectateur moyen, il est vrai, recherche des émotions plus directes : par là s'explique que les pièces de François de Curel, tout en rencontrant l'admiration unanime, n'aient connu, sauf les dernières, qu'un demi-succès.

L'écueil était évidemment de subordonner l'étude de la vie à la mise en valeur de l'idée, le drame au discours. Il arrive que

opérettes, vaudevilles, grivoiseries), Copeau rétablit vigoureusement l'échelle des valeurs en remettant à la scène des chefs-d'œuvre négligés : Shakespeare, Gogol, Mérimée, Musset... Et par la simplification du décor, par le jeu, la diction des acteurs, il chercha avant tout à dégager la signification de l'œuvre. Cette école de haute culture dramatique ne put tenir contre les difficultés accrues de l'après-guerre; en 1924, Copeau dut renoncer. Mais son influence dure toujours. — **A** consulter : M. Kurtz, *Biographie d'un théâtre*, 1951.

1. Première représentation de *l'Annonce faite à Marie*, par les artistes de l'*Œuvre*, au théâtre Malakoff, 23 déc. 1912.

François de Curel[1] frôle ce danger; mais il y tombe rarement, car il a soin de caractériser fortement ses personnages, qui sont complexes et vivants; et quand ils en viennent à un débat idéologique, celui-ci n'est jamais traité à froid, mais éclate au moment suprême comme la raison profonde du drame humain. Aucune solution ne nous est du reste imposée par l'auteur et le dénouement ne concerne que le conflit des sentiments qui se heurtent dans le cas particulier. Il est bien réel que si De Curel aime les idées, il les aime surtout pour les orages qu'elles soulèvent dans les âmes[2].

Ses études de psychologie individuelle et sociale sont fortes et neuves. Les personnages qu'il crée, — orgueilleux et fougueux, des aristocrates au sens le plus large du mot, — vont toujours jusqu'au bout de la passion qui les tient, — jalousie, orgueil de race, curiosité scientifique, ambition, haine sociale, et renversent, sans même les voir, toutes les barrières des conventions sociales, bienséances, préjugés, respect de l'opinion, morale. Ils sont tendus jusqu'à se rompre, dira l'un d'eux, vers on ne sait quelle lumière. Cependant ils ne l'atteignent jamais, comme si quelque loi mystérieuse empêchait l'être supérieur de se réaliser. Est-ce la raison pour laquelle, dans quelques-unes de ses dernières pièces, François de Curel cesse de glorifier la noblesse de l'effort inutile, et conseille tout simplement l'abandon au « génie de l'espèce » comme la seule règle qui vaille? L'*Ame en Folie*, l'*Ivresse du Sage* ne rappellent plus Corneille et Nietzsche, mais plutôt Lucrèce et les physiologistes contemporains.

Toutes ces pièces ont en commun un style franc, plein, aéré, abondant en formules vigoureuses, en images nobles et hardies qui parfois se prolongent un peu trop. Ce style s'affermit encore dans les discussions passionnées d'idées; certains ont parlé à ce propos de morceaux de bravoure; il serait plus juste de dire que

1. François de Curel, Metz, 1854-1929. — *L'Envers d'une Sainte*, 1892; les *Fossiles*, 1892; *le Repas du Lion*, 1897; *la Nouvelle Idole*, 1899; *la Fille sauvage*, 1902; *le Coup d'Aile*, 1906; *la Comédie du Génie*, 1918; *l'Ame en folie*, 1919; *l'Ivresse du Sage*, 1922. — **A consulter :** R. Le Brun, *F. de C.*, 1905; P. Blanchart, *F. de C.*, 1930; Gilbert de Voisins, *F. de C.*, 1931.

2. Par là, les pièces d'idées (Curel) se distinguent des pièces à thèse (Brieux). Brieux, talent probe, puissant, un peu fruste et un peu gros, étudiait des problèmes *sociaux* choisis parmi les plus importants du moment : les institutrices (*Blanchette*), la magistrature (*la Robe rouge*), les nourrices (*les Remplaçantes*), les maladies vénériennes (*les Avariés*), etc. Puis il agençait l'action pour rendre irréfutable la conclusion à laquelle il voulait nous amener; mais cet agencement se faisait naturellement au détriment de la vérité. Diderot eût approuvé ce théâtre utilitaire, qui a perdu de son intérêt avec les problèmes qu'il concernait.

le style s'aligne alors à la hauteur des sentiments qui exaltent les âmes, comme on peut le constater par exemple dans la finale de *la Nouvelle Idole*, le chef-d'œuvre de Curel.

Autant les préoccupations de Curel sont étendues et diverses, autant le champ exploré par Georges de Porto-Riche[1] est étroit; mais il l'a exploité en profondeur. Porto-Riche est le peintre de l'amour, de ses fièvres, de ses fougues, de ses souffrances; il en exprime l'éternelle essence dans une note très moderne qui annonce la psychanalise : il fait la part très large au désir et à la volupté. N'oublions pas que Porto-Riche s'est formé au temps du naturalisme et qu'il a été très lié avec Maupassant; la sensualité lui apparaît comme un élément essentiel de l'amour. Il étudie surtout la tragédie du couple, les malentendus moraux (et physiques) qui mettent aux prises la passion de la femme et la frivolité de l'homme. L'homme n'est pas beau dans ses pièces : c'est un mélange de fatuité, de légèreté, de faiblesse et de muflerie. Marcel n'hésite pas à confier à sa femme son dilettantisme sentimental et s'il craint ses larmes, c'est qu'elles gêneraient son égoïsme, car il n'est point méchant (*la Chance de Françoise*). François Prieur ne cache pas qu'il aime inspirer de la passion pour laisser derrière lui de la douleur (*le Passé*). Michel Fontanet, séducteur qu'on croit assagi, aime à être aimé, que ce soit par sa femme ou ses maîtresses (*le Vieil Homme*). La femme au contraire — qu'il s'agisse de Françoise, si fine et si confiante, — de Germaine, amoureuse obsédée (*Amoureuse*), — de Dominique, énergique, pudique et fière, — de Thérèse, déchirée entre l'inconduite de son mari et le désespoir amoureux de son fils, — se voue tout entière à l'homme dont elle est la victime tendre, loyale et douloureuse. Toutes ces pièces sont des drames psychologiques où, comme dans les pièces classiques, les événements extérieurs ne comptent qu'en raison de leur retentissement sur les âmes. Le dialogue en est serré, incisif, cinglant, surtout dans *Amoureuse* et dans *le Passé*; il est parfois trop littéraire dans le *Vieil Homme*, peut-être parce que cette dernière pièce, la plus ample que Porto-Riche ait écrite, relevait d'une sorte de fatalité tragique qui l'incitait à revenir au lyrisme de ses débuts. On a prononcé les noms de Racine, de Marivaux, de Musset à propos des œuvres de Porto-Riche; il est de leur famille, si l'on veut, par son goût des « anatomies sentimentales » (le mot est de lui)

---

1. **Georges de Porto-Riche**, Bordeaux 1849-Paris 1930. *La Chance de Françoise*, 1888; *Amoureuse*, 1891; *Le Passé*, 1897; *Le Vieil Homme*, 1911; *Le Marchand d'Estampes*, 1917. **A consulter** : C. R. Marx, *Porto-Riche*, 1912; H. Charasson, *P. R. ou le Racine juif*, 1925; E. Sée, *P. R.*, 1932.

et par l'art vraiment classique avec lequel, parlant uniquement
d'amour, il a su concentrer sous nos yeux la vie totale des âmes;
il en diffère profondément par l'obsession sensuelle qui hante ses
personnages et ramène le conflit passionnel au niveau d'un conflit
d'alcôve. Néanmoins on peut penser qu'il aura, non pas « *peut-
être* », comme il se risque à l'espérer dans un souhait gravé sur sa
tombe à Varangeville, mais sans doute, « un nom dans l'histoire
du cœur ».

On en est moins sûr pour les Dioscures (du reste rivaux) qui
dominèrent vraiment le jeune théâtre pendant les dix dernières
années de l'avant-guerre : Henry Bataille et Henry Bernstein.
Le premier surtout[1], dont le succès fut alors éclatant, est aujourd'hui durement jugé : on lui reproche le caractère scabreux
ou morbide de ses sujets, leur agencement mélodramatique,
du reste gauche, au milieu de décors destinés à flatter l'esthétisme à la mode (fleurs, musiques tziganes, valses lentes à la
cantonade...), la pauvreté intellectuelle et morale de ses personnages soumis à la passion la plus charnelle, leur langage faussement poétique, leur sensiblerie facilement déclamatoire. Tout
cela n'est que trop vrai. Ajoutons que cette société brillante et
frelatée, uniquement curieuse d'érotisme au bord de la Grande
Guerre qui allait l'engloutir, nous paraît aujourd'hui insignifiante
et méprisable. Pourtant les amoureuses névrosées et pantelantes
que nous présente Bataille existent toujours, et nul ne pouvait
mieux les comprendre que lui, grâce à mille affinités de nature,
de goût; c'est à cette intuition de leurs tourments que nous devons
les déclarations frémissantes où elles disent, en accents pénétrants, leurs arrachements, leurs détresses. Si quelque chose
mérite de survivre de ce théâtre, ce sont les moments d'émotion intense où ces victimes du désir se délivrent avec véhémence
de leur secret et oublient — provisoirement — toute littérature.

Henry Bernstein[2] est un dramaturge autrement puissant et
varié, bien que le principe de ses drames soit pris aussi bas :
toujours le déchaînement irrésistible des instincts. Les instincts
ici sont plus divers, voilà tout, et la manière est autre. On a

1. Henry Bataille, Nîmes 1872-1922, Paris. *Maman Colibri*, 1904; *la Marche
nuptiale*, 1905; *la Femme nue*, 1908; *le Scandale*, 1909; *la Vierge folle*, 1910; *le
Phalène*, 1913. — **A consulter :** P. Blanchart, *H. B.* 1924; G. de Catalogue,
H. B. ou le romantisme de l'instinct, 1925; Arnaoutovitch, *H. B.*, 3 vol., 1927;
J.-B. Besançon, *Essai sur le théâtre d'H. B.*, 1929.

2. Henry Bernstein, Paris 1876-1953 Paris. *La Rafale*, 1905; *Samson*, 1907;
l'Assaut, 1912; *le Secret*, 1913; *Judith*, 1922; *la Galerie des Glaces*, 1924; *Félix*,
1929; *Mélo*, 1929; *le Cœur*, 1935; *le Voyage*, 1937; *le Cap des Tempêtes*, 1937. —
A consulter : Le Sidaner, *H. B.*, 1931.

souvent opposé au « théâtre faisandé » de Bataille le « théâtre brutal » de Bernstein. Avec raison, surtout lorsqu'il s'agit de premières pièces de celui-ci (*la Rafale, le Voleur, Samson, l'Assaut*), où de rudes mâles, violents et sommaires, luttent pouɹ l'argent et la puissance mêlés à l'amour; ils se heurtent dans des drames rapides, fortement charpentés, où l'action est tout, la psychologie peu de chose. Les antagonistes définis une fois pour toutes et mis aux prises, l'action est constituée, non par une évolution quelconque de leur être, mais par les péripéties du combat : instinct contre instinct, le plus impétueux ou le plus rusé l'emporte. Ce spectacle de *catch* ébranle plus les nerfs du spectateur que son intelligence ou sa sensibilité. Cependant, en 1913, en écrivant l'histoire d'une femme perverse qui fait le mal pour le mal (le *Secret*), Bernstein découvrit la complexité du monde psychologique. Il comprit que le drame véritable était dans l'âme des personnages plus que dans les faits, que ce champ d'exploration était infini, et c'est là qu'il fit désormais porter son observation. Sans cesser de créer des situations fortes, — ce qui devait rester pour beaucoup sa marque propre, — il s'efforça d'éclairer ou du moins de décrire les motifs obscurs ou troubles des actions. Jamais peut-être il n'y est parvenu comme dans sa *Judith* (1922), où il renouvelle la légende biblique : fille intelligente et ardente, qui désire le désir sans l'éprouver, Judith affronte « la panthère assyrienne » avec un secret espoir de le ressentir en le provoquant et ne le ressent qu'après avoir tué. Autour de cette tragique aventure, Bernstein a disposé tous les prestiges barbares et féroces du vieil Orient, et adopté pour la conter un style nouveau tout fleuri d'images asiatiques; mais cette poésie rapportée nous atteint moins que la sombre vérité — physiologique autant que psychologique — du drame. Il est certain qu'après la Grande Guerre le besoin d'une poésie dramatique qui libérât des platitudes boulevardières les sujets et le style du théâtre était « dans l'air »; Bernstein, très sensible à toutes les variations du goût, l'a bien senti, mais — sauf dans *Judith*, où une sorte de prédestination ethnique l'a élevé au-dessus de lui-même, — il n'a pas osé risquer l'aventure; sans doute était-il gêné par son sens des réalités et sa propre vigueur. Il s'est donc contenté d'emprunter — assez malencontreusement — quelques-uns de ses procédés sentimentaux à Bataille, en même temps qu'il nuançait davantage son dialogue et manifestait dans ses dénouements une pitié toute nouvelle pour le sort de ses créatures; il semblait dépouiller le vieil homme; il écrivait *Espoir, le Cœur, le Voyage* où virevolte un spirituel garçon, léger comme Fantasio; mais l'année même du *Voyage*, il faisait jouer le *Cap des Tempêtes*, pièce dure sur la cruauté du bonheur. D'autre part il modernisait attentivement sa technique (fragmentation de l'intrigue en menus tableaux, dans *Mélo, le Jour, le Cœur*). Jusqu'au bout, le public a suivi le vieux maître, admirant sa force et son pouvoir de renouvellement. Il semble pourtant que le théâtre de Bernstein, qui offre le type parfait de la « pièce » bien observée, vigoureusement conduite, écrite le plus souvent en un style sobre et nu, — ait clôturé un genre. On aspirait de plus en plus, sans que nul s'en rendît bien compte, au retour des grands sujets, de la fantaisie, de la liberté, — en un mot de la poésie (sans les vers). Ainsi s'explique le succès, inattendu de tous, qu'a rencontré, quand il a abordé la scène, le magicien Giraudoux; c'était le rénovateur attendu.

Nombreux sont, dans ces années qui ont précédé la Grande Guerre, les auteurs comiques de talent, pour la plupart des auteurs de comédies légères[1] ou de vaudevilles[2]. Mais le seul dont on ait pu dire, avec quelque raison, qu'il avait retrouvé le comique élémentaire et puissant de Molière, c'est Georges Courteline[3]. Son aptitude naturelle à saisir partout le caractère ridicule de la situation ou des êtres, puis à le dilater en caricatures énormes qui ne le dénaturent pas mais l'accentuent, son goût des contrastes et des retournements subits, ses guignolades même comme *les Boulingrin* ou la fin du *Commissaire est bon enfant* (certaines scènes du *Mariage forcé* ou de *Pourceaugnac* sont-elles autre chose?) rappellent en effet la verve copieuse et colorée des farces moliéresques; mais Courteline intervient visiblement dans les siennes par un élément littéraire qu'on chercherait en vain dans Molière, tandis qu'il abonde chez Scarron et chez Boileau : le

1. Citons Robert de Flers (Pont-l'Évêque 1872-1927 Vittel) et G. Arman de Caillavet (Paris 1869-1915 Paris) dont la collaboration nous a valu une satire des milieux mondains et politiques étincelante d'esprit et dépourvue de méchanceté : *le Roi* (1908), *le Bois Sacré* (1910), *l'Habit Vert* (1915), ainsi que de charmantes comédies sentimentales : *l'Ane de Buridan* (1909), *la Belle Aventure* (1913) et une pièce solide : *M. Bretonneau* (jouée seulement en 1925).

2. Le plus célèbre est Georges Feydeau (Paris, 1862-1921), qui rénova le genre entre 1894 et 1914 avec une richesse dans l'invention, une logique dans l'extravagance, une virtuosité dans l'exécution que nul n'a égalées. Parmi ses pièces les plus souvent jouées : *On purge Bébé* (1910); *Occupe-toi d'Amélie* (1911); *Mais ne te promène donc pas toute nue* (1912); *la Dame de chez Maxim's* (1914); *Feu la mère de Madame* (1923).

3. Georges Moinaux, dit Courteline, Tours 1861-1929 Paris. Romans : *Les Gaietés de l'escadron*, 1886; *le Train de 8 h. 47*, 1888; *MM. les Ronds de cuir*, 1893. — Théâtre : *Lidoire*, 1891; *Boubouroche*, 1893; *La Peur des Coups*, 1895; *Un client sérieux*, 1896; *M. Badin*, 1897; *Les Gaietés de l'escadron*, 1905; *la Paix chez soi*, 1906; *la Cruche*, 1911. — **A consulter :** Turpin, *G. C.*, 1928; Portail, *G. C.*, *l'humoriste français*, 1928.

burlesque du discours, la disconvenance voulue qui consiste à employer des phrases pompeuses et cadencées pour formuler des truismes ou lancer des injures, ou à rythmer en vers classiques les propos d'un chœur de déménageurs. De plus, l'expérience de Courteline est limitée à ses souvenirs de caserne, de bureau, de café et, en amateur que la nécessité de produire ne harcèle point, il n'a point cherché à l'étendre; il s'en est tenu aux aventures d'une humanité médiocre qu'il connaissait bien, militaires abrutis, ivrognes lamentables, gendarmes sans pitié, avocats sans conviction, fonctionnaires sans zèle, petits bourgeois discutailleurs et leurs épouses acariâtres. Deux ou trois fois, Courteline a poussé, avec succès, jusqu'à la vraie et fine comédie : il a écrit *la Peur des Coups*, *la Paix chez soi*, et surtout *Boubouroche*, dont le deuxième acte reprend de très originale façon le quatrième acte du *Misanthrope* : l'excellent Boubouroche, simple, sentimental, bouleversé par l'évidence de la faute d'Adèle, capitule cependant devant l'impudence de la jeune personne, évidemment moins distinguée mais aussi rouée que Célimène. Courteline eût-il pu, s'il avait voulu, retrouver la grande allure de Molière? Il s'y est essayé dans la *Conversion d'Alceste*, lever de rideau écrit à la demande de la Comédie-Française. Lemaitre remarquait avec raison que tous les personnages y ont baissé d'un ton, — ou de plusieurs : Alceste n'est plus qu'un sot violent, Oronte un imbécile, Célimène une bourgeoise. Il ne semble pas non plus que Courteline ait eu le souffle nécessaire pour soutenir l'intérêt pendant une comédie un peu longue : si *Boubouroche* (deux actes) est une réussite, *la Cruche* (deux actes) est loin de l'égaler. Courteline a probablement eu raison de s'en tenir aux pochades en un acte. Il garde la gloire d'avoir ranimé l'esprit gaulois, — comme Giraudoux, quelques années plus tard, aura celle d'avoir ranimé l'esprit précieux : deux esprits qui semblent des composantes du tempérament national puisque le premier s'exprimait déjà dans le *Roman de Renart*, le second dans le *Roman de la Rose*[1].

---

1. Si outrancières que soient les farces de Courteline, elles n'approchent pas de l'énormité d'*Ubu-Roi*, à l'origine charge d'écoliers contre un de leurs professeurs, poussée par Alfred Jarry jusqu'à devenir la caricature ignoble et monstrueuse d'un tyran grotesque, bête par nature, roublard par cupidité, cruel par peur, et par-dessus tout effroyablement égoïste et cynique. On a cru d'abord à une bouffonnerie gratuite; les événements ont montré qu'il s'agissait plutôt d'une préfiguration; le personnage d'Ubu, détaché de l'œuvre, est devenu le symbole courant de toute tyrannie barbare et bassement utilitaire. Mais l'œuvre a une portée plus strictement littéraire : elle a pulvérisé, par son absurdité et sa grossièreté provocantes, les conventions et les bienséances scéniques; le théâtre d'avant-garde s'inspirera d'elle (Apollinaire notamment); les surréalistes l'adopteront (cf. Breton, *Pas perdus*). — Alfred Jarry, Laval 1873-1907 Paris. *Ubu-Roi*,

Le théâtre romantique a eu un réveil soudain avec Edmond Rostand[1]. L'étonnant succès de cet aimable et facile auteur n'est pas un accident fortuit. Le public, secoué dans son prosaïque amour du vaudeville, harcelé, inquiété, prêché par les œuvres des étrangers et les recherches des jeunes théâtres, s'est senti sollicité de changer quelque chose à son goût, d'élargir le cercle ordinaire de ses amusements. Et qu'a-t-il fait? Puisque le temps des penseurs et des poètes était revenu, il est retourné au drame romantique qui revivait avec Coppée, Richepin[2], sans trop examiner si leur idéalisme n'était pas creux et leur lyrisme purement verbal. Peut-être aussi éprouvait-il spontanément le besoin, après tant de pièces platement réalistes, d'entendre parler d'amour, d'héroïsme et de beauté. Ce courant une fois déterminé, *Cyrano de Bergerac* s'est présenté : et ce qu'il y avait de claire abondance, d'élan, de gaieté jeune, de pureté, de poésie à la portée de tout le monde et même des délicats, de sens dramatique aussi dans cette pièce a séduit le public à un degré quasi fabuleux. Des critiques avisés, comme Faguet, signalèrent l'apparition d'un nouveau *Cid*, alors que Rostand, avec un charme personnel dans l'exécution, dû à l'exacte coïncidence de son tempérament et du sujet choisi, ramenait simplement la scène française à la formule de *Tragaldabas* et des *Trois Mousquetaires*. Il s'agissait non d'un commencement, mais d'une fin : c'était la dernière fusée du feu d'artifice romantique.

Les autres pièces de Rostand, avant et après *Cyrano*, ont manifesté les mêmes qualités poétiques, plus de grâce sentimentale au début, dans la suite plus d'abondance chatoyante, et partout la même adresse prestigieuse qui étincelle en mille métaphores, pointes, calembours, rimes follement imprévues, ou fuse en « couplets » d'un mouvement superbe : on n'avait rien vu de tel depuis le quatrième acte de *Ruy Blas* ou certaines pièces du *Théâtre en liberté*. Mais cette virtuosité éblouissante, qui était une des conditions de la vérité lorsque Rostand faisait dialoguer

1896; *Le Surmâle*, 1902; *Gestes et opinions du Dr Faustroll, pataphysicien*, 1911. — **A consulter** : Rachilde, *A J. ou le surmâle de lettres*, 1928; P. Chauveau, *A. J., ou la naissance, la vie et la mort du Père Ubu*, 1932; F. Lot, *A. J.*, 1934; M. Saillet, *Jarry et la peur de l'amour*, 1948; A. Lebois, *Jarry l'irremplaçable*, 1950.

1. Edmond Rostand, Marseille 1868. Paris 1918. *Les Romanesques*, 1894; *la Princesse lointaine*, 1895; *la Samaritaine*, 1897; *Cyrano de Bergerac*, 1897; *l'Aiglon*, 1900; *Chantecler*, 1910. — **A consulter** : Haraszti, *E. Rostand, le poète et son œuvre*, 1913; Lautier et Keller, *E. R.*, 1924.

2. *Pour la Couronne*, 1895, de Coppée; *le Flibustier*, 1888; *le Chemineau*, 1897, de Richepin.

des précieux, choque dans *la Samaritaine* et gêne dans *l'Aiglon*. Le sujet de ce dernier drame avait de la grandeur; il appelait, non la manière brillante de Rostand, mais celle, plus grave, de Corneille, — ou plus pénétrante de Shakespeare. A tout le moins, Rostand eût dû se concentrer sur l'étude des caractères. Il ne l'a pas fait, et ce que l'on retient de la pièce, c'est la prosodie pittoresque qui amuse l'oreille, l'imagerie d'Épinal qui divertit les yeux (le petit chapeau, le grenadier épique, etc.) et les tirades sonores qui enlèvent sans instruire. Où l'on attendait la complexe vérité humaine, on a un récital de littérature.

Les mêmes défauts ont gâté *Chantecler*. Pourtant cette petite épopée animale, qui mêle curieusement la bucolique à la satire, méritait mieux que l'accueil hostile qu'on lui avait préparé. C'est un ouvrage très original, très personnel, où l'on trouve plus de pensée et un lyrisme plus profond que dans les ouvrages précédents. Rostand a révélé qu'il avait voulu « faire vivre devant ses yeux un peu de lui-même ». Le poète a donc incarné son expérience, assez amère, dans le personnage du Coq, qui s'est attribué l'orgueilleux pouvoir de susciter par son chant nocturne le lever du soleil; mais il arrive que le soleil se lève sans lui; alors Chantecler revient courageusement à son humble devoir, qui est de signaler à tous le retour des tâches quotidiennes. Peut-on parler ici, comme on a fait, de symbole? Ce grand « fabliau » lyrique n'est au fond qu'une extension de l'apologue classique destiné à illustrer une vérité *morale*; le symbole, au sens où l'entendaient les poètes symbolistes, était tourné tout entier vers le problème *métaphysique* : pour cette raison, il ne semblait guère compatible avec le théâtre, qui vit de réalité et de clarté. Cependant deux écrivains sont parvenus à réaliser la formule symboliste sur la scène : Maeterlinck après 1890; Claudel après 1900.

Maurice Maeterlinck[1] a commencé par des poésies dont les meilleures, écrites il est vrai plus tard (*Douze Chansons*), disent en termes très simples une tristesse mystérieuse, — celle-là même qui donne aux personnages de ses premières pièces leur attitude hagarde, épouvantée, devant le « tragique quotidien » de l'uni-

---

1. Maurice Maeterlinck, Gand 1862-1949 Nice. — Poésies : *Serres chaudes*, 1889; *Douze Chansons*, 1897. — Théâtre : *La Princesse Maleine*, 1889; *L'Intruse*, 1890; *Pelléas et Mélisande*, 1892; *Intérieur*, 1894; *Ariane et Barbe-Bleue*, 1901; *Monna Vanna*, 1902; *L'Oiseau Bleu*, 1909. — Essais : *Le Trésor des Humbles*, 1896; *La Sagesse et la Destinée*, 1898; *La Vie des Abeilles*, 1901; *L'Intelligence des Fleurs*, 1907; *La Mort*, 1913; *La Vie de l'Espace*, 1928. — **A consulter :** Esch, *L'Œuvre de Maeterlinck*, 1912, Mercure; Georgette Leblanc, *Souvenirs*, 1931, Grasset; A. Bailly, *M. M.*, 1931. — G. Harry, *La vie et l'œuvre de M.*, 1932; A. Guardins, *Le Théâtre de M.*, 1934.

vers. Vivre est en soi un mystère qui les absorbe, en même
temps que les terrifie la menace de cet autre mystère qui rôde
perpétuellement autour du premier : la Mort. C'est cette angoisse
informulée des vivants que Maeterlinck a voulu exprimer, et elle
seule; pour cela, il a banni de ses petites tragédies, résolument
symbolistes, tous les prosaïsmes et lourdeurs du monde matériel,
de l'existence sociale, de l'individualité même. Pas de crises psychologiques, matière ordinaire du théâtre : seuls les intéressent les
murmures qui montent, par-delà les passions et les pensées, des
profondeurs mystérieuses de l'âme quand elle s'interroge sur sa
destinée. Juste ce qu'il faut d'action pour motiver ces méditations angoissées; les quelques péripéties qui éclatent çà et là
demeurent intentionnellement inexpliquées, afin que soit respecté
le caractère occulte des forces qui nous mènent à notre insu. Les
personnages, — figures imprécises, vaporeuses, comme aériennes,
attendent avec effroi, sans savoir de quel côté se garder, l'agression de « la chose innommée qui rôde dans les ténèbres ». Ils
tiennent des propos hallucinés, ou réticents, ou inachevés, dont
on ne sait s'ils sont puérils ou profonds; ils sont profonds,
n'en doutons pas, tout au moins dans l'intention de l'auteur,
car ils manifestent, à travers la pensée claire, les prémonitions
qui montent de l'inconscient. Or, selon Maeterlinck, nous n'avons
pas de guide plus sûr. Les vrais clairvoyants, dans ce théâtre,
sont ceux qui s'en remettent à leur seule intuition : les aveugles
d'abord (par un paradoxe très significatif), et les enfants, les
vieillards, les êtres très simples ou très purs, qui participent
directement aux forces éternelles. Eux seuls décèlent infailliblement les présences mystérieuses que les autres humains,
grossièrement rationalistes, ne pressentent même pas. Rien ne
montre mieux l'adhésion complète de Maeterlinck au vaste
mouvement anti-intellectualiste qui, dans les années 80, a renversé toutes les valeurs. Enfin l'action se développe au milieu
de décors étranges, ultra-shakespeariens, qui renforcent l'atmosphère d'angoisse où, tout de suite, elle baigne : vieux manoirs
perdus dans les forêts, vieilles tours où nichent des colombes,
clairs de lune, tempêtes. Ce petit monde fantastique, où tout est
poésie, est d'ailleurs d'une grâce souvent exquise, parfois douloureuse : Pelléas et Mélisande, qui s'aiment « sous l'haleine de
la mort », nous émeuvent autant que les amants les plus illustres,
même sans la musique de Debussy.

Vers 1901, Maeterlinck, en même temps qu'il abordait en poète
l'histoire naturelle, tenta d'échapper à l'atmosphère d'envoûtement où il s'était complu jusqu'alors. Ses nouvelles pièces nous
montrent des êtres plus énergiques : Ariane, qui se libère de

Barbe-Bleue, Monna Vanna qui imagine, pour sauver celui qu'elle aime, une ruse étrange. Dans *Monna Vanna* surtout l'effort pour rentrer dans les sentiers frayés est sensible : décor historique (Pise assiégée, fin du xve siècle); conflit des sentiments. Mais il apparut vite que Maeterlinck n'arrivait pas à faire entendre l'accent d'âmes individuelles enserrées dans le dur étau de la réalité. Il revint sagement à la pièce symboliste mêlée de féerie avec *l'Oiseau Bleu,* qui connut un succès mondial. Toutefois l'esprit en est tout autre; devenu résolument optimiste, Maeterlinck substitue à l'accablante désespérance de ses premières pièces l'attrait du mystère et la foi au bonheur.

Cette évolution de Maeterlinck a commencé dès ses premiers essais en prose, où il cherchait les voies de la sagesse d'abord dans l'acceptation, puis dans un effort moral qui associerait les vertus du christianisme et du stoïcisme, Christ et Marc-Aurèle. Après quoi, il s'efforça, en poète doublé d'un ingénieux observateur, de pénétrer le secret de la vie universelle à travers la vie des abeilles, des termites, des fourmis, ou celle, plus mystérieuse encore dans son immobilité, des fleurs. Puis il élargit encore son enquête : insoucieux des sourires des savants, des philosophes et des théologiens, il promena sa curiosité dans les régions de l'inconnu et de l'inconnaissable, de la science et de la métaphysique, utilisant les théories les plus récentes pour s'avancer toujours davantage vers l'au-delà et liant audacieusement la métagéométrie à la métapsychique. Il restait réservé sur les doctrines spirites; mais il croyait à la communication télépathique du subconscient au subconscient, en induisait l'existence d'un état radiant de la matière, de vibrations psychiques encore inconnues, — la matière n'étant après tout qu'une condensation de l'énergie[1]. Mais qu'est l'énergie, sinon l'âme de l'univers? Maeterlinck aboutissait ainsi à un panthéisme qu'il n'a jamais formulé, mais où il puisait le dédain des vaines agitations des hommes et, semble-t-il, la force d'envisager sans épouvante la mort.

La pensée de Maeterlinck, à la fois brillante et fuyante, manque au fond de fermeté et de rigueur. Trop souvent il constate sans conclure, rejette sans choisir, et laisse son lecteur à la fois séduit et déçu. Son style est aisé, simple, suggestif, — un peu diffus et trop dépourvu d'accent personnel. Mais on ne peut contester à cet écrivain l'honneur d'avoir créé le théâtre symboliste, restauré le goût de la vie intérieure, enseigné la poésie de la simpli-

---

1. F. Lefèvre. *Une heure avec...* V[e] série.

cité et de façon générale, élevé la conscience commune en vulgarisant les grandes idées et les plus nobles inquiétudes.

Autant le symbolisme de Maeterlinck est flou, brumeux, et
s'arrête comme incertain au seuil du mystère qu'il ne peut définir,
autant celui de Claudel[1] est connaissance, certitude et joie :
c'est qu'ici le symbolisme ne reste pas en suspens, à l'état de
pureté vide, mais se remplit de toutes les affirmations de la foi
catholique, consubstantielle à l'esprit de l'écrivain.

Claudel est essentiellement un poète lyrique, d'une force et
d'une ampleur jamais atteintes depuis Hugo. Rien de nos jours
n'a égalé l'autorité de cette grande voix, aussi absolue dans ses
exécrations que dans ses adorations, ni la puissance d'envol de
son inspiration qui par la vigueur de l'expression, le raccourci
des évocations, le désordre accepté, sinon voulu, évoque invinciblement Pindare. Pendant quarante-six ans, Claudel a parcouru
la planète et toutes les choses vues, entendues, senties lui étaient
demeurées si présentes qu'il regorgeait d'images: elles fusaient à
tout propos, drues, intenses comme au premier instant, si bien
que certains, devant leur incroyable relief, ont accusé l'écrivain
de sensualisme, de matérialisme, de panthéisme: ils ne prenaient
pas garde que ces images étaient au service d'une pensée véhémente tournée uniquement vers Dieu, à qui elle les offrait. Il est
bien vrai qu'au rebours des ascètes, Claudel n'a rien rejeté de la
réalité et l'a admise tout entière avec une allégresse whitmanienne;
mais c'etait pour la rassembler, l'ordonner et en faire hommage
au Créateur. Il est toutefois dommage qu'il ait souvent mêlé à
ces élans magnifiques des réflexions aussi abstruses qu'abstraites,
émanations d'une métaphysique ésotérique, qui constituent sans
doute la part mallarméenne de l'œuvre, non la meilleure, et qui
ouvrent çà et là comme des trous d'air où l'attention du lecteur
s'effondre brusquement, prise de vertige.

Claudel a usé, dans ses poèmes comme dans son théâtre, d'une
forme qu'il avait créée pour sa commodité et qui pourrait être la
limite extrême du vers libre, ou quelque chose au-delà de cette
limite : le vers claudélien (Claudel rejetait le nom de verset)

1. Paul Claudel, Villeneuve-sur-Fère-en-Tardenois (Aisne) 1868-1955 Brangues
Isère). — Théâtre : *Tête d'Or* (1889-1895); *Partage de Midi* (1906); *l'Otage* (1910);
'Annonce faite à Marie (1912); *le Pain dur* (1918); *le Père humilié* (1916); *le Soulier
de Satin* (1929); *Christophe Colomb* (1935). — Poésie : *Cinq grandes Odes* (1910);
Deux poèmes d'été (1914); *Feuilles de Saints* (1925). — Écrits en prose : *Connais-
sance de l'Est* (1900); *Introduction à la peinture hollandaise* (1935). *Correspondance
avec J. Rivière* (1926). — **A consulter :** Tonquédec, *l'Œuvre de P. Cl.*, 1917;
J. Madaulle, *le Génie de P. Cl.*, 1933; *le drame de P. Cl.*, 1936; V. Bindel, *Cl.*, 1935;
Cl. Chonez, *Introd. à P. Cl.* (1947).

n'admet d'autre discipline que le rythme et d'autre mesure que celle de la respiration de l'auteur, dont le souffle excédait apparamment les possibilités de la plupart des hommes; il tolère parfois l'assonance, parfois la rime. Cette forme libre, renouvelée des Psaumes, a permis à Claudel de très beaux effets, solennels et tendus, comme il convient aux intentions liturgiques qui sont presque toujours les siennes; il a eu seulement le tort de parler avec dédain de la prosodie traditionnelle, qui a d'assez beaux états de service. D'autres ont repris la forme claudélienne, Montherlant par exemple.

C'est dans le poème dramatique surtout que Claudel s'est réalisé. Ses drames renferment encore bien des oblations lyriques, souvent très belles; mais c'est naturellement le drame de l'homme qui en constitue le fond. Non le drame humain, sentimental ou social, dont Claudel n'avait cure; ou plutôt il l'a porté sur un plan supérieur qui le transfigure et l'amplifie. Le seul problème dont il ait traité est le problème du salut. Tout personnage noble dans ce théâtre, est sollicité à la fois par les jouissances terrestres et les appels du ciel; il doit dialoguer sans cesse, moins avec les autres qu'avec la voix sourde de sa conscience, et c'est pourquoi le théâtre claudélien présente souvent, même dans les situations violentes, un curieux caractère d'immobilité. Des monologues alternent, où chacun déclare comment la situation présente affecte sa vie profonde; il ne l'indique parfois que par une allusion métaphorique, ce qui ne va pas sans obscurité; parfois aussi il le proclame en termes magnifiques, et ces moments où le lyrisme anime seul un groupe provisoirement immobilisé dans l'attente d'une décision tragique ressuscite, par-delà les âges, les grandes scènes pathétiques d'Eschyle que Claudel a toujours considéré comme son maître, et traduit.

C'était la première fois, sur la scène française, que l'accent était mis sur l'interaction de la grâce et de la nature, avec la volonté de démontrer que l'homme ne peut trouver la joie que dans la défaite de la nature par la grâce. Sans doute, il y a *Polyeucte*; mais l'étude des sentiments y tient une place qui, pour Corneille même, était sans doute la première, tandis que Claudel, tout à son didactisme théologique, n'accorde à la vie humaine de ses personnages qu'une importance relative, du moins dans la mesure où elle ne révèle rien sur le cheminement mystérieux de la grâce. Ce qui ne signifie pas que, pour n'être pas complaisamment analysée, la vérité psychologique manque dans ses pièces : c'est à l'occasion de leurs préoccupations terrestres que les personnages de Claudel sont sollicités par le problème de leur salut, et ceux qui ne suivent pas le poète jusqu'à ses conclusions métaphysiques sont souvent saisis par le naturel ou le pathétique tout humain de telle scène, de tel rôle, de telle parole sonnant direct et juste. Cependant les moments de pathétique pur sont rares : la stylisation à fin théologique domine.

Mis à part *le Partage de Midi* qui posait, à partir de données vécues, un problème auquel *le Soulier de Satin* a donné une réponse, les premières pièces de Claudel développaient des intrigues extraordinaires, à l'occasion desquelles des personnages symboliques échangeaient sur un ton oraculaire des propos tantôt fuligineux, tantôt apocalyptiques. Mais peu à peu l'action prit de la consistance, les personnages de la densité, leurs propos un sens moins hermétique et plus humain : *l'Otage*, où se condense en quelques figures inoubliables le drame révolutionnaire, — *l'Annonce faite à Marie*, drame de la tendresse et du sacrifice, pur comme un vitrail, — *le Pain Dur*, qui dénonce la condition atroce d'une humanité sans Dieu, — et finalement *le Soulier de Satin* ont montré l'évolution continue du poète vers une forme dramatique plus accessible et plus véritablement théâtrale, sans qu'il ait fait la moindre concession aux conventions scéniques : *le Soulier de Satin*, drame baroque à la façon de Lope et de Calderon, mêlant les temps, les contrées, les tons et les genres, le romanesque, le burlesque, le tragique, la féerie, le lyrisme, posait au contraire au metteur en scène des difficultés sans nombre qui ont été résolues, — au prix de fortes simplifications néanmoins. Le burlesque pourrait surprendre : il est fréquent chez Claudel, qui l'a même traité à l'état pur (*Protée*). C'était comme la détente de ce vigoureux esprit, qui a toujours aimé la grosse farce, la fantaisie saugrenue, et manifestait par là, comme par son réalisme vigoureux, ses affinités avec les artistes flamands et hollandais dont il a si bien parlé. Mystique comme Van Eyck, il pouvait être réaliste et goguenard comme Brueghel.

Dans presque tous ces drames, une même pensée se retrouve : c'est que la plus haute joie ne s'obtient que par le sacrifice joyeusement consenti. Ce sacrifice, qui a fait de Sygne de Coûfontaine seulement une victime parce qu'en s'y soumettant elle y répugne (*l'Otage*), de Violaine une sainte parce qu'elle y consent librement (*l'Annonce*), procurera à Rodrigue et à Prouhèze l'éternelle félicité parce qu'ils l'acceptent finalement, quoi qu'il leur en coûte (*le Soulier de Satin*) : l'amour humain est donc, selon Claudel, la seule chose naturelle qui ne puisse être acceptée car il nous détourne de Dieu; tout au plus fournit-il à l'âme une occasion de s'épurer en lui résistant, aidée de la grâce. L'intervention de cette aide divine est du reste déterminante. C'est par là que le théâtre claudélien se distingue du théâtre cornélien où la volonté des personnages (sauf dans *Polyeucte*, comme l'a montré Péguy) est pleinement autonome. Le héros cornélien vainc par lui-même.

Claudel vieillissant avait renoncé au théâtre. Mais ses méditations solitaires continuaient ses drames : il commentait la Bible, et notamment la Rédemption. Il déclarait n'être plus (c'est le titre d'un de ses derniers ouvrages) qu' « un poète (qui) regarde la croix ». Il n'a jamais été autre chose. Son œuvre entière, écrite *ad majorem Dei gloriam*, est un splendide *Magnificat*. C'est sous cet aspect qu'il voulait qu'on la considérât : il déclarait repousser avec irritation les louanges qui s'adresseraient à l'artiste seul, c'est-à-dire « à quelque chose de voisin du saltimbanque et du faiseur de tours. » Il prétendait assainir, évangéliser, entraîner, convertir, à la façon de Péguy dont il était proche par ses origines terriennes, son anti-intellectualisme, son non-conformisme, sa liberté d'expression, son sérieux coupé de familiarités goguenardes. Pourtant son action littéraire a été immense : il a déconsidéré le drame bourgeois, le pathétique médiocre, les intrigues trop bien machinées et remis en honneur l'examen des immenses problèmes de la vie et de la mort que les événements allaient poser à des millions d'hommes.

Au fond, Maeterlinck et Claudel ont attaqué le même problème qui est l'un des grands, peut-être le grand problème du théâtre contemporain : l'organisation de la tragédie, on pourrait dire sa résurrection. A vrai dire, la question s'est ouverte à la mort de Racine. Après la tragédie encore essentiellement grecque, c'est-à-dire épique et lyrique (lyrique surtout) de la Renaissance, Corneille avait créé la tragédie française, d'où le tragique tendait à s'éliminer avec le lyrisme au profit du dramatique et du mécanisme psychologique. Racine, éclairé par l'hellénisme, avait réintégré le tragique dans cette tragédie française dont il conservait la formule originale : son génie adroit se servait du tragique pour renforcer le drame et approfondir la psychologie. Mais son art s'était perdu avec lui. Le xviiie siècle s'est épuisé en efforts pour restaurer la tragédie, surtout à l'aide de Shakespeare, ou plutôt de l'idée que les Français d'alors se faisaient de Shakespeare. Les romantiques, heureusement lancés à la poursuite d'une tragédie lyrique, l'ont manquée par la superstition de l'intrigue et du pathétique de mélodrame, encore plus que par l'excès de leur rhétorique. Le tragique n'apparaît qu'accidentellement chez Victor Hugo, quoique souvent ses sujets y prêtent. C'est encore chez Musset qu'on trouve à la fois le plus de psychologie fine, et le plus d'impressions tragiques.

A la fin du xixe siècle, lorsque la formule de la comédie-drame a paru un peu fatiguée, et que le public surtout en a été fatigué, on a recommencé à chercher la tragédie, un peu à tâtons. Quelques-uns ont cru la ressusciter en reproduisant ses caractéristiques extérieures (emploi de l'alexandrin, procédés divers...). Ils n'ont abouti qu'à faire du Casimir Delavigne ou du Ponsard. Plus féconde s'annonçait la tentative inverse, qui renonçait à toute imitation formelle pour laisser se manifester librement, fût-ce sous des formes insolites, l'inspiration tragique, celle qui animait la tragédie grecque et la tragédie de Racine : c'est-à-dire l'émoi mystique, l'angoisse métaphysique devant la vie, et, par-delà les péripéties de l'action ou le conflit des caractères, le jeu mystérieux des forces inconnues qui tour à tour broient l'homme et le relèvent. Or l'émoi mystique, l'angoisse métaphysique, le sentiment du mystère sont, dans l'ordre de l'expression littéraire, des sources de lyrisme. Et c'est bien lui que nous trouvons, circulant partout sous l'analyse des caractères ou l'action émouvante, jaillissant çà et là aux points critiques ou s'étalant en larges nappes de poésie, dans l'œuvre de Maeterlinck, de Claudel, — plus tard dans celle de Giraudoux, de Cocteau... Les formes diffèrent, — modernes, historiques, légendaires, — mais la direction reste la même. Les événements du reste, de plus en plus formidables et dévastateurs, allaient démontrer que l'homme n'était pas, autant qu'il le croyait, maître de sa destinée et développer par là, dans le public comme chez les écrivains, le sentiment tragique de la vie.

CHAPITRE V

LA CRITIQUE ET L'ESSAI

La critique dogmatique : Brunetière; explicative : Faguet; impressionniste : Lemaître. — Un technicien du théâtre : Sarcey. — Création de l'histoire littéraire : Lanson. — L'essai : un individualiste, Rémy de Gourmont; un doctrinaire, Charles Maurras; un visionnaire, Léon Bloy.

Quand Taine et Renan eurent disparu, la critique parut renoncer à construire une philosophie générale et sembla s'enfermer dans le domaine de la littérature et de l'art. Pourtant presque tous ceux qui la pratiquèrent franchirent les limites de ce domaine un certain jour, soit pour tirer les conséquences politiques et sociales de leurs idées, soit pour en dégager la métaphysique implicite : c'était rendre sensible l'origine subjective de leurs jugements. Par contre d'autres créaient une discipline nouvelle, l'Histoire de la Littérature, qui se réclamait de l'esprit scientifique et prétendait à l'objectivité; elle allait dominer rapidement dans l'Université, au point qu'on devait lui reprocher de tarir chez les étudiants les facultés de jugement personnel et de goût.

« En 1894, après la mort de Renan et de Taine, Brunetière[1] était le guide incontesté de la pensée contemporaine. » Ainsi s'exprimait, dans un article nécrologique, un de ses adversaires politiques[2]. Il est certain que, par l'importance de l'œuvre et l'originalité du caractère, Brunetière domina son temps. Il a appliqué à l'étude de la littérature un vigoureux tempérament

1. **Ferdinand Brunetière**, Toulon 1849-1907, Paris. *Études critiques, sur l'hist. de la litt. fr.*, 9 séries, 1880-1925; *le Roman naturaliste*, 1883; *l'Évolution de la critique*, 1880; *les Époques du théâtre français*, 1892; *Évolution de la poésie lyrique au XIXe siècle*, 1894; *Manuel d'Hist. de la litt. fr.*, 1898; *Hist. de la litt. fr. classique*, 5 volumes, achevée d'après les notes de Brunetière, qui n'a lui-même rédigé que les chapitres relatifs à Rabelais et à la Pléiade, 1904-1907; *Balzac*, 1906. — Polémique : *la Science et la Religion*, 1897; *l'Art et la Morale*, 1898; *Discours de combat*, 1900-7. — **A consulter :** Fonsegrive, *F. B.*, 1908; E. Faguet, *F. B.*, 1911; V. Giraud, *Br.*, 1932; Nanteuil, *Br.* 1933.

2. Georges Sorel, *le Mouvement socialiste*, 15 juillet 1907, cité par V. Giraud, *Les Maîtres de l'Heure*, t. I, p. 100.

d'orateur et de polémiste, une rare puissance d'abstraction, de logique et de synthèse, une grande richesse d'information bibliographique et chronologique; il est regrettable que l'allure péremptoire de ses déductions, toujours fortement motivées en périodes solidement articulées, ait trop souvent masqué les impressions fines et originales, les vives intuitions, le goût esthétique qui sont logées au cœur de ces imposantes constructions, mêlés à un fond de pessimisme un peu amer et très énergique.

Il a combattu trois adversaires : la philosophie du xviiie siècle parce qu'il la jugeait dissolvante, le romantisme parce qu'il y voyait le triomphe de l'individualisme et du dilettantisme, le naturalisme contemporain parce qu'il le trouvait bassement matérialiste. Sur ce dernier point notamment, tout en rendant justice aux maîtres (sauf à Zola), il a remporté une victoire efficace en rabattant les prétentions tapageuses et en confirmant les titres durables du roman moderne. Naturaliste, il déclarait l'être lui-même, puisqu'il recommandait, comme jadis Boileau, l'objectivité de l'œuvre d'art, le respect de la nature fidèlement rendue, en affirmant néanmoins que les œuvres d'art valent par les idées qu'elles traduisent, par la force morale qu'elles contiennent. Ces conceptions proclamées sans relâche, renforcées par sa passion de l'ordre français et son tempérament autoritaire, expliquent qu'il ait, plus que personne, remis en honneur le xviie siècle et le naturalisme des grands classiques. Comme Boileau, il ramenait tout à la raison. Bossuet, qui lutta « pour soutenir, défendre et fortifier », était son Dieu. Il n'avait pourtant rien du traditionaliste systématique : en défendant l'autorité et la tradition, il en vérifiait les titres et s'engageait parfois assez librement dans des voies nouvelles. A ses risques et périls du reste : il méconnut totalement Baudelaire.

Venant après Taine, Brunetière a ouvert et rempli un chapitre nouveau de l'histoire de la critique. Disciple de Darwin, lecteur de Spencer, il eut l'idée d'appliquer la doctrine de l'évolution à la littérature : les genres littéraires, tels que son cher xviie siècle les avait constitués, étaient, selon lui, de véritables espèces vivantes, croissant jusqu'à leur point de perfection, puis dépérissant jusqu'à mourir ou se transformant pour revivre. Il obtint ainsi deux résultats : une évaluation plus juste de la pression que les œuvres déjà écrites exercent sur les esprits qui créent, ce qui fait saillir par conséquent parmi toutes les causes de détermination la force de la tradition littéraire; ensuite, et surtout, une appréciation plus équitable de l'originalité, en marquant nettement, toutes les causes étant définies et classées, ce que l'accident imprévu d'un grand homme qui survient peut apporter de perturbation dans le mouvement littéraire, en le déviant ou en le transformant.

Le grand homme, en effet, n'est plus déterminé ici, comme chez Taine, par « les grandes pressions environnantes »; il n'est grand au contraire que dans la mesure où il leur échappe; mais pour juger son apport personnel, il est évident qu'il faut d'abord les connaître. Ainsi la critique renonçait à se constituer en science; elle acceptait de redevenir une histoire. Les époques de transition, dont l'étude avait été si longtemps négligée, et les écrivains de moindre envergure qui les peuplent, reprenaient de l'intérêt. Il est certain que cette doctrine a forcé les historiens de la littérature à serrer de plus près les problèmes de la conti-nuité — et de la discontinuité — dans les courants d'idées et dans les genres d'art.

On peut seulement reprocher à Brunetière d'avoir poussé trop loin, par une logique artificielle, l'analogie ou l'identification des sciences naturelles et de la littérature, et d'avoir multiplié les formules d'apparence scientifique, aboutissant par là malgré lui à masquer la réalité plutôt qu'à l'exprimer, et à donner l'im-pression d'une construction arbitraire dans les cas même où il travaillait réellement sur une base d'observations exactes. Il lui est arrivé quelquefois aussi de suppléer par la logique aux lacunes de l'observation, et de donner ses idées un peu témérai-rement pour des faits. Mais le principal vice de son système est d'être un système : excellente, en somme, pour appeler l'attention sur certains ordres de problèmes, faire surgir des questions, définir des champs de recherche, la doctrine de l'évolution des genres ne saurait s'imposer à l'histoire littéraire comme suffisant à elle seule et embrassant toute l'étendue d'une littérature. Si on prétend employer cette méthode à l'exclusion de toute autre, on arrive à mutiler la réalité et à rejeter des écrivains importants, sous le prétexte que la méthode ne les rencontre pas; on ignore systématiquement de grandes œuvres, parce que la loi de l'évolu-tion des genres ne semble pas s'y manifester : Sévigné, Saint-Simon par exemple, que Brunetière reconnaissait n'avoir pu placer dans une série.

Jusqu'en 1894, on pouvait croire Brunetière uniquement appli-qué à l'étude de la littérature. Mais à partir de cette date la phi-losophie générale qui était depuis longtemps impliquée dans ses jugements se dégagea progressivement. Il se fit, dans l'ordre social comme en littérature, l'avocat de la tradition, de l'autorité et par suite de l'Église, qui incarnait à ses yeux la tradition et l'autorité : positiviste, il se voua à la restauration du catholicisme qui pouvait procurer la paix sociale. Il ne fit pas, comme Chateaubriand, un acte de foi public : ce n'était pas sa manière; mais il mit au service de ses convictions ses éclatantes qualités de polémiste et d'orateur. Du même coup, il renonçait à chercher cette impersonnalité dont jadis il avait fait avec raison la qualité fondamentale du critique; il lui arriva de sacrifier l'observation impartiale et l'étude exacte des faits à la fougue de l'imagination et aux subtilités de la logique : même dans les morceaux de littérature qu'il donna dans ses dernières années, l'éloquence passionnée et apologétique s'était glissée.

Émile Faguet[1], se gardant avec soin des théories générales qu'il jugeait arbitraires et fragiles, et des recherches érudites qu'il lui arrivait cependant d'utiliser, a surtout fait des monographies : là, du moins, il restait en contact avec la réalité vivante. Il n'est presque point de grands écrivains ou penseurs dans les cinq siècles de la littérature moderne dont il n'ait pris les mesures et donné la description : il s'attachait à démêler les idées générales et les tendances de l'auteur choisi, puis il en effectuait la synthèse avec vigueur, précision et clarté. On lui a reproché toutefois, et non sans raison, d'appliquer à tous les écrivains un plan uniforme (biographie, idées morales, théories littéraires, etc.) qui tue la vie en dissociant ses éléments et substitue des « préparations anatomiques[2] » à l'histoire naturelle des esprits telle que l'entendait Sainte-Beuve : c'est que Faguet cherchait plus à faire comprendre qu'à faire revivre. Les formes d'art l'intéressaient moins que les idées : il était essentiellement psychologue et moraliste. C'est dans cet esprit qu'il publia quatre recueils de monographies sur les quatre derniers siècles littéraires et trois autres sur les *Politiques et Moralistes du XIXe siècle* : toutes ces études sont de premier ordre. Par défiance des systèmes, il n'a presque jamais essayé d'étude d'ensemble : il s'est contenté de mettre des préfaces, substantielles et fortes, avec des partis pris un peu tranchants, aux recueils qu'il publiait. On n'a de lui qu'un livre d'esthétique littéraire, sur le théâtre : œuvre de jeunesse visible-

1. Emile Faguet, La Roche-sur-Yon 1847-1916 Paris. *La Tragédie au XVIe siècle*, 1883; *XVIIe siècle*, 1885; *XIXe s.*, 1887; *XVIIIe s.*, 1890; *XVIe s.*, 1893; *Politiques et moralistes au XIXe siècle*, 3 vol., 1891-1898-1900; *Drame ancien, drame moderne*, 1898; *Flaubert*, 1899; *Politique comparée de Montesquieu, Rousseau, Voltaire*, 1902; *Chénier*, 1902; *Propos de théâtre*, 5 séries, 1903-1907; *Sévigné*, 1910; cinq volumes sur *J.-J. Rousseau*, 1912; *En lisant Nietzsche*, 1904; *Pour qu'on lise Platon*, 1905; *La démission de la morale*, 1910; *Les Préjugés nécessaires*, 1911; *Le libéralisme*, 1902; *Le socialisme en 1907*; *Le pacifisme*, 1908; *Le Culte de l'incompétence et l'Horreur des responsabilités*, 1910. — **A consulter :** M. Duval, *Faguet*, 1911; V. Giraud, *Les Maîtres de l'Heure*, t. I, 1911; Seillière, *E. F. historien des idées*, 1938.

2. Thibaudet.

ment, malgré sa tardive publication, mais pleine de vues originales et intéressantes. Comme la plupart des écrivains de son
temps, il a exalté le XVIIe siècle aux dépens du XVIIIe qu'il a trop
maltraité (« ni chrétien ni français ») parce qu'il regardait les
individus plutôt que la société et le mouvement général des
idées.

Il ne s'en tint pas à l'étude des classiques. Pendant vingt ans
il suivit la production dramatique contemporaine, expliquant et
jugeant avec aisance, clarté, esprit, sur le ton familier de la conversation, ou plutôt du soliloque. Il fit plus encore : de plus en plus
dévoré, à mesure que l'âge venait, du besoin de répandre les
idées qu'il formait sans relâche, il multiplia les publications sur
les sujets les plus divers : Nietzsche, Platon, Corneille, Rousseau,
le libéralisme, l'anticléricalisme, le socialisme, le féminisme, etc.
Il n'est guère de question ayant agité l'époque sur laquelle il
n'ait donné son avis en toute indépendance et avec un ferme
bon sens. A propos de chacune, avec une prodigieuse aisance, il
laissait tomber un volume, toujours amusant pour le public, et où
les plus avertis avaient encore quelque chose à prendre. C'est dire
que son œuvre est considérable : lorsqu'il mourut, il avait écrit
plus que Diderot, plus que Voltaire, et sans doute autant que
Dumas père; mais il n'avait pas eu de Maquet.

On a reproché à Faguet de faire la part trop grande à l'impression personnelle; c'est d'elle et d'elle seule, que se réclamait
ouvertement Jules Lemaître[1] qui défendit avec Anatole France[2]
contre Brunetière les droits de la critique impressionniste, indifférente aux préparations historiques et soucieuse simplement
de son plaisir immédiat. Elle aussi est nécessaire, pour donner au
grand public la curiosité des œuvres, et si l'écrivain qui la pratique
est un esprit limpide, agile, délicat, spirituel, elle peut être l'occasion d'œuvres qui ont leur charme propre : tel est précisément le
cas des *Contemporains* et des *Impressions de Théâtre* que l'on
relit volontiers pour leur simplicité élégante, leur ingénuité
relevée de malice, leur nonchalance coupée de vivacités et d'amu-

---

1. Jules Lemaitre, Vennecy (Loiret) 1853-1914 Tavers (Loiret). Critique :
les Contemporains, 8 séries, 1885-1899; *Impressions de Théâtre*, 11 séries, 1888-
1899; *J.-J. Rousseau*, 1907; *Jean Racine*, 1908; *Fénelon*, 1910; *Chateaubriand*, 1912. — Théâtre : *le Pardon*, 1895; *l'Aînée*, 1898; *la Massière*, 1905.
Contes : *En marge des vieux livres*, 2 séries, 1905 et 1907. — **A consulter :** H. Bordeaux, *J. L.*, 1920; H. Morice, *J. L.* 1924; Germaine Durrière, *J. L. et le théâtre*,
1934; Myriam Harry, *Vie de J. L.*, 1946.
2. Dans ses feuilletons littéraires du *Temps*, réunis dans les cinq volumes de la
Vie Littéraire (1888-1892 : le vol. 5 a paru en 1950), Anatole France ne prétendait
pas à autre chose, disait-il, qu'à « raconter les aventures de son âme au milieu
des chefs-d'œuvre

sants paradoxes. Jules Lemaitre a eu une fortune analogue à celle de Renan : il a passé par un petit séminaire; et puis il a traversé l'École normale. Il a su, comme Renan, retenir la grâce et la force de deux cultures opposées; et son charme complexe vient de là. Poète, sans s'être mis au premier rang, auteur dramatique à qui n'a manqué ni la finesse ni l'émotion, mais la force, conteur exquis, il a fait bénéficier sa critique de ses dons d'invention poétique et de création dramatique. Ce qui n'a pas suffi pour faire un grand artiste, a donné au critique une grâce artistique dont on est irrésistiblement séduit. On a vu sa puissance le jour où il a coupé en pleine floraison le succès de Georges Ohnet : depuis l'article de Lemaitre, bien des gens ont continué de lire Georges Ohnet, mais plus personne ne s'en est vanté. Avec son ondoyante et nonchalante allure, ses souples virevoltes du pour au contre, ses balancements ironiques, Lemaitre a longtemps eu l'air d'un *dilettante* qui jongle avec les idées, d'un fantaisiste qui s'amuse et passe, au hasard des rencontres, du music-hall à Ibsen et de Tolstoï au *Chat Noir*. L'âge venant, il a découvert son vrai caractère de Beauceron très positif et beaucoup plus conservateur que son agilité juvénile ne le laissait croire. Il fut un des chefs du mouvement nationaliste, puis un monarchiste ardent. Sa foi nouvelle est sensible dans les quatre monographies qu'il « parla » d'abord devant un public mondain : un *Jean-Jacques Rousseau* qu'il traite assez cavalièrement par l'absurde, un *Fénelon* un peu faible dans sa grâce, un *Chateaubriand* — naufrageur de la monarchie — qu'il persifle systématiquement sans pouvoir se dérober à ses sortilèges, et enfin un *Racine* un peu idolâtrique, mais extrêmement pénétrant. Ces ouvrages sont charmants en beaucoup de parties, surtout les parties biographiques.

En contraste avec Brunetière, Faguet et Lemaitre, Francisque Sarcey[1], qui avait commencé par être un solide champion de la libre pensée, se claquemura vite et jusqu'à son dernier jour dans son emploi de critique dramatique. Trente ans durant, il défendit dans le *Temps* sa vérité : et cette vérité, au fond, c'est la doctrine de l'art pour l'art. Ceci est du théâtre, cela n'en est pas. Il n'y a en ceci ni vérité d'observation, ni profondeur de pensée : mais c'est du théâtre; applaudissons. Ceci est philosophie, ou poésie, ou nature prise sur le vif : mais ce n'est pas du théâtre; bon à siffler. Il y a quelque justesse dans cette doctrine, en ce sens que la technique a sa valeur; et Sarcey a renouvelé notre connaissance

---

1. Francisque Sarcey, Dourdan 1828-1899 Paris. Edit. : *Le mot et la chose*, 1862; *Quarante ans de théâtre*, 1900-1902, 7 vol. — **A consulter :** L. de Anna : *F. S*, *professeur et journaliste*, 1920.

du théâtre classique en l'étudiant de ce point de vue particulier.
Mais il a eu le tort de croire immuable et intangible la formule
dramatique qu'il avait dégagée de ce théâtre (Corneille, Molière,
renforcés par Regnard, Beaumarchais, Scribe, Sardou) et de
condamner tout ce qui s'en écartait. Outre cela, il s'était formé
au temps de Dumas fils et d'Augier, et refusait d'admettre la véritable révolution dramatique qui s'opérait contre eux. Enfin il
suivait volontiers le goût du public que la rondeur physique et
morale de « l'oncle Sarcey », sa bonhomie joviale, son bon sens
souvent juste bien qu'assez court, mettaient en joie; au lieu de le
hausser jusqu'à lui, il s'alignait à son niveau et lui fournissait des
motifs d'estimer les pauvretés dont il s'amusait : chose énorme en
France. Pour cette triple raison, il a employé son autorité, qui a
été considérable de 1880 à 1900, à barrer la route à toutes les nouveautés : théâtre naturaliste, théâtre d'art, théâtre libre, sans parler des abominations russes et scandinaves. Rôle négatif en somme
et qui a retardé l'évolution du théâtre vers des formes neuves.

A la fin du siècle, le genre de la critique subit une crise grave :
Brunetière avait disparu, Lemaitre s'était détourné, Faguet se
dispersait; avec Sarcey, un âge du feuilleton dramatique avait
pris fin[1]. Presque partout dans les journaux, les comptes rendus
immédiats, au lendemain même de la première représentation,
remplaçaient l'étude réfléchie des pièces. Et la critique des livres
elle aussi faisait place à l'annonce, à la réclame, aux *interviews*
où les détails biographiques, les anecdotes, les menus faits remplaçaient les discussions doctrinales.

D'autre part, la critique n'était pas moins menacée par l'orientation nouvelle des études littéraires, qui s'écartait à la fois du
dogmatisme de Brunetière et de l'impressionnisme de Lemaitre :
Gustave Lanson[2] fondait l'Histoire littéraire dont Brunetière avait

---

1. Le premier ouvrage en prose de Paul Bourget (*Essais de psychologie contemporaine*, 1883, suivis en 1885 de nouveaux *Essais*) avait paru inaugurer
une carrière de critique de grande classe. Bourget y étudiait avec beaucoup
de pénétration ceux des écrivains de la génération précédente dont il avait
subi particulièrement l'influence; mais ce qu'il cherchait, en analysant les
modes divers de leur sensibilité, c'était à mieux connaitre la sienne. Il n'avait
aucune raison d'étendre son étude à ceux qui n'avaient pas agi sur lui et
contre toute attente, il s'en tint là.

2. Gustave Lanson, Orléans 1857-1934 Paris. Editions : *Nivelle de la Chaussée*, 1887; *Bossuet*, 1890; *Boileau*, 1893; *Histoire de la Littérature française*, 1894 ;
Hommes et Livres, 1895; *Corneille*, 1896; *Voltaire*, 1906; *L'Art de la Prose*, 1908;
Manuel bibliographique de la Littérature française moderne, 1909-1914; édit.
histor. et crit. des *Lettres philosophiques*, 1909; et des *Méditations*, 1919; *Traits
caractérist. de l'esprit français*, 1920; *Esquisse d'une Histoire de la Tragédie
française*, 1920; *Les Essais de Montaigne*, 1930; *Vauvenargues*, 1930; *Etudes
d'Histoire littéraire*, 1930. — **A consulter :** P. Moreau, *le Victorieux XXᵉ siècle*, 1925.

tracé une première et large ébauche, mais que son tempérament autoritaire et combatif, son esprit de système avaient imprégnée de subjectivité inconsciente[1]. Lanson partit du principe que tout jugement littéraire équitable et complet comprenait deux éléments : l'un impersonnel, l'information historique ; l'autre personnel, l'appréciation de l'œuvre, relative au goût de chacun. Que ce goût fût chez lui très pénétrant et très délicat, le présent ouvrage — où il a noté « les opinions, les impressions que le contact immédiat des œuvres avait déterminées en lui » — en fournit d'éclatantes preuves ; par là, il a « déscolarisé » la littérature française pour d'innombrables lecteurs, et leur a montré, par l'exemple, qu'elle était un incomparable instrument de culture intérieure. Mais les opinions et les sentiments sont sujets à des variations, avec l'expérience et l'âge ; il a tenu à souligner lui-même cette vérité en s'abstenant de refondre son texte quand son jugement avait varié, et en mettant entre crochets, ou en rejetant en appendice, dans les rééditions successives, « les notes de repentir ou de conversion[2] ».

Par contre, il a montré que l'information historique, bien conduite, donnait des résultats qui ne variaient plus : ni les dates, ni les faits, ni les liens de l'œuvre avec les œuvres antérieures ou les conditions sociales du moment ne sauraient, une fois qu'ils ont été méthodiquement établis (et sous réserve de découvertes nouvelles) être remis en question. Or plus l'information s'accroît, plus elle fait éclater la véritable originalité de l'écrivain considéré, puisqu'elle la décape en quelque sorte de tout ce qui n'est pas elle. Il reste alors à définir cette originalité et à la goûter : pour cela d'autres qualités doivent entrer en jeu, qui relèvent de l'intuition et du goût, variable, nous venons de le voir, et relatif d'homme à homme. En définitive, et en dépit des apparences, c'est bien à dégager les caractères indiscutablement originaux de l'*œuvre* que Lanson a toujours tendu. (Notons ici que Sainte-Beuve, qui usait aussi de la méthode historique,

---

1. Il n'est que juste de signaler que le grand spécialiste des études romanes, Gaston Paris (1839-1903) avait déjà fondé ses publications (*La Poésie au Moyen Age*, 1885 et 1895 ; *La Littérature française au Moyen Age*, 1888, etc.), sur les principes d'une érudition rigoureuse, qui indiquait la voie ; et que d'autres maîtres ont travaillé vers le même temps et dans le même esprit que Lanson, notamment Joseph Bédier (1864-1938). Ses *Légendes épiques* (1908-1913) ont approfondi notre connaissance des Chansons de geste, et son admirable renouvellement du *Roman de Tristan et d'Yseult* a montré que l'érudit le plus exact pouvait être un poète et un artiste. Mais c'est à Lanson qu'il appartient d'avoir fixé la méthode et de l'avoir étendue à l'ensemble de notre littérature.

2. Dans la partie refondue, notes et appendices ont été intégrés dans le texte.

s'appliquait plutôt à faire le portrait psychologique de l'*auteur*[1]). Lanson a donné, soit dans ses ouvrages, soit dans ses leçons, d'admirables exemples des deux temps de sa méthode. Mais il est exact que, dans sa chaire de Sorbonne, il insistait surtout sur le premier, — le seul qui pût être matière d'enseignement : pendant cinq ans, il travailla même à constituer le répertoire de tous les textes et publications relatifs à la littérature française moderne (soit 25 000 références), ouvrage indispensable aux chercheurs, et qui manquait; il est exact aussi qu'il aiguillait ceux de ses étudiants qui ne manifestaient aucune curiosité particulière vers les enquêtes historiques; mais il accueillait volontiers les études esthétiques, à condition qu'elles fussent faites de précisions et non de qualificatifs purement sentimentaux. Ce remarquable excitateur d'intelligences a parfois été mal compris. Beaucoup de ses disciples, et non des moindres, plus historiens qu'artistes, se sont consacrés exclusivement à l'examen des conditions de la vie littéraire, ou des idées, ou des influences, sans plus s'intéresser à la qualité des œuvres; d'autres prétendaient la réduire en ses composantes esthétiques par l'application exclusive de la méthode scientifique; ils ont ainsi accrédité sans le vouloir la légende du *lansonisme* stérilisateur du goût, alors que Lanson exigeait seulement que l'on mît le maximum d'honnêteté intellectuelle à la base du jugement de valeur, qui demeurait pour lui l'élément à la fois premier et ultime[2]. La « déviation » historique a eu d'ailleurs de très heureux résultats; elle a renouvelé sur d'innombrables points la connaissance de la littérature française et a définitivement banni de la critique les appréciations vagues et les formules creuses. En particulier elle a permis de prendre une vue plus équitable du XVIIIe siècle[3], que beaucoup à cette époque, influencés par la conjoncture politique, condamnaient dans ses effets sans examiner les causes.

Ainsi donc, écartelée entre le journalisme et l'histoire, la critique semblait condamnée comme genre. Mais elle représente un besoin essentiel de l'esprit humain et surtout de l'esprit français, analyseur, classificateur, et toujours acharné à tirer au clair ses

---

1. Pour tout ceci, se reporter à la préface du présent ouvrage et notamment à la note 1 de la page VII.

2. « Peut-être a-t-on oublié parfois, écrivait-il à la page 1122 de l'édition non refondue, — ou l'on a laissé croire qu'on oubliait — que l'impression du goût du lecteur précède la critique de l'historien, et que l'érudition explique, contrôle, complète, mais ne remplace pas les réactions de la sensibilité au contact des œuvres. »

3. Voir notamment les travaux de Daniel Mornet sur *La Pensée française au XVIIIe siècle* (1926) et les *Origines intellectuelles de la Révolution française* (1933).

impressions, à les convertir en idées ou à les appuyer de doctrine.
Elle continua de vivre, réfugiée dans deux ou trois journaux, dans
quelques revues, — ou mêlée, sous la forme de manifestes,
théories, controverses, à la bataille confuse qu'entretenaient la
décadence du naturalisme, puis celle du symbolisme, puis le heurt
des nombreuses écoles en *isme* qui prétendirent lui succéder[1]. A
vrai dire, elle se référait de plus en plus à la vie qui l'élargissait
et l'enrichissait de ses problèmes : cette forme nouvelle de critique, où l'œuvre n'est souvent qu'un prétexte à des considérations morales ou philosophiques qui la débordent (ainsi en usait
Montaigne), c'est l'*essai*.

Le meilleur représentant de ce nouveau genre est Rémy de
Gourmont[2], qui prit au *Mercure de France,* ressuscité en 1890, la
première place et mit cette publication, alors unique par l'attention à suivre l'effort des jeunes de France et dans le monde, au
premier rang des grandes revues. Il l'ouvrit toute grande à
l'Ecole symboliste dont il fut le Sainte-Beuve. C'était un écrivain
extrêmement curieux, héritier de Bayle par sa philosophie, de
Voltaire par sa mobilité et son ironie, de Diderot par sa curiosité
universelle; à travers eux, héritier de la première Renaissance
par sa conception du bonheur : il rêvait de jouir sans entraves de
la vie intellectuelle et sensuelle au milieu de l'épanouissement
des arts et de la tolérance des mœurs. Intelligence pessimiste et
tempérament optimiste; foncièrement aristocrate mais nullement
réactionnaire; anarchiste; féru de civilisation mais hostile à tout
ce qui bride les instincts; nourri du plus hardi XVIIIe siècle et
d'ailleurs antirationaliste; antispiritualiste aussi, surtout anti-
protestant, par haine de la sensibilité humanitaire et de la morale;
pas du tout chauvin ni militariste et pourtant, lors de l'Affaire
Dreyfus, défenseur de l'armée; traditionaliste entiché de toutes
les nouveautés; attiré par la science mais passionné pour l'art :
il liait toutes ces attitudes contradictoires par une logique subtile,

---

1. Un livre au moins est à signaler, qui eut le mérite de faire comprendre, malgré
quelques formules un peu troubles, l'idéal des jeunes à qui ni le Parnasse ni le naturalisme ne suffisaient plus, et qui prétendaient ne pas revenir au romantisme de
Victor Hugo, mort d'hier : *La Littérature de tout à l'heure,* de Charles Morice (1889).
2. Rémy de Gourmont, Bazoches-en-Houlme (Orne) 1858-1915 Paris. Romans :
Sixtine, 1890; *le Songe d'une Femme,* 1899; *Une nuit au Luxembourg,* 1907. —
Critique : *Le Latin mystique,* 1892; *Epilogues,* 5 séries, 1895-1910; *Le Livre des
Masques,* 2 séries, 1896-1898; *Esthétique de la Langue française,* 1899; *La Culture
des Idées,* 1900; *Le Chemin de Velours,* 1902; *Le Problème du Style,*1902; *Physique
de l'Amour,* 1903; *Promenades littéraires,* 7 séries, 1904-1927; *Promenades philosophiques,* 2 séries, 1905-1909; *Lettres à L'Amazone,* 1913; *Lettres intimes à l'Amazone,* 1928. — **A consulter :** Coulon, *L'Enseignement de R. de G.,* 1925; P. E. Jacob,
R. de G., 1932; Garnet Rees, *R. de G., essai de biographie intellectuelle,* 1939.

qui triomphait dans ses « dissociations d'idées ». Au vrai, les
contradictions lui importaient peu; ce qui lui importait, c'était
la probité intellectuelle qui refuse de se laisser enchaîner par ses
affirmations passées ou éblouir par les certitudes acquises.
D'autant que selon Gourmont, les certitudes humaines ne sont
qu'illusion; cette arrière-pensée nourrissait son ironie qui dédai-
gnait de prendre en considération les conséquences pratiques,
parfois sérieuses, de ses jeux de pensées. A ce détachement supérieur se mêlaient aussi la peur de penser vulgairement, le désir
d'effarer le bourgeois à la manière de Baudelaire et de Villiers,
ou de le persifler sans qu'il s'en doute, comme faisait Rivarol
pour qui le lecteur est par définition un « sot », exception faite de
la rare élite qui a percé le jeu et s'en amuse.

Gourmont avait d'abord écrit des « romans de la vie cérébrale »
(*Sixtine*) en style raffiné et quintessencié, selon le canon symboliste. Il avait continué par des romans plus capiteux, écrits en
style plus naturel, et dont la *Physique de l'Amour*, « essai sur
l'instinct sensuel », donnait la philosophie. On voit le sens de
l'évolution, aggravée d'une obsession érotique assez déplaisante.
On a longtemps ignoré l'existence, sous ces dehors libertins, d'un
Gourmont mélancolique, sensible, assoiffé de tendresse, dont le
douloureux secret est apparu quand on a publié, après sa mort,
ses *Lettres intimes à l'Amazone*[1].

Mais Gourmont n'avait pas la puissance créatrice du vrai romancier; tout au plus était-il fait pour conter alertement, à la façon
du XVIIIe siècle, et il répugnait trop à se livrer pour s'imposer
comme poète, malgré cinq recueils publiés. Son vrai domaine,
c'est l'essai, où il a pu déployer sa vaste érudition sur tous les
sujets. Car il s'était donné les cultures les plus rares : le latin de la
décadence, le latin mystique, le folklore. En philologie, en philosophie, en histoire littéraire, il était mieux qu'un amateur. Il
connaissait la valeur des faits, des dates. Il savait lier le mouvement littéraire à l'ensemble du mouvement social.

Il s'était nourri de la littérature française antérieure à Louis XIV
et postérieure à 1850. Il avait moins pratiqué les grands classiques
et les grands romantiques. Mais il a beaucoup aimé l'esprit,
l'ironie, le persiflage du XVIIIe siècle. Il s'est montré indulgent
aux préciosités de toutes les littératures et de toutes les époques,
la préciosité étant le goût du rare et l'horreur du vulgaire. Rien
d'étonnant par suite dans sa brusque adhésion au symbolisme,

---

1. Gourmont, défiguré, très jeune encore, par un lupus s'était alors retiré de
la vie sociale. La rencontre, en 1910, d'une Américaine qui vivait à Paris, Natalie
Clifford Barney, lui rendit le goût de vivre. C'est elle qu'il appelait « l'Amazone »

dont l'idéalisme hermétique faisait alors scandale. Très vite, il en devint le théoricien enthousiaste, et tout ce qu'il a écrit sur ce mouvement, ses origines et son développement mérite d'être étudié de près. Le *Livre des Masques* montre la souplesse et la pénétration de sa critique, qui s'attache à discerner et à rendre sensible l'originalité de chaque poète.

Il y a aussi un Gourmont curieux de science, mais plus intéressé par les problèmes que par leurs solutions. En toute manière il se détournait de la science déjà faite : les vérités inconnues étaient les seules qui lui paraissaient mériter qu'on se passionnât. Il y a encore un Gourmont philosophe et moraliste qui, dans ses billets du *Mercure de France*[1], touchait à tous les problèmes. « Touchait » est le terme exact : il ne les creusait pas, il se contentait de les poser par quelque biais inattendu qui stimulait l'esprit du lecteur. Il n'est guère de domaine intellectuel où il n'ait poussé de pointes hardies et heureuses, à la manière d'un cavalier en reconnaissance qui cherche le contact et le rompt aussitôt[2].

Après le dilettante sceptique, le doctrinaire constructeur : Charles Maurras[3]. Peut-être Maurras est-il au fond essentiellement un artiste, qui s'est réjoui dans la noble architecture d'idées qu'il a dressée. Sa doctrine a un mérite : elle est universelle. Elle embrasse tout : politique, sociologie, morale, histoire, littérature,

---

1. Ce sont ces billets qui ont été recueillis sous le titre d'*Épilogues*.

2. Il faut citer ici un écrivain de moindre envergure, mais très original : Marcel Schwob (Chaville 1867-1905 Paris). Marqué à ses débuts à la fois par Flaubert et le symbolisme (*le Roi au Masque d'Or*, 1892), il se fit ensuite connaître comme essayiste, comme érudit et comme conteur. Essayiste, il se pencha sur les singularités psychologiques et morales, et révéla aux Français Meredith et Stevenson; érudit, il étudia avec délices les vies aventureuses ou violentes (*Spicilège*, 1896); conteur, il exploita ingénieusement ses trouvailles d'érudit, dépeignant, en un style nu, d'une perfection glacée, des personnages « affranchis », — pirates, gentilshommes de fortune —, des actes cruels, des événements terrifiants. (Ainsi naquit chez nous, de sources livresques, le roman d'aventures qui allait foisonner après la première guerre mondiale). Par une autre partie de son œuvre, faite de tendre pitié pour ses puériles héroïnes (*Croisade des Enfants*, 1896; *Le Livre de Monelle*, 1894), il influença la Bataille des débuts, poète de *La Chambre blanche*, et peut-être Charles-Louis Philippe. Enfin Apollinaire conteur s'est souvenu des contes de Schwob. Cf. Pierre Champion, *M. S. et son temps*, 1927.

3. Charles Maurras, Martigues (B.-du-Rhône) 1868-1952 Tours. Littér. : *Le Chemin de Paradis*, 1895; *Anthinéa : d'Athènes à Florence*, 1901; *Les Amants de Venise*, 1902; *L'Avenir de l'Intelligence*, 1905; *L'Etang de Berre*, 1915; *L'Allée des Philosophes*, 1923; *Barbarie et poésie*, 1925; *Un débat sur le romantisme*, 1929. Poésie : *La Musique Intérieure*, 1923. Polit. : *Trois idées politiques*, 1898; *Quand les Français ne s'aimaient pas*, 1916; *Dictionnaire polit. et critique*, 5 vol., 1932-1934 (recueil d'articles parus dans l'*Action Française*); *Mes idées politiques*, 1937 (fragments du *Dict.*). — **A consulter :** Thibaudet, *Les idées de Ch. M.*, 1920; Léon Daudet, *Ch. M. et son temps*, 1930; M. Clavière, *Ch. M. ou Restauration des valeurs humaines*, 1939; H. Massis, *M. et son temps*, I (1951).

art. Elle répond à tous les problèmes, et donne une règle à toutes les activités, un guide dans toutes les directions. Avec elle, on est muni. C'en est la séduction pour les esprits jeunes, et qui haïssent l'inquiétude de la recherche. C'en est pour d'autres la faiblesse.

Royaliste et catholique de naissance et d'éducation première, mais ayant perdu la foi de bonne heure; ayant même la haine de ce qui est proprement religieux dans la religion; haïssant la Bible et foncièrement antisémite, sachant gré à l'Église d'avoir éliminé de la religion catholique l'élément judaïque, biblique, évangélique, mystique, au profit d'un rationalisme réaliste[1]; romain, au double sens du mot, épris de la Rome antique, impériale et législatrice, et de la Rome pontificale, à qui appartient aussi le sens de la domination et de l'organisation; romain donc, pour n'être pas chrétien; grec aussi, du moins il l'imagine, par un goût vif de la beauté et voulant, pour cette raison, retrouver dans Athènes l'image anticipée de Rome; Français passionnément, et à fond, et de toutes les façons, de la meilleure comme de la plus mauvaise: il a tout fondé sur les idées d'unité, d'ordre, de discipline. Il a combattu partout l'individualisme, le libéralisme, l'anarchie. Il a vu la vérité, le salut du monde, et particulièrement de la France, qui l'intéresse plus que le monde, et sans qui d'ailleurs le monde ne peut se sauver, dans la soumission de la France au Roi et à l'Église; ajoutons: et à la raison classique. Le Roi de l'ancienne France, l'Église romaine, la raison classique: voilà les trois colonnes de la société. Voilà les trois principes vrais et bienfaisants, si bienfaisants que qui ne les acceptera pas pour leur vérité, devra les accepter pour leur utilité. Ils assurent l'ordre et l'unité.

Actuellement, tout est désordre et anarchie. Quelle est la cause profonde de ce trouble? C'est l'individualisme, né de la Réforme, consacré par la Révolution, propagé par le Romantisme et sa séquelle: Parnasse, naturalisme, symbolisme, impressionnisme. Le romantisme a donné à la sensibilité le droit de connaître et de commander. Devenue la faculté souveraine, elle a étendu partout ses nuées: ainsi a été brouillé le sens de l'observation, obnubilé l'esprit critique, corrodée la faculté logique, pendant que l'antirationalisme, qui de son vrai nom s'appelle barbarie, s'installait partout[2]. Maurras avait commencé sa contre-offensive

---

1. L'Église ne pouvait admettre cette interprétation qui la séparait du christianisme évangélique : en 1926, le pape condamnait l'*Action française*.

2. Dans une thèse fameuse, *Le Romantisme français* (1907), Pierre Lasserre a systématisé avec chaleur et verve les idées de Maurras. Ernest Seillière à son

par une analyse implacable de l'amour romantique, dans ses *Amants de Venise*. Il a sans cesse élargi et renforcé ses attaques. Le seul remède, conclut-il, c'est de remettre en place les institutions éprouvées qui rétabliront partout les disciplines nécessaires et permettront à la civilisation française de reprendre son cours interrompu. Civilisation signifie en effet effort raisonné vers la perfection, et non abandon aux forces obscures : c'est Apollon qui doit régir le monde, non Dionysos.

Pourtant, disait Barrès, qui refusait d'exclure les apports du romantisme de l'ordre nouveau, l'ordre n'est rien s'il encadre le vide. D'autres objectaient que tout naît de l'individu (ainsi Jeanne d'Arc, — Maurras lui-même...), et que les grands renouvellements (ainsi les Croisades) se font par mysticisme ou intuition. D'autres, qu'on ne fait pas naître à volonté une grande civilisation à partir d'éléments pré-fabriqués. D'autres, qu'il était impossible de se replier sur des traditions étroitement chauvines au moment où l'intelligence humaine s'enrichissait de toute la diversité du monde; et qu'une pareille contraction sur soi serait pour la France un appauvrissement, voire une mutilation.

Sur le plan politique, Maurras a fait pour la royauté ce que Chateaubriand a fait pour la religion. Toute son œuvre est un « Génie de la Monarchie ». Il s'agissait pour Chateaubriand de rendre le christianisme vénérable et séduisant pour les esprits. Maurras s'est proposé de relever l'idée monarchique du discrédit où elle était tombée en France. Il a donc entrepris de persuader aux Français que l'œuvre des rois, dans le passé, dans tout le passé, a été bonne, — que la fonction de Roi implique nécessairement, quelle que soit la valeur intellectuelle et morale du souverain, l'intelligence des besoins de la patrie et le souci unique d'y satisfaire. Cette apologie laissait bien entendu dans l'ombre tout ce qui aurait pu la desservir, et elle se renforçait encore du ton de certitude infaillible, de supériorité hautaine, de mépris insolent pour les adversaires que Maurras avait choisi et qui est resté la marque de ses disciples. Tout cela était fondé sur une exacte psychologie, celle de toutes les propagandes, dont la technique nous est maintenant familière, — encore qu'il soit difficile de dire ce qui est ici sophisme concerté ou idéalisation involontaire. Quand un homme passionné utilise le passé comme référence, il y retrouve sans difficulté, à force de désirer l'y

tour devait rechercher, et naturellement trouver, chez presque tous les grands écrivains du xixe siècle, la tare inexpiable de l'individualisme. Pour Pierre Lasserre, voir page 1303.

voir, le système parfait qu'il veut transposer dans l'avenir[1].

Partant de là, on pourrait soutenir que cet ennemi du romantisme est romantique à son insu. Sa logique obéit sans cesse à sa sensibilité et à son imagination, et ce sont souvent ces deux facultés, par lui-même réputées mineures, qui déterminent dans son œuvre le choix des faits ou l'invention des arguments. Il y a bien des éléments subjectifs, visionnaires, personnels, dans cette construction que Maurras présente comme réaliste, universelle et objective. Cependant, en un sens, Maurras est bien un classique. Car il fait passer toutes ses émotions, sympathies, antipathies et haines par son intelligence; il les réduit en idées claires et liées; il enferme sa passion dans sa logique, qui néanmoins en laisse rayonner la chaleur. Cette technique de composition et de style est vraiment classique, et de la bonne tradition française.

Il agit de même avec l'inspiration poétique, dont il a le culte ardent, mais dont « la dissolution verlainienne, la brumeuse phraséologie du symbolisme[2] » lui paraissent une expression dérisoire et avortée. C'est pour les combattre qu'il fonda avec Moréas, en 1890, l'École romane. Ses maîtres à lui sont Virgile, Dante, La Fontaine, Mistral; ils lui ont enseigné que les vers peuvent signifier quelque chose sans devenir prosaïques; à leur exemple, il coule des pensées nettes dans la forme traditionnelle du vers, mais elles restent trop discursives, trop articulées, et surtout trop dépourvues de la sensualité secrète, des « correspondances » mystérieuses qui rendent si émouvants les plus beaux vers de Valéry, cet autre classique.

C'est surtout comme prosateur que Maurras fait figure de grand écrivain. Il faut toutefois distinguer dans son œuvre la part — considérable — du journaliste qui chaque jour a dû improviser des articles où parfois la phrase s'allonge, incolore, fibreuse, ou redondante, ou même obscure; et les ouvrages plus médités (ou plutôt les essais qui les composent, « discontinus mais concordants »), où la pensée se traduit en formules nerveuses et brillantes, en strophes discrètement musicales et bien rythmées. On trouvera dans ces derniers des jugements critiques pleins de clartés neuves sur Musset et Sand, sur Chateaubriand, Michelet, Sainte-Beuve, sur Anatole France, sur Moréas.

---

1. Ainsi Maurras prépare l'instauration d'une monarchie héréditaire qui protégerait les libertés régionales. Il faut donc que l'ancienne monarchie les ait respectées, et c'est ce qu'il affirme en s'appuyant sur les archives de Martigues. Pourtant Tocqueville et Taine, dont il suit en général les idées, l'ont montrée si fortement centralisatrice que la Convention n'avait eu qu'à parachever son œuvre.

2. Lefèvre, *Une heure avec ...*, 2e série, p. 17.

Bref l'homme est considérable. Sur le plan politique, il a opéré un revirement inattendu en arrachant le royalisme aux regrets des vieillards pour le proposer comme idéal aux plus jeunes, que la montée du socialisme ne ralliait pas tous; il a rendu à ceux-ci la fierté de leur vieille civilisation, — l'orgueil même, ce qui est trop, mais a sans doute contribué à l'élan de 1914; sa doctrine du nationalisme intégral a trouvé des adeptes déclarés au-delà de nos frontières : Salazar, Mussolini. Sur le plan littéraire, il a rétabli par l'exemple le sens des grandes constructions intellectuelles qui semblait perdu, raffermi la pensée française que le sentimentalisme et le mysticisme menaçaient de dissoudre, épuré le goût, malheureusement en l'étriquant. Quoiqu'il en soit, avec ses partis pris et ce qu'il faut bien appeler ses sophismes, il restera comme un bel écrivain, et comme un des esprits vigoureux et originaux de notre temps. Il a fait ce qu'il a voulu, et voulu ce qu'il a fait. Par là, il aura place parmi les maîtres. Il représentera un des aspects, une des pointes extrêmes de la tradition française[1].

Avec Léon Bloy[2], nous arrivons à un inclassable. « Essayiste » est impropre; « pamphlétaire », insuffisant; « poète » serait plus juste. La vérité est qu'il s'agit d'un prophète, de nature morose et possédé de la fureur divine, d'un « promulgateur d'absolu » ulcéré de sa misère temporelle qu'il portait cependant comme un sacerdoce et du haut de laquelle il a proféré inlassablement contre le siècle, en un langage tonitruant, les malédictions d'Ezéchiel. Pas de hiérarchie, ecclésiastique ou laïque, pas d'homme en place, pas de riche qu'il n'ait couvert d'injures et de calomnies, même infâmes, même ordurières; sans arrêt il s'est vomi (le mot est de lui) contre les tièdes, les indifférents, les athées, — même contre

---

1. On ne peut séparer de Maurras la vigoureuse personnalité de son disciple et ami Léon Daudet, auteur de nombreux essais et romans, — ces derniers assez médiocres, fortement marqués par les études médicales et les fréquentations naturalistes de sa jeunesse. Léon Daudet (Paris 1867-1942 Saint-Remy-de-Provence, fils d'Alphonse Daudet, a mis au service de la cause royaliste un vigoureux tempérament d'écrivain débordant de vie, sensuel et rabelaisien, impulsif, excellent dans la charge truculente et la bouffonnerie jovialement dénigrante. C'est donc avec précaution, mais avec amusement, qu'on consultera ses écrits de mémorialiste : *Fantômes et vivants* (1914), *Devant la douleur* (1915), l'*Entre-deux-guerres* (1915), *Salons et Journaux* (1917). — **A consulter** : E. Mas, *L.D.*, 1928.

2. Léon Bloy, Périgueux 1846-1917 Bourg-la-Reine. Edit. : *Le Désespéré*, 1886; *le Salut par les Juifs*, 1892; *Sueur de sang*, 1893; *La Femme pauvre*, 1897; *Le Mendiant ingrat*, 1898, 1er vol. du *Journal* (série de 8 vol. 1898-1920); *Exégèse des lieux communs*, 1902; *L'Ame de Napoléon*, 1912. — **A consulter** : R. Martineau, *L. B., souvenirs*, 1924; *Autour de L. B.*, 1926; L. Bollery, *Un grand écrivain français méconnu*, *L. B.*, 1929; Termier, *Introduction à L. B.*, 1930; R. Martin, *L. B. et la Femme pauvre*, 1933; Seillière, *La Psychologie d'un mystique*, 1936; L.Bollery, *Le Désespéré de L. B.*, 1937; L. Bollery, *L. B., origine et formation*, 1947.

ceux qui s'avisaient de lui venir en aide, car leur aide n'était à ses
yeux qu'une réparation, toujours insuffisante, « de l'injustice
énorme qu'il endurait » et comme elle leur valait des grâces à
bon compte, c'était encore eux les bénéficiaires. Quelle injustice?
Celle de la pauvreté où il se débattait avec rage, en « mendiant
ingrat »; celle du silence dans lequel on laissait s'engloutir
ses imprécations, si forcenées qu'elles en devenaient inoffen-
sives.

Cet égocentrisme monstrueux (mais n'était-il pas l'annonciateur du Paraclet?), ce manque de charité (mais sa colère était
seulement, s'il faut l'en croire, « l'effervescence de sa pitié ») ont
donné prise à des jugements sévères. Par contre on n'a pas mis
en doute sa foi qui fut prodigieuse, ni sa sincérité qui fut éclatante,
ni ses souffrances qui furent terribles et qu'il amplifia encore
par l'imagination. Nous tenons ici le trait essentiel; Bloy ne raisonne jamais, il fulmine; ce n'est pas un mystique, a dit l'abbé
Bremond, les mystiques sont plus simples, mais un illuminé, un
visionnaire qui précipitait en tumulte, à la manière de Carlyle,
ses intuitions, effusions, vaticinations. Non sans art toutefois :
ses amis, Barbey d'Aurevilly, Villiers de l'Isle-Adam, veillaient
à ce qu'il aménageât au mieux ses dispositions naturelles au mépris
et à l'outrance.

Cet art a été contesté. On ne peut refuser au style le mouvement,
qui est torrentiel, la puissance et le pittoresque dans l'invective,
la trouvaille des formules à l'emporte-pièce, la richesse du vocabulaire. Et d'autre part on y dénonce avec raison mille survivances
de l'affreuse prose décadente (adjectifs rares, néologismes), l'emphase, parodie de la force, ou le désordre, ou la bizarrerie; mais
tout à coup éclate une page, d'une simplicité et d'une élévation
admirables, devant laquelle toutes les critiques tombent. Elles
reprennent contre le désordre de la composition, car Léon Bloy,
trop impulsif, n'a jamais su composer, — ou contre l'étrangeté des inventions mélodramatiques et macabres de ses
deux romans autobiographiques, *le Désespéré* et *la Femme
pauvre;* malgré bien des pages émouvantes, ils n'atteignent
pas à la puissance des romans de Bernanos, cet héritier de
Bloy.

L'homme n'est pas moins discuté : si l'abbé Bremond hausse les
épaules devant ses « âneries[1] », le philosophe Maritain s'incline
devant son génie... Nous n'avons pas à juger de théologie. Bor-
nons-nous à constater que cette voix rude a secoué violemment le

---

1. *Nouvelles Littéraires*, 8 oct. 1932.

monde catholique, inquiété des âmes, déterminé des conversions[1];
qu'elle garde encore sa puissance d'attraction; et pour nous en
tenir à la littérature, qu'en réveillant le sens du mystère, elle
renforçait le courant antirationaliste qui s'amplifiait depuis les
années 1880.

1. Notamment celle de Maritain.

CHAPITRE VI

PHILOSOPHIE, SCIENCE, HISTOIRE, ÉLOQUENCE

La fin du scientisme : Émile Boutroux. — Critique de l'intelligence : Henri Bergson ; une nouvelle méthode de connaissance : l'intuition. — Critique de la science : Henri Poincaré. — L'histoire scientifique : spécialisation érudite et synthèses collectives.

En réaction contre le scientisme de l'époque précédente, qui réduisait le monde à un enchaînement rigoureux de phénomènes concrets, exclusif de toute finalité et donc de toute liberté, nous avons vu la poésie et même le théâtre s'imprégner à nouveau du sentiment du mystère. Le même sentiment envahit le domaine des idées, après que la critique des philosophes et des savants eut démontré la relativité de la connaissance humaine. Cette critique détermina la plus vaste révolution qui ait eu lieu chez nous dans la pensée depuis Descartes[1].

Émile Boutroux[2] avait ouvert les voies dès 1874 par sa thèse restée fameuse sur *la Contingence des lois de la nature*; il avait entrepris l'analyse du travail scientifique, et montré que la liaison que nous croyons constater entre les phénomènes est une exigence de notre entendement plutôt qu'une vérité objective. Pendant quinze ans, de nombreux philosophes discutèrent les conclusions de Boutroux, et pour la plupart s'y rallièrent. Mais aucun d'eux ne contestait la valeur cognitive et interprétative de notre intelligence, qui semblait notre seul moyen d'atteindre le réel. C'est sur ce point qu'allait porter la critique de Bergson[3] : à l'intel-

---

1. Voir A. Cresson, *Le malaise de la pensée philosophique*, 1905 ; E. Boutroux, *La philosophie en France depuis 1867* (*Rev. de métaphys. et de morale*, nov. 1908) ; D. Parodi, *La Philosophie contemporaine en France*, 1919, 3ᵉ éd. augmentée en 1925.

2. Émile Boutroux, Paris 1845-1921 Paris. *De la contingence des lois de la nature*, 1874 ; *De l'idée de loi naturelle dans la science et la philosophie contemporaine*, 1897 ; *Science et Religion dans la philosophie contemporaine*, 1908.

3. Henri Bergson, Paris 1859-1941 Paris. *Essai sur les données immédiates de la conscience*, 1889 ; *Matière et Mémoire*, 1896 ; *Introduction à la Métaphysique* (*Rev. de Métaph. et de morale*, janv. 1903) ; *L'Evolution créatrice*, 1907 ; *L'Energie spirituelle*, 1919 ; *Les Deux Sources de la Religion et de la Morale*, 1932 ; *La Pensée*

lectualisme dont relevaient plus ou moins toutes les philosophies précédentes, il opposa un anti-intellectualisme décidé.

Aucune arrière-pensée dans son cas : ce fut plutôt la conséquence d'une constatation capitale qu'il devait à sa passion pour la précision scientifique et à ce réalisme psychologique qui lui faisait aborder les problèmes directement, sans se soucier des solutions déjà proposées par d'autres. En réfléchissant sur la notion de temps, il avait été amené à la dissocier et à distinguer d'une part le temps des savants, d'autre part la durée vivante; le premier, étalonné sur le modèle de l'espace en segments homogènes et égaux (jours, heures, etc.); la seconde, état qualitatif en transformation perpétuelle, qui défie toute mesure et que nous saisissons dans notre conscience quand nous nous écoutons vivre. Il en avait conclu que le temps des savants, construction de l'intelligence, et plus généralement que l'intelligence elle-même ont pour objet l'action pratique sur la matière, et non la connaissance. Pour pénétrer jusqu'à l'absolu du réel, il faut recourir à une autre faculté, plus proche du sentiment : l'intuition, définie comme une espèce de sympathie extra- (et supra-) intellectuelle; seule, elle peut nous permettre de nous identifier avec la chose à connaître, que ce soit notre propre conscience ou un être extérieur à nous; ce que nous saisissons alors directement, c'est le psychique, c'est le vital en perpétuel devenir, aussi irréductibles aux déterminations du mécanisme scientifique qu'aux explications de l'intelligence discursive. Aussi bien ne pourrons-nous rendre compte de ces forces primordiales et mystérieuses que par les procédés de l'art : d'où, chez Bergson, la fréquence des images, souvent très belles, dont il use pour suggérer ce qu'il se sent impuissant à définir.

Cette doctrine, ou plutôt cette méthode, exerça en tous sens une influence immense. Par sa recherche du réel concret sous les constructions de l'intelligence conceptuelle, elle rejoignait et renforçait le mouvement symboliste, qui l'avait légèrement précédée dans le temps[1]; il y a eu ici parallélisme, sans relation de cause à effet. Par son auscultation du moi, elle ramenait à l'introspection, et par ses révélations sur la durée vivante, elle invitait à

---

et le Mouvant, 1934. A signaler aussi un petit ouvrage très littéraire : Le Rire, Essai sur le comique, 1900. — **A consulter** : Le Roy, Une philosophie nouvelle, Henri Bergson, 1912; Segond, L'Intuition bergsonienne, 1913; Maritain, La Philosophie bergsonienne, 1914; Thibaudet, Le Bergsonisme, 2 vol., 1914; J. Chevalier, Bergson, 1926; V. Yankélévitch, Bergson, 1931; Floris Delattre, Bergson et Proust dans le vol. I des Études bergsoniennes, 1948.

1. C'est le 18 septembre 1886 que Moréas publia dans Le Figaro le manifeste du Symbolisme. L'Essai sur les données immédiates de la conscience (1889) est donc postérieur de trois ans.

prospecter l'inconscient : double source d'inspiration que la littérature exploitera amplement, surtout après 1918. La théorie de l'élan vital, spontanéité créatrice éternellement jaillissante et principe de toute vie, allait renouveler la métaphysique que certains croyaient à jamais abolie, et du même coup rendait aux hommes l'espérance, ou du moins le sentiment de la liberté. « Il a rompu nos fers », dira Péguy. Le modernisme catholique[1] se réclamera de l'intuition bergsonienne, et le syndicalisme révolutionnaire[2], de l'évolution créatrice. De façon générale, on peut rapporter à Bergson (et à Nietzsche, très lu en France par la génération de 1900) l'origine de ce vaste mouvement anti-intellectualiste, bientôt antirationaliste, qui allait s'amplifier pendant les années suivantes jusqu'à constituer la marque propre du temps présent.

Ainsi c'est la « durée » de Bergson qu'entend retrouver Proust, dans sa *Recherche du Temps perdu*. Péguy s'autorisera de la critique bergsonienne de l'intellectualisme pour coiffer du bonnet d'âne les intellectuels ses contemporains, puis pour proclamer, avec beaucoup d'autres, le primat de l'action, de la vie, de la foi. Suarès ne voudra pas d'autre méthode que l'intuition bergsonienne pour pénétrer les secrets du génie. Charles du Bos, Thibaudet s'en réclameront aussi.

Le paradoxal, c'est que Bergson ait recouru, pour exposer ses découvertes, à ce langage analytique dont il avait démontré les insuffisances. Son style est admirablement limpide, élégant, bien lié, fleuri d'admirables images qu'il destine, il est vrai, non à flatter l'imagination mais à orienter l'esprit : un style d'intellectuel-poète qui fait songer à Platon. C'est chez Péguy, dont les tâtonnements systématiques visent à nous faire éprouver (c'est-à-dire, selon Bergson, comprendre) l'inexprimable, c'est chez Proust dont la phrase s'enfle démesurément pour embrasser tous les éléments simultanés de la durée vivante, qu'il faut chercher des exemples de style vraiment bergsonien.

---

1. Notamment Édouard le Roy. Voir *le Problème de Dieu*, 1929.
2. Patronné par Georges Sorel (1847-1922), auteur des *Réflexions sur la Violence* (1907) et des *Illusions du Progrès* (1908). Féru surtout de Marx et de Nietzsche, Sorel était aussi un admirateur de Bergson, dont la méthode intuitioniste répondait à la nature de sa propre pensée. Il prétendit même justifier par la philosophie bergsonienne son idée de la grève générale conçue comme *mythe*, c'est-à-dire comme image motrice propre à exalter l'énergie des masses ouvrières. Sur ce curieux esprit, penseur autodidacte, écrivain elliptique et souvent obscur, que Péguy a révéré un moment, qui a influencé Maurras, Mussolini et applaudi au triomphe de Lénine, lire : R. Johannet, *Itinéraires d'intellectuels*, 1921; P. Lasserre, *G. S. théoricien de l'impérialisme*, 1926; G. Pirou, *G. S.*, 1927; J. Variot, *Propos de G. S.*, 1936.

Le plus illustre des savants contemporains, Henri Poincaré[1], a lui aussi affirmé le caractère relatif de nos connaissances scientifiques, sans aller aussi loin que Bergson et sans refuser à l'esprit le pouvoir d'atteindre directement, sinon les choses elles-mêmes, tout au moins les rapports des choses entre elles : si l'esprit ne saisissait pas ces rapports, il ne pourrait pas agir sur les choses. Mais nous ne pouvons être assurés de la valeur objective de nos lois que lorsque nous sommes parvenus à les soumettre au contrôle de l'expérience; les grandes théories de la physique ont beau avoir leurs points de départ dans les faits bruts, elles échappent ensuite à la vérification directe et deviennent insensiblement des constructions conventionnelles où s'expriment, non plus les caractères de la réalité, mais les traits de l'esprit humain. Poincaré, moins anti-intellectualiste que Bergson, a donc agi dans le même sens : comme lui il a refusé de faire entrer l'univers dans les schèmes mathématiques qui devaient, selon quelques-uns, le réduire au mécanisme intégral. (Il admettait même que « la nature puisse n'être pas simple » et que nos lois dissimulent peut-être, sous la fixité de formules qui ne seraient alors que des « moyennes » commodes, la multiplicité, la diversité, le désordre...) Ce grand mathématicien était aussi un bel écrivain; il plaçait l'émotion esthétique à l'origine de la pensée, même scientifique, et par là encore il se rapprochait de Bergson, qui mettait l'art au-dessus des autres activités humaines. Dans les quatre volumes où sont rassemblées ses réflexions sur des problèmes de portée générale, on rencontre souvent des expressions vigoureuses, directes et concrètes, qui rappellent Pascal.

L'histoire[2] a continué à se faire toujours plus scientifique. On enseigne maintenant dans les Facultés les règles de la méthode historique, dépouillement des archives, critique des sources, étude comparative des textes; on ose l'appliquer aux temps modernes[3]. Et comme la matière s'amplifie sans cesse dans le temps (archéo-

---

1. Henri Poincaré, Nancy 1854-1912 Paris. *La Science et l'Hypothèse*, 1902; *la Valeur de la science*, 1906; *Science et méthode*, 1908; *Dernières pensées*, 1913. — **A consulter :** P. Appell, *Henri Poincaré*, 1925.

2. Voir Mortet, *La Science de l'Histoire*, 1894; Lacombe, *De l'Histoire considérée comme science*, 1894; C. Jullian, *Notes sur l'Histoire en France au XIXe siècle*, en tête des *Extraits des Historiens français du XIXe siècle*, 1896; Langlois et Seignobos, *Introduction aux études historiques*, 1897; L. Halphen, *L'Histoire en France depuis cent ans*, 1914; P. Moreau, *L'Histoire en France au XIXe siècle*, 1935.

3. A partir de 1880 seulement. 1892, thèses sur la Révolution à l'École des Chartes; 1894, introduction de l'enseignement de l'histoire moderne et contemporaine dans les Facultés des Lettres; 1901, fondation de la Société d'histoire.

logie, préhistoire) et dans l'espace (Extrême-Orient, Afrique, Amérique), comme d'autre part l'étude serrée des civilisations fait surgir des problèmes toujours plus complexes, économiques, juridiques, financiers, religieux, la division du travail, entraînant la spécialisation, s'est imposée d'elle-même. D'innombrables érudits multiplient les sondages sur des points particuliers, et s'efforcent dans chaque cas d'établir l'authenticité des faits et l'enchaînement exact des causes. Ils s'abstiennent toutefois de peindre ou de philosopher : qui veut peindre est entraîné à forcer la couleur pour accroître le pathétique, et qui veut philosopher risque d'abstraire trop aisément, de généraliser trop vite ou de dogmatiser à son insu. Il va de soi que ces travaux extrêmement utiles, qui posent les fondements de l'histoire, ne relèvent à aucun degré de la critique *littéraire*, puisqu'ils écartent systématiquement l'évocation de la vie concrète, les jugements philosophiques, l'originalité du style, c'est-à-dire les seuls éléments pour lesquels elle ait compétence. Nous citerons cependant, mais non à titre d'œuvres *littéraires*, les travaux beaucoup plus amples, mais fondés sur les mêmes principes, de Charles-Victor Langlois[1], d'Aulard[2], de Seignobos[3]. De premier ordre en tant qu'œuvres historiques, ils ne donnent prise à la critique littéraire ni en bien ni en mal.

Péguy a été dur pour les historiens scientifiques : avec sa fougue coutumière, il les a accusés de se mettre à l'école des philologues allemands, prudents et méticuleux, alors que seule l'intuition (bergsonienne) peut ressusciter l'événement. Mais à partir sans information préalable, le risque est grand de retomber dans la fantaisie romantique, que l'esprit moderne répudie justement. Il semble donc logique d'établir d'abord la vérité des faits au moyen d'une enquête méthodique et rigoureuse; après quoi, dans les limites et selon les éléments que l'enquête aura précisés, l'intuition de chacun aura toute licence de recréer la vie intégrale. Ainsi a procédé, dans sa meilleure période, Michelet, qui a tiré des documents d'archives son chef-d'œuvre, *le Moyen Age*.

Cependant l'austérité de l'histoire scientifique rebutait beaucoup de lecteurs qui réclamaient des récits mélodramatiques ou

---

1. **Charles-Victor Langlois**, Rouen 1863-1929 Paris. *La Société française au XIIIe siècle*, 1904; *La vie en France au Moyen Age*, 1908; *Connaissance de la nature et du monde au Moyen Age*, 1911.

2. **Alphonse Aulard**, Montbron (Charente) 1849-1928. *Histoire politique de la Révolution française*, 1901; *Etudes et leçons sur la Révolution française*, 9 séries, 1893-1924.

3. **Charles Seignobos**, Lamastre (Ardèche) 1854-1942 Ploubazlanec (Côtes-du-Nord). *Histoire politique de l'Europe contemporaine*, 1897, mise à jour en 1924; *Histoire sincère de la nation française*, 1933.

scabreux. D'adroits écrivains, comme Lenotre[1], Funck-Brentano[2] s'employaient à les satisfaire; mais leur « petite histoire », outre qu'elle était anecdotique, glissait trop souvent vers l'histoire romancée; d'autre part les résultats de tant de pénibles recherches restaient ignorés dans les bibliothèques. Les gens du métier sentirent la nécessité de prouver au grand public que la « grande histoire », dépouillée de l'appareil critique qui les effrayait, pouvait, tout comme l'autre, intéresser et émouvoir : c'est le but que se proposaient le *Vercingétorix* de Jullian[3], la *Théodora* de Diehl[4], l'*Innocent III* de Luchaire[5]. Ils l'ont brillamment atteint.

Au reste, la discipline scientifique peut contraindre, mais non étouffer, les tempéraments originaux : qui est né écrivain reste écrivain, même en la pratiquant. Nombreux sont les historiens qui valent, non seulement par la sûreté de leur information, mais aussi par le mouvement ou le pittoresque de l'exposé, la hauteur des vues, la netteté ou l'éclat du style : par là, ils relèvent de la critique littéraire. Citons entre autres : Jullian[3], historien chaleureux de la Gaule; Chuquet[6], qui conta si dramatiquement les Guerres de la Révolution; Vandal[7], dont *l'Avènement de Bonaparte* est célèbre; Madelin[8], peintre souvent éclatant de la Révolution et de l'Empire; Henry Houssaye[9], qui anima d'un pathétique contenu le récit de la chute de Napoléon; Pierre de la Gorce[10],

1. Louis Gosselin, dit Lenotre, Metz 1857-1935. *Paris révolutionnaire*, 1893; *Le Baron de Batz*, 1896; *Le Marquis de la Rouerie*, 1899; *Vieilles maisons, vieux papiers*, 6 séries, 1900-1929; *Le drame de Varennes*, 1905, etc.

2. Funck-Brentano, Münsbach (Luxembourg), 1862-1946. *Philippe le Bel en Flandre*, thèse de doctorat, 1896; *Légendes et archives de la Bastille*, 1898; *Le drame des poisons*, 1900; *L'Affaire du Collier*, 1901; *La Mort de la Reine*, 1901; *Mandrin*, 1901.

3. Camille Jullian, Marseille 1859-1933 Paris. *Vercingétorix*, 1901; *Histoire de la Gaule*, 8 vol., 1907-1927; *De la Gaule à la France*, 1921.

4. Charles Diehl, Strasbourg 1859-1944 Paris, spécialiste de l'histoire byzantine. *Théodora, impératrice de Byzance*, 1904; *Figures byzantines*, 1906-1908.

5. Achille Luchaire, Paris 1846-1908 Paris, spécialiste du haut Moyen Age. *Innocent III*, 3 vol., 1905-1907.

6. Maxime Chuquet, Rocroi 1853-1925 Villemomble. *Les Guerres de la Révolution*, 11 vol., 1886-1895.

7. Albert Vandal, Paris 1853-1910 Paris. *Napoléon et Alexandre Ier*, 3 vol., 1891-1896; *L'Avènement de Bonaparte*, 2 vol., 1902-1907.

8. Louis Madelin, né à Neufchâteau (Vosges) en 1871. *Fouché*, 1901; *La Rome de Napoléon*, 1904; *La Révolution*, 1910; *Histoire du Consulat et de l'Empire*, 14 vol. parus en 1952.

9. Henry Houssaye, Paris 1848-1911 Paris. *1814-1815*, 4 vol., 1893-1905.

10. Pierre de la Gorce, Vannes 1846-1934. *Histoire de la Seconde République*, 2 vol., 1887; *Histoire du Second Empire*, 7 vol., 1898-1906; *Louis XVIII*, 1926; *Charles X*, 1928; *Louis-Philippe*, 1931; *Histoire religieuse de la Révolution*, 5 vol., 1909-1928.

qui a écrit en un style ferme et vivant une histoire pénétrante des années 1815-1870. Beaucoup d'autres seraient à citer, même du point de vue spécial qui est le nôtre, notamment parmi les collaborateurs des nombreuses revues historiques ou des vastes synthèses collectives dont la première s'organisa sous la direction de Lavisse assisté de Rambaud (*Histoire générale du IV*e *siècle à nos jours*, 12 vol., 1892-1910) et la seconde, sous la direction de Lavisse seul (*Histoire de France depuis les Origines jusqu'à la Révolution*, 18 vol., 1903-1911[1]). Ces « sommes » historiques ont le double avantage de lutter contre la dispersion en obligeant les spécialistes à coordonner leurs résultats, — et de donner au grand public des vues d'ensemble mises au point des dernières découvertes. Elles se multiplieront au lendemain du premier conflit mondial, pour répondre au besoin d'information né des événements mêmes.

Il convient de tirer hors de pair deux écrivains qui appartiennent à des disciplines voisines de l'histoire : Émile Mâle[2], historien de l'art, qui a déchiffré à force de patientes confrontations l'iconographie religieuse de la France et usé d'une langue pure, exacte et nuancée, toute pénétrée de poésie contenue, pour nous révéler la signification religieuse ou morale de telle statue, de tel vitrail; Vidal de la Blache[3], géographe, qui a refait d'après des données uniquement scientifiques, en un style évocateur et sobre, le fameux *Tableau de la France* que Michelet, soixante-dix ans plus tôt, avait cru brosser à force d'images poétiques, de jets lyriques, d'affirmations hasardeuses.

---

1. Continuée après la Grande Guerre par *l'Histoire contemporaine depuis la Révolution jusqu'à la Paix de 1919*, 10 vol., 1920-1922. — Il faut signaler aussi la grande *Histoire de l'Art depuis les premiers temps chrétiens jusqu'à nos jours*, dirigée par André Michel puis Paul Vitry, 18 vol., 1905-1929.

2. Émile Mâle, né à Commentry en 1862. — *L'Art religieux du XIII*e *siècle en France*, 1899; *L'Art religieux de la fin du Moyen Age en France*, 1908; *L'Art religieux du XII*e *siècle en France*, 1923.

3. Paul Vidal de la Blache, Pézenas 1845-1918 Tamaris. *Tableau de la géographie de la France*, introduction à l'*Histoire de France* de Lavisse, 1 vol., 1903, réimprimé isolément en 1908.

SEPTIÈME PARTIE

L'ÉPOQUE CONTEMPORAINE

(1919-1950[1])

———

CHAPITRE I

VUE GÉNÉRALE SUR L'ENTRE-DEUX-GUERRES[2]

Influence de la Grande Guerre sur les écrivains des différentes générations. — De 1919 à 1930, phase individualiste. Subjectivisme exaspéré : le mouvement Dada, point de départ du surréalisme. Les ambitions du surréalisme. — De 1930 à 1939, phase constructive. Troubles
et menaces de guerre. Recherche d'un nouvel humanisme.

**La Grande Guerre a-t-elle exercé une action directe sur la litté-
rature?**

1. Il ne peut être question, dans cette dernière partie, que d'indiquer les lignes
de force qui sont *actuellement* les plus apparentes, et de renseigner sur ceux des
écrivains contemporains qui sont *actuellement* considérés comme les plus représentatifs. Il s'agit donc d'un témoignage sur l'état présent de l'opinion; il ne
s'agit en aucune façon d'un classement des valeurs *ne varietur*. Chaque époque
procède à ce classement suivant son goût propre; il lui arrive de rejeter les plus
illustres écrivains dans l'oubli — ou la pénombre — et d'en tirer avec scandale
d'autres, méconnus ou négligés, qui s'accordent mieux avec l'esprit du moment :
ainsi a fait la génération de 1920 pour Scève, Sponde, Lautréamont.... Les vraiment
grands sont ceux qu'adoptent les générations successives, parce que toutes trouvent à y prendre; mais l'épreuve du temps est nécessaire pour les désigner. On
peut du reste constater que l'admiration s'attache tantôt à un aspect de leur
œuvre, tantôt à un autre; il est douteux que nous aimions Racine ou Balzac pour
les mêmes raisons que leurs contemporains; le Lamartine des symbolistes n'est
pas celui qui enchantait les romantiques, et le Hugo de la *Légende des Siècles*
s'est effacé de nos jours devant le Hugo de *la Bouche d'Ombre* et des poèmes métaphysiques.

2. Pour la période contemporaine, voir : C. Sénéchal, *Les grands courants de
la littérature française contemporaine*, 1934; D. Mornet, *Histoire de la littérature
et de la pensée française contemporaine* (1870-1934); R. Lalou, *Histoire de la littérature française contemporaine* (1871-1939), notamment le tome II (1914-1939);

Elle a exalté en sens divers les écrivains qui étaient dans la force de l'âge ; elle ne les a pas modifiés. Si effroyable que fût l'événement, il était impuissant à renouveler des sensibilités déjà formées, des techniques déjà fixées. C'est dans les formules de l'avant-guerre qu'ont été écrits les livres de la guerre. Les problèmes qu'ils traitent sont les problèmes fondamentaux et simples d'une humanité en péril : le courage et la peur, la souffrance et la mort, l'effort vers la victoire[1].

Mais pendant la guerre même, de nouveaux écrivains, un nouveau public se formaient. Les adolescents indécis qui recevaient, dans les lycées ou les familles, l'empreinte de cette terrible époque entrèrent brusquement en scène dès l'armistice, à la faveur du désarroi général et de la sympathie que le sacrifice de leurs jeunes aînés valait à tout ce qui était jeune. Ils n'avaient pas été façonnés par les lentes disciplines traditionnelles qui demandent, pour agir, une atmosphère moins enfiévrée ; ils n'avaient pas non plus été pétris par les dures leçons de la guerre ; de la vie, ils ne connaissaient que les aspects instables, incohérents et cruels qu'elle présentait depuis plus de quatre ans : déchaînement de la violence, mépris de la vie humaine, fragilité des civilisations. De plus ils étaient rebutés par le tour conventionnel des écrits de propagande, par ce verbalisme trop souvent en désaccord avec les faits. Autour d'eux tout était mensonge, ruine et désordre, et l'esprit de désordre et de violence les avait gagnés eux-mêmes. Bref ils rejetèrent la réalité comme un cauchemar et s'enfermèrent dans l'étude de leur moi le plus intime. Et pendant que les survivants de tant de durs combats, harassés par l'effort fourni, manquaient de souffle pour célébrer la victoire et cherchaient simple-

---

A. Billy, *La littérature française contemporaine*, 1927 ; Bédier, Hazard, Martino, *Littérature française*, tome II, 1949 ; H. Clouard, *Littérature française contemporaine*, tome II (1919-1939), 1949 ; M. Girard, *Guide illustré de la littérature française moderne* (1918-1949), 1949. — Une bibliographie abondante, précise et tenue à jour termine le tome III de *la Littérature française étudiée dans les textes* (T. III : 1850 à nos jours) par M. Braunschvicg, 12e éd., 1949. — Études sur le mouvement des idées : A. Berge, *L'esprit de la littér. moderne*, 1930 ; B. Crémieux, *Inquiétude et Reconstruction*, 1931 ; Albérès, *L'Aventure intellect. du XXe siècle* (1900-1950), 1950 ; *la Révolte des écriv. d'aujourd'hui*, 1950. — Recueils de monog. : B. Crémieux, *XXe siècle*, 1924 ; A. Rousseaux, *Ames et visages du XXe s.*, 1932 ; *le Paradis perdu*, 1936 ; *Littér. du XXe s.*, 2 vol., 1939 ; L. Chaigne, *Vies et œuvres*, 3 vol., 1936-50 : R. Brasillach, *Portraits*, 1935 ; *les Quatre Jeudis*, 1944 ; Cl. Roy, *Descript. crit.*, 1947 ; Simon, *L'Homme en procès*, 1950 ; Curtis, *Haute-Ecole*, 1950 ; P. de Boisdeffre, *Métam. de la littér.*, 2 vol., 1951.

1. Barbusse, *Le Feu*, 1916 ; Duhamel, *Vie des Martyrs*, 1917 ; *Civilisation*, 1918 ; Dorgelès, *Les Croix de bois*, 1919 ; la série des cinq livres de guerre de M. Genevoix (*Sous Verdun, Nuits de guerre*, etc.) publiés de 1916 à 1923, et réunis er 1950 en un volume, *Ceux de 14*. — Cf. Jean Norton Cru, *Témoins*, 1929.

ment le silence et le calme, une littérature toute subjective s'installa, au lieu de la littérature héroïque et classique que l'on attendait. On l'a fort justement qualifiée de néo-romantisme : elle n'est en effet que la pointe extrême du romantisme, renouvelé et approfondi par Rimbaud.

Cette libération du moi se fit avec une telle force explosive que 1918 a quelquefois semblé marquer une rupture. Deux mouvements apparurent successivement, le premier qui se proclamait uniquement destructeur, le second qui se disait constructif : d'abord le mouvement « Dada », mouvement de négation totale, qui glorifiait l'incohérence et l'absurde, — puis le mouvement surréaliste qui prétendait tirer de la dictée même du subconscient la seule poésie authentique, celle qui n'a pas encore été altérée par la raison ou le sentiment. Ainsi s'ouvrit une période d'individualisme exaspéré, d'anarchie forcenée, où toutes les valeurs reconnues, tant morales qu'esthétiques, étaient systématiquement vilipendées par beaucoup de jeunes écrivains; la littérature ne devait plus être un art créateur de beauté, mais seulement un moyen d'investigation métaphysique ou tout au moins psychologique : il s'agissait pour chacun soit d'atteindre au-dessous de sa conscience claire les forces profondes qui l'alimentent, soit plus simplement de saisir ses particularités les plus secrètes et de les exprimer avec la sincérité la plus totale, voire la plus crue.

Cet effort n'aboutit trop souvent qu'à dérouler, sous prétexte de poésie pure, une suite d'images désordonnées, — et qu'à dissoudre, sous prétexte d'introspection scrupuleuse, la personnalité de l'écrivain en un flot de notations éparses et contradictoires. Sans compter qu'à ce jeu, les œuvres perdaient tout caractère dramatique : l'intrigue stagnait, réduite à l'analyse intime.

Peu à peu tout s'apaisa; entre 1925 et 1930, beaucoup de jeunes littérateurs retrouvèrent « l'objet », c'est-à-dire qu'ils renoncèrent à leurs ambitions transcendantales, consentirent à regarder ailleurs qu'en eux-mêmes et à considérer le monde autrement que comme une fantasmagorie. Néanmoins ce bouleversement a laissé des traces profondes.

Ayant au début fait table rase, il a posé de nouveau tous les problèmes et entraîné la revision des rapports de l'homme avec son âme, avec la société, avec la nature, avec Dieu; toutes les solutions antérieures, dues à la morale qui mutile, au sentiment qui romance, à la logique qui simplifie sont rejetées comme inadéquates et même ridicules.

En particulier, il a ouvert largement à l'investigation psychologique le domaine de l'inconscient, dont Dostoïevski avait déjà révélé les incohérences et les instabilités; la psychanalyse, en ce même temps, en débridait les « complexes »; là encore l'étude a été poussée à fond, jusqu'à l'impudeur et à la cruauté.

Il a achevé d'émanciper l'imagination des poètes, que le symbolisme n'avait pas suffisamment affranchis du respect des faits, des lois et des idées. L'historisme d'un Leconte de Lisle, le didactisme d'un Sully Prudhomme sont maintenant choses périmées.

Il a dégagé le style de tous les clichés qui l'encombraient, flaubertiens, symbolistes ou néo-classiques; l'expression est devenue moins artiste, moins courtoise, mais plus directe et plus « sportive », voire agressive; on ne cherche plus à faire « beau » mais à faire vivant.

Vers 1930, la phase individualiste est terminée. Une phase inverse commence : les « divagations » surréalistes et les analyses intimes, amenuisées à l'infini, perdent tout intérêt devant l'immensité des problèmes qui pèsent sur l'avenir des hommes (crises économiques, américanisme, collectivisme, expansion des États totalitaires, divisions intérieures, nouvelles guerres). Les écrivains replongent donc l'homme dans son milieu social, mais s'efforcent visiblement de préserver le plus possible les droits de l'individu, tout en faisant aux exigences de la société les concessions nécessaires. « L'homme » reste le point d'optique essentiel; un nouvel humanisme[1] cherche à s'établir, qui se renforce souvent de considérations métaphysiques sur la valeur de la personnalité humaine. Il est évident que, dans le désordre des doctrines qui se heurtent et se combattent, l'humanité est à la recherche d'un système de croyances et d'idées qui refasse son unité, rompue par les révolutions et les guerres.

Les vingt ans qui se sont écoulés entre l'armistice de 1918 et la deuxième guerre mondiale comprennent donc, comme B. Crémieux l'a très bien dit, une période d'inquiétude et une période de reconstruction, trop vite interrompue.

---

1. A noter que ce mot, qui désignait depuis le xviᵉ siècle l'enrichissement de l'esprit humain par l'assimilation de la culture antique, a de nos jours élargi son sens : il désigne aussi la défense et la mise en valeur des qualités essentielles de l'homme, sans référence à l'antiquité.

CHAPITRE II

LA POÉSIE

Deux inspirations opposées : intellectualisme et surréalisme. — Valéry et l'intelligence. — Le surréalisme et l'intuition. Un précurseur du surréalisme : Apollinaire. Un théoricien : André Breton. Trois poètes surréalistes : Breton, Aragon, Eluard. Deux indépendants : Cocteau, Supervielle. L'apport du surréalisme.

Une « carte » de la poésie contemporaine[1] offre un aspect assez complexe. On y discerne encore, à l'état de filets assez minces, les courants traditionnels, souvent raccordés entre eux : classicisme, romantisme, Parnasse. Mais le fleuve dérivé de Baudelaire et du symbolisme coule avec une autre ampleur. Il se partage en deux bras divergents : l'un, par Mallarmé, mène à Valéry ; l'autre, par Rimbaud, mène au surréalisme. Il s'agit dans le premier cas d'une poésie fortement intellectualiste dans son objet comme dans son expression ; dans le deuxième, d'une poésie qui prétend au contraire manifester sans apprêt l'activité de l'inconscient. Mais toutes deux se proposent d'explorer et de connaître l'esprit de l'homme, non de chanter ses passions et ses rêves ; et leur forme, pour des raisons opposées, est le plus souvent hermétique.

Esprit précis, ayant le goût de la rigueur et la curiosité de toutes les méthodes, hanté du désir d'étudier à l'état pur les relations fonctionnelles de l'esprit, — d'atteindre « l'amande », comme il disait, — il était naturel que Paul Valéry[2] se vouât très vite à

---

1. H. Bremond, *la Poésie pure*, 1926 ; H. Clouard, *la Poésie française moderne, des romantiques à nos jours*, 1930 ; F. Gregh, *Portrait de la poésie moderne, de Rimbaud à Valéry*, 1936 ; Jacques et Raïssa Maritain, *Situation de la poésie*, 1938 ; M. Raymond, *Le sens de la poésie moderne : de Baudelaire au Surréalisme*, 1940 ; R. Lalou, *les étapes de la poésie française*, 1943.

2. Paul Valéry, Sète 1871-1945 Paris. Poésie : *Album de vers anciens, 1890-1900*, 1920 ; *La Jeune Parque*, 1917 ; *Charmes*, 1922. — Prose : *Introduction à la méthode de Léonard de Vinci*, 1895 ; *La soirée avec M. Teste*, 1896 ; *Eupalinos ou l'Architecte* et *l'Ame et la Danse*, 1923 ; *Variétés*, 5 vol., 1924-1944 ; *Rhumbs*, 1926 ; *Autres Rhumbs*, 1927 et 1934 ; *Regards sur le monde actuel*, 1931 et 1945, etc. — **A consulter** : Thibaudet, *P. V.*, 1923 ; F. Lefèvre, *Entretiens avec P. V.*, 1926 ; Fabureau, *P. V.*, 1937 ; Noulet, *P. V.*, 1938 ; Aimé Lafont, *P. V.*, 1945 ; Fernandat, *Autour de P. V.*, 1946 ; *P. V. vivant*, Cahiers du Sud, 1946 ; Raymond, *P. V. et la tentation de l'esprit* ; M. Bémol, *P. V.*, 1950.

l'étude des mathématiques. Et quand, sur les instances
de ses amis, il revint à la poésie après vingt ans de silence,
il ne changea ni d'objet ni de manière. La poésie fut toujours
pour lui une opération concertée ayant pour fin essentielle de
surprendre le mécanisme de son esprit en l'exerçant à l'occasion de quelques grands problèmes inclus dans des symboles
choisis, tels que les germinations premières de la pensée (*la
Jeune Parque*) ou les déterminations fondamentales de l'Être
(*le Cimetière marin*); toute matière qui se prêtait plus à la philosophie qu'à la poésie, mais qu'il a su animer grâce aux images
éclatantes ou sensuelles, à la musique insinuante de ses vers;
certains de ceux-ci, par la fusion parfaite de l'abstrait et du
sensible, par la pureté de leur ligne, par leur harmonie, rappellent Racine.

L'œuvre en prose de Valéry, plus considérable que son œuvre
poétique, est composée d'essais souvent suggérés par les circonstances : la création chez lui ne répondait pas à une exigence de
nature; il attendait d'être sollicité, uniquement soucieux d'éprouver jusqu'où peut aller, quel que soit le sujet proposé, la pénétration d'une pensée méthodiquement conduite. Ses essais, rédigés en un style dense, élégant et d'une extrême précision, sont
ordonnés par une pensée souple et subtile, très attentive à son
propre jeu, et du reste radicalement sceptique en matière d'histoire, de science ou de religion. Tout au plus admet-elle, sans
s'illusionner sur leur valeur, les conventions relatives à la vie
sociale et honore-t-elle l'œuvre d'art parce qu'elle nous fait
connaître, à l'égal des mathématiques mais d'une autre façon,
l'esprit humain, seule réalité qui, selon l'écrivain, nous soit
accessible.

Prose ou vers, un texte de Valéry ne nous offre jamais l'effusion brûlante et spontanée du cœur (sauf peut-être dans quelques
strophes magnifiquement directes du *Cimetière marin*, sur l'anéantissement des êtres). Une sensualité délicate, une sensibilité
passionnée peuvent l'échauffer et le colorer : ce qui frappe au premier abord, c'est la recherche sans défaillance de la perfection
technique, qui imprime à l'œuvre la sérénité de l'art grec. Néanmoins, de cet art, elle n'a pas la clarté souveraine. Non qu'elle
n'eût pu l'atteindre, si l'auteur l'eût voulu : tel dialogue à la
manière de Platon, *Eupalinos* par exemple, le prouve bien. Mais
il s'agit alors de prose. Dans ses poésies, Valéry, comme Mallarmé
son maître, a voulu suggérer plutôt que dire; il a fui les explications, les clichés, les tours usuels, les mots communs; il a raffiné
sur les images, subtilisé sur les idées; son style elliptique et savant,
délice des connaisseurs, n'est pas accessible d'emblée à tous, pour

peu que le sujet traité présente par lui-même quelque obscurité[1].

Valéry prônait et pratiquait toutes les disciplines intellectuelles. Sa logique est sévère, quoique voilée; sa technique est strictement classique, car il était d'avis, comme Gautier, que les difficultés renforcent l'inspiration et l'épurent; de plus, artiste autant que penseur, il voulait créer de la beauté. Par tous ces points, il s'opposait radicalement à la poésie surréaliste qui balayait toutes les traditions, se donnait l'intuition comme principe et la régénération de l'homme comme fin.

Le dadaïsme[2] sert de préface au surréalisme. Ce mélange explosif d'anarchie sincère et de mystification éclata brutalement en France au lendemain de la victoire. Il prétendait pulvériser toutes les disciplines, y compris les valeurs logiques et esthétiques qui régentaient notre littérature depuis ses origines : Lautréamont[3] et Rimbaud qui en avaient déjà dénoncé le caractère prétendument artificiel, étaient ses dieux. Négation totale, scepticisme absolu, dérision et sarcasme continus, Dada ne menait à rien et s'en vantait.

Pourtant certains de ses partisans n'entendaient pas persister dans cette attitude de refus total et impérieux. Le désordre, l'incohérence, l'absurdité qui s'étalaient agressivement dans les productions ironiques des dadaïstes, — qu'était-ce, sinon l'explosion des forces obscures, toujours refoulées depuis le commencement du monde parce que l'homme les a toujours tenues pour inférieures? Or les psychologues et les poètes s'accordent aujourd'hui à voir en elles notre réalité la plus profonde. N'est-il pas temps de céder la parole à l'inconscient, support et condition de tout le reste? « La poésie doit mener quelque part », déclare André Breton[4], le chef du mouvement nouveau. Elle doit, selon lui, percer,

---

1. Qu'accroissent parfois, comme dans *le Cimetière marin*, des références implicites à diverses métaphysiques.

2. C'est à Zurich en 1916 que le Roumain Tristan Tzara créa ce mouvement baptisé par lui d'un nom volontairement dépourvu de toute signification.

3. Isidore Ducasse, dit comte de Lautréamont (Montevideo, 1846-1870, Paris). Il publia en 1868 le premier *Chant de Maldoror*; les cinq autres sont posthumes (1890). Le livre qui les rassemble est une sorte d'épopée lyrique en prose, compacte, frénétique, à demi-délirante, qui célèbre la lutte du Révolté contre Dieu, contre la vie, contre la société. Aucune composition; un flot torrentiel de visions fantastiques, d'images violentes, cruelles ou sadiques, de déclamations, de sarcasmes, qui semble jaillir directement de l'inconscient. Voir L. P. Quint, *le Comte de Lautréamont et Dieu*, 1930; G. Bachelard, *Lautréamont*, 1939.

4. André Breton, né à Tinchebray (Orne) en 1896. *Les Champs magnétiques* (en collab. avec Ph. Soupault), 1920; *Nadja*, 1928; *Trois manifestes surréalistes*, 1924, 1930, 1942, rassemblés en 1946; *Poésies* (morc. choisis), 1949. — **A consulter :** *Essais et témoignages sur A. B.*, La Baconnière, 1950; Cl. Mauriac, *A. B.* 1951.

à travers nos consciences individuelles, jusqu'à la grande âme
exempte de toute détermination. Il s'agit donc d'un symbolisme
radical, d'un symbolisme décidé à ne pas dévier comme celui des
années 90 qui avait succombé aux séductions de l'art et s'était
contenté de combiner harmonieusement des images. Le surréalisme[1], lui, prétend nous conduire vraiment jusqu'à la surréalité.

Le mot de *surréalisme* a été prononcé pour la première fois en
1917 par Guillaume Apollinaire[2] qui a joué, dans de multiples
formes de l'art moderne, le rôle de précurseur. Il a lancé le cubisme,
l'art nègre — et le surréalisme. Son idée maîtresse était que l'art
doit cesser d'être représentatif pour devenir figuratif et symbolique. Ainsi le cubisme dissocie les éléments de la réalité et les
combine librement de nouveau ; l'art nègre procède de même dans
ses fétiches et dans ses idoles ; le surréalisme doit s'inspirer de la
nature, mais « sans l'imiter à la matière des photographes. Quand
l'homme a voulu imiter la marche, il a créé la roue qui ne ressemble
pas à une jambe. Il a fait ainsi du surréalisme sans le savoir. »
(Préface aux *Mamelles de Tirésias*.) Apollinaire s'en est tenu à
cette forme élémentaire du surréalisme : l'autonomie de l'œuvre
d'art. Il a même essayé, en souvenir de Mallarmé, d'en renouveler, non sans humour, la présentation graphique (*Calligrammes*.)

Son œuvre poétique est brève. Une sentimentalité discrètement mélancolique l'apparente à celles de Heine et de Verlaine.
La pensée, tour à tour tendre, moqueuse, effrontée, se développe
au hasard des associations d'émotions ou d'images, suivant une
ligne sinueuse « où l'indécis au précis se joint ». Elle paraîtrait
toute naïve si des réminiscences de lectures, de refrains populaires, des souvenirs rhénans et parisiens n'avertissaient que l'auteur possède une culture très vaste et très diverse. La phrase file,
allusive et chantante, dans une sorte de brume irisée qui ne permet pas toujours d'en saisir les contours, d'autant que la ponctuation est volontairement omise pour ajouter du flou. L'ensemble, musical et mystérieux, exerce un envoûtement dont on se
défend mal.

Apollinaire restait un artiste. Breton fit table rase de l'art
comme du reste. Métaphysicien anarchisant, il prétendit révolutionner à la fois la pensée et la condition humaine : la pensée en

---

1. Sur le mouvement surréaliste, lire : Maurice Nadeau, *Histoire du Surréalisme*,
1945 ; Y. Duplessis, *le Surréalisme*, 1950 ; G. Hugnet, *Petite anthologie poétique du
Surréalisme*, 1934.

2. Wilhelm Apollinaris de Kostrowitski (Rome, 1880-1918, Paris), fils d'une
Slave et d'un Italien. *Alcools*, 1913 ; *Calligrammes*, 1918 ; *Ombres de mon amour*,
1948. — **A consulter :** Cf. Fa1bureau, *G. A.*, 1932 ; Aegerter et Labracherie,
G. A., 1943 ; Rouveyre, *A.*, 1945 ; A. Billy, *A.*, 1947.

lui substituant, par l'écriture automatique[1] et le rêve, les réalités psychiques fondamentales, — celles de l'inconscient ; la condition humaine en libérant de toute entrave la force élémentaire de la vie, — le désir. Pour abattre la société actuelle, Breton lia pendant un certain temps son action à celle du parti communiste ; mais cette alliance ne dura pas, car il entendait mener une action parallèle, non subordonnée, et il se retourna par la suite contre son ancien allié en le dénonçant comme tyrannique et conservateur.

Les ambitions du surréalisme — qui compte des affiliés dans toute l'Europe et dans les deux Amériques — étaient donc immenses et débordaient largement la littérature et l'art. Cependant il s'est trouvé peu à peu ramené à ces deux formes d'action, celles précisément qu'il avait dénoncées comme insignifiantes. C'était déjà un échec. Mais même dans ce domaine restreint, il n'apparaît pas qu'il ait apporté les révélations promises. Les chefs-d'œuvre sont rares, et les œuvres tout court se raréfient.

Peut-être est-il impossible, comme Mallarmé en avait déjà fait la douloureuse expérience, d'exprimer l'irrationnel au moyen d'un langage agencé par la raison : l'outil, ici, trahit nécessairement l'ouvrier. Les trois écrivains les plus notoires du surréalisme, — Breton, tourné vers le mystère, Aragon[2], vers la révolution, Eluard[3], vers la poésie — ont beau faire « un emploi déréglé et passionnel du stupéfiant image », — ce qui serait d'après Aragon la formule même du surréalisme littéraire, sans doute parce que l'image excite notre faculté d'intuition, — la succession incoordonnée de ces images, leur étrangeté amusent l'imagination du lecteur plutôt qu'elles ne lui découvrent des abîmes : sous cette réserve, Eluard, le plus hermétique mais le plus résolument artiste des trois, a eu d'heureuses réussites et révélé, en un langage épuré, comme diaphane, quelques-unes de ces « correspondances » mystérieuses où Baudelaire, déjà, voyait la vraie réalité.

Au groupe surréaliste, on rattache communément, bien qu'ils n'en aient point fait partie, deux poètes qui se sont, eux aussi,

---

1. « Dictée de la pensée en l'absence de tout contrôle exercé par la raison, et en dehors de toute préoccupation esthétique. » (Breton).

2. Louis Aragon, né en 1897, à Paris. *Le Crève-Cœur*, 1940 ; *les Yeux d'Elsa*, 1942 ; *La Diane française*, 1945. Prose : *Une vague de rêves*, 1924 ; *le Paysan de Paris* (1926) ; *Traité du style* (1929) ; *les Beaux quartiers* (1936). — **A consulter :** Claude Roy, *A.*, 1945. — Le meilleur Aragon est celui, très apollinarien, qui a chanté *les yeux d'Elsa* et dit, sous l'occupation allemande, les souffrances, le courage et les espoirs de la France bâillonnée.

3. Paul Eluard, Saint-Denis 1895-1952 Paris. *Capitale de la douleur*, 1926 ; *Au rendez-vous allemand*, 1944. — **A consulter :** Carrouges, *Eluard et Claudel*, 1945 ; L. Parrot, *Paul Eluard*, 1947.

aventurés dans le surréel : Cocteau, le poète funambulesque d'une fantasmagorie infernale (voir p. 1274) et Supervielle[1], le poète discret d'une féerie amicale, qui a essayé de décanter les délires « sans faire perdre sa vitalité à l'inconscient » et assumé ainsi le rôle de conciliateur entre le nouveau lyrisme et le lyrisme traditionnel.

Bref le surréalisme a lutté contre les poncifs, les conventions, les traditions par l'humour, le persiflage, le sarcasme. Cette attitude systématique, jointe à l'étrangeté des œuvres, a donné lieu de croire que le mouvement était — sans plus — une immense mystification. Il a tout fait pour entretenir cette méprise, qui n'est donc méprise qu'à moitié. Reconnaissons cependant qu'en même temps, il tentait de révolutionner la pensée de fond en comble : il s'efforçait de promouvoir un art autonome où les éléments empruntés à la vie seraient librement combinés par l'esprit; il mettait à nu le domaine vierge pressenti par Poe, Baudelaire, Rimbaud, Mallarmé; il essayait d'en faire jaillir directement une poésie affranchie du sentiment, de la raison, de la mémoire, — désincarnée, dépersonnalisée, déshumanisée. Sans lui, l'époque, pressée de trop de soucis matériels, aurait peut-être oublié qu'il existe un mystère poétique; et il a mis sa marque sur tous les arts, même sur la vie courante. Il reste à savoir si cet effort délirant pour dépasser nos limites spirituelles et percer jusqu'à l'Absolu développe simplement jusqu'à leurs ultimes conséquences, comme il est probable, les incitations de Baudelaire et de Rimbaud, — ou s'il inaugure la poésie de l'avenir, qui manquerait singulièrement, en ce cas, de chaleur humaine[2].

---

1. **Jules Supervielle (Montevideo 1884-1960. Paris.),** *Poèmes 1939-1945,* 1946. Il est aussi l'auteur de contes magiques (l'*Enfant de la Haute Mer,* 1931 ; *l'Arche de Noé,* 1938) et de pièces de théâtre pleines d'une gracieuse fantaisie : *la Belle-au-Bois,* 1932, *La première famille,* 1936, *le Voleur d'enfants,* 1948, qui a eu un très grand succès. — **A consulter :** Cl. Roy, *Jules Supervielle,* 1949.

2. *L'Unanimisme,* création originale de Jules Romains, est étudié plus loin (voir p. 1238). Il ne se rattache ni à l'intellectualisme de Valéry, ni au surréalisme. Il procéderait plutôt de Verhaeren par le culte de la vie et de Hugo par la religion de l'humanité. Il a restitué l'éloquence poétique, déchue de son rang depuis Verlaine.

CHAPITRE III

LE ROMAN

Transformations du roman. — Le roman psychologique : Proust, Gide, Mauriac, Green, De Lacretelle, Colette. — Les synthèses romanesques : Duhamel, Romains, Roger Martin du Gard. — Les aspects du monde : Maurois. — L'évasion par la fantaisie et le pittoresque : Giraudoux, Morand. — La recherche d'une éthique : Montherlant, Malraux, Saint-Exupéry, Bernanos, Giono. — Un précurseur de Giono : Ramuz. — La seconde guerre mondiale et la France. — Le roman philosophique : Sartre, Camus.

Le roman demeure la forme littéraire par excellence, ouverte aux réalistes et aux lyriques; les derniers prédominent peut-être, comme si les poètes, déconcertés par les techniques nouvelles et n'osant plus user des anciennes, préféraient recourir à ce mode d'expression indirecte. En tout cas, les romans historiques ou réalistes se font rares : on s'intéresse moins à la stylisation esthétique, à la chronique des mœurs. La nouvelle génération veut explorer des domaines nouveaux. L'inconscient en est un; l'aventure en est un autre. C'est donc tantôt à la prospection des forces obscures, tantôt à l'évasion par le voyage, le rêve ou la fantaisie que les romanciers s'appliquent d'abord. Mais après la crise mondiale (1929-1932) qui accentue brusquement les menaces de guerre et de révolution, ils accordent davantage à la peinture de la société inquiète et à la défense de l'individu menacé. Leurs œuvres posent à la fois tous les problèmes, même métaphysiques; on y perçoit nettement le souffle d'abîme qui monte de l'avenir.

De telles divisions, très larges et très imprécises, n'impliquent pas l'existence d'écoles littéraires : l'après-guerre est un prodigieux feu d'artifice où des individualités très diverses se développent librement, chacune dans le sens de son propre génie. Tout au plus peut-on rapprocher, pour la commodité de l'exposi-

A consulter : Ehrhard, *Le Roman fr. depuis Proust*, 1932; R. Lalou, *le Roman fr. depuis 1900*, 1941; Cl.-E. Magny, *Hist. du roman fr. depuis 1918*, 1940. Et les ouvrages indiqués p. 1211, n. 1.

tion, les romanciers qui se sont surtout souciés de la vie intérieure
(Proust, Gide, Mauriac, Green, Lacretelle, Colette), ceux qui ont
réalisé de vastes synthèses du monde moderne (Duhamel,
Romains, Roger Martin du Gard) ou exploré ses différents
aspects (Maurois), — ceux qui ont joué avec son pittoresque
(Giraudoux, Morand), — enfin ceux qui ont cherché à lui
redonner une ethique (Montherlant, Malraux, Saint-Exupéry,
Bernanos, Giono). Le second conflit mondial a rendu plus
urgente encore la solution de ce problème ; deux philosophes, qui
ont choisi de s'exprimer par le roman, s'y sont attachés : Sartre
et Camus.

Dès 1918, alors que les grands romanciers de l'avant-guerre
poursuivaient leur œuvre pendant quelques années encore sans en
modifier le caractère[1], deux écrivains qui avaient cependant dépassé
largement la quarantaine, Proust et Gide, deviennent brusquement les chefs de file des jeunes romanciers, pendant que Valéry,
leur égal d'âge, éclipse tous les poètes : c'est que leur œuvre à tous
trois, depuis longtemps commencée, se trouvait exactement
répondre aux préoccupations du jour.

On sait que Marcel Proust[2], riche et de santé délicate, vécut
jusqu'à l'âge de trente-cinq ans dans l'atmosphère des salons mondains, des restaurants de luxe et des plages à la mode, curieux de
tout, se documentant par les domestiques comme Saint-Simon
auquel on l'a comparé mais dont il n'a pas la fougue passionnée ;
par contre il avait l'imagination psychologique la plus subtile,
la plus féconde en hypothèses qui puisse être. En 1906, saturé
d'observations, souffrant d'une recrudescence d'asthme qui le
forçait à se cloîtrer le jour, il passa ses nuits à recomposer son
brillant passé. D'où le titre général de son énorme ouvrage qui est
bien, comme le sont d'après lui tous les vrais livres, « un fils du
silence et de l'obscurité ».

Ce n'est pas, à proprement parler, un roman. Ce n'est pas non
plus une autobiographie. L'objet de l'auteur n'est pas de reconstituer les événements de sa vie, mais d'*éprouver* de nouveau les
principaux d'entre eux, que reliera une affabulation légère. A

---

1. Barrès et Loti meurent en 1923; France en 1924; Bourget en 1935.
2. Proust, 1871-1922. Sous le titre général : *A la recherche du temps perdu*,
ont paru de 1913 à 1927 : *Du côté de chez Swann; A l'ombre des jeunes filles en
fleurs; le Côté de Guermantes; Sodone et Gomorrhe; la Prisonnière; Albertine disparue; Le Temps retrouvé.* — **A consulter :** P. Souday, *M. P.*, 1927; L. P. Quint,
M. P., sa vie, son œuvre, 1935; P. Abraham, *M. P.*, 1930; H. Massis, *Le drame de
M. P.* ; 1937; J. Pommier, *La mystique de M. P.*, 1939; R. Fernandez, *P.*, 1943;
J. Mouton, *Le style de M. P.*, 1948; Maurois, *A la recherche de M. P.*, 1949. Consulter
aussi *les Cahiers M. P.*, en cours de publication depuis oct. 1927 à la N. R. F.

travers les notions desséchées et simplifiées que lui fournit sa mémoire volontaire, il guette la brusque résurrection de telle sensation insignifiante, de telle émotion furtive auxquelles le bienfaisant oubli a gardé toute leur fraîcheur. Ces réminiscences intactes en appellent instantanément d'autres, qui en appellent d'autres encore, « toutes aussi étrangères au monde de l'intelligence qu'un motif musical ». Néanmoins il s'applique, pour mieux les savourer, à les approfondir, à les éclairer, à les convertir en quelque chose d'intelligible. Ce voluptueux est en même temps un analyste subtil. Il veut comprendre ce qu'il sent. Ainsi s'explique cette vision « à la fois aiguë et enchantée », aiguë parce qu'elle épuise le détail des événements les plus ténus, enchantée parce qu'elle en est en même temps la contemplation émerveillée.

Voilà pourquoi le récit est lent, la composition relâchée, la phrase foisonnante. Le récit est lent parce que le déroulement de l'intrigue, du reste insignifiante, n'est pas ce qui importe. La composition est flottante parce que l'auteur s'attarde volontiers à jouir du « temps retrouvé » toutes les fois que l'intuition lui en ouvre les délices, ou à explorer avec une ingéniosité inépuisable les motifs secrets d'une parole ou d'un acte. La phrase est touffue parce que l'auteur n'ose pas rompre les associations des réminiscences qui l'enchantent ou la chaîne des explications qu'il donne, tant ces dernières lui paraissent impliquées les unes dans les autres. Il y a aussi ce fait particulier que Proust inaugure, en opposition avec la psychologie « plane » des classiques, une psychologie « dans l'espace » : au lieu d'isoler telle émotion ou telle pensée et de l'étudier sur fond abstrait, il prétend restituer l'ensemble du caractère variant perpétuellement dans sa masse et noter à la fois cette pensée ou cette émotion, les sensations qui l'accompagnent, les velléités ou réminiscences qu'elle éveille : la phrase, nécessairement, se gonfle, s'étire, se complique.

Ce n'est que subsidiairement qu'intervient la matière proprement romanesque, cette peinture d'une société de mondains et de snobs au milieu de laquelle Proust a vécu sans déplaisir, bien que la pauvreté intellectuelle de ces oisifs ne lui fît pas illusion. Il en a noté les affectations et les perversités sur le ton égal du clinicien, même avec une certaine complaisance. La minutie prodigieuse de ses analyses n'exclut pas la force : certains de ses personnages, notamment le baron de Charlus, sont inoubliables. Toutefois il est regrettable que son expérience ait été limitée à ces milieux artificiels qui ne représentent guère la France d'aujourd'hui.

Le récit, par endroits, est encore ralenti par de longues digressions sur le sommeil, les progrès irréguliers de l'oubli, les intermittences du cœur... Proust y poursuit sa recherche des éléments constitutifs de la personnalité : mais telle est, d'après lui, l'instabilité de notre vie mentale, telles sont les variations, les contradictions, les incohérences qui la constituent, qu'au milieu de ce chaos la notion même de personnalité s'émiette et se dissout. On a rapproché ces passages de certains des *Essais* de Montaigne, avec lesquels le roman de Proust — à la fois confidence, observation, méditation — présente quelque analogie. Mais il ne faut pas presser la comparaison : il y a dans les *Essais* de larges vues sur la politique, la morale, la destinée que l'on demanderait vainement à Proust, uniquement attaché à ses « ressouvenirs » inconscients et à leur transposition esthétique.

Le texte de Proust est compact, nous en avons vu les raisons. Il convient de signaler que ces raisons ne rendent pas toujours compte de certaines phrases interminables, surchargées; elles n'excusent pas les négligences ou les incorrections qu'on y rencontre. Mais les qualités surpassent les défauts; et quiconque s'enfonce dans la forêt proustienne en est récompensé par les observations pénétrantes, exactement notées, par les impressions délicates ou ardentes qu'il rencontre à chaque pas. Ce maître analyste possède une incomparable maîtrise descriptive. L'insigne virtuosité avec laquelle il traite les impressions, les tableaux, les portraits, le pouvoir vraiment incantatoire de certaines de ses formules, par-dessus tout son respect de l'art, seule valeur absolue à l'en croire, rappellent qu'il a atteint l'âge d'homme en pleine période symboliste et qu'il a alors traduit et commenté Ruskin, grand-prêtre de la religion de la beauté.

A la différence de Proust qui se replongeait avec délices dans son passé, Gide[1] lutta pour s'en affranchir et toute son œuvre tourne autour du problème : comment doit-on vivre? quelles seront les valeurs nouvelles? C'était la question même que la jeune génération se posait, au lendemain de la crise qui avait bouleversé la

---

1. **André Gide**, Paris 1869-1951 Paris. Romans et récits : *Les nourritures terrestres*, 1897; *le Prométhée mal enchaîné*, 1899; *l'Immoraliste*, 1902; *le Retour de l'Enfant prodigue*, 1907; *la Porte étroite*, 1909; *Isabelle*, 1911; *les Caves du Vatican*, 1914; *la Symphonie pastorale*, 1919; *les Faux Monnayeurs*, 1926; *l'Ecole des Femmes*, 1929; *les Nouvelles Nourritures*, 1935; *Thésée*, 1946. — Essais et mémoires : *Souvenirs de la Cour d'assises*, 1914; *Numquid et tu?* 1922; *Si le Grain ne meurt...*, 1926; *le Journal des Faux Monnayeurs*, 1937; *Journal*, 1889-1949 (6 vol.). — Récits de voyage : *Voyage au Congo*, 1927; *Retour du Tchad*, 1928; *Retour de l'U. R. S. S.*, 1936; *Retouches à mon « Retour de l'U. R. S. S. »*, 1937. — Critique : *Prétextes*, 1903; *Nouveaux Prétextes*, 1911; *Incidences*, 1924. — Théâtre : *Saül*, 1897 (publié en 1903); *le Roi Candaule*, 1905; *Œdipe*, 1932. — **A consulter :** Ch. du Bos, *Dialogue avec A. G.*, 1926; P. Souday, *A. G.*, 1927; Union pour la Vérité : *A. G. et notre temps*; J. Hytier, *A. G.*, 1946; P. Archambault, *Humanité d'A. G.*, 1946; Cl. Mauriac, *Conversations avec A. G.*, 1951; L. Pierre-Quint. *A. G.*, 1952; N. R. F, *Hommage à A. G.*, 1952; R. Mallet, *Une Mort ambiguë*, 1955.

civilisation. Par là s'explique en partie l'influence de Gide, influence considérable dont on ne peut comprendre la nature que si l'on connaît le caractère et l'évolution de cet écrivain.

Né dans une famille de juristes protestants, élevé par une mère très stricte, Gide avait gardé de son éducation le souci des questions morales, la pratique du libre examen, le culte de l'Évangile sans la foi, le goût des paraboles. Il avait traversé ensuite le symbolisme, c'est-à-dire un milieu esotérique pour qui la production imaginative était tout. Un voyage en Algérie, décidé pour raison de santé, l'affranchit tout à coup de cette atmosphère artificielle et lui révéla sa vraie nature : une sensualité sans limite. Il entreprit alors de ruiner toutes les disciplines qui contraignent l'homme, religion, morale, non sans garder assez paradoxalement la nostalgie de la pureté et l'espoir qu'un jour il pourrait réconcilier « le ciel et l'enfer », l'amour de Dieu et celui des créatures[1]. La lecture de Dostoïevski, la découverte des théories de Freud renforcèrent sa critique : il proclama que notre vérité essentielle était dans ces instincts que l'éducation refoule au plus intime de nous-mêmes; de là, faute d'un exutoire, ils empoisonnent les sources de notre jugement; la morale courante, constamment viciée, selon Gide, par les compromis qu'elle doit consentir, ne serait qu'une hypocrisie. Or l'essentiel est de « rendre au moindre choc un son pur, authentique », fût-ce au prix d'un scandale, que Gide ne détestait pas. On court par surcroît la chance, en libérant ces forces ténébreuses, de susciter un geste fécond, une œuvre magnifique : c'est d'elles, non du conformisme moral, que procède le génie. (Les surréalistes raisonnaient de même.)

Gide atteignait la cinquantaine sans s'être intéressé à rien d'autre qu'aux questions esthétiques et morales, quand un voyage au Congo et au Tchad (1925) lui révéla des abus qui l'indignèrent. Il sentit alors que l'altruisme était un des instincts primitifs de l'homme et que ce n'était pas altérer mais au contraire épanouir pleinement sa nature profonde que « d'assumer le plus possible d'humanité ». Lui, qui était toujours resté étranger aux questions sociales, adhéra au communisme avec l'espoir que le respect de l'individu, la liberté, la justice en constituaient les fins dernières. « Ce qui m'amène au communisme, ce n'est pas Marx, c'est l'Évangile. » Il s'en écarta dès qu'il eut compris qu'il s'agissait en fait d'un conformisme rigoureux où les droits de l'individu ne comptent guère. Car sur un point, et précisément sur celui-là, Gide, par ailleurs si fuyant, est resté ferme : l'individu est la seule valeur qui compte. Parce qu'il a une âme, a dit l'Évangile. Parce qu'il

1. Il l'a essayé dans *Numquid et tu.*

est une énergie dont le libre déploiement est splendide, a dit Nietzsche, et Gide retint aussi cette leçon : « la morale, écrivit-il un jour, est une dépendance de l'esthétique ». Ce n'est pas la moindre singularité de son œuvre que ses références alternées aux deux doctrines opposées, celle du Christ et celle de « l'Antechrist ».

Cette ambiguïté tient peut-être à un trait de caractère. « Esprit sans pente », Gide reconnaissait qu'il n'avait jamais su opter entre les contraires et que même il se complaisait dans la perplexité où le maintenait la coexistence en lui des tendances les plus opposées : l'état de dialogue perpétuel entretenant l'activité de l'esprit. De cette disposition de sa nature, il a tiré une règle de conduite : il faut se garder de choisir. Car « choisir, c'est renoncer pour toujours à tout le reste », c'est s'enliser dans la réalité, c'est s'installer dans la quiétude qui mène à l'engourdissement. Il faut, quand on désire, s'en tenir à la ferveur; quand on pense, se dérober aux conclusions; quand on agit, prendre sans cesse élan contre soi-même pour se dépasser : ainsi fit Œdipe, qui s'immola pour se garder vivant. Mais qu'on désire, qu'on pense ou qu'on agisse, il faut être seulement soi et l'être pleinement, en rejetant toutes les servitudes, société, famille, religion, morale, voire fallacieuse fidélité à son propre passé. La vertu capitale est la sincérité. Tout doit être manifesté sans réticences, même le pire qui prépare peut-être le meilleur. L'homme, selon Gide, doit s'accepter tout entier, sans chercher à se modifier ou à se construire. Telle est du moins sa doctrine la plus constante, — celle qui s'étale dans ses écrits autobiographiques et notamment dans son *Journal*, document humain sans analogue depuis celui de Stendhal.

C'est précisément cette acceptation sans réserve de sa nature que lui ont reproché les défenseurs des morales traditionnelles, ajoutant que par ses négations, son apologie de la sensualité, sa complaisance pour les anomalies, il avait démoralisé une jeunesse que les événements avaient déjà désaxée. Il avouait l'avoir volontairement troublée : « Inquiéter, tel est mon rôle. » Et encore : « Révolte, libre examen, émancipation de l'esprit, exigence envers soi-même », tel était, selon lui, l'enseignement de son œuvre.

Sa production romanesque est très diverse : poèmes en prose, contes, allégories, romans d'analyse, « soties », un « roman pur ». Les *Nourritures terrestres* formulent les règles de la vie libérée : il faut, tous liens rompus, partir à la découverte sensuelle du monde mais s'en tenir à la ferveur, c'est-à-dire jouir de l'intensité de son désir sans chercher à le satisfaire : ainsi l'âme inassouvie demeurera vivante. Le *Prométhée mal enchaîné* est un apologue bouffon dont le héros célèbre son aigle, c'est-à-dire l'inquiétude qui le dévore et le maintient éveillé. L'*Immoraliste* — récit — montre ce que devient l'égotisme quand il est pratiqué par un médiocre. L'ascétisme vaudrait-il mieux? Peut-être, mais ce n'est pas sûr, insinue *la Porte étroite*. En tout cas la charité évangélique couvre parfois d'étranges aberrations, constate la *Symphonie Pastorale*. Ainsi va la pensée de Gide, ironique et spécieuse, posant les problèmes mais esquivant les conclusions et dépistant en même temps avec une sagacité infaillible les éléments troubles qui constituent la vie secrète des consciences.

Deux de ses livres exercèrent une grande influence après 1918 : *les Caves du Vatican*, « sotie » publiée en 1914, où évoluait parmi des fantoches le héros gidien par excellence, le jeune Lafcadio, agile, désinvolte, capable à tout instant d'actes gratuits qu'il pousse allégrement, pour bien s'attester sa propre liberté, jusqu'à l'assassinat; *les Faux Monnayeurs*, « roman pur » (1926). Gide entendait par là un roman moins classiquement conduit que ses récits antérieurs, coulant à l'aventure, avec des détours, des remous, des courants divers. Un nouveau Lafcadio y figure, sous le nom de Bernard; l'écrivain Edouard, qui prépare un roman intitulé précisément *les Faux Monnayeurs*, semble bien être un substitut de l'auteur. Néanmoins les réflexions d'Edouard sur son art n'épuisent pas la matière, puisque Gide les a reprises du dehors en écrivant le *Journal des Faux Monnayeurs*. Tant d'esprit critique ne va pas sans sécheresse : l'intrigue simule, plus qu'elle ne reproduit; le flot mouvant de la vie et la spontanéité créatrice manquent; la lucidité, par contre, s'en accroît et Gide a poussé très loin dans ce livre l'analyse des états d'âme instables et des sentiments ambigus.

Cet esprit d'analyse et de dissociation a servi admirablement Gide dans ses écrits proprement critiques : *Prétextes, Nouveaux Prétextes, Incidences* renferment des essais idéologiques qui nous renseignent sur l'écrivain au moins autant que sur les « points de littérature et de morale » qu'il s'est proposé d'étudier. Même observation sur le *Dostoïevski*, type parfait d'une critique à la fois pénétrante et subjective, en ce sens que Gide cherche surtout — et trouve — chez le grand Russe la justification de ses propres tendances.

Il y a un théâtre de Gide. C'est la partie mineure de son œuvre. Convaincu qu'il fallait épurer la scène de tout « épisodisme » et de tout réalisme, l'écrivain a pris ses sujets soit dans la Bible, soit dans la légende grecque. Il les traite à la cavalière, multipliant les tours familiers, les anachronismes, les traits d'ironie, à la manière de Bernard Shaw que suivront aussi Giraudoux et Anouilh : cet irrespect ruine d'emblée tout soupçon d'historicisme. Et dans ces sujets antiques, qui ont ainsi repris les couleurs de la vie, il glisse son éthique personnelle : *Saül* montre la désagrégation de l'être qui cède à tous ses désirs, au lieu de se contenter de la ferveur; *Candaule*, les excès d'une générosité qui pousse jusqu'au vice; *Œdipe*, la frénésie de l'orgueil acharné à se dépasser lui-même.

Mais l'action, sauf dans *Saül*, n'est guère mouvementée; le style, encore poétique dans cette dernière pièce, se dessèche et devient elliptique; les personnages enfin, schématiquement dessinés, incarnent les idées de l'auteur plutôt qu'elles ne les font vivre. On le sent présent partout. Deux farces, *le Treizième Arbre* et *les Caves du Vatican* (tirées du roman) attestent que Gide, ironiste pincé, n'a pas la force comique que requiert la truculence du genre.

Cet écrivain, novateur à tant d'égards, est strictement conformiste dans son style. Persuadé comme Valéry que l'art naît de la contrainte, il a maintenu les règles traditionnelles du langage contre tous les perturbateurs, notamment contre Dada. Il a même rejeté le lyrisme musical et fleuri de ses débuts pour adopter progressivement une expression dépouillée, tout unie, qui se modèle sans qu'il y paraisse sur le mouvement secret de la sensibilité[1]; par là elle tend à la litote classique, que Gide admirait comme étant « l'art d'exprimer le plus en disant le moins ». Il réagissait ainsi contre la profusion d'images sous lesquelles symbolistes et surréalistes noyaient la pensée. Comme Valéry, Gide a maintenu dans la prose la primauté de l'intelligence, de l'ordre et de la clarté[2].

Il y a entre Gide et Mauriac[3] des affinités de nature. Tous deux sont des sensuels; tous deux essaient de décrire et d'utiliser les forces troubles de l'inconscient; tous deux refusent d'édulcorer

---

1. Sur ce dernier point, lire une étude très fine de R. Fernandez à la fin de son *A. G.* (p. 257-265).

2. On a relevé dans les ouvrages de Gide un certain nombre de provincialismes ou de tours négligés. Vers la fin, et sans doute par souci d'authenticité, Gide semble avoir mis quelque complaisance à les admettre dans son *Journal*.

3. François Mauriac, né à Bordeaux en 1885. Romans : *le Baiser au lépreux*, 1922; *le Fleuve de feu*, 1923; *Génitrix*, 1924; *le Désert de l'Amour*, 1925; *Thérèse Desqueyroux*, 1926; *le Nœud de vipères*, 1932; *le Mystère Frontenac*, 1933; *la Fin de la Nuit*, 1935; *les Anges noirs*, 1936; *les Chemins de la Mer*, 1939; *la Pharisienne*, 1941; *le Sagouin*, 1950. — Essais : *le Jeune Homme*, 1925; *la Province*, 1926; *Bordeaux*, 1926; *Vie de Racine*, 1928; *le Roman*, 1928; *Dieu et Mammon*, 1930; *Commencements d'une vie*, 1930; *le Romancier et ses personnages*, 1933; *Journal*, 4 vol. parus (trois 1934-1940, un 1944-1946). *Mémoires intérieurs*, 1959. Théâtre : *Asmodée*, 1938; *les Mal Aimés*, 1945; *le Feu sur la Terre*, 1950.— **A consulter** : Ch. du Bos, *F. M. et le problème du romancier catholique*, 1933; Ed. du Siècle, *Hommage à F. M.*, 1933; A. Fillon, *F. M.*, 1936; A. Palante, *M., le roman et la vie*, 1946; J. Majault, *M. et l'art du roman*, 1946.

la vérité pour satisfaire les bien-pensants. Mais tandis que Gide, protestant détaché de ses croyances, s'est abandonné sans remords à tous ses instincts afin de devenir plus pleinement lui-même, Mauriac, catholique demeuré fidèle aux siennes, s'efforce de les concilier avec cette sensualité dont la secrète puissance l'angoisse.

Elle est partout chez Mauriac : dans son style, volupté pour l'oreille comme pour l'imagination; dans le choix de ses sujets, qui traitent presque tous de la concupiscence charnelle; dans la conduite de ces mêmes sujets, où l'auteur analyse moins les désirs et les troubles de ses personnages qu'il ne nous les fait éprouver, nous en rendant ainsi complices. L'artiste peut s'applaudir d'une telle réussite, mais le chrétien s'inquiète : à peindre si intensément la corruption, ne risque-t-il pas de corrompre? La croix de Mauriac est là : il vit déchiré entre les exigences de son art et les scrupules de sa conscience. Un arrière-fond d'anxiété personnelle assombrit le drame de ses créatures.

Ce drame est toujours le même. Il s'agit d'opposer la Nature et la Grâce, la chair pécheresse et la foi rédemptrice; plus exactement de montrer dans ses passions humaines la recherche aveugle de l'amour divin qui, seul, peut les épurer en les comblant. Or le romancier n'a pas le pouvoir de peindre cette illumination des âmes, puisqu'elle est l'œuvre mystérieuse de Dieu; il doit se contenter de faire apparaître dans les passions, les vices, même les crimes, une inquiétude que rien ne peut dissiper et qui est, selon lui, un pressentiment, un appel. Pour y répondre, ses tristes héros s'enfoncent souvent au plus profond de l'ignominie, jusqu'à être acculés au total dégoût d'eux-mêmes; alors, la grâce aidant, commence leur remontée. Pas de moisson à espérer, enseignait aussi Gide, « si le grain ne meurt ». Ces romans si impitoyablement lucides ont fait scandale dans les milieux catholiques; ils recèlent cependant une apologétique dont les moyens, il est vrai, sont parfois scabreux, ou étranges.

Presque tous ont pour cadre les paysages landais ou girondins dont Mauriac a l'expérience personnelle et qu'il évoque magnifiquement; et pour sujets ils ont les luttes sourdes qui déchirent les familles provinciales avec une violence d'autant plus grande qu'elles subissent des contraintes plus rigoureuses. A dire vrai, Mauriac s'intéresse moins à ces luttes en elles-mêmes qu'à leur retentissement dans chaque conscience; il multiplie les monologues intérieurs, où chaque personnage approfondit sa singularité personnelle et s'interroge anxieusement sur sa destinée : les vies se développent et s'enchevêtrent sans jamais se pénétrer; l'essentiel reste incommunicable, même dans l'amour; seul l'amour divin peut nous accueillir, nous comprendre et nous fondre en lui-même; mais on ne peut y accéder que par le renoncement total, et qu'il est dur de s'arracher aux séductions de la terre!

J'ai signalé plus haut certaines analogies avec Gide : comme lui, Mauriac voit dans l'inconscient la réserve de nos forces vives. Mais voici par où il diffère de lui : nous ne devons pas simplement nous accepter, mais nous créer. Dans la mesure où nous refusons de le faire, nous restons des monstres. « Notre vie vaut ce qu'elle nous a coûté d'efforts. » C'est à la transmutation difficile de nos instincts les plus troubles en vertus chrétiennes que s'appliquent les personnages de Mauriac. La véritable action de ses romans est là, dans cette lutte intime.

Ces romans jansénistes baignent dans un éclairage très particulier, qui est comme la projection du tempérament de l'auteur. « Dès que je me mets au travail, tout se colore suivant mes couleurs éternelles... Mes personnages entrent dans une lumière sulfureuse qui m'est propre, que je ne défends pas, mais qui est singulièrement la mienne. » C'est l'aveu d'un subjectivisme secret, néfaste d'ordinaire chez un romancier, mais qui par miracle ne diminue en rien ici la diversité et la complexité des personnages tout en demeurant perceptible dans le mouvement fiévreux du récit, dans la palpitation de la phrase, dans sa cadence, dans telle épithète frémissante. L'œuvre présente ainsi un curieux mélange de subjectivité et d'objectivité.

Il a fallu que Mauriac refoulât cet accent personnel quand il a abordé le théâtre, assez tard. L'étonnant est qu'il y soit parvenu. Il est banal de constater que, chez lui, le dramaturge continue le romancier. Il a conservé ses décors : la lointaine province, où les passions s'exaspèrent en vase clos. Il a conservé ses sujets : la peinture des tares secrètes, des instincts inavouables qui remuent et grondent au fond de nos cœurs. Mais il a effacé toute résonance mauriacienne dans les propos de ses personnages, qui parlent un langage exact, direct, rapide, bien à eux; et il ne semble pas qu'il ait orienté jusqu'ici cette psychanalyse en action vers une conclusion quelconque. Cependant le double titre de sa dernière pièce (*Le Feu sur la terre*, ou *le Pays sans chemin*) indique sans doute qu'il n'est pas d'apaisement ni d'issue pour la passion de la créature qui s'attache à la créature seule. Deux de ces personnages torturés, d'un relief saisissant, vivent maintenant dans toutes les mémoires : Blaise Couture (d'*Asmodée*), ecclésiastique manqué, bien plus complexe que Tartuffe dont on l'a rapproché à tort, car il ne sait pas lui-même que son besoin de domination enveloppante naît de ses humiliations secrètes et de sa concupiscence refoulée; Laure (*Le Feu sur la terre*), qui lutte avec une lucidité désespérée contre l'affection trop passionnée qu'elle éprouve pour son frère. Les deux pièces comptent d'ailleurs parmi les plus puissantes du théâtre contemporain.

Sous le titre de *Journal*, Mauriac a commencé en 1934 et continué à recueillir ses chroniques du *Figaro*. En choisissant un tel titre, il semblait jouer sur le mot : mais ces articles expriment surtout le retentissement des événements, grands ou petits, sur sa vie intérieure et, réunis, ils constituent vraiment un journal intime, où la sensibilité frémissante de l'écrivain se montre à découvert. Certains, dans les premiers volumes surtout, élèvent un chant singulièrement pathétique, qui marque un sommet dans l'art de Mauriac. Son style, jadis barrésien avec excès, s'est dégagé du « bain de vapeur de sensations » qui l'amollissait au début; il a gagné en netteté, en agilité, en force sans rien perdre de son éclat et de son rythme. Peu à peu les événements (guerre d'Espagne, guerre hitlérienne, progrès du communisme) ont engagé Mauriac toujours plus avant dans la lutte politique. Aujourd'hui, il commente moins souvent ses rêves, ses lectures ou les menus faits quotidiens; par contre, il polémique davantage, avec une causticité souvent redoutable; mais, dans les deux cas, il élève toujours rapidement le débat jusqu'au niveau des grands problèmes, ou plutôt du seul problème qui compte pour lui.

On rapproche parfois Julien Green[1] de Mauriac. Tous deux en effet s'intéressent aux forces irrationnelles qui agissent sur notre raison; tous deux décrivent la vie humaine sous un éclairage sinistre, comme un bagne où l'homme souffre et fait souffrir; mais Mauriac a toujours affirmé que ce bagne avait une issue et nous l'indique; Green a longtemps douté qu'il en existât quelqu'une. S'il est revenu vers 1940 à la doctrine catholique, il faut prendre garde que la presque totalité de son œuvre romanesque a paru entre 1924 et 1939, période de déréliction où sa foi s'était affaiblie, sans qu'il cessât de redouter l'action de puissances invisibles : c'est ici la note propre de cette œuvre singulière. Elle a transporté dans le roman français, dont l'esprit est tout humain et social, les cauchemars de Poe, le pessimisme d'Hawthorne, le sentiment mélancolique de l'irrémédiable solitude des êtres qui rend si poignant le roman anglais, des sœurs Brontë à Thomas Hardy. Qui s'étonnerait de ce brusque afflux d'influences anglo-saxonnes devra se rappeler que Julien Green,

---

1. Julien Green, né à Paris en 1900, de parents américains. Romans : *Mont-Cinere*, 1926; *Adrienne Mesurat*, 1927; *Le Voyageur sur la Terre*, 1927; *Les Clefs de la Mort*, 1928; *Leviathan*, 1929; *Epaves*, 1932; *Le Visionnaire*, 1934; *Minuit*, 1936; *Varouna*, 1940; *Moïra*, 1950. — *Journal* : **7** volumes (1928-1958) parus de 1938 à 195**8**. — **A consulter** : M. Eigeldinger, *J. G. et la tentation de l'irréel*, 1947.

né et élevé en France, est Américain. Ajoutons : grand lecteur
de la Bible; et, bien que catholique, marqué de purita-
nisme.

Le roman de Green est essentiellement un roman de poète;
non par le style, qu'il a voulu simple, arythmique, dans la conviction que tout accent trop personnel risque d'accrocher l'attention du lecteur et de la détourner du récit, — mais par l'étrange
conception de la vie que ce récit dénote. Green dirait volontiers
comme Rimbaud que « la vraie vie est absente » des gestes et des
paroles que la plupart des hommes prennent pour elle : ou plutôt, qu'elle est derrière, les inspirant, les commandant avec une
force si impérieuse que toute liberté est illusoire et toute volonté
sans pouvoir. Les personnages de Green se sentent irrésistiblement manœuvrés par ces forces souterraines dont ils épient en
eux, autour d'eux, les manifestations incompréhensibles. Leur
seule attitude sera donc une attente épouvantée, ou un abandon aux instincts irrépressibles, ou un ennui sans mesure : à
quoi bon faire effort pour s'adapter à une existence truquée,
dont l'affreux dénouement est inéluctable? Seuls méritent qu'on
s'y attache, parce qu'ils peuvent nous mettre en contact intuitif
avec cette part irrationnelle de notre être qui le constitue vraiment — le souvenir qui décante la réalité et le rêve qui la
dépasse.

Ce n'est pas l'observation qui commande l'inspiration, chez
Green, ce serait plutôt l'inverse. Il projette ses incertitudes et
ses angoisses dans des personnages qu'il crée et auxquels il compose une destinée, un décor de vie accordés aux problèmes qui
les tourmentent; les destinées sont douloureuses et dramatiques,
les décors sinistres, souvent fantastiques, mais toujours vigoureusement traités. Ainsi naît un monde demi-hallucinatoire,
demi-réel, cohérent cependant, dont le pouvoir d'envoûtement
est indéniable et qui, par les menaces confuses qu'on y sent rôder,
rappellerait Kafka plus encore que Mauriac[1].

Green a publié **sept** volumes de son Journal (années 1928-
1958), dont le 3e et le 4e, rédigés en Amérique pendant
l'occupation allemande, attestent son amour nostalgique et passionné pour notre pays. C'est un mémorial plutôt qu'une confession; il y a noté — avec choix — mille souvenirs, et tout ce
qui lui paraissait posséder une qualité poétique ou singulière;
il y agite les mêmes problèmes que dans ses romans, ce qui achève

---

1. L'élément réaliste prédomine dans certains romans : *Mont-Cinere, Adrienne
Mesurat, Léviathan, Epaves, Moïra*; l'élément de rêve dans certains autres :
le Voyageur sur la Terre, les Clefs de la Mort, le Visionnaire, Minuit, Varouna.

de montrer combien ses personnages lui sont consubstantiels;
malgré sa foi revenue, il reste anxieux.

Comme Gide, comme Mauriac, Jacques de Lacretelle[1] pense que
la chose essentielle est la richesse de nos instincts; comme Gide
notamment, il juge que seules les circonstances les orientent vers
le vice ou la vertu : ainsi de la Bonifas dont les penchants, trop
virils jusque-là, se muent au moment du danger en autorité, en
audace héroïque; ainsi de Marie-Rose[2], se libérant par l'assassinat
de sa propre mère des contraintes qui l'empêchaient de devenir
l'épouse exemplaire et la mère admirable qu'elle rêvait d'être et
qu'elle devint en effet.

C'est dire que Lacretelle étudie avec une lucidité totalement
dépourvue de prévention la genèse et les mutations de nos sentiments. Il s'est surtout attaché, reconnaît-il[3] « de *Silbermann* à *la
Bonifas* et à *Sabine*, aux êtres injustement persécutés ou incom-
pris en raison de leur pureté intacte et de leur sensibilité ». De ces
êtres, centre du récit, rien ne nous demeure inconnu : leurs instincts, leurs pensées, leur comportement, le milieu qui encadre
leurs actions et les détermine, tout est noté sans surcharge, en
touches rapides et délicates. Aucun moralisme, du moins apparent : l'auteur dit les faits, et nous laisse le soin de conclure.

Cependant le lecteur regrette de ne pas trouver dans ces récits
trop parfaits « le coup de vent », le désordre, le foisonnement, la
surabondance de la vie qui font croire à la présence réelle des êtres
et des choses. Il feuillette de belles histoires plutôt qu'il ne revit un
drame. L'œuvre, a dit justement un critique[4], a « un charme de
reflet, un style d'estampe et d'œuvre d'art ».

C'est volontairement que Lacretelle se tient à cette manière
classique; volontairement qu'il décrit avec précision et sans obscurité les mouvements les plus souterrains de l'âme, qu'il impose à la
matière qu'il traite les lois de l'ordre et de l'équilibre, au récit
qu'il développe une marche régulière et ferme. Son expression,
élégante et naturelle, reste toujours en deçà de l'effet. Ainsi Lacretelle continue la grande tradition française du roman psychologique, jadis ouverte par Mme de Lafayette, et cela dans la forme
même où on le pratiquait jadis[5].

---

1. Jacques de Lacretelle, né en 1888 à Cormatin (Saône-et-Loire). *Silbermann*,
1922; *la Bonifas*, 1925; *les Hauts-Ponts*, 4 vol., 1932-36.
2. Dans *le Cachemire écarlate*.
3. Préface à *la Renarde*, de Mary Webb.
4. A. Rousseaux.
5. Analyste pénétrant, moraliste autant que romancier, écrivain limpide et
délicat qui se complaît dans la gamme des gris, Jacques Chardonne (pseudonyme
de Jacques Boutelleau, né en 1884 à Barbezieux) continue cette même tradition

Avec Colette[1], dont l'œuvre, déjà commencée avant la Grande
Guerre, ne s'est vraiment imposée qu'après, nous n'avons plus à
nous préoccuper de l'interprétation de nos instincts, mais seulement à observer leurs effets, ou plutôt, à les vivre avec elle, qui se
grise de leur saveur. Son œuvre est sensualité pure. L'unique sujet
de ses romans est la force sourde du désir qui pousse la femme vers
l'homme, le sursaut d'orgueil qui l'en écarte et la rejette vers l'indépendance — une indépendance farouche et cabrée —, pas pour
longtemps, car vient toujours le moment où « la *Vagabonde* »
réclame à nouveau « *l'Entrave*. » Ce problème trouble de l'amour
charnel, effet ou condition de l'autre amour dont Colette s'est moins
souciée, elle l'a traité avec une admirable hardiesse, sans dégrader
ses personnages ni ses lecteurs. Même le douteux Chéri, la pitoyable
Léa, dans les deux plus vigoureux romans de Colette, gardent des
droits, sinon à notre sympathie, du moins à notre pitié.

Est-ce par dégoût du contact humain ou par désir de communiquer plus directement avec l'instinct, force motrice de l'univers,
que Colette se rejeta vers les chiens et les chats, amis silencieux
et sûrs auxquels elle accordait autant de valeur qu'aux hommes?
Les deux peut-être. Et puis elle aimait « caresser les toisons tièdes »...
Les sens furent souvent déterminants pour elle, car, prêtresse de
l'instinct, elle était aussi puissance de sentir : c'est même là son don
capital. Le naturisme du début du siècle, trop souvent épicé d'ironie par Francis Jammes ou gonflé de lyrisme par la comtesse de
Noailles, a trouvé dans son œuvre son expression la plus simple
et la plus pleine. Nos sens les moins « renseignants », ceux qui
sont amortis chez la plupart des hommes, l'odorat, le goût, ont

---

dans un domaine plus resserré. Il s'est consacré à la psychologie du couple
conjugal, étudié dans son intimité. Il a noté avec un art subtil et léger les
transformations imperceptibles que les difficultés de la vie, l'âge, les tentations,
les malentendus font subir au sentiment primitif sans jamais l'abolir dans les
deux cœurs. L'intrigue est peu de chose dans ces romans qui ne s'encombrent
pas de justifications matérielles à la Balzac; par contre une large part est
réservée aux réflexions des personnages sur eux-mêmes, sur l'amour, la société,
la vie... Ils reflètent tous, plus ou moins, la sagesse assez désenchantée de
l'auteur (qui l'a du reste formulée directement dans des recueils d'aphorismes).
Cette communauté de vues modérées, une certaine égalité de ton, les unifor-
mise un peu dans notre mémoire qui retient surtout les personnalités vigoureuses et nettement différenciées. — Romans ; *l'Epithalame*, 1921; *les Varais*,
1929; *Eva ou le Journal interrompu*, 1930; *Claire*, 1931; *les Destinées sentimentales*,
3 volumes, 1934-36; *Romanesques*, 1937. Essais et souvenirs : *l'Amour du Prochain*,
1932; *le Bonheur de Barbezieux*, 1938.

1. Sidonie-Gabrielle Colette, Saint-Sauveur, (Yonne) 1873 — Paris, 1954. —
Œuvres : *Sept Dialogues de bêtes*, 1905; *la Vagabonde*, 1910; *Chéri*, 1920, et la
Fin de Chéri, 1926; *le Blé en herbe*, 1923; *la Naissance du Jour*, 1928; *la Maison
de Claudine*, 1923; *Sido*, 1930. — **A consulter :** J. Larnac, *Colette, sa vie, son
œuvre*, 1927 Cl. Chauvière, *Colette*, 1931.

conservé chez elle leur subtilité primitive. Et elle était incomparable pour trouver le mot juste, l'image exacte qui transmettraient au lecteur la sensation dans toute sa force, saveur, parfum, contact.

Les premiers romans de Colette étaient des autobiographies romancées[1]. Les suivants nous découvrirent, dans des âmes étrangères, le fond animal de l'être humain. Les intrigues sont simples; les personnages, réduits à leurs instincts ou plutôt à un seul d'entre eux, n'agitent qu'un problème, l'éternel problème de l'alcôve, en sorte qu'une odeur assez lourdement sensuelle imprègne tout le récit et lui ôte, sinon tout pathétique, du moins toute grandeur. Il en est ainsi de *Chéri* et de *la Fin de Chéri*, les deux romans les plus forts qu'ait écrits Colette. Mais, dans cet effort vers l'objectivité, elle ne délaissait pas la littérature confidentielle, où elle a sans doute mis le meilleur d'elle-même : son goût de l'indépendance, de la netteté, de la propreté, et son âme de poétesse virgilienne, exactement informée des réalités rustiques. Il faut lire *la Maison de Claudine* et *Sido*, où elle revit son enfance villageoise à Saint-Sauveur dans l'Yonne, auprès d'une mère incomparable qui lui communiqua son amour des bêtes et des plantes, sans pouvoir la mettre en garde contre l'amour de l'amour. Vers la fin, Colette, immobilisée par la maladie, mais admirablement servie par « la mémoire de ses vieux sens subtils » a continué à dérouler nonchalamment ses souvenirs et ses rêveries, en une langue aisée, robuste et pure, qui font d'elle un des meilleurs stylistes de l'époque,

L'œuvre de Duhamel[2] est, comme celles de Gide et de Mauriac, une méditation sur la condition humaine. Toutefois, à l'inverse de Mauriac, Duhamel n'en examine pas la signification métaphysique; et à l'inverse de Gide, il ne s'en tient pas aux complexités et perversités de l'individu. Il replace l'homme dans la société et s'intéresse surtout aux sentiments sociaux. Est-ce en raison de leur commun souci des collectivités humaines qu'on rapproche

1. La série des quatre *Claudine* (1900-1903), écrite sous le contrôle du premier mari de Colette, Willy, a été, sur le conseil de ce boulevardier averti, rehaussée d'anecdotes libertines qui devaient pousser à la vente.

2. Georges Duhamel, né à Paris en 1884. Romans et récits : *Vie des Martyrs*, 1917; *Civilisation*, 1918; *Vie et aventures de Salavin*, 5 vol., 1920-1932; *Chronique des Pasquier*, 10 vol., 1933-1945; *Lumières sur ma vie*, 4 vol. parus, le premier (*Inventaire de l'Abîme*) en 1943; *Voyage de Patrice Périot*, 1950. — Essais et voyages : *La Possession du monde*, 1919; *le Voyage de Moscou*, 1927; *Scènes de la vie future*, 1930; *Géographie cordiale de l'Europe*, 1931; *Remarques sur les mémoires imaginaires*, 1934; *les Confessions sans pénitence*, 1941; *Chronique des saisons amères* (1940-43), 1945. — **A consulter** : Luc Durtain, *G. D.*, 1921; A. Thérive, *G. D. ou l'intelligence du cœur*, 1926; P. H. Simon, *G. D. ou le bourgeois sauvé*, 1946; César Santelli, *G. D.*, 1947.

souvent le nom de Duhamel de celui de Romains? Ou bien parce qu'ils se sont connus jadis à l'Abbaye de Créteil, où Romains introduisit l'*unanimisme*[1], doctrine que Duhamel accepta quelque temps? En tout cas, les différences entre ces deux écrivains sont profondes : Duhamel croit à la primauté de l'individu, Romains, à celle du groupe; le premier réprouve la civilisation industrielle, le second l'accepte. Et leurs styles mêmes les opposent : le premier traduit tout en termes d'affectivité, le second en termes d'intelligence.

Unanimiste et symboliste, Duhamel le fut quelque peu à ses débuts. Mais il poursuivait en même temps ses études de médecine et devint, pendant la première guerre mondiale, chef d'équipe chirurgicale dans une « auto-chir. ». Ce qu'il connu de la guerre, ce ne fut donc ni la violence ni la fureur, mais les corps déchirés; cette révélation du mal méthodiquement préparé et infligé par des hommes à leurs semblables acheva de bouleverser une âme naturellement compatissante. Désormais il se donne une mission : il luttera, soit directement par des essais, soit indirectement par des nouvelles et des romans, contre tout ce qui mutile l'homme dans sa chair et dans son esprit : la guerre, la misère, la machine, la dictature. La guerre : il évoque avec une commisération sans bornes les « martyrs » qu'elle crée, puis, avec une ironie amère, les incohérences de la civilisation moderne qui s'évertue à réparer les êtres qu'elle a préalablement mutilés. La misère : nul n'en a parlé avec plus de compassion, mais c'est surtout la détresse morale qui le retient. Les machines : il appréhende l'automatisme et l'abrutissement d'une société qui serait régie par elles. La taylorisation du travail, la mécanisation du plaisir (le cinéma avec son « robinet d'images », le phonographe avec sa « musique en conserve ») ne risquent-elles pas de réduire l'individu à une absorption béate qui tuera son âme? Il n'y a, proclame Duhamel, que l'effort individuel qui puisse la maintenir vivante. Enfin, la dictature : les méthodes pratiquées en U. R. S. S., en Allemagne hitlérienne, en Italie fasciste, l'effraient; l'uniformisation du monde par l'américanisme ne l'effraie pas moins.

Contre ces menaces, que propose Duhamel? La création d'une collectivité fraternelle où tous seraient des hommes de bonne volonté, plus soucieux de culture morale que de connaissances techniques et capables d'harmoniser la recherche de leur perfectionnement individuel avec la pratique de la solidarité humaine; cette collectivité serait douce aux faibles, aux cœurs malades. Bref ce serait une société chrétienne, sans le Christ. Car Duhamel

---

1. Voir, pour une définition de l'*unanimisme*, p. 1238.

a cessé de croire, tout en gardant la nostalgie de la foi. Mais, comme il arrive souvent, sa sensibilité est restée imprégnée de son ancienne croyance, que les grands Russes (notamment Dostoïevski dont l'influence l'a fortement marqué) lui rappellent sans cesse. Dieu effacé de sa pensée, il a fait de l'homme la valeur suprême, et de la fraternité entre les hommes son idéal. C'est donc un pur « humaniste », en ce sens qu'il place en l'homme même le principe et la fin de son perfectionnement moral. Cette sagesse stoïcienne, pour être cordiale et souriante, n'est pas sans analogie avec le stoïcisme de Vigny : agnosticisme, amour humain, culte de l'esprit. Au problème de la destinée, que les générations se repassent, ne s'ajustent guère que deux ou trois solutions possibles.

L'optimisme de Duhamel ne doit pas faire illusion : dans le fond sa pensée est assez désenchantée. Il veut aimer l'homme malgré tout ; il veut aimer la vie sans savoir où elle mène ; mais il les connaît trop bien tous deux pour ne pas faire de secrètes réserves. De son époque, il n'aime guère que ce qu'elle retient du passé, valeurs fragiles, menacées de caducité ou de mort violente ; ce qui lui vaut d'être considéré par certains comme un bourgeois libéral au sentimentalisme retardataire.

Et cependant l'œuvre de ce moralisme désabusé n'est pas triste. Sa générosité de cœur, sa bonhomie sont un premier réconfort. D'autre part il excelle à présenter discrètement le côté humoristique des choses et à le mettre en valeur avec une malice ingénue qui s'abstient de blesser. Une veine d'ironie tendre court à travers son style, un des plus solides qui soient ; même quand le lyrisme le gonfle ou qu'il fleurit en images toujours naturelles, il demeure clair, aisé, bien rythmé, irréprochable dans sa syntaxe.

Duhamel a écrit des essais, des récits de voyage, des nouvelles et des romans. Parmi ceux-ci, il faut retenir la suite des *Salavin* (cinq volumes) et celle des *Pasquier* (dix volumes). Son Salavin, être falot, envahi par ses aspirations vers la fraternité, la pureté, la bonté, mais dépourvu de l'énergie intellectuelle qui lui permettrait soit de les exorciser, soit de les réaliser, est en passe de devenir un « type » vivant d'une vie indépendante, comme Tartuffe ou Gavroche. Duhamel laisse entendre qu'il a beaucoup engagé de sa personne dans ce portrait d'un « frère malheureux » : sans doute la part des rêves chimériques qu'il a su, lui, juger comme tels. Car Duhamel est doué d'une clairvoyance sans illusions et d'un robuste bon sens.

Pareillement, il est permis de le reconnaître dans le personnage central de la *Chronique des Pasquier*, Laurent Pasquier. Cette fois, il s'agit de toute une famille. Laurent en raconte l'histoire ou plutôt raconte les moments les plus significatifs de cette histoire : les

lubies d'un père fantasque, inoubliable, l'égoïsme des frères, les
déceptions de l'amitié, les mesquineries des maîtres, l'amertume
même du succès : Laurent, parvenu à une haute situation scientifique, est indignement calomnié. Seule Cécile la musicienne
échappe, non aux souffrances inhérentes à l'humaine condition,
mais à ses bassesses : l'art et la foi l'élèvent et la transfigurent.
Nul doute que ce soit là, pour Duhamel, les valeurs suprêmes; les
autres sont décevantes. Somme toute la conclusion des *Pasquier*
reprend, avec plus de nuances, celle des *Salavin* : l'élan initial de
toute vie retombe vers un échec, ou une demi-réussite.

Évangéliste sans référence à l'Évangile, Duhamel a entrepris de
fonder le « règne du cœur ». Croit-il possible de hausser les hommes
— tous les hommes — jusqu'à cette sagesse accueillante, toute
de modération et d'équilibre, qui est la sienne? Il s'y efforce courageusement du moins, dans la persuasion que là est la seule voie
de salut; mais le train actuel du monde l'incite visiblement à quelque mélancolie.

Moins attaché que Duhamel à la vie de l'individu, Jules Romains[1] a entrepris de « centrer » notre vision du monde sur la
société et la solidarité des hommes. Non qu'il se désintéresse de la
vie intime de ses personnages : au contraire, il analyse minutieusement leurs monologues intérieurs; mais il ne voit pas là un « archipel de solitudes »; il étudie l'individu dans son appartenance à un
groupe, fût-il éphémère comme celui qui se forme spontanément
autour de la *Mort de Quelqu'un*, ou permanent comme le couple,
la famille, la nation; il montre comment les sentiments *unanimes*
qui constituent ce groupe (curiosité, enthousiasme, haine, colère,
etc.) enrichissent en l'élargissant l'âme de chacun et déterminent
sa conduite. A ces âmes collectives qui transcendent les âmes individuelles et agissent sur elles, Romains attribue assez étrangement
la divinité : la famille, la nation sont des « dieux. » Tel est l'essentiel
de *l'unanimisme*, « harmonie naturelle et spontanée des hommes
qui participent à la même émotion... libre respiration des groupes

1. Jules Romains, pseudonyme de Louis Farigoule : né en 1885 à Saint-Julien-
Chapteuil (Hte-Loire). Poésies : *La Vie Unanime*, 1908; *Odes et prières*, 1913;
l'Homme blanc, 1937. — Romans : *Mort de quelqu'un*, 1911; *les Copains*, 1913; *Sur
les quais de la Villette*, 1914; *Psyché*, 3 vol., 1922-29; *les Hommes de bonne volonté*,
27 vol., 1932-1947 (à noter, parmi les réussites, *le 6 Octobre*, *les Amours enfantines*,
les Humbles, *les Créateurs*, *Prélude à Verdun*, *Verdun*, *Françoise*, *le 7 Octobre*);
Bertrand de Ganges, 1947; *le Moulin et l'Hospice*, 1949; *Violation de frontières*,
1951. — Théâtre : *Cromedeyre-le-Vieil*, 1920; *Donogoo*, 1920; *M. Le Trouhadec
saisi par la débauche*, 1923; *Knock*, 1923; *l'An Mil*, 1947. — **A consulter :**
A. Cuisenier, *J. R. et l'unanimisme*; 1935; *l'Art de J. R.*, 1948; *les Cahiers des
Hommes de bonne volonté*, en cours de publication chez Flammarion depuis
avril 1948.

humains » et par là, radicalement différent du totalitarisme des dictateurs, système de contraintes extérieures[1].

Au moment même où Romains découvrait intuitivement l'existence des êtres collectifs (un soir de 1903, en remontant la populeuse rue d'Amsterdam), l'école sociologique française (Durkheim, Tarde) démontrait cette même existence qu'avait déjà chantée Walt Whitmann. Depuis, les rafales d'émotions qui ont balayé la planète nous ont assez convaincus que nos destinées individuelles sont entraînées et roulées par des vagues énormes sur lesquelles nous sommes sans pouvoir. Mais Romains est le premier romancier qui ait abordé l'étude de ces immenses phénomènes dont on sent combien ils prêtent au lyrisme et à l'épopée. Aussi bien cet écrivain, héritier direct de Hugo par la simplicité, la générosité et l'ampleur des thèmes qu'il traite, a fait plus qu'un autre pour restituer le sens de l'épique et du légendaire.

C'est par la poésie qu'il a commencé à chanter les collectivités humaines. Le titre de son premier recueil de vers, *la Vie Unanime* (1908), dit assez son intention, qui se continuera sans dévier jusqu'à *l'Homme blanc* (1937), large épopée de la civilisation. Romains part des choses réelles, de la vie directement perçue, non idéalisée, mais pénétrée par l'intuition jusque dans ses arrière-plans mystérieux. Il est à l'occasion narratif comme Hugo, mais lie toujours l'événement à la vision exaltante d'un ensemble humain. Esprit épique, visions unanimistes : au milieu de tout cela chemine un lyrisme personnel qui refuse l'image et la musique, et demeure abstrait dans son expression. L'œuvre poétique de Jules Romains, qui recèle du reste l'essence de son œuvre entière, suffirait à le classer parmi les plus originaux[2]. Il est pourtant connu surtout comme romancier.

Ses premiers écrits en prose ont, eux aussi, été conçus comme des illustrations de la thèse unanimiste : apparition spontanée d'un groupe autour de la mort d'un homme quelconque, formation artificielle de tel autre groupe grâce à la verve mystificatrice des *Copains*, retournement des consciences individuelles sous la pression irrésistible et contagieuse du sentiment collectif. (*Le Vin Blanc de la Villette*.)

La trilogie de *Psyché* est moins systématique. Romains y étudie

---

1. *L'unanimisme* fut adopté d'enthousiasme par l'Abbaye, sorte de phalanstère fondé à Créteil par des écrivains et des artistes (dont Duhamel, qui en a romancé l'histoire dans le *Désert de Bièvres*). Mais ce fut Romains qui l'y introduisit.

2. Au point de vue technique, Romains use du vers assonancé avec accords internes, selon la théorie qu'il a établie avec Georges Chennevière dans leur *Petit traité de versification* (1923).

la formation du plus petit groupe humain, le couple, et les possibilités de l'âme quand l'union est parfaite. Elle ne saurait l'être si le « dieu des corps » n'y a présidé, en sorte que ce spiritualisme est tout mêlé de physiologie. L'enquête rigoureuse que Romains mène sur le complexe amoureux, sa précision, sa lucidité un peu sèche lui ont valu d'être rapproché des grands analystes classiques.

Il était fatal qu'un écrivain sollicité à la fois par l'évocation des groupes humains et par l'étude des individus, et de plus volontaire et méthodique, tentât de réaliser la synthèse d'une époque. Romains a choisi la nôtre. Son témoignage vaudra probablement pour elle comme celui de Balzac pour la Restauration. Car le titre général de son grand ouvrage implique seulement la description des efforts que font des « hommes de bonne volonté » pour enrayer le glissement du monde vers la révolution ou la guerre; mais le roman est infiniment plus ample que le titre ne l'indique : il s'agit de recréer, dans leur infinie diversité, vingt-cinq années de vie française avec leurs prolongements européens, depuis l'année 1908, où l'annexion de la Bosnie-Herzégovine par l'Empire austro-hongrois annonça la première guerre mondiale, jusqu'en 1933, où l'accession d'Hitler au pouvoir rendit la seconde inévitable.

A cette tentative il existait des précédents. Celui de Balzac, pour la Restauration et la Monarchie de Juillet : mais ses romans sont indépendants les uns des autres, bien que la réapparition fréquente des mêmes personnages invite à considérer *la Comédie Humaine* comme un ensemble. Celui de Zola, pour le Second Empire : mais chaque roman, spécialisé dans l'étude d'une seule activité humaine, se suffit à lui-même, bien que l'auteur ait cru assurer l'unité de son œuvre en lui donnant comme armature l'histoire d'une même famille et la vérification des lois de l'hérédité. Ceux de Hugo, de Romain Rolland, qui ont promené un personnage unique dans des milieux divers : mais tout se ramène alors à l'optique d'un seul homme, et de plus un seul homme ne saurait tout voir. Morcellement, — construction concertée —, expérience limitée, — aucune de ces formules ne parut satisfaisante à Romains pour exprimer la vision grandiose qu'il portait en lui.

Il s'agissait en effet de tout montrer *à la fois* puisque tout a lieu à la fois : la méditation d'un homme d'État en même temps que le vagabondage d'un petit chien, un coucher de soleil sur les montagnes en même temps qu'une sortie d'usine, un projet d'assassinat ou une intrigue mondaine, bref les aspects simultanés du monde au sein duquel fourmillent des destinées innombrables qui se côtoient en s'ignorant ou se mêlent pour se séparer. L'évocation, cette fois, ne serait plus « centrée » sur un individu ou une famille; elle serait, conformément à la doctrine de l'unanimisme — mais d'un unanimisme assoupli, enveloppé, qui ne dogmatiserait plus et ferait sa part à l'individu, — une tranche de la durée humaine.

Comment rendre la diversité sans renoncer à la simultanéité? Le cinéma semble avoir suggéré à Romains ses procédés : l'écrivain multipliera les prises de vue, variera les angles d'attaque, fera interférer les gros plans et les fondus. Le danger était que la ramification infinie des thèmes ne lassât ou ne dispersât l'attention. Romains s'est ingénié à l'exciter au contraire en suspendant à point nommé telle intrigue pour en réintroduire telle autre qu'il avait semblablement suspendue : ainsi notre curiosité demeure perpétuellement en éveil, et l'idée centrale, celle de la multiplicité humaine, nous demeure toujours présente. De larges tableaux d'ensemble ont du reste charge de nous la rappeler.

Pour faire vivre tant de personnages si divers, il fallait posséder une connaissance presque encyclopédique des techniques. Romains se les est méthodiquement assimilées et sur ce point on le prendrait difficilement en faute. Moins assurée est sa reconstitution des différentes psychologies, réserve faite des milieux intellectuels qu'il connaît à merveille, puisqu'il en provient. Et précisément le tort de Romains, c'est d'avoir étendu à tous ses personnages, quels qu'ils fussent, le trait intellectuel par excellence : la délibération méthodique avant l'acte. Les caractères spontanés, irréfléchis, impulsifs manquent dans cette œuvre qui reflète ainsi l'esprit rationaliste de son auteur.

Le style, dans les premières œuvres de Romains, n'était pas exempt d'une certaine recherche. Il est allé en se simplifiant et la préface des *Hommes de Bonne Volonté* avertit le lecteur qu'il n'a plus à craindre « les petites malices et petites manières. » Dorénavant Romains procède par accumulation de phrases courtes, presque cursives, au milieu desquelles éclatent de temps en temps une formule condensée, une image saisissante. Mais d'un bout à l'autre de l'œuvre un trait a persisté, qui tient sans doute à la formation philosophique de l'écrivain : l'interférence perpétuelle du concret et de l'abstrait, et surtout l'abstrait traité comme une réalité concrète. Ainsi faisait du reste Victor Hugo.

Somme toute cette œuvre puissante, d'une allure assez lente car Romains est méticuleusement attentif au réel et veut tout dire, pleine de vues lumineuses car il prétend tout expliquer (trop abondamment parfois), soulevée et comme portée par un flot continu de poésie qui affleure ici ou là et s'étale alors en vastes tableaux, a chance de compter comme une des œuvres capitales de notre temps.

Il y court souvent une ironie pincée, qui marque la promotion dans la littérature, a-t-on dit, du *canular* normalien, c'est-à-dire de la mystification à froid poussée jusqu'à ses extrêmes possibilités[1] : mais il est évident qu'avant l'École même, l'écrivain en possédait l'instinct inné. Cette vocation de la mystification systématique, soutenue par un sens vigoureux de la caricature, est le principe animateur du théâtre comique de J. Romains qui renouvelle la tradition des farces de Molière, plus chaleureuses cependant, plus largement humaines et moins concertées. *Donogoo-Tonga* et *Knock* nous montrent, à force de situations bouffonnes et de mots énormes froidement énoncés, le pouvoir de suggestion des méthodes publicitaires, capables de susciter soit la création d'une ville au fond d'un désert, soit la diffusion de « l'esprit médical » chez les gens bien portants. *L'An Mil* exploite au fond la même veine. *M. le Trouhadec* est l'étude goguenarde d'un cas individuel, l'intellectuel amoureux.

Il existe aussi un théâtre poétique de J. Romains, celui de ses débuts, résolument unanimistes : *l'Armée dans la Ville*, tableau d'une occupation, *Cromedeyre-le-Vieil*, « oratorio montagnard » qui atteint à la grandeur : les deux pièces visaient à restituer le grand art dramatique, négligé chez nous depuis les romantiques et qui devrait, selon Romains, dépasser les drames individuels pour mettre aux prises les groupes humains. Elles y sont parvenues parfois. Enfin d'autres pièces manifestent une tendance moralisatrice (*Boën*, *Musse*, *le Dictateur*) : elles ont moins touché le public que les farces ; mais il fallait les signaler, pour indiquer la diversité et l'ampleur de cet écrivain magnifiquement doué, à qui l'on ne peut guère reprocher que de se montrer trop souvent dans son œuvre plus intelligent et plus volontaire que sensible et spontané.

Décrire, sans moraliser, les problèmes moraux de la société actuelle, et, sans prendre parti, les conflits idéologiques qui la divisent, tel est l'objet que Roger Martin du Gard[2] s'est proposé dans ses deux grands romans, *Jean Barois* et *les Thibault*. Par là, il est proche de Jules Romains. Mais, moins ambitieux que lui, il n'a pas entrepris de peindre les aspects innombrables du monde ; sauf dans l'*Été 1914*, qui reconstitue minutieusement les différents moments de l'angoisse européenne, il s'est tenu à l'étude de quelques individus fortement caractérisés et cependant largement représentatifs. Jean Barois incarne la génération qui

---

1. Un roman de J. Romains, *les Copains*, en donne de bons exemples.
2. Roger Martin du Gard, né à Paris en 1881. *Jean Barois*, 1913; *les Thibault*, 11 vol. : *le Cahier gris*, *le Pénitencier*, 1922; *la Belle Saison*, 2 vol., 1923; *la Consultation*, *la Sorellina*, 1928; *la Mort du Père*, 1929; *l'Eté 1914*, 3 vol., 1936; *Épilogue*, 1940. (Réimpression 1949 : 9 vol.) Pour les autres œuvres, moins importantes, voir la note 1 de la page 1243. — **A consulter** : R. Lalou, *R. M. du G.*, 1937.

s'est débattue entre les exigences réputées contraires de la science et de la foi (querelle Bourget-France), de la raison d'État et de la justice (affaire Dreyfus). Les Thibault appartiennent à la génération suivante, celle qui sera décimée par la Grande Guerre; deux familles mêlent leur histoire, les Thibault catholiques, les de Fontanin protestants; les conflits sont maintenant entre les deux disciplines religieuses, puis entre la politique et la mystique.

On a parlé de naturalisme à l'occasion de certaines scènes implacablement cruelles (la Mort du Père); mais le naturalisme est lié à une conception déterministe du monde, absente ici[1]. Il serait plus exact de parler de réalisme, et même d'un réalisme largement ouvert : comme Tolstoï, qui est un de ses maîtres préférés, Roger Martin du Gard peint toutes les formes de la réalité, spirituelles comme matérielles, et fréquemment ses personnages, semblables en cela à ceux du grand Russe, s'arrêtent d'agir pour retourner les problèmes éternels : comment vivre? pourquoi vivre? jusqu'où vont les possibilités de l'homme, et qu'y a-t-il au-delà?

Roger Martin du Gard les laisse loyalement examiner ces questions et ne se prononce pas. Pourtant c'est un fait que Jean Barois échoue dans son action pour la vérité et pour la justice; que Jacques Thibault, l'idéaliste intransigeant et révolté, échoue dans son désir de paix; qu'Antoine son frère, esprit courageux, positif et lucide, meurt en établissant le bilan de ses désillusions et sans rien espérer de l'homme « avant des millénaires ». Les départs sont enthousiastes, les arrivées désabusées. Mais n'est-ce pas un des traits dominants de l'époque, que ce désarroi des consciences? Le romancier n'est pas responsable du monde qu'il décrit; il le fait ici avec un scrupule, une probité admirables, — avec une vigueur dramatique, un sens du mouvement et de la variété, une aisance dans le dialogue qui méritent tous les éloges. Les Thibault sont un excellent témoignage sur le comportement de la moyenne bourgeoisie avant 1914, et un très beau roman. Le style, solide, naturel, rappelle celui de Maupassant, mais en plus uni, de façon qu'on croit vivre le récit, et non pas le lire.

Ce n'est pas seulement en romancier qu'André Maurois[2] décrit

---

1. La peinture facétieuse ou cynique des mœurs paysannes en était un autre aspect. Roger Martin du Gard a repris cette tradition dans le Testament du Père Leleu, 1920, la Gonfle, 1928, Vieille France, 1933. D'autre part, il a utilisé les plus scabreuses révélations de la psychanalyse dans Confidence africaine, 1931, et dans le Taciturne, 1931.

2. Émile Herzog, dit André Maurois, né à Elbeuf en 1885. Romans : les Silences du Colonel Bramble, 1918; les Discours du Docteur O'Grady, 1921; Meïpe, 1926; Bernard Quesnay, 1926; Voyage au pays des Articoles, 1928; Climats, 1929; le

son époque, mais en essayiste, en moraliste, en historien : il est peu de genres littéraires qu'il n'ait abordés, sauf la poésie, diffuse, il est vrai, dans toute son œuvre, et le théâtre. Essayiste, il s'est montré, grâce à ses expériences très diverses et à sa vaste culture, apte à discuter du commandement comme du métier, des crises économiques comme du mormonisme ou du cinéma. Moraliste, il a relevé avec objectivité l'évolution des « sentiments et coutumes », constaté que l'homme échouait s'il franchissait ses limites, et conseillé par suite de recourir, à l'intérieur de ces limites, à l'art et surtout à l'action, — notre besoin le plus profond : c'est elle, à condition d'être réfléchie et persévérante, qui nous donnera le bonheur. Optimisme relatif, tout pratique, qui se limite à la vie terrestre et ne se prononce aucunement sur ses origines ou ses fins. Dans l'action, ce qui importe, c'est le caractère; Maurois s'est intéressé aux hommes qui ont travaillé à modeler leur vie sur leur rêve : Shelley, Disraëli, Byron, Lyautey, Chateaubriand. Ses biographies, soigneusement documentées, attentives à bien marquer dans chaque vie les thèmes essentiels et les lignes de force, ont ouvert un filon que d'autres ont exploité avec moins de scrupules; mais s'ils ont créé à sa suite le genre faux des biographies dites romancées, les biographies de Maurois ne le sont pas. Pas plus d'ailleurs que ne le sont ses *Mémoires*, simples, honnêtes, totalement dépourvus de vanité et volontairement écrits en grisaille; ou ses différentes *Histoires*, qui multiplient les vues psychologiques sur le comportement et l'évolution des hommes et des peuples : ouvrages de grande vulgarisation, sans apparat, sans pittoresque outré, de lecture entraînante et aisée, qui manifestent tous les qualités maîtresses de cet écrivain : la sympathie, l'intelligence et la clarté.

Maurois observe quelque part qu'il préfère le roman, plus facile à ordonner que la biographie, trop brouillée et trop réticente. Mais quand il aborde le roman, son champ d'observation se réduit de façon assez inattendue à la moyenne bourgeoisie et plus particulièrement encore (sauf dans *Bernard Quesnay*, où il transpose l'expérience de ses dix années d'industrie) au problème de l'amour. Il en traite avec beaucoup de pénétration,

Peseur d'Ames, 1931; *le Cercle de fami le*, 1932; *l'Anglaise et d'autres femmes*, 1933; *l'Instinct du Bonheur*, 1934; *la Machine à lire les pensées*, 1937; *Toujours l'inattendu arrive*, 1946; *Terre Promise*, 1946. Biographies : *Ariel ou la Vie de Shelley* 1923; *Disraëli*, 1927; *Byron*, 1930; *Lyautey*, 1931; *Edouard VII et son temps*, 1933; *Chateaubriand*, 1938. Essais : *Dialogues sur le Commandement*, 1924; *Aspects de la Biographie*, 1928; *Rouen*, 1929; *Sentiments et Coutumes*, 1934; *Magiciens et logiciens*, 1935; *Un art de vivre*, 1939; *Etats-Unis*, 1939; *A la recherche de M. Proust*, 1949; *Alain*, 1950. Histoire : *Histoire d'Angleterre*, 1937; *Histoire des Etats-Unis*, 1947; *Histoire de France*, 1947. — **A consulter** : A. Fillon, *A. M.*, 1937.

assez classiquement d'ailleurs, en ce sens qu'il s'intéresse plus
aux crises du sentiment qu'aux problèmes de la sexualité, si fort
à la mode aujourd'hui : toutefois le sujet de son dernier roman,
Terre promise, semble marquer quelques concessions aux tendances actuelles. Sans excès : « Mon plus dangereux défaut? La
politesse », a-t-il noté. Il voulait dire par là qu'un certain conformisme de bonne éducation limitait chez lui le choix des sujets
et l'audace de l'expression. Il est certain qu'une réserve congé-
nitale, une défiance à la fois classique et bourgeoise du primitif,
du populaire, du trivial lui ont interdit la peinture des masses qui
peinent et qui souffrent aussi bien que des implications psycho-
physiologiques du sentiment. Mais, dans les sujets qu'il retient, son
analyse lucide et détachée, à la Stendhal, va souvent loin. Son style,
clair, discret, élégant, harmonieux et équilibré, ennemi de l'emphase, ami de la litote, est, lui aussi, un style de bonne compagnie.

On a souvent signalé les affinités de nature qui rapprochent
Maurois de la race britannique à laquelle il revient sans cesse :
même réserve, même sens de l'humour (son inoubliable Bramble
a été très goûté en Grande-Bretagne), même goût de la tenue,
même foi dans l'action, et aussi même fantaisie poétique qui
rôde volontiers aux confins de la vie et du mystère. Maurois
aime ces régions étranges. Il y situe souvent de courtes nouvelles,
saisissantes dans leur simplicité : ainsi *le Coucou, la Maison*; *le
Peseur d'âmes*, plus long, est plus froid. D'autres glissent vers
le conte philosophique, à la française : ainsi *la Machine à lire
les pensées*, amusante satire de la psychanalise et surtout du surréalisme qui attribuent plus d'importance aux vagissements de
l'inconscient qu'à la pensée organisée; ou *le Voyage au pays des
Articoles*, apologue qui dénonce l'appauvrissement irrémédiable
de la « littérature pure », coupée de tout contact avec la vie. Toutes
ces railleries sont légères, à la Voltaire, et sans causticité.

Modéré, tolérant, clair, spirituel et courtois, Maurois maintient dans notre époque violente et troublée des qualités qui
passaient jadis pour éminemment françaises.

Les romanciers que nous venons d'étudier décrivent le plus fidèlement possible la réalité psychologique ou sociale, mais il en est
d'autres qui se contentent d'y puiser des images pour leur plaisir :
ainsi Giraudoux et Morand, si différents à tant d'égards mais
qui ont au moins en commun le désir d'évasion[1] hors de la nature

---

1. Le thème de « l'évasion » est fréquent dans ces années d'inquiétude. Il contribua à élargir la juste renommée dont jouissait, depuis 1913, l'unique roman
d'un jeune écrivain tombé en 1914, *le Grand Meaulnes*, d'Alain Fournier. Ce

et dé la vie trop quotidiennes. Le premier en prélève les aspects les plus délicats pour, en faire des bulles irisées; le second en détache les aspects les plus caractéristiques et les heurte comme des silex, en raccourcis imprévus. Mais dans les deux cas, il y a volonté d'enchanter ou de surprendre l'esprit plutôt que de l'informer.

La chose est évidente pour Giraudoux (étudié au chapitre du théâtre, p. 1277). Elle l'est moins au premier abord pour Paul Morand[1], souvent cité comme le chroniqueur le plus brillant de l'autre après-guerre. Sans doute il a décrit à merveille la vie factice, instable, des bars, dancings, lieux de plaisir et de passage où grouille la foule cosmopolite des espions, des filles, des agitateurs, des trafiquants. Mais ce qui l'enchante, c'est visiblement le caractère extravagant des êtres et l'aspect inusité des choses; de « la vie humble, aux travaux ennuyeux et faciles » qui est celle de millions de Français peinant pour relever leurs ruines, il n'a jamais rien dit. C'est qu'elle ne prête guère à « l'effet », et « l'effet » est le but visé par cet excellent styliste. Le « coup de pouce » qui accentue les reliefs, renforce les contrastes, est sa pratique courante; sans répit il cingle l'attention du lecteur au moyen d'images brusques, de comparaisons baroques, de métaphores-surprises qui la maintiennent en état de surexcitation perpétuelle. Or le lecteur des années 20-30 se prête avec délices à ces percussions rapides, à cette grêle de notations denses, cocasses ou vigoureuses, toujours pittoresques. Il a le goût de la sensation, comme d'autres époques ont eu celui du sentiment ou de la pensée. Paul Morand l'a comblé.

roman procède en partie de la vie, en partie du symbolisme; il fond ensemble, de façon indissociable, les souvenirs d'une enfance rustique, le regret d'une merveilleuse aventure qui ne fut qu'à moitié vécue, et le rêve d'un monde enchanté. La fiction romanesque est soumise aux caprices d'une psychologie souvent obscure; mais ce qui est incomparable, c'est l'atmosphère étrange de dépaysement, d'irréalité dans laquelle Alain Fournier la développe le plus naturellement du monde. Comme Gérard de Nerval, il avait le don de nimber de mystère les plus simples choses rien qu'en les nommant. Il se pourrait qu'il ait écrit là le meilleur roman du symbolisme; il y a produit en tout cas, en un style sobre, fluide qui rappelle la *Sylvie* de Nerval ou le *Dominique* de Fromentin, un témoignage émouvant sur l'adolescence éternelle, sa nostalgie de pureté, ses ferveurs secrètes et ses réserves farouches. Alain Fournier, né à la Chapelle-d'Angillon, 1886, tué au Bois Saint-Rémy, 1914. *Le Grand Meaulnes*, 1913; *Miracles*, 1924. — **A consulter :** J. Rivière, Introd. à *Miracles*; *Correspondance de A. Fournier et de J. Rivière*, 4 vol., 1926-1928. Cette correspondance est un document important sur la formation littéraire de la jeunesse entre 1905 et 1914.

1. P. Morand, né à Paris en 1888, diplomate de carrière. *Tendres Stocks*, 1921; *Ouvert la Nuit*, 1922; *Fermé la Nuit*, 1923; *L'Europe galante*, 1925; *Rien que la Terre*, 1926; *Magie Noire*, 1928; *New-York*, 1929; *Londres*, 1932; *Air indien*, 1932; *Les Extravagants*, 1936.

Il a visé plus haut et écrit quelques romans qui ont moins plu que ses nouvelles. Reconnaissons que c'est justice : l'impressionnisme le plus intelligent ne suffit pas pour agencer une intrigue vraisemblable, pour donner à des êtres fictifs la complexité changeante et comme l'épaisseur de la vie. Les dons d'observation spirituelle et d'expression synthétique demeurent : sauf exception, les autres manquent.

Paul Morand a mieux réussi dans ses descriptions de villes (New-York, Londres) ou de régions lointaines, que le lecteur lit comme il regarderait un kaléidoscope perpétuellement agité : pas de transitions, des indications précises, voyantes, saccadées avec, semble-t-il, moins d'artifice que jadis, moins de recherche de l'effet en soi. Pas d'exotisme : Morand, grand voyageur par goût et par carrière, se sent partout chez lui, sans le moindre effort d'adaptation : à quoi l'on reconnaît l'éveil d'un sens planétaire assez neuf (Valery Larbaud en avait donné des exemples avant la guerre, voir p. 1296). Un arrière-plan idéologique, déjà sensible dans certains romans, se révèle parfois à travers quelque formule saisissante, hasardeuse ou pénétrante : d'un mot, l'écrivain indique les conflits des nations, les rivalités économiques qui en préparent d'autres. Un moralisme, assez inattendu sous une plume volontiers cynique, apparaît même vers 1934 dans ses écrits : effet probable de l'âge qui venait ou des menaces qui grandissaient sur le monde.

Et voici maintenant le groupe des romanciers qui ont pour souci majeur de nous indiquer par leurs fictions, parfois par leur exemple comment il faut la vivre. Signe des temps : le relâchement général est tel et la montée des périls si visible qu'une réforme morale s'impose. Gide dont les écrits romanesques enveloppaient souvent une intention didactique et conseillaient implicitement la ferveur, ou la libération des instincts, ou la disponibilité perpétuelle, Duhamel aussi, avec des conclusions différentes. Mais leur libéralisme tolérant, né en des temps plus heureux, répondait mal à l'angoisse de l'époque, en quête de solutions plus radicales : Montherlant propose maintenant le culte de l'énergie, Malraux l'action révolutionnaire, Saint-Exupéry la communion humaine, Giono le naturisme, Bernanos la sainteté. Ce qu'ils inscrivent dans l'affabulation de leurs romans, à leur insu parfois, c'est l'affirmation vigoureuse de leur propre personnalité et de ses rêves; leurs personnages exemplaires sont à leur image et il leur arrive de se donner directement en modèle. Par là le lyrisme se réintroduit dans le roman... Passée la formidable tourmente, Sartre et Camus s'interrogeront sur la signification de l'existence, qui ne fut jamais plus absurde, en apparence du moins.

Personne n'a dénoncé plus durement que Montherlant[1] le fléchissement de la France entre les deux guerres : sentimentalisme, chimérisme, faiblesse, confusion, abaissement des caractères et des mœurs, dédain de la qualité, goût de la facilité. Ces thèmes, inlassablement repris, lui ont inspiré (notamment dans *Service inutile*) des pages superbes de mépris, d'ironie, de dégoût, de colère, que l'événement ne devait que trop justifier.

En regard, il érigeait l'exemple de l'homme indépendant, lucide, énergique, cruel au besoin, ayant le sens de l'honneur, de l'estime, de la fraternité virile à la guerre ou dans le sport, et dédaignant « l'Hamour » qu'il réduisait à n'être que sensualité. C'est même, selon Montherlant, parce que l'Occident moderne, et notamment la France, accordent trop aux femmes qu'une « morale de midinette » s'est substituée à la morale du guerrier. A dénoncer la première, il a consacré les quatre volumes des *Jeunes filles* : mais la partie était facile à jouer, contre une Andrée Hacquebaut, ennuyeuse et médiocre, et une Solange Dandillot, jolie mais sotte. Il est heureusement d'autres femmes que l'auteur semble n'avoir jamais rencontrées, — comme il est un autre amour que « l'Hamour », mais il ne s'est pas aventuré jusqu'ici sur cette terre apparemment inconnue[2]. « L'essentiel est la hauteur. Elle vous tiendra lieu de tout. En elle, je comprends le détachement, car comment prendre de la hauteur, sans se détacher? Elle vous serait une patrie suffisante, si vous n'aviez l'autre. Elle vous tiendra lieu de patrie, le jour où l'autre vous manquera[3]. » L'autre manqua en effet; l'écrivain se détacha, comme il l'avait annoncé, mais pas dans la direction des cimes.

C'est pourtant à nous persuader que la grandeur est son domaine particulier que Montherlant s'emploie dans son œuvre et dans les mille commentaires dont il l'entoure, en se donnant négligemment comme référence pour les vertus qu'il conseille.

---

1. Henry de Montherlant, né à Paris en 1896. Romans : *la Relève du Matin*, 1920; *le Songe*, 1922; *les Bestiaires*, 1926; *les Célibataires*, 1934; *les Jeunes Filles*, 4 vol., 1936-39. Poèmes, nouvelles, essais : *les Olympiques*, 1924; *Aux Fontaines du Désir*, 1927; *la Petite Infante de Castille*, 1929; *Mors et Vita*, 1932; *Service inutile*, 1935; *l'Equinoxe de Septembre*, 1938; *le Solstice de Juin*, 1941. Théâtre : *la Reine morte*, 1942; *Fils de personne*, 1943; *le Maître de Santiago*, 1947; *Malatesta*, 1950; *Port-Royal*, 1955. — A consulter : E. Champion, *M. vivant*, 1934; E. Nériel, *H. de M., son œuvre*, 1936; Mohrt, *M. homme libre*, 1943; Michel de Saint-Pierre, *M. bourreau de soi-même*, 1949; J. de Laprade, *le Théâtre de M.*, 1950.

2. Une exception : Inès de Castro, dans *la Reine morte*. *Celle que l'on prend dans ses bras* (1950) est une pièce consacrée tout entière non à l'amour, mais au désir, d'ailleurs désenchanté par avance.

3. *Service inutile*, p. 269.

Sur quoi fait-il reposer la grandeur? Sur le sentiment personnel qu'il a de la *qualité*. « Je n'ai que l'idée que je me fais de moi-même pour me soutenir sur les mers du néant[1]. » S'il consent à servir, il sait d'avance que ce service — exigé par l'âme, mais condamné par l'intelligence — sera inutile : le geste vaudra précisément par sa gratuité. Il s'agit au total non de se dévouer, mais de se réaliser dans la plénitude de son être, sans déchoir à ses propres yeux. Ceci ne concerne pas son premier livre, *la Relève du Matin*, qui donna de grands espoirs à la critique catholique; mais Montherlant rompit avec le christianisme dès le second, *le Songe*, roman de guerre : là le héros, totalement indifférent au drame de de la patrie, s'abandonnait par contre à ses instincts que les circonstances avaient libérés : goût de la simplicité, du danger, du sport, de la camaraderie virile, de la sensualité, mépris du sentiment. Et aussitôt après, Montherlant, citant Juvénal[2], dénonça l'apport trouble de l'Oronte syrien qui déverse depuis deux millénaires ses fausses valeurs (christianisme, libéralisme, romantisme, etc.) dans les eaux pures du Tibre (tradition, discipline, réalisme, classicisme). Certains aspects du catholicisme perpétuant la romanité, Montherlant acceptait encore de se dire catholique : mais il coula dans ce catholicisme paradoxal la mystique dyonisiaque qui devait être dorénavant la sienne; il célébra le corps, le combat, le Taureau divin qu'ont adoré les légionnaires, en même temps que tous les assouvissements charnels : car notre nature a droit de s'épanouir en tous sens, sauf du côté de l'intelligence dont les curiosités sont factices et du côté du sentiment dont les exigences sont abêtissantes. Cependant elle ne saurait nous permettre toutes les jouissances à la fois, en quoi elle se révèle imparfaite : pratiquons donc « l'alternance », qui nous permet de rejeter demain ce que nous adorons aujourd'hui pour adorer son contraire. Doctrine doublement commode : elle accorde les prestiges de l'énergie et les agréments de la facilité; l'abbaye de Thélème conseillait déjà bonnement : « Fais ce que voudras »; et elle rend difficile de saisir la personnalité de l'écrivain, dont un des soucis les plus constants semble bien être d'échapper à toutes les définitions qui l'enfermeraient dans leurs limites. Son tempérament capricieux et désinvolte y est pour quelque chose; mais ces autocritiques qui devancent la critique, ces feintes, voltes et brusques dégagements, ces impertinences systématiques, ces conclusions qui se dérobent sous un sourire

---

1. *Service inutile*, p. 61.
2. « Jampridem syrus in Tiberim defluxit Orontes. Cité dans *la Première Olympique* : *le Paradis à l'ombre des épées*, p. 11.

énigmatique et supérieur (« le sourire de la pensée la plus profonde[1] ») sont autant de moyens concertés pour dérouter et se glisser hors de toute prise.

Somme toute, un grand individualiste qui cultive l'attitude avantageuse et altière, comme l'ont fait Chateaubriand, d'Annunzio et Barrès (dont il est l'héritier ingrat) mais sans daigner la lier comme eux à la défense d'une grande cause; un pur artiste dont la morale est une esthétique. Ce point admis, on n'a plus qu'à admirer, en regrettant qu'un si grand art ait si peu de racines humaines. Montherlant est un magnifique écrivain, prodigieusement doué. Trop lyrique au début, il a vite nettoyé sa phrase des incidentes et des images qui la surchargeaient; il en a rompu le rythme trop continûment oratoire. Dès les deux *Olympiques*, il est lui-même et use de la langue avec une aisance royale et une désinvolture savoureuse; sa phrase est dense, ferme, directe, sans rien qui l'encombre ou l'alanguisse; le lyrisme qui la gonfle souvent est contenu et aussitôt compensé par la verve, voire l'espièglerie; la pensée la modèle sans effort, une pensée toujours vivante, jamais livresque; des mots d'argot, des tours quelque peu débraillés rappellent, non sans intention, que l'auteur a vécu avec les soldats et écrit pour les hommes.

Montherlant a composé peu de romans. L'un glorifie la guerre (*le Songe*), l'autre la tauromachie (*les Bestiaires*); un autre (*les Célibataires*), en faisant succéder à ces livres prestigieux la « physiologie » de deux médiocres, comme on eût dit au temps de Balzac dont nous avons ici un excellent pastiche, donne un bel exemple d'alternance; les quatre suivants (*les Jeunes Filles*) dénoncent la « lèpre » de la sentimentalité. Peu d'action, surtout des caractères, et le protagoniste est généralement l'auteur lui-même. Sa vigoureuse personnalité est plus à l'aise dans les courts récits (qui sont le plus souvent des souvenirs) et dans les essais qu'il conduit à sa guise. Il n'est venu qu'assez tard au théâtre : il y a magnifiquement réussi. Théâtre tout de caractères, comme ses romans. Il l'a voulu dépouillé, réduit à l'action intérieure, mettant en jeu des sentiments grands et simples, ceux que nous connaissons déjà. Le roi Ferrante enseigne « comment on tue les femmes » pour le bien de l'État. Georges Carrion sacrifie son fils — quatorze ans — à l'exigeante idée qu'il se fait de l'homme et que l'enfant est trop médiocre pour remplir. Une pièce complémentaire — *Demain il fera jour* — inverse brutalement la situation : le père cornélien s'enfonce dans l'ignominie et sacrifie à sa lâcheté l'enfant, qui s'est révélé viril et courageux. Le public

---

1. *Le Solstice de Juin*, p. 322.

n'a pas très bien compris : l'alternance, sans doute... Don Alvaro
sacrifie sa fille que l'amour appelle et l'entraîne avec lui vers
l'anéantissement du cloître. Malatesta est un homme qui se
détruit et qu'on détruit jusque dans ses chances de survie : Montherlant a mêlé quelque ironie à la peinture de ses attitudes
effrénées et contradictoires, comme s'il craignait d'être assimilé
à son héros et tenait à se mettre hors du jeu. *Port-Royal* enfin,
délaissant les questions de doctrine, glorifie la résistance des
Religieuses : toujours les grandes âmes et la tension des volontés.
Mais nous savons maintenant qu'il y a beaucoup de « littérature » —
du reste très belle — dans cette « chevalerie du néant ».

Autre apôtre de l'énergie : André Malraux[1]. Celui-ci a payé
d'exemple en toute occasion, dans les conditions les plus hasardeuses (Chine, Espagne, maquis français, Alsace) et son accent
est, non plus d'un esthète complaisant à soi-même et travaillant
avant tout à la stylisation de son personnage, mais d'un témoin
fiévreux que pressent tous nos problèmes. Intelligence aiguë, nature
ardente, Malraux vit penché sur l'avenir.

Il donne pour cadre à ses romans l'histoire en train de se faire ;
ses héros sont engagés tantôt dans des actions violentes, tantôt
dans des conversations philosophiques. Aussi la psychologie
analytique ne tient guère de place dans le récit qui note de
l'homme soit son comportement dans la bataille, soit ses cogitations abstraites, mais rarement son agitation intérieure, les hésitations de sa volonté ou les perplexités de son cœur, bref ce qui
l'individualise. De là vient sans doute que les personnages de
Malraux manquent d'épaisseur, et que, si vigoureux que soient
leurs actes ou si originales leurs pensées, ils puissent se confondre
dans notre souvenir.

Le problème qu'ils examinent quand ils s'interrompent d'agir
est celui-là même qui angoissait Pascal : à quoi tend cet univers
absurde ? quel est le sens de la destinée humaine et pourquoi
accepte-t-elle de lutter contre lui, malgré la certitude d'être finalement engloutie par la mort ? Pascal résolvait ces difficultés
par la foi. Malraux écarte la foi. Dès lors, où trouver un point
d'appui ? Il n'y en a pas, suggèrent ses premiers romans : tout
au plus l'action peut-elle nous être une diversion efficace, qui
nous détournera de méditer l'effrayant problème et libérera
d'autre part notre volonté de puissance, source de joie.

1. André Malraux, né à Paris en 1901. Romans : *les Conquérants*, 1928 ; *la Voie
Royale*, 1930 ; *la Condition humaine*, 1933 ; *le Temps du Mépris*, 1935 ; *l'Espoir*,
1937 ; *les Noyers de l'Altenburg*, 1945. Critique : *Psychologie de l'Art*, 3 vol., 1948-
1950. — **A consulter :** G. Picon, *A. M.*, 1946 ; Cl. Mauriac, *M. ou le mal du
héros*, 1947 ; Revue *Esprit* (oct. 1948). « *le cas Malraux* »

Puis Malraux s'est avisé que notre dignité consistait dans l'effort, même désespéré, que nous devons faire pour combattre le désordre, source d'injustice et de dégradation. Cet effort, en nous unissant à d'autres hommes, nous procure en outre le réconfort de la camaraderie virile (ici Malraux rejoint Montherlant). C'est pour ces fins métaphysiques et morales que Malraux s'est associé aux diverses révolutions sociales de notre temps sans en être totalement solidaire. On a noté que dans l'*Espoir*, roman-reportage vécu en Espagne par son auteur qui commandait une escadrille gouvernementale, il n'est question ni de marxisme, ni de redistribution des richesses, ni d'économie politique : rien que de l'honneur de l'homme. Les révolutionnaires qui font de la révolution sociale un absolu avaient raison de se méfier de ce « compagnon de route » : c'est d'un autre absolu qu'il rêve. Le seul problème qui l'intéresse vraiment est celui qui obsédait son maître Nietzsche : comment peut-on, sans la fonder sur la religion, sauver la qualité de l'homme? En m'imitant, répondait Montherlant. Malraux cherche une réponse moins égocentrique.

En n'acceptant pas la subordination aux forces monstrueuses d'un univers aveugle et d'une société inique; en se révoltant sans cesse contre elles; en luttant sans répit, car la lutte seule donne son sens et sa dignité à la vie. La pensée qui ne passe pas dans l'action n'est qu'une peureuse dérobade. Malraux dirait volontiers : « Travaillons à bien *agir* : c'est le principe de la morale. »

Cette lutte entraîne des atrocités sans nombre. Les scènes de meurtre, de torture, de massacre, sont fréquentes dans l'œuvre de Malraux, — si fréquentes qu'on a dénoncé chez l'auteur une dilection secrète pour de tels spectacles, qu'il peint avec une force et une crudité à peine tolérables; mais la matière qu'il traite les comporte, malheureusement; et il y voit sans doute le moyen de soumettre ses héros à l'épreuve la plus décisive : c'est l'attitude des hommes devant la double menace de la souffrance et de la mort que se mesure leur force morale; les années d'occupation ne l'ont que trop démontré. Malraux semblait en pressentir les horreurs et y préparer les âmes.

Reprenant inlassablement le même problème, Malraux a cherché dans les *Noyers de l'Altenburg* quel était le fond permanent de l'homme sur quoi il serait possible de fonder une éthique; mais si la structure mentale de l'humanité n'était pas fixe? si le seul élément constant, à travers la succession des civilisations, était le besoin animal de se nourrir, — ou encore la recherche du bonheur? Ce sont des vues aussi vastes sur l'art de l'humanité que Malraux a présentées dans sa *Psychologie de l'Art*, un des maîtres livres de l'époque, d'où il ressort que les siècles classiques, « organisateurs » et « idéalisateurs » de la nature, constituent un petit îlot perdu dans l'histoire universelle que remplissent la terreur du mystère et l'effroi du sacré. Le *Goya* qu'il a publié sous le titre de *Saturne* annonce la fin du règne classique et le ressurgissement du sacré, sous une forme infernale cette fois, dans l'univers humain. Cette « psychologie » de l'art en est, comme on voit, plutôt la métaphysique. L'anxiété métaphysique conditionne véritablement l'œuvre romanesque et critique de Malraux.

Œuvre capitale, à la fois comme témoignage d'une époque angoissée et comme excitation pour les esprits. On y a reconnu les éléments d'un existentialisme qui a précédé (de peu) la mise en ordre du problème par Sartre. Mais Malraux a sur Sartre cet avantage de le poser en termes plus passionnés et d'avoir lui-même vécu plusieurs des solutions qu'il indique.

Le style de Malraux a été souvent critiqué. Saccadé, elliptique, surchargé d'images dans les premiers ouvrages, il s'est quelque peu dépouillé et détendu à partir de la *Condition humaine*, qui est son plus beau roman (jusqu'ici); il a gardé néanmoins sa densité, son caractère abrupt, trop souvent obscur. L'ordre, la grâce et l'harmonie ne sont évidemment pas ses qualités dominantes, mais bien l'intensité, la rapidité, la brusquerie de l'attaque, l'effet de choc. Il est ainsi à l'image de l'homme même.

L'affrontement du péril, la camaraderie virile que Montherlant et Malraux recherchent dans la guerre, Saint-Exupéry[1] les a trouvés plus simplement dans l'approfondissement de son métier. Il est vrai que ce métier valait alors — et vaut encore — risque de guerre : Saint-Exupéry avait choisi d'être pilote de ligne. Il est devenu homme de lettres en méditant sur ses devoirs d'état.

C'était une nature équilibrée, lyrique sans déclamation, mystique sans foi définie, par-dessus tout optimiste, confiante et généreuse. Il aimait l'action qui seule peut, selon lui, nous révéler à nous-mêmes et nous donner du monde la connaissance vécue que ne sauraient nous enseigner les livres. Il l'aimait disciplinée, insérée dans un métier qui procure la joie du travail en équipe et des solidarités fraternelles (aspiration nostalgique née de

---

1. Antoine de Saint-Exupéry, né à Lyon en 1900, abattu en mer, près de la Corse, en 1944, par un avion allemand, au retour d'une mission de reconnaissance. *Vol de Nuit*, 1931 ; *Terre des Hommes*, 1939 ; *Pilote de Guerre*, 1942 ; *le Petit Prince*, 1943 ; *Lettre à un otage*, 1944 ; *Citadelle*, 1948. — **A consulter** : Albérès, *S.-E.*, 1946 ; D. Anet, *A de S.-E.*, 1946 ; numéro spécial de *Confluences*, 1947 ; Chevrier, *A. de S.-E.*, 1949 ; L. Werth, *la vie de S.-E.*, 1949.

l'expérience de la Grande Guerre, que reprennent sans cesse ceux qui ont connu la camaraderie des tranchées, et même leurs cadets). Il l'aimait efficace, engagée dans la grande œuvre collective : la civilisation, honneur et justification de l'homme. Morale de la grandeur, ici encore, mais qui n'est fondée ni sur l'orgueil comme chez Montherlant, ni sur la révolte comme chez Malraux ; plutôt sur l'acceptation comme chez Vigny, sans le désenchantement qui assombrit *Grandeur et Servitude.* Par la rigueur dans les ordres (*Vol de nuit*), par la ténacité dans l'exécution (*Terre des Hommes*), par l'acceptation d'une mission de sacrifice (*Pilote de Guerre*), l'homme, selon Saint-Exupéry, cherche à sauver cette part de lui-même qui le dépasse : l'Esprit. L'Esprit prend les formes les plus diverses, parfois les plus opposées : « Chacun a sa vérité dans le climat de sa plénitude », ce qui fait de la tolérance un devoir. Mais il n'obtiendra sa plénitude, une fois sa voie choisie, que dans l'acceptation des contraintes. C'est ce que voulait signifier Saint-Exupéry dans cette somme énorme de notes et d'ébauches qu'on a publiée après sa mort sous le titre de *Citadelle* : « Il faut rebâtir la citadelle démantelée dans le cœur de l'homme. »

L'étonnant, c'est que cette morale de la règle et du devoir ne paraît chez Saint-Exupéry ni dure ni même austère : tant il met de simplicité souriante à la présenter aux hommes comme leur seule possibilité de bonheur. Et son âme de poète reste infiniment sensible, surtout devant les choses naturelles, délicates et pures : une détresse refoulée, les constellations qui s'allument dans l'eau verte du ciel, l'adorable visage d'un petit enfant qui dort, la grâce d'une jeune fille qui sourit à ses souvenirs, les yeux baissés. *Le Petit Prince*, ce conte ravissant, se déroule tout entier au gré d'une fantaisie légère qui risque d'en faire méconnaître le sens secret, assez mélancolique : « comment se faire un ami ? », demande le Petit Prince, errant de planète en planète, sans pouvoir briser sa solitude spirituelle jusqu'au jour où il retrouvera sa Rose unique entre toutes les roses, grâce à la piqûre du Serpent mortel. Pour dire tout cela, Saint-Exupéry use de la langue la plus claire, du ton le plus naturel. Et cependant sa phrase, grâce à la densité ou à l'agencement musical des mots, a souvent une résonance infinie.

Comme Montherlant, comme Malraux, comme le Saint-Exupéry de *Vol de nuit*, Bernanos[1] vomit les tièdes ; mais pour des

---

1. Georges Bernanos, Paris, 1888-1948, Paris. Romans : *Sous le soleil de Satan,* 1926; *la Joie,* 1929; *Journal d'un Curé de campagne,* 1936; *Nouvelle Histoire de Mouchette,* 1937. Essais : *la Grande Peur des Bien-pensants,* 1931; *les Grands*

raisons situées sur un plan tout autre. Avec lui il s'agit, non point de satisfaire à un besoin de grandeur dont on peut se demander sur quoi il se fonde, mais bien de s'offrir comme champ de bataille à la lutte entre Satan et Dieu, à quoi ne prêtent guère les pharisiens qui aménagent douillettement leur vie en honorant vaguement l'au-delà par manière de contre-assurance.

Bernanos est un romancier catholique qui approfondit le problème du péché. Mauriac aussi sans doute, mais de façon moins directe : Mauriac amène ses pécheurs et pécheresses au seuil de la grâce, mais s'arrête quand elle s'empare d'eux, en sorte qu'il s'en tient à leur psychologie humaine, ou, plutôt, à la part humaine de leur psychologie, vue sous un éclairage, il est vrai, spécial. Bernanos au contraire nous jette avec violence en pleine bataille surnaturelle, et l'on ne peut s'expliquer les soubresauts, les incohérences, les absurdités des personnages que si l'on y voit comme la projection dans le drame des luttes spirituelles qui le transcendent. Là est « l'intrigue » véritable, capitale puisqu'il y va du salut des âmes, et non dans l'aventure purement humaine dont le romancier se soucie assez peu. Comme le drame de Claudel, le roman de Bernanos est à base théologique.

« Chacun de nous peut aller jusqu'au bout de soi-même[1]. » Soit dans le bien comme Chantal (la Joie) et le Curé d'Ambricourt (Journal d'un Curé de campagne), soit dans le mal, comme les deux Mouchette. Dans un cas comme dans l'autre, l'être humain devient le lieu de combat où s'affrontent deux formidables antagonistes : dans le pécheur endurci, Dieu combat Satan ; dans le saint, Satan combat Dieu. Mais ni l'un ni l'autre ne pénètrent dans l'âme du tiède, de celui qui accepte passivement le monde de la chute et s'efforce de l'aménager au moindre risque. Vae tepidis : malheur aux tièdes, ils seront rejetés.

Les vrais pécheurs, habités par Satan qui s'y fortifie pour mieux résister, sont chez Bernanos des âmes forcenées. Il n'en faudrait pas conclure qu'inversement les saints sont chez lui des âmes sereines et toutes claires : comment pourrait-il en être ainsi, puisque Satan s'efforce de les envahir? Bernanos nous présente donc, au lieu de figures conventionnellement idéales, des êtres gauches, déchirés, malheureux, inconscients de leur rayonnement qui dissipe pourtant, à leur seule approche, les vanités et les

Cimetières sous la Lune, 1938; Scandale de la Vérité, 1939; Lettre aux Anglais, 1946; la France contre les Robots, 1947; le Chemin de la Croix-des-Ames, 1948. — **A consulter** : Luc Estang, Présence de Bernanos, 1947; G. Picon, B., 1948. Cahiers du Rhône, 1949, G. B.

1. Monsieur Ouine, p. 28.

mensonges. Dieu lui-même se retire parfois du saint, qui demeure seul, abandonné comme le Christ à Gethsemani; il connaît alors l'épreuve suprême, le désespoir. Tant de souffrances sont nécessaires, enseigne l'Église, pour racheter les péchés des autres dont il a assumé l'expiation en les en déchargeant.

Vivez donc votre vie dans toute sa plénitude, conseille Bernanos; vivez-la en dehors de l'égoïsme et du méprisable souci de sécurité qui font les pharisiens; osez, risquez, révoltez-vous contre ce conformisme qui n'est que la peureuse acceptation du péché originel. La grâce peut être accordée à celui qui scandalise, non à celui qui se soumet. La morale de la cité y perdra sans doute, mais que pèse cette soi-disant morale à côté du salut de l'âme?

On ne peut nier l'opportunité de cette prédication passionnée, mais elle porte la marque d'un tempérament effrénément romantique. Bernanos exige, à tout risque, une vie combative et aventureuse. L'Église recommande l'acceptation, l'obéissance et l'humilité : elle reconnaît que la Brinvilliers, qui alla « jusqu'au bout d'elle-même », fit une fin édifiante sur l'échafaud; mais Sainte Claire lui paraît d'un meilleur exemple.

Les problèmes que pose Bernanos et la psychologie même de ses personnages ne sont, on le voit, pleinement intelligibles que pour les seuls chrétiens. Mais les agnostiques, s'ils soupçonnent là une source possible d'immenses désordres, ne peuvent demeurer insensibles à la puissance dramatique et visionnaire, à l'accent fiévreux et direct, à la flamme lyrique, à la verve véhémente par quoi cette pensée s'exprime (voir l'histoire de Mouchette dans *Sous le Signe de Satan*, ou la scène de l'hallucination dans la *Joie*). Bernanos continue et renforce ce qu'il y a de meilleur chez le romantique Barbey et chez l'apocalyptique Léon Bloy. Ce qu'il y a de pire aussi : il est certain que beaucoup de ses imaginations ressortissent du romantisme le plus délirant. Son génie verbal est indiscutable; mais quand il en déchaîne les cataractes, la pensée est emportée en désordre, submergée, noyée; à tout le moins, la narration devient chaotique et les propos des personnages s'uniformisent dans l'élan d'une rhétorique commune à tous.

Ces défauts s'exagèrent encore dans les pamphlets, où Bernanos n'est plus contenu par une intrigue, ni contrôlé, en quelque sorte, par ses personnages; où il est livré à lui-même. Polémiste né, il fonce en tous sens avec des exigences furieuses, des affirmations aussi péremptoires qu'incontrôlables, une verve injurieuse et tonitruante qui porte à leur paroxysme les tendances analogues de Veuillot, de Barbey, de Drumont, de Bloy; il arrive fréquemment du reste que de cette effervescence jaillissent des pages magnifiquement éloquentes, des formules vigoureuses qui rappellent le meilleur Péguy. On l'a dit « de droite » à cause de *la Grande Peur des Bien-pensants*; on l'a dit « de gauche » à cause des *Grands Cimetières sous la lune*; en réalité Bernanos est l'ennemi de toutes les veuleries qui diminuent l'homme et de toutes les tyrannies qui l'écrasent. Il croit à la valeur et à l'efficacité des cœurs purs. « Aujourd'hui, comme il y a vingt siècles, il s'agit de savoir qui l'emportera, de la Justice selon l'Ordre ou de l'Ordre selon la Justice[1]. » La Justice selon l'Évangile, précise-t-il.

Giono[2] — le Giono d'avant-guerre — a tranché ces difficiles problèmes en supprimant la société qui les crée. Le bonheur, pour lui, est dans le retour à l'état de nature, dans l'abandon aux instincts primitifs qui immergeront l'homme à nouveau dans la vie universelle et l'en feront participer au même titre que l'animal et la plante. « Être la matière! », rêvait déjà le Saint Antoine de Flaubert.

Giono a décrit les merveilles du monde vivant, « les vraies richesses », non en artiste détaché qui contemple et admire, mais en initié à tous les mystères cosmiques, qui sent partout en action des forces colossales et violentes : le vent panique, la montée des sèves, la poussée des fleuves, l'appel amoureux du printemps, le « tambour du sang » dans nos artères. L'homme, une fois délivré de tous les phantasmes de l'intelligence et de la foi, replongé dans les jouissances élémentaires, « mélangé » aux choses dont il éprouvera le prolongement en lui-même, vivra sa vie de liberté sur la terre qu'il aura cessé d'asservir; il « extraira l'âme et la substance spirituelle de tout ce qui vit, les nuages, la plaine, le vent, le ciel étoilé[3] ». Pan, qu'on avait cru mort, ressuscitera. Les villes, définitivement abandonnées, disparaîtront sous l'assaut des forêts. Et la vie épique, faite de sentiments puissants et simples, redeviendra possible. Le début du *Grand Troupeau*, ou *Le Chant du Monde*, ou *Batailles dans la Montagne* sont des épopées, souvent magnifiques. Là, Giono a retrouvé par moments l'ampleur d'Homère et la puissance de Hugo.

C'est sur le plateau du Contadour que Giono, décidé à faire

1. *Lettre aux Anglais*, p. 205.
2. Jean Giono, né à Manosque en 1895. Romans : *Colline*, 1929; *Un de Baumugnes*, 1929; *Regain*, 1930; *Le Grand Troupeau*, 1931; *Jean le Bleu*, 1932; *Solitude de la Pitié*, 1932; *Le Chant du Monde*, 1934; *Que ma joie demeure*, 1935; *Batailles dans la Montagne*, 1937; *Triomphe de la Vie*, 1942; *Les Ames fortes*, 1950. Essais : *Les Vraies Richesses*, 1936; *Lettre aux Paysans*, 1938. Théâtre : *Le Hussard sur le Toit*, 1952. *Le Bout de la Route*, 1941; *Le Voyage en calèche*, 1947. — **A consulter** : Michelfelder, *J. G. et les Religions de la Terre*, 1938.
3. *Nouvelles Littér.*, 13 mars 1937.

partager à tous sa joie, prononça le nouveau sermon sur la montagne auquel firent écho de nombreux intellectuels, surtout dans les pays protestants. Rien n'est plus séduisant, pour des esprits fatigués par les cogitations abstraites et les complexités de la vie urbaine, que le vieux rêve naturiste de Rousseau, de Sand, de Lawrence, de Thoreau, de Ramuz : en un sens il correspond à un besoin réel en « revitalisant » (G. Marcel) notre représentation du monde desséchée par la simplification numérique que nous en donne la science et faussée par ses applications mécaniques; et il détend nos cœurs en faisant confiance à la simplicité de la nature, à la bonté supposée de l'homme. Mais il est peut-être nécessaire d'avoir passé par la civilisation urbaine pour goûter pleinement la civilisation paysanne : après tout, les paysans du plateau Grémone (*Que ma joie demeure*) avaient à leur disposition toutes les jouissances que leur révèle l'énigmatique Bobi, mais ils ne s'en étaient pas avisés d'eux-mêmes; et cet étudiant en philosophie dont il est question dans les *Vraies Richesses*, qui interrompait son travail dans les carrières de silex pour lire Platon, Hésiode, Virgile, Shakespeare, n'avait pas acquis la connaissance du grec, du latin, de l'anglais en cassant des cailloux : l'éducation artificielle des villes y était bien pour quelque chose. Faute de cette éducation préalable, les simples paysans que Giono nous décrit restent des êtres obscurs et balbutiants. Le « primitivisme » qu'il prône, étendu à tous, affranchirait moins l'homme qu'il ne l'abaisserait. Mais il est rafraîchissant de s'y retremper pour des intellectuels surmenés ou désabusés, à condition de ne pas oublier que l'intelligence reste une des principales chances humaines.

Aujourd'hui, tout est changé, style et sujets. Giono semble avoir renoncé au lyrisme naturiste pour s'intéresser à l'étude de la diversité et de la complexité des êtres. La psychologie des personnages n'a plus le caractère abrupt et rudimentaire qu'elle présentait dans les romans d'avant-guerre, dont les héros semblaient émerger tout juste du chaos originel; elle peut paraître parfois arbitraire, mais elle est incontestablement plus fouillée et évoque, autant que les sujets eux-mêmes (*Le Hussard sur le Toit, le Bonheur fou*), la manière de Stendhal.

Le style a subi une métamorphose analogue. Il est resté extraordinairement puissant dans toutes les évocations matérielles. Mais jadis il regorgeait d'images, si nombreuses et si violentes que leur propre foisonnement les étouffait : toutes venant au premier plan, aucun repos n'était ménagé pour les perspectives du rêve; et c'était là grand dommage, car il s'en trouvait souvent de délicieuses ou de grandioses; il s'en trouvait aussi, il faut bien le dire, qui n'étaient

que boursouflure, affectation ou galimatias. La volonté d'écrire
« concret » se doublait d'ailleurs chez Giono d'une autre préoccupation
littéraire : celle de se présenter, lui et ses héros, en primitifs hagards,
hallucinés, incapables de rendre l'intensité de leur vision par des
paroles claires, ordonnées selon la syntaxe usuelle. A ce charabia
voulu — qui a desservi les tentatives de Giono au théâtre — s'est
substitué un style décanté, coulant et rapide, qu'un excès d'images
n'encombre plus : classique en un mot. Pareil assagissement s'observe
dans le style de P. Morand, qui jadis crépitait d'images. Ce n'est
peut-être pas l'effet d'un hasard.

Il est juste de signaler ici que, vingt ans avant Giono, Ramuz[1],
le plus grand écrivain de la Suisse romande, avait traité la plupart de ses thèmes avec une puissance égale et plus de mesure,
— au point que Giono semble souvent un Ramuz devenu frénétique.
Rentré dans son pays natal sur les bords du Léman après
douze ans de séjour à Paris, Ramuz avait résolu de rejeter la
culture artificielle acquise dans la capitale et pour cela de s'attacher à l'élémentaire dans le cœur des hommes et dans la nature.
L'action de ses romans se passe tantôt dans le vignoble vaudois
au bord du lac, tantôt dans les âpres monts du Valais : plus
humaine dans le premier cas, plus mystérieuse dans le second.
Elle prend des paysans au milieu de leur labeur monotone, et
sans les magnifier comme fait Giono dont le tempérament lyrique emporte tout, elle les *dit* simplement, avec la lenteur précise
des anciens aèdes pour qui toute chose était neuve et bonne à
décrire. La force imaginative de Ramuz crée l'hallucination :
elle restitue non seulement la forme et la couleur, mais pour ainsi
dire le contact et le poids de l'objet. Elle sait aussi créer l'angoisse.
A l'origine de l'aventure, on trouve presque toujours un événement étrange, « surréel » : passage de Satan, d'une sainte, d'un
annonciateur visionnaire, présages d'Apocalypse, sortilèges et
fatalités imprécises; car « la montagne a ses volontés ». Sous la
menace, les gens des villages se sentent solidaires et vivent d'un
même cœur; le thème essentiel de la plupart des romans est la

1. Charles-Ferdinand Ramuz, Lausanne 1878-1947 Lausanne. Romans : *Aline,*
1905; *Vie de Samuel Belet,* 1913; *La Guérison des Maladies,* 1917; *Les Signes
parmi nous,* 1920; *Salutation paysanne,* 1921; *La Grande Peur dans la Montagne,*
1926; *La Beauté sur la Terre,* 1927; *Derborence,* 1934; *Si le Soleil ne revenait pas,*
1939. Essais : *Raison d'être,* 1914; *Taille de l'homme,* 1933; *Besoin de grandeur,*
1937; *Paris,* 1938; *Journal,* 1941. — **A consulter :** *Pour et contre R.,* 1926;
Buenzod, *C.-F. Ramuz,* 1928; Ch. Guyot, *Comment lire R.,* 1946; A. Tissot, *R.
ou le drame de la poésie,* 1950.

naissance, le développement et le déclin de cet envoûtement collectif.

Ramuz a été souvent et âprement discuté pour son style. Il avait posé en principe que, la langue fixée étant morte du fait même qu'elle était fixée, l'écrivain devait créer lui-même celle dont il userait sans se plier à aucune orthodoxie. Il souhaitait que ce style, dans son cas personnel, *exprimât* les pays vaudois et valaisan : pour cela, il utilisait les idiotismes, les tours propres aux paysans de là-bas, non seulement dans les dialogues, mais aussi dans le récit. Néanmoins, à travers cette forme particulière, il visait l'universel : « Il y a dans le monde deux ou trois sujets qu'il faut reprendre toujours. » (*Journal*, 24 avril 1905). Il est difficile pour un Français de savoir quelle est la part de l'apport personnel dans cette langue ingénieusement gauche, heurtée, titubante, comme obstinée à traduire, à force de répétitions, la sensation dans sa particularité et sa plénitude. Mais la thèse est dangereuse, puisqu'elle risque d'encourager, tout au moins dans le domaine de l'expression, un régionalisme total que Ramuz rejetait. — Une autre particularité de ce style, c'est de multiplier le verbe *être*, le tour « *il y a* », bref de juxtaposer les états comme dans le scénario d'un film : et il est vrai que Ramuz a fortement subi l'influence du cinéma, dont il avait tout de suite compris la portée révolutionnaire (*l'Amour du Monde*, 1925).

Le mysticisme naturiste de Ramuz semble ne tendre à rien. Mais nous saisissons ses intentions dans ses essais et son *Journal*. Lui aussi voulait rétablir le contact rompu entre l'homme et la nature. Il cherchait le point d'équilibre entre notre culture, devenue trop abstraite et trop utilitaire, — et les énergies naturelles qui l'ont nourrie à ses débuts. Péguy pensait de même, qui voyait dans cette hypertrophie de l'intellectualisme la grande malédiction du monde moderne. Et Ramuz souhaitait aussi que l'humanité retrouvât son unité sans renoncer à son âme. Il avait salué chaleureusement la Révolution russe, mais s'inquiétait de ses méthodes et de ses tendances : « Une manière de chrétienté nouvelle, mais il y a Christ dans chrétienté. » Pourtant il n'était pas croyant. (*Journal*, 14 déc. 1903).

Et voici les années effroyables, où l'Apocalypse s'abattit sur la France : présagé par la capitulation de Munich, l'effondrement de 40 nous fit toucher le fond de l'abîme. Une moitié du pays tomba en esclavage, puis le pays entier. Les réquisitions incessantes le vidèrent de sa substance et l'affamèrent; les jeunes surtout, plus spécialement visés par l'ennemi, vécurent pendant quatre ans sous la menace du travail forcé, de la prison et de la mort. Mais il y eut aussi le redressement de la Résistance, la multiplication des maquis, la solidarité du pays complice que ne purent empêcher ni les fusillades d'otages, ni la déportation vers les abominables camps *Nacht und Nebel* couronnés par la fumée des crématoires. Il est bien évident que ces effroyables épreuves, qui accueillaient les jeunes dès leur entrée dans la vie, les ont marqués bien plus profondément que la Grande Guerre n'avait fait pour leurs aînés : avant celle-ci, même après elle, il y avait eu la douceur de vivre, qui semble définitivement abolie. Une civilisation s'achève, une autre s'ébauche. On s'en apercevra toujours davantage, au fur et à mesure que les anciennes générations, éprises d'humanisme et de culture désintéressée, céderont la place aux nouvelles, mêlées dès leur entrée dans la vie consciente aux inquiétudes, aux humiliations, aux colères, aux combats, bref tourmentées par l'angoisse ou disciplinées pour l'action.

L'art cependant refuse de disparaître et essaie de s'adapter. Le roman en particulier, tout en persistant dans les formes antérieures, s'ouvre à l'influence américaine qui lui rapporte son propre naturalisme, aggravé et accommodé à la mode du cinéma (simultanéisme, ellipses, *travelling* qui oblige l'observateur à des déplacements rapides, *crossing up* qui lui permet de raconter deux histoires à la fois[1]). Ramuz, Romains, Malraux avaient déjà utilisé ces procédés avec discrétion; Camus fera de même, mais Sartre passera la mesure dans *le Sursis* (cf. la note 2 de la page 1264).

Sartre et Camus : ce n'est point par hasard que ces deux écrivains se sont imposés au lendemain de la libération. Tant d'hommes, hormis les croyants, s'étaient si vainement interrogés sur le sens et la valeur d'une existence sans cesse menacée que l'attention s'est très vite concentrée sur les romanciers-philosophes qui prétendaient pouvoir résoudre ce problème fondamental. Ramené en pleine lumière par les événements, il rejette dans l'ombre l'analyse de l'entendement qui a été depuis Kant la grande affaire du XIXe siècle. Décidément, la métaphysique, que le criticisme croyait avoir détruite, n'est pas morte.

Sartre[2], philosophe, essayiste, romancier, dramaturge, s'efforce

---

1. Voir Cl. Ed. Magny, *L'Age du roman américain*, 1949.
2. Jean-Paul Sartre, né à Paris en 1905. Romans : *La Nausée*, 1938; *le Mur*, 1939; *les Chemins de la Liberté* : I, *l'Age de Raison*, 1945; II, *le Sursis*, 1945; III, *la Mort dans l'Ame*, 1949; IV, *La Dernière Chance* (à par.). Théâtre : *les Mouches*, 1943; *Huis-Clos*, 1944; *Morts sans sépulture*, 1946; *La Putain respectueuse*, 1946; *Les Mains sales*, 1948; *Le Diable et le Bon Dieu*, 1951; *les Sequestrés d'Altona*, 1959. Philosophie : *l'Être et le Néant*, 1943; *l'Existentialisme est un Huma-*

de faire prévaloir, entre le spiritualisme chrétien et le matérialisme marxiste, un « existentialisme » inspiré en partie de Heidegger[1]. Il ne s'agit donc point ici d'un chef d'école littéraire qui chercherait une justification philosophique à ses tendances (comme ont fait jadis les naturalistes et les symbolistes), mais d'un philosophe qui emprunte, pour se faire mieux entendre, la voie des démonstrations littéraires. « L'existentialisme », il est vrai, les appelle : comme il part lui-même de l'expérience personnelle, particulière et concrète, il pense trouver aisément une vérification de ses vues dans l'examen des cas particuliers et concrets dont la littérature est faite.

Il est nécessaire de rappeler brièvement ici quelques-unes des propositions que Sartre veut illustrer dans son œuvre littéraire. Selon lui, Dieu n'existant pas, l'homme surgit dans un monde absurde, qui n'a pas plus que lui de raison d'être ni de finalité; à sa naissance, l'homme ne représente pas la matérialisation d'une essence spirituelle qui lui serait antérieure, il n'est exactement rien; rien qu'un corps indissolublement lié à une conscience : encore cette conscience n'est-elle perceptible que lorsque quelque chose la remplit; elle est comme un « creux », un « trou d'être » qu'envahissent incessamment les perceptions ou les pensées. Cependant elle comporte un attribut : la liberté du choix. L'homme est absolument libre de construire sa vie comme il l'entend, sans prendre conseil de directives divines ou d'une « nature humaine » qui n'existe pas; le sentiment vertigineux de cette liberté totale et la crainte des responsabilités qu'entraînerait son exercice poussent la plupart des gens à se constituer à tout prix une personnalité artificielle, socialement consacrée, qui leur tracera du dehors la conduite à tenir; Sartre renouvelle,

---

nisme, 1946. Essais et critique : *Situations, I-III,* 1947-49; *Baudelaire,* 1947. —
A consulter : Sur l'existentialisme : J. Wahl, *Petite histoire de « l'existentialisme »,*
1947; Benda, *Tradition de l'existent.;* E. Mounier, *Introd. aux existentialismes,* 1947;
H. Lefebvre, *l'Existentialisme,* 1944; Verneaux, *Leçons sur l'existent.;* Jolivet,
Les Doctrines existentiel. Sur Sartre : R. Campbell, *J.-P. Sartre, ou une littér.
philos.,* 1945 (cf. aussi un article du même dans la *Revue de Paris* de déc. 1948 :
Qu'est-ce que l'existentialisme? qui en réalité traite seulement de l'existent. sartrien); Jeanson, *le Problème moral et la pensée de S.,* 1947; Las Vergnas, *l'Affaire
Sartre,* 1946.

1. Martin Heidegger, nommé professeur à Fribourg-en-Brisgau en 1929, s'est efforcé d'atteindre le problème de l'Être à travers le problème de l'Existence. Mais il rejetait le terme d'*Existentialismus,* qui masquait le but ultime de son travail : la fondation d'une ontologie.

L'existentialisme athée de Heidegger et de Sartre n'est qu'un aspect du problème existentiel. Le philosophe danois Kierkegaard (J. Wahl, *Études kierkegaardiennes,* 1938) lui a donné, il y a plus d'un siècle, une solution chrétienne qu'ont précisée de nos jours Gabriel Marcel (voir p. 1286, n. 2 et 3) et Louis Lavelle, p. 1319, n. 1.

contre ces lâches, ces pharisiens, les invectives de Malraux et de Bernanos. Le héros, pour lui, choisit spontanément, en dehors de tout conformisme, l'acte qui l'exprime vraiment. Mais, comme le choix est sans cesse révisible, le conformiste peut à tout instant se muer en héros, le héros s'affaisser dans le conformisme... Au bout du compte, chacun de nous n'est que le total de ses actes; nous sommes ce que nous nous faisons. C'est en ce sens qu'il faut comprendre la formule connue : « L'existence précède l'essence. » Sartre ajoute : « et la crée ».

Les rapports de l'Être et du Néant[1], de la conscience et des choses avaient été définis dès l'avant-guerre par Sartre dans la Nausée (1938), roman-clé qui commande le reste de l'œuvre; à vrai dire, plutôt qu'un roman, c'est une suite de méditations philosophiques, de remarques caustiques, de scènes satiriques jetée sur une intrigue très menue (la vie ennuyée d'un personnage quelconque, Antoine Roquentin, dans une ville de province). Dès la fin de la Grande Guerre, nous l'avons vu, le problème de la personnalité avait envahi la littérature : Proust, Pirandello, Freud, les surréalistes; mais (sauf ces derniers), les écrivains s'étaient tenus à l'aspect psychologique et moral de la question, lequel ne soulevait aucune difficulté de transposition esthétique. Sartre est le premier romancier qui ait osé la traiter sur le plan métaphysique; et il a réussi à l'y maintenir en restant concret et vivant. C'est ce même problème, selon l'auteur lui-même, qui a inspiré les cinq grandes nouvelles réunies sous le titre le Mur; la densité, le mouvement dramatique en sont tels qu'on hésite à y reconnaître l'illustration d'un système.

De même, et plus particulièrement à l'approche du deuxième conflit mondial, un certain nombre d'écrivains (Malraux notamment) avaient étudié le problème de l'action, de sa justification, de ses modalités. Sartre l'a repris en profondeur, à partir des données qu'il avait établies dans la Nausée, et c'est ce problème qu'il traite dans ses Chemins de la Liberté où l'on voit errer, à travers des événements médiocres (l'Age de Raison) ou immenses (le Sursis : Munich; la Mort dans l'Ame : la défaite, la captivité) un personnage, Mathieu, non moins velléitaire, cynique et veule que Roquentin; à la fin pourtant Mathieu se libère brusquement de ses atermoiements et de ses doutes, il choisit de se battre sans espoir, du haut d'un clocher qui s'effondrera bientôt, mais qu'importe? « Il tira : il était pur, il était tout puissant, il était libre[2]. » A noter que Sartre donne à certains mots un sens parti-

---

1. *L'Être et le Néant* est le titre du vaste ouvrage doctrinal publié en 1943 par Sartre, avec pour sous-titre : *Essai d'ontologie phénoménologique.*
2. *La Mort dans l'Ame,* p. 193.

culier : choisir, c'est vivre; être libre, c'est répondre spontanément, par un jaillissement de toute sa vie intérieure, aux excitations du moment. L'acte volontaire qui exécute une décision
de l'esprit est un acte manqué[1].

Qui cherche les intentions philosophiques dans l'œuvre littéraire de Sartre les lit partout en filigrane. Mais il se garde de
les manifester directement, sauf dans *la Nausée* où Roquentin
les rumine inlassablement; dialecticien redoutable dans ses essais
de philosophie et de critique, Sartre veut n'être que romancier
dans ses romans. Il est rompu à tous les procédés de la technique
la plus récente, monologue intérieur à la Joyce, gros plans et
fondus du cinéma, « simultanéisme » qui mêle dans une seule
phrase des actions totalement indépendantes, séparées par des
centaines de lieues[2]. Comme Flaubert (qu'il n'aime guère), il
s'attache à rester en dehors du récit : les événements ne nous sont
connus qu'à travers la conscience des personnages qui les vivent
(c'est ce qu'il appelle « le réalisme brut de la subjectivité ») ou
selon les descriptions concrètes d'un observateur impassible
(« le réalisme brut de l'objectivité »). Ces deux réalismes sont
d'ailleurs moins bruts que l'auteur ne voudrait nous le faire
croire[3], et Sartre a opéré en artiste les élagages et les raccourcis
qui s'imposaient : sans quoi son récit eût été submergé par le
foisonnement des détails précis et minutieux qui révèlent chez
l'écrivain un pouvoir d'observation exceptionnel. Remarquons
que sa doctrine même, — de son vrai nom existentialisme
« *phénoménologique* », — posant comme point de départ l'enre-
gistrement des phénomènes, le poussait dans le sens de ses dons.
On lui a reproché l'émiettement de sa psychologie : c'était oublier
que la conscience, pour lui, n'existe que par la qualification
qu'elle donne aux choses : il faut donc, pour rendre compte de son
existence, multiplier les notations dont chacune colorera un court

---

1. Telle est du moins la thèse d'un ami et disciple de Sartre, M. Merleau-Ponty,
cité par Campbell, *J.-P. Sartre*, p. 228.
2. Un exemple entre mille : « Il entendit un petit bruit d'ailes, c'était Maud,
il se retourna; à Madrid le soleil couchant dorait la façade en ruines de la cité
universitaire; Maud le regardait, il fit un pas, le Marocain se glissait entre les
décombres, le Belge le visa, Maud et le commandant se regardaient. Le Marocain
leva la tête et vit le Belge; ils se regardèrent et puis, brusquement, Maud fit
un sourire sec et détourna la tête, le Belge appuya sur la gâchette, le Marocain
mourut, le commandant fit un pas vers Maud et puis il pensa : « Elle est trop
maigre » et s'arrêta. « Sacré salaud », dit le Belge. Il regardait le Marocain mort
et il disait : « Sacré salaud! »
— Alors, dit Gomez. Et Marcelle? » (*Le Sursis*, p. 210).
Maud et le commandant sont en mer, le Belge et le Marocain à Madrid, Gomez
à Nancy.
3. Voir l'excellente étude de Curtis, *Sartre et le roman*, dans *Haute-Ecole*.

instant cette transparence absolue. Quant à l'indétermination, à la discontinuité dans l'action si souvent reprochées aux personnages de Sartre, elles s'expliquent par un autre point de sa doctrine : à tout instant, une situation nouvelle impose un nouveau « choix », et ce qui en sortira est imprévisible. L'imprévisibilité continue est chose assez nouvelle dans le roman : les héros de Dostoïevski, même le Lafcadio de Gide ne commettent « d'actes gratuits » que par moments. La conséquence assez fâcheuse est qu'on trouve difficilement dans les romans de Sartre des *caractères* fermes et tenaces.

Est-ce l'application constante, comme mécanique, de cette psychologie tout en pointillé et en ruptures, où manquent les élans et la continuité des passions, qui diminue la crédibilité du récit et crée l'impression qu'on a devant soi une imitation très intelligente de la vie plutôt que la vie même? Je le crois. Il y a aussi autre chose. Il y a une présentation déformée de l'existence, une dépréciation systématique des valeurs humaines, un naturalisme « spécialisé » qui ne dérivent point de la doctrine, mais trahissent chez l'auteur une vision particulière des choses dont il n'est sans doute pas plus responsable qu'un daltonien ne l'est de son infirmité. La seule humanité qui l'intéresse — étudiants dévoyés, filles désaxées, avorteuses, alcooliques et cocaïnomanes — est assez ignoble; les propos que tiennent ces détraqués, les pensées qui les hantent ne le sont pas moins et Sartre, au nom du « réalisme brut de la subjectivité », nous les rapporte fidèlement, dans leur bestialité effroyable. Mais le « réalisme brut de l'objectivité » n'améliore pas les choses. L'auteur semble comme fasciné par les aspects les plus laids ou les plus répugnants de la matière : les moiteurs, fadeurs, puanteurs, viscosités, déjections de toute nature ont trouvé en lui leur poète. La beauté et avec elle le bonheur, la grâce, la joie, l'amour sont totalement absents du monde sartrien. Le monde de Malraux, si rude soit-il, a sa noblesse et sa grandeur tragiques; le monde de Sartre est celui des veuleries et des écœurements, de la *nausée*. Vraiment, la France, c'est autre chose, et elle vient de le montrer.

L'art de l'écrivain est tel cependant qu'il rend tolérable ce qui ne le serait pas sans lui. Le style, très direct, plutôt parlé qu'écrit, comme il est de règle aujourd'hui, est familier et argotique dans les monologues intérieurs qui sont le mode d'exposition le plus fréquent, pittoresque, elliptique et désinvolte dans les parties « objectives »; mais il est toujours ferme, impérieux, fourmillant de brusques images, nettes comme des instantanés.

L'aisance et l'autorité des dialogues faisaient pressentir un dramaturge. Sartre, au théâtre, a fait preuve de qualités excep-

tionnelles : habileté technique, vie fortement individualisée des
personnages, intelligence vigoureuse des problèmes. A vrai dire,
ses premières pièces sentent encore l'école, les deux écoles qui
sont siennes : l'Ecole Normale (*les Mouches*, adaptées d'Eschyle
et de Sophocle) et l'existentialisme (*Huis-Clos*, où tout, dans la
chambre infernale, nous avertit que « l'Enfer, c'est les autres »).
Mais les pièces ultérieures s'attaquent directement aux grands problèmes politiques et moraux du temps présent : procès du racisme
et de l'hypocrisie puritaine dans une pochade vigoureuse dont le
titre, absurdement provocateur, porte bien la marque de la
mufflerie actuellement à la mode ; — comportement moral et psychologique de l'homme devant la douleur physique dans *Morts
sans Sépulture*; le sujet réveillait le souvenir de trop de récentes
horreurs pour qu'on pût en juger impartialement, et du reste
l'insistance de l'auteur sur les aspects physiologiques du drame,
sur les scènes de torture qui auraient pu — et dû — nous être
épargnées, viciait profondément l'impression d'art : mais, dans
la « civilisation » actuelle, l'affreuse question ne peut être éludée.
Toutefois la pièce à mettre hors de pair est la dernière jouée :
les Mains sales, non point, comme on l'a dit, pièce politique, mais
pièce psychologique, qui se situe dans la ligne *d'Hamlet* et de
Lorenzaccio. Il s'agit moins de souligner les variations du Polit-
buro que d'étudier le déchirement intime d'un intellectuel engagé
dans l'action et retenu par ses scrupules. Les personnages de
Hugo et de Hœderer vivent autrement dans la mémoire que les
fantoches Roquentin et Mathieu.

Faut-il voir, dans le choix de ces derniers sujets, — avec la
décision « d'assumer » tous les problèmes de son temps, — les
premiers indices d'une évolution, la reconnaissance encore implicite de ces valeurs que Sartre passait jadis sous silence, alors
qu'il n'imaginait pas que des gens pussent accepter la torture
et la mort plutôt que de les trahir? *Les Mains Sales* nous mettent
loin de *la Nausée*. Quoi qu'il en soit, Sartre a tenu à réaffirmer
vigoureusement son athéisme dans *le Diable et le Bon Dieu*,
énorme chronique qui conclut à l'inexistence des deux antagonistes : l'homme est seul, il ne lui reste qu'à aménager au moins
mal sa condition d'homme. La pièce est puissante, haute en couleur. Sartre serait-il dramaturge plus encore que romancier?
L'avenir le dira[1].

Sous ce titre de *Situations* — qui désigne la place de l'écrivain
au point d'intersection des influences qui l'ont formé et devant
les grands problèmes de l'époque — Sartre a rassemblé les arti-

1. Il a également touché au cinéma avec les *Jeux sont faits* et l'*Engrenage*.

cles qu'il donne aux *Temps Modernes*. Dans cette revue dont il
est le fondateur, il se propose d'étudier les problèmes concrets
de l'actualité en « s'engageant », c'est-à-dire en prenant parti :
la littérature, exténuée par le dilettantisme à l'en croire, reprendra
des forces en se faisant militante (Voir *Situations II, Qu'est-ce
que la littérature?*) Intelligence toujours active et collant au réel,
il dénonce comme acte « de mauvaise foi » tout ce qui tend à nous
en détacher et dont il n'a probablement jamais éprouvé le besoin :
un poème, une œuvre d'art intemporelle, un roman qui, n'étant
pas « historiquement » situé, nous tire de la mêlée des idéologies
au lieu de nous y enfoncer. Ce sont des « évasions » qu'il condamne au nom de sa doctrine et en vertu de son tempérament.
La jouissance intellectuelle et désintéressée passait jusqu'à ces
derniers temps pour une des formes suprêmes de la culture; il
paraît que c'est une erreur et, qui pis est, une désertion coupable. Il reste qu'en subordonnant l'art à la politique, Sartre
montre une fois de plus que le doctrinaire l'emporte chez lui sur
l'artiste.

Sa critique littéraire le prouve aussi. C'est en philosophe
rompu aux analyses et aux dissociations qu'il étudie la signification métaphysique de telle œuvre ou démonte ingénieusement la technique de telle autre; mais sur l'émotion proprement
esthétique, il passe. On le lui a reproché à l'occasion de sa magistrale psychanalyse de Baudelaire[1]; cette fois le reproche tombait à
faux; l'étude en question devait introduire, non pas à la lecture
des *Fleurs du Mal*, mais à celle des *Journaux intimes* : il était
normal que l'écrivain s'intéressât surtout à la vie psychologique
de l'homme plutôt qu'à la magie de ses vers. Malgré ces quelques
réserves, la lecture des essais de Sartre, toujours liés aux grandes
questions de l'époque, est des plus excitantes pour l'esprit[2].

Quelques essais, des impressions, quatre romans, quatre pièces, des adaptations : la production de Camus[3] peut paraître

---

1. Publiée à part. Ne figure pas dans la série des *Situations*.
2. Parmi les écrivains de l'école « existentialiste », il faut citer Simone de Beauvoir (née en 1908), autre philosophe, qui a défendu brillamment les thèses sar-
triennes, notamment dans deux essais (*Pyrrhus et Cinéas*, 1943; *Pour une morale
de l'ambiguïté*, 1947) et dans plusieurs œuvres littéraires, dont deux sont remarquables : le *Sang des Autres*, roman, 1945, et les *Bouches Inutiles*, drame, 1945.
Habilement construits, écrits avec aisance et pathétique quoi-
que trop démonstratifs par endroits, tous deux veulent prouver que l'abstention
ne paie pas et donc qu'il faut « s'engager ». Dans le *Deuxième Sexe* (2 vol., 1959-50),
ouvrage féministe, l'auteur fait preuve d'une assurance intrépide, d'une étonnante
virtuosité dialectique et souvent d'une verve mordante.
3. Albert Camus, Alger 1913-1960 Villeblevin. Romans : *L'Étranger*, 1942; *La
Peste*, 1947. Essais : *Noces*, 1938; *Le Mythe de Sisyphe*, 1942; *L'homme révolté*,
1951. Théâtre : *Caligula* (1938); *les Justes*, 1949. Adapt. de **Faulkper, Dostoïevski.**

mince auprès de celle de Sartre : pourtant son influence s'étend très loin.

Camus refusait d'être rangé parmi les philosophes existentialistes. Est-ce parce que « tous sans exception (lui) proposaient l'évasion... (et) divinisaient ce qui les écrase?[1] » Or, pas plus que Sartre, il n'était croyant. Il posait lui aussi le problème de l'existence, mais en maintenant rigoureusement ce problème dans le cadre de son expérience personnelle. Il constatait que l'existence est absurde, n'ayant ni raison ni finalité; c'est pourquoi il parlait de l'homme *absurde* pour désigner elliptiquement par là l'homme *conscient-que-tout-est-absurde*. La plupart, engourdis par leurs croyances et leurs habitudes, refusent de voir le tragique de leur condition qui les entraîne inéluctablement vers la mort; mais l'homme « absurde », qu'un choc quelconque a dégagé de ses routines, qui a osé demander « *pourquoi la vie?* » et constaté que cette question restait sans réponse concevable, éprouve, après un sentiment d'angoisse (la *nausée* de Sartre), l'ivresse de sa lucidité sans espoir et de sa liberté illimitée (chez Sartre de même); pour entretenir cette ivresse, il lui faut se maintenir en état de révolte permanente contre l'irrationnel de notre destinée. C'est à l'homme absurde de créer en toute indépendance ses valeurs, mais sans espoir de rien fonder, puisque avec chacun tout recommence. « L'homme, passion inutile » pour Camus comme pour Sartre : il y a évidemment des points de tangence, sans qu'il y ait eu interaction. Cette rencontre des deux pensées souligne l'importance fondamentale du problème auquel ceux qui ne sont ni chrétiens ni marxistes sont présentement acculés. Il y a aussi de fortes différences : Camus ne s'est jamais soucié des racines métaphysiques de l'existence et de la liberté. Il les étudiait sur le plan moral, et prenait comme un donné, sans s'interroger sur son origine, l'exigence d'ordre et de justice qui définit, en face de l'univers absurde, la nature humaine; cette nature humaine qui, selon Sartre, n'existe pas.

L'évolution de Camus est sensible dans son œuvre. Il y eut d'abord une période d'amoralisme et de sensualité, quand le jeune intellectuel se plongea avec ivresse dans les jouissances élémentaires : « la nature sans hommes ! » *(Noces)*, quel rêve ! Puis s'ouvrit la période philosophique : *l'Étranger*, publié en 1942, plut, mais embarrassa ; que prétendait Camus en nous présentant ce person-

A consulter : Albérès, *la Révolte des écrivains d'aujourd'hui*, 1949, pp. 65-81, Simon, *l'Homme en procès*, 1950, pp. 93-123; R. de Luppé, *A. C.*, 1951.

1. *Le Mythe de Sisyphe*, p. 51. Toutefois, dans ce même essai, il se réfère souvent aux « philosophes et romanciers existentiels », Jaspers, Heidegger, etc.

nage sec, morne, routinier, puis tout à coup exalté, révolté et en même temps soumis? *Le Mythe de Sisyphe*, qui parut quelques mois plus tard, éclaira l'énigme : si Meursault, longtemps l'insignifiance incarnée s'affirme dans la révolte et jouit intensément de ses derniers moments de vie enfin authentique, c'est que sa condamnation à mort a réveillé son intelligence et lui a révélé « la tendre indifférence du monde », à quoi il consent. Le Meursault de la fin, c'est un héros absurde. Sisyphe, conscient de l'inutilité de son effort éternel mais qui le recommence sans se plaindre, en est un autre. Soutenus par l'orgueil, l'indifférence et le mépris, Meursault est plus fort que l'échafaud, « Sisyphe est plus fort que son rocher[1] ». Vigny, par simple agnosticisme, avait déjà conseillé cette fière attitude.

Cependant Camus, écrivain « résistant », découvrait dans la lutte une raison d'agir valable cette fois non plus pour un seul individu qui voudrait se garder vivant, mais pour tous. L'univers absurde, par son non-sens même, légitimait les violences des nazis. Le devoir de l'homme est donc de lutter contre l'univers absurde, « d'affirmer la justice pour lutter contre l'injustice éternelle, de créer du bonheur pour protester contre l'univers du malheur[2] ». Et la troisième période commença alors, la période morale.

Créer du bonheur, ce fut désormais le but que se proposèrent les personnages de Camus. D'abord combattre les fléaux. Celui qui isole et dévaste la ville d'Oran (*la Peste*, 1947) est sans doute allégorique et en rappelle un autre qui venait de ravager la France entière; pourtant il est peint avec un réalisme si puissant qu'on évoque en lisant le livre les descriptions fameuses de Thucydide et de Lucrèce. Les protagonistes sont tous au service de l'homme : le docteur Rieux, esprit positif, modeste et dévoué, « par honnêteté », dit-il, l'honnêteté consistant à faire son métier; l'écrivain Tarrou, qui condamne la fureur du meurtre, cette autre peste qui a gagné l'humanité entière; le journaliste Rambert, ancien combattant de la guerre d'Espagne, qui « en a assez, des gens qui meurent pour une idée. Je ne crois pas à l'héroïsme, je sais que c'est facile et j'ai appris que c'est meurtrier. Ce qui m'intéresse, c'est qu'on vive et qu'on meure de ce que l'on aime ». Et Camus, reconnaissant « qu'on apprend au milieu des fléaux qu'il y a dans les hommes plus de choses à admirer que de choses à mépriser », affirmait que seule la sympathie peut nous conduire à la paix[3]. Dans ses articles de *Combat*, il dénonçait les

1. *Mythe de Sisyphe*, p. 165.
2. *Lettres à un ami allemand*, p. 20.
3. *La Peste*, pp. 279, 276, 183, 236, 279.

abstractions qui disciplinent la cruauté et la rendent anonyme. Nous voici loin de l'individualisme de *l'Étranger*, enfermé dans son indifférence et dans son mépris. Camus rejoignait ici les conclusions de Tolstoï et de Duhamel.

Même évolution dans son théâtre, de *Caligula* aux *Justes*. *Caligula* dressait le portrait de l'empereur « absurde » par excellence, à qui la mort d'un être chéri a révélé le grand mensonge, et qui veut renverser, à coups d'actes démentiels, le train ordinaire du monde. *Les Justes* sont ces révolutionnaires russes qui décidèrent en 1905 de tuer le grand-duc Serge, oncle du tsar. Dans la scène la plus significative, à l'acte II, celui qui devait lancer la bombe explique qu'il n'en a pas eu le courage, parce qu'il y avait deux petits enfants dans la voiture; ses camarades l'approuvent, malgré la fureur d'un pur terroriste, déshumanisé par trois ans de bagne et pour qui la fin justifie les moyens. Ce n'était certes pas l'avis de Camus : il a rendu hommage, dans le programme, à ces hommes qui, « dans la plus impitoyable des tâches, n'avaient pu guérir de leur cœur », et ressentaient « comme une intolérable souffrance la haine, devenue aujourd'hui un système confortable ». *Les Justes* sont la meilleure pièce de Camus, mais elle n'a pas la force, l'épaisseur de vie, le crescendo dramatique des *Mains Sales*. Ce théâtre montre trop son armature idéologique. Ici les discussions abondent, tendant non pas à mettre en cause l'acte à accomplir, mais à fixer la position morale de chacun devant cet acte considéré comme inéluctable : l'action s'en trouve ralentie. Ailleurs, un certain schématisme la dessèche (*le Malentendu*) ou la simplifie à l'excès (*l'État de Siège*.)

Le style de Camus, éclatant de lyrisme dans *Noces* — puis volontairement sec et discontinu dans *l'Étranger* pour mimer le déroulement mécanique de la destinée absurde, dans laquelle les présents successifs s'équivalent[1], — s'est fixé depuis lors dans la forme classique telle que déjà Gide la pratiquait : pensée ordonnée, idées claires, syntaxe régulière, dépouillement presque excessif de l'expression que l'écrivain a visiblement amortie dans *la Peste*, pour garder à son récit le naturel d'une chronique. Ajoutons que, selon le vœu du vieux Boileau, Camus respectait son lecteur : les anomalies et les perversions ne le fascinaient pas particulièrement, l'obscénité le dégoûtait. Ce qui constitue à notre époque une grande originalité.

---

1. Voir l'analyse du style de *l'Étranger* par Sartre, *Situations I.*

CHAPITRE IV

LE THÉÂTRE[1]

Rejet des anciennes formules. — L'esprit nouveau : ironie, fantai-sie, outrance. La nouvelle psychologie. — Théâtre intimiste : Vildrac, J.-J. Bernard. Théâtre de l'inconscient : Lenormand. — Renouvel-lement du décor et de la mise en scène. — Théâtre d'avant-garde : Cocteau, Giraudoux, Anouilh, Salacrou. — Recherche d'une tragédie nouvelle : Raynal, Montherlant, Mauriac, G. Marcel. — Théâtre d'idées : Gide, Sartre, Camus. — Théâtre comique : Bourdet, Savoir, Deval, Achard, Pagnol.

Au lendemain de la première guerre mondiale, le théâtre d'avant-guerre s'est trouvé brusquement déclassé. La violence du choc avait fait tomber en poussière tous les artifices, — pré-parations habiles, mots d'esprit, lyrisme décoratif, subtilités psychologiques, — dont la société mondaine faisait ses délices. Cette société même avait presque disparu. Une nouvelle bour-geoisie née des bénéfices de la guerre cherchait des plaisirs moins compliqués dans les spectacles du music-hall ou du cinéma. Quant à ceux que la guerre avait éprouvés pendant quatre ans, ils savaient maintenant, pour avoir vécu sous les bombardements ou dans la boue des tranchées, qu'il est d'autres drames que ceux de l'adultère élégant avec ses raffinements baudelairiens et sa psychologie torturée.

Pourtant les dramaturges d'avant-guerre n'abandonnèrent pas la partie. Ils essayèrent de s'adapter. De là des chevauche-ments, des accommodements, des compromis qui permirent aux anciennes formules, plus ou moins camouflées ou transformées, de se maintenir. Nous avons signalé l'effort de renouvellement de Berstein (voir p. 1174). Inversement c'est dans les formes

1. **A consulter** : P. Brisson, *Le théâtre des années folles*, 1943; R. Pignarre, *Hist. du théâtre*, 1945; G. Pillement, *Anthologie du théâtre français contemp.* 3 vol., 1945-48; F. Ambrière. *La Galerie dramatique 1945-8*, 1949; E. Sée, *Le théâtre français contemp.* (4e éd.), 1950; Lalou, *le théâtre en France depuis 1900*, 1951; J. Copeau, *Souvenirs du Vieux-Colombier*, 1931; Kurtz, *J. Copeau, bio-graphie d'un Théâtre*, 1950.

traditionnelles que des écrivains plus jeunes, tels que Bourdet, coulaient leurs études sur les désordres de l'époque. Mais si la structure de beaucoup de pièces semblait inchangée, le décor, les personnages en étaient autres : le respect des convenances bourgeoises avait disparu, le studio d'artiste remplaçait le salon, le veston la cérémonieuse redingote, la jupe courte ou le maillot de bain la robe à tournure, et les propos, même chez les jeunes filles, étaient hardis et directs. Surtout l'esprit n'était plus le même : l'ironie, la dérision, le sarcasme se généralisaient : décompression compensatrice après des années de propagande officielle et de censure, mais aussi révolte des esprits devant le cynisme des nouveaux riches et la facilité des mœurs. A cela se mêlait un goût de la fantaisie, du bizarre, de l'excessif qui trahissait un désir violent de rupture et de renouvellement[1].

La nouvelle psychologie s'y prêtait. Un des traits marquants de la littérature d'après-guerre, c'est la dissociation de la personnalité, conçue comme un agrégat de « moi » différents en combinaison instable que modifient sans cesse la pression des circonstances, les représentations de l'imagination, l'activité de l'inconscient. Cette dernière prenait une importance sans cesse croissante dans la poésie, le roman, le théâtre. Dostoïevski, Freud, bientôt Pirandello[2] devenaient les maîtres des jeunes. Peut-être faut-il voir un premier ralliement, timide et voilé, à ces conceptions nouvelles, dans l'apparition au lendemain de la guerre du théâtre intimiste appelé malicieusement par certains « théâtre du silence » alors qu'il se présentait comme un « théâtre de l'inexprimé » : la vérité des cœurs étant trop complexe pour être manifestée par des paroles, l'écrivain devait la suggérer sans la dire, comme fait la vie. Charles Vildrac[3] dans le Paquebot Tenacity (1920) et Jean-Jacques Bernard[4] dans Martine (1922) donnèrent deux très bons exemples de cet art sobre, frémissant, très humain. Il a beaucoup moins vieilli que les pièces véhémentes

---

1. Citons, dans des genres différents : les Mamelles de Tirésias (1917) d'Apollinaire. Les Mariés de la Tour Eiffel (1921) de Cocteau. Le Casseur d'assiettes (1923) et Tour à terre (1925) de Salacrou. Têtes de rechange (1926) de J.-V. Pellerin (1926).

2. Ce sont les Six personnages en quête d'un auteur, pièce jouée par Pitoëff en 1923, qui le révélèrent au public français. Chacun sa vérité, Henri IV, Comme tu me veux furent pareillement acclamés.

3. Charles Vildrac, né à Paris en 1882. Peintre délicat des réalités modestes, il a su parler de la moyenne bourgeoisie française dans Madame Béliard (1925) et la Brouille (1930) avec sympathie et sans la caricaturer comme c'est l'usage.

4. Jean-Jacques Bernard, né à Enghien en 1888. A signaler dans son théâtre sensible et nuancé : le Feu qui reprend mal (1921); l'Invitation au Voyage (1924); Nationale 6 (1935); le Jardinier de Samos (1939).

et souvent morbides où Lenormand[1] s'efforçait de manifester
l'action des forces ténébreuses qui nous habitent. « J'ai voulu,
a-t-il dit[2], en finir avec l'homme des périodes classiques, l'arché-
type de la dramaturgie nationale. Je l'ai livré, ce héros cartésien
totalement analysable, aux puissances dissolvantes qui émanent
de son inconscient. » Il se dissout en effet — et totalement — au
milieu des refoulements, anomalies, tentations et déchéances
de toute sorte qui constituent l'action, généralement située
aux confins incertains de la vie normale et de l'inconscient ou
du rêve.

Le goût du dépouillement et de la suggestion, la recherche de
l'authentique et de l'essentiel dans une atmosphère de poésie
guidaient dans le même temps les essais, souvent audacieux,
de divers metteurs en scène à qui, dès l'avant-guerre, Jacques
Copeau avait montré la voie (voir p. 1169, n. 1). Il continuait
à donner l'exemple par la qualité des spectacles qu'il montait
dans son Vieux-Colombier (la Nuit des Rois, le Conte d'Hiver,
le Carrosse du Saint-Sacrement, etc...) : ses élèves, Dullin à l'Atelier, Jouvet à la Comédie des Champs-Elysées puis à l'Athénée,
rajeunissaient le vieux répertoire en le dépouillant des interprétations traditionnelles ou lançaient de jeunes auteurs (pour
Dullin : Achard, Cocteau; pour Jouvet, Romains, Giraudoux).
Et il faut citer aussi Baty à Montparnasse, Pitoëff aux Mathurins,
Marcel Herrand et Jean Marchat (le Rideau de Paris) qui devaient
lui succéder, sans oublier l'infatigable vétéran des luttes ibsé-
niennes, Lugné-Poë, à l'Œuvre; avec une foi qui commençait
enfin à trouver sa récompense, il imposait à un public de plus en
plus nombreux le théâtre de Claudel, issu du symbolisme mais
longtemps bloqué entre les conventions, mondaines ou boulevardières, et le réalisme du Théâtre Libre. Ces deux obstacles
tombés, ce théâtre s'épanouissait maintenant dans sa pleine
magnificence; les représentations de l'Annonce faite à Marie et de
l'Otage se multipliaient, en attendant celles du Soulier de Satin,
sous l'occupation, qui marquèrent l'apogée (pour Claudel, voir
p. 1181). Ce succès grandissant d'un écrivain qui appartient,
comme Gide et Valéry, à la génération antérieure, porterait à lui
seul témoignage du besoin de poésie qui travaillait l'époque. De
plus jeunes allaient s'employer à le satisfaire, — sur un tout autre
plan.

Le Tout-Paris des années folles qui suivirent la Grande Guerre

1. Henri Lenormand, Paris 1882-1951 Paris. Les Ratés, 1918; le Temps est un
songe, 1919; le Simoun, 1921; le Mangeur de rêves, 1922.
2. Confessions d'un auteur dramatique. Cité par Lalou, le Théâtre en France
depuis 1900, p. 68.

a été subjugué par la fantaisie brillante de Jean Cocteau[1]. Aussi intelligent qu'adroit, il décidait souverainement de tout, lançait des robes, des bars, des ballets, des musiciens, des écrivains[2] au nom de la Poésie qui devait, selon lui, prédominer dans toutes les activités artistiques. Aussi a-t-il écrit non des romans mais de la « poésie de roman », non de la critique, mais de la « poésie critique », non des pièces mais de la « poésie de théâtre », ainsi que de la « poésie graphique » (car il dessinait) et de la « poésie cinématographique » (car il composait et réalisait lui-même des films).

Une telle diversité, mise en valeur avec un sens publicitaire indéniable, n'en imposait pas à tous. Cocteau joue les Alcibiades, disaient les gens méfiants; il pressent la mode plus qu'il ne l'invente; sa virtuosité est faite de reflets, de pastiches, de truquages; elle est géniale si l'on veut, mais elle constitue toute sa personnalité. Et ils dénonçaient dans les poèmes proprement dits de Cocteau les influences de Malherbe, d'Anna de Noailles, d'Apollinaire, — du peintre Picasso; on a vu le poète chercher, comme l'artiste, une expression artistique fondée, non sur la représentation des objets, mais sur des analogies et des équivalences : d'où les décompositions d'images, le regroupement de leurs éléments selon des perspectives inattendues soulignées ici par des dispositions typographiques insolites, avec arythmie et dissonances intentionnelles. Il est vrai que Cocteau, qui transposait ainsi en vers l'esthétique cubiste, se montrait à l'occasion très capable d'exprimer en langage direct, avec une netteté un peu sèche, des sentiments humains dans les formes traditionnelles (*Plain-Chant*, 1923). Le plus souvent, il se jouait à mi-chemin de ces deux extrêmes, et multipliait les images brusques, les calembours, les gentillesses ironiques. Il s'agissait essentiellement de dis-

---

1. Jean Cocteau (Maisons-Laffitte 1892-1963 Milly). Poésie : *Poésies, 1916-1923*, 1924 ; *Poésie*, 1948. Roman : *Le Potomak*, 1919 ; *Thomas l'Imposteur*, 1923 ; *les Enfants terribles*, 1929. Théâtre : *Les Mariés de la Tour Eiffel*, 1924 ; *Orphée*, 1927; *la Voix humaine*, 1930; *la Machine infernale*, 1934; *les Chevaliers de la Table ronde*, 1937; *les Parents terribles*, 1938; *Renaud et Armide*, 1943; *l'Aigle à deux têtes*, 1945. Critique : *le Secret professionnel*, 1922; *Rappel à l'Ordre*, 1926; *Lettre à J. Maritain*, 1926; *Opium*, 1931; *Portraits-souvenir*, 1935; *La difficulté d'être*, 1947. — **A consulter :** R. Lannes, *J. C.*, 1945; Claude Mauriac, *J. C. ou la vérité du mensonge*, 1945.

2. Sa plus importante découverte a été celle de Raymond Radiguet, mort à vingt ans (Saint-Maur 1903-1923 Paris) après avoir écrit deux romans, *le Diable au corps* (1923) et *le Bal du comte d'Orgel* (posth. 1924). En pleine réaction contre l'anarchie dadaïste et les psychologies de l'aberrant, Radiguet, dans son dernier ouvrage surtout, revenait à l'analyse psychologique des sentiments normaux, qu'il voulait exacte et dépouillée, à la manière de *la Princesse de Clèves*, prise pour modèle.

créditer le vers musical[1] et sentimental[2] qui obstruerait, comme une rouille, le jaillissement de la poésie véritable : laquelle, étant non dans les mots mais dans les choses ou plutôt dans les rapports entre les choses, attendrait d'être débarrassée de ces artifices démodés. Il ne paraît point qu'elle ait jailli avec plus de force dans les vers dépouillés de Cocteau; en dehors de quelques trouvailles charmantes et brèves, il n'y a là que jeux cérébraux, ingénieux et froids.

L'intelligence aiguë et souple qui les conduisait faisait merveille au contraire dans la « poésie critique », notamment dans le *Rappel à l'ordre* où Cocteau célébra l'utilité rénovatrice du désordre — roi de l'époque — et formula l'esthétique des artistes qui faisaient alors scandale : peintres (Picasso, Derain, Braque), musiciens (Strawinski, Erik Satie, les Six), poètes fantaisistes (Max Jacob). Des raisons mal connues le tinrent en dehors des groupes dadaïste et surréaliste; pourtant il agissait dans le même sens, si bien qu'on ne lui dispute pas le mérite d'avoir initié à ces formes d'art révolutionnaires la haute bourgeoisie parisienne, dont il était.

La poésie particulière de Cocteau est bien plus sensible dans sa « poésie de roman et de théâtre » que dans ses « poésies » tout court. De ses romans, peu nombreux et mis à part *Thomas l'Imposteur*, transposition ironique de ses aventures du temps de guerre, il faut retenir surtout *les Enfants terribles* où il a peint, dans une atmosphère assez trouble, le désarroi d'une enfance désaxée qui s'était volontairement retranchée de la vie et frôlait l'inceste. Cocteau se jouait volontiers à la limite des sentiments ambigus et des mondes irréels.

Son théâtre est très divers : fantaisie burlesque, adaptations, (Shakespeare, Sophocle), légende mythologique, drame passionnel, tragédie antique, féerie médiévale, pièce boulevardière, intrigue policière, tragédie romanesque, drame romantique... Conformément à ses principes, « à chaque ouvrage nouveau, il a tourné systématiquement le dos à l'ouvrage qui précédait[3] »; c'était d'un beau courage, et l'on ne peut qu'admirer son étonnant pouvoir d'adaptation et de mimétisme. Certaines pièces, *la Voix humaine*, *les Parents terribles*, *la Machine infernale* sont d'incontestables réussites. La première tient en un monologue déchirant, sans autre exemple chez cet écrivain qui fuyait le pathétique ; la seconde trace un tableau infernal d'une famille où tout

---

1. « Il faut écrire mat, et non musical. » (Lefèvre, *Une heure avec*, 1re série, p. 112.)

2. « Le cœur ne se porte plus. » (*Le Grand Écart*.)

3. Lefèvre, *Une heure avec*, 1re série, p. 110.

est désordre, les mœurs comme les chambres; la troisième invente, en marge d'*Œdipe-Roi*, des images saisissantes que nous ne pourrons plus détacher du texte même de Sophocle. Mais d'une façon générale, les pièces de Cocteau remuent rarement nos sentiments les plus profonds. Et l'hétérogénéité de l'ensemble donne à penser : Cocteau n'aurait-il été qu'un virtuose, usant de tous les styles et de toutes les formules? On aurait tort de prendre pour sa marque propre les cocasseries dont il a semé ses premières pièces (*Orphée* notamment, avec son héros en pull-over, son cheval magicien, son ange-vitrier), ou les anachronismes, les mots d'argot qui foisonnent dans *la Machine infernale* : ce sont des traits d'époque qui dérivent pour une part de Laforgue, pour l'autre du music-hall[1] et qu'on retrouve chez Giraudoux. Plus personnel est un fantastique assez spécial; coïncidences étranges, signes mystérieux, statue qui parle ou qui tue, miroir qu'on traverse, torchères faites de bras vivants, mascarons qui s'animent en silence. Bric-à-brac, a-t-on dit, et goût de truquage; sans doute; on peut même penser que si Cocteau s'est tourné vers le cinéma[2], c'est que l'écran est plus apte que la scène à réaliser l'étrange. Mais l'étrange semble bien avoir été le domaine préféré de Cocteau et la forme que prenait spontanément chez lui la poésie, sans perdre son allure désinvolte. Le poète, a-t-il dit, est « le médium naturel de forces inconnues[3] ». Il voyait l'homme cerné par la vie secrète des choses, frôlé par des maléfices mystérieux, sollicité doucement par la mort. Sa conversion retentissante, mais qui ne dura guère, trouve une de ses explications dans cette inquiétude sourde partout sensible dans son œuvre. Elle s'y associe à un goût assez pervers des situations équivoques et des sentiments interdits : curieux mélange qui communique aux plus grands sujets une saveur suspecte. Ainsi de la fin des *Enfants terribles*, des derniers actes de *la Machine infernale*, — décidément son chef-d'œuvre.

Mais cette note personnelle n'est pas immédiatement discernable. Ce qui frappe d'abord, ce sont les espiègleries, les mystifications, les ironies, les audaces, les ruptures de ton, les arabesques de style : tous ces traits se retrouvent, à des degrés divers,

---

1. Dans ses *Moralités légendaires* (1887), Laforgue (voir p. 1126) avait raconté à sa manière moqueuse les grandes légendes : Hamlet, Lohengrin, Salomé, Pan et la Syrinx, Persée et Andromède. Quant à l'intervention du music-hall dans les pièces de Cocteau, elle a été signalée par le poète Max Jacob comme une de ses innovations capitales. (Lefèvre, *Une heure avec*, 2e série, p. 173).

2. *Le Sang d'un poète*, 1932; *l'Éternel Retour*, 1944; *la Belle et la Bête*, 1946; *Orphée*, 1950.

3. *Portraits-souvenir*, p. 12.

dans les productions de cette époque éprise de jongleries et de paradoxes. L'œuvre de Cocteau en fait la synthèse et complète par là celle de Paul Morand. Quant à son style, ferme, nerveux, direct, il ne mérite que des louanges. Je parle de son style de prosateur, bien entendu.

Ce n'est pas Cocteau, trop protéiforme, trop lié à son temps, qui opéra la réforme profonde du théâtre, mais un autre poète, Jean Giraudoux[1]. Car Giraudoux est un poète, au sens plein du mot, bien qu'il n'ait pas fait de vers. Mais il a *créé* un « climat Giraudoux », aéré, léger, délicat, où Gérard de Nerval et Henri Heine eussent respiré à l'aise. C'est essentiellement un « transfigurateur lyrique » de la réalité[1]. (Jaloux.)

Pendant vingt ans, il n'a écrit que des nouvelles et des romans, — si du moins on peut donner ce nom à des relations capricieuses où l'auteur lui-même nous invite à voir la projection sur le papier des thèmes ondoyants qu'il s'amuse à mêler sans souci de composition ni de vérité objective. Ses qualités les plus éclatantes — une agilité et une liberté sans pareilles, une ironie légère, une fantaisie inépuisable, le goût de la cocasserie et de la pureté, le don des transfigurations féeriques, — s'y manifestent à côté de ses défauts non moins incontestés : un verbalisme excessif, une virtuosité qui raffine sur ses propres subtilités, un tour volontiers sibyllin. Il est certain que le style de Giraudoux tout en scintillements et en éclairs, elliptique, allusif, métaphorique, demande une attention soutenue, vite épuisante pour qui s'attache uniquement au thème fondamental, à demi englouti dans cette luxuriance; mais l'esprit est souvent payé de son travail par une image inattendue, le plus souvent malicieuse, jamais basse, — ou mieux, par une page limpide et pure qui s'étale comme une nappe de fraîcheur au milieu des broussailles du texte. On sent alors que ce badinage soutenu est d'un poète qui use de la fantaisie et de l'ironie, comme Henri Heine dont il est si proche, pour voiler ses propres émotions en y mêlant un élément intellectuel; Giraudoux a le sentimentalisme en horreur. Il a fait la guerre; cependant les images qu'il a retenues pour en composer les *Lectures pour une Ombre* et *Adorable Clio* sont amusées ou si sobrement pathétiques qu'il s'est lui-même excusé de

---

1. Jean Giraudoux, Bellac (Hte-Vienne) 1882-1944 Paris. Récits et romans : *Provinciales*, 1909; *Simon le Pathétique*, 1918; *Amica America*, 1918; *Adorable Clio*. 1920; *Suzanne et le Pacifique*, 1921; *Bella*, 1926; *Aventures de Jérôme Bardini*, 1930; *Combat avec l'Ange*, 1934. — Théâtre : *Siegfried* (dr.) 1928; *Amphytrion 38*, 1930; *Judith*, 1931; *Intermezzo*, 1933; *La Guerre de Troie n'aura pas lieu*, 1935; *Électre*, 1937; *Ondine*, 1939; *la Folle de Chaillot*, 1945. — **A consulter :** Houlet, *le Théâtre de Giraudoux*, 1945; C.-E. Magny, *Précieux Giraudoux*, 1945.

l'avoir « toutes les fois qu'il l'a pu, caressée ». Insensibilité? Plutôt pudeur virile : celle-là même qui inspire à son Hector, au IIe acte de *la Guerre de Troie*, les paroles les plus fraternelles et les plus justes sur les mourants et les morts au combat.

Il serait vain de chercher dans les romans de Giraudoux des études serrées de psychologie, bien qu'il lui soit arrivé de donner des portraits vigoureux des hommes politiques qu'il avait approchés, Poincaré, Philippe Berthelot (*Bella*), Briand (*Combat avec l'Ange*). On a même remarqué justement[1] que son univers ne bougeait guère, que ses personnages, quelles que fussent leurs grâces, se conformaient d'emblée à une certaine idée que leur créateur se faisait de leur rôle, sans qu'il crût nécessaire de nous expliquer leur passé ou de leur préparer un avenir. Les péripéties qui renouvellent l'action sont rares dans ces récits sans intrigue, où sont fixés et catalogués des types originaux.

Par quoi valent-ils donc? Par l'évasion qu'ils nous proposent hors des formalismes et des automatismes que Giraudoux incarne malicieusement en quelques personnages grotesques; par l'évocation d'un monde neuf, d'une pureté édénique, où vit une humanité plus fraternelle, plus généreuse et plus déliée, sans lois morales ni esthétiques, d'une pureté quasi virginale, car aucune souillure n'y marque les âmes ni les corps; aucune obligation ne les contraint ni ne les avilit; tous n'ont souci que d'être vrais et libres.

Le théâtre de Giraudoux présente les mêmes caractéristiques que ses romans; toutefois les nécessités de la scène l'ont contraint à faire plus sobre, plus direct et plus intrigué, sans qu'il ait jamais répudié son goût pour le style en arabesque et pour le développement gratuit. Comme ses personnages romanesques, ses personnages dramatiques baignent dans une atmosphère innocente et merveilleuse; il n'y a pas de méchants parmi eux, ni d'âmes vulgaires, tout au plus quelques fantoches qui figurent les trivialités de la vie commune; peu de passions les agitent (sauf pour la très charnelle Judith et la justicière Electre); celles qu'ils éprouvent, ils s'emploient doucement à les résoudre en sentiments plus calmes, l'amitié, la générosité; ils envisagent courageusement la mort comme un effacement dont l'étrangeté voile l'horreur. Tous ces traits se retrouvent, mêlés à une évocation spirituelle et attendrie de la province française, dans *Intermezzo*, délicieuse fantaisie poétique qui doit marquer dans l'histoire de la féerie : car Giraudoux a délivré cette dernière des ornements périmés qu'elle traînait depuis le romantisme et l'a sans

---

1. Sartre, *Situations*, I.

effort adaptée, par l'effet de son gracieux génie, à la vie moderne.

Jamais Giraudoux n'a prétendu enseigner quoi que ce soit — sauf dans les derniers temps de sa vie. Néanmoins on a pu dégager de son œuvre un art de vivre : il consiste essentiellement à faire front avec courtoisie aux forces qui nous détruisent, à leur opposer le sourire de l'acceptation et le sentiment très vif de la fraternité humaine, ou mieux, terrestre. « Je me solidarise avec mon astre », éphémère lui aussi, — répond Alcmène à Jupiter, en refusant l'immortalité. Cette dignité dans l'attitude n'implique ni renoncement ni amertume, à l'inverse du stoïcisme de Vigny; elle va de soi, elle est toute naturelle; et elle s'accommode très bien des vertus aimables, des menus agréments de la vie. Pas d'œuvre qui soit plus contraire à celle de Mauriac, toute nourrie d'appréhensions et de remords.

Pourtant, à mesure que les temps s'assombrissaient, la philosophie de Giraudoux devenait moins souriante. Les vastes problèmes de l'heure, transposés, ramenés à leurs données fondamentales et éternelles, envahissent son œuvre, et il n'entrevoit aucune solution[1] : s'il était permis en 1928 (*Siegfried*) d'espérer en la réconciliation des peuples, de tels espoirs s'effaçaient en 1935 (*la Guerre de Troie...*) et plus encore en 1937 (*Électre*) devant l'exaltation grandissante, les revendications tumultueuses des masses et l'impuissance des meilleurs à conjurer le Destin. C'est cette force inexorable qu'il croit retrouver dans les passions des hommes dont elle use pour arriver à ses fins qui sont généralement sanglantes, même quand il s'agit de fonder l'avenir. Il la dénonce avec force dans les deux dernières pièces citées qui sont, avec *Judith*, plus complexe, les chefs-d'œuvre tragiques de Giraudoux.

La poésie, l'action, le discours s'y équilibrent admirablement. D'où vient que, dans les pièces qui suivirent, la poésie se résorbe, l'action s'amenuise, tandis que le discours prolifère? *Le Cantique des Cantiques*, *Sodome et Gomorrhe* surtout ne sont plus que de fastidieuses dissertations sur le problème du couple. L'analyse psychologique, nous l'avons vu, n'était pas le fort de Giraudoux; de plus elle l'induisait en tentation, — la tentation du dévelop-

---

1. Il en a proposé quelques-unes dans le domaine de la pratique, de l'urbanisme notamment. Sa connaissance de la vie internationale, due à sa carrière de diplomate, lui avait permis de dénombrer nos faiblesses et nos chances. Il les expos a avec un tel brio (*Pleins pouvoirs*) qu'en 1939 on le chargea de défendre la cause française, face à Goebbels, comme commissaire à l'Information. Sous l'occupation, refusant la défaite et replié sur lui-même, il écrivit un petit livre resté inachevé (*Sans pouvoirs*), où il exprimait des vues assez sombres quant à l'avenir de la France et de l'humanité.

pement paradoxal, éblouissant, auquel il cédait si volontiers
jadis dans ses romans. Il y cédait de nouveau, manifestement.
Seulement, pendant ce temps, l'action sommeillait. A l'en croire,
cela n'importait guère : le théâtre valant moins par l'action
que par la qualité du style. Sans doute; mais le style doit exprimer l'action, non l'étouffer sous ses sortilèges. Peut-être y avait-il
une sorte d'épuisement des sources poétiques qui avaient nourri
son inspiration? *La Folle de Chaillot*, œuvre posthume, marque
bien un redressement, mais cette satire aristophanesque dirigée
contre les hommes d'argent contient beaucoup de remplissage et
d'effets faciles, que Giraudoux n'a jamais su se refuser. On n'y
retrouve pas le frais jaillissement d'*Intermezzo* (ou du début
d'*Ondine*) ni la plénitude de *la Guerre de Troie*.

Quoi qu'il en soit, Giraudoux a tracé la voie, ou plutôt l'a
retrouvée : le théâtre doit, non pas reproduire les platitudes,
les grossièretés, les lourdeurs de l'existence, mais la transposer
en la transfigurant au sein d'un monde enchanté, où la liberté,
la fantaisie, la poésie retrouvent leurs droits. C'est bien ainsi que
l'avaient compris Maeterlinck, Claudel. Il n'a manqué à Giraudoux, pour égaler les plus grands, que de céder moins à la virtuosité de son esprit et davantage à la générosité de son cœur; il
joue trop longtemps, quand il faudrait émouvoir. Et sa virtuosité continue exige une telle tension qu'elle fatigue souvent,
après avoir ébloui.

Les deux dramaturges les plus représentatifs de la jeune génération, Anouilh et Salacrou, ont recueilli et médité la leçon de
Giraudoux. Anouilh[1] surtout : il en a déduit que l'écrivain de
théâtre devait avant tout créer une atmosphère poétique et *jouer*
avec ses personnages comme faisaient jadis les grands classiques,
Molière, Marivaux, en les engageant dans des situations librement imaginées, fussent-elles paradoxales ou folles ou mythiques;
le bénéfice est double, puisque au charme subtil que dégage la
fantaisie se joint la possibilité de faire jaillir la vérité humaine
avec plus de force et de diversité que ne le permettrait l'imitation
plate de la vie. La composition, elle aussi, sera libre, — non plus
habilement agencée comme au temps de Sardou, mais plutôt

---

1. Jean Anouilh, né à Bordeaux en 1910. *L'Hermine*, 1931; *le Bal des Voleurs*,
1932; *la Sauvage*, 1935; *le Voyageur sans bagage*, 1936; *le Rendez-vous de Senlis*,
1938; *Léocadia*, 1939; *Eurydice*, 1941; *Antigone*, 1942; *Roméo et Jeannette*, 1945;
Médée, 1946; *l'Invitation au Château*, 1947; *Ardèle ou la Marguerite*, 1948; *la
Répétition*, 1950; *Colombe*, 1951; **l'Hurluberlu**, *Becket* 1959. — **A consulter :**
H. Gignoux, *J. Anouilh*, 1946; G. Marcel, *le Tragique chez J. A.* (*Revue de Paris*,
juin 1949); S. Radine, *Anouilh, Lenormand, Salacrou*, 1951.

musicale et parfois rythmée comme dans certaines comédies-ballets de Molière dont Anouilh a retrouvé l'allure : ainsi *le Bal des Voleurs*, avec ses quiproquos, ses évolutions bien réglées, ses ritournelles de clarinette qui accompagnent moqueusement les personnages; ou encore *Léocadia*, *Eurydice*, *Ardèle*... Les comparses grotesques abondent, comme chez Molière ou Musset, mais ici la bouffonnerie est souvent mêlée d'amertume : il s'agit de pères libidineux ou ivrognes, de mères débauchées ou proxénètes, de frères cyniques. Le théâtre d'Anouilh cache, sous son éclat, sa verve et sa diversité, une âme désenchantée.

Le thème unique qu'il développe en usant de sujets et de moyens extrêmement divers est l'opposition irréductible entre la pureté, ou plutôt l'aspiration à la pureté, de la jeunesse intransigeante, farouche, intacte malgré les souillures accidentelles dont aucune n'a pu marquer sur elle — et la société hypocrite et corrompue qui accepte les compromissions les plus dégradantes — quand elle ne les impose pas. Le heurt de ces deux mondes constitue l'action; la défaite de la pureté, qui ne pourrait durer qu'en s'adaptant et qui refuse de s'adapter, en est l'inévitable conclusion : elle choisit de disparaître dans l'inconnu de la vie ou de la mort[1]. Non que l'être pur soit rejeté par la société conjurée contre lui (une exception cependant, la *Répétition*); c'est en général lui qui se révolte contre les hypocrisies et la médiocrité entrevue de la vie sociale (*Antigone*); lui encore qui refuse le bonheur parce qu'il se sent obscurément solidaire du milieu abject où souvent il a grandi (*la Sauvage*, *Eurydice*). Il est du reste étrange que ces êtres aient pu préserver une telle exigence de pureté au milieu de la bohème dissolue dont ils ont subi les exemples et, de leur propre aveu, partagé les désordres; survivance du romantisme? expérience vécue? En tout cas les courtisanes de Hugo et de Dumas fils, « chastes et flétries », retrouvent du coup quelque vraisemblance.

Il semble à certains indices qu'Anouilh se résigne maintenant à prendre la vie comme elle est. Déjà son Créon ne manquait pas de grandeur, qui continuait à assumer, après tant de deuils accumulés, sa tâche de chef d'État, jugée par lui-même ingrate[2]. Et voici Frédéric[3] qui refuse le suicide à deux : « On doit vieillir. On doit... accepter que tout ne soit pas aussi beau que lorsqu'on était petit... Cette aventure grotesque, c'est la nôtre. Il faut

---

1. Dans la vie : *la Sauvage, le Voyageur sans bagage, la Répétition*. Dans la mort : *Eurydice, Antigone, Roméo et Jeannette, Ardèle*.
2. *Nouvelles pièces noires, Antigone*, pp. 210-211.
3. *Ibid., Roméo et Jeannette*, p. 347.

la vivre. La mort aussi est absurde. » Voici Jason[1] qui efface de son souvenir l'image sanglante de Médée : « Je referai demain avec patience mon pauvre échafaudage d'homme sous l'œil indifférent des dieux. » — Ce n'est pas qu'Anouilh considère avec plus d'indulgence le monde et la société : il continue à les peindre avec une férocité joyeuse qui grimace par moments. Il écrit *l'Invitation au Château* contre le pouvoir de l'argent, *Ardèle* contre l'ignominie du désir, *la Répétition* contre la duplicité cruelle des gens du monde, *Colombe* contre l'influence corruptrice de l'amoralité générale. Cette satire universelle ne s'exerce du reste au profit d'aucune idée politique. Anouilh dénonce impartialement les déchéances de la pauvreté et le pharisaïsme de la richesse — celui-ci avec plus d'insistance, pourtant. Il voit, au-delà des questions sociales, nécessairement transitoires, l'énigme permanente de la condition humaine. La vérité psychologique elle-même, qu'il atteint souvent, semble moins lui importer qu'un seul problème auquel il revient avec obstination : l'opposition entre l'avilissement de l'existence et cette aspiration à la pureté qui ne se réclame d'aucune transcendance, peut-être parce qu'elle est simplement, comme on l'a suggéré, la nostalgie d'un impossible retour « au vert paradis des amours enfantines. »

Un seul problème, toujours le même... On n'en est que plus émerveillé devant la diversité des pièces d'Anouilh, tantôt roses, tantôt noires[2], le plus souvent mêlant les deux couleurs. Il n'en est pas deux qui se ressemblent : la charmante bouffonnerie du *Bal des Voleurs*, succédant à la cruelle *Hermine*, n'annonçait guère l'âpre *Sauvage*, ni la rêveuse *Léocadia*, ni la mystérieuse *Eurydice*, ni la dure *Antigone*... Le pouvoir de renouvellement formel d'Anouilh est servi par la souplesse de sa technique et son extraordinaire sens de la scène. Il nous donne enfin le théâtre souhaité depuis si longtemps, un théâtre libéré des servitudes réalistes, des balbutiements symbolistes, des subtilités psychologiques, — un théâtre aéré, sobrement tragique, secrètement lyrique, traversé par tous les souffles de la fantaisie.

A Salacrou[3], tempérament dramatique exceptionnellement

---

1. *Ibid.*, *Médée*, p. 402.

2. Anouilh a rassemblé ses comédies sous le titre de « *Pièces roses* » (1 vol.) et « *Pièces brillantes* » (1 vol.) ; ses pièces tragiques sous celui de « *Pièces noires* » (2 vol.).

3. Armand Salacrou, né à Rouen en 1899. *Patchouli*, 1930 ; *Une Femme libre*, 1934 ; *l'Inconnue d'Arras*, 1935 ; *Un homme comme les autres*, 1936 ; *la Terre est ronde*, 1938 ; *Histoire de rire*, 1939 ; *les Fiancés du Havre*, 1944 ; *le Soldat et la Sorcière*, 1945 ; *les Nuits de la Colère*, 1946 ; *l'Archipel Lenoir*, 1948 ; *Dieu le savait*, 1950. — **A consulter :** Van den Esch, *Salacrou*, 1950 ; S. Radine, *Anouilh, Lenormand, Salacrou*, 1951.

vigoureux, qui mêle aussi la poésie à l'observation morale, on ne saurait reprocher de s'obstiner sur un seul thème. Il est peu de théâtres aussi variés que le sien, tant par le choix des sujets et des personnages que par le genre des pièces : fantaisies surréalistes, impromptu, comédies bourgeoises, drame et « divertissement » historiques, drame contemporain, comédies légères... Mais dans tout cela, rien du théâtre d'observation préconisé par Becque ; il s'y est essayé une fois (dans *les Frénétiques*), mais on ne l'y reprendra plus ; il se refuse depuis à écrire « avec des plans, de l'expérience et de la mémoire », comme font les habiles. « Le réalisme, dit-il crûment, est un art de voyeur. » Ce qui importe, c'est la mélodie qui chante au cœur du dramaturge et dont « les personnages ne sont que les notes ». « Une pièce, dira-t-il encore, n'est pas faite pour les personnages, mais les personnages pour la pièce[1]. » On croirait entendre Giraudoux.

Mais Salacrou, quoi qu'il en ait, est un moraliste trop averti et trop curieux de la diversité humaine pour s'établir à demeure dans le domaine éthéré de la poésie pure. Quand elle s'offre, il la laisse agir et interférer avec le réel : et nous avons *l'Inconnue d'Arras*, la fin du *Soldat et de la Sorcière*, le début des *Nuits de la Colère*, si tragique. Le plus souvent, elle nourrit secrètement l'invention dramatique; c'est elle sans doute qui la renouvelle et lui communique l'étrangeté, les saccades, les ruptures, l'animation imprévisible et fantasque que l'on a souvent signalées dans les pièces de Salacrou, — dramaturge du reste mobile par tempérament, chercheur, inquiet, tourmenté, — « génie en désordre », disait un admirateur[2].

Pour être imaginés et non copiés d'après nature, les personnages de Salacrou n'en sont pas moins vrais, — parfois puissamment vrais. On ne peut oublier Mme Berthe, le ménage Bazire, le grand-père Lenoir[3]... La société bourgeoise, qu'il connaît d'expérience directe, excite toujours sa verve. Mais cette ironie sans indulgence couvre mal une sourde anxiété qui perce dans quelques phrases, comme à la dérobée. Salacrou n'insiste pas : ces brèves indications doivent suffire, à qui veut entendre, pour saisir le sens profond de la pièce, en apparence inintentionnelle.

Où va le monde? Que sortira-t-il des « mille et un désordres

---

1. Toutes ces citations proviennent de la *Note sur le Théâtre* (*Théâtre*, t. II). Cette note est composite, groupe des fragments dont les dates s'échelonnent de 1930 à 1943. Les deux dernières phrases, en particulier, ont été écrites avant 1930, alors que Salacrou était encore influencé par le surréalisme. Mais il les publie sans observation; il apparaît donc qu'il ne les désavoue pas.

2. Lucien Dubech.

3. *Un homme comme les autres*, *les Nuits de la Colère*, *l'Archipel Lenoir*.

de notre temps »? Nous avons « vidé l'amour de sa grandeur »,
on ne « s'épouse plus pour l'éternité[1] ». Au nom de quoi retien-
drons-nous les êtres qui n'écoutent plus que leur désir? L'affreuse
Mme Berthe, accrochée à l'amour du jeune gredin qui a déjà
tenté de l'assassiner, entend bien, toute croûlante qu'elle est,
jouir de la vie jusqu'au bout, puisque « l'enfer est éteint... et que
nous n'avons plus la religion de notre morale. Alors il faut changer
de morale, ou bien que Dieu revienne, que Dieu revienne[2]† »
On a remarqué avec raison qu'une pensée hante Salacrou : le
destin d'une humanité qui ne croirait plus en Dieu. Il pose le
problème dans toute son ampleur dans *la Terre est ronde*[3] où il
fait revivre la Florence du xve siècle : Savonarole s'efforce d'élever jusqu'à lui la foule toute grouillante de désirs charnels, puis
s'en détache dans son cachot, où, grande âme incomprise, il
n'attend plus que la mort : « Rien n'existe, si ce n'est toi, clarté
de Dieu. » Ainsi donc une commune aspiration vers la pureté
rapproche ces deux théâtres si différents, celui d'Anouilh et celui
de Salacrou; mais il y a une sorte de masochisme dans le théâtre
d'Anouilh, dont celui de Salacrou, plus énergique et plus sain,
n'offre pas trace.

Salacrou a beaucoup et passionnément médité sur son art.
Rien n'est plus instructif que les commentaires dont il accompagne chaque pièce dans l'édition complète de son théâtre. Il
lui paraît qu'il est impossible de rien écrire de solide tant que
durera « l'inquiétude de l'homme égaré sous la dégringolade des
disciplines... Le théâtre est l'art des siècles d'or[4] ». Cependant,
il s'est assuré une maîtrise théâtrale incontestée, en démontant
des dizaines de pièces. Il n'a que dédain pour les recettes de
métier; il les utilise pourtant à l'occasion, et avec bonheur
(*Histoire de rire*, *l'Archipel Lenoir*...) Son style, brillanté et syn-
copé dans ses *pièces d'essai*, est aujourd'hui simple, vif, naturel :
c'est un excellent style de théâtre.

Ainsi le théâtre contemporain s'est libéré du naturalisme qui,
malgré l'inopérante diversion du symbolisme, l'astreignait depuis

---

1. *Histoire de rire*, acte II. (*Théâtre*, t. II, pp. 207, 204).
2. *Un homme comme les autres*, acte III (*Théâtre*, t. III, p. 320).
3. Cette pièce — une des plus belles de Salacrou — a donné lieu à un curieux
malentendu. Conçue dès 1920, écrite en 1937, jouée en 1938, elle a été prise pour
une satire des méthodes totalitaires du fascisme, alors que l'auteur, comptant
tout au plus que la vie contemporaine faciliterait l'intelligence de l'époque où il
avait situé son action, avait voulu exprimer la lutte éternelle entre l'esprit et la
chair. (*Théâtre*, t. IV, pp. 122-4).
4. *Note sur le théâtre*. (*Théâtre*, t. II p. 215).

plus de cinquante ans à reproduire les aspects médiocres de la vie. Pour cela Cocteau, Giraudoux, Anouilh ont recouru à la poésie; Salacrou, à l'invention libre et poétisante. Paul Raynal[1] a fait une tentative plus héroïque encore. Il a voulu créer une tragédie moderne qui substituerait aux rois et aux reines de la légende et de l'histoire des personnages d'aujourd'hui, aussi dégagés qu'eux des mesquineries quotidiennes, et comme eux uniquement appliqués à l'analyse de leurs sentiments; une tragédie sans intrigue, où une situation initiale que rien ne modifierait plus créerait des perturbations en chaîne; une tragédie en prose, où le langage serait l'expression stylisée et sublimée des âmes. Raynal a pour lui le sentiment de la grandeur, la puissance de l'invention psychologique, une éloquence naturelle, une assurance intransigeante et orgueilleuse. Ses adversaires ont par contre dénoncé sa subtilité, sa prolixité, son purisme, son emphase, « l'immobilisme » de son art trop cérébral et trop tendu. Ces reproches sont en partie fondés. Mais il faut se souvenir que Raynal cherche à peindre non la nature, mais la « surnature », — non « les hommes tels qu'ils sont mais tels qu'ils devaient être » et tels qu'ils sont peut-être quand on les dépouille de tout l'accidentel qui est la forme extérieure de leur destinée. Cette œuvre insolite, puissante, admirée par les uns, exécrée par les autres, s'est progressivement allégée de la grandiloquence qui l'encombrait à ses débuts : après *Napoléon Unique* qui a eu un grand succès mérité, le *Matériel Humain* est une réussite parfaite.

Le théâtre de Raynal est délibérément cornélien; celui de Montherlant, *surcornélien* : Corneille réservait une place d'honneur à l'amour; Montherlant le rejette avec mépris; ses personnages ne s'attardent pas aux débats intérieurs — humains, trop humains — de Rodrigue ou d'Auguste; durs avec les autres, rigoureux envers eux-mêmes, ils sont d'une seule pièce et semblent n'être mus que par le souci de leur « gloire. » Le dessein de Montherlant n'est pas d'explorer la complexité des âmes, mais de développer des caractères dans toute leur force. Là encore Corneille avait indiqué la voie par son *Nicomède*, œuvre « d'une constitution assez extraordinaire... où la grandeur de courage règne seule » sans les passions et la tendresse qui sont l'âme des tragédies[2]. (Pour le théâtre de Montherlant, voir p. 1250.)

Ce sont au contraire ces passions qui fermentent dans le théâtre

---

1. Paul Raynal, né en 1885. *Le Maître de son cœur*, 1920; *Le Tombeau sous l'Arc de Triomphe*, 1924; *Au Soleil de l'Instinct*, 1932; *Napoléon unique*, 1937; *A souffert sous Ponce-Pilate*, 1939; *Le Matériel humain*, 1948 (écrit en 1935).

2. Avertissement au lecteur, en tête de *Nicomède.*

de Mauriac et l'apparentent à celui de Racine. Dans ses pièces, règne, comme dans ses romans, une sourde fatalité, celle des instincts refoulés; elle conditionne à leur insu l'action des êtres et les conduit, à partir d'une situation donnée, jusqu'au dénouement inéluctable. (Pour le théâtre de Mauriac, voir p. 1230.)

Mais, au vrai, seul le théâtre de Raynal répond pleinement à la notion classique de la tragédie : grand sujet, action concentrée se développant uniquement par le jeu des passions, excluant le pathétique, le lyrisme et le rire. Or les frontières entre les différents genres se sont peu à peu effacées depuis que les romantiques se sont proposé de « montrer tout à la fois sous toutes ses faces[1] », donc de mêler le tragique à l'ironie, les frissons d'épouvante aux effets comiques. Une nouvelle forme de grandeur peut naître, dans des milieux sans faste, de l'importance des problèmes et de la tension des âmes. C'est elle que nous rencontrons dans les pièces de Gabriel Marcel[2].

On les range parfois dans le théâtre d'idées : philosophe de formation, introducteur en France, bien avant Sartre, des philosophies existentielles, auteur de plusieurs ouvrages qui fondent un existentialisme chrétien[3], Marcel est *a priori* suspect d'écrire des pièces pour illustrer des thèses; et lui-même a imprudemment prêté le flanc à cette critique en indiquant, dans la préface du *Monde cassé* que « le drame amène les deux héros à un point où ils s'apparaissent à eux-mêmes comme *engagés* dans une réalité qui les transcende infiniment... ». Jugement normal chez un croyant pour qui la vie baigne dans le mystère; mais comment empêcher les autres d'y voir une démonstration destinée à les

---

1. V. Hugo, *Marie Tudor*, note.

2. Gabriel Marcel, né à Paris en 1889. Philosophie : *Journal métaphysique*, 1928; *Etre et Avoir*, 1935; *Homo Viator*, 1944; *Les Hommes contre l'humain*, 1951. Théâtre : *L'iconoclaste*, 1923; *la Chapelle ardente*, 1925; *Un homme de Dieu*, 1925; *le Monde cassé*, 1933; *le Dard*, 1937; *la Soif*, 1938. Critique : nombreux art. non recueillis en vol., dans *la Nouvelle Revue Franç.*, *les Nouvelles Littér.* — **A consulter** : *Existentialisme chrétien* (Coll. *Présences*, Plon, 1947); J. Chenu, *Le théâtre de G. Marcel et sa signific. métaphysique*, 1948.

3. Tous sont, non des constructions dialectiques, mais des approfondissements de l'expérience. L'analyse des situations concrètes où nous engage notre condition d'homme découvre à Marcel une « version » de notre nature, pour parler comme Heidegger, non pas vers un devenir purement humain et terrestre, mais vers une transcendance qui la baigne de mystère et avec laquelle il ne nous reste plus qu'à communier. Il suit de là que nous devons accepter sans révolte les différentes communautés dans lesquelles nous nous trouvons engagés sans l'avoir voulu : la famille, la nature-incarnation du spirituel. Faute de quoi nous sommes voués à la pauvreté spirituelle qui dessèche tous les hommes, sauf l'artiste créateur et le croyant (*le Dard*). L'existentialisme de Marcel est donc chrétien, à la différence de celui de Sartre, résolument athée.

catéchiser? Aussi ont-ils vu dans Marcel un autre Curel, — à tort : Curel partait d'un problème bien défini et chargeait ses personnages d'en incarner les données; Marcel part, en véritable philosophe existentiel, d'un problème concret et le creuse, sans idée préconçue, jusqu'à mettre à nu tout ce qu'il implique. Ses personnages sont fortement individualisés, vivants, l'intérêt adroitement ménagé, le pathétique soutenu, bien que d'un ordre inhabituel. Par là encore, il a déconcerté certains critiques. Son théâtre n'est pas spectaculaire; il vise à « éclairer d'une lueur intense les grands à-pics de l'âme[1] »; les actes y comptent moins que les bouleversements déterminés par eux dans les sentiments et les idées. Les personnages sont en général des intellectuels, donc des gens qui « pensent » les mobiles de leurs actions et les transforment en motifs réfléchis sans prendre suffisamment garde à leur origine affective; il en est ainsi de beaucoup d'hommes, du moins dans les milieux où l'habitude de raisonner est devenue une seconde nature; et l'on ne voit pas pourquoi le dramaturge refuserait à l'intelligence, quand il veut caractériser ses personnages, la part que l'on fait aujourd'hui si large aux passions, surtout aux instincts; mais il est exact que ceux-ci nous ébranlent plus vite et plus fortement. De cette part donnée au raisonnement vient l'impression sévère que font les pièces de Marcel : pourtant les conflits qui s'élèvent, le plus souvent à l'occasion d'un drame de famille, entre ces personnages scrupuleux, anxieux, toujours attentifs à eux-mêmes, conduisent à des déchirements poignants qui dénudent les consciences; consciences complexes, il est vrai, réticentes, pudiques, et que seul un public de qualité peut déchiffrer. Le style n'offre aucune difficulté; il est simple, juste, sans éclat, dans la note du théâtre intimiste de Vildrac ou de J.-J. Bernard. Marcel se refuse visiblement à tout effet littéraire : il n'appuie jamais. C'est ici encore au spectateur de **découvrir** la poésie secrète des âmes.

Le véritable théâtre d'idées, c'est celui de Gide, où les personnages ont la minceur et la sécheresse des allégories (voir p. 1227); c'est celui de Sartre, autrement vivant et plus soucieux d'efficacité pratique, puisqu'il tend ouvertement à peser sur les consciences et les événements, à orienter l'action des hommes. Sartre a très bien vu le risque que prend le dramaturge « engagé » : les idées ont toujours tendance à se désincarner, et le théâtre à faire en ce cas figure de chaire ou de tribune. Il y a paré jusqu'ici en renforçant l'intrigue, en individualisant fortement ses personnages, en écartant tout didactisme de leurs propos (voir p. 1266).

---

1. G. Marcel, cité par Pillement, *Anthol. du Théâtre contemp.*, III, p. 207.

C'est enfin le théâtre de Camus qui, en défendant l'autonomie
complète de l'œuvre d'art, l'emploie cependant à remuer des
idées[1] avec moins d'habileté technique que Sartre, et moins de
force dramatique (voir p. 1270).

Les auteurs de pièces boulevardières, romanesques, bouffonnes
ou sentimentales, sont plus nombreux, on s'en doute. Mais il en
est qu'il faut mettre à part, soit qu'ils aient su faire vrai en faisant
comique, soit qu'ils aient mis leur marque propre sur des comédies légères. Et avant tous, Édouard Bourdet[2]. C'est un moraliste
pénétrant, plus gai que Becque, — aussi amer. Sa technique
date de plus loin encore, d'Augier et de Dumas fils : grandes
scènes patiemment amenées, logique de l'action, développements
éloquents. Il en use avec maîtrise, aisé dans l'invention, naturel
dans le dialogue, plaçant ses traits avec une simplicité, une
justesse qui enchantent; mais souvent le jeu l'entraîne et il pousse
jusqu'au raccourci caricatural, jusqu'à la charge. Son domaine
réservé, ce sont les mœurs d'une certaine bourgeoisie, dont il
éclaire avec une verve impitoyable quelques aspects demeurés
dans l'ombre : le maquignonnage des prix littéraires (*Vient de
paraître*), le cynisme d'un milieu particulièrement faisandé (*le
Sexe faible*), le snobisme des aberrations sexuelles (*la Fleur des
Pois*), le pouvoir démoralisateur de l'argent (*les Temps difficiles*).
Comme toujours pour les comédies de mœurs, il est à craindre
que ce comique ne perde de sa force quand les mœurs qu'il flétrit
cesseront d'être actuelles. Il est possible que la pièce destinée à
survivre soit une comédie dramatique à large résonance humaine, *la Prisonnière*, — sujet délicat que Bourdet a traité avec
un tact et une probité admirables.

Alfred Savoir[3] est aussi lucide, aussi caustique, mais d'une
autre manière. Il y a en lui quelque chose de raffiné et de barbare,
un goût marqué pour les contrastes, les dissonances, les heurts.
Inégal, déconcertant, aussi peu sentimental que possible, cynique
avec délices, brutal avec allégresse, aimant plus que tout le sar-

---

1. Thierry Maulnier a justement remarqué que le dialogue chez Camus n'est
nullement actif, ne modifie pas la situation donnée, n'en crée pas une nouvelle,
mais est essentiellement commentaire, explication, confrontation.

2. Édouard Bourdet, Saint-Germain-en-Laye 1887-1945 Paris. Principales
pièces : *le Rubicon*, 1910; *la Prisonnière*, 1926; *Vient de paraître*, 1927; *le Sexe
faible*, 1929; *la Fleur des Pois*, 1932; *les Temps difficiles*, 1934.

3. Alfred Savoir, pseudonyme de Posznanski, Lodz 1883-1934 Paris. Prin-
cipales pièces : *Banco*, 1922; *la Grande-Duchesse et le Garçon d'étage*, 1924; *la
Petite Catherine*, 1930; *la Voie lactée*, 1933. Trois comédies d'avant-garde (*Le
Figurant de la Gaieté*, *le Dompteur*, *Lui*).

casme et l'irrespect qui lui réussissent d'ailleurs mieux que la franche bouffonnerie, il a essayé de tous les genres en multipliant les observations justes et acides : depuis le vaudeville (*Banco, la Grande Duchesse et le Garçon d'étage*) et la comédie rosse (*la Voie lactée*) jusqu'à l'étude psychologique (*Maria*), à la pièce pseudo-historique; la *Petite Catherine*, où il a prodigué tous les piments d'une imagination ironique et libertine, est sans doute son chef-d'œuvre. A moins qu'il ne faille chercher ce chef-d'œuvre dans les « *trois comédies d'avant-garde* », non jouées et publiées sous ce titre par Savoir, où les situations et les caractères sont poussés à la limite avec la plus extravagante fantaisie. Au total ce persiflage continu, à la manière de Bernard Shaw que Savoir saluait comme son maître, laisse une impression plutôt amère; sous ses couleurs violentes et joyeuses, il dissimule à peine un scepticisme intégral. Moins fantasque et moins virulent que Savoir, mais comme lui ironique et divers, Jacques Deval[1] va de la pièce d'observation dure et sèche, pessimiste selon la tradition naturaliste héritée de Becque (*Prière pour les vivants* est la peinture implacable de trois générations de Massoubres, également égoïstes et cyniques) à la comédie bourgeoise (*Mademoiselle* renferme une étude d'âme remarquable), au franc vaudeville (*Tovaritch, Dans sa candeur naïve*), au conte poétique (*Ce soir à Samarcande*). C'est un écrivain aux dons multiples, spirituel, observateur pénétrant quand il veut, technicien ingénieux et adroit qui a renouvelé la comédie légère en mêlant l'observation, l'humour, la sentimentalité.

Ce mélange se retrouve chez Marcel Achard[2], avec moins de mordant et plus de rêveuse fantaisie. On a évoqué à son sujet Marivaux et Musset; ce sont de bien grands noms, mais Achard, « spécialiste de l'amour », comme il se qualifie lui-même, est assurément de leur lignée; il n'a jamais traité que de cette seule passion, avec une fraîcheur, une désinvolture charmante et narquoise où se retrouvent, disait Antoine[3], la légèreté et les grâces de la Comédie Italienne. *Jean de la Lune*, c'est Pierrot; et dans la pièce qui porte ce titre, Marceline est perverse comme Colombine, Clotaire son frère, le mufle inoubliable, est impudent et

---

1. Jacques Deval, né à Paris en 1894. Principales pièces : *Etienne*, 1930; *Mademoiselle*, 1932; *Prière pour les vivants*, 1933; *Tovaritch*, 1934; *Ce soir à Samarcande*, 1950.

2. Marcel Achard, né à Lyon en 1899. Principales pièces : *Voulez-vous jouer avec moá*? 1924; *Maborough s'en va-t-en guerre*, 1924; *La vie est belle*, 1928; *Jean de la Lune*, 1929; *Domino*, 1931; *Noix de Coco*, 1935; *le Corsaire*, 1938; *Nous irons à Valparaiso*, 1948.

3. Dans l'*Information*, à propos de *Jean de la Lune*.

pleutre comme Brighella. Les personnages d'Achard appartiennent tous à un monde funambulesque et aérien, celui des Pierrots de Laforgue, du Jacques de Shakespeare; rêvés par un gentil poète, ils s'accommodent comme ils peuvent des réalités du théâtre qui les force à vivre dans un décor moderne et à parler le langage prosaïque de tout le monde. Mais les titres même des pièces les trahissent parfois : *Malborough s'en va-t-en guerre*, *Jean de la Lune, Auprès de ma blonde*, ce sont des titres de chanson... On a reproché à Marcel Achard de multiplier les variations sur le même thème, sans se renouveler : il a prouvé qu'il pouvait le faire en écrivant un franc vaudeville (*Noix de Coco*), en combinant une pièce à la fois satirique et visionnaire, cet étonnant *Corsaire* où deux interprètes de cinéma revivent, en les incarnant pour la camera, les amours d'un pirate et d'une belle captive. Mais la comédie sentimentale, agrémentée de fantaisie poétique, reste son vrai domaine.

Il y a assurément une veine romantique chez Pagnol[1] : manifeste dans les indignations et les mélancolies de ses premières pièces, elle a persisté dans les dernières, plus couverte, sous forme de sentimentalité facilement moralisatrice. Et il y a aussi la roublardise d'un technicien maître de ses moyens : il l'a montré en écrivant selon des recettes éprouvées, un excellent vaudeville satirique contre les politiciens prévaricateurs, *Topaze*, nom passé dans l'usage courant pour les désigner. Mais par-dessus tout il y a un tempérament de Méridional plein de verve et de finesse, qui nous a restitué dans *Marius* et dans *Fanny* (aussi dans *César*, film), le Marseille que nous attendions, plein de soleil, de faconde, de pétulance, d'optimisme et de gaieté. Le petit café du Vieux-Port, les conversations anecdotiques avec « l'assent » sont dans toutes les mémoires. Le roman des deux jeunes gens pâlit à côté. Il est dommage que Pagnol, dont les dons d'amuseur sont éclatants, ait quitté la scène pour l'écran.

Les farces enfin ont été très à la mode entre les deux guerres. Depuis longtemps Jacques Copeau célébrait celles de Molière, douées d'une vie scénique extraordinaire et, plus que toutes les analyses psychologiques, révélatrices des caractères. Il citait Chamfort : « Renforcez les situations, avait dit le moraliste, c'est

---

1. Marcel Pagnol, né à Aubagne en 1895. *Les Marchands de Gloire* (1924), écrits en collaboration avec P. Nivoix, dénonçaient l'exploitation de l'héroïsme des combattants par les gens de l'arrière; *Jazz* (1926) disait l'amertume d'un vieux savant qui regrette, comme Faust, sa jeunesse. Puis vinrent : *Topaze* (1928), *Marius* (1931), *Fanny* (1934), *César* (film).

une espèce de torture qui arrache au personnage le secret qu'il veut garder. » Mais il semble que ce soit plutôt l'exemple de Jarry, l'influence d'Apollinaire recommandant « l'usage raisonnable des invraisemblances[1] » et, d'une façon générale, le goût de l'époque pour les outrances et les cocasseries, qui aient déterminé cette résurrection d'un genre. Peut-être les *gags* du cinéma, par leurs gros effets burlesques, y sont-ils aussi pour quelque chose. Roger Martin du Gard avec plus de vigueur (voir p. 1243, n. 1), Jules Romains avec plus d'ironie (voir p. 1242) ont écrit des farces excellentes. Crommelynck[2] en a écrit une tout à fait supérieure, *le Cocu magnifique*, où il a peint en pleine pâte, avec une truculence toute flamande, l'image grotesque et délirante d'un jaloux acharné à aviver son mal. Pièce gaie? Pièce triste? On en discute, comme on fait pour *George Dandin*.

Concluons que le théâtre français, entre les deux guerres, s'est heureusement et totalement renouvelé. Les survivances trop littérales du romantisme (notamment la pièce en vers), les platitudes du naturalisme, les mièvreries d'une psychologie faisandée ont disparu. Pleine liberté a été laissée aux auteurs pour inventer, composer, écrire à leur guise. Chacun a poussé dans le sens de sa propre originalité. Il en est résulté un foisonnement de très belles réussites isolées, mais divergentes : aucun style ne s'est imposé. Nous avons constaté cette même dispersion dans le roman. Il n'y a plus d'école, ni de commune discipline : rien que des individus dont chacun cherche sa formule et construit sa technique lui-même.

1. Prologue des *Mamelles de Tirésias*.
2. Fernand Crommelynck, Belge de langue française, né en 1888. *Le Cocu magnifique*, 1921.

CHAPITRE V

LA CRITIQUE ET L'ESSAI

L'esprit critique, esprit du siècle. — La *N. R. F.* et Jacques Rivière. —
L'amour des idées : Thibaudet, Valery Larbaud, Jaloux. — La recherche
de la spiritualité : Suarès, Du Bos. — Les polémistes : Pierre Lasserre,
Benda. — Un esprit libre : Alain. — Multiplicité des essais. — L'histoire littéraire et les tendances nouvelles.

Émile Henriot a remarqué avec raison[1] que la marque propre
de notre temps est l'esprit critique, entendu au sens le plus large
du mot : discussion, recherche, essai. Peu de choses ont échappé
à cet examen général des valeurs qui n'a pas encore abouti et qui
maintient le public hésitant, désorienté entre ce qui n'est plus
et ce qui n'est pas encore. Un exemple frappant est donné par la
poésie, où la tradition est discréditée tandis que la nouveauté
tâtonne toujours, sans pouvoir trouver sa forme.

L'agent le plus efficace de cette revision — dans le domaine
littéraire — a été *la Nouvelle Revue Française*, fondée en 1909
sous le patronage et la « supervision » de Gide, esprit critique
s'il en fut. Bien que la plupart de ses collaborateurs eussent
traversé le symbolisme (Gide) ou subi son éblouissement (Rivière),
elle s'est constituée en demi-réaction contre lui, contre cette
soumission à l'inconscient qui avait fini par passer pour la seule
forme possible de la création littéraire. Il s'agissait sans doute
« d'entrer hardiment dans les régions de l'obscurité » mais sans se
laisser envahir par elle, — pour la dissiper au contraire et fortement éclairer les monstres qui s'y dissimulent. Ainsi, disait
Rivière, ont fait Proust et Freud, dont les révélations allaient en

---

1. Dans un article du *Monde*, janvier 1950. Émile Henriot (Paris 1889-1961),
écrivain élégant et précis, poète et romancier (*Le Diable à l'hôtel*, 1919 ; *Aricie
Brun*, 1924), chargé du courrier littéraire au *Temps*, puis de la chronique littéraire au *Monde*. Courriériste, il a longtemps tenu le public au courant des travaux littéraires des spécialistes qu'il exposait avec clarté et jugeait avec sagacité
(articles recueillis en volume, sous divers titres). Lire aussi *Stendhaliana*, 1924.

effet renouveler la psychologie[1]. Il s'agissait donc d'orienter la littérature vers la connaissance de l'homme et non, comme on avait jugé un peu hâtivement Massis[2], vers le subjectivisme des Symbolistes que précisément le groupe de la N. R. F. voulait écarter.

En tête du groupe, il faut nommer Jacques Rivière[3], tant pour l'étendue de son action que pour sa valeur d'homme. Il avait d'abord été secrétaire de la rédaction. Il l'était encore quand il se signala en 1912 par un recueil, *Études*, qui révéla à beaucoup la littérature et l'art modernes. Qu'il s'agisse de Rimbaud, Gide, Claudel, Cézanne, Debussy, la manière de Rivière est toujours la même : il néglige les éclaircissements historiques et comme Ch. du Bos plus tard, il essaie, par un double travail d'analyse et d'intuition, de pénétrer jusqu'à l'originalité irréductible de l'œuvre, dans laquelle il se repose avec délectation. Prisonnier de guerre, il observa ses gardiens, et de ses observations composa en 1918, un livre honnête et perspicace, *l'Allemand*, dont toutefois il craignit que l'on tirât des conclusions excessives : de là son article de juillet 1922 sur la politique extérieure de Poincaré : *les Dangers d'une politique conséquente*. Depuis janvier 1919, il était directeur de la revue; il le resta jusqu'à sa mort en 1925. Il fut vraiment « l'homme de barre », comme on a dit, qui maintint la direction dans les remous de cette époque tumultueuse, excluant le dadaïsme auquel il faisait l'honneur de reprocher son excessive subjectivité,

---

1. « Si la question sexuelle ne m'intéresse nullement comme problème, je trouve qu'il y a quelque chose de vertigineux à penser qu'on a cru jusqu'ici pouvoir faire de la psychologie tant soit peu pertinente en omettant de s'interroger sur les dispositions et sur l'orientation amoureuse des personnages que l'on voulait peindre. » (Lefèvre, *Une heure avec*, 2e série, p. 97.)

2. Henri Massis, né à Paris en 1886, est avec Jacques Maritain le champion du thomisme en France. Il lutte contre le « moderne » incarné, selon lui, par les trois individualistes Luther, Descartes et Rousseau. Il a commencé son combat en 1911 sous le pseudonyme d'Agathon (qui couvre également le nom de son collaborateur Alfred de Tarde) en attaquant l'*Esprit de la Nouvelle Sorbonne*, coupable d'introduire les méthodes scientifiques dans les travaux littéraires. Ses *Jugements* (Renan, France, Barrès, 1923; Gide, Romain Rolland, Duhamel, Benda, 1924) sont autant de condamnations, fondées trop souvent sur des préventions doctrinales des simplifications déconcertantes et des interprétations tendancieuses. Le meilleur Massis est sans doute dans ses souvenirs, *Évocations*, 1931, *Maurras et son temps*, 1951, et l'*Honneur de servir*, (florilège de son œuvre), 1937.

3. Jacques Rivière, Bordeaux 1886-1925 Paris. *Études*, 1912; *l'Allemand*, 1918; *Aimée*, 1922. Public, posthumes : *A la trace de Dieu*, 1925; *Correspondance avec Claudel*, 1926; *Correspondance avec Alain Fournier*, 1926-28; *Rimbaud*, 1930; *Florence*, 1935; *Nouvelles études*, 1950. A consulter : N. R. F., avril 1925, *Hommage à J. R.*; Archambault, *Jeunes maîtres*, pp. 149-190, 1925; F. Mauriac, *le Tourment de J. R.*, 1926; Charles du Bos, *J. R. et la féconde humilité*, N. R. F., mai 1926.

et tendant à un nouveau classicisme enrichi de toutes les découvertes modernes : lui-même donnait l'exemple en écrivant deux romans de pure analyse psychologique, *Aimée* et *Florence* (inachevé). Avide de découvertes, prospecteur subtil, défenseur chaleureux des jeunes talents, il travaillait à intéresser le grand public à leurs tentatives. — En même temps, il écoutait se poursuivre en lui une lutte obscure : sensuel et sensible, il avait d'emblée cédé aux prestiges des conceptions gidiennes, « les nourritures terrestres », la ferveur, la disponibilité; mais en même temps sa soif de certitude l'avait conduit vers Claudel, dont l'œuvre était, disait-il, « la canicule de la vérité ». Longtemps il vécut comme écartelé entre ces deux influences contraires. Finalement celle de Claudel l'emporta, et en décembre 1913, Rivière communia. Mais jusqu'à sa fin prématurée qui fut en effet chrétienne, il resta inquiet, tourmenté, tant le scrupule était le fond de sa nature même. Ses écrits intimes (correspondances avec Claudel, avec Alain Fournier, son ami et beau-frère[1]) et ses *Études* continuent d'agir sur de nombreux esprits.

La N. R. F. a d'abord groupé des esprits très différents, mais qui avaient en commun ce besoin de sincérité en profondeur, d'investigations sans limite souhaité par Gide et Rivière : Proust, Valéry, Roger Martin du Gard, Larbaud, Claudel, Mauriac. D'autres, sans cesse plus nombreux, s'y sont agrégés par la suite, Montherlant, Cocteau, Supervielle, Giraudoux, Lacretelle, Green, Giono, Malraux etc... en sorte que la N. R. F. a vu s'effacer progressivement son caractère originel pour devenir la revue de la génération 1920-1940.

Le critique le plus considérable, entre les deux guerres, est précisément celui de la *N. R. F.*, Thibaudet[2]. Il a occupé une place centrale dans la littérature française et même européenne; en raison de sa nature et de son immense information, il a servi d'agent de liaison entre la pensée française et la pensée étrangère[3],

---

1. Voir p. 1245, n. 1.

2. Albert Thibaudet, Tournus 1874-Genève 1936. *La Poésie de Mallarmé*, 1912 (éd. déf. 1926); *Les Heures de l'Acropole*, 1923; *Trente ans de vie française* (Maurras, Barrès, le Bergsonisme), 4 vol., 1920-1923; *La Campagne avec Thucydide*, 1922; *Flaubert* (1923, éd. défin. 1935); *P. Valéry*, 1923; *Intérieurs* (Baudelaire, *Fromentin, Amiel*), 1924; *les Princes Lorrains*, 1924; *La République des professeurs*, 1927; *Amiel*, 1929; Mistral, 1930; *Physiologie de la critique*, 1930; *Stendhal*, 1931; *Histoire de la litt. fr.*, 1936; *Réflexions* (4 vol. groupant des chroniques choisies de 1912 à 1936), 1938-41. — **A consulter :** *Hommage à A. Th.* Nouv. Rev. Fr., 1er juillet 1936.

3. Il fut lecteur à York, puis à Upsal, et occupa finalement la chaire d'enseignement de la littérature française à l'Université de Genève.

entre la critique universitaire et la littérature vivante[1], entre les lettres, l'histoire, la philosophie[2].

Au premier abord, on pourrait le croire surtout désireux de réaliser le grand projet que Sainte-Beuve a laissé en suspens : faire l'histoire naturelle des esprits. Il aimait rapprocher, classer; c'est à lui que revient l'idée ingénieuse de répartir les écrivains en générations successives : 1789, 1820, 1850, 1885, 1914. Il s'agit, disait-il, « de suivre de plus près la marche de la nature, de coïncider plus fidèlement avec le changement imprévisible et la durée vivante ». L'expression est bergsonienne, la pensée l'est aussi.

L'enseignement de Bergson l'avait profondément marqué. Sans doute il n'a eu garde de négliger la documentation biographique et bibliographique, et sur ce point on le prendrait rarement en faute; mais l'essentiel pour lui n'était pas là. L'essentiel, c'était d'atteindre le particulier, l'individuel; pour cela il sympathisait totalement avec l'auteur, il « épousait » le mouvement, l'élan de sa pensée jusqu'au seuil de l'acte créateur; puis, pour ne pas appauvrir l'originalité de l'homme ou de l'œuvre en l'exprimant uniquement en termes d'intelligence, il cherchait des équivalences dans des rapprochements parfois inattendus, dans des métaphores joviales et succulentes : car, en Bourguignon qu'il était, — et fier de l'être — il empruntait volontiers ses images à son terroir natal, pays de la bonne chère et des bons vins.

On lui a reproché sa grande indulgence. Elle tient sans doute à sa générosité naturelle, à un certain flottement dans le choix dont il convenait[3] et qu'on a attribué à une faiblesse de caractère. Il est possible que sa méthode même y ait contribué, ainsi que sa formation d'historien : celle-ci, en l'assurant que tout est relatif; celle-là, en le portant à tout comprendre et à tout expliquer par le mouvement continu de l'évolution créatrice et par suite, en le privant des repères fixes d'où il aurait pu condamner ou absoudre. Il ne faisait ni l'un ni l'autre; il expliquait sans conclure. Peut-être enviait-il secrètement les penseurs qui concluaient : Barrès, Maurras, Bergson, auxquels il s'est passionnément attaché.

Il y a de l'engorgement dans sa critique, notamment dans les *Trente ans de vie française* : il avait trop à dire. Mais Thibaudet

1. Dès ses débuts, tout en professant, il rendit compte des nouveaux livres dans diverses revues.
2. Licencié de philosophie, mais écarté de l'agrégation de philosophie par le manque de certificats scientifiques, il enseigna la philosophie pendant plusieurs années avant de passer l'agrégation d'histoire.
3. Parlant de lui-même, il a écrit dans *les Princes lorrains* : « il lui manquait cette part de goût qui est la netteté dans le choix, ce vouloir qui juge, décide, exclut.... »

avait toujours trop à dire; il le savait, il savait aussi que le charme de sa critique était justement dans l'allure spontanée, souvent désordonnée, de ce qu'il appelait son « bavardage ». Disons « causerie familière », qui ne se refusait aucune digression, fût-elle introduite par le biais le plus inattendu, parfois par la fantaisie la plus désinvolte. Il évitait ainsi le ton dogmatique dont il avait horreur, s'amusait pour son compte et entraînait le lecteur, s'il acceptait de le suivre, dans une gymnastique de pensée après tout bienfaisante.

Thibaudet a élargi la critique. En mettant la philosophie, l'histoire, la géographie, la politique (dont il était fort averti) au service de la pénétration psychologique et esthétique des œuvres, il a réalisé une synthèse vivante des connaissances les plus variées. On l'a loué d'avoir eu l'esprit européen : entendons par là qu'il a toujours parlé avec sympathie des étrangers au milieu desquels il a beaucoup vécu et qu'il leur a facilité la compréhension de la France; mais en définitive c'est la France qui lui importait. Et après la France, la Grèce.

Plus réellement européen fut Valery Larbaud[1], qu'on a quelque scrupule à ranger parmi les critiques. Car, s'il a consacré la deuxième partie de sa vie active à des études pénétrantes, il y a eu d'abord un Larbaud poète, inventeur de la poésie du voyage, qui a déroulé le premier devant nous, en versets whitmaniens, les mille aspects du monde vus des fenêtres d'un train de luxe ou de la coursive d'un transatlantique[2]; et ce Larbaud cosmopolite, partout chez lui, ouvrait ainsi la voie à Paul Morand et aux autres. Il y a eu ensuite un Larbaud romancier, qui a traité de thèmes très divers avec un égal bonheur : ironique et parfois cynique dans son *Barnabooth*, récit des multiples aventures que rencontre, dans l'Europe « aux anciens parapets », un jeune milliardaire américain à la recherche de sa personnalité véritable; intuitif et délicat dans ses évocations de l'enfance et de l'adolescence, âges adorables que son imagination, et sans doute sa mémoire, ne se lassent pas d'évoquer : et celui-là ouvrait, en même temps qu'Alain Fournier, une veine souvent exploitée depuis; discrètement voluptueux dans ses croquis légers d'amours

---

1. Valery Larbaud, Vichy 1881-1957. Romans : *Fermina Marquez*, 1911; *A. O. Barnabooth*, 1913; *Enfantines*, 1918; *Beauté, mon beau souci*, 1912; *Amants, heureux amants*, 1923; *Allen*, 1929. — Essais : *Ce vice impuni, la lecture*, 1925; *Jaune, bleu, blanc*, 1927; *Technique*, 1932; *Aux couleurs de Rome*, 1938; *Domaine français*, 1941; *Sous l'invocation de saint Jérôme*, 1946. —**A consulter** : M. Thiébaut, *Évasions littér.*, 1935; G. J. Aubry, *V. L.*, t. I (la jeunesse), seul paru en 1951.

2. Les « *Poésies d'un riche amateur* », parues en 1908 sans autre indication, devinrent en 1923 les *Poésies de A. O. Barnabooth*, par Valery Larbaud.

éphémères, caprices d'intellectuels et d'artistes, où il a tracé
d'inoubliables portraits de jeunes femmes : c'est à l'occasion de
tels récits qu'il a réintroduit chez nous le monologue intérieur[1],
par quoi devient sensible la distinction bergsonienne entre la
durée vécue et le temps homogène. Et il y a eu enfin un Larbaud
doué, comme on a dit, de *multianimisme*, à son aise dans toutes
les littératures, ayant du reste un don prodigieux des langues,
présentant en espagnol dans *la Nacion* de Buenos-Ayres et en
anglais dans le *New-weekly* de Londres les jeunes écrivains français, cependant qu'il introduisait auprès du public de France les
grands écrivains étrangers, — soit qu'il les traduisît lui-même
comme il a fait (entre autres) pour Samuel Butler, James Joyce,
Coventry Patmore, Ramon Gomez de la Serna, soit qu'il leur ait
consacré des études, comme il a fait pour Chesterton, Conrad,
Léopardi, Alfieri, etc... Il avait, semble-t-il, la secrète prédilection
des raffinés pour les œuvres difficiles ou méconnues : il a réhabilité, ou tenté de réhabiliter, Racan, Heroët, Brébeuf, Jean de
Lingendes, Philothée O'Neddy. L'élite seule peut apprécier,
mais c'est elle seule qui lui importe. Toutes les questions de
technique, de style en particulier, le passionnaient; il a écrit, en
spécialiste de la question, un magnifique éloge des « bons traducteurs », placés par lui sous le patronage de saint Jérôme,
auteur de la *Vulgate*. Il s'aventurait plus précautionneusement
sur le terrain de la critique et préférait s'en tenir aux recherches
érudites : réserve étrange chez un écrivain de goût aussi sûr et
de culture aussi vaste. Son style est simple, **juste**, harmonieux,
caressant, piqué çà et là d'adjectifs rares ou **arch**aïques, — fantaisies verbales héritées du symbolisme. Au total, cet artiste
sensible et modeste, ce dilettante à la curiosité sans limites, cet
érudit consciencieux comme un bénédictin, qui fait songer à
Marcel Schwob par plusieurs de ces traits, — a été l'un des pion-
niers les plus efficaces du renouveau amorcé dès 1910 et l'un des
plus ardents promoteurs de l'interpénétration des littératures
européennes, du temps où il y avait une Europe sans frontières,
où les idées comme les hommes circulaient librement.

Edmond Jaloux[2] a travaillé à la même œuvre. De lui non plus,

1. **Larbaud** a lui-même indiqué que l'inventeur du monologue intérieur est
Édouard Dujardin (*Les Lauriers sont coupés*, 1887). James Joyce a repris et perfectionné le procédé (*Ulysses*.)
2. Edmond Jaloux, Marseille 1878-1949. Romans : *le Reste est silence*, 1909;
l'Incertaine, 1918; *la Fin d'un beau jour*, 1920; *les Profondeurs de la Mer*, 1922;
Sur un air de Scarlatti, 1929; *La Balance faussée*, 1932; Critique : *l'Esprit des
livres*, 7 vol., 1931-1946; *Vie de Gœthe*, 1933; *Introd. à l'Hist. de la Litt. franç.*
(2 vol. seulement existent, sur les sept projetés), 1949-50. — Essais : *Essences*,

on ne saurait passer sous silence l'œuvre romancée, qui est considérable, puisqu'elle comporte une cinquantaine de romans ou de recueils de contes. Ouvrages aux titres charmants, aux sujets romanesques et pleins de la poésie du passé comme ceux d'Henri de Régnier qui fut son maître, pour la plupart drames mélancoliques du cœur, parfois engagés dans le rêve : c'est le cas de la longue nouvelle *Sur un air de Scarlatti*, ou de *la Balance faussée* dont le principal personnage échappe aux contraintes sociales et domestiques en se retirant dans un univers illusoire. Tel est un peu le cas de Jaloux : son domaine préféré est l'imaginaire. Esprit fin et délicat, il cherchait le bonheur dans l'activité secrète de l'intelligence, le rêve immobile ou la contemplation de la beauté. « La mission de l'œuvre d'art, disait-il, est de racheter le réel. » Le réel, avec ses brutalités sans cesse croissantes, l'outrageait, comme il apparaît dans son recueil de réflexions assez amères, *Essences*. Pour mieux le fuir, il avait commencé d'écrire une vaste féerie psychologique, *la Pêche aux flambeaux*, qui devait se passer tout entière dans l'univers des songes, quand la mort le lui ouvrit.

Ce tour d'esprit nervalien est le trait essentiel de sa critique. Elle s'intéresse à toutes les littératures européennes, mais elle est aimantée surtout par les littératures du Nord. Sur les sept volumes où ont été recueillis une partie des articles qu'il donnait régulièrement au *Temps* et aux *Nouvelles littéraires*, trois sont consacrés aux romanciers et aux poètes (c'étaient eux surtout qui l'attiraient) anglais et américains, russes et scandinaves. Dévot de Shakespeare, admirateur de Poe, grand ami de Rilke, il aimait rêver sur les histoires de fantômes anglais ou méditer sur les mystérieux messages des romantiques allemands, de Novalis en particulier. Plus qu'à la forme — qu'il appréciait d'ailleurs avec justesse, — ce Provençal était sensible au sentiment, et cherchait partout l'émotion et le mystère. Mais il laissait de côté, quand il s'agissait d'étudier une œuvre nouvelle, ses préférences « mandarinales »; il l'abordait avec amitié, la jugeait selon sa valeur propre et savait, quand il le fallait, être sévère sans devenir blessant. Il est peu d'œuvres importantes, pendant ces trente dernières années, qu'il n'ait examinées et cette immense information, jointe à sa vaste et profonde culture, lui permettait des percées en tous sens, des oppositions ou des rapprochements singulièrement excitants pour l'esprit. Par sa curiosité de l'indicible « qui est notre vraie raison d'être » (*Essences*) et par son sens européen de la littérature, Jaloux est lui aussi un précurseur.

1949; *Saisons littér.* (souvenirs), 2 vol., 1950-51; *Visages Français*, 1955. — **A consulter :** Yanette Delétang-Tardif, *E. J.*, 1947.

Thibaudet, Valery Larbaud, Jaloux voyaient dans la critique un instrument d'enrichissement intellectuel. Du Bos et Suarès y ont cherché des acquisitions spirituelles, et pour tous deux la phrase du second est valable : « La littérature est le lieu de rencontre de deux âmes. » De là le tour particulier de leurs écrits.

Suarès[1], comme Élémir Bourges, s'est retranché de son siècle sans renoncer à le juger. Il a vécu soixante ans dans une solitude amère, orgueilleuse et ombrageuse, refusant la vie facile, persuadé, comme Romain Rolland son ami, que Beethoven avait raison et que l'on ne parvient à la joie que par la douleur. Ce grand idéaliste entendait par joie l'exaltation, l'élévation de l'âme devant la vie héroïque. Car « sinon pour la grandeur et la beauté, pourquoi peut-on tenir à vivre[2]? » Son seul critère était l'émotion : c'est à la force et à la qualité de l'émotion éprouvée qu'il mesurait la valeur du spectacle, de l'œuvre ou de l'homme. Une ardeur fiévreuse n'a cessé de le brûler dans cette inlassable quête de la grandeur. Romain Rolland disait de lui : « Il est excessif en tout, en haine comme en amour[3]. »

Son œuvre, admirée par beaucoup mais à distance respectueuse, mérite d'être mieux connue. Elle comprend des poèmes, quelques pièces de théâtre[4], des récits lyriques de voyage et des descriptions lyriques de villes[5], des méditations souvent profondes « Sur la vie », et surtout de pénétrants portraits psychologiques : ceux de Dostoïevski, de Joinville, de Villon, de Salluste, du cardinal de Retz, de Pétrone, de Baudelaire, de Péguy, de Debussy (pris, pour leur diversité, entre bien d'autres qui les valent) sont inoubliables. Suarès les commence sans méthode, attaque de tous les côtés à la fois, « à coups d'intuition » si l'on peut dire, par le physique, le moral, la parole, la pensée, le geste :

---

1. André Suarès, Vallon-de-l'Oriol (près de Marseille) 1868-1948 La Varenne-Saint-Hilaire. *Images de la Grandeur*, 1901; *le L ivre de l'Émeraude*, 1902; *Sur la mort de mon frère*, 1904; *la Tragédie d'Elektre et d'Oreste*, 1905; *Bouclier du Zodiaque*, 1907; *Voyage du Condottiere*, 1910 (*Vers Venise*; les deux autres parties, *Fiorenza*, *Sienne la bien-aimée*, paraîtront en 1932) ; *Sur la Vie*, 1910 (tome II, 1925; tome III, 1928); *Cressida*, 1913; *Trois h ommes* (*Pascal, Ibsen, Dostoïevski*), 1913; *Poète tragique*, 1921; *Debussy*, 1922; *Xénies*, 1923; *Marsiho*, 1931; *Cité, Nef de Paris*, 1933; *Valeurs*, 1936; *Vues sur l'Europe*, 1939. — *Correspondance de Claudel et de Suarès*, 1951. — *Pages* (anthol.), 1948.

2. *Valeurs* : Conscience.

3. Lettre de R. Rolland à Malwida von Meysenburg, 1890.

4. Deux au moins sont à signaler : *la Tragédie d'Elektre et d'Oreste*, qui inaugurait le renouvellement des grandes légendes grecques, si fort à la mode aujourd'hui; *Cressida*, évocation, autour de la Beauté qui se veut inexorable, des multiples visages de l'amour.

5. *Le Livre de l'Émeraude* (Bretagne); *le Voyage du Condottiere* (Italie); *Marsiho* (Marseille); *Cité, Nef de Paris*.

peu à peu la personnalité s'accuse, prend une vie, un relief étonnants. Aucune information préalable, historique ou critique, ne
prépare cette vision synthétique de l'homme. Le portraitiste est
allé droit à son modèle. Sa manière est toute bergsonienne. C'est
la seule efficace, disait Péguy : on comprend par l'âme, non par
l'esprit.

Cette quête de la grandeur humaine n'est cependant — nous
pouvons l'affirmer maintenant qu'a été publiée la correspondance
de Claudel et de Suarès — qu'une compensation à la quête spirituelle qui, malgré l'aide de Claudel, n'a pas abouti. Il y a en
Suarès une contradiction qu'il reconnaissait lui-même : « Je
doute passionnément : c'est ma nature. Et j'ai la passion de vivre[1]....»
Et encore : « C'est une terrible condition pour vivre de sentir d'une
manière et de penser d'une autre. Et souvent on sent contre sa
pensée et l'on pense contre son sentiment[2]. » Une seule solution
s'offrait : devenir croyant, plus précisément chrétien, plus précisément catholique, car Suarès, juif d'origine, affirmait que « les
catholiques seuls ont un Dieu[3] »; malheureusement on ne peut
croire à volonté. Nul n'a parlé avec plus d'enthousiasme de
la sainteté que cet agnostique qui s'épuisait — vainement —
à souhaiter la foi : « La nature n'est joie que dans les saints....
Les saints ont vaincu la mort, et eux seuls.... Cette chose unique
et formidable : un saint[4]! »

A défaut des saints qui l'émerveillaient mais dont le secret
lui échappait, il a cherché à pénétrer celui des grands artistes.
Après tout, disait-il, « ne vivre que pour la beauté, c'est avoir
pris une des voies de la mystique[5]... ». Les philosophes et les
savants ne l'intéressent pas : « Il n'y a de génie qu'en art; car il
n'y a de vie que là[6]. » Ses grands hommes, poètes, peintres,
musiciens, penseurs, appartiennent à tous les temps et à tous les
pays : à défaut de la communion des saints, il rêvait d'une vaste
communauté spirituelle où entraient toutes les grandes âmes
parentes de la sienne; car la sienne était multiple, « grecque et
chrétienne, russe et chinoise, italienne et bretonne, gothique et
hindoue », apte à tout sentir et à tout harmoniser. « Gœthe
pessimiste », a-t-on dit de lui.

Suarès a deux styles, aussi péremptoires de ton l'un que l'autre :
l'un, net et sobre, ne vise que l'intelligence; l'autre, poétique

1. *Xénies.*
2. *Valeurs.*
3. Cité par Souday, *Les Livres du Temps*, I, 295.
4. Souday, *ibid.*
5. Cité par A. Rousseaux, *Littérat. du XXe siècle*, 2e série, p. 64.
6. Souday, *ibid.*

et chaleureux, admirablement musical sans affectation de rythme,
lui importe davantage puisqu'il se propose essentiellement
d'éveiller, d'orienter, de guider la sensibilité. Ce dernier style
est métaphorique, elliptique, refuse l'anecdote, vise au sublime,
l'atteint souvent, et ne ralentit son mouvement impérieux de
houle illuminée d'éclairs que lorsque le sujet est épuisé; le lecteur aussi, parfois. Il serait vain de nier que Suarès cède volontiers à sa virtuosité verbale et laisse sa phrase déborder sa pensée.
Les développements brefs, où il procède par bonds et jets, suivant les intuitions de sa nature impulsive, lui réussissent mieux
que les longs développements, toujours guettés par la rhétorique.
Mais quand il se maîtrise, c'est un magnifique prosateur, ardent
et dense.

Ce n'est ni l'amour du beau ni le culte des idées qui a inspiré
les enquêtes minutieuses de Charles du Bos[1]; c'est la recherche
obstinée du foyer de haute spiritualité qu'il pressentait au cœur
de certaines grandes œuvres. Mais dans cette lente approche,
quelle patience, quelle prudence! que de citations, justifications,
objections que l'auteur s'adresse à lui-même, rectifications de sa
propre pensée et parfois notes à ces rectifications! En sorte que
ces études nous livrent non seulement le portrait de l'écrivain
étudié, aussi précisé qu'il se peut (d'où le titre : *Approximations*,
qui réserve la part de l'erreur et de l'inexprimable), mais aussi
le portrait du peintre. Il y a un insconscient narcissisme dans les
études de Du Bos.

Il n'avait pas attendu d'adhérer au catholicisme pour se
pénétrer du sérieux insondable de la vie. Les écrivains qu'il
chérissait, alors qu'il vivait dans la familiarité de Gide, étaient
de ceux qu'il n'eut pas à renier quand il se convertit en 1927 (il
avait alors quarante-quatre ans) : c'étaient Keats, Baudelaire,
Browning, Shakespeare. Ils sont vraiment de la famille des Dante,
Pascal, Tolstoï, Novalis; il n'en excluait pas des écrivains
réputés mineurs dont l'âme exquise lui était secrètement fraternelle, Vauvenargues, Joubert, Maurice de Guérin. La natio-
nalité lui importait peu. Pour lui il n'y avait pas *des* littératures,
mais « *une* littérature où la gamme entière de toutes les émotions
humaines a trouvé sa véritable expression. « Il classait autrement

---

1. **Charles du Bos**, Paris 1883-1939 La Celle-Saint-Cloud. *Approximations*,
7 vol., 1922-37; *Dialogue avec A. Gide*, 1929; *Byron et le besoin de la fatalité*,
1929; *Extraits d'un Journal*, 1931; *Mauriac et le problème du romancier catholique*, 1933; *Qu'est-ce que la littérature?* 1938; *Grandeurs et misères de Benjamin
Constant*, 1946; *Journal I et II*, 1946-48; *la comtesse de Noailles et le climat du
génie*, 1949. — **A consulter** : *Hommage à D. B.*, 1945; Marie-Anne Gouhier,
Ch. du B., 1951; Mouton, *Ch. du B.*, 1955.

les écrivains : d'une part ses intercesseurs, ceux avec lesquels il communiait intimement, et de l'autre « ses étrangers », ceux qu'il admirait mais sentait très différents de lui; par exemple Gœthe, sur lequel il a néanmoins écrit des pages très pénétrantes[1], et Gide même dont il a essayé, dans un *Dialogue* mémorable, de sauver tout ce qu'il pensait pouvoir être sauvé.

C'est aux intercesseurs surtout qu'il s'est attaché, à tous ceux dont il avait éprouvé au premier abord la lumière et la chaleur par une intuition proprement bergsonienne[2]. Le premier éblouissement passé mais le cœur toujours palpitant, il s'avançait précautionneusement dans la connaissance de l'œuvre, indifférent aux questions d'origine, d'influence, suivant tous les méandres de la pensée — celle d'autrui et la sienne propre — avec la même subtilité que Proust dont il est si proche, attentif aux nuances, aux dissociations, jusqu'au moment où il s'arrêtait, non pour un jugement de valeur, mais pour une contemplation extatique : c'est qu'il était parvenu tout près du buisson sacré, je veux dire de la réalité spirituelle qu'il avait décelée à son rayonnement. Plus que la beauté, jouissance extérieure, plus que l'analyse psychologique où il s'est montré de première force mais qui ne lui fut qu'un moyen, c'était la spiritualité qui lui importait. Charles Du Bos, critique métaphysicien.

La publication intégrale de son *Journal* est en cours. (Il en avait jadis donné lui-même des *Extraits* qui se terminaient après son adhésion définitive au catholicisme.) Cette œuvre complète les *Approximations* et les éclaire. Les faits y sont peu nombreux, toute la place est laissée aux méditations, conversations, impressions. Elle place Du Bos aux côtés des maîtres de la vie intérieure, Amiel dont il avait les scrupules et la minutie, Maine de Biran, Joubert. Quant à son style, c'est en général le style parlé d'un prospecteur méditatif qui pense en dictant, et charge sa phrase d'incidentes sans s'en apercevoir, parce qu'il ne veut rien dire qu'il n'éclaircisse, précise, justifie. On s'embarrasse parfois dans ce foisonnement de remarques, — rançon d'une honnêteté spirituelle comme on en voit peu. Malgré cela, et la gravité quasi sacerdotale du ton, et la tension de la pensée, l'œuvre de Du Bos a très vite trouvé une audience qui s'élargit sans cesse depuis sa mort.

Enfin d'autres écrivains ont fait de la critique un instrument de polémique, soit politique (P. Lasserre), soit philosophique

---

1. Dix *Aperçus*, dans *Approximations*, tomes V, VI, VII.
2. « On ne dira jamais assez à quel point toute la critique de Du Bos est tributaire de l'*Introduction à la Métaphysique*. » (G. Marcel, dans l'*Hommage à Du Bos*, p. 166.)

(Benda). Alain l'a utilisée pour une meilleure connaissance de l'homme.

La thèse de doctorat de Pierre Lasserre[1], *le Romantisme français, essai sur la Révolution dans les sentiments et les idées au XIXe siècle* (1907), éclata en Sorbonne comme une bombe et du jour au lendemain l'auteur, jeune agrégé de philosophie, fut célèbre. Il avait fait une vigoureuse synthèse de tous les arguments de Taine et de Maurras contre l'individualisme romantique, incarné, selon lui, par Jean-Jacques Rousseau, faux prophète et responsable de toutes les erreurs et chimères du *Stupide XIXe siècle*[2] : anarchie, démagogie, démocratie, religion du progrès, etc., même... poésie. « Qui rêve? Un sot... » Le livre était d'ailleurs brillant, conduit avec une ivresse joyeuse, une force allègre et passionnée qui en faisaient un magnifique pamphlet. Cependant Lasserre était un esprit trop actif et trop libre pour s'enfermer dans une position dogmatique. Peu à peu il se détacha de Maurras. Dès 1915, il refusait de mettre au ban de l'humanité pensante l'Allemagne des philosophes[3] et en 1922, il indiquait avec netteté[4] ce que le monde doit à Gœthe, Heine, Schopenhauer, Nietzsche. Il défendait encore la tradition classique quand il attaquait en 1920 les *Chapelles littéraires* qui pullulèrent avant et après la première guerre mondiale[5] et tournait en ridicule, avec une verve assez lourde qui porte parfois, la boursouflure de Claudel, les fausses naïvetés de Jammes (mais *Jean de Noarrieu* enchantait ce Béarnais), les balbutiements de Péguy : la vraie grandeur de chacun lui échappait et la N. R. F. le traita de béotien. A vrai dire, Lasserre était plus philosophe qu'artiste (deux ou trois romans manqués achèvent de le prouver); sur le plan des idées il devait se montrer un maître dans son *Renan*, malheureusement inachevé, qui eût été la meilleure introduction à la grande révolution intellectuelle des temps modernes. Les trois volumes parus soulèvent nombre de questions de tout ordre,

1. Pierre Lasserre, Orthez 1867-1930 Paris. *La Morale de Nietzsche*, 1902; *le Romantisme français*, 1907; *les Chapelles littéraires*, 1920; *Cinquante ans de pensée franç.*, 1922; *Renan et nous*, 1923; *Mes routes*, 1924; *la Jeunesse de Renan*, 3 vol. parus, 1925-32; *Des romantiques à nous*, 1927; *Mise au point*, 1931. — **A consulter :** J. Labussière *P. L.*, 1931; Anne-Marie Gasztowtl, *P. L.*, 1931.

2. C'est le titre qu'un autre écrivain d'*Action Française*, Léon Daudet, devait donner en 1922 à un réquisitoire analogue.

3. Dans *le Germanisme et l'esprit humain*. Lasserre avait étudié deux ans en Allemagne.

4. Dans *Cinquante ans de pensée française*.

5. L'humanisme, l'unanimisme, l'intégralisme, le naturisme, les paroxystes, les spiritualistes, les néo-classiques, l'impulsionisme, le primitivisme, le futurisme, le régionalisme, le cubisme, le dadaïsme, etc.

morales, métaphysiques; comme jadis le Sainte-Beuve de *Port-Royal*, l'auteur n'en laisse passer aucune sans la définir et la résoudre : il avait pour cela compétence et puissance. Son dernier livre (posth., *Mise au point*) le montre apaisé, accueillant, humain, toujours ami de l'ordre mais refusant de lui sacrifier la complexité de la vie et de s'inféoder au sectarisme d'un parti, quel qu'il soit.

Le royaliste Lasserre et le démocrate Benda[1] auront eu au moins une aversion commune : celle du romantisme sentimental. Mais Lasserre le dénonçait au nom des disciplines traditionnelles; Benda, qui les a en horreur, l'attaquait au nom de l'intellectualisme absolu. Et tandis que le premier a détendu progressivement sa sévérité, le second a renforcé la sienne.

Benda s'est décrit lui-même dans trois de ses œuvres : *la Jeunesse d'un clerc*, *Un Régulier dans le siècle*, *Exercice d'un enterré vif*; et l'Éleuthère de *Délice d'Eleuthère*, fier d'être Juif parce qu'il se rattache ainsi à un peuple « adorateur des valeurs graves », plein de mépris pour les « Sémites sensuels, aïeux de Porto-Riche et de Bernstein », peut passer pour un quatrième portrait. Benda constate donc qu'il est sec, froid, orgueilleux, « pathologiquement systématique », attaché à la raison « dans ce qu'elle a d'inhumain », hostile à la vie qui dégrade l'esprit pur, et que ses convictions politiques sont fondées non sur l'amour du peuple qu'il méprise mais sur le culte de la justice abstraite. Il y a dans tout cela de la sincérité mêlée de quelque forfanterie, une grande satisfaction de soi-même et l'espoir de déplaire, à quoi Benda n'a jamais su se refuser. « Il ne prend plaisir qu'à s'opposer », notait Gide[2].

Il a commencé par s'opposer au bergsonisme avec une violence souvent injurieuse; il y dénonçait une tendance à l'illuminisme, et des équivoques, des contradictions, des confusions; à l'en croire, Bergson employait indistinctement le mot intuition dans au moins quatre sens différents. L'intuition bergsonienne encourageait l'union mystique avec les choses, l'art émotionnel, la

---

1. Julien Benda, né à Paris en 1867. Essais : *Le Bergsonisme ou une philosophie de la mobilité* (1912); *Belphégor*, 1918; *La Trahison des Clercs*, 1927; *La Fin de l'Éternel*, 1929; *Essai d'un Discours cohérent sur les rapports de Dieu et du Monde*, 1931; *Esquisse d'une histoire des Français dans leur volonté d'être une nation*, 1932; *Discours à la Nation européenne*, 1933; *Précisions*, 1937; *La Grande Épreuve des Démocraties*, 1942; *la France byzantine*, 1945. Autobiogr. : *La Jeunesse d'un clerc*, 1936; *Un Régulier dans le siècle*, 1938; *Exercice d'un enterré vif*, 1946. Romans : *l'Ordination*, 1912; *Délice d'Eleuthère*, 1935. — **A consulter :** C. Bourquin, *J. B. ou le point de vue de Sirius*, 1925; Dumont-Wilden, *J. B. ou l'Idéologue passionné*, 1921; J. P. Sold, *Les Idées de J. B.*, 1930.

2. *Journal*, 6 janvier 1948.

littérature de la sensation et du spasme : Benda dirigea son *Belphégor* contre la jeune littérature accusée de propager ce trouble aux dépens de la pensée claire et ordonnée. En 1927, il élargit le débat dans *la Trahison des clercs* (complétée en 1929 par *la Fin de l'Éternel*). Il désignait par clercs « tous ceux dont l'activité, par essence, ne poursuit pas des fins pratiques... philosophes, religieux, littérateurs, artistes, savants... dont le mouvement (depuis plus de deux mille ans) est une opposition formelle au réalisme des multitudes[1] ». Or le clerc aujourd'hui a trahi sa fonction : au lieu de maintenir au-dessus de l'action le culte de la pensée pure, il asservit la pensée à l'action; au lieu d'admirer, comme le voulait Malebranche, « l'homme qui demeure ferme au milieu des courants », il admire celui qui se laisse entraîner par eux. Il manque ainsi à son devoir, qui est de dire la vérité et la justice abstraites[2] sans considération pour les circonstances et les conséquences, et de n'intervenir dans l'action — très exceptionnellement — que dans la mesure nécessaire à leur défense. Cette prédication du spirituel a du reste en général des suites désastreuses que Benda accepte allégrement : ainsi deux peuples — le juif et l'athénien — « particulièrement attentifs à la prédication des valeurs spirituelles » auraient, pour cette raison, disparu. (On explique généralement cette double disparition par des causes plus précises et plus concrètes.) Il reste que Benda a eu raison de dénoncer le pragmatisme et le « réalisme » comme une rupture de l'universalité nécessaire à l'union des hommes. Il insista sur ce dernier point dans son *Discours à la Nation européenne*, où il montra l'humanité destinée à d'immenses tueries si elle ne rétablissait pas les valeurs universelles, qui seules sont capables d'assurer la communion des pensées et la coopération des volontés : l'événement devait confirmer promptement la théorie. Plus récemment, Benda a repris ses attaques contre la *France byzantine*, c'est-à-dire contre la littérature contemporaine qu'il écrase de son mépris. Il est regrettable que l'étroitesse de son intellectualisme, — jointe à l'orgueil de l'esprit, dont il se targue, — lui ait fait méconnaître l'effort de tant d'excellents écrivains menant autour de lui, sur un terrain plus large et plus accidenté, le même combat : les Valéry, les

---

1. *La Trahison des Clercs*, p. 54.
2. H. Clouard, dans son *Hist. de la litt. II*, remarque que Benda a donné l'exemple : en 1937, dans *Précisions*, il prend position contre ceux dont il défend en général la cause, les travailleurs, qui bloquent par leurs grèves répétées le fonctionnement du gouvernement de Front populaire; en 1942, dans *la Grande épreuve des Démocraties*, il oppose les faiblesses et les erreurs des démocraties réelles aux vertus de la démocratie idéale.

Proust, les Gide, qui s'efforçaient de préciser, de définir, de soumettre à l'expression exacte la matière confuse que leur livrait une psychologie libérée des anciens tabous. La culture littéraire est assez menacée pour que ses défenseurs s'unissent au lieu de s'entredéchirer.

Ces vastes problèmes (et je n'ai rien dit d'un *Essai d'un Discours cohérent sur les rapports de Dieu et du monde*, tout métaphysique) sont résolus avec une assurance tranchante qu'un examen, même rapide, ne justifie pas toujours[1]. Il arrive qu'on y découvre des paradoxes, des propositions hasardeuses, des citations tendancieuses, voire des sophismes que l'auteur reconnaît rarement comme tels, tant il est persuadé de son infaillibilité; tant il est aussi « passionné dans son refus de se passionner », disait E. Jaloux. Cette ardeur refoulée est passée dans son style même, d'où il s'est cependant efforcé de l'exclure. Au premier abord ce style est sec, net comme un trait d'épure, impersonnel comme une définition de Spinoza; mais son mouvement nerveux, coupant, agressif trahit vite le tempérament impérieux de l'auteur. N'a-t-il pas reconnu lui-même[2] que la plupart de ses ouvrages sont « nés d'une irritation, d'une émotion, d'un choc? » Les ondes s'en propagent, quoi qu'il en ait, tout au long de son argumentation. Malgré cela, ou à cause de cela, un ouvrage de Benda est toujours intéressant et suggestif; les vues justes n'y manquent pas, on l'a vu, et celles même qui sont injustes donnent à réfléchir.

Laissant à Lasserre et à Benda le soin de combattre les diffé-

---

1. L'observation lui en fut faite à propos de la *Trahison des clercs* et de *la Fin de l'Éternel* par un critique de son bord, Paul Souday, dont le rationalisme déclaré était toutefois plus ouvert et plus libéral que l'intellectualisme rigoureux de Benda. — Paul Souday (le Havre 1869-1929 Paris), tempérament vigoureux et batailleur, doué de convictions solides, se faisait la plus haute idée de la critique, qu'il considérait « comme la conscience de la littérature ». Pendant ses dix-sept années de collaboration littéraire au *Temps*, il a régenté l'opinion. Polémiste né, il excellait à passionner un vaste public pour les débats littéraires où il s'engageait à fond, défendant comme Benda, « Minerve contre Belphégor », et la raison voltairienne contre les ravages d'un bergsonisme mal compris. La querelle de la « poésie pure », qui l'opposa en 1926 à l'abbé Bremond (celui-ci rapprochait *Prière et Poésie* en raison de l'élément mystique qu'il déclarait présent dans les deux, alors que Souday, hostile au mysticisme littéraire, en appelait, un peu trop, au sens commun) est mémorable. Les idées le touchaient plus, semble-t-il, que la poésie et l'imagination. Cependant il s'est intéressé le premier à Proust; il a révélé au grand public Léon Bloy, Claudel; il a fortement appuyé Péguy, Valéry; il a parlé excellemment de Hugo et des romantiques. La polémique ardente qu'il mêlait à ses chroniques et qui ne nous intéresse plus détourne de les relire. A tort. (*Les livres du Temps*, 3 séries, 1912, 1914, 1930.) Mais ses commentaires en trois petits volumes séparés sur *Proust, Gide, Valéry* (1927) et sa *Société des Grands Esprits* (1929) supportent très bien la lecture.

2. Dans *la Jeunesse d'un Clerc.*

rentes formes du mysticisme intellectuel, Alain[1] s'est contenté
d'enseigner à penser juste et librement. Bien qu'il fût pénétré de
Descartes et de Spinoza, il n'avait pas de système. Il conseillait
d'aborder les choses avec un regard neuf et un esprit net, de vérifier les idées toutes faites, dût-on « massacrer les lieux communs »,
de se défier du processus dialectique qui substitue inévitablement l'enchaînement des idées à la complexité mouvante du réel.
C'était essentiellement un critique de la connaissance, attentif à
dénoncer toutes les possibilités d'erreurs, préjugés, omissions,
confusions, chimères, sophismes. Par là il était très proche de
Valéry, chez qui il admirait du reste le culte de l'intellect pur, la
volonté de lucidité, la passion de précision.

Alain s'était fait connaître par de courts articles donnés à *la
Dépêche de Rouen*, les *Propos d'un Normand*, dans lesquels il tirait
des menus faits de la vie courante les considérations les plus
hautes, toutefois sans souci du transcendant (il était totalement
incroyant) ni respect du temporel : c'était un radical teinté d'anarchisme, persuadé qu'il faut sans cesse défendre *le Citoyen contre les
pouvoirs* (titre d'un de ses livres.) La forme des *Propos* est incisive
et péremptoire, démunie d'explications et de justifications, sans
lyrisme, sans éloquence, sans liaisons logiques entre les phrases.
C'est que l'auteur disposait tout juste de cinquante lignes; c'est
aussi qu'à son avis la vérité est une évidence qui ne se démontre
pas, mais qui s'impose; c'est enfin qu'il évitait « l'excès de clarté »
pour mieux exercer l'esprit de son lecteur, imitant ainsi la
densité pascalienne. Peut-être aussi, comme Thibaudet, recher-
chait-il l'allure dégagée et primesautière par crainte de paraître
pédant.

L'enseignement d'Alain n'était pas purement critique. C'était
aussi une école d'optimisme. Il conseillait de ne pas s'encombrer
de regrets ou de repentirs, de *vouloir* être heureux. Il suffit souvent pour cela de bien diriger son esprit, comme l'avaient compris
les stoïciens. C'est le bonheur, si tu veux, que le corbeau t'annonce, disait déjà Epictète. Et Alain exalte Beethoven[2] pour avoir
donné l'exemple mémorable d'une vie difficile où l'on voit le bonheur se confondre avec la volonté de bonheur.

Nous portons cependant en nous deux éléments puissants de

---

1. Alain, pseudon. d'Émile Chartier, Mortagne 1868-1951 Paris. *Humanités*,
choix tiré des *Propos* par A. Dez, 1949; *Quatre-vingt-un chapitres sur l'Esprit
et les Passions*, 1917; *Système des Beaux-Arts*, 1920; *Mars ou la guerre jugée*,
1921; *Visite au musicien*, 1926; *les Idées et les Ages*, 1927; *Entretiens au bord de
la mer*, 1931; *Stendhal*, 1935; *Histoire de mes pensées*, 1936; *Avec Balzac*, 1937;
Souvenirs de guerre, 1937; *Dickens*, 1945. — **A consulter :** A. Maurois, *Alain*, 1951.

2. *Visite au musicien.*

trouble : la passion, tumulte des sens, et l'imagination, vagabondage de l'esprit. Elles doivent être dominées et disciplinées, et le
sont en effet par l'œuvre d'art : Alain suit ici Aristote, pour qui
l'œuvre d'art (la tragédie, disait le Grec) nous délivre, nous purifie,
nous rassérène, nous donne le double sentiment de « la puissance et
de la joie ». Mais elle ne doit pas être, selon Alain, l'expression
spontanée et facile des émotions de l'artiste, comme le voulaient
Lamartine ou Musset; son *Système des Beaux-Arts* rejoint ici
l'*Eupalinos* de Valéry : pour tous deux, l'inspiration ne prend
véritablement forme que dans la mesure où elle s'inscrit dans une
« matière » qui lui résiste, marbre ou prosodie; l'œuvre d'art parfaite exige donc raison, volonté, connaissances techniques, travail, respect des lois. Gautier l'avait déjà indiqué (*l'Art*); il était
opportun de le rappeler en pleine anarchie poétique. Cependant
on ne peut nier l'existence d'un art inspiré, que Platon définissait
comme un délire.

L'enseignement d'Alain a profondément marqué l'esprit de
nombreux écrivains qui furent ses élèves, comme Massis et Maurois, pour en citer deux qui ne se ressemblent guère. Maurois
notamment l'admire sans réserve et l'égale à Socrate, un Socrate
dont il s'est fait le Platon.

Tels sont les critiques et les essayistes en quelque sorte « spécialisés » qui furent particulièrement en renom entre les deux
guerres; ils gardent toujours leur prestige. Il est équitable de leur
adjoindre, bien que les hésitations et contradictions intimes résultant de sa grande honnêteté intellectuelle l'aient maintenu un peu
en retrait, un historien-moraliste qui a exploré de nombreux sujets,
Daniel Halévy[1], fidèle ami de Péguy, directeur des *Cahiers Verts*
où parurent tant d'essais originaux dont quelques-uns étaient de
lui. Daniel Halévy, attaché comme Péguy au « maintien d'un
certain goût et d'un certain honneur », s'est efforcé d'en noter les
survivances et les prolongements dans le monde moderne sans
pouvoir se dissimuler leur déclin; malgré sa volonté d'adhérer aux
formes nouvelles de la vie sociale, la nostalgie des traditions qui
s'effacent, des idées libérales qui se meurent, l'anxiété des temps
qui viennent sont sensibles dans tous ses ouvrages. — Qu'on ne
s'étonne pas de trouver ici simplement indiqués en note les noms
d'écrivains importants, poètes ou romanciers, qui furent à l'occa-

---

1. **Daniel Halévy** (Paris 1872-1962). *Apologie pour notre passé*, 1910 ; *la
Jeunesse de Proudhon*, 1913 ; *Visite aux paysans du Centre*, 1921 ; *Vauban*, 1923 ;
Michelet, 1929 ; *la Fin des Notables*, 1930 ; *Décadence de la liberté*, 1931 ; *Vie de
Nietzsche* (nlle édit., 1941) ; *Ch. Péguy et les Cahiers de la Quinzaine* (nlle édit.,
1944) ; *Essai sur l'accélération de l'histoire*, 1948.

sion d'excellents critiques et essayistes[1] : ils ont été étudiés plus haut et il a paru préférable de ne pas rompre l'unité de leur œuvre en la répartissant sous plusieurs rubriques. Cependant j'ai tenu à rappeler ici que leur activité avait débordé le domaine où on la cantonne généralement et que, soit qu'ils eussent réfléchi sur leur art, soit qu'ils se fussent intéressés aux difficultés croissantes de l'époque, ils avaient une fois de plus manifesté cette tendance permanente de l'esprit français à aborder tous les problèmes, à les clarifier, à leur chercher des solutions, vaille que vaille. Celles qu'ils proposaient étaient, sauf exception, inspirées par un esprit compréhensif, éclectique, tolérant. La grande coupure 39-45 a tout changé. L'humanisme à l'ancienne mode, la curiosité des âmes, la jouissance désintéressée des œuvres deviennent impossibles dans un monde où tout porte figure de combat : Sartre les dénonce même comme une désertion coupable. La jeune critique, plus ou moins « engagée », se fait systématique et dure, à l'image des temps nouveaux.

1. Ainsi Claudel (voir p. 1181) : *Positions et propositions*, 2 vol., 1929; *Introduction à la peinture hollandaise*, 1935.

Valéry (p. 1215) : *Introduction à la méthode de Léonard de Vinci*, 1895; *Regards sur le monde actuel*, 1931 et 1945; *Pièces sur l'Art*, 1934; *Variété*, 5 vol., 1924-1944.

Gide (p. 1224) : *Prétextes*, 1903; *Nouveaux Prétextes*, 1911; *Dostoïevski*, 1913; *Incidences*, 1924; *Interviews imaginaires*, 1942.

Mauriac (p. 1228) : *la Province*, 1926; *Vie de Racine*, 1928; *le Roman*, 1928; *Dieu et Mammon*, 1930; *le Romancier et ses personnages*, 1933.

Duhamel (p. 1235) : *la Possession du Monde*, 1919; *Lettres au Patagon*, 1926; *Voyage à Moscou*, 1927; *Scènes de la vie future*, 1930; *Querelles de famille*, 1931; *Discours aux nuages*, 1934; *Défense des Lettres*, 1937.

Romains (p. 1238) : *Problèmes d'aujourd'hui*, 1931; *Problèmes européens*, 1933; *le Couple France-Allemagne*, 1934; *Pour l'esprit et la liberté*, 1943; *Retrouver la foi*, 1944.

Maurois (p. 1243) : *Dialogues sur le commandement*, 1924; *Aspects de la Biographie*, 1928; *Sentiments et coutumes*, 1934; *Magiciens et Logiciens*, 1935; *Un art de vivre*, 1939; *Alain*, 1950.

Cocteau (p. 1274) : *le Secret professionnel*, 1922; *le Rappel à l'ordre*, 1926; *Poésie critique*, 1945.

Giraudoux (p. 1277) : *Littérature*, 1938; *Pleins pouvoirs*, 1939; *Sans pouvoirs*, 1945.

Bernanos (p. 1254) : *la Grande Peur des Bien-pensants*, 1931; *les Grands cimetières sous la lune*, 1938; *Scandale de la Vérité*, 1939; *Réflexions sur le cas de conscience français*, 1945; *la France contre les robots*, 1947; *le Chemin de la Croix-aux-Ames*, 1948.

Malraux (p. 1251) : *la Tentation de l'Occident*, 1926.

Giono (p. 1257) : *les Vraies Richesses*, 1936; *Lettre aux Paysans sur la pauvreté et la paix*, 1938.

Sartre (p. 1261) : *L'existentialisme est un humanisme*, 1946; *Baudelaire*, 1947; *Situations*, 3 vol. parus, 1947-49.

Camus (p. 1267) : *le Mythe de Sisyphe*, 1942; *l'Homme révolté*, 1951.

Cependant l'histoire littéraire est allée s'amplifiant, selon les méthodes prudentes et rigoureuses établies par Lanson, Gaston Paris, Bédier, Abel Lefranc[1]. Il ne peut être question de dresser, dans le cadre de cet ouvrage, la liste des travaux considérables[2] qui ont rectifié tant d'erreurs, dissipé tant d'ignorances, résolu tant de problèmes et fait de la France le pays sans doute le mieux informé sur sa littérature et parfois sur celle des autres. Toutefois ce travail exhaustif, qui dure depuis plus d'un demi-siècle, touche à sa fin : dès 1929, D. Mornet prévoyait le jour où, tout étant connu des grands écrivains, il faudrait s'attaquer aux médiocres[3]... La déviation que Lanson prévoyait[4] devient manifeste. L'histoire littéraire renseigne sur la vie du grand écrivain, sur ses amis, sur son époque, sur les influences subies, sur les sources possibles de l'œuvre; puis elle se tait. C'est, disait Péguy en visant très injustement Lanson, la méthode de la Grande Ceinture : on tourne autour de la question, on n'y pénètre jamais. Or l'objet déclaré de ces recherches préliminaires est de dégager l'originalité du grand écrivain, le renouvellement qu'il opère par son tempérament et son style; en principe, cela seul importe; dans la réalité, trop souvent cela manque. De divers côtés, à l'étranger notamment, des protestations se sont élevées[5] pour rappeler que l'examen de l'œuvre est l'essentiel et que l'histoire littéraire, science annexe de l'histoire, si elle a comme telle son importance et son intérêt propre, ne peut tenir lieu des recherches esthétiques, objet véritable des études littéraires et leur vraie justification. Les qualités de méthode et de précision peuvent s'acquérir par la pratique de l'histoire pure et des sciences expérimentales; mais le sens du beau, dans l'état actuel des mœurs, ne peut se développer et s'affiner chez la plupart que par l'approfondissement du plaisir littéraire; si on le laisse s'atrophier, on voit mal — la religion mise à part —, ce qui pourrait freiner le glissement d'une civilisation de plus en plus technique vers un utilitarisme assez plat.

P. Valéry, hostile par principe à toutes les formes de l'histoire, a vigoureusement attaqué celle-ci. « Nous savons peu de chose

---

1. Abel Lefranc, Élincourt-Sainte-Marguerite (Oise) 1863-1952 Paris, a étendu et approfondi notre connaissance du XVIe siècle. *La Jeunesse de Calvin*, 1888; édit. critique de Rabelais, 1912 et années suivantes (les trois premiers livres seuls ont paru, en cinq vol.); *Grands écriv. franç. de la Renaiss.*, 1914. A. Lefranc a cru reconnaître « *sous le masque de Shakespeare* » (1919), William Stanley, comte de Derby.

2. **A signaler,** pour l'étendue et la richesse de son information, la *Revue d'Histoire littéraire de la France*.

3. Dans un article des *Nouvelles littéraires*.

4. Voir la page VIII de l'Avant-Propos du présent ouvrage.

5. Cf. Philippe Van Tieghem, *Tendances nouvelles en Histoire Littéraire*, 1930.

d'Homère : la beauté marine de l'*Odyssée* n'en souffre pas; et de Shakespeare pas même si son nom est bien celui qu'il faut mettre sur le *Roi Lear*. Une Histoire approfondie de la Littérature devrait donc être comprise, non tant comme une histoire des auteurs et des accidents de leur carrière ou de celle de leurs ouvrages, que comme une *Histoire de l'Esprit en tant qu'il produit ou consomme de la « Littérature »*. Kléber Haedens, qui cite ce passage[1], regrette avec quelque malice que Valéry s'en soit tenu à l'énoncé de ce difficile problème; il remarque aussi que Racine peut être abordé sans qu'on ait à tenir compte de la biographie du poète, mais que *El Desdichado* resterait à peu près impénétrable pour qui ne connaîtrait pas celle de Nerval. Dans ce domaine, il n'y a en effet que des cas d'espèce. Félicitons-nous que tant de travaux consciencieux nous aient exactement renseignés, à toutes fins utiles, sur l'histoire des hommes, des livres, des milieux; mais il est peut-être temps de renverser les proportions et de donner plus à l'œuvre, moins aux circonstances; plus au tableau, moins au cadre. Bien entendu, il ne saurait être question de revenir aux appréciations toutes subjectives de jadis, mais de définir au plus près, *dans l'œuvre même*, le tempérament de l'écrivain, ses sentiments, ses idées, sa technique notamment. Un autre danger menace ici, qui est l'invasion de la philosophie : déjà sensible dans les notes de la N. R. F., où les ratiocinations les plus abstruses se substituaient trop souvent au modeste examen des ouvrages; généralisée de nos jours, où une bonne partie des jeunes critiques, de formation philosophique, se complaisent dans une « métacritique » (Kemp) subtile, avec terminologie adéquate, qui les montre plus attentifs aux idées qu'à la beauté. Or, cette dernière joue ici le rôle essentiel; sans elle, il n'y aurait pas de « littérature », mais de la philosophie, de l'histoire, de la science... dont on peut, on *doit* discuter, à condition de ne pas omettre l'étude de la stylisation qui, seule, les individualise et, en les frappant à la marque d'une personnalité, leur confère le caractère littéraire.

---

1. Dans sa vivante *Histoire de la Littér. franç.* (1943), p. 12.

CHAPITRE VI

SCIENCE, PHILOSOPHIE, HISTOIRE, GÉOGRAPHIE

Rupture de la philosophie avec la science. Apparition d'une nouvelle
physique et fin de l'explication mécaniste du monde. Planck et
les *quanta*; Einstein et la relativité; l'atome, centre de forces
électro-magnétiques; la radioactivité; les rayons cosmiques; la
mécanique ondulatoire. La récession des nébuleuses et la théorie
de l'expansion de l'univers. Les sciences nouvelles : génétique et
biochimie. Autonomie de la philosophie des sciences.
Les problèmes de philosophie générale : la valeur de la raison; Freud
et la psychanalyse; le problème de la destinée et ses diverses solutions : la religion, le matérialisme, l'existentialisme. Liens étroits
entre les philosophies existentielles et la littérature.
La vogue de l'histoire et ses raisons. L'histoire scientifique. La philosophie de l'histoire. Biographies et mémoires. Développement des
études géographiques.

Beaucoup des caractères nouveaux signalés dans la poésie,
le roman, le théâtre et l'essai dérivent de la prodigieuse révolution qui s'est opérée entre les deux guerres dans le domaine de la
pensée, révolution si profonde qu'on a pu parler d'une double
et subite mutation de la philosophie et de la science. L'intellectualisme est rejeté, le rationalisme suspecté; la philosophie se
replie sur ses positions les plus anciennes, renonçant — provisoirement — à suivre la science dont l'esprit nouveau et les résultats inattendus la déconcertent.

Depuis Descartes et Leibnitz, spéculation philosophique et
recherche scientifique étaient liées. Le positivisme — celui de
Littré et des successeurs de Comte — avait renforcé cet accord
en éliminant la métaphysique, en pratiquant le culte du fait, en
faisant confiance à la science et à ses méthodes exactes (*Avenir de
la Science* de Renan, 1848; découvertes de Claude Bernard, de
Pasteur, de Berthelot), en s'efforçant de réduire à des formules
scientifiques les faits moraux et sociaux (Taine), la littérature
même (Zola). Vers 1890, la science semblait sur le point de s'achever; la philosophie entrevoyait donc le moment où elle détiendrait

la formule maîtresse qui expliquerait l'univers : déterminisme absolu, mécanisme, conservation de l'énergie. Quelques îlots de résistance persistaient pourtant : comment rendre compte de ces phénomènes insolites, le mouvement brownien, les rayons X? Comment ramener le libre-arbitre à la nécessité des lois scientifiques sans heurter beaucoup de consciences et sans se contredire dans les termes? Il y avait aussi la dangereuse hérésie bergsonienne, sa critique du mécanisme scientifique, de l'intellectualisme en général, son recours à l'intuition, sa conception d'une évolution *créatrice*, démenti anticipé au futur système.

Brusquement tout s'effondre. Le déterminisme, que l'on croyait inhérent à la structure du réel, n'apparaît plus que comme une approximation inspirée par notre perception grossière du monde extérieur. L'univers, qui semblait receler une raison immanente toute prête à s'identifier avec la nôtre, devient inintelligible ou du moins déborde ce que nous sommes présentement capables de comprendre. Des perspectives immenses se découvrent de toutes parts, dans l'infiniment grand comme dans l'infiniment petit, deux mondes inconnus que l'on croyait connaître[1].

C'est la découverte par Max Planck, en 1900, des phénomènes quantiques qui ouvrit cette époque prodigieuse, sans précédent dans l'histoire de la pensée scientifique, où toutes les traditions allaient être rompues, les vérités fondamentales mises en doute ou rejetées. Désormais la probabilité se mêla, dans une certaine mesure, au déterminisme[2]. En 1905, Einstein confirme Planck, énonce les lois de la relativité « restreinte » et fond le temps et l'espace, qui cessent d'être des données objectives, indifférentes aux corps qui les habitent, en un ensemble indissoluble, l'espace-temps; il établit aussi que la matière n'est que de l'énergie condensée. Jean Perrin, puis Rutherford en apportent bientôt la preuve, en découvrant dans l'atome un microcosme où des électrons en nombre variable gravitent autour d'un noyau : leur nombre détermine la nature du corps, ce qui permet à Rutherford de réaliser en 1919 la première transmutation de la matière. En 1932, Chadwick découvre le neutron, futur bombardier de l'atome,

---

1. **A consulter :** Louis de Broglie, *Physique nouvelle et quanta*, 1937; *Matière et Lumière*, 1937 et 1948; *Continu et discontinu*, 1941 et 1949; *Ondes, corpuscules, mécanique ondulatoire*, 1945 et 1946; *Physique et micro-physique*, 1947; *Savants et découvertes*, 1951. R. Simonnet, *Derniers progrès de la physique*, 1945, de la chimie, 1944. A. Berthelot, *De l'atome à l'énergie nucléaire*, 1947. J. Thibaud, *Puissance de l'atome*, 1949. L. Leprince-Ringuet, *les Rayons cosmiques*, 1945 et 1950. Pierre Guaydier, *Grandes découvertes de la Physique moderne*, 1951. — Voir aussi P. Rousseau, *Histoire de la Science*, 1951.

2. Cf. Winter, *la Physique indéterministe*, Rev. de Métaph. et de Morale, 1929.

et dès 1939, libérateur de la formidable énergie qu'il recèle (Hahn, Strassmann, Lise Meitner). En 1934, les Joliot-Curie ont découvert la radioactivité artificielle, fabriqué des radioéléments et réalisé (en même temps que Jean Thibaud) la conversion totale de la matière en rayonnement. L'étude des mystérieux rayons cosmiques, poursuivie depuis 1920, y a décelé la présence d'électrons lourds, ou mésons : sont-ils à l'origine des forces qui maintiennent la cohésion des noyaux atomiques? Louis de Broglie est actuellement penché sur ce problème. — Intimement liée à la physique nucléaire, une chimie du noyau travaille aussi à forcer le secret de la matière.

Dans l'infiniment grand, l'astrophysique, qui progresse depuis 1920 par bonds prodigieux, se heurte à des énigmes effarantes que les lois classiques de la mécanique céleste ne peuvent résoudre. Tout au plus conviennent-elles à notre système particulier, que Copernic, Galilée, Newton, Laplace semblent avoir conduit à son point de perfection; mais sont-elles valables pour toute l'étendue de l'Univers? L'étude spectrale des nébuleuses extragalactiques, situées à des millions d'années-lumière, a révélé un fait stupéfiant : elles s'enfoncent dans la nuit en divergeant à des vitesses inconcevables (65 000 km. *par seconde*[1] pour certaines) et ces vitesses croissent à mesure qu'elles s'éloignent; comment expliquer ce phénomène, dit de «la récession des nébuleuses »? Il a suggéré à Lemaître et Eddington leur théorie de l'expansion de l'univers (1927) : tout se passe comme si la matière, condensée en un seul atome radioactif, avait éclaté avec une force qui durerait toujours et s'accroîtrait encore; de la désintégration proviendraient les rayons cosmiques. Cette hypothèse, admise par beaucoup d'astronomes, prend appui sur la relativité « généralisée » d'Einstein (1917), selon laquelle notre univers est sphérique, fini et fermé. Rien n'interdit du reste de supposer l'existence d'autres univers, flottant dans l'infini.

La biologie[2] pose des problèmes aussi déroutants : la génétique, science nouvelle, trouve dans le noyau de la cellule le moyen de modifier l'hérédité et le sexe de l'embryon; la biochimie s'attaque aux frontières même de la vie et travaille à les effacer en établissant une continuité entre les cristaux inertes et les tissus vivants... En voilà suffisamment sans doute pour expliquer comment la philosophie, débordée par le surgissement de tant de données complexes et obscures qu'elle n'arrive plus à faire entrer dans un sys-

---

1. Observation du mont Palomar (Calif.), 1951.
2. **A consulter** : Jean Rostand, *La Vie et ses problèmes*, 1939; *Science et génération*, 1940; *Idées nouvelles en génét.*, 1941; *Grands courants de la Biol.*. 1951.

tème cohérent, s'est repliée sur sa ligne de départ, en laissant aux
savants le soin de les élucider et de préparer les futures synthèses.
Ils y parviendront assurément, car on peut affirmer, en retour-
nant avec Louis de Broglie le mot de Pascal, que si la nature ne
se lasse jamais de fournir, l'esprit humain ne se lasse jamais de
concevoir. Déjà lui-même, dans une synthèse géniale, la mécanique ondulatoire (1924), a associé les deux théories de l'émission
et de l'ondulation, jusqu'alors jugées contradictoires, et fondé
sur elle une nouvelle théorie de la lumière qui rend compte de
tous les faits. On entrevoit que les forces électro-magnétiques sont
peut-être au cœur de l'unité du monde. Une philosophie des
sciences se développe, très active, à qui sa technicité confère l'autonomie; seuls y ont accès des philosophes spécialisés, comme
G. Bachelard[1].

Les autres[2], ou du moins certains d'entre eux, ont continué à
creuser le problème qui conditionne toute la connaissance :
qu'est-ce que la raison, qui refoule nos instincts et tend sans cesse,
en dépit de l'hétérogénéité des phénomènes, vers l'unification
et la synthèse? est-elle universelle, invariable à travers le temps
et l'espace, ou au contraire relative, ce qui mettrait en péril la
notion même de vérité? Mais la plupart se sont tournés vers le
problème de l'homme, qui a subi, au moment même ou la science
élargissait jusqu'au vertige notre conception du monde, un approfondissement qui découvrait des abîmes. C'est le fait de Freud[3],

---

1. **Gaston Bachelard**, psychanalyste de la pensée scientifique (*Essai sur la
Connaissance approchée*, 1927), métaphysicien (*Dialectique de la Durée*, 1936)
s'intéressait aussi aux problèmes littéraires (*Lautréamont*, 1939). Il a étudié en
poète ami des surréalistes et en disciple de Freud les réactions spontanées de
l'imagination en présence des quatre éléments traditionnels : *Psychanalyse du
Feu*, 1938; *l'Eau et les rêves*, 1942; *l'Air et les songes*, 1943; *les Rêveries de la
terre*, 1948.

2. Cf. L. Lavelle, *la Philosophie française entre les deux guerres* (recueil d'articles parus dans *le Temps*), 1942; J. Wahl, *Tableau de la philos. fr.*, 1946; Em.
Bréhier, *Transformation de la philosophie fr.*, 1950; Marvin Faber, *l'Activité
philos. contemporaine en France et en Amérique*, t. II, *la Philos. française* (ouvr.
collectif), 1950; L. Lavelle, *la Pensée franç. en France de 1900 à 1950* (la Revue,
1er juillet 1950). J'ai amplement utilisé cet excellent article.

3. Sigmund Freud, Freiberg (Moravie) 1856-1939 Londres. — Liste par ordre
chronologique des traductions en fr. : 1921, *Introd. à la psychan.* (leçons pro-
fessées en 1916-18); *Cinq leçons sur la psychan.* (composées en 1910); *la Psycho-
pathologie de la vie quotidienne* (1901); 1923, *Totem et tabou* (1913); 1924, *Psychologie collect. et analyse du moi* (1921); 1925, *le Rêve et son interprétation* (1901);
Trois essais sur la théorie de la sexualité (1905); 1926, *la Science des rêves* (1900);
1927, *Essais de psychan.* (cinq essais, 1925); 1933, *Essais de psychan. appliquée*
(essais, 1917-1923); 1936, *Nlles confér. sur la psychan.* (rédigées en 1932); 1940,
Métapsychologie (essais divers, 1917-1923). — **A consulter** : Marie Bonaparte,
Introd. à la Théorie des instincts, 1934; R. Dalbiez, *la méthode psychanalytique et
la doctrine freudienne*, 1936; Challaye, *Fr.*, **1948 (bibliogr.** détaillée).

dont la doctrine a pénétré en France après la première guerre
mondiale (première trad. en 1921 : *Introduction à la psychanalyse*).
Il s'est attaqué à la notion d'inconscient, demeurée jusqu'alors
à peu près théorique. Il a fait la lumière sur ce grouillement confus
d'instincts qui s'agitent sous nos idées claires, les déterminent à
notre insu et créent ainsi des complexes d'autant plus agissants
qu'ils demeurent plus ignorés. Premier des philosophes (car la
littérature l'avait devancé, et Shakespeare qu'il cite souvent,
Racine avaient fait de la psychanalyse sans le savoir), Freud a
mis en valeur l'action permanente de l'irrationnel sur cette raison
dont nous sommes si vains. Ses théories, et notamment l'importance qu'il donne à la *libido* sexuelle, ont aussitôt été exploitées
par les écrivains (l'obsession érotique qui domine dans tant
d'œuvres contemporaines a là son origine principale); du même
coup les sentiments les plus normaux, les raisons les plus pertinentes, la morale même, ont paru viciés dans leur source et
méritaient d'être dénoncés comme d'immondes hypocrisies.
Jusqu'ici, dans le concept d'homme « animal raisonnable », la
raison semblait prédominer : l'animalité réclame aujourd'hui ses
droits et il apparaît que la part qu'on lui fait n'est point petite.

Après tout, on ne saurait dire qu'elle est en régression dans le
cœur de l'homme. Les événements effroyables que nous venons
de vivre (génocide organisé, massacre en série d'innocents, réapparition de la torture) nous enlèvent toute illusion à cet égard.
Mais ces événements où tant de gens ont frôlé la misère et la mort
et connu, soit par eux-mêmes, soit par leurs proches, l'effroi de
l'abandon, de l'isolement total au milieu des forces mauvaises,
ramènent au problème capital que l'on néglige dans les temps
heureux : qu'est-ce que la destinée de l'homme? Il ne s'agit plus
alors de spéculer sur l'*homo sapiens* demeuré identique à lui-même
à travers les âges, mais de méditer sur l'individu engagé dans
l'épreuve difficile de sa vie personnelle, avançant seul à travers
un monde hostile pour aboutir inéluctablement à la mort. Quel
sens donner à ses efforts? sur quoi asseoir une éthique? que valent
nos valeurs? On reconnaît là le problème que se posaient, avant
même la deuxième guerre mondiale, les meilleurs des romanciers
et dramaturges.

Les trois grandes questions qui retiennent aujourd'hui l'attention des philosophes sont donc : la valeur de la raison, le rôle de
l'inconscient, le sens de la destinée humaine.

Celle-ci trouvait jadis — et trouve toujours pour les croyants —
son explication dans la religion. Beaucoup y sont venus, ou revenus, soit en adhérant au thomisme, doctrine « officielle » de l'Église,
qui articule l'intellectualisme d'Aristote sur la **révélation** chré-

tienne et s'adapte à toutes les exigences de la pensée moderne[1];
soit en cherchant un contact direct de l'âme avec Dieu par une
intuition active et personnelle, ce que la théologie orthodoxe
n'approuve guère.

Mais les agnostiques? Ils se partagent en deux groupes : ceux
qui s'efforcent de saisir en eux-mêmes l'existence à l'état pur pour
déterminer ensuite ses rapports avec le monde et l'Être; seule
l'affectivité peut nous donner ce contact immédiat du réel, comme
l'ont déjà montré Saint Augustin, Pascal, Malebranche; l'intelligence n'intervient qu'ensuite, pour que nous puissions le penser.
Et à l'inverse, il y a ceux qui rejettent le problème en le niant et
prétendent expliquer tout l'homme — du moins sa situation présente et sa destinée future — par la pression de la société et le
dynamisme de l'histoire; le rôle de l'intelligence, ici, est tout de
soumission. (On remarquera que, dans les deux cas, elle est « en
seconde position ».) Les premiers de ces philosophes sont dits existentialistes, d'un mot qu'ils répudient en général. Les autres sont
les marxistes. Entre ces deux groupes, l'opposition est irréductible.

La position des marxistes est simple[2]. Pour eux, l'existentialisme, qui traite la conscience et la liberté de l'homme comme un
absolu, est « un *ersatz* tardif et dégénéré de l'individualisme classique[3] ». Ils considèrent que la conscience est déterminée par les
rapports sociaux et notamment économiques, réserve faite d'une

---

1. Jacques Maritain, né à Paris en 1882, protestant venu au catholicisme en
1906 sous l'influence de Léon Bloy, s'est constitué le champion laïque du thomisme. Suivant à la lettre le « Docteur angélique », il déclare l'essence des choses
directement saisissable par l'intelligence, conformément à « la métaphysique
implicitement professée par le sens commun » (*Théonas*, p. 79). De ces certitudes
exclusivement intellectuelles, il déduit tous les principes, ceux de la science
comme ceux de la morale. Il rejette tous les autres modes de connaissance,
l'investigation expérimentale, les divinations du cœur : la voie de Saint Augustin
n'est pas sa voie, et Pascal selon lui, n'est « ni théologien, ni philosophe, nullement métaphysicien. » (*Réflexions sur l'Intelligence*, p. 142-159). Ardemment
convaincu, passionné, pénétrant dans la critique (on le vit bien quand il dénonça
dans la philosophie de Bergson « une métaphysique du changement pur »), il
faiblit souvent dans la partie dogmatique de ses œuvres, où il accueille des
solutions trop faciles, qui ne répondent pas aux exigences critiques de l'esprit
moderne et à la complexité croissante du donné. — *La Philosophie bergsonienne*,
1914; *Introduction générale à la philosophie*, 1920; *Antimoderne*, 1922; *Réflexions
sur l'Intelligence et sa vie propre*, 1925; *Trois Réformateurs, Luther, Descartes,
Rousseau*, 1925; *Frontière de la poésie*, 1926; *Primauté du spirituel*, 1927; *A travers
le désastre*, 1941; *Principes d'une politique humaniste*, 1944. — **A consulter :**
P. Archambault, *Jeunes Maîtres*, 1925; *Revue thomiste*, n° spécial sur J. M., 1950.

2. Bibliogr. (sommaire) à la fin du petit volume de H. Lefebvre, marxiste
lui-même, *le Marxisme*, 1948 (coll. *Que sais-je?*). — Thèse adverse dans Thierry
Maulnier, *La Pensée marxiste*, 1948.

3. H. Lefebvre, *le Marxisme*, p. 12.

autonomie réduite qui lui permet de s'ébattre dans l'imaginaire et l'abstraction[1]. Le marxiste s'accepte donc comme rouage conscient d'une grande machine qui l'entraîne automatiquement vers une libération messianique. Le matérialisme dialectique l'assure qu'il va « dans le sens de l'histoire »; la science lui promet la transformation du monde qui, par répercussion, le transformera lui-même à son tour; l'action de masse où il est plongé substitue au sentiment dépressif de solitude une ivresse de solidarité qui en a jadis grisé d'autres. Quant au mystère des origines et de l'homme, créature pensante, il est percé par l'anthropologie et dissipé par cette affirmation d'Engels, que « l'esprit n'est que le produit supérieur de la matière ». Marx avait balayé ces problèmes futiles d'un mot : « Il ne s'agit pas d'interpréter le monde, mais de le changer. » De fait, les sciences sociales et particulièrement la philosophie de l'histoire ont pris aujourd'hui, aussi bien pour les adversaires des marxistes que pour les marxistes eux-mêmes, l'importance capitale qu'avaient jadis les sciences de la nature.

La position des philosophes existentiels[2] est inverse et plus compliquée. Ils s'intéressent uniquement au problème de l'individu et s'appliquent à saisir l'essence même de la conscience. Elle leur apparaît comme une transparence absolue, une virtualité pure, une « intentionnalité » vide[3], une présence aux objets qui lui communiquent un peu de leur opacité en s'inscrivant en elle, et donc lui sont transcendants. Notre vie s'écoule dans le temps, nous vivons sans cesse en avant de nous, et ce « pro-jet » constitue une seconde transcendance, celle de nous-même par rapport à nous-même. Ce temps est arrêté par la mort et notre existence est ainsi cernée de tous côtés par le néant; absurdité de la vie : troisième transcendance, d'où naît la plus forte angoisse, celle que l'on considère depuis Kierkegaard et Heidegger comme l'expression métaphysique fondamentale et qui donne en effet à l'homme avec le plus de force le double sentiment de son existence et de sa précarité. Le croyant qui prie trouve, il est vrai, en lui-même une présence qui n'est pas celle des objets et qui le place au-dessus du temps : c'est la transcendance de la grâce divine qui est la forme classique et parfaite de la transcendance[4]. Il y a donc, dans l'existentialisme, le groupe des athées (Sartre et — jusqu'ici — Camus) qui lutte avec une sombre ardeur contre le désespoir né de leur

1. H. Lefebvre, *le Marxisme*, p. 61.
2. Pour une bibliogr. sommaire sur l'existentialisme, voir p. 1261, n. 1.
3. *Intentionnalité* : le fait de se porter vers, *tendere in*.
4. J'emprunte, parfois dans ses termes mêmes, cette division si claire à un article d'E. Bréhier, paru dans les *Nouvelles Littéraires* du 29 déc. 1950.

doctrine même, et le groupe des chrétiens (G. Marcel, L. Lavelle[1])
qui échappe à l'angoisse par la foi : l'existence pour eux n'est pas
un commencement, elle est comme enracinée dans l'Être qui la
soutient et l'inspire[2].

Mais qu'il s'agisse des uns ou des autres, tous partent de la
description de la vie concrète (ce que Husserl appelait *l'analyse
phénoménologique*) et s'efforcent de l'interpréter en s'interdisant
les constructions conceptuelles, si fort en honneur jadis, qui les
détacheraient de la réalité. On ne suit plus Platon, Descartes,
Kant, mais bien Freud, Marx (et à travers lui Hegel), Kierkegaard.
La philosophie ainsi comprise se situe sur le plan de l'existence
vécue et s'y maintient. Abandonnant les systèmes, elle redevient
ce qu'elle fut pour Socrate, Pascal, Maine de Biran : une analyse

---

1. Pour Gabriel Marcel, voir p. 1286, n. 2 et 3. Louis Lavelle (Saint-Martin-
de-Villeréal, L.-et-G. 1883-1951 Parranquet, L.-et-G.), qui occupa au Collège
de France la chaire de Bergson, professait en une langue remarquablement
claire, une philosophie qui faisait la synthèse de l'essentialisme platonicien et
de l'existentialisme chrétien, grâce à la « participation ». Toutes les essences
sont dans l'Être; mais comme nous *participons* sans réserve de l'Être et de sa
puissance créatrice, nous sommes appelés à nous créer nous-mêmes en *choisissant
librement* parmi les essences celle qui déterminera notre « figure spirituelle » et
« fixera dans l'Être notre place éternelle. » L'existence est donc une perpétuelle
réalisation de l'essence; le moi se cherche, s'invente et n'atteint sa plénitude
qu'au jour de la mort. *La conscience de soi*, 1933; *la présence totale*, 1934; *l'erreur de Narcisse*, 1939; *le mal et la souffrance*, 1940; *la parole et l'écriture*, 1942.
2. Une nuance importante de l'existentialisme chrétien est marquée par la
doctrine personnaliste d'Emmanuel Mounier et du groupe *Esprit*. Le personnalisme se propose de réaliser la synthèse des deux philosophies rivales, l'existentialisme et le marxisme, en s'appuyant sur la notion de personne. La personne — élément fondamental du christianisme — n'est pas l'individu, simple
conscience d'être; elle est *conscience de la responsabilité d'être*. Elle est donc
morale, astreinte à remplir un devoir social, un destin religieux, parce qu'elle
lie indissolublement la transcendance à l'immanence, parce qu'elle est une
parcelle d'éternité présente dans le temps. (J. Lacroix, *Marxisme, Existentialisme, Personnalisme*, 1950.) On comprend que le personnalisme n'ait de
commun avec l'existentialisme athée que sa méthode : comment s'accommode-
rait-il du monde absurde où évolue l'homme de Sartre, « passion inutile »? Au
marxisme, dont il approuve les efforts pour la libération de l'homme, il demande
simplement ce qu'il adviendra de l'homme, une fois libéré, s'il reste privé de
toute transcendance qui seule peut garantir l'absolu des valeurs. C'est en effet,
très exactement le point faible de l'existentialisme et du matérialisme : sur quoi
fonder un système cohérent, universel et immuable, de valeurs? Emmanuel
Mounier (1905-1950, Paris), âme admirable, esprit probe et désintéressé, a fondé
en 1932 la revue *Esprit* dont l'action s'est étendue sur toute la France, surtout
depuis la Libération, par l'intermédiaire des *Jeunesses chrétiennes* et de la *Confé-
dération française des travailleurs chrétiens*. *Traité du caractère*, 1946; *Qu'est-ce
que le personnalisme?* 1946; *Carnets de route*, recueils d'articles, 1946, 2 vol.
(*Feu la Chrétienté*, problèmes religieux; *Certitudes difficiles*, problèmes politiques); *Introduction aux existentialismes*, 1947; *Le personnalisme* (Coll. *Que sais-
je?*), 1950. — **A consulter :** n° spécial *d'Esprit*, E. M., déc. 1950.

du réel, et (sauf pour les marxistes) une exploration de l'expérience intime, une méditation des problèmes qui la hantent : connaissance de soi, signification de la vie, angoisse de la mort. Or ces mêmes problèmes sont au cœur de beaucoup d'œuvres littéraires : romans de Dostoïevski (notamment des *Frères Karamazov*), d'Aldous Huxley, de Graham Greene, et chez nous, de Mauriac, de Julien Green, de Bernanos, de Malraux. Il se fait maintenant, entre philosophie et littérature, une perpétuelle endosmose. Gabriel Marcel, Sartre, Simone de Beauvoir, Camus passent sans effort et sans rupture de la spéculation philosophique au journal intime, au théâtre, au roman. Et comme la philosophie est sombre, la littérature n'est pas gaie.

Comme toujours dans les époques troublées, où tous se sentent irrésistiblement entraînés dans le tourbillon des luttes économiques, politiques, sociales et nationales, le public se tourne vers l'histoire[1], avec l'espoir d'y trouver quelques repères, quelques indications sur les causes dont il ressent les effets; mais les époques anciennes l'attirent aussi, soit qu'il y cherche des vérifications ou des analogies, soit qu'il en attende des diversions. Les épreuves subies ou redoutées redonnent ainsi couleur et vie à des événements qui s'effaçaient dans les mémoires.

L'histoire, elle, n'a pas dévié de sa ligne. Elle travaille à se constituer en véritable discipline scientifique, malgré les difficultés — insurmontables sans doute — que créent la complexité de la matière (les dénombrements exacts et complets réclamés par Descartes resteront toujours utopiques ou du moins conjecturaux) et l'impossibilité des vérifications expérimentales; mais c'est son honneur, que de s'efforcer vers la vérité et de porter après une enquête aussi exhaustive qu'il se peut, des jugements impartiaux. Constatons seulement que les moyens qu'elle emploie (spécialisation croissante, et caractère collectif des grands ouvrages[2], uniformité des méthodes de recherche, toutes à base d'investigation critique, discipline de l'expression qui doit être simple et neutre) ont pour effet d'abolir la marque du tempéra-

---

1. **A consulter :** L. Halphen, *Introd. à l'Histoire*, 1946; R. Aron, *Introd. à la philosophie de l'Histoire*, 1948; G. Lefèbure, *Notions d'historiographie moderne* (cours de Sorbonne).

2. Parmi les collections nouvelles, citons : *l'Histoire de la Nation française*, répartie par matières (Hist. polit., Hist. religieuse, Hist. militaire, etc.), sous la direction de G. Hanotaux, 15 vol., 1920-1929; *Histoire Générale*, sous la direction de G. Glotz, 25 vol. parus, sur 30 prévus; *Peuples et Civilisations*, sous la direction de L. Halphen et de Ph. Sagnac, 20 vol., 1929-1947; *l'Evolution de l'Humanité,* sous la direction de Henri Berr, une cinquantaine de vol. parus depuis 1920 sur les cent projetés.

ment individuel, du moins en principe : car l'ordonnance de l'exposé, le mouvement qui l'anime, la propriété du style sont des qualités que tous n'ont pas et qui donnent incontestablement une valeur littéraire aux solides travaux scientifiques de Gustave Glotz[1], Jérôme Carcopino[2], Marc Bloch[3], René Grousset[4], Lucien Febvre[5].

Cependant le public, que les événements pressent, demande qu'on jalonne à travers leur foisonnement désordonné des lignes de force où se marque le sens de l'évolution. Les historiens-philosophes s'en chargent, au risque de faire figure de philosophes plutôt que d'historiens et aux yeux de ceux que leurs conclusions déçoivent, de polémistes plutôt que de philosophes. C'est sans doute en pensant à eux que Thibaudet distinguait malignement une histoire de droite et une histoire de gauche, dont le champ de bataille favori a été (jusqu'ici) la Révolution française.

Le plus brillant et le plus pénétrant de ces historiens philosophes a été J. Bainville[6], que son pouvoir de clarification, ses qualités littéraires de précision, de netteté et d'élégance qui rappelaient Voltaire dont il était grand admirateur, suffiraient à mettre ici au premier rang. Ses liens avec *l'Action française*, où il rédigeait tous les jours la chronique de politique étrangère, n'avaient pas durci sa pensée qui resta jusqu'au bout fidèle à l'enseignement de Maurras, mais sans sectarisme, pénétrée du sentiment désenchanté que rien ne dure et qu'il faut au moins sauvegarder autant qu'on peut ce qui a si péniblement pris consistance, la famille, la patrie. Dans un livre où il a fait tenir plus de deux mille ans d'histoire, il a retracé « en dégageant avec le plus de clarté possible les causes et

1. Gustave Glotz, Haguenau 1862-1935 Paris. *La Civilisation égéenne*, 1923 ; *la Cité grecque*, 1928.

2. Jérôme Carcopino, né en 1881, à Verneuil-sur-Avre. *Virgile et les origines d'Ostie*, 1919 ; *la Basilique de la Porte Majeure*, 1927 ; *Autour des Gracques*, 1928 ; *le Mystère de la IVe Eglogue*, 1930 ; *Sylla*, 1931 ; *l'Impérialisme romain*, 1933.

3. Marc Bloch, 1886-1944 (fusillé par les Allemands). *Caractères originaux de l'Histoire rurale française*, 1931 ; *la Société féodale*, 1939.

4. René Grousset, Grenoble 1885-1952 Paris. *Histoire de l'Extrême-Orient*, 1929 ; *les Civilisations de l'Orient*, 1930 ; *Philosophies indiennes*, 1931 ; *Histoire des Croisades*, 3 vol., 1934-1936 ; *l'Empire des Steppes*, 1939 ; *l'Epopée des Croisades*, 1939 ; *l'Empire du Levant*, 1946 ; *Bilan de l'histoire*, 1946.

5. Lucien Febvre, né en 1878. *La Terre et l'évolution humaine*, 1922 ; *Martin Luther* ; *Civilisations, le mot et la chose*, 1930 ; *Le Problème de l'incroyance au XVIe siècle*, 1943.

6. Jacques Bainville, Paris 1879-1936 Paris. *Louis II de Bavière*, 1900 ; *Bismarck et la France*, 1907 ; *le Coup d'Agadir*, 1913 ; *Histoire de deux peuples*, 1915 (continuée jusqu'à Hitler, 1938) ; *Histoire de trois générations* (1815-1918), 1918, *Conséquences polit. du traité de paix*, 1920 ; *Histoire de France*, 1924 ; *Napoléon*, 1932 ; *les Dictateurs*, 1935 ; *la 3e République*, 1935. — **A consulter :** L. Dubech et J. B. 1927 ; L. de Gérin-Ricard, *l'Hist. de France de J. B.*, 1939.

les effets » la difficile édification de la France par ses rois : œuvre
éminemment intelligente, un peu sèche, qui écarte le pittoresque,
le dramatique, les valeurs morales et spirituelles; œuvre secrètement apologétique sans doute, sans hargne toutefois et même
indulgente aux erreurs des adversaires. Le *Napoléon* qu'il écrivit
plus tard, aussi lucide, est plus pathétique. Mais le grand problème
qui n'a cessé de préoccuper Bainville, ce sont les relations de la
France et de l'Allemagne. Il lui a consacré son premier ouvrage,
plus de la moitié de son œuvre. Il regrettait les traités de West-
phalie, qui assuraient la sécurité de la France en morcelant l'Allemagne; le traité de Versailles, qui consacrait au contraire l'unité
de l'Allemagne, lui parut catastrophique; il le dit, dès le lendemain même de la signature, dans un petit livre publié en 1920, où
il décrivait les *Conséquences politiques du Traité de paix*. Elles se
sont déroulées comme il l'avait prédit, jusqu'en 1939, et même
au-delà. La connaissance de l'histoire explique en partie cette
étonnante prophétie; mais il y fallait aussi la connaissance des
hommes. Bainville était moraliste autant qu'historien.

L'exemple de Bainville — je ne dis pas ses idées — inspire de
jeunes historiens dont le plus marquant, R. Aron, a précisément
écrit une *Introduction à la Philosophie de l'Histoire* (1938). Ils
s'efforcent de comprendre et d'expliquer l'histoire qui se fait, ce
qui exige un esprit impartial, lucide et ferme dont ils sont généralement pourvus, mais aussi une documentation exacte et complète que les raisonnements les mieux fondés, les déductions les
plus rigoureuses ne peuvent remplacer. La philosophie de l'histoire risque toujours, si loyal que soit l'historien, de se confondre
avec telle ou telle politique : à plus forte raison quand elle s'exerce
à chaud. Bainville n'a pas pu éviter ce reproche. Les marxistes
le tiendraient à gloire, au contraire : la politique qu'ils veulent
promouvoir n'est à leurs yeux qu'une extrapolation de l'histoire
telle qu'ils la conçoivent, c'est-à-dire réduite au processus des
seules forces productrices. Son dynamisme représente la lente poussée de l'homme vers sa libération; son mouvement « dialectique »
rend compte de la transformation continue des formes économiques et par suite des croyances, des morales, des esthétiques,
des philosophies qui n'en sont, selon eux, que des dépendances; il
leur rend de plus prévisible la phase prochaine de l'évolution. Cette
vue systématique leur suffit en général. Les études proprement
historiques dues à des marxistes sont peu nombreuses[1]; plutôt
que de libres recherches, ce sont nécessairement des démonstra-

---

1. Cf. par exemple, Daniel Guérin, *Lutte des classes sous la Première République*
(1793-1797), 1946.

tions de la doctrine et elles ne peuvent guère être discutées en dehors d'elle. Mais il est certain que Marx a attiré l'attention sur l'importance des facteurs économiques de l'histoire et que beaucoup d'historiens, tout en critiquant son système, le retiennent comme hypothèse de recherche éclairant un aspect de la réalité trop négligé jusqu'ici, particulièrement chez nous. L'histoire économique y est en plein développement : en 1929, L. Febvre et Marc Bloch fondaient les *Annales d'Histoire économique et sociale*; en 1931, Marc Bloch donnait la première histoire d'ensemble des paysans de France : « *Caractères originaux de l'Histoire rurale française* ». Des travaux sur les revenus, les prix, les salaires sont en cours, qui jettent parfois une clarté nouvelle sur des événements dont on croyait tout connaître[1].

L'histoire narrative et pittoresque, bien documentée mais en général « de seconde main », a de nombreux représentants dans la période qui nous occupe : le plus marquant est Octave Aubry[2], écrivain très sensible à la « couleur » des époques et au pathétique des destinées individuelles : son ouvrage sur *Sainte-Hélène*, où la simple vérité est déjà chargée de romanesque, est sa meilleure réussite. Les biographies se sont multipliées après l'éclatant succès du livre de Maurois, *Ariel ou la vie de Shelley* (1923), suivi de quelques autres du même auteur, sur *Disraëli* (1927), *Lyautey* (1931). Des collections se sont aussitôt ouvertes, trop libérales au début, car elles ont accueilli indistinctement les ouvrages sérieux et les biographies dites romancées, dont le titre seul indique la nature équivoque et souvent mensongère : ce genre faux, après avoir connu un vif succès, est heureusement en train de se résorber et les biographies, qui continuent à paraître en grand nombre, s'abstiennent maintenant de solliciter les documents et les produisent au contraire, avec excès quelquefois. Citons, à titre d'exemples, le *Danton* de Mathiez, le *Briand* de Suarez, le *Foch* de Weygand : ce sont des ouvrages solidement documentés, dont les deux derniers ont valeur de témoignage.

C'est précisément l'intérêt que l'on cherche aujourd'hui dans les Mémoires, très nombreux comme il est naturel après les formidables événements qui ont secoué le monde pendant les quarante dernières années. Soit que le goût de la vérité et de la simplicité ait gagné, soit que les investigations minutieuses de la critique incitent à la prudence, ils ont ce trait commun de ne point viser,

---

1. Ainsi la thèse de Labrousse, indiquant la crise économique et particulièrement vinicole comme une des causes immédiates de la Révolution française.

2. Octave Aubry, 1881-1946. *Le Roi de Rome*, 1932; *Sainte-Hélène*, 1935; *le Second Empire*, 1938; *la Révolution française*, 1942.

comme les *Mémoires d'Outre-Tombe*, à la stylisation des événements et à l'apologie de l'auteur, mais de constituer une déposition au sens juridique du mot, ce qui n'exclut ni l'esprit, ni l'émotion, ni la couleur. Le *G. Q. G. secteur* de Jean de Pierrefeu ouvrit la série, en 1920. Elle comprend toutes les variétés de souvenirs : souvenirs d'hommes d'État, Raymond Poincaré, *Au service de la France* (1912-1918); J. Caillaux (1909-1930), Paul Boncour (1877-1939); souvenirs d'hommes de guerre, *Mémoires* de Joffre (1910-1917), de Foch (1914-1918), de Weygand, *Rappelé au service* (1939-1942) auxquels on peut joindre les *Lettres* de Lyautey, *Letres du Tonkin et de Madagascar* (1894-1899), *du Sud de Madagascar* (1900-1902), *Vers le Maroc* (1903-1906); souvenirs de diplomates, *Correspondance* (1870-1924) de Paul Cambon, *Au quai d'Orsay à la veille de la tourmente* (1913-1914) et *la Russie des tsars pendant la Grande Guerre* (1914-1917) de Paléologue; *Souvenirs d'une ambassade à Berlin* (1931-1938) d'André-François Poncet; *De Staline à Hitler* (1936-1939) de Coulondre. Et la liste serait longue, des témoignages sur les années funestes : Du Moulin de la Barthète, *le Temps des Illusions*; Rémy, *Mémoires d'un agent secret de la France libre*; Soustelle, *Envers et contre tout*; G. de Bénouville, *le Sacrifice du matin*; David Rousset, *les Jours de notre mort*; Charles de Gaulle, *Mémoires*...

Il faut indiquer ici l'importance croissante des sciences géographiques[1]. Le XIXᵉ siècle avait exploré la surface du globe. Le XXᵉ a entrepris la prospection méthodique des terres et des eaux (géographie physique) et l'étude des relations de l'homme et de la terre (géographie humaine). De telles enquêtes impliquaient la spécialisation des recherches : la géographie physique s'est divisée en morphologie qui étudie le relief du sol, en océanographie, en climatologie... La géographie humaine s'intéresse à la répartition des populations et des ressources, au mode de vie des humains, aux transformations qu'ils font subir à la terre par leur travail direct (percement des isthmes, creusement de canaux, conquête du Zuyderzée sur la mer, industrialisation de la Sibérie, etc.) ou aux relations humaines par l'effet de leur activité (réduction des distances par l'aviation qui crée de nouveaux réseaux de communication, exploitation de nouvelles matières premières qui détermine de nouveaux courants économiques, etc.). La géographie politique, dont on hésite à prononcer le nom en raison de l'usage meurtrier qu'en a fait l'impérialisme allemand (*geo-*

---

1. Cf. Yves Goblet, *l'Etude géograph. de la Terre et des hommes, Monde*, 8-9 janvier 1950 et A. Mousset, *Perspectives nouvelles de l'hist. et de la géogr., Monde*, 19-20 août 1951.

politik) mais dont la méconnaissance, selon le géographe anglais Mackinder, a eu des conséquences incalculables, fait timidement sa rentrée. La géographie physique — la Terre sans les hommes — peut aisément acquérir la précision rigoureuse et objective d'une science. Mais la géographie humaine, la géographie politique, la géographie historique touchent aux problèmes si complexes de l'homme; elles constituent une matière littéraire abondante et neuve qu'ont déjà illustrée de beaux talents : après Vidal de la Blache, qui fait figure de précurseur et même de modèle par son admirable *Tableau de la France* paru en 1903 (cf. p. 1210), il faut citer J. Brunhes[1], A. Demangeon[2], A. Siegfried[3]. Le développement considérable des sciences géographiques a été consacré récemment par le dédoublement de l'agrégation d'histoire et géographie en deux agrégations distinctes. Deux grandes collections sont en cours : la monumentale *Géographie Universelle* en 27 volumes, sous la direction de Vidal de la Blache et L. Gallois, qui s'achève; la collection *Orbis*, qui commence.

Peut-être la lassitude des débats idéologiques et le besoin de reprendre pied sur de solides réalités, la curiosité suscitée par l'image, le cinéma, la télévision, la radio sont-elles pour quelque chose dans la faveur dont les sciences géographiques jouissent auprès du grand public. Mais il est vraisemblable que les événements immenses que nous venons de vivre et ceux qui menacent y sont pour beaucoup : l'élargissement et l'intrication des problèmes, l'interdépendance mondiale des crises, la crainte d'une réaction en chaîne déclenchée aux antipodes mais prompte à ceinturer la planète attirent l'attention des hommes sur la configuration de celle-ci et sa relative exiguïté. Avant 1914, qui se souciait en Europe des régions arctiques — ou de l'Afrique centrale — ou de l'Extrême-Orient? Toutes ces régions sont entrées aujourd'hui dans nos préoccupations familières, en même temps que les parallèles, les archipels stratégiques, les gisements d'uranium et de pétrole, et les aérodromes d'où pourraient s'envoler les bombardiers lourds.

---

1. **Jean Brunhes** (Toulouse 1869-1930 Boulogne-sur-Seine). Ce fut lui qui inaugura en 1912 la chaire de Géographie humaine du Collège de France. *La Géographie humaine*, 1910; *la Géographie de l'Histoire*, 1914; *la Géographie de la France*, 2 vol., 1920 et 1926, dans *l'Hist. de la Nation française* dirigée par G. Hanotaux (le 2ᵉ vol. en collaboration avec P. Deffontaines.)

2. **Albert Demangeon** (Cormeilles 1872-1940 Paris). *Le Déclin de l'Occident*, 1920; *l'Empire Britannique*, 1923.

3. **André Siegfried**, né au Havre en 1875. *L'Angleterre d'aujourd'hui*, 1924; *les Etats-Unis d'aujourd'hui*, 1927; *le Canada; l'Amérique latine; le Canal de Suez; Tableau des Partis politiques en France*, 1930.

Pour terminer sur des pensées plus riantes, je signalerai ici un bel ouvrage de géographie humaine que nous devons à un romancier : *l'Histoire de la Campagne française* (1933), de G. Roupnel[1]. Parti de la préhistoire, l'auteur montre comment le travail opiniâtre des hommes a modelé la terre où demeurent inscrits, pour qui sait voir, des vestiges de tous les âges : tel talus bordait une route effacée, tel renflement herbu perpétue le vallum d'un camp romain... Bel exemple que devraient méditer les littérateurs à court d'inspiration puisqu'il prouve qu'il suffit à l'artiste de puiser dans la science, l'histoire, l'érudition, desquelles il se détourne trop souvent, pour tirer d'un sujet qui pouvait paraître sévère, un grand livre.

---

1. Gaston Roupnel (1871-1946) *Nono*, 1910; *le Vieux Garain*, 1914; *Histoire de la Campagne française*, 1933; *Histoire et Destin*, 1942.

CHAPITRE VII

CONCLUSION[1]

Confrontation de deux époques littéraires : 1914 et 1950. — L'entre-deux-guerres : une génération triomphante, formée avant 1914 ; une génération angoissée, formée depuis. — Ebranlement produit par la seconde guerre mondiale : abaissement et dépréciation de toutes les valeurs, y compris la littérature et l'art. — Le règne actuel du Freudisme. — Le problème de l'engagement et de la valeur litté-raire de l'œuvre *engagée*. — Immensité de la matière offerte à l'inspiration des écrivains. — La littérature resserrée par le cinéma et la radio dans son domaine propre : la poésie, l'essai, la peinture de l'homme intérieur.

Rien ne permet de mesurer la rapidité et le caractère des trans-formations prodigieuses subies par la littérature en trente-six ans aussi nettement que la simple confrontation entre l'état de choses de 1914, décrit par G. Lanson dans la dernière conclusion qu'il ait donnée au présent ouvrage, et l'état de choses actuel.

En 1914, l'art pour l'art était triomphant. Je cite : « Quelques écrivains d'extrême-droite, catholiques et monarchistes, quelques écrivains d'extrême-gauche, socialistes et révolutionnaires, sont seuls à ne pas pratiquer aujourd'hui la religion de *l'art au-dessus de tout*.... D'une façon générale, la doctrine de *l'art pour l'art* n'est plus contestée, si l'on entend par là que le but de l'écrivain, comme celui du peintre, du sculpteur et du musicien est de créer une œuvre belle, et que ni l'intérêt social, ni la morale, ni même la vérité n'ont rien à exiger de l'artiste au détriment de la beauté. »

L'intelligibilité redevenait la règle : « On paraît revenu, dans beaucoup de groupes, du goût de l'obscur, de l'incohérent, de l'excessif. On estime les qualités de clarté, d'ordre, de mesure,

---

1. La conclusion rédigée par G. Lanson au lendemain de la Grande Guerre portait exclusivement sur l'état de la littérature en 1914, et sur son avenir qui lui semblait lié à la future orientation de l'enseignement : classique ou moderne. — Situation et débats sont largement dépassés aujourd'hui. Il n'a donc pas paru possible de maintenir cette conclusion qui néanmoins a fourni un point de départ commode pour celle que nous proposons ici. Mais quelques vues générales, tou-jours actuelles, ont pu être conservées et citées, soit en note, soit dans le texte

d'équilibre qui sont les qualités classiques.... Les Grecs, plus que jamais, demeurent les guides... C'est vers les Grecs que vont les meilleurs des jeunes écrivains d'aujourd'hui. Ceux mêmes qui les connaissent le moins se dirigent inconsciemment vers l'idéal de l'hellénisme. »

L'intellectualisme, un instant menacé, l'emportait : « Il y a eu un moment où l'on pouvait craindre que la littérature française ne désertât sa plus ancienne et authentique tradition et ne renonçât à donner l'impression d'une intelligence tout appliquée à traduire le monde en idées claires. » Sans doute, la philosophie de Bergson, mal interprêtée, avait fait quelques ravages dans certains cerveaux de littérateurs, qui avaient cru comprendre que l'intelligence était une qualité inférieure et vulgaire. « Mais on peut apercevoir dès maintenant que la contagion ne s'étendra pas trop loin. Les ouvrages récents où l'on a le droit de croire qu'il y a le plus d'avenir, semblent indiquer que la littérature française n'est pas près de renoncer à l'intelligence. On y voit l'imagination employée à manifester la pensée et à la décorer de symboles, les sensations et les sentiments transformés en idées, ou aboutissant à suggérer des idées. »

La langue redevenait claire et sobre. « Les sensibilités les plus subtiles et les plus rares ne s'estiment pas obligées de se manifester par la fabrication d'un langage excentrique qui n'est pas de chez nous. »

Un art plus complexe et plus compréhensif se dessinait. La littérature française semblait marcher vers une synthèse, et le meilleur instrument dans cette recherche paraissait être la *Nouvelle Revue Française* où voisinaient toutes les formules, romantisme, réalisme, symbolisme, ce qui laissait à chaque esprit et chaque tempérament le choix de ses moyens d'expression personnelle.

Tel était l'état euphorique de la littérature en 1914. Où en est-elle maintenant?

L'intelligence est rejetée au profit de l'intuition et des différentes mystiques. L'universalité de la raison est mise en doute. La frénésie, même démentielle, remplace les aspirations à la sérénité grecque : les dieux du jour sont, non pas Sophocle et Platon, mais le marquis de Sade et Lautréamont. La religion de l'incommunicable et de l'incompréhensible s'est installée dans la poésie, d'où sont expulsés les sentiments normaux de l'homme et même le sentiment tout court. Le héros de nombreux romans est soit un homme sans conscience apparente, poussé par ses instincts à travers un univers brutal peuplé d'êtres aussi sommaires que lui (à la manière d'Hemingway), soit un être apeuré qui mène une

existence de cauchemar dans l'attente d'un châtiment mystérieux (à la manière de Kafka). L'art, effort intellectuel vers la
perfection, est bafoué : c'est, paraît-il, un artifice hypocrite et
ridicule qui étouffe la spontanéité, « l'authenticité » du « message »
dont chaque écrivain se sent, à l'en croire, porteur. Quant à *l'art
pour l'art*, il est dénoncé comme une désertion : rêver, travailler à
réaliser « une œuvre belle, qui sera une source éternelle de joie »,
c'est se dérober aux exigences impérieuses du devoir social : l'écrivain doit *s'engager* et servir. De ce mépris pour l'art et pour l'effort
d'organisation rationnelle qu'il implique découle tout naturellement le saccage de la langue par certains surréalistes qui usent
d'un vocabulaire strictement personnel et par certains romanciers-
pamphlétaires qui y vident, avec une allégresse sauvage, toutes
les sentines de l'argot. Où G. Lanson entrevoyait une évolution
dans la sagesse, nous avons une révolution anarchique dans le
désordre et le tumulte.

Tout cela atteste un effondrement de la culture qui peut surprendre, venant au lendemain de la brillante période 1919-1939,
où des talents admirables se sont épanouis en grand nombre. Mais
qu'on y prenne garde : presque tous ces écrivains s'étaient formés
avant 1914[1]; ils conservaient, même dans leurs entreprises les
plus audacieuses, le respect inconscient des valeurs rationnelles
et esthétiques; malgré la dure expérience de la guerre, qui s'était
du reste déroulée dans les formes traditionnelles et terminée par
une éclatante victoire, ils prolongeaient dans l'après-guerre l'optimisme du XIXe siècle. Certes cette génération fut, comme on a dit
(R. Kemp), une vaillante génération, ardente à la recherche,
retrouvant Saint-Thomas d'Aquin en même temps qu'elle découvrait Freud, accueillant avec chaleur les étrangers les plus divers[2]
sans crainte d'altérer l'âme française, dans l'espoir au contraire
de l'élargir, de l'enrichir[3] : jamais l'esprit ne fut plus libre et plus
actif. Mais cette ivresse de liberté n'allait pas sans dommage : elle

---

1. En 1920, Benda avait 53 ans; Alain, Claudel, Suarès, 52 ans; Proust, Gide,
51; Valéry, 49; Colette, 47; Thibaudet, 46; Roger Martin du Gard, Valery Larbaud, 39; Giraudoux, Maritain, 38; Charles du Bos, 37; Duhamel, Supervielle,
36; Mauriac, Maurois, J. Romains, P. Raynal, 35; Massis, Rivière, 34; Bernanos,
Lacretelle, P. Morand, 32; G. Marcel, 31; Cocteau, 28; Giono, 25; Éluard, 25,
Breton, Montherlant, 24; Aragon, 23....

2. Chesterton, Meredith, Dostoïevski, Conrad, Tchékov, Katherine Mansfield,
Rosamund Lehmann, James Joyce, Ch. Morgan, Virginia Wolff, Pearl Buck,
Aldous Huxley, Ramuz....

3. « La tradition n'est pas un *canon* à observer; elle n'est pas fixe : elle sera
fixe le jour où la civilisation française sera une chose du passé, une chose morte.
Alors, on pourra dresser l'inventaire de ce qu'elle contient, marquer ce qu'elle
exclut, et en chercher les raisons. Mais aussi longtemps que l'esprit français sera

incitait les écrivains à la dispersion, chacun suivant sa loi et même
s'appliquant à se différencier le plus possible, alors que la marque
des grandes époques a toujours été la convergence spontanée des
efforts et l'unité d'inspiration et de style; et elle a facilité, sous des
formes qui faisaient encore illusion, le développement de tendances
qu'en 1920 Lanson pouvait croire en voie de résorption : l'effri-
tement des valeurs rationnelles qui unissent les peuples et l'exaltation des mystiques qui les divisent, l'intérêt croissant donné aux
forces ténébreuses de l'homme et le discrédit jeté sur ses créations
réfléchies (religion, morale, art, littérature même), l'exploitation
des singularités les plus extrêmes et la surenchère dans l'invention
de l'exceptionnel, de l'extraordinaire, de l'amoral : bref, l'anti-
intellectualisme sous toutes ses formes. A partir de 1930, les événements, — crises économiques, montée et expansion des fas-
cismes, prodromes de guerre civile —, ont assombri l'époque. De
nouveaux écrivains apparaissent, qui n'ont pas pour les équilibrer
le souvenir des temps heureux[1] et qui tirent résolúment les conséquences des audaces de leurs aînés. L'un d'eux, Malraux, conseille l'action comme dérivatif à toutes les inquiétudes. Agir?
Mais dans quelle direction? Pour quelle cause? Le ciel est vide
(« Dieu est mort », Nietzsche), la vérité, relative (« A chacun sa
vérité », Pirandello), la morale, pure hypocrisie (« ce jeu où tout
le monde triche », Gide). Il ne reste plus à l'homme, selon le mot
pathétique de Littré, qu'à se lancer à l'aventure, sans boussole ni
voile, sur cet océan dont il ne voit plus les bords.

une force vivante, la tradition ira de génération en génération s'élargissant, se
compliquant, absorbant des éléments nouveaux, déconcertants parfois pour les
dévots des orthodoxies périmées, sans que jamais on puisse dire une fois aux
jeunes : « C'est tout; la tradition française est faite, vous n'y ajouterez plus
rien.... »

« La puissance d'assimilation d'une nation, et particulièrement de notre nation,
est incroyable. Du latin et de la latinité, mêlés de celtisme et de germanisme,
nous avons fait une première fois le clair filet de langue et d'esprit de notre
moyen âge. Après quelques siècles, d'un retour à la latinité, et de la découverte
de la Grèce et de l'Italie, nous avons fait notre Renaissance. Nous avons chargé,
gonflé, distendu de toutes façons, la langue et l'esprit *gaulois*. Le XVIIe siècle
a digéré cette formidable acquisition. De l'antiquité et de l'Italie transformées,
il a fait notre grande époque classique. Le XVIIIe siècle a achevé de filtrer le
mélange; il a retrouvé, perfectionné et assoupli la prose limpide et leste du
XIIIe siècle. Mais il a commencé à emmagasiner toutes sortes de produits anglais
ou allemands. Le romantisme a brassé tout cela avec ce que nous allions arracher
à notre moyen âge, et la France s'est créé un grand lyrisme dont on commence
à bien voir à quel point il reste enraciné dans la tradition nationale, et plus
proche parent, certes, du classicisme français que du romantisme allemand ou
anglais. » (G. Lanson, Conclusion de 1922.)

1. En 1920, J. Green et Saint-Exupéry avaient 20 ans; Malraux, 19; Sartre. 15;
Anouilh, 10; Camus, 7.

La seconde guerre mondiale s'est donc abattue sur une humanité désemparée et ce choc formidable a précipité le mouvement de fond que tout annonçait : la bestialité des instincts s'est déchaînée, l'irrationnel est devenu l'absurde, l'inquiétude s'est muée en angoisse. C'était l'heure de Sartre et de Camus — du premier Camus, le « temps des moralistes » que le public prend comme directeurs de conscience, à défaut d'autres. N'oublions pas que leurs jeunes lecteurs ont été saisis et broyés par l'énorme cataclysme dès leur entrée dans la vie consciente, qu'ils ont connu, d'expérience directe et tout de suite, la violence, la misère, la demi-famine, les délations, la torture, les fusillades d'otages, les déportations, les bombardements, sans l'appui d'une formation intellectuelle et morale acquise à loisir, — que leurs perspectives immédiates sont les difficultés croissantes de la vie matérielle, ou de nouvelles guerres, ou l'asservissement au « Meilleur des Mondes » décrit par Huxley[1]. Et ne nous étonnons pas de leur renonciation silencieuse et désespérée aux enthousiasmes qui faisaient jadis vibrer la jeunesse, de leur humour noir, volontiers cynique et cruel. La première guerre n'avait mutilé que les corps et s'était terminée sur un grand espoir. L'âme, cette fois-ci, a été profondément blessée et la cicatrisation sera longue. Il faudra du temps pour rebâtir une civilisation avec tout ce que ce mot implique traditionnellement de délicatesse, d'attachement au beau et au grand, d'idéalisme. Et il est très possible que ces caractères ne se retrouvent plus, ou se retrouvent amoindris dans les cultures de l'avenir (j'emploie le pluriel parce que la crise est mondiale), plus fortes d'englober la totalité des hommes, plus riches peut-être d'apports nouveaux que nous ne soupçonnons pas, mais d'autant moins raffinées qu'elles seront plus étendues.

Dépréciation de toutes les valeurs; choc d'une violence et d'une amplitude inouïes dont on craint le retour... Nous regardons autour de nous, sans bien comprendre, ce monde étrange et bouleversé comme au sortir d'un abri, après le bombardement, on essaie de reconstituer, à travers les ruines fumantes, le paysage familier. Il faudrait déblayer, dégager, reconstruire. Les bonnes volontés ne manquent pas, même et surtout chez les plus désespérés : le désespoir, qui voudrait agir, vaut mieux que le scepticisme, qui d'avance a renoncé. Mais divers concours se déroberaient sans doute : celui des poètes ésotériques qui se torturent pour saisir au plus profond d'eux-mêmes le secret de l'Absolu, malgré l'échec — sur le plan métaphysique — de Mallarmé, qui s'est tu, de Rimbaud qui a abandonné. d'autres moins illustres qui ont

---

1. Voir Paul Viallaneix, *Nés en* 1925, *Temps Modernes*, n° 62.

fini par le suicide ou la folie; celui de poètes moins ambitieux,
plus prétentieux, qui s'enferment à triple tour dans leur singularité personnelle, s'appliquent à la rendre impénétrable et nous
convient ensuite à la pénétrer : romantiques exaspérés dont un
grand ancêtre, Charles Nodier, semble avoir prévu les excès; et il
en tirait par avance de sinistres conclusions[1] : de fait Rome finis-
sante a vu se multiplier les œuvres baroques, singulières (*Secreta
loquimur*, disait l'école de Perse), celles-là même dont Des Esseintes
faisait ses délices. Autre attitude romantique, pieusement observée : l'attitude révoltée qui dresse depuis plus d'un siècle l'individu
contre le ciel (Byron), contre la société et la nature (Vigny), contre
la médiocrité bourgeoise (Gautier), contre la condition humaine
(Leconte de Lisle) : de tout cela, Lautréamont fit une synthèse
chauffée au rouge. Aujourd'hui c'est à la raison que la révolte
s'en prend, et à l'art : la raison, parce qu'elle égare les hommes en
prétendant les conduire, et l'art, parce qu'il les trahit en prétendant les exprimer. Que reste-t-il donc à l'écrivain? Le primitif,
l'ingénu, le jaillissant : il faut se garder de discipliner sa pensée,
d'élaborer une œuvre; le moindre fragment de journal intime, à
condition de n'avoir pas été rédigé, a plus de prix que le livre.
Autant dire que la cathédrale offre moins d'intérêt que les pierres
demeurées dans la carrière. On conçoit que pour ces singuliers
littérateurs la littérature « soit morte ». Pour qui écrivez-vous?
leur demandèrent un jour les surréalistes de *Littérature*. L'un
répondit : « Par faiblesse. » Les autres pensèrent : par nécessité
de « délivrer le message » qui s'agite en nous. Mais aucun n'a
répondu, tant la chose eût paru saugrenue : pour faire une œuvre
belle, pour transposer la vérité en beauté. Ce qui a toujours passé
jusqu'ici pour être l'objet même de l'activité littéraire.

La stricte vérité semble donc seule importer. (Du moins on
n'avoue qu'elle, mais il entre souvent beaucoup d'art, et même
d'artifice dans les œuvres qui prétendent s'en être affranchies. Et
c'est très bien ainsi : cela jette un pont entre la littérature d'hier
et celle de demain). Encore faut-il que la vérité soit manifestée
tout entière. Or nos romanciers continuent à réduire l'homme
à un répugnant mélange de veulerie, d'égoïsme, d'ignominie,
de sordides calculs, en un temps qui a vu mourir avec la noblesse

---

1. « Quand un écrivain dont vous estimerez le talent vous dira des choses que
vous n'entendrez plus sans peine, quand il ne pourra plus être remarquable
par la pensée qu'en tourmentant l'expression, quand il sera obligé d'être original
pour se faire lire et d'être bizarre pour paraître original, concluez hardiment
que la langue et la littérature touchent à leur fin, cet écrivain fût-il Sénèque ou
Tacite lui-même. C'est une règle sans exception depuis Lucain jusqu'à Cesa-
rotti. » (Cité par M. Chapelan, *Introd. à l'Anthologie du poème en prose*, p. XXIII.)

qu'on sait Estienne d'Orves, Gabriel Péri, « celui qui croyait au ciel, celui qui n'y croyait pas », Marc Bloch, Brossolette, Jacques Decour, Frère, Verneau (je cite au hasard les premiers noms qui se présentent à ma mémoire) et tant de milliers d'autres qui ont préféré la torture et le dernier supplice au reniement ou à la trahison. Gide lui-même a su rendre hommage au lieutenant de vaisseau Dupouey et à l'admirable Saint-Exupéry (Préface de *Vol de Nuit*), sans que « les beaux sentiments » qu'il honorait ainsi d'un cœur sincère lui aient inspiré de « mauvaise littérature ». L'explication, c'est que Freud règne toujours sur beaucoup d'écrivains qui puisent à pleins seaux dans le cloaque qu'il a découvert les psychologies les plus aberrantes et les moins contrôlables (l'inconscient rend compte de tout...), les plus viscérales aussi, lesquelles sont d'un intérêt spécial et d'un rapport certain. La surenchère aidant, car il faut faire toujours plus audacieux, le roman se peuple d'anomalies[1]. Il y a aujourd'hui un conformisme de l'obscénité comme il y avait hier un conformisme de la bienséance : les deux mutilent également l'homme.

Le littérateur doit-il *s'engager?* Sartre a mis le mot à la mode et proféré l'excommunication majeure contre tout écrivain qui refuserait de militer dans un parti. Mais, dit l'Église, il est utile qu'il y ait des hérésies. Disons comme elle : il est utile qu'il y ait une littérature romanesque ou poétique, car le besoin du rêve et de la beauté est fondamental dans le cœur de l'homme. George Sand a gardé tout son attrait pour le philosophe Alain et le philosophe Bachelard. Je doute que le philosophe Sartre la tienne en pareille estime; mais ce curieux esprit, nous l'avons vu, a ses limites. « Littérature d'alibi », décrète-t-il à propos du *Grand Meaulnes*; littérature d'alibi qui permet à l'auteur comme au lecteur d'oublier ses « préjugés de classe ». Laissons le lecteur : pour qui a connu ce charmant rêveur qu'était Alain Fournier, la solennité et l'arbitraire de ce jugement font rire. La vérité, c'est que le grand public a soif d'évasion et de bonheur : c'est donc remplir une fonction sociale que de les lui procurer; et il faut être reconnaissant à qui s'en charge, surtout s'il est vrai, comme disait un jour Camus, que « les artistes soient les seuls à n'avoir jamais fait de mal à personne ». On n'en dirait pas autant des idéologues, surtout militants.

Mais il n'y a que des avantages, semble-t-il (je ne juge qu'en fonction de la littérature) à laisser *s'engager* celui que l'action attire. S'il a un tempérament original, des moyens d'expression

---

1. Voir les réflexions pertinentes de R. Caillois, *Babel*, 1948, notamment pages 119-167.

personnels, il a chance de faire œuvre littéraire sans même y prétendre. De grandes œuvres sont nées ainsi, dans la fièvre de la polémique et du combat : *la Satire Ménippée, les Provinciales* (et même *l'Apologie* inachevée), *l'Histoire des Variations, les Lettres Anglaises, le Dictionnaire philosophique, le Traité de la Tolérance, la Lettre à D'Alembert*, la *Lettre à Christophe de Beaumont*, les *Lettres de la Montagne*, les *Mémoires contre Goëzman*, les proclamations de Napoléon, l'œuvre entière de Joseph de Maistre, de Paul-Louis Courier, de Lamennais, etc. ont été écrites pour convaincre et non pour charmer. Elles y sont parvenues pourtant, et on les relit avec intérêt et plaisir, lors même que l'objet de la controverse — c'est le cas pour beaucoup — nous est devenu totalement étranger.

Qu'est-ce donc que la littérature? G. Lanson a proposé la définition suivante, qui permet de comprendre pourquoi l'on fait entrer dans la littérature des ouvrages aussi sévères que certains de ceux que nous venons de citer :

« La littérature commence là où commence la notation de la personnalité : au-delà, c'est la science. D'autre part, la personnalité pure, l'émotion pure, ne s'expriment pas avec des mots : les mots sont des signes qui, par fonction, représentent des objets ou des rapports. L'expression de l'émotion pure et de la personnalité pure appartient à la musique. Entre la musique et la science se situe la littérature. Ce qu'on appelle l'art impersonnel, est celui qui subordonne le mieux l'élément personnel à l'expression d'une réalité extérieure ou d'une vérité abstraite; il est essentiellement pittoresque, dramatique, ou philosophique. L'art personnel est celui où se réduit au minimum le souci de réalité et de vérité, et qui laisse le plus libre essor à la personnalité intime : il est essentiellement poétique. Entre ces formes extrêmes s'étend une gamme de notations artistiques infiniment variée, et toujours capable de recevoir des tons nouveaux qui s'intercaleront entre les tons déjà connus. Mais partout, il y aura du personnel et de l'impersonnel, du poétique et du vrai (ou du réel).

L'artiste choisira sa manière selon sa nature, sa conception de l'art et son sujet. Le plus grand artiste sera toujours, en un sens, le plus personnel; seulement, selon qu'il aura opté pour le genre personnel ou pour le genre impersonnel, son indestructible personnalité s'étendra en surface ou en profondeur[1]. »

La notion de personnalité, qui s'accuse essentiellement dans le style, est à coup sûr fondamentale. Je crois qu'il faut y adjoindre la notion complémentaire de beauté, dont on ne parle plus guère

---

1. Conclusion de 1920.

depuis cinquante ans, mais qui joue toujours — implicitement — son rôle : sans elle, on ne pourrait établir une hiérarchie des valeurs *littéraires*, et il faudrait admettre à égalité la prose de Descartes, où se marque gauchement une personnalité vigoureuse, et celle *l* de Bossuet, ce que personne ne songe à faire.

Les œuvres de polémique sont donc un espoir parce qu'elles peuvent faire rentrer la vie, le monde et la pensée dans une littérature qui se vide. Mais il est inconcevable que l'immense matière tragique qui s'offre aux écrivains puisse demeurer inexploitée. « La Guerre et la Poésie? Ce sont les deux sœurs », disait le clairvoyant Giraudoux. Et Diderot, plus explicite : « Quand verra-t-on naître des poètes? Ce sera après les temps de désastres et de grands malheurs, lorsque les peuples harassés commenceront à respirer. Alors les imaginations ébranlées par des spectacles terribles peindront des choses inconnues à ceux qui n'en ont pas été les témoins[1] ». Il est vrai que nous ne « respirons » pas encore; à peine remis du cataclysme, nous en redoutons d'autres; il est trop tôt pour une synthèse à la Balzac qui viendra sans doute un jour, si l'homme de génie se présente. Pourquoi ne se présenterait-il pas? La vitalité de notre littérature, si manifeste entre les deux guerres et suspendue par les événements, commence à reprendre avec force; les écrivains, de qui la foule attend des conseils, s'attaquent aux problèmes qui se posent tous à la fois, ou se font les historiographes véridiques des temps maudits.

A moins que... le cinéma ne confisque ces immenses sujets et la partie imaginative de la littérature, tandis que la radio annexerait la partie abstraite, les deux se conjuguant dans la télévision : chose déjà faite. Sera-ce la fin de la littérature, apparemment vidée de sa substance par ces moyens sensoriels nouveaux? Déjà la technique du cinéma a influencé le roman (Romains, Sartre); certains écrivains produisent directement pour le cinéma (Cocteau, Giraudoux, Sartre); Pagnol, renonçant au théâtre, s'y est consacré tout entier[2]. Les adaptations des romans et des pièces à l'écran ne se comptent plus. Il est certain que la puissance de choc de l'image dépasse celle de la phrase, car elle atteint immédiatement et directement notre sensibilité sans emprunter le détour de l'intelligence qui doit transformer en représentation visuelle les mots, signes abstraits, et les rapports entre les mots; le cinéma nous évite cette fatigue, qui n'est du reste pas sans profit; en quoi

---

1. *De la poésie dramatique*, 1758.
2. Films originaux de Cocteau : *le Sang d'un Poète; l'Eternel retour; Orphée;* — de Giraudoux, *les Anges du Péché;* — de Sartre : *les Jeux sont faits, l'Engrenage;* — de Pagnol : *César, Angèle, la Femme du Boulanger, la Fille du Puisatier.*

il est conforme à la tendance générale de l'époque qui substitue partout le senti au conceptuel. Il est insurpassable dans les extérieurs, paysages, mouvements de foule; il arrive même que telle crispation de visage, tel sourire, tel regard nous fassent pénétrer le temps d'un éclair dans le secret des âmes[1]. Mais la littérature seule peut nous l'expliquer : qu'elle fasse sa part au cinéma, la sienne reste belle; elle seule peut analyser la substance morale des personnages, ou suggérer l'imprécis, ce qui a bien son charme, ou éveiller, par l'agencement des mots, des résonances d'une tonalité et d'une amplitude particulières. La richesse d'un grand livre est inépuisable. On voit une fois la *Chartreuse* au cinéma, on peut la relire vingt fois sans la trouver identique. J'ajoute qu'on la relit à ses heures, en s'arrêtant sur la page qu'on aime, en y revenant. Plaisir profitable, car la méditation seule instruit — et l'on ne médite que sur l'immobile — et le cinéma est un glissement ininterrompu.

Il endort la pensée, la radio la disperse. Du moins chez l'auditeur ordinaire, qui absorbe passivement tout ce que débite son poste. L'auditeur cultivé, qui choisit parmi les émissions, peut en tirer un réel profit; moindre toutefois que d'une lecture faite à loisir sur la question qui l'intéresse, avec la possibilité de s'arrêter sur les points importants et d'y réfléchir. C'est toujours la même observation, on le voit : le spectateur du film se laisse glisser au fil des images, l'auditeur de la radio au fil des paroles. Groupés devant l'écran ou dispersés dans leurs foyers, tous sentent et pensent à l'unisson. Cinéma et radio sont par excellence des instruments de distraction collective, de propagande aussi, incomparables pour enrégimenter les esprits; il est curieux de constater comment, dans les grandes évolutions humaines, tout concourt, tout converge vers la même fin. Dans les deux cas, ce qui est en péril, c'est la concentration de la pensée, la lente réflexion, l'indépendance du jugement que permet encore le livre, pendant le temps, peut-être mesuré, où la lecture restera « ce vice impuni.... »

Tel semble être l'état de la littérature en 1951. Toutes traditions rompues, épuisée par « l'angélisme » de ses poètes, ravalée au plus bas par le freudisme de ses romanciers, livrée à l'arbitraire de chaque écrivain au nom de l'irrationnel et de l'inconscient, débor-

1. A condition de ne pas revoir le film; car l'automatisme implacable avec lequel il restitue la crispation, le sourire, le regard attendus les coupe de la vie. Le théâtre, où l'acteur improvise toujours un peu, même sans le vouloir, et impose, par ses inégalités même, sa présence d'être vivant, est d'un autre pouvoir. C'est sans doute pourquoi, après une période de flottement, les salles de spectacle se sont remplies de nouveau.

dée sur ses deux ailes par le cinéma et la radio qui empiètent sans cesse sur son domaine, elle se maintient surtout par ses essais qui sont souvent brillants. L'intelligence, vice français.... Elle traverse sans doute la crise la plus grave qu'elle ait subie depuis le xvᵉ siècle. Ce rapprochement a été souvent fait, et il éclaire tout : la crise dépasse infiniment la littérature, elle concerne l'homme tout entier. L'homme de la Renaissance avait construit un univers — et un art — à son échelle; l'univers qui nous est aujourd'hui révélé par les penseurs et les savants échappe à l'échelle humaine, juste au moment où deux grandes guerres ont bouleversé l'équilibre du monde et ébranlé jusqu'aux fondements de la morale. L'homme d'aujourd'hui, privé de repères, de directives, souvent de foi, tâtonne à la recherche des valeurs de remplacement qui lui permettront de vivre : cette quête angoissée a sa sombre grandeur et ce désespoir même manifeste une énergie qui permet l'espoir. Que l'homme se découvre de nouvelles raisons de vivre, qu'il élabore de nouvelles disciplines, et il est vraisemblable que les tendances divergentes de la littérature s'ordonneront d'elles-mêmes autour de ces lignes de force qui manquent aujourd'hui, et qu'elles abandonneront ce qu'elles ont d'aberrant pour conserver ce qu'elles ont de valable : une notion plus pure de la poésie, une compréhension plus large et moins pudibonde des passions et des mobiles, un sens plus net du vrai domaine littéraire qui est l'étude de l'homme ou la suggestion du rêve et non pas la description minutieuse des choses. Du moins on peut l'espérer, si les disciplines futures conservent à l'homme sa pleine valeur d'homme; en définitive les œuvres à venir vaudront ce que l'homme de demain vaudra.

APPENDICES[1]

Appendice I. *Page 9, 2ᵉ alinéa.*

Il y a tout de même autre chose dans l'esprit *gaulois* et dans l'esprit *bourgeois*. On l'a vu dans la dernière guerre.

Le bon sens narquois et goguenard implique une volonté de ne pas être dupe, de voir clair. Il s'attaque moins aux grandes choses qu'aux grands mots, aux prétentions qui s'étalent, et à l'idéalisme de façade derrière lequel manœuvrent des intérêts et des ambitions.

J'ai rectifié mon analyse dans une conférence sur *Les traits caractéristiques de l'esprit français* (La civilisation française, mai-juillet 1920).

Appendice II. *Page 161, 2ᵉ alinéa.*

Si l'on prêchait évidemment en français devant le peuple, on a pu mêler le latin au français dans les couvents; les clercs étaient une nation bilingue. Dans l'aristocratie russe du XIXᵉ siècle, il n'était pas rare que la phrase commencée en français s'achevât en russe et inversement : personne ne trouvait la chose étonnante ni ridicule.

Appendice III. *Page 187, fin du 2ᵉ alinéa.*

Les rhétoriqueurs se faisaient de la poésie une idée qui aide à comprendre leurs erreurs et leurs échecs. Dans les arts de seconde rhétorique de la fin du XVᵉ et du début du XVIᵉ siècle, il apparaît bien que la poésie est une forme de langage comme la prose, et qui s'applique indifféremment à tous sujets. Le mérite consiste dans tout ce qui rend l'œuvre difficile à écrire et difficile à lire : l'abondance de l'érudition, les artifices de l'expression, la complication de la versification. Le triomphe est d'inventer la technique du style et du vers la plus rare qu'il soit possible.

Parmi ces rhétoriqueurs, il faut mettre à part Jean Lemaire de

---

1. Les appendices I à XXXV, correspondant à la partie non modifiée du texte, ont été *maintenus sans retouches*. Les appendices XXXVI et suivants ont été ajoutés par le continuateur.

Belges, qui est un humaniste et un artiste, et dont l'œuvre est traversée de lueurs qui annoncent la Renaissance. Dans la mythologie,
il aperçoit et fait voir, comme les poètes italiens du xve siècle, la
beauté ou la grâce des formes divines, des attitudes, des groupes.
Ses *Illustrations de la Gaule* offrent, dans un style redondant
d'humaniste, des essais déjà très heureux de prose musicale et
rythmée, et des visions harmonieuses où de belles créatures
s'encadrent dans de nobles paysages. Jean Lemaire a mérité d'être
nommé parmi les devanciers de Ronsard et de la Pléiade.

Appendice IV. *Page 197, fin.*

Les travaux qui ont paru depuis la rédaction de ce chapitre, et
particulièrement ceux de M. E. Roy (*le Mystère de la Passion en
France du XIVe au XVIe siècle*, Paris, 2 vol. in-8, 1903), et de
M. G. Cohen (*Mystères et Moralités* du M. 617 p. de Chantilly, Paris,
in-4, 1920), tendent à faire remonter la composition des premiers
Mystères au xive et même au xiiie siècle, et à établir la continuité
entre ce genre et le drame liturgique. Voyez notamment les
réflexions de M. G. Cohen sur la première des deux *Nativités* qu'il
a publiées.

Appendice V. *Page 210, fin du 2e alinéa.*

J'ai essayé récemment d'indiquer ce qu'il y avait de tragique
dans le théâtre religieux du moyen âge, et pourquoi l'on n'y
trouvait pas plus de tragique (*Esquisse d'une histoire de la tragédie française*, New York, 1921, in-8, 2e leçon).

Appendice VI. *Page 222, fin du 3e alinéa.*

L'important travail de M. Renaudet, *Préréforme et humanisme à Paris pendant les premières guerres d'Italie* (1494-1517),
Paris, 1916, me permet de préciser les vues qui précèdent.

L'intérêt principal de cet ouvrage est de jeter une vive
lumière sur le mouvement d'idées antérieur et préparatoire à la
Réforme et la Renaissance. M. Renaudet marque fortement les
conditions fâcheuses créées par le triomphe du nominalisme; si
la philosophie rationnelle est impossible, si la science humaine
est incertaine et vaine, il n'y a plus rien que la dialectique
stérile, la dispute sans fin et sans résultat, le moulin de la logique tournant toujours à vide. La spéculation théologique elle-
même s'arrête et fait place à la soumission sèche, inerte et sans
idéal, au dogme incompréhensible.

On ne peut vivre dans ce vide intellectuel. On essaie de sortir
de ce néant par le mysticisme qui saisit immédiatement la réalité divine, et par l'humanisme qui, guidé par les anciens, res-

saisit, à l'aide de l'intuition et de l'observation, la réalité morale, et retrouve la possibilité d'un rationalisme.

Le mysticisme, où aspiraient bien des âmes françaises, leur est rapporté de Flandre par les frères de la Vie Commune, et par des religieux de la maison de Windersheim. A leur direction viendront s'ajouter ensuite les influences de Raymond Lulle et de Nicolas de Cuse. Dès lors, la vie religieuse redevient possible : la vraie vie religieuse qui est la vie intérieure, et qui s'épanouit dans la floraison d'une ardente spiritualité.

Mais parallèlement à ce mouvement, pour les natures qui sont plus intellectuelles que mystiques, et qui ont besoin de vérité plus que d'amour, se développe, grâce à l'imprimerie, et d'abord sous des influences italiennes, un mouvement érudit et littéraire qui ramène les curiosités vers l'antiquité grecque et romaine. Une sorte de renaissance aristotélicienne est suivie bientôt d'une renaissance du platonisme.

Les deux courants du mysticisme et de l'humanisme tendent souvent à se confondre; de là le succès et la force du platonisme dans lequel se fait pour la Renaissance la synthèse du christianisme et de l'hellénisme.

Deux grands esprits sont à la tête du mouvement de l'humanisme : Érasme et Lefèvre d'Étaples. Il est curieux de voir qu'il ont parcouru les mêmes voies en sens inverse. Érasme, un moment touché par le mysticisme flamand, s'en libère, et se donne tout entier à l'hellénisme, au rationalisme. Lefèvre d'Étaples, qui commence par Aristote, subit l'attrait de R. Lulle et de Nicolas de Cuse, qui le font passer d'Aristote à Platon, et noyer de plus en plus l'humanisme dans le mysticisme. L'un, au moment où M. Renaudet nous laisse, est devenu l'homme de la Renaissance; l'autre, l'homme de la Réforme. Les deux mouvements, sans s'opposer encore, tendent à se séparer.

Ce livre, si solide et si riche, illumine pour l'historien littéraire les origines de la Renaissance française : il nous fait comprendre Marot et Rabelais, leur idéal, leurs haines, ce que représentent leurs attaques contre la Sorbonne, la scolastique, les sophistes et la barbarie gothique.

Appendice VII.   *Page 323, ligne 10.*

Il y a autre chose dans cette absence d'ordre que le désir de ne pas se donner du mal. Montaigne se laisse aller au cours de sa pensée; il enregistre ses idées à mesure qu'elles naissent; elles ont dans son livre la suite qu'elles ont eu dans son esprit. Il a peur de l'artifice de la composition. Il se défie de l'ordre des dialecticiens et des rhétoriciens. D'autant qu'il ne peut poser de principes, d'où tout le reste se déduirait, puisque précisément il cherche les principes. Il conserve donc l'enchaînement naturel de ses idées comme le seul qui ne risque pas d'y introduire du factice et du faux. Il rejette l'ordre artificiel comme il rejette les systèmes arbitraires et les affirmations sans preuve. Son désordre est une partie de son scepticisme. Ce scepticisme qui détruit les vaines méthodes avec les sciences chimériques, prépare la voie à la vraie science et à la vraie méthode. Un tel désordre et un tel scepticisme marquent une étape importante du progrès intellectuel.

Appendice VIII.   *Page 324, 3ᵉ alinéa, ligne 6.*

« Recul de notre prose », appliqué à Montaigne, paraît paradoxal. Il fait reculer la prose, comme un cavalier son cheval, pour se donner carrière et sauter l'obstacle. Montaigne est retourné à la phrase inorganique pour y chercher le principe d'une organisation aussi personnelle que possible, aussi dégagée que possible des clichés de syntaxe et de tour. Il a trouvé ce principe dans l'observation de sa façon naturelle de discourir, et comme un peintre qui se regarde au miroir pour faire son portrait, il s'est appliqué, comme je le dis, à faire de sa phrase l'image artistique de son propos.

Appendice IX.   *Page 332, fin du 1ᵉʳ alinéa.*

Nous ne pouvons juger Montaigne autrement, selon nos mesures modernes. Mais dans l'état de la conscience sociale du XVIᵉ siècle, on n'a jamais songé, ni au XVIIᵉ siècle, à lui reprocher sa conduite. Parmi tant de critiques, et parfois dures, qu'on a faites de son caractère et de sa morale, celle-là ne se rencontre jamais.

Appendice X.   *Page 334, fin.*

Pour bien juger de la morale de Montaigne, il faut ne jamais perdre de vue trois faits .

1º Montaigne ne parle que pour lui. Il n'est pas professeur de morale. Il expose les voies et les résultats de son activité morale. Il ne définit pas le dogme universel de la morale absolue. C'est un homme qui cherche, trouve, et réalise sa règle, bonne pour lui. Il enseigne une seule chose, l'autonomie de la conscience, ou plutôt il en donne l'exemple. Que chacun fasse comme lui, pour soi ; que chacun cherche, trouve, et réalise sa loi. Autant d'individus, autant de formes de vie morale.

2º Assurément tous les individus sont différents ; mais tous portent en eux l'humanité. Selon sa nature, chacun se rangera dans l'une ou l'autre des trois grandes catégories entre lesquelles peuvent se répartir toutes les morales vécues et cristallisées en actes : la catégorie supérieure des saints et des héros, la catégorie moyenne des honnêtes gens; la catégorie inférieure des âmes basses et vulgaires. Montaigne se loge dans la médiocrité. Il sait la hauteur de l'idéal réalisé par les Caton ou les Socrate Il n'a pas la superbe idée de croire leur règle faite pour lui. Mais il sait dire, à l'occasion, la beauté de cette règle et des vies qu'elle a inspirées.

Dans cet étage moyen où Montaigne se place, on n'a pas assez remarqué que la règle de *ménager sa volonté* n'est pas moins fermement maintenue que pour l'étage supérieur. Le principe cornélien est chez Montaigne, et appliqué à sa propre vie, aux actions familières d'un gentilhomme de province.

3° La morale de Montaigne n'est pas la morale de l'imagination et de l'enthousiasme, elle est celle de la raison et de la volonté. Il ne propose pas un bien absolu que nul n'atteindra, mais une vertu relative où lui, Montaigne, pourra arriver. Il ne présente pas un idéal placé à l'infini qui agisse sur l'homme comme un aimant pour l'élever un peu, il n'invite pas à escalader le ciel pour décider à gravir une colline. Mais il met le but tout près de nous, pour que le sentiment de pouvoir le saisir, nous donne le courage d'y marcher; et ce but touché, un autre se proposera, puis un autre : et toujours un pas fait, il y aura encore un pas à faire.

Montaigne ne fait pas de morale théorique, et rien ne l'intéresse que la morale réalisable dans la vie quotidienne. La beauté et la grandeur de cette morale sont toutes dynamiques . elles sont dans la continuité du mouvement qu'elle implique. La vertu, pour Montaigne, ce n'est pas définir un ni dix articles de morale, ni croire à l'un ou à l'autre des systèmes : la vertu, c'est de vivre selon un idéal, de le réaliser dans toute une existence, et à chaque moment le plus complètement qu'on peut selon son jugement et sa force; c'est l'équation constante de la raison et de l'action. Est-ce là une conception médiocre?

Appendice XI.   *Page 336.*

Il faudrait compléter ce chapitre par deux recherches que j'indique brièvement.

1° Montaigne a tâté et mis en lumière la faiblesse de toutes les méthodes qu'avaient connues les anciens et ses contemporains Il a cherché la méthode par laquelle la science pourrait se construire. Il a bien vu que la raison et l'expérience sont nos seuls instruments. Il a critiqué la raison, et il s'est demandé à quelles conditions l'expérience, toujours particulière, peut être érigée en loi. Il n'est pas arrivé au but. Il a du moins posé les difficultés. Il a amené le problème de la méthode au point où le prendront Bacon pour définir la méthode de l'expérience, et Descartes pour définir la méthode de la raison. Et peut-être eût-il mieux reconnu son esprit dans Bacon et dans ses disciples français du XVIIIᵉ siècle, que dans Descartes.

2º Les érudits de ces dernières années, M. Strowski, et surtout M. Villey, ont apporté de très neuves, très fines et très fécondes études où ils ont essayé de faire l'histoire du livre et des idées de Montaigne, en indiquant ses sources, en datant ses chapitres et parties de chapitres. On voit mieux maintenant comment Montaigne a recueilli la pensée de la Renaissance, et y a ajouté. Mais surtout on se fait une idée, encore bien incomplète, mais tout de même un peu plus claire, de ce qu'a été la vie intellectuelle de Montaigne, de ce qu'ont été les étapes de la pensée qui s'est déposée confusément dans le livre des *Essais*. M. Villey, d'accord en gros avec M. Strowski, distingue trois périodes principales : 1º une période stoïcienne qui s'est inscrite dans les plus anciens chapitres du livre. Je n'aime pas le mot *stoïcienne* : Montaigne dès lors empruntait autant à Épicure. *Sénéciste* est barbare : mais il est vrai que c'est alors qu'il s'inspire surtout de Sénèque. Je dirais plutôt : une période de foi philosophique et d'ascétisme rationnel. Montaigne regarde la mort. Il y a une tension de toutes ses énergies pour s'y familiariser. La philosophie est une préparation à la mort. La vertu est un effort contre la nature. — 2º Une période sceptique : le point culminant, c'est l'apologie de Raymond Sebond. — 3º Une période épicurienne d'abandon à la nature et à la volupté. Montaigne regarde la vie, et non plus la mort. D'une philosophie de la mort, il passe à une philosophie de la vie. Il se détend. A l'ascétisme roidi succède le mouvement aisé. La vertu, comme le bonheur, sont dans le sens de la nature. Il ne s'agit que de connaître et comprendre la nature. — Les trois moments se laissent bien voir ; mais il faut remarquer que les limites ne sont pas nettes, qu'il y a pénétration réciproque, que les trois états ont coexisté ; le second s'aperçoit dès le premier exercice de la pensée de Montaigne, et le troisième également ; et il y a des prolongements du premier et du second jusque dans des passages qui sont de la dernière époque. Les trois moments ne sont que les maxima de trois courbes qui traversent tous les *Essais*, et même, avant les *Essais*, toute la vie de Montaigne.

Dernière remarque. Tandis que Rabelais nous représente le départ enthousiaste de la Renaissance française, les espoirs illimités et les ambitions chimériques, Montaigne nous en montre je ne dis pas l'arrêt, mais l'apaisement désillusionné et assagi, l'abandon des poursuites magnifiques de l'impossible, l'activité qui se restreint aux efforts capables de donner un résultat, modeste si l'on veut, mais positif. Il fait, peut-on dire, la liquidation de l'entreprise de la Renaissance; il réalise tout ce qui peut être réalisé. Les résultats qu'il dégage, les directions qu'il indique sont ce qu'exige et admet le génie français, ce qui prépare le XVIIᵉ siècle classique. Même son idée de l'art, où la beauté plastique tient moins de place que chez Ronsard, se retrouve mieux que celle de la Pléiade, dans la poésie du siècle suivant.

Appendice XII   *Page 383, 3ᵉ ligne avant la fin.*

Maynard mérite mieux que cet éloge. Il est le plus *artiste* des trois, au sens parnassien du mot. Il a une netteté d'images et une fermeté de rythmes qui font de lui un maitre. Et il est sobre, d'une sobriété pleine que ni Malherbe ni aucun classique n'ont dépassée. Ses imitations des poètes latins sont des créations originales. On connaît le vers de Catulle sur la mort :

> Nox est perpetua una dormienda,

Maynard dit :

> Elle (la tombe) est un lit où jamais on ne veille.

Il fait tomber deux sonnets sur ces vers dignes de Heredia

> Sur le marbre ignoré de la tombe d'Auguste,

et

> Dans le désert, à l'ombre de la Croix.

Appendice XIII.   *Page 412.*

Pour tout ce qui regarde la tragédie, du XVIᵉ au XIXᵉ siècle, je renvoie à mon *Esquisse de l'histoire de la tragédie française*, récemment publiée à New York.

Appendice XV.   *Page 418, nᵒ 1*

Le mémoire de Mahelot vient d'être publié intégralement par M. H Carrington Lancaster (Paris, 1921, in-8ᵒ). Un examen attentif des dessins de Mahelot montre que les décorateurs de l'Hôtel de Bourgogne n'ont pas simplement reçu et réduit le système de décor des Mystères. Ils y ont mêlé plus ou moins la tradition des architectes scéniques de l'Italie; on s'en aperçoit en comparant ces dessins avec les réalisations des décors de Vitruve qu'on trouve dans le second livre de Serlio. De plus, ils ont soumis le décor à la perspective : on distingue encore sous le dessin les tracés légers des axes.

Appendice XVI.   *Page 531, par. 2, l. 3-5*

Il ne faudrait pas conclure que Molière ne fût pas poète. Il y a, çà et là, chez lui, la poésie de la passion ou du sentiment. Il y a,

dans son comique, dans sa bouffonnerie, une fantaisie, effrénée ou
légère, qui est aussi de la poésie. Les reprises récentes de certaines farces et de certaines comédies-ballets, au théâtre des
Arts (sous la direction de M. Jacques Rouché), puis à la Comédie-
Française, et ailleurs, en replaçant le dialogue de Molière dans
un cadre de mise en scène pittoresque ou galante, de danses et
de musique, nous ont rendu plus sensible, l'atmosphère poétique
dont il a parfois enveloppé ses peintures du cœur ou des mœurs.
Sans doute une partie de cette poésie revient à ses collaborateurs
Lulli et autres. Mais dans l'invention et l'arrangement des *agréments* et *divertissements*, dans la création de ces harmonies
délicates où « s'irréalise » sans détoner le burlesque violent de
certaines actions et de certaines figures, Molière a une part considérable. C'est mutiler son œuvre que d'en retrancher les inter-
mèdes, de réduire le *Sicilien* ou *l'Amour médecin* à n'être que des
comédies dialoguées. On ne dégage pas la vérité du *Bourgeois
gentilhomme* ou du *Malade imaginaire* en supprimant les cérémonies où la progression des effets comiques trouve son terme
logique : on arrête le mouvement avant qu'il soit achevé. L'austère
tradition de la Comédie-Française d'autrefois qui ne daignait pas
recevoir la musique, la danse, la pantomime, et qui voulait par
dignité réduire Molière aux éléments intellectuels de son théâtre
et faire de ce théâtre un divertissement d'esprits purs, avait tort.
Tout un aspect, trop longtemps dédaigné, de son génie, nous apparaît dans les reprises plus fidèles de ces derniers temps. Car enfin
rien ne prouve que Molière se soit fait violence en travaillant pour
le roi, et qu'il n'ait pas trouvé un plaisir d'artiste à inventer la
cérémonie du *Malade*, ou les matassins de Pourceaugnac.

Appendice XVII.   *Page 553, fin du 3ᵉ par.*

Je dirais aujourd'hui que Racine a essayé de rapprocher la
tragédie française de la tragédie grecque : sans renoncer à la précieuse originalité psychologique et dramatique de la tragédie française, il a voulu y ajouter la beauté de poésie qui était le propre
de la tragédie grecque, poésie lyrique de la souffrance passionnée,
poésie épique des sujets légendaires ou historiques. Il y a si bien
réussi, qu'après lui la tragédie a été perdue. Auteurs et public
s'accordaient à vouloir que la tragédie fût poétique. Mais on avait
rompu avec l'hellénisme, on avait perdu le secret de Racine : de
là les tâtonnements et les essais infructueux d'*Athalie* à *Hernani*.

Appendice XVIII.   *Page 577, fin du 2ᵉ alinéa.*

Ni mes études personnelles depuis vingt-cinq ans, ni même les
travaux des érudits distingués qui se sont occupés de Bossuet en

ces dernières années, ne me paraissent exiger de graves retouches au portrait que je traçais de Bossuet en 1894.

Bossuet n'a pas aujourd'hui, comme on dit, une très bonne presse. Les libres penseurs et les protestants ne lui ont pas pardonné. Et le catholicisme orthodoxe ne le ménage pas. On ne lui pardonne pas son gallicanisme ni ce qu'on sent chez lui de tendance janséniste. On lui en veut de toute la sympathie qu'on a pour l'ultramontain et mystique Fénelon. Le rationalisme même étant sensiblement en défaveur chez beaucoup de philosophes, Bossuet qui a « rationalisé » la religion catholique dans la mesure où elle pouvait l'être en restant catholique et en restant religion, a subi encore le contre-coup de ce mouvement.

On a essayé de trouver des taches dans sa vie et son caractère. La question de son prétendu mariage n'est pas du tout claire; mais des obscurités, des insuffisances d'information ne sont pas des preuves. On a aussi singulièrement exagéré ce qu'on appelle ses complaisances envers le Roi et le pouvoir royal, sa courtisanerie ou sa servilité. Bossuet n'est pas un saint (quoi qu'on puisse être saint et adroit). Ce n'est qu'un homme, c'est certain. Mais cet homme fut honnête, et fut grand. Il n'a jamais pris ni cru avoir à prendre à l'égard de Louis XIV l'attitude d'un prophète d'Israël tançant un roi pécheur. Il a essayé d'être à la fois l'homme du roi et l'homme de l'Église : donc homme de mesure et de compromis. Il n'y a eu que son style (et encore observé d'un peu loin) qui ait été intransigeant : sa conduite a été opportuniste.

Il prend place dans la lignée des grands prélats qui, en demeurant rigoureusement fidèles à l'Église, ont préféré être d'accord plutôt qu'en guerre avec la société civile, qui ont cherché à résoudre les conflits plutôt qu'à les pousser à bout.

Quant à l'affaire du quiétisme, les incroyants qui ont une tendresse pour Fénelon, sont dupes de la même illusion que les philosophes du XVIIIᵉ siècle : ils prennent l'hétérodoxie pour un acte de libre pensée. Fénelon n'était pas plus tolérant que Bossuet. Et l'expérience mystique de Fénelon est plus loin de la connaissance rationnelle que la théologie de Bossuet, théologie sans doute autoritaire en son principe, mais qui, dans son développement, admet l'emploi de la raison et de ses méthodes.

Appendice XIX.   *Page 632, fin du 4ᵉ alinéa.*

Il faut faire ici bien attention aux dates.

Les *Entretiens sur la Pluralité des Mondes* sont de 1686. L'*Histoire des oracles* est de 1687. Les *Pensées sur la comète* sont de 1682. Les *Nouvelles de la République des Lettres* paraissent de 1684 à 1687 : c'est là qu'est publié en 1686 la *Relation de l'île de Bornéo*. Les opuscules de Saint-Evremond circulent à partir de 1668-1670. Les *Voyages imaginaires* où s'insinue la critique religieuse et sociale, paraissent, *la Terre australe connue* de Gabriel de Foigny en 1676, l'*Histoire des Sévarambes* de Denis Vairan d'Alais en 1677, l'*Histoire de l'île de Caléjava* de Claude Gilbert en 1700, les *Voyages de Jacques Massé* de Tyssot de Patot en 1710. Les opuscules épicuriens de Baudot de Juilly, de Rémond le Grec, de Rémond de Saint-Mard datent de 1701 et 1711. La discussion des abus et des réformes commence en 1696 et 1707 avec Boisguillebert, en 1707 avec Vauban.

Le mouvement de pensée qu'on appelle le XVIIIe siècle commence donc bien avant la mort de Louis XIV, non seulement aux environs de 1700, mais même aux environs de 1680, ou plus tôt. Le grand roi et les grands écrivains monarchiques et chrétiens nous cachent tout ce mouvement.

Appendice XX.   *Page 648, fin du 3e alinéa.*

Entre Crébillon et Voltaire (le Voltaire de *Brutus* et de *Zaïre*), à côté du Voltaire d'*Œdipe* et de *Marianne*, il faudrait placer Houdart de La Motte. Non pour ses idées de réforme, la tragédie en prose, le rejet des unités, qu'il n'a soutenus que bien timidement par sa pratique. Mais pour une certaine conception poétique du sujet tragique. *Inès de Castro*, c'est la poésie du sentiment introduite dans la tragédie; c'est le tableau attendrissant de l'innocence persécutée et de l'amour malheureux. Mais surtout les *Machabées* sont réellement un essai de tragédie lyrique : cette tragédie est un opéra sans musique; les personnages chantent plus qu'ils n'agissent; ils chantent leur enthousiasme, leur foi, leur douleur. Malheureusement La Motte, assez intelligent pour choisir des sujets poétiques, n'est pas assez poète pour les traiter. Mais son cas n'en est que plus significatif : il révèle le besoin de poésie qui sera au fond de toutes les tentatives de renouvellement de la tragédie, chez Voltaire et chez tous les autres, d'*Athalie* à *Hernani*.

Appendice XXI.   *Page 651, fin du 1er alinéa.*

C'est qu'il y avait dans l'opéra un modèle de tragédie lyrique, où l'effet poétique, beauté des tableaux, chant des passions, prenait le pas sur le mécanisme de l'intrigue. C'est par l'opéra qu'on pouvait échapper au mélodrame. Tout ne fut donc pas mauvais dans cette action. — Sans vouloir surfaire le théâtre de Voltaire, *Zaïre* est un poème musical et tendre qui exprime joliment un moment de nos mœurs. *Mahomet* est une tentative originale et forte. Voltaire est le premier qui ait essayé de construire ou de faire mouvoir le caractère du fondateur de religion, ceux des disciples candides et fanatiques. Il a créé aussi,

d'après Shakespeare et d'après sa propre sensibilité, d'accord
avec le sentiment français de son temps, un caractère de femme,
aimante, tendre, toute à l'amour, pas du tout héroïne ni Furie,
capable seulement des défaillances et des crimes qui ne demandent
que de la faiblesse. Ses pièces sont pleines de vélléités lyriques et
d'intentions de couleur que le style arrête ou éteint.

Appendice XXII.   *Page 676, avant-dernière ligne.*

L'abbé Prévost est peut-être l'écrivain qui a le mieux traduit les
premières langueurs romantiques de l'âme française. Il faut
s'arrêter à son œuvre et la regarder de près quand on étudie les
origines nationales du romantisme (Cf. B. Woodbridge, Romantic
tendencies in the novels of the abbé Prevost, *Public. of the Mod.
Lang. Ass.*, 1911).

Appendice XXIII.   *Page 699, fin du 1er alinéa.*

Lorsque Voltaire écrit ses premières remarques sur Pascal, il ne
fait que continuer une tradition des esprits libres. Tous les
épicuriens et sceptiques, de 1680 ou 1690 à 1730, font leur *Anti-
Pascal*, plus ou moins ouvertement. Sans parler de Saint-Evremond
qui peut-être contredit Pascal avant de l'avoir lu, Baudot de
Juilly, Boulainvilliers (dans sa prétendue *Réfutation de Spinoza*),
Rémond de Saint-Mard, Lévesque de Burigny, divers auteurs
anonymes de traités irréligieux restés inédits ou imprimés après
1740, Vauvenargues même, ont pris à partie les points de vue
ou les arguments des *Pensées*. Il y a là un courant très fort qui
n'est plus guère représenté que par Voltaire et Vauvenargues dans
la littérature qu'on lit encore.

Appendice XXIV   *Page 713, fin du 3e alinéa.*

Il ne pouvait connaître Beaufort : mais comment a-t-il pu
ignorer Levesque de Pouilly et le débat que ses doutes sur
l'histoire des premiers siècles de Rome avaient suscité à l'Académie
des Inscriptions et Belles-Lettres quelques années plus tôt?

Il y aurait lieu d'étudier chez Montesquieu l'application de la
psychologie à l'histoire, l'emploi de la psychologie individuelle et
collective pour éclairer l'origine et les conséquences des faits. Ni
dans les *Considérations*, ni dans *l'Esprit des Lois*, Montesquieu n'oublie que les individus et les peuples réagissent diversement aux
mêmes causes selon leur nature et leurs habitudes.

Appendice XXV.   *Page 724, 2e ligne.*

Montesquieu, regardant l'Angleterre, rêvait *quelque chose de
pareil* en France. Il faut préciser. Il rêvait la liberté pour la
France comme il la voyait en Angleterre. Mais pas dans la même
forme d'institutions. Montesquieu n'a pas voulu établir la constitu-

tion anglaise chez nous. Il a voulu restaurer en France contre
le despotisme royal, et pour le rendre impossible, les pouvoirs
intermédiaires qui n'existaient plus en Angleterre, et que la royauté
chez nous, depuis Louis XI, s'acharnait à détruire. La liberté
française, selon lui, était morte sous Louis XI. Pour la faire
renaître, il fallait ressusciter toutes les puissances féodales qui
tenaient le roi en échec : noblesse, clergé, Parlements, corps de
ville, etc. C'est dans le passé de la France, non à l'étranger, que
Montesquieu cherchait le remède aux abus. Son livre serait rétrograde, comme Helvétius a cru qu'il l'était, sans l'idéal très
moderne de liberté, de tolérance, et de raison qu'il propose avec
une si généreuse passion.

Quiconque voudra pénétrer le vrai sens, non pas le sens
qu'a pour nous, mais le sens qu'avait pour Montesquieu *l'Esprit
des Lois*, devra étudier de très près les deux derniers livres. On en
tient peu de compte à l'ordinaire, parce qu'ils sont historiques,
et parce qu'ils ont été ajoutés au dernier moment par l'auteur.
Mais parce qu'ils sont historiques, ils font voir comment la doctrine de Montesquieu s'assouplit et s'adapte à la complexité de la
réalité; et parce qu'ils traitent de la France, ils laissent voir quel
jugement il porte sur nos institutions et notre développement
national. S'il a tant tardé à les ajouter, ce n'est pas qu'il les crût
en dehors du plan de son livre. C'est qu'il avait peur de ne pouvoir dire sa pensée sans imprudence sur de telles matières.

Appendice XXVI. *Page 730, fin du 2ᵉ alinéa.*

Il y a chez Vauvenargues une âme révolutionnaire et romantique. Il a cinquante ans trop tôt la fièvre d'action et d'ambition
qui a fait les Hoche et les Barnave. Cinquante ans avant que
naquit Stendhal, il a le culte de l'énergie, il préfère la grande
âme capable de crime à la nauséabonde vertu des braves gens
qui respectent le Code. Il aime à inventer des caractères de séditieux, de conspirateurs, d'ambitieux, où il introduit sa sensibilité,
comme Byron se mettra dans *le Giaour* ou dans *Manfred*.

Appendice XXVII. *Page 737, fin du 1ᵉʳ alinéa.*

L'Art d'écrire de Condillac mérite encore d'être étudié par quiconque est soucieux de clarté et d'enchaînement. Le principe de
« la plus grande liaison des idées », auquel il ramène tout l'art
d'écrire, est un équivalent exact, sous un vocable moins emphatique, de ce que Taine appellera « la convergence des effets ».

L'esthétique littéraire de Condillac est digne aussi d'attention.
Il a montré qu'il savait bien au fond ce que c'était que poésie,
quand il a établi une échelle de style qui pose aux deux extrémités
contraires le style philosophique, tout en rapports, et le style

poétique, tout en images. Il a bien défini le naturel classique
quand il a dit : « C'est l'art tourné en habitude. » Il a conçu nettement la force du génie national qui oblige chaque peuple à rester
lui-même, et qui condamne toute imitation à un échec. Les Français sont demeurés français en croyant acclimater chez eux la
littérature des Grecs et des Latins : on ne réussirait pas mieux à
importer chez nous la littérature des Anglais. Il est donc inutile
d'imiter, parce qu'il est impossible d'imiter. Chaque peuple est
justifié dans son goût, parce qu'il n'en peut avoir d'autre. Ce n'est
pas que tous les goûts soient égaux. Il y a des beautés universelles
et des beautés locales ; le genre le plus élevé, et la littérature la plus
digne d'admiration, sont le genre et la littérature qui comportent
le plus de beautés universelles.

En somme, Condillac a amené les idées littéraires de son temps,
celles de Voltaire et de Marmontel, à un degré de précision, de
clarté, et de profondeur (je ne crains pas le mot) tout à fait remarquable. C'est lui vraiment qui marque dans l'évolution du goût
français l'étape intermédiaire entre le dogmatisme de Boileau et le
relativisme de Mme de Staël. On n'en a jamais tenu suffisamment
compte.

Appendice XXVIII.   *Page 799, fin du 2ᵉ alinéa.*

Rousseau s'est défié de la raison. Rousseau est un sentimental
et un mystique. Mais il n'a pas accepté d'autorité extérieure, et il
n'attribuait de pouvoir ou de droit à sa conscience, à son émotion,
à son intuition religieuse qu'autant que sa raison y consentait.
C'était sa raison qui disait à sa raison de plier dans certains cas.
P.-M. Masson a écrit un beau et fort livre sur la religion de
J.-J. Rousseau. Il y aurait aussi pour un homme de talent un
beau et fort livre à écrire sur le rationalisme de Rousseau. Car il
reste rationaliste jusque dans son mysticisme.

Mais il a rouvert la porte à des gens qui n'admettaient pas plus
la souveraineté du sentiment que la souveraineté de la raison, et
pliaient tout l'esprit sous une autorité extérieure.

Appendice XXIX.   *Page 854, fin du 1ᵉʳ alinéa.*

J'ai eu tort de jeter aussi résolument par-dessus bord toute la
poésie révolutionnaire.

L'âme de toute une nation est entrée dans la *Marseillaise* ; et
dans toutes les crises de notre vie nationale, depuis plus de
cent vingt-cinq ans, la *Marseillaise* reparaît comme le chant où
s'exprime la volonté française de vivre libre et d'aider le monde
à se rendre libre. La *Marseillaise* est une aspiration, un rythme,
un élan : les hommes de toutes les nations en sont entraînés. Peu
importe qu'elle ait été écrite dans le jargon passager d'une époque :

peu importe que son auteur, Rouget de l'Isle, n'ait rien fait que de
médiocre en dehors de la *Marseillaise*. Il fut poète une heure.

La Révolution a fait une tentative qui, pour n'avoir eu qu'un
jour, ne doit pas être oubliée. Elle a réalisé, selon l'idée de Rousseau, de grandes fêtes collectives, sociales ou patriotiques, où la
poésie et la musique s'associaient avec le spectacle, les évolutions
de figurants, les cortèges, et qui mettaient en action des foules
organisées. Ces fêtes donnèrent lieu à la création d'une poésie
chorale qui n'avait jamais existé en France. Les principaux
auteurs furent M.-J. Chénier et Desorgues, sans parler de Rouget
de l'Isle et de la *Marseillaise*. Les hymnes, cantates, chœurs, etc.
qu'on exécuta dans les solennités révolutionnaires, avaient tantôt
un caractère républicain et national, tantôt un caractère philosophique et religieux. Plusieurs pièces sont d'une belle allure, ont
de la largeur et du souffle. Cf. *Poésies nationales de la Révolution
française*, 1836, in-8°. J. Tiersot, *Les fêtes et les chants de la Révolution française*, 1909.

Appendice XXX. *Page 915, fin du 2ᵉ alinéa.*

L'influence de Proudhon, comme celle de Fourier et de toutes les
formes du socialisme français, a été, sous la 3ᵉ République, longtemps presque éliminée par la domination du marxisme allemand.
L'idéalisme français était condamné par le matérialisme historique.
Cependant la victoire de la doctrine germanique ne fut pas complète,
et Jaurès fit toujours des réserves. Il restait idéaliste. La guerre,
en découvrant la faiblesse morale du socialisme allemand et ses
capitulations devant le pouvoir impérial et l'impérialisme conquérant, ramena une partie des socialistes français aux sources nationales de la doctrine. Proudhon en a bénéficié plus qu'aucun autre.

Appendice XXXI. *Page 933, fin du 1ᵉʳ alinéa.*

Tous les sentiments romantiques ont été éprouvés, essayés au
XVIIIᵉ siècle, non pas à la fin seulement, mais à travers tout le
siècle. On peut dire que le romantisme sentimental s'est révélé en
grande partie avant la Révolution. Ce qui reste à découvrir et
surtout à réaliser, c'est le romantisme artistique. C'est la forme
convenable à cette matière nouvelle. Le XVIIIᵉ siècle ne réussit pas
à libérer sa sensibilité des habitudes intellectuelles et des habitudes
de style que l'esprit classique avait formées. Et naturellement, le
sentiment, lorsqu'il put se donner la traduction verbale qui lui
convenait, en fut renforcé, multiplié, renouvelé. Des états impossibles à concevoir, tant que dura la langue classique, apparaissent dans l'expression romantique. Cf. Mornet, *Le romantisme
au XVIIIᵉ siècle*, 1912.

Appendice XXXII   *Page 937, fin du 1er alinéa.*

Il y eut un romantisme libéral dès la première heure. C'étaient
des disciples de la philosophie du XVIIIe siècle et des idéologues
sentimentaux à la façon de Rousseau et de Diderot, influencés par
les idées de Mme de Staël et la connaissance des littératures
anglaise, allemande, italienne, etc. Ils croyaient à la nécessité, à
l'urgence d'un élargissement du goût et d'une rénovation de la
littérature. Ils voulaient desserrer les liens des règles et des
bienséances, admettre le modernisme des sujets, essayer l'acclima-
tation des beautés étrangeres. Assez larges dans leur critique, ils
sont assez timides dans leurs réalisations. Et surtout plus intelligents qu'artistes, plus philosophes que poètes. Le don créateur, il
faut le reconnaître, est dans l'autre camp. Du moins, puisque
la littérature devait d'abord se renouveler par la poésie, ni
Rémusat ni Stendhal même ne pesaient guère contre Lamartine
ou Hugo.

Appendice XXXIII.   *Page 967, fin du 2e alinéa.*

Mais ce procédé nous permet d'apercevoir à quel point Gautier
est un fin connaisseur. C'est là qu'il est supérieurement intelligent,
et j'avoue aujourd'hui que pour un artiste et un poète, mieux vaut
être intelligent en poésie et en art qu'en métaphysique. Th. Gautier
sent avec une très délicate justesse toutes les intentions et les
nuances de l'œuvre qu'il analyse; il en apprécie très sûrement la
qualité. Et quand on est habitué à ses façons de dire, on s'aperçoit de tout ce que ses somptueuses métaphores et ses hyperbo-
liques compliments contiennent de précision analytique et de clairvoyance souriante.

Appendice XXXIV.   *Page 1006, l. 9.*

On lui fait tort, en effet, parfois. Mais l'essentiel était non de le
vénérer, mais de le connaitre. Et c'est ce que tous ces papiers ont
permis de faire. Voyez l'excellent travail de M. Arbelet sur *La
jeunesse de Stendhal*, 1914.

Appendice XXXV.   *Page 1007, livre 6.*

Je dirais aujourd'hui que Stendhal est le poète de l'action,
plutôt qu'un homme d'action. Ses plus rares jouissances lui sont
venues d'imaginer l'action, et de se souvenir de l'action. En réalité,
sa campagne d'Italie a surtout été pour lui la mémoire de sensations délicieuses. Et dans la campagne de Russie, il a eu plutôt
l'énergie d'endurance, de résistance, que la véritable action.
M. Arbelet a bien montré ce qu'il y a de sensibilité ardente et
romanesque chez Stendhal, derrière le masque de sang-froid ironique qu'il avait mis. Il représente un type très curieux de Français

Appendice XXXVI. *Page 970, fin du 1er alinéa.*

La phrase de Maurice de Guérin rappelle, par l'ampleur du rythme et la continuité du discours, la période oratoire de Bossuet, de Rousseau, de Chateaubriand. Une autre forme de poème en prose naissait vers le même temps, qui se rattache plutôt à la concision vigoureuse et pittoresque de La Bruyère : celle que créait Aloysius Bertrand, dans son *Gaspard de la Nuit, fantaisies à la manière de Rembrandt et de Callot,* où il cherchait « des procédés nouveaux d'harmonie et de couleur » qui se renforceraient mutuellement. Baudelaire appliqua « à la description de la vie moderne, ou plutôt *d'une* vie moderne et plus abstraite, le procédé qu'Aloysius Bertrand avait appliqué à la peinture de la vie ancienne ». (Dédicace des *Petits poèmes en prose.*) Rimbaud, Mallarmé, Huysmans, Claudel, Gide et bien d'autres devaient user avec bonheur de cette forme nouvelle (selon le Des Esseintes d'*A rebours,* « suc concret,... huile essentielle de l'art ») qui, à la faveur du discrédit où est tombée la versification traditionnelle, a étendu ses conquêtes de toutes parts. Voir : Chapelan, *Anthologie du poème en prose,* 1946. Pour Aloysius Bertrand (né à Céva dans le Piémont en 1807, mort à Paris en 1841) : *Gaspard de la Nuit,* 1842 (rééd. Cargill Sprietsma, 1926). — A consulter : Cargill Sprietsma, *Louis Bertrand,* 1926.

Appendice XXXVII. *Page 1083, fin du 3e alinéa.*

Cette religion de l'art fondée par Flaubert n'a pas eu d'adepte plus fervent qu'Élémir Bourges. Il « donna sa démission de la vie » et se retira dans une solitude dédaigneuse où il vécut en dialogue perpétuel avec les grands morts, leur demandant émotions esthétiques et exaltations philosophiques. Il avait, comme son maître, le goût des passions forcenées et du pittoresque violent, et une pensée désenchantée : mais Flaubert gardait les yeux ouverts sur la vie, Bourges ne voulait connaître que les livres. Ses œuvres sont peu nombreuses : trois romans, une énorme épopée philosophique où il a essayé de rivaliser avec *la Tentation de Saint-Antoine.* D'excellents écrivains ont salué son « génie », sans convaincre le grand public qui sent d'instinct que cet art somptueux et raffiné se nourrit de lectures et non d'expériences vécues. Bourges représente admirablement la littérature d'esthètes qui s'est développée parallèlement au naturalisme et en réaction contre ses vulgarités. Villiers de l'Isle-Adam (cf. p. 1126, n. 2), Marcel Schwob (cf. p. 1197, n. 2) en sont d'autres exemples; le Des Esseintes de Huysmans, dans *A rebours,* est l'expression exaspérée et presque caricaturale de cette tendance. Élémir

Bourges, Manosque 1852-1925 Paris. *Le Crépuscule des Dieux*, 1884;
Sous la Hache, 1885; *les Oiseaux s'envolent et les Fleurs tombent*, 1893;
la Nef (épopée philos.) : 1904, 1re partie; 1922, 2e partie. — A
consulter : le Divan, *Hommage à E. Bourges*, 1923; R. Schwab,
Vie d'E. Bourges, 1948; M. Thiébaut, *Rev. de Paris*, avril 1951.

	Littérature religieuse.	Histoire.	Chansons de geste.	Romans antiques.	Romans bretons.
X° siècle.	Vie de saint Léger.				
XI° siècle. 1000-1050.	Vie de saint Alexis, vers 1040.		Fragment de la Haye (latin).		
1050-1100.			Roland, vers 1080.		
		Chanson d'Antioche, vers 1098.			
XII° siècle. 1100-1150.			Le charroi de Nîmes. Le couronnement de Louis.	Albéric de Besançon, Alexandre. Roman d'Enéas.	Beroul, Tristan.
1150-1170.		Wace, Roman de Brut, vers 1155. Wace, Roman de Rou, 1160-1174.		Benoît de Sainte-More, Roman de Troie, vers 1160.	
1170-1200.	Garnier, Vie de saint Thomas, 1173. Sermons de Maurice de Sully, vers 1180.		Aliscans. Les Lorrains.	Lambert le Tors et Alexandre de Bernay, Alexandre.	Lais. Thomas, Tristan. Chrétien de Troyes, la Charrette, Yvain, Perceval, entre 1170-1180.
XIII° siècle. 1200-1220.	Trad. des Sermons de saint Bernard, 1200-1210.	Villehardouin, Chronique, 1205-1213.	Bertrand de Bar-sur-Aube, Girart de Viane, Aimeri de Narbonne, 1210-1220.		Robert de Boron, 1215. Quête du Graal; Lancelot, vers 1220.

Fabliaux.	Contes d'animaux.	Litt. didactique.	Poésie lyrique et personnelle.	POÉSIE DRAMATIQUE	
				religieuse.	profane.
			Chansons de toile.	Les Vierges folles.	
			Chanson pour la croisade avant 1147.	Le drame d'Adam.	
Richeut, 1156.		Boèce, Trad. de la Consolation		Jean Bodel, Le Jeu de saint Nicolas, avant 1170.	
	Le Pèlerinage de Renart.				
	Fables de Marie de France, vers 1180.		Conon de Béthune.		
			Blondel de Nesles.		
			Châtelain de Coucy.		
			Gace Brûlé.		
Fabliaux.	Renart.		Jean Bodel, Congé, 1202.		

	Littérature religieuse.	Histoire.	Chansons de geste.	Romans antiques.	Romans bretons.
1220-1250.	Gautier de Coincy, *Miracles de la Vierge*, vers 1230.				
1250-1280.		*Chroniques de Saint Denis*, vers 1275, réd. française.	Raoul de Cambrai. Adenet, *Berte*, 1270.		
XIVᵉ siècle. 1300-1328.		Joinville, *Vie de saint Louis*, 1309.			

2° XIVᵉ E?

	Traductions.	Éloquence.	Morale.	Histoire.	Chansons de geste.
XIVᵉ siècle. 1328-1360.				Jean Lebel, *Chronique*, vers 1350.	*Combat des Trente*, après 1351
1360-1400.	Bersuire, *Tite-Live*, 1362. Oresme, *Aristote*, 1370-1377.			Froissart, *Chroniques*.	
XVᵉ siècle. 1400.			Christine de Pisan, *Œuvres diverses*, de 1390 à 1429.		
1400-1450.		Gerson, *Plaidoyer pour l'Université*, 1404. *Sermons* français, 1389-1414.	Alain Chartier, *Quadrilogue invectif*, vers 1422, *Le Livre de l'Espérance, le Curial*, après 1438.		Mise en prose des chansons de geste.

Fabliaux.	Contes d'animaux.	Litt. didactique.	Poésie lyrique et personnelle.	POÉSIE DRAMATIQUE	
				religieuse.	profane.
		G. de Lorris, *R. de la Rose*, vers 1237.	Thibaut de Champagne, 1225-1240.		Adam de la Halle, *Le jeu de la Feuillée*, 1262.
		Brunetto Latini, *Trésor*, 1265.	Adam de la Halle.		
		Jean de Meung, *R.de la Rose* vers 1277.	Rutebeuf.	Rutebeuf, *Le miracle de Théophile.*	*Robin et Marion*, 1283.
Watriquet de Couvin, *Fabliaux.*	*Fauvel*, 1310-1314.				

XVe SIÈCLES.

Contes.	Poésie lyrique et personnelle.	POÉSIE DRAMATIQUE			
		religieuse.	profane.		
	G. de Machault, † 1377.	*Miracles de Notre-Dame*, vers 1340.	*Griselidis.*		
	E. Deschamps,				
	Froissart.				
Le roman de Troïlus, entre 1390 et 1410.		[Actes relatifs aux Confrères de la Passion.]			
	Alain Chartier, vers 1415.	*Mystères* publiés par A. Jubinal.			
	Charles d'Orléans, entre 1415 et 1465.	[Représ. de la Passion à Metz], 1437.			

	Traductions.	Éloquence.	Morale.	Histoire.	Chansons de geste.
1450-1480.					
1480-1500.				Commynes, *Louis XI,* 1488-1491, *Charles VIII,* 1497-1498.	
XVIᵉ siècle. 1500-1515.		Menot, Maillard, *Sermons.*			
1515-1550.					

Contes.	Poésie lyrique et personnelle.	POÉSIE DRAMATIQUE	
		religieuse.	profane.
			Farces.
Cent nouvelles nouvelles, 1450-1460.	*Chansons* du recueil de **G. Paris** et Raynaud.	*La Passion* de **Gréban**, vers 1450.	
A. de la Salle, *Petit Jehan de Saintré*, 1459.	**Villon**, *Grand Testament*, 1461.	*Le Vieil Testament*.	
	G. Coquillart.	*Les Actes des Apôtres*, avant 1470.	*Maitre Patelin*, vers 1470.
	Henri Baude, Molinet, Meschinot, Crétin; les grands rhétoriqueurs.	*La Passion* de J. **Michel**, 1486.	Farces, soties, moralités.
	Jean Le Maire de Belges, Jean Marot.		**Gringore**, *Le Jeu du Prince des sots*, 1512 (vieux style 1511).
		[Rep. des Actes des Apôtres à Bourges, 1536.]	Farces datées du Rec. du *British Museum*, 1542-1548.
		[Repr. de la Passion à Valenciennes, 1547.]	
		[Interdiction des mystères sacrés, 1548.]	

	Théologie et controverses religieuses.	Philosophie morale et politique.	Érudition, grammaire et critique.	Traductions.	Histoire et mémoires.
1500-1515.		[Érasme, *Adages*, 1500.]	J. Lemaire, *Illustrations des Gaules*, 1509-1513.	Claude de Seyssel, *Diodore, Xénophon, Thucydide.* (Thuc.impr. en 1527.)	
1515-1530.				J. Sanson, *Homère*, 1519.	
			G. Tory, *le Champfleury*, 1529. [Lecteurs royaux, 1530.]	Le Fèvre d'Etaples, *Evangiles*, 1524; *Bible*, 1530.	*Le loyal serviteur*, 1527.
1530-1540.	[Calvin, *Institution*, latine, 1536],		[Dubois, *Grammaire*, en latin, 1531.]	Lazare de Baïf, *Electre*, 1537, et *Hécube*.	*Mémoires de* G. du Bellay, s. de Langey.
1540-1550.	*Institution*, en français, 1541.		Meigret, *Traités grammaticaux*, 1545-1550.	Ch. Estienne, *l'Andrienne*, 1540. Salel, *Homère*, 1545.	
		La Boétie, *Servitude volontaire*, vers 1548 1550.	Du Bellay, *Défense et illustration*, 1549.	La Boétie, *Economique*.	
1550-1560.				Belleau, *Anacréon*, 1557. Amyot, *Vies de Plutarque*, 1559.	

Éloquence.	Pamphlets.	Romans et contes.	Poésie.	THÉÂTRE	
				tragique.	comique.
			J. Le Maire de Belges, 1513. Jean Marot.		
	Despériers, *Cymbalum*, 1538.	Rabelais, *Chroniques gargantuines*, 1532, *Pantagruel*, 1533, *Gargantua*, 1535.	Cl. Marot, *Adolescence clémentine*, 1532, *Poésies*, 1539,	Mystères et moralités.	Farces et soties.
Calvin, *Sermons*.		D'Herberay des Essarts, *Amadis de Gaule*, 1540-48. Rabelais, *3e livre*, 1546. Noël du Fail, *Propos rustiques*.	*Psaumes*, 1544-45. M. Scève, *Délie*, 1544. Mellin de St-Gelais. Marguerite de Navarre, *Poésies*, 1547. Du Bellay, 1549.		
Calvin, *Sermons*.		Rabelais, *4e livre*, 1552. *Heptaméron* de la reine de Navarre, 1558-1559. Despériers, *Joyeux devis*, 1558.	Ronsard, *Odes*, 1550. Louise Labé, 1555. Ronsard, *Hymnes*, 1555. Du Bellay, 1558. Ronsard, *Œuvres*, 1560.	Jodelle, *Cléopâtre*, 1552. Grévin, *Mort de César*.	Jodelle, *Eugène*, 1552. Grévin, *la Trésorière*, 1558

	Théologie et controverses religieuses.	Philosophie morale et politique.	Érudition, grammaire et critique.	Traductions.	Histoire et mémoires.
1560-1570.			Pasquier, *Recherches de la France*, 1560-1619. [Scaliger, *Poétique*, en latin, 1561.]		
1570-1580.		L'Hôpital, *But de la guerre et de la paix*, 1568. Bodin, *De la République*, 1576-1578. Montaigne, *Essais*, l. 1 et 2, 1580,	H. Estienne, Traités sur la langue française, 1567-1579. Palissy, *Discours admirables*, 1580.	Amyot, *Œuvres morales de Plutarque*, 1570.	Monluc, *Mémoires*, vers 1575-1577, éd. 1592.
1580-1590.	Duplessis-Mornay, *Vérité de la religion chrétienne*, 1581.	*Essais*, l. 3, 1588.	Fauchet, *Antiquités* 1579 1601.		La Noue, *Discours*, 1587. Brantôme, *Vies*.
1590-1600.	Charron, *les Trois vérités*, 1594.	Du Vair, *Œuvres morales*. Montaigne, éd. de Mlle de Gournay, 1595.			
1600-1615.	Du Plessis-Mornay. Du Perron. Fr. de Sales, *Vie dévote*, 1608, *Amour de Dieu*, 1610.	Charron, *De la Sagesse*, 1601. Montchrétien *Économie*, 1615.			[De Thon, en latin], 1604-1617.

Éloquence	Pamphlets.	Romans et contes.	Poésie	THÉÂTRE	
				tragique.	comique.
L'Hôpital, *Mercuriales, Harangues et Remontrances.* Pasquier, *Plaidoyer contre les Jésuites,* 1565.	H. Estienne, *Apologie pour Hérodote,* 1566.	*L'Isle sonnante* (5ᵉ l. de Rabelais), 1562. N. du Fail, *Eutrapel,* 1565.	Ronsard, *Discours,* 1562-1563. Belleau, 1566.	Baïf, *Antigone,* 1565.	
			Ronsard, *Franciade,* 572. Baïf, Desportes, 1573. D'Aubigné commence ses *Tragiques,* 1577. Du Bartas, 1ʳᵉ semaine, 1579.	Garnier, *Tragédies,* 1568-1580.	Larrivey, *6 Comédies,* 1579.
Du Perron, *Or. fun. de Ronsard,* 1586. Prédicateurs de la ligue. Du Vair, *Discours.* Du Perron, *Sermons.*	*Satire Ménippée,* 1594.		Malherbe, *Larmes de saint Pierre,* 1587.		Turnèbe, *les Contents,* 1584.
Fr. de Sales, *Sermons.*		D'Urfé, *l'Astrée,* 1608.	Bertaut, 1605. Régnier, 1608-1612.	Montchrétien, *Tragédies,* 1601-1604. Hardy.	Larrivey, *3 Comédies.*

	ÉLOQUENCE		Théologie et controverse.	Philosophie, morale et politique.	Critique et grammaire
	politique et judiciaire.	religieuse.			
1615-1630.		Cospean, évêque d'Aire. O ratoriens, Jésuites.			
					Fr. Ogier, Préf. de Ty et Sidon, 1628.
1630-1640.	Ant. Le Maitre, avocat, avant 1638.	Le P. Senault.		Balzac, Dissertations. Descartes, Discours de la méthode, 1637.	Chapelain, 1625-1670. [Fondation d l'Académie Française 1634-1637.]
1640-1650.	Patru.		Arnauld, Fréquente communion, 1643.		Vaugelas, Remarques 1647.
1650-1660.	Harangues en Parlement pendant la Fronde, 1648-52.	Bossuet, à Metz, 1652-1658.	Pascal, Provinciales, 1656-57.	Descartes, Traité des Passions, 1649.	D'Aubignac, Pratique du théâtre, 1657. Corneille, Discours e examens, 1660.

Romans et contes.	Histoires et mémoires.	Lettres.	Poésie.	THÉÂTRE	
				tragédie.	comédie.
D'Urfé, *L'Astrée*, vers 1608-1627.	D'Aubigné, *Hist. universelle*, 1616-1620.	Malherbe, † 1628.	Malherbe, † 1628.	Hardy, Tragi-comedies et pastorales. J. de Schelandre, 1610.	
			Théophile, † 1626.		
D'Aubigné, *Fœneste*, 1617-1630.			D'Aubigné, *Tragiques*, 1616.	Théophile, *Pyrame* et *Thisbé*, 1617?	
Sorel, *Francion*, 1622.			[Marino, *l'Adone*, 1623.]	Racan, les *Bergeries*, 1625.	
				Mairet, *Sophonisbe*, 1634.	Corneille, *Mélite*, 1629 Mairet.
				Rotrou.	
Gomberville.		Balzac.	Maynard, † 1646.	Scudéry, Corneille.	
		Voiture.	Racan.	Corneille, le *Cid*, 1636.	Rotrou, les *Ménechmes*, 1636.
		Mme de Maintenon, *Premières lettres*, vers 1640.	Voiture, † 1648.	Scudéry.	Desmarets, les *Visionnaires*, 1637.
			Saint-Amant.	Corneille, *Horace*, *Cinna*, 1640.	
				Tristan.	
		Guy Patin.		Corneille, *Polyeucte*, 1643.	Le Menteur, 1644.
La Calprenède, de 1640 à 1660.		Mme de Sévigné, *Premières lettres*, vers 1644.		Rotrou, *Saint-Genest*, 1646.	Molière, en province, 1646-1658.
Mlle de Scudéry, *Cyrus*, 1649.			Scarron, *Virgile travesti*, 1648.	*Venceslas*, 1647.	
Scarron, *Roman comique*, 1651.	Mme de Motteville.		Racan. *Psaumes*, 1651.	Corneille, *Nicomède*, 1651.	Scarron, *don Japhet*, 1653.
Mlle de Scudéry, *Clélie*, 1656.		Mme de Sablé.	Scudéry, *Alaric*, 1654.	Quinault, 1656-1666.	Cyrano, *Pédant joué*, 1654.
			Chapelain, *La Pucelle*, 1656.	Thomas Corneille.	

	ÉLOQUENCE		Théologie et controverse.	Philosophie, morale et politique.	Critique et grammaire.
	politique et judiciaire.	religieuse.			
1650-1660.					
1660-1670.		Bossuet, *Carême du Louvre*, 1662, *Carême de St-Germain*, 1666, *Or.fun.de la reine d'Angl.* 1669, *Avent de St-Germain*, 1669.		La Rochefoucauld, *Maximes*, 1665.	Boileau, *Satires ; Diss. sur les héros de roman.*
1670-1680.		Bourdaloue, 1669-1704. Fléchier.	*Pensées de Pascal* (éd. de Port-Royal, 1670). Nicole, *Essais* (1671). Bossuet, *Exposition de la Foi catholique*, 1671,	Malebranche, *Recherche de la vérité*, 1674-75. Bossuet, *Politique* (réd. des 6 premiers livres, vers 1678).	Ménage. Boileau, *Art poét.*, 1674. Bouhours.
1680-1690.	Patru, *Plaidoyers*, 1681.	Bossuet, évêque de Meaux. Bossuet, *O. fun. de Condé*, 1687.	*Histoire universelle*, 1681, *Variations*, 1688.	Fontenelle, *Dialogues des morts*, 1685, *Pluralité des Mondes*, 1686. Fénelon, *Éducation des Filles*, 1687.	Thomas Corneille. Fénelon rédige ses *Dial. sur l'Éloquence.* Perrault *Parallèles*, 1688-1697.

Romans et contes.	Histoire et mémoires.	Lettres.	Poésie.	THÉÂTRE	
				tragédie.	comédie.
			Desmarets, *Clovis*, 1657. Segrais.		Quinault.
	La Rochefoucauld.	Bussy-Rabutin, † 1690.			Molière, *Précieuses ridicules*, 1659,
Furetière, *Roman bourgeois*, 1666.	Fléchier, *Grands Jours d'Auvergne* de 1665-66.		Boileau, *Satires*, 1666.	Corneille.	*École des femmes*, 1662,
				Racine, *Andromaque*, 1667,	*Don Juan*, 1665,
					Misanthrope, 1666.
			La Fontaine, *Fables*, 1668.	*Britannicus*, 1669,	Racine, *les Plaideurs*, 1668.
					Molière, *Tartufe*, 1669
					Montfleury.
	Mémoires de Retz (rédaction après 1671).	Sévigné, *Premières lettres à Mme de Grignan*, 1671.	Boileau, *Épîtres* et *Art poétique*.	*Bajazet*, 1672, *Iphigénie*, 1674.	Molière, *Femmes savantes*, 1672.
				Corneille, *Suréna*, 1674.	
Mme de la Fayette, *Princesse de Clèves*, 1678.	Mme de la Fayette.		La Fontaine, *Fables*, 1678	Racine, *Phèdre*, 1677.	
		Louis XIV.		Pradon.	
		Mme de Maintenon.	Mme Deshoulières.	Campistron. Racine. *Esther*, 1689.	Boursault.

	ÉLOQUENCE		Théologie et controverse.	Philosophie, morale et politique.	Critique et grammaire.
	politique et judiciaire.	religieuse.			
1680-1690.		Fléchier, év. de Nîmes, 1687.		La Bruyère, *Caractères*, 1688.	Furetière, *Dictionnaire*, 1690.
1690-1700.			Mabillon, *Etudes monastiques*, 1694.		Boileau, *Réfl. sur Longin*, 1694.
		Fénelon, arch. de Cambrai, 1695.	Bossuet, *Réflexions sur la comédie*, 1694.		*Dictionnaire de l'Académie*, 1694.
			Fénelon, *Maximes des Saints*, 1697.	Bayle, *Dictionnaire*, 1697.	
			Bossuet, *Etats d'oraison*, 1697.		
1700-1715.		Massillon. Saurin, pasteur calviniste.	*Défense de la Tradition*, 1704.	Fénelon, *Dial. des morts*, 1700-1712.	
				Fontenelle, *Eloges des Académiciens.*	
				Fénelon, *Existence de Dieu*, 1712.	Fénelon, *Lettre à l'Académie*, 1714.

Romans et contes.	Histoire et mémoires.	Lettres.	Poésie.	THÉÂTRE	
				tragédie.	comédie.
	Bussy, 1696.	Fénelon.		*Athalie*, 1691.	Boursault, *Fables d'Ésope*, 1690.
		Bénédictins.	Racine, *Cantiques*, 1694.		
	[Premières campagnes de Saint-Simon.]				Regnard, *le Joueur*, 1696.
Fénelon, *Télémaque*, 1699.		Saint-Evremond et Ninon		La Grange-Chancel.	Dancourt.
	Mme de Caylus.		Chaulieu.		Regnard.
			La Motte-Houdart.		Lesage, *Turcaret*, 1709.
			J.-B. Rousseau.	Crébillon, *Rhadamiste* et *Zénobie*, 1711.	

	Éloquence.	PHILOSOPHIE		Érudition, archéologie, art, critique, grammaire.	Histoire et Mémoires.
		morale et sociale	religieuse et naturelle.		
1715-1730.	Massillon, *Or. fun. de Louis XIV,* 1715, *Petit Carême,* 1718.		Fontenelle.	Fénelon, *Lettre à l'Acad.,* impr. en 1716. Dubos, *Réflexions sur la poésie et la peinture,* 1719. Voltaire, *Lettres sur Œdipe,* 1719.	
	Daguesseau.	Montesquieu, *Lettres persanes,* 1721. Marivaux, *le Spectateur français,* 1722-23.		Montfaucon, *Antiquité expliquée,* 1719. Voltaire, *Préface de Brutus,* 1730.	
1730-1740.		Voltaire, *Lettres anglaises,* 1734.		L'abbé Prévost, *le Pour et le Contre,* 1733-1740. L'abbé Desfontaines.	Montesquieu, *Considérations sur les Romains,* 1734. Rollin, *Histoire ancienne et Histoire romaine,* 1730-1738. Rédaction des *Mémoires* de Saint-Simon, vers 1740 et suiv.
1740-1750.		Vauvenargues. Montesquieu, *Esprit des lois,* 1748. Diderot, 1749. Rousseau, *Discours sur les lettres,* 1750.	Buffon, *Hist. nat.,* t. I, 1749.	L'abbé Leblanc, *Lettres d'un Français à Londres,* 1745.	

Lettres.	Romans et contes.	Poésie.	THÉÂTRE		
			tragédie.	drame.	comédie.
Mme de Caylus. Mme de Lambert. Voltaire. Mme de Staal Delaunay.	Lesage, *le Diable boiteux*, 1707, *Gil Blas*, 1715-1735.	La Motte, *Iliade*, 1714, *Fables*, 1719. Voltaire, *Henriade*, 1723. J.-B. Rousseau.	Crébillon. Voltaire, *Œdipe*, 1718. La Motte.		Dancourt. Destouches. Marivaux, *Arlequin poli par l'amour*, 1720. Lesage, Piron, Pièces pour la Foire.
Vauvenargues et le Marquis de Mirabeau, Premières lettres de Frédéric à Voltaire. 1736. Rédaction des *Lettres* du Président de Brosses sur l'Italie, 1729-1740. Frédéric II.	Marivaux, *Marianne*, 1731-1741. L'abbé Prévost, *Manon*, 1735. Marivaux, *Paysan parvenu*, 1735-1736.	Gresset. Voltaire, *le Mondain*, 1736, *Discours sur l'homme*, 1738.	Voltaire, *Brutus*, 1730, *Zaïre*, 1732.	La Chaussée, *Préjugé à la mode*, 1735. Voltaire, *Enfant prodigue*, 1736.	Destouches, *le Glorieux*, 1732. Marivaux, *Jeu de l'amour et du hasard*, 1734. Piron, *Métromanie*, 1738.
	Voltaire, *Zadig*, 1747.	Piron.	*Mahomet*, 1742, *Mérope*, 1745. Laplace, *le Théâtre anglais*, 1745-1748.	La Chaussée, *Mélanide*, 1741. Voltaire, *Nanine*, 1749.	Favart, [l'opéra-comique]. Gresset, *le Méchant*, 1745.

	Éloquence.	PHILOSOPHIE		Érudition, archéologie, art, critique, grammaire.	Histoire et Mémoires.
		morale et sociale.	religieuse et naturelle.		
1750-1760.		*L'Encyclopédie*, 1751-1780. **Dalembert**, *Discours préliminaire de l'Encyclopédie*, 1751. **Condillac**, *Traité des sensations*, 1754.		**Caylus**, Recherches d'archéologie et d'art. **Grimm**, *Corr. littéraire*, 1753-1773.	**Voltaire**, *Siècle de Louis XIV*, 1751, *Essai sur les mœurs*, 1753-1758.
		Rousseau, *Inégalité*, 1755. **Mirabeau**, *Ami des hommes*, 1756. **Rousseau**, *Lettre à Dalembert*, 1758. **Helvétius**, *De l'Esprit*, 1758.	**Buffon**. **Diderot**, *Pensées sur l'interprétation de la nature*, 1754.	**Fréron**, *l'Année littéraire*, 1754-1776. **Diderot**, *Entretiens sur le Fils naturel*, 1757, *Du Poème dramatique*, 1759.	**Marquis d'Argenson**, *Mémoires*.
1760-1770.		**Rousseau**, *Emile*, 1762, *Contrat social*, 1762. **La Chalotais**, *Essai d'éducation nationale*, 1763. **Mably**.	**Buffon**. **Voltaire**, *Sermon des 50*, 1762, *Traité sur la tolérance*, 1763.	**Marmontel**, Articles de littérature dans l'*Encyclopédie*.	
		Voltaire, *Dictionnaire philosophique*, 1764.			
		Voltaire, *Commentaire des délits et des peines*, 1766.	**Voltaire**, *Examen important de milord Bolingbroke*, 1767.	**Diderot**, *Salons*, 1765-1767.	
		Condillac, *Cours d'études*, 1769-1773.	**D'Holbach**, *Système de la nature*, 1770.	**Leroy**, *Ruines des plus beaux monuments de la Grèce*, 1770.	

Lettres.	Romans et contes.	Poésie.	THÉÂTRE		
			tragédie.	drame.	comédie.
Le Marquis de Mirabeau.					
		Voltaire, *Loi naturelle*, 1756 *Désastre de Lisbonne,* 1756,	**Voltaire,** *Orphelin de la Chine,* 1755.		
	Voltaire, *Candide,* 1758.	*Pauvre diable,* 1758.			
	Diderot, Romans inédits.	[Traduction des *Saisons* de **Thomson,** 1760.]	*Tancrède,* 1760.	**Diderot,** *Fils naturel,* 1757, *Père de famille,* 1758.	**Palissot,** *les Philosophes,* 1760.
Mme du Deffand. Mlle de Lespinasse. Mme d'Épinay.	**Rousseau,** *Nouvelle Héloïse,* 1761.	**Lebrun,** *Odes, Épigrammes.*			
				Sedaine, *le Philosophe sans le savoir,* 1765.	
Mme Necker.		**Saint-Lambert,** *Saisons,* 1764. [Traduct. des *Nuits* d'**Young,** 1769.]	*les Guèbres,* 1769. **Ducis,** *Hamlet,* 1769.	**Beaumarchais.** *Eugénie,* 1767.	

	Éloquence.	PHILOSOPHIE		Érudition, archéologie, art, critique, grammaire.	Histoire et Mémoires.
		morale et sociale.	religieuse et naturelle.		
1770-1780.		Turgot.	Buffon.		J.J.Rousseau, Lectures des *Confessions*.
	Beaumarchais, *Mémoires*, 1773.	Voltaire, *le Cri du sang innocent*, 1775. Condorcet, *Pensées de Pascal*, 1776.	Voltaire, *la Bible expliquée*, 1776.	Voltaire, *Lettre à l'Académie sur Shakespeare*,1776.	
1780-1789.	L'abbéMaury.			Choiseul-Gouffier, *Voyage en Grèce*, 1782.	
	Procès de **Mirabeau** *contre sa femme*, 1785.	B. de Saint-Pierre, *Etudes de la nature*, 1784.			
			[Mort de Buffon, 1788.]	Barthélemy, *Anacharsis*, 1788. Mme de Staël, *Lettres sur J.-J. Rousseau*, 1788.	Marmontel, *Mémoires*.

Lettres.	Romans et contes.	Poésie.	THÉÂTRE		
			tragédie.	drame.	comédie.
Frédéric II.					Poinsinet, *le Cercle*, 1771.
L'abbé Galiani	[Traduct. de *Werther*, 1776.]	[Trad. d'*Ossian*, 1776.]	Letourneur, traduct. de Shakespeare, 1776-1782.]	Mercier, *Drames*.	Beaumarchais, *le Barbier de Séville*, 1775.
Mlle Phlipon (Mme Roland).		Roucher.			
Mirabeau, *Lettres à Sophie*.		Gilbert, *Satires*.			
Catherine II.					
Le Prince de Ligne.	Florian, 1783-1791.	Parny.	Ducis, *Macbeth*, 1784.		Beaumarchais, *Mariage de Figaro*, 1784.
		Delille, *les Jardins*, 1782.			
	B. de Saint-Pierre, *Paul et Virginie*, 1787.	Chénier, *Eglogues*, *Élégies* (inédit), 1785-1791.			

	ÉLOQUENCE		Polémiques, pamphlets et journaux.	Philosophie.	Critique	Histoire.
	religieuse.	politique.				
1789-1800.		[Constituante, 1789.] **Mirabeau.** **Barnave.** [Législative,1791.] **Les Girondins.** [Convention,1792.] **Les Girondins, Vergniaud.** **Danton.**	Rivarol. C. Desmoulins. Mallet du Pan.	A. Chénier. Volney, *Ruines*, 1791. Condorcet, *Esquisse*, 1794. J. de Maistre, *Considérations sur la France*, 1796. Chateaubriand, *Essai sur les Révolutions*, 1797.	La Harpe.	
	Robespierre.					
1800-1815.		**Napoléon,** *Bulletins et Proclamations*, 1796-1815.			Mme de Staël, *De la littérature*, 1800.	
				Chateaubriand, *Génie du Christianisme,* 1802.		
				Joubert.		
			Chateaubriand, *de Bonaparte et des Bourbons*, 1814.		Mme de Staël, *Allemagne*, 1810-1813.	

Mémoires, lettres, voyages.	Romans et nouvelles.	Poésie.	THÉÂTRE		
			tragédie et drame romantique.	comédie-drame.	comédie et vaudeville.
			M.-J. Chénier.		
			Ducis, *Othello*, 1792.		
C. Des moulins, *Lettres.*					
Mme Roland, *Lettres* et *Mémoires.*					
		A. Chénier, *Iambes.* 1794, inédit			
			Lemercier.		Collin d'Harleville
				Lemercier, *Pinto,* 1801.	Picard, 1797-1827.
Napoléon, *Lettres.*	Chateaubriand, *Atala*, 1801.				
J. de Maistre, *Lettres*	Mme de Staël, *Delphine*, 1802.		Raynouard		
Courier *Lettres*	Chateaubriand, *René*, 1804.				
	Mme de Staël, *Corinne*, 1807.				
	Chateaubriand, *Martyrs*, 1809.		[B. Constant, *Trad. de Wallenstein*, 1809.]		
Chateaubriand, *Itinéraire*, 1811.					

	ÉLOQUENCE		Polémique, pamphlets et journaux.	Philosophie.	Critique.	Histoire.
	religieuse.	politique				
1816-1825.				Cousin, Cours en Sorbonne.		A. Thierry, Etudes sur l'hist. de France et sur l'histoire d'Angleterre, depuis 1817,
		B. Constant. Royer-Collard.	Courier, *Pamphlets*, 1816-1824.	Lamennais, *Indifférence*, 1817.		
		Gén. Foy. C. Jordan.	Guizot, *Gouvernement représentatif*, 1821.	J. de Maistre, *Soirées de Saint-Pétersbourg*, 1821.	Stendhal, *Racine et Shakespeare*, 1822.	*Lettres sur l'Hist. de France*, 1820.
						Guizot, *Essais sur l'Hist. de France*, 1823.
						A. Thierry, *Conquête de l'Angleterre*, 1825.
1825-1830.				Cousin, *Fragments phil.*, 1826.	V. Hugo, *Préface de Cromwell*, 1827.	
					Sainte-Beuve, *Poésie au XVIᵉ s.*, 1828.	Guizot, *Cours d'hist. moderne.*
		Berryer, 1830-51.	Lamennais, *L'Avenir*, 1830.		Villemain, *Littérature*, 1828.	
		Montalembert.				
		Thiers, 1830-1848.				
		Guizot, 1830-1848.				

Mémoires, lettres, voyages.	Romans et nouvelles.	Poésie.	THÉÂTRE		
			tragédie et drame romantique.	comédie-drame.	comédie et vaudeville.
Mme de Rémusat, *Lettres.*	B. Constant, *Adolphe,* 1816.	C. Delavigne, *Messéniennes,* 1818.			
B. Constant, *Lettres* et *journal.*		Lemercier, *Panhypocrisiade,* 1819.	[Guizot, tr. de Shakespeare, 1821.]		
	Nodier.	Lamartine, *Méditations* 1820.			Scribe, *Michel et Christine,* 1820.
		Vigny, *Poèmes,* 1822.			
		V. Hugo, *Odes,* 1822.			
	V. Hugo, *Han d'Islande,* 1823.	Lamartine, *Nouvelles Méditations,* 1823.		C. Delavigne, *École des vieillards,* 1823.	
		Béranger, 1821-33.	Mérimée, *Clara Gazul,* 1825.		
	Vigny, *Cinq-Mars,* 1826.	Vigny, *Poèmes antiques et modernes,* 1826.	V. Hugo, *Cromwell,* 1827. [Trad. de *Faust,* 1828.]		Scribe.
Lamennais, *Lettres*	Mérimée, *Charles IX,* 1829.	V. Hugo, *Orientales,* 1829.	Dumas, *Henri III,* 1829. C. Delavigne, *Marino Faliero,* 1829.		
	Balzac, *Comédie humaine,* 1829-1850.	Lamartine, *Harmonies,* 1830.	Vigny, *More de Venise,* 1829.		
		Musset, *Contes d'Espagne et d'Italie,* 1830.	V. Hugo, *Hernani,* 1830.		*Les Saltimbanques,* 1830.
		Barbier, *Iambes.*			Duvert et Lausanne.

	ÉLOQUENCE		Polémique, pamphlets et journaux.	Philosophie.	Critique.	Histoire.
	religieuse.	politique.				
1830-1840.						
				Quinet.		Michelet, *Moyen âge*, 1833-1843.
			Lamennais, *Paroles d'un croyant*, 1834.			
	Lacordaire, *Conférences*, depuis 1835.			Jouffroy, *Droit naturel*, 1835.		Tocqueville, *Démocratie en Amérique*, 1835.
			Lamennais, *Affaires de Rome*, 1836.			
1840-1850.	Le P. de Ravignan.	Lamartine.				A. Thierry, *Récits mérovingiens*, 1840.
			P.-J. Proudhon, *De la propriété*, 1840.	Lamennais, *Esquisse d'une philosophie*, 1841-46.	Sainte-Beuve, *Histoire de Port-Royal*, 1840.	
			Michelet et Quinet, *Les Jésuites*, 1843.		Cousin, *Rapport sur Pascal*, 1843.	
				Aug. Comte.	Nisard, *Hist. de la Litt. fr.*, 1844.	Thiers, *Consulat et Empire*, 1845-62.
						Michelet, *Révolution*, 1847-53.

Mémoires, lettres, voyages.	Romans et nouvelles.	Poésie.	THÉÂTRE		
			tragédie et drame romantique.	comédie-drame.	comédie et vaudeville
	V. Hugo, *Notre-Dame de Paris*, 1831.	V. Hugo, *Feuilles d'automne*, 1831.	V. Hugo, *Marion Delorme*, 1831.		
			Dumas, *Antony*, 1831.		
	Stendhal, *Rouge et Noir*, 1831.	Th. Gautier, *Albertus*, 1832.	C. Delavigne, *Louis XI*, 1832.		
	G. Sand, *Indiana*, 1832.		V. Hugo, *le Roi s'amuse*, 1832.		
			Musset, *Caprices de Marianne*, 1833.		
	Jacques, 1834.		Musset, *Lorenzaccio* 1834.	Scribe, *Bertrand et Raton*, 1833.	
	Vigny, *Servitude et Grandeur militaires*, 1835.		Vigny, *Chatterton*, 1835.	C. Delavigne, *Don Juan d'Autriche*, 1835.	
	Musset, *Confession d'un enfant du siècle*, 1836.	Lamartine, *Jocelyn*, 1836.		Musset, *Il ne faut jurer de rien*, 1836.	
		Musset, *les Nuits*, 1835-40.			
Lacordaire, *Lettres*.	G. Sand, *Mauprat*, 1837.	Th. Gautier, *Comédie de la mort*, 1838.	V. Hugo. *Ruy Blas*, 1838.		
	Stendhal, *Chartreuse de Parme*, 1839.				
V. Hugo, *le Rhin*, 1842.	Mérimée, *Colomba*, 1840.	V. Hugo, *Rayons et Ombres*, 1840.	[Rachel et la tragédie depuis 1838.]	Scribe, *le Verre d'eau*, 1840,	
	Dumas, *Monte-Christo*, 1841-45,		V. Hugo, *Burgraves*, 1843.	*une Chaîne*, 1845.	
	les Mousquetaires, 184.	Banville.	Ponsard, *Lucrèce*, 1843.		
Th. Gautier, *Voyages*, 1840-1858.	Balzac.				
	G. Sand, Romans socialistes, Romans champêtres, 1844-50.	Th. Gautier, *España*, 1845.			

	ÉLOQUENCE		Polémique, pamphlets et journaux.	Philosophie.	Critique.	Histoire.
	religieuse.	politique.				
1840-1850.		V. Hugo, 1848-51.	Lamennais, *Journaux.* P.-J. Proudhon, *Journaux.*			Lamartine, *Hist. des Girondins,* 1847.
1850-1860.			Veuillot, *L'Univers,* 1843-1883. E. About.	Renan, *Averroès,* 1852. J. Simon, *LeDevoir,* 1854. Taine, *Philosophes du* XIXe *s.,* 1856. Renouvier. Caro.	Sainte-Beuve, *Lundis,* 1850-1869. Taine, *La Fontaine,* 1853. E. Schérer. Taine, *Essais,* 1857. Sainte-Beuve, *Chateaubriand,* 1860.	A. Thierry, *Tiers Etat,* 1853. Michelet, *Renaissance et temps modernes,* 1855-1867. Tocqueville, *Ancien Régime,* 1856.
1860-1870.	Le P. Hyacinthe, 1864.	Jules Favre, député en 1858. Dufaure. Thiers.	Prévost-Paradol. Veuillot, *Odeurs de Paris,* 1866. Prévost-Paradol, *France contemporaine,* 1887.	Darwin, *Origine des espèces,* trad. fr., 1862. Cl. Bernard, *Philosophie expérimentale,* 1865.	Taine, *Littérature anglaise,* 1863, *Philosophie de l'art,* 1865-1869.	Renan, *Vie de Jésus,* 1863. Fustel, *Cité antique,* 1864.

Mémoires, lettres, voyages.	Romans et nouvelles.	Poésie.	THÉÂTRE		
			tragédie et drame romantique.	comédie-drame.	comédie et vaudeville.
Chateaubriand, *Mémoires d'outre-tombe*, 1849.	Mérimée, *Carmen*. 1847.		Ponsard, *Ch. Corday*, 1850.	E. Augier, *l'Aventurière*, 1848. *Gabrielle*, 1849.	
About, *Grèce contemporaine*, 1855. Michelet, *l'Oiseau*, 1856. Fromentin, *Sahara et Sahel*, 1857-1858. Michelet, *la Mer*, 1861. Guizot, *Mémoires*, 1858-1868.	About. Flaubert, *Mme Bovary*, 1857. O. Feuillet, *Roman d'un jeune homme pauvre*, 1858.	Th. Gautier, *Émaux et Camées*, Hugo, *Châtiments*, 1852. Leconte de Lisle, *Poèmes antiques*, 1853. Hugo, *Contemplations*, 1856. Baudelaire, 1857. Banville, *Odes funambulesques*. 1857. Hugo, *Légende des siècles*. 1859.		Dumas, *la Dame aux Camélias*, 1852. Augier, *le Gendre de M. Poirier*, 1854. Dumas, *le Demi-monde*, 1855. Augier, *les Lionnes pauvres*, 1858. Dumas, *le Fils naturel*, 1858.	Labiche, *Chapeau de paille d'Italie*, 1851.
				V. Sardou, *Nos intimes*, 1861.	
Lacordaire, *Lettres*.	G. Sand, *Marquis de Villemer*, 1861. Hugo, *Misérables*, 1862. Flaubert, *Salammbô*, 1862. Fromentin, *Dominique*, 1863. E. et J. de Goncourt, *Renée Mauperin*, 1864. O. Feuillet.	Leconte de Lisle, *Poèmes barbares*, 1862. Vigny, *Œuvres posthumes*, 1864. [Le Parnasse, 1865-1866.]	Ponsard, *Lion amoureux*, 1866.	Augier, *Fils de Giboyer*, 1862, Maître Guérin 1864. V. Sardou, *la Famille Benoiton*, 1865.	Voyage de M. Perrichon, 1860. Meilhac et Halévy, *la Belle Hélène*, 1865.

| | ÉLOQUENCE | | Polémique, pamphlets et journaux. | Philosophie | Critique. | Histoire. |
	religieuse.	politique.				
1860-1870.		Gambetta, député en 1869.		Taine, *l'Intelligence*, 1870.	Fromentin, *Maîtres d'autrefois*, 1870.	Renan, *Saint Paul*, 1869.
1870-1880.		Gambetta.	E. About.	A. Fouillée		
		Challemel-Lacour.		(Traduction de Schopenhauer.)	F. Sarcey, depuis 1867, au *Temps*.	Taine, *Origines de la France contemporaine*, depuis 1875.

Mémoires, lettres, voyages.	Romans et nouvelles.	Poésie.	THÉÂTRE		
			tragédie et drame romantique ou symbolique.	comédie-drame.	comédie et vaudeville.
	Cherbuliez. A. Daudet, *Le Petit Chose*, 1868. Flaubert *Éducation sentimentale*, 1869. E. Zola, *Les Rougon-Macquart*, 1871-1893. A. Daudet, *Fromont jeune*, 1874.	Sully Prudhomme, *Stances et Poèmes*, 1865. Manuel. Coppée.	V. Sardou, *Patrie*, 1869. Coppée, *le Passant*, 1869. V. Sardou, *la Haine*, 1875.	Dumas, *Idées de Mme Aubray*, 1867.	Meilhac et Halévy, *la Grande Duchesse*, 1867.
Doudan, *Mélanges et Lettres*, 1876. Mémoires de **Mme de Rémusat**, 1880.	E. Zola, *l'Assommoir*, 1877. Flaubert, *Trois contes*, 1877. A. Daudet, *Le Nabab*, 1877. [Tr. d'Eliot, de Tolstoï et de Dostoïevski.]	Richepin, *Chanson des Gueux*, 1876. Sully-Prudhomme, *Justice*, 1878.		Dumas, *l'Etrangère*, 1876. E. Augier, *les Fourchambault*, 1878. V. Sardou, *D. Rochat*, 1880.	

| | ÉLOQUENCE | | Polémique pamphlets et journaux | Philosophie. | Critique. | Histoire. |
	religieuse.	politique.				
1881-1890				Th. Ribot, *les Maladies de la Mémoire*, 1881.	Brunetière, *Études crit.*, 1880-1925.	Boissier, *Promen. archéol.*, 1880-96.
					Bourget, *Essais de psych. contemp.*, 1883.	
	Le R. P. Didon			[Trad. de Tolstoï et de Dostoïevski.]	Faguet, (les quatre siècles), 1885-1893.	A. Sorel, *l'Europe et la Rév. fr.*, 1885-1904.
					Lemaitre, *Contemp.*, 1885-99.	
					De Vogué, *le Roman russe*, 1886.	
					Lemaitre, *Impress. de théâtre*, 1888-99.	Fustel de Coulanges, *Instit. polit. de l'ancienne France*, 1888-92.
				Guyau, *Art au point de vue sociol.*, 1889.		Renan, *Hist. du Peuple d'Israël*, 1888-94.
				Bergson, *Essai sur les données immé.* 1889.		E. Lavisse, *Jeunesse de Frédéric II*, 1889.

Mémoires, lettres, voyages.	Romans et nouvelles.	Poésie.	THÉÂTRE		
			tragédie et drame romant. ou symboliste.	comédie-drame.	comédie et vaudeville.
	Flaubert, *Bouvard et Pécuchet*, 1881.	V. Hugo, *les Quatre vents de l'esprit*, 1881.			
	France, *le Crime de Sylv. Bonnard*, 1881.	Verlaine, *Sagesse*, 1881.		Becque, *les Corbeaux*, 1882.	
Cahiers du Capit. Coignet, 1883. Renan, *Souvenirs*, 1883.	Maupassant, *Une Vie*, 1883.	Verhaeren, *les Flamandes*, 1883.			
	Daudet, *l'Evangél.*, 1883.				
	Loti, *Mon frère Yves*, 1883.				
	Daudet, *Sapho*, 1884.	Richepin, *les Blasphèmes*, 1884.			
	Huysmans, *A rebours*, 1884.	Leconte de Lisle, *Poèmes trag.*, 1884.			
	Zola, *Germinal*, 1885.	Verlaine, *Jadis et Naguère*, 1884.		Becque, *la Parisienne*, 1885.	
	Bourget, *Cruelle énigme*, 1885.	Laforgue, *les Complaintes*, 1885.			
	Loti, *Pêcheur d'Islande*, 1886.	Rimbaud, *les Illuminat.*, 1886.			
Les Goncourt, *Journal*, 1887-96.	Bloy, *le Désespéré*, 1886.	Moréas, *les Cantilènes*, 1886.		[Fond. du Théâtre libre, 1887-1895.]	
	Barrès, *Sous l'œil des Barbares*, 1888.	H. de Régnier, *Poèmes anc. et romanesq.*, 1887-88.		Dumas fils, *Francillon*, 1887.	
	Maupassant, *Pierre et Jean*, 1888.			De Porto-Riche, *la Chance de Françoise*, 1888.	
	Bourget, *le Disciple*, 1889.		Maeterlinck, *la Princesse Maleine*, 1889.		
	France, *Thaïs*, 1890.				

	Éloquence.	Philosophie.	Critique et essais.	Histoire.
1891-1900.			**Faguet,** *Polit. et moral. du XIXe s.,* 1891-1900.	
			R. de Gourmont, *le Latin mystique,* 1892.	
		[Traduction de Nietzsche.]		
			Lanson, *Hist. de la littér. française,* 1894.	
			Valéry, *Introd. à la méthode de Léonard de Vinci,* 1895.	
		Bergson, *Matière et Mémoire,* 1896.	**Valéry,** *M. Teste,* 1896.	
		Boutroux, *L'idée de loi natur.,* 1897.	**Gide.** *Nourritures terrestres,* 1897.	

Mémoires, lettres, voyages.	Romans et nouvelles.	Poésie.	THÉÂTRE		
			tragédie et drame romant. ou symboliste.	comédie-drame.	comédie et vaudeville.
Marbot, *Mémoires*, 1891.	Huysmans, *Là-bas* 1891. Barrès, *le jardin de Bérénice*, 1891.		(Trad. d'Ibsen.)	De Porto-Riche, *Amoureuse*, 1891.	
	Zola, *la Débâcle*, 1892.	H. de Régnier, *Tel qu'en songe*, 1892.	Maeterlinck. *Pelléas et Mélis.*,1892.		
Pasquier, *Souven.*, 1893-95.	France *la Rôtisserie de la Reine Pédauque*, 1893.		Claudel, *la Jeune fille Violaine*, 1892.		
	Bourget, *Cosmopolis*, 1893.	Heredia, *les Trophées*, 1893.			Courteline, *Boubouroche*, 1893.
	J. Renard, *Poil de Carotte*, 1894. Barrès, *Du sang, de la volupté...* 1894.	Samain, *le Jardin de l'Infante*, 1893.			
	France, *le Lys Rouge*, 1894.	Mallarmé, *Vers et prose*, 1893.			
Rimbaud, *Une Saison en Enfer*, 1895.	Maurras, *le Chemin de Paradis*, 1895.				Courteline, *la Peur des coups*, 1895.
	Estaunié, *l'Empreinte*, 1895. Huysmans, *En route*, 1895.				
Renan et Henriette Renan, *Lettres int.*, 1896.	Proust, *les Plaisirs et les Jeux*, 1896.				
	Barrès, *les Déracinés*, 1897. France, *Hist. contemp.*,1897-1900.	H. de Régnier, *les Jeux rust. et div.* 1897.	Rostand, *Cyrano de Bergerac*, 1897.	De Porto-Riche, *le Passé*, 1897.	Jarry, *Ubu-Roi.* 1896.
	Loti *Ramuntcho*, 1897. Bloy, *la Femme pauvre*, 1879.		Péguy, Première *Jeanne d'Arc*, 1897.		

	Éloquence.	Philosophie.	Critique et essais.	Histoire.
1891-1900.				
			R. de Gourmont, *Esthétique de la langue franç.,* 1899.	E. Mâle, *L'Art relig. en France au XIII° s.,* 1899.
	Brunetière, *Disc. de combat,* 1900-07.		**Péguy,** [Fondat. des *Cahiers de la Quinzaine,* 1900].	
1901-1905.	**R. P. Janvier.**			**Madelin,** *Fouché,* 1901. **Jullian,** *Vercingétorix,* 1901.
			Maurras, *Enquête sur la Monarchie,* 1901.	
		H. Poincaré, *la Science et l'Hypothèse,* 1902.		**E. Lavisse,** *Histoire de la France,* 1902-1921. **Vandal,** *Avènement de Bonaparte,* 1902-07.
			Romain Rolland, *Beethoven,* 1903.	**Langlois,** *La Société fr., au XIII° s.,* 1903. **Vidal de la Blache,** *Tableau de la Géogr. de la France,* 1903.
		Lévy-Bruhl, *la Morale et la Science des Mœurs,* 1904.	**R. de Gourmont,** *Promenades littér.,* 1904-27.	**Diehl,** *Théodora,* 1904.

Mémoires, lettres, voyages.	Romans et nouvelles.	Poésie.	THÉÂTRE		
			tragédie et drame romant. ou symboliste.	comédie-drame.	comédie et vaudeville.
Renan et Berthelot, *Correspond.*, 1898.	Huysmans, *la Cathédrale*, 1898. L. Bloy, *Le Mendiant ingrat*, 1898. P. Adam, *la Force*, 1899.	Ch. Guérin, *le Cœur solitaire*, 1898. F. Jammes, *De l'Angélus de l'Aube...*, 1898. Mallarmé, *Poésies complètes*, 1899. Moréas, *Stances*, 1899-1905. Verhaeren, *le Visage de la vie*, 1899. H. de Régnier, *les Médailles d'argile*, 1900. Samain, *le Chariot d'or*, 1900.	Rostand, *l'Aiglon*, 1900.	F. de Curel, *la Nouvelle Idole*, 1899.	
Suarès, *Le livre de l'Emeraude*,1902.	Barrès, *Leurs figures*, 1901. Boylesve, *la Becquée*, 1901. Gide, *l'Immoraliste*, 1901. Hermant, *le Vicomte de Courpière*, 1901. Ch.-L. Philippe, *Bubu de Montparnasse*, 1901. Tharaud, *Dingley*, 1902.	Anna de Noailles, *le Cœur innombrable*, 1901. Ch. Guérin, *le Semeur de cendres*, 1901.		J. Renard, *Poil de Carotte*, 1901.	
	R. Rolland, *Début de Jean-Christophe*,1904.	Verhaeren, *Toute la Flandre*, 1904.		Bataille, *Maman Colibri*, 1904.	

	Éloquence.	Philosophie.	Critique et essais.	Histoire.
1905-1910.	Jaurès. De Mun.		Maurras, *l'Avenir de l'Intellig.*, 1905. Péguy, *Notre Patrie*, 1905. Gide, *Prétextes*, 1905.	A. Luchaire, *Innocent III*, 1905-07. A. Michel, *Histoire de l'Art*, 1905-25.
		H. Poincaré, *la Valeur de la Science*, 1906. Bergson, *l'Evolution créatrice*, 1907. Sorel, *Réflexions sur la violence*, 1907. Boutroux, *Science et religion*, 1908.	P. Lasserre, *le Romantisme français*, 1907. Alain, *Propos*, 1908 et suiv. [Fondation de la N. R. F., 1909.]	Jullian, *Hist. de la Gaule*, 1907-20.
				J. Brunhes, *Géog. humaine*, 1910.
1911-1914.			Gide, *Nouveaux prét.*, 1911. Rivière, *Etudes*, 1912. Thibaudet, *Poésie de Mallarmé*, 1912. Souday, *Livres du Temps*, 1912-14. Péguy, *l'Argent*, 1913. Gide, *Dostoïevski*, 1913.	

Mémoires, lettres, voyages.	Romans et nouvelles.	Poésie.	THÉÂTRE		
			tragédie et drame romant. ou symboliste.	comédie-drame.	comédie et vaudeville.
	H. de Régnier, *le Passé vivant*, 1905.			Bernstein, *la Rafale*, 1905.	
		H. de Régnier, *la Sandale ailée*, 1906.	Claudel, *Partage de Midi*, 1906.		Courteline, *la Paix chez soi*, 1906.
	P. Hamp, *Marée fraîche*, 1908.	J. Romains, *la Vie unanime*, 1908.			De Flers et Caillavet, *le Roi*, 1908.
	Gide, *la Porte étroite*, 1909. Giraudoux, *Provinciales*, 1909.		Maeterlinck, *l'Oiseau Bleu*, 1909.		
Péguy, *Notre jeunesse*, 1900. Suarès, *Le Voyage du Condottière*, 1910.	Colette, *la Vagabonde*, 1910.	Péguy, *Mystère de la Charité de Jeanne d'Arc*, 1910.	Rostand, *Chantecler*, 1910. Claudel, *l'Otage*, 1910.		De Flers et Caillavet, *le Bois sacré*, 1910. Feydeau. *Occupe-toi d'Amélie*, 1911.
	France, *les Dieux ont soif*, 1912. V. Larbaud. *Barnabooth*, 1913. Alain Fournier, *le Grand Meaulnes*, 1913.	Claudel, *Cinq grandes Odes*, 1911. F. Jammes, *Géorg. chrétiennes*, 1911-12. Apollinaire, *Alcools*, 1913.	Claudel, *l'Annonce faite à Marie*, 1912. [Fondat. du théâtre du Vieux-Colombier, 1913.]		De Flers et Caillavet, *la Belle Aventure*, 1913.

	Éloquence.	Philosophie.	Critique et essais.	Histoire.
1914-1918.				

7ᵉ ÉPOQUE

	Éloquence.	Philosophie.	Critique et essais.	Histoire.
1915-1920.			Bremond, *Hist. litt. du sent. relig. en Fr.*, 1916-33.	
	Clemenceau.		Benda, *Belphégor*, 1918.	Bainville, *Hist. de trois générations*, 1918.

Mémoires, lettres, voyages.	Romans et nouvelles.	Poésie.	THÉÂTRE		
			tragédie et drame romant. ou symboliste.	comédie-drame.	comédie et vaudeville.
	Martin du Gard, *J. Barois*, 1913. Proust. *Du côté de chez Swann*, 1913. Romains, *les Copains*, 1913. Gide, *les Caves du Vatican*, 1914.				Feydeau, *la Dame de chez Maxim's*, 1914.

CONTEMPORAINE

Mémoires, lettres, voyages.	Romans et nouvelles.	Poésie.	THÉÂTRE		
			tragédie et drame romant. ou symboliste.	comédie-drame.	comédie et vaudeville.
	Barbusse, *le Feu*, 1917. Tharaud, *A l'Ombre de la Croix*, 1917. Duhamel, *Vie des Martyrs*, 1917. Maurois, *les Silences du Colonel Bramble*, 1918. Giraudoux, *Simon le Pathétique*, 1918.	Valéry, *la Jeune Parque*, 1917. Apollinaire, *Calligrammes*, 1918.			

	Éloquence.	Philosophie.	Critique et essais.	Histoire.
1915-1920.	Tardieu.	Bergson, *l'énergie spirit.*, 1919.	Carcopino, *Virgile et les origines d'Ostie*, 1919.	
		Maritain, *Introd. à la philos.*, 1920.	Thibaudet, *30 ans de vie fr.*, 1920-23. Alain, *Système des Beaux-Arts*, 1920.	Hanotaux, *Hist. de la Nation fr.* 1920-29. Bainville, *Conséq. polit. du Traité de paix*, 1920.
1921-1930.		[Trad. de Freud.]		
			Cocteau, *le Secret professionnel*, 1922. Massis, *Jugements*, 1922. Du Bos, *Approximations*, 1922-37. Valéry, *Eupalinos*, 1923. A. Breton, *Manifeste surréal.* 1923 (2 autres, 30, 42). Aragon, *Une vague de rêves*, 1924. Valéry, *Variété*, 1924-44. Gide, *Incidences*, 1924. Thibaudet; *Intérieurs*, 1924. V. Larbaud, *Ce vice impuni, la lecture*, 1925. P. Lasserre, *Jeunesse de Renan*, 1925-32.	L.-M. Febvre, *la Terre et l'Evolution humaine*, 1922. Glotz, *la Civilisation égéenne*, 1923. Bainville, *Hist. de France*, 1924.
	Briand. Herriot.			

Mémoires, lettres, voyages.	Romans et nouvelles.	Poésie.	THÉÂTRE		
			tragédie et drame romant. ou symboliste.	comédie-drame.	comédie et vaudeville.
	Dorgelès, *les Croix de Bois*, 1919. Gide, *Symph. pastor.*, 1919. Colette, *Chéri*, 1920. Duhamel, *Confession de Minuit*, 1920.				
Giraudoux, *Adorable Clio*, 1920.			Romains, *Cromedeyre-le-Vieil*, 1920;		Romains, *Donogoo*, 1920. Vildrac, *le Paquebot Tenacity*, 1920.
Paléologue, *la Russie des Tsars*, 1921.	Giraudoux, *Suzanne et le Pacifique*, 1921. Chardonne, *l'Epithalame*, 1921. Montherlant, *le Songe*, 1922. P. Morand, *Ouvert la Nuit*, 1922. R. Martin du Gard, débutdes *Thibault*, 1922-40. J. Romains, début de *Psyché*, Cocteau, *Thomas l'Imposteur*, 1923.	H. de Régnier, *Vestigia flammæ*, 1922. Valéry, *Charmes*, 1922-26.		Lenormand, *le Simoun*, 1921. J.-J. Bernard, *Martine*, 1922. Bernstein, *Judith*, 1922.	Crommelynck, *le Cocu magnifique*, 1921.
Colette, *la Maison de Claudine*, 1923.					Romains, *Knock*, 1923.
	Radiguet, *le Diable au corps*, 1923. Mauriac, *Genitrix*, 1924. Lacretelle, *la Bonifas*, 1925.	Cocteau, *Poésies*, 1924. Claudel, *Feuilles de saints*, 1925.	Raynal, *le Tombeau sous l'Arc de Triomphe*, 1924. Marcel, *la Chapelle Ardente*, 1925.		
R. Poincaré, *Au service de la Fr.*, 1926-33. *Correspond.*	Gide, *les Faux-Monnayeurs*, 1926.	Eluard, *Capitale de la douleur*, 1926.		Bourdet, *la Prisonnière*, 1926.	

	Éloquence.	Philosophie.	Critique et essais.	Histoire.
1921-1930.	Les RR. PP. Sertillanges, Sanson.		Cocteau, *Rappel à l'ordre*, 1926. Bremond, *Prière et poésie*, 1926.	
		Maritain, *Primauté du spirituel*, 1927. G. Marcel, *Journal métaphysique*, 1927.	Benda, *la Trahison des clercs*, 1927. Alain, *Les Idées et les Ages*, 1927. A. Breton, *Nadja*, 1928.	Maurois, *Disraëli*, 1927.
			Du Bos, *Dialogue avec A. Gide*, 1929. Aragon, *Traité du style*, 1929.	Carcopino, *le Mystère de la IVᵉ Églogue*, 1930. Grousset, *Civilisations de l'Orient*, 1930.
1931-1940.		Bergson, *Les deux sources de la religion et de la morale*, 1932.	Jaloux, *l'Esprit des Livres*, 1931-46. Alain, *Entretiens au bord de la mer*, 1931.	M. Bloch, *Caract. orig. de l'Hist. rurale fr.*, 1931. Bainville, *Napoléon*, 1931.

Mémoires, lettres, voyages.	Romans et nouvelles.	Poésie.	THÉÂTRE		
			tragédie et drame romant. ou symboliste.	Comédie-drame.	Comédie et vaudeville.
Rivière-Claudel, 1926. Rivière-Alain Fournier, 1926-28. Gide, *Si le grain ne meurt*, 1926. Gide, *Voy. au Congo*, 1927. Duhamel, *Voy. à Moscou*, 1927.	Montherlant, *les Bestiaires*, 1926. Giraudoux, *Bella*, 1926. Mauriac, *Thérèse Desqueyroux*, 1926. J. Green, *Mont-Cinere*, 1926. Bernanos, *Sous le Soleil de Satan*, 1926.				
Gide, *Retour du Tchad*, 1928.	Proust, *le Temps retrouvé*, 1928. Malraux, *les Conquérants*, 1928.		Giraudoux, *Siegfried*, 1928.		Pagnol, *Topaze*, 1928.
P. Morand, *New-York*, 1929.	Gide, *l'École des Femmes*, 1929. Maurois, *Climats*, 1929. Cocteau, *les Enfants terribles*, 1929.		Claudel, *le Soulier de Satin*, 1929.		Bourdet, *le Sexe faible*, 1929. Pagnol, *Marius*, 1929. Achard, *Jean de la Lune*, 1929.
Colette, *Sido*, 1930. Duhamel, *Géogr. cordiale de l'Europe*, 1931.	Giono, *Colline*, 1929. Saint-Exupéry, *Vol de Nuit*, 1931.		Giraudoux, *Amphytrion 38*, 1930. Giraudoux, *Judith*, 1931.	Cocteau, *la Voix humaine*, 1930.	Savoir, *la Petite Catherine*, 1930.
	Romains, *Le 6 octobre*, début des *Hommes de bonne volonté*, 1932-47. Lacretelle, *les Hauts Ponts*, 1932-36.				Anouilh, *le Bal des Voleurs*, 1932.

	Éloquence.	Philosophie.	Critique et essais.	Histoire.
1931-1940.		E. Gilson, *le Thomisme,* 1933.	Mauriac, *le Romancier et ses personnages,* 1933.	Roupnel, *Hist. de la camp. franç.,* 1933. Madelin, *le Consulat et l'Empire,* 1933.
				Grousset, *Hist. des Croisades,* 1934-36.
	Le R. P. Pinard de la Boullaye.		Carrel, *L'homme, cet inconnu,* 1935. Claudel, *Introd. à la peinture holland.,* 1935. Montherlant, *Service inutile,* 1935. Giono, *les Vraies richesses,* 1936.	O. Aubry, *Sainte-Hélène,* 1935.
	L. Blum.			
		G. Marcel, *Être et avoir,* 1937.		
			Bernanos, *les Grands cimetières sous la lune,* 1938. Thibaudet, *Réflexions,* 1938-41. Giraudoux, *Pleins pouvoirs,* 1939.	R. Aron, *Introd. à la Philos. de l'Histoire,* 1938.

Mémoires, lettres, voyages.	Romans et nouvelles.	Poésie.	THÉÂTRE		
			tragédie et drame romant. ou symboliste.	comédie-drame.	comédie et vaudeville.
	Duhamel, *le Notaire du Havre*, début des *Pasquier*, 1933-45. Malraux, *la Condit. humaine*, 1933. Giono, *le Chant du Monde*, 1934. Giono, *Que ma joie demeure*, 1935.		Giraudoux, *Intermezzo*, 1933. Cocteau, *la Machine infernale*, 1934. Giraudoux, *la Guerre de Troie n'aura pas lieu*, 1935. Salacrou, *l'Inconnue d'Arras*, 1935.	Anouilh, *la Sauvage*, 1935.	J. Deval, *Tovaritch*, 1934.
Gide, *Retour de l'U.R.S.S.* 1937.	Bernanos, *le Journal d'un Curé de campagne*, 1936. Malraux, *l'Espoir*, 1937.		Raynal, *Napoléon unique*, 1937. Giraudoux, *Electre*, 1937. G. Marcel, *le Dard*, 1937.	Mauriac, *Asmodée*, 1937.	
Green, *Journal*, 1938-51.	Sartre, *la Nausée*, 1938. Supervielle, *l'Enfant de Haute Mer*, 1938. St-Exupéry, *Terre des Hommes*, 1939. Mauriac, *le Nœud de Vipères*, 1939. Sartre, *le Mur*, 1939.	Aragon, *le Crève-Cœur*, 1940.	Salacrou, *la Terre est ronde*, 1938.	Cocteau, *les Parents terribles*, 1938. Achard, *le Corsaire*, 1938.	

	Éloquence.	Philosophie.	Critique et essais.	Histoire.
1941-1950.			V. Larbaud, *Domaine français*, 1941. Camus, *Mythe de Sisyphe*, 1942.	
		Sartre, *l'Etre et le Néant*, 1943.		
			R. Rolland, *Péguy*, 1944.	
			Benda, *la France byzantine*, 1945.	
		Sartre, *l'Existentialisme est un humanisme*, 1946.	Grousset, *Bilan de l'histoire*, 1946. Bernanos, *la Fr. contre les robots*, 1947. Sartre, *Situations 1*, 1947. Malraux, *Psychol. de l'Art*, 1948-50.	
			Maurois, *Alain*, 1950.	
1951.		Marcel, *Les hommes contre l'humain*, 1951.	Camus, *l'Homme révolté*, 1951.	

Mémoires, lettres, voyages.	Romans et nouvelles.	Poésie.	THÉÂTRE		
			tragédie et drame romant. ou symboliste.	comédie-drame.	comédie et vaudeville.
		Aragon, *le Crève-cœur*, 1940.			
			Anouilh, *Eurydice*, 1941.		
	Camus, *l'Étranger*, 1942.	Aragon, *les Yeux d'Elsa*, 1942. Eluard, *Poésie et vérité*, 1942.	Montherlant, *la Reine morte*, 1942. Anouilh, *Antigone*, 1942.		
Duhamel, *Inventaire de l'Abime*, 1943.	Saint-Exupéry, *le Petit Prince*, 1943.				
			Sartre, *Huis-Clos*, 1944.		
	Simone de Beauvoir, *le Sang des autres*, 1945. Sartre, *l'Age de raison*, début des *Chemins de la liberté*, 1945-1951.	Aragon, *la Diane française*, 1945.			
	Camus. *la Peste*, 1947.		Montherlant, *le Maitre de Santiago*, 1947.		
Du Bos, *Journal I*, 1948.			Raynal, *le Matériel humain*, 1948. Sartre, *les Mains sales*, 1948.	Salacrou, *l'Archipel Lenoir*, 1948. Supervielle, *le Voleur d'enfants*, 1948.	
		A. Breton, *Poésies*, 1949.	Camus, *les Justes*, 1949.		
	Green, *Moïra*, 1950.			Anouilh, *La Répétition*, 1950.	
Corresp. Suarès-Claudel, 1951.			Sartre, *le Diable et le Bon Dieu* 1951.		

INDEX ALPHABÉTIQUE

CONTENANT LES NOMS DE TOUS LES AUTEURS ÉTUDIÉS OU MENTIONNÉS DANS L'OUVRAGE, ET CEUX DES PRINCIPAUX PERSONNAGES QUI INTÉRESSENT A QUELQUE TITRE L'HISTOIRE DE LA LITTÉRATURE FRANÇAISE

Les chiffres marqués en caractères gras indiquent, pour les principaux auteurs, les passages où se trouvent les études les plus développées avec les notes biographiques et bibliographiques.

A

Abailart, 130, 192.
Ablancourt (d'), 568, n. 1.
About (Edmond), 1032, **1033** et n. 2, **1034**.
Achard (Marcel), 1273, **1289** et n. 2, **1290**.
Ackermann (Mme), 1064, n. 1.
Adam (Paul), 969, n. 1, 1153 et n. 3.
Adam de la Halle, 90, 113, 198, n. 1, **199-201**.
Addison, 692, 818, 819 et n. 2.
Adenet, 37.
Ailly (Pierre d'), 157.
Alain, 1130, **1307** et n. 1, **1308**, 1333.
Alain Chartier, **167-168**, 172, 173, 185.
Alain de Lille, 130, 133, 139, 162.
Alamanni, 412 et n. 2.
Alarcon, 511.
Albéric de Besançon, 23, n. 2, 48.
Aléandre (Jérôme), 234.
Alfieri, 818, 858.
Algarotti, 696.
Amaury de Bène, 122.
Ambroise (saint), 40.
Amiel, 1093 et n. 2, 1302.
Amyot, 227, 228, 264, n., **271-274**, 281, 282, 296, 324, 325, 434.
Anacréon, 295, 850.
Ancelot (Mme), 987.
Ancey, 1154.
André le Chapelain, 126, 130, 132.
Andrelin (Fauste), 232, n. 1, 233.
Aneau, 285, n. 2.
Angellier, 1136, n. 1.
Annat (le Père), 458.
Annunzio (d'), 1113, 1118, n. 16, 1250.

Anouilh (Jean), 1227, **1280** et n. 1, **1281-1282**, 1284, 1285.
Anquetil, 906, 977, 1014.
Antoine (M.), 1168, 1169, 1289.
Apollinaire (Guillaume), **1218** et n. 2, 1274, 1291.
Aquin (Voir saint Thomas d').
Arago (François), 1098.
Aragon (Louis), 1219 et n. 2.
Archiloque, 850.
Arétin (l'), 345.
Argens (d'), 696, 823.
Argenson (d'), 683, 690, 702, 729 et n. 1, 73.
Argout (le comte d'), 1009, n. 2.
Arioste (l'), 64, 279, 295, 374, 377, 415, 508, 509, n. 1, 557.
Aristophane, 112, 200, 216, 509, 850, 911.
Aristote, 122, 130, 159, 198, 223, 232, 299, 394, 414, 420 et n. 1, 421, 422, 432, 499, 577, 583, 742, 850.
Arnal, 989.
Arnaud (l'abbé), 855, n. 1.
Arnauld d'Andilly, 453, n. 2, 568, n. 1.
Arnauld (Agnès), 453, n. 2.
Arnauld (Angélique), 450, 453, n. 2.
Arnauld (Antoine), 401, 451, 453 et n. 2, 455, **457**, 568, n. 1, 600, n. 1.
Arnauld (l'avocat), 313, 453, n. 2.
Aron (R.), 1322.
Arvède Barine (Mme Vincens), **1093** et n. 7.
Aubert (l'abbé), 856, n.
Aubignac (l'abbé d'), 420, n. 1, 421, **422**, 499 et n. 1.
Aubigné (Agrippa d'), 228, 309, 347, histoire : **367-369**, poésie : **368-371**, 372, 418, 488.

Aubry (Octave), **1323** et n. 2.
Auchy (vicomtesse d'), 378.
Audefroi le Bâtard, 84, n. 1.
Augier (Emile), 523, 529, 661, 662, 816, 1071, **1072** et n. 3, **1073-1074**, 1167, 1192, 1288.
Augustin (saint), 130, 449, 468, 486, 578, 597, 902, 1317.
Aulard (A.), 863, n. 1, 1043, n. 1, 1047, 1208 et n. 2.
Aulnoy (Mme d'), 670.
Avienus, 561.

B

Babrius, 561.
Bachaumont, 565, n. 1.
Bachelard (Gaston), **1315** et n. 1, 1333.
Bacon (François), 336, 692, 1342, 1343.
Bacon (Roger), 121, 130.
Baculard d'Arnaud, 696.
Baïf (Antoine de), 276, n. 2, **277**, 294 et n. 1 et 2, 508 et n. 2.
Baïf (Lazare de), 266 et n. 2, 276, n. 2, 412, 416.
Bain (Alexandre), 1043, 1098 et n. 1.
Bainville (Jacques), **1321** et n. 6, **1322**.
Ballanche, 276.
Baluze, 491 et n. 2.
Balzac (Guez de), 101, 168, 335, 337, 360, 363 et n., 368, 377, **391-394**, 395, 402, 405, 406 et n. 2, 424, 434, 482, n. 1.
Balzac (Honoré de), 519, 523, 662, 992, 993, 998, 999, **1000-1005**, 1009, 1011, 1012, 1072, 1148, 1158, 1240.
Balzac (Mme de), 1000, n. 1.
Banville (Théodore de), 945, n. 3, 1060 et n. 1.
Barante, 875, n., 918, n. 1, 934, n. 2, 935, 1102, n. 1.
Barbaroux, 868 et n. 2.
Barbès, 996.
Barbey d'Aurevilly, 1077 et n. 1, 1078, 1202, 1256.
Barbier (Auguste), 968 et n. 1.
Barbier d'Aucour, 514, n.
Barckhausen, 715 et n. 1, 716.
Bardin, 406, n. 2.
Barnave, 806, 863, **868** et n. 2.
Baro, 406, n. 2.
Baron, **531**.
Barrès, 1116, 1132, 1147, 1148, 1159, **1160** et n. 1, **1161-1163**, 1199, 1250, 1295.
Bartas (du), **308-309**, 358.
Barthélemy, 678, **846** et n. 3.
Basile (saint), 124, 579.
Basnage de Beauval, 573, 829, n. 1.
Bataille (H.), 1170, **1173** et n. 1, 1174.
Baty, 1273.
Baude (Henri), 171 et n. 1, 212, 213.
Baudelaire (Charles), 967, **1065** et n. 4, **1066-1069**, 1115, 1120, 1126, 1127, 1131, 1187, 1215, 1219, 1220, 1267, 1301, 1353.

Baudot de Juilly, 1347, 1348.
Baudouin, 406, n. 2.
Bausset (de), 611, n.
Bautru, 406, n. 2.
Beauvoir (Simone de), 1267, n. 2, 1320.
Bayle, 232, n. 1, 235, 632, **635-638**, 819, n. 1, 821.
Beaufort, 712, 1348.
Beaumarchais, 519, 660, 661, 732, **804-816**, 817, 835, 836, 860, 865, 973.
Beaumont (l'archevêque de), 731.
Beaumont (Élie de), 860.
Beaumont (Mme de), 889.
Becque (Henri), **1167** et n. 2, 1168, 1289.
Béda (Noël), 232, n. 1, 235, 237.
Bédier, 19, n. 1, 25, 26, 28, 29, n. 1, 30, n. 1, 35, n. 1, 39, 45, n. 4, 53, n. 1, 54, n. 1, 104, n. 1, 111, n. 2, 887, n. 2, 890.
Béjart (Armande), 514, n., 516.
Béjart (Madeleine), 514, n., 516.
Belin (comte de), 444, n. 1.
Bellay (Guillaume du), 276, n. 2, 303, n. 1.
Bellay (Jean du), 251, n. 1, 253, 303, n. 1.
Bellay (Joachim du), 187, 276, n. 2, **277-281**, 284, **285-286**, 287, 293, 294, n. 1, 344, 353, 361, 412.
Belleau (Remi), 277, 292, n. 1, 294, n. 1, 295, 310, 944, n. 5.
Belloy (du), 652 et n. 1.
Bembo, 226.
Ben Johnson, 336.
Benoît de Sainte-More, **48-49**, 205.
Benserade, 377, 483, **538**, 559.
Béranger, 922, **970**, 1017.
Bergson (Henri), 1144, 1146, 1204 et n. 3, **1205-1206**, 1207, 1295, 1328.
Bernadotte, 875, n.
Bernanos (Georges), 1202, 1222, 1247, **1254** et n. 1, **1255-1257**, 1263, 1320.
Bernard (Claude), 1084, 1098, 1312.
Bernard (J.-J.), **1272** et n. 4, 1287.
Bernard (saint), 161, 578, 582.
Bernard de Ventadour, 52.
Bernardin de Saint-Pierre, 679, **827-833**, 836, 844, 897, 903, 990.
Bernay (Alexandre de), 38, n. 2.
Berni, 345.
Bernier (le voyageur), 484, 710.
Bernis (de), 641, n. 1, 733.
Bernstein (Henry), 1170, **1173** et n. 2, **1174-1175**, 1271, 1304.
Béroul, 54, n. 1.
Berquin (Louis de), 235, 236, n. 1, 237.
Berryer, 923 et n. 2.
Bersuire, 157, 158, 162.
Bertaut, **343**, 344, 346, 355 et n. 2, 358, 364, 372, 384.
Berthelot (Ph.), 1312.
Bertin (les), 858.
Bertolai, 24, 36.
Bertrand (Aloysius), **1353**.
Bertrand de Bar-sur-Aube, 37.
Berzé (Hugues de), 90.
Bexon (l'abbé), 753.
Beyle (Henri), voir Stendhal.

Bèze, 267, 350, 594.
Bion, 850.
Biré, 1051, p. 1 et 2.
Bjœrnson, 1113, 1114, 1117, n. 10.
Blasco Ibañez, 1113, 1118, n. 20.
Bloch (Marc), 1321 et n. 3, 1323, 1333.
Blondel de Nesles, 89.
Bloy (Léon), 1201 et n. 2, **1202-1203**, 1256.
Boccace, 158, 168, 238, 242, 517, 557, 558.
Bodel (Jean), 37, 90, 94, 190, n. 1. **194-196**.
Bodin (Jean), **315-317**.
Boèce, 122, 130, 232.
Boétie (la), **269-271**, 333.
Boileau, 97, 139, 155, 278, 280, 283, 293, 345, 358, 366, 387, 389, 394 et n. 1, 395, 401, 402, 452, 453, 473, 474, 483, 484, 487, 490, **492-507**, 513, 514, n., 521, 522, 536, 537, 539 et n. 3, 540 et n. 2, 559, 565, n. 3, 596-599, 623, 658, 817, 818, 851, 882, 883, 898, 932, n. 1, 938, 986, 1080, 1350.
Boisguilbert, 626, 738, 1347.
Boisrobert (de), 406, n. 2, 510, 511 et n. 2, 513, 517.
Boissat, 406, n. 2.
Boissier (Gaston), 1100 et n. 2, 1102.
Boissy, 711.
Bolingbroke, 692, 702, 761, 820.
Bonald (de), 912, **n. 1.**
Bonamy, 856, n.
Bonaparte (N.), 509, n. 3.
Bonaventure (saint), **161.**
Boncourt (P.), 1324.
Bonet (Honoré), 147, n. 1.
Bonnecorse, 497 et n. 1.
Bonstetten, 856, n.
Bontemps (Mme), 819, n. 6.
Bos (Charles du), 1206, 1299, **1301** et n. 1, **1302.**
Bossu (le Père), 818.
Bossuet, 185, 186, 264, 266-268, 341, 342, 392, 394, 401, 450, 452, 458, 468, 473, 474, 482, n. 1, 486, 569, **570-588**, 590, 599, 600, n. 1, 602 et n. 1, 624, 636, 706, 712-714, 721, 731, 787, 788, 789, 867, 900, 1013, 1187, 1345-1346.
Bouchet (Jean), 288.
Bouchor (Maurice), 1112, 1127 et n. 2.
Boufflers (comtesse de), 807, 823.
Bougoing (Simon), 230.
Bouhours (le Père), 409 et n. 1, 410, 483 et n. 3, 484.
Bouilhet (Louis), 1061 et n. 2.
Bouillon (duchesse de), 540, 549, n. 2.
Boulainvilliers, 626.
Bourbon (duc de), 603.
Bourdaloue, 16, 267, 474, 569, 582, **589-591.**
Bourdet (Ed.), 1272, **1288** et n. 2.
Bourdigné (Ch. de), 230, n. 1.
Bourges (Elimir), 1299, **1353-1354.**
Bourget (Paul), 58, 1092, **1094** et n. 2, **1095**, 1109, 1148, 1243.
Bourgoing (le Père), 578.

Boursault, 497 et n. 1, 498, n. 1, 514, n., 532 et n. 1, 659 et n. 1.
Bourzeys, 406, n. 2.
Boutroux (Emile), **1204** et n. 2.
Boyer, 731.
Boylesve (René), **1155** et n. 1, 1159.
Brantôme, **305-306**, 1102, n. 5.
Brébeuf, 498.
Brécourt, 530, n. 1.
Bremond (abbé), 1067, 1202.
Bretog (Jean), 214, n. 1.
Breton (André), **1217** et n. 4, 1218, 1219.
Briand, 1036, 1278.
Briçonnet, 236 et n. 1, 237.
Brieux, 1155, **1158** et n. 2.
Broca, 1092, n. 1 et 2.
Broglie (duc Victor de), 875 n., 881, 917 et 1314, 1315.
Bromyard (Jean), 162.
Brosses (le Président de), 761 et n. 1, 764, 765, 878 et n. 1.
Brossette, 492, n. 1.
Bruguière de Sorsum, 972, n.
Brunck, 849.
Brunetière, 243, 253, 284, 330, 569, 670, 789, 1037, 1116, **1186** et n. 1, **1187-1189**, 1190, 1191, 1192.
Brunetto Latino, 5, 123.
Brunhes (Jean), 1325 et n. 1.
Bruscambille, 510.
Bucer, 252, 587.
Buchanan, 412, 413 n. 1, 416.
Büchner, 1091 et n. 3.
Buchon, 976, 1014, n. 1.
Budé, 226, 232, n. 1, 233, 234, 235, 251 et n. 1, 269.
Buffon, 641, 717, 727, 724, 739, **750-754**, 762, 793, 848, 874, n. 1.
Burlamaqui, 788.
Burnet, 573.
Bussy-Rabutin, 378, 392, 479, n. 1, 480, 482, n. 1, **483-484**, 486, 564 et n. 1, 600.
Buzot, 868 et n. 3.
Byron, 308, 832, 904 et n. 2, 933, 934 et n. 2, 951, n. 1, 957, 978, 995.

C

Cabanis, 874, n. 1, 1006.
Cælius Calcagninus, 258.
Caffaro (le père), 574.
Cagliostro, 837.
Caillaux (J.), 1324.
Calderon, 511.
Callimaque, 850.
Calmet (dom), 697.
Calvin (Jean), 226, 236, 237, 240, 251, 252, **262-268**, 273, 281, 309, 315, 324, 325, 341, 342, 354, 355, 369, 587, 593, 755.
Cambon (P.), 1324.
Campistron, 554 et n., 646.

Camus (Albert), 1222, 1247, 1261, **1267** et n. 3, **1268-1270**, 1288, 1318, 1320, 1333.

Cange (du), 491 et n. 2.

Canova, 900.

Capella (Martianus), **124.**

Capito (W.), 262, n. **1.**

Caporali, 345.

Capus, 1159, n. 1.

Caraccioli (marquis de), 822.

Carcopino (Jérôme), 1320 et n. 2.

Carel de Sainte-Garde, 286, n. 1, 497 et n.

Carloix, 306, n. 1.

Caro, 1037 et n. 2.

Carraud (Mme J.), 1003, **n. 1.**

Castellion, 263, n.

Castelnau, 303, n. 1.

Castillon, 856, n.

Catherine (l'impératrice), 735, n. 1, 740, n. 1, 764, 823 et n. 2, 824.

Catulle, 92, 202, 279.

Caturce, 252.

Caumartin, 702.

Cavaignac, 921, **n. 1.**

Cavé, 971.

Caylus (comte de), 835, **n. 2**, 845 et n. 1.

Caylus (Mme de), 479, **n. 1.**

Cazalès, 868 et n. 1.

Cénacle (le), 938 et n. **3.**

Cerutti, 863, n. 2.

Cervantès, 420, 939.

César, 180.

Chadwick, 1313.

Chalcidius, 130, n. 1.

Challemel-Lacour, 1036, **n. 2.**

Chambers, 734.

Chamfort, 864, n., 1290.

Champmeslé, 531, n. 1.

Champmeslé (la), 492, n. 1.

Chantal (Mme de), 341, n. 5.

Chapelain, 288, 296, 377, 378, 386, n. 1, 387, **394-395**, 402, 408 et n. 1, 420, 424, 433, 482, n. 1, 490, 493, 499, 500, 669.

Chapelle, 378, 492, n. **1**, 565, n. 1.

Chaptal, 1102, n. 1.

Chardin, 710.

Charles IX, 277, 367 et n. 1, 369.

Charles le Mauvais, 160.

Charles d'Orléans, **166-167**, 170, 173, 227, 292.

Charpentier (F.), 596, n. 2.

Charron (Pierre), 228, 321, n., 335, **339-340,** 341, 347, 367.

Chastelet (les deux du), 406, n. 2.

Chastellux (de), 762 et n. 2.

Chateaubriand, 747, 820, 827, 832, 847, 848, 854, 874, **886-906**, 909, 912 et n. 1, 916, 923, 927, 936, 937, 948, 955, 990, 991, 992, 1014, 1030, 1096, 1106, 1108, 1199, 1200, 1250.

Chateaubriand (Lucile de), 887.

Chateaubriand (Mme de), 889, n. 2.

Châteauneuf (l'abbé de), 690, 702.

Châtelet (la marquise du), 693, 694, 700, 701, 706, 755.

Chaucer, 109.

Chaulieu (abbé de), 559, **565-566**, 643.

Chaumeix, 762.

Chênedollé, 847, 904.

Chénier (André), 644, **847-852**, 911.

Chénier (Marie-Joseph), 620, n. 1, 652, 847, n. 1, 874, n. 1, 917, n. 2, 1132, 1133, 1137, 1140, 1351.

Cherbuliez (Victor), 876, **1086-1087.**

Chevreuse (duchesse de), 475, n. 1.

Chipiez, 1094, n. 1.

Choiseul (duc de), 523, 732, 733.

Choiseul (duchesse de), 805.

Choiseul-Gouffier (de), 846, n. 1 et 3.

Choisy (Mme de), 377, 479, n. 1.

Chrestien (Florent), 318, n. 1, 413, n. 1.

Chrétien de Troyes, 49, 52, **55-62**, 67, 68, 125, 126, 129, 152, 246.

Christine (la reine), 396, n.

Christine de Pisan, 139, 157, **165-168**, 172.

Chuquet (Maxime), 1209 et n. 6.

Cibber Colley, 819, n. 5.

Cicéron, 130, 157, 158, 165, 167, 266, 278, 761, 845, 897, 1094.

Cinthio, 412.

Clairon (Mlle), 664, 765, 835.

Clamenges (Nicolas de), 157.

Claparède, 763.

Claude (le ministre), 571.

Claudel (P.), 1129, 1131, 1142, 1147, 1170, 1178, **1181-1184**, 1185, 1255, 1273, 1280, 1294, 1300, 1303, 1353.

Claudien, 130, 288.

Claveret, 424.

Clavier, 910, n. 1.

Clavière, 865.

Clermont (comte de), 660, n. 1.

Clermont-Tonnerre, 874, n. 1.

Cocteau (Jean), 1185, 1220, 1273, **1274** et n. 1, **1275-1277**, 1285, 1294, 1335.

Coeffeteau, 341, 350, 569.

Cohen (J.), 934, n. 2.

Coigny (marquise de), 839, n. 3.

Coleridge, 933.

Colette, 1222, **1234** et n. 1, **1235.**

Colin (Jacques), 235.

Colin Muset, 111, 113.

Collé, 810, 987.

Colletet, 406, n. 2, 499.

Collier (J.), 819.

Collin d'Harleville, 505, 816.

Collins, 692.

Colomby, 406, n. 2.

Commynes, 168, **178-182**, 353, 354.

Comte (Auguste), 907, 1015, n. 1, 1056, 1158, 1312.

Condé, 477, 481, 484, 514, n., 540, 571, 582, 583, 602 et n., 603, 608.

Condillac, 410, 727, 734, **736-737**, 739, 777, 787, 797, 805, 807, 818, 857, 885, 918, n. 1, 1009, 1010, 1043, 1349, 1350.

Condorcet, 449, **n.**, 688, n. 1, **738-739,**
   750, n. 1, 762, 805 et n. 5, 837, 848,
   857, 937.
Congreve, 692.
Conon de Béthune, 4, 89, 90.
C o n r a r t (Valentin), 406, **n. 2,** 407,
   n. 1.
Constant (Benjamin), 874, **n. 1,** 876,
   879, discours : **917-918,** 934, n. 2,
   971, n. 1, roman : **991-992,** note 1,
   1109.
Conti (prince de), 514 n., 593, n. 1, 676,
   n. 1, 806, n. 1.
Cop (Guillaume), 235.
Cop (Nicolas), 262, n. 1, 263.
Copeau (Jacques), 1169, n. 1, 1273,
   1290.
Copernic, 467, 634.
Coppée (François), 495, 1064 et n. 3,
   1065 et n. 1, 1177.
C o q u i l l a r t, 171 et n. 1, 230, 242,
   261.
Coras, 386, n. 1, 497 et n. 1, 540.
Corbière (Tristan), 1126, n. 3.
Corneille (Pierre), 45, 89, 94, 273, 296,
   366, 367, 377, 393, 394, 395, 398, 417,
   420, n. 1, 421-427, **428-443,** 444, 454,
   473, 474, 479, 480, 483, 490, 496, 510,
   511 et n. 1 et 2, 512, 515, n., 519, 535,
   536, 537 et n. 1, 540, 578, 599, 623,
   633, 646, 648, 756, 765, 818, 900,
   946, 986, 1038, 1182, 1184.
Corneille (Thomas), 409 et n. 1, 410, 427,
   n. 1, 429, 510, 511 et n. 2, 512, 530,
   532, **535-536,** 633 et n. 1.
Cospean, 569.
Cotin, 497 et n. 1, 498, 522.
Coucy (le châtelain de), 89.
Coulanges (l'abbé de), 485, **n. 1.**
Coulondre, 1324.
Courbeville (le père de), 819, n. 3.
Courier (Paul-Louis), 908, **910-912.**
Courteline, **1175** et n. 3, 1176.
Cousin (Victor), 376, n. 1, 463, 885, 907,
   924-925, 926.
Cowper, 934, n. 2.
Crébillon, 45, **646-647,** 649, 691, 842,
   979, 1347.
Crébillon (fils), 675 et n. 1.
Cretin, 148, 186, 187, n. 1, 230, n. 1,
   241.
Creutz (comte de), 822.
Creuzé de Lesser, 934, n. 2.
Croiset (Alfred), 1100.
Croiset (Maurice), 1100.
Crommelynck (Fernand), 1291 et n. 2.
Croy (Henri de), 187, n. 2.
Cujas, 226, 301, n. 1,
Curel (de), 1170, 1171 et n. **1,** 1172,
   1287.
Cuse (Nicolas de), 1340.
Custine (Mme de), 889.
Cuvelier, 146.
Cuvier, 750, n. 1, 751, 1098.
Cyrano de Bergerac, 388, n. 1, 510, 511,
   n. 3, 512, 517.

D

Dacier (Mme), **640.**
Daguesseau, 728.
Dalembert, 733, **735,** 742, 763, 773, n. 1,
   792, 804 et n. 4, 823, 838.
Dancourt, 534, 658, 665.
Danès, 271, n. 1.
Dangeau, 409, n. 1, 479, n. 1, 608, 682,
   702.
Daniel (le Père), 458, 1014.
Dante, 109, 123, 137, 371, 581, 832, 905,
   933, 934, n. 2, 938, n. 2, 1145, 1200,
   1301.
Danton, 858, n. 2, 863, 869 et n. 2, 870.
Darès, 47.
Darwin, 470, 750, n. 1, 752, 793, 1097
   et n. 1, 1187.
Daudet (Alphonse), **1088** et n. 1, **1089-**
   1090, 1159.
Daudet (Léon), 1201, n. 1.
Daunou, 874, n. 1.
Daurat (ou Dorat), 276, n. 2, 277, 294,
   n. 1.
David de Dinant, **122.**
Debussy, 1179, 1293.
Deffand (Mme du), 653, n. 1, 717, 804,
   805, 819, 822, 837, 838, 840.
Delacroix, 1109.
Delavigne (Casimir), 937, 945, 985, 987.
Delille, 633, n. 1, 635, 841, 848, 945, 949,
   n. 3, 957.
Delisle, 654, n. 1, 787.
Demangeon (Albert), 1325 et n. 2.
Démosthène, 463, 598, 810.
Denis (Mme), 694, 696, n. 1, 697, n. 1,
   764.
Denys l'Aréopagite (le pseudo-), 232.
Desbarreaux, 456.
Desbordes-Valmore, 968, **969** et n. 2.
Descartes, 89, 335, 337, 391, **395-402,**
   435-438, 454, 482, n. 1, 494, 588, 605,
   622, 632, 737, 742, 745, 1204, 1307,
   1312, 1319, 1320, 1342, 1343.
Deschamps (Antony), 934, n. 2, 938 et
   n. 2.
Deschamps (Émile), 934, n. 2, 938 et
   n. 2 et 3, 957.
Deschamps (Eustache), 147, 148, **154-**
   156, 173, 201, 202.
Desfontaines (l'abbé), 694 et n. 1, 762.
Deshoulières (Mme), 540, **565.**
Desjardins (Paul), 1111 et n. 5.
Desmaizeaux, 492, n. 1.
Desmares, 569.
Desmarets (Jean), 160.
Desmarets de Saint-Sorlin, 386, n. 1,
   406, n. 2, 497 et n. 1, 500 et n. 1, 510,
   511 et n. 3, 517, 596 et n. 1.
Desmoulins (Camille), 855, **858-859.**
Desorgues, 1351.
Despautère (Jean), 233.
Despériers, 226, 236, 237, 240, n., **251**
   et n. 2, 252, 266, n. 2, 561.
Desportes, 228, 276, n. 2, 287, **295,** 299,

337, 343, 346, 353, 358, 360-363, 367, 372.

Destouches, 505, **658-659**, 662, 665, 818.
Deval (Jacques), **1289** et n. 1.
Dickens (Charles), 1044.
Dictys de Crète, 47.
Diderot, 609, 630, **661-663**, 727, 732, 733, 736, 739, **740-749**, 763, 774, 778, 779, 787, 788, 800, 806, 811, 813, 819-821, 822, n. 1, 824, 835 et n. 2, 836, 861, 862, 894, 935, 973, 987, 1195, 1335.
Didon (le Père), 929 et n. 2.
Diehl (Charles), **1209** et n. 4.
Dinouard (l'abbé), 856, n.
Dittmer, 971.
Dolce, 412, 509, n. 3.
Dolet (Étienne), 251, n. 2, 252, 253.
Dominique, 664.
Donnay, 1155, 1158 et n. 3.
Dorat, 641, n. 1.
Dorval (Mme), 973, n. 1.
Dostoïevski, 1113, 1117, n. 7, 1151, 1152, 1213, 1225, 1265, **1272**, 1299, 1320.
Doucet (Camille), 954, n. 1.
Doudan (Ximénès), 1109 et n. 3.
Drumont, 1256.
Dryden, 692, 818.
Dubos (l'abbé), 719.
Ducange, 973, n. 1.
Duchâtel, 235, 236.
Ducis, 652, 819, **841-843**, 942.
Duclos, 409, n. 1, 641, 678, 733, 734.
Dufaure, 1037, n. 1.
Dugazon (Mme), 813.
Duhamel (Georges), 1222, **1235** et n. 2, **1236-1238**, 1270.
Dullin, 1273.
Dumarsais, 761.
Dumas (Alexandre), 6, 37, **971-972**, **976-978**, 982, 987, 994, 1002.
Dumas fils (Alexandre), 516, n. 1, 519, 816, 986.
Dumont (Étienne), 867.
Dumoulin, 594.
Dupanloup, 929, 1032.
Dupaty, 878 et n. 1.
Dupin, 693.
Dupin (Mme), 777.
Dupleix, 350 et n. 1, 409, n. 1, 1014.
Dupouey, 1333.
Durant (Gilles), 318, n. 1.
Duras (Mlle de), 571.
Durkheim, 1239.
Duroveray, 867.
Duval d'Éprémenil, 860.
Duvert, 532, 989 et n. 1.

E

Eckermann, 935, n. 1.
Eddington, 1314.
Eginhard, 20, n. 6.
Egmont (comtesse d'), **779**, 807, 823.

Einstein, 1313, 1314.
Eliot (George), 801, 1113, 1117, n. 1.
Eluard (Paul), 1219 et n. 3.
Encyclopédie (l'), 593, **733-735**, 756, 758, 765, 848, 862, 894.
Enghien (duc d'), 603.
Epernon (d'), 681.
Épictète, 266, 340, 348, 456, 1307.
Épicure, 1343.
Epinay (Mme d'), 741, 765, 777, 778, 791, 805, 807, 822, n. 1, 824, n. 2.
Erasme, 226, 232, n. 1, 233, 234, 235, 1340.
Ericeyra (comte d'), 818.
Eschyle, 651, 974, 1061, 1182, 1266.
Escobar, 459.
Esménard, 848.
Esope, 561, 562.
Estaunié, 1155 et n. 2, 1156.
Estienne (les), 226, 270.
Estienne (Charles), 508 et n. 1.
Estienne (Henri), 234, 252, n., 264, n., 270, 294, **300-301**, 303, 315, 351, n. 1, 352, 353, 356, 409.
Estissac (Geoffroy d'), 251, n. 1.
Estoile (l'), 406, n. 2.
Étoile (Pierre de l'), 262, n. 1.
Euripide, 270, n. 2, 412, 424, 503, 596.

F

Fabre (Émile), 1159, n. 2.
Fabre (Ferdinand), 1092 et n. 2.
Faguet, 714, 715, 742, 753, 790, 797, 867, 891, 956, 1177, **1189** et n. 1, **1190**, 1191, 1192.
Fail (Noël du), 299 et n. 1.
Falconet, 731, 823, n. 2, 835, n. 2.
Farel, 237, 240, 252, n. 1, 264, n. 1.
Faret, 406, n. 2.
Fauchet, 350 et n. 1.
Fauriel, 875, n., 934, n. 2, 971, n. 1.
Fauris de Saint-Vincent, 730.
Favart, **664-665**, 813, n. 2.
Favart (Mme), 664.
Favre (Jules), 276, 1034, **1035**, 1037, n. 1.
Fayette (Mme de la), 378, 392, 475, 476, 479, n. 1, 485, **489-490**, 565, n. 2, 667, 677.
Febvre (Lucien), **1321** et n. 5, 1323.
Fénelon, 274, 336, 410, 473, 482, n. 1, 516 et n. 1, 517, 521, 573, 574, 587, 589, 591, 592, 600, n. 1, 602, **610-620**, 624, 626, 683, 686, 719, 731, 788, 810, 1013, 1346.
Fenoillet, 569.
Ferry (Paul), 571.
Fersen, 822.
Feuardent, 341.
Feuillet (Octave), 1092 et n. 1.
Fèvre d'Étaples (le), 226, 232, n. 1, 234, 235, 236, n. 1, 237.
Feydeau de Mesmes (Mme), 807.
Feydeau (Georges), 1175, n. 2.

Fichet (Guillaume), 232.
Fichte, 821.
Flagy (Jehan de), 33, n. 1.
Flaubert (Gustave), 496, 994, 1078 et n. 1, **1079-1083**, 1090, 1109, 1148, 1264, 1353.
Fléchier, 479, n. 1, 565, n. 3, **591-593**.
Fleury (cardinal de), 719.
Flers (de) et Caillavet, 1159, n. 4.
Florian, **679**.
Florus, 350, 434.
Foch, 1324.
Fogazzaro, 1113.
Foigny (Gabriel de), 1347.
Foncemagne, 732.
Fontaine (Ch.), 240, n. 1, 285, n. 2, 353.
Fontaines (Mme de), 667, n. 1.
Fontanes, 594, 847, 888, 895, 900 et n. 1, 903, n. 2, 904.
Fontenay-Mareuil, 479, n. 1.
Fontenelle, 402, 598-600, **632-635**, 639, n. 1, 640, 652, n. 1, 653, 698, 714, 719, 753, 777, 821, 1091.
Fort (P.), 1169.
Fouillée, 1098.
Fouquet, 479, 555, n. 1, 556, 702.
Fournier (Alain), 1245, n. 1, 1296, 1333.
Fourier, 1351.
Foy (le général), 916 et n. 3, 917.
France (Anatole), **1092** et n. 3, **1093-1094**, 1116, 1148, 1190, 1200, 1243.
Frayssinous (de), 937 et n. 1.
Frédégaire, 20, 288.
Frédéric le Grand, 6, 629, 638, 684, 694, 695, 696, 697, 706, 735, n., 764, 778, 823 et n. 1, 824.
Fréron, 732, 762, 856, n.
Fresny (du), 710.
Freud (Sigmund), 1225, 1263, 1272, 1292, **1315** et n. 3, 1316, 1319, 1329, 1333.
Frossart, 147, **149-154**, 180.
Fromentin, **1049-1050**, 1109.
Funck-Brentano, 1209 et n. 2.
Furetière, 405 et n. 1, **490**, 492, n. 1.
Fustel de Coulanges, 585, 1101, **1102** et n. 1, **1103**.

G

Gabbiani, 509, n. 3.
Gace Brûlé, 89.
Gaguin (Robert), 232.
Gaillardet, 976, n. 12.
Gaime (l'abbé), 786.
Gain de Montagnac (comte de), 971, n. 1.
Galiani (l'abbé), 6, 792, 822, 823, 824 et n. 2, 894.
Galilée, 396, n.
Galiot du Pré, 188, 246.
Galland, 276, n. 2.
Gallois (L.), 1325.
Gambetta, **1035**, n. 3, 1036.

Garat, 874, n. 1.
Garguille (Gaultier), **423**, 510.
Garnier, de Pont-Sainte-Maxence, 74.
Garnier (Robert), 367, **413**, 414, 415.
Gassendi, 401.
Gatier (l'abbé), 786.
Gaufrey (Arthur), 51.
Gautier (l'avocat), 568.
Gautier (Théophile), 930, n. 1, 936 et n. 2, 943, 944, n. 1, 947, **964-968**, 976 et n. 1, 1060, 1119, 1122, 1217, 1308, 1332, 1352.
Gautier de Coincy, 74, n. 1, 196.
Gautier le Long, 108, 202.
Gautier de Metz, 123.
Gaza (Théodore), 234.
Geber, 130.
Geffroy (G.), 1148, et n. 2.
Genest, 533, 554, n.
Gensonné, 868 et n. 3.
Geoffrin (Mme), 633, n. 1, 634, 653, n. 1, 733, 749, **804-805**, 823.
Geoffroy de Beaulieu, 75.
Geoffroy de Saint-Hilaire, 752.
Gérard de Crémone, 130, n. 1.
Gérard de Nerval, 934, n. 2, 986, n. 2.
Gérard Roussel, 236, n. 1.
Gerbert, 14, 232.
Gerbet (l'abbé), 1041, n.
Gerson, 139, 147, n. 1, 157, 159, 160, 161, **163-165**, 173.
Gessner, 821.
Gibbon, 820, 858.
Gide (A.), 1159, 1222, **1224** et n. 1, **1225-1228**, 1229, 1230, 1233, 1235, 1247, 1265, 1273, 1287, 1292, 1293, 1294, 1301, 1302, 1304, 1306, 1333, 1353.
Gilbert, 641, n. 1, 645, 733, 851.
Gilbert (Claude), 1347.
Gilbert de Voisins, 731.
Gilles (Nicole), 1014.
Gillet de la Tessonnerie, 510, 511, n., 512.
Gillot, 318, n. 1.
Giono (Jean), 1222, 1247, **1257** et n. 2, **1258-1259**, 1294.
Girardin (marquis de), 779.
Giraudoux, 1127, 1175, 1176, 1185, 1222, 1227, 1245, 1246, 1273, 1276, **1277** et n. 1, **1278-1280**, 1285, 1294, 1335.
Giry, 406, n. 2.
Glaber (R.), 14, n. 1.
Glichezare (Henri le), 96.
Glotz (Gustave), 1321 et n. 1.
Gobineau (comte de), 1107, n. 1.
Godard, 509, n. 1.
Godeau, 376, n. 1, 377, 384, 386, n. 1, 406 et n. 2, 597.
Godet-Desmarais, 573, 574.
Gœthe, 309, 310, 821 et n. 2, 858, 885, 971, n. 1, 1042.
Goldoni, 818.
Gombauld, 406 et n. 2, 407, 420.
Gomberville, 387, n. 1, 403, 406, n. 2.

Gomberville, 387, n. 1, 403, 406, n. 2.
Goncourt (Edmond de), **1087** et n. 2, **1088**, 1153.
Goncourt (Jules de), **1087** et n. 2, **1088**, 1153.
Gongora, 382, 384.
Gonthier Col, 157.
Gonzague (Anne de), 583.
Gonzague (Isabelle de), 236.
Gorce (Pierre de la), 1209 et n. 10.
Gorki, 1113, 1117, n. 8.
Gottsched, 821.
Goulard (S.), 270, n. 3.
Gourmont (R. de), **1195** et n. 2, **1196-1197**.
Gournay (Mlle de), 321, n. 322, 364, 372, 490.
Gouvéa (André de), 412.
Gouvion-Saint-Cyr (le maréchal), 917.
Graffigny (Mme de), 693, 694.
Granier, 406, n. 2.
Gratien du Pont, 187, n. 2.
Grazzini, 509, n. 3.
Gréard, 1093 et n. 1.
Greban (les frères), 193, **204**, 205, 209, 210.
Green (Julien), 1222, **1231** et n. 1, **1232**, 1294, 1320.
Greene (Graham), 1320.
Gregh, 1052, n. 5.
Grégoire de Nazianze (saint), 579.
Grégoire de Tours, 20.
Gresset, 505, 643, **665**, 762.
Grévin, **413**, n. 4.
Grimm, 742, 778, 779, 822, 824, 874, n. 1.
Gringore, 204, n. 1, 205, 215.
Gros Guillaume, **510**, 512, n. 2.
Grousset (René), 1321 et n. 4.
Gruet, 263, n. 1.
Guadet, **868** et n. 3.
Guarini, 373, 381.
Guéneau de Montbeillard, 753.
Guénée, 732.
Guérente, 412.
Guérin, 531, n. 1.
Guérin (Charles), 1136, **1140** et n. 1, 1141.
Guérin (Maurice de), 968, 969, n. 3, 970.
Guevara, 670.
Guibert, 876.
Guillaume de Chartres, 75.
Guillaume Fillastre, 157.
Guillaume de Lorris, 113, **114**, **125-129**, 131, 132, 138.
Guillaume de Machault, **148-149**, 155, 156, 185.
Guillaume de Nangis, 75.
Guillaume de Saint-Amour, **116**, 130, 133.
Guillen de Castro, 422, 424, 426.
Guillot Gorju, 513.
Guimond de la Touche, 45.
Guizot, 875, n., 917, 919, éloquence: **920-921**, 922-924, 926, 928, 934, n. 2, 935,

971, n. 1, 1014 et n. 1; histoire : 1015 et n. 1, **1017-1018**, 1023, 1108.
Gustave III, 823, 824.
Guyau, 1055, 1057, n. 3, 1098.
Guyon (Mme), 573 et n. 1, 574, 1024.
Guyot de Provins, 123.
Guy Patin, 482, n. 1, 489.
Guys, 846, n. 1, 849.

H

Habert (les deux), 406 et n. 2.
Hæckel, 1098.
Hahn, 1314.
Haillan (du), 350 et n. 1, 1014,
Halévy (Ludovic), 1071 et n. 2.
Halévy (Daniel), 1308 et n. 1.
Hamilton, 559, 643.
Hamon, 538, 541.
Hamp (P.), **1157** et n. 4, **1158.**
Hardy, 214, 228, 337, 349, 365, 417-419, 421-423, 444, n. 1, 510.
Hardy (Thomas), 1113, 1117 n. 4, 1231.
Hartmann (de), 1098, 1127.
Hauptmann, 1113, 1114, 1117, n. 14, 1169.
Hautefort (Mme de), 376, n. 1.
Hauteroche, 531, n. 1.
Havet, 1100.
Hegel, 914, 924, n. 1, 931, 1319.
Heidegger, 1262, 1318.
Heine (Henri), 883, 1127, 1218, 1277.
Helvétius, 333, 733, 734, 736, 807, 1010, 1349.
Hénault (le président), 732.
Henri IV, 349, n. 1.
Henriot (Émile), 1292 et n. 1.
Herberay des Essarts (d'), 246.
Herder, 884, 927.
Heredia (de), 1115, **1119** et n. 1, 1133, 1137, 1140.
Hermant, 1154 et n. 4, 1155.
Hermonyme (George), 234.
Hérodote, 80, 152, 270, n. 2, 301, 315, 368, 369, 507.
Heroët, 275, 1297.
Herrand (Marcel), 1273.
Hervart (M. d'), 555, n. 1, 556.
Hervey (Milord), 705.
Hervieu, 1145 et n. 3, 1148, 1157 et n. 1.
Hilaire, 192, 194.
Hildebert, 161.
Hildegaire, 20, n. 2.
Hippocrate, 231, 390.
Hobbes, 583, 721, 787, 793.
Hohenlohe (Sigismond de), 236, n. 1.
Holbach (d'), **736**, 739, 741, 756 et n. 2, 805.
Homère, 131, 223, 234, 264, 270, n. 2, 279, 284, 286, 287 et n. 1, 288, 294, 295, 499, 503, 505, 539, 599, 639, n. 1, 640, 850, 911, 1061.
Hôpital (Michel de l'), 289, 307, **311-312**, 313, 316-318.

Horace, **112**, **130**, 155, 278, 279, 286, 296, 344, 345, 359, 394, 477, 498, 499, 561, 598, 743, 810, 850, 1061.
Hotman, 315 et n. 1, 316, 317.
Houdetot (Mme d'), 778, 786, 800.
Houssàye (Henry), 1209 et n. 9.
Huet, 556, n., 559, 598.
Hugo (Abel), **934**, n. 2.
Hugo (Victor), 35, 287, 290, 292, n. 1 et 2, 293, 370, 409, 687, 839, 872, 873, 905 et n. 2 et 3, 914, 916, 935, 936 et n. 1, 937, 938 et n. 3, 939 et n. 1, 940 et n. 4, 943 et n. 1, 3 et 4, 944 et n. 2 et 3, 945 et n. 1 et 2, 946, 947 et n. 1, 957; première période : **957-961**, 967, 968, 971, 972 et n., 973-976; drame : **978-981**, 982; roman : **992-995**, 1001; le poète et son œuvre : 1051, **1052** et n. 1 **1053-1060**, 1063, 1066, 1079, 1122, 1130, 1133, 1134, 1136, 1148, 1181, 1184, 1239, 1240, 1241, 1257, 1352.
Hume, 761, 779, 820.
Husserl, 1319.
Huxley (Aldous), 1320.
Huysmans, 1087, 1149, **1152** et n. 2, **1153**, 1353.
Hyde de Neuville, 916, 1102, n. 1.

I

Ibsen (Henrik), **1113**, 1114, **1117**, n. 9, 1169, 1170.
Imhof, 670.
Isnard, 868 et n. 3.

J

Jacobi, **821**, n. **1**, 924, n. **1**.
Jacquemart Gelée, 146, n. 1.
Jacques le Grand (Frère), 163.
Jaloux (Edmond), **1297** et n. 2, **1298**, 1299.
Jammes (Francis), 1065, 1136, **1138** et n. 1, **1139**, 1140, 1141, 1159, 1234, 1303.
Jamyn, 294, n. 1.
Jansénius, 449 et n. 2, 455.
Jarry (Alfred), 1176, n. 1, 1291.
Jaurès, 1036, 1351.
Jean de Montreuil, 139, 147, n. 1, 157 et n. 2, 159, 164, 232.
Jean de Salisbury, 130,
Jehan d'Abondance, 218, n. 2.
Jendeus de Brie, 37.
Jodelle, 277, 294, n. **1**, **412**, n., 413, 415.
Joffre, 1324.
Joinville, 73, **75-81**, 115, 117, 140, 180, 508.
Joliot-Curie, **1314**.
Jordan (Camille), 863, 875, n. 917 et n. 1.
Joseph II, 823, n . **2**, 824.
Joubert (général), 1042.
Joubert 888 et n. 2, 1301, 1302.

Jouffroy, **925-926**.
Jouvet (Louis), **1273**.
Jouy (de), 932, n. **1**.
Jovellanos, 818, n. **1**.
Julie d'Angennes. Voir Mme de Montausier.
Jullian (Camille), 1047, 1209 et n. 3.
Jurieu, 573, 586, 637, 788.
Justinien, 231.
Juvénal, 112, 130, 134, 232, 344, 345, 434, 498, 598, 810.

K

Kafka, 1232, 1329.
Kahn, 1128, n. 3, 1137 et n. **1**.
Kant, 821, 881, 1261, 1319.
Kierkegaard, 1318, 1319.
Kipling (Rudyard), **1113**, 1117, n. 2.
Kœnig, 697.
Kotzebue, 858.

L

Labé (Louise), 276.
Labiche, 740, **1070** et n. 1, **1071**.
La Bruyère, 128, 273, 358, 410, 473, 474, 516, 517, 532, 537, 591, 598, 599, **603-610**, 633, 658, 668-670, 674, 685, 710, 711, 911, 987.
La Calprenède, 114, n. **1**, 387, n. **1**, 536, 646.
La Chalotais, 729 et n. **1**, 861.
La Chambre, 406, n. **2**.
La Chaussée, 553, n. 1, 641, 658, **660-661**, 818, 820, 836, 987.
Laclos, 675 et n. 1.
Lacombe (M.), 856, n.
Lacombe (le Père), 573.
Lacordaire, 913, **927-928**, 929, 1037.
Lacretelle (Jacques de) 1222, **1233** et n. 1, 1294.
La Fare, 559, 565, 702.
La Faye, 641.
La Fontaine, 81, 97, 108, 244, 384, 410, 473, 482, n. 1, 483, 484, 492, n. 1, 497, 507, 517, 530, 532, 539, **555-564**, 598, 599, 623, 970, 1045, 1132, 1200.
Laforgue (Jules), **1126** et n. 3, **1127**, 1290.
Lagrange-Chancel, 554, 646.
La Harpe, 593, 644, 652, 845.
Lahor (Jean, docteur Cazalis), 1127.
La Huéterie, 240, n. 1.
Laîné (M.), 872.
Lakistes (les), 933, 934, n.
Lamarck, 752.
La Mark (comte de), 864, n., 865.
La Mark (comtesse de), 823.
Lamartine, 290, 563, 800, 832, 839, 848, 904 et n. 2, 916, éloquence : **923-924**, 935-937, 945 et n. 1 et 2; poésie : **948-953**, 958, 970.
Lamballe (princesse de), 813.

Lambert (marquise de), 625, n. 1, 639, n. 1, 640, 653, n. 1, 654, 719.
Lembert le Tors, 38, n. 2.
Lambin, 222, 233.
Lamennais, 908, **912-914**, 923, n. 1, **927**, 928, 970, 1334.
La Mettrie, 696, 823.
Lami, 401.
Lamoignon, 492, n. 1, 493, 514, n.
La Motte-Houdart, 402, 474, 493, 561, 633, n., **639-641**, 648, 654, 660, n. 1, 691.
Lancelot, 452, 538.
Langlois (Charles-Victor), 1208 et n. 1.
Languet, 731.
Lanoue, 652.
Lanson (Gustave), 1192 et n. 2, **1193-1194**, 1327, 1329, 1334.
La Péruse, 413, n. 1.
Laplace, 819 et n. 4.
La Popelinière, 350 et n. 1.
Laprade (Victor de), 276, 1061 et n. 1.
Larbaud (Valery), 1247, 1294, **1296** et n. 1, **1297**, 1299.
Larcher, 732.
Laivey, 508, 509 et n. 3, 510 et n., 517.
La Rochefoucauld, 378, 388, **474-478**, 479, n. 1, 481, 490, 562, 604, 605.
Lascaris (Jean), 234, 235.
Lassay, 484.
Lasserre (Pierre), 1302, **1303** et n. 1, 3, **1304**, 1306.
Laugier, 406, n. 2.
Laurent de Premier Fait, 158.
Lautréamont, **1217** et n. 3, 1328, 1332.
Lauzanne, 989 et n. 1.
Lavelle, 1319 et n. 1.
Lavisse (E.), 1101 et n. 3.
Lawrence, 1258.
Lebel (Jean), 149 et n. 2.
Leblanc (l'abbé), 819 et n. 2.
Le Boulanger de Chalussay, 515, n.
Lebrun, 641, n. 1, 642, 644.
Leclerc (Jean), 819, n. 1.
Leclerc (l'avocat), 540.
Leconte de Lisle, 6, 45, **1061** et n. 3, **1062, 1063,** 1064, 1102, 1119, 1133, 1137, 1214, 1352.
Lecouvreur (Mlle), 699.
Leczinska (Marie), 691.
Ledesma, 381.
Ledru-Rollin, 996, n. 1.
Lefèvre d'Etaples, 1340.
Lefèvre (Jules), 939 et n. 3.
Le Franc de Pompignan, 642, 731, 762.
Lefranc (Abel), 1310 et n. 1.
Legouvé père, 901.
Legrand, 658.
Leibniz, 573, **743, 755, 1312.**
Lejeune, 569.
Le Kain, 694.
Le Laboureur, 386, **n. 1.**
Le Maire de Belges (Jean), 186, 187, n. 1, 231, n. 1, 232 et n. 1, 241, 280, 288, 1338, 1339.

Le Maître (Antoine), 450 et n. 2, 453, n. 2, 538, **568,** 598.
Le Maître de Saci, 450, n. 2, 451, 453, n. 2.
Le Maître de Séricourt, 450, n. 2, 453, n. 2.
Lemaître (Frédérick), 973, n. 1, 1314.
Lemaitre (Jules), 533, n. 1, 1116, 1176, **1190** et n. 1, 1191, 1192.
Lemercier (Népomucène), 866 et n. 1, 937, 940 et n. 1, 987.
Lemierre, 652.
Lemoine (le cardinal), 271, n. 1.
Lemoyne (le Père), 288, 386, n. 1.
Lenormand (Henri), 1273.
Lenotre, 1209 et n. 1.
Leopardi, 838.
Leroux (Pierre), 996, 1030, n. 1, 1041, n.
Le Roux de Lincy, 212, n.
Leroy, 846, n. 1.
Leroy (Eug.), 1144 et n. 3, 1150 et n. 4.
Le Roy (Pierre), 270, n. 2.
Lesage, 522; comédie : **534,** 658, 664, 665; roman : **668-674,** 675, 678, 679, 710, 748, 811, 817, 820.
Lespinasse (Mlle de), 804, n. 1, 805 et n. 4, 838, 840.
Lessing, 561, 651, **821** et n. 1, 884.
Letourneau, 649, 819 et n. 4 et 6.
Lévesque de Burigny, 1348.
Levesque de Pouilly, 1348.
Ligne (le prince de), 765, 822, 824 et n. 1, 839, 840, 905, n. 4.
Lillo, 819, n. 5.
Lingendes (Jean de), 1297.
Lingendes (les deux), 569.
Linguet, 860.
Littré, 1312.
Livry (comte de), 660, **n. 1.**
Lizet, **237.**
Locke, 692, 701, 742, 757, 820, 857.
Lœve-Veimars, 934 et n. 2, 971, 972 et n. 2.
Lomonosof, 821.
Longepierre, 554, n.
Longin, 492, 599.
Longueville (duchesse de), 376, n. 1, 378, 469, n. 1.
Longus, 910, n. 1.
Lope de Vega, 382, 410, 511.
Lorens (le frère), 123.
Lorenzino de Médicis, 509 et n. 3.
Loti (Pierre), 1092, **1095** et n. 1, **1096,** 1133, 1148, 1159.
Louis XIV, 479, n. 1, 480, 482, n. 1, 624, 702, 704, 705, 706, 707.
Louvet, 868 et n. 3.
Loyal Serviteur (le), 246, 306.
Loyseau de Mauléon, 860.
Loyson (Hyacinthe), 929 et n. 1.
Lubbock (sir John), 1092, n. 2.
Luc (saint), 191.
Luc d'Achery, 491 et n. 2.
Lucain, 130, 232, 288, 423.
Lucas (Paul), 846, n. 1.
Lucas (le Père), 596, n. 2.

Luce de Lancival, 847, 901.
Luchaire (Achille), 1209 et n. 5.
Lucrèce, 131, n. 1, 225, 322, 324, 331, 401, 484, 577, 758, 845, 1063.
Lugné-Poë, 1273.
Lulle, 1340.
Lulli, 515, n., 537, n. 1, 1345.
Luther, 226, 235, 252, 264, n. 1, 587.
Luxembourg (la maréchale de) 778, 804.
Luynes (duc G. de), 401, 539.
Luzan (marquis de), 818.
Lyautey, 1324.

M

Mabillon, 491 et n. 2.
Mably (l'abbé de), 737 et n. 2, 868.
Machiavel, 101, 264, 434, 557, 695.
Macpherson, 819 et n. 6, 820.
Macrobe, 126, 130.
Madelin (Louis), 1209 et n. 8.
Maeterlinck 1170, 1178 et n. 1, **1179-1181**, 1184, 1185, 1280.
Magny (Olivier de), 294 et n. 1.
Mahelot (Laurent), 418, n. 1, 1344.
Maillard, 171 et n. 1, 172, 173, 310.
Maindron, 1147 et n. 6.
Maine (duchesse du), 565, n. 4, 639, n. 1, 643, 694, 701, 702.
Maine de Biran, 907, 1302, 1319.
Maintenon (Mme de), 377, 378, 389, n. 3, 482, n. 1, 484, **487-489**, 541, 573, 686, 702.
Mairet, 420, 422, 423, 424, **510** et n. 2.
Maistre (Joseph de), **908-910**, 912, 913, 1078, 1334.
Maistre (Xavier de), 908, n. 1.
Malaval, 573, n. 1.
Mâle (Émile), 1210 et n. 2.
Malebranche, 461, 453, 473, 587, 600 et n. 1, 622, 632, 949, n. 1, 1305, 1317.
Malesherbes, 733, 778.
Malherbe, 85, 156, 228, 244, 280, 289, 293, 294, 296, 299, 301, 337, 346, 347, 348, 349, **357-365**, 366, 367, 368, 372, 377, 381-384, 388, 392, 402, 407-410, 429, 463, 482, n. 1, 499, 557, 597, 945, 1130, 1274.
Mallarmé, 1068, 1115, 1120, 1121, **1124** et n. 4, **1125-1126**, 1127, 1129, 1133, 1136, 1137, 1153, 1215, 1216, 1218, 1219, 1220, 1353.
Mallet du Pan, 858 et n. 1.
Malleville, 377, 384, 406, n. 2.
Malouet, 874, n. 1.
Malraux (André), 1222, 1247, **1251** et n. 1, **1252-1253**, 1261, 1263, 1265, 1294, 1320.
Manet, 1067.
Manuel (Eugène), **1064 et n.** 2.
Manuel (l'orateur), **916.**
Manzoni, 933, 934, n. 2, 971, n. 3, 972, n.

Marat, 807.
Marbot (de), 1108 et **n. 3.**
Marcel (G.), **1286** et **n. 2**, **1287**, 1319, 1320.
Marchat (Jean), 1273.
Marguerite de Navarre, 226, 231, **236-239**, 240, 244, 251, 263 et n., 275, 339, n. 1, 911.
Marguerite de Valois, 304, n. 1.
Margueritte (Paul), 1106, n. 1, 1145 et n. 2, 1148.
Marie-Antoinette, 806, 813.
Marie de France, 52, 53, 59, 95, 105.
Marino, 381 et n. 1, 384.
Maritain (Jacques), 1202, 1317, **n. 1.**
Marivaux, 60, 519, 639, comédie : **653-657**, 664, roman : **674-676**, 678, 679, 748, 777, 811, 813 et n. 2, 819, 820, 984, 991, 1172, 1280, 1289.
Marmontel, 678, 731, 732, et n. 1, 734, **735**, 1350.
Marot (Clément), 111, 186, 213, 226, 227, 228, 231, 233, 236, 237, **240-244**, 245, 251 et n. 2, 252, 253, 261, 275, 277, 278, 280, 285 et n. 2, 291, 292, 293, 295, 345, 348, 353, 354, 361, 561, 1340.
Marot (Jean), 186, 187, n. 1, 241.
Mars (Mlle), 976.
Marsan, 415, n. 1, 419, n. 1.
Martha (C.), 1099 **et n. 1.**
Martial, 279.
Martial d'Auvergne, **172.**
Martin du Gard (Roger), 1222, **1242 et n. 2, 1243**, 1291, 1294.
Martin (l'avocat), 568.
Marx, 1225, 1319, 1323.
Massillon, **593**, 731, 860, **887.**
Massis (Henri), 1293 et n. **2, 1308.**
Mathiez, 1323.
Mathon de la Cour, 856, n.
Mathurins (le ministre des), 163.
Maucroix, 555, n. 1.
Maupassant (Guy de), 943, n. 5, 106 et n. 1, 1065, 1087, **1090** et n. 1, **1091.**
Maupeou (le chancelier), 759, 809.
Maupertuis, 696, 697, 823.
Maure (Mme de), 377, 378, 392, **476.**
Mauriac (François), 1159, 1222, **1228** et n. 3, **1229-1231**, 1232, 1233, 1235, 1255, 1286, 1294, 1320.
Maurois (A.), 1222, **1243** et n. 2, **1244-1245**, 1308, 1323.
Maurras (Ch.), 1115, 1131, 1147, 1158, **1197** et n. 3, **1197-1201**, 1295, 1303, 1321.
Maury (l'abbé), 594, 868 et n. 1.
Maynard, **383**, 406, n. 2, 1130, 1344.
Mazarin (duchesse de), 483, n. 2.
Meerbeck (Guillaume de), 158, n. 3.
Meigret, 270.
Meilhac, 1071 et n. 2.
Meister, 821, n. 2, 1314.
Mélanchthon, 180, 236, n. 1, 264, n. 1, 587.
Melendez Valdez, 858.

Ménage, 376, 377, 409 et n. 1, 507, 522.

Menot, 171 et n. 1, 172, 173, 267, 310.

Mercier, 66, n. 1.

Méré (chevalier de), 456, 482, n. 1, 484.

Mérimée, 966, **971**, 962, n., 1009-1012, 1109, 1157.

Merlin Coccaie, 258 et n.

Mersenne (le Père), 454.

Mésangère (Mlle de la), 562.

Meschinot de Nantes, 186, 187, n. 1, 230.

Métra, 811.

Meung (Jean de), **11**, 113, **125**, **130-140**, 156, 202, 241, 255, 261, 345.

Meyer (Paul), 31, n. **1**, **47**, n. 2.

Mezeray, 1014, 1016, n. 2, 1017.

Meziriac, 406, n. 2.

Michel de Bourges, 996.

Michel (F.), 212, n.

Michel (Jean), 209, 210.

Michelet, 11 et n. **1**, 687, 905, 906, 927 et n. 1, **1020-1027**, 1030, n. 1, 1047, 1100, 1109, 1200, 1210.

Mignet, 921, n. 1, 1101 et n. 1.

Millerand, 1036, 1037.

Milton, 309, 371, 581, 596, 692, 905, 1045.

Mirabeau, 729, 807, 808, n. 1, 840, 854, 862, **863-868**, 870.

Mirabeau (marquis de), 729, 730, 731, 738, 806.

Mistral, 1200.

Miton, 456.

Molé, 921, n. 1, 953, n. **1.**

Molière, 139, 195, 220, 255, 258, 261, 345, 382, n. 2, 389, 410, 462, 480, 482, 483, 492, n. 1, 497, 500, 501, n. 1, 505-507, 510, 511, n. 1, **513-530**, 531-533, 539 et n. 6, 560, 564, 587, 597, 599, 606, 607, 623, 655-658, 661, 665, 666, 669, 704, 710, 741, 792, 810, 811, 813, n. 2, 818, 947, 980, 986, 1175, 1176, 1242, 1280, 1281, 1290, 1344, 1345.

Molina, 449, n. 1.

Molinet, 148, 186, 187, n. 1, 230, 231, 241.

Mondory, 420.

Moniot, 90.

Monlac (Blaise de), 244, 246, 302, **303-306**, 353.

Monmerqué, **1014**, n. 1.

Monnier (Marc), 876.

Monod, 1046.

Montaigne, 90, 139, 226, 228, **229**, n., 244, 266, 272, 273, 274, 282, 296, 302, **320-336**, 337, 339, 340, 342, 346, 347, 348, 353, 354, 356, 393, 401, 405, 412, 434, 456, 468, 484, 526, 564, 604, 605, 632, 637, 714, 797, 926, n. 1, 1195, 1224, 1340, 1341, 1342, 1343.

Montalembert (de), 913, **923**, 924.

Montausier (M. de), 376, 394, n. 1, 496, 522, 571, 592, n. 1.

Montausier (Mme de), **376**, **393**, **403**, 428, n. 1, 592, n. 1

Montazet, 731.

Montchrétien (Antoine de), **338-339**, 343, 347, 349, 355, 358, 364, 375, 384, 396, 413 et n. 1, 415, 416.

Montemayor, 373, n. 1, 374, 376.

Montespan (Mme de), 487, 488, 538.

Montesquieu, 264, 322, 474, 585, 610, 630, 632, 641, 678, 681, 684, 687, **709-725**, 734, 738, 762, 787, 788, 798, 820, 821, 862, 867, 879, 888, 909, 916, 926, n. 1, 1013, 1348, 1349.

Montfaucon (le Père), 491 et n. 2, 844.

Montferrand (de) 186, 187, n. 1.

Montfleury (Jacob de), 514, n., 531.

Montherlant (Henry de), 1182, 1222, 1247, **1248** et n. 1, **1249-1251**, 1252, 1253, 1285, 1294.

Monti, 875, n.

Montillet, 731, 763.

Montmor, 406, n. 2, 514, n.

Montmorency (Mathieu de), 874, n. 1, 875, n.

Montpensier (Mlle de), 479, n. **1**.

Moore, 819, n. 5, 934, n. 2.

Morand (Paul), 1222, 1245, **1246** et n. 1, **1247**, 1277, 1296.

Moratin, 818, n. **1**.

Moréas, **1131** et n. 1, **1132**, 1140, **1200**.

Moreau, 875, n. **1**.

Morellet, 732, 874, n. 1.

Moreri, 637, 1054.

Moreto, 511.

Morice (Charles), **1129** et n. 1.

Mornet, 1310.

Mortillet (de), 1092, n. 2.

Moschus, 850.

Mosny (Mme de), 378.

Motteville (Mme de), **477**, 479, n. 1, 583.

Mouchy (Mme de), 889.

Moulin de la Barthète (du), 1324.

Mounier, 874, n. **1**.

Mounier (Em.), 1319, n. 2.

Mun (de), 1034, n. 2.

Muret, 233, 412.

Musset (Alfred de), 290, 747, 838, 839, 936 et n. 2 et 3, 947; poésie : **961-964**, théâtre : **982-984**, 987, 1051, 1137, 1140, 1172, 1184, 1200, 1281, 1289, 1308.

Musset (Paul de), 962, n.

N

Napoléon (l'empereur), 828, n., **870-873**, 874, n. 1, 875, n., 876, 889, 891, 895, 935, 959, 968, 1007.

Napoléon III, 921, n. 1, 923, n. 1, 960.

Nassau (prince de), 822.

Naugerius, 286.

Necker, 734, 805 et n. 3, 865, 879.

Necker (Mme), 805 et n. 3, 822, 824, n. 2, 832.

Necker de Saussure (Mme), 934, n. 2.
Nemours (duchesse de), 479, n. 1.
Nerval (G. de), 968, n. 2.
Nevers (duc de), 540.
Newton, 692, 694, 699, 700, 705.
Nicole, 401, 452, 454 et n. 1, 486, 558, 559 et n. 7.
Nietzsche, 1098 et n. 3, 1113, 1151, 1171, 1206, 1226, 1252, 1303.
Ninon, 378, 482, n. 1, 484, 492, n. 1, 514, n., 631, 632, 690.
Nisard (Désiré), 940 et n. 4.
Noailles (Ctesse de), 1133, 1141 et n. 1, 1142, 1234, 1274.
Nodier (Charles), 934, n. 2, 938 et n. 1, 966, 1332.
Nointel, 846, n. 1.
Nonotte, 762.
Noue (de la), 304, n. 1, 317-318.
Novalis, 933, 1298.

O

Odry, 989 et n. 2.
Offenbach, 1071 et n. 1.
Ohnet (Georges), 1191.
Olivet (d'), 409, n. 1, 694, n. 2.
Olivetan, 251, n. 2, 252, 262, n. 1, 263, 351.
Ollivier (Émile), 1034, n. 2.
Omer de Fleury, 731, 734.
O'Neddy (Philothée), 1297.
Oresme, 147, n. 1, 157, 158-159, 164, 184, 352.
Orneval (d'), 664, n. 1.
Orose, 241.
Ossian, 858.
Otway, 818.
Ouville (d'), 510, 511 et n. 2.
Ovide, 126, 129, 130, 131, 138, 157, 162, 242, 279, 539, n. 4.

P

Palatine (princesse), 484, 514, n.
Paléologue, 1324.
Palissot, 666 et n. 1, 733.
Palissy (Bernard), 226, 300, 302-303.
Paradis, 236.
Pardo Bazan, 1113, 1118, n. 19.
Paré (Ambroise), 226, 300, 302 et n. 1.
Parfaict (les frères), 510, n. 1, 663, n. 2, 664, n. 1.
Paris (Gaston), 1, n. 1, 14, 15, 19, n. 1, 20, n. 1, 24, 25, n. 1, 29, n., 51, n. 1, 67, n. 2, 75, n. 2, 76, n. 1, 83, n. 1, 126, n. 1, 1310.
Paris (Paulin), 32, n. 1, 148, n. 1.
Parny, 6, 641, n. 1, 849.
Pascal, 264, 266, 330, 337, 340, 366, 372, 394, 401, 454-472, 475, 477, 481, 486, 507, n. 1, 580, 598, 599, 604, 605, 699, 739, n., 787, 911, 925, 955 et n. 4, 1066, 1251, 1301, 1317, 1319, 1348.

Pascal (Étienne), 454, 455.
Pascal (Gilberte), 455 et n. 1, 456 et n. 2.
Pascal (Jacqueline), 452, 455 et n. 1, 456.
Pasqualigo, 509, n. 3.
Pasquier (duc), 1102 et n. 4.
Pasquier (Étienne), 301-302, 303, 313, 314, 316, 324, n. 1, 351, n. 1, 356, 1109 et n. 1.
Passerat, 295 et n. 1, 318, n. 1.
Pasteur, 1098, 1312.
Patouillet, 762.
Patru, 373 et n. 1, 406, 568.
Paul (saint), 234, 264, 267 et n. 2.
Pavilly (Eustache de), 163.
Pavius (Michel), 234.
Péguy, 1142 et n. 1, 1143-1147, 1158, 1184, 1206, 1260, 1299, 1300, 1303, 1308, 1310.
Pelletier, 275.
Pellisson, 406, n. 1.
Pepys (Samuel), 1150.
Pereda, 1113, 1118 et n. 17.
Péréfixe, 514, n.
Perez (Antonio), 381.
Perez Galdos, 1113, 1118, n. 18.
Périer (Mme), Voir Gilberte Pascal.
Perrault (Charles), 386, n. 1, 402, 453, 483, 493, 539, 596-601, 628, 633, n. 1, 640.
Perrault (Claude), 596, 597, n. 1.
Perrault (Nicolas), 597, n. 1.
Perrault (Pierre), 596, n. 1.
Perrin (l'abbé), 537, n. 1.
Perrin (Jean), 1313.
Perron (du), 228, 276, n. 2, 311, 341, 347, 356, 358, n., 569.
Perrot (Georges), 1100.
Perse, 344.
Petitot, 976, 1014, n. 1.
Pétrarque, 157, 158, 160, 168, 279, 286.
Pétrone, 103.
Phèdre, 503, 561, 562.
Philippe (Ch.-L.), 1137, 1149, 1151 et n. 1, 1152.
Picard, 818, 986 et n. 1, 988.
Picard (Ernest), 1034, n. 2.
Picasso, 1274, 1275.
Pichot, 934, n. 2, 935, 937, n. 1.
Pierre de Blois, 761.
Pierre d'Espagne, 233.
Pierrefeu (Jean de), 1324.
Pinchène, 385.
Pindare, 278, 286, 287, n. 1, 288, 294, 360, 499, 539, 599, 850.
Pintrel, 555, n. 1.
Pirandello, 1263, 1272.
Piron, 641, n. 1, 643, 644, 659 et n. 1, 664.
Pithou, 313, 318, n. 1.
Pitoëff, 1273.
Pixérécourt, 973, n. 1, 980.
Place (de la), 856, n.
Planciades (Fulgentius), 124.
Planck (Max), 1313.
Platon, 130, 223, 235, 236, 250, 270

et n., 568, 577, 598, 605, 1308, **1319,** 1328, 1340.

Plaute, 497, 509, 517.

Pléiade (la), **276-284,** 294, n. 1, 333, 344, 346, 348, 353, 362, 368, 416.

Plessis-Mornay (du), 311, 315, 339, **341,** 348.

Pline l'Ancien, 743.

Plutarque, 40, 227, 246, 271, n. 1, 272, 273, 324, 423, 728, 775.

Poe (Edgar), 1067, 1220, **1231,** 1298.

Pogge (le), 225, 258 et n.

Poincaré (Henri), **1207** et n. 1.

Poincaré (Raymond), 1036, 1037, 1293, 1324.

Poinsinet, 666, 711.

Poisson, 531, n. 1.

Pompadour (Mme de), 660, n. 1, **733.**

Poncet (A.-F.), 1324.

Ponsard, **985,** 1068.

Pontan, 279, 286.

Pontus de Tyard, 277, 294, n. 1.

Pope, 692, 818.

Popelinière (M. de la), **777.**

Porchères (de), 406, n. 2.

Porée (le Père), 690.

Porphyre, 568.

Porto-Riche (de), 1170, **1172** et n. 1, 1304.

Poussin, 482, n. 1.

Pouvillon (Émile), 1144 et n. 2.

Pradon, 497 et n. 1, 553, 554, n., 1046.

Préville, 835.

Prévost (l'abbé), **676-679,** 748, 819, 1348.

Prévost (Marcel), **1145 et n. 4,** 1148.

Prévost-Paradol, **1032-1033.**

Prior, 692, 819, n. 2.

Properce, 92, 279.

Proudhon, 907, 908, **914-915,** 1351.

Proust (Marcel), 1155, 1206, **1222** et n. 2, **1223-1224,** 1263, 1292, 1294.

Prudence, 124.

Ptolémée, 130, 467.

Pucelle (l'abbé), 860.

Q

Quatrefages (de), 1092, n. 1.

Quesnay, 738.

Quinault, 429, 496-498, 510, 511, n. 1, 515, n., 531 et n. 2, 535, **536-537,** 538, 646, 651.

Quinault (Mlle), 660, n. 1.

Quinet (Edgar), **927,** 934, n. 2.

Quintilien, 225, 486.

R

Rabelais, 64, 136, 139, 226, 232, n. 1, 233, **249-261,** 262, 265, 274, 281, 324, 334, 345, 352, 353, 354, 526, 561, 745, 939, 1340, 1343.

Racan, 363 et n. 1, **383-384,** 406 et n. 2, 407, 415, 419, 597, 1297.

Rachel (Mlle), 986 et n. 1.

Racine, 45, 89, 239, 244, 273, 382, n. 2, 429, 430, 435, 437, 440, n. 1, 453, 454, 473, 474, 482, n. 1, **483,** 485, 487, 490, 492, n. 1, 497, 498, 505, 517, 531, 536, 537, **538-554,** 555, 578, 596, 599, 623, 645, 646, 648, 655, 657, 661, 705, 760, 818, 898, 900, 932, n. 1, 936, 938, 945 et n. 4, 946, 947, 962, 980, 986, 1006, n., 1184, 1185, 1286, 1316, 1345.

Racine (Louis), 642.

Radiguet (Raymond), **1274,** n. 2.

Raisin, 531, n. 1.

Rajna, 19, n. 1, 21, 23 et n. **1,** 24, 41.

Rambouillet (marquise de). Voir Vivonne (Cath. de).

Ramsay (le chevalier de), 611, n.

Ramus, 226, 233, 299 et n. 2.

Ramuz (Charles-Ferdinand), 1258, **1259** et n. 1, **1260,** 1261.

Rancé (abbé de), 491, n. 2.

Raoul Ardent, 161.

Raoul de Houdan, 123.

Rapin (Nicolas), 318, n. 1.

Rapin (le Père), 488, n. 3, 818.

Raulin, 258 et n., 267.

Ravignan (le Père), 928, 929, n. 1.

Raynal (l'abbé), 734, **736,** 742, 822, n. **1,** 861, 874, n. 1.

Raynal (Paul), **1285** et n. 1, 1286.

Raynouard, 934, n. 2, 935.

Razzi, 509, n.

Récamier (Mme), 875, n., 890.

Regnard, 345, 473, 474, **532-533,** 658, 664.

Regnault, 1109.

Régnier, 117, 296, **344-346,** 347, 348, 349, 355, 364, 369, 372, 418, 597.

Régnier (Henri de), 1131, **1132** et n. 1, **1133-1134,** 1298.

Régnier-Desmarais, 409, n. 1.

Rémond le Grec, 1347.

Rémond de Saint-Mard, 1347, 1348.

Rémusat (de), 971, n. 1, 1352.

Rémusat (Mme de), 1108 et n. 2, 1109.

Rémy, 1324.

Renan, 7, n. 1, 470 et n. 3, 772, 905, 929, 970, n. 1, 1037, 1093, 1094, 1097, 1099, 1100, 1102, **1103** et n. 1. **1104-1107,** 1161, 1186, 1191, 1312.

Renard (J.), **1149** et n. 2, **1150-1151.**

Renouvier, 1055, 1056, 1098 et n. 5.

Restif de la Bretonne, 679 et n. 2.

Retz (cardinal de), 394, n. 1, 398, 434, 438, 440, 475, 477, **478-482,** 482, n. 1, 485, 578, 1299.

Reynaud (J.), 996, 1030, n. 1.

Ribot, 1098.

Riccoboni, 663, n. 2.

Richardson, 654, 676, 819.

Richelieu, 367, 383, 391, n. 1, 394, n. 1, 398, 406, 420, 424, 428, n. 1, 438 et n. 1, 444, n. 1, 450, 474, 481, 683, 978.

Richelieu (le maréchal de), 523, 690, 702, 733.
Richepin, 1060 et n. 2, 1065, 1177.
Rilke, 1298.
Rimbaud, 1115, **1122** et n. 1, **1123-1124**, 1126, 1127, 1129, 1213, 1215, 1217, 1220, 1232, 1353.
Rivarol, **858** et n. 1, 1196.
Rivière (Jacques) 1292, **1293** et n. 3, **1294**.
Robert de Blois, 123.
Robert de Clari, 73.
Roberval, 454.
Robespierre, 798, 863, **869-870**.
Rocca (M. de), 875, n.
Roche (M. de la), 819, n. 1.
Rochon de Chabannes, 813, n. 2.
Rod (E.), 876, 1110 et n. 5.
Rodenbach, 1120, n. 2, 9.
Rœderer, 874, n. 1.
Rohan, 479, n. 1.
Rojas, 511.
Roland, 807, n. 1.
Roland (Mme, née Phlipon), **807** et n. 1, 840, 868, n. 3, 869.
Rolland (Romain), 1144, 1148, 1159, **1163** et n. 2, **1164-1166**, 1299.
Rollin, **728**.
Romains (Jules), 1222, 1236, **1238** et n. 1, **1239-1242**, 1261, 1273, 1291, **1309, 1335**.
Ronsard, 138, 156, 227, 228, 244, 274, **276**, 277-284, 286, **287-293**, 294-297, 308-310, 325, 343, 346, 352, 353, 358, 365, 367, 369, 372, 387, 394, 402, 409, 412, 413, 416, 418, 503, 508 et n. 2, 510, 851, 1133, 1344.
Rosimont, 531, n. 1.
Rosny, 1146, n. 1.
Rostand (Edmond), 1131, **1177** et n. 1, **1178**.
Rothelin (l'abbé de), 701.
Rotrou, 423, 424, 426, **443-445**, 473, 510, 511; n. 1 et 2, 597, 817.
Roucher, 641, n. 1, 642, 820.
Rouget de l'Isle, 1351.
Roullé (le curé) 514, n.
Roupnel, 1326 et n. 1.
Rousseau (Jean-Baptiste), 244, 633, 641 et n. 1, 642, 691, 937.
Rousseau (J.-J.), 524, 528, 568, 627, 630, 666, n. 1, 678, 679, 727, 731, 733, 737, 739, 744, 753, 763, 764, **773-803**, 804-806, 819-823, 827-829, 831, 832, 835, 836, 840, 844, 848, 860-862, 865, 869, 876, 881, 888, 894, 900, 903, 909, 912, 914, 933, 936, 990, 996, 997, 1030, 1143, 1259, 1303, 1350, 1351, 1352, 1353.
Roussel, 237.
Rousset (David), 1324.
Roux, 856, n.
Royer-Collard, 863, **917**, **918-919**, 924, n. 1.
Ruccellai, 412.

Ruskin, 1224.
Rutebeuf, 11, 104, **113-119**, 133, 177, 190, n. 1, 195, 198, 280.
Rutherford, 1313.
Ruynart, 491 et n. 2.
Ryer (du), 423, 434, 443.

S

Sablé (marquise de), 376, n. 1, 377, 382, 392, 475, 476, 482, n. 1.
Sablière (Mme de la), 555, n. 1, 556, n., 560.
Sabran (Elzéar de), 875, n.
Sacy (de), 457, 468.
Sade, 1328.
Sagon, 240, n. 1.
Saint-Amant, 384, 386, n. 1, **389**, 496, 497, 498.
Saint-Cyran (Du Vergier de Hauranne), 339, n. 1, 450, 455.
Saint-Evremond, 376, 377, 393, n. 1, 409 et n. 1, 482 et n. 1, **483-484**, 594, 624, 704, 1347, 1348.
Saint-Exupéry, 1222, 1247, **1253** et n. 1, **1254**, 1333.
Saint-Gall (le moine de), 21.
Saint-Gelais (Mellin de), 231, **245**, 278, 285, 286, 294.
Saint-Gelais (Octovian de), 245 et n. 1.
Saint-Lambert, 593, 641, n. 1, 642, 819, 820.
Saintot (Mme de), 378.
Saint-Pierre (l'abbé de), 626, 634.
Saint-Simon, 473, 480, 540, 560, **681-687**, 702, 703, 711, 1014, 1102, n. 5, 1188.
Saint-Sorlin. Voir Desmarets.
Saint-Victor (Hugues de), 161.
Sainte-Beuve, 934, n. 2, 940, 945, n. 3, 947, 967, **1005**, 1039, **1040** et n. 3, **1041-1042**, 1045, 1049, 1053, 1065, 1189, 1193, 1200, 1295, 1304.
Sainte-Marthe, 237.
Sainte-Thècle (la Mère Agnès de), 539, n. 5.
Salacrou (Armand), 1280, **1282** et n. 3, **1283-1284**, 1285.
Salel, 270, n. 2.
Sales (François de), 228, 267, **341-343**, 346-349, 353, 355, 375, 396, 449, 569.
Saliat, 270, n. 2.
Salle (Antoine de la), 170.
Salluste, 130, 180, 1299.
Samain, **1136** et n. 2, 1137.
Samson (le Père), 1037.
Sand (George), 905, 961, n. 1, 991, **995-1000**, 1001, 1012, 1109, 1114, 1158, 1200, 1258, 1333.
Sandraz de Courtilz, 668.
Sannazar, 279, 280, 373, 849.
Santeuil, 603.
Sanxon (Jehan), 234, 270, n, 2.

Sapho, 276.
Sarcey (Francisque), **1191** et n. 1, **1192.**
Sardou (Victorien), 816, 1072 et n. 2, 1114, 1169, 1280.
Sarrazin, 376, n. 1, 383, 384, 388, 597, 599.
Sartre (J.-P.), 1222, 1247, 1253, **1261** et n. 2, **1262-1267,** 1268, 1286, 1287, 1318, 1320, 1333, 1335.
Saurin, 652, 678, 819.
Sautreau, 856, n.
Savoir (Alfred), **1288** et n. 3, **1289.**
Saxe (maréchal de), 696.
Scaliger, 327, 394, 414 et n., 420, **422.**
Scarron, 345, 384, 388, **389-390,** 490, 510-513, 517, 531, 669, 810, 813 et n. 2, 817, 1175.
Scarron (Mme). Voir Mme de Maintenon.
Scève (Maurice), 276, 292.
Schelandre, 420.
Schelling, 924, n. 1.
Schérer (Edmond), 1040 et n. 2.
Schiller, 821, 858, 885, 933, 934, n. 2.
Schlegel (G.), 875, n., 884, 934, n. 2.
Schomberg (Mme de), 476, 477.
Schopenhauer, 82, 1098, 1127, 1303.
Schwob (Marcel), 1197, n. 2, 1297, 1353.
Scribe, 37, 42, 846, 921, 969, **987-989,** 1002, 1012, 1071, 1076, 1114, 1169.
Scudéry (Georges de), 44, 384, 386 et n. 2, 387, 393, 420, 423, 424, 434, 443, 497, 498, 500.
Scudéry (Mlle de), 273, 376, 378, 387, n. 1, 388, 482, n. 1, 489, 497, 672, 1042.
Secchi, 509, n. 2.
Second, 279.
Sedaine, **661,** 810, 813 et n. 2.
Segrais, 559, **565.**
Séguier (le Président), 406, n. 2, 522, 731.
Ségur (de), 824.
Séguy, 731, n. 1.
Seignobos, 1208 et n. 3.
Senancour, 990.
Senault, 569.
Sénèque, 158, 167, 262, n. 1, 263, 266, 324, 331, 348, 359, 360, 412, 413, 419, 426, 434, 555, n. 1.
Serizay, 406, n. 2.
Serre (comte de), 916 et n. 3.
Serres (Olivier de), 303, 338, 347.
Séruzier (baron), 1102, n. 1.
Servan (l'académicien), 406, n. 2.
Servan (l'avocat général), 861.
Servet, 253, 263, n.
Servien (l'abbé), 702.
Sévigné (Mlle de), 562.
Sévigné (marquise de), 377, 378, 388, **394,** n. **1, 452,** 454, 475, **484-487,** 564 et n. 1, 590.
Seyssel (Claude de), 234, 270, n. 2.
Shaftesbury, 692, 820.
Shakespeare, 106, 200, 273, 336, 445, **649, 651, 652,** 692, **756, 819** et n. 4,

832, 838, 841, 842, 872, 883, 885, 934, n. 2, 938, 939, 975, 978, 1006, n., 1184, 1275, 1290, 1301, 1316, 1348.
Shaw (B.), 1113, 1117, n. 5, 1227, 1289.
Shelley, 934, n. 2.
Sibilet (Thomas), 214.
Sidney (Philippe), 420, 422.
Sidoine (Appollinaire), 568.
Siegfried (André), 1325.
Sienkiewicz, 1113, 1118, n. 21.
Silhon, 406, n. 2, 433.
Simon (Jules), 925, 1092 et n. 6.
Simon (Richard), 575, 587, 636.
Sirmond, 406, n. 2.
Sismondi, 875, n.
Socrate, 331, 568, 951, n. 2.
Solin, 130.
Somiaze, 376, n. 1.
Sophocle, 17, 223, 234, 270, n. 2, 412, 424, 850, 1061, 1266, 1275, 1276, 1328.
Sorel (Albert), 1101 et n. 2.
Sorel (Charles), 389 et n. 2, 490, 511, n. 3, 517.
Sorel (Georges), 1206, n. 2.
Souday, 1306, n. 1.
Soumarokof, 821.
Soustelle, 1324.
Southey, 933.
Spencer (Herbert), 1043, 1098, 1187.
Spinoza, 633, 701, 733, 742, 1045, 1307.
Staal (Mme de), 804, n. 1.
Stace, 232, 360.
Staël (le baron de), 874, n. 1, 875, n.
Staël (Mme de), 471, 773, n. 1, 806, 807, 824, n. 1, 834, 854, **874-885,** 899, 917, n. 1 et 2, 926, 933, 938, 971, n. 1, 990, 992, 1039, 1350, 1352.
Stedingk, 822, 824.
Steele, 819, n. 5.
Stendhal (Henri Beyle), 938, 991, **1005-1009,** 1010, 1011, 1012, 1094, 1148, 1161, 1226, 1349, 1352.
Sterne, 743, 819.
Straparole, 517.
Strassmann, 1314.
Strindberg, 1113, 1117, n. 11.
Stuart (Marie), 276, n. 2, 287, 1042.
Stuart Mill, 1043, 1097.
Sturel, 272, n., 274.
Suard, 805 et n. 3, 855, n. 1, 858 et n. 1, 874, n. 1.
Suard (Mme), 766, 805 et n. 3.
Suarès (André), 1144, 1206, **1299** et n. 1, **1300-1301.**
Sudermann, 1113, 1117, n. 13.
Sue (Eugène), 1002.
Suétone, 167.
Sully (duc de), 690, 691,
Sully (Maurice de), 161, 162, 163.
Sully Prudhomme, **1063** et n. 2, **1064,** 1214.
Supervielle (Jules), **1220** et n. 1, 1294.
Swift, **692.**

T

Tabarin, 510, n. 1, 513.
Tacite, **131**, 225, 369, 486, 712, 845.
Taille (Jean de la), 294, n. 1, 318, n. 1, 344, 413, n. 1, 415, 420, 509, n. 1 et 2.
Taine, 134, 283, 556, n., 560, 625, 737, **n. 1**, 918 et n. 1, 1006, 1037, **1043** et n. 1, **1044-1048**, 1049, 1083, 1084, 1090, 1094, 1097, 1103, 1109, 1158, 1161, 1186, 1187, 1188, 1303, 1312, 1349.
Tallemant des Réaux, 372, n. 1, 383, 384, 393, n. 1, 479, n. 1, 512.
Talleyrand, 876.
Talma, 835.
Talon (l'avocat général), 567.
Tasse (le), 276, n. 2, 287, 288, 373, 557.
Tassoni, 596.
Tavernier, **710.**
Temple (Société du), 566, 631, 632, 806, n. 1.
Tencin (Mme de), 653, n. 1, 654, 667, n. 1, 719, 805, n. 1.
Tennyson, 1045, 1048.
Térence, 157, 500, 502, 505, 509, 517, 555, n. 1, 572.
Terrasson, 640.
Tertullien, 578, 579.
Testu, 377.
Tharaud (Jean et Jérôme), 1144, **1156** et n. 1, **1157.**
Théocrite, 275, 850.
Théophraste, 604.
Théopompe, 312.
Thérèse (sainte), 472, 776, 1077.
Thibaud (Jean), 1314.
Thibaudet (Albert), 1206, **1294**, n. 2, **1295-1296**, 1299, 1307, 1321.
Thibaut de Navarre, 89, 125.
Thiériot, 766.
Thierry (Augustin), 906, 1013, 1014, **1015-1017**, 1020, 1022.
Thiers, 920, **921-923**, 1017, **1034-1036.**
Thiessé (L.), 939, n. 3.
Thomas, 641, n. 1, 642, 874, n. 1.
Thomas (poète normand), 55.
Thomas (saint), 116, 121, 161, 449, n. 1, 539, 583, 588.
Thomson, 819 et n. 5.
Thoreau, 1258.
Thou (de), 287, **350.**
Thucydide, 270, n. 2, 850.
Tibulle, 279.
Tieck, 933.
Tifernas (Grégoire), 232.
Tillier, 1012.
Tiraqueau, 258 et n. 1.
Tirso, 420, 422, 511.
Tissart, 234.
Tive-Live, 130, 158, 168, 169, 264, 350, 434, 440, 712, 728, 871.
Tocqueville (de), 919 et n. 5, **1018-1020**, 1046.
Tolstoï (Léon), 1113, 1117, n. 6, 1151,

1164, 1165, 1169, 1243, 1270, 1301.
Torcy (de), 702.
Tory (Geoffroy), 258 et n., 261, 352.
Tour Landry (de la), 144.
Tournemine, 690.
Toussain, 271, n. 1, 300, n. 1.
Tréville (de), 591, n. 1.
Trissino, 412.
Tristan, 423, 442, 510, 511, n. 1, 597.
Trongou, 574.
Troubadours (les), **86-89.**
Trouvères (les), **89-92.**
Trublet (l'abbé), 633, n. 1, 640, 731, n. 1, 762.
Trudaine (les frères), 847, n. 1.
Turgot, 733, 734, 737, **738**, 739, 760, 765, 805, 861.
Turlupin, 510, 512, n. 2.
Turnèbe, 226, 300, n. 1.
Turpin (le faux), 66.

U

Urfé (d'), 343, 348, **373-375**, 387, 388.

V

Vadé, 664, 665, n. 1, 813, n. 2.
Vair (du), 311, **312-314**, 316, 317, 318, 339, 340, 341, 347, 348, 355, 392, 398.
Valdo, 276.
Valère-Maxime, 158, 241, 434.
Valéry (Paul), 1068, 1129, 1130, 1131, 1142, 1200, **1215** et n. 2, **1216-1217**, 1228, 1273, 1294, 1305, 1307, 1308, 1310, 1311.
Valincour (de), 540, n. 2.
Vallès (Jules), **1149** et n. 1, 1150.
Vandal (Albert), 1209 et n. 7.
Van Dale, 635.
Varillas, 376.
Vauban, 626, 738, 1347.
Vaudreuil (comte de), 813.
Vaugelas, 274, 368, 405, 406 et n. 2, **407-409**, 410, 517, 568, n. 1.
Vauquelin de la Fresnaye, 296, 343-344, 349, 356.
Vauvenargues, 516 et n. 1, 517, **729-731**, 1301, 1348, 1349.
Vayrac, 670.
Vegèce, 130.
Velly, 906, n. 1, 977, 1014.
Vendôme (les), 632, 643, 684, 702.
Vendôme (le grand prieur de), 484, 565, n. 4, 690.
Venette (Jean de), 150.
Vérard, 247.
Vergier de Hauranne (du). Voir Saint-Cyran.
Vergniaud, 862, 863, 868, 869 et n. 1.
Verhaeren, 1065, 1131, **1134** et n. 1, **1135-1136**, 1141.
Verlaine, 1065, 1067, 1115 **1120** et n. 4, **1121-1122**, 1123, 1126, 1128,

1129, 1131, 1133, 1137, 1153, 1218
Verne (Jules), 1079.
Vernet (Jacob), 763.
Veuillot, 329, n. 1, **1032**, n. 1, 1054, 1073, 1256.
Viau (Théophile de), 364, **372**, 384, 386, 419, 497, 498.
Vicente Espinel, 670.
Vico, 1023.
Vidal de la Blache, 1158, 1210 et n. 3, 1325.
Vieilleville (le maréchal de), 306.
Viélé-Griffin, 1128, n. 2, 1134 et n. 3.
Viennet, 932, n. 1.
Vigne (André de la), 214.
Vignet des Etoles (baron), p. 909, n.
Vigny (Alfred de), 905, 935-939, 945, n. 1, 947; poésie : **953-957**, 967, 972 et n., 975; drame : 976, **981-982**, 993, 1061, 1062, 1119, 1132, 1237, 1269, 1279, 1332.
Vildrac (Charles), **1272** et n. 3, 1287.
Villars (duc de), 690, 702.
Villedieu (Alexandre de), 233.
Villehardouin, 6, **67-72**, 153, 180.
Villèle (de), 912, n. 1.
Villemain, 924, **926**, 934, n. 2, 938, 1015, n. 1, 1018, n. 2, 1039, 1041.
Villette (marquis de), 766.
Villiers (de), 514, n.
Villiers de l'Isle-Adam, 1126, n. 2, 1202, 1153, 1196, 1353.
Villon, 139, 156, **173-177**, 178, 185, 218, 230, 242, 261, 280, 284, 292, 354, 409, 1299.
Vincent de Beauvais, 121.
Vincent de Paul (saint), 482, n. 1, 570, 578, 579.
Vinet (Alexandre), 1040 et n. 1.
Viret, 264, n., 267, 594.
Virgile, 47, 130, 131, 157, 191, 242, 278, 279, 286, 287, 288, 294, 296, 419, 505, 539, 845, 1094.
Visé (de), 514, n., 532, 633, n. 1.
Vitart, 539.
Vitet, 971, 972,n. 1.
Vitrolles (baron de), 912.
Vivonne (Catherine de), marquise de Rambouillet, 373, 375, 385.
Vivonne (duc de), 492, n. 1.
Vogüé (de), 1107, n. 3, 1111, n. 4.
Voiture, 368, 372, 377, 384, **385-386**, 392, 395, 396, 403, 406 et n. 2, 482, n. 1, 559, 597.
Volland (Mlle), 741.
Volney, 834 et n. 1, 848, 857, 905, n. 4, 949, n. 1.

Voltaire, 45, 131, 139, 235, 255, 327, 386. 410, 442, 455, n., 459, 462, 474, 484, 526, 536, 593, 609, 610, 630, 632, 638, 641-643, 646, n. 1; tragédie : **648-652**, 660, 663, 666 et n. 1, 678, 681, 684, 687; vie : **688-702**; histoire : **702-708**, 727, 730-735, 737, 739, 744, 755; philosophie et correspondance : **756-772**, 777- 789, 792 et n. 1, 797, 804-806, 808, n. 1, 813 et n. 2, 818-821, 823 et n. 2, 824, 827, 835, n. 2, 836, 838, 840, 842, 845, 848, 851, 860-862, 888, 894, 909, 910, 916, 932, n. **1**, 1012, 1013, 1106, 1321, 1347, 1348, 1350.

W

Wace, 66 et n. 1.
Wagner, 1068.
Waldeck-Rousseau, 1036, 1037.
Walpole (Horace), 804, n. **1**, 822.
Walter Scott, 875, 933, 934, n. 2, 974, 992.
Warens (Mme de), 773, n. 1, 755, 790.
Wells (H. G.), 1113, 1117, n. 3.
Wendrocke. Voir Nicole, 458.
Werner (Z.), 973, n. 1.
Weygand, 1323, 1324.
Whitmann (Walt), 1239.
Wieland, 821, 858, 934, n. 2.
Wolf, 695.
Wolmar, 262, n. **1**, 263.
Wood, 846, n. **1**.
Woolston, 692.
Wordsworth, 933.
Wycherley, 692.

X

Xénophon, 270 et n. 2, 11 et n. 3.

Y

Young, 819 et n. 6, 820, 858.
Yveteaux (des), 358, n.

Z

Zeno, 818.
Zola, 994, 1083, **1084** et n. 1, **1085-1087**, 1089, 1112, 1116, 1148, 1151, 1154, 1187, 1240, 1312.
Zschokke, 973, n. 1.
Zwingle, 264, n. 1.

TABLE DES MATIÈRES

Avant-propos . . . .   **v**

PREMIÈRE PARTIE

LE MOYEN AGE

Introduction. — **Origines de la littérature française.**
Le x⁰ siècle Premiers textes littéraires. — 1. Gaulois, Celtes, Romains,
Germains . éléments et formation de la langue et de la race. Caractère
de l'ancien français : dialectes. Vue générale du développement de la
langue. — 2. Caractère de la race. — 3. Causes générales qui diversifient les œuvres littéraires. Séparation de la société laïque et de la
société cléricale au moyen âge. Différences provinciales. Inégalités
sociales. Enrichissements successifs de l'esprit français. — 4. La
France du x⁰ siècle. Physionomie générale du moyen âge.

LIVRE I

LITTÉRATURE HÉROÏQUE ET CHEVALERESQUE

Chap. I. — **Les chansons de geste.**
1. Origines de l'épopée française. Formation des chants épiques. —
2. Fin de l'inspiration épique. La *Chanson de Roland. Raoul de Cambrai.*
Les *Lorrains*. — 3. Transformation de l'épopée en roman : trouvailles
et erreurs du goût individuel. Remaniements et manipulations diverses
des sujets épiques. Les cycles. Le comique. Avilissement progressif
de l'épopée   21

Chap. II. — **Les romans bretons.**
Abondance de littérature narrative. — 1. Cycles de la croisade et de
l'antiquité. — 2. Cycle breton. Caractères des traditions celtiques. Leur
passage dans la littérature française, par des voies incertaines. Lais
et romans. Esprit de ces poèmes. Les *lais* de Marie de France. Les
poèmes de *Tristan*. — 3. Les poèmes de la *Table Ronde*. Chrétien de
Troyes : esprit net, positif, inintelligent du mystère. L'*aventure*, et
l'amour chevaleresque. *Perceval* et le *Saint-Graal* : chevalerie mystique. — 4. Vogue de notre poésie épique et romanesque à l'étranger.   46

Chap. III — **L'histoire.**
Origines de l'histoire en langue vulgaire. — 1. Villehardouin : chevalier et chrétien, mais positif et politique. Le goût de l'*aventure* et le
pittoresque dans sa chronique. Intentions apologétiques. — 2. Joinville :
relation de son œuvre aux vies de saints. — 3. Caractère de Joinville.
Comment il a vu saint Louis. L'imagination de Joinville ; le don de
sympathie   65

Chap. IV. — **Poésie lyrique**.

Médiocre aptitude de l'esprit français au lyrisme. — 1. Ancien lyrisme français. Chansons de femmes; *romances*; pastourelles. — 2. Influence du lyrisme provençal au xiiᵉ siècle. La théorie de l'amour courtois. La cour de Champagne et ses poètes. Médiocrité de l'inspiration   82

LIVRE II

LITTÉRATURE BOURGEOISE

Chap. I. — **Roman de Renart et fabliaux**.

Ancienneté de la littérature bourgeoise. — 1. Les poèmes de *Renart*; leurs origines possibles et leur formation. Délicatesse de certaines branches, plus expressives que satiriques. La satire et la parodie dans les romans de *Renart*. La ruse ou l'esprit, en face de la force. — 2. Les *Fabliaux*. Leur origine; leur date. Esprit des fabliaux : intention comique. Naissance de la littérature psychologique : les fabliaux de Gautier le Long. Décadence et disparition du genre   93

Chap. II. — **Le lyrisme bourgeois**.

1. Comment la réalité et la nature s'introduisent dans la poésie lyrique. La poésie bourgeoise; mélange d'éléments, du lyrisme et de la satire. Naissance de la poésie personnelle. — 2. Rutebeuf : son caractère, son inspiration. Originalité pittoresque; vigueur oratoire; sentiments lyriques   110

Chap. III. — **Litterature didactique et morale**.

1. Commencement de la littérature didactique. Science et morale. Influence de la culture cléricale sur la littérature en langue vulgaire. — 2. Le *Roman de la Rose* : origines de l'allégorie. Guillaume de Lorris fait un *Art d'aimer*, selon la doctrine de l'amour courtois. -- 3. Continuation du poème par Jean de Meung. Caractère encyclopédique et philosophique de cette continuation. Esprit universitaire et bourgeois. Hardiesse de pensée · réhabilitation de la nature. La poésie de Jean de Meung   120

SECONDE PARTIE

DU MOYEN AGE A LA RENAISSANCE

LIVRE I

DÉCOMPOSITION DU MOYEN AGE

Chap. I. — **Le quatorzième siècle** (1328-1420).

1. Décadence de la féodalité et de l'Église : dessèchement des formes poétiques du moyen âge. Faiblesse et artifice de la poésie. — 2. Froissard. Indifférence morale. Intelligence médiocre. Peintre d'éclatantes mascarades et d'aventures singulières. — 3. Écrivains bourgeois et clercs : Eustache Deschamps. Renaissance avortée : les traducteurs sous Jean II et Charles V. — 4. L'éloquence : son caractère ecclésiastique. La prédication en langue vulgaire. Gerson.   141

Chap. II. — **Le quinzième siècle** (1420-1515).

1. L'antiquité et l'Italie. Décadence générale de la littérature fran-

çaise, exceptions individuelles. Charles d'Orléans : esprit et grâce. —
2. Brutalité et grossièreté de l'esprit du temps. Le sentiment national et
l'idée de la mort. — 3. Villon : sa vie, sa poésie. Sincérité de l'impression et du sentiment. Inspiration lyrique : personnelle et humaine. —
4. Commynes : sa vie, son caractère, son intelligence; les idées directrices de Commynes; sa philosophie. — 5. Fin de la poésie féodale :
les grands rhétoriqueurs   166

LIVRE II

LITTÉRATURE DRAMATIQUE

Chap. I. — **Le théâtre avant le quinzième siècle.**
1. Origines religieuses du théâtre du moyen âge, drames liturgiques.
Introduction de la langue vulgaire; drame plus populaire et moins
clérical. La *Représentation d'Adam*. Les *Prophètes du Christ*. Le *Jeu de
Saint-Nicolas*, de Jean Bodel (xiie siècle). Le *Miracle de Théophile*, de
Rutebeuf (xiiie siècle). Les *Miracles de Notre-Dame* (xive siècle). —
2. Origines du théâtre comique. Adam de la Halle : le *Jeu de Robin et
de Marion*, et lo *Jeu de la Feuillée* (xiiie siècle); originalité d'Adam de
la Halle   189

Chap. II — **Le théâtre du quinzième siècle** (1450-1550)
1. Les *Mystères*. Le *Vieux Testament*; la *Passion*; les *Actes des Apôtres*.
Caractère pieux des représentations. Leur organisation Art à la fois
réaliste ot conventionnel. Scènes populaires et triviales. Valeur littéraire des mystères. Les *Confrères de la Passion*. — 2. Théâtre profane et
comique. Basoche. Enfants sans souci. *Sotties, moralités, farces*. Grossièreté des farces, leur esprit. La *Farce de maître Patelin* : expression
comique de types observés ot vivants   203

TROISIÈME PARTIE

LE SEIZIÈME SIÈCLE

LIVRE I

RENAISSANCE ET RÉFORME AVANT 1535

Chap. I. — **Vue générale du seizième siècle.**
1. La « découverte de l'Italie ». — 2. Tendances pratiques et positives
de la Renaissance française. Les divers *moments* du xvie siècle : confusion, puis séparation ot organisation. Résultats.   221

Chap. II. — **Clément Marot.**
Les premières années du xvie siècle : les poètes d'Anne de Bretagne.
— 1. Le roi François Ier. Humanisme, hellénisme; libres études et
raison indépendante. Érudits et traducteurs. — 2. La reine de Navarre;
mélange en elle du moyen âge, de l'Italie et de l'antiquité, de la
Renaissance érudite et de la Réforme religieuse. — 3. Clément Marot.
Son protestantisme. Ses attaches au moyen âge, à l'Italie, aux Latins.
Son caractère et son talent. Sa place dans le mouvement général de
la littérature — 4. Le pétrarquisme : Mellin de Saint-Gelais. La chevalerie : l'*Amadis*   230

LIVRE II

DISTINCTION DES PRINCIPAUX COURANTS
(1535-1550)

CHAP. I. — **François Rabelais.**
1. Les deux premiers livres de *Gargantua* et de *Pantagruel*. Commencements de la persécution religieuse. Despériers et le *Cymbalum mundi*. Le *Tiers* et le *Quart* livres de Rabelais : sa prudence. — 2. La doctrine de Rabelais : naturalisme, ni nouveau, ni profond. L'amour de la vie, caractère dominant de son génie. Ses idées sur l'éducation. Esprit scientifique et puissance imaginative. — 3. Le réalisme de Rabelais. Indifférence à la beauté : sens de l'énergie. La bouffonnerie. La langue.   249

CHAP. II. — **Jean Calvin.**
1. Caractère de l'homme. L'*Institution chrétienne* ; rapport de la Réforme et de la Renaissance. Défense de la morale contre les catholiques et contre les libertins. Calvin psychologue et moraliste. — 2. Importance littéraire de l'*Institution*. Style et éloquence de Calvin. La prédication protestante 262

CHAP. III. — **Les traducteurs.**
1. Travaux sur la langue et traductions. La Boétie. — 2. Amyot. Valeur de son *Plutarque* : enrichissement de l'esprit français, élargissement de la langue 269

LIVRE III

POÉSIE ÉRUDITE ET ARTISTIQUE
(Depuis 1550)

CHAP. I. — **Les théories de la Pléiade.**
Poètes mystiques et subtils : les Lyonnais. — 1. Ronsard et la Pléiade. Poésie aristocratique, érudite, grave, laborieuse. La *Défense et Illustration de la langue française*. — 2. Introduction des genres anciens. Restauration de l'alexandrin. — 3. Élargissement de la langue : procédés de Ronsard. — 4. Aspiration à la beauté. Manque d'une idée directrice : la connaissance nette du mérite essentiel par où valent les œuvres antiques 275

CHAP. II. — **Les tempéraments.**
1. Du Bellay : un fin poète. — 2. Ronsard : sa gloire, son génie lyrique. Les *Odes*. Le tempérament étouffé par l'érudition. Ce qu'il y a de sincère et d'original dans Ronsard. Ronsard créateur de mètres et de rythmes. — 3. Décadence de la Pléiade : anacréontisme, italianisme. Desportes. — 4 Causes de l'oubli où tomba Ronsard 285

LIVRE IV

GUERRES CIVILES; CONFLITS D'IDÉES ET DE PASSIONS

(1562-1594)

Chap. I. — **Les Mémoires.**

1. Constitution de spécialités scientifiques. La philosophie : Ramus. L'érudition : H. Estienne; E. Pasquier. Savants : Paré, Palissy. — 2. Les *Mémoires* : leur abondance. Monluc; l'homme et l'écrivain. Brantôme.   298

Chap. II. — **La littérature militante.**

1. La poésie de combat. *Discours* de Ronsard. Les protestants : D'Aubigné et Du Bartas. — 2. Éloquence. Dégradation de l'éloquence de la chaire par la passion politique ou religieuse. Naissance de l'éloquence politique. L'Hôpital. Du Vair. Faiblesse de l'éloquence judiciaire. — 3. Les Pamphlets. L'*Apologie pour Hérodote*. Le parti des Politiques : Jean Bodin. La *Satire Ménippée*.   308

Chap. III. — **Montaigne.**

Un pacifique : Michel de Montaigne. — 1. Comment les *Essais* ont été composés. Le décousu du livre. Langue et style de Montaigne. — 2. Montaigne vu dans son livre Complexion, humeur, esprit. L'homme et le monde vus dans Montaigne. — 3. Le scepticisme de Montaigne : son caractère, remède au fanatisme. Ses limites : affirmations positives. Optimisme épicurien et art de vivre : la morale de Montaigne. Ses opinions politiques et religieuses : vivre en paix. Affirmations complémentaires de la morale de Montaigne. Théorie de l'éducation. — 4. Montaigne et l'esprit classique   320

LIVRE V

TRANSITION VERS LA LITTÉRATURE CLASSIQUE

Chap. I. — **La littérature sous Henri IV**

Importance de cette époque de transition. — 1. Individus et œuvres : O. de Serres; Montchrétien et son traité d'*Économie*; Charron; Du Vair et ses *Traités* moraux: François de Sales. La poésie : Bertaut : Vauquelin de la Fresnaye; Régnier, son caractère et son génie. — 2. Caractères généraux de cette période : restauration monarchique et catholique; ordre et tolérance; rationalisme et éloquence; détermination des objets littéraires; stoïcisme chrétien; sincérité et naturel. Consolidation des principaux résultats de la Renaissance   337

Chap. II. — **La langue française au seizième siècle.**

Surcharge et confusion au début du siècle. Effort pour régulariser la langue. Comment la langue s'éclaircit : exemples tirés de Calvin. Retour au naturel : facilité et diffusion à la fin du siècle. Ce qui manque et ce qu'on souhaite.   351

QUATRIÈME PARTIE

LE DIX-SEPTIÈME SIÈCLE

LIVRE I

LA PRÉPARATION DES CHEFS-D'ŒUVRE

Chap. I. — **Malherbe.**

1. Le progrès de Malherbe. Sa personnalité, étroite et vigoureuse. Tendance à l'universel; goût de l'éloquence. — 2. Desseins et théories de Malherbe : la réforme de la langue; la réforme de la poésie. Il a sauvé l'art. Malherbe et Théophile. — 3. Raisons du succès de Malherbe. Erreur capitale de sa pratique. 357

Chap. II. — **Attardés et égarés.**

Confusion de la première moitié du siècle. — 1. Un survivant du xviᵉ siècle ; D'Aubigné. Caractère de l'homme. Les *Tragiques* : puissance de l'inspiration satirique et lyrique. — 2. Origine et formation de la littérature précieuse. Naissance de la vie mondaine. L'*Astrée* : par où le roman diffère des pastorales italiennes et espagnoles — 3. L'Hôtel de Rambouillet et la société précieuse. L'esprit mondain, son caractère et son influence sur la littérature. — 4. Grossièreté et raffinement. Influence des littératures espagnole et italienne. La poésie après Malherbe : Maynard et Racan. Poètes précieux : Voiture. Les épopées; les romans : Mlle de Scudéry. Contre-partie du fin et de l'héroïque : Saint-Amant; les romans comiques et bourgeois; Scarron et le burlesque. 366

Chap. III. — **Trois ouvriers du classicisme.**

1. Balzac : un artiste en phrase française. Les idées de Balzac : éducation intellectuelle du public par les lieux communs. — 2. La critique et les règles. Chapelain : ses tendances classiques; ses timidités et ses complaisances. — 3. Descartes : rapport de sa philosophie à la littérature. L'écrivain. Le *Traité des Passions* : Descartes et Corneille. Le *Discours de la méthode*. Esprit rationaliste et méthode scientifique : opposition intime et accord passager du cartésianisme et du christianisme. Le cartésianisme, négation de l'art : union du cartésianisme et de l'art dans le classicisme. 391

Chap. IV. — **La langue française au dix-septième siècle.**

1. Les Précieux : leur travail et leur influence sur la langue. — 2. L'Académie française et le *Dictionnaire*. Vaugelas : le bon usage. Appauvrissement et raffinement de la langue ; langue intellectuelle, scientifique plutôt qu'artistique. 403

LIVRE II

LA PREMIÈRE GÉNÉRATION DES GRANDS CLASSIQUES

Chap. I. — **La tragédie de Jodelle à Corneille.**

Continuité de l'évolution du genre tragique. — 1. La tragédie du viᵉ siècle; ses caractères. Garnier et Montchrétien. Supériorité des

tragédies religieuses. La Pléiade a fait des tragédies sans fonder un
théâtre. — 2. Alexandre Hardy, fondateur du théâtre moderne. Médiocrité de style ; irrégularité de structure ; instinct dramatique. Établissement des règles : les trois unités, instruments de vraisemblance, en
vue de l'imitation réaliste et de l'illusion. — 3. Influences italienne et
espagnole. Le théâtre en 1636. Le *Cid* et la querelle du *Cid*. Avec le
Cid se dégage la tragédie française : étude morale, humanité. Du *Cid*
à *Nicomède*. 411

Chap. II. — **Corneille.**

Caractère de Corneille. — 1. Le théâtre de Corneille : la vérité morale
est le but. Les règles. Les intrigues. Le choix des sujets. L'histoire
dans Corneille : goût des réflexions sur la politique. Le type romain.
— 2. Psychologie cornélienne. La conception de l'amour. L'héroïsme
de la volonté : les généreux et les scélérats. Ce qu'il y a de peu dramatique dans la psychologie cornélienne. — 3. Les personnages de second
plan . variété, vérité, finesse des études de caractère. — 4. La « mécanique » dans la tragédie cornélienne. Dialogue et style. — 5. Rotrou :
imagination originale. 428

Chap. III. — **Pascal.**

Le Jansénisme, réforme catholique et laïque. — 1. L'irréligion au
début du XVIIe siècle. — 2. Origines du jansénisme. Port-Royal. Les
persécutions. Grandeur morale de l'esprit janséniste. Les écoles de
Port-Royal. Les écrivains : Arnauld et Nicole. — 3. Pascal : sa vie,
son humeur. — 4. Les *Provinciales* : leur fortune, leur valeur. De
l'ironie et de la raison dans les questions de théologie. Art et style de
Pascal. — 5. Les *Pensées* Plan de l'*Apologie de la religion chrétienne*.
Application des méthodes scientifiques au problème théologique.
Absence de nouveauté et puissance d'originalité : le don de profondeur. L'étude de l'homme : intuitions et questions remarquables. Les
deux *infinis* : la limite de la science. Unité du développement intellectuel de Pascal. Le style des *Pensées* : abstraction et réalité, raisonnement et poésie. 446

LIVRE III

LES GRANDS ARTISTES CLASSIQUES

Chap. I. — **Les mondains : La Rochefoucauld, Retz Mme de
Sévigné**

Division du XVIIe siècle. — 1. La Rochefoucauld ; l homme. Le livre
des *Maximes* : sens et vérité. Valeur du genre. — 2. Les Mémoires : le
cardinal de Retz, l'homme et l'écrivain. — 3. Les lettres : Bussy,
Saint-Evremond ; Mme de Sévigné et Mme de Maintenon. — 4. Le
roman : Mme de la Fayette. — 5. Le monde de l'érudition : les bénédictins 473

Chap. II. — **Boileau Despréaux.**

1. La poésie de Boileau : impressions d'un bourgeois de Paris. Art
réaliste. Technique savante. — 2. La critique de Boileau. Les *Satires* :
leur portée et leur sens. Les victimes de Boileau. — 3. L'*Art poétique* :
défauts et lacunes. Valeur de la doctrine : définition du naturalisme
classique. Alliance du rationalisme et de l'art : l'imitation de l'antiquité
Importance du *métier*. Des ornements et du sublime 492

Chap. III. — **Molière**.

1. De Jodelle à Molière. La comédie précieuse de Corneille. Comédies espagnoles et italiennes : *le Menteur*. Premières esquisses de caractères. Fantaisie et bouffonnerie. Les farces. — 2. Molière : vie et caractère. — 3. Son œuvre : le style ; les plagiats. Objet de la comédie : le vrai plaisant et instructif. Les règles. La plaisanterie. L'intrigue. Les caractères : types du temps et types généraux. Puissance de l'observation et justesse de l'expression. — 4. La morale : complaisance pour la nature ; opposition au christianisme. *Nature et raison*. Caractère pratique et bourgeois de cette morale : le mariage et l'éducation des filles. Place de Molière dans notre littérature. — 5. Molière n'a pas fait école. Comédies bouffonnes. Comédies d'actualité ou de genre. La fantaisie de Regnard ; le réalisme de Dancourt et de Lesage.   508

Chap. IV. — **Racine**.

1. Thomas Corneille et Quinault. Le romanesque doucereux. L'opéra et le ballet de cour. — 2. Racine : sa vie et son humeur. — 3. Son œuvre dramatique : la tragédie passionnée. Vérité de la passion : lutte contre le faux idéalisme. Réalité intime du drame : simplicité de l'action et du style. Les femmes de Racine : variété des caractères Peinture de l'amour. — 4. La poésie de Racine : la *couleur* dans ses tragédies. *Mithridate, Phèdre, Athalie*. — 5. Faiblesse de la tragédie autour de Racine, décadence après lui.   534

Chap. V. — **La Fontaine et la poésie sous Louis XIV**.

1. La Fontaine, son caractère ; sources et formation de son génie poétique. — 2. Les *Fables* : ce qu'il a fait du genre : drame et lyrisme. — 3. La poésie dite *légère*. Chaulieu.   555

Chap. VI. — **Bossuet et Bourdaloue**.

Absence de l'éloquence politique ; médiocrité de l'éloquence judiciaire. — 1 L'éloquence de la chaire avant Bossuet. — 2. Bossuet : sa vie, son caractère, son style, sa langue. — 3. Sermons, panégyriques, oraisons funèbres. — 4. *Politique, Histoire universelle, Histoire des variations, Méditations et Élévations*. — 5. Bourdaloue. — 6. Fléchier, Massillon ; déclin de l'éloquence religieuse au XVIIIe siècle. — 7. Prédication protestante.   567

LIVRE IV

LA FIN DE L'AGE CLASSIQUE

Chap. I. — **Querelle des anciens et des modernes**.

Cause profonde du débat. — 1. Vue sommaire des faits. Perrault et ses *Parallèles*, Fontenelle et sa *Digression*. Boileau et ses *Réflexions sur Longin*. — 2. Sens et conséquence de cette querelle.   595

Chap. II. — **La Bruyère et Fénelon**

1. La Bruyère ; l'homme. — 2. Les *Caractères* : composition du livre. La peinture de l'homme et la peinture de la société. L'originalité de La Bruyère : réalisme pittoresque, expression artistique. Le « philosophe » : le chapitre de *Quelques usages*. — 3. Fénelon : il tient au XVIIe siècle par la foi et par l'admiration des anciens. Divers écrits. Les *Dialogues sur l'Éloquence* et la *Lettre à l'Académie* : la critique d'impressions. Le *Télémaque*. La correspondance. — 4. Esprit et humeur

B. Constant; Royer-Collard; Guizot; Thiers; Berryer; Lamartine. — 3. Orateurs universitaires : Guizot; Cousin; Jouffroy; Villemain; Quinet et Michelet. — 4. Orateurs religieux : Lacordaire. 907

Chap. II. — **Le mouvement romantique.**

1. Définition du romantisme : individualisme, lyrisme, sentiment et pittoresque; destruction du goût, des règles, des genres; refonte générale de la littérature et de la langue. — 2. Origines françaises et étrangères. Influences artistiques Circonstances favorables ou déterminantes. — 3. Premières manifestations poétiques : Lamartine, Vigny. Premiers théoriciens et champions : le Cénacle et la Muse Française. V. Hugo : *Préface* de *Cromwel.* 930

Chap. III. — **La poésie romantique.**

1. Réforme de la langue et du vers. La langue redevient matérielle, sensible, pittoresque. Réveil de la sonorité et du rythme. L'alexandrin romantique. — 2. Lamartine : sa jeunesse. Les *Méditations* : naturel, négligence, sentiment. L'abstraction sentimentale dans Lamartine. Philosophie : spiritualisme et symbolisme. *Jocelyn* : comment il peint la nature. — 3. Alfred de Vigny : un penseur. Pessimisme; solitude honneur et pitié, amour. La forme de Vigny. — 4. V. Hugo avant 1850. Caractères particuliers des recueils qu'il donne, des *Orientales* aux *Rayons et Ombres* (1829-1840). — 5. Alfred de Musset : romantique, puis indépendant. Son naturel : sensibilité et ironie. Les *Nuits* : l'élégie lyrique. — 6. Th. Gautier : un tempérament de peintre. *L'art pour l'art* — 7. Autres poètes romantiques : Gérard de Nerval. Marceline Desbordes-Valmore, Maurice de Guérin. — Béranger : le « poète national. » 912

Chap. IV. — **Le théâtre romantique.**

Premiers essais. — 1. La théorie du drame romantique : abolition des unités; mélange des genres. Histoire et symbole : disparition de la psychologie. Énorme et confuse capacité du drame. — 2. Les auteurs : Dumas; la couleur locale; l'action; le pathétique brutal et physique. V. Hugo : le type byronien du héros romantique; médiocrité psychologique et invraisemblance dramatique des drames de Hugo; l'érudition historique et les visions poétiques; le lyrisme du style; le comique. Alfred de Vigny; *Chatterton*, drame symbolique. Alfred de Musset; fantaisie lyrique ; idées générales et philosophie de son théâtre : le *moi* toujours présent, cause de vérité et de sincérité; sens du dialogue, de la psychologie et de la caricature. — 3. Les résultats du théâtre romantique : la tragédie est impossible. Delavigne et Ponsard. Racine restauré par Rachel; avortement du drame romantique. — 4. Comédie et vaudeville. Scribe : insignifiance et dextérité; médiocrité morale. La farce. 971

Chap. V. — **Le roman romantique.**

Le roman au début du XIXᵉ siècle · *Obermann, Adolphe.* — 1. Roman historique. V. Hugo, *Notre-Dame de Paris.* Les *Misérables.* — 2. Roman lyrique et sentimental : George Sand. Ses quatre manières : romans de passion; romans démocratiques; romans champêtres; romans *romanesques.* L'imagination de George Sand. Son idéalisme, ce qu'il y a de vérité et d'observation chez elle. Ses paysages. — 3. Passage du romantisme au réalisme : Balzac. Caractère de l'homme. Lacunes de l'œuvre : sa puissance. Peinture de caractères généraux dans les conditions bourgeoises ou populaires. Détermination individuelle des types : comment ils sont caractérisés par leurs actes, leur physique, leur milieu. Description des groupes sociaux. — 4. Roman psychologique : Sainte-Beuve. Stendhal : l'homme ; son idée de l'énergie, sa curiosité psychologique. — 5. La nouvelle artistique : Mérimée. Par où Mérimée diffère de Stendhal. Objectivité réelle de son œuvre, sobriété pathétique et psychologie condensée. — Un disciple du xviiie siècle ; Claude Tillier   990

CHAP. VI. — **L'histoire.**

Le romantisme suscite un grand mouvement d'études historiques. — 1. L'histoire philosophique. Guizot : il soumet son érudition à sa foi politique. Tocqueville : catholique et légitimiste, il étudie avec impartialité la démocratie et la Révolution — 2. Passage de l'histoire philosophique à l'expression de la vie : Thierry. Ses vues systématiques. Étude des documents ; récolte des petits faits, pittoresques et représentatifs. — 3. La résurrection intégrale du passé. Michelet. Son idée de l'histoire : le moyen âge retrouvé dans les archives. Michelet prophète de la démocratie, ennemi des rois et des prêtres : influence de ses passions sur son histoire. Œuvres descriptives et morales de Michelet   1013

LIVRE III

LE NATURALISME

(1850-1890)

CHAP. I. — **Publicistes et orateurs.**

Le mouvement des idées sous le Second Empire. — 1. Esprit scientifique. Progrès industriel. Luttes politiques. — 2. Publicistes et journalistes : Veuillot, Paradol, About. — 3. Orateurs politiques : Thiers, Jules Favre, Gambetta. Évolution de l'éloquence politique. — 4. Éloquence universitaire : Caro, Brunetière. La *conférence* : Sarcey.   1029

CHAP. II. — **La critique.**

Vinet, Schérer. — 1. Sainte-Beuve ; la critique biographique. L'*histoire naturelle des esprits*. Réalisme psychologique des *Lundis et de l'Histoire de Port-Royal*. — 2. Taine ; la psychologie scientifique. Influence de sa doctrine. Déterminisme littéraire : la race, le milieu, le moment. Principes de l'imitation artistique de la nature ; principes de la classification des œuvres. Caractères généraux de l'œuvre de Taine. — 3. Fromentin : la critique d'art fondée sur le métier ; définition, mais non détermination de l'individualité   1039

CHAP. III. — **La poésie : V. Hugo et le Parnasse.**

V. Hugo après 1850. — 1. V. Hugo et son œuvre. Caractère de l'homme. Sa sensibilité morale et physique ; son intelligence. Les idées de V. Hugo : il pense par images. L'imagination créatrice de mythes. Les épopées symboliques de la *Légende des siècles*. Composition, langue, rythmes. — 2. Fin du romantisme. Évolution du lyrisme vers l'expression impersonnelle. Bouilhet. Leconte de Lisle : archéologie, pessimisme, objectivité. Les Parnassiens. Sully Prudhomme : poésie scientifique ; généralisation de l'émotion personnelle par l'intelligence philosophique. Essais de poésie réaliste. — 3. Baudelaire. Caractère de l'homme. Idéalisme et sensualité : un « frisson nouveau ». Renouvellement des thèmes : une nouvelle conception de la poésie. Renouvellement de la technique.   1051

Chap. IV. — **La comédie.**

1. Vaudeville : Labiche. Opérette : Meilhac et Halévy. — 2. Comédie : Émile Augier. Portée morale de l'œuvre. Relief des caractères; vérité des peintures de mœurs. — 3. Dumas fils. Prédication morale : pièces à thèses; personnages symboliques. Fragments d'études réalistes . . . 1070

Chap. V. — **Le roman.**

1. Un dernier tenant du romantisme : Barbey d'Aurevilly. — 2. Gustave Flaubert : sa place entre le romantisme et le naturalisme. Objectivité, impersonnalité, impassibilité de l'œuvre. — 3. Le chef de l'école naturaliste : Émile Zola. Prétentions scientifiques, tempérament romantique. Puissance descriptive. — 4. Romanciers naturalistes. Edmond et Jules de Goncourt : naturalisme, nervosité, impressionnisme. Alphonse Daudet : sensibilité et sympathie dans l'effort pour atteindre l'expression objective. Le peintre des humbles. Vastes tableaux de mœurs. Guy de Maupassant : un vrai, complet, pur réaliste. — 5. Hors du naturalisme. Anatole France : le roman artiste et satirique. Paul Bourget : le roman psychologique et analytique. Pierre Loti : le roman subjectif, pittoresque et sentimental 1077

Chap. VI. — **Science, histoire, mémoires.**

1. Science et philosophie : Claude Bernard. Nos moralistes. — 2. Érudition et histoire : Fustel de Coulanges. — 3. Ernest Renan : morale idéaliste et science positive. L'esprit de l'homme et l'influence de l'œuvre. — 4. Mémoires, lettres, voyages : Mme de Rémusat, Marbot, Pasquier, Doudan, etc. 1097

LIVRE IV

L'ÉPOQUE SYMBOLISTE ET L'AVANT-GUERRE

(1890-1914)

Chap. I. — **État général du milieu littéraire et social.**

Les deux moments successifs; leurs différences. — La « faillite de la science » et la banqueroute du naturalisme. — Les influences étrangères. — Retour au mystère et au symbole. — L'échec du symbolisme; ses causes. — Les luttes politiques et sociales; leur action sur la littérature 1111

Chap. II. — **La poésie.**

Un parnassien attardé : de Heredia. — Les précurseurs du symbolisme : Verlaine, Rimbaud, Mallarmé. — Le décadentisme et J. Laforgue. — Le mouvement symboliste et sa signification. — La première génération symboliste : Moréas, H. de Régnier, Verhaeren, Samain. — La réaction naturiste : F. Jammes, Ch. Guérin, Anna de Noailles. — (La seconde génération symboliste : Claudel, Valéry.) — Un isolé : Ch. Péguy 1119

Chap. III. — **Le roman.**

Diversité et nouveaux caractères du roman : affaiblissement de l'élément purement romanesque. — Les derniers naturalistes : Jules Vallès, Jules Renard, Charles-Louis Philippe, Huysmans. — Les romanciers post-naturalistes. Visionnaires : les Rosny, Paul Adam. Psychologues :

Abel Hermant, René Boylésve, Édouard Estaunié. Artistes : les Tharaud. — Deux types nouveaux de roman : le roman social et le roman régionaliste. — Deux maîtres de la jeunesse : Maurice Barrès, Romain Rolland.   1148

Chap. IV. — **Le théâtre.**

Essai d'un théâtre naturaliste. Henri Becque. Antoine et le Théâtre-Libre. — Réaction contre le naturalisme au théâtre : le Théâtre d'Art. Lugné-Poe et l'Œuvre. — Théâtre idéaliste : de Curel; psychologique : Porto-Riche, Bataille, Bernstein; comique : Courteline; poétique : Rostand. — Le symbolisme au théâtre : Maeterlinck, Claudel   1167

Chap. V. — **La critique et l'essai.**

La critique dogmatique : Brunetière; explicative : Faguet; impressionniste : Lemaître. — Un technicien du théâtre : Sarcey. — Création de l'histoire littéraire : Lanson. — L'essai : un individualiste, Rémy de Gourmont; un doctrinaire, Charles Maurras; un visionnaire, Léon Bloy.   1186

Chap. VI. — **Philosophie, science, histoire, éloquence.**

La fin du scientisme : Émile Boutroux. — Critique de l'intelligence : Henri Bergson; une nouvelle méthode de connaissance : l'intuition. — Critique de la science : Henri Poincaré. — L'histoire scientifique : spécialisation érudite et synthèses collectives.   1204

SEPTIÈME PARTIE

L'ÉPOQUE CONTEMPORAINE

(1919-1950)

Chap. I. — **Vue générale sur l'entre-deux-guerres.**

Influence de la Grande Guerre sur les écrivains des différentes générations. — De 1919 à 1930, phase individualiste. Subjectivisme exaspéré : le mouvement Dada, point de départ du surréalisme. Les ambitions du surréalisme. — De 1930 à 1939, phase constructive. Troubles et menaces de guerre. Recherche d'un nouvel humanisme   1211

Chap. II. — **La poésie.**

Deux inspirations opposés : intellectualisme et surréalisme. — Valéry et l'intelligence. — Le surréalisme et l'intuition. Un précurseur du surréalisme : Apollinaire. Un théoricien : André Breton. Trois poètes surréalistes : Breton, Aragon, Éluard. Deux indépendants : Cocteau, Supervielle. L'apport du surréalisme   1215

Chap. III. — **Le roman.**

Transformations du roman. — Le roman psychologique : Proust, Gide, Mauriac, Green, de Lacretelle, Colette. — Les synthèses romanesques : Duhamel, Romains, Roger Martin du Gard. — Les aspects du monde : Maurois. — L'évasion par la fantaisie et le pittoresque : Giraudoux, Morand. — La recherche d'une éthique : Montherlant, Malraux, Saint-Exupéry, Bernanos, Giono. — Un précurseur de Giono : Ramuz. — La seconde guerre mondiale et la France. — Le roman philosophique : Sartre, Camus.   1221

Chap. IV. — **Le théâtre.**

Rejet des anciennes formules. — L'esprit nouveau : ironie, fantaisie, outrance. La nouvelle psychologie. — Théâtre intimiste : Vildrac, J.-J. Bernard. Théâtre de l'inconscient : Lenormand. — Renouvellement du décor et de la mise en scène. — Théâtre d'avant-garde : Cocteau, Giraudoux, Anouilh, Salacrou. — Recherche d'une tragédie nouvelle : Raynal, Montherlant, Mauriac, G. Marcel. — Théâtre d'idées : Gide, Sartre, Camus. — Théâtre comique : Bourdet, Savoir, Deval, Achard, Pagnol. 1271

Chap. V. — **La critique et l'essai.**

L'esprit critique, esprit du siècle. — La *N. R. F.* et Jacques Rivière. — L'amour des idées : Thibaudet, Valery Larbaud, Jaloux. — La recherche de la spiritualité : Suarès, Du Bos. — Les polémistes : Pierre Lasserre, Benda. — Un esprit libre : Alain. — Multiplicité des essais. — L'histoire littéraire et les tendances nouvelles 1292

Chap. VI. — **Science, philosophie, histoire, géographie.**

Rupture de la philosophie avec la science. Apparition d'une nouvelle physique et fin de l'explication mécaniste du monde. Planck et les *quanta*; Einstein et la relativité; l'atome, centre de forces électromagnétiques; la radioactivité; les rayons cosmiques; la mécanique ondulatoire. La récession des nébuleuses et la théorie de l'expansion de l'univers. Les sciences nouvelles : génétique et biochimie. Autonomie de la philosophie des sciences.
Les problèmes de philosophie générale. La valeur de la raison : Freud et la psychanalyse. Le problème de la destinée et ses diverses solutions : la religion, le matérialisme, l'existentialisme. Liens étroits entre les philosophies existentielles et la littérature.
La vogue de l'histoire et ses raisons. L'histoire scientifique. La philosophie de l'histoire. Biographies et mémoires. Développement des études géographiques 1312

Chap. VII. — **Conclusion.**

Confrontation de deux époques littéraires : 1914 et 1950. L'entre-deux-guerres : une génération triomphante, formée avant 1914; une génération angoissée, formée depuis. — Ébranlement produit par la seconde guerre mondiale : abaissement et dépréciation de toutes les valeurs, y compris la littérature et l'art. — Le règne actuel du freudisme. — Le problème de l'engagement, et de la valeur littéraire de l'œuvre *engagée*. — Immensité de la matière offerte à l'inspiration des écrivains. — La littérature resserrée par le cinéma et la radio dans son domaine propre : la poésie, l'essai, la peinture de l'homme intérieur . . 1327

Appendices. 1338

Tableaux chronologiques des principales œuvres de la littérature française. 1356

Index des noms des auteurs et des personnages principaux mentionnés dans ce volume 1407

Imprimé en France par
l'Imp. HÉRISSEY, Évreux
14-09-1371-41
Dépôt légal N⁰ 7106
2ᵉ trimestre 1968.